여러분의 하는
해커스공무원 특별 혜택

FREE 공무원 행정법 **특강**

해커스공무원(gosi.Hackers.com) 접속 후 로그인 ▶ 상단의 [무료강좌] 클릭 ▶ [교재 무료특강] 클릭 후 이용

해커스공무원 온라인 단과강의 **20% 할인쿠폰**

68F356E986498CF6

해커스공무원(gosi.Hackers.com) 접속 후 로그인 ▶ 상단의 [나의 강의실] 클릭 ▶
좌측의 [쿠폰등록] 클릭 ▶ 위 쿠폰번호 입력 후 이용

* 등록 후 7일간 사용 가능(ID당 1회에 한해 등록 가능)

해커스 회독증강 콘텐츠 **5만원 할인쿠폰**

8C8283E9C4B26AMY

해커스공무원(gosi.Hackers.com) 접속 후 로그인 ▶ 상단의 [나의 강의실] 클릭 ▶
좌측의 [쿠폰등록] 클릭 ▶ 위 쿠폰번호 입력 후 이용

* 등록 후 7일간 사용 가능(ID당 1회에 한해 등록 가능)
* 특별 할인상품 적용 불가
* 월간 학습지 회독증강 행정학/행정법총론 개별상품은 할인대상에서 제외

합격예측 **온라인 모의고사 응시권 + 해설강의 수강권**

79B4E4BF433EA4A3

해커스공무원(gosi.Hackers.com) 접속 후 로그인 ▶ 상단의 [나의 강의실] 클릭 ▶
좌측의 [쿠폰등록] 클릭 ▶ 위 쿠폰번호 입력 후 이용

* ID당 1회에 한해 등록 가능

쿠폰 이용 관련 문의 1588-4055

단기 합격을 위한 해커스공무원 커리큘럼

입문

탄탄한 기본기와 핵심 개념 완성!

누구나 이해하기 쉬운 개념 설명과 풍부한 예시로 부담없이 쌩기초 다지기

TIP 베이스가 있다면 **기본 단계**부터!

▼

기본+심화

필수 개념 학습으로 이론 완성!

반드시 알아야 할 기본 개념과 문제풀이 전략을 학습하고
심화 개념 학습으로 고득점을 위한 응용력 다지기

▼

기출+예상 문제풀이

문제풀이로 집중 학습하고 실력 업그레이드!

기출문제의 유형과 출제 의도를 이해하고 최신 출제 경향을 반영한
예상문제를 풀어보며 본인의 취약영역을 파악 및 보완하기

▼

동형문제풀이

동형모의고사로 실전력 강화!

실제 시험과 같은 형태의 실전모의고사를 풀어보며 실전감각 극대화

▼

최종 마무리

시험 직전 실전 시뮬레이션!

각 과목별 시험에 출제되는 내용들을 최종 점검하며 실전 완성

PASS

* 커리큘럼 및 세부 일정은 상이할 수 있으며,
자세한 사항은 해커스공무원 사이트에서 확인하세요.

**단계별 교재 확인 및
수강신청은 여기서!**

gosi.Hackers.com

해커스공무원

함수민
행정법총론

기본서 | 1권

해커스공무원

서문

합격은 시험 날에 결정되는 것이 아니라, 매일 매일이 결정한다.

행정법은 많은 양과 낯선 개념 때문에 비교적 어려운 과목으로 알려져 있습니다.

하지만 수험 목적으로의 행정법과 학문으로서의 행정법은 엄연히 다릅니다. 즉, 우리는 '시험 합격'을 위해 정확한 방향을 잡고 중요한 부분을 효율적으로 학습하는 것이 무엇보다 중요합니다.

이에 행정법을 처음 접하는 초심자뿐만 아니라, 행정법에 대한 이해가 선행되어 있는 수험생 모두가 올바른 방향으로 행정법을 학습할 수 있도록 '효율적으로 학습효과를 극대화하는 것'에 초점을 두고 교재를 집필하였습니다.

『해커스공무원 함수민 행정법총론 기본서』는 다음과 같은 특징이 있습니다.

01 본문에 수록된 '핵심정리', '관련판례', '참고', '함께 정리하기' 등 다양한 학습장치를 통해 행정법총론의 이론, 판례, 법조문을 다각도로 꼼꼼하게 학습할 수 있습니다.

02 본문과 관련판례 하단에 수록된 기출지문을 바탕으로 강약 조절을 통한 효율적인 학습이 가능합니다.

03 기본서 본문의 각 개념 옆에 수록된 '함께 정리하기'를 통해 핵심 내용을 정리하신다면, 1회독 효과를 가져오는 것은 물론이고 시험이 다가오는 시점에서는 짧은 시간에 충분한 회독 수를 확보하실 수 있습니다.

04 '관련판례'에 수록된 모든 판례에 제목을 붙여 완전히 이해한 판례들에 대해서는 제목만으로도 내용 정리를 할 수 있으며, 반복 학습에도 용이합니다. 또한 판례마다 중요도에 따라 기재한 ★ 표시를 통해 강약을 조절하여 판례를 학습할 수 있습니다.

05 교재의 마지막에 '판례색인'이 수록되어 있어 원하는 판례만을 빠르고 간단하게 찾아볼 수 있습니다.

그 밖에 자세한 책의 구성 및 특징은 '이 책의 활용법(p.8~9)'을 참고하시길 바랍니다.

행정법총론 학습은 어떻게 해야 할까요?

7·9급 행정 직렬을 비롯한 여러 직렬에서 행정법총론이 필수과목으로 지정되어 당락을 좌우하는 핵심과목으로 자리매김 되고 있는 만큼, 처음부터 제대로 확실하게 준비하여야 합니다.

이론은 지엽적인 학설이나 그 논거보다는 기본 개념이나 다수설의 입장이 주로 출제되므로, 이를 중점적으로 학습하여야 합니다.

판례의 경우, 최근 판례요지를 그대로 출제하기보다는 판례를 응용하여 만든 지문들이 늘어나고 있습니다. 따라서 판례의 결론만을 단순 암기하기보다는, 각 판례별로 주요 쟁점 및 그 이유와 근거까지 파악해 둘 필요가 있습니다.

법학의 해석은 조문에서 시작합니다. 모든 판례도 조문의 해석이라고 볼 수 있습니다. 따라서 해당 내용이 어떤 조문인지, 이와 관련된 판례는 무엇이며 기출문제는 어떻게 출제되는지 등을 유기적으로 연계하여 학습하는 것이 중요합니다.

더불어, 공무원 시험 전문 사이트 해커스공무원(gosi.Hackers.com)에서 교재 학습 중 궁금한 점을 나누고, 다양한 무료 학습 자료를 함께 이용하여 학습 효과를 극대화할 수 있습니다.

부디 『해커스공무원 함수민 행정법총론 기본서』와 함께 공무원 행정법총론 시험 고득점을 달성하고 합격을 향해 한 걸음 더 나아가시기를 바랍니다. 여러분의 빠른 합격과 건강을 기원합니다.

함수민

목차

목차

이 책의 활용법

만점이 보이는 이론 구성

1 이론 및 법조문 정리

공무원 행정법총론의 최신 출제 경향 및 개정 법령을 반영한 이론과 법조문을 수록하여, 7·9급 공무원/국회직/군무원/소방 시험까지 대비할 수 있습니다.

2 기출지문 OX

본문 바로 아래에 연관된 기출지문을 수록하고 틀린 내용은 첨삭으로 표시하여, 기출지문의 핵심을 효율적으로 학습하고 실전 감각까지 기를 수 있습니다.

3 핵심정리

학습한 내용의 핵심을 간략하게 정리하고, 서로 유사하거나 대비되는 개념들을 서로 비교하여 학습할 수 있습니다.

4 참고

본문과 연관된 배경지식이나 더 알아보면 좋을 개념 등을 풍부하게 수록하여 내용을 심도 있게 학습할 수 있습니다.

5 관련판례

본문의 내용을 이해하는 데에 필요한 관련판례를 최대한 원문 그대로 수록하여 판례 내용을 그대로 학습할 수 있습니다.

6 비교

함께 비교 학습하여야 하는 판례를 수록하여 서로 유사한 부분이나 차이점을 효율적으로 학습할 수 있습니다.

합격이 보이는 교재 활용

1. 함께 정리하기

함께 정리하기

이의신청
▷ 위법·부당한 행정작용으로 인해 권리가 침해된 자가 처분청에 대하여 시정을 구하는 절차

「행정기본법」의 규율대상인 이의신청
▷ 학문상 이의신청, 행정심판(준사법적 절차)이 아닌 행정불복

❗ **행정불복**
행정결정에 대한 불복으로서 불복심사 기관이 행정기관인 것을 말한다. 행정불복에는 이의신청과 행정심판이 있다.

실정법상 이의신청
▷ 이의신청 이외에 심사청구, 재결신청 등 여러 가지 용어로 표현됨

(1) 의의

① 이의신청이란 위법·부[당한 처분에] 대하여 그러한 행위[의] 표현되기도 한다.

② 학문상(판례상) 이의[신청은] 사적인 절차가 아닌 [행정] 규정을 두고 있지 않[으며] 서의 성격을 고려할 [때] 이의신청, 즉 행정심[판] 로 보는 것이 타당하[다]

③ 개별법령상(예 「국민[의] (예 상급기관)에 대한 [] 청에 불복하는 경우[에]

본문 내용을 간단하게 요약 정리한 "함께 정리하기"

1. 본문의 주요 핵심 내용을 키워드로 간단하게 요약 정리하여 수록하였습니다.

2. 핵심만을 빠르게 학습하여 플러스 1회독의 효과를 볼 수 있으며, 스스로 요약 노트를 정리하며 복습할 때에도 유용하게 활용할 수 있습니다.

2. 판례 제목 / 기출지문 OX

🔎 관련판례

법률상 이의신청을 제기해야 할 사람이 처분청에 표제를 '행정심판청구서'로 한 서류를 제출한 경우, 서류의 내용에 이의신청 요건에 맞는 불복취지와 사유가 충분히 기재되어 있다면 처분에 대한 이의신청으로 볼 수 있다. ★★

지방자치법 제140조 제3항에서 정한 이의신청은 행정청의 위법·부당한 처분에 대하여 행정기관이 심판하는 행정심판과는 구별되는 별개의 제도이나, 이의신청과 행정심판은 모두 본질에 있어 행정처분으로 인하여 권리나 이익을 침해당한 상대방의 권리구제에 목적이 있고, 행정소송에 앞서 먼저 행정기관의 판단을 받는 데에 목적을 둔 엄격한 형식을 요하지 않는 서면행위이므로, 이의신청을 제기해야 할 사람이 처분청에 표제를 '행정심판청구서'로 한 서류를 제출한 경우라 할지라도 서류의 내용에 이의신청 요건에 맞는 불복취지와 사유가 충분히 기재되어 있다면 표제에도 불구하고 이를 이의신청으로 볼 수 있다(대판 2012.3.29. 2011두26886).

20. 변호사 도로점용료 부과처분에 대한 '지방자치법」상의 이의신청과 행정심판은 구별되는 제도이므로 이의신청을 제기해야 할 사람이 처분청에 표제를 '행정심판청구서'로 한 서류를 제출한 경우라 할지라도 이를 처분에 대한 이의신청으로 볼 수 없다. (×) → 아니 / 있다

18. 경찰 3차 이의신청을 제기하여야 할 사람이 처분청에 표제를 '행정심판청구서'를 제출한 경우라 할지라도 서류의 내용에 이의신청 요건에 맞는 불복취지와 사유가 충분히 기재되어 있다면 표제에도 불구하고 이를 처분에 대한 이의신청으로 볼 수 있다. (○)

16. 국회직 8급 이의신청을 제기하여야 할 사람이 처분청에 표제를 '행정심판청구서'로 한 서류를 제출한 경우 그 서류의 실질이 이의신청임에도 이를 행정심판으로 다룬다. (×) → 이라면 이의신청

학습의 효율성을 높여주는 "판례 제목"과 "기출지문 OX"

1. 판례의 핵심내용을 정리하여 판례 제목으로 수록하고, 이와 연관된 기출지문을 OX 문제 형태로 풍부하게 수록하였습니다.

2. 판례 제목만으로도 핵심내용을 정리할 수 있고 이와 연관된 기출지문을 풀어보며 중요도를 선별할 수 있으므로 학습의 강약을 조절하며 효율적으로 학습할 수 있습니다.

3. 판례색인

주요 판례를 쉽게 찾을 수 있는 "판례색인"

1. 본 교재에 수록된 모든 판례를 판례색인으로 정리하여 수록하였습니다.

2. 학습 중 더 알아보고 싶은 판례가 있으면 판례색인에서 판례번호를 찾아 해당 판례가 수록된 페이지만을 빠르고 편리하게 파악할 수 있습니다.

제1편

행정법통론

함께 정리하기

제1절 행정법의 개념

1 '행정'에 관한 법

1. 행정의 개념

(1) 개설

① 행정법에 의해 규율되는 행정이라는 관념은 권력분립의 원칙과 법치주의를 전제로 하여 성립하였다. 권력분립에 따라 분류된 국가권력의 한 측면인 행정은 국가기관(또는 공공기관)에 의해 법을 집행하는 작용을 말한다.

② 행정의 개념은 ㉠ 조직적 의미, ㉡ 형식적 의미, ㉢ 실질적 의미로 구분된다.

㉠ **조직적 의미의 행정**: 국가행정조직 전체를 지칭한다.

㉡ **형식적 의미의 행정**: 여러 국가기관 중에서 행정기관(행정부에 속하는 기관)에 의하여 행하여지는 모든 활동을 말하며, 이에 따르면 행정기관에 의하여 행하여지는 국가작용이라면 그것이 성질상 입법(立法)작용인지 사법(司法)작용인지를 가릴 것 없이 모두 행정에 해당한다.

18. 서울시 9급 행정법의 대상이 되는 행정은 실질적 행정에 한한다. (×) → 실질적 행정을 포함한 형식적 의미의 행정이다

㉢ **실질적 의미의 행정**: 행정은 어떠한 성질을 가지는 국가작용인가를 기준으로 하여 입법 및 사법과 비교하여 정의를 내린 것이다. 행정을 제도적·형식적으로만 파악한다면, 입법이나 사법과 성질상의 차이를 규명할 수 없기 때문에 행정의 실질적 의미를 파악할 필요가 있다.

(2) 실질적 의미의 행정

행정을 실질적으로 파악하고자 하는 견해에는 소극설(공제설), 적극설, 기관양태설 등이 있다.

① **소극설(공제설)**: 입법과 사법을 제외한 나머지 국가작용이라고 소극적으로 정의하는 견해이다.

② **적극설**: 행정을 실질적 징표를 사용하여 적극적으로 정의하려고 하는 견해인데, 그 중에는 국가목적의 실현작용이라고 정의하는 목적설과 현실적인 결과의 실현관계에 중점을 두어 정의하는 결과실현설[양태설(다수설)] 등이 있다. 결과실현설(양태설)에 의하면 행정이란 "법 아래서 법의 규율을 받으면서 국가목적의 적극적 실현을 위해 행하여지는 전체로서 통일성을 가진 적극적·형성적 국가활동"이라고 정의할 수 있다. 그러나 행정의 양태가 매우 다양하기 때문에 적극설에 의한 행정의 정의로는 행정의 모든 것을 포함하지 못한다는 문제점이 있다.

'행정'이라는 개념
▷ 권력분립론과 함께 등장

조직적 의미의 행정
▷ 국가행정조직 전체

형식적 의미의 행정
▷ 행정기관에 의하여 행하여지는 일체의 작용

실질적 의미의 행정
▷ 국가작용의 성질상 차이를 기준으로 행정개념을 정의

소극설(공제설)
▷ 입법과 사법을 제외한 나머지 국가작용

적극설
▷ 법 아래서 법의 규율을 받으며 국가목적의 적극적 실현을 위해 행해지는 전체로서 통일성을 가진 적극적·형성적 국가활동

③ **기관양태설**: 작용을 담당하고 있는 기관의 조직형태를 기준으로 정의를 내리는 견해이다. 이 견해에 의하면 입법은 합의체에, 사법은 독립된 기관복합체에 의해 행하여지는 국가작용인 반면, 행정은 상명하복의 기관계층체에 의해 행하여지는 국가작용이다.

④ **개념징표설**: 오늘날 새로운 견해인 개념징표설은 행정의 정의를 내리기보다는 그 개념징표로서 다음과 같이 행정의 특질을 묘사하고 있다.

　㉠ 공익실현을 목적으로 한다(사익추구를 목적으로 하는 사적 활동과 구별).

　㉡ 적극적이고 형성적인 활동이다(소극적·수동적인 사법과 구별).

　㉢ 구체적인 효과를 가져온다(추상적인 입법과 구별).

　㉣ 상하의 계층체에 의해 통일성을 가지고 행하여진다(병렬적이고 독립적인 사법과 구별).

　㉤ 다양한 행위형식에 의해 행하여진다.

(3) 실질적 의미의 입법 및 사법과 행정의 구별

① 실질적 의미의 입법이란 국가작용의 기준을 법형식(법률, 명령, 규칙, 조례, 고시 등)을 갖추어 규정(법 제정·개정행위)하는 것이고, 실질적 의미의 사법이란 법 위반행위나 그 행위자에 대하여 심사하고 처벌(법 판단·선언행위)하는 것이다. 그 외의 국가작용이 실질적 의미의 행정(법집행행위)에 속한다.

② 사법부는 사회적 문제들에 대해 사후적인 요청이 있을 때만 재판을 통해 소극적·수동적으로 관여하고, 입법부는 법률을 제·개정함으로써 일반·추상적으로 관여하지만, 행정부는 공익적 관점에서 사전적·구체적으로 이에 적극적·능동적으로 관여한다는 점에 차이가 있다.

(4) 형식적 의미의 행정과 실질적 의미의 행정의 관계

권력분립이론을 엄격히 적용하면 행정부는 실질적 의미의 행정만을 담당하여야 하겠지만 현실에 있어서는 국정의 합리적 수행이라는 기술적 이유에서 행정부는 실질적 의미의 행정을 주로 담당하면서도 예외적으로 실질적 의미의 입법(예 행정입법, 법률안의 작성·제출)과 실질적 의미의 사법(예 행정심판의 재결, 경찰청장의 통고처분)도 담당한다. 따라서 실질적 의미의 행정과 형식적 의미의 행정은 그 내용에 있어서 대부분 일치하나 완전히 일치하는 것은 아니다.

15. 지방직 7급, 10. 경찰 1차 대통령령의 제정은 형식적 의미의 행정이고 실질적 의미의 입법이다. (○)

15. 지방직 7급, 10. 경찰 1차 행정심판의 재결은 형식적 의미의 행정이고 실질적 의미의 사법이다. (○)

10. 경찰 1차 지방공무원의 임명은 형식적 의미의 행정이고 실질적 의미의 행정이다. (○)

15. 지방직 7급 일반법관의 임명은 형식적 의미의 사법이고 실질적 의미의 행정이다. (○)

기관양태설
▷ 기관의 조직형태 기준
▷ 입법: 합의체
▷ 사법: 독립체
▷ 행정: 기관계층체

개념징표설
▷ 행정의 정의를 내리기보다는 개념징표로 행정의 특징을 묘사
▷ 공익실현
▷ 적극적·형성적
▷ 구체적인 효과
▷ 상하의 계층체(통일성)
▷ 다양한 행위형식

실질적 입법
▷ 국가 기준 규정(법 제·개정행위)

실질적 사법
▷ 법 위반 심사·처벌(법 판단·선언행위)

실질적 행정
▷ 그 외의 국가작용(법 집행행위)

실질적 의미의 행정과 형식적 의미의 행정
▷ 그 내용에 있어서 완전히 일치하는 것은 아님

참고	행정의 분류에 대한 구체적인 예		
구분	실질적 행정	실질적 입법	실질적 사법
형식적 행정	• 토지의 수용 • 예산의 편성·집행 • 취소·철회·공증 • 이발소영업허가 • 군 당국의 징발처분 • 무허가 건물에 대한 행정대집행 • 지방공무원의 임명 • 집회의 금지통고 • 각종 처분 • 양도소득세부과처분 • 조세체납처분	• 대통령령·부령과 같은 법규명령의 제정 • 조례의 제정 • 긴급명령의 제정	• 이의신청에 대한 재결 • 통고처분 • 행정심판
형식적 입법	국회사무총장의 직원 임명	• 국회의 법률 제정 • 국회규칙의 제정	국회의원의 징계의결
형식적 사법	• 일반법관의 임명 • 대법원장·법원행정처장의 직원 임명 • 등기사무	대법원의 규칙 제정	행정소송 (법원의 재판)

2. 행정의 분류

(1) 주체에 의한 분류

행정은 그 주체에 따라, ① 시원적 행정주체인 국가에게 권리·의무가 귀속되는 '국가행정', ② 지방자치단체의 주민이 자주적으로 지방의 행정을 행하는 것과 같이 구성원이 주체가 되는 '자치행정', ③ 국가나 지방자치단체가 자신의 사무를 다른 단체 또는 사인(私人)에게 위임하여 행하는 '위임행정'으로 분류된다.

18. 서울시 9급 국가행정과 자치행정은 행정주체를 기준으로 행정을 구분한 것이다. (○)

(2) 목적에 의한 분류

행정은 그 임무 또는 목적에 따라, ① 공공의 안녕과 질서를 유지하기 위한 '질서행정'(예 교통단속, 영업규제, 경찰행정 등), ② 사회공공의 복리증진을 위하여 적극적으로 사회구성원의 생활여건의 보장·향상을 추구하는 '급부행정'(예 생활무능력자에 대한 지원금 지급, 사회공공시설의 확보 등), ③ 국민의 경제·사회적, 지역적 생활을 일정한 방향으로 이끌며 촉진시키는 '유도행정'(예 국토의 균형발전, 문화국가, 중소기업육성 등의 목적을 달성하기 위한 수단으로서 세금감면, 보조금지급 등), ④ 조세, 부담금 등을 부과·징수하는 '공과행정'(예 수수료, 조세, 분담금 등), ⑤ 행정을 위하여 필요한 인적·물적 수단을 확보하며 관리하는 '조달행정'(예 사무용품 구입, 국유림 대부 등), ⑥ 일정한 목표를 달성하기 위해 행정수단을 종합하는 '계획행정'(예 개발제한구역지정 등)으로 분류된다.

국가행정
▷ 국가에게 권리·의무가 귀속되는 행정

자치행정
▷ 지자체의 주민이 구성원이 되어 행하는 행정

위임행정
▷ 국가나 지자체가 자신의 사무를 다른 단체 또는 사인에게 위임하여 행하는 행정

질서행정
▷ 공공의 안녕과 질서에 대한 위해방지를 목적으로 하는 행정

급부행정
▷ 사회구성원의 생활여건 보장·향상을 추구하는 행정

유도행정
▷ 국민의 행위를 이끌어 가기 위한 행정

공과행정
▷ 자금 조달하기 위하여 행하는 행정

조달행정
▷ 인적·물적 자원 충당하는 행정

계획행정
▷ 목표 달성을 위해 행정수단 종합하는 작용

(3) 법적 효과에 의한 분류

행정은 그 법적 효과에 따라, ① 도로교통의 제한, 영업금지, 공용수용, 세금의 부과 등과 같이 개인의 자유와 권리를 제한하거나 의무 또는 부담을 부과하는 '부담적 행정' 또는 '침익적 행정', ② 금전·물품·서비스 등의 제공, 허가·특허·인가 등과 같이 개인에게 금전이나 편익을 제공하거나 이미 과해진 의무 또는 부담을 해제하여 주는 '수익적 행정', ③ 침익적 성질과 수익적 성질을 모두 갖춘 '복효적 행정'으로 분류된다.

06. 국가직 9급 '수익적 행정 – 침익적 행정 – 복효적 행정'은 같은 분류기준에 의한 행정의 종류이다. (○)

> **참고 복효적 행정(이중효과적 행정)**
> 복효적 행정은 다시 혼합적 행정과 제3자효적 행정으로 나눌 수 있다. 일정한 행정행위가 동일인에게 침익적 효과와 수익적 효과를 모두 가져오는 경우를 혼합적 행정이라 하고, 상대방에게는 수익적 효과를, 제3자에게는 침익적 효과를 가져오는 경우를 제3자효적 행정이라고 한다.

(4) 수단에 의한 분류

행정은 수단의 강제성 여부에 따라, ① 행정주체가 개인에게 일방적으로 명령·강제하거나 개인의 법적 지위를 일방적으로 형성·변경·소멸시키는 '권력적 행정'과 ② 강제성을 가지지 않는 '비권력적 행정'으로 분류된다.

(5) 법적 기속에 의한 분류

행정은 그에 대한 법적 기속에 따라, ① 일정한 요건이 충족되는 경우에는 반드시 일정한 행정활동을 하여야 하는 '기속적 행정', ② 법률로부터 어떤 행정활동을 할 수도 안할 수도 있는 자유(결정재량) 또는 여러 종류의 활동 중 어느 하나를 선택할 수 있는 자유(선택재량)를 부여받은 '재량적 행정'으로 분류된다.

(6) 법적 형식에 의한 분류

실무상 적용되는 법규나 법원칙 및 쟁송수단을 찾을 때 중요한 의미가 있는 분류는 법적 형식을 기준으로 하는 것이다. 이 기준에 따라, 행정은 ① 공법의 규율을 받아 공법의 형식에 따라 이루어지는 '공법(公法)행정'과 ② 사법의 규율을 받아 사법의 형식에 따라 이루어지는 '사법(私法)행정'으로 분류된다. 이는 공·사법 구별논의와 밀접하게 관련되므로 뒤에서 후술한다.

18. 서울시 9급 행정은 그 법 형식을 기준으로 하여 공법형식의 행정과 사법형식의 행정으로 구분할 수 있다. (○)

> **참고 공법행정과 사법행정**
> **1. 공법행정**
> 공법행정은 다시 행정주체가 공권력을 가지고 개인에 대하여 일방적으로 명령·강제하거나, 개인의 법적 지위를 일방적으로 형성·변경·소멸시키는 권력행정(고권적 행정)과 권력성(강제성)을 띠지 않는 비권력적 행정(관리행정)으로 나누어 볼 수 있다.
> **2. 사법행정**
> 사법행정은 다시 좁은 의미의 국고행정과 행정사법으로 나뉜다. 국고행정이란 국가가 사법상 재산권의 주체로서 활동하는 작용으로서 경제적 수익을 목적으로 하는 행정을 뜻한다. 행정사법은 공행정 목적을 직접 달성하기 위한 활동이지만, 공법적 형식이 아닌 사법적 형식을 취하는 것을 말한다.

함께 정리하기

침해행정
▷ 자유와 재산을 제한하거나 새로운 의무나 부담을 부과하는 행정

수익행정
▷ 권리·이익부여, 의무·부담 해제해 주는 행정

복효적 행정
▷ 침해적 성질과 수익적 성질을 모두 갖춘 행정

권력적 행정
▷ 행정주체가 개인에게 일방적으로 명령·강제하거나 그 법적 지위를 형성·변경·소멸시키는 행정

비권력적 행정
▷ 강제성을 가지지 않는 행정

기속행정
▷ 행정주체가 기계적으로 법규를 집행하는 행정

재량행정
▷ 행정주체의 선택·판단이 필요한 행정

공법행정
▷ 공법규율·공법형식에 따라 이루어지는 행정

사법행정
▷ 사법규율·사법형식에 따라 이루어지는 행정

3. 통치행위

(1) 통치행위의 의의

① 통치행위란 입법·사법·행정 어느 것에도 해당되지 않는 제4의 국가작용으로서 고도의 정치성을 갖기 때문에 사법심사의 대상에서 제외되는 행위를 말한다.❶

② 통치행위는 정치적 성격이 강하여 법에 의해 규율되거나 사법심사의 대상이 되는 것이 적당하지 않은 행위이므로 행정법의 규율대상이 되는 엄밀한 의미의 행정은 아니다.

13. 경찰 2차 통치행위는 국가행위 중에서 고도의 정치성을 갖기 때문에 사법심사가 제한되는 행위이다. (○)

(2) 통치행위 인정여부에 관한 학설

① **문제점**: 제2차 세계대전 이전의 대부분의 국가는 열기주의(列記主義)❷를 채택하여 통치행위를 행정소송의 대상에서 제외하였으므로 통치행위의 인정여부에 대한 논의의 실익이 없었지만, 지금은 우리나라를 포함한 대다수의 국가가 행정소송의 대상에 대하여 개괄주의(槪括主義)❸를 채택하고 있으므로 통치행위를 사법적 통제의 대상에 포함시킬 것인지에 대하여 견해가 대립한다.

13. 서울시 7급 통치행위는 고도의 정치적 결단에 의한 국가의 행위로 사법심사의 대상으로 할 수 있는가에 대하여 논란이 있다. (○)

② **학설**

통치행위 긍정설	사법자제설	통치행위 역시 다른 국가작용처럼 사법심사 대상이 될 수 있음을 전제하면서도 통치행위의 특성상 사법의 정치화를 방지하기 위하여 사법부가 스스로 판단을 자제하는 것이 바람직하다는 입장이다.
	재량행위설	통치행위를 최고국가기관의 자유재량행위로 보면서 사법심사가 허용되지 않는다는 견해이다.
	내재적 한계설 (권력분립설)	권력분립원칙상 아무런 정치적인 책임을 지지 않는 사법부가 다른 국가기관에 대한 결정을, 그것도 고도의 정치적 결정을 판단할 수 없다고 보는 견해이다.
통치행위 부정설		실질적 법치주의가 확립되고 국민의 재판청구권이 보장되고 있으며 행정소송에 있어서 개괄주의가 채택된 현대국가에서 사법심사에서 제외되는 영역을 인정할 수 없다는 견해이다.

13. 서울시 7급 통치행위에 관한 사법자제설은 사법심사가 가능함에도 사법의 정치화를 방지하기 위하여 법원 스스로 자제한다는 견해이다. (○)

05. 국가직 9급 행정소송 대상에 관한 개괄주의는 통치행위 긍정설의 근거가 된다. (×) → 부정설

---

❶
통치행위의 개념은 프랑스의 행정재판소(Conseil d'Etat)가 고도의 정치적 행위에 해당한다는 이유로 행정부 수반의 행위에 대한 심사를 자제한 것에서 유래한다.

통치행위
▷ 고도의 정치적 행위로서 법원의 사법심사 대상에서 제외(대상적격×, 처분성× → 각하)
▷ 삼권분립의 체계상 어느 영역에도 속하지 않은 제4의 영역(오토마이어)
▷ 프랑스 최고 행정재판소인 꽁세유데따(Conseil d'Etat)의 판례를 통해 성립·발전

❷ 열기주의
① 소송의 대상을 법률이 명문으로 열거○
② 통치행위에 해당하면 미리 제외
③ 논의의 실익×

❸ 개괄주의
① 소송의 대상을 법률이 명문으로 열거×
② 국민의 권익에 직접적인 영향을 미치는 처분이면 모두 소의 대상○
③ 논의의 실익○

통치행위 논의의 전제
▷ 개괄주의

사법자제설
▷ 통치행위 사법심사 가능하나 통치행위 특성상 사법의 정치화 방지를 위해 '스스로 자제'

재량행위설
▷ 자유재량행위이므로 사법심사불가

내재적한계설
▷ 권력분립원칙상 정치적 결정에 대해서는 사법심사 불가

통치행위 부정설
▷ 개괄주의와 법치주의하에서 통치행위 인정 불가

(3) 우리나라에 있어서 통치행위의 헌법적 근거와 판례

① **통치행위의 헌법적 근거:** 헌법은 통치행위에 대해 명시적으로 규정하고 있지 않다. 다만, 헌법 제64조 제4항은 "국회의원의 자격심사·징계·제명처분에 대해서는 법원에 제소할 수 없다."라고 규정하고 있는데, 이는 통치행위에 속하기에 사법심사 대상에서 제외시킨 것이라고 보는 것이 일반적이다. 이에 반하여, 지방자치법상 지방의회의 의원징계 의결은 통치행위에 속하지 않기에 행정소송으로 다툴 수 있다.❶

② **대법원 판례:** 대법원은 사법자제설이나 내재적 한계설(권력분립설)에 입각하여 통치행위이론 긍정설에 있다.❷

　　㉠ 비상계엄선포행위❸

⚖ 관련판례

비상계엄의 선포나 확대 행위는 통치행위에 해당하나, 비상계엄의 선포나 확대가 국헌문란의 목적을 위해 행하여진 경우에는 사법심사의 대상이 된다. ★★★

대통령의 비상계엄의 선포나 확대 행위는 고도의 정치적·군사적 성격을 지니고 있는 행위라 할 것이므로, 그 계엄선포의 요건 구비 여부나 선포의 당·부당을 판단할 권한이 사법부에는 없다고 할 것이나, 이 사건과 같이 비상계엄의 선포나 확대가 국헌문란의 목적을 달성하기 위하여 행하여진 경우에는 법원은 그 자체가 범죄행위에 해당하는지의 여부에 관하여 심사할 수 있다(대판 1997.4.17. 96도3376 전합).

19. 행정사 대통령의 비상계엄선포는 통치행위에 해당하지 않는다. (×) → 해당한다

11. 국회직 9급 대법원은 계엄선포의 요건 구비 여부나 선포의 당·부당에 대한 판단을 통치행위로 보고 있다. (○)

15. 국가직 9급, 18. 경찰 3차, 14. 경찰 2차 대통령의 비상계엄의 선포나 확대행위가 국헌문란의 목적을 달성하기 위하여 행하여진 경우에는 법원은 그 자체가 범죄행위에 해당하는지의 여부에 관하여 심사할 수 있다. (○)

　　㉡ 남북정상회담의 개최

⚖ 관련판례

남북정상회담의 개최는 사법심사의 대상에 속하지 않으나, 남북정상회담의 개최과정에서 북한 측에 사업권의 대가 명목으로 송금한 행위 자체는 사법심사의 대상이 된다. ★★★

남북정상회담의 개최는 고도의 정치적 성격을 지니고 있는 행위라 할 것이므로 특별한 사정이 없는 한 그 당부를 심판하는 것은 사법권의 내재적·본질적 한계를 넘어서는 것이 되어 적절하지 못하지만, 남북정상회담의 개최과정에서 재정경제부장관에게 신고하지 아니하거나 통일부장관의 협력사업 승인을 얻지 아니한 채 북한측에 사업권의 대가 명목으로 송금한 행위 자체는 헌법상 법치국가의 원리와 법 앞에 평등원칙 등에 비추어 볼 때 사법심사의 대상이 된다(대판 2004.3.26. 2003도7878).

19. 군무원 9급, 16. 교행, 19. 행정사 남북정상회담의 개최는 고도의 정치적 성격을 지니고 있는 행위라 할 것이므로 특별한 사정이 없는 한 그 당부를 심판하는 것은 사법권의 내재적·본질적 한계를 넘어서는 것이 되어 적절하지 못하다. (○)

22. 군무원 7급·9급, 20. 경찰 2차, 18. 경찰 3차, 17. 경찰 2차, 17. 지방직 9급 등 남북정상회담의 개최과정에서 재정경제부장관에게 신고하지 아니하거나 통일부장관의 협력사업 승인을 얻지 아니한 채 북한 측에 사업권의 대가 명목으로 송금한 행위는 사법심사의 대상이 되지 아니한다. (×) → 이 된다

 함께 정리하기

통치행위
▷ 헌법상 명시적인 규정×

국회의원 자격심사·징계·제명처분
▷ 사법심사×

❶
지방의회의 의원징계 의결은 그로 인해 의원의 권리에 직접 법률효과를 미치는 행정처분의 일종으로서 행정소송의 대상이다(대판 1993.11.26. 93누7341).

대법원
▷ 사법자제설 또는 내재적 한계설을 근거로 통치행위에 대한 사법심사 배제 긍정

❷
고도의 정치성을 띤 국가행위에 대하여는 이른바 통치행위라 하여 법원 스스로 사법심사권의 행사를 억제하여 그 심사 대상에서 제외하는 영역이 있다(대판 2004.3.26. 2003도7878).

계엄의 요건 구비, 당·부당
▷ 사법심사 대상×

계엄의 범죄행위 해당 여부
▷ 사법심사 대상○

❸ **헌법 제77조**
① 대통령은 전시·사변 또는 이에 준하는 국가비상사태에 있어서 병력으로써 군사상의 필요에 응하거나 공공의 안녕질서를 유지할 필요가 있을 때에는 법률이 정하는 바에 의하여 계엄을 선포할 수 있다.

남북정상회담 개최
▷ 사법심사 대상×

개최 과정에서 대북송금행위
▷ 사법심사 대상○

대통령의 서훈취소
▷ 통치행위 ✕

서훈수여
▷ 통치행위 ○

ⓒ 독립유공자 서훈취소

관련판례

서훈취소는 서훈수여의 경우와는 달리 사법심사의 대상이 된다. ★★

서훈취소는 서훈수여의 경우와는 달리 이미 발생된 서훈대상자 등의 권리 등에 영향을 미치는 행위로서 관련 당사자에게 미치는 불이익의 내용과 정도 등을 고려하면 사법심사의 필요성이 크다. 따라서 기본권의 보장 및 법치주의의 이념에 비추어 보면, 비록 서훈취소가 대통령이 국가 원수로서 행하는 행위라고 하더라도 법원이 사법심사를 자제하여야 할 고도의 정치성을 띤 행위라고 볼 수는 없다(대판 2015.4.23. 2012두26920).

23. 국가직 9급, 20. 경찰 2차, 19. 군무원 9급, 19. 행정사, 16. 교행 등 서훈취소는 대통령이 국가원수로서 행하는 행위이지만 통치행위는 아니다. (○)

22. 군무원 9급, 20. 소방간부 비록 서훈취소가 대통령이 국가원수로서 행하는 행위라고 하더라도 법원이 사법심사를 자제하여야 할 고도의 정치성을 띤 행위라고 볼 수는 없다. (○)

ⓔ 대통령의 긴급조치

위헌인 긴급조치 제1호
▷ 사법심사 대상 ○

관련판례

긴급조치 제1호는 통치행위에 해당하지만, 긴급조치 제1호가 헌법과 법률에 위배하여 국민의 기본권을 침해하는 경우에는 사법심사의 대상이 된다. ★

법치주의의 원칙상 통치행위라 하더라도 헌법과 법률에 근거하여야 하고 그에 위배되어서는 아니된다. 더욱이 유신헌법 제53조에 근거한 긴급조치 제1호는 국민의 기본권에 대한 제한과 관련된 조치로서 형벌법규와 국가형벌권의 행사에 관한 규정을 포함하고 있다. 그러므로 기본권 보장의 최후 보루인 법원으로서는 마땅히 긴급조치 제1호에 규정된 형벌법규에 대하여 사법심사권을 행사함으로써, 대통령의 긴급조치권 행사로 인하여 국민의 기본권이 침해되고 나아가 우리나라 헌법의 근본이념인 자유민주적 기본질서가 부정되는 사태가 발생하지 않도록 그 책무를 다하여야 할 것이다(대판 2010.12.16. 2010도5986 전합).

17. 지방직 9급 기본권 보장의 최후 보루인 법원으로서는 사법심사권을 행사함으로써, 대통령의 긴급조치권 행사로 인하여 우리나라 헌법의 근본이념인 자유민주적 기본질서가 부정되는 사태가 발생하지 않도록 그 책무를 다하여야 한다. (○)

참고 대통령의 긴급조치에 관한 유신헌법의 내용

유신헌법 제53조 ① 대통령은 천재·지변 또는 중대한 재정·경제상의 위기에 처하거나, 국가의 안전보장 또는 공공의 안녕질서가 중대한 위협을 받거나 받을 우려가 있어, 신속한 조치를 할 필요가 있다고 판단할 때에는 내정·외교·국방·경제·재정·사법 등 국정전반에 걸쳐 필요한 긴급조치를 할 수 있다.

긴급조치 1호: ① 대한민국 헌법을 부정, 반대, 왜곡 또는 비방하는 일체의 행위를 금한다.

② 대한민국 헌법의 개정 또는 폐지를 주장, 발의, 청원하는 일체의 행위를 금한다.

③ 유언비어를 날조, 유포하는 일체의 행위를 금한다.

④ 전 1, 2, 3호에서 금한 행위를 권유, 선동, 선전하거나 방송, 보도, 출판, 기타 방법으로 이를 타인에게 알리는 일체의 언동을 금한다.

⑤ 이 조치에 위반한 자와 이 조치를 비방한 자는 법관의 영장 없이 체포, 구속, 압수, 수색하며 15년 이하의 징역에 처한다. 이 경우에는 15년 이하의 자격정지를 병과할 수 있다. (이하 생략)

③ **헌법재판소 결정례:** 헌법재판소는 국군의 이라크파병 결정에 대한 위헌확인 사건에서 사법자제설을 근거로 통치행위 관념을 인정하면서도, 대통령의 긴급재정경제명령 사건에서 통치행위라도 국민의 기본권침해와 직접 관련되는 경우에는 사법심사의 대상이 된다는 입장을 취하고 있다.

ⓐ 대통령의 긴급재정 · 경제명령❶

관련판례

> **대통령의 긴급재정 · 경제명령은 통치행위에 속하나, 그것이 국민의 기본권 침해와 관련되는 경우에는 당연히 헌법재판소의 심판대상이 된다. ★★★**
>
> 대통령의 긴급재정 · 경제명령은 국가긴급권의 일종으로서 고도의 정치적 결단에 의하여 발동되는 행위이고 그 결단을 존중해야 할 필요성이 있는 행위라는 의미에서 이른바 통치행위에 속한다고 할 수 있으나, 통치행위를 포함하여 모든 국가작용은 국민의 기본권적 가치를 실현하기 위한 수단이라는 한계를 반드시 지켜야 하는 것이고, 헌법재판소는 헌법의 수호와 국민의 기본권 보장을 사명으로 하는 국가기관이므로 비록 고도의 정치적 결단에 의하여 행해지는 국가작용이라고 할지라도 그것이 국민의 기본권 침해와 직접 관련되는 경우에는 당연히 헌법재판소의 심판대상이 된다(헌재 1996.2.29. 93헌마186).
>
> 22. 군무원 7급, 20. 경찰 2차, 19. 군무원 9급, 17. 서울시 7급, 15. 국가직 9급 등 대통령의 긴급재정경제명령은 국가긴급권의 일종으로서 고도의 정치적 결단에 의하여 발동되는 행위이고 그 결단을 존중하여야 할 필요성이 있는 행위라는 의미에서 이른바 통치행위에 속한다고 할 수 있으나, 그것이 국민의 기본권 침해와 직접 관련되는 경우에는 당연히 헌법재판소의 심판대상이 된다. (○)

ⓑ 외국에의 국군파견결정

관련판례

> **이라크 자이툰부대(일반사병) 파견결정은 고도의 정치적 결단을 요하는 문제로서 사법심사는 자제되어야 한다. ★★★**
>
> 외국에의 국군의 파견결정은 성격상 국방과 외교에 관련된 고도의 정치적 결단이 요구되는 사안이다. 따라서 현행 헌법이 채택하고 있는 대의민주제 통치구조 하에서 대의기관인 대통령과 국회의 그와 같은 고도의 정치적 결단은 가급적 존중되어야 하고 헌법재판소가 사법적 기준만으로 이를 심판하는 것은 자제되어야 한다(헌재 2004.4.29. 2003헌마814).
>
> 22. 군무원 7급 국군을 외국에 파견하는 결정은 통치행위로서 고도의 정치적 결단이 요구되는 사안에 대한 대통령과 국회의 판단은 존중되어야 하고 헌법재판소가 사법적 기준만으로 이를 심판하는 것은 자제되어야 한다. (○)
>
> 22. 군무원 9급 외국에의 국군의 파견결정과 같이 성격상 외교 및 국방에 관련된 고도의 정치적 결단이 요구되는 사안에 대한 국민의 대의기관의 결정이 사법심사의 대상이 되지 아니한다. (○)
>
> 20. 경찰 2차, 20. 소방간부, 19. 행정사, 18. 소방직, 17. 지방직 9급 등 일반사병 이라크파병에 대한 헌법소원사건에서 외국에의 국군의 파견결정은 파견군인의 생명과 신체의 안전뿐만 아니라 국제사회에서의 우리나라의 지위와 역할, 동맹국과의 관계, 국가안보문제 등 궁극적으로 국민 내지 국익에 영향을 미치는 복잡하고도 중요한 문제로서 통치행위로 보고 있다. (○)

> **비교** **한미연합 군사훈련의 일종인 2007년 전시증원연습을 하기로 한 대통령의 결정은 통치행위가 아니다. ★**
>
> 한미연합 군사훈련은 1978. 한미연합사령부의 창설 및 1979.2.15. 한미연합연습 양해각서의 체결 이후 연례적으로 실시되어 왔고, 특히 이 사건 연습은 대표적인 한미연합 군사훈련으로서, 피청구인이 2007.3.경에 한 이 사건 연습결정이 새삼 국방에 관련되는 고도의 정치적 결단에 해당하여 사법심사를 자제하여야 하는 통치행위에 해당된다고 보기 어렵다(헌재 2009.5.28. 2007헌마369).

함께 정리하기

헌법재판소
▷ 통치행위 개념 긍정
▷ but 국민의 기본권 침해와 직접 관련되는 경우: 사법심사 대상○

대통령의 긴급재정 · 경제명령
▷ 통치행위○
▷ but 기본권침해와 직접 관련된 경우: 사법심사 대상○

❶ 헌법 제76조
① 대통령은 내우 · 외환 · 천재 · 지변 또는 중대한 재정 · 경제상의 위기에 있어서 국가의 안전보장 또는 공공의 안녕질서를 유지하기 위하여 긴급한 조치가 필요하고 국회의 집회를 기다릴 여유가 없을 때에 한하여 최소한으로 필요한 재정 · 경제상의 처분을 하거나 이에 관하여 법률의 효력을 가지는 명령을 발할 수 있다.
② 대통령은 국가의 안위에 관계되는 중대한 교전상태에 있어서 국가를 보위하기 위하여 긴급한 조치가 필요하고 국회의 집회가 불가능한 때에 한하여 법률의 효력을 가지는 명령을 발할 수 있다.

외국에의 국군의 파견 결정
▷ 통치행위○, 사법심사 대상×

한미연합 군사훈련
▷ 통치행위×

20. 소방간부, 11. 경찰 1차 대통령이 한미연합 군사훈련의 일종인 2007년 전시증원연습을 하기로 한 결정은 국방에 관련되는 고도의 정치적 결단에 해당하여 사법심사를 자제하여야 하는 통치행위에 해당한다. (×) → 해당하지 않는다

ⓒ 대통령의 국민투표부의 여부에 관한 의사결정❶

관련판례

신행정수도건설이나 수도이전의 문제를 국민투표에 붙일지 여부에 관한 대통령의 의사결정은 통치행위이므로 사법심사를 자제함이 바람직하나, 그것이 국민의 기본권침해와 직접 관련되는 경우에는 헌법재판소의 심판대상이 될 수 있다. ★★★

[1] 신행정수도건설이나 수도이전의 문제가 정치적 성격을 가지고 있는 것은 인정할 수 있지만, 그 자체로 고도의 정치적 결단을 요하여 사법심사의 대상으로 하기에는 부적절한 문제라고 까지는 할 수 없다. 더구나 이 사건 심판의 대상은 이 사건 법률의 위헌여부이고 대통령의 행위의 위헌여부가 아닌바, 법률의 위헌여부가 헌법재판의 대상으로 된 경우 당해 법률이 정치적인 문제를 포함한다는 이유만으로 사법심사의 대상에서 제외된다고 할 수는 없다.

[2] 신행정수도건설이나 수도이전의 문제를 국민투표에 붙일지 여부에 관한 대통령의 의사결정이 사법심사의 대상이 될 경우 위 의사결정은 고도의 정치적 결단을 요하는 문제여서 사법심사를 자제함이 바람직하다고는 할 수 있고, 이에 따라 그 의사결정에 관련된 흠을 들어 위헌성이 주장되는 법률에 대한 사법심사 또한 자제함이 바람직하다고는 할 수 있다. 그러나 대통령의 위 의사결정이 국민의 기본권침해와 직접 관련되는 경우에는 헌법재판소의 심판대상이 될 수 있고, 이에 따라 위 의사결정과 관련된 법률도 헌법재판소의 심판대상이 될 수 있다(헌재 2004.10.21. 2004헌마554·556).

16. 경찰 2차 신행정수도건설이나 수도이전의 문제를 국민투표에 붙일지 여부에 관한 대통령의 의사결정이 사법심사의 대상이 될 경우 위 의사결정은 고도의 정치적 결단을 요하는 문제여서 사법심사를 자제함이 바람직하다고 할 수 있다. (○)

16. 경찰 2차 대통령의 의사결정이 국민의 기본권침해와 직접 관련되는 경우에는 헌법재판소의 심판대상이 될 수 있고, 이에 따라 위 의사결정과 관련된 법률도 헌법재판소의 심판대상이 될 수 있다. (○)

17. 지방직 9급, 17. 경찰 2차, 11. 경찰 1차 신행정수도건설이나 수도이전문제는 그 자체로 고도의 정치적 결단을 요하므로 사법심사의 대상에서 제외되고, 그것이 국민의 기본권 침해와 관련되는 경우에도 헌법재판소의 심판대상이 될 수 없다. (×) → 요한다고 볼 수 없으므로 / 에는 / 있다

ⓔ 사면

관련판례

사면은 국가원수의 고유한 권한행사로서 통치행위이다. ★★

사면은 형의 선고의 효력 또는 공소권을 상실시키거나, 형의 집행을 면제시키는 국가원수의 고유한 권한을 의미하며, 사법부의 판단을 변경하는 제도로서 권력분립의 원리에 대한 예외가 된다(헌재 2000.6.1. 97헌바74).

22. 군무원 7급, 18. 경찰 3차, 14. 경찰 2차, 11. 국회직 9급 대통령의 사면권 행사는 형의 선고의 효력 또는 공소권을 상실시키거나 형의 집행을 면제시키는 국가원수의 고유한 권한을 의미하며, 사법부의 판단을 변경하는 제도로서 권력분립의 원리에 대한 예외이다. (○)

22. 군무원 9급 선고된 형의 전부를 사면할 것인지 또는 일부만을 사면할 것인지를 결정하는 것은 사면권자의 전권사항에 속하는 것이고, 징역형의 집행유예에 대한 사면이 병과된 벌금형에도 미치는 것으로 볼 것인지 여부는 사면의 내용에 대한 해석문제에 불과하다. (○)

19. 행정사, 16. 교행 대통령의 특별사면은 통치행위에 해당한다. (○)

❶ 헌법 제72조

대통령은 필요하다고 인정할 때에는 외교·국방·통일 기타 국가안위에 관한 중요정책을 국민투표에 붙일 수 있다.

국민투표실시 여부에 관한 대통령의 의사결정
▷ 통치행위○
▷ but 국민의 기본권침해와 직접 관련된 경우: 사법심사 대상○

사면권 행사
▷ 통치행위○ (권력분립원칙의 예외)

(4) 통치행위의 주체와 판단의 주체

① 통치행위는 주로 정부(대통령)에 의해 이루어지나, 국회의원의 자격심사·징계·제명 등에 있어서는 국회도 통치행위의 주체가 될 수 있다.

> 18. 소방직 통치행위는 정부에 의해 이루어지는 것이 일반적이며, 국회에 의해 이루어질 수도 있다. (○)

② 법원은 통치행위의 주체가 아니라 판단의 주체이므로 성질상 통치행위를 할 수 없다.

> 13. 서울시 7급 통치행위의 주체는 통상 정부가 거론되나 국회와 사법부에 의한 통치행위를 인정하는 것이 일반적이다. (×) → × (∵ 사법부는 통치행위를 할 수 없다)

③ 통치행위 여부의 판단은 오로지 사법부만에 의해 이루어져야 한다.

🔨 관련판례

통치행위 여부의 판단은 오로지 사법부만에 의해 이루어져야 한다. ★★

고도의 정치성을 띤 국가행위에 대하여는 이른바 통치행위라 하여 법원 스스로 사법심사권의 행사를 억제하여 그 심사대상에서 제외하는 영역이 있으나, 이와 같이 통치행위의 개념을 인정한다고 하더라도 과도한 사법심사의 자제가 기본권을 보장하고 법치주의 이념을 구현하여야 할 법원의 책무를 태만히 하거나 포기하는 것이 되지 않도록 그 인정을 지극히 신중하게 하여야 하며, 그 판단은 오로지 사법부만에 의하여 이루어져야 한다(대판 2004.3.26. 2003도7878).

> 13. 지방직 9급 통치행위의 개념을 인정한다고 하더라도 과도한 사법심사의 자제가 기본권을 보장하고 법치주의 이념을 구현하여야 할 법원의 책무를 태만히 하거나 포기하는 것이 되지 않도록 그 인정을 지극히 신중하게 하여야 하며, 그 판단은 오로지 사법부만에 의하여 이루어져야 한다. (○)

> 11. 국회직 9급 대법원은 통치행위 인정을 지극히 신중하게 하여야 하지만 그 판단은 오로지 사법부만에 의하여 이루어져야 하는 것은 아니라고 보았다. (×) → 한다고

---

(5) 통치행위의 법적 효과

통치행위에 해당하면 사법심사의 대상에서 제외되는 효과를 가져오므로 통치행위에 대한 소송은 부적법하여 각하된다. 다만, 통치행위가 국민의 기본권 침해와 직접 관련되는 경우 헌법재판소의 심판대상이 될 수 있다(헌재 1996.2.29. 93헌마186). 또한 통치행위로 인한 후속조치나 기타 통치행위로부터 분리될 수 있는 행정작용은 사법심사의 대상이 된다.❶

(6) 통치행위의 한계

① 법치주의의 원칙상 통치행위라 하더라도 헌법과 법률에 근거하여야 하고 그에 위배되어서는 아니된다. 따라서 헌법상 원칙인 국민주권의 원리, 비례의 원칙, 최소침해의 원리 등을 준수하여야 한다.

> 07. 교행(경북), 04. 서울시 9급 고도의 정치성을 띤 행위라 할지라도 헌법상의 국민주권의 원리, 비례의 원칙 등에 위배되어서는 안 된다. (○)

② 통치행위가 사법심사의 대상에서 제외된다고 하더라도 이러한 대통령과 국회의 판단은 궁극적으로는 선거를 통해 국민의 평가와 심판을 받게 될 것이다(헌재 2004.4.29. 2003헌마814).

> 19. 군무원 9급 통치행위는 고도의 정치적 작용에 해당하므로 사법적 통제·정치적 통제로부터 자유롭다. (×) → ×

함께 정리하기

정부·국회
▷ 통치행위 주체○

법원
▷ 통치행위 주체×

통치행위 판단 주체
▷ 오로지 사법부

통치행위의 법적효과
▷ 사법심사 대상에서 제외(∵소송 부적법 각하)

❶ 통치행위에 부수하는 행위
통치행위에 부수하는 행위는 통치행위 그 자체와 구별되어야 한다. 예컨대, 대통령의 계엄선포 후 계엄법에 따라 이루어지는 처분들은 계엄법 등 관련 법령에 따라야 하며 통치행위에 부수한 그러한 행위가 위법하다면 행정소송의 대상이 될 수 있고 국가배상책임이 발생할 수 있다(대판 2004.3.26. 2003도7878).

통치행위의 한계
▷ 법치주의의 원칙상 헌법과 법률에 근거하고, 그에 위배×
▷ 선거를 통한 국민의 심판

핵심정리 | 통치행위 인정 여부에 관한 판례

통치행위○	• 사면권 행사(97헌바74) • 남북정상회담의 개최(2003도7878) • 군사시설보호구역의 설정 · 변경 · 해제(83누279) • 자이툰부대 이라크 파병결정(2003헌마814) • 긴급명령 · 긴급재정경제명령(다만, 국민의 기본권침해와 직접 관련 있는 경우에는 사법심사 可) (93헌마186) • 국민투표에 붙일지 여부에 관한 대통령의 의사결정(다만, 국민의 기본권침해와 직접 관련 있는 경우에는 사법심사 可) (2004헌마554 등) • 비상계엄 선포나 확대(다만, 국헌문란의 목적 달성하기 위한 경우에는 범죄행위 해당여부 심사 可) (96도3376) • 영전수여(서훈수여) • 법률안거부권의 행사 • 대통령의 지자체장 선거일공고 부작위(92헌마126) • 국무총리 · 국무위원의 해임건의 • 국회의원의 자격심사 · 징계 · 제명 • 선전포고 · 강화 • 전쟁 등 군사행위 • 국가의 승인 • 외교대사의 신임 · 접수 · 파견 • 대통령의 외교에 관한 행위(조약의 체결 · 비준)
통치행위✕	• 남북정상회담 중 대북송금행위(2003도7878) • 신행정수도건설 · 이전 문제(2004헌마554 등) • 2007년 한미 전시증원연습결정(2007헌마369) • 서훈취소(2012두26920) • 지방의회의원의 징계(93누7341) • 대법원장의 법관인사조치

2 행정에 관한 '공법'

1. 행정법의 의의

행정법의 의의
▷ 행정의 조직, 작용, 구제에 관한 국내공법, 행정에 관한 공법만이 행정법
▷ 행정에 관한 사법(私法)✕

행정법은 행정의 조직, 작용, 구제에 관한 국내공법이다. 특히 행정에 관한 모든 법이 행정법이 아니라 그 중 행정에 관한 공법만이 행정법에 해당하고 행정에 관한 사법은 이에 해당하지 않는다. 따라서 공법과 사법의 구별이 문제된다.

참고 행정법의 규율대상

행정작용 중 행정주체가 공권력의 주체로서 행하는 작용[즉, 법률상 우월한 의사주체로서 행하는 작용(권력작용)과 행정주체가 사인과 대등한 지위에서 하는 활동 중 그 작용이 공익과 밀접한 관련이 있는 작용(관리작용)]은 행정법의 규율대상이 되지만, 물품의 구입, 청사의 건설도급계약, 국 · 공유재산 중 일반재산의 관리 · 매각과 같이 행정주체가 국고(사법상의 재산권의 주체), 즉 사인으로서 행하는 작용(국고작용)은 사법에 의해 규율된다.

2. 공법과 사법의 구별

(1) 구별실익

공법과 사법의 구별은 적용법규와 법원칙 및 분쟁해결을 위한 쟁송수단을 결정하기 위하여 필요하고, 자력집행의 허용여부를 좌우한다. 공법관계에는 법치주의가 지배하고 「행정절차법」이 적용되며, 행정소송을 통해 분쟁을 해결하고, 행정상 의무불이행의 경우 자력집행이 가능한 것이 원칙이다. 그에 반하여, 사법관계에는 사적자치와 계약자유의 원칙이 지배하고, 「행정절차법」이 적용되지 않으며, 민사소송을 통해 분쟁을 해결하고, 의무자의 의무불이행에 대하여 자력집행이 허용되지 않고 국가를 통한 강제력행사만 가능하다.

18. 교행 행정상 법률관계를 공법관계와 사법관계로 구분하는 것은 각각의 소송절차와도 관련된다. (○)

(2) 구별기준

① 공법관계와 사법관계의 구별은 1차적으로 실정법상 명문규정에 따라 관계법령의 규정 내용과 성질 등을 기준으로 구별하고, 2차적으로 당해 법규가 규율하고 있는 목적과 내용에 따라 법률관계의 성질을 기준으로 구별한다. 공법과 사법의 구별기준에 관하여 다양한 학설이 대립하고 있으나 오늘날 일반적인 견해는 복수기준설이다. 이에 따르면 관계법규가 행정주체에게 우월적 지위를 인정하고 있거나 또는 우월적 지위를 인정하지 않는다고 하여도 공익실현을 직접적인 목적으로 하고 있는 경우에는 공법으로 볼 수 있다.

18. 교행 공법관계와 사법관계는 1차적으로 관계법령의 규정내용과 성질 등을 기준으로 하여 구별한다. (○)

② 학설

이익설	• 법이 규율하는 목적에 기준을 두어 전적으로 또는 우선적으로 공익에 봉사하는 법을 공법이라 하고 사익에 봉사하는 법을 사법이라 한다. • 상당수의 공법규정들이 공익뿐만 아니라 사익보호를 목적으로 하고 있고 사법규정들 중에도 역시 공익보호를 목적으로 하고 있는 규정이 많다는 비판이 있다.
종속설 (복종설)	• 법률관계의 당사자들의 관계가 상하관계인가 대등관계인가에 따라 공·사법을 구별하는데 지배복종관계 또는 공권력적 관계에 해당하면 공법으로, 평등관계 또는 대등관계인 경우에는 사법으로 보자고 한다. • 사법관계에서도 친자관계나 사용자관계 같은 복종관계가 있고 공법관계에도 공법상의 계약과 같이 대등관계가 있다는 비판을 받고 있다.
구 주체설	• 법률관계의 주체를 기준으로 하여 적어도 한쪽 당사자가 행정주체이면 공법으로, 양쪽 당사자가 모두 사인이면 사법으로 본다. • 행정주체도 사인의 지위(국고적 지위)에서 활동할 때에는 사법의 적용을 받으며 사인도 공권을 부여받으면 행정주체의 지위에서 활동할 수 있다는 비판이 있다.
귀속설 (신주체설)	• 행정주체에만 귀속될 수 있는 법률관계는 공법으로, 사인에게도 귀속될 수 있는 법률관계는 사법으로 보는 견해로서 볼프(Wolff)에 의해 주장되었다. • 귀속설 역시 국가의 행정작용이 법집행작용이 아닌 사실행위인 경우 공사법의 구별에 어려움이 있다.
생활관계설	• 국민으로서의 생활관계와 사인으로서의 생활관계로 나누어 전자를 규율하는 것을 공법, 후자를 규율하는 것을 사법이라 한다. • 그 구별기준이 불명확하고 국민과 사인의 구별을 위하여 다시 논의가 필요하여 논리의 순환에 빠지게 된다는 비판을 받고 있다.
복수기준설	모든 학설이 타당성과 비판점을 모두 갖고 있다. 따라서 각각의 학설들을 종합적으로 고려하여 개별적으로 판단하여야 할 것이다.

함께 정리하기

구별실익
▷ 적용법규와 법원칙, 분쟁해결을 위한 쟁송수단 결정, 자력집행의 허용 여부

공법관계
▷ 법치주의O, 「행정절차법」O
▷ 행정소송
▷ 의무불이행시 자력집행O

사법관계
▷ 사적자치와 계약자유의 원칙O, 「행정절차법」×
▷ 민사소송
▷ 의무불이행시 자력집행×(국가를 통한 강제력행사 可)

1차적 구별 기준
▷ 관계 법령의 규정 내용과 성질

2차적 구별 기준
▷ 당해 법규가 규율하고 있는 목적과 내용에 따른 법률관계의 성질

이익설
▷ 공법관계: 공익목적 추구
▷ 사법관계: 사익목적 추구

종속설
▷ 공법관계: 법률관계가 상하관계
▷ 사법관계: 법률관계가 대등관계

구 주체설
▷ 공법관계: 적어도 한 당사자가 행정주체인 경우
▷ 사법관계: 양쪽 당사자가 모두 사인인 경우

신주체설
▷ 공법관계: 행정주체에게만 권리·의무가 귀속되는 경우
▷ 사법관계: 권리·의무가 모든 권리주체에게 귀속되는 경우

생활관계설
▷ 공법관계: 국민으로서의 생활관계 규율
▷ 사법관계: 사인으로서의 생활관계 규율

복수기준설
▷ 각각의 학설을 종합적으로 고려하여 개별적으로 판단

사인과 체결한 국가·지자체의 공공계약
▷ 사법상 계약, 사적 자치 및 계약자유의 원칙인 사법 원리 적용

❶
계약 담당공무원이 국가계약법령과 세부 심사기준에 어긋나게 적격심사를 한 경우에도 그것만으로 무효가 되는 것이 아니고, 이를 위배한 하자가 입찰절차의 공공성과 공정성을 현저히 침해할 정도로 중대할 뿐 아니라 상대방도 이러한 사정을 알았거나 알 수 있었을 경우 또는 선량한 풍속 기타 사회질서에 반하는 행위에 의하여 이루어진 것이 분명한 경우에 한하여 「민법」상의 법리에 따라 무효가 된다(대판 2006.4.28. 2004다50129).

국가계약법에 따라 국가가 당사자가 되는 공공계약
▷ 사법관계

국책사업인 한국형 헬기 개발사업에 참여하여 체결한 한국형헬기 민군겸용 핵심구성품 개발협약
▷ 공법관계

❷
지방계약법 제정(2005.8.4. 법률 제7672호) 전에 계약에 관한 사항을 규정하고 있던 구 「지방재정법」(1995.1.5. 법률 제4868호로 개정되기 전의 것을 말함) 제63조 전단에서는 "지방자치단체를 당사자로 하는 계약에 관하여 이 법 및 다른 법령에서 정한 것을 제외하고는 구 「예산회계법」(1995.1.5. 법률 제4868호로 개정되기 전의 것을 말함) 제6장(계약)의 규정을 준용한다."고 규정하고 있다.

(3) 구체적인 예

① 공공계약

㉠ 공공계약의 의의 및 법적 성격

ⓐ 공공계약이란 국가나 지방자치단체가 일방 당사자가 되어 국가를 당사자로 하는 계약(국가계약법) 또는 지방자치단체를 당사자로 하는 계약(지방계약법)에 근거하여 사인(私人)과 물품구매계약·건물임대차계약·공사도급계약 등을 체결하는 것을 말한다.

ⓑ 「국가를 당사자로 하는 계약에 관한 법률」(약칭: 국가계약법)은 국가가 계약을 체결하는 경우 원칙적으로 경쟁입찰에 의하여야 한다는 점과 입찰절차나 낙찰자 결정기준을 정하고 있다. 대법원은 국가가 당사자가 되는 공공계약이 국가계약법의 적용을 받더라도 국가가 사경제 주체로서 상대방과 대등한 위치에서 체결하는 사법상 계약에 해당하므로 사적 자치와 계약자유의 원칙과 같은 사법의 원리가 적용된다는 입장이다.❶

⚖ 관련판례

1 국가계약법에 따라 국가가 당사자가 되는 공공계약 ★★★

국가를 당사자로 하는 계약에 관한 법률에 따라 국가가 당사자가 되는 이른바 공공계약은 사경제 주체로서 상대방과 대등한 위치에서 체결하는 사법상 계약으로서 본질적인 내용은 사인 간의 계약과 다를 바가 없으므로, 그에 관한 법령에 특별한 정함이 있는 경우를 제외하고는 사적 자치와 계약자유의 원칙 등 사법의 원리가 그대로 적용된다(대판 2020.5.14. 2018다298409).

21. 소방직, 21. 국회직 8급 「국가를 당사자로 하는 계약에 관한 법률」에 따라 국가가 당사자로 되는 입찰방식에 의한 사인과 체결하는 이른바 공공계약은 국가가 사경제의 주체로서 상대방과 대등한 위치에서 체결하는 사법상의 계약이다. (○)

19. 서울시 9급 국가계약의 본질적인 내용은 사인 간의 계약과 다르므로 법령에 특정한 규정이 있는 경우에 한하여 사법의 규정 내지 법원리가 적용된다. (×) → 다를 바가 없으므로 / 를 제외하고는

비교 국가연구개발사업규정에 근거하여 체결한 한국형헬기 민군겸용 핵심구성품 개발협약은 공법관계에 해당한다. ★★★

국책사업인 '한국형 헬기 개발사업'(Korean Helicopter Program)에 개발주관사업자 중 하나로 참여하여 국가 산하 중앙행정기관인 방위사업청과 '한국형헬기 민군겸용 핵심구성품 개발협약'을 체결한 甲 주식회사가 협약을 이행하는 과정에서 환율변동 및 물가상승 등 외부적 요인 때문에 협약금액을 초과하는 비용이 발생하였다고 주장하면서 국가를 상대로 초과 비용의 지급을 구하는 민사소송을 제기한 사안에서, 위 협약의 법률관계는 공법관계에 해당하므로 이에 관한 분쟁은 행정소송으로 제기하여야 한다고 한 사례(대판 2017.11.9. 2015다215526)

2 구 예산회계법 또는 지방재정법에 따라 지방자치단체가 당사자가 되어 체결하는 계약 ★★★

2-1. 구 예산회계법(현 국가를 당사자로 하는 계약에 관한 법률) 또는 지방재정법에 따라 지방자치단체가 당사자가 되어 체결하는 계약은 사법상의 계약일 뿐, 공권력을 행사하는 것이거나 공권력 작용과 일체성을 가진 것은 아니라고 할 것이므로 이에 관한 분쟁은 행정소송의 대상이 될 수 없다(대판 1996.12.20. 96누14708).❷

2-2. 지방재정법에 의하여 준용되는 국가계약법에 따라 <u>지방자치단체가 당사자가 되는 이른바 공공계약은 사경제의 주체로서 상대방과 대등한 위치에서 체결하는 사법상의 계약으로서 그 본질적인 내용은 사인 간의 계약과 다를 바가 없으므로, 그에 관한 법령에 특별한 정함이 있는 경우를 제외하고는 사적자치와 계약자유의 원칙 등 사법의 원리가 그대로 적용된다</u>(대판 2001.12.11. 2001다33604).❶

14. **변호사** 지방재정법에 따라 지방자치단체가 당사자가 되어 체결하는 계약은 사법상의 계약일 뿐, 공권력을 행사하는 것이거나 공권력 작용과 일체성을 가진 것은 아니라고 할 것이므로 이에 관한 분쟁은 행정소송의 대상이 될 수 없다. (○)

24. **국가직 9급, 19. 지방직 7급** 「지방자치단체를 당사자로 하는 계약에 관한 법률」에 따라 지방자치단체가 일방 당사자가 되는 이른바 공공계약이 사경제의 주체로서 상대방과 대등한 위치에서 체결하는 사법상 계약에 해당하는 경우 그에 관한 법령에 특별한 정함이 있는 경우를 제외하고는 사적자치와 계약자유의 원칙 등 사법의 원리가 그대로 적용된다. (○)

17. **국회직 8급** 대법원은 국가나 지방자치단체가 당사자가 되는 공공계약(조달계약)은 상대방과 대등한 관계에서 체결하는 공법상의 계약으로 본다. (✕) → 사법상

3 **지방계약법에 따라 지방자치단체가 당사자가 되어 체결하는 계약** ★★★

지방자치단체가 일반재산을 입찰이나 수의계약을 통해 매각하는 것은 기본적으로 사경제주체의 지위에서 하는 행위이므로 원칙적으로 사적 자치와 계약자유의 원칙이 적용된다. 지방자치단체를 당사자로 하는 계약에 관한 법률(이하 '지방계약법'이라 한다) 제6조 제1항은 계약자유의 원칙과 신의성실의 원칙이 적용된다는 점을 명시적으로 인정하되, 다만 지방자치단체는 지방계약법 등 관계 법령에 규정된 계약상대자의 계약상 이익을 부당하게 제한해서는 안 된다고 정하고 있다(대판 2017.11.14. 2016다201395).

21. **군무원 7급** 지방자치단체가 일반재산을 「지방자치단체를 당사자로 하는 계약에 관한 법률」에 따라 입찰이나 수의계약을 통해 매각하는 것은 지방자치단체가 우월적 공행정주체로서의 지위에서 행하는 행위이다. (✕) → 사경제

17. **국가직 7급** 「지방자치단체를 당사자로 하는 계약에 관한 법률」에 따라, 지방자치단체가 당사자가 되는 이른바 공공계약은 본질적인 내용이 사인 간의 계약과 다를 바가 없다. (○)

ⓒ **입찰계약과 낙찰자 결정의 법적 성격:** 국가계약법 등에 근거하여 국가나 지방자치단체는 입찰방식에 의하여 사인과 물품구매계약이나 건축도급계약 등은 체결할 수 있는데 이와 같은 입찰계약은 사법상 계약에 해당한다. 또한 국가계약법 및 동법 시행령상의 입찰절차나 낙찰자 결정기준에 관한 규정은 국가의 내부규정에 불과하므로, 그에 따라 행정청이 행한 낙찰자 결정은 행정처분에 해당하지 않는다(대판 2001.12.11. 2001다33604).❷

19. **서울시 9급** 「국가를 당사자로 하는 계약에 관한 법률」에 따른 입찰절차에서 낙찰자 결정은 행정소송법상 행정처분에 해당한다. (✕) → 하지 않는다

11. **국가직 7급** 「국가를 당사자로 하는 계약에 관한 법률」 및 그 시행령상의 입찰절차나 낙찰자 결정기준에 관한 규정은 법규로서의 성질을 갖추에, 이 기준에 어긋나게 적격심사를 하였다면 그 사유만으로 당연히 낙찰자 결정이나 그에 기한 계약은 무효가 된다. (✕) → 국가의 내부규정에 불과하므로 / 되는 것은 아니다

ⓒ **입찰보증금 국고귀속조치의 법적 성격:** 판례는 국가계약법상 입찰보증금은 낙찰자의 계약체결의무이행의 확보를 목적으로 하여 그 불이행시에 이를 국고에 귀속시켜 국가의 손해를 전보하는 사법상의 손해배상 예정으로서의 성질을 갖는 것이므로 입찰보증금의 국고귀속조치는 행정소송이 아닌 민사소송의 대상이 된다고 한다.

함께 정리하기

구 「예산회계법」 또는 「지방재정법」에 따라 지자체가 당사자가 되어 체결하는 공공계약
▷ 사법관계

❶
구 「예산회계법(시행 1962.12.7. 법률 제1200호, 2006. 10. 4., 타법폐지)」의 계약에 관한 사항에 관하여 구 「국가를 당사자로 하는 계약에 관한 법률」이 1995.1.5. 법률 제4868호로 제정되고, 구 「국가를 당사자로 하는 계약에 관한 법률 시행령」이 1995.7.6. 대통령령 제14710호로 제정되면서, 구 「예산회계법」에 의하여 체결된 계약에 대하여는 구 「국가를 당사자로 하는 계약에 관한 법률」에 의하여 체결된 계약으로 보게 되었다. 현재는 「국가를 당사자로 하는 계약에 관한 법률」이 공공조달계약의 기본법의 지위를 가지게 되었다.

지방계약법에 따라 지자체가 당사자가 되어 체결하는 공공계약
▷ 사법관계

국가계약법에 따른 입찰절차에서 낙찰자 결정
▷ 처분✕

❷ 낙찰적격 세부심사기준의 법적 성격 – 행정규칙
국가가 사인과 사이의 계약관계를 공정하고 합리적·효율적으로 처리할 수 있도록 관계 공무원이 지켜야 할 계약사무 처리에 관한 필요한 사항을 규정하는 것으로서 국가의 내부규정에 불과하여 대외적 구속력이 없다(대판 2014.12.12. 2010두6700).

국가계약법에 따른 입찰보증금 국고귀속
조치
▷ 사법관계

국가계약법에 따른 입찰보증금의 국고귀속조치 ★★★

구 예산회계법에 따라 체결되는 계약은 사법상의 계약이라고 할 것이고 동법 제70조의5의 입찰보증금은 낙찰자의 계약체결의무이행의 확보를 목적으로 하여 그 불이행시에 이를 국고에 귀속시켜 국가의 손해를 전보하는 사법상의 손해배상 예정으로서의 성질을 갖는 것이라고 할 것이므로 입찰보증금의 국고귀속조치는 국가가 사법상의 재산권의 주체로서 행위하는 것이지 공권력을 행사하는 것이거나 공권력작용과 일체성을 가진 것이 아니라 할 것이므로 이에 관한 분쟁은 행정소송이 아닌 민사소송의 대상이 될 수밖에 없다고 할 것이다(대판 1983.12.27. 81누366).

23. 국가직 9급, 20. 국가직 7급, 19. 군무원 9급, 17. 교행, 16. 경찰 2차 등 조달청장이 「예산회계법」에 따라 계약을 체결하거나 입찰보증금 국고귀속조치를 취하는 것은 사법관계에 해당한다. (○)

19. 서울시 9급 「지방재정법」에 따라 지방자치단체가 당사자가 되어 체결하는 계약에 있어 계약보증금의 귀속조치는 사법관계에 해당한다. (○)

20. 지방직 9급, 20. 군무원 7급, 20. 소방간부, 14. 지방직 7급 구 「예산회계법」상 입찰보증금의 국고귀속조치는 국가가 사법상 재산권의 주체로서 행위하는 것이지 공권력을 행사하는 것이 아니므로 이에 관한 분쟁은 민사소송의 대상이 된다. (○)

부정당업자에 대한 국가·지자체의 입찰
참가자격제한
▷ 공법관계(처분○)

㉣ 입찰참가자격제한조치의 법적 성격

ⓐ 국가계약법 또는 지방계약법에 따라 국가나 지방자치단체가 입찰방식에 의하여 사인과 체결하는 물품구매계약이나 건축도급계약 등은 사법상의 계약에 해당되기 때문에 이에 관한 분쟁은 민사소송의 대상이다. 그러나 낙찰자가 이후에 계약상의 중대한 의무를 위반하여 부정당업자에 해당하는 경우 이에 대한 제재조치로서 부과되는 입찰참가자격제한조치가 사법행위인지 아니면 공권력의 행사로서 행정처분인지 문제된다.

ⓑ 판례는 국가계약법 또는 지방계약법에 근거한 국가기관(예 조달청장) 또는 지방자치단체장의 입찰참가자격제한조치에 대해서는 처분성을 인정(제재적 성격의 권력적 사실행위)하고 있다.

23. 국가직 9급 조달청장이 법령에 근거하여 입찰참가자격을 제한하는 것은 사법관계에 해당한다. (✕) → 공법

21. 국회직 8급, 20. 5급 승진 「국가를 당사자로 하는 계약에 관한 법률」에 의하여 국가의 각 중앙관서의 장이 부정당업자의 입찰참가자격을 제한하는 것은 사법상 행위에 해당한다. (✕) → 공법상

17. 국회직 8급 대법원은 지방자치단체가 공공조달계약 입찰을 일정기간 동안 제한하는 부정당업자 제재는 사법상의 통지행위에 불과하다고 본다. (✕) → 행정처분으로

16. 국회직 8급 국가를 당사자로 하는 계약에 관한 법률에 의하여 국가기관이 특정기업의 입찰참가자격을 제한하는 경우 이것은 사법관계이므로 이에 대해 다투기 위하여서는 민사소송을 제기하여야 한다. (✕) → 공법관계 / 행정소송

조달청장의 입찰참가자격제한조치
▷ 공법관계(처분)

1 **조달청장의 입찰참가자격조한조치에 대하여 처분성이 인정됨을 전제로 본안에서 위법성을 인정하였다. ★★★**

원고(사업자)의 대리인이 입찰금액을 60,780,000원으로 기재한다는 것이 착오로 금 6,078,000원으로 잘못 기재한 것은 시설공사 입찰유의서(재무부회계예규 1201. 04-101) 제10조 제10호 소정의 입찰서에 기재한 중요부분의 착오가 있는 경우에 해당되어 이를 이유로 즉시 입찰취소의 의사표시를 한 이상 피고(조달청장)는 본건 입찰을 무효로 선언함이 마땅하므로 원고가 이 사건 공사계약체결에 불응하였음에는

정당한 이유가 있다고 할 것이니 원고를 부정당업자로서 6월간 입찰참가자격을 정지한 피고의 처분은 재량권을 일탈하여 위법하다(대판 1983.12.27. 81누366).

2 조달청이 국가종합전자조달시스템인 나라장터 종합쇼핑몰에 거래정지조치를 하는 것은 처분성이 인정된다. ★★

주식회사가 조달청과 물품구매계약을 체결하고 국가종합전자조달 시스템인 나라장터 종합쇼핑몰 인터넷 홈페이지를 통해 요구받은 제품을 수요기관에 납품하였는데, 조달청이 계약이행 내역 점검 결과 일부 제품이 계약 규격과 다르다는 이유로 물품구매계약 추가특수조건 규정에 따라 甲 회사에 대하여 6개월의 나라장터 종합쇼핑몰 거래정지 조치를 한 사안에서, 위 거래정지 조치는 항고소송의 대상이 되는 행정처분에 해당한다(대판 2018.11.29. 2015두52395).

20. 국회직 9급 조달청이 국가종합전자조달시스템인 나라장터 종합쇼핑몰에 거래정지조치를 하는 것은 처분으로서 공법관계에 속한다. (○)

ⓒ 그러나 한국전력공사 등의 정부투기관에 의한 입찰참가자격제한행위에 관해서는 그 근거가 되는 정부투기관회계규정이 법적 구속력이 없는 행정규칙이라는 이유로 사법상의 통지행위에 불과하다는 것이 판례였다. 즉, 공기업·준정부기관의 입찰참가자격제한조치에 대해서는 근거법규가 없다는 이유로 처분성을 부정하였다.

관련판례

한국전력공사가 행한 입찰참가자격제한조치는 사법행위이다. ★

한국전력공사는 행정소송법 소정의 행정청 또는 그 소속기관이거나 이로부터 위 제재처분의 권한을 위임받았다고 볼 만한 아무런 법적 근거가 없으므로, 위 공사가 정부투기관회계규정에 의하여 행한 입찰참가자격을 제한하는 내용의 부정당업자 제재처분은 행정소송의 대상이 되는 행정처분이 아니라 단지 상대방을 위 공사가 시행하는 입찰에 참가시키지 않겠다는 뜻의 사법상의 효력을 가지는 통지행위에 불과하다(대결 1999.11.26. 99부3).

15. 지방직 9급 한국전력공사가 정부투기관회계규정에 의하여 행한 입찰참가자격을 제한하는 내용의 부정당업자제재처분은 사법상의 효력을 가지는 통지행위이다. (○)

11. 국회직 9급 판례는 한국전력공사가 정부투기관회계규정에 의하여 행한 입찰참가자격을 제한하는 내용의 부정당업자제재처분을 행정소송의 대상이 되는 행정처분으로 보았다. (✕) → 사법상 통지행위

ⓓ 그런데 이후 정부투자기관 관리기본법이 폐지되고 신설된 「공공기관의 운영에 관한 법률」❶, 「공기업·준정부기관 계약사무규칙」에 공기업·준정부기관의 입찰참가자격제한조치에 대한 근거규정❷이 만들어졌고, 이에 따라 최근 판례는 공기업에 해당하는 한국토지주택공사의 입찰참가자격제한조치에 대하여 처분성을 인정하는 것을 전제로 본안심사를 하였다.❸

조달청의 나라장터 종합쇼핑몰 거래정지조치
▷ 공법관계(처분)

한국전력공사의 부정당업자에 대한 입찰참가자격제한조치
▷ 처분✕(사법상의 통지행위에 불과)

❶ 「공공기관의 운영에 관한 법률」 제39조(회계원칙 등)

② 공기업·준정부기관은 공정한 경쟁이나 계약의 적정한 이행을 해칠 것이 명백하다고 판단되는 사람·법인 또는 단체 등에 대하여 2년의 범위 내에서 일정기간 입찰참가자격을 제한할 수 있다.

③ 제1항과 제2항의 규정에 따른 회계처리의 원칙과 입찰참가자격의 제한 기준 등에 관하여 필요한 사항은 기획재정부령으로 정한다.

※ 「공공기관의 운영에 관한 법률」상 공공기관은 공기업, 준정부기관, 기타 공공기관으로 분류된다.

❷ 「공기업·준정부기관 계약사무규칙」 제15조(부정당업자의 입찰참가자격 제한)

법 제39조 제3항에 따라 기관장은 공정한 경쟁이나 계약의 적정한 이행을 해칠 것이 명백하다고 판단되는 자에 대해서는 「국가를 당사자로 하는 계약에 관한 법률」 제27조에 따라 입찰참가자격을 제한할 수 있다.

❸ 구 「공기업·준정부기관 계약사무규칙」 제15조 제1항에서 공공기관운영법에서 규정된 것보다 입찰참가자격제한처분 요건을 완화하여 정한 것(계약이행 해칠 우려, 입찰에 참가함이 부적합)은 상위법령의 위임 없이 규정한 것이므로 이는 행정기관 내부의 사무처리준칙을 정한 것에 지나지 아니한다 할 것이다. 따라서 이 사건 처분(=한국토지주택공사의 입찰참가자격제한조치)이 적법한지 여부는 위 규칙에 적합한지 여부가 아니라 공공기관법의 규정과 입법 목적 등에 적합한지 여부에 따라 판단하여야 한다(대판 2013.9.12. 2011두10584).

공기업·준정부기관의 입찰참가자격제한
조치의 처분성 판단방법
▷ 의사표시 해석문제(상대방 인식가능성
고려)

관련판례

1 공기업·준정부기관의 입찰참가자격제한조치의 처분성 판단 방법 Ⅰ ★

공기업·준정부기관이 법령 또는 계약에 근거하여 선택적으로 입찰참가자격 제한 조치를 할 수 있는 경우, 계약상대방에 대한 입찰참가자격 제한 조치가 법령에 근거한 행정처분인지 아니면 계약에 근거한 권리행사인지는 원칙적으로 의사표시의 해석 문제이다. 이때에는 공기업·준정부기관이 계약상대방에게 통지한 문서의 내용과 해당 조치에 이르기까지의 과정을 객관적·종합적으로 고찰하여 판단하여야 한다. 그럼에도 불구하고 공기업·준정부기관이 법령에 근거를 둔 행정처분으로서의 입찰참가자격 제한 조치를 한 것인지 아니면 계약에 근거한 권리행사로서의 입찰참가자격 제한 조치를 한 것인지가 여전히 불분명한 경우에는, 그에 대한 불복방법 선택에 중대한 이해관계를 가지는 그 조치 상대방의 인식가능성 내지 예측가능성을 중요하게 고려하여 규범적으로 이를 확정함이 타당하다(대판 2018.10.25. 2016두33537).

23. 변호사 공기업·준정부기관이 법령 또는 계약에 근거하여 선택적으로 입찰참가자격 제한 조치를 할 수 있는 경우, 계약상대방에 대한 입찰참가자격 제한 조치가 법령에 근거한 행정처분인지 아니면 계약에 근거한 권리행사인지는 원칙적으로 의사표시 해석의 문제이다. (○)

2 공기업·준정부기관의 입찰참가자격제한조치의 처분성 판단 방법 Ⅱ ★

[1] 피고는 입찰참가자격 제한 조치를 하기 전 원고에게 보낸 "부정당업자 제재 관련 처분사전통지"에서 행정절차법의 규정에 따라 공공기관의 운영에 관한 법률(이하 '공공기관운영법'이라 한다) 제39조에 따른 입찰참가자격 제한 처분을 할 계획이라는 취지를 기재하였고, 이에 첨부된 "처분사전통지서"에 그 법적 근거로 공공기관운영법 제39조와 계약상 근거 규정을 함께 기재하였다.

[2] 피고는 입찰참가자격 제한 조치를 하면서 원고에게 "부정당업자 입찰참가자격 제한 알림"이라는 제목의 문서를 교부하였는데, 그 서두에는 "공공기관의 운영에 관한 법률 제39조, 공기업·준정부기관 계약사무규칙 제15조 및 국가를 당사자로 하는 계약에 관한 법률 시행령 제76조에 따라 아래와 같이 귀사의 입찰참가자격 제한을 결정하여 알려드리며, 처분에 대한 이의신청 절차도 함께 알려드리니 참고하시기 바랍니다."라고 기재되어 있다.

[3] 또한 위 문서의 본문에는 제재 근거로 "계약규정 제26조 제1항, 계약규정 시행규칙 제97조 제1항 제8호 및 [별표 2]의 제10호 나목"이, 제재 기간으로 "한수원 6월"이 각 기재되어 있다. 반면 그 불복방법에 관하여는 "행정심판법 제27조 또는 행정소송법 제20조에 따라 소정의 기간 내에 행정심판을 청구하거나 행정소송을 제기할 수 있음을 알려 드립니다. 행정심판 청구 및 행정소송 제기의 제척기간은 다음과 같습니다. 1) 행정심판: 처분이 있음을 알게 된 날로부터 90일 이내에 청구(단, 처분이 있었던 날로부터 180일이 지나면 청구하지 못함) 2) 행정소송: 처분 등이 있음을 안 날로부터 90일 이내에 제기(단, 처분 등이 있는 날로부터 1년을 경과하면 이를 제기하지 못함)"라고 기재되어 있다.

[4] 위와 같은 사정들을 앞서 본 법리에 비추어 살펴보면, 피고가 한 입찰참가자격 제한 조치는 계약에 근거한 권리행사가 아니라 공공기관운영법 제39조 제2항에 근거한 행정처분으로 봄이 타당하다(대판 2018.10.25. 2016두33537).

21. 국회직 8급 공기업이나 준정부기관의 입찰참가자격제한은 계약에 근거할 수도 있고, 행정처분에 해당할 수도 있다. (○)

ⓔ 다만, 공기업·준정부기관에 해당하지 아니하는 기타 공공기관(수도권매립지관리공사)의 입찰참가자격제한조치에 대해서는 근거법규가 없다는 이유로 여전히 처분성을 부정하고 있다.

공공기관운영법상의 공기업이나 준정부기관에 해당하지 않는 수도권매립지관리공사가 행한 입찰참가자격제한조치의 처분성은 부정된다. ★

수도권매립지관리공사는 행정소송법에서 정한 행정청 또는 그 소속기관이거나 그로부터 제재 처분의 권한을 위임받은 공공기관에 해당하지 않으므로, 수도권매립지관리공사가 한 위 제재처분은 행정소송의 대상이 되는 행정처분이 아니라 단지 갑을 자신이 시행하는 입찰에 참가시키지 않겠다는 뜻의 <u>사법상의 효력을 가지는 통지에 불과하다</u>(대결 2010.11.26. 2010무137).

② **국·공유재산의 이용관계:** 국·공유재산(국가나 지방자치단체가 소유하는 재산)은 행정적 목적으로 사용되는 행정재산과 그 외의 일반재산(잡종재산)으로 구별된다.❶ 일반적으로 행정재산의 사용관계는 공법관계이고, 일반재산의 사용관계는 사법관계이다.

22. 군무원 7급 국유재산은 그 용도에 따라 행정재산과 일반재산으로 구분되며, 행정재산 외의 모든 국유재산은 일반재산이다. (○)

㉠ **공법관계**

1 **국유 또는 공유재산(일반재산도 포함)의 무단점유자에 대한 변상금부과처분** ★★★
국유재산법은 국유재산의 무단점유자에 대하여는 대부 또는 사용, 수익허가 등을 받은 경우에 납부하여야 할 대부료 또는 사용료 상당액 외에도 그 징벌적 의미에서 국가측이 일방적으로 그 2할 상당액을 추가하여 변상금을 징수토록 하고 있으며 국유재산의 관리청이 그 무단점유자에 대하여 하는 <u>변상금부과처분은 순전히 사경제 주체로서 행하는 사법상의 법률행위라 할 수 없고 이는 관리청이 공권력을 가진 우월적 지위에서 행한 것으로서 행정소송의 대상이 되는 행정처분이라고 보아야 한다</u>(대판 1988.2.23. 87누1046 ; 대판 2000.11.24. 2000다28568 등).

20. 군무원 7급, 20. 경찰 2차, 19. 군무원 9급, 17. 국가직 7급, 16. 지방직 7급 등 국유재산의 관리청이 그 무단점유자에 대하여 하는 변상금부과처분은 순전히 사경제 주체로서 행하는 사법상의 법률행위라 할 수 없고 이는 공권력을 가진 우월적 지위에서 행한 행정처분이다. (○)

23. 지방직 9급 변상금 부과처분은 순전히 사경제 주체로서 행하는 사법상의 법률행위이므로, 그 처분에 대해 민사소송을 제기하여 다툴 수 있다.(×) → 라 할 수 없고 / 없다

16. 경찰 2차, 15. 지방직 9급, 14. 행정사, 13. 국회직 8급, 13. 지방직 9급 등 판례에 의하면 국유재산 무단점유자에 대한 변상금부과처분은 공법관계에 해당한다. (○)

2 **행정재산의 사용·수익에 대한 허가** ★★★
[1] 행정재산의 사용·수익에 대한 허가는 공유재산의 관리청이 순전히 <u>사경제주체로서 행하는 사법상의 행위가 아니라 공권력을 가진 우월적 지위에서 행하는 행정처분으로서 특정인에게 행정재산을 사용할 수 있는 권리를 설정하여 주는 강학상 특허</u>에 해당한다.
[2] 행정재산의 사용·수익허가처분의 성질에 비추어 국민에게는 행정재산의 사용·수익허가를 신청할 법규상 또는 조리상의 권리가 있다고 할 것이므로 공유재산의 관리청이 행정재산의 사용·수익에 대한 허가 신청을 거부한 행위 역시 행정처분에 해당한다(대판 1998.2.27. 97누1105).

17. 국회직 8급 대법원은 행정재산의 목적 외 사용에 해당하는 사인에 대한 행정재산의 사용·수익 허가를 강학상 특허로 보고 있다. (○)

21. 국회직 8급, 17. 교행 행정재산의 사용·수익 허가는 강학상 특허로서 공법관계의 일종에 해당한다. (○)

 함께 정리하기

수도권매립지관리공사의 부정당업자에 대한 입찰참가자격제한조치
▷ 처분×(사법상의 통지행위에 불과)

❶ 「국유재산법」 제6조(국유재산의 구분과 종류)
① 국유재산은 그 용도에 따라 행정재산과 일반재산으로 구분한다.
② 행정재산의 종류는 다음 각 호와 같다.
  1. 공용재산: 국가가 직접 사무용·사업용 또는 공무원의 주거용(직무 수행을 위하여 필요한 경우로서 대통령령으로 정하는 경우로 한정한다)으로 사용하거나 대통령령으로 정하는 기한까지 사용하기로 결정한 재산
  2. 공공용재산: 국가가 직접 공공용으로 사용하거나 대통령령으로 정하는 기한까지 사용하기로 결정한 재산
  3. 기업용재산: 정부기업이 직접 사무용·사업용 또는 그 기업에 종사하는 직원의 주거용(직무 수행을 위하여 필요한 경우로서 대통령령으로 정하는 경우로 한정한다)으로 사용하거나 대통령령으로 정하는 기한까지 사용하기로 결정한 재산
  4. 보존용재산: 법령이나 그 밖의 필요에 따라 국가가 보존하는 재산
③ "일반재산"이란 행정재산 외의 모든 국유재산을 말한다.

「공유재산법」 제5조(공유재산의 구분과 종류)
① 공유재산은 그 용도에 따라 행정재산과 일반재산으로 구분한다.

국·공유재산의 변상금부과처분
▷ 공법관계(처분)

행정재산의 사용·수익에 대한 허가
▷ 공법관계(처분)

20. 국가직 7급, 17. 5급 승진 공유재산의 관리청이 행하는 행정재산의 사용·수익에 대한 허가는 순전히 사경제주체로서 행하는 사법상의 법률행위이다. (×) → 공권력을 가진 우월적 지위 / 행정처분(강학상 특허)

20. 경찰 2차 행정재산의 사용·수익허가처분의 성질에 비추어 국민에게는 행정재산의 사용·수익허가를 신청할 법규상 또는 조리상의 권리가 있다고 할 것이므로 공유재산의 관리청이 행정재산의 사용·수익에 대한 허가신청을 거부한 행위 역시 행정처분에 해당한다. (○)

기부채납 받은 행정재산의 사용·수익허가
▷ 공법관계(처분)

3 기부채납 받은 행정재산의 사용·수익허가 ★★

공유재산의 관리청이 하는 행정재산의 사용·수익에 대한 허가는 순전히 사경제주체로서 행하는 사법상의 행위가 아니라 관리청이 공권력을 가진 우월적 지위에서 행하는 행정처분이라고 보아야 할 것인바, 그 행정재산이 기부채납 받은 재산이라 하여 그에 대한 사용·수익허가의 성질이 달라진다고 할 수는 없다(대판 2001.6.15. 99두509).

17. 행정사 판례에 의하면 행정재산을 기부채납한 사인에 대한 그 행정재산의 사용허가는 공법상 법률관계에 해당한다. (○)

17. 국가직 7급 사인이 공공시설을 건설한 후, 국가 등에 기부채납하여 공물로 지정하고 그 대신 그 자가 일정한 이윤을 회수할 수 있도록 일정 기간 동안 무상으로 사용하도록 허가하는 것은 사법상 계약에 해당한다. (×) → 행정처분

지자체가 기부채납 받은 일반재산을 기부자에게 무상으로 사용을 허용하는 행위, 사용허가기간 연장신청 거부
▷ 사법관계

> **비교 기부채납 받은 공유재산을 기부자에게 무상으로 사용을 허용하는 행위 ★★**
>
> 지방자치단체가 구 지방재정법시행령 제71조의 규정에 따라 기부채납 받은 공유재산(일반재산으로 해석됨)을 무상으로 기부자에게 사용을 허용하는 행위는 사경제주체로서 상대방과 대등한 입장에서 하는 사법상 행위이지 행정청이 공권력의 주체로서 행하는 공법상 행위라고 할 수 없으므로, 기부자가 기부채납한 부동산을 일정기간 무상사용한 후에 한 사용허가기간 연장신청을 거부한 행정청의 행위도 단순한 사법상의 행위일 뿐 행정처분 기타 공법상 법률관계에 있어서의 행위는 아니다(대판 1994.1.25. 93누7365).
>
> 15. 서울시 9급 판례에 따르면 구 「지방재정법 시행령」 제71조의 규정에 따라 기부채납 받은 공유재산을 무상으로 기부자에게 사용을 허용하는 행위는 사법관계에 해당한다. (○)
>
> 21. 국회직 8급 지방자치단체가 일반재산인 부동산을 무상으로 기부자에게 사용을 허용하는 행위는 사경제주체로서 상대방과 대등한 입장에서 하는 사법상 행위이지만 기부자가 그 부동산을 일정기간 무상사용한 후에 한 사용허가기간 연장신청을 지방자치단체가 거부한 경우, 당해 거부행위는 단순한 사법상의 행위가 아니라 행정처분에 해당한다. (×) → 일 뿐 / 하지 않는다

한국공항공단이 무상사용허가를 받은 행정재산에 대하여 하는 전대행위
▷ 사법관계

> **비교 한국공항공단이 무상사용허가를 받은 행정재산에 대하여 하는 전대행위는 사법관계이다. ★★**
>
> 한국공항공단이 정부로부터 무상사용허가를 받은 행정재산을 구 한국공항공단법 제17조에서 정한 바에 따라 전대하는 경우에 미리 그 계획을 작성하여 건설교통부장관에게 제출하고 승인을 얻어야 하는 등 일부 공법적 규율을 받고 있다고 하더라도, 한국공항공단이 그 행정재산의 관리청으로부터 국유재산관리사무의 위임을 받거나 국유재산관리의 위탁을 받지 않은 이상, 한국공항공단이 무상사용허가를 받은 행정재산에 대하여 하는 전대행위는 통상의 사인간의 임대차와 다를 바가 없고, 그 임대차계약이 임차인의 사용승인신청과 임대인의 사용승인의 형식으로 이루어졌다고 하여 달리 볼 것은 아니다(대판 2003.10.24. 2001다82514·82521).
>
> 23. 국가직 9급 국유재산 중 행정재산의 사용허가는 공법관계이나, 한국공항공단이 무상사용허가를 받은 행정재산에 대하여 하는 전대행위는 사법관계이다. (○)

기부채납
▷ 사법관계

4 기부채납의 법적 성질은 사법상의 증여계약에 해당한다. ★★★

기부채납이란 지방자치단체 외의 자가 부동산 등의 소유권을 무상으로 지방자치단체에 이전하여 지방자치단체가 이를 취득하는 것으로서, 기부자가 재산을 지방자치단체의 공유재산으로 증여하는 의사표시를 하고 지방자치단체가 이를 승낙하는 채납의 의사표시를 함으로써 성립하는 증여계약에 해당한다(대판 2022.4.28. 2019다272053).

23. 소방간부 기부채납은 기부자의 소유재산을 지방자치단체의 공유재산으로 무상증여하도록 하는 지방자치단체의 일방적 의사표시인 행정처분에 해당한다. (×) → 하는 사법상의 증여계약

5 행정재산을 사용·수익한 자에 대한 사용료 부과 ★★★

국유재산의 관리청이 행정재산의 사용·수익을 허가한 다음 그 사용·수익하는 자에 대하여 하는 사용료 부과는 순전히 사경제주체로서 행하는 사법상의 이행청구라 할 수 없고, 이는 관리청이 공권력을 가진 우월적 지위에서 행한 것으로서 항고소송의 대상이 되는 행정처분이라 할 것이다(대판 1996.2.13. 95누11023).

22. 군무원 7급 국유재산이 용도폐지되기 전 종전 관리청이 부과·징수하지 아니한 사용료가 있는 경우, 용도폐지된 국유재산을 종전 관리청으로부터 인계받은 기획재정부장관이 사용료를 부과·징수할 수 있는 권한을 가진다. (○)

14. 서울시 7급 판례에 따르면 국유재산의 관리청이 행정재산의 사용·수익을 허가함에 따른 사용료부과행위는 사법관계의 행위에 해당하지 않는다. (○)

18. 국회직 8급, 18. 5급 승진, 17. 지방직 7급, 17. 서울시 7급, 15. 국회직 8급 국유재산의 관리청이 행정재산의 사용·수익을 허가하는 행위는 강학상 특허에 해당하나, 그 후 사용·수익하는 자에 대한 사용료 부과는 사경제주체로서 행하는 사법상의 이행청구이다. (×) → 하고 / 행정처분이다

6 국립의료원 부설주차장에 관한 위탁관리용역운영계약 ★★★

국립의료원 부설주차장에 관한 위탁관리용역운영계약의 실질은 행정재산에 대한 국유재산법 제30조 제1항의 사용허가이고, 이는 행정처분으로서 강학상 특허에 해당한다. 따라서 원고가 가산금지급채무의 부존재를 주장하여 구제를 받으려면 적절한 행정쟁송절차를 통하여 권리 관계를 다투어야 할 것이지, 피고(대한민국)에 대하여 민사소송으로 위 지급의무의 부존재확인을 구할 수는 없는 것이다 (대판 2006.3.9. 2004다31074).

21. 소방간부, 15. 국회직 8급, 11. 국회직 8급 국립의료원 부설주차장에 대한 위탁관리용역 운영 계약은 공법관계로서 이와 관련한 가산금지급채무부존재에 대한 소송은 행정소송에 의하여야 한다. (○)

15. 경찰 1차, 12. 지방직 7급 국립의료원 부설주차장에 관한 위탁관리용역운영계약은 사경제 주체로서 대등한 위치에서 행한 사법상의 계약에 해당한다. (×) → 하지 않는다

7 귀속재산처리법에 의한 귀속재산의 매각행위 ★★

행정관청이 국유재산을 매각하는 것은 사법상의 매매계약일 수도 있으나 귀속재산처리법에 의하여 귀속재산을 매각하는 것은 행정처분이지 사법상의 매매가 아니다(대판 1991.6.25. 91다10435).

17. 국가직 7급 「귀속재산처리법」에 의한 귀속재산의 매각행위는 공법관계이다. (○)

○ 사법관계

관련판례

1 잡종재산(현 일반재산)인 국유임야를 대부하거나 매각하는 행위 ★★★

산림청장이나 그로부터 권한을 위임받은 행정청이 산림법 등이 정하는 바에 따라 국유임야를 대부하거나 매각하는 행위는 사경제적 주체로서 상대방과 대등한 입장에서 하는 사법상 계약이지 행정청이 공권력의 주체로서 상대방의 의사 여하에 불구하고 일방적으로 행하는 행정처분이라고 볼 수 없다(대판 1993.12.7. 91누11612).

21. 소방간부, 21. 군무원 7급, 12. 경찰 3차 산림청장이나 그로부터 권한을 위임받은 행정청이 「산림법」 등이 정하는 바에 따라 국유임야를 대부하거나 매각하는 행위는 사경제적 주체로서 상대방과 대등한 입장에서 하는 사법상 계약이라는 것이 판례의 입장이다. (○)

14. 서울시 7급 산림청장의 국유임야 대부에 따른 대부료 부과행위는 사법관계에 해당한다. (○)

행정재산에 대한 사용료 부과
▷ 공법관계(처분)

국립의료원 부설주차장에 관한 위탁관리 용역운영계약
▷ 공법관계(처분)

귀속재산 매각행위
▷ 공법관계(처분)

국유임야 대부, 매각행위
▷ 사법관계(처분×)

국유 잡종재산 대부행위, 사용료(대부료)
의 납입고지
▷ 사법관계

2 국유 잡종재산(현 일반재산) 대부행위 및 대부료(사용료) 납입고지 ★★★

국유 잡종재산에 관한 관리 처분의 권한을 위임받은 기관이 국유 잡종재산을 대부하는 행위는 국가가 사경제 주체로서 상대방과 대등한 위치에서 행하는 사법상의 계약이고, 국유 잡종재산에 관한 대부료의 납부고지 역시 사법상의 이행청구에 해당하며, 이를 행정처분이라고 할 수 없다(대판 2000.2.11. 99다61675 ; 대판 1995.5.12. 94누5281).

23. 국가직 9급 국유재산의 무단점유에 대한 변상금부과는 공법관계에 해당하나, 국유 일반재산의 대부행위는 사법관계에 해당한다. (○)

19. 5급 승진, 16. 지방직 9급 「국유재산법」상 일반재산의 대부는 행정처분이 아니며 그 계약은 사법상 계약이다. (○)

17. 5급 승진 구 「국유재산법」상 국유 잡종재산에 관한 관리 처분의 권한을 위임받은 기관이 국유 잡종재산을 대부하는 행위는 행정청이 공권력의 주체로서 행하는 행정처분이다. (×) → 이라고 할 수 없다

15. 변호사 일반재산(구 잡종재산)인 국유림을 대부하는 행위는 법률이 대부계약의 취소사유나 대부료의 산정방법 등을 정하고 있고, 대부료의 징수에 관하여 「국세징수법」 중 체납처분에 관한 규정을 준용하도록 정하고 있더라도 사법관계로 파악된다. (○)

19. 군무원 9급, 17. 교행, 15. 서울시 9급 국유 일반재산의 대부료 납입고지는 사법관계에 해당한다. (○)

체납처분에 관한 규정을 준용한 대부료
등 징수
▷ 공법관계(민사소송×)

> **비교 국유 일반재산의 대부료 징수 ★★**
>
> 국유 일반재산의 관리·처분에 관한 사무를 위탁받은 자는 국유 일반재산의 대부료 등이 납부기한까지 납부되지 아니한 경우에는 국세징수법 제23조와 같은 법의 체납처분에 관한 규정을 준용하여 대부료 등을 징수할 수 있다. 이와 같이 국유 일반재산의 대부료 등의 징수에 관하여는 국세징수법 규정을 준용한 간이하고 경제적인 특별구제절차가 마련되어 있으므로, 특별한 사정이 없는 한 민사소송의 방법으로 대부료 등의 지급을 구하는 것은 허용되지 아니한다(대판 2014.9.4. 2014다203588).
>
> 23. 지방직 9급, 18. 국가직 7급, 16. 지방직 7급 국유 일반재산의 대부료 등의 징수에 관하여 「국세징수법」규정을 준용한 간이하고 경제적인 특별구제절차가 마련되어 있으므로, 특별한 사정이 없는 한 민사소송의 방법으로 대부료 등의 지급을 구하는 것은 허용되지 아니한다. (○)
>
> 19. 5급 승진 공유 일반재산의 대부료와 연체료를 납부기한까지 내지 아니한 경우, 특별한 사정이 없는 한 민사소송으로 공유 일반재산의 대부료의 지급을 구하는 것은 허용되지 아니한다. (○)

3 국유재산의 매각 및 매각신청의 거부행위 ★★

국유재산 매각 및 매각신청 거부행위
▷ 사법관계(처분×)

국유재산법의 규정에 의하여 총괄청 또는 그 권한을 위임받은 기관이 국유재산을 매각하는 행위는 사경제 주체로서 행하는 사법상의 법률행위에 지나지 아니하며 행정청이 공권력의 주체라는 지위에서 행하는 공법상의 행정처분은 아니라 할 것이므로 국유재산매각 신청을 반려한 거부행위도 단순한 사법상의 행위일 뿐 공법상의 행정처분으로 볼 수 없다(대판 1986.6.24. 86누171).

15. 국회직 8급 「국유재산법」의 규정에 의하여 총괄청 또는 그 권한을 위임받은 기관이 국유재산을 매각하는 행위는 사경제 주체로서 행하는 사법상의 법률행위에 지나지 아니하다. (○)

③ 근무관계 및 위탁관계

㉠ 공법관계

⚖ 관련판례

시립합창(무용)단원의 위촉
▷ 공법관계(공법상 계약)

1 시립합창(무용)단원의 위촉 ★★

광주광역시문화예술회관장의 광주시립합창단원의 위촉은 공법상 근로계약에 해당한다(대판 2001.12.11. 2001두7794).

19. 소방직, 13. 국회직 8급 시립합창(무용)단원의 위촉은 공법관계에 해당된다. (○)

13. 국가직 7급 (A는 B광역시 시립합창단의 단원으로 3년간 위촉되어 활동하는 내용의 계약을 B광역시 문화예술회관장 C와 체결하였다. 시립합창단원의 지위는 지방공무원의 지위와 거의 유사한 것으로 규정되어 있다. A는 위촉기간인 3년이 만료되면서 합창단원 재위촉신청을 하였으나, C는 A의 실기와 근무성적에 대한 평정을 실시한 후 재위촉을 하지 않은 사안에서) 위촉은 공법상의 근무관계의 설정을 목적으로 하여 B광역시와 A사이에 대등한 지위에서 의사가 합치되어 성립되는 공법상 근로계약이다. (○)

2 지방소방공무원의 근무관계 ★★

지방자치단체와 그 소속 경력직 공무원인 지방소방공무원 사이의 관계, 즉 <u>지방소방공무원의 근무관계는 사법상의 근로계약관계가 아닌 공법상의 근무관계에 해당하고</u>, 그 근무관계의 주요한 내용 중 하나인 <u>지방소방공무원의 보수에 관한 법률관계는 공법상의 법률관계라고 보아야 한다</u>(대판 2013.3.28. 2012다102629).

18. 경찰 3차 지방자치단체와 그 소속 경력직 공무원인 지방소방공무원 사이의 관계는 공법관계에 해당한다. (○)

3 농지개량조합과 직원과의 관계 ★★

<u>농지개량조합과 그 직원과의 관계는 사법상의 근로계약관계가 아닌 공법상의 특별권력관계이고</u>, 그 조합의 직원에 대한 징계처분의 취소를 구하는 소송은 행정소송사항에 속한다(대판 1995.6.9. 94누10870).

15. 서울시 9급 농지개량조합의 직원에 대한 징계처분은 사법관계에 해당한다. (×) → 공법관계

4 국가나 지방자치단체에서 근무하는 청원경찰의 근무관계 ★★★

<u>국가나 지방자치단체에 근무하는 청원경찰은 국가공무원법이나 지방공무원법상의 공무원은 아니지만</u>, 다른 청원경찰과는 달리 그 임용권자가 행정기관의 장이고, 국가나 지방자치단체로부터 보수를 받으며, 산업재해보상보험법이나 근로기준법이 아닌 <u>공무원연금법에 따른 재해보상과 퇴직급여를 지급받고</u>, 직무상의 불법행위에 대하여도 민법이 아닌 국가배상법이 적용되는 등의 특질이 있으며 그 외 임용자격, 직무, 복무의무 내용 등을 종합하여 볼 때, 그 근무관계를 <u>사법상의 고용계약관계로 보기는 어려우므로 그에 대한 징계처분의 시정을 구하는 소는 행정소송의 대상이지 민사소송의 대상이 아니다</u>(대판 1993.7.13. 92다47564).

19. 군무원 9급, 18. 행정사, 17. 5급 승진, 16. 경찰 2차, 15. 서울시 9급 등 국가 또는 지방자치단체에 근무하는 청원경찰의 근무관계는 공법관계에 해당한다. (○)

20. 군무원 7급 국가나 지방자치단체에 근무하는 청원경찰은 「국가공무원법」이나 「지방공무원법」상의 공무원은 아니므로 그 근무관계는 사법상의 고용계약 관계로 볼 수 있다. (×) → 지만 / 없다 [∵ 공법상의 근무관계(특별권력관계)이다]

20. 경찰 2차, 17. 국가직 7급 국가나 지방자치단체에 근무하는 청원경찰은 「국가공무원법」이나 「지방공무원법」상의 공무원이므로, 그 근무관계를 사법상의 고용계약관계로 보기는 어려워 그에 대한 징계처분의 시정을 구하는 소는 행정소송의 대상이지 민사소송의 대상이 아니다. (×) → 은 아니지만

5 교육공무원법 등에 따라 조교로 임용되어 교육공무원 내지 특정직공무원의 신분을 부여받는 경우의 근무관계

일정한 자격을 갖추고 소정의 절차에 따라 대학의 장에 의하여 임용된 조교는 법정된 근무기간 동안 신분이 보장되는 <u>교육공무원법상의 교육공무원 내지 국가공무원법상의 특정직공무원 지위가 부여되고, 근무관계는 사법상의 근로계약관계가 아닌 공법상 근무관계에 해당한다</u>(대판 2019.11.14. 2015두52531).

20. 군무원 9급 일정한 자격을 갖추고 소정의 절차에 따라 국립대학의 장에 의하여 임용된 조교는 법정된 근무기간 동안 신분이 보장되는 「교육공무원법」상의 교육공무원 내지 「국가공무원법」상의 특정직공무원 지위가 부여되지만, 근무관계는 공법상 근무관계가 아닌 사법상의 근로계약관계에 해당한다. (×) → 사법상의 근로계약관계가 아닌 공법상 근무관계

지방소방공무원의 근무 · 보수관계
▷ 공법관계

지방소방공무원의 초과근무수당 지급청구소송
▷ 당사자소송

공공조합(어업협동조합, 토지개량조합, 농지개량조합 등)과 그 직원과의 관계
▷ 공법관계

농지개량조합과 그 직원의 관계
▷ 공법관계

농지개량조합직원의 징계처분 취소의 소
▷ 행정소송

국가나 지자체에서 근무하는 청원경찰의 근무관계
▷ 공법관계

국가나 지자체에서 근무하는 청원경찰의 징계처분 시정소송
▷ 행정소송

「교육공무원법」 등에 따라 조교로 임용되어 교육공무원 내지 특정직공무원의 신분을 부여받는 경우의 근무관계
▷ 공법관계

중학교 의무교육 위탁관계
▷ 공법관계

6 중학교 의무교육의 위탁관계 ★★

중학교 의무교육의 위탁관계는 초·중등교육법 제12조 제3항·제4항 등 관련 법령에 의하여 정해지는 공법적 관계이다(대판 2015.1.29. 2012두7387).

20. 5급 승진 지방자치단체가 학교법인이 설립한 사립중학교에 의무교육대상자에 대한 교육을 위탁한 때에 그 학교법인과 해당 사립중학교에 재학 중인 학생의 재학관계는 기본적으로 공법상 계약에 따른 법률관계이다. (×) → 사법상

20. 국회직 8급, 19. 군무원 9급, 18. 교행 「초·중등교육법」상 사립중학교에 대한 중학교 의무교육의 위탁관계는 사법관계에 속한다. (×) → 공법관계

ⓛ 사법관계

🔧 **관련판례**

서울시 지하철공사 임원·직원 근무 관계
▷ 사법관계(∵민사소송)

1 서울시지하철공사의 임원과 직원의 근무관계 ★★★

서울특별시지하철공사의 임원과 직원의 근무관계의 성질은 지방공기업법의 모든 규정을 살펴보아도 공법상의 특별권력관계라고는 볼 수 없고 사법관계에 속할 뿐만 아니라, 위 지하철공사의 사장이 소속 직원에 대한 징계처분을 한 경우 위 사장은 행정소송법 제13조 제1항 본문과 제2조 제2항 소정의 행정청에 해당되지 않으므로 공권력발동주체로서 위 징계처분을 행한 것으로 볼 수 없고, 따라서 이에 대한 불복절차는 민사소송에 의할 것이지 행정소송에 의할 수는 없다(대판 1989.9.12. 89누2103).

15. 서울시 9급, 15. 경찰 1차, 13. 지방직 7급 서울특별시지하철공사의 임원과 직원의 근무관계의 성질은 공법상 특별권력관계에 해당한다. (×) → 사법관계

17. 교행, 11. 경찰 1차 서울특별시 지하철공사 사장이 소속직원에 대한 징계처분을 한 경우는 공법관계에 해당한다. (×) → 사법관계

19. 국회직 8급, 15. 변호사 서울특별시 지하철공사 임원 및 직원에 대한 징계처분은 위 공사 사장이 공권력 발동주체로서 행정처분을 행한 것으로 볼 수 없으므로 이에 대한 불복절차는 민사소송절차에 의하여야 할 것이지 행정소송에 의할 수는 없는 것이다. (○)

한국조폐공사직원 근무관계
▷ 사법관계

2 한국조폐공사 직원의 근무관계 ★★

한국조폐공사 직원의 근무관계는 사법관계에 속하고 그 직원의 파면행위도 사법상의 행위라고 보아야 한다(대판 1978.4.25. 78다414).

18. 경찰 3차, 14. 서울시 7급, 13. 경찰 3차 한국조폐공사가 행한 소속 직원 파면행위는 공법관계에 해당한다. (×) → 사법관계

구 「종합유선방송법」상 종합유선방송위원회 사무국 직원의 근로관계
▷ 사법관계(∵민사소송)

3 구 종합유선방송법상 종합유선방송위원회 사무국 직원의 근로관계 ★

구 종합유선방송법상의 종합유선방송위원회는 국가기관이고, 그 사무국 직원들의 근로관계는 사법상의 계약관계이므로, 사무국 직원들은 국가를 상대로 민사소송으로 그 계약에 따른 임금과 퇴직금의 지급을 청구할 수 있다(대판 2001.12.24. 2001다54038).

16. 경찰 2차, 11. 경찰 1차 구 「종합유선방송법」상 종합유선방송위원회 사무국 직원의 근로관계는 사법관계이다. (○)

한국방송공사의 직원채용관계와 그 채용에 필수적으로 따르는 사전절차로 채용시험의 응시자격을 정한 공고
▷ 사법관계

4 한국방송공사의 직원채용관계와 그 채용에 필수적으로 따르는 사전절차로 채용시험의 응시자격을 정한 공고 ★

한국방송공사의 직원채용관계는 특별한 공법적 규제 없이 한국방송공사의 자율에 맡겨진 셈이 되므로 이는 사법적인 관계에 해당한다고 봄이 상당하고, 직원채용관계가 사법적인 것이라면, 그러한 채용에 필수적으로 따르는 사전절차로서 채용시험의 응시자격을 정한 공고 또한 사법적인 성격을 지닌다고 할 것이므로 이러한 채용시험의 공고는 헌법소원으로 다툴 수 있는 '공권력의 행사'에 해당하지 않는다(헌재 2006.11.30. 2005헌마855).

17. 지방직 7급 헌법재판소는 한국방송공사의 직원 채용관계는 특별한 공법적 규제 없이 한국방송공사의 자율에 맡겨진 셈이 되므로 이는 사법적인 관계에 해당한다고 봄이 상당하고, 직원 채용관계가 사법적인 것이라면 그러한 채용에 필수적으로 따르는 사전절차로 채용시험의 응시자격을 정한 공고 또한 사법적인 성격을 지닌다고 할 것이므로, 이러한 채용시험 공고는 헌법소원으로 다툴 수 있는 공권력의 행사에 해당하지 않는다고 한다. (○)

5 **정부투자기관(한국토지공사)의 출자로 설립된 회사(한국토지신탁) 내부의 근무관계(인사상의 차별 및 해고)에 관한 사항 ★**

정부투자기관(한국토지공사)의 출자로 설립된 회사(한국토지신탁) 내부의 근무관계(인사상의 차별 및 해고)에 관한 사항은, 이를 규율하는 특별한 공법적 규정이 존재하지 않는 한, 원칙적으로 사법관계에 속하므로 헌법소원의 대상이 되는 공권력 작용이라고 볼 수 없다(헌재 2002.3.28. 2001헌마464).

17. 지방직 7급 헌법재판소는 정부투자기관(한국토지공사)의 출자로 설립된 회사(한국토지신탁) 내부의 근무관계(인사상의 차별 및 해고)에 관한 사항은 특별한 공법적 규정이 존재하는 경우라도 사법관계에 속하는 것이라고 본다. (×) → 이를 규율하는 특별한 공법적 규정이 존재하지 않는 한, 원칙적으로

6 **지방자치단체와 사인 간의 음식물류 폐기물, 재활용품 수집·운반 업무 대행 계약 ★**

피고(진주시)와 원고(폐기물업자)사이에 음식물류 폐기물의 수집·운반, 가로 청소, 재활용품의 수집·운반 업무의 대행을 위탁하고 그에 대한 대행료를 지급하는 것을 내용으로 하는 용역계약과 그에 따른 대행료 정산의무의 존부는 민사 법률관계에 해당하므로 이를 소송물로 다투는 소송은 민사소송에 해당하는 것으로 보아야 한다(대판 2018.2.13. 2014두11328).

20. 국회직 9급 음식물류 폐기물의 수집·운반 업무를 대행을 위탁하고 그에 대한 대행료를 지급하는 것을 내용으로 하는 지방자치단체와 사인 간의 계약은 민사소송의 대상이다. (○)

7 **지방자치단체와 사인 간 체결한 자원회수시설위탁운영협약 ★★**

甲 지방자치단체가 乙 주식회사 등 4개 회사로 구성된 공동수급체를 자원회수시설과 부대시설의 운영·유지관리 등을 위탁할 민간사업자로 선정하고 乙 회사 등의 공동수급체와 위 시설에 관한 위·수탁 운영 협약을 체결하였는데, … 위 협약은 甲 지방자치단체가 사인인 乙 회사 등과 체결한 자원회수시설의 운영을 위탁하고 그 위탁운영비용을 지급하는 것을 내용으로 하는 용역계약은 상호 대등한 입장에서 당사자의 합의에 따라 체결한 사법상 계약에 해당한다(대판 2019.10.17. 2018두60588).

21. 소방간부, 21. 군무원 7급, 20. 지방직 7급 지방자치단체가 사인과 체결한 자원회수시설에 대한 위탁운영협약은 사법상 계약에 해당하므로 그에 관한 다툼은 민사소송의 대상이 된다. (○)

④ 그 밖에 판례가 '사법관계'로 본 사건

　㉠ **국가배상청구와 부당이득반환청구**: 공무원의 직무집행으로 인한 손해배상을 정하고 있는 「국가배상법」은 공법으로 보아야 할 것이나, 대법원은 이를 사법으로 보는 것을 전제로 민사소송으로 처리하고 있다. 또한 공법상 원인에 의한 부당이득 역시 공법상 당사자소송으로 다투어야 할 것이나, 대법원은 이를 민사소송으로 처리하고 있다.

관련판례

1 **국가배상청구 ★★★**

공무원의 직무상 불법행위로 손해를 받은 국민은 공무원자신에 대하여도 직접 그의 불법행위를 이유로 민사상의 손해배상을 청구할 수 있다(대판 1972.10.10. 69다701).

정부투자기관(한국토지공사)의 출자로 설립된 회사(한국토지신탁) 내부의 근무관계(인사상의 차별 및 해고)에 관한 사항
▷ 사법관계

지방자치단체와 사인 간의 음식물류 폐기물, 재활용품 수집·운반 업무 대행 계약
▷ 사법관계

지자체와 사인 간의 자원회수시설위탁운영협약
▷ 사법관계

국가배상청구
▷ 사법관계

2 개발부담금 부과처분 취소 후 과오납금반환(부당이득반환) ★★★

개발부담금 부과처분이 취소된 이상 그 후의 부당이득으로서의 과오납금 반환에 관한 법률관계는 단순한 민사 관계에 불과한 것이고, 행정소송 절차에 따라야 하는 관계로 볼 수 없다(대판 1995.12.22. 94다51253).

20. 5급 승진, 20. 국가직 7급, 18. 서울시 9급, 17. 국가직 7급, 15. 국회직 8급 등 개발부담금 부과처분이 취소된 경우, 그 과오납금에 대한 부당이득반환청구의 법률관계는 사법관계이다. (○)

19. 군무원 9급, 18. 지방직 9급 개발부담금 부과처분이 취소된 이상 그 후의 부당이득으로서의 과오납금 반환에 관한 법률관계는 단순한 민사 관계에 불과한 것이 아니므로, 행정소송절차에 따라 반환청구를 하여야 한다. (✕) → 것이므로 / 민사

비교 부가가치세 환급세액 지급청구 ★★★

부가가치세법령의 내용, 형식 및 입법 취지 등에 비추어 보면, 납세의무자에 대한 국가의 부가가치세 환급세액 지급의무는 그 납세의무자로부터 어느 과세기간에 과다하게 거래징수된 세액 상당을 국가가 실제로 납부받았는지와 관계없이 부가가치세법령의 규정에 의하여 직접 발생하는 것으로서, 그 법적 성질은 정의와 공평의 관념에서 수익자와 손실자 사이의 재산상태 조정을 위해 인정되는 부당이득 반환의무가 아니라 부가가치세법령에 의하여 그 존부나 범위가 구체적으로 확정되고 조세 정책적 관점에서 특별히 인정되는 공법상 의무라고 봄이 타당하다. 그렇다면 납세의무자에 대한 국가의 부가가치세 환급세액 지급의무에 대응하는 국가에 대한 납세의무자의 부가가치세 환급세액 지급청구는 민사소송이 아니라 행정소송법 제3조 제2호에 규정된 당사자소송의 절차에 따라야 한다(대판 2013.3.21. 2011다95564 전합).

22. 국가직 7급 납세의무자에 대한 국가의 부가가치세 환급세액 지급의무는 그 납세의무자로부터 어느 과세기간에 과다하게 거래징수된 세액 상당을 국가가 실제로 납부받았는지와 관계없이 부가가치세법령의 규정에 의하여 직접 발생하는 것으로서, 그 법적 성질은 부당이득 반환의무가 아니다. (○)

18. 행정사, 17. 행정사 판례에 의하면 국가에 대한 납세의무자의 부가가치세 환급세액 지급청구는 공법상 법률관계에 해당한다. (○)

17. 지방직 9급 부가가치세법에 따른 환급세액 지급의무 등의 규정과 그 입법취지에 비추어 볼 때 부가가치세 환급세액 반환은 공법상 부당이득반환으로서 민사소송의 대상이다. (✕) → 공법상 의무로서 당사자소송의 대상

ⓒ 「공익사업을 위한 토지 등의 취득 및 보상에 관한 법률」(약칭: 토지보상법)상 협의 취득계약

관련판례

공익사업을 위한 토지 등의 취득 및 보상에 관한 법령(토지보상법령)에 의한 협의취득 ★★★

공익사업을 위한 토지 등의 취득 및 보상에 관한 법령에 의한 협의취득은 사법상의 법률행위이므로 당사자 사이의 자유로운 의사에 따라 채무불이행책임이나 매매대금 과부족금에 대한 지급의무를 약정할 수 있다(대판 2012.2.23. 2010다91206).

20. 국가직 7급, 19. 소방직, 18. 지방직 7급, 17. 행정사, 16. 교행 등 사업시행자가 공익사업에 필요한 토지를 협의취득하는 행위는 사경제주체로서 행하는 사법상의 법률행위이다. (○)

19. 변호사, 16. 국회직 8급, 16. 지방직 7급 공익사업을 위한 토지 등의 취득 및 보상에 관한 법령에 의한 협의취득은 사법상의 법률행위이므로 당사자 사이의 자유로운 의사에 따라 채무불이행책임이나 매매대금 과부족금에 대한 지급의무를 약정할 수 있다. (○)

24. 국가직 9급 공익사업을 위한 토지 등의 취득 및 보상에 관한 법령에 의한 협의취득은 사법상의 법률행위이지만 당사자 사이의 자유로운 의사에 따라 채무불이행책임이나 매매대금 과부족금에 대한 지급의무를 약정할 수 있는 것은 아니다. (✕) → 이므로 / 있다

ⓒ 환매권❶의 행사

함께 정리하기

❶ 환매권
공용수용의 목적물이 해당 공익사업에 불필요하게 되었거나 그 공익사업에 현실적으로 공용되지 아니한 경우에 원래의 피수용자가 일정한 요건하에서 다시 매수하여 소유권을 회복할 수 있는 권리를 말한다.

관련판례

1 **환매권 행사에 따른 매매는 환매권자와 국가 간의 사법상의 매매이다.** ★★★

징발재산정리에관한특별조치법 제20조 소정의 환매권은 일종의 형성권으로서 그 존속기간은 제척기간으로 보아야 할 것이며, 위 환매권은 재판상이든 재판외이든 그 기간 내에 행사하면 이로써 매매의 효력이 생기고, 위 매매는 같은 조 제1항에 적힌 환매권자와 국가 간의 사법상의 매매라 할 것이다(대판 1992.4.24. 92다4673).

환매권 행사에 따른 매매
▷ 사법관계

환매권 존부확인소송, 환매금액 증감청구소송
▷ 민사소송

2 **환매권의 존부에 관한 확인을 구하는 소송 및 환매금액의 증감을 구하는 소송은 민사소송에 해당한다.** ★★★

구 공익사업을 위한 토지 등의 취득 및 보상에 관한 법률 제91조에 규정된 환매권의 존부에 관한 확인을 구하는 소송 및 구 공익사업법 제91조 제4항에 따라 환매금액의 증감을 구하는 소송 역시 민사소송에 해당한다(대판 2013.2.28. 2010두22368).

22. 국가직 9급, 16. 국회직 8급 「공익사업을 위한 토지 등의 취득 및 보상에 관한 법률」상 환매권의 존부에 관한 확인을 구하는 소송 및 환매금액의 증감을 구하는 소송은 민사소송이다. (○)

⑤ 그 밖에 판례가 '공법관계'로 본 사건
　　㉠ 공공하수도 이용관계 및 사용료 부과징수관계

관련판례

공공하수도의 이용관계는 공법관계라고 할 것이고, 공공하수도 사용료의 부과징수관계 역시 공법상의 권리의무관계라 할 것이다(대판 2003.6.24. 2001두8865). ★★

19. 소방직, 09. 지방직 7급 판례에 의할 때 공공하수도의 이용관계는 사법관계에 해당한다. (×) → 공법관계

공공하수도 이용·사용료 부과징수관계
▷ 공법관계

　　㉡ 수도료 부과징수 및 납부관계

관련판례

수도법에 의하여 지방자치단체인 수도사업자가 그 수돗물의 공급을 받은 자에 대하여 하는 수도료의 부과징수와 이에 따른 수도료의 납부관계는 공법상의 권리의무관계라 할 것이므로 이에 관한 소송은 행정소송절차에 의하여야 하고, 민사소송절차에 의할 수 없다(대판 1977.2.22. 76다2517). ★★

19. 국가직 9급, 10. 경찰 1차 「수도법」에 의하여 지방자치단체인 수도사업자가 그 수돗물의 공급을 받는 자에게 하는 수도료 부과·징수와 이에 따른 수도료 납부관계는 공법상의 권리의무관계이므로, 이에 관한 분쟁은 행정소송의 대상이다. (○)

수도료 부과징수 및 그 납부관계
▷ 공법관계

　　㉢ **손실보상청구:** 손실보상은 적법한 공행정작용에 의하여 발생한 개인의 재산권에 대한 특별한 희생을 전보하기 위한 공법상의 제도이므로 손실보상청구소송 역시 행정소송으로 수행되어야 한다. 이와 관련하여 대법원은 종래 손실보상청구권을 사권으로 보아 민사소송으로 다루어 왔으나, 최근 하천구역 편입토지에 대한 손실보상청구소송을 공법상 당사자소송으로 본 이래(대판 2006.5.18. 2004다6207 전합), 판례변경의 기회가 제공될 때마다 공법상 당사자소송으로 입장을 바꾸고 있다(대판 2012.10.11. 2010다23210 등).

종래 손실보상청구
▷ 사권, 민사소송

최근 하천구역 편입토지에 대한 손실보상청구
▷ 공권, 당사자소송

제2절 행정법의 법원(法源)

1 법원의 의의 및 범위

1. 의의

법원(法源)이란 법의 존재형식(또는 법의 인식근거)을 말한다. 그러므로 행정법의 법원의 문제는 행정법이 어떠한 형식의 법규범으로 이루어져 있는가에 관한 문제이다.

엄격한 의미의 법원이란 엄격한 의미의 법규범, 즉 '법규'만을 대상으로 하는 것이다(법규설). 이에 대하여 행정기준이 되는 구속력이 있는 규범을 모두 법원의 대상으로 이해하려는 견해(행정기준설)가 있으나, 법규설이 통설이다. 법규설에 의하면 행정규칙의 법원성이 인정될 수 없지만 행정기준설에 의하면 행정규칙도 법원성이 인정된다.

2. 범위

행정법의 법원에는 헌법·법률·조약 및 국제법규·명령·자치법규와 같은 성문법원뿐만 아니라 관습법·판례법·조리와 같은 불문법원도 포함된다.❶ 이는 행정에 대한 사법심사에서 문제가 되는 공행정작용의 위법성 판단의 기준이 된다.

2 행정법상 법원의 특징

1. 성문법(成文法)주의

우리나라의 법제는 기본적으로 성문법(成文法)주의에 따르고 있고 행정법 역시 마찬가지이다. 법치행정의 원칙에 비추어 볼 때, 행정이란 국가에 의한 국민에 대한 작용으로서 국민의 예측가능성과 법적 안정성이 중요시되고 공정한 행정권의 행사와 국민의 권리구제의 실효적 보장을 위해서 명확한 기준이 필요하다.

법원(法源)
▷ 법의 존재형식 또는 법의 인식근거

법원의 범위
▷ 법규설(협의설, 통설·판례): 외부법
▷ 행정기준설(광의설): 외부법＋내부법(행정규칙)

성문법원
▷ 헌법·법률·조약 및 국제법규·명령·자치법규

불문법원
▷ 관습법·판례법·조리

성문법원·불문법원
▷ 위법성 판단의 기준

❶
성문법원이란 문자로 기록된 법원을 말하고, 불문법원이란 문자로 기록되지 아니한 법원을 말한다. 성문법주의를 취하는 우리나라에서 불문법(원)은 보충적이다. 따라서 성문법(원)이 없는 경우에 불문법(원)의 적용 여부가 보충적으로 문제된다.

우리나라 법제
▷ 기본적으로 성문법주의

---

2. 「행정기본법」 제정

우리나라의 약 5,000개의 법령 중에서 행정법령이 약 90% 이상을 차지하고 있음에도 불구하고, 행정법에는 단일법전이 존재하지 않아 행정의 예측가능성과 법적 안정성을 해치는 일이 빈번히 발생하였다. 이에 행정법 학계의 오랜 염원을 담아 2021년 3월 23일 행정에 관한 원칙과 기본적인 사항을 규정하기 위하여 「행정기본법」이 제정되었다. 그리하여 과거에 학설 및 판례에 의하여 논의되던 행정법적 사항들에 대한 개념이 성문법으로 정립되었다.

3. 불문법에 의한 보완

그러나, 오늘날 현대 행정의 규율대상은 복잡하고 광범위하여 모든 대상을 성문법으로 규율한다는 것은 불가능하다. 따라서 성문법이 불비(흠결)된 경우에는 불문법으로 보완할 수밖에 없다. 불문법 중에서는 조리(법의 일반원칙)가 특히 중요한 법원이 된다.

3 성문법원

성문법주의에 따르는 우리의 성문법원은 헌법, 법률, 조약 및 국제법규, 명령, 자치법규로 구분되고, 이들 각 성문법의 형식은 헌법을 최고법으로 하여, 통일적·단계적 구조를 이루고 있다. 하위법은 상위법에 위배되어서는 안 되고, 동일한 단계의 법원 간에는 특별법이 일반법보다 우선하고 신법이 구법보다 우선하게 된다. 다만, 구법인 특별법과 신법인 일반법 사이에 충돌이 있는 경우에는 신법인 일반법은 구법인 특별법을 우선할 수 없다.

05. 관세사 신법인 일반법은 특별한 구법에 우선할 수 없다. (○)

1. 헌법

(1) 헌법은 국가의 기본법으로서 행정조직·행정작용·행정구제, 기본권 등 행정에 관한 기본적 사항을 정하고 있어 행정법의 중요한 법원이 된다. 아울러 헌법은 국가의 최고법으로 다른 형식의 성문법원에 대하여 우월한 효력을 가진다.

22. 행정사 대한민국 헌법은 행정법의 법원이다. (○)
16. 서울시 9급 법원(法源)을 법의 인식근거로 보면 헌법은 행정법의 법원이 될 수 없다. (×) → 있다
18. 5급 승진 행정법의 기본적인 사항이 헌법에 의해 정해지지만 헌법은 행정법에 대해 상위규범이라는 점에서 행정법의 직접적 법원은 아니다. (×) → 직접적 법원이다
19. 서울시 9급 인간다운 생활을 할 권리와 같은 헌법상의 추상적인 기본권에 관한 규정은 행정법의 법원이 되지 못한다. (×) → 된다

(2) 헌법은 국민적 합의를 기초로 한 최고법으로서 헌법에 위배된 그 어떤 국가작용도 인정될 수 없다. 또한 헌법에 위반되는 여타의 법규범은 위헌이고 위헌통제의 대상이 된다.❶

(3) 국가의 최고법원으로서 헌법은 하위 법규범의 해석규범이 되고, 헌법에 위반되는 법률은 효력이 없다. 다만, 법률이 헌법에 합치되는지 여부가 명백하지 않은 경우에 헌법에 합치한다는 해석도 가능한 경우에는 가능한 한 법률을 헌법에 합치하는 것으로 해석하여야 한다(헌법합치적 법률해석, 합헌적 법률해석).

함께 정리하기

「행정기본법」 제정
▷ 종래 학설·판례에서 논의되던 사항들의 개념을 성문법으로 정립

불문법에 의한 보완 필요성
▷ 행정의 규율대상의 복잡·다양성

성문법
▷ 헌법을 정점으로 통일적·단계적 구조
▷ 헌법 > 법률 > 명령 > 자치법규(상위법 우선의 원칙)
동일한 단계의 법원 간 우위
▷ 특별법 > 일반법(특별법우선의 원칙)
▷ 신법 > 구법(신법우선의 원칙)
▷ 구법인 특별법 > 신법인 일반법

헌법은 국가의 최고규범
▷ 행정법의 법원○

위헌통제
▷ 헌법에 위배된 그 어떤 국가작용도 인정될 수 없음
▷ 헌법에 위반되는 여타의 법규범은 위헌통제의 대상

❶ 법규범의 위헌통제
법률에 대하여는 헌법재판소가 담당하고 명령·규칙·처분에 대하여는 일반법원에서 담당한다(헌법 제107조). 헌법재판소는 명령에 대한 헌법소원을 통하여 명령의 위헌성도 통제할 수 있다.

헌법
▷ 하위법의 해석기준

헌법합치적 법률해석
▷ 법률의 헌법 위배 여부가 불명확한 경우 가능한 합헌이라고 해석

시행령 규정이 모법위반으로 무효인지 여부의 판단기준
▷ 입법 취지, 연혁 등을 종합적으로 살펴 모법에 합치된다는 해석이 가능한지 여부

상위법령 저촉 여부가 명백×, 상위법령에 합치적으로 해석 가능
▷ 하위법령 쉽게 무효선언×

상위법령 규정에 명백히 저촉되는 경우가 아님
▷ 상위법령에 합치되는 것으로 해석

형식적 의미의 법률
▷ 국회가 제정한 법률, 헌법보다 하위의 효력, 헌법에 비해 적용우위
▷ 법규명령, 자치법규(조례 · 규칙)보다 우월한 효력
▷ 긴급재정경제명령, 긴급명령과는 동일한 효력

❶ 적용의 우위란 구체적인 사건에 헌법, 법률, 법규명령이 모두 적용되는 경우 보다 구체적으로, 상세하게 기술된 하위의 규정이 먼저 적용된다는 원칙이다. 한편, 효력의 우위란 상하규범이 충돌되는 경우 상위법의 효력이 우위에 있다는 것을 말한다. 따라서 하위법이 상위법에 위반되면 하위법은 무효가 되고, 상위법이 적용된다.

명령
▷ 행정권이 제정하는 법 형식
▷ 법률보다 하위의 효력

발령주체에 따른 분류
▷ 대통령령 · 총리령 · 부령 · 국회규칙 · 대법원규칙 · 헌법재판소규칙 · 중앙선거관리위원회규칙 · 감사원규칙

🔨 관련판례

1 어느 시행령의 규정이 모법에 저촉되는지의 여부가 명백하지 아니하는 경우에는 모법과 시행령의 다른 규정들과 그 입법 취지, 연혁 등을 종합적으로 살펴 모법에 합치된다는 해석도 가능한 경우라면 그 규정을 모법위반으로 무효라고 선언하여서는 아니 된다(대판 2001.8.24. 2000두2716). ★★

21. 지방직 7급, 17. 지방직 9급, 10. 서울시 9급 어느 시행령의 규정이 모법에 저촉되는지의 여부가 명백하지 아니하는 경우에는 모법과 시행령의 다른 규정들과 그 입법 취지, 연혁 등을 종합적으로 살펴 모법에 합치된다는 해석도 가능한 경우라면 그 규정을 모법위반으로 무효라고 선언하여서는 안 된다. (O)

2 하위 법령의 규정이 상위 법령의 규정에 저촉되는지 여부가 명백하지 않고 법령의 해석방법을 통하여 하위 법령의 의미를 상위 법령에 합치하도록 해석하는 것이 가능한 경우에는 하위 법령이 상위 법령에 위반된다는 이유로 무효를 선언할 것은 아니다(대판 2020.3.26. 2017두41351 ; 대판 2016.12.15. 2014두44502). ★★

21. 소방간부 하위법령의 규정이 상위법령의 규정에 저촉되는지 명백하지 않지만 하위법령의 의미를 상위법령에 합치되는 것으로 해석하는 것이 가능한 경우, 하위법령이 상위법령에 위반된다는 이유로 쉽게 무효를 선언할 것은 아니다. (O)

3 하위법령은 그 규정이 상위법령의 규정에 명백히 저촉되어 무효인 경우를 제외하고는 관련 법령의 내용과 입법 취지 및 연혁 등을 종합적으로 살펴서 그 의미를 상위법령에 합치되는 것으로 해석하여야 한다(대판 2013.11.28. 2012두16565). ★★

17. 사복직 하위법령은 그 규정이 상위법령의 규정에 명백히 저촉되어 무효인 경우를 제외하고는 관련 법령의 내용과 입법 취지 및 연혁 등을 종합적으로 살펴서 그 의미를 상위법령에 합치되는 것으로 해석하여야 한다고 하였다. (O)

---

2. 법률

법률은 헌법에서 정해진 절차에 따라 국회의 심의절차를 거쳐 제정한 형식적 의미의 법률을 의미하고 일반 · 추상성을 특징으로 한다. 법률은 국회라는 국민의 대표기관에 의하여 제정되었다는 점에서 특별한 의미를 가지며 가장 중추적이고 보편적인 성문법원이다. 법률은 헌법보다 하위의 효력을 갖지만, 헌법을 구체화하는 중추적 법원으로서 헌법에 위배되지 않는 한 헌법에 비해 적용우위를 가진다.❶ 한편, 법률은 명령이나 자치법규(조례, 규칙)에 대해서는 우월한 효력을 갖지만, 예외적으로 대통령의 긴급재정경제명령, 긴급명령은 명령이라는 행정입법의 형식이지만 헌법 규정에 따라 법률과 동등한 효력을 갖는다(헌법 제76조 제1항 · 제2항).

17. 교행 대통령의 긴급명령과 긴급재정경제명령은 행정법의 법원이 된다. (O)

3. 명령

(1) 명령이란 행정권에 의하여 정립되는 법을 의미한다. 명령에 대하여는 법률과 동등한 효력을 가진 긴급재정경제명령 · 긴급명령의 경우를 제외하고는 모두 법률보다 하위의 효력을 가진다(따라서 특별한 설명 없이 명령이라 하면 긴급재정경제명령과 긴급명령을 제외한 명령을 의미한다).

(2) 명령은 그 발령 주체가 누구인지에 따라 대통령령, 총리령, 부령, 국회규칙, 대법원규칙, 헌법재판소규칙, 중앙선거관리위원회규칙, 감사원규칙으로 분류된다.

22. 행정사 「건축법 시행규칙」은 행정법의 법원이다. (O)

22. 행정사 헌법재판소규칙은 행정법의 법원이다. (○)
16. 교행 중앙선거관리위원회규칙은 행정법의 법원이 아니다. (×) → 이다

(3) 명령은 그 법규성 여부에 따라 법규명령과 행정규칙(행정명령)으로 분류되고, 법규명령만 법규성이 인정된다. 법규성이란, 법령이 국민의 권리·의무(법률관계)에 직접적 영향을 미치는 성질을 의미한다. 가령 판례는 행정조직에 관한 명령(행정규칙)❶은 국민의 권리·의무에 직접적 영향을 미치지 못하는 것이 일반적이므로 이는 법규성이 없다고 말한다.

(4) 법규명령은 법률에 의한 수권(위임) 여부에 따라 위임명령과 집행명령으로 나누어 볼 수 있다.

> **헌법 제75조** 대통령은 법률에서 <u>구체적으로 범위를 정하여 위임</u>받은 사항과 법률을 <u>집행하기 위하여 필요한 사항</u>에 관하여 대통령령을 발할 수 있다.
>
> **제95조** 국무총리 또는 행정각부의 장은 소관사무에 관하여 법률이나 대통령령의 <u>위임 또는 직권으로</u> 총리령 또는 부령을 발할 수 있다.

수권이란, 법률이 직접 명령을 발할 것을 규정하여 그에 따라 발령되었음을 의미한다. 위임명령❷은 법률에 의한 수권이 있는 경우이고, 집행명령❸은 법률에 의한 수권이 없는 경우이다. 일반적으로 국민의 권리·의무에 직접적 영향을 미치지 않는 경우에는 별도의 수권이 필요 없고 바로 행정명령(행정규칙)이 발령될 수 있다. 또한 국민의 권리·의무에 직접적 영향을 미치는 법규명령 중에서도 상위법의 절차적 집행을 규정하고 있는 경우에 불과한 집행명령은 별도의 수권 없이 발하여진다.

⊙ 법규명령의 구분

4. 자치법규(조례·규칙·교육규칙·정관)

자치법규(自治法規)란 국가에 의해 설립된 공법인이 법률상 부여된 자치권의 범위 안에서 제정한 것으로서 그 구성원들에게 효력을 갖는 법규를 말한다. 법규명령과 달리 자치법규는 당해 공법인의 고유한 사무를 규율한다. 지방자치법상 자치법규에는 지방의회가 정하는 조례, 지방자치단체의 장이 정하는 규칙이 있고, 그 밖에 지방교육자치에 관한 법률에 의거하여 교육감이 정하는 교육규칙이 있다.

> **헌법 제117조** ① 지방자치단체는 주민의 복리에 관한 사무를 처리하고 재산을 관리하며, <u>법령의 범위 안에서 자치에 관한 규정</u>을 제정할 수 있다.

(2) 「행정기본법」 제2조 제1호 나목에서는 자치법규를 '지방자치단체의 조례 및 규칙'이라고 정의하고 있다.

22. 행정사 서울특별시 성동구 조례는 행정법의 법원이다. (○)
18. 소방직 지방자치단체의 자치에 관한 규정은 행정법의 법원(法源)으로서 헌법이 직접 규정하고 있다. (○)

법규성에 따른 분류
▷ 법규명령, 행정명령(행정규칙)
▷ 법규명령만 법규성(법원성) 인정됨

❶ 행정규칙
행정조직 내부에서 그 조직과 활동을 규율하기 위해서 발하는 일반적·추상적인 명령으로서 법규적 성격을 가지지 않는 것을 말한다(예 조직규칙, 근무규칙, 법령해석규칙, 재량준칙 등).

수권 유무에 따른 분류
▷ 위임명령○
▷ 집행명령·행정명령×

❷ 위임명령의 예
「귀화국민기초생활보장법」 제X조는 "50세 이상의 귀화국민 중에서 대통령령으로 정하는 자에게 생활비를 지원한다."고 규정하고 있고, 「귀화국민기초생활보장법 시행령」 제Y조에서 "50세 이상의 무주택자인 귀화국민에게 생활비를 지원한다."고 규정하는 것

❸ 집행명령의 예
「도로교통법」 제11조 제2항은 "앞을 보지 못하는 사람(이에 준하는 사람을 포함한다)의 보호자는 그 사람이 도로를 보행할 때에는 흰색지팡이를 갖고 다니도록 하거나 앞을 보지 못하는 사람에게 길을 안내하는 개로서 행정안전부령으로 정하는 개(이하 '장애인보조견' 이라 한다)를 동반하도록 하는 등 필요한 조치를 하여야 한다."고 규정하고 있고, 「도로교통법 시행령」 제8조에서 "「도로교통법」 제11조 제2항에 따른 앞을 보지 못하는 사람에 준하는 사람은 다음 각 호(1. 듣지 못하는 사람, 2. 신체의 평형기능에 장애가 있는 사람, 3. 의족 등을 사용하지 아니하고는 보행을 할 수 없는 사람)의 어느 하나에 해당하는 사람을 말한다." 고 규정하는 것

자치법규
▷ 공법인이 법률상 부여된 자치권의 범위 안에서 제정한, 그 구성원들에게 효력을 갖는 법규

「지방자치법」상 자치법규
▷ 조례, 규칙, 교육규칙

「행정기본법」상 자치법규
▷ 지방자치단체의 조례 및 규칙

자치법규
▷ 상위규범 위배×

❶
조례는 행정입법으로서의 성격과 함께 주민의 대표기관인 지방의회가 제정하는 법규범인 점에서 지방자치단체의 자주법으로서의 성격을 아울러 갖는다. 따라서 법령에 위반하지 않는 한도 내에서는 법률의 개별적인 수권 없이 제정될 수 있으나, 주민의 권리를 제한하거나 의무를 부과하거나 벌칙을 규정함에 있어서는 법률의 위임을 받아야 한다(「지방자치법」 제28조 제1항).

상위규범
▷ 조례가 규칙보다 상위규범
▷ 광역자치단체의 조례·규칙이 기초자치단체의 조례·규칙보다 상위규범

공공단체(공공조합 등)가 정하는 정관
▷ 자치법규○

조약, 일반적으로 승인된 국제법규
▷ 국내법과 같은 효력(별도의 입법조치 不要)

조약 및 일반적으로 승인된 국제법규가 국내법적 효력을 갖기 위해
▷ 별도의 수용법률 제정 不要

남북합의서
▷ 법적 구속력×, 조약×

10. 교행 지방자치행정의 중요한 법원으로 조례와 규칙이 있으나 교육규칙은 포함되지 않는다. (×) → 된다

01. 국가직 7급 지방자치단체의 자치입법 중 지방의회가 제정한 조례는 행정법의 법원이 되지만, 지방자치단체장이 제정하는 규칙은 법원이 될 수 없다. (×) → 있다

(3) 조례와 규칙은 넓게 보면 국가법질서의 일부를 이루고 있는 행정입법에 속한다. 따라서 국가법질서의 통일을 기하기 위하여 조례와 규칙은 상위규범인 헌법, 법률, 명령, 법률·명령과 동일한 효력을 가지는 조약에 위반되어서는 안 된다(例 서울시 조례는 법무부령을 위반할 수 없다).**❶**

21. 국가직 9급 지방자치단체가 제정한 조례가 헌법에 의하여 체결·공포된 조약에 위반되는 경우 그 조례는 효력이 없다. (○)

(4) 동일 자치단체의 조례와 규칙 상호 간에는 조례가 규칙보다 우월하고(例 서울시 조례는 서울시 규칙보다 우월), 기초자치단체의 조례와 규칙은 광역자치단체의 조례와 규칙을 위반할 수 없다.

13. 서울시 7급 판례는 지방자치단체의 사무에 관한 조례와 규칙 중 조례가 상위규범이라고 한다. (○)

(5) 한편, 공공단체(공공조합 등)가 정하는 정관도 자치법규에 포함된다. 판례는 「도시 및 주거환경정비법」에 의한 주택재개발 정비사업조합의 정관은 해당 조합의 조직, 기관, 활동, 조합원의 권리의무관계 등 단체법적 법률관계를 규율하는 것으로서 공법인인 조합과 조합원에 대하여 구속력을 가지는 자치법규이므로 정관에서 정한 사항은 원칙적으로 해당 조합과 조합원을 위한 규정이고, 조합 외부의 제3자를 보호하거나 제3자를 위한 규정이라고 볼 것은 아니라고 판시한 바 있다(대판 2019.10.31. 2017다282438).

5. 국제법규

(1) 국내법원성

헌법 제6조 제1항은 "헌법에 의하여 체결·공포된 조약과 일반적으로 승인된 국제법규는 국내법과 같은 효력을 가진다."고 규정하고 있다. 조약이란 협약·협정·약정·의정서 등 그 명칭과 관계없이 국가와 국가 사이 또는 국가와 국제기구 사이의 문서에 의한 합의를 말하고, 일반적으로 승인된 국제법규란 우리나라가 당사국이 아닌 조약으로서 국제사회에서 일반적으로 그 규범성이 승인된 것과 국제관습법을 말한다.

조약과 일반적으로 승인된 국제법규는 헌법 제6조 제1항에 의하여 별도의 입법조치 없이 일반적으로 국내법으로 수용되어 국내법과 같은 효력을 가진다. 따라서 국제법규 중 국내행정에 관한 사항을 규율하고 있는 것은 그 범위에서 행정법의 법원이 된다.

> **📌 관련판례**
>
> **남북기본합의서는 조약에 해당하지 않아 국내법과 동일한 효력을 갖지 않는다. ★★★**
> '남북 사이의 화해와 불가침 및 교류협력에 관한 합의서'는 남북한 당국이 각기 정치적인 책임을 지고 상호간에 그 성의 있는 이행을 약속한 것이기는 하나 법적 구속력이 있는 것은 아니어서 이를 국가 간의 조약 또는 이에 준하는 것으로 볼 수 없고, 따라서 국내법과 동일한 효력이 인정되는 것도 아니다(대판 1999.7.23. 98두14525).

17. 교행, 12. 지방직 9급 '남북 사이의 화해와 불가침 및 교류협력에 관한 합의서'는 국가 간의 조약이다. (✕) → 아니다

16. 행정사, 15. 경찰 1차 '남북 사이의 화해와 불가침 및 교류협력에 관한 합의서'는 국가 간의 조약이 아니므로 국내법과 동일한 효력이 인정되는 것이 아니다. (○)

14. 경찰 1차 '남북 사이의 화해와 불가침 및 교류협력에 관한 합의서'는 남북한 당국이 각기 정치적인 책임을 지고 상호간에 그 성의 있는 이행을 약속한 것으로 법적 구속력이 인정되는 조약에 해당되어 국내법과 동일한 효력을 갖는다. (✕) → 되지 않고 / 갖지 않는다

15. 경찰 1차, 13. 국회직 9급, 11. 국회직 9급, 11. 지방직 9급 헌법에 의하여 체결·공포된 조약과 일반적으로 승인된 국제법규는 국내법과 같은 효력을 가진다. (○)

15. 경찰 일반적으로 승인된 국제법규라도 의회에 의한 입법절차를 거쳐야 행정법의 법원(法源)이 된다. (✕) → 거치지 않아도

> **참고** **일원론과 이원론**
> 조약 및 국제법규에 관한 국내적 효력과 관련하여 국제법은 국내법과 동일한 법체계를 갖는다는 일원론과 별개의 법체계를 갖는다는 이원론이 대립하고 있다. 일원론은 조약과 국제법규는 별도로 국내법으로 이를 제정·수용하지 않더라도 당연히 행정법의 법원이 된다고 보는 견해이고, 이원론은 양자를 전혀 별개의 법체계로 보아 국제법이 국내에 당연히 적용되는 것이 아니라 별도의 국내법의 제정절차를 거쳐야 한다고 보는 견해이다. 일원론이 통설적 견해이다.

(2) 법단계상 효력

① 헌법은 국제법규는 국내법과 같은 효력이 있다고 규정하고 있을 뿐인데, 통설은 국제법규는 헌법보다는 하위에 있고 경우에 따라 법률 또는 명령과 동일한 효력이 있다고 본다. 즉, 헌법 제60조에 의해 국회의 동의를 받은 조약은 법률과 같은 효력이, 국회의 동의를 받지 않은 조약은 명령과 같은 효력이 있다.

> **헌법 제60조** ① 국회는 상호원조 또는 안전보장에 관한 조약, 중요한 국제조직에 관한 조약, 우호통상항해조약, 주권의 제약에 관한 조약, 강화조약, 국가나 국민에게 중대한 재정적 부담을 지우는 조약 또는 입법사항에 관한 조약의 체결·비준에 대한 동의권을 가진다.

② 국제법규가 헌법에 위반되면 상위법우선의 원칙에 따라 국내에서는 효력이 없으나, 국제적으로는 효력이 있다.

③ 또한 국제법규가 그와 동일한 효력을 가진 국내법(법률 또는 명령)의 내용과 충돌할 때에는 특별법우선의 원칙 및 신법우선의 원칙에 의해 그 효력의 우열이 결정된다.

11. 지방직 9급 헌법에 의하여 체결 및 공포된 조약과 일반적으로 승인된 국제법규가 동일한 효력을 가진 국내의 법률, 명령과 충돌하는 경우에는 신법우위의 원칙 및 특별법우위의 원칙이 적용된다. (○)

④ 한편, 법률의 효력을 갖는 조약에 위반한 조례(명령)는 무효라는 것이 판례의 입장이다.

지방자치단체에서 생산한 우수농산물에 대한 학교급식재료구입비 일부 지원에 관한 조례안
▷ GATT, AGP의 내국민대우원칙에 위반되어 무효

관세 및 무역에 관한 일반협정(GATT), 정부조달에 관한 협정(AGP)에 위반된 조례는 무효이다. ★★★

[1] 지방자치단체가 제정한 조례가 '1994년 관세 및 무역에 관한 일반협정'(GATT)이나 '정부조달에 관한 협정'(AGP)에 위반되는 경우, 그 조례는 효력이 없다.

17. 국가직 9급, 17. 교행, 15. 경찰 3차, 14. 지방직 9급 지방자치단체가 제정한 조례가 1994년 관세 및 무역에 관한 일반 협정(General Agreement on Tariffs and Trade 1994)이나 정부 조달에 관한 협정(Agreement on Government Procurement)에 위반되는 경우, 그 조례는 무효이다. (○)

[2] 학교급식을 위해 국내 우수농산물을 사용하는 자에게 식재료나 구입비의 일부를 지원하는 것 등을 내용으로 하는 지방자치단체의 조례안은 '1994년 관세 및 무역에 관한 일반협정'(GATT)에 위반되어 그 효력이 없다(대판 2005.9.9. 2004추10).

20. 국가직 9급, 11. 지방직 9급, 14. 경찰 1차, 12. 지방직 9급 대법원은 학교 급식을 위해 지방자치단체에서 생산되는 우수농산물을 사용하여 식재료를 만드는 자에게 식재료 구입비의 일부를 지원하는 지방자치단체의 조례안이 '1994 관세 및 무역에 관한 일반협정(GATT)'에 위반되어 무효라고 판시한 바 있다. (○)

17. 변호사 지방자치단체가 학교급식을 위해 국내 우수농산물을 사용하는 자에게 식재료나 구입비의 일부를 지원하는 조례안이 「1994년 관세 및 무역에 관한 일반협정」에 위배되어 위법한 이상, 그 조례안에 대한 재의결은 효력이 없다. (○)

(3) 사인(私人)에 대한 직접 효력 여부

국제법 주체 간에 국제적 법률관계를 설정하기 위해 마련된 국제법규와 관련한 분쟁은 국제분쟁해결기구에서 해결하는 것이 원칙이고, 사인에 대하여는 국제법규의 효력이 직접 미치지 아니한다.

마라케쉬협정
▷ 국제협정으로서 사인에 직접효력×

사인(私人)
▷ 마라케쉬협정 위반을 이유로 국내법원에 회원국 정부를 상대로 소제기 不可

마라케쉬협정은 조약에 해당하나 사인에 대하여는 그 효력이 직접 미치지 않으므로 사인은 반덤핑부과처분이 WTO 협정 위반이라는 이유로 직접 국내 법원에 회원국 정부를 상대로 처분의 취소를 구하는 소를 제기할 수 없다. ★★★

우리나라가 1994.12.16. 국회의 비준동의를 얻어 1995.1.1. 발효된 '1994년 국제무역기구 설립을 위한 마라케쉬협정'의 일부인 '1994년 관세 및 무역에 관한 일반협정 제6조의 이행에 관한 협정'은 국가와 국가 사이의 권리·의무관계를 설정하는 국제협정으로, 그 내용 및 성질에 비추어 이와 관련한 법적 분쟁은 위 WTO 분쟁해결기구에서 해결하는 것이 원칙이고, 사인에 대하여는 위 협정의 직접 효력이 미치지 아니한다고 보아야 할 것이므로, 위 협정에 따른 회원국 정부의 반덤핑 부과처분이 WTO 협정위반이라는 이유만으로 사인이 직접 국내 법원에 회원국 정부를 상대로 그 처분의 취소를 구하는 소를 제기하거나 위 협정위반을 처분의 독립된 취소사유로 주장할 수는 없다 할 것이다(대판 2009.1.30. 2008두17936).

19. 서울시 9급 국제법규도 행정법의 법원이므로, 사인이 제기한 취소소송에서 WTO협정과 같은 국제협정 위반을 독립된 취소사유로 주장할 수 있다. (×) → 이지만 / 없다

17 변호사, 17. 국가직 9급 WTO 협정 회원국 정부의 반덤핑부과처분이 WTO 협정위반이라는 이유만으로 사인(私人)이 직접 국내법원에 회원국 정부를 상대로 그 처분의 취소소송을 제기하거나 위 협정위반을 처분의 독립된 취소사유로 주장할 수 없다. (○)

11. 지방직 9급 사인은 (회원국 정부의) 반덤핑부과처분이 세계무역기구(WTO) 협정위반이라는 이유로 직접 국내 법원에 회원국 정부를 상대로 그 처분의 취소를 구하는 소를 제기할 수 있다. (×) → 없다

---

3 불문법원

성문법원에 대한 보충적 법원인 불문법원으로는 관습법, 판례법, 조리가 있다.

1. 행정관습법

(1) 의의 및 성립요건

① 행정관습법이란 행정의 영역에서 오랫동안 계속되어 온 관행이 국민 또는 관계 당사자의 법적 확신에 의하여 법적 규범으로 승인되기에 이른 것을 말한다. 행정관습법은 사회의 법적 확신이나 인식에 의하여 법적 규범으로 승인된 정도에 이르지 않은 단순한 관행인 사실인 관습과 구별된다.

> **관련판례**
>
> **사실인 관습은 법령으로서의 효력이 없으며, 법률행위 당사자의 의사를 보충함에 그친다.** ★
>
> 사실인 관습은 사회의 관행에 의하여 발생한 사회생활 규범인 점에서 관습법과 같으나 사회의 법적 확신이나 인식에 의하여 법적 규범으로서 승인된 정도에 이르지 않은 것을 말하는 바, 관습법은 바로 법원으로서 법령과 같은 효력을 갖는 관습으로서 법령에 저촉되지 않는 한 법칙으로서의 효력이 있는 것이며, 이에 반하여 사실인 관습은 법령으로서의 효력이 없는 단순한 관행으로서 법률행위 당사자의 의사를 보충함에 그치는 것이다(대판 1983.6.14. 80다3231).

② 행정관습법은 ㉠ 사회에서 오랫동안 거듭되어온 관행이라는 객관적 요건과, ㉡ 국민의 법적 확신이라고 하는 주관적 요건이 구비되어야 성립한다. 이에 더하여 법원에 의한 승인을 요구하는 견해(국가승인설)도 있지만, 다수의 견해는 국가의 승인은 필요하지 않다고 본다(법적확신설).

15. 경찰 1차 관습법이란 사회의 거듭된 관행으로 생성한 사회생활규범이 사회의 법적 확신과 인식에 의하여 법적 규범으로 승인·강행되기에 이른 것을 말한다. (○)

22. 행정사 사실인 관습은 행정법의 법원이다. (×) → 이 아니다

17. 국가직 9급 사회의 거듭된 관행으로 생성된 사회생활규범이 관습법으로 승인되었다고 하더라도 사회 구성원들이 그러한 관행의 법적 구속력에 대하여 확신을 갖지 않게 되었다면 그러한 관습법은 법적 규범으로서의 효력이 부정될 수밖에 없다. (○)

(2) 효력(인정범위)

① 관습법은 성문법을 개정하거나 폐지하는 효력까지 갖는다는 견해(개폐적 효력설)도 있지만, 통설·판례는 관습법은 성문법 및 법의 일반원칙이 존재하지 않거나 불완전한 경우에 보충적으로만 적용될 뿐, 성문법을 개정하거나 폐지하는 효력은 없다고 본다(보충적 효력설). 관습법이 성립된 경우라도 그와 모순되는 법이 제정된 경우 그 관습법은 효력을 상실하게 된다.

제1편
행정법통론 해커스공무원 함수민 행정법총론 기본서

사실인 관습
▷ 사회의 법적 확신이나 인식에 의하여 법적 규범으로 승인된 정도에 이르지 않은 단순한 관행(법원×)

행정관습법
▷ 계속된 행정관행이 일반국민 등의 법적 확신으로 법적규범으로 승인된 것

관습법 성립요건
▷ 계속적 관행 + 법적확신(국가승인 不要)

개폐적 효력설
▷ 성문법 개정·폐지 可

보충적 효력설
▷ 성문법에 대한 보충적 효력(성문법 개정·폐지 不可)

관습법의 제정법에 대한 효력
▷ 열후적·보충적 성격

관습법은 제정법에 대해 열후적·보충적 성격을 갖는다. ★★

가족의례준칙 제13조의 규정과 배치되는 관습법의 효력을 인정하는 것은 관습법의 제정법에 대한 열후적, 보충적 성격에 비추어 민법 제1조의 취지에 어긋나는 것이다(대판 1983.6.14. 80다3231).

18. 교행 일반적으로 관습법은 성문법에 대하여 개폐적 효력을 가진다. (×) → 보충적

15. 경찰 3차 관습법은 성문법의 결여시에 성문법을 보충하는 범위에서 효력을 갖는다. (○)

11. 국회직 9급 행정관습법은 성문법의 규정이 불비된 경우에 그것을 보충하는 효력을 가질 뿐이므로 성문법과 저촉되는 행정관습법은 인정될 수 없다. (○)

② 나아가 판례는 사회의 거듭된 관행으로 생성된 사회생활규범이 관습법으로 승인되었다고 하더라도 사회 구성원들이 그러한 관행의 법적 구속력에 대하여 확신을 갖지 않게 되었다거나, 사회를 지배하는 기본적 이념이나 사회질서의 변화로 인하여 그러한 관습법을 적용하여야 할 시점에 있어서의 전체 법질서에 부합하지 않게 되었다면 그러한 관습법은 법적 규범으로서의 효력이 부정될 수밖에 없다고 판시한 바 있다(대판 2005.7.21. 2002다1178 전합).

17. 국가직 9급 사회의 거듭된 관행으로 생성된 사회생활규범이 관습법으로 승인되었다고 하더라도 사회 구성원들이 그러한 관행의 법적 구속력에 대하여 확신을 갖지 않게 되었다면 그러한 관습법은 법적 규범으로서의 효력이 부정될 수밖에 없다. (○)

관습법의 소멸
▷ 법적 확신 상실 or 전체 법질서에 부합×

(3) 종류(행정선례법, 민중적 관습법)

① **행정선례법:** 행정선례법이란 행정청이 취급한 선례(관행)가 상당히 오랫동안 반복되어 관계당사자의 법적 확신을 얻게 되었을 때 성립되는 관습법이다. 행정선례법의 인정은 행정에 대한 신뢰보호의 관념에 기초를 두고 있고, 「국세기본법」 제18조 제3항과 「행정절차법」 제4조 제2항은 행정선례법의 존재(관행의 법적구속력)를 명문으로 인정하고 있기도 하다. 또한 판례는 4년 동안 과세하지 않다가 소급하여 과세한 것을 다투는 소송에서 「국세기본법」 제18조 제3항의 국세의 관행에 비과세의 관행이 포함된다고 보아 비과세의 관행을 일종의 행정선례법으로 인정하고 있다.

행정선례법
▷ 행정사무의 반복된 관행이 법적 확신을 갖는 경우
근거
▷ 행정에 대한 신뢰보호
▷ 「국세기본법」 제18조 제3항, 「행정절차법」 제4조 제2항

> **「국세기본법」 제18조 【세법 해석의 기준 및 소급과세의 금지】** ③ 세법의 해석이나 국세행정의 관행이 일반적으로 납세자에게 받아들여진 후에는 그 해석이나 관행에 의한 행위 또는 계산은 정당한 것으로 보며, 새로운 해석이나 관행에 의하여 소급하여 과세되지 아니한다.

> **「행정절차법」 제4조 【신의성실 및 신뢰보호】** ② 행정청은 법령 등의 해석 또는 행정청의 관행이 일반적으로 국민들에게 받아들여졌을 때에는 공익 또는 제3자의 정당한 이익을 현저히 해칠 우려가 있는 경우를 제외하고는 새로운 해석 또는 관행에 따라 소급하여 불리하게 처리하여서는 아니 된다.

관련판례

1 **4년간 면허세 미부과와 국세기본법 제18조 제2항의 비과세 관행** ★★

국세기본법 제18조 제2항의 규정은 납세자의 권리보호와 과세관청에 대한 납세자의 신뢰보호에 그 목적이 있는 것이므로 이 사건 용산구청장의 보세운송면허세의 부과근거이던 지방세법시행령이 1973.10.1 제정되어 1977.9.20에 폐지될 때까지 4년 동안 그 면허세를 부과할 수 있는 정을 알면서도 피고가 수출확대라는 공익상 필요에서 한 건도 이를 부과한 일이 없었다면 납세자인 원고는 그것을 믿을 수밖에 없고 그로써 비과세의 관행이 이루어졌다고 보아도 무방하다(대판 1980.6.10. 80누6 전합).

20. 지방직 7급 면허세의 근거법령이 제정되어 폐지될 때까지의 4년 동안 과세관청이 면허세를 부과할 수 있음을 알면서도 수출확대라는 공익상 필요에서 한 건도 부과한 일이 없었다면 비과세의 관행이 이루어졌다고 보아도 무방하다. (O)

2 **비과세의 사실상태가 장기간에 걸쳐 계속된 경우에, 그것이 그 사항에 대하여 과세의 대상으로 삼지 아니하는 뜻의 과세관청의 묵시적인 의사표시로 볼 수 있는 경우에는 이를 국세행정의 관행이라고 인정할 수 있다**(대판 1987.2.24. 86누571). ★★

14. 지방직 9급 판례는 국세행정상 비과세의 관행을 일종의 행정선례법으로 인정하지 아니한다. (×) → 한다

② **민중적 관습법**: 민중적 관습법은 민중 사이의 오랜 기간의 관행이 법적 확신을 얻게 되었을 때 성립되는 관습법을 말한다. 주로 도로·하천 등 공물의 이용관계에서 성립하고, 그 예로 관습상 어업권(入漁權), 관습상 하천수·지하수사용권 등을 들 수 있다. 구「수산업법」제40조는 민중적 관습법인 입어권의 존재를 명문으로 인정하고 있다.

> 「**수산업법**」**제40조【입어 등의 제한】** ① 마을어업의 어업권자는 입어자(入漁者)에게 제38조에 따른 어장관리규약으로 정하는 바에 따라 해당 어장에 입어하는 것을 허용하여야 한다.
>
> **제2조【정의】** 이 법에서 사용하는 용어의 뜻은 다음과 같다.
> 　10. "입어"란 입어자가 마을어업의 어장에서 수산동식물을 포획·채취하는 것을 말한다.
> 　11. "입어자"란 제47조에 따라 어업신고를 한 자로서 마을어업권이 설정되기 전부터 해당 수면에서 계속하여 수산동식물을 포획·채취하여 온 사실이 대다수 사람들에게 인정되는 자 중 대통령령으로 정하는 바에 따라 어업권원부에 등록된 자를 말한다.

14. 지방직 9급 「수산업법」은 민중적 관습법인 입어권의 존재를 명문으로 인정하고 있다. (O)

관련판례

구 수산업법상 '입어의 관행'은 민중관습법에 해당한다. ★

구 수산업법 제40조 소정의 '입어의 관행'이라 함은 어떤 어업장에 대한 공동어업권 설정 이전부터 어업의 면허 없이 당해 어업장에서 오랫동안 계속 수산동식물을 체포 또는 채취함으로써 그것이 대다수 사람에게 일반적으로 시인될 정도에 이른 것이라 할 것이다(대판 1994.3.25. 93다45701).

4년간 면허세를 부과할 수 있음을 알면서도 비과세
▷ 비과세 관행○

비과세관행 성립요건
▷ 상당기간 비과세사실＋행정청의 비과세의사

민중관습법
▷ 민중들 사이의 관행이 법적 확신을 갖는 경우(주로 공물이용관계)

「수산업법」상 입어의 관행(관습상 어업권)
▷ 민중관습법○

관습헌법(우리나라 수도가 서울인 점)
▷ 성문헌법과 동등한 효력
관습헌법 폐지
▷ 헌법개정 필요

(4) 관습헌법의 효력

관습법과 달리 관습헌법은 성문헌법과 동등한 효력을 가진다. 헌법재판소는 「신행정수도 건설을 위한 특별조치법」의 위헌확인사건에서 우리나라의 수도가 서울인 것은 우리 헌법상 관습헌법으로 정립된 사항이고, 관습헌법도 성문헌법과 동일한 효력을 가지므로 우리나라의 수도가 서울인 점에 대한 관습헌법을 폐지하기 위해서는 성문헌법과 같은 헌법개정이 필요하다고 판시하였다(헌재 2004.10.21. 2004헌마554).

12. 지방직 9급 헌법재판소는 「신행정수도의 건설을 위한 특별조치법」의 위헌확인사건에서 관습헌법은 성문헌법과 같은 헌법개정절차를 통해서 개정될 수 있다고 판시하였다. (○)

2. 판례법

(1) 대법원 판례의 법원성

① 대법원의 판례가 법을 구체화하고 법 해석의 일반적인 기준을 제시한 경우 그러한 판례에 법원성(법상 구속력)이 인정되는지 문제된다.

② 판례법주의(선례구속의 원칙)에 입각해 있는 영미법계 국가와 달리 성문법주의를 취하고 있는 우리나라에서는 판례의 법원성을 인정하기 곤란하다(통설, 판례). 따라서 법원은 기존의 판례를 변경할 수 있고, 하급심 법원도 이론상 상급심 법원의 판결에 구속되지 않는다.❶

③ 한편, 「법원조직법」 제8조는 "상급법원 재판에서의 판단은 해당 사건에 관하여 하급심(下級審)을 기속(羈束)한다."라고 규정하고 있는데, 이는 심급을 인정함에 따른 당연한 결과일 뿐이고, 하급심이 상급심의 판결에 기속당하는 것은 '당해 사건'에 한하는 것이다. 따라서 동종의 사건이라도 다른(또는 유사) 사건에서는 하급심 법원은 상급심 법원의 판결에 구속당하지 않고 다른 판단을 하는 것이 가능하다.❷

10. 경찰 「법원조직법」에는 상급법원의 재판에 있어서의 판단은 당해 사건에 관하여 하급심을 기속한다는 규정이 있다. (○)

11. 국가직 9급 동종사건에 관하여 대법원의 판례가 있더라도 하급법원은 그 판례와 다른 판단을 하는 것이 가능하다. (○)

우리나라는 판례의 법원성 부정
▷ 당해 사건(동종사건×)에 한하여 하급심 기속

❶ 불문법주의를 따르는 영미법계 국가는 전통적으로 선례구속의 원칙이 엄격하게 적용되어 상급심 법원의 판결은 유사 사건에서 하급심 법원을 구속하므로 판례의 법원성을 인정한다. 한편, 성문법주의에 따르는 대륙법계에서는 판례의 법원성을 부정한다.

❷ 그러나, 실제에 있어서 판례는 사실상 구속력을 갖는다. 왜냐하면 대법원은 법적 안정성을 위하여 판례를 잘 변경하지 않는 경향이 있고, 「법원조직법」 제7조 제1항 제3호는 대법원이 종전 판례를 변경하려면 대법관 전원의 3분의 2 이상으로 구성되는 전원합의체에서 심판하도록 규정하여 그 요건이 매우 까다롭다. 또한 하급심이 상급심의 판결을 따르지 않는 경우 하급심의 판결이 상급심에서 파기될 가능성이 높으므로 하급심은 상급심의 판결을 존중하는 경향이 있기 때문이다.

대법원의 판례
▷ 다른 사건에 대한 직접적 기속력 無

> 🔍 **관련판례**
>
> **대법원의 판례는 사안이 서로 다른 사건을 재판하는 하급심 법원을 기속하는 효력이 없다.** ★★
>
> 대법원의 판례가 법률해석의 일반적인 기준을 제시한 경우에 유사한 사건을 재판하는 하급심법원의 법관은 판례의 견해를 존중하여 재판하여야 하는 것이나, 판례가 사안이 서로 다른 사건을 재판하는 하급심 법원을 직접 기속하는 효력이 있는 것은 아니다 (대판 1996.10.25. 96다31307).
>
> 16. 행정사, 15. 경찰 1차 대법원의 판례가 법률해석의 일반적인 기준을 제시하였어도 사안이 서로 다른 사건을 재판하는 하급심법원을 직접 기속하는 것은 아니다. (○)
>
> 07. 국가직 9급 대법원은 "유사사건에 관한 대법원의 판례가 하급심 법원을 직접 기속한다."고 판시한 바 있다. (✕) → 직접 기속하는 효력이 있는 것은 아니다

(2) 헌법재판소 위헌결정의 법원성

① 헌법재판소의 법률에 대한 위헌결정은 법원과 그 밖의 국가기관 및 지방자치단체를 기속한다는 「헌법재판소법」 제47조에 의하여 법원으로서의 성격을 가진다.

> 「헌법재판소법」 제47조 【위헌결정의 효력】 ① 법률의 위헌결정은 법원과 그 밖의 국가기관 및 지방자치단체를 기속(羈束)한다.
> ② 위헌으로 결정된 법률 또는 법률의 조항은 그 결정이 있는 날부터 효력을 상실한다.

12. 지방직 9급 헌법재판소에 의한 법률의 위헌결정은 국가기관과 지방자치단체를 기속한다는 「헌법재판소법」 제47조에 의해 법원으로서의 성격을 가진다. (○)

② 그러나 헌법재판소가 법률의 위헌 여부를 판단하기 위하여 한 법률해석에 대해서는 대법원이나 각급 법원이 구속되지 않는다.

🔎 관련판례

헌법재판소의 법률해석에 법원이 구속되지 않는다. ★★

헌법재판소가 법률의 위헌 여부를 판단하기 위하여 불가피하게 법원의 최종적인 법률해석에 앞서 법령을 해석하거나 그 적용범위를 판단하더라도 헌법재판소의 법률해석에 대법원이나 각급 법원이 구속되는 것은 아니다(대판 2009.2.12. 2004두10289 ; 대판 2008.10.23. 2006다66272).

10. 국가직 9급 헌법재판소가 법률의 위헌 여부를 판단하기 위하여 한 법률해석에 대법원이나 각급 법원이 구속되는 것은 아니다. (○)

3. 조리

(1) 조리란 '사물의 본질적 법칙' 또는 '사회통념, 사회적 타당성', '정의와 형평', '일반사회의 정의감에 비추어 반드시 그렇게 되어야 할 것으로 인정되는 것'을 의미한다. 조리는 성문법·관습법·판례법 등이 일절 없는 경우, 즉 법의 흠결시 최후의 보충적 법원이 된다.

18. 교행 법원(法院)은 보충적 법원으로서의 조리에 따라 재판할 수 있다. (○)

(2) 한편, 행정법의 일반원칙이란 행정법 해석의 기본원리로서 이에는 신의성실의 원칙, 신뢰보호의 원칙, 평등의 원칙, 자기구속의 원칙, 비례의 원칙, 권리·권한남용금지의 원칙, 부당결부금지의 원칙 등이 있다. 행정법의 일반원칙을 조리에 포함시켜 논하는 경우도 있지만, 조리와 달리 정의의 관념뿐만 아니라 헌법, 「민법」 등 여러 실정법에서도 도출되는 점, 법의 흠결이 없는 경우에도 성문법 해석의 기준이 되기도 하는 등 다른 법원(法源)과의 관계에서 보충적 역할에 그치지 않고 헌법적 효력을 갖기도 한다는 점에서(특히 행정법의 일반원칙 중 평등의 원칙, 비례의 원칙, 신뢰보호의 원칙 등은 헌법적 효력을 가지는 원칙으로서 법률보다 우위의 효력을 가진다) 조리와 구별하여 논하는 것이 타당하다.

16. 서울시 9급 행정법의 일반원칙은 다른 법원(法源)과의 관계에서 보충적 역할에 그치지 않으며 헌법적 효력을 갖기도 한다. (○)

함께 정리하기

헌법재판소 위헌결정
▷ 법원으로서의 성질○

헌법재판소의 법률해석
▷ 대법원·각급법원에 대한 구속력 無

조리
▷ 법원성 有(최후의 보충적 법원)

행정법의 일반원칙
▷ 헌법적 효력 갖는 경우 有

행정법의 일반원칙
▷ 법치행정의 원칙, 평등의 원칙, 비례의 원칙, 성실의무 및 권한남용금지의 원칙, 신뢰보호의 원칙, 부당결부금지의 원칙 등
행정법의 일반원칙의 불문법원성
▷ 과거○, 현재×(실정법상 효력○)

제3절 행정법의 일반원칙

1 의의

행정법의 일반원칙이란 현행 행정법질서의 기초를 이루고, 행정법 영역 전반에 적용되는 기본원칙을 말한다. 법치행정의 원칙, 평등의 원칙, 비례의 원칙, 성실의무 및 권한남용금지의 원칙, 신뢰보호의 원칙, 부당결부금지의 원칙 등이 이에 해당한다. 위 원칙들은 「행정기본법」이 제정되기 전에도 판례와 학설을 통해 확립되어 있었으나, 「행정기본법」 제2장에 행정의 법 원칙으로 법전화됨으로써 이제는 실정법상 효력을 가지게 되었다.

2 법치행정의 원칙

법치주의
▷ 정당한 법을 통한 통치원리
종래 형식적 법치주의
▷ 오늘날 실질적 법치주의로 전환

1. 법치주의

법치주의(法治主義)란 자의적인 통치를 억제하고 정의를 실현하기 위하여 우리 헌법을 포함한 정당한 법에 따라 국가작용이 행하여지도록 하는 국가질서의 원리를 말한다.
종래 법치주의는 지배자의 자의를 배제하기 위한 원리로서 국가권력의 행사는 의회가 제정한 법률에 따라야 한다는 형식적 법치주의(국가권력의 행사는 의회가 제정한 법률에 의해 발동되면 충분하고, 법률의 내용이나 목적, 이념은 문제삼지 않음. 예 히틀러의 수권법, 박정희 대통령의 유신헌법)를 의미하였으나, 오늘날의 법치주의는 법률의 제정뿐만 아니라 그 내용의 적용에서도 국민의 권리·의무를 최대한 보장할 수 있어야 한다는 실질적 법치주의를 의미한다. 즉, 법치행정원리의 현대적 의미는 형식적 법치주의에서 실질적 법치주의로의 전환이다.

19. 서울시 7급 법치행정원리의 현대적 의미는 실질적 법치주의에서 형식적 법치주의로의 전환이다. (×) → 형식적 법치주의에서 실질적 법치주의

14. 사복직 실질적 법치주의를 구현하기 위한 방법으로 법률의 위임에 의한 법규명령의 제정에 있어서 포괄적 위임금지, 행정의 내부조직이나 특별행정법관계 내부에까지 법률유보 적용확대, 헌법재판소에 의한 위헌법률심사제, 행정의 탄력성과 합목적성을 달성하기 위한 행정입법권의 강화가 있다. (×) → ×

오늘날의 법치주의
▷ 실질적 법치주의
▷ 법률의 목적과 내용 또한 헌법에 부합하여야 함

> ⚖ **관련판례**
>
> **오늘날의 법치주의는 실질적 법치주의를 의미한다.** ★
>
> 오늘날의 법치주의는 국민의 권리·의무에 관한 사항을 법률로써 정해야 한다는 형식적 법치주의에 그치는 것이 아니라 비록 국회에서 제정한 법률이라 할지라도 그 법률의 목적과 내용 또한 헌법이념에 부합하는 등 정의에 합치되는 것이라야 한다는 실질적 법치주의를 의미한다(헌재 1989.7.21. 89헌마38).
>
> 07. 경기 7급 오늘날의 법치주의는 국민의 권리·의무에 관한 사항을 법률로써 정해야 한다는 형식적 법치주의에 그치는 것이 아니라 비록 국회에서 제정한 법률이라 할지라도 그 법률의 목적과 내용 또한 헌법이념에 부합하는 등 정의에 합치되는 것이라야 한다는 실질적 법치주의를 의미한다. (○)

2. 법치행정의 원칙의 내용

> 「행정기본법」 제8조 【법치행정의 원칙】 행정작용은 법률에 위반되어서는 아니 되며, 국민의 권리를 제한하거나 의무를 부과하는 경우와 그 밖에 국민생활에 중요한 영향을 미치는 경우에는 법률에 근거하여야 한다.
>
> 23. 지방직 9급 행정작용은 법률에 위반되어서는 아니 되며, 국민의 권리를 제한하거나 의무를 부과하는 경우와 그 밖에 국민생활에 중요한 영향을 미치는 경우에는 법률에 근거해야 한다. (○)

법치주의는 국가권력 중에서도 특히 행정권에 대한 통제원리이며 법치주의의 핵심내용은 법치행정의 원칙이다. 법치행정의 원칙이란 행정이 헌법과 법률을 포함하는 '법'에 의해 이루어져야 하며(행정에 대한 법의 지배), 만일 행정권에 의해 국민의 권익이 침해된 경우 국민의 기본권 보장을 위하여 그 구제를 위한 제도가 보장되어야 한다는 것(행정구제제도의 확립)을 의미한다.

'행정에 대한 법의 지배'는 법률의 법규창조력, 법률우위의 원칙, 법률유보의 원칙을 포함하고, 「행정기본법」 제8조 전단은 법률우위의 원칙을, 후단은 법률유보의 원칙을 선언하고 있다.

(1) 법률의 법규창조력

법률의 법규창조력이란 의회에서 제정된 형식적 법률만이 국민의 권리·의무를 직접 구속하는 법규를 창설할 수 있음을 의미한다. 그러나 오늘날에는 의회에서 제정한 형식적 의미의 법률 이외에도 행정입법(예 법규명령 등), 관습법, 행정법의 일반원칙 등 역시 국민의 권리·의무를 직접 기속하는 효력을 갖게 됨에 따라 이제는 법치행정 원칙의 구성요소로서의 의미가 퇴색되었다.

> 13. 국회직 9급 법률의 법규창조력이란 국민의 권리의무관계에 구속력을 가지는 법규(법규범)를 창조하는 것은 국민의 대표기관인 의회에서 제정한 법률만이라고 한다. (○)
>
> 09. 국회직 9급 법률의 법규창조력은 국민생활을 직접 구속하는 법규는 의회에서 제정한 법률에 의해서만 창설될 수 있음을 의미한다. (○)

(2) 법률우위의 원칙(법률의 행정에 대한 우위, 법우위의 원칙, 「행정기본법」 제8조 전단)

① **의의**: 법률우위의 원칙이란 행정작용의 법률종속성을 나타내는 것으로서 국가의 '모든' 행정작용은 합헌적 절차에 따라 제정된 법률에 위반되어서는 안 된다는 것을 말한다. 이러한 법률우위의 원칙은 소극적으로 행정이 법규에 위반되어서는 안 된다는 의미에서 소극적 의미의 법률적합성 원칙이라고도 한다.

> 18. 교행 법률우위의 원칙이란 국가의 행정은 합헌적 절차에 따라 제정된 법률에 위반되어서는 아니 된다는 것을 말한다. (○)

② **법률의 범위**: 여기서 '법률'은 국회가 제정한 형식적 의미의 법률뿐만 아니라 법규명령과 관습법 등(성문법·불문법)을 모두 포함한 넓은 의미의 법규를 의미한다. 그러나 법규성이 부정되는 행정규칙은 포함되지 않는다.

> 20. 행정사 법률우위의 원칙에서 말하는 법률은 국회가 제정한 형식적 의미의 법률만을 말한다. (×) → 뿐만 아니라 법규명령, 불문법 등 모든 법규를
>
> 19. 서울시 7급 법률우위의 원칙에서 법은 형식적 법률뿐 아니라 법규명령과 관습법 등을 포함하는 넓은 의미의 법이다. (○)

③ **적용범위**: 법률우위의 원칙은 제한 없이 행정의 모든 영역에 적용된다(공법적 행위·사법적 행위, 수익적 행위·침익적 행위, 법적 행위·사실적 행위 등).

법치주의
▷ 행정에서 법치행정의 원칙으로 구현

법치행정의 원칙
▷ 법의 지배, 행정구제제도의 확립

행정에 대한 법의 지배
▷ 법률의 법규창조력, 법률우위의 원칙, 법률유보의 원칙

법규창조력
▷ 의회에서 제정된 형식적 의미의 법률만 법규를 창설할 수 있음을 의미, 법치행정의 구성요소로서의 의미 퇴색

법률우위의 원칙
▷ 국가의 모든 행정은 합헌적 절차에 따라 제정된 법률에 위반되어서는 안 된다는 원칙
▷ 소극적 의미의 법률적합성 원칙

법률의 범위
▷ 성문법·불문법을 모두 포함한 법규(행정규칙×)

적용범위
▷ 모든 행정영역에 적용

18. 교행, 13. 국회직 9급 법률의 우위원칙은 행정의 법률에의 구속성을 의미하는 것으로 제한 없이 행정의 모든 영역에 적용된다. (○)

20. 행정사 법률우위의 원칙은 사법형식의 행정작용에는 적용되지 않는다. (×) → 에도 적용된다

17. 교행 법률우위의 원칙은 침해적 행정에만 적용된다. (×) → 모든 행정에

16. 서울시 7급 조례는 행정입법의 성격을 갖기 때문에 법률우위의 원칙은 적용되지 않는다. (×) → 적용된다

위반의 효력
▷ 행위형식에 따라 무효 or 취소(일률적 ×)

위법한 법규명령, 조례, 공법상 계약, 사실행위
▷ 무효

위법한 행정행위
▷ 무효 또는 취소의 대상(중대·명백설에 따라)

④ **위반의 법적 효과**: 법률우위의 원칙에 위반되는 행정작용은 위법한 행정작용이 되는데, 위법한 행정작용의 효력은 행정의 행위형식에 따라 다르다. 즉, 위법한 법규명령이나 조례, 공법상 계약, 사실행위는 무효에 해당하나, 위법한 행정행위는 중대하고 명백한 하자의 경우에만 무효에 해당하고, 단순위법의 경우는 취소할 수 있음에 그친다. 또한 위법한 행정작용으로 손해가 발생한 경우 손해배상이 인정될 수 있다.

13. 국회직 9급 법률의 우위원칙에 위반된 행정작용의 법적 효과는 행위형식에 따라 상이하여 일률적으로 말할 수 없다. (○)

20. 행정사 법률우위의 원칙에 위반한 행정행위는 무효이다. (×) → 일률적이지 않고 무효 또는 취소할 수 있는 행정행위가 된다

관련판례

지방자치단체가 제정한 조례가 법령을 위반하는 경우(법률우위원칙 위반)
▷ 무효

1 지방자치단체가 제정한 조례가 법령을 위반하는 경우에는 효력이 없다(대판 2008. 6.12. 2007추42). ★★

18. 서울시 9급 법령의 규정보다 더 침익적인 조례는 법률유보원칙에 위반되어 위법하며 무효이다. (×) → 법률우위원칙

국가계약법에 따른 요건과 절차를 거치지 아니한 계약(법률우위원칙 위반)
▷ 계약 효력×(무효)

2 국가를 당사자로 하는 계약에 관한 법률에 따른 계약서를 따로 작성하는 등 요건과 절차를 거치지 아니한 계약은 효력이 없다. ★★
구 국가를 당사자로 하는 계약에 관한 법률(이하 '국가계약법'이라 한다) 제11조 규정 내용과 국가가 일방당사자가 되어 체결하는 계약의 내용을 명확히 하고 국가가 사인과 계약을 체결할 때 적법한 절차에 따를 것을 담보하려는 규정의 취지 등에 비추어 보면, 국가가 사인과 계약을 체결할 때에는 국가계약법령에 따른 계약서를 따로 작성하는 등 요건과 절차를 이행하여야 할 것이고, 설령 국가와 사인 사이에 계약이 체결되었더라도 이러한 법령상 요건과 절차를 거치지 아니한 계약은 효력이 없다(대판 2015.1.15. 2013다215133).

22. 소방직 국가계약의 본질적인 내용은 사인 간의 계약과 다를 바가 없어 법령에 특별한 규정이 있는 경우를 제외하고는 사법의 규정 내지 법원리가 그대로 적용되므로, 국가와 사인 간의 계약은 국가계약법령에 따른 요건과 절차를 거치지 않더라도 유효하다. (×) → 되지만 / 거쳐야 한다

19. 서울시 9급 「국가를 당사자로 하는 계약에 관한 법률」에 따른 계약서를 따로 작성하는 등 그 요건과 절차를 거치지 않고 체결된 계약이라고 해서 무효가 되는 것은 아니다. (×) → 은 / 된다

19. 변호사 국가를 당사자로 하는 계약에 관한 법령에 따라 공단과 甲회사가 계약을 체결할 때 계약서를 작성해야 하는 경우, 해당 법령상의 요건과 절차를 충족하지 아니하면 그 계약은 효력이 없다. (○)

법률상의 요건과 절차를 거치지 않고 체결한 지방자치단체와 사인 간의 사법상 계약 또는 예약의 효력
▷ 무효

3 구 지방재정법 및 국가를 당사자로 하는 계약에 관한 법률상의 요건과 절차를 거치지 않고 체결한 지방자치단체와 사인 간의 사법상 계약 또는 예약의 효력은 무효이다(대판 2009.12.24. 2009다51288). ★★

15. 경찰 법령상의 요건과 절차를 거치지 않고 체결한 지방자치단체와 사인 사이에 사법상 계약은 무효이다. (○)

(3) 법률유보의 원칙(행정기본법 제8조 후단)

① 의의 및 내용

ㄱ 법률유보의 원칙이란 '일정한' 행정작용은 법령의 근거(수권법)가 있어야 하고, 법적 근거가 없는 경우에는 행정개입의 필요가 있더라도 행정권이 발동될 수 없다는 것을 의미한다. 이러한 법률유보의 원칙은 적극적으로 행정기관이 일정한 행위를 할 수 있게 하는 법적 근거의 문제이기 때문에 적극적 의미의 법률적합성의 원칙이라고도 한다.

> 13. 국회직 9급 법률의 우위원칙은 행정의 법률에의 구속성을 의미하는 적극적인 성격의 것인 반면에 법률유보의 원칙은 행정은 단순히 법률의 수권에 의하여 행해져야 한다는 소극적인 성격의 것이다. (×) → 소극적인 /× / 적극적인

ㄴ 법률유보 원칙이 적용되는 경우에는 행정상 필요하다는 사실만으로 행정권은 행사될 수 없고, 법적 근거가 있어야 행정권 행사가 가능하다.

🏃 관련판례

1 운전면허 취소사유(음주운전)로 개인택시운송사업면허를 취소할 법적 근거가 없으므로 그 면허의 취소는 허용되지 않는다. ★★

[1] 구 여객자동차운수사업법에는 관할관청은 개인택시운송사업자의 운전면허가 취소된 때에 그의 개인택시운송사업면허를 취소할 수 있도록 규정되어 있을 뿐 그에게 <u>운전면허 취소사유가 있다는 사유만으로 개인택시운송사업면허를 취소할 수 있도록 하는 규정이 없으므로</u>, 관할관청으로서는 비록 개인택시운송사업자에게 운전면허 취소사유가 있다 하더라도 그로 인하여 운전면허 취소처분이 이루어지지 않은 이상 개인택시운송사업면허를 취소할 수는 없다 할 것이다.

> 20. 소방간부 법률에 개인택시운송사업자의 운전면허가 취소된 때에 그의 개인택시운송사업면허를 취소할 수 있도록 규정되어 있더라도, 관할관청은 개인택시운송사업자에게 운전면허 취소사유가 있다는 사유만으로 개인택시운송사업면허를 취소할 수 없다. (○)
>
> 12. 국회직 9급 관할관청은 비록 개인택시 운송사업자에게 운전면허 취소사유가 있다 하더라도 그로 인하여 운전면허 취소처분이 이루어지지 않은 이상 개인택시 운송사업 면허를 취소할 수 없다. (○)
>
> 19. 국가직 9급 개인택시운송사업자의 운전면허가 아직 취소되지 않았더라도 운전면허취소사유가 있다면 행정청은 명문규정이 없더라도 개인택시운송사업면허를 취소할 수 있다. (×) → 없다

[2] <u>개인택시운송사업자가 음주운전을 하다가 사망한 경우 그 망인에 대하여 음주운전을 이유로 운전면허 취소처분을 하는 것은 불가능하고, 음주운전은 운전면허의 취소사유에 불과할 뿐 개인택시운송사업면허의 취소사유가 될 수는 없으므로, 음주운전을 이유로 한 개인택시운송사업면허의 취소처분은 위법하다</u>(대판 2008.5.15. 2007두26001).❶

> 19. 국회직 8급 개인택시기사가 음주운전 사고로 사망한 경우 음주운전이 운전면허 취소사유로만 규정되어 있으므로 관할관청은 당해 음주운전사고를 이유로 개인택시운송사업면허를 바로 취소할 수는 없다. (○)

2 법률의 위임 없이 법률이 정하지 아니한 법외노조 통보에 관하여 규정한 시행령은 헌법상 노동3권을 본질적으로 제한하고 있으므로 법률유보원칙에 반해 무효이다. ★

[1] <u>법률의 시행령은 모법인 법률에 의하여 위임받은 사항이나 법률이 규정한 범위 내에서 법률을 현실적으로 집행하는 데 필요한 세부적인 사항만을 규정할 수 있을 뿐, 법률에 의한 위임이 없는 한 법률이 규정한 개인의 권리·의무에 관한 내용을 변경·보충하거나 법률에 규정되지 아니한 새로운 내용을 규정할 수는 없다.</u>

법률유보의 원칙
▷ 일정한 행정권 발동에 법적 근거가 필요하다는 원칙
▷ 적극적 의미의 법률적합성 원칙

운전면허 취소사유(음주운전)만으로 개인택시운송사업면허취소의 법적 근거無
▷ 개인택시운송사업면허 취소불가

❶
개인택시운송사업자가 음주운전을 하다가 사망한 후 상속인이 그 지위를 승계하기 위하여 상속 신고를 한 사안에서, 관할관청이 망인의 음주운전을 이유로 상속 신고의 수리를 거부한 것은 위법하다고 한 사례이다.

법률의 위임없이 법률이 정하지 않은 법외노조통보에 관하여 규정한 시행령
▷ 무효(법률유보원칙 위반)

법률의 시행령
▷ 법률의 위임 없이 개인의 권리·의무에 관한 내용을 변경·보충하거나 법률에 규정되지 아니한 새로운 내용 규정 不可

23. 지방직 9급 법률의 시행령은 법률에 의한 위임 없어도 법률이 규정한 개인의 권리·의무에 관한 내용을 변경·보충하거나 법률에 규정되지 아니한 새로운 내용을 규정할 수 있다. (×) → 없는 한 / 없다

[2] "설립신고를 마친 노동조합에 결격사유가 발생한 경우 행정관청은 30일의 기간을 정하여 시정을 요구하되, 시정되지 않는 경우 노동조합법에 의한 노동조합으로 보지 아니함을 통보(법외노조통보)하여야 한다."고 규정하고 있는 노동조합 및 노동관계조정법 시행령은 법률이 정하고 있지 아니한 사항에 관하여, 법률의 구체적이고 명시적인 위임도 없이 헌법이 보장하는 노동3권에 대한 본질적인 제한을 규정한 것으로서 법률유보원칙에 반해 무효이다(대판 2020.9.3. 2016두32992 전합).

3 마을버스 운수업자가 유류사용량을 실제보다 부풀려 유가보조금을 과다 지급받은 데 대하여 관할 행정청의 부정수급기간 동안 지급된 유가보조금 전액을 회수하는 처분은 위법하다. ★★

마을버스 운수업자 甲이 유류사용량을 실제보다 부풀려 유가보조금을 과다 지급받은 데 대하여 관할 시장이 甲에게 부정수급기간 동안 지급된 유가보조금 전액을 회수하는 내용의 처분을 한 사안에서, 구 여객자동차 운수사업법 제51조 제3항에 따라 국토해양부장관 또는 시·도지사는 여객자동차 운수사업자가 '거짓이나 부정한 방법으로 지급받은 보조금'에 대하여 반환할 것을 명하여야 하고, 위 규정을 '정상적으로 지급받은 보조금'까지 반환하도록 명할 수 있는 것으로 해석하는 것은 문언의 범위를 넘어서는 것이어서 위법하다(대판 2013.12.12. 2011두3388).

18. 국회직 8급 마을버스 운수업자가 유류사용량을 실제보다 부풀려 유가보조금을 과다 지급받은 데 대하여 관할 행정청이 부정수급기간 동안 지급된 유가보조금 전액을 회수하는 내용의 처분을 한 것은 '거짓이나 부정한 방법으로 지급받은 보조금'에 대하여 반환할 것을 명하는 것일 뿐만 아니라 '정상적으로 지급받은 보조금'까지 반환하도록 명할 수 있는 것이어서 위법하다. (○)

ⓒ 행정은 모든 경우에 소관 사무 내에서만 가능하므로 조직법적 근거(조직규범, 직무규범)는 모든 행정권 행사에 있어서 당연히 요구된다. 따라서 법률유보의 원칙에서 요구되는 법적 근거는 조직법적 근거가 아니라 작용법적 근거(작용규범, 근거규범, 수권규범)를 의미한다(대판 2005.2.17. 2003두14765).

19. 국가직 9급 법률유보의 원칙에서 요구되는 법적 근거는 작용법적 근거를 의미한다. (○)

19. 서울시 7급 법률유보의 원칙은 행정권의 발동에 있어서 조직규범의 근거가 필요하다는 것을 말한다. (×) → 작용규범

18. 서울시 9급, 18. 교행 법률유보원칙에서 요구되는 법적 근거는 작용법적 근거를 의미하며, 조직법적 근거는 모든 행정권 행사에 있어서 당연히 요구된다. (○)

ⓓ 또한 행정권 행사에 요구되는 작용법적 근거는 원칙적으로 개별적 근거를 의미하며, 예외적으로 포괄적 근거도 가능하다(예 경찰권의 발동 등).

17. 국가직 7급 법률유보의 원칙에서 요구되는 행정권 행사의 법적 근거는 작용법적 근거를 말하며 원칙적으로 개별적 근거를 의미한다. (○)

② 법률의 범위

㉠ 여기서 '법률'이란 형식적 의미의 법률로서 의회입법을 의미하나 법률에 근거를 두고 위임요건을 충족한 법규명령이나 조례의 경우도 이에 해당된다. 그러나 불문법으로서의 관습법·판례법은 포함되지 않는다.

19. 서울시 7급 법률유보원칙에서 '법률의 유보'라고 하는 경우의 '법률'에는 국회에서 법률제정의 절차에 따라 만들어진 형식적 의미의 법률뿐만 아니라 국회의 의결을 거치지 않은 명령이나 불문법원으로서의 관습법이나 판례법도 포함된다. (×) → 은 포함되나 / 은 포함되지 않는다

마을버스 운수업자가 실제보다 부풀려 유가보조금을 과다 지급받은 데 대하여 법적근거 없이 부정수급기간 동안 지급된 유가보조금 전액을 회수하는 처분
▷ 위법○

법률유보원칙에서 요구되는 '법적 근거'
▷ 조직법적 근거×
▷ 작용법적 근거○

작용법적 근거
▷ 원칙적 개별적 근거
▷ 예외적 포괄적 근거도可

법률의 범위
▷ 법률·법규명령○
▷ 관습법·판례법×

20. 행정사, 19. 군무원 9급, 16. 서울시 9급, 14. 경찰 2차 법률유보원칙에서의 '법률'에는 국회가 제정하는 형식적 의미의 법률뿐만 아니라 법률의 위임에 따라 제정된 법규명령도 포함된다. (○)

13. 국회직 9급 법률유보의 원칙에 있어서 법률은 형식적 의미의 법률을 의미하므로 관습법은 포함되지 않는다. (○)

1 **법률유보의 원칙은 반드시 '법률에 의한' 규율만이 아니라 '법률에 근거'한 규율이면 족하므로 기본권 제한의 형식이 반드시 법률의 형식일 필요는 없다. ★★★**

법률유보의 원칙은 '법률에 의한' 규율만을 뜻하는 것이 아니라 '법률에 근거한' 규율을 요청하는 것이므로 기본권 제한의 형식이 반드시 법률의 형식일 필요는 없고 법률에 근거를 두면서 헌법 제75조가 요구하는 위임의 구체성과 명확성을 구비하기만 하면 위임입법에 의하여도 기본권 제한을 할 수 있다 할 것이다(헌재 2005.2.24. 2003헌마289).

23. 지방직 9급 법률유보의 원칙은 '법률에 의한 규율'만을 요청하는 것이 아니라 '법률에 근거한 규율'을 요청하는 것이기 때문에 기본권의 제한에는 법률의 근거가 필요할 뿐이고 기본권제한의 형식이 반드시 법률의 형식일 필요는 없다. (○)

20. 소방간부, 18. 경찰 2차, 17. 변호사, 17. 국가직 9급, 17. 지방직 9급(추) 등 기본권 제한에 있어 법률유보의 원칙은 '법률에 의한' 규율만을 뜻하는 것이 아니라 '법률에 근거한' 규율을 요청하는 것이므로 기본권 제한의 형식이 반드시 법률의 형식일 필요는 없고 법률에 근거를 두면서 헌법 제75조가 요구하는 위임의 구체성과 명확성을 구비하기만 하면 위임입법에 의하여도 기본권 제한을 할 수 있다. (○)

21. 변호사 기본권 제한에 관한 법률유보의 원칙은 '법률에 근거한 규율'뿐만 아니라 '법률에 의한 규율'을 요청하는 것이므로, 기본권의 제한에는 법률의 근거가 필요할 뿐만 아니라 기본권 제한의 형식도 법률의 형식일 것을 요한다. (×) → × / 뿐이며 / 요구하지 않는다

2 **기본권 제한에 관한 법률유보원칙은 '법률에 근거한 규율'을 요청하는 것이므로, 그 형식이 반드시 법률일 필요는 없다 하더라도 법률상의 근거는 있어야 한다(헌재 2006.5.25. 2003헌마715 등). ★★**

21. 소방간부, 19. 서울시 9급 기본권제한에 관한 법률유보원칙은 '법률에 근거한 규율'을 요청하는 것이므로, 그 형식이 반드시 법률일 필요는 없다 하더라도 법률상의 근거는 있어야 한다. (○)

ⓒ 예산은 일종의 법규범❶이고 법률과 마찬가지로 국회의 의결을 거쳐 제정되지만 법률과 달리 국가기관만을 구속할 뿐 일반국민을 구속하지 않으므로, 공권력의 행사로서의 헌법소원의 대상이 되지 아니한다(헌재 2006.4.25. 2006헌마409). 따라서 법률유보원칙에서 말하는 법률에 예산은 포함되지 않는다.

19. 서울시 9급 헌법재판소는 국회의 의결을 거쳐 확정되는 예산도 일종의 법규범이므로 법률과 마찬가지로 국가기관 뿐만 아니라 국민도 구속한다고 본다. (×) → 이지만, 달리 국가기관만

13. 지방직 9급 헌법재판소는 예산도 일종의 법규범이고, 법률과 마찬가지로 국회의 의결을 거쳐 제정되며, 국가기관뿐만 아니라 일반 국민도 구속한다고 본다. 따라서 법률유보원칙에서 말하는 법률에는 예산도 포함된다. (×) → 제정되나 국가기관만을 구속할 뿐 일반국민을 구속하지 않는다 / 포함되지 않는다

③ 적용범위

㉠ **문제점**: 법률우위의 원칙은 행정의 모든 영역에 적용되지만, 법률유보의 원칙은 모든 국가작용에 관하여 미리 형식적 의미의 법률에 근거를 마련하는 것은 불가능하므로, 그 적용범위와 관련하여 견해가 대립한다. 침해행정의 경우에는 모든 견해가 공통적으로 법률의 근거가 필요하다고 보지만, 그 이외의 행정작용의 경우에는 행정의 행위형식과 행정유형별로 개별적으로 검토되어야 한다.

법률유보의 원칙
▷ '법률에 근거한' 규율(반드시 법률 형식 不要)

법률에 근거한 규율
▷ 형식이 법률일 필요는 없어도 반드시 법률상의 근거 必要

법률의 범위
▷ 예산 포함×

❶

현행 헌법은 제53조의 법률안의결권과는 별도로 제54조에서 예산안심의·의결권을 규정하여 법률과 예산의 형식을 구별하고 있다. 이에 예산의 성질(본질)이 문제되는데, 예산은 정부가 하는 재정행위를 구속하는 준칙으로서, 세출에 관해서는 시기·목적·금액 등을 한정하고, 세입에 관해서는 재원과 시기를 한정하는 것이므로 법규범의 일종으로 본다(통설).

침해유보설
▷ 침해적 행정만 법률상 근거 要

전부유보설
▷ 모든 행정작용 법률상 근거 要

급부행정유보설
▷ 침해적 행정＋급부행정 법률상 근거 要

중요사항유보설
▷ 국민에게 중요하고 본질적인 사항은 법률상 근거 要

중요사항유보설
▷ 법률유보의 범위뿐만 아니라 법률의 규율정도에 대해서도 원칙을 제시

❶
「행정기본법」 제8조에서는 침해유보에 해당하는 것으로서 국민의 권리를 제한하거나 의무를 부과하는 경우와 중요사항유보에 해당하는 것으로서 국민생활에 중요한 영향을 미치는 경우에는 법률에 근거하도록 '법률유보'의 원칙을 명시하고 있다. 이는 전통적인 '침해유보'와 함께 판례로 확립된 '중요사항(본질사항) 유보'를 명문화한 것으로 평가된다.

의회유보원칙
▷ 공동체와 구성원에게 기본적이고도 중요한 의미를 갖는 영역은 입법자가 본질적 사항을 스스로 결정(행정입법에 수권금지)

ⓛ **학설:** ⓐ 침해적 행정작용은 법률의 근거를 요하나 수익적 행정작용이나 수익도 침익도 아닌 행정작용은 법률의 근거를 요하지 않는다는 침해유보설, ⓑ 행정의 모든 영역이 법률유보의 대상이 된다는 전부유보설, ⓒ 침해행정 이외에 수익적 활동인 급부행정영역에서도 법률유보의 원칙이 적용되어야 한다는 급부행정유보설, ⓓ 공동체와 그 구성원에게 기본적이고 중요한 사항에 관해서는 법률의 근거가 필요하다는 견해로서 중요사항유보설(본질사항유보설) 등이 제시된다.

13. 지방직 9급 전부유보설은 모든 행정작용이 법률에 근거해야 한다는 입장으로, 행정의 자유영역을 부정하는 견해이다. (○)
10. 지방직 7급 전부유보설은 법률의 수권이 없는 한, 국민에게 필요한 급부를 할 수 없게 되는 문제가 있다. (○)
12. 지방직 9급 급부행정유보설에 따르면 국민의 자유와 재산에 대한 침해행정에 대해서는 법률의 근거가 필요하지 않다고 한다. (×) → 필요하다고 한다
10. 지방직 7급 급부행정유보설은 오늘날의 사회적 복리국가에서는 급부가 자유·재산과 같은 중요성을 갖는다는 인식에 근거를 두고 있다. (○)

④ **판례 – 중요사항유보설(본질사항유보설)**

㉠ **의의**

ⓐ 중요사항유보설은 공동체나 구성원에게 중요한(본질적인) 행정권의 조치는 침해행정뿐만 아니라 급부행정에 있어서도 법률의 근거를 요하고, 그 중요성의 정도에 비례하여 구체적인(강도 있는) 규율을 하여야 한다는 견해이다. 즉, 매우 중요한 사항에 대하여는 모든 사항이 법률로만 정하여져야 하고, 보다 덜 중요한 사항은 그에 비례하여 행정부에 입법권이 수권(위임)될 수 있으며, 중요하지 않은 사항은 법률의 근거를 요하지 않게 된다.

ⓑ 중요사항유보설은 독일의 연방헌법재판소의 판례를 통해 확립된 이론인데 우리나라 헌법재판소와 대법원도 이를 채택하고 있다. 또한 행정기본법 제8조 후단에서도 중요사항유보설의 관점에서 법률유보원칙을 규정하고 있다.❶

13. 지방직 9급 중요사항유보설은 행정작용에 법률의 근거가 필요한지 여부에 그치지 않고 법률의 규율정도에 대해서도 설명하는 이론이다. (○)
10. 지방직 7급 중요사항유보설은 헌법상의 법치국가원칙·민주주의원칙 및 기본권규정과 관련하여 볼 때, 각 행정부문의 본질적 사항에 관한 규율은 법률에 유보되어야 한다는 학설이다. (○)
16. 사복직 법률유보의 적용범위는 행정의 복잡화와 다기화, 재량행위의 확대에 따라 과거에 비해 점차 축소되고 있으며 이러한 경향에 따라 헌법재판소는 행정유보의 입장을 확고히 하고 있다. (×) → 확대 / 의회유보

㉡ **의회유보론(의회유보원칙)**

ⓐ 의회유보론은 "공동체와 구성원에게 기본적이고도 중요한 의미를 갖는 영역, 특히 국민의 기본권 실현과 관련된 영역에 있어서는 국민의 대표자인 입법자가 그 본질적 사항에 대해서 스스로 결정하여야 한다."는 이론인데, 중요사항유보설은 의회유보론을 포함한다. 의회유보사항은 반드시 입법자가 법률로 정하여야 하고, 행정입법에 대한 수권이 금지된다.

관련판례

1 헌법재판소의 입장 ★★★

오늘날 법률유보원칙은 단순히 행정작용이 법률에 근거를 두기만 하면 충분한 것이 아니라, 국가공동체와 그 구성원에게 기본적이고도 중요한 의미를 갖는 영역, 특히 국민의 기본권실현과 관련된 영역에 있어서는 국민의 대표자인 입법자가 그 본질적 사항에 대해서 스스로 결정하여야 한다는 요구까지 내포하고 있다(의회유보원칙)(헌재 1995.5.27. 98헌바70).

21. 변호사, 20. 소방간부, 19. 서울시 9급, 17. 변호사, 14. 경찰 2차 오늘날 법률유보원칙은 단순히 행정작용이 법률에 근거를 두기만 하면 충분하다는 것이 아니라, 국가공동체와 그 구성원에게 기본적이고도 중요한 의미를 갖는 영역, 특히 기본권적 중요성을 가진 영역에 있어서는 국민의 대표자인 입법자가 그 본질적 사항에 대해서 스스로 결정하여야 한다는 요구까지 내포하고 있다. (○)

19. 국가직 9급, 18. 경찰 2차, 14. 서울시 9급, 10. 지방직 7급 우리 헌법재판소는 오늘날 법률유보원칙은 특히 국민의 기본권실현과 관련된 영역에 있어서는 국민의 대표자인 입법자가 그 본질적 사항에 대해서 스스로 결정하여야 한다는 요구까지 내포하는 것은 아니라고 판시한 바 있다. (×) → 내포한다고

2 대법원의 입장 ★★★

어떠한 사안이 국회가 형식적 법률로 스스로 규정하여야 하는 본질적 사항에 해당되는지는, 구체적 사례에서 관련된 이익 내지 가치의 중요성, 규제 또는 침해의 정도와 방법 등을 고려하여 개별적으로 결정하여야 하지만, 규율대상이 국민의 기본권 및 기본적 의무와 관련한 중요성을 가질수록 그리고 그에 관한 공개적 토론의 필요성 또는 상충하는 이익 사이의 조정 필요성이 클수록, 그것이 국회의 법률에 의해 직접 규율될 필요성은 더 증대된다(대판 2015.8.20. 2012두23808 전합).

23. 지방직 9급 규율대상이 국민의 기본권 및 기본적 의무와 관련한 중요성을 가질수록 그리고 그에 관한 공개적 토론의 필요성 또는 상충하는 이익 사이의 조정 필요성이 클수록, 그것이 국회의 법률에 의해 직접 규율될 필요성은 더 증대된다고 보아야 한다. (○)

22. 소방직, 19. 국가직 9급, 19. 국회직 9급 국회가 형식적 법률로 직접 규율하여야 하는 필요성은 규율대상이 기본권 및 기본적 의무와 관련된 중요성을 가질수록, 그에 관한 공개적 토론의 필요성 또는 상충하는 이익 사이의 조정 필요성이 클수록 더 증대된다. (○)

21. 소방간부 어떠한 사안이 국회가 형식적 법률로 스스로 규정하여야 하는 본질적 사항에 해당되는지는 구체적 사례에서 관련된 이익 내지 가치의 중요성, 규제 또는 침해의 정도와 방법 등을 고려하여 개별적으로 결정하여야 한다는 것이 대법원의 입장이다. (○)

ⓑ 의회유보사항에 속한다고 본 사례

관련판례

1 TV 수신료 금액결정 ★★★

텔레비전방송수신료는 대다수 국민의 재산권 보장의 측면이나 한국방송공사에게 보장된 방송자유의 측면에서 국민의 기본권실현에 관련된 영역에 속하고, 수신료금액의 결정은 납부 의무자의 범위 등과 함께 수신료에 관한 본질적인 중요한 사항이므로 국회가 스스로 행하여야 하는 사항에 속하는 것임에도 불구하고 한국방송공사법 제36조 제1항에서 국회의 결정이나 관여를 배제한 채 한국방송공사로 하여금 수신료금액을 결정해서 문화관광부장관의 승인을 얻도록 한 것은 법률유보원칙에 위반된다(헌재 1999.5.27. 98헌바70).

22. 국회직 8급, 19. 서울시 9급 텔레비전 방송수신료금액의 결정은 납부의무자의 범위와는 달리 수신료에 관한 본질적인 중요한 사항이 아니므로 국회가 스스로 결정할 필요는 없다. (×)
→ 범위 등과 함께 / 사항이므로 / 행하여야 하는 사항이다

의회유보원칙
▷ 국민의 기본권실현 관련 영역은 입법자가 본질적 사항을 스스로 결정

형식적 법률에 의한 규율 필요성
▷ 기본권·기본적 의무 관련 중요성 클수록 증대

TV 수신료 금액결정
▷ 의회유보사항○

TV 수신료 금액결정을 한국방송공사에 전적으로 위임한 것
▷ 법률유보원칙에 위반

17. 교행, 16. 사복직, 14. 경찰 2차, 13. 지방직 9급 헌법재판소는 텔레비전방송수신료의 금액결정은 납부의무자의 범위 등과 함께 수신료에 관한 본질적인 중요한 사항이므로 국회가 스스로 행하여야 하는 사항에 속한다는 입장이다. (○)

21. 소방간부, 10. 국회직 8급 구「한국방송공사법」상 국회의 결정이나 관여를 배제한 채 한국방송공사로 하여금 수신료금액을 결정해서 문화관광부장관의 승인을 얻도록 한 것은 법률유보원칙에 위반된다는 것이 헌법재판소의 입장이다. (○)

19. 경찰 2차 텔레비전 방송수신료의 금액은 한국방송공사 이사회가 심의 의결한 후 방송통신위원회를 거쳐 국회의 승인을 얻어 확정된다. (○) [∵위 헌법재판소 결정 이후에 개정된 「방송법」의 내용으로서, 옳은 지문임(「방송법」 제65조)]

TV수신료 징수자 결정
▷ 의회유보사항×

비교 수신료 징수업무(↔ 수신료 금액결정은 본질적인 사항) ★★

수신료 징수업무를 한국방송공사가 직접 수행할 것인지 제3자에게 위탁할 것인지, 위탁한다면 누구에게 위탁하도록 할 것인지, 위탁받은 자가 자신의 고유업무와 결합하여 징수업무를 할 수 있는지는 징수업무 처리의 효율성 등을 감안하여 결정할 수 있는 사항으로서 국민의 기본권제한에 관한 본질적인 사항이 아니라 할 것이다. 따라서 방송법 제64조 및 제67조 제2항은 법률유보의 원칙에 위반되지 아니한다(헌재 2008.2.28. 2006헌바70).

19. 서울시 9급 수신료 징수업무를 한국방송공사가 직접 수행할지 제3자에게 위탁할지 여부는 국민의 기본권 제한에 관한 본질적인 사항이 아니다. (○)

19. 경찰 2차 텔레비전방송수신료의 징수업무를 한국방송공사가 직접 수행할 것인지, 제3자에게 위탁할 것인지, 위탁한다면 누구에게 위탁하도록 할 것인지, 위탁받은 자가 자신의 고유업무와 결합하여 징수업무를 할 수 있는지는 국민의 기본권제한에 관한 본질적인 사항~~이다.~~ (×) → 본질적인 사항이 아니다

토지등소유자의 사업시행인가 신청시 토지등소유자 동의요건
▷ 의회유보사항○(헌재)

2 토지등소유자가 도시환경정비사업을 시행하는 경우 사업시행인가 신청시 필요한 토지등소유자의 동의요건 ★★★

토지등소유자가 도시환경정비사업을 시행하는 경우 사업시행인가 신청시 필요한 토지등소유자의 동의요건을 정하는 것은 국민의 권리와 의무의 형성에 관한 기본적이고 본질적인 사항이므로 국회가 스스로 행하여야 하는 사항에 속하는 것임에도 불구하고 사업시행인가 신청에 필요한 동의정족수를 토지등소유자가 자치적으로 정하여 운영하는 규약에 정하도록 한 것은 법률유보원칙에 위반된다(헌재 2011.8.30. 2009헌바128 등).

22. 국회직 8급, 17. 국가직 9급, 14. 경찰 2차 헌법재판소는 토지등소유자가 도시환경정비사업을 시행하는 경우, 사업시행인가 신청시 필요한 토지등소유자의 동의정족수를 정하는 것은 국민의 권리와 의무의 형성에 관한 기본적이고 본질적인 사항으로 법률유보 내지 의회유보의 원칙이 지켜져야 할 영역이라고 한다. (○)

20. 소방간부, 18. 서울시 9급 헌법재판소는 구「도시 및 주거환경정비법」상 도시환경정비사업의 사업시행인가 신청 시의 동의요건을 '토지등소유자가 자치적으로 정하여 운영하는 규약'에 정하도록 한 것(동의요건조항)은 법률유보원칙 내지 의회유보원칙에 위배된다고 판단했다. (○)

조합의 사업시행인가 신청시 토지등소유자 동의요건
▷ 의회유보사항×(대법원)

비교 조합의 사업시행인가 신청시 토지등소유자의 동의요건 ★★

조합의 사업시행인가 신청시의 토지 등 소유자의 동의요건이 비록 토지 등 소유자의 재산상 권리·의무에 영향을 미치는 사업시행계획에 관한 것이라고 하더라도, 그 동의요건은 사업시행인가 신청에 대한 토지 등 소유자의 사전 통제를 위한 절차적 요건에 불과하고 토지 등 소유자의 재산상 권리·의무에 관한 기본적이고 본질적인 사항이라고 볼 수 없으므로 법률유보 내지 의회유보의 원칙이 반드시 지켜져야 하는 영역이라고 할 수 없고, 따라서 개정된 도시 및 주거환경정비법 제28조 제4항 본문이 법률유보 내지 의회유보의 원칙에 위배된다고 할 수 없다(대판 2007.10.12. 2006두14476).

21. 소방간부 조합의 사업시행인가 신청 시의 토지 등 소유자의 동의요건은 토지 등 소유자의 재산상 권리·의무에 관한 본질적인 사항으로 법률유보의 원칙이 반드시 지켜져야 하는 영역이라는 것이 대법원의 입장이다. (×) → 이 아니므로 / 영역이라고 할 수 없다는

3 납세의무자에게 조세의 납부의무뿐만 아니라 스스로 과세표준과세액을 계산하여 신고하여야 하는 의무까지 부과하는 경우에 신고의무불이행에 따른 납세의무자가 입게 될 불이익 ★★

납세의무자에게 조세의 납부의무뿐만 아니라 스스로 과세표준과 세액을 계산하여 신고하여야 하는 의무까지 부과하는 경우에는 <u>신고의무</u> 이행에 필요한 기본적인 사항과 신고의무불이행시 납세의무자가 입게 될 불이익 등은 납세의무를 구성하는 기본적, 본질적 내용으로서 법률로 정하여야 한다(대판 2015.8.20. 2012두 23808 전합).

22. 소방직, 17. 국가직 7급 납세의무자에게 조세의 납부의무뿐만 아니라 스스로 과세표준과 세액을 계산하여 신고하여야 하는 의무까지 부과하는 경우에 신고의무불이행에 따른 납세의무자가 입게 될 불이익은 법률로 정하여야 한다. (○)

4 지방의회의원에 대하여 유급보좌인력을 두는 것 ★★★

<u>지방의회의원에 대하여 유급 보좌 인력을 두는 것은 지방의회의원의 신분·지위 및 처우에 관한 현행 법령상의 제도에 중대한 변경을 초래하는 것으로서, 이는 개별 지방의회에서 정할 사항이 아니라 국회의 법률로써 규정하여야 할 입법사항에</u> 해당한다(대판 2013.1.16. 2012추84 ; 대판 2017.3.30. 2016추5087).

22. 소방직, 21. 소방간부 지방의회에서 근로자를 두어 의정활동을 지원하는 것은 개별 지방의회에서 정할 사항이 아니라 국회의 법률로 규정하여야 할 입법사항에 해당한다는 것이 대법원의 입장이다. (○)

18. 변호사, 18. 서울시 9급, 18. 교행, 17. 지방직 7급, 17. 국가직 9급(추) 대법원은 지방의회의원에 대하여 유급보좌인력을 두는 것은 지방의회의원의 신분·지위 및 그 처우에 관한 현행 법령상에 제도에 중대한 변경을 초래하는 것으로서, 이는 개별 지방의회 조례로써 규정할 사항이 아니라 국회의 법률로써 규정하여야 할 입법사항이라고 한다. (○)

5 중학교의무교육의 실시 여부와 연한(↔ 실시에 필요한 세부 사항) ★★

<u>중학교 의무교육의 실시 여부 자체라든가 그 연한은 교육제도의 수립에 있어서 본질적 내용으로서 국회입법에 유보되어 있어서 반드시 형식적 의미의 법률로 규정되어야 할 기본적 사항</u>이라 하겠으나(이에 따라서 교육법 제8조에서 3년의 중등교육을 반드시 실시하여야 하도록 규정하고 있다), <u>그 실시의 시기·범위 등 구체적인 실시에 필요한 세부사항에 관하여는 반드시 그런 것은 아니다.</u> … 따라서 국회 법률에 의한 <u>위임</u>을 받은 경우에는 이에 바탕을 둔 법규명령에 의하여 규정될 수 있는 것이다(헌재 1991.2.11. 90헌가27).

17. 지방직 9급 헌법재판소는 중학교 의무교육 실시여부 자체는 법률로 정하여야 하는 기본사항으로서 법률유보사항이나 그 실시의 시기, 범위 등 구체적 실시에 필요한 세부사항은 법률유보사항이 아니라고 하였다. (○)

6 병(兵)의 복무기간 ★

<u>병의 복무기간은 국방의무의 본질적 내용에 관한 것이어서 이는 반드시 법률로 정하여야 할 입법사항에 속한다</u>(대판 1985.2.28. 85초13).

12. 국회직 9급 병의 복무기간은 국방의무의 본질적 내용에 관한 것이어서 반드시 법률로 정하여야 할 입법사항에 속한다. (○)

 함께 정리하기

신고납세방식 조세에 있어서 신고의무불이행에 따른 납세의무자가 입게 될 불이익
▷ 의회유보사항○

지방의회에 근로자를 두어 의정활동을 지원하는 것(유급보좌인력)
▷ 의회유보사항○

의무교육 실시여부 자체
▷ 의회유보사항○

의무교육 실시의 시기·범위 등 세부 사항
▷ 의회유보사항×

병의 복무기간
▷ 의회유보사항○

ⓒ 의회유보사항에 속하지 않는다고 본 사례

국가유공자단체의 대의원선출에 관한 사항
▷ 의회유보사항✕

입주자대표회의 구성원 자격
▷ 의회유보사항✕

관련판례

1 국가유공자단체 대의원선출에 관한 사항 ★

국가유공자단체의 대의원의 선출에 관한 사항은 각 단체의 구성과 운영에 관한 것으로서, 국민의 권리와 의무의 형성에 관한 사항이나 국가의 통치조직과 작용에 관한 기본적이고 본질적인 사항이라고 볼 수 없으므로 법률유보 내지 의회유보의 원칙이 지켜져야 할 영역이라고 볼 수 없다(헌재 2006.3.30. 2005헌바31).

2 입주자대표회의 구성원의 자격 ★

입주자대표회의는 공법상의 단체가 아닌 사법상의 단체로서, 이러한 특정 단체의 구성원이 될 수 있는 자격을 제한하는 것이 국가적 차원에서 형식적 법률로 규율되어야 할 본질적 사항이라고 보기 어렵다(헌재 2016.7.28. 2014헌바158 등).

구「도시 및 주거환경정비법」상 경쟁입찰 실시를 위한 세부적 절차
▷ 의회유보사항✕

3 구 도시 및 주거환경정비법상 경쟁입찰 실시를 위한 세부적 절차 ★

구 도시 및 주거환경정비법 제11조 제1항 본문은 … 경쟁입찰의 실시를 위한 절차 등 세부적 내용만을 국토해양부장관이 정하도록 규정하고 있을 뿐이고, 이것이 계약의 자유를 본질적으로 제한하는 사항으로서 입법자가 반드시 법률로써 규율하여야 하는 사항이라고 보기 어렵다(대판 2017.5.30. 2014다61340).

법률유보원칙 반하는 행정권 행사
▷ 위법

법률유보원칙 반하는 법규명령
▷ 무효

법률유보원칙 반하는 행정행위
▷ 무효 또는 취소사유(중대명백설)

⑤ **위반의 법적 효과**: 법률유보의 원칙에 반하는 행정권의 행사는 위법한 행정작용이 되고, 그 법적 효과는 행정의 행위형식에 따라 다르다.

17. 교행 법률유보의 원칙에 반하는 행정작용은 위법하다. (○)

3 평등의 원칙(자의금지원칙)

「행정기본법」 제9조 【평등의 원칙】 행정청은 합리적 이유 없이 국민을 차별하여서는 아니 된다.

헌법 제11조 ① 모든 국민은 법 앞에 평등하다. 누구든지 성별·종교 또는 사회적 신분에 의하여 정치적·경제적·사회적·문화적 생활의 모든 영역에 있어서 차별을 받지 아니한다.

평등원칙(자의금지원칙)
▷ 합리적 차별사유가 없는 한 공평하게 처우하여야 한다는 원칙
▷ 근거: 헌법 제11조, 「행정기본법」 제9조

1. 의의 및 내용

(1) 평등의 원칙이란 행정작용을 함에 있어서 합리적인 이유 없이 국민을 차별해서는 아니 된다는 행정의 법 원칙으로서, 헌법 제11조 제1항 및 「행정기본법」 제9조에 근거하고 있다. 합리적 이유가 있어 다르게 취급하는 것은 평등의 원칙에 위반되지 아니한다. 오히려 평등원칙에 합치된다. 평등의 원칙은 '같은 것은 같게, 다른 것은 다르게'로 요약될 수 있다.

(2) 어떠한 행정조치가 평등의 원칙에 위반하는지는 차별취급에 합리적인 이유가 있는가의 여부에 달려 있다. 즉, 합리적 이유없이 동일한 사항을 다르게 취급하는 것은 자의적인 것으로서 평등원칙에 위반된다. 또한 사정이 달라 차별취급이 정당화될 수는 있지만 비례성을 결여한 과도한 차별취급도 합리적인 차별이 아니므로 평등의 원칙에 반한다.

평등원칙에서 '평등'이란 합리적인 근거가 없는 차별을 금지하는 '상대적 평등'을 뜻한다.
★★

헌법상 평등원칙은 본질적으로 같은 것을 자의적으로 다르게 취급함을 금지하는 것으로서, 일체의 차별적 대우를 부정하는 절대적 평등을 뜻하는 것이 아니라 입법을 하고 법을 적용할 때에 합리적인 근거가 없는 차별을 하여서는 아니 된다는 상대적 평등을 뜻하므로, 합리적 근거가 있는 차별 또는 불평등은 평등의 원칙에 반하지 아니한다(대판 2018.10.25. 2018두44302 ; 대결 2018.4.26. 2018아541).

22. 군무원 7급 행정청은 어떠한 경우에도 국민을 차별하여서는 아니 된다. (×) → 되는 것은 아니다
21. 국가직 9급 평등원칙은 일체의 차별적 대우를 부정하는 절대적 평등을 의미하는 것이 아니라 입법과 법의 적용에 있어서 합리적인 근거가 없는 차별을 배제하는 상대적 평등을 뜻한다. (○)

2. 효력 및 한계

(1) 평등의 원칙은 헌법적 효력을 갖는다. 따라서 평등원칙에 반하는 행정권 행사 및 법률은 위헌이다. 행정청의 처분이 평등의 원칙에 위반된 경우, 법원은 재량권의 남용을 이유로 그 처분을 취소하거나 무효임을 확인할 수 있고(재량권 통제원리) 이로 인해 상대방에게 손해가 발생한 경우 국가배상청구소송을 통해 배상을 받을 수도 있다.

(2) 불법(不法) 앞의 평등을 요구하는 것은 인정될 수 없다. 평등의 원칙은 위법한 행정 작용에서는 적용되지 않는다.

3. 평등의 원칙과 행정의 자기구속의 원칙과의 관계

평등의 원칙은 행정의 거의 모든 분야에서 매우 중요한 기능을 수행하며, 그 중에서도 평등의 원칙이 행정규칙 특히 재량준칙에 적용되어 도출해 내는 법리가 행정의 자기 구속의 원칙이다.

4. 구체적인 예

(1) 평등원칙 위반으로 본 사례

1 당직 근무 대기 중 화투놀이를 함께 한 4명 중 3명에게는 견책을, 나머지 1명에게는 파면을 한 것 ★★

원고가 당직 근무 대기 중 약 25분간 같은 근무조원 3명과 함께 시민 과장실에서 심심풀이로 돈을 걸지 않고 점수따기 화투놀이를 한 사실이 국가공무원법 제78조 1, 3호 규정의 징계사유에 해당한다 할지라도 당직 근무시간이 아닌 그 대기중에 불과 약 25분간 심심풀이로 한 것이고 또 돈을 걸지 아니하고 점수따기를 한 데 불과하며 원고와 함께 화투놀이를 한 3명(지방공무원) 부산시 소청심사위원회에서 견책에 처하기로 의결된 사실이 인정되는 점 등 제반 사정을 고려하면 피고가 원고에 대한 징계처분으로 파면을 택한 것은 당직근무 대기자의 실정이나 공평의 원칙상 피고가 원고에 대한 징계처분으로 그 재량의 범위를 벗어난 위법한 것이다(대판 1972.12.26. 72누194).

국가유공자 가족들에게 10%의 가산점부여
▷ 평등원칙 위반○

증인의 사회적신분에 따른 과태료액수의
차등 조례안
▷ 평등원칙 위반○

학력을 기준으로 나누어 청원경찰 감원비
율 정한 것
▷ 평등원칙 위반(무효사유×)

❶
그 결과, 중학교 중퇴 이상 학력소지자 집
단에 속한 사람 중에는 총 점수가 56점인
사람이 면직처분 대상자로 선정된 반면,
초등학교 졸업 이하 학력소지자 집단에
속한 사람 중 총 점수 33점인 사람이 면
직처분 대상자에서 제외되게 되어 합리
성과 공정성을 결여하였고, 학력에 의한
구분이 없었다면 순위 86등(117명-31
명) 이내에 있는 원고는 면직처분 대상자
에 해당하지 아니함에도 원고를 면직대
상자로 선정하여 행하여진 이 사건 처분
은 대상자 선정의 기준이 평등의 원칙에
위배되는 등 불공정하여 그 재량권의 일
탈·남용이 있어 위법하다고 판시하였다.

2 국가유공자의 가족들에게 만점의 10%라는 높은 가산점을 부여하는 규정 ★★★

국가유공자 등 예우 및 지원에 관한 법률은 명시적인 헌법적 근거 없이 국가유공자의 가족들에게 만점의 10%라는 높은 가산점을 부여하고 있는바 일반 공직시험 응시자들의 평등권과 공무담임권을 침해하는 것이다. 다만, 이 사건 조항의 위헌성은 국가유공자 등과 그 가족에 대한 가산점 제도 자체가 입법정책상 전혀 허용될 수 없다는 것이 아니고, 그 차별의 효과가 지나치다는 것에 기인한다(헌재 2006.2.23. 2004헌마675 등).

21. 군무원 9급 국가기관이 채용시험에서 국가유공자의 가족에게 10%의 가산점을 부여하는 규정은 평등권과 공무담임권을 침해한다. (○)

20. 군무원 7급 헌법재판소는 국·공립학교 채용시험에 국가유공자와 그 가족이 응시하는 경우 만점의 10퍼센트를 가산하도록 했던 구 「국가유공자등 예우 및 지원에 관한 법률」 및 「5·18민주유공자 예우에 관한 법률」의 규정이 일반 응시자들의 평등권을 침해한다고 보았다. (○)

3 증인의 사회적 신분에 따라 과태료의 액수에 차등을 두고 있는 조례안 ★★

조례안이 지방의회의 감사 또는 조사를 위하여 출석 요구를 받은 증인이 5급 이상 공무원인지 여부, 기관(법인)의 대표나 임원인지 여부 등 증인의 사회적 신분에 따라 미리부터 과태료의 액수에 차등을 두고 있는 경우, 그와 같은 차별은 증인의 불출석이나 증언 거부에 대하여 과태료를 부과하는 목적에 비추어 볼 때 그 합리성을 인정할 수 없고 지위의 높고 낮음만을 기준으로 한 부당한 차별대우라고 할 것이어서 헌법에 규정된 평등의 원칙에 위배되어 무효이다(대판 1997.2.25. 96추213).

17. 서울시 9급 지방의회의 감사 또는 조사를 위하여 출석요구를 받은 증인이 출석하지 않을 경우 증인의 사회적 지위에 따라 과태료의 액수에 차등을 두는 것을 내용으로 하는 조례안은 헌법에 규정된 평등의 원칙에 위배된다고 볼 수 없다. (×) → 위배된다

16. 국가직 7급 조례안이 지방의회의 조사를 위하여 출석요구를 받은 증인이 5급 이상 공무원인지 여부, 기관(법인)의 대표나 임원인지 여부 등 증인의 사회적 신분에 따라 미리부터 과태료의 액수에 차등을 두고 있는 것은 평등의 원칙에 위반되지 않는다. (×) → 된다

4 청원경찰의 인원감축을 위하여 초등학교 졸업 이하 학력소지자 집단과 중학교 중퇴 이상 학력소지자 집단으로 나누어 각 집단별로 같은 감원비율의 인원을 선정한 것(무효사유×) ★★

행정자치부의 지방조직 개편지침의 일환으로 청원경찰의 인원감축을 위한 면직처분대상자를 선정함에 있어서 초등학교 졸업 이하 학력소지자 집단과 중학교 중퇴 이상 학력소지자 집단으로 나누어 각 집단별로 같은 감원비율 상당의 인원을 선정한 것은 합리성과 공정성을 결여하고, 평등의 원칙에 위배하여 그 하자가 중대하다 할 것이나, 그렇게 한 이유가 시험문제 출제 수준이 중학교 학력 수준이어서 초등학교 졸업 이하 학력소지자에게 상대적으로 불리할 것이라는 판단 아래 이를 보완하기 위한 것이었으므로 그 하자가 객관적으로 명백하다고 보기는 어렵다(대판 2002.2.8. 2000두4057).❶

08. 국가직 9급 청원경찰의 인원감축을 위하여 초등학교 졸업 이하 학력소지자 집단과 중학교 중퇴 이상 학력소지자 집단으로 나누어 각 집단별로 같은 감원비율의 인원을 선정한 것은 위법한 재량권 행사이다. (○)

20. 서울시 7급 중앙부처 지방조직 개편지침의 일환으로 청원경찰의 인원감축을 위한 면직처분대상자를 선정함에 있어서 초등학교 졸업 이하 학력소지자 집단과 중학교 중퇴 이상 학력소지자 집단으로 나누어 각 집단별로 같은 감원비율 상당의 인원을 선정한 것은 평등의 원칙에 위배되어 무효사유에 해당한다 (×) → 되나 / 하지는 않는다

(2) 평등원칙 위반으로 보지 않은 사례

⚖ 관련판례

1 법령이 정신병원 등의 개설에 관하여는 허가제로, 정신과의원 개설에 관하여는 신고제로 각 규정한 것은 평등의 원칙에 반하지 않는다. ★★

관련 법령이 정신병원 등의 개설에 관하여는 허가제로, 정신과의원 개설에 관하여는 신고제로 각 규정하고 있는 것은 각 의료기관의 개설 목적 및 규모 등 차이를 반영한 합리적 차별로서 평등의 원칙에 반한다고 볼 수 없다. 또한 신고제 규정으로 사인인 제3자에 의한 개인의 생명이나 신체 훼손의 위험성이 증가한다고 할 수 없어 기본권 보호의무에 위반된다고 볼 수도 없다(대판 2018.10.25. 2018두44302).

23. 지방직 7급 「의료법」 등 관련 법령이 정신병원 등의 개설에 관하여는 허가제로, 정신과의원 개설에 관하여는 신고제로 각 규정하고 있는 것은 합리적 차별로서 평등의 원칙에 반하지 않는다. (○)

20. 서울시 7급 법령이 정신병원 등의 개설에 관하여는 허가제로, 정신과의원 개설에 관하여는 신고제로 각각 규정하고 있는 것은 각 의료기관의 개설 목적 및 규모 등 차이를 반영한 합리적 차별로서 평등의 원칙에 반하지 않는다. (○)

2 같은 정도의 비위를 저지른 자들에게 그 직무의 특성 및 개전의 정이 있는지 여부에 따라 그 양정을 차별적으로 취급하는 것 ★★

같은 정도의 비위를 저지른 자들 사이에 있어서도 그 직무의 특성 등에 비추어, 개전의 정이 있는지 여부에 따라 징계의 종류의 선택과 양정에 있어서 차별적으로 취급하는 것은, 사안의 성질에 따른 합리적 차별로서 이를 자의적 취급이라고 할 수 없는 것이어서 평등원칙 내지 형평에 반하지 아니한다(대판 1999.8.20. 99두2611 ; 대판 2012.5.24. 2011두19727).

20. 군무원 7급, 14. 경찰 1차, 14. 사복직 같은 정도의 비위를 저지른 자들임에도 불구하고 그 직무의 특성 등에 비추어 개전의 정이 있는지 여부에 따라 징계 종류의 선택과 양정에서 다르게 취급하는 것은 평등의 원칙에 반하지 않는다. (○)

20. 지방직 9급 동일한 사항을 다르게 취급하는 것은 합리적 이유가 없는 ~~차별이므로~~, 같은 정도의 비위를 저지른 자들은 비록 개전의 정이 있는지 여부에 차이가 있다고 ~~하더라도~~ 징계 종류의 선택과 양정에 있어 동일하게 ~~취급받아야 한다~~. (✕) → 있다면 허용되는바 / 있다면 / 다르게 취급할 수 있다

3 연구단지 내 녹지구역에 위험물저장시설인 주유소와 LPG충전소 중에서 주유소는 허용하면서 LPG충전소를 금지하는 시행령 규정 ★★

주유소와 LPG충전소는 '위험물저장시설'이라는 점에서 공통점이 있으나, LPG는 석유에 비하여 화재 및 폭발의 위험성이 훨씬 커서 주택 및 근린생활시설이 들어설 지역에 LPG충전소의 설치금지는 불가피하다할 것이고 석유와 LPG의 위와 같은 차이를 고려하여 연구단지내 녹지구역에 LPG충전소의 설치를 금지한 것은 위와 같은 합리적 이유에 근거한 것이므로 이 사건 시행령 규정이 평등원칙에 위배된다고 볼 수 없다(헌재 2004.7.15. 2001헌마646).

20. 소방직, 13. 국회직 9급 연구단지 내 녹지구역에 위험물저장시설인 주유소와 LPG충전소 중에서 주유소는 허용하면서 LPG충전소를 금지하는 시행령 규정은 LPG충전소 영업을 하려는 국민을 합리적 이유 없이 자의적으로 차별하여 ~~결과적으로 평등원칙에 위배된다는~~ 것이 헌법재판소의 태도이다. (✕) → 하는 것으로 볼 수 없어 / 되지 않는다는 것이

병원개설 허가제, 의원개설 신고제
▷ 평등원칙 위반✕

개전의 정 유무에 따른 징계종류·양정의 차별
▷ 평등원칙 위반✕

연구단지 내 녹지구역에 주유소는 허용하면서 LPG충전소를 금지하는 시행령
▷ 평등원칙 위반✕

핵심정리 평등원칙 위반 여부에 관한 판례

위반○	• 외교관 자녀에 대한 대학입시 가산점 20% 부여(89누8255) • 국가기관이 채용시험에서 국가유공자 가족에 대한 가산점 10% 부여(98헌마363) • 제대군인에게 가산점 3~4% 부여(98헌마363) • 청원경찰의 인원감축을 위한 면직 대상자를 선정함에 있어서 초등학교 졸업 이하 집단과 중학교 중퇴 이상 집단으로 나누어 감원비율의 인원을 선정 • 국립사범대졸업자를 국공립학교 교사로 우선 채용(89헌마89) • 증인의 사회적 신분에 따라 과태료의 액수에 차등을 두고 있는 조례안(96추213) • 영도구청의 당직 근무 대기 중 화투놀이를 함께 한 4명 중 3명에게는 견책을, 나머지 1명에게는 파면을 한 것(72누194) • 기초단체의원선거의 후보자에 한해 정당표방을 금지(2001헌가4) • 잡종재산(현 일반재산)에 대한 시효취득 금지(89헌가97) • 플라스틱폐기물 부담금과 관련하여 국내제조업자와 달리 수입업자에 대해서 수입원가의 0.7%를 정한 경우 • 교통사고 운전자에 대해 공소제기를 할 수 없도록 한 「교통사고처리특례법」을 피해자가 중상해를 입은 경우까지 적용(2005헌마764) • 약사에 한해서 법인을 구성하여 업무를 수행할 수 없도록 한 것(2000헌바84) • 체육시설 중 오직 당구장업자에 대하여만 출입문에 '18세 미만 출입금지'를 표시하도록 규정(92헌마80) • 교환직렬직종의 정년을 43세로 정하고 있는 한국전기통신공사의 취업규칙의 규정내용이 합리적인 이유없이 여성근로자들로 하여금 조기퇴직하도록 부당하게 낮은 정년을 정한 것이라면 이는 위 「근로기준법」 소정의 남녀차별금지규정에 해당되어 무효(85다카657)
위반×	• 대부계약 등을 맺지 않고 국유 잡종재산을 무단 점유한 사람에게 통상 대부료의 20%를 할증한 변상금의 부과(2005두11463) • 같은 정도의 비위를 저지른 자들에게 개전의 정이 있는지 여부에 따라 그 양정을 차별적으로 취급하는 것(99두2611) • 인천광역시 공항고속도로 통행료지원 조례안(2007추42) • 근로기간 1년을 기준으로 퇴직급여 가부 결정(계속근로기간이 1년 미만인 근로자의 퇴직급여대상 제외: 평등원칙 위반×)(2009헌마408) • 고속도로에서 이륜차의 통행을 금지하는 것(2005헌마1111 · 2006헌마18) • 연구단지 내 녹지구역에 위험물저장시설인 주유소와 LPG충전소 중에서 주유소는 허용하면서 LPG충전소를 금지하는 시행령 규정(2001헌마646) • 한국전기통신공사가 일반직 직원의 정년 58세로 규정하면서 전화교환직렬 직원만은 정년 53세 규정하는 것(94누13589) • 사법상의 원인에 기한 국가채권의 경우에 납입고지에 있어 「민법」상 최고보다 더 강한 시효중단의 효력을 인정한 것(2003헌바22) • 법관의 정년을 직위에 따라 차이를 두는 것(대법원장 정년 70세, 대법관 정년 65세, 법관 정년 63세)(2001헌마557)

11. 국회직 8급 일반직 직원의 정년을 58세로 규정하면서 전화교환직렬 직원만은 정년을 53세로 규정하여 5년간의 정년차등을 둔 것은 사회통념상 합리성이 없는 차별로서 평등원칙에 ~~위반이 아니다.~~ (×)
→ 위반되지 않는다

11. 국가직 7급 사법(私法)상의 원인에 기한 국가채권의 경우에 납입고지에 있어 「민법」상 최고보다 더 강한 시효중단의 효력을 인정한 것은 평등권을 침해하지 않는다. (○)

09. 서울시 5급 판례에 의하면 변호사, 공인회계사 등 다른 직종에 대하여 법인을 구성하여 업무를 수행할 수 있도록 하면서, 약사에게만 법인을 구성하여 약국을 개설할 수 없도록 하는 것은 합리적 이유 없이 차별하는 것으로 평등권을 침해하는 것이다. (○)

④ 행정의 자기구속의 원칙

1. 의의 및 근거

행정의 자기구속(自己拘束)의 원칙이란 행정관행이 성립된 경우 행정청은 특별한 사정이 없는 한 동종사안에서 그 행정관행과 같은 결정을 하도록 스스로 구속당하는 원칙을 말한다(행정청이 상대방에 대하여 동종 사안에 있어서 제3자에게 행한 결정과 동일한 결정을 하도록 스스로 구속당하는 것). 이 원칙은 독자적인 행정법의 일반원칙이라기 보다는 평등의 원칙이나 신뢰보호원칙이 적용되는 한 단면을 설명하는 것이다. 그런 의미에서 「행정기본법」도 행정의 자기구속의 원칙을 명문화하지 않고 있다. 판례는 평등의 원칙 또는 신뢰보호원칙을 근거로 자기구속의 원칙을 인정하고 있다(통설은 평등의 원칙에서 구함).

11. 서울시 9급 행정의 자기구속의 원칙은 행정청이 같은 사안이라면 이미 제3자에게 행한 결정과 동일한 결정을 상대방에게 하여야 한다는 원칙을 말한다. (○)

18. 국가직 9급, 18. 소방직, 11. 사복직 헌법재판소는 평등의 원칙이나 신뢰보호의 원칙을 근거로 행정의 자기구속의 원칙을 인정하고 있다. (○)

19. 소방간부 재량준칙이 행정의 자기구속을 통해 법규성을 인정받는 것은 비례원칙에서 파생된 것이다. (×) → 평등원칙 및 신뢰보호의 원칙

⚖ 관련판례

1 대법원 ★★★

상급행정기관이 하급행정기관에 대하여 업무처리지침이나 법령의 해석적용에 관한 기준을 정하여 발하는 이른바 '행정규칙이나 내부지침'은 일반적으로 행정조직 내부에서만 효력을 가질 뿐 대외적인 구속력을 갖는 것은 아니므로 행정처분이 그에 위반하였다고 하여 그러한 사정만으로 곧바로 위법하게 되는 것은 아니다. 다만, <u>재량권 행사의 준칙인 행정규칙이 그 정한 바에 따라 되풀이 시행되어 행정관행이 이루어지게 되면 평등의 원칙이나 신뢰보호의 원칙에 따라 행정기관은 그 상대방에 대한 관계에서 그 규칙에 따라야 할 자기구속을 받게 되므로</u>, 이러한 경우에는 <u>특별한 사정이 없는 한 그를 위반하는 처분은 평등의 원칙이나 신뢰보호의 원칙에 위배되어 재량권을 일탈·남용한 위법한 처분이 된다</u>(대판 2009. 12.24. 2009두7967 ; 대판 2013.11.14. 2011두28783).

21. 경찰 2차, 20. 서울시 7급, 17. 행정사, 16. 국가직 7급, 13. 경찰 2차 등 재량준칙은 일반적으로 행정조직 내부에서만 효력을 가질 뿐 대외적인 구속력을 갖는 것은 아니므로 행정처분이 이를 위반하였다고 하여 그러한 사정만으로 곧바로 위법하게 되는 것은 아니다. 다만, 그 재량준칙이 정한 바에 따라 되풀이 시행되어 행정관행이 이루어지게 되면 평등의 원칙이나 신뢰보호의 원칙에 따라 행정기관은 상대방에 대한 관계에서 그 규칙에 따라야 할 자기구속을 받는다. (○)

18. 서울시 7급, 14. 사복직 재량준칙이 정한 바에 따라 되풀이 시행되어 행정관행이 이루어지게 되면 평등의 원칙이나 신뢰보호의 원칙에 따라 행정청은 상대방에 대한 관계에서 그 규칙에 따라야 할 자기구속을 받게 되므로, 이러한 경우에는 특별한 사정이 없는 한 그에 반하는 처분은 평등의 원칙이나 신뢰보호의 원칙에 어긋나 재량권을 일탈·남용한 위법한 처분이 된다. (○)

20. 소방직 자기구속의 원칙이 인정되는 경우 행정관행과 다른 처분은 특별한 사정이 없는 한 위법하다. (○)

19. 서울시 7급 재량권 행사의 준칙인 행정규칙이 있으면 그에 따른 관행이 없더라도 평등의 원칙에 따라 행정기관은 상대에 대한 관계에서 그 규칙에 따라야 할 자기구속을 받게 된다. (×) → 이루어지게 되면

17. 국가직 9급 대법원은 재량준칙이 되풀이 시행되어 행정관행이 성립된 경우에는 당해 재량준칙에 자기구속력을 인정한다. 따라서 당해 재량준칙에 반하는 처분은 법규범인 당해 재량준칙을 직접 위반한 것으로서 위법한 처분이 된다고 한다. (×) → 평등의 원칙이나 신뢰보호의 원칙(자기구속의 원칙)을

함께 정리하기

행정의 자기구속의 원칙
▷ 행정관행이 성립된 경우 행정청은 특별한 사정이 없는 한 동종사안에서 그 행정관행과 같은 결정을 하도록 스스로 구속당하는 원칙
▷ 근거: 명문규정 無, 평등의 원칙 또는 신뢰보호의 원칙(判)

2 헌법재판소 ★★★

행정규칙이 법령의 규정에 의하여 행정관청에 법령의 구체적인 내용을 보충할 권한을 부여한 경우, 또는 재량권행사의 준칙인 규칙이 그 정한 바에 따라 되풀이 시행되어 행정관행이 이룩되게 되면, 평등의 원칙이나 신뢰보호의 원칙에 따라 행정기관은 그 상대방에 대한 관계에서 그 규칙에 따라야 할 자기구속을 당하게 되고, 그러한 경우에는 대외적인 구속력을 가지게 되는바(헌재 1990.9.3. 90헌마13), 이러한 경우에는 헌법소원의 대상이 될 수도 있다(헌재 2001.5.31. 99헌마413).

20. 지방직 9급 재량권행사의 준칙인 행정규칙이 그 정한 바에 따라 되풀이 시행되어 행정관행이 이루어지게 되면 평등의 원칙이나 신뢰보호의 원칙에 따라 행정기관은 그 상대방에 대한 관계에서 그 규칙에 따라야 할 자기구속을 받게 된다. (○)

19. 행정사, 18. 국가직 9급, 14. 국가직 9급, 12. 지방직 7급 헌법재판소는 재량준칙의 대외적 구속력 인정과 관련한 행정의 자기구속의 법리의 근거를 평등의 원칙이나 신뢰보호의 원칙에서 찾고 있다. (○)

23. 국가직 7급, 17. 경찰 2차, 10. 지방직 7급 재량권 행사의 준칙인 행정규칙이 그 정한 바에 따라 되풀이 시행되어 행정관행이 이루어지게 되면 평등의 원칙이나 신뢰보호의 원칙에 따라 행정기관은 그 상대방에 대한 관계에서 그 규칙에 따라야 할 자기구속을 당하게 되는 경우에는 대외적인 구속력을 가지게 된다. (○)

13. 서울시 7급 재량준칙은 행정의 자기구속의 법리에 의거하여 간접적으로 대외적 구속력을 갖는다. (○)

20. 국가직 9급, 19. 군무원 9급, 16. 국가직 7급, 16. 서울시 9급 재량권행사의 준칙인 행정규칙이 그 정한 바에 따라 되풀이 시행되어 행정관행이 형성되어 행정기관이 그 상대방에 대한 관계에서 그 행정규칙에 따라야 할 자기구속을 당하게 되는 경우에는 그 행정규칙은 헌법소원의 심판대상이 될 수도 있다. (○)

2. 적용영역

(1) 행정의 자기구속의 원칙은 행정의 법률적합성의 원칙상 기속행위에는 인정할 실익이 없고, 행정청에게 선택의 자유가 인정되는 재량행위 영역에서만 적용된다.

(2) 행정의 자기구속의 원칙은 특히 재량준칙(裁量準則)에서 중요한 의미를 갖는다. 재량준칙이란 행정청에게 재량권이 부여된 경우 재량권 행사의 편의와 재량권 행사의 통일성을 위하여 행정청 내부적으로 재량권 행사의 기준을 정해놓은 행정규칙을 말한다. 재량준칙은 행정규칙으로서 본래 법규성이 없지만 자기구속의 원칙(평등의 원칙 내지 신뢰보호의 원칙)을 매개로 하여 간접적으로 대외적 효력을 갖는다. 즉, 자기구속의 원칙은 재량준칙을 대외적 구속력 있는 규범으로 전환시키는 전환규범으로서의 역할을 수행한다.

11. 사복직 행정의 자기구속의 법리는 주로 재량준칙과 관련하여 문제가 된다. (○)

3. 적용요건

(1) 재량행위일 것

행정청에게 선택의 자유가 인정되는 재량영역에서 인정된다.

(2) 동일한 행정청이 행한 동종사안일 것

자기구속의 원칙은 개념상 동일한 처분청이 행한 동종사안에 대해서만 적용되고, 동일한 처분청이 아닌 제3자 행정청에 대해서는 적용되지 않는다.

19. 서울시 9급 행정의 자기구속의 원칙은 처분청이 아닌 제3자 행정청에 대해서도 적용된다. (×) → 적용되지 않는다

(3) 행정선례(행정관행)가 존재할 것

① **문제점**: 자기구속의 원칙 적용에 있어서 반드시 행정선례(행정관행)가 필요한 것인지 아니면 재량준칙의 존재만으로 별도의 선례 없이도 자기구속의 원칙 위반을 주장할 수 있는지 문제된다.

② **학설**

  ㉠ 재량준칙은 '선취된 행정관행'으로 나중에 그에 따른 재량행사가 예견되므로 행정선례 없이 재량준칙을 처음으로 적용하는 경우에도 자기구속을 인정하려는 견해(선례불요설)와 자기구속의 원칙을 적용하기 위해서는 동종 사안에 대하여 최소한 1회 이상의 행정선례가 존재하여야 한다고 보는 견해(선례필요설)가 대립한다.

  ㉡ 재량준칙이 존재하는 경우 일정한 행정관행이 예기되기는 하지만 아직 관행이 현실적으로 존재하는 것은 아니며 처분 전에 재량준칙이 변경될 가능성도 있으므로 선례불요설은 타당하지 않다. 또한 이 견해에 의할 경우 행정이 행정선례가 아니라 재량준칙에 직접 구속되는 것이므로 행정규칙에 불과한 재량준칙의 법규성을 인정하는 결과가 되어 타당하지 않다. 선례필요설이 통설이다.

③ **판례**: "재량준칙이 공표된 것만으로는 자기구속의 원칙이 적용될 수 없고, 재량준칙이 그 정한 바에 따라 되풀이 시행되어 행정관행이 성립한 경우 자기구속의 원칙이 적용될 수 있다."고 하여 선례필요설의 입장이다(대판 2009.12.24. 2009두7967).

23. 지방직 7급 재량준칙이 공표된 것만으로는 행정의 자기구속의 원칙이 적용될 수 없고, 재량준칙이 되풀이 시행되어 행정관행이 성립한 경우에 행정의 자기구속의 원칙이 적용될 수 있다. (○)

> **⚖ 관련판례**
>
> **재량준칙이 되풀이 시행되어 행정관행이 이루어진 경우 자기구속의 원칙이 인정된다.**
> ★★★
>
> 시장이 농림수산식품부에 의하여 공표된 '2008년도 농림사업시행지침서'에 명시되지 않은 '시·군별 건조저장시설 개소당 논 면적' 기준을 충족하지 못하였다는 이유로 신규 건조저장시설 사업자 인정신청을 반려한 사안에서, 위 지침이 되풀이 시행되어 행정관행이 이루어졌다거나 그 공표만으로 신청인이 보호가치 있는 신뢰를 갖게 되었다고 볼 수 없고, 쌀 시장 개방화에 대비한 경쟁력 강화 등 우월한 공익상 요청에 따라 위 지침상의 요건 외에 '시·군별 건조저장시설 개소당 논 면적 1,000ha 이상' 요건을 추가할 만한 특별한 사정을 인정할 수 있어, 그 처분이 행정의 자기구속의 원칙 및 행정규칙에 관련된 신뢰보호의 원칙에 위배되거나 재량권을 일탈·남용한 위법이 없다고 한 사례(대판 2009.12.24. 2009두7967)

4. 자기구속의 한계

(1) '불법에 있어서 평등대우'는 인정되지 않으므로 행정관행이 위법한 경우에는 행정청은 자기구속을 당하지 않는다.

재량준칙 공표만으로
▷ 자기구속 위반×

재량준칙이 되풀이 시행되어 행정관행이 이루어진 경우
▷ 자기구속원칙 인정

행정관행(선례)이 위법한 경우
▷ 자기구속력×

위법한 행정처분 반복
▷ 자기구속력✕

행정관행이 성립된 경우에도 행정관행과 다른 처분을 할 '특별한 사정'이 있는 경우
▷ 자기구속원칙 적용✕

특별한 사정
▷ 종래의 행정관행을 번복할 정도의 중대한 사정변경 + 공익상 필요

자기구속력이 발생한 행정관행을 위반한 처분
▷ 재량권의 남용으로 위법, 이의신청·재심사·행정심판·행정소송·국가배상청구 可

⚖ 관련판례

평등의 원칙은 본질적으로 같은 것을 자의적으로 다르게 취급함을 금지하는 것이고, <u>위법한 행정처분이 수차례에 걸쳐 반복적으로 행하여졌다 하더라도 그러한 처분이 위법한 것인 때에는 행정청에 대하여 자기구속력을 갖게 된다고 할 수 없다</u>(대판 2009.6.25. 2008두13132). ★★★

22. 국가직 7급 행정처분이 수차례에 걸쳐 반복적으로 행하여졌다면 그 처분이 위법한 것인 때에도 행정청에 대하여 자기구속력을 갖게 된다. (✕) → 게 되는 것은 아니다

22. 지방직 9급 평등의 원칙은 본질적으로 같은 것을 자의적으로 다르게 취급함을 금지하는 것이므로, 위법한 행정처분이 수차례에 걸쳐 반복적으로 행하여졌다면 행정청에 대하여 자기구속력을 갖게 된다. (✕) → 이고 / 하더라도 / 된다고 할 수 없다

20. 군무원 7급 행정의 자기구속의 원칙을 적용함에 있어 종전 행정관행의 내용이 위법적인 경우에는 위법인 수익적 내용의 평등한 적용을 요구하는 청구권은 인정될 수 없다. (○)

19. 군무원 9급, 19. 국회직 8급, 19. 행정사, 15. 경찰 1차, 16. 지방직 9급 등 반복적으로 행하여진 행정처분이 위법한 것일 경우 행정청은 자기구속의 원칙에 구속되지 않는다. (○)

18. 국가직 9급, 18. 서울시 7급, 18. 5급 승진, 17. 국가직 7급, 17. 서울시 9급 등 반복적으로 행해진 행정처분이 위법하더라도 행정의 자기구속의 원칙에 따라 행정청은 선행처분에 구속된다.(✕) → 위법한 경우에는 / 되지 않는다

---

(2) 행정관행이 성립된 경우에도 행정관행과 다른 처분을 해야 할 '특별한 사정'이 있는 경우에는 행정의 자기구속의 원칙이 적용되지 않는다(대판 2009.12.24. 2009두7967). 여기서 '특별한 사정'이라 함은 새로운 사정변경이 있고 기존의 관행과 다른 처분을 해야 할 공익상 필요가 심히 큰 경우를 말한다.

20. 소방직 자기구속의 원칙이 인정되는 경우 행정관행과 다른 처분은 특별한 사정이 없는 한 위법하다. (○)

15. 지방직 7급, 13. 변호사 판례에 의하면 재량권 행사의 준칙인 행정규칙이 그 정한 바에 따라 되풀이 시행되어 행정관행이 이루어지고 평등의 원칙에 따라 행정기관이 그 규칙에 따라야 할 자기구속을 받게 된 경우에는, 특별한 사정이 있는 경우에도 해당 규칙에 따라야 할 절대적 구속력이 발생한다. (✕) → 발생하는 것은 아니다

5. 위반의 법적 효과 및 권리구제

(1) 자기구속의 원칙은 헌법적 효력을 가지므로 자기구속의 원칙에 반하는 법령이나 행정권 행사는 위헌·위법한 것이 된다. 따라서 재량준칙에 따른 실무관행이 있음에도 불구하고 행정청이 동종 사안에서 합리적인 사유 없이 관행에 어긋난 처분을 한 경우, 그로 인해 침해를 입은 국민은 비록 '행정규칙 위반'을 이유로 위법을 주장할 수는 없다 하더라도 '평등원칙 위반(자기구속의 원칙)'을 이유로 그 위법을 주장하며 취소쟁송을 제기할 수 있고, 법원은 재량권의 남용을 이유로 그 처분을 취소하거나 무효임을 확인할 수 있다.

(2) 또한 처분의 당사자는 처분에 대한 이의신청(「행정기본법」 제36조)이나 재심사(「행정기본법」 제37조)를 청구하거나 「행정심판법」에 따라 행정심판을 제기할 수도 있고 이로 인해 손해를 입은 자는 「국가배상법」이 정하는 바에 따라 국가나 지방자치단체를 상대로 손해배상을 청구할 수도 있다.

12. 서울시 9급 자기구속력이 발생한 행정관행을 위반한 행정처분은 위법한 처분이 된다. (○)

09. 국가직 7급 행정기관이 재량준칙에 위반하여 처분을 행하는 때에는 자기구속의 법리에 위반하더라도 당사자는 당해 처분의 위법을 이유로 취소쟁송을 제기할 수 없다. (✕) → 있다

5 비례의 원칙(과잉금지의 원칙)

함께 정리하기

비례의 원칙
▷ 행정목적과 그 수단 사이에 합리적 비례 관계가 있어야 한다는 원칙

헌법적 근거
▷ 헌법 제37조 제2항, 헌법상의 기본권 보장규정, 법치국가원칙

개별법적 근거
▷「행정기본법」, 「행정절차법」, 「경찰관 직무집행법」, 「행정규제기본법」 등

「행정기본법」제10조【비례의 원칙】 행정작용은 다음 각 호의 원칙에 따라야 한다.
1. 행정목적을 달성하는 데 <u>유효하고 적절할 것</u>
2. 행정목적을 달성하는 데 <u>필요한 최소한도에 그칠 것</u>
3. 행정작용으로 인한 <u>국민의 이익 침해가 그 행정작용이 의도하는 공익보다 크지 아니할 것</u>

　22. 국가직 7급 「행정기본법」은 비례의 원칙을 명문으로 규정하고 있다. (○)

헌법 제37조 ② 국민의 모든 자유와 권리를 국가안전보장·질서유지 또는 공공복리를 위하여 <u>필요한 경우에 한하여 법률로써 제한할 수 있으며, 제한하는 경우에도 자유와 권리의 본질적인 내용을 침해할 수 없다.</u>

「행정절차법」제48조【행정지도의 원칙】 ① 행정지도는 <u>그 목적 달성에 필요한 최소한도에 그쳐야 하며,</u> 행정지도의 상대방의 의사에 반하여 부당하게 강요하여서는 아니 된다.

　18. 경찰 행정지도는 그 목적 달성에 필요한 최대한도의 조치를 할 수 있으나, 다만 행정지도의 상대방의 의사에 반하여 부당하게 강요하여서는 아니 된다. (×) → 최소한도에 그쳐야 하며,

「경찰관 직무집행법」제1조【목적】 ② 이 법에 규정된 경찰관의 직권은 <u>그 직무 수행에 필요한 최소한도에서 행사되어야 하며</u> 남용되어서는 아니 된다.

　15. 경찰 경찰작용에서도 비례의 원칙이 준수되어야 하며, 경찰관의 직권은 그 직무 수행에 필요한 최소한도에서 행사되어야 한다. (○)

「행정규제기본법」제5조【규제의 원칙】 ③ 규제의 대상과 수단은 <u>규제의 목적실현에 필요한 최소한의 범위에서 가장 효과적인 방법으로 객관성·투명성 및 공정성이 확보되도록 설정되어야</u> 한다.

　17. 서울시 9급 「행정규제기본법」과 「행정절차법」은 각각 규제의 원칙과 행정지도의 원칙으로 비례원칙을 정하고 있다. (○)

1. 의의 및 근거

(1) 헌법적 근거

　비례(比例)의 원칙(과잉금지원칙)이란 행정주체가 구체적인 행정목적을 실현할 때 그 행정목적과 이를 실현하는 수단 사이에 합리적인 비례관계가 있어야 한다는 원칙이다. 비례의 원칙은 헌법상의 기본권 보장규정, 헌법 제37조 제2항 및 법치국가원칙으로부터 도출되는 법 원칙으로 헌법적 효력을 가진다.

(2) 개별법적 근거

　「행정기본법」제10조에서는 그 동안 학설과 판례에서 인정되어 오던 비례의 원칙의 세 가지 파생원칙인 ① 적합성의 원칙(수단의 적합성), ② 필요성의 원칙(최소침해의 원칙), ③ 상당성의 원칙(협의의 비례원칙)을 나누어 규정하고 있다(제1호 내지 제3호).「행정절차법」제48조 제1항(행정지도의 원칙),「경찰관 직무집행법」제1조 제2항,「행정규제기본법」제5조 제3항에서도 그 근거를 찾아볼 수 있다.

　22. 지방직 9급, 19. 행정사 비례의 원칙은 법치국가원리에서 당연히 파생되는 헌법상의 기본원리이다. (○)

적용범위
▷ 모든 행정영역에 적용, 주로 재량권의 통제원리
▷ 국가가 입법활동을 함에 있어서도 준수해야할 기본원칙

2. 적용범위

(1) 비례의 원칙은 종래 경찰행정 영역에서 경찰권의 한계를 설정해 주는 것에서 시작된 논의이지만, 지금은 침익행정인가 급부행정인가를 가리지 아니하고 행정의 모든 영역에 적용된다(수익적 행정행위의 취소·철회의 제한법리(이익형량의 원칙), 형량명령이론, 부관의 한계, 재량권 행사의 한계, 사정판결의 요건인 현저한 공공복리, 경찰권 발동의 한계 등). 비례의 원칙은 주로 재량권의 통제원리로 활용되고 있다(기속행위의 경우에는 기속행위의 근거가 된 법령에 대한 비례성 통제를 통하여 간접적 통제).

13. 국가직 9급 비례의 원칙은 침익행정인가 급부행정인가를 가리지 아니하고 행정의 전 영역에 적용된다. (O)

(2) 한편, 비례의 원칙은 행정에만 적용되는 원칙이 아니라, 국가가 국민의 기본권을 제한하는 입법 활동을 함에 있어서도 준수하여야 할 기본원칙 내지 한계로서 작용한다.

20. 지방직 9급 비례의 원칙은 행정에만 적용되는 원칙이므로 입법에서 적용될 여지가 없다. (×) → 이 아니므로 / 에서도 적용된다.

내용
▷ 적합성·필요성·상당성의 원칙
▷ 순차적·단계적으로 검토

3. 내용

비례원칙의 내용인 적합성·필요성·상당성의 원칙은 순차적·단계적으로 검토되어야 한다. 행정작용이 이 중 어느 한 원칙에라도 위반하면 그 행정작용은 위법하게 된다. 따라서 비례의 원칙에 위반하지 않으려면 위 세 가지 원칙 모두를 갖추어야 한다.❶

ⓘ 즉, 수단의 적합성 원칙과 필요성의 원칙이 충족된 경우일지라도 그 행정조치를 취함에 따른 공익과 사익을 이익형량해야 한다는 상당성의 원칙을 다시 한 번 검토하여야 한다.

한편, 헌법재판소는 비례의 원칙(과잉금지원칙) 준수여부를 심사할 때 위 세 가지 원칙에 더하여 입법 목적의 정당성을 추가로 판단하고 있다.

19. 5급 승진 적합성의 원칙과 필요성의 원칙이 충족된 경우에는 상당성의 원칙은 고려하지 않아도 된다. (×) → 도 고려해야 된다

18. 경찰 2차 과잉금지의 원칙이라 함은 국민의 기본권을 제한함에 있어서 국가작용의 한계를 명시한 것으로서 목적의 정당성·방법의 적정성·피해의 최소성·법익의 균형성 등을 의미하며 그 어느 하나에라도 저촉이 되면 위헌이 된다는 헌법상의 원칙을 말한다. (O)

헌법재판소의 과잉금지원칙 판단
▷ 목적의 정당성
▷ 방법의 적정성(적합성)
▷ 피해의 최소성(필요성)
▷ 법익의 균형성(상당성)

> 🔨 **관련판례**
>
> **헌법재판소는 과잉금지원칙 위배여부를 심사할 때 목적의 정당성도 판단한다.** ★★
> 국가작용 중 특히 입법작용에 있어서의 과잉입법금지의 원칙이라 함은 국가가 국민의 기본권을 제한하는 내용의 입법활동을 함에 있어서 준수하여야 할 기본원칙 내지 입법활동의 한계를 의미하는 것으로서, 국민의 기본권을 제한하려는 입법의 목적이 헌법 및 법률의 체제상 그 정당성이 인정되어야 하고(목적의 정당성), 그 목적의 달성을 위하여 그 방법이 효과적이고 적절하여야 하며(방법의 적정성), 입법권자가 선택한 기본권제한의 조치가 입법목적달성을 위하여 설사 적절하다 할지라도 보다 완화된 형태나 방법을 모색함으로써 기본권의 제한은 필요한 최소한도에 그치도록 하여야 하며(피해의 최소성), 그 입법에 의하여 보호하려는 공익과 침해되는 사익을 비교형량할 때 보호되는 공익이 더 커야한다(법익의 균형성)는 법치국가의 원리에서 당연히 파생되는 헌법상의 기본원리의 하나인 비례의 원칙을 말하는 것이다(헌재 1992.12.24. 92헌가8).
>
> 17. 국회직 8급 비례원칙은 적합성의 원칙, 필요성의 원칙, 상당성의 원칙(협의의 비례원칙)으로 구성된다고 보는 것이 일반적이며, 헌법재판소는 과잉금지원칙과 관련하여 위 세 가지에 목적의 정당성을 더하여 판단하고 있다. (O)

(1) 적합성의 원칙(수단의 적합성, 방법의 적절성)

적합성의 원칙이란 특정한 행정목적을 실현하기 위하여 사용되는 수단이 행정목적을 달성하기에 적합하여야 할 것을 의미한다. 따라서 목적 달성과 전혀 관계없는 수단을 선택하거나 목적이 전혀 없는 수단을 선택한다면 이는 적합성의 원칙에 반한다.

(2) 필요성의 원칙(최소침해의 원칙)

필요성의 원칙은 목적을 달성하기 위한 행정조치는 필요한도 이상으로 행해져서는 안된다는 것을 의미하며, 최소침해의 원칙이라고도 한다. 따라서 동일한 목적을 실현시킬 수 있는 적합한 수단이 여러 가지가 있는 경우 행정청은 상대방에게 가장 적은 침해를 주는 수단을 선택하여야 하며, 만약 과도한 수단을 선택하였다면 이는 필요성의 원칙에 반하게 된다.❶

08. 국가직 7급 위험한 건물에 대하여 개수명령으로써 목적을 달성할 수 있음에도 불구하고 철거명령을 발령하는 것은 비례원칙의 내용 중 필요성 원칙에 반한다. (○)

(3) 상당성의 원칙(협의의 비례원칙, 법익균형성의 원칙)

협의의 비례원칙이라고도 하는 상당성의 원칙은 상대방에게 최소로 침해를 주는 수단을 선택하는 경우에도 행정목적에 의하여 추구되는 이익이 행정의 상대방이 받는 손해보다 커야함을 의미한다. 따라서 행정조치를 취하지 않을 경우 침해될 공익과 행정조치를 취할 경우에 침해되는 상대방의 이익을 비교형량(이익형량)하여, 만약 침해되는 상대방의 이익이 우월한 경우 이러한 행정조치는 상당성의 원칙에 반하게 된다.

상당성의 원칙은 재량권 행사에 있어서 공익과 사익의 비교형량에 따른 적법성의 판단기준이 된다.

13. 국가직 9급 협의의 비례원칙인 상당성의 원칙은 재량권행사의 적법성의 기준에 해당한다. (○)

> ⚖ **관련판례**
>
> **행정청이 취소의 재량권을 갖는 경우라도 공익과 사익을 비교교량해야 한다. ★**
> 행정청이 면허취소의 재량권을 갖는 경우에도 그 재량권은 면허취소처분의 공익목적 뿐만 아니라 공익침해의 정도와 그 취소처분으로 인하여 개인이 입게 될 불이익을 비교교량하고 그 취소 처분의 공정성을 고려하는 등 비례의 원칙과 평등의 원칙에 어긋나지 않게끔 행사되어야 할 한계를 지니고 있고 이 한계를 벗어난 처분은 위법하다고 볼 수밖에 없다(대판 1985.11.12. 85누303).

4. 위반의 법적 효과

(1) 비례의 원칙에 반하는 행정권 행사는 위법하고, 비례의 원칙에 반하는 법령은 위헌·무효이다.

(2) 비례의 원칙에 반하는 처분의 당사자는 처분에 대한 이의신청(「행정기본법」제36조)이나 재심사(「행정기본법」제37조), 또는 「행정심판법」상 행정심판이나 「행정소송법」상 행정소송을 제기할 수 있다. 또한 이로 인해 손해를 입은 자는 「국가배상법」이 정하는 바에 따라 국가나 지방자치단체를 상대로 손해배상을 청구할 수 있다.

함께 정리하기

적합성의 원칙(수단의 적합성)
▷ 행정적 수단이 행정목적을 달성하기에 적합한 것이어야 한다는 원칙

필요성의 원칙(최소침해의 원칙)
▷ 적합한 수단이 여러 가지인 경우에는 행정의 상대방에게 최소한의 피해를 주는 수단을 선택하여야 한다는 원칙

❶
예컨대, ① 노후화된 건축물에 대하여 개수명령으로써 목적을 달성할 수 있음에도 불구하고 철거명령을 발령하는 것, ② 음식점 영업허가의 신청이 있는 경우에 부관으로서 부담을 붙이면 공익목적 달성이 가능함에도 그 허가 자체를 거부하는 것은 필요성원칙에 반한다.

상당성의 원칙(이익형량)
▷ 행정목적에 의하여 추구되는 공익이 행정의 상대방이 받는 손해보다 커야 함 (공익 > 사익)

행정청에 취소재량권 유보된 경우
▷ 비례·평등의 원칙 준수 要

비례원칙을 위반한 행정작용
▷ 위법, 이의신청·재심사·행정심판·행정쟁송·국가배상청구의 대상○
비례원칙
▷ 위헌법률심사의 기준

19. 5급 승진 비례원칙에 위반한 처분은 위법한 것으로 항고소송의 대상이 된다. (O)

19. 5급 승진 비례의 원칙을 위반한 경우 국가배상책임은 성립하지 아니한다. (X) → 할 수 있다

(3) 행정청의 처분이 비례의 원칙에 위반된 경우 법원은 재량권의 남용을 이유로 그 처분을 취소하거나 무효임을 확인할 수 있다. 만약 행정청의 명령이 비례의 원칙에 위반되는 경우 법원은 명령에 근거한 처분의 효력을 다투는 소송에서 처분의 근거가 되는 명령이 무효임을 확인할 수 있다(간접적 통제).

(4) 헌법재판소는 비례의 원칙(과잉금지원칙)을 위헌법률심사의 기준으로 삼고 있는 바, 법률이 비례의 원칙에 반하는 경우 위헌이다.❶

12. 국가직 7급 헌법재판소는 비례원칙을 위헌법률심사의 기준으로 삼고 있다. (O)

5. 구체적인 예

(1) 비례원칙 위반으로 본 사례

❶ 예컨대, 헌법재판소는 임신 전 기간에 걸쳐 태아성별의 고지를 금지하고 있는 「의료법」 제19조 제2항(헌재 2008.7.31. 2004헌마1010), 선거운동과정에서 물품·음식물 등을 제공받은 경우 과태료 50배를 규정한 구 「공직선거법」 제261조 제5항 제1호(헌재 2009.3.26. 2007헌가22) 등이 비례원칙을 위반한 법률로 위헌으로 보았다.

자동차이용 범죄시 필요적 운전면허 취소
▷ 최소침해의 원칙 위반

📌 관련판례

1 **자동차 등을 이용하여 범죄행위를 한 경우 필요적으로 운전면허를 취소하는 규정** ★★

이 사건 규정의 법문은 '운전면허를 받은 사람이 자동차등을 이용하여 범죄행위를 한 때'를 필요적 운전면허 취소사유로 규정하고 있는바, 이 사건 규정은 자동차등을 이용하여 범죄행위를 하기만 하면 그 범죄행위가 얼마나 중한 것인지, 그러한 범죄행위를 행함에 있어 자동차등이 당해 범죄 행위에 어느 정도로 기여했는지 등에 대한 아무런 고려 없이 무조건 운전면허를 취소하도록 하고 있으므로 이는 구체적 사안의 개별성과 특수성을 고려할 수 있는 여지를 일체 배제하고 그 위법의 정도나 비난의 정도가 극히 미약한 경우까지도 운전면허를 취소할 수밖에 없도록 하는 것으로 최소침해성의 원칙에 위반된다고 할 것이다(헌재 2005.11.24. 2004헌가28).

19. 국회직 8급 자동차를 이용하여 범죄행위를 한 경우 범죄의 경중에 상관없이 반드시 운전면허를 취소하도록 한 규정은 비례원칙을 위반한 것이다. (O)

지입제경영시 필요적 운송사업면허 취소
▷ 최소침해의 원칙 위반

2 **지입제경영을 한 경우 운송사업면허를 필요적으로 취소하도록 하는 규정** ★

입법자가 임의적 규정으로도 법의 목적을 실현할 수 있는 경우에 구체적 사안의 개별성과 특수성을 고려할 수 있는 가능성을 일체 배제하는 필요적 규정을 둔다면 이는 비례의 원칙의 한 요소인 "최소침해성의 원칙"에 위배되는바, 종래의 임의적 취소제도로도 철저한 단속, 엄격한 법집행 등 그 운용 여하에 따라서는 지입제 관행의 근절이라는 입법목적을 효과적으로 달성할 수 있었을 것으로 보이므로, 기본권침해의 정도가 덜한 임의적 취소제도의 적절한 운용을 통하여 입법목적을 달성하려는 노력은 기울이지 아니한 채 기본권침해의 정도가 한층 큰 필요적 취소제도를 도입한 이 사건 법률조항은 행정편의적 발상으로서 피해최소성의 원칙에 위반된다(헌재 2000.6.1. 99헌가11·12).

양도인의 유사휘발유 판매사실을 모르고 양수한 자에게 한 최장기 6월의 영업정지
▷ 비례원칙 위반O

3 **선의의 주유소 양수인에 대한 최장기 6월의 석유판매업영업정지처분** ★★

주유소 영업의 양도인이 등유가 섞인 유사휘발유를 판매한 바를 모르고 이를 양수한 석유판매영업자에게 전 운영자인 양도인의 위법사유를 들어 사업정지기간 중 최장기인 6월의 사업정지에 처한 영업정지처분이 석유사업법에 의하여 실현시키고자 하는 공익목적의 실현보다는 양수인이 입게 될 손실이 훨씬 커서 재량권을 일탈한 것으로서 위법하다(대판 1992.2.25. 91누13106).

11. 경찰 1차 주유소 영업의 양도인이 등유가 섞인 유사휘발유를 판매한 바를 모르고 이를 양수한 석유판매영업자에게 전 운영자인 양도인의 위법사유를 들어 6월의 사업정지에 처한 것은 공익목적의 실현이라는 측면에서 비례원칙에 위반되지 않아 적법하다. (X) → 되어 위법하다

4 단지 1회 훈령에 위반하여 요정에 출입한 것을 이유로 한 파면처분 ★★

원고가 단지 1회 훈령에 위반하여 요정 출입을 하다가 적발된 정도라면 면직처분보다 가벼운 징계처분으로서도 능히 위 훈령의 목적을 달할 수 있다고 볼 수 있는 점에서 이 사건 파면처분은 이른바 비례의 원칙에 어긋난 것으로 위법하다(대판 1967.5.2. 67누24).

21. 소방직 원고가 단지 1회 훈령에 위반하여 요정출입을 하다가 적발된 정도라면, 면직처분보다 가벼운 징계처분으로서도 능히 위 훈령의 목적을 달성할 수 있다고 볼 수 있는 점에서 이 사건 파면처분은 이른바 비례의 원칙에 어긋난 것으로 위법하다고 판시하였다. (○)

18. 소방직 비례의 원칙에 의할 때 공무원이 단지 1회 훈령에 위반하여 요정 출입을 하였다는 사유만으로 한 파면처분은 위법하다. (○)

5 경찰관이 난동을 부리던 범인을 검거하면서 가스총을 근접 발사하여 실명시킨 행위 ★★

경찰관은 범인의 체포 또는 도주의 방지, 타인 또는 경찰관의 생명·신체에 대한 방호, 공무집행에 대한 항거의 억제를 위하여 필요한 때에는 최소한의 범위 안에서 가스총을 사용할 수 있으나, 이를 사용하는 경찰관으로서는 인체에 대한 위해를 방지하기 위하여 상대방과 근접한 거리에서 상대방의 얼굴을 향하여 이를 발사하지 않는 등 가스총 사용시 요구되는 최소한의 안전수칙을 준수함으로써 장비 사용으로 인한 사고 발생을 미리 막아야 할 주의의무가 있다(대판 2003.3.14. 2002다57218).

17. 경찰 2차 경찰관은 범인의 체포 또는 도주의 방지, 타인 또는 경찰관의 생명·신체에 대한 방호, 공무집행에 대한 항거의 억제를 위하여 필요한 때에는 최소한의 범위 안에서 가스총을 사용할 수 있으나, 가스총 사용시 요구되는 최소한의 안전수칙을 준수함으로써 장비 사용으로 인한 사고 발생을 미리 막아야 할 주의의무가 있다. (○)

(2) 비례원칙 위반으로 보지 않은 사례

관련판례

1 아무리 짧은 거리(집 앞 6m)라도 만취 상태에서 운전했을 경우 면허취소 ★

승용차를 주차목적으로 자신의 집 앞 약 6m를 운행했다 해도 이는 도로교통법상의 음주운전에 해당하고 이미 음주운전으로 면허정지처분을 받은 적이 없는데도 혈중알콜농도 0.182%의 만취 상태에서 운전한 것이라면 교통사고가 발생하지 않았고 운전 승용차로 서적을 판매하여 가족의 생계를 책임져야 한다는 사정을 고려하더라도 운전면허취소처분은 적법하다(대판 1996.9.6. 96누5995).

11. 경찰 1차 다른 차들의 통행을 원활히 하기 위하여 승용차를 주차목적으로 자신의 집 앞 약 6미터를 운행하였다 하여도 이는 「도로교통법」상의 음주운전에 해당하고, 이미 음주운전으로 적발되어 면허정지처분을 받은 적이 있는데도 혈중알콜농도 0.182%의 만취 상태에서 운전한 것이라면, 교통사고가 발생하지 않았고 운전 승용차로 서적을 판매하여 가족의 생계를 책임져야 한다는 사정을 고려하더라도, 이 사건 운전면허취소처분은 적법하다. (○)

> **통지** 음주운전으로 인한 운전면허의 취소는 그 취소로 입게 될 당사자의 불이익보다 음주운전으로 인한 교통사고를 방지하여야 하는 일반예방적 측면이 더 강조되어야 한다. ★★
> 자동차가 대중적인 교통수단이고 그에 따라 자동차운전면허가 대량으로 발급되어 교통상황이 날로 혼잡해짐에 따라 교통법규를 엄격히 지켜야 할 필요성은 더욱 커지는 점, 음주운전으로 인한 교통사고 역시 빈번하고 그 결과가 참혹한 경우가 많아 대다수의 선량한 운전자 및 보행자를 보호하기 위하여 음주운전을 엄격하게 단속하여야 할 필요가 절실한 점 등에 비추어 보면, 음주운전으로 인한 교통사고를 방지할 공익상의 필요는 더욱 중시되어야 하고 운전면허의 취소는 일반의 수익적 행정행위의 취소와는 달리 그 취소로 인하여 입게 될 당사자의 불이익보다는 이를 방지하여야 하는 일반예방적 측면이 더욱 강조되어야 한다(대판 2019.1.17. 2017두59949).

훈령 1회 위반의 요정출입에 대한 파면처분
▷ 최소 침해의 원칙 위반○

경찰관이 범인을 검거하던 중 가스총을 근접 발사하여 실명시킨 행위
▷ 비례원칙 위반○

만취상태에서 주차목적의 6m 운행으로 면허취소
▷ 비례원칙 위반✕

음주운전 면허취소
▷ 교통사고 방지 위한 공익상 필요가 취소 상대방의 불이익보다 강조됨

음주운전 가중처벌 요건인 전과에 개정 전 구법상의 음주전과를 포함한 것
▷ 비례원칙 위반×

수입 녹용의 회분함량치가 0.5% 초과하였다는 이유로 수입 녹용 전부에 대하여 전량 폐기 또는 반송지시 처분
▷ 위법×(재량권 일탈·남용×)

23. 지방직 7급 음주운전으로 인한 운전면허취소처분의 재량권 일탈·남용 여부를 판단할 때, 운전면허의 취소로 입게 될 당사자의 불이익보다 음주운전으로 인한 교통사고를 방지하여야 하는 일반예방적 측면이 더 강조되어야 한다. (○)

20. 국가직 7급 음주운전으로 인해 운전면허를 취소하는 경우의 이익형량에서 음주운전으로 인한 교통사고를 방지할 공익상의 필요가 취소의 상대방이 입게 될 불이익보다 강조되어야 하는 것은 아니다. (×) → 한다

2 도로교통법 제148조의2 제1항 제1호를 해석함에 있어 구 도로교통법을 위반한 음주운전 전과까지 포함된다고 보는 것 ★★

도로교통법 제148조의2 제1항 제1호에서 정하고 있는 '도로교통법 제44조 제1항을 2회 이상 위반한' 것에 구 도로교통법 제44조 제1항을 위반한 음주운전 전과까지 포함되는 것으로 해석하는 것이 형벌불소급의 원칙이나 일사부재리의 원칙 또는 비례의 원칙에 위배된다고 할 수 없다(대판 2012.11.29. 2012도10269).

13. 국가직 9급 「도로교통법」 제148조의2 제1항 제1호의 「도로교통법」 제44조 제1항을 2회 이상 위반한' 것에 구 「도로교통법」 제44조 제1항을 위반한 음주운전 전과도 포함된다고 해석하는 것은 비례원칙에 위반된다. (×) → 되지 않는다

3 지방식품의약품안전청장이 수입 녹용 중 전지 3대를 절단부위로부터 5cm까지의 부분을 절단하여 측정한 회분함량이 기준치를 0.5% 초과하였다는 이유로 수입 녹용 전부에 대하여 전량 폐기 또는 반송처리를 지시한 처분(대판 2006.4.14. 2004두3854).

21. 소방직 수입 녹용 중 일정성분이 기준치를 0.5% 초과하였다는 이유로 수입 녹용 전부에 대하여 전량 폐기 또는 반송처리를 지시한 처분은 재량권을 일탈·남용한 경우에 해당한다고 판시하였다. (×) → 하지 않는다고

19. 소방간부, 13. 국회직 9급 행정청이 수입 녹용 중 전지 3대를 측정한 회분함량이 기준치를 0.5% 초과하였다는 이유로 수입 녹용 전부에 대하여 전량 폐기 또는 반송 처리를 지시한 처분은 비례원칙에 위반한 재량권을 일탈·남용한 경우에 해당한다. (×) → 하지 않는다

위반○	• 자동차 등을 이용하여 범죄행위를 한 경우 필요적 운전면허취소 규정(2004헌가28) • 지입제경영을 한 경우 운송사업면허를 필요적으로 취소하는 규정(99헌가11·12) • 청소년유해매체물로 결정·고시된 만화인 사실을 모르고 청소년에게 만화책 두 권을 600원 받고 대여해 준 도서대여업자에 대한 700만원 과징금부과처분(99두9490) 　21. 소방직 청소년유해매체물로 결정 고시된 만화인 사실을 모르고 있던 도서대여업자가 그 고시일로부터 8일 후에 청소년에게 그 만화를 대여한 것을 사유로 그 도서대여업자에게 금 700만원의 과징금이 부과된 경우, 그 과징금 부과처분은 재량권을 일탈·남용한 것으로서 위법하다고 판시하였다. (○) • 가벼운 징계처분으로도 훈령 목적을 달성할 수 있음에도 파면처분을 한 경우(67누24) • 근무시간 중 10분간 다방출입으로 파면처분을 한 경우(69누86) • 취득한 이익의 규모를 크게 초과하는 과징금부과처분(2000두6206) • 북한 고위직 탈북인사의 여권발급신청에 대한 거부(2007두10846) • 판사, 검사로 근무한 자 중 15년 미만 근무한 자에 한해 변호사 개업지를 3년간 제한(89헌가102) • 18세 미만자의 당구장 출입 금지(94헌마196) • 미결수용자가 수사 또는 재판을 받기 위해서 구치소 밖으로 나올 때에 사복을 입지 못하도록 한 것(97헌마137) • 태아성별감지 및 고지 금지(2004헌마1010) • 선거운동과정에서 물품, 음식물 등을 제공받은 경우 과태료를 '50배'에 해당하는 금액으로 부과(2007헌가22) • 공무원이 단 1회 훈령에 위반하여 요정출입을 하였다는 사유만으로 한 파면처분(67누24) • 룸싸롱에 미성년자 출입 1회 위반에 대한 영업취소(77누15) • 경찰관이 난동을 부리던 범인을 검거하면서 가스총을 근접 발사하여 실명시킨 것(2002다57218) • 주유소영업의 양도인이 유사휘발유를 판매한 바를 모르고 양수한 석유판매업자에 대한 6월의 사업정지처분(91누13106) • 공정한 업무처리에 대한 사의로 두고 간 30만원을 소지하였다가 돌려 준 경찰관에 대한 해임처분(90누8954) • 근무지를 이탈하여 상관을 비판한 검사장에 대한 면직처분(2000두7704)
위반×	• 승합차를 음주 운전하여 제1종 대형운전면허까지 취소된 경우(96누15176) • 사법시험 제2차 시험에 과락제도 적용(2004두10432) • 혈중알콜 농도 0.18% 상태에서 음주운전하다가 물적 교통사고를 낸 택시운전사에 대하여 운전면허를 취소(95누8126) • 「도로교통법」 제148조의2 제1항 제1호의 '「도로교통법」 제44조 제1항을 2회 이상 위반한' 것에 구 「도로교통법」 제44조 제1항을 위반한 음주운전 전과도 포함된다고 해석(2012도10269) • 회분함량이 기준치를 0.5% 초과하였다는 이유로 수입 녹용 전부에 대하여 전량 폐기·반송 지시처분(2004두3854) • 주차목적으로 짧은 거리 만취상태로 운전한 경우 운전면허취소처분(96누5995) • 특수경비원에게 일체의 쟁의행위를 금지하는 규정(2007헌마1359)

6 신뢰보호의 원칙

> 「**행정기본법**」 제12조 【신뢰보호의 원칙】 ① 행정청은 공익 또는 제3자의 이익을 현저히 해칠 우려가 있는 경우를 제외하고는 행정에 대한 <u>국민의 정당하고 합리적인 신뢰를 보호</u>하여야 한다.
>
> 23. 국가직 7급 「행정기본법」에 의하면 행정청은 공익 또는 제3자의 이익을 현저히 해칠 우려가 있는 경우를 제외하고는 행정에 대한 국민의 정당하고 합리적인 신뢰를 보호하여야 한다. (○)
>
> 「**행정절차법**」 제4조 【신의성실 및 신뢰보호】 ② 행정청은 <u>법령 등의 해석 또는 행정청의 관행이 일반적으로 국민들에게 받아들여졌을 때</u>에는 공익 또는 제3자의 정당한 이익을 현저히 해칠 우려가 있는 경우를 제외하고는 <u>새로운 해석 또는 관행에 따라 소급하여 불리하게 처리하여서는 아니</u> 된다.
>
> 「**국세기본법**」 제18조 【세법 해석의 기준 및 소급과세의 금지】 ③ <u>세법의 해석이나 국세행정의 관행이 일반적으로 납세자에게 받아들여진 후</u>에는 그 해석이나 관행에 의한 행위 또는 계산은 정당한 것으로 보며, <u>새로운 해석이나 관행에 의하여 소급하여 과세되지 아니한다.</u>

1. 의의 및 근거

(1) 신뢰보호(信賴保護)의 원칙이란 행정기관의 어떠한 언동(말 또는 행동, 명시적·묵시적 언동 포함)에 대해 국민이 신뢰를 갖고 행위를 한 경우 그 국민의 신뢰가 보호할 가치가 있는 경우 그 신뢰를 보호해 주어야 한다는 원칙을 말한다.❶

(2) 신뢰보호의 원칙은 행정작용의 정당성 또는 존속성에 대한 국민의 신뢰를 보호하여 행정작용에 대한 국민의 사전적인 예측가능성을 보장하려는 것이므로 법치국가 원칙(행정의 법률적합성과 법적안정성)의 한 내용인 법적 안정성으로부터 도출된다(통설, 판례).❷

> **관련판례**
>
> **신뢰보호의 원칙은 헌법의 기본원리인 법치주의 원리에서 도출된다.** ★
> 법령의 개정에 있어서 구 법령의 존속에 대한 당사자의 신뢰가 합리적이고도 정당하며, 법령의 개정으로 야기되는 당사자의 손해가 극심하여 새로운 법령으로 달성하고자 하는 공익적 목적이 그러한 신뢰의 파괴를 정당화할 수 없다면, 입법자는 경과규정을 두는 등 당사자의 신뢰를 보호할 적절한 조치를 하여야 하며, 이와 같은 적절한 조치 없이 새 법령을 그대로 시행하거나 적용하는 것은 허용될 수 없는바, <u>이는 헌법의 기본원리인 법치주의 원리에서 도출되는 신뢰보호의 원칙에 위배되기 때문이다</u>(대판 2006.11.16. 2003두12899 전합).
>
> 17. 국가직 7급 신뢰보호의 원칙은 국민이 법률적 규율이나 제도가 장래에 지속할 것이라는 합리적인 신뢰를 바탕으로 개인의 법적 지위를 형성해 왔을 때에는 국가에 그 국민의 신뢰를 되도록 보호할 것을 요구하는 법치국가원리의 파생원칙이다. (○)
>
> 15. 서울시 9급 헌법재판소와 대법원은 신뢰보호 원칙의 이론적 근거를 ~~사회국가원리~~에서 찾고 있다. (×) → 법치국가원리

신뢰보호의 원칙
▷ 행정기관의 어떠한 언동에 대한 국민의 신뢰가 보호가치 있는 경우 그 신뢰를 보호해 주어야 한다는 원칙

❶
판례는 조세소송에서 신뢰보호의 원칙이라는 용어 대신 신의성실의 원칙이라는 용어를 사용하는 경우가 많다.

이론적 근거
▷ 법치국가원리인 법적 안정성

❷
신뢰보호의 이론적 근거로 신의성실의 원칙을 드는 견해도 있지만(신의칙설), 신의칙설에 대하여는 신의성실의 원칙은 당사자간에 계약 등 구체적인 일정한 관계가 있을 때에만 적용되는 것이므로 그러한 관계를 전제로 하지 않는 행정작용(행정규칙 또는 행정계획 등)에는 적용하기 어렵다는 비판이 있다.

> **참고** 신의성실의 원칙과의 관계
>
> 신의성실의 원칙이란 법률관계의 당사자는 상대방의 이익을 배려하여 형평에 어긋나거나 신뢰를 저버리는 방법으로 권리를 행사하거나 의무를 이행하여서는 아니된다는 법원칙을 말하는바(「민법」 제2조), 신의성실의 원칙과 신뢰보호의 원칙은 그 요건이 매우 유사하여 구별이 쉽지 않다. 그러나 신의성실의 원칙은 「민법」에서 기원한 것인 만큼 당사자 간의 구체적인 법률관계를 전제로 한다는 점에서 구체적인 법률관계가 없는 경우에도 적용되는 신뢰보호의 원칙과 차이가 있고, 무엇보다 신의성실의 원칙은 행정주체뿐만 아니라 행정객체도 구속하는 원칙이라는 점에서 행정만을 구속하는 신뢰보호의 원칙과 차이가 있다. 판례도 행정객체에 대한 행정청의 신뢰와 관련해서는 신뢰보호의 원칙이 아니라 신의성실의 원칙을 검토하고 있다(대판 2009.3.26. 2008두21300).

(3) 실정법적으로는 「행정기본법」 제12조, 「행정절차법」 제4조 제2항, 「국세기본법」 제18조 제3항 등에 근거를 두고 있다.

> **실정법적 근거**
> ▷ 「행정기본법」, 「국세기본법」, 「행정절차법」

22. 군무원 7급 신뢰보호의 원칙은 「행정기본법」에 규정된 행정법상 원칙에 해당한다. (O)

20. 군무원 9급, 19. 소방직, 18. 국가직 7급 신뢰보호원칙의 실정법적 근거로는 「행정절차법」 제4조 제2항, 「국세기본법」 제18조 제3항 등을 들 수 있다. (O)

18. 지방직 9급 「행정절차법」과 「국세기본법」에서는 법령 등의 해석 또는 행정청의 관행이 일반적으로 국민에게 받아들여졌을 때와 관련하여 신뢰보호의 원칙을 규정하고 있다. (O)

2. 신뢰보호의 요건

(1) 일반적인 요건

① 신뢰보호의 원칙이 적용되기 위해서는 ㉠ 행정기관의 선행조치(공적인 견해표명), ㉡ 보호가치 있는 개인의 신뢰(선행조치를 신뢰한 개인에게 귀책사유가 없을 것), ㉢ 신뢰에 입각한 개인의 처리(조치), ㉣ 신뢰에 반하는 행정권 행사와 그로 인한 개인의 권익 침해, ㉤ 신뢰를 주는 선행조치와 개인의 조치 또는 권익 침해 사이에 인과관계(因果關係) 등의 요건이 충족되어야 한다.❶

> **두문자 암기**
> ▷ 공, 귀, 처, 반, 인

> ❶ 선행조치가 적법할 것, 행정청이 공적인 견해를 명시적으로 표명하였을 것, 필요성의 원칙은 신뢰보호원칙의 성립요건이 아니다.

15. 서울시 9급 행정기관의 선행조치, 보호가치 있는 신뢰, 신뢰에 의한 사인의 처리, 인과관계의 존재와 함께 필요성의 원칙도 신뢰보호원칙의 성립요건이다. (×) → × (∵필요성의 원칙은 비례의 원칙의 내용이다)

② 한편, 판례는 위 요건에 더하여 신뢰보호의 원칙의 소극적 적용요건으로 선행조치에 따른 행정권의 행사가 '공익 또는 제3자의 정당한 이익을 현저히 해할 우려가 없을 것'을 제시하고 있다(대판 2008.1.17. 2006두10931 등).❷

> ❷ 판례는 '공적 견해표명에 따른 행정권의 행사가 공익 또는 제3자의 정당한 이익을 현저히 해할 우려가 있는 경우가 아니어야 한다는 것'을 신뢰보호의 원칙이 적용되기 위한 소극적 요건으로 보고 있다. 그러나, 공익 또는 제3자의 정당한 이익의 고려는 신뢰보호 원칙의 소극적 적용요건이 아니라 신뢰보호의 이익과 공익 또는 제3자의 정당한 이익 사이의 이익형량의 문제(신뢰보호 한계의 문제)로 보는 것이 타당하다.

22. 군무원 7급 행정청은 공익 또는 제3자의 이익을 현저히 해칠 우려가 있는 경우를 제외하고는 행정에 대한 국민의 정당하고 합리적인 신뢰를 보호하여야 한다. (O)

15. 서울시 9급 제3자의 정당한 이익까지 희생시키면서 신뢰보호원칙이 관철되어야 한다. (×) → 될 수는 없다

14. 국회직 8급 '공익을 해할 우려가 있는 경우가 아니어야 함'은 신뢰보호원칙의 성립요건이지만, '제3자의 정당한 이익을 해할 우려가 있는 경우가 아니어야 함'은 그 성립요건이 아니다. (×) → 소극적 성립요건에 해당한다

관련판례

판례상 신뢰보호의 원칙의 적용요건 ★★

일반적으로 행정상의 법률관계에 있어서 행정청의 행위에 대하여 신뢰보호의 원칙이 적용되기 위하여는, 첫째 행정청이 개인에 대하여 신뢰의 대상이 되는 공적인 견해표명을 하여야 하고, 둘째 행정청의 견해표명이 정당하다고 신뢰한 데에 대하여 그 개인에게 귀책사유가 없어야 하며, 셋째 그 개인이 그 견해표명을 신뢰하고 이에 상응하는 어떠한 행위를 하였어야 하고, 넷째 행정청이 그 견해표명에 반하는 처분을 함으로써 그 견해표명을 신뢰한 개인의 이익이 침해되는 결과가 초래되어야 하며, <u>마지막으로 위 견해표명에 따른 행정처분을 할 경우 이로 인하여 공익 또는 제3자의 정당한 이익을 현저히 해할 우려가 있는 경우가 아니어야 한다</u>(대판 2002.11.8. 2001두1512 ; 대판 2005.7.8. 2005두3165 등).

요건①: 행정기관의 선행조치(언동, 공적 견해표명)
▷ 신뢰의 대상
▷ 입증책임: 원고

(2) 행정기관의 선행조치(공적인 견해표명)

① 의의 및 범위

ㄱ 행정권 행사에 관하여 상대방인 국민에게 신뢰를 주는, 즉 신뢰의 대상이 되는 행정기관의 선행조치(언동, 공적 견해표명)가 있어야 한다. 공적인 견해표명이 있었는지에 관한 사실은 원고가 주장·입증하여야 한다.

관련판례

공적인 견해표명이 있었다는 사실은 원고가 주장·입증하여야 한다. ★

'과세관청이 납세자에게 신뢰의 대상이 되는 공적인 견해를 표명하였다'는 사실은 납세자(원고)가 주장·입증하여야 한다고 보는 것이 상당하다(대판 1992.3.31. 91누9824).

22. 소방간부 납세자에게 신뢰의 대상이 되는 공적인 견해가 표명되었다는 사실은 과세처분의 적법성에 대한 증명책임이 있는 과세관청이 주장·입증하여야 한다. (×) → 납세자가

형식
▷ 행정청의 모든 조치
▷ 명시적·묵시적 표시+문서의 형식 不要

ㄴ 행정기관의 선행조치 내지 공적인 견해표명은 처분·확약·법령·행정계획·행정지도 등을 통해 행해질 수 있고, 반드시 문서의 형식일 필요가 없다. 또한 명시적·적극적인 언동(예 주택단지를 건설할 것이라는 것을 알리며 공중목욕탕의 건축을 권고하는 것)에 국한되지 않으며 묵시적·소극적인 것[예 장기간 행정처분을 내리지 않는 경우(조세부과, 법규 위반에 대한 제재조치)]도 포함된다. 다만, 묵시적 견해표명을 인정하기 위해서는 일정한 의사표시를 한 것으로 볼 수 있는 사정이 요구된다.

22. 행정사, 18. 소방직 행정기관의 공적인 견해나 의사는 묵시적으로 표시되어도 '공적인 견해의 표명'으로 인정될 수 있다. (○)

19. 소방직, 13. 경찰 2차 행정기관의 선행조치로서의 공적인 견해표명은 반드시 명시적인 언동이어야 한다. (×) → 하는 것은 아니다

14. 국회직 8급 신뢰의 대상인 행정청의 선행조치는 문서에 의한 형식적 행위이어야 한다. (×) → 일 필요는 없다

20. 지방직 9급 신뢰보호의 원칙이 적용되기 위한 요건인 행정권의 행사에 관하여 신뢰를 주는 선행조치가 되기 위해서는 반드시 처분청 자신의 적극적인 언동이 있어야만 한다. (×) → 하는 것은 아니다

19. 국가직 7급 법령이나 비권력적 사실행위인 행정지도 등은 신뢰의 대상이 되는 선행조치에 포함되지 않는다. (×) → 된다

14. 국회직 8급 신뢰보호의 대상인 행정청의 선행조치에는 법적 행위만이 포함되며, 행정지도 등의 사실행위는 포함되지 아니한다. (×) → 되는 것은 아니며 / 도 포함된다

🔧 관련판례

1 비과세 관행 ★★★

국세기본법 제18조 제2항에서 정한 일반적으로 납세자에게 받아들여진 국세행정의 관행이 있으려면 반드시 과세관청이 납세자에 대하여 불과세를 시사하는 명시적인 언동이 있어야만 하는 것은 아니고 묵시적인 언동 다시 말하면 비과세의 사실상태가 장기간에 걸쳐 계속되는 경우에 그것이 그 사항에 대하여 과세의 대상으로 삼지 아니하는 뜻의 과세관청의 묵시적인 의향표시로 볼 수 있는 경우 등에도 이를 인정할 수 있다(대판 1985.11.12. 85누549).

18. 서울시 7급 선행조치는 반드시 관세관청이 납세자에 대하여 비과세를 시사하는 명시적 언동이 있어야만 하는 것은 아니고, 묵시적인 언동 다시 말하면 비과세의 사실상태가 장기간에 걸쳐 계속되는 경우에 그것이 그 사항에 대하여 과세의 대상으로 삼지 아니하는 뜻의 과세관청의 묵시적인 의향 표시로 볼 수 있는 경우에도 이를 인정할 수 있다. (○)

비과세 관행
▷ 공적 견해표명○

2 묵시적 표시의 존부의 판단기준 ★★★

국세기본법 제18조 제3항에서 말하는 비과세관행이 성립하려면 상당한 기간에 걸쳐 과세를 하지 아니한 객관적 사실이 존재할 뿐만 아니라 과세관청 자신이 그 사항에 관하여 과세할 수 있음을 알면서도 어떤 특별한 사정 때문에 과세하지 않는다는 의사가 있어야 하며 위와 같은 공적 견해나 의사는 명시적 또는 묵시적으로 표시되어야 하지만, 묵시적 표시가 있다고 하기 위하여는 단순한 과세 누락과는 달리 과세관청이 상당기간 불과세 상태에 대하여 과세하지 않겠다는 의사표시를 한 것으로 볼 수 있는 사정이 있어야 하고, 이 경우 특히 과세관청의 의사표시가 일반론적인 견해표명에 불과한 경우에는 위 원칙의 적용을 부정하여야 한다(대판 2001.4.24. 2000두5203 ; 대판 2016.10.13. 2016두43077).

18. 변호사, 18. 5급 승진, 17. 지방직 7급, 13. 국가직 7급 비과세관행이 성립되었다고 하려면 상당한 기간에 걸쳐 과세를 하지 않은 객관적 사실이 존재하여야 할 뿐만 아니라, 과세관청 스스로 과세할 수 있음을 알면서도 어떤 특별한 사정 때문에 과세하지 않는다는 의사가 있고, 이와 같은 의사는 명시적 또는 묵시적으로 표시되어야 한다. (○)

22. 소방간부 「국세기본법」 제18조 제3항에서 말하는 비과세관행이 성립하려면 상당한 기간에 걸쳐 과세를 하지 않은 객관적 사실이 존재하면 충분하고, 나아가 과세관청 자신이 그 사항에 관하여 과세할 수 있음을 알면서도 어떤 특별한 사정 때문에 과세하지 않는다는 주관적인 의사까지 요구되는 것은 아니다. (×) → 한다는 사정만으로 충분하지 않고 / 된다

비과세의 묵시적인 의사표시
▷ 과세하지 않겠다는 의사표시를 한 것으로 볼 수 있는 사정이 있어야

ⓒ 행정권의 언동은 구체적인 행정권의 행사에 관한 언동이어야 하는바, 구체적인 사안에 관련된 질의회신이 아닌 상대방의 추상적인 질의에 대한 일반론적인 견해표명에 불과한 경우에는 신뢰보호원칙이 적용되는 공적인 견해표명으로 볼 수 없다.

08. 지방직 9급 과세관청의 의사표시가 일반론적인 견해표명인 경우에는 신뢰보호원칙을 적용하지 않는다. (○)

행정권의 언동
▷ 구체적인 행정권의 행사에 관한 언동이어야(추상적·일반론적 견해표명×)

🔧 관련판례

1 추상적인 질의에 대한 일반론적인 견해표명에 불과한 경우에는 신뢰보호원칙의 적용대상이 아니다. ★★

국세기본법 제15조, 제18조 제3항의 규정이 정하는 신의칙 내지 비과세관행이 성립되었다고 하려면 장기간에 걸쳐 어떤 사항에 대하여 과세하지 아니하였다는 객관적 사실이 존재할 뿐만 아니라 과세관청 자신이 그 사항에 대하여 과세할 수 있음을 알면서도 어떤 특별한 사정에 의하여 과세하지 않는다는 의사가 있고 이와 같은 의사가 대외적으로 명시적 또는 묵시적으로 표시될 것임을 요한다고 해석되며, 특히 그 의사표시가 납세자의 추상적인 질의에 대한 일반론적인 견해표명에 불과한 경우에는 위 원칙의 적용을 부정하여야 한다(대판 1993.7.27. 90누10384).

추상적인 질의에 대한 일반론적인 견해표명
▷ 신뢰보호원칙 적용×

총무과 민원팀장에 불과한 공무원이 행한 민원봉사차원의 상담·안내
▷ 공적 견해표명×

---

2 총무과 민원팀장에 불과한 공무원이 행한 민원봉사차원에서의 상담·안내 ★★★

병무청 담당부서의 담당공무원에게 공적 견해의 표명을 구하는 정식의 서면질의 등을 하지 아니한 채 총무과 민원팀장에 불과한 공무원이 민원봉사차원에서 상담에 응하여 안내한 것을 신뢰한 경우, 신뢰보호 원칙이 적용되지 아니한다(대판 2003.12.26. 2003두1875).

18. **지방직 9급** 서울지방병무청 총무과 민원팀장이 국외영주권을 취득한 사람의 상담에 응하여 법령의 내용을 숙지하지 못한 채 민원봉사차원에서 현역입영대상자가 아니라고 답변하였다면 그것이 서울지방병무청장의 공적인 견해표명이라 할 수 없다. (○)

18. **서울시 7급, 17. 경찰 2차, 16. 국가직 7급, 13. 국가직 9급** 병무청 담당부서의 담당공무원에게 공적 견해의 표명을 구하는 정식의 서면질의 등을 하지 아니한 채 총무과 민원팀장에 불과한 공무원이 민원봉사차원에서 상담에 응하여 안내한 것을 신뢰한 경우, 신뢰보호의 원칙이 적용되지 않는다. (○)

22. **국가직 9급, 15. 경찰 3차, 12. 국회직 9급** 병무청 담당부서의 담당공무원에게 공적 견해의 표명을 구하지 아니한 채 민원봉사 담당공무원이 상담에 응하여 안내한 것을 신뢰한 경우에도 신뢰보호의 원칙이 적용된다. (×) → 에는 / 적용되지 아니한다

행정기관의 선행조치
▷ 적법·위법한 행정작용 불문(단, 무효인 행정행위는×)

ㄹ 행정기관의 선행조치에는 적법한 행위뿐만 아니라 위법한 행정작용도 포함될 수 있다. 다만, 무효인 행위는 포함되지 않는다.

19. **서울시 9급** 위법한 행정관행에 대해서도 신뢰보호의 원칙이 적용될 수 있다. (○)

15. **서울시 9급** 신뢰보호원칙의 요건은 행정청의 적법한 선행조치, 보호가치가 있는 사인의 신뢰, 신뢰에 기한 사인의 처리, 인과관계, 선행행위에 반하는 후행처분이다. (×) → 선행조치

임용결격자에 대한 임용취소처분
▷ 신의칙, 신뢰보호의 원칙 적용×(임용행위는 당초부터 당연무효)

⚖ **관련판례**

무효인 공무원 임용행위에 대해서는 신뢰보호의 원칙을 적용할 수 없다. ★★★

국가가 공무원임용결격사유가 있는 자에 대하여 결격사유가 있는 것을 알지 못하고 공무원으로 임용하였다가 사후에 결격사유가 있는 자임을 발견하고 공무원임용행위를 취소함은 당사자에게 원래의 임용행위가 당초부터 당연무효이었음을 통지하여 확인시켜 주는 행위에 지나지 아니하는 것으로 보아야 하므로 당연무효의 임용행위임을 확인시켜주는 의미에서 당초의 임용처분을 취소함에 있어서는 신의칙 내지 신뢰의 원칙을 적용할 수 없다(대판 1987.4.14. 86누459).

16. **경찰 2차** 국가가 공무원임용결격사유가 있는 자에 대하여 결격사유가 있는 것을 알지 못하고 공무원으로 임용하였다가 사후에 결격사유가 있는 자임을 발견하고 공무원임용행위를 취소함은 당사자에게 원래의 임용행위가 당초부터 당연무효이었음을 통지하여 확인시켜 주는 행위에 지나지 아니하는 것이므로, 그러한 의미에서 당초의 임용처분을 취소함에 있어서는 신의칙 내지 신뢰의 원칙을 적용할 수 없다. (○)

22. **지방직 9급** 국가가 임용결격사유가 있는 자에 대하여 결격사유가 있는 것을 알지 못하고 공무원으로 임용하였다가 나중에 결격사유가 있음을 발견하고 그 임용행위를 취소하는 경우 신의칙이 적용된다. (×) → 되지 않는다

15. **국가직 7급** 임용 당시 공무원임용 결격사유가 있었더라도 국가의 과실로 임용 결격자임을 밝혀내지 못하였다면 신뢰보호의 원칙이 적용되고 임용취소권은 시효로 소멸된다. (×) → 되지 않고 / 되는 것도 아니다.

선행조치의 판단기준
▷ 실질에 의하여 판단하여야(형식적 권한 분장에 구애×)

보조기관인 담당공무원의 공적 견해표명
▷ 신뢰의 대상 可

② **선행조치(공적인 견해표명)의 판단기준:** 행정청의 선행조치 내지 공적 견해표명이 있었는지의 여부를 판단하는 데 있어 반드시 행정조직상의 형식적인 권한 분장에 구애될 것은 아니다. 따라서 처분청 자신의 공적 견해표명이 있어야 하는 것은 아니며 경우에 따라서는 행정청의 보조기관인 담당공무원의 공적인 견해표명도 신뢰의 대상이 될 수 있다.

☆ 관련판례

1 **공적인 견해표명이 있었는지 여부의 판단은 형식적인 것에 구애될 것이 아니라 실질에 의해 판단해야 한다.** ★★★

행정청의 공적 견해표명이 있었는지의 여부를 판단하는 데 있어 반드시 행정조직상의 형식적인 권한 분장에 구애될 것은 아니고 담당자의 조직상의 지위와 임무, 당해 언동을 하게 된 구체적인 경위 및 그에 대한 상대방의 신뢰가능성에 비추어 실질에 의하여 판단하여야 한다(대판 1997.9.12. 96누18380 ; 대판 2008.1.17. 2006두10931).

21. 국가직 7급, 21. 지방직 9급, 20. 국가직 9급, 18. 서울시 7급, 17. 변호사 등 행정청의 공적 견해표명이 있었는지의 여부를 판단하는 데 있어 반드시 행정조직상의 형식적인 권한분장에 구애될 것은 아니고 담당자의 조직상의 지위와 임무, 당해 언동을 하게 된 구체적인 경위 및 그에 대한 상대방의 신뢰가능성에 비추어 실질에 의하여 판단하여야 한다. (○)

17. 국가직 9급, 17. 국회직 8급, 16. 지방직 9급, 14. 사복직, 13. 경찰 2차 등 신뢰보호의 원칙이 적용되기 위한 요건의 하나인 행정기관의 공적 견해표명 여부를 판단할 때는 반드시 행정조직상의 형식적인 권한분장에 의하여 담당자의 조직상 지위와 임무 등에 비추어 형식적으로 판단하여야 한다. (✕) → 구애될 것은 아니고 / 실질적

14. 국회직 8급 신뢰보호원칙의 성립요건인 공적인 견해의 표명은 행정조직법상 권한을 가진 처분청에 의해 행해져야 하며, 처분청이 아닌 다른 기관에 의해 행해진 경우에는 신뢰보호의 대상이 될 수 없다. (✕) → 하는 것은 아니며 / 에도 / 있다

2 **종교회관 건립을 위한 토지거래계약허가를 받으면서 담당공무원이 한 토지형질변경이 가능하다는 견해표명** ★★★

종교법인이 도시계획구역 내 생산녹지로 답인 토지에 대하여 종교회관 건립을 이용목적으로 하는 토지거래계약의 허가를 받으면서 담당공무원이 관련 법규상 허용된다 하여 이를 신뢰하고 건축 준비를 하였으나 그 후 당해 지방자치단체장이 다른 사유를 들어 토지형질변경허가신청을 불허가한 것은 신뢰보호원칙에 반한다(대판 1997.9.12. 96누18380).

22. 국회직 9급, 18. 경찰 3차, 16. 경찰 2차, 13. 국가직 9급 종교법인이 도시계획구역 내 생산녹지로 답(畓)인 토지에 대하여 종교회관 건립을 이용목적으로 하는 토지거래계약의 허가를 받으면서 담당공무원이 관련 법규상 허용된다 하여 이를 신뢰하고 건축준비를 하였으나 그 후 당해 지방자치단체장이 다른 사유를 들어 토지형질변경허가신청을 불허가한 것은 신뢰보호의 원칙에 반한다. (○)

08. 지방직 9급 토지거래계약의 허가를 통하여서나 그 과정에서 그 소속 공무원들을 통하여 토지형질변경이 가능하다는 견해표명은 건축을 위한 토지의 형질변경이 가능하다는 공적 견해표명을 한 것이라고 볼 여지가 많다. (○)

19. 변호사 [甲 종교법인(이하 '甲'이라 함)은 도시계획구역 내 생산녹지지역에 속한 농지(답)인 토지를 매수하면서 A시장에게 토지거래계약허가를 신청하여 허가를 받았다. 甲은 토지거래계약 허가 신청을 하면서 농지(답)인 그 토지를 대지로 형질변경하여 종교시설인 회관을 건립하기 위한 것임을 명시하고 그러한 내용의 사업계획서를 제출하였고, A시의 담당공무원에게 문의하여 "관계 법령을 검토한 결과 해당 토지에 대하여는 토지형질변경이 가능하며 우리 시 조례에 의하여 종교시설의 건축이 가능하다."라는 답변을 들었으며, 당시 담당공무원으로부터 "甲은 토지거래계약 허가를 받은 날부터 1년 이내에 회관을 건립한다."라는 각서를 제출할 것을 요구받아 이를 제출한 사안에서] A시 담당공무원의 답변은 행정청의 단순한 정보제공 내지는 일반적인 법률상담이라기보다는 토지형질변경이 가능하다는 공적 견해표명을 한 것으로 볼 수 있다. (○)

토지거래계약허가를 받으면서 담당공무원이 한 토지형질변경이 가능하다는 견해표명
▷ 공적 견해표명○

구청장 지시에 따른 총무과 소속직원의
취득세 면제 제의
▷ 공적 견해표명○

3 구청장의 지시에 따른 총무과 소속직원의 취득세 면제약속은 과세관청의 공적인
견해표명에 해당한다. ★★

구청장의 지시에 따라 그 소속직원이 적극적으로 나서서 대체 부동산 취득에 대
한 취득세 면제를 제의함에 따라 그 약속을 그대로 믿고 구에 대하여 그 소유 부
동산에 대한 매각의사를 결정하게 되었다면, 비록 총무과에 소속되어 있다고 하
더라도 그가 한 언동은 구청장의 지시에 의한 것으로 이 역시 과세관청의 견해표
명으로 못 볼 바도 아니다 (대판 1995.6.16. 94누12159).

19. 소방직 처분청 자신의 공적 견해표명이 있어야만 하는 것은 아니며 경우에 따라서는 보조기
관인 담당공무원의 공적인 견해표명도 신뢰의 대상이 될 수 있다. (○)

③ 구체적인 예

㉠ 선행조치(공적인 견해표명)로 인정된 사례

⚖ 관련판례

건설교통부장관과 내무부장관의 비과세
의견 회신
▷ 공적 견해표명○

1 건설교통부장관과 내무부장관의 비과세 의견 회신 ★

취득세 등이 면제되는 구 지방세법(2005.1.5.법률 제7332호로 개정되기 전의 것)
제288조 제2항에 정한 '기술진흥단체'인지 여부에 관한 질의에 대하여 건설교통
부장관과 내무부장관이 비과세 의견으로 회신한 경우, 공적인 견해표명에 해당한
다(대판 2008.6.12. 2008두1115).

내무부장관의 취득세 면제 회신
▷ 공적 견해표명○

2 내무부장관의 취득세 면제 회신 ★

외교부 소속 전·현직 공무원을 회원으로 하는 비영리 사단법인인 甲 법인이 재
외공무원 자녀들을 위한 기숙사 건물을 신축하면서, 甲 법인과 외무부장관이 과
세관청과 내무부장관에게 취득세 등 지방세 면제 의견을 제출하자, 내무부장관이
"甲 법인이 학술연구단체와 장학단체이고 甲 법인이 직접 사용하기 위하여 취득
하는 부동산이라면 취득세가 면제된다."고 회신하였고, 이에 과세관청은 약 19년
동안 甲 법인에 대하여 기숙사 건물 등 부동산과 관련한 취득세·재산세 등을 전
혀 부과하지 않았는데, 그 후 과세관청이 위 부동산이 학술연구단체가 고유업무
에 직접 사용하는 부동산에 해당하지 않는다는 등의 이유로 재산세 등의 부과처
분을 한 사안에서, 위 처분은 신의성실의 원칙에 반하는 것으로서 위법하다고 본
원심판단을 수긍한 사례(대판 2019.1.17. 2018두42559)

보건복지부장관의 비과세 견해표명
▷ 공적 견해표명○

3 보건복지부장관의 비과세 견해표명 ★

보건복지부장관이 '의료취약지 병원설립 운영자 신청공고'를 하면서 국세 및 지
방세를 비과세하겠다고 발표하였고, 그 후 행정자치부장관이나 시·도지사가 도
또는 시·군에 대하여 지방세 감면조례제정을 지시하여 그 조례에 대한 승인의
의사를 미리 표명하였다면, 보건복지부장관에 의하여 이루어진 위 비과세의 견해
표명은 당해 과세관청의 그것과 마찬가지로 볼 여지가 충분하다고 할 것이고, 또
한 납세자로서는 위와 같은 정부의 일정한 절차를 거친 공고에 대하여서는 보다
고도의 신뢰를 갖는 것이 일반적이다(대판 1996.11.23. 95누13746).

11. 국가직 9급 [보건복지부 장관은 중앙일간지에 "의료취약지 병원설립운용자에게 5년간 지
방세 중 재산세를 면제한다."는 취지의 공고를 하였다. 이에 甲은 의료취약지 B군(郡)에서 병
원을 설립·운용하였으나, B군수는 「지방세법」 규정에 근거하여 甲에 대해 군세(郡稅)인 재산
세를 부과한 사안에서] 보건복지부 장관은 권한분장관계상 재산세를 부과할 권한이 없으므로
보건복지부 장관의 공고는 신뢰보호원칙의 요건인 행정청의 공적 견해표명에 해당하지 않는다.
따라서 甲은 신뢰보호원칙의 적용을 주장할 수는 없다. (×) → 다고 하더라도 / 한다 / 있다

4 폐기물처리업 사업계획에 대한 적정통보와 폐기물처리업 본허가신청 ★★★

폐기물처리업에 대하여 사전에 관할 관청으로부터 적정통보를 받고 막대한 비용을 들여 허가요건을 갖춘 다음 허가신청을 하였음에도 다수 청소업자의 난립으로 안정적이고 효율적인 청소업무의 수행에 지장이 있다는 이유로 한(당해 폐기물처리업에 대한) 불허가처분은 신뢰보호의 원칙 및 비례의 원칙에 반하는 것으로서 재량권을 남용한 위법한 처분이다(대판 1998.5.8. 98두4061).

17. 서울시 9급, 11. 국가직 9급 폐기물처리업에 대하여 관할 관청의 사전 적정통보를 받고 막대한 비용을 들여 허가요건을 갖춘 다음 허가신청을 하였음에도 청소업자의 난립으로 효율적인 청소업무의 수행에 지장이 있다는 이유로 한 불허가처분이 신뢰보호의 원칙에 반하여 재량권을 남용한 위법한 처분이다. (○)

22. 소방직 폐기물처리업에 대하여 관할 관청의 사전 적정통보를 받고 막대한 비용을 들여 요건을 갖춘 다음 허가신청을 한 경우, 행정청이 청소업자의 난립으로 효율적인 청소업무의 수행에 지장이 있다는 이유로 불허가처분을 하였다 할지라도 신뢰보호의 원칙에 반하지 아니한다. (×) → 다면 / 반한다

비교 폐기물처리업 사업계획에 대한 적정통보와 국토이용계획변경신청 ★★★

[1] 폐기물관리법령에 의한 폐기물처리업 사업계획에 대한 적정통보와 국토이용관리법령에 의한 국토이용계획변경은 각기 그 제도적 취지와 결정단계에서 고려해야 할 사항들이 다르므로, 피고가 위와 같이 폐기물처리업 사업계획에 대하여 적정통보를 한 것만으로 그 사업부지 토지에 대한 국토이용계획변경신청을 승인하여 주겠다는 취지의 공적인 견해표명을 한 것으로 볼 수 없고, 그럼에도 불구하고 원고가 그 승인을 받을 것으로 신뢰하였다면 원고에게 귀책사유가 있다 할 것이므로, 이 사건 처분이 신뢰보호의 원칙에 위배된다고 할 수 없다.

[2] 폐기물처리업을 위한 국토이용계획변경신청을 폐기물처리시설이 들어설 경우 수질오염 등으로 인근 주민들의 생활환경에 피해를 줄 우려가 있다는 등의 공익상의 이유를 들어 거부한 경우, 그 거부처분이 재량권의 일탈·남용이 아니라고 한 사례(대판 2005.4.28. 2004두8828).

23. 지방직 7급, 19. 지방직 9급, 18. 경찰 3차, 17. 서울시 9급, 15. 변호사, 11. 국가직 9급 등 폐기물관리법령에 의한 폐기물처리업 사업계획에 대한 적정통보와 국토이용관리법령에 의한 국토이용계획변경은 각기 그 제도적 취지와 결정단계에서 고려해야 할 사항들이 다르므로 폐기물처리업 사업계획에 대하여 적정통보를 한 것만으로는 그 사업부지 토지에 대한 국토이용계획변경신청을 승인하여 주겠다는 취지의 공적인 견해표명을 한 것으로 볼 수 없다. (○)

22. 소방간부 폐기물관리법령에 따른 관할 관청의 폐기물처리업 사업계획에 대한 적정통보는 그 사업부지 토지에 대한 국토이용계획변경신청을 승인하여 주겠다는 취지의 공적인 견해표명을 한 것으로 볼 수 있다. (×) → 없다

23. 지방직 7급 甲이 국토이용계획변경신청의 승인을 받을 것으로 신뢰하였더라도 乙의 거부처분이 신뢰보호의 원칙에 위배된다고 할 수 없다. (○)

21. 서울시 7급, 20. 국가직 9급, 18. 서울시 7급, 17. 지방직 7급, 14. 변호사 등 폐기물관리법령상 폐기물처리업 사업계획에 대한 적정통보를 한 것만으로도 그 사업부지 토지에 대한 국토이용계획변경신청을 승인하여 주겠다는 공적인 견해 표명을 한 것이므로 사업계획에 대한 적정통보에 반하는 국토이용계획변경신청 승인거부는 신뢰보호원칙에 반한다. (×) → 것으로 볼 수 없고 / 반하지 않는다

비교 폐기물처리업 사업계획에 대한 적정통보와 토지형질변경허가 ★★★

일반적으로 폐기물처리업 사업계획에 대한 적정통보에 당해 토지에 대한 형질변경허가신청을 허가하는 취지의 공적 견해표명이 있는 것으로는 볼 수 없다고 할 것이고, 더구나 토지의 지목변경 등을 조건으로 그 토지상의 폐기물처리업 사업계획에 대한 적정통보를 한 경우에는 위 조건부적정통보에 토지에 대한 형질변경허가의 공적 견해표명이 포함되어 있었다고 볼 수 없다(대판 1998.9.25. 98두6494).

21. 국가직 9급, 12. 지방직 7급 일반적으로 행정청이 폐기물처리업 사업계획에 대한 적정통보를 한 경우 이는 토지에 대한 형질변경신청을 허가하는 취지의 공적 견해표명까지도 포함한다. (×) → 되지 않는다

함께 정리하기

폐기물처리업 적정통보
▷ 폐기물처리업에 대한 허가 취지의 공적 견해표명○

폐기물처리업 적정통보 후 다수 청소업자 난립을 이유로 한 폐기물처리업 본허가거부
▷ 신뢰보호원칙 위반

폐기물처리업 적정통보
▷ 국토이용계획변경승인 취지의 공적 견해표명×

폐기물처리업 적정통보
▷ 토지형질변경허가 취지의 공적 견해표명×

도시계획 과장과 국장이 토지소유자들에게 한 완충녹지 지정 해제 및 환매하겠다는 약속
▷ 공적 견해표명○

5 토지소유자들에게 완충녹지 지정 해제 및 환매하겠다는 약속 ★★

시의 도시계획과장과 도시계획국장이 도시계획사업의 준공과 동시에 사업부지에 편입한 토지에 대한 완충녹지 지정을 해제함과 아울러 당초 토지소유자들에게 환매하겠다는 약속을 했음에도, 이를 믿고 토지를 협의매각한 토지소유자의 완충녹지지정해제신청을 거부한 것은, 행정상 신뢰보호의 원칙을 위반하거나 재량권을 일탈·남용한 위법한 처분이다(대판 2008.10.9. 2008두6127).

24. 국가직 9급, 12. 국회직 8급, 11. 국회직 8급 시의 도시계획과장과 도시계획국장이 도시계획사업의 준공과 동시에 사업부지에 편입한 토지에 대한 완충녹지 지정을 해제함과 아울러 당초의 토지소유자들에게 환매하겠다는 약속을 했음에도, 이를 믿고 토지를 협의매각한 토지소유자의 완충녹지지정해제신청을 거부한 것은 행정상 신뢰보호의 원칙을 위반한 위법한 처분이다. (○)

ⓛ 선행조치(공적인 견해표명)가 부정된 사례

🔨 관련판례

헌법재판소의 위헌결정
▷ 개인에 대한 공적 견해표명✕

1 헌법재판소의 위헌결정 ★★★

헌법재판소의 위헌결정은 행정청이 개인에 대하여 신뢰의 대상이 되는 공적인 견해를 표명한 것이라고 할 수 없으므로 그 결정에 관련한 개인의 행위에 대하여는 신뢰보호의 원칙이 적용되지 아니한다(대판 2003.6.27. 2002두6965).

24. 국가직 9급, 23. 국가직 7급, 16. 경찰 2차, 12. 경찰 1차, 12. 국회직 8급 헌법재판소의 위헌결정은 행정청이 개인에 대하여 신뢰의 대상이 되는 공적인 견해를 표명한 것이라고 할 수 없으므로 그 결정에 관련한 개인의 행위에 대하여는 신뢰보호의 원칙이 적용되지 아니한다. (○)

19. 지방직 9급, 15. 서울시 7급, 13. 경찰 2차 헌법재판소의 위헌결정은 행정청이 개인에 대하여 신뢰의 대상이 되는 공적인 견해를 표명한 것이므로 그 결정에 관련한 개인의 행위에 대하여는 신뢰보호의 원칙이 적용된다. (✕) → 아니므로 / 되지 않는다

22. 군무원 9급 헌법재판소의 위헌결정이 있다면 행정청이 개인에 대하여 공적인 견해를 표명한 것으로 볼 수 있으므로 위헌결정과 다른 행정청의 결정은 신뢰보호원칙에 반한다. (✕) → 없으므로 / 반하지 않는다

문화부관광부장관의 지방자치단체장에 대한 회신
▷ 개인에 대한 공적 견해표명✕

2 문화관광부장관의 지방자치단체장에 대한 회신 ★★

관광숙박시설지원 등에 관한 특별법의 유효기간까지 관광호텔업 사업계획 승인신청을 한 경우에는 그 유효기간이 경과한 이후에도 특별법을 적용할 수 있다는 내용의 문화관광부 장관의 지방자치단체장에 대한 회신내용을 담당 공무원이 알려주었다는 사정만으로 위 지방자치단체장의 공적인 견해표명이 있었다고 보기 어렵다(대판 2006.4.28. 2005두9644).

12. 경찰 1차 판례에 의하면, 문화관광부장관이 지방자치단체장에게 한 사업승인가능성에 대한 회신은 사업신청자인 민원인에 대한 공적 견해표명이다. (✕) → 이 아니다

부과세 면세사업자용 사업자등록증 교부 또는 고유번호 부여
▷ 비과세 공적 견해표명✕

3 과세관청이 면세사업자용 사업자등록증 교부 또는 고유번호 부여 ★★

부가가치세법상의 사업자등록은 과세관청이 부가가치세의 납세의무자를 파악하고 그 과세자료를 확보하는 데 입법 취지가 있고, 이는 단순한 사업사실의 신고로서 사업자가 소관 세무서장에게 소정의 사업자등록신청서를 제출함으로써 성립하며, 사업자등록증의 교부는 이와 같은 등록사실을 증명하는 증서의 교부행위에 불과한 것으로 과세관청이 납세의무자에게 부가가치세 면세사업자용 사업자등록증을 교부하였다고 하더라도 그가 영위하는 사업에 관하여 부가가치세를 과세하지 아니함을 시사하는 언동이나 공적인 견해를 표명한 것으로 볼 수 없으며, 구 부가가치세법 시행령 제8조 제2항에 정한 고유번호의 부여도 과세자료를 효율적으로 처리하기 위한 것에 불과한 것이므로 과세관청이 납세의무자에게 고유번호를 부여한 경우에도 마찬가지이다(대판 2008.6.12. 2007두23255).

17. 지방직 7급 과세관청이 납세의무자에게 부가가치세 면세사업자용 사업자등록증을 교부하거나 고유번호를 부여하였다고 하더라도 그가 영위하는 사업에 관하여 부가가치세를 과세하지 않겠다는 언동이나 공적 견해를 표명한 것으로 볼 수 없다. (○)

4 세관장이 협정관세 신청에 대하여 형식적 심사만으로 수리한 것 ★

납세자가 구 자유무역협정의 이행을 위한 관세법의 특례에 관한 법률 제10조에 따라 수입신고 시 또는 그 사후에 협정관세 적용을 신청하여 세관장이 형식적 심사만으로 수리한 것을 두고 그에 대해 과세하지 않겠다는 공적인 견해 표명이 있었다고 보기는 어렵다(대판 2019.2.14. 2017두63726).

5 정구장 시설을 설치한다는 도시계획결정 ★★★

당초 정구장 시설을 설치한다는 도시계획결정을 하였다가 정구장 대신 청소년 수련시설을 설치한다는 도시계획 변경결정 및 지적승인을 한 경우, 당초의 도시계획결정만으로는 도시계획 사업의 시행자 지정을 받게 된다는 공적인 견해를 표명하였다고 할 수 없으므로 … 정구장 대신 청소년 수련시설을 설치한다는 등 내용의 도시계획 변경결정 및 지적승인이 도시계획사업의 시행자로 지정받을 것을 예상하고 정구장 설계 비용 등을 지출한 자의 신뢰이익을 침해한 것으로 볼 수 없다(대판 2000.11.10. 2000두727).

22. 국회직 9급, 19. 국가직 7급 당초 정구장 시설을 설치한다는 도시계획결정을 하였다가 정구장 대신 청소년 수련시설을 설치한다는 도시계획 변경결정을 한 경우 당초의 도시계획결정만으로는 도시계획사업의 시행자 지정을 받게 된다는 공적인 견해를 표명하였다고 할 수 없다. (○)

21. 변호사, 18. 경찰 3차, 12. 지방직 7급 당초 폐기물처리시설을 설치한다는 도시관리계획결정 및 지형도면 고시를 하였다가 폐기물처리시설 대신 광장을 설치한다는 도시관리계획 변경결정 및 지형도면 고시를 한 경우 당초 도시관리계획결정은 도시계획시설사업의 시행자 지정을 받게 된다는 공적인 견해를 표명한 것으로 볼 수 있으므로, 그 후의 도시관리계획 변경결정 및 지형도면 고시는 당초의 도시계획시설사업의 시행자로 지정받을 것을 예상하고 폐기물처리시설의 설계비용 등을 지출한 자의 신뢰이익을 침해한다. (×) → 없 / 하지 않는다

6 행정청이 지구단위계획을 수립하면서 권장용도를 판매 · 위락 · 숙박시설로 결정하여 고시한 행위 ★★

행정청이 지구단위계획을 수립하면서 그 권장용도를 판매 · 위락 · 숙박시설로 결정하여 고시한 행위를 당해 지구 내에서는 공익과 무관하게 언제든지 숙박시설에 대한 건축허가가 가능하리라는 공적 견해를 표명한 것이라고 평가할 수는 없다(대판 2005.11.25. 2004두6822).

21. 국회직 8급, 17. 지방직 7급 행정청이 지구단위계획을 수립하면서 그 권장용도를 판매 · 위락 · 숙박시설로 결정하여 고시하였다 하더라도 당해 지구 내에서 공익과 무관하게 언제든지 숙박시설에 대한 건축허가가 가능하다는 취지의 공적 견해를 표명한 것으로 볼 수 없다. (○)

15. 서울시 7급 행정청이 지구단위계획을 수립하면서 권장용도를 숙박시설로 하였다 해도, 항상 숙박시설에 대한 건축허가가 가능하리라는 공적 견해를 표명한 것으로 볼 수는 없다. (○)

7 교육장이 교육환경평가승인신청에 대한 보완요청서에서 '휴양 콘도미니엄업이 교육환경법 제9조 제27호에 따른 금지행위 및 시설로 규정되어 있지 않다'는 의견을 밝힌 것만으로 교육환경평가를 최종적으로 승인해 주겠다는 취지의 공적 견해를 표명한 것이라고 볼 수 없다. ★

甲 주식회사가 교육환경보호구역에 해당하는 사업부지에 콘도미니엄을 신축하기 위하여 교육환경평가승인신청을 한 데 대하여, 관할 교육지원청 교육장이 甲 회사에 '관광진흥법 제3조 제1항 제2호 나목에 따른 휴양 콘도미니엄업이 교육환경 보호에 관한 법률에 따른 금지행위 및 시설로 규정되어 있지는 않으나 성매매 등에 대한 우려를 제기하는 민원에 대한 구체적인 예방대책을 제시하시기 바람'이라고 기재된 보완요청서를 보낸 후 교육감으로부터 "콘도미니엄업에 관하여 교육환경보호구역에서 금지되는 행위 및 시설에 관한 교육환경 보호에 관한 법률 제9조 제27호를 적용하라."는 취지의 행정지침을 통보받고 甲 회사에 교육환경평가승인신청을 반려하는 처분을 한 사안에서, 위 처분은 신뢰의 대상이 되는 교육장의 공적 견해표명이 있었다고 보기 어렵고, 교육장의 교육환경평가승인이 공익 또는 제3자의 정당한 이익을 현저히 해할 우려가 있는 경우에 해당하므로 신뢰보호원칙에 반하지 않는다고 한 사례(대판 2020.4.29. 2019두52799)

함께 정리하기

협정관세 신청에 대한 세관장의 형식적 심사 · 수리
▷ 비과세 공적 견해표명×

(정구장시설설치)도시계획결정
▷ 사업시행자 지정의 공적 견해표명×

지구단위계획 수립시 권장용도를 숙박시설로 결정고시
▷ 숙박시설 건축허가의 공적 견해표명×

교육환경평가승인신청에 대한 교육장의 보완요청서
▷ 교육환경평가를 최종 승인해 주겠다는 공적 견해표명×

개발사업 시행 전 민원예비심사로서 '저촉사항 없음' 기재
▷ 개발부담금 면제의 공적 견해표명✕

입법예고
▷ 법령안에 관련된 사항의 공적 견해표명✕

조세법령의 규정내용 및 행정규칙 자체
▷ 공적 견해표명✕

8 개발사업을 시행하기 전 행정청이 민원예비심사로서 '저촉사항 없음'이라고 기재한 것 ★★

개발이익환수에 관한 법률에 정한 <u>개발사업을 시행하기 전에</u>, 행정청이 민원예비심사에 대하여 관련부서 의견으로 '저촉사항 없음'이라고 기재하였다고 하더라도, 이후의 개발부담금 부과처분에 관하여 신뢰보호의 원칙을 적용하기 위한 요건인, 신뢰의 대상이 되는 공적인 견해표명을 한 것이라고는 보기 어렵다(대판 2006.6.9. 2004두46).

18. 5급 승진, 10. 국가직 9급 「개발이익환수에 관한 법률」에서 정한 개발사업을 시행하기 전에, 예식장을 건축하는 것이 관계 법령상 가능한지를 질의하는 민원예비심사에 대하여 행정청이 관련부서 의견으로 개발이익환수에 관한 법률에 '저촉사항 없음'이라고 기재한 것은, 이후의 개발부담금부과처분에 관하여 신뢰보호의 원칙상 신뢰의 대상이 되는 공적 견해표명을 한 것으로 볼 수 없다. (○)

24. 국가직 9급 개발사업을 시행하기 전에 사건 토지 지상에 예식장 등을 건축하는 것이 관계 법령상 가능한지 여부를 질의하여 민원 부서로부터 '저촉사항 없음'이라고 기재된 민원예비심사 결과를 통보받았다면, 이는 이후의 개발부담금부과처분에 관하여 신뢰보호의 원칙을 적용하기 위한 공적인 견해표명을 한 것에 해당한다. (✕) → 해당하지 아니한다

21. 국가직 7급, 16. 경찰 2차, 13. 국가직 9급 「개발이익환수에 관한 법률」에 정한 개발사업을 시행하기 전에, 행정청이 민원예비심사로서 관련부서 의견으로 '저촉사항 없음'이라고 기재한 것은 공적인 견해표명에 해당한다. (✕) → 하지 않는다

9 입법예고 ★★

<u>입법예고를 통해 법령안의 내용을 국민에게 예고한 적이 있다고 하더라도 그것이 법령으로 확정되지 아니한 이상 국가가 이해관계자들에게 위 법령안에 관련된 사항을 약속하였다고 볼 수 없으며, 이러한 사정만으로 어떠한 신뢰를 부여하였다고 볼 수도 없다</u>(대판 2018.6.15. 2017다249769).

20. 국가직 9급 입법예고를 통해 법령안의 내용을 국민에게 예고한 적이 있다고 하더라도 그것이 법령으로 확정되지 아니한 이상 국가가 이해관계자들에게 그 법령안에 관련된 사항을 약속하였다고 볼 수 없으며, 이러한 사정만으로 어떠한 신뢰를 부여하였다고 볼 수도 없다. (○)

10 조세법령의 규정내용 및 행정규칙 자체 ★★

조세법령의 규정내용 및 행정규칙 자체는 과세관청의 공적 견해표명에 해당하지 아니한다(대판 2003.9.5. 2001두403).

20. 군무원 9급 조세법령의 규정내용 및 행정규칙 자체는 과세관청의 공적 견해표명에 해당하지 아니한다. (○)

핵심정리 선행조치(공적 견해표명) 인정 여부에 관한 판례 정리

인정○	• 종교회관 건립을 위한 토지거래계약허가를 받으면서 담당공무원이 한 토지형질변경에 대한 견해표명(96누18380) • 보건복지부장관의 비과세 견해표명(95누13746) • 다수청소업자 난립을 이유로 한 폐기물처리업 불허가처분시 그 이전에 행한 폐기물처리업 적정통보(98두4061) • 구청장의 지시에 따라 그 소속직원이 부동산 취득세 면제를 제의한 경우(94누12159) • 안산시 도시계획국장·과장의 완충녹지지정 해제 의사표시(2008두6127) • 삼청교육대 피해자 보상 대통령 담화 및 국방부장관 공고(98다38364) • 4년 동안 면허세를 부과하지 않은 비과세 관행(80누6) • 건설교통부장관과 내무부장관의 비과세 의견 회신(2008두1115) • 내무부장관의 취득세 면제 회신(2018두42559)
인정×	• 추상적 질의에 대한 일반론적인 견해표명 • 정구장 시설을 설치한다는 도시계획결정(2000두727) • 국토이용계획변경승인거부처분에 있어 사전에 행한 폐기물처리업 적정통보(2004두8828) • 토지형질변경허가신청반려처분에 있어 그 이전에 행한 폐기물처리업 적정통보(98두6494) • 용도지역을 자연녹지지역으로 지정한 도시계획결정(2002두5474) • 총무과 민원팀장이 행한 민원봉사차원에서의 상담·안내(2003두1875) • 「개발이익환수에 관한 법률」에 정한 개발사업 시행 전, 행정청의 부서의견상 '저촉사항 없음'이라 기재한 것(2004두46) • 헌법재판소의 위헌결정(2002두6965) • 행정청이 지구단위계획을 수립하면서 그 권장용도를 판매·위락·숙박시설로 결정하여 고시한 행위(2004두6822) • 조세법령의 규정내용 그 자체(88누8937) • 6.25전쟁 중 거창학살사건 보상법률에 대한 대통령 권한대행의 거부권 행사시 국회의 보상법률안 심의·의결 (2004다33469) **24. 국가직 9급** 국회에서 일정한 법률안을 심의하거나 의결한 적이 있다고 하더라도 그 것이 법률로 확정되지 아니한 이상 국가가 이해관계자들에게 위 법률안에 관련된 사항을 약속하였다고 볼 수 없으며, 이러한 사정만으로 어떠한 신뢰를 부여하였다고 볼 수도 없다. (○) • 소득세법령상 전속계약금이 사업소득인 줄 모르고 '기타 소득'에 해당한다는 국세청의 일반적인 견해표명(2000두5203) • 재정경제부가 보도자료를 통하여 비업무용 토지에 관한 '「법인세법 시행규칙」을 개정하여 법제처의 심의를 거쳐 6월 말경 공포·시행할 예정'이라고 밝힌 경우(2001두9103) • 무효인 행정행위 • 단순한 과세누락(99두5412) • 부과세 면세사업자용 사업자등록증 교부 또는 고유번호 부여(2007두23255) • 입법예고(2017다249769) • 액화석유가스 충전소 고시(2015두52432) • 문화관광부장관(현 문화체육관광부장관)의 지방자치단체장(서울시장)에 한 사업승인가능성에 대한 회신(2005두6539) • 교육환경평가승인신청에 대한 교육장의 보완요청서(2019두52799) • 협정관세 신청에 대한 세관장의 형식적 심사·수리(2017두63726)

함께 정리하기

제1편 행정법통론 해커스공무원 함수민 행정법총론 기본서

요건②: 보호가치 있는 신뢰
▷ 귀책사유 없는 것

귀책사유
▷ 하자가 사실은폐나 사위에 의한 것(부정행위) or 하자 있음을 알았거나 중과실로 부지
▷ 수임인 등 관계자 모두를 기준으로 판단

예컨대, 법규 위반에 대한 제재처분에 관한 명확한 법령규정이 있는 경우 이 규정을 잘 알 수 있었던 자는 귀책사유가 있으나, 이 규정을 잘 알 수 없었던 자에게는 귀책사유를 인정할 수 없다.

당사자의 부정한 신청에 기한 수익적 처분의 하자
▷ 신뢰이익 원용 불가

(3) 보호가치 있는 개인의 신뢰(선행조치를 신뢰한 개인에게 귀책사유가 없을 것)

① 신뢰보호원칙에 의하여 보호를 받으려면 선행조치에 대한 관계자(상대방, 수임인 등)의 신뢰가 보호가치 있는 것이어야 한다. 즉, 상대방 등 관계자에게 책임 있는 사유(귀책사유)가 없어야 한다. 귀책사유가 없는 한 위법한 행정조치에 대한 신뢰도 보호될 수 있다.

19. 서울시 7급 행정청의 견해표명이 정당하다고 신뢰한 데에 대하여 그 개인에게 귀책사유가 있더라도 신뢰보호의 원칙이 적용된다. (×) → 있다면 / 적용되지 않는다

② 귀책사유란 행정청의 공적 견해표명의 하자가 사실은폐나 사위(詐僞)와 같은 상대방의 부정행위에 의한 것이거나, 부정행위가 없더라도 상대방이 공적 견해표명에 하자가 있음을 알았거나 중과실로 알지 못한 경우를 의미한다. 또한 이러한 귀책사유의 유무는 상대방뿐만 아니라 상대방으로부터 신청행위를 위임받은 수임인 등 관계자 모두를 기준으로 판단하여야 한다(대판 2002.11.8. 2001두1512).❶

18. 서울시 7급, 12. 사복직 신뢰가 보호할 만한 것인가는 정당한 이익형량에 의한다. 사후에 선행조치가 변경될 것을 사인이 예상하였거나 중대한 과실로 알지 못한 경우 또는 사인의 사위나 사실은폐 등이 있는 경우에는 보호가치 있는 신뢰라고 보기 어렵다. (○)

17. 서울시 9급 신뢰보호의 원칙과 관련하여, 행정청의 선행조치가 신청자인 사인의 사위나 사실은폐에 의해 이뤄진 경우라도 행정청의 선행조치에 대한 사인의 신뢰는 보호되어야 한다. (×) → 에는 / 되지 않는다

21. 국가직 7급, 18. 지방직 9급, 15. 사복직 신뢰보호원칙에서 행정청의 견해표명이 정당하다고 신뢰한 데에 대한 개인의 귀책사유의 유무는 상대방뿐만 아니라 그로부터 신청행위를 위임받은 수임인 등 관계자 모두를 기준으로 판단하여야 한다. (○)

17. 국회직 8급 만약 甲으로부터 건축허가신청을 위임받은 乙이 건축허가를 신청한 경우라면, 사실은폐나 기타 사위의 방법에 의한 건축허가 신청행위가 있었는지 여부는 甲과 乙 모두를 기준으로 판단하여야 한다. (○)

22. 행정사, 19. 국가직 7급 신뢰보호원칙의 적용에 있어서 귀책사유의 유무는 상대방을 기준으로 판단하여야 하며, 상대방으로부터 신청행위를 위임받은 수임인 등 관계자까지 포함시켜 판단할 것은 아니다. (×) → 뿐만 아니라 / 하여야 한다

23. 지방직 7급 상대방에게 귀책사유가 있어 그 신뢰의 보호가치가 인정되지 않는다면 신뢰보호의 원칙이 적용되지 않는데, 이때 귀책사유의 유무는 상대방을 기준으로 판단하여야 하고, 상대방으로부터 신청행위를 위임받은 수임인 등의 귀책사유 유무는 고려하지 않는다. (×) → 도 고려하여야 한다

⚖ 관련판례

1 수익적 처분의 하자가 당사자의 사실은폐나 기타 사위의 신청행위에 기인하였다면 신뢰는 보호되지 않는다. ★★★

수익적 행정처분의 하자가 당사자의 사실은폐나 기타 사위의 방법에 의한 신청행위에 기인한 것이라면, 당사자는 처분에 의한 이익을 위법하게 취득하였음을 알아 취소가능성도 예상하고 있었을 것이므로, 그 자신이 처분에 관한 신뢰이익을 원용할 수 없음은 물론 행정청이 이를 고려하지 아니하였다고 하여도 재량권의 남용이 되지 아니한다(대판 2013.2.15. 2011두1870 ; 대판 2008.11.13. 2008두8628 ; 대판 1996.10.25. 95누14190).

20. 지방직 7급, 19. 소방직, 15. 국회직 8급, 14. 변호사, 12. 국회직 8급 등 수익적 행정처분의 하자가 당사자의 사실은폐나 기타 사위의 방법에 의한 신청행위에 기인한 것이라면, 당사자는 처분에 의한 이익을 위법하게 취득하였음을 알아 취소가능성도 예상하고 있었을 것이므로, 그 자신이 처분에 관한 신뢰이익을 원용할 수 없다. (○)

17. 경찰 2차, 14. 경찰 1차 수익적 행정처분의 하자가 당사자의 사실은폐나 기타 사위의 방법에 의한 신청행위에 기인한 것이라면 행정청이 당사자의 신뢰이익을 고려하지 않고 취소하였다 하더라도 재량권 남용이 되지 않는다. (○)

17. 국회직 8급 (甲은 녹지지역의 용적률 제한을 충족하지 못한다는 점을 숨기고 마치 그 제한을 충족하는 것처럼 가장하여 관할 행정청 A에게 건축허가를 신청하였고, A는 사실관계에 대하여 명확한 확인을 하지 아니한 채 甲에게 건축허가를 하였다. 그 후 A는 甲의 건축허가신청이 위와 같은 제한을 충족하지 못한다는 사실을 알게 되자 甲에 대한 건축허가를 직권으로 취소하였다) 甲이 건축허가에 관한 자신의 신뢰이익을 원용하는 것은 허용되지 아니한다. (○)

16. 국회직 8급 (甲은 관련 법령에 따라 공장등록을 하기 위하여 등록신청을 乙에게 위임하였고, 수임인 乙은 등록서류를 위조하여 공장등록을 하였으나 甲은 그 사실을 알지 못하였다. 이후 관할 행정청 A는 위조된 서류에 의한 공장등록임을 이유로 甲에 대해 공장등록을 취소하는 처분을 한 사안에서) 관할 행정청 A는 甲에 대해 공장등록을 취소하면서 甲의 신뢰이익을 고려하지 아니할 수 있다. (○)

2 택시운송사업자로서는 자동차운수사업법의 내용을 잘 알고 있어 교통사고를 낸 택시에 대하여 운송사업면허가 취소될 가능성을 예상할 수도 있었을 터이니, 자신이 별다른 행정조치가 없을 것으로 믿고 있었다 하여 바로 신뢰의 이익을 주장할 수는 없다(대판 1989.6.27. 88누6283). ★

3 과세관청이 사업자의 신청에 따라 면세사업자용 사업자등록증을 교부한 행위만으로는 과세관청이 부가가치세의 과세에 관하여 어떤 공적인 견해를 표명한 것이라고 할 수 없을 뿐 아니라 과세관청으로부터 부가가치세 면세사업자용 사업자등록증을 교부받은 납세자가 자신이 부가가치세 면세사업자라고 신뢰하였다고 하더라도 납세자가 그와 같이 신뢰한 데에 납세자에게 귀책사유가 없었다고도 할 수 없다(대판 1995.9.29. 95누7376). ★

4 공장설립 당시에 甲 회사가 위 공장에서 특정대기유해물질은 배출되지 않고 토석의 저장·혼합 및 연료 사용에 따라 먼지와 배기가스만 배출될 것이라는 전제에서 허위이거나 부실한 배출시설 및 방지시설 설치 계획서를 제출하였으므로 시장이 만연히 甲 회사의 계획서를 그대로 믿은 데에 과실이 있더라도, 시장의 착오는 甲 회사가 유발한 것이므로, 위 공장에 대하여 특정대기유해물질 관련 규제가 적용되지 않으리라는 甲 회사의 기대는 보호가치가 없다(대판 2020.4.9. 2019두51499 [폐쇄명령처분취소청구의소]). ★

5 건축주로부터 건축설계를 위임받은 건축사가 건축한계선의 제한 사실을 간과한 채 건축설계를 하고 이를 토대로 건축물의 신축 및 증축허가를 받은 경우 건축주는 그 허가가 정당하다고 신뢰한 데에 귀책사유가 있다(대판 2002.11.8. 2001두1512). ★★

22. 국가직 9급 건축주와 그로부터 건축설계를 위임받은 건축사가 관계 법령에서 정하고 있는 건축한계선의 제한이 있다는 사실을 간과한 채 건축설계를 하고 이를 토대로 건축물의 신축 및 증축허가를 받은 경우, 그 신축 및 증축허가가 정당하다고 신뢰한 데에는 귀책사유가 있다. (○)

11. 국가직 9급 (건축주 甲은 건축사 乙에게 건축설계와 신청행위를 의뢰하였는데 乙의 귀책사유로 건축한계선을 위반하였고 이로써 철거명령을 받게 된 사안에서) 甲과 그로부터 신청행위를 위임받은 수임인 乙 등 관계자 모두를 기준으로 판단할 때 甲에게 귀책사유가 있다고 볼 수 있으므로 甲은 신뢰보호원칙에 의해 보호받을 수 없다. (○)

건축설계를 위임받은 건축사의 귀책
▷ 위임한 건축주의 귀책으로 인정
▷ 신뢰보호×

(4) 신뢰에 입각한 개인의 처리(조치)

상대방인 국민이 행정기관의 선행조치(언동)에 대한 신뢰에 입각하여 어떠한 조치(예 자본투하, 업무수행 등)를 취하였어야 한다. 즉, 행정청의 선행조치를 믿는 것만으로는 부족하고, 그것을 믿고 이에 상응하는 어떠한 후속행위를 하였어야 한다.

19. 서울시 7급, 09. 국회직 8급 개인이 행정청의 공적 견해표명을 신뢰하고 이에 상응하는 어떠한 행위를 하였어야 한다. (○)

요건 ③
▷ 신뢰에 입각하여 어떠한 조치(자본투하, 업무수행 등)를 하였어야

요건 ④
▷ 신뢰에 반하는 행정권 행사, 개인의 권익
침해 有

면허취소사유에 대하여 사무착오로 면허
정지처분 후 면허취소처분
▷ 당사자의 신뢰·법적안정성 저해

(5) 신뢰에 반하는 행정권 행사와 그로 인한 개인의 권익 침해

행정기관이 상대방의 신뢰를 저버리는 행정권 행사를 하였고 그로 인하여 상대방
의 권익이 침해되어야 한다.

> **⚖ 관련판례**
>
> 선행조치(운전면허정지처분)에 반하는 후행조치(운전면허취소처분)는 당사자의 신뢰
> 및 법적 안정성을 저해하는 것으로서 허용될 수 없다. ★★
>
> [1] 운전면허 취소사유에 해당하는 음주운전을 적발한 경찰관의 소속 경찰서장이 사
> 무착오로 위반자에게 운전면허정지처분을 한 상태에서 위반자의 주소지 관할 지
> 방경찰청장이 위반자에게 운전면허취소처분을 한 것은 선행처분에 대한 당사자
> 의 신뢰 및 법적 안정성을 저해하는 것으로서 허용될 수 없다.
>
> [2] 동일한 사유에 관하여 보다 무거운 면허취소처분을 하기 위하여 이미 행하여진 가
> 벼운 면허정지처분을 취소하는 것은 선행처분에 대한 당사자의 신뢰 및 법적 안정
> 성을 크게 저해하는 것이 되어 허용될 수 없다 할 것이다(대판 2002.2.5. 99두
> 10520).
>
> 14. 변호사, 18. 소방간부 운전면허취소사유에 해당하는 음주운전을 적발한 경찰관의 소속 경
> 찰서장이 사무착오로 위반자에게 운전면허정지처분을 한 상태에서 위반자의 주소지 관할 지방경
> 찰청장이 위반자에게 운전면허취소처분을 한 것은 선행처분에 대한 당사자의 신뢰 및 법적 안정
> 성을 저해하는 것으로 허용될 수 없다. (○)
>
> 18. 경찰 2차 운전면허취소사유에 해당하는 음주운전을 적발한 경찰관의 소속 경찰서장이 사무
> 착오로 위반자에게 운전면허정지처분을 한 상태에서 위반자의 주소지 관할 지방경찰청장이 위반
> 자에게 운전면허취소처분을 한 것은 선행처분에 대한 당사자의 신뢰 및 법적 안정성을 저해하는
> 것으로 볼 수 없다. (×) → 있다
>
> 17. 국가직 7급 동일한 사유에 관하여 보다 무거운 면허취소처분을 하기 위하여 이미 행하여진
> 가벼운 면허정지처분을 취소하는 것은 선행처분에 대한 당사자의 신뢰 및 법적 안정성을 크게 저
> 해하는 것이 되어 허용될 수 없다. (○)

요건⑤: 선행조치·개인의 권익 침해 사이
▷ 인과관계要

(6) 신뢰를 주는 선행조치와 개인의 권익 침해 사이에 인과관계

신뢰를 주는 행정청의 선행조치와 개인의 처리(조치) 또는 권익 침해 사이에 인과
관계가 있어야 한다. 따라서 선행조치와 무관하게 우연히 이루어진 개인의 행위는
신뢰보호의 대상이 될 수 없다.

08. 국회직 8급 행정청의 선행조치와 무관하게 우연히 행해진 사인의 처리행위도 신뢰보호의 대상이 될
수 있다. (×) → 없다

3. 신뢰보호의 한계

앞서 살펴본 신뢰보호의 요건이 충족된다고 하여 언제나 상대방의 신뢰가 보호되는 것
은 아니다. 다음과 같은 경우에는 상대방의 신뢰가 보호되지 않을 수도 있다.

(1) 사정변경

행정청의 공적인 견해표명이 있은 후, 당초 신뢰형성에 기초가 되었던 사실적·법
률적 상태가 변경되고 관계인이 이와 같은 사정을 예견하였거나 예견할 수 있었던
상황이라면 행정청이 종전 견해표명에 반하는 처분을 하더라도 신뢰보호의 원칙
에 반하지 않는다.

관련판례

1 유효기간 도과 또는 사정변경에 의한 공적 견해표명의 효력 상실 ★★★

행정청이 상대방에게 장차 어떤 처분을 하겠다고 <u>확약</u> 또는 공적인 의사표명을 하였다고 하더라도, 그 자체에서 상대방으로 하여금 언제까지 처분의 발령을 신청 하도록 유효기간을 두었는데도 그 기간 내에 상대방의 신청이 없었다거나 확약 또는 공적인 의사표명이 있은 후에 사실적 · 법률적 상태가 변경되었다면 그와 같은 확약 또는 공적인 의사표명은 행정청의 별다른 의사 표시를 기다리지 않고 실효된다고 할 것이다(대판 1996.8.20. 95누10877).

12. 국회직 8급 행정청의 확약 또는 공적인 의사표명이 그 자체에서 정한 유효기간을 경과하거나 사실적 · 법률적 사실상태가 변경되었다면 확약 또는 공적인 의사표명은 실효된다. (○)

21. 지방직 9급 행정청이 공적인 의사표명을 하였다면 이후 사실적 · 법률적 상태의 변경이 있더라도 행정청이 이를 취소하지 않는 한 ~~어전히 공적인 의사표명은 유효하다.~~ (✕) → 다면 / 더라도 / 실효된다

17. 국회직 8급 행정청의 공적 견해표명이 있은 후에 사실적 · 법률적 상태가 변경되었을 때, 그와 같은 공적 견해표명이 실효되기 위하여서는 ~~행정청의 의사표시가 있어야 한다.~~ (✕) → 하는 것은 아니다

22. 국가직 9급, 14. 경찰 1차 행정청이 상대방에게 장차 어떤 처분을 하겠다고 공적 견해표명을 하였더라도 그 후에 그 전제로 된 사실적, 법률적 상태가 변경되었다면, 그와 같은 공적 견해표명은 효력을 잃게 된다. (○)

20. 지방직 7급 행정청이 상대방에게 장차 어떤 처분을 하겠다고 공적인 의사표명을 하면서 상대방에게 언제까지 처분의 발령을 신청하도록 유효기간을 둔 경우, 그 기간 내에 상대방의 신청이 없었다면 그 공적인 의사표명은 행정청의 별다른 의사표시를 기다리지 않고 실효된다. (○)

2 행정청이 공적 견해를 표명한 후 사정이 변경된 경우에는 그 공적 견해는 더 이상 개인에게 신뢰의 대상이 된다고 보기 어렵다. ★★★

(재건축 조합이 그 전신인 추진위원회와 상가 조합원들 사이에 체결된 약정에 반하는 총회 결의를 하고 종전 정관을 변경해 관리처분계획을 한 사안에서) <u>신뢰보호의 원칙은 행정청이 공적인 견해를 표명할 당시의 사정이 그대로 유지됨을 전제로 적용되는 것이 원칙이므로, 사후에 그와 같은 사정이 변경된 경우에는 그 공적 견해가 더 이상 개인에게 신뢰의 대상이 된다고 보기 어려운 만큼, 특별한 사정이 없는 한 행정청이 그 견해표명에 반하는 처분을 하더라도 신뢰보호의 원칙에 위반된다고 할 수 없다</u>(대판 2020.6.25. 2018두34732).

22. 국가직 7급, 22. 국회직 9급, 21. 국회직 8급 신뢰보호의 원칙은 행정청이 공적인 견해를 표명할 당시의 사정이 그대로 유지됨을 전제로 적용되는 것이 원칙이므로, 사후에 그와 같은 사정이 변경된 경우에는 특별한 사정이 없는 한 행정청이 그 견해표명에 반하는 처분을 하더라도 신뢰보호의 원칙에 위반된다고 할 수 없다. (○)

공적견해표명이 있은 후 사실적 · 법률적 상태가 변경 or 신청의 유효기간 도과
▷ 행정청의 별다른 의사표시를 기다리지 않고 공적 견해표명 실효

공적 견해표명 후 사정이 변경됨에 따라 그 견해표명에 반하는 처분을 한 경우
▷ 신뢰보호원칙 위반✕

(2) 공익 또는 제3자와의 관계

행정청은 공익 또는 제3자의 이익을 현저히 해칠 우려가 있는 경우에는 국민의 정당하고 합리적인 신뢰라 할지라도 이를 보호할 수 없다(「행정기본법」 제12조 제1항). 특히, 공익과의 관계와 관련하여, 판례는 공적 견해표명에 반하는 후행처분을 통하여 달성하려는 공익과 공적 견해표명에 대한 상대방의 신뢰가 침해됨으로써 발생하는 불이익을 이익형량하여, 공익이 더 큰 경우에는 당해 후행처분은 적법하고 상대방의 불이익이 더 큰 경우에는 재량권의 일탈 · 남용에 해당하여 당해 후행처분은 위법하다고 판시하고 있다.

① **이익(利益)형량의 필요성:** 신뢰보호의 요건을 충족하는 경우에도 신뢰보호라는 가치는 다른 공익적 가치와 충돌하게 된다. 이러한 가치들은 어느 하나가 절대적인 우위를 갖는 것이 아니므로 사안에 따라 개별적으로 이익형량을 통해 결정할 필요가 있다. 즉, 위법한 행정작용을 신뢰한 경우에는 법률적합성이라는 가치와 이익형량을 하고, 적법한 행정작용을 신뢰한 경우에는 사정변경에 대한 행정의 탄력성이라는 가치와 이익형량한다.

② **신뢰보호의 원칙과 법률적합성 원칙(공익, 합법성의 원칙)과의 관계**

㉠ 상대방이 행정기관의 위법한 행정작용을 신뢰한 경우 신뢰보호의 원칙과 법률적합성 원칙이 충돌하게 되는데, 양자의 관계를 어떻게 해결할 것인지 문제된다.

㉡ 이에 대하여, 법률적합성의 원칙이 신뢰보호의 원칙보다 우위에 있으므로, 행정행위가 위법한 것임에도 불구하고 상대방의 신뢰보호를 위하여 그 존속성을 인정하는 것은 법치주의에 반한다고 보는 법률적합성 우위설과, 법률적합성의 원칙과 법적 안정성의 원리는 모두 법치주의 원리의 내용을 이루는 것이므로 후자로부터 도출되는 신뢰보호의 원칙과 법률적합성의 원칙은 서로 동등한 효력을 갖는다고 보는 동위설(이익형량설)이 대립한다. 후자가 판례와 다수설의 입장이다.

㉢ 동위설에 의하는 경우, 법률적합성의 원칙과 신뢰보호의 원칙이 충돌하는 경우 법률적합성의 원칙에 따른 처분을 통하여 달성하려는 공익과 상대방의 신뢰가 침해됨으로써 발생되는 불이익을 이익형량하여 결정하게 된다.

20. 지방직 7급 신뢰보호의 원칙과 행정의 법률적합성의 원칙이 충돌하는 경우 국민보호를 위해 원칙적으로 신뢰보호의 원칙이 우선한다. (×) → 우선하는 것이 아니라, 비교형량하여 구체적으로 결정하여야 한다

14. 경찰 신뢰보호의 원칙과 행정의 법률적합성의 원칙이 충돌하는 경우 법률적합성의 원칙이 우선한다. (×) → 우선하는 것이 아니라, 비교형량하여 구체적으로 결정하여야 한다

09. 국가직 7급 신뢰보호의 원칙은 행정의 적법성원칙과 갈등관계가 형성될 수 있으며, 후자의 원칙을 배제할 만한 우월한 사정이 있을 때 그 효력을 인정할 수 있게 된다. (○)

관련판례

1 **신뢰보호의 이익과 공익 또는 제3자의 이익이 상호 충돌하는 경우에는 이들 상호 간에 이익형량을 하여야 한다(대판 2002.11.8. 2001두1512). ★★**

16. 사복직, 12. 사복직 신뢰보호의 이익과 공익 또는 제3자의 이익이 상호 충돌하는 경우에는 이들 상호간에 이익형량을 하여야 한다. (○)

19. 국회직 8급, 14. 경찰 1차 선행조치의 상대방에 대한 신뢰보호의 이익과 제3자의 이익이 충돌하는 경우에는 신뢰보호의 원칙이 우선한다. (×) → 이익형량을 통하여 해결한다

2 **신뢰보호의 한계로서의 공·사익의 형량 ★★**

비록 지방자치단체장이 당해 토지형질변경허가를 하였다가 이를 취소·철회하는 것은 아니라 하더라도 지방자치단체장이 토지형질변경이 가능하다는 공적 견해표명을 함으로써 이를 신뢰하게 된 당해 종교법인에 대하여는 그 신뢰를 보호하여야 한다는 점에서 형질변경허가 후 이를 취소·철회하는 경우를 유추·준용하여 그 형질변경허가의 취소·철회에 상당하는 당해 처분으로써 지방자치단체장이 달성하려는 공익 즉, 당해 토지에 대하여 그 형질변경을 불허하고 이를 우량농지로 보전하려는 공익과 위 형질변경이 가능하리라고 믿은 종교법인이 입게 될 불이익을 상호 비교·교량하여 만약 전자가 후자보다 더 큰 것이 아니라면 당해 처분은 비례의 원칙에 위반되는 것으로 재량권을 남용한 위법한 처분이라고 봄이 상당하다(대판 1997.9.12. 96누18380).

법률적합성원칙과 충돌하는 경우
▷ 공익·사익 비교형량하여 결정[동위설(다수설·판례)]

우량농지로 보전하려는 공익 < 종교법인이 입게 될 불이익
▷ 토지형질변경불허 위법

3 공적인 견해표명에 반하는 행정처분을 함으로써 달성하려는 공익이 개인의 신뢰이익보다 큰 경우, 그 행정처분은 적법하다. ★★

행정청의 행위에 대하여 신뢰보호의 원칙이 적용되기 위한 요건 중 공적 견해 표명이라는 요건 등 일부 요건이 충족된 경우라고 하더라도 행정청이 앞서 표명한 공적인 견해에 반하는 행정처분을 함으로써 달성하려는 공익이 행정청의 공적인 견해표명을 신뢰한 개인이 그 행정처분으로 인하여 입게 되는 이익의 침해를 정당화할 수 있을 정도로 강한 경우에는 신뢰보호의 원칙을 들어 그 행정처분이 위법하다고 할 수는 없다(대판 2008.4.24. 2007두25060).

22. 소방직, 14. 변호사, 12. 국회직 8급 행정청이 공적인 견해표명에 반하는 처분을 함으로써 달성하려는 공익이 행정청의 공적 견해표명을 신뢰한 개인이 그 행정처분으로 인하여 입게 되는 이익의 침해를 정당화할 수 있을 정도로 강한 경우에는 신뢰보호의 원칙을 들어 그 행정처분이 위법하다고는 할 수 없다. (○)

달성하려는 공익이 개인의 이익침해를 정당화하는 경우
▷ 적법(신뢰보호원칙 위반×)

4 위반행위 후 아무런 행정조치 없이 계속 운전업무에 종사하고 있던 개인에게 3년여가 지난 후 운전면허를 취소하는 행정처분을 한 것(행정의 법률적합성 < 개인의 신뢰이익) ★★

택시운전사가 1983.4.5. 운전면허 정지기간 중의 운전행위를 하다가 적발되어 형사처벌을 받았으나 행정청으로부터 아무런 행정조치가 없어 안심하고 계속 운전업무에 종사하고 있던 중 행정청이 위 위반행위가 있은 이후에 장기간에 걸쳐 아무런 행정조치를 취하지 않은 채 방치하고 있다가 3년여가 지난 1986.7.7.에 와서 이를 이유로 행정제재를 하면서 가장 무거운 운전면허를 취소하는 행정처분을 하였다면 이는 행정청이 그간 별다른 행정조치가 없을 것이라고 믿은 신뢰의 이익과 그 법적안정성을 빼앗는 것이 되어 매우 가혹할 뿐만 아니라 비록 그 위반행위가 운전면허취소사유에 해당한다 할지라도 그와 같은 공익상의 목적만으로는 위 운전사가 입게 될 불이익에 견줄바 못된다 할 것이다(대판 1987.9.8. 87누373).❶

운전면허 정지기간 중의 운전행위가 적발된 지 약 3년 후의 운전면허취소
▷ 위법(신뢰보호이익이 공익보다 우월)

❶
이 사례에서 판례는 신뢰보호의 원칙, 이익형량의 원칙을 적용하였지만, 실권의 법리를 인정할 수도 있는 사례로 보여진다.

(비교) **교통사고가 일어난지 1년 10개월이 지난 뒤 운송사업면허취소(행정의 법률적합성 > 개인의 신뢰)** ★★

교통사고가 일어난지 1년 10개월이 지난 뒤 그 교통사고를 일으킨 택시에 대하여 운송사업면허를 취소하였더라도 택시운송사업자로서는 자동차운수사업법의 내용을 잘 알고 있어 교통사고를 낸 택시에 대하여 운송사업면허가 취소될 가능성을 예상할 수도 있었을 터이니, 자신이 별다른 행정조치가 없을 것으로 믿고 있었다 하여 바로 신뢰의 이익을 주장할 수는 없으므로 … 그 운송사업면허의 취소가 행정에 대한 국민의 신뢰를 저버리고 국민의 법생활의 안정을 해치는 것이어서 재량권의 범위를 일탈한 것이라고 보기는 어렵다(대판 1989.6.27. 88누6283).

13. 국가직 9급 판례에 의하면 교통사고가 일어난 지 1년 10개월이 지난 뒤 그 교통사고를 일으킨 택시에 대하여 운송사업면허를 취소한 경우, 택시운송사업자로서는 「자동차운수사업법」의 내용을 잘 알고 있어 교통사고를 낸 택시에 대하여 운송 사업면허가 취소될 가능성을 예상할 수 있었으므로 별다른 행정조치가 없을 것으로 자신이 믿고 있었다 하여도 신뢰의 이익을 주장할 수는 없다. (○)

10. 경찰 1차 택시운송사업자가 중대한 교통사고로 인하여 많은 사상자를 냈다면 사업면허가 취소될 것을 예상할 수 있었다 하더라도 1년 10개월이 지나 사업면허를 취소하였다면 위법하다. (×) → 하지 않다

교통사고발생 1년 10개월 후 택시운송사업면허취소
▷ 적법(공익이 신뢰보호이익 보다 우월)

한려해상국립공원 인근 자연녹지지역에서의 토석채취허가 가능성에 대한 신뢰 < 환경상의 공익
▷ 적법(신뢰보호원칙 위반×)

5 한려해상국립공원 인근 토석채취불허가(행정목적의 달성에 따른 공익 > 개인의 신뢰보호이익) ★★

한려해상국립공원지구 인근의 자연녹지지역에서의 토석채취허가가 법적으로 가능할 것이라는 행정청의 언동을 신뢰한 개인이 많은 비용과 노력을 투자하였다가 불허가처분으로 상당한 불이익을 입게 된 경우, 위 불허가처분에 의하여 행정청이 달성하려는 주변의 환경·풍치·미관 등의 공익이 그로 인하여 개인이 입게 되는 불이익을 정당화할 만큼 강하다는 이유로 불허가처분이 재량권의 남용 또는 신뢰보호의 원칙에 반하여 위법하다고 할 수 없다(대판 1998.11.13. 98두7343).

22. 소방간부 담당 공무원으로부터 국립공원 인근 자연녹지지역에서 토석채취허가가 법적으로 가능할 것이라는 말을 듣고 관련 토지를 매수하는 등 많은 비용을 투자하고 형질변경 및 토석채취허가를 신청한 사람에 대해 관할 행정청이, 해당 토지에서 토석채취작업을 하면, 주변의 환경·풍치·미관 등이 크게 손상될 우려가 있다는 이유를 들어 이를 불허가처분 하는 것은 신뢰보호원칙에 반한다고 볼 수 없다. (○)

4. 위반의 법적 효과 및 권리구제

신뢰보호원칙 위반의 법적 효과
▷ 위헌·위법
▷ 이의신청·재심사·행정심판·행정소송·국가배상청구 可

신뢰보호원칙에 반한 행정작용은 위헌·위법한 것이 된다. 이때 행정작용이 행정행위인 경우에는 하자의 중대명백성에 따라 무효 또는 취소할 수 있는 행위가 되며, 행정입법이나 공법상 계약, 사실행위 등의 경우에는 무효가 된다.

신뢰보호의 원칙에 반하는 처분의 당사자는 처분에 대한 이의신청(「행정기본법」제36조)이나 재심사(「행정기본법」제37조), 또는 「행정심판법」상 행정심판이나 「행정소송법」상 행정소송을 제기할 수 있다. 또한 이로 인해 손해를 입은 자는 「국가배상법」이 정하는 바에 따라 국가나 지방자치단체를 상대로 손해배상을 청구할 수 있다.

20. 소방직 신뢰보호원칙에 위반하는 경우 그 행정행위는 위법하며, 판례는 이 경우 취소사유로 보지 않고 무효로만 보았다. (×) → 취소사유나 무효로

5. 기타 판례

관련판례

행정청이 착오로 한 주민등록말소로 국적이탈이 적법하게 처리된 것으로 신뢰
▷ 보호가치○

1 동사무소 직원이 행정상 착오로 국적이탈을 사유로 주민등록을 말소한 것을 신뢰하여 만 18세가 될 때까지 별도로 국적이탈신고를 하지 않았던 사람이, 만 18세가 넘은 후 동사무소의 주민등록 직권 재등록 사실을 알고 국적이탈신고를 하자 '병역을 필하였거나 면제받았다는 증명서가 첨부되지 않았다'는 이유로 이를 반려한 처분은 신뢰보호의 원칙에 반하여 위법하다. ★★

행정청이 대외적으로 공신력 있는 주민등록표상 국적이탈을 이유로 원고의 주민등록을 말소한 행위는 원고에게 간접적으로 국적이탈이 법령에 따라 이미 처리되었다는 견해를 표명한 것이라고 보아야 하고, 나아가 행정청의 주민등록말소는 주민등록표등·초본에 공시되어 대내·외적으로 행정행위의 적법한 존재를 추단하는 중요한 근거가 되는 점에 비추어 원고가 위와 같은 주민등록말소를 통하여 자신의 국적이탈이 적법하게 처리된 것으로 신뢰한 것에 대하여 귀책사유가 있다고 할 수 없는바, 따라서 원고는 위와 같은 신뢰를 바탕으로 만 18세가 되기까지 별도로 국적이탈신고 절차를 취하지 아니하였던 것이므로, 피고가 원고의 이러한 신뢰에 반하여 원고의 국적이탈신고를 반려한 이 사건 처분은 신뢰보호의 원칙에 반하여 원고가 만 18세 이전에 국적이탈신고를 할 수 있었던 기회를 박탈한 것으로서 위법하다(대판 2008.1.17. 2006두10931).

22. 소방간부 행정청이 착오로 인하여 국적이탈을 이유로 주민등록을 말소한 행위는 법령에 따라 국적이탈이 처리되었다는 견해를 표명한 것으로 볼 수는 없으며, 상대방이 이러한 주민등록 말소를 통하여 자신의 국적이탈이 적법하게 처리된 것으로 신뢰하였다고 하더라도 이는 보호할 가치 있는 신뢰에 해당하지 않는다. (×) → 보아야 하고 / 다면 / 한다

2 **행정청이 단순한 착오로 어떠한 처분을 계속하다가 추후 오류를 발견하여 합리적인 방법으로 변경하는 경우, 신뢰보호원칙에 위배되지 않는다. ★★★**

특정 사항에 관하여 신뢰보호원칙상 행정청이 그와 배치되는 조치를 할 수 없다고 할 수 있을 정도의 행정관행이 성립되었다고 하려면 상당한 기간에 걸쳐 그 사항에 관하여 동일한 처분을 하였다는 객관적 사실이 존재할 뿐만 아니라, 행정청이 그 사항에 관하여 다른 내용의 처분을 할 수 있음을 알면서도 어떤 특별한 사정 때문에 그러한 처분을 하지 않는다는 의사가 있고 이와 같은 의사가 명시적 또는 묵시적으로 표시되어야 한다. 단순히 착오로 어떠한 처분을 계속한 경우는 이에 해당되지 않고, 따라서 처분청이 추후 오류를 발견하여 합리적인 방법으로 변경하는 것은 신뢰보호원칙에 위배되지 않는다(대판 2020.7.23. 2020두33824).

23. 국회직 8급 특정 사항에 관하여 신뢰보호원칙상 행정청이 그와 배치되는 조치를 할 수 없다고 할 수 있을 정도의 행정관행이 성립되었다고 하려면 상당한 기간에 걸쳐 그 사항에 관하여 동일한 처분을 하였다는 객관적 사실이 존재하는 것으로 족하다. (×) → 족하지 않다

23. 변호사 행정청이 단순한 착오로 어떠한 처분을 계속한 경우, 신뢰보호원칙상 행정청이 그와 배치되는 조치를 할 수 없는 행정관행이 성립하므로, 행정청이 추후 오류를 발견하여 합리적인 방법으로 변경하더라도 신뢰보호원칙에 위배된다. (×) → 하는 것은 아니므로/하는 것은/ 되지 않는다

3 **행정청이 실제의 공원구역과 다르게 경계측량 및 표지를 설치한 십수년 후 착오를 발견하여 지형도를 수정한 조치가 신뢰보호의 원칙에 위배되거나 행정의 자기구속의 법리에 반하는 것이라 할 수 없다(대판 1992.10.13. 92누2325). ★★**

15. 사복직 국립공원 관리권한을 가진 행정청이 실제의 공원구역과 다르게 경계측량과 표지를 설치한 십수년 후 착오를 발견하여 지형도를 수정한 조치는 신뢰보호원칙에 위배된다. (×) → 위배되지 않는다

4 **구 소득세법 제127조는 과세표준과 세액의 조사결정에 탈루 또는 오류가 있음을 발견하면 징세기관은 즉시 경정결정을 하도록 규정하고 있으므로, 세무서장이 일단 비과세결정을 하였다가 이를 번복하고 다시 과세처분을 하였다는 사실만으로 세무서장의 과세처분이 신의성실의 원칙에 반하는 위법한 것이라 할 수 없다(대판 1989.1.17. 87누681). ★**

13. 국가직 7급 과세관청이 비과세대상에 해당하는 것으로 잘못 알고 일단 비과세결정을 하였으나, 그 후 과세표준과 세액의 탈루 또는 오류가 있는 것을 발견한 때에는, 이를 조사하여 결정할 수 있다. (○)

5 **국립대학교 총장이 대학 인사위원회의 결의내용을 존중하여 교수임용거부처분을 한 사안에서, 임용 거부처분이 사회통념상 현저히 타당성을 잃었다고 보이지 아니하여 재량권을 일탈·남용한 위법이 없고, 대학 인사위원회가 개최되지 아니한 상태에서는 교수로 임용될 것이라는 보호가치 있는 정당한 신뢰를 가진다고 보기 어려워 신뢰보호 원칙에 위배되지 않는다(대판 2006.9.28. 2004두7818). ★**

6 **주택신축판매업을 건설업의 일종으로 보아 한시적 법인세액 감면제도를 시행하다가 구 조세특례제한법 제2조 제3항을 신설하면서 법인세액 감면 대상이 되지 아니하는 업종으로 변경된 기업에 대하여 아무런 경과규정을 두지 아니하였다고 하여 신뢰보호의 원칙에 위반된다고 할 수 없다(대판 2009.9.10. 2008두9324). ★★**

11. 국회직 8급 한시적인 법인세액 감면제도를 시행하다가 새로운 조문을 신설하면서 법인세액 감면대상이 되지 아니하는 업종으로 변경된 기업에 대하여 아무런 경과규정을 두지 아니하였더라도 신뢰보호의 원칙에 위반되지 않는다. (○)

단순 착오로 처분 계속 후 오류 변경
▷ 신뢰보호원칙 위반×

십수년간 실제와 다르게 경계측량 및 표지 설치한 후 착오를 발견, 지형도 수정
▷ 신뢰보호원칙 위반×

세무서장의 비과세결정 번복 후 과세처분
▷ 신의성실원칙(신뢰보호의 원칙) 위반×

대학인사위원회 개최 전의 교수임용에 대한 기대
▷ 보호가치×

한시적 법인세액 감면제도의 존속으로 주택신축판매업이 앞으로도 계속 감면대상이 되는 건설업으로 분류될 것이라는 신뢰
▷ 보호가치×

제1편 행정법통론 해커스공무원 함수민 행정법총론 기본서

경과규정에 의해 신뢰이익 충분히 고려한 경우
▷ 신뢰보호원칙 위반 ✕

> **7** '게임산업진흥에 관한 법률'은 부칙의 경과규정을 통하여 종전부터 PC방 영업을 영위하여 온 청구인들을 비롯한 인터넷컴퓨터게임시설제공업자의 신뢰이익을 충분히 고려하고 있으므로, 이 사건 법률조항이 신뢰보호의 원칙에 위배된다고 할 수 없다(헌재 2009.9.24. 2009헌바28). ★

6. 적용례

신뢰보호의 원칙은 행정법의 전 분야에서 적용되는 원칙이나, 특히 실권의 법리, 법령의 개정, 수익적 행정행위의 취소 또는 철회의 제한, 확약의 법적 근거, 행정의 자기구속의 법리, 행정계획에 있어서 계획보장청구권, 처분사유의 추가 · 변경, 사실상 공무원이론❶ 등과 관련하여 주로 논의된다.

12. 지방직 7급 법령의 개정에도 신뢰보호의 원칙이 적용된다. (○)

❶ **사실상 공무원 이론**
상대방이 당해 공무원에게 정당한 권한이 있는 것으로 믿을 만한 상당한 이유가 있는 경우에는 상대방의 신뢰보호와 법적안정성을 위하여 당해 공무원의 행위를 유효한 행정행위로 보는 이론이다.

권한행사 기회가 있음에도 불구하고 장기간 불행사 & 권한불행사를 믿을만한 정당한 이유가 있을 시
▷ 권한행사 不可

이론적 근거
▷ 학설: 신뢰보호원칙
▷ 판례: 신의성실원칙

(1) 실권(실효)의 법리

① 의의

㉠ 실권(失權)의 법리란 행정청에게 취소권, 영업정지권 또는 철회권 등 권한행사의 기회(가능성)가 있음에도 불구하고 장기간에 걸쳐 그의 권한을 행사하지 아니하여 상대방인 국민이 행정청이 그의 권한을 행사하지 아니할 것으로 신뢰할 만한 정당한 사유가 있게 된 경우, 행정청은 그 권한을 행사할 수 없다는 법리를 말한다(「행정기본법」 제12조 제2항). 실효의 법리라고도 한다.

㉡ 학설은 실권의 법리를 신뢰보호원칙의 파생법리로 보지만, 대법원은 실권의 법리를 신의성실의 원칙의 파생원칙으로 본다(대판 1998.4.27. 87누915).

15. 사복직 실권의 법리는 일반적으로 신뢰보호원칙의 적용영역의 하나로 설명되고 있으나, 판례는 신의성실원칙의 파생원칙으로 보고 있다. (○)

20. 군무원 9급 대법원은 실권의 법리를 신뢰보호 원칙의 파생원칙으로 본다. (✕) → 신의성실

> **🔍 관련판례**
>
> **실권 또는 실효의 법리는 신의성실의 원칙에 바탕을 둔 파생원칙인 것 ★★**
> 실권 또는 실효의 법리는 법의 일반원리인 신의성실의 원칙에 바탕을 둔 파생원칙인 것이므로 공법관계 가운데 관리관계는 물론이고 권력관계에도 적용되어야 함을 배제할 수는 없다 하겠으나 그것은 본래 권리행사의 기회가 있음에도 불구하고 권리자가 장기간에 걸쳐 그의 권리를 행사하지 아니하였기 때문에 의무자인 상대방은 이미 그의 권리를 행사하지 아니할 것으로 믿을 만한 정당한 사유가 있게 되거나 행사하지 아니할 것으로 추인케 할 경우에 새삼스럽게 그 권리를 행사하는 것이 신의성실의 원칙에 반하는 결과가 될 때 그 권리행사를 허용하지 않는 것을 의미한다(대판 1988.4.27. 87누915).

② **실정법적 근거:** 「행정기본법」제12조 제2항에서는 신뢰보호 원칙 중 묵시적 견해표명으로 인한 신뢰보호로서 '실권의 법리'를 명문화하고 있다. 한편, 「행정기본법」제23조 제1항에서는 "행정청은 법령 등의 위반행위가 종료된 날부터 5년이 지나면 해당 위반행위에 대하여 인허가의 정지·취소·철회, 등록 말소, 영업소 폐쇄와 정지를 갈음하는 과징금 부과를 할 수 없다."로 라고 하여 '제재적 처분의 제척기간'에 대하여 규정하고 있다. 그 입법취지는 제재적 처분의 처분 권한자인 행정청이 그 처분 권한을 장기간 행사하지 않아 발생하는 법률관계의 불안정한 상태를 신속히 확정시키고, 당사자의 신뢰보호 및 행정의 법적 안정성을 높이기 위한 것이다.❶

> **「행정기본법」제12조【신뢰보호의 원칙】** ② 행정청은 권한 행사의 기회가 있음에도 불구하고 장기간 권한을 행사하지 아니하여 국민이 그 권한이 행사되지 아니할 것으로 믿을 만한 정당한 사유가 있는 경우에는 그 권한을 행사해서는 아니 된다. 다만, 공익 또는 제3자의 이익을 현저히 해칠 우려가 있는 경우는 예외로 한다.

23. 국가직 7급 「행정기본법」에 의하면 행정청은 권한 행사의 기회가 있음에도 불구하고 장기간 권한을 행사하지 아니하여 국민이 그 권한이 행사되지 아니할 것으로 믿을 만한 정당한 사유가 있는 경우에는, 공익 또는 제3자의 이익을 현저히 해칠 우려가 있는 경우를 제외하고는 그 권한을 행사해서는 아니 된다. (○)

③ **요건:** 실권의 법리가 적용되기 위해서는 ⓐ 행정청이 취소사유나 철회사유 등을 앎으로써 권리행사 가능성이 있었어야 하고❷, ⓑ 행정권 행사가 가능함에도 불구하고 행정청이 장기간 권리행사를 하지 않았어야 하며, ⓒ 상대방인 국민은 행정청이 이제는 권리를 행사하지 않을 것으로 신뢰하였고 그에 정당한 사유가 있어야 한다. ⓓ 또한, 공익 또는 제3자의 이익을 현저히 해칠 우려가 있는 경우가 아니어야 한다.

실정법적 근거
▷「행정기본법」제12조 제2항, 제23조 제1항

❶
「행정기본법」제12조 제2항과 제23조 제1항의 관계가 문제되는바, 후자는 제재적 처분 중 인허가의 정지·취소·철회, 등록 말소, 영업소 폐쇄와 정지를 갈음하는 과징금 부과에 한정하여 우선 적용되고, 그 밖의 불이익처분에 대해서는 전자가 적용되는 관계에 있다고 해석된다.

❷ 요건 관련 예시
법규 위반행위로 형사처벌을 받았지만 행정적 제재가 오랜 기간 행해지지 않은 경우에 교통법규 위반행위에 대한 운전면허의 취소 또는 정지와 같이 법규 위반행위를 단속한 행정기관과 제재처분행정기관이 동일한 행정조직체(경찰청)에 속하는 경우에는 이 요건을 충족한 것으로 볼 수 있지만, 법규 위반행위를 단속한 행정기관과 제재처분행정기관이 다르고, 법규 위반행위(예 감정평가업자의 허위감정)를 단속한 행정기관(경찰 또는 검찰)이 제재처분행정기관(예 국토교통부장관)에게 그 위반사실을 통지하지 않은 경우 통상 이 요건을 충족하지 않은 것으로 보아야 한다.

처분청이 착오로 행정서사업허가처분 후 20년이 지나서 허가자격이 없다는 이유로 한 허가처분취소
▷ 실권의 법리 위반×

🔍 관련판례

1 처분청이 착오로 행정서사업허가처분 후 20년이 지나서 허가자격이 없다는 이유로 허가처분을 취소하였더라도 실권의 법리에 저촉되는 것은 아니다. ★★

(행정서사업을 운영한지 20년이 지나서인 1896.6.7.에 이르러서야 허가자격이 없다는 이유로 행정서사업허가처분을 취소한 사례) 원고가 허가 받은 때로부터 20년이 다 되어 피고가 그 허가를 취소한 것이기는 하나 피고가 취소사유를 알고서도 그렇게 장기간 취소권을 행사하지 않은 것이 아니고 1985.9.중순에 비로소 위에서 본 취소사유(무자격자에게 허가를 내준 법률상의 하자)를 알고 그에 관한 법적 처리방안에 관하여 다각도로 연구검토가 행하였고 그러한 사정은 원고도 알고 있었음이 기록상 명백하여 이로써 본다면 상대방인 원고에게 취소권을 행사하지 않을 것이란 신뢰를 심어 준 것으로 여겨지지 않으니 피고의 처분이 실권의 법리에 저촉된 것이라고 볼 수 있는 것도 아니다(대판 1988.4.27. 87누915).

19. 국가직 7급 처분청이 착오로 행정서사업 허가처분을 한 후 20년이 다 되어서야 취소사유를 알고 행정서사업 허가를 취소한 경우, 그 허가취소처분은 실권의 법리에 저촉된 것으로 보아야 한다. (×) → 볼 수 없다

효과
▷ 행정청이 갖고 있는 제재권 등 소멸

실권의 법리와 신뢰보호원칙의 관계
▷ 실권의 법리가 특별법리
▷ 실권의 법리가 성립되면 신뢰보호의 원칙보다 우선 적용

진정소급입법
▷ 원칙: 부정(공익 < 신뢰보호)
▷ 예외: 인정(공익 > 신뢰보호)
부진정소급입법
▷ 원칙: 긍정(공익 > 신뢰보호)
▷ 예외: 부정(공익 < 신뢰보호)

구법의 존속에 대한 신뢰
▷ 구법 존속에 대한 당사자의 신뢰이익 vs 신법에서 추구하는 공익과의 비교형량
▷ 구법에 따른 개인의 행위가 법이 반사적으로 부여한 기회의 활용(신뢰보호✕) vs 국가에 의해 유인된 행위(신뢰보호◯)

---

2 실효기간(권리를 행사하지 아니한 기간)의 길이와 의무자인 상대방이 권리가 행사되지 아니하리라고 신뢰할 만한 정당한 사유가 있었는지의 여부는 구체적인 경우마다 사회통념에 따라 합리적으로 판단한다. ★

> 실효의 원칙이 적용되기 위하여 필요한 요건으로서의 실효기간(권리를 행사하지 아니한 기간)의 길이와 의무자인 상대방이 권리가 행사되지 아니하리라고 신뢰할 만한 정당한 사유가 있었는지의 여부는 일률적으로 판단할 수 있는 것이 아니라 구체적인 경우마다 권리를 행사하지 아니한 기간의 장단과 함께 권리자측과 상대방측 쌍방의 사정 및 객관적으로 존재한 사정 등을 모두 고려하여 사회통념에 따라 합리적으로 판단하여야 할 것이다(대판 2005.10.28. 2005다45827).

④ **효과**: 실권의 법리의 적용요건에 해당하는 경우 행정청이 갖고 있는 제재권(취소권, 정지권 등)은 소멸된다. 따라서 실권의 법리에 위반한 제재처분은 위법하게 된다.

⑤ **실권의 법리와 신뢰보호의 원칙**: 실권의 법리는 신뢰보호의 원칙의 파생법리인 특별법리이다. 따라서, 실권의 법리가 성립되면 신뢰보호의 원칙보다 우선 적용된다. 한편, 실권의 법리가 성립하지 않는 경우 신뢰보호 원칙의 적용요건이 충족되면 신뢰보호의 원칙이 적용된다.

(2) 법령개정과 신뢰보호의 문제

법령의 개정에도 신뢰보호의 원칙이 적용될 수 있는바, 이하에서는 법의 소급적용의 문제와 구법 존속에 대한 신뢰의 문제를 나누어 살펴본다.

① **소급적용의 문제**

　㉠ 이미 완성된 사실관계나 법률관계에 해당 법령(개정법)을 적용시키는 진정소급입법은 원칙적으로 부정된다.「행정기본법」도 "새로운 법령등은 법령등에 특별한 규정이 있는 경우를 제외하고는 그 법령등의 효력 발생 전에 완성되거나 종결된 사실관계 또는 법률관계에 대해서는 적용되지 아니한다."고 규정하여 진정소급입법이 원칙적으로 부정됨을 선언하고 있다(「행정기본법」 제14조 제1항).

　㉡ 한편, 계속 진행 중인 사실관계 또는 법률관계에 해당 법령(개정법)을 적용시키는 부진정소급입법은 원칙으로 인정되나, 소급효를 요구하는 공익과 신뢰보호의 요청 사이의 교량과정에서 신뢰보호의 요청이 우월한 경우에 부정될 수 있다.

② **구 법령의 존속에 대한 신뢰의 문제**: 법령의 개정시 구 법령의 존속에 대한 당사자의 신뢰이익과 새로운 법령으로 달성하고자 하는 공익과의 비교형량을 하여, 전자가 크다면 입법자는 경과규정을 두는 등 당사자의 신뢰를 보호하기 위한 적절한 조치를 하여야 하고, 만약 이와 같은 적절한 조치 없이 새 법령을 그대로 시행·적용하는 것은 신뢰보호의 원칙에 위배되어 허용될 수 없다. 한편, 헌법재판소는 종전 법령에 따른 개인의 행위가 단지 법률이 반사적으로 부여한 기회의 활용을 넘어 국가에 의해 일정방향으로 유인된 것이라면 특별히 보호가치가 있는 신뢰이익으로 인정될 수 있고, 개인의 신뢰보호가 국가의 법률개정이익보다 우선될 수 있다고 본다.

관련판례

1 변리사 제1차 시험을 절대평가제에서 상대평가제로 환원하는 내용의 변리사법 시행령 개정조항을 즉시 시행하도록 정한 규정은 신뢰보호의 원칙에 위반되어 무효이다. ★

법령의 개정에 있어서 구 법령의 존속에 대한 당사자의 신뢰가 합리적이고도 정당하며, 법령의 개정으로 야기되는 당사자의 손해가 극심하여 새로운 법령으로 달성하고자 하는 공익적 목적이 그러한 신뢰의 파괴를 정당화할 수 없다면, 입법자는 경과규정을 두는 등 당사자의 신뢰를 보호할 적절한 조치를 하여야 하며, 이와 같은 적절한 조치 없이 새 법령을 그대로 시행하거나 적용하는 것은 허용될 수 없는바, 이는 헌법의 기본원리인 법치주의 원리에서 도출되는 신뢰보호의 원칙에 위배되기 때문이다. 이러한 신뢰보호 원칙의 위배 여부를 판단하기 위하여는 한편으로는 침해받은 이익의 보호가치, 침해의 중한 정도, 신뢰가 손상된 정도, 신뢰침해의 방법 등과 다른 한편으로는 새 법령을 통해 실현하고자 하는 공익적 목적을 종합적으로 비교·형량하여야 한다. … 따라서 변리사 제1차 시험의 상대평가제를 규정한 개정 시행령 제4조 제1항을 2002년의 제1차 시험에 시행하는 것은 헌법상 신뢰보호의 원칙에 비추어 허용될 수 없으므로, 개정 시행령 부칙 중 제4조 제1항을 즉시 2002년의 변리사 제1차 시험에 대하여 시행하도록 그 시행시기를 정한 부분은 헌법에 위반되어 무효이다(대판 2006.11.16. 2003두12899 전합).

2 재건축조합 내부 규범을 변경하는 총회결의가 신뢰보호의 원칙에 위반되는지 판단하는 방법 ★

재건축조합에서 일단 내부 규범이 정립되면 조합원들은 특별한 사정이 없는 한 그것이 존속하리라는 신뢰를 가지게 되므로, 내부 규범 변경을 통해 달성하려는 이익이 종전 내부 규범의 존속을 신뢰한 조합원들의 이익보다 우월해야 한다. 조합 내부 규범을 변경하는 총회결의가 신뢰보호의 원칙에 위반되는지를 판단하기 위해서는, 종전 내부 규범의 내용을 변경하여야 할 객관적 사정과 필요가 존재하는지, 그로써 조합이 달성하려는 이익은 어떠한 것인지, 내부 규범의 변경에 따라 조합원들이 침해받은 이익은 어느 정도의 보호가치가 있으며 침해 정도는 어떠한지, 조합이 종전 내부 규범의 존속에 대한 조합원들의 신뢰 침해를 최소화하기 위하여 어떤 노력을 기울였는지 등과 같은 여러 사정을 종합적으로 비교·형량해야 한다(대판 2020.6.25. 2018두34732).

3 법령에 따른 개인의 행위가 국가에 의하여 일정 방향으로 유인된 것이라면 특별히 보호가치 있는 신뢰이익이 인정될 수 있다. ★★★

(법령개정으로 징집면제연령이 31세에서 36세로 상향되자 의무사관후보생의 병적에서 제적된 자가 그 위헌성을 다툰 사건) 개인의 신뢰이익에 대한 보호가치는 ① 법령에 따른 개인의 행위가 국가에 의하여 일정방향으로 유인된 신뢰의 행사인지, ② 아니면 단지 법률이 부여한 기회를 활용한 것으로서 원칙적으로 사적 위험부담의 범위에 속하는 것인지 여부에 따라 달라진다. 만일 법률에 따른 개인의 행위가 단지 법률이 반사적으로 부여하는 기회의 활용을 넘어서 국가에 의하여 일정 방향으로 유인된 것이라면 특별히 보호가치가 있는 신뢰이익이 인정될 수 있고, 원칙적으로 개인의 신뢰보호가 국가의 법률개정이익에 우선된다고 볼 여지가 있다(헌재 2002.11.28. 2002헌바45).

16. 지방직 9급, 15. 변호사 법률에 따른 개인의 행위가 단지 법률이 반사적으로 부여하는 기회의 활용을 넘어서 국가에 의하여 일정 방향으로 유인된 것이라면 특별히 보호가치가 있는 신뢰이익이 인정될 수 있고, 이러한 경우 원칙적으로 개인의 신뢰보호가 국가의 법률개정이익에 우선된다고 볼 여지가 있다. (○)

18. 국가직 7급 법률에 따른 개인의 행위가 국가에 의하여 일정 방향으로 유인된 신뢰의 행사가 아니라 단지 법률이 부여한 기회를 활용한 것이라 하더라도, 신뢰보호의 이익이 인정된다. (×)
→ 경우에는, 신뢰보호의 이익이 부정된다

절대평가제에서 상대평가제로 환원하는 「변리사법 시행령」의 즉시 시행
▷ 신뢰보호원칙 위반○

재건축조합 내부 규범 변경
▷ 내부 규범 변경을 통해 달성하려는 이익이 종전 내부 규범의 존속을 신뢰한 조합원들의 이익보다 우월해야 함

법령에 따른 개인의 행위가 국가에 의하여 일정 방향으로 유인된 경우
▷ 특별히 보호가치 있는 신뢰이익 인정○

수익적 행정행위의 직권취소 또는 철회의 제한
▷ 공익상 필요가 사익침해를 정당화할 만큼 강한 경우에 한해 可

확약(공적인 견해표명)
▷ 자기구속력 긍정(신뢰보호의 원칙)

신의성실의 원칙
▷ 상대방의 신뢰를 헛되이 하지 않도록 성의 있게 행동해야 한다는 원칙
▷ 「행정기본법」 제11조 제1항에 행정청의 '성실의무의 원칙'으로 규정

(3) 수익적 행정행위의 직권취소 및 철회의 제한

처분청이 자신의 수익적 행정행위를 직권으로 취소 또는 철회하는 경우에는 그 행위를 취소 또는 철회하여야 할 공익상 필요와 그로 인하여 당사자가 입을 기득권과 신뢰보호 이익의 침해를 비교교량한 후, 공익상 필요가 당사자의 기득권 침해 등 불이익을 정당화할 수 있을 만큼 강한 경우에 한하여 취소 또는 철회할 수 있다(「행정기본법」 제18조 제2항, 제19조 제2항).

(4) 확약

행정청이 상대방에게 장차 어떤 처분을 하겠다고 확약을 한 경우, 행정청이 이러한 확약에 반하여 그 처분을 하지 않는다면 상대방은 신뢰보호원칙 위반을 주장할 수 있다. 다만, 확약 그 자체에서 상대방으로 하여금 언제까지 처분의 발령을 신청을 하도록 유효기간을 두었음에도 불구하고 그 기간 내에 상대방의 신청이 없는 경우라든가, 확약이 있은 후에 사실적·법적 상태가 변경된 경우에는 확약은 실효되므로 상대방은 신뢰보호원칙 위반을 주장할 수 없다.

7 신의성실의 원칙 및 권한남용금지의 원칙

「**행정기본법**」 **제11조** 【**성실의무**】 ① 행정청은 법령 등에 따른 의무를 성실히 수행하여야 한다.
② 행정청은 행정권한을 남용하거나 그 권한의 범위를 넘어서는 아니 된다.
「**행정절차법**」 **제4조** 【**신의성실 및 신뢰보호**】 ① 행정청은 직무를 수행할 때 신의에 따라 성실히 하여야 한다.
「**국세기본법**」 **제15조** 【**신의·성실**】 납세자가 그 의무를 이행할 때에는 신의에 따라 성실하게 하여야 한다. 세무공무원이 직무를 수행할 때에도 또한 같다.

신의성실의 원칙과 권리남용금지의 원칙은 사법(私法)의 영역에서 발전된 것이나 사법만의 법 원칙은 아니며, 행정법을 포함한 모든 법의 일반원칙이다.

1. 신의성실의 원칙(성실의무의 원칙)

(1) 의의 및 근거

신의성실(信義誠實)의 원칙(약칭: 신의칙)은 모든 사람은 공동체의 일원으로서 상대방의 신뢰를 헛되이 하지 않도록 성의 있게 행동하여야 한다는 원칙이다. 「행정기본법」 제11조 제1항에서는 「행정절차법」 제4조 제1항이나 「국세기본법」 제15조 등에 규정되어 있는 '신의성실의 원칙'을 공법관계에 맞게 행정청의 '성실의무의 원칙'으로 명칭을 달리하여 규정하고 있다.

(2) 적용요건

신의성실의 원칙에 위배된다는 이유로 그 권리의 행사를 부정하기 위하여는 상대방에게 신의를 주었다거나 객관적으로 보아 상대방이 그러한 신의를 가짐이 정당한 상태에 이르러야 하고, 이와 같은 상대방의 신의에 반하여 권리를 행사하는 것이 정의 관념에 비추어 용인될 수 없는 정도의 상태에 이르러야 하며, 일반 행정법관계에서 행정청의 행위에 대하여 신의칙이 적용되기 위해서는 합법성의 원칙을 희생하여서라도 처분 상대방의 신뢰를 보호함이 정의관념에 부합하는 것으로 인정되는 특별한 사정이 있을 경우에 한하여 예외적으로 적용된다고 판시하고 있다(대판 2004.7.22. 2002두11233). 이는 법치행정을 지도이념으로 하는 행정법 영역에서는 합법성 원칙(법률적합성 원칙)이 우선적으로 적용되어야 하기 때문이다.

(3) 신의성실의 원칙과 합법성 원칙(법률적합성의 원칙)의 충돌과 이익형량

법령에 따른 처분이 신의성실의 원칙에 반하는 경우 위법한 처분이 되는가 하는 것은 구체적인 사안에서의 신의성실의 원칙의 보호가치와 합법성 원칙의 보호가치를 비교형량하여 판단한다. 판례는 합법성의 원칙을 우선에 두고, 예외적으로 신의성실의 원칙이 적용되는 것으로 보고 있다.

(4) 위반의 법적 효과

신의성실의 원칙에 반한 행정작용은 위법하다. 따라서 신의성실의 원칙에 반하는 처분의 당사자는 처분에 대한 이의신청(「행정기본법」 제36조)이나 재심사(「행정기본법」 제37조), 또는 「행정심판법」상 행정심판이나 「행정소송법」상 행정소송을 제기할 수 있다. 또한 이로 인해 손해를 입은 자는 「국가배상법」이 정하는 바에 따라 국가나 지방자치단체를 상대로 손해배상을 청구할 수 있다.

(5) 적용례

신의성실의 원칙은 당사자 간의 계약 등 구체적인 관계가 있을 때에만 적용되는 것으로 보는 것이 일반적인 견해이다. 따라서 그러한 관계를 전제로 하지 않는 행정작용, 즉 행정규칙, 행정계획 등에는 적용될 수 없다.

① **공권력 행사와 신의칙**: 행정법상 신청을 할 수 없게 한 장애사유를 행정청이 만든 경우, 행정청이 원인이 된 장애사유를 근거로 그러한 신청을 인정하지 않는 것은 신의성실의 원칙에 반하여 허용될 수 없다.

> **관련판례**
>
> 관할관청이 위법한 직업능력개발훈련과정 인정제한처분을 하여 사업주로 하여금 제때 훈련과정 인정신청을 할 수 없도록 하였음에도 사전에 훈련과정 인정을 받지 않았다는 이유를 들어 훈련비용 지원을 거부하는 것은 신의성실의 원칙에 반하여 허용될 수 없다. ★★
> 관할관청이 위법한 직업능력개발훈련과정 인정제한처분을 하여 사업주로 하여금 제때 훈련과정 인정신청을 할 수 없도록 하였음에도, 인정제한처분에 대한 취소판결 확정 후 사업주가 인정제한 기간 내에 실제로 실시하였던 훈련에 관하여 비용지원신청을 한 경우에, 관할관청은 단지 해당 훈련과정에 관하여 사전에 훈련과정 인정을 받지 않았다는 이유만을 들어 훈련비용 지원을 거부할 수는 없음이 원칙이다. 이러한 거부행위는 위법한 훈련과정 인정제한처분을 함으로써 사업주로 하여금 제때 훈련과정

행정청의 행위에 대한 신의칙 적용요건
▷ 합법성의 원칙을 희생하여서라도 처분 상대방의 신뢰를 보호함이 정의관념에 부합하는 것으로 인정될 만한 특별한 사정이 있어야 함

신의칙과 합법성 원칙(법률적합성의 원칙)의 충돌
▷ 이익형량
▷ 판례: 합법성의 원칙에 우선을 두는 경향

신의성실의 원칙 위반의 법적 효과
▷ 위법
▷ 이의신청·재심사·행정심판·행정소송·국가배상청구 可

신의칙의 적용
▷ 당사자 간의 계약 등 구체적인 관계가 있을 때에만 적용
▷ 행정입법, 행정계획: 적용×

행정청이 위법한 직업능력개발 훈련과정 인정제한처분 후 훈련과정 인정을 받지 않았다는 이유로 훈련비용 지원거부
▷ 신의성실원칙 위반○

함께 정리하기

인정신청을 할 수 없게 한 장애사유를 만든 행정청이 사업주에 대하여 사전에 훈련과정 인정신청을 하지 않았음을 탓하는 것과 다름없으므로 **신의성실의 원칙에 반하여 허용될 수 없다**(대판 2019.1.31. 2016두52019).

21. 국회직 8급 관할관청이 위법한 직업능력개발훈련과정 인정제한처분을 하여 사업주로 하여금 제 때 훈련과정 인정신청을 할 수 없도록 하였음에도, 인정제한처분에 대한 취소판결 확정 후 사업주가 인정제한기간 내에 실제로 실시하였던 훈련에 관하여 비용지원신청을 한 경우에, 사전에 훈련과정 인정을 받지 않았다는 이유만을 들어 훈련비용 지원을 거부하는 것은 신의성실의 원칙에 반하여 허용될 수 없다. (○)

② 소멸시효 항변과 신의칙

관련판례

사실상의 장애사유가 있는 휴업급여 미청구에 대한 근로복지공단의 소멸시효 항변은 신의성실원칙 위배된다. ★★

근로자가 요양불승인에 대한 취소소송의 판결확정시까지 근로복지공단에 휴업급여를 청구하지 않았던 것은 이를 행사할 수 없는 사실상의 장애사유가 있었기 때문이라고 보아야 하므로, 근로복지공단의 소멸시효 항변은 신의성실의 원칙에 반하여 허용될 수 없다(대판 2008.9.18. 2007두2173 전합).

21. 국회직 8급, 18. 5급 승진 근로복지공단의 요양불승인처분의 적법 여부는 사실상 휴업급여청구권 발생의 전제가 되기에 근로자가 요양불승인 취소소송의 판결 확정시까지 근로복지공단에 휴업급여를 청구하지 않았던 것은 이를 행사할 수 없는 사실상의 장애사유가 있었기 때문이므로, 근로복지공단의 그 소멸시효 항변은 신의성실의 원칙에 반하여 허용될 수 없다. (○)

③ 행정의 상대방에 대한 신의칙

관련판례

1 지방공무원이 정년을 1년 3개월 앞두고 호적상 출생연월일을 정정한 후 정년연장을 요구함은 신의성실원칙에 위배되지 않는다. ★★★

지방공무원 임용신청 당시 잘못 기재된 호적상 출생연월일을 생년월일로 기재하고, 이에 근거한 공무원인사기록카드의 생년월일 기재에 대하여 처음 임용된 때부터 약 36년 동안 전혀 이의를 제기하지 않다가, 정년을 1년 3개월 앞두고 호적상 출생연월일을 정정한 후 그 출생연월일을 기준으로 정년의 연장을 요구하는 것이 신의성실의 원칙에 반하지 않는다(대판 2009.3.26. 2008두21300).

18. 5급 승진 지방공무원 임용신청 당시 잘못 기재된 호적상 출생연월일을 근거로 한 공무원인사기록카드의 생년월일 기재에 대해 처음 임용된 후 약 36년 동안 전혀 이의를 제기하지 않다가, 정년을 1년 3개월 앞두고 호적상 출생연월일을 정정한 후 그 출생연월일을 기준으로 정년의 연장을 요구하는 것은 신의성실의 원칙에 반하지 않는다. (○)

21. 국가직 9급, 15. 서울시 7급 공무원 임용신청 당시 잘못 기재된 호적상 출생연월일을 생년월일로 기재하고, 임용 후 36년 동안 이의를 제기하지 않다가, 정년을 1년 3개월 앞두고 정정된 출생연월일을 기준으로 정년연장을 요구하는 것은 신의성실의 원칙에 반한다. (×) → 하지 않는다

18. 소방간부 호적상 잘못 기재된 생년월일에 따라 임용된 공무원이 36년이 지난 후, 정년이 임박해서 호적 정정 및 정년연장을 신청하는 것은 본인의 귀책사유가 있는 경우로서 신의칙에 반하는 것이다. (×) → 이 아니다

2 피징계자가 징계처분에 중대·명백한 흠이 있음을 알면서도 5년 이상이나 그 효력을 다투지 아니하다가 비위사실에 대한 공소시효가 완성되어 형사소추를 당할 우려가 없게 되자 징계처분의 무효확인을 구하는 것은 신의칙에 반한다. ★

사실상의 장애사유가 있는 휴업급여 미청구에 대한 근로복지공단의 소멸시효 항변
▷ 신의성실원칙 위반○

지방공무원이 정년을 1년 3개월 앞두고 호적정정 후 정년연장요구
▷ 신의성실원칙 위반×

피징계자가 징계처분이 무효임을 알면서 5년 이상 다투지 아니하다가 비위사실에 대한 공소시효가 완성되자 다투는 것
▷ 신의성실원칙 위반○

피징계자가 징계처분에 중대하고 명백한 흠이 있음을 알면서도 퇴직시에 지급되는 퇴직금 등 급여를 지급받으면서 그 징계처분에 대하여 위 흠을 들어 항고하였다가 곧 취하하고 그 후 5년 이상이나 그 징계처분의 효력을 일체 다투지 아니하다가 위 비위사실에 대한 공소시효가 완성되어 더 이상 형사소추를 당할 우려가 없게 되자 새삼 위 흠을 들어 그 징계처분의 무효확인을 구하는 소를 제기하기에 이르렀고 한편 징계권자로서도 그 후 오랜 기간 동안 피징계자의 퇴직을 전제로 승진·보직 등 인사를 단행하여 신분관계를 설정하였다면 피징계자가 이제 와서 위 흠을 내세워 그 징계처분의 무효확인을 구하는 것은 신의칙에 반한다(대판 1989.12.12. 88누8869).

2. 권한남용금지의 원칙

행정법상 권한(權限)의 남용(濫用)이란 행정기관이 그 권한을 법상 정해진 공익 목적에 반하여 행사하는 것을 말한다. 권한남용의 금지의 원칙은 법치국가의 원리 및 법치주의에 기초한 것으로서(대판 2016.12.15. 2016두47659), 「행정기본법」 제11조 제2항은 행정권한을 행사할 때 행정청이 행정권한을 남용하거나 그 권한의 범위를 넘어서 행사하는 것을 금지하는 '권한남용금지의 원칙'을 명시하고 있다. 권한남용금지의 원칙은 행정의 목적 및 행정권한을 행사한 행정공무원의 주관적 의사(내심의 의도, 예컨대 부정목적, 남용의사 등)를 통제하는 원칙이다.

> **관련판례**
>
> **본연의 목적이 아니라 부정한 목적을 위하여 행해진 세무조사는 위법하고 이를 기초로 한 과세처분 역시 위법하다.** ★
> 세무조사가 과세자료의 수집 또는 신고내용의 정확성 검증이라는 본연의 목적이 아니라 부정한 목적을 위하여 행하여진 것이라면 이는 세무조사에 중대한 위법사유가 있는 경우에 해당하고 이러한 세무조사에 의하여 수집된 과세자료를 기초로 한 과세처분 역시 위법하다(대판 2016.12.15. 2016두47659).

8 부당결부금지의 원칙

> **「행정기본법」 제13조 【부당결부금지 원칙】** 행정청은 행정작용을 할 때 상대방에게 해당 행정작용과 실질적인 관련이 없는 의무를 부과해서는 아니 된다.

1. 의의 및 근거

(1) 부당결부금지의 원칙은 행정청이 행정작용을 할 때 상대방에게 해당 행정작용과 실질적인 관련이 없는 반대급부(의무부과나 그 이행강제 등)를 결부시켜서는 안 된다는 행정의 법원칙으로서, 헌법상 법치국가원리와 자의금지의 원칙으로부터 도출되는 헌법적 차원의 원칙으로 보는 것이 다수의 견해이다(헌법적 효력설, 권한남용금지원칙에 근거를 두고 법률적 효력을 갖는다고 보는 견해도 있음). 부당결부금지의 원칙은 학설과 판례에 의하여 인정되어온 일반원칙으로서 개별법령에 명문으로 규정된 사례가 없었는데, 「행정기본법」 제13조에서 이를 명문화하였다.

(2) 그런데 「행정기본법」은 실질적 관련이 없는 '의무'의 부과만을 금지하는 것으로 규정하고 있지만, 실질적 관련이 없는 권익의 제한(예 관허사업허가의 거부, 수도나 전기공급의 거부, 보조금지급의 거부, 관련 없는 운전면허의 취소 등)도 부당결부금지의 원칙상 금지된다고 보아야 한다.

20. 소방직, 18. 경찰 행정주체가 행정작용을 함에 있어서 상대방에게 이와 실질적 관련이 없는 의무를 부과하거나 그 이행을 강제하여서는 아니 된다. (O)

18. 소방직 부당결부금지의 원칙은 행정작용을 함에 있어서 그와 실체적 관련이 없는 상대방의 반대급부를 조건으로 하여서는 안 된다는 원칙을 말한다. (O)

22. 군무원 7급 부당결부금지의 원칙은 「행정기본법」에 규정된 행정법상 원칙이다. (O)

22. 군무원 9급 부당결부금지의 원칙은 판례에 의해 확립된 행정의 법원칙으로 실정법상 명문의 규정은 없다. (X) → 도 있다

관련판례

건축물의 건축허가(준공거부처분)와 도로기부채납의무는 별개의 것인바, 도로기부채납의무를 불이행하였음을 이유로 하는 준공거부처분은 건축법에 근거 없이 이루어진 부당결부로서 위법하다. ★★

준공거부처분에서 그 이유로 내세운 도로기부채납의무는 이 사건 기숙사 등 건축물에 인접한 도로 198미터 개설을 위한 도시계획사업시행허가와 위 기숙사 등 건축물의 신축을 위한 도시계획사업의 시행허가에 관한 것으로 기숙사 등 건축물의 건축허가와는 별개의 것이고, 건축허가사항대로 이행되는 건축법 등에 위반한 사항이 없는 기숙사 등 건축물에 관하여 원고가 위와 같은 이유로 준공거부처분을 한 것은 건축법에 근거 없이 이루어진 것으로서 위법하다(대판 1992.11.27. 92누10364).

13. 국가직 9급 건축물에 인접한 도로의 개설을 위한 도시계획사업시행허가처분은 건축물에 대한 건축허가처분과는 별개의 행정처분이므로 사업시행허가를 함에 있어 조건으로 내세운 기부채납의무를 이행하지 않았음을 이유로 한 건축물에 대한 준공거부처분은 「건축법」에 근거 없이 이루어진 것으로서 위법하다. (O)

2. 적용요건

부당결부금지의 원칙이 적용되기 위해서는 ① 행정청의 행정작용이 존재해야 하고, ② 그 행정작용은 상대방에게 부과하는 반대급부와 결부되어야 하며, ③ 그 행정작용과 반대급부 사이에는 실질적 관련성이 없어야, 즉 부당한 내적 관련(부당결부)이 있어야 한다. 만일 행정작용과 반대급부 사이에 실질적 관련성이 있다면 부당결부금지의 원칙에 위반되지 않는다.❶

관련판례

1 주택사업계획을 승인하면서 입주민이 이용하는 진입도로의 개설 및 확장과 그 부지 일부에 대한 기부채납의무를 부담으로 부과하는 것은 부당결부금지의 원칙에 반하지 않는다. ★★

사업주체인 원고에게 주택단지의 진입도로 등 간선시설을 설치하고 그 부지 소유권 등을 기부채납할 것을 조건으로 하여 주택건설사업계획의 승인을 하였다 하더라도 다른 특별한 사정이 없다면 이를 원고에게 필요한 범위를 넘어 과중한 부담을 지우는 것으로서 형평의 원칙 등에 위배되는 위법한 부관이라고 할 수는 없다 할 것이고, 또한 주택건설사업 시행에 따라 인근 주민들이 공로에 이르기 위하여 이용하여 왔던 기존의 통행로가 폐쇄되는 데 따른 보완조치로서 기존의 통행로를 대체하는 통행로 부지 일부를 기부채납할 것을 조건으로 주택건설사업계획의

건축허가와 무관한 도로기부채납의무 불이행을 이유로 한 준공거부 처분
▷ 위법 O

적용요건
▷ 행정작용이 존재
▷ 반대급부와 결부
▷ 실질적 관련성 無

❶ 행정작용과 그 반대급부 사이에 실질적인 관련성의 유무는 원인적 관련성(행정작용과 반대급부 사이에 직접적인 인과관계)과 목적적 관련성(행정작용과 반대급부가 특정한 행정목적의 추구에 있어서 관련성)의 판단으로 결정한다. 예컨대, 하천점용허가시에 오염방지시설의 설치의무를 내용으로 하는 부관을 붙인 경우 원인적 관련성을 쉽게 인정할 수 있을 것이지만, 반면, 하천점용허가를 하면서 그 동안 체납한 자동차세를 납부하라는 부관을 붙인 경우에는 원인적 관련성이 결여되어 부당결부금지 원칙에 반한다. 또한 하천점용허가와 오염방지시설설치의무는 수질오염의 우려가 없는 하천점용허가라는 목적에 결부되어 목적적 관련성이 인정되나, 하천점용허가와 체납된 자동차세의 납부는 서로 이질적인 목적을 추구하고 있기 때문에 부당결부금지의 원칙에 위배된다.

진입도로개설 및 해당 부지 기부채납 부담으로 부과한 주택사업계획승인
▷ 부당결부금지원칙 위반 X

승인을 하였다 하더라도 그 역시 형평의 원칙 등에 위배되는 위법한 부관이라고 할 수는 없다(대판 1997.3.14. 96누16698).

15. 경찰 3차, 08. 국가직 9급 주택사업을 승인하면서 입주민이 이용하는 진입도로의 개설 및 확장 등의 기부채납의무를 부담으로 부과하는 것은 부당결부금지의 원칙에 반한다. (×) → 하지 않는다

2 고속국도 관리청이 고속도로 부지와 접도구역에 <u>송유관 매설을 허가하면서</u> 상대방과 체결한 협약에 따라 <u>송유관 시설을 이전하게 될 경우 그 비용을 상대방에게 부담하도록 한</u> 부관은 부당결부금지의 원칙에도 반하지 않는다(대판 2009.2.12. 2005다65500). **★★**

19. 국회직 8급, 14. 사복직 고속국도 관리청이 고속도로 부지와 접도구역에 송유관 매설을 허가하면서 상대방과 체결한 협약에 따라 송유관 시설을 이전하게 될 경우 그 비용을 상대방에게 부담하도록 한 부관은 부당결부금지원칙에 반하지 않는다. (○)

21. 경찰 2차 고속국도의 관리청이 고속도로 부지와 접도구역에 송유관 매설을 허가하면서 상대방과 체결한 협약에 따라 송유관 시설을 이전하게 될 경우 상대방에게 그 비용을 부담하도록 한 부관은 행정작용과 실질적 관련성이 없는 의무를 부과하는 것으로서 부당결부금지원칙에 위반된다. (×) → 이 아니므로 / 되지 않는다

3. 적용례

부당결부금지의 원칙은 처분, 공법상 계약, 부관 등 모든 행정작용에 적용된다. 실무상으로는 행정행위의 부관(예 건축허가를 하면서 다른 토지의 기부채납을 부관으로 부담하게 하는 경우), 공법상 계약(예 주차장시설의무의 면제와 천만원의 납부의무를 내용으로 공법상 계약을 체결하는 경우), 또는 행정의 실효성 확보수단[예 사업에 관한 허가등의 제한(관허사업의 제한)], 복수운전면허의 일부철회와 관련하여 특히 문제되고 있다.

12. 서울시 9급 甲이 국세를 체납하였다는 이유로 행정청이 甲의 영업점에 대한 영업허가의 취소 혹은 정지를 요구할 경우에 문제가 될 수 있는 것은 부당결부금지의 원칙 위반이다. (○)

(1) 행정행위의 부관

부관은 당해 법령이 추구하는 목적 범위 내에서만 붙일 수 있다. 따라서 주택사업계획승인을 하면서 그 주택사업과는 아무런 관련이 없는 토지를 기부채납하도록 하는 부관은 부당결부금지 원칙에 반하여 위법하다. 다만, 판례에 따를 때 그 하자의 정도는 취소사유에 불과하다.

🔨 관련판례

지방자치단체장이 사업자에게 <u>주택사업계획승인을 하면서 그 주택사업과는 아무런 관련이 없는 토지를 기부채납하도록 하는 부관을 주택사업계획승인에 붙인 경우</u>, 그 부관은 부당결부금지의 원칙에 위반되어 <u>위법하지만</u>, 부관의 하자가 중대하고 명백하여 당연무효라고는 볼 수 없다(대판 1997.3.11. 96다49650). **★★★**

22. 국가직 7급, 22. 지방직 9급, 21. 서울시 7급, 19. 군무원 9급, 19. 지방직 9급, 15. 국가직 9급 등 지방자치단체장이 사업자에게 주택사업계획승인을 하면서 그 주택사업과는 아무런 관련이 없는 토지를 기부채납하도록 하는 부관을 주택사업계획승인에 붙인 경우, 그 부관은 부당결부금지의 원칙에 위반되어 위법하다. (○)

16. 국가직 7급 지방자치단체장이 사업자에게 주택사업계획승인을 하면서 그 주택사업과는 아무런 관련이 없는 토지를 기부채납하도록 하는 부관은 부당결부금지의 원칙에 위반되어 위법하지만 당연무효라고 볼 수 없다. (○)

함께 정리하기

고속도로 부지와 접도구역에 송유관 매설 허가 시 협약에 따라 송유관시설 이전비용 상대방에게 부담
▷ 부당결부금지원칙 위반×

주된 적용영역
▷ 부관·공법상 계약·관허사업제한·공급거부·복수운전면허 일부철회 등

주택건설사업계획승인처분을 하면서 주택사업과 무관한 토지를 기부채납토록 하는 부관
▷ 부당결부금지원칙 위반○
▷ 취소사유(당연무효×)

복수운전면허
▷ 취득·취소·정지 시 서로 별개의 것으로 취급(원칙)

(2) 복수운전면허의 취소·철회

① 한 사람이 여러 종류의 자동차 운전면허를 취득하는 경우, 이를 1개의 운전면허증으로 통합관리하고 있다고 하더라도 이는 관리상의 편의를 위한 것에 불과할 뿐 서로 별개의 면허로 취급하는 것이 원칙이다. 따라서 판례는 제1종 보통, 제1종 대형, 제1종 특수 면허(대형견인·구난)를 가지고 있는 자가 레이카크레인을 음주운전한 행위는 제1종 특수면허의 취소사유에 해당될 뿐 제1종 보통 및 대형 면허의 취소사유는 아니므로 3종의 면허를 모두 취소한 처분은 부당결부금지 원칙에 반하여 위법하다고 판시하였다.

18. 서울시 9급 한 사람이 여러 종류의 자동차운전면허를 취득하는 경우뿐 아니라 이를 취소 또는 정지함에 있어서도 서로 별개의 것으로 취급하는 것이 원칙이다. (O)

레이카크레인 음주운전을 이유로
▷ 제1종 대형·보통면허 취소 불가

🔨 관련판례

1 레이카크레인을 음주운전한 사유만으로는 제1종 대형·보통면허를 취소할 수 없다. ★★

[1] 한 사람이 여러 종류의 자동차 운전면허를 취득하는 경우뿐 아니라 이를 취소 또는 정지함에 있어서도 서로 별개의 것으로 취급하는 것이 원칙이고, 한 사람이 여러 종류의 자동차 운전면허를 취득하는 경우 1개의 운전면허증을 발급하고 그 운전면허증의 면허번호는 최초로 부여한 면허번호로 하여 이를 통합관리하고 있다고 하더라도, 이는 자동차 운전면허증 및 그 면허번호 관리상의 편의를 위한 것에 불과할 뿐 그렇다고 하여 여러 종류의 면허를 서로 별개의 것으로 취급할 수 없다거나 각 면허의 개별적인 취소 또는 정지를 분리하여 집행할 수 없는 것은 아니다.

[2] 외형상 하나의 행정처분이라 하더라도 가분성이 있거나 그 처분대상의 일부가 특정될 수 있다면 그 일부만의 취소도 가능하고 그 일부의 취소는 당해 취소부분에 관하여 효력이 생긴다고 할 것인바, 이는 한 사람이 여러 종류의 자동차 운전면허를 취득한 경우 그 각 운전면허를 취소하거나 그 운전면허의 효력을 정지함에 있어서도 마찬가지이다.

[3] 제1종 보통, 대형 및 특수 면허를 가지고 있는 자가 레이카크레인을 음주운전한 행위는 제1종 특수면허의 취소사유에 해당될 뿐 제1종 보통 및 대형 면허의 취소사유는 아니므로, 3종의 면허를 모두 취소한 처분 중 제1종 보통 및 대형 면허에 대한 부분은 이를 이유로 취소하면 될 것이나, 제1종 특수면허에 대한 부분은 원고가 재량권의 일탈·남용하여 위법하다는 주장을 하고 있음에도, 원심이 그 점에 대하여 심리·판단하지 아니한 채 처분 전체를 취소한 조치는 위법하다고 하여 원심판결 중 제1종 특수면허에 대한 부분을 파기환송한 사례 (대판 1995.11.16. 95누8850 전합)

레이카크레인 절취를 이유로
▷ 제1종 대형·보통면허 취소 불가

2 배기량 400cc 오토바이를 절취하였다는 이유로 제1종 대형·보통면허를 취소할 수 없다. ★

제1종 대형, 제1종 보통 자동차운전면허를 가지고 있는 甲이 배기량 400cc의 오토바이를 절취 하였다는 이유로 지방경찰청장이 도로교통법 제93조 제1항 제12호에 따라 甲의 제1종 대형, 제1종 보통 자동차운전면허를 모두 취소한 사안에서, 위 오토바이를 훔쳤다는 사유만으로 제1종 대형면허나 보통면허를 취소할 수 없다(대판 2012.5.24. 2012두1891).

3 배기량 250cc 이륜자동차를 음주운전한 사유만으로는 제1종 대형·보통면허를 취소할 수 없다. ★★

이륜자동차로서 제2종 소형면허를 가진 사람만이 운전할 수 있는 오토바이는 제1종 대형면허나 보통면허를 가지고서도 이를 운전할 수 없는 것이어서 이와 같은 이륜자동차의 운전은 제1종 대형면허나 보통면허와는 아무런 관련이 없는 것이므로 이륜자동차를 음주운전한 사유만 가지고서는 제1종 대형면허나 보통면허의 취소나 정지를 할 수 없다(대판 1992.9.22. 91누8289).

12. 경찰 3차 이륜자동차의 운전은 제1종 대형면허나 보통면허와는 아무런 관련이 없는 것이므로 이륜자동차를 음주운전한 사유만 가지고서는 제1종 대형면허나 보통면허의 취소나 정지를 할 수 없다. (○)

10. 국회직 9급 "원고가 운전한 오토바이는 이륜자동차로서 제2종 소형면허를 가진 사람만이 운전할 수 있는 것이고, 이륜자동차의 운전은 제1종 대형면허와는 아무런 관련이 없는 것이므로 오토바이를 음주운전하였음을 이유로 이륜자동차 이외의 다른 차종을 운전할 수 있는 제1종 대형면허를 취소한 피고의 이 사건처분은 위법하다."는 대법원 판시내용은 필요성의 원칙과 가장 관련이 깊다. (×) → 부당결부금지의 원칙과

4 12인승 승합자동차를 운전하다가 운전면허취소 사유가 발생한 경우 제1종 특수 면허는 취소할 수 없다. ★★

제1종 보통, 제1종 대형, 제1종 특수자동차운전면허소유자가 운전한 12인승 승합자동차는 제1종 보통 및 제1종 대형자동차운전면허로는 운전이 가능하나 제1종 특수자동차운전면허로는 운전할 수 없으므로, 위 운전자는 자신이 소지하고 있는 자동차운전면허 중 제1종 보통 및 제1종 대형자동차 운전면허만으로 운전한 것이 되어, 제1종 특수자동차운전면허는 위 승합자동차의 운전과는 아무런 관련이 없고, 또한 위 [별표 14]에 의하면 추레라와 레이카는 제1종 특수자동차운전면허를 받은 자만이 운전할 수 있어 제1종 보통이나 제1종 대형자동차운전면허의 취소에 제1종 특수자동차운전면허로 운전할 수 있는 자동차의 운전까지 금지하는 취지가 당연히 포함되어 있는 것은 아니다(대판 1998.3.24. 98두1031).

10. 국회직 8급 승합자동차를 운전한 자에 대하여 운전면허를 취소할 경우 제1종 보통면허와 대형면허를 취소할 수는 있지만 특수면허를 취소할 수는 없다. (○)

② 다만, 그 취소나 정지의 사유가 특정의 면허에 관한 것이 아니고 '다른 면허와 공통된 것'이거나 '운전면허를 받은 사람에 관한 것'일 경우에는 여러 운전면허 전부를 취소 또는 정지할 수도 있다(대판 2012.5.24. 2012두1891).

즉, 일정 면허로 다른 면허의 자동차까지 운전할 수 있는 경우(예 제1종 대형면허 소지자는 제1종 보통면허 소지자가 운전할 수 있는 승합차·원동기장치자전거까지 운전 가능)에는 면허가 공통된 것이거나 면허를 받은 사람에 관한 것으로 보아 그 전부를 취소해도 부당결부금지원칙에 반하지 않는다.

판례는 제1종 보통면허 소지자는 승용차만이 아니라 원동기장치자전거(오토바이)까지 운전할 수 있으므로 제1종 보통면허의 취소에는 원동기장치자전거면허의 취소가 포함된다고 판시하였다. 또한 제2종 소형, 제1종 보통, 제1종 대형, 제1종 특수 면허(대형견인·구난)를 가지고 있는 자가 125cc 이륜자동차를 음주운전한 경우, 제2종 소형면허뿐만 아니라 제1종 보통, 제1종 대형, 제1종 특수 면허까지 취소하여야 한다고 판시하였다.

18. 지방직 9급, 16. 경찰 2차, 16. 서울시 7급 행정청이 여러 종류의 자동차운전면허를 취득한 자에 대해 그 운전면허를 취소하는 경우, 취소사유가 특정 면허에 관한 것이 아니고 다른 면허와 공통된 것이거나 운전면허를 받은 사람에 관한 것일 경우에는 여러 면허를 전부 취소할 수 있다. (○)

15. 경찰 1차 운전면허 취소사유가 그 사람이 가진 여러 면허에 공통된 것이라면 그 면허 전부를 취소할 수 있다. (○)

함께 정리하기

250cc 오토바이 음주운전을 이유로
▷ 제1종 대형·보통면허 취소 不可

12인승 승합차 운전 중 발생한 운전면허 취소 사유로
▷ 제1종 특수면허 취소 不可

취소(철회)사유가 다른 면허와 공통 or 운전면허를 받은 사람에 관한 것일 때
▷ 복수운전면허 전부취소 可(예외)

제1종 보통면허 취소시
▷ 원동기장치자전거면허 취소 可

125cc 오토바이 음주운전을 이유로
▷ 제1종 보통·대형·특수면허 취소 可

제1종 보통면허로 운전할 수 있는 차량을
음주운전 한 경우
▷ 제1종 대형면허·원동기장치자전거면허도 취소 可

제1종 보통면허로 운전할 수 있는 승합차를 음주운전 한 경우
▷ 제1종 대형면허도 취소 可

관련판례

1 제1종 보통면허의 취소에는 원동기장치자전거면허의 취소가 포함된다. ★★

한 사람이 여러 종류의 자동차운전면허를 취득하는 경우뿐 아니라 이를 취소 또는 정지함에 있어서도 서로 별개의 것으로 취급하는 것이 원칙이기는 하지만, 자동차운전면허는 그 성질이 대인적 면허일 뿐만 아니라 도로교통법시행규칙 제26조 [별표 14]에 의하면, 제1종 보통면허 소지자는 승용자동차만이 아니라 원동기장치자전거까지 운전할 수 있도록 규정하고 있어 제1종 보통면허의 취소에는 원동기장치자전거의 운전까지 금지하는 취지가 포함된 것이어서 이들 차량의 운전면허는 서로 관련된 것이라고 할 것이므로, 제1종 보통면허로 운전할 수 있는 차량을 운전면허정지기간 중에 운전한 경우에는 이와 관련된 원동기장치자전거면허까지 취소할 수 있다(대판 1997.5.16. 97누2313).

2 배기량 125cc 이륜자동차인 오토바이를 음주운전 하였음을 이유로 제1종 대형, 제1종 보통, 제1종 특수 운전면허를 취소한 처분은 적법하다. ★★

甲이 혈중알코올농도 0.140%의 주취상태로 배기량 125cc 이륜자동차를 운전하였다는 이유로 관할 지방경찰청장이 甲의 자동차운전면허[제1종 대형, 제1종 보통, 제1종 특수(대형견인·구난), 제2종 소형]를 취소하는 처분을 한 사안에서, 甲에 대하여 제1종 대형, 제1종 보통, 제1종 특수(대형견인·구난) 운전면허를 취소하지 않는다면, 甲이 각 운전면허로 배기량 125cc 이하 이륜자동차를 계속 운전할 수 있어 실질적으로는 아무런 불이익을 받지 않게 되는 점, … 제1종 대형, 제1종 보통, 제1종 특수(대형견인·구난) 운전면허를 취소한 부분에 재량권을 일탈·남용한 위법이 있다고 본원심판단에 재량권 일탈·남용에 관한 법리 등을 오해한 위법이 있다(대판 2018.2.28. 2017두67476).

3 제1종 보통면허로 운전할 수 있는 차량을 음주운전한 경우에 이와 관련된 면허인 제1종 대형면허와 원동기장치자전거면허까지 취소할 수 있다. ★★

제1종 대형면허 소지자는 제1종 보통면허로 운전할 수 있는 자동차와 원동기장치자전거를, 제1종 보통면허 소지자는 원동기장치자전거까지 운전할 수 있도록 규정하고 있어서 제1종 보통 면허로 운전할 수 있는 차량의 음주운전은 당해 운전면허뿐만 아니라 제1종 대형면허로도 가능하고, 또한 제1종 대형면허나 제1종 보통면허의 취소에는 당연히 원동기장치자전거의 운전까지 금지하는 취지가 포함된 것이어서 이들 세 종류의 운전면허는 서로 관련된 것이라고 할 것이므로 제1종 보통면허로 운전할 수 있는 차량을 음주운전한 경우에 이와 관련된 면허인 제1종 대형면허와 원동기장치자전거면허까지 취소할 수 있는 것으로 보아야 한다(대판 1994.11.25. 94누9672 ; 대판 2005.3.11. 2004두12452).

19. 군무원 9급, 12. 사복직, 10. 국회직 8급 제1종 보통면허로 운전할 수 있는 차량을 음주운전한 경우에 이와 관련된 면허인 제1종 대형면허와 원동기장치자전거면허까지 취소할 수 있는 것으로 보아야 한다. (○)

15. 국가직 9급 제1종 보통면허로 운전할 수 있는 차량을 음주운전한 경우 제1종 보통면허의 취소 외에 동일인이 소지하고 있는 제1종 대형면허와 원동기장치자전거면허는 취소할 수 없다. (×) → 있다

4 제1종 보통면허와 제1종 대형면허의 소지자가 제1종 보통면허로 운전할 수 있는 승합차를 음주운전한 경우, 제1종 보통면허 외에 제1종 대형면허까지 취소한 것은 위법한 처분이 아니다(대판 1997.3.11. 96누15176). ★

10. 지방직 9급 대법원은 승합차를 혈중알코올농도 0.1% 이상의 음주상태로 운전한 자에 대하여 제1종 보통운전면허 외에 제1종 대형운전면허까지 취소한 행정청의 처분이 부당결부금지원칙을 위반한 것으로 보았다. (×) → 위반하지 않은 것으로 보았다

5 면허 없이 승용차를 음주운전 한 경우, 제2종 원동기장치자전거면허 또한 취소할 수 있다. ★

甲이 제2종 원동기장치자전거면허 외에 다른 운전면허 없이 주취 상태에서 승용자동차를 운전하였다는 이유로 관할 지방경찰청장이 甲의 제2종 원동기장치자전거면허를 취소한 사안에서, 甲의 승용자동차 음주운전행위는 제2종 원동기장치자전거의 운전을 금지시킬 사유에 해당한다(대판 2012.6.28. 2011두358).

6 택시의 음주운전을 이유로 제1종 보통면허 및 특수면허 모두 취소가 가능하다. ★

택시의 운전은 제1종 보통면허 및 특수면허 모두로 운전한 것이 되므로 택시의 음주운전을 이유로 위 두 가지 운전면허 모두를 취소할 수 있다(대판 1996.6.28. 96누4992).

함께 정리하기

승용차 무면허 음주운전으로 제2종 원동기장치자전거면허 취소
▷ 부당결부금지원칙 위반×

택시 음주운전
▷ 제1종 보통면허·특수면허 모두 취소 可

참고 운전면허에 따라 운전할 수 있는 자동차 등의 종류(「도로교통법 시행규칙」 별표 18)

운전면허		운전할 수 있는 차량
종별	구분	
제1종	대형면허	승용자동차, 승합자동차, 화물자동차, 건설기계(덤프트럭 등), 특수자동차(대형견인차, 소형견인차 및 구난차는 제외), 원동기장치자전거
	보통면허	승용자동차, 승차정원 15명 이하의 승합자동차, 적재중량 12톤 미만의 화물자동차, 건설기계(도로를 운행하는 3톤 미만의 지게차로 한정), 총중량 10톤 미만의 특수자동차(구난차 등은 제외), 원동기장치자전거
	소형면허	3륜화물자동차, 3륜승용자동차, 원동기장치자전거
	특수면허	대형견인차, 소형견인차, 구난차, 제2종 보통면허로 운전할 수 있는 차량
제2종	보통면허	승용자동차, 승차정원 10명 이하의 승합자동차, 적재중량 4톤 이하의 화물자동차, 총중량 3.5톤 이하의 특수자동차(구난차 등은 제외), 원동기장치자전거
	소형면허	이륜자동차(측차부 포함), 원동기장치자전거
	원동기장치자전거면허	원동기장치자전거

4. 위반의 법적 효과

부당결부금지의 원칙에 반하는 법령이나 행정작용은 위헌·위법한 것이 된다. 부당결부금지의 원칙에 반하는 행정입법이나 공법상 계약은 무효이고, 이에 반하는 행정행위는 하자의 중대성과 명백성 여하에 따라 하자가 중대하고 명백하면 무효, 중대하지만 명백하지 않거나 명백하지만 중대하지 않으면 취소의 대상이 된다. 부당결부금지의 원칙에 반하는 처분의 당사자는 처분에 대한 이의신청(「행정기본법」 제36조)이나 재심사(「행정기본법」 제37조), 또는 「행정심판법」상 행정심판이나 「행정소송법」상 행정소송을 제기할 수 있다. 또한 이로 인해 손해를 입은 자는 「국가배상법」이 정하는 바에 따라 국가나 지방자치단체를 상대로 손해배상을 청구할 수 있다.

부당결부금지의 원칙 위반의 법적 효과
▷ 위헌·위법
▷ 이의신청·재심사·행정심판·행정소송·국가배상청구 可

제4절 행정법의 효력

행정법의 효력의 문제는 행정법령의 구속력이 미치는 시간적·장소적·인적 범위를 말한다.

1 시간적 효력

1. 효력발생시기

(1) 시행일

법령의 효력발생시기
▷ 시행일을 규정한 경우: 규정된 그 날부터
▷ 시행일을 규정하지 않은 경우: 공포일로부터 20일 경과 시

① 행정법령은 시행일로부터 그 효력이 발생한다. 법령의 제정·개정 시 시행일을 규정하는 것이 통례이다. 그러나 그 시행일에 관하여 특별한 규정이 없으면, 법령(법률과 시행령·시행규칙)과 조례·규칙은 공포일로부터 20일이 경과함으로써 효력이 발생한다(헌법 제53조 제7항, 「법령 등 공포에 관한 법률」 제13조, 「지방자치법」 제32조 제8항).

22. 군무원 9급 행정법령의 시행일을 정하지 않은 경우에는 공포한 날부터 20일이 경과함으로써 효력이 발생한다. (○)
21. 행정사, 18. 경찰 2차, 16. 교행, 14. 국가직 9급, 12. 국회직 9급 등 법률과 대통령령·총리령 및 부령은 특별한 규정이 없는 한 공포한 날부터 14일이 경과함으로써 효력을 발생한다. (×) → 20일
21. 군무원 9급, 13. 행정사 조례는 특별한 규정이 없으면 공포한 날부터 20일이 지나면 효력을 발생한다. (○)

국민의 권리 제한 또는 의무 부과와 직접 관련되는 법령
▷ 특별한 사정이 없는 한 공포일부터 적어도 30일이 경과한 날

② 다만, 국민의 권리 제한 또는 의무 부과와 직접 관련되는 법률, 대통령령, 총리령 및 부령은 긴급히 시행하여야 할 특별한 사유가 있는 경우를 제외하고는 공포일로부터 적어도 30일이 경과된 날로부터 시행된다(「법령 등 공포에 관한 법률」 제13조의2).

20. 경찰 2차, 20. 국가직 9급, 15. 지방직 9급 국민의 권리제한 또는 의무부과와 직접 관련되는 법률, 대통령령, 총리령 및 부령은 긴급히 시행하여야 할 특별한 경우를 제외하고는 공포일로부터 적어도 30일이 경과한 날부터 시행되도록 하여야 한다. (○)
18. 경찰 2차 국민의 권리 제한 또는 의무 부과와 직접 관련되는 법률, 대통령령, 총리령 및 부령은 긴급히 시행하여야 할 특별한 사유가 있는 경우를 제외하고는 공포일부터 적어도 90일이 경과한 날부터 시행되도록 하여야 한다. (×) → 30일

③ 「행정기본법」 제7조는 훈령·예규·고시지침 등을 포함한 법령 등의 시행일을 정하거나 계산할 때에는 ㉠ 법령 등을 공포한 날부터 시행하는 경우에는 공포한 날을 시행일로 하고(제1호), ㉡ 법령 등을 공포한 날부터 일정 기간이 경과한 날부터 시행하는 경우 법령 등을 공포한 날을 첫날에 산입하지 아니하며(제2호), ㉢ 법령 등을 공포한 날부터 일정 기간이 경과한 날부터 시행하는 경우 그 기간의 말일이 토요일 또는 공휴일인 때에는 그 말일로 기간이 만료한다고 규정하고 있다(제3호).

22. 국회직 8급, 21. 행정사 법령 등을 공포한 날부터 시행하는 경우에는 공포한 날을 시행일로 한다. (○)
22. 국회직 8급, 21. 행정사 법령 등을 공포한 날부터 일정 기간이 경과한 날부터 시행하는 경우 법령 등을 공포한 날을 첫날에 산입하지 아니한다. (○)

24. 국가직 9급 법령등을 공포한 날부터 일정 기간이 경과한 날부터 시행하는 경우 법령등을 공포한 날을 첫날에 산입한다. (×) → 하지 아니한다

24. 국가직 9급, 21. 행정사 법령 등을 공포한 날부터 일정 기간이 경과한 날부터 시행하는 경우 그 기간의 말일이 토요일 또는 공휴일인 때에는 그 말일로 기간이 만료한다. (○)

22. 군무원 9급 행정법령의 시행일을 정하지 않은 경우에는 공포한 날부터 20일이 경과함으로써 효력을 발생하는데, 이 경우 공포한 날을 첫날에 산입하지 아니하고 기간의 말일이 토요일 또는 공휴일인 때에는 그 말일의 다음날로 기간이 만료한다. (×) → 말일

(2) 공포(또는 공고)

① 헌법개정 · 법률 · 조약 · 대통령령 · 총리령 및 부령의 공포와 헌법개정안 · 예산 및 예산 외 국고부담계약의 공고는 관보(官報)에 게재함으로써 하고(「법령 등 공포에 관한 법률」 제11조 제1항), 국회의장의 법률 공포는 경우에는 서울특별시에서 발행되는 둘 이상의 일간신문에 게재함으로써 한다(「법령 등 공포에 관한 법률」 제11조 제2항). 제1항에 따른 관보는 종이로 발행되는 관보(종이관보)와 전자적인 형태로 발행되는 관보(전자관보)로 운영하며, 관보의 내용 해석 및 적용 시기 등에 대하여 종이관보와 전자관보는 동일한 효력을 가진다(「법령 등 공포에 관한 법률」 제11조 제3항 · 제4항).

> **헌법개정 · 법률 · 조약 · 대통령령 · 총리령 · 부령의 공포**
> ▷ 관보에 게재
>
> **국회의장의 법률 공포**
> ▷ 서울특별시에서 발행되는 둘 이상의 일간신문에 게재
>
> **관보의 내용 해석 및 적용 시기**
> ▷ 종이관보와 전자관보 효력 동일

20. 경찰 2차, 18. 경찰 2차 헌법개정 · 법률 · 조약 · 대통령령 · 총리령 및 부령의 공포와 헌법개정안 · 예산 및 예산 외 국고부담계약의 공고는 관보(官報)에 게재함으로써 한다. (○)

15. 지방직 9급 국회의장에 의한 법률 공포는 반드시 관보에 게재할 사항에 해당된다. (×) → 해당하지 않는다

21. 지방직 9급 「국회법」에 따라 하는 국회의장의 법률 공포는 서울특별시에서 발행되는 둘 이상의 일간신문에 게재함으로써 한다. (○)

21. 지방직 9급, 18. 경찰 2차 관보의 내용 해석 및 적용 시기 등에 대하여 종이관보가 전자관보보다 우선적 효력을 가진다. (×) → 와 동일한

② 조례와 규칙의 공포는 해당 지방자치단체의 공보에 게재하는 방법으로 한다. 다만, 지방의회의 의장이 조례를 공포하는 경우에는 공보나 일간신문에 게재하거나 게시판에 게시한다(「지방자치법」 제33조 제1항).

> **조례 · 규칙의 공포**
> ▷ 지방자치단체의 공보에 게재
>
> **지방의회 의장의 조례 공포**
> ▷ 공보나 일간신문에 게재하거나 게시판에 게시

15. 지방직 9급 지방자치단체의 장에 의한 조례와 규칙의 공포는 해당 지방자치단체의 공보에 게재하는 방법으로 한다. (○)

③ 교육규칙의 공포는 시 · 도의 공보 또는 일간신문에 게재하거나 시 · 도 교육청의 게시판에 게시함과 동시에 해당 교육청의 인터넷 홈페이지에 게시하는 방법으로 한다(「지방교육자치에 관한 법률 시행령」 제3조 제4항).

> **교육규칙의 공포**
> ▷ 공보나 일간신문에 게재하거나 시 · 도 교육청의 게시판에 게시함과 동시에 해당 교육청 인터넷 홈페이지에 게시

(3) 공포일(또는 공고일)

① 법령 등의 공포일은 해당 법령 등을 게재한 관보(종이관보 또는 전자관보) 또는 신문이 발행된 날로 한다(「법령 등 공포에 관한 법률」 제12조). 발행된 날이 언제인가에 대해서는 최초구독가능시설(관보가 전국의 관보보급소에 도달되어 이를 일반인이 열람 또는 구독할 수 있는 상태에 놓이게 된 최초의 시기를 공포시점으로 보는 견해)이 통설 · 판례이다.

> **공포일 또는 공고일**
> ▷ 그 법령 등을 게재한 관보 또는 신문이 발행된 날
>
> **발행된 날**
> ▷ 최초구독가능시설(통설 · 판례)

18. 경찰 법률의 공포일은 해당 법률을 게재한 관보 또는 신문이 발행된 날로 한다. (○)

21. 지방직 9급, 20. 군무원 9급, 09. 국가직 9급 대통령령 · 총리령 및 부령의 공포일은 그 법령 등을 게재한 관보 또는 신문이 발행된 날로 한다. (○)

09. 국가직 9급 공포일과 시행일이 일치하는 경우, 공포일인 관보발행일은 도달주의에 입각하여 최초 구독 가능시를 기준으로 한다. (○)

② 공포일과 시행일이 다른 경우, 판례는 공포일은 관보가 실제로 인쇄된 날로 본다(대판 1968.12.6. 68다1753).

> **관련판례**
>
> **1** 이른바 '관보 게재일'이란 관보에 인쇄된 발행일자를 뜻하는 것이 아니고 관보가 전국의 각 관보보급소에 발송 배포되어 이를 일반인이 열람 또는 구독할 수 있는 상태에 놓이게 된 최초의 시기를 뜻한다(대판 1969.11.25. 69누129).
>
> **2** 법령의 공포일과 관련하여 공포일자와 시행일자가 다른 경우에는 공포일은 관보가 실제 인쇄된 날이다(대판 1968.12.6. 68다1753).
>
> 10. 국회직 9급 법령의 공포일과 관련하여 공포일자와 시행일자가 다른 경우에는 공포일은 관보가 실제 인쇄된 날로 본다. (○)

2. 소급적용금지의 원칙(법령불소급의 원칙)과 법 적용의 기준

「행정기본법」 제14조 【법 적용의 기준】 ① 새로운 법령 등은 법령 등에 특별한 규정이 있는 경우를 제외하고는 그 법령 등의 효력 발생 전에 완성되거나 종결된 사실관계 또는 법률관계에 대해서는 적용되지 아니한다.
② 당사자의 신청에 따른 처분은 법령 등에 특별한 규정이 있거나 처분 당시의 법령 등을 적용하기 곤란한 특별한 사정이 있는 경우를 제외하고는 처분 당시의 법령등에 따른다.
③ 법령 등을 위반한 행위의 성립과 이에 대한 제재처분은 법령등에 특별한 규정이 있는 경우를 제외하고는 법령등의 위반한 행위 당시의 법령등에 따른다. 다만, 법령등을 위반한 행위 후 법령등의 변경에 의하여 그 행위가 법령등을 위반한 행위에 해당하지 아니하거나 제재처분 기준이 가벼워진 경우로서 해당 법령등에 특별한 규정이 없는 경우에는 변경된 법령등을 적용한다.

(1) 소급적용금지의 원칙(법령불소급의 원칙)

법령의 소급적용
▷ 신법을 과거의 법률관계·사실관계에 적용하는 것
소급적용금지의 원칙
▷ 법령은 원칙적으로 그 효력이 생긴 때부터 그 후에 발생한 사실에 대해서만 적용된다는 원칙
▷ 법적 안정성에 근거
▷ 「행정기본법」 제14조 제1항

① 의의 및 근거: 법령의 소급적용이란 제·개정된 새로운 법령(신법)을 과거의 사실관계나 법률관계에 적용하는 것을 말하고, 소급적용금지(遡及適用禁止)의 원칙(법령불소급의 원칙)이란 법령은 원칙적으로 그 효력이 생긴 때부터 그 후에 발생한 사실에 대해서만 적용된다는 원칙을 의미한다. 이는 법치국가의 원칙인 법적 안정성에 근거하는 법의 일반원칙이다. 「행정기본법」 제14조 제1항에서는 "새로운 법령 등은 법령 등에 특별한 규정이 있는 경우를 제외하고는 그 법령 등의 효력 발생 전에 완성되거나 종결된 사실관계 또는 법률관계에 대해서는 적용되지 아니한다."고 규정하고 있다.

21. 지방직 7급, 21. 군무원 7급 새로운 법령은 법령에 특별한 규정이 있는 경우를 제외하고는 그 법령의 효력 발생 전에 완성되거나 종결된 사실관계 또는 법률관계에 대해서는 적용되지 아니한다. (○)

② 적용 범위

㉠ 법령의 소급적용에는 진정소급적용과 부진정소급적용이 있다. 법령의 진정소급적용이라 함은 제정 또는 개정된 법령(신법)을 이미 '종결된' 사실관계 또는 법률관계에 적용하는 것을 말한다. 법령의 부진정소급적용이라 함은 제정 또는 개정된 법령(신법)의 시행일 이전에 발생하여 동 법령의 시행일 이후에도 '종결되지 않고 계속되는' 사실관계 또는 법률관계에 동 제정 또는 개정된 법령(신법)을 적용하는 것을 말한다.

ⓒ 소급적용금지의 원칙은 진정소급에만 적용되고, 부진정소급에는 적용되지 않는다. 따라서 이미 종결된 사실에 대하여 새 법령을 적용하는 진정소급적용은 허용되지 않는 것이 원칙이지만, 계속 중인 사실이나 새 법령 시행일 이후에 발생한 사실에 대하여 새 법령을 적용하는 부진정소급적용은 허용되는 것이 원칙이다.

23. 국가직 7급 신법의 효력발생일까지 진행 중인 사건에 대하여 신법을 적용하는 것은 법률의 소급적용에 해당하므로 원칙적으로 허용될 수 없다. (×) → 있다

소급적용금지의 원칙 적용 범위
▷ 진정소급에만 적용○, 부진정소급에는 적용×

관련판례

1 법령불소급의 원칙은 법령의 효력발생 전에 완성된 요건사실에 대하여 당해 법령을 적용할 수 없다는 의미일 뿐, 계속 중인 사실이나 그 이후에 발생한 요건사실에 대한 법령적용까지를 제한하는 것은 아니다(대판 2014.4.24. 2013두26552).

15. 사복직 법령의 효력이 시행일 이전에 소급하지 않는다는 것은 시행일 이전에 이미 종결된 사실에 대하여 법령이 적용되지 않는다는 것을 의미하는 것이지, 시행일 이전부터 계속되는 사실에 대하여도 법령이 적용되지 않는다는 의미가 아니다. (○)

21. 군무원 9급 법률불소급의 원칙은 그 법률의 효력발생 전에 완성된 요건사실 뿐만 아니라 계속 중인 사실이나 그 이후에 발생한 요건사실에 대해서도 그 법률을 소급적용할 수 없다. (×) → 에 대하여 당해 법령을 적용할 수 없다는 의미일 뿐 / 는 / 적용할 수 있다

19. 변호사 퇴직연금수급권의 기초가 되는 급여의 사유가 이미 발생한 후에 장래 이행기가 도래하는 퇴직연금수급권의 내용을 변경하는 것은 이미 완성 또는 종료된 과거 사실 또는 법률관계에 새로운 법률을 소급적으로 적용하여 과거를 법적으로 새로이 평가하는 것이어서 소급입법에 의한 재산권 침해가 된다. (×) → 아니어서 / 되지 않는다

법령불소급의 원칙
▷ 법령의 효력발생 전에 완성된 사실에 대하여 당해 법령을 적용할 수 없다는 의미

2 기존의 사실 또는 법률관계가 신 법령이 시행되기 이전에 '완성'된 것이 아니라면 소급입법금지의 원칙에 위배되지 않는다. ★★★

행정처분은 근거 법령이 개정된 경우에도 경과규정에서 달리 정함이 없는 한 처분 당시 시행되는 법령과 그에 정한 기준에 의하는 것이 원칙이고, 그 개정 법령이 기존의 사실 또는 법률관계를 적용대상으로 하면서 국민의 재산권과 관련하여 종전보다 불리한 법률효과를 규정하고 있는 경우에도 그러한 사실 또는 법률관계가 개정 법령이 시행되기 이전에 이미 완성 또는 종결된 것이 아니라면 이를 헌법상 금지되는 소급입법에 의한 재산권 침해라고 할 수 없다(부진정소급적용)(대판 2000.3.10. 97누13818).

19. 경찰, 18. 국가직 7급 행정처분의 근거 법률이 개정된 경우, 국민의 재산권과 관련하여 종전보다 불리한 법률효과를 규정하고 있더라도, 당해 사실 또는 법률관계가 이미 완성 또는 종결된 것이 아니라면, 헌법상 금지되는 소급입법에 의한 재산권 침해라고 할 수는 없다. (○)

21. 국가직 9급 개정 법령이 기존의 사실 또는 법률관계를 적용대상으로 하면서 국민의 재산권과 관련하여 종전보다 불리한 법률효과를 규정하고 있는 경우, 그러한 사실 또는 법률관계가 개정 법령이 시행되기 이전에 이미 완성 또는 종결된 것이 아니라면 소급입법금지원칙에 위반된다. (×) → 되지 않는다

기존의 사실·법률관계가 신법 시행되기 전에 완성된 것×
▷ 소급입법금지원칙 위배×

3 과세연도 진행 중 세법개정으로 인한 세율인상은 부진정소급이므로 허용된다. ★★

과세단위가 시간적으로 정해지는 조세에 있어 과세표준기간인 과세연도 진행 중에 세율인상 등 납세의무를 가중하는 세법의 제정이 있는 경우에는 이미 충족되지 아니한 과세요건을 대상으로 하는 강학상 이른바 부진정소급효의 경우이므로 그 과세연도 개시 시에 소급적용이 허용된다(대판 1983.4.26. 81누423).

15. 서울시 9급 「소득세법」이 개정되어 세율이 인상된 경우, 법 개정 전부터 개정법이 발효된 후에까지 걸쳐 있는 과세기간(1년)의 전체 소득에 대하여 인상된 세율을 적용하는 것은 재산권에 대한 소급적 박탈이 되므로 위법하다. (×) → 아니므로, 위법하지 않다

과세연도 진행 중 세법개정으로 인한 세율인상
▷ 원칙적 허용(∵부진정소급)

계속된 사실이나 신법 시행 후 발생한 사실에 대해 신법적용
▷ 소급금지원칙에 저촉×

학기 중 징계요건 완화하는 학칙개정 후 개정학칙에 따른 징계처분
▷ 원칙적 허용(∵부진정소급)

부진정소급적용의 예외적 불허
▷ 법령이 실현하고자 하는 공익 < 침해받는 신뢰보호가치, 개정 전 구법 적용

구법 존속에 대한 국민의 신뢰 > 신법 적용에 관한 공익상 요구
▷ 신법적용 제한 可

진정소급적용의 예외적 허용
▷ 일반 국민의 이해에 직접적 관계 無, 오히려 이익 증진, 불이익·고통 제거하는 경우 등

❶ 경과규정
법령이 새로 제정되거나 개·폐되는 경우에 종전의 제도[구법(舊法)]와 새로운 제도[신법(新法)]와의 관계를 명확하게 규정하기 위하여 과도기적 조치로 두는 규정으로, 보통 법령의 부칙에 이를 규정하고 있다. 경과조치(經過措置)라고도 한다[예 ① 구 「지방세법」 부칙 제7조(일반적 경과조치) 이 법 시행당시 종전의 규정에 의하여 부과 또는 감면하였거나 부과 또는 감면하여야 할 지방세에 대하여는 종전의 규정에 의한다. ② 「법인세법」 부칙 제3조(사업연도신고 등에 관한 적용례) 제3조 및 제67조의 개정규정은 1995년 1월 1일 이후 최초로 신고, 등록 또는 재화 등을 공급하는 분부터 적용한다].

4 계속된 사실이나 새로운 법령 시행 후에 발생한 부과요건사실에 대하여 새로운 법령을 적용하는 것은 소급적용금지의 원칙에 저촉되지 않는다(대판 1995.4.25. 93누13728). ★★

08. 국가직 9급 계속된 사실이나 새 법령 시행 후에 발생한 부과요건사실에 대하여 새 법령을 적용하는 것은 소급입법금지원칙에 저촉되지 않는다. (○)

5 성적불량을 이유로 한 학생징계처분에 있어서 수강신청 이후 징계요건을 완화한 학칙개정은 부진정소급효로서 허용된다. ★

대학이 성적불량을 이유로 학생에 대하여 징계처분을 하는 경우에 있어서 수강신청이 있은 후 징계요건을 완화하는 학칙개정이 이루어지고 이어 당해 시험이 실시되어 그 개정학칙에 따라 징계처분을 한 경우라면 이는 이른바 부진정소급효에 관한 것으로서 구 학칙의 존속에 관한 학생의 신뢰보호가 대학당국의 학칙개정의 목적달성보다 더 중요하다고 인정되는 특별한 사정이 없는 한 위법이라고 할 수 없다(대판 1989.7.11. 87누1123).

22. 국가직 9급 수강신청 후에 징계요건을 완화하는 학칙개정이 이루어지고 이어 시험이 실시되어 그 개정학칙에 따라 대학이 성적 불량을 이유로 학생에 대하여 징계처분을 한 경우라면 이는 이른바 부진정소급효에 관한 것으로서 특별한 사정이 없는 한 위법이라고 할 수 없다. (○)

© 다만, 부진정소급적용의 경우라도 개정 전 법령(구법)에 대한 국민의 신뢰와 개정된 법령을 적용할 공익을 이익형량하여 전자가 후자보다 큰 경우에는 개정 전의 법령(구법)을 적용하여야 한다.

⚖ 관련판례

개정법률의 적용과 관련하여서는 개정 전 법령의 존속에 대한 국민의 신뢰가 개정 법령의 적용에 관한 공익상의 요구보다 더 보호가치가 있다고 인정되는 경우에 그러한 국민의 신뢰를 보호하기 위하여 개정법령의 적용이 제한될 수 있는 여지가 있을 따름이다(대판 2014.4.24. 2013두26552 ; 대판 2020.7.23. 2019두31839). ★★

22. 군무원 9급, 14. 변호사 개정 전 허가기준의 존속에 관한 국민의 신뢰가 개정된 허가기준의 적용에 관한 공익상의 요구보다 더 보호가치가 있다고 인정되는 경우에는 그러한 국민의 신뢰를 보호하기 위하여 개정된 허가기준의 적용을 제한할 여지가 있다. (○)

③ **예외:** 법령의 (진정)소급적용, 특히 행정법규의 (진정)소급적용은 일반적으로는 법치주의의 원리에 반하고, 개인의 권리·자유에 부당한 침해를 가하며, 법률생활의 안정을 위협하는 것이어서, 이를 인정하지 않는 것이 원칙이다(법률불소급의 원칙 또는 행정법규불소급의 원칙). 다만, 법령을 소급적용하더라도 일반 국민의 이해에 직접 관계가 없는 경우, 오히려 그 이익을 증진하는 경우, 불이익이나 고통을 제거하는 경우 등의 특별한 사정이 있는 경우에 한하여 예외적으로 법령의 소급적용이 허용된다(대판 2005.5.13. 2004다8630).

15. 서울시 9급 과거에 완성된 사실에 대하여 당사자에게 불리하게 제정 또는 개정된 신법을 적용하는 것은 당사자의 법적 안정성을 해치는 것이므로 어떠한 경우에도 허용될 수 없다. (×) → 허용되지 않는 것이 원칙이지만 예외적으로 허용될 수도 있다

(2) 법 적용의 기준

경과규정❶ 등 특별규정 없이 법령이 변경된 경우, 행정청은 처분을 할 때 위반행위시의 법령을 적용해야 하는지, 아니면 처분시의 법령을 적용해야 하는지가 문제된다.

① 처분시법주의

   ㉠「행정기본법」제14조 제2항은 "당사자의 신청에 따른 처분은 법령 등에 특별한 규정이 있거나 처분 당시의 법령 등을 적용하기 곤란한 특별한 사정이 있는 경우를 제외하고는 처분 당시의 법령 등에 따른다."고 규정하고 있다.

   22. 군무원 9급 신청에 따른 처분은 신청 후 법령이 개정된 경우라도 법령 등에 특별한 규정이 있거나 처분 당시의 법령을 적용하기 곤란한 특별한 사정이 있는 경우를 제외하고는 개정된 법령을 적용한다. (○)

   21. 지방직 7급 당사자의 신청에 따른 처분은 다른 법령에 특별한 규정이 있는 경우를 제외하고는 신청 당시의 법령 등에 따른다. (✕) → 처분

   ㉡ 따라서 수익적 처분(예 인·허가처분)을 포함한 당사자의 신청에 따른 처분은 처분시 법령에 따른다. 다만, 예외적으로 행정청이 허가 등을 수리하고도 정당한 이유 없이 그 처리를 늦추어 그 사이에 허가 등의 기준이 엄격하게 변경되었다면 개정된 법령에 근거하여 거부처분을 하는 것은 허용될 수 없다(신청시법에 따름).

⚖ 관련판례

1 행정처분은 근거 법령이 개정된 경우에도 경과규정에서 달리 정함이 없는 한 처분 당시 시행되는 법령과 그에 정한 기준에 의하는 것이 원칙이다(대판 2014.4.24. 2013두26552). ★★

   18. 변호사, 14. 지방직 7급 행정처분은 그 근거 법령이 개정된 경우에도 경과규정에서 달리 정함이 없는 한, 처분 당시 시행되는 개정 법령과 그에 정한 기준에 의하는 것이 원칙이다. (○)

2 신청에 따른 처분의 경우 처분의 위법 여부는 처분 당시를 기준으로 판단한다. ★★
항고소송에서 처분의 위법 여부는 특별한 사정이 없는 한 그 처분 당시를 기준으로 판단하여야 한다. 이는 신청에 따른 (수익적) 처분의 경우에도 마찬가지이다. 새로 개정된 법령의 경과규정에서 달리 정함이 없는 한, 처분 당시에 시행되는 개정 법령과 그에서 정한 기준에 의하여 신청에 따른 처분의 발급 여부를 결정하는 것이 원칙이고, 그러한 개정 법령의 적용과 관련하여서는 개정 전 법령의 존속에 대한 국민의 신뢰가 개정 법령의 적용에 관한 공익상의 요구보다 더 보호가치가 있다고 인정되는 경우에 그러한 국민의 신뢰를 보호하기 위하여 그 적용이 제한될 수 있는 여지가 있을 따름이다(대판 2020.1.16. 2019다264700).

3 행정행위는 처분 당시에 시행 중인 법령과 허가기준에 의하여 하는 것이 원칙이고 인·허가신청 후 처분 전에 관계 법령이 개정시행된 경우 신법령 부칙에 그 시행 전에 이미 허가신청이 있는 때에는 종전의 규정에 의한다는 취지의 경과규정을 두지 아니한 이상 당연히 허가신청 당시의 법령에 의하여 허가 여부를 판단하여야 하는 것은 아니며, 소관 행정청이 허가신청을 수리하고도 정당한 이유 없이 처리를 늦추어 그 사이에 법령 및 허가기준이 변경된 것이 아닌 한 변경된 법령 및 허가기준에 따라서 한 불허가처분은 적법하다(대판 1998.3.27. 96누19772).

   비교 장해급여지급을 위한 장해등급결정은 그 지급사유 발생 당시의 법령을 따라야 한다. ★
   산업재해보상보험법상 장해급여는 근로자가 업무상의 사유로 부상을 당하거나 질병에 걸려 치료를 종결한 후 신체 등에 장해가 있는 경우 그 지급사유가 발생하고, 그 때 근로자는 장해급여지급청구권을 취득하므로, 장해급여지급을 위한 장해등급결정 역시 장해급여지급청구권을 취득할 당시, 즉 그 지급사유 발생 당시의 법령에 따르는 것이 원칙이다(대판 2007.2.22. 2004두12957).
   14. 지방직 9급 장해급여 지급을 위한 장해등급결정과 같이 행정청이 확정된 법률관계를 확인하는 처분을 하는 경우에는 처분시 법령을 적용하여야 한다. (✕) → 지급사유 발생시의

함께 정리하기

신청에 따른 처분
▷ 원칙: 처분시법
▷ 특별한 규정이 있거나 처분시법을 적용하기 곤란한 특별한 사정 有: 신청시법(「행정기본법」제14조 제2항)

신청에 따른 처분의 위법판단 기준시
▷ 원칙: 처분시법
▷ 정당한 이유 없는 처리지체시: 신청시법

장해급여지급을 위한 장해등급결정
▷ 지급사유 발생 당시 법령 적용

법령 등을 위반한 행위의 성립과 제재처분
▷ 원칙: 행위시법
▷ 법령이 유리하게 변경된 경우: (제재)처분시법

② 행위시법주의

ⓐ 「행정기본법」 제14조 제3항은 "법령 등을 위반한 행위의 성립과 이에 대한 제재처분은 법령 등에 특별한 규정이 있는 경우를 제외하고는 법령 등의 위반한 행위 당시의 법령 등에 따른다. 다만, 법령 등을 위반한 행위 후 법령 등의 변경에 의하여 그 행위가 법령 등을 위반한 행위에 해당하지 아니하거나 제재처분 기준이 가벼워진 경우로서 해당 법령 등에 특별한 규정이 없는 경우에는 변경된 법령 등을 적용한다."고 규정하고 있다.

22. 국회직 9급 위반행위 시점과 과태료 부과시점 사이에 법이 개정되어 과태료 부과상한선이 300만원으로 조정된 경우 과태료 500만원의 부과는 적법하다. (×) → 위법

ⓑ 따라서 법령 등을 위반한 행위의 성립과 이에 대한 제재처분(예 인허가등 취소, 과징금·과태료 부과 등)은 행위시의 법령에 따른다. 다만, 예외적으로 법령이 위반행위자에게 유리하게 변경된 경우에는 개정법령(처분시법)을 적용한다.

구법 시행 당시의 위법행위에 대해 신법 시행 이후 과징금 부과처분 기준
▷ 행위시법인 구법 적용

🔨 관련판례

1 **구 건설산업기본법 시행 당시의 위법행위에 대해 신법 시행 이후 과징금 부과처분을 하는 경우 경과규정 등의 특별규정이 없는 한, 구체적인 부과기준은 행위시의 시행령을 기준으로 한다. ★★★**

법령이 변경된 경우 신 법령이 피적용자에게 유리하여 이를 적용하도록 하는 경과규정을 두는 등의 특별한 규정이 없는 한 헌법 제13조 등의 규정에 비추어 볼 때 그 변경 전에 발생한 사항에 대하여는 변경 후의 신 법령이 아니라 변경 전의 구 법령이 적용되어야 한다. 구 건설업법 시행 당시에 건설업자가 도급받은 건설공사 중 전문공사를 그 전문공사를 시공할 자격 없는 자에게 하도급한 행위에 대하여 건설산업기본법 시행 이후에 과징금 부과처분을 하는 경우, 과징금의 부과상한은 건설산업기본법 부칙 제5조 제1항에 의하여 피적용자에게 유리하게 개정된 건설산업기본법 제82조 제2항에 따르되, 구체적인 부과기준에 대하여는 처분시의 시행령이 행위시의 시행령보다 불리하게 개정되었고 어느 시행령을 적용할 것인지에 대하여 특별한 규정이 없으므로, 행위시의 시행령을 적용하여야 한다(대판 2002.12.10. 2001두3228).

20. 군무원 9급 법령이 변경된 경우 신 법령이 피적용자에게 유리하여 이를 적용하도록 하는 경과규정을 두는 등의 특별한 규정이 없는 한 헌법 제13조 등의 규정에 비추어 볼 때 그 변경 전에 발생한 사항에 대하여는 변경 후의 신 법령이 아니라 변경 전의 구 법령이 적용되어야 한다. (○)

18. 5급 승진 법령위반에 대한 과징금 부과기준이 위반행위시에 비하여 엄격하게 개정된 경우, 적용법령에 관한 특별한 규정이 없다면 처분시가 아닌 위반행위시의 법령에 따른 기준을 적용한다. (○)

15. 서울시 9급 행정법규 위반자에 대한 제재처분을 하기 전에 처분의 기준이 행위시보다 불리하게 개정되었고 개정법에 경과규정을 두는 등의 특별한 규정이 없다면, 행위시의 법령을 적용하여야 한다. (○)

15. 국가직 9급, 14. 변호사 건설업자가 시공자격 없는 자에게 전문공사를 하도급한 행위에 대하여 과징금부과처분을 하는 경우, 구체적인 부과기준에 대하여 처분시의 법령이 행위시의 법령보다 불리하게 개정되었고 어느 법령을 적용할 것인지에 대하여 특별한 규정이 없다면 행위시의 법령을 적용하여야 한다. (○)

법률이 개정되어 행위시법에 의하면 과태료 부과대상이었지만 재판시법에 의하면 과태료 부과대상이 아니게 된 경우
▷ 과태료 부과 불가

2 **질서위반행위에 대하여 과태료 부과의 근거 법률이 개정되어 행위 시의 법률에 의하면 과태료 부과대상이었지만 재판 시의 법률에 의하면 과태료 부과대상이 아니게 된 경우 과태료를 부과할 수 없다. ★★**

과태료 부과에 관한 일반법인 질서위반행위규제법에 의하면, 질서위반행위의 성립과 과태료 처분은 원칙적으로 행위 시의 법률에 따르지만(제3조 제1항), 질서위반행위 후 법률이 변경되어 그 행위가 질서위반행위에 해당하지 아니하게 되거나 과태료가 변경되기 전의 법률보다 가볍게 된 때에는 법률에 특별한 규정이 없는 한 변경된 법률을 적용하여야 한다. 따라서 질서위반행위에 대하여 과태료 부과의 근거 법률이 개정되어 행위 시의 법률에 의하면 과태료 부과대상이었지만 재판 시의 법률에 의하면 과태료 부과대상이 아니게 된 때에는 개정 법률의 부칙에서 종전 법률 시행 당시에 행해진 질서위반행위에 대해서는 행위 시의 법률을 적용하도록 특별한 규정을 두지 않은 이상 재판 시의 법률을 적용하여야 하므로 과태료를 부과할 수 없다(대결 2020.11.3. 2020마5594).

3 건설업면허수첩 대여행위가 그 행위 후 법령 개정으로 면허취소사유에서 삭제되었다면, 행위시법인 구법을 적용하여야 한다. ★

건설업자인 원고가 1973.12.31. 소외인에게 면허수첩을 대여한 것이 그 당시 시행된 건설업법 제38조 제1항 제8호 소정의 건설업면허 취소사유에 해당된다면 그 후 같은 법 시행령 제3조 제1항이 개정되어 건설업면허 취소사유에 해당하지 아니하게 되었다 하더라도 국토해양부장관은 동 면허수첩 대여행위 당시 시행된 건설업법 제38조 제1항 제8호를 적용하여 원고의 건설업 면허를 취소하여야 할 것이다(대판 1982.12.28. 82누1).

15. 서울시 9급 건설업면허수첩 대여행위가 그 행위 후 법령 개정으로 취소사유에서 삭제되었다면, 신법을 적용하여 건설업면허취소를 취소해야 한다는 것이 판례이다. (×) → 행위시법인 구법을 적용 / ×

3. 소급입법금지의 원칙

(1) 의의 및 근거

소급입법금지(遡及立法禁止)의 원칙이라 함은 법령을 이미 '종결된' 사실관계 또는 법률관계에 적용하는 것으로 입법하는 것을 금지하는 헌법상의 원칙으로 개인의 신뢰보호와 법적 안정성을 내용으로 하는 법치국가원리에 근거한다.

(2) 소급입법의 종류와 허용범위

① 기존의 법에 의하여 형성되어 이미 굳어진 개인의 법적 지위를 사후입법을 통하여 박탈하는 것을 내용으로 하는 진정소급입법은 개인의 신뢰보호와 법적 안정성을 내용으로 하는 법치국가원리에 의하여 특단의 사정이 없는 한 헌법적으로 허용되지 아니하는 것이 원칙이다(헌재 1998.9.30. 97헌바38).

② 그러나 아직 완성되지 아니하고 현재 진행 중인 사실관계에 새로운 법령을 적용하는 부진정소급입법은 엄밀한 의미의 소급입법이 아닌바, 원칙적으로 허용된다. 그러나 이 경우에도 소급효를 요구하는 공익상의 사유와 신뢰보호의 요청 사이의 교량과정에서 신뢰보호의 관점이 입법자의 형성권에 제한을 가하게 된다(헌재 1999.7.22. 97헌바76·98헌바50·51·52·54·55 ; 대판 2006.11.16. 2003두12899 전합). 따라서 법령의 개정에 있어서 구 법령의 존속에 대한 당사자의 신뢰가 합리적이고도 정당하며, 법령의 개정으로 야기되는 당사자의 손해가 극심하여 새로운 법령으로 달성하고자 하는 공익적 목적이 그러한 신뢰의 파괴를 정당화할 수 없다면 신·구법상의 이해관계 조정을 위하여 새로운 법령(신법)에 경과규정을 두어야 한다.

함께 정리하기

건설업면허 취소사유인 면허수첩 대여행위가 그 후 법령이 개정되면서 취소사유에서 삭제된 경우
▷ 행위시법인 구법 적용(∵건설업면허 취소○)

소급입법금지의 원칙
▷ 법령을 이미 '종결된' 사실관계 또는 법률관계에 적용하는 것으로 입법하는 것을 금지하는 헌법상의 원칙

진정소급입법
▷ 기존의 법에 의해 형성된 이미 굳어진 개인의 법적 지위를 사후적으로 박탈하는 입법
▷ 원칙: 불허

부진정소급입법
▷ 아직 완성되지 않고 현재 진행 중인 사실관계에 새로운 법령을 적용하는 입법(엄밀한 의미의 소급입법×)
▷ 원칙: 허용
▷ 예외: 불허(소급효를 요구하는 공익상의 사유 < 구법에 대한 개인의 신뢰보호)
→ 경과규정 要

18. 5급 승진 아직 완성되지 아니하고 진행 중인 사항에 대하여 새로운 법령을 적용하는 부진정소급입법은 원칙적으로 허용되지 않는다. (×) → 허용된다

21. 국회직 8급 계속 중인 사실이나 그 이후에 발생한 요건사실에 대한 법률적용을 인정하는 부진정소급입법의 경우 개인의 신뢰보호와 법적 안정성을 내용으로 하는 법치국가 원리에 의하여 허용되지 않는 것이 원칙이다. (×) → 허용되는

21. 서울시 7급, 17. 국가직 7급 법률의 개정이 있는 경우, 신법이 현재 진행 중인 사실관계에 적용되는 것은 원칙적으로 허용되지만 소급효를 요구하는 공익상의 사유와 신뢰보호의 요청 사이의 교량과정에서 신뢰보호의 관점이 입법자의 형성권에 제한을 가하게 된다. (○)

> **⚖ 관련판례**

법령의 개정에 있어서 구 법령의 존속에 대한 당사자의 신뢰가 합리적이고도 정당하며, 법령의 개정으로 야기되는 당사자의 손해가 극심하여 새로운 법령으로 달성하고자 하는 공익적 목적이 그러한 신뢰의 파괴를 정당화할 수 없다면, 경과규정을 두는 등 당사자의 신뢰를 보호할 적절한 조치 없이 새 법령을 그대로 시행하거나 적용하는 것은 신뢰보호의 원칙에 위배되기 때문에 허용될 수 없다. ★★

구법 존속에 대한 당사자의 신뢰가 합리적, 손해극심, 경과규정 없이 신법 그대로 시행
▷ 신뢰보호원칙 위반○

[1] 법령의 개정에 있어서 구 법령의 존속에 대한 당사자의 신뢰가 합리적이고도 정당하며, 법령의 개정으로 야기되는 당사자의 손해가 극심하여 새로운 법령으로 달성하고자 하는 공익적 목적이 그러한 신뢰의 파괴를 정당화할 수 없다면, 입법자는 경과규정을 두는 등 당사자의 신뢰를 보호할 적절한 조치를 하여야 하며, 이와 같은 적절한 조치 없이 새 법령을 그대로 시행하거나 적용하는 것은 허용될 수 없는 바, 이는 <u>헌법의 기본원리인 법치주의 원리에서 도출되는 신뢰보호의 원칙에 위배</u>되기 때문이다. 이러한 <u>신뢰보호 원칙의 위배 여부를 판단하기 위하여는 한편으로는 침해받은 이익의 보호가치, 침해의 중한 정도, 신뢰가 손상된 정도, 신뢰침해의 방법 등과 다른 한편으로는 새 법령을 통해 실현하고자 하는 공익적 목적을 종합적으로 비교·형량하여야 한다.</u>

10. 지방직 7급 법령의 개정에 있어서 구 법령의 존속에 대한 당사자의 신뢰가 합리적이고도 정당하며, 법령의 개정으로 야기되는 당사자의 손해가 극심하여 새로운 법령으로 달성하고자 하는 공익적 목적이 그러한 신뢰의 파괴를 정당화할 수 없다면, 입법자는 경과규정을 두는 등 당사자의 신뢰를 보호할 적절한 조치를 하여야 하며, 이와 같은 적절한 조치 없이 새 법령을 그대로 시행하거나 적용하는 것은 허용될 수 없는바, 이는 헌법의 기본원리인 법치주의 원리에서 도출되는 신뢰보호의 원칙에 위배되기 때문이다. (○)

19. 지방직 9급 법령 개폐에 있어서 신뢰보호원칙의 위반 여부는 한편으로는 침해받은 신뢰이익의 보호가치, 침해의 중한 정도, 신뢰침해의 방법 등과 다른 한편으로는 새 입법을 통해 실현코자 하는 공익목적을 종합적으로 비교형량하여 판단하여야 한다. (○)

절대평가제에서 상대평가제로 환원하는 「변리사법 시행령」 '즉시' 시행
▷ 신뢰보호원칙 위반○

[2] <u>변리사 제1차 시험의 상대평가제를 규정한 개정 시행령 제4조 제1항을 2002년의 제1차 시험에 시행하는 것은 헌법상 신뢰보호의 원칙에 비추어 허용될 수 없으므로, 개정 시행령 부칙 중 제4조 제1항을 즉시 2002년의 변리사 제1차 시험에 대하여 시행하도록 그 시행시기를 정한 부분은 헌법에 위반되어 무효이다</u>(대판 2006.11.16. 2003두12899 전합).

(3) 소급입법의 예외적 허용

진정소급입법의 예외적 허용
▷ 소급입법을 예상할 수 있는 경우, 신뢰이익이 적은 경우, 당사자의 손실이 없거나 경미한 경우, 심히 중대한 공익상 사유가 있는 경우 등

새로운 입법으로 이미 종료된 사실관계에 작용케 하는 진정소급입법은 헌법적으로 허용되지 않는 것이 원칙이다. 그러나 국민이 소급입법을 예상할 수 있었거나 법적 상태가 불확실하고 혼란스러워 보호할 만한 신뢰이익이 적은 경우와 소급입법에 의한 당사자의 손실이 없거나 아주 경미한 경우 그리고 신뢰보호의 요청에 우선하는 중대한 공익상의 사유가 소급입법을 정당화하는 경우 등에는 예외적으로 진정소급입법이 허용된다(헌재 1999.7.22. 97헌바76 등). 판례는 「친일반민족행위자 재산의 국가귀속에 관한 특별법」 사건에서도 이와 같은 법리를 설시하고 있다.

20. 소방간부, 20. 국가직 9급, 19. 경찰 2차, 16. 교행, 14. 국가직 9급 등 개정 법률이 진정소급입법에 해당하더라도, 국민이 소급입법을 예상할 수 있었거나 신뢰보호의 요청에 우선하는 심히 중대한 공익상의 사유가 소급입법을 정당화하는 경우 등에는 소급입법이 허용될 수 있다. (○)

18. 5급 승진 진정소급입법은 국민이 소급입법을 예상할 수 있었거나 법적상태가 불확실하고 혼란스러웠거나 하여 보호할만한 신뢰의 이익이 적은 경우에도 ~~허용될 수 없다~~. (×) → 경우에는 허용될 수 있다

⚖ 관련판례

친일 재산은 취득·증여 등 원인 행위 시에 국가의 소유로 한다고 정한 '친일반민족행위자 재산의 국가귀속에 관한 특별법' 제3조 제1항의 규정은 진정소급입법에 해당하지만 예외적으로 허용된다. ★★

친일 재산은 취득·증여 등 원인 행위 시에 국가의 소유로 한다고 규정하고 있는 구 '친일반민족행위자 재산의 국가귀속에 관한 특별법' 제3조 제1항 본문(이하 '귀속조항'이라 한다)은 진정소급입법에 해당하지만 진정소급입법이라 하더라도 예외적으로 국민이 소급입법을 예상할 수 있었거나 신뢰보호 요청에 우선하는 심히 중대한 공익상 사유가 소급입법을 정당화하는 경우 등에는 허용될 수 있는데, 친일재산의 소급적 박탈은 일반적으로 소급입법을 예상할 수 있었던 예외적인 사안이고, 진정소급입법을 통해 침해되는 법적 신뢰는 심각하다고 볼 수 없는 데 반해 이를 통해 달성되는 공익적 중대성은 압도적이라고 할 수 있으므로 진정소급입법이 허용되는 경우에 해당하고, 따라서 위 귀속조항이 진정소급입법이라는 이유만으로 헌법 제13조 제2항에 위배된다고 할 수 없다(대판 2012.2.23. 2010두17557 ; 대판 2011.5.13. 2009다26831).

19. 경찰 친일 재산은 취득·증여 등 원인 행위 시에 국가의 소유로 한다고 정한 「친일반민족행위자 재산의 국가귀속에 관한 특별법」 제3조 제1항의 규정은 ~~부진정 소급입법에 해당하므로 원칙적으로 허용된다~~. (×) → 진정소급입법에 해당하지만 예외적으로

(4) 헌법불합치결정과 개선입법의 소급적용

어떠한 법률조항에 대하여 헌법재판소가 헌법불합치결정을 하여 그 법률조항을 합헌적으로 개정 또는 폐지하는 임무를 입법자의 형성 재량에 맡긴 이상, 그 개선입법의 소급적용 여부와 소급적용의 범위는 원칙적으로 입법자의 재량에 달린 것이다(대판 2008.1.17. 2007두21563).

15. 사복직, 12. 국회직 9급 법률조항에 대하여 헌법재판소가 헌법불합치결정을 하여 그 법률조항을 합헌적으로 개정 또는 폐지하는 임무를 입법자의 형성재량에 맡긴 이상, 그 개선입법의 소급적용 여부와 소급적용의 범위는 원칙적으로 입법자의 재량에 달려 있다. (○)

4. 효력의 소멸

(1) 비한시법(悲恨時法)의 경우

① 한시법(일정한 유효기간이나 적용시한이 명문으로 정해져 있는 법)이 아닌 법령은 ㉠ 신법에 의한 명시적 폐지(신법은 동위 또는 상위법이어야 함)(대판 1994.3.1. 93누19719), ㉡ 신·구법의 내용상 충돌(묵시적 폐지), ㉢ 상위법의 소멸(예 수권법의 소멸로 위임명령은 소멸), ㉣ 규율대상인 사실관계의 영속성 종결(묵시적 폐지), ㉤ 위헌결정(「헌법재판소법」 제47조 제2항)으로 그 효력을 상실한다.

② 한편, 법률이 전문 개정된 경우에는 특별한 사정이 없는 한 종전 법률의 부칙규정도 효력이 소멸한다.

개정 법률이 전문 개정인 경우에는 기존 법률을 폐지하고 새로운 법률을 제정하는 것과 마찬가지이어서 종전의 본칙은 물론 부칙 규정도 모두 소멸하는 것으로 보아야 할 것이므로 특별한 사정이 없는 한 종전의 법률 부칙의 경과규정도 모두 실효된다고 보아야 한다(대판 2002.7.26. 2001두11168). ✱

08. 국가직 9급 법령이 전문개정된 경우 특별한 사정이 없는 한 종전의 법률 부칙의 경과규정도 모두 실효된다. (○)

한시법
▷ 유효기간이 경과하면 자동 효력 소멸

(2) 한시법(恨時法)의 경우

한시법은 그 유효기간이 경과하면 별도의 법령폐지행위가 없어도 자동적으로 효력이 소멸한다.

12. 사복직 한시법은 명문으로 정해진 유효기간이 경과하더라도 당연히 그 효력이 소멸되는 것은 아니다. (×) → 하면 / 소멸된다

2 지역적 효력

원칙
▷ 제정기관의 권한이 미치는 지역 내
▷ 법률·명령: 대한민국 내(북한 포함)
▷ 조례·규칙: 당해 지방자치단체 구역 내

1. 원칙

행정법령은 제정기관의 권한이 미치는 지역 내에서 효력을 가진다. 따라서 국가의 법령(예 국회가 제정한 법률이나 중앙행정관청이 제정한 법규명령)은 전국적으로 효력을 가지고, 지방자치단체의 조례나 규칙은 당해 지방자치단체의 관할구역 내에서만 효력을 갖는다.

예외
▷ 치외법권구역
▷ 특정지역에 관한 개별사건법률
▷ 다른 지자체에 효력이 미치는 자치법규

2. 예외

(1) 국제법상 치외법권이 인정되는 시설 내에서는 국내법령의 효력이 미치지 않는다(예 대사관, 외교관).

(2) 국가의 법령이라도 특정지역에만 적용되는 것으로 그 적용지역을 한정하여 제정된 경우 그 특정지역에서만 효력을 가진다(개별사건법률의 예시: 「제주국제자유도시 특별법」, 「수도권정비계획법」 등).

16. 교행 특정지역만을 규율대상으로 하는 법률은 무효이다. (×) → 유효하다

(3) 행정법령이 그 제정기관의 본래 권한이 미치는 지역을 넘어 적용되는 경우도 있다. 예컨대, 한 지역의 지방자치단체의 조례가 다른 지방자치단체의 구역 내에 효력이 미치는 경우이다(예 화장장을 다른 지자체의 동의를 얻어 그 구역 내에 설치하는 경우 화장장을 설치한 지자체의 화장장에 관한 조례).

08. 경기 9급 한 지역의 지방자치단체의 조례가 다른 구역에도 그 효력이 가지는 경우도 있다. (○)

3 대인적 효력

1. 원칙

행정법규는 속지주의 원칙에 따라 그 영토 또는 관할구역 내에 있는 모든 자에게 적용된다. 자연인·법인, 내국인·외국인 여하는 불문한다.

2. 예외

(1) 국제법상 치외법권이 인정되는 외국원수 또는 외교사절에 대해서는 국내법령이 적용되지 않는다.

(2) 국내에 주둔하는 미합중국군대의 구성원에 대하여는 협정체결(한미행정협정)에 의해 국내법령의 적용이 제한(<u>예</u> 형사재판권)된다.

(3) 외국인에 대하여는 상호주의가 적용되는 경우가 있고(「국가배상법」 제7조), 출입국 특례(「출입국관리법」 제3장), 참정권 제한 등 특칙을 두는 경우가 있다.

(4) 국외에 있는 한국인에 대하여 「여권법」, 「병역법」 등 국내법령이 적용되는 경우가 있다. 이와 같이 사람을 기준으로 그 효력을 정하는 것을 속인주의라 한다.

<small>12. 국회직 9급 국외의 자국인에 대하여 국내법령은 적용되지 않는다. (×) → 적용되는 경우도 있다</small>

원칙

▷ 속지주의, 영토 또는 관할구역 내에 있는 자연인·법인, 내·외국인 여하 불문

예외

▷ 치외법권자, 국내에 주둔하는 미합중국군대의 구성원, 상호주의, 출입국 특례, 참정권 제한 등 특칙, 속인주의

속인주의

▷ 국외에 있는 자국인에 대해 「여권법」, 「병역법」 등 국내법령이 적용되는 경우

함께 정리하기

제1절 당사자

행정상 법률관계의 당사자에는 행정권을 담당하는 행정주체와 그 상대방이 되는 행정객체가 있다.

1 행정주체

1. 개념 및 행정기관과의 관계

행정주체
▷ 행정권(능) 보유, 법적 효과 귀속○

행정기관
▷ 행정권한 실제 행사, 법적 효과 귀속✕

❶ 법인격
행위의 법적 효과(권리·의무)가 귀속되는 지위 내지 자격을 의미한다. 행정주체는 법인격이 있으나(법인), 행정기관은 법인격이 없다.

(1) 행정주체란 행정권의 담당자로서 각종 행정작용의 법적 효과의 귀속주체(법인격❶을 가지는 자)를 의미하는데, 이러한 행정주체에는 국가, 지방자치단체, 각종 공법인[공공조합(공법상 사단법인), 영조물법인, 공재단(공법상 재단법인)], 공무수탁사인(공권력이 부여된 사인)이 있다.

(2) 한편, 행정주체와 구별되어야 할 개념으로서 행정기관이 있다. 국가나 지방자치단체 등과 같은 행정주체는 물리적인 실체가 없어서 권한을 가진 기관을 통하여 활동을 할 수밖에 없는데, 그 행위의 법률효과를 행정주체에게 귀속시킬 수 있는 '권한의 귀속자(권한행사자, 실제로 행정사무를 처리하는자)'를 행정기관이라 한다.
행정주체는 스스로의 이름으로 행정권을 행사하고 그의 법률효과가 자신에게 귀속되는데 반하여, 행정기관은 행정주체를 위하여 권한을 행사(사무를 수행)할 수 있을 뿐 그 행위의 법적 효과(권리·의무)는 행정기관 자신이 아니라 행정주체에게 귀속된다는 점에서 양자는 차이가 있다(행정기관은 행정주체의 기관에 불과하여 직무집행의 권한만 가질 뿐 권리는 가지지 않는다).❷

❷
한편, 행정기관을 조직법적 관점에서 보면, 「정부조직법」 제2조 제2항에서 "중앙행정기관은 … 부·처 및 청으로 한다."라고 규정하고 있는 것처럼 '행정사무의 분배단위'를 말한다.

2. 행정기관의 종류

행정기관의 예로는 대통령, 국무총리, 장관, 차관, 차관보, 국장, 담당관, 과장, 계장 등이 있는데 이들 행정기관은 상이한 법적 지위를 갖는 여러 종류의 행정기관(예 행정청, 보조기관, 보좌기관, 의결기관, 자문기관 등)으로 분류될 수 있다.

행정청
▷ 의사결정·외부표시 권한 있는 행정기관

(1) 행정청

① 개념 및 유형

㉠ 행정청이란 행정주체의 의사를 내부적으로 '결정'하고 그와 같은 의사를 '외부에 표시'할 수 있는 권한을 가진 행정기관을 말한다. 국민과의 관계에서 행정권의 행사는 원칙상 행정청의 지위를 갖는 행정기관의 결정에 의해 그의 이름으로(표시) 행하여지기 때문에 '행정청'이 가장 중요한 행정기관이 된다.

ⓛ 국가에 있어서는 통상 장관, 청장과 특별지방행정기관(ⓔ 지방고용노동청, 지방국토관리청, 지방환경관리청, 지방경찰청, 세관 등)의 장이 행정청이 되고, 지방자치단체에 있어서는 지방자치단체의 장이 행정청이 된다. 지방자치단체가 아닌 공공단체와 공무수탁사인의 경우에는 권한을 위임·위탁받은 한도 내에서 행정주체이면서 동시에 행정청의 기능을 같이 수행하기도 한다.

② 종류

ⓖ 독임제 행정청은 구성원이 1명인 행정청을 의미하는바, 예컨대 장관, 경찰서장, 특별시장, 도지사 등 주로 기관장과 권한을 위임받은 행정기관이 이에 해당한다.

ⓛ 합의제 행정청은 행정심판위원회, 토지수용위원회, 중앙선거관리위원회, 노동위원회, 금융통화위원회, 공정거래위원회 등 구성원이 2명 이상인 행정청을 의미하는바, 각종 위원회로서 의사를 결정하여 그 결정된 의사를 자기의 이름으로 대외적으로 표시할 수 있는 권한을 가진 위원회가 이에 해당한다. 그러나, 대외적인 표시권한 없이 심리권이나 의결권만 갖고 있는 위원회(ⓔ 의결기관)는 행정청이 아니다.

17. 국가직 7급 중앙행정심판위원회는 행정주체의 의사를 자기의 이름으로 외부에 표시하는 권한을 가진 기관이다. (○)

(2) 의결기관

행정기관 중 의결기관은 행정주체의 의사를 결정하는 권한만 가지고, 이를 외부에 표시할 권한은 가지지 못하는 기관을 말한다(ⓔ 공무원 징계위원회 등 각종징계위원회, 교육위원회 등). 의결기관은 외부에의 의사표시권한이 없다는 점에서 그와 같은 권한이 있는 합의제 행정청과 구별되고, 의결기관의 결정은 행정청을 구속한다는 점에서 자문기관과 구별된다.

17. 국가직 7급 「국가공무원법」상 징계위원회는 행정주체의 의사를 결정하는 권한만을 가지고 이를 외부에 표시할 권한은 가지지 못하는 기관이다. (○)

(3) 보조기관

행정기관 중 보조기관은 국가와 지방자치단체의 행정청에 소속되어 행정청의 의사결정을 보조하거나 그 명을 받아 사무에 종사하는 행정기관이다(ⓔ 행정각부의 차관, 차장, 실장, 국장, 팀장, 계장 및 지방자치단체의 부지사, 부시장, 국장, 과장 등). 보조기관은 독자적으로 의사를 결정하고 외부에 대하여 표시하는 권한을 갖지 못한다. 다만, 보조기관이 행정청의 위임을 받아 대외적으로 행정권한을 행사하는 경우에는 예외적으로 행정청이 된다.

17. 국가직 7급 행정각부의 실장은 행정청에 소속되어 행정청의 의사결정을 보조하거나 그 명을 받아 사무에 종사하는 기관이다. (○)

(4) 보좌기관

행정기관 중 보좌기관은 행정청 및 보조기관을 지원함으로써 행정업무에 간접적으로 참여하는 기관을 말한다(ⓔ 대통령실, 국무총리실, 국무조정실, 행정각부의 차관보, 담당관 등). 행정청을 보조하면서 행정업무에 직접 참여하는 보조기관과 구별된다.

17. 국가직 7급 행정각부의 차관보는 행정청에 소속되어 행정청의 의사결정을 보조하거나 그 명을 받아 사무에 종사하는 기관이다. (×) → 행정청 및 보조기관을 지원함으로써 행정업무에 간접적으로 참여

함께 정리하기

국가
▷ 통상 장관·청장·특별지방행정기관의 장

지방자치단체
▷ 통상 단체장

지방자치단체가 아닌 공공단체·공무수탁사인
▷ 권한을 위탁받은 한도 내에서 행정주체이면서 동시에 행정청

독임제 행정청
▷ 구성원 1명

합의제 행정청
▷ 구성원 2명 이상

의결기관
▷ 의사결정권한○, 표시권한×

보조기관
▷ 행정청에 소속되어 권한 행사보조
▷ 의사결정·표시권한×
▷ but 위임 있는 경우 행정청○

보좌기관
▷ 행정청·보조기관 지원

자문기관
▷ 의견제시권한○

집행기관
▷ 의사집행권한○

국가
▷ 시원적 행정주체

공공단체
▷ 국가행정의 일부가 이전되어 국가의 감독아래 공공업무를 수행하는 독립된 공법인

광의의 공공단체(전래적 행정주체)
▷ 지방자치단체 · 협의의 공공단체

협의의 공공단체
▷ 행정주체 + 행정청(항고소송의 피고)

지방자치단체
▷ 일정한 지역 내의 주민을 구성요소로 하여 행정권 행사하는 법인격을 가진 공공단체
▷ 지방자치단체가 아닌 그에 소속된 기관 (단체장 · 의회)이 행정청의 지위○

자치사무 · 단체위임사무의 효과귀속주체
▷ 지방자치단체(수임자)

기관위임사무의 효과귀속주체
▷ 국가 또는 위임기관이 속한 지방자치단체(위임자)

❶ **지방자치단체가 아닌 경우**
① 읍, 면은 지방자치단체가 아니다.
② 제주도는 제주특별법의 규정에 따라 특별자치도로 전환되면서 기초단체를 폐지함으로써 제주도 내에 있는 시(제주시, 서귀포시, 남제주군, 북제주군)는 지방자치단체가 아니다.
③ 성남시 '분당구', 고양시 '일산구', 부천시 '소사구'와 같이 기초지방자치단체 안에 있는 구는 자치구가 아닌 구이다.

(5) 자문기관

행정기관 중 자문기관은 행정청에 의견을 제시하는 것을 임무로 하는 기관을 말한다(예 국가안전보장회의 등). 행정청은 자문기관의 의견에 구속되지 않는다.

(6) 집행기관

행정기관 중 집행기관은 실력으로써 행정청의 의사결정사항을 집행하는 기관을 말한다(예 경찰공무원, 소방공무원, 세무공무원 등).

3. 행정주체의 종류

(1) 국가

국가는 법인격을 가진 법인으로서 행정권을 다른 곳으로부터 위임받는 것이 아니라 원래부터 갖고 있기 때문에 시원적(始原的) 행정주체라고 한다.

19. 군무원 9급 대한민국은 행정주체이다. (○)

(2) 공공단체(公共團體)

① **의의**: 국가는 자신이 가진 모든 권력을 행사하지 않고 일부의 권력을 법률에 근거하여 다른 행정단위에게 이전할 수도 있는데, 이 때 그 행정단위가 법적으로 독립된 경우(즉, 법인인 경우) 이를 공공단체라 부른다.

광의의 공공단체는 지방자치단체와 협의의 공공단체를 포함한다. 공공단체가 국가 등으로부터 전래받은 행정권을 행사하는 경우에는 지방자치단체의 경우를 제외하고는 공공단체 그 자체가 행정주체이면서 동시에 행정청이 되고 항고소송의 피고가 된다(「행정소송법」 제2조 제2항).

② **지방자치단체**

㉠ 지방자치단체(地方自治團體)는 일정한 구역에서 그 주민을 상대로 지배권을 행사하는 법인격을 가진 공공단체로서, 협의의 공공단체와 달리 특정한 사업수행만을 담당하는 것이 아니라 일반적인 행정을 담당하며, 일정한 지역과 주민을 가지고 있다는 점에서 타 공공단체와 구별된다. 또한 지방자치단체는 국가배상청구소송의 피고가 되고(「국가배상법」 제2조 제1항), 지방자치단체가 아니라 그에 소속된 기관(예 시 · 도지사, 시 · 도의회)이 행정청의 지위를 가지며, 그 소속 임직원은 공무원의 신분을 가진다.

㉡ 지방자치단체에는 보통지방자치단체(특별시, 광역시, 도, 시, 군, 자치구)와 특별지방자치단체(지방자치단체조합 등)가 있고, 보통지방자치단체는 광역자치단체(특별시, 광역시, 도, 특별자치도, 특별자치시)와 기초자치단체(시, 군, 자치구)로 구별된다.❶

㉢ 지방자치단체는 지방자치단체의 주민의 복리에 관한 고유사무인 자치사무와 국가로부터 위임받은 위임사무를 수행한다. 자치사무와 단체위임사무는 지방자치단체의 사무가 되므로 지방자치단체의 행정기관의 활동의 법적 효과는 법주체인 지방자치단체에 귀속된다. 그러나 기관위임사무는 지방자치단체가 아니라 지방자치단체의 행정기관(특히 지방자치단체의 장)에게 위임된 사무로서, 그 사무는 지방자치단체의 사무가 아니라 국가사무 또는 위임기관이 속한 지방자치단체의 사무이다. 따라서 기관위임사무 수행의 법적 효과는 국가 또는 위임기관이 속한 지방자치단체에 귀속된다.

13. 국가직 9급 서울특별시는 행정주체가 될 수 없다. (×) → 있다

16. 서울시 9급 국가와 지방자치단체(서울특별시, 대구광역시)는 행정주체이다. (○)

11. 경찰 1차 지방자치단체는 행정주체의 지위를 갖는다. (○)

③ 협의의 공공단체

협의의 공공단체란 특정한 국가목적을 위하여 설립된 법인격이 부여된 단체(공법인)를 말한다. 협의의 공공단체에는 공공조합, 영조물법인, 공법상 재단이 있고, 법정의 고유한 행정사무뿐만 아니라 행정기관이 임의로 위탁한 행정사무도 수행한다.

㉠ **공공조합(공법상 사단법인)**: 공공조합(公共組合)이란 특정한 행정목적을 위하여 일정한 자격을 가진 사람들(조합원)에 의하여 구성된 공법상의 사단법인을 말한다. 공공조합은 법령에 의하여 국가 또는 지방자치단체의 사무를 위임받아 행정객체인 제3자에게 행정권을 행사하고 그 법적 효과가 귀속되는 행정주체로서의 지위를 가진다. 공공조합은 인적 결합체라는 점에서 사법상의 사단법인과 같지만, 그 목적이 국가나 지방자치단체로부터 부여된다는 점에서 구별된다. 이러한 공공조합은 그 설립목적에 따라 경제적 목적을 위한 것(예 상공회의소), 지역개발을 목적으로 한 것[예 도시재개발조합, 재건축조합, 농지개량조합(현 한국농어촌공사)], 직능목적을 위한 것(예 대한변호사협회, 대한의사협회, 대한약사회), 사회복지를 목적으로 한 것(예 의료보험조합, 국민연금공단)으로 나눌 수 있다.

🗡 관련판례

1 **도시 및 주거환경정비법상의 주택재건축정비사업조합은 행정주체이다. ★★**
도시 및 주거환경정비법에 따른 주택재건축정비사업조합은 관할 행정청의 감독 아래 위 법상의 주택재건축사업을 시행하는 공법인(제18조)으로서, 그 목적범위 내에서 법령이 정하는 바에 따라 일정한 행정작용을 행하는 행정주체의 지위를 갖는다(대판 2009.10.15. 2008다93001 ; 대판 2010.7.29. 2008다6328).

17. 사복직 「도시 및 주거환경정비법」상 주택재건축정비사업조합은 공법인으로서 목적 범위 내에서 법령이 정하는 바에 따라 일정한 행정작용을 행하는 행정주체의 지위를 갖는다. (○)

19. 군무원 9급, 17. 서울시 9급 「도시 및 주거환경정비법」에 따른 주택재건축정비조합은 공법인으로서 행정주체의 지위를 가진다고 보기 어렵다. (×) → ×

2 **대한변호사협회는 변호사와 지방변호사회의 지도·감독에 관한 사무를 처리하기 위하여 변호사법에 의하여 설립된 공법인으로서, 변호사등록은 피고 대한변호사협회가 변호사법에 의하여 국가로부터 위탁받아 수행하는 공행정사무에 해당한다(헌재 2019.11.28. 2017헌마759 ; 대판 2021.1.28. 2019다260197).**

22. 경찰간부 변호사등록은 대한변호사협회가 「변호사법」에 의하여 국가로부터 위탁받아 수행하는 공행정사무에 해당한다. (○)

㉡ **공재단(공법상 재단법인)**: 공법상의 재단법인(財團法人)이란 국가나 지방자치단체가 출연(出捐)한 재산을 관리하기 위하여 설립된 재단법인인 공공단체를 말한다(예 한국학술진흥재단, 한국학중앙연구원, 한국연구재단, 인천문화재단, 안양공연예술재단 등). 공법상 재단법인은 재산이 그 구성요소이므로 운영자나 직원은 존재하나 그 구성원은 존재하지 않는다.

18. 국회직 8급 한국연구재단은 공법상 재단법인에 해당한다. (○)

함께 정리하기

협의의 공공단체: 특정한 국가목적을 위하여 설립된 공법인
▷ 공공조합, 영조물법인, 공법상 재단

공공조합
▷ 특정한 행정목적을 위하여 일정한 자격을 갖춘 사람(조합원)의 결합체에 법인격이 부여된 공법상의 사단법인

「도시 및 주거환경정비법」상의 주택재건축정비사업조합
▷ 공법인(행정주체○)

대한변호사협회
▷ 공법인
변호사등록
▷ 공행정사무

공재단
▷ 행정주체가 공공목적을 위하여 출연한 재산을 관리하기 위해 설립된 공법상의 재단법인

ⓒ 영조물법인(營造物法人)

ⓐ 특정 행정목적에 제공된 인적·물적 시설의 종합체인 영조물에 독립된 법인격이 부여된 것을 영조물법인이라 한다. 영조물법인은 행정주체이지만, 독립된 법인격을 취득하지 못한 영조물[예 국립도서관, 국립대학교(부산대학교, 경북대학교 등), 공립학교 등]은 행정주체가 아니다.

ⓑ 영조물은 공익사업을 수행한다는 점에서 공기업과 유사하지만, 공기업이 사법상의 경영방식에 의해 수행하는 수익적 사업인 반면에, 영조물은 강한 공공성과 윤리성을 갖는 정신적·문화적·행정적 사업인 점에서 공기업과 구별된다. 따라서 영조물의 조직과 이용에는 공법이 적용되지만 공기업의 조직이나 이용은 원칙적으로 사법에 의해 규율된다.

ⓒ 영조물법인은 법률에 의해 성립한 것(예 한국방송공사, 한국토지주택공사, 한국은행, 서울대학교병원, 서울대학교, 국립의료원, 인천국제공항공사 등)과, 법률에 근거를 두고 조례에 의해 성립한 것(예 서울특별시지하철공사)으로 나눌 수 있다.

19. 군무원 9급 한국토지주택공사는 행정주체이다. (○)
18. 국회직 8급 한국방송공사는 공법상 영조물법인에 해당한다. (○)
18. 국회직 8급 국립의료원은 공법상 사단법인에 해당한다. (×) → 영조물법인
16. 서울시 9급 서울대학교는 행정주체의 지위를 갖는다고 할 수 없다. (×) → ×

④ 공공단체 임직원의 법적 지위

㉠ 국가 또는 지방자치단체의 사무가 아닌 공법인과 그 임직원의 내부적 법률관계는 법령에 규정된 내용에 따라 결정되겠지만, 명시적인 규정이 없는 경우 행정주체의 지위에 있다고 할 수 없다.

㉡ 대법원은 한국조폐공사의 직원에 대한 징계(대판 1978.4.25. 78다414), 서울특별시지하철공사의 임직원에 대한 징계(대판 1989.9.12. 89누2103), 의료보험조합의 직원에 대한 징계(대판 1987.12.8. 87누884), 의료보험관리공단과 직원과의 근무관계(대판 1993.11.23. 93누15212)는 공법관계가 아니라 사법관계라고 하였다. 또한 한국마사회가 조교사 또는 기수의 면허를 부여하거나 취소하는 것도 사법상의 법률관계에서 이루어지는 단체 내부에서의 징계 내지 제재처분이라고 하였다(대판 2008.1.31. 2005두8269).

㉢ 다만, 공공조합인 농지개량조합에 대해서는 "도지사가 시행하는 공개경쟁채용의 방법으로 직원을 임명하도록 되어 있고 직원의 임용자격, 복무상의 의무, 그 신분보장 및 징계처분에 관하여는 공무원에 관한 것과 같은 엄격한 규정을 두고 있는 취지 및 목적으로 미루어 보면, 농지개량조합과 그 직원과의 관계는 사법상의 근로계약관계가 아닌 공법상의 특별권력관계로 규율되고 있다고 인정되므로 농지개량조합의 직원에 대한 징계처분의 취소를 구하는 소송은 행정소송사항에 속한다."고 판시하여 공법관계라고 하였다(대판 1995.6.9. 94누10870).❶

❶
판례는 국가기관과 직원의 관계임에도 사법상 계약관계라고 본 사례도 있다. 종합유선방송위원회는 그 설치의 법적 근거, 법에 의하여 부여된 직무, 위원의 임명절차 등을 종합하여 볼 때 국가기관이고, 그 사무국 직원들의 근로관계는 사법상의 계약관계이므로, 사무국 직원들은 국가를 상대로 민사소송으로 그 계약에 따른 임금과 퇴직금의 지급을 청구할 수 있다(대판 2001.12.24. 2001다54038).

(3) 공무수탁사인

① **의의**: 공무수탁사인이란 공행정사무를 위탁받아 자신의 이름으로 처리할 수 있는 권한을 갖고 있는 행정주체인 사인(私人)을 말한다. 사인은 통상 행정주체의 상대방인 행정객체의 지위에 있지만, 행정주체로부터 공행정사무를 위탁받아 처리하는 한도 내에서는 행정주체의 지위에 있다. 이러한 공무수탁사인은 자연인일 수도 있고 사법인 또는 법인격 없는 단체일 수도 있다.[1]

17. 서울시 9급 법인격 없는 단체는 공무수탁사인이 될 수 없다. (×) → 있다

10. 국가직 7급 국가행정관청의 권한의 위임은 보조기관, 하급행정기관, 지방자치단체, 지방자치단체의 기관 등에 위임될 수 있으나, 민간에 위임될 수는 없다. (×) → 있다

② **구체적인 예**
- ㉠ 「공익사업을 위한 토지 등의 취득 및 보상에 관한 법률」상 토지수용권을 행사하는 사인
- ㉡ 「민영교도소 등의 설치 운영에 관한 법률」상의 교정업무를 수행하는 교정법인 또는 민영교도소
- ㉢ 사립대학교의 장이 교육법에 따라 학위를 수여하는 경우
- ㉣ 항공기의 기장과 사선(私船)의 선장 또는 해원(海員)이 경찰임무를 수행하는 경우
- ㉤ 사인이 별정우체국의 지정을 받아 체신업무를 경영하는 경우
- ㉥ 변호사협회가 변호사의 등록과 변호사에 대한 징계 업무를 수행하는 경우
- ㉦ 공증인이 공증사무를 수행하는 경우

  18. 서울시 7급 「항공안전 및 보안에 관한 법률」상 경찰임무를 수행하는 항공기의 기장은 공무수탁사인에 해당한다. (○)

  18. 서울시 7급 「공익사업을 위한 토지 등의 취득 및 보상에 관한 법률」상 토지수용권을 행사하는 사인은 공무수탁사인에 해당한다. (○)

  17. 서울시 9급 「민영교도소 등의 설치·운영에 관한 법률」상의 민영교도소는 행정보조인(행정보조자)에 해당한다. (×) → 공무수탁사인

③ **구별개념**
- ㉠ **공의무부담사인**: 공의무부담사인은 법률에 의하여 직접 행정임무를 수행해야 할 의무를 부담하고 있으나, 행정권한이 부여되지 않기 때문에 사인의 신분을 그대로 유지하고 사법상으로만 활동할 수 있다는 점에서, 자신의 이름으로 행정권한을 직접 행사하는 공무수탁사인과 구별된다. 공의무부담사인의 예로는 「소득세법」상의 원천징수의무를 지는 사인, 비상시 석유의 비축의무 등을 부담하는 사인 등을 들 수 있다.

> 📌 **관련판례**
>
> **소득세원천징수행위는 행정처분에 해당하지 않는다. ★★**
>
> 원천징수하는 소득세에 있어서는 납세의무자의 신고나 과세관청의 부과결정이 없이 법령이 정하는 바에 따라 그 세액이 자동적으로 확정되고 원천징수의무자는 소득세법 제142조 및 제143조의 규정에 의하여 이와 같이 자동적으로 확정되는 세액을 수급자로부터 징수하여 과세관청에 납부하여야 할 의무를 부담하고 있으므로, <u>원천징수의무자가 비록 과세관청과 같은 행정청이더라도 그의 원천징수행위는 법령에서 규정된 징수 및 납부의무를 이행하기 위한 것에 불과한 것이지, 공권력의 행사로서의 행정처분을 한 경우에 해당되지 아니한다</u>(대판 1990.3.23. 89누4789).
>
> 10. 지방직 9급 「소득세법」에 의한 원천징수의무자의 원천징수행위는 법령에서 규정된 징수 및 납부의무를 이행하기 위한 것에 불과한 것이지, 공권력의 행사로서의 행정처분에 해당되지 아니한다. (○)

함께 정리하기

공무수탁사인
▷ 공행정사무를 행정주체로부터 위탁받아 사무를 처리하는 행정주체인 사인
▷ 자연인, 사법인, 법인격 없는 단체도 可

[1]
공무수탁사인이라는 제도는 국가와 지방자치단체의 행정부담을 완화하고 사인이 갖는 독창성, 재정수단, 기술 및 전문지식을 활용하여 행정의 효율을 증대하고자 하는데 있다. 다른 한편, 공무수탁사인은 책임 있는 행정을 어렵게 한다는 문제점도 갖는다. 이 때문에 공무수탁사인에 대한 국가의 감독이 중요하다.

공의무부담사인
▷ 행정임무수행의 의무부담만 할 뿐 행정권한은 없다는 점에서 공무수탁사인과 구별

원천징수의무자의 원천징수행위
▷ 행정처분×

행정보조인
▷ 행정임무를 자기 책임하에 수행함이 없이 단순히 기술적 집행만을 행하는 사인

구별개념
▷ 공의무부담사인, 행정보조인, 행정대행인 등과 구별

공무수탁 법적 근거
▷ 권한이 이전되므로 반드시 要

일반적 근거
▷ 「정부조직법」·「지방자치법」·「행정권한의 위임 및 위탁에 관한 규정」

❶ 「정부조직법」 제6조(권한의 위임 또는 위탁)
③ 행정기관은 법령으로 정하는 바에 따라 그 소관 사무 중 조사·검사·검정·관리 업무 등 국민의 권리·의무와 직접 관계되지 아니하는 사무를 지방자치단체가 아닌 법인·단체 또는 그 기관이나 개인에게 위탁할 수 있다.

❷ 「지방자치법」 제117조(사무의 위임 등)
③ 지방자치단체의 장은 조례나 규칙으로 정하는 바에 따라 그 권한에 속하는 사무 중 조사·검사·검정·관리업무 등 주민의 권리·의무와 직접 관련되지 아니하는 사무를 법인·단체 또는 그 기관이나 개인에게 위탁할 수 있다.

국가의 임무수행방법
▷ 스스로 or 민간위탁: 입법자의 재량사항

공무수탁 형식
▷ 법률, 계약, 행정행위 可

공무위탁계약
▷ 공법상 계약, 공무를 위탁하는 행정행위
▷ 특허

ⓛ 행정보조인 등

ⓐ 행정보조인은 행정임무를 자기책임 하에 수행함이 없이 순수한 기술적인 집행만을 떠맡는 사인을 의미한다. 즉, 행정보조인은 행정주체를 위하여 비독립적으로 활동하고, 행정임무의 수행에 있어서 단순한 도구로 사용된다. 행정보조인의 예로는 아르바이트로 우편업무를 수행하는 사인, 사고현장에서 경찰의 부탁에 의해 경찰을 돕는 자, 표준지의 적정가격을 조사·평가하는 감정평가사 등이 있다.

10. 지방직 9급 공무수탁사인은 행정임무를 자기책임 하에 수행함이 없이 단순한 기술적 집행만을 행하는 사인인 행정보조인과는 구별된다. (○)

ⓑ 그 밖에 행정을 단순히 대행하는 행정대행인(예 차량등록의 대행자, 자동차 검사의 대행자), 사법상 계약에 의하여 단순히 경영위탁을 받은 사인(예 경찰관과 계약에 의해 주차위반차량을 견인하는 민간사업자, 쓰레기수거인 등), 제한된 공법상 근무관계에 있는 자(예 국립대학 시간강사 등)는 공무수탁사인이 아니다.

11. 국회직 9급 사법상의 계약에 의하여 단순히 경영위탁을 받은 사인은 공무수탁사인이 아니다. (○)

18. 서울시 7급 「도로교통법」상 견인업무를 대행하는 자동차견인업자는 공무수탁사인에 해당되지 않는다. (○)

17. 서울시 7급, 17. 사복직 경찰과의 계약을 통해 주차위반차량을 견인하는 민간사업자도 공무수탁사인에 해당한다. (×) → 해당하지 않는다

④ **공무수탁의 법적 근거 및 형식**

㉠ 공무의 사인에 대한 위탁은 행정기관에게 배분된 권한을 부분적으로 사인에게 위탁하는 예외적인 제도이기 때문에 반드시 법적 근거가 있어야 한다. 「정부조직법」 제6조 제3항❶, 「지방자치법」 제117조 제3항❷, 「행정권한의 위임 및 위탁에 관한 규정」 제11조 제1항은 권한의 위임에 관한 일반적인 근거조항이고 개별적인 근거로는 「항공보안법」, 「선원법」, 「여객자동차운수사업법」 등이 있다.

17. 서울시 7급 중앙관서장 뿐만 아니라 지방자치단체장도 자신의 사무 중 조사·검사·검정·관리업무 등 주민의 권리·의무와 직접 관련되지 아니하는 사무를 개인에게 위탁할 수 있다. (○)

㉡ 한편, 국가가 자신의 임무를 스스로 수행할 것인지 아니면 그 임무의 기능을 민간부문으로 하여금 수행하게 할 것인지에 대하여는 입법자에게 광범위한 입법재량 내지 형성의 자유가 인정된다(헌재 2007.6.28. 2004헌마262).

10. 지방직 9급 국가가 자신의 임무를 스스로 수행할 것인지 아니면 그 임무의 기능을 민간부문으로 하여금 수행하게 할 것인지에 대하여 입법자에게 광범위한 입법재량 내지 형성의 자유가 인정된다고 보는 것이 판례의 입장이다. (○)

㉢ 사인은 법률, 계약, 행정행위의 형식으로 공무를 수탁받을 수 있다. 공무위탁계약은 국가적 공권을 부여하므로 그 법적 성질은 공법상 계약에 해당하고, 공무를 위탁하는 행정행위는 통상 공무수행권을 사인에게 부여하므로 특허에 해당한다.

11. 서울시 9급 행정권한의 위탁은 행정행위의 형식으로 하여야 하고, 공법상 계약의 형식으로 할 수 없다. (×) → 있다

⑤ 공무수탁사인의 법적 지위

　㉠ 행정주체와의 관계

　　ⓐ 공무수탁사인과 국가 또는 지방자치단체는 별개의 독립된 행정주체로서 공법상 위임관계에 있다. 이에 따라 공무수탁사인은 독립하여 자기의 이름으로 수탁업무를 수행할 의무를 부담하고, 비용청구권을 가진다.

　　ⓑ 한편, 공무수탁사인은 위탁된 직무에 대하여 공무를 위탁한 행정주체의 감독을 받게 된다. 따라서 국가가 공무수탁사인의 공무수탁사무수행을 감독하는 경우 행정기관에 대한 감독의 경우와 마찬가지로 수탁사무수행의 합법성뿐만 아니라 합목적성까지도 감독할 수 있다(특별감독관계).

　　17. 서울시 7급 국가가 공무수탁사인의 공무수탁사무수행을 감독하는 경우 수탁사무수행의 합법성뿐만 아니라 합목적성까지도 감독할 수 있다. (○)

　㉡ 국민과의 관계

　　ⓐ 공무수탁사인은 외부관계에서 (공무를 위탁한) 국가나 지방자치단체 등 행정주체와는 독립된 행정주체이면서 「행정소송법」 제2조 제2항, 「행정심판법」 제2조 제4호, 「행정기본법」 제2조 제2호, 「행정절차법」 제2조 제1호의 행정청으로서의 지위를 아울러 갖는다. 따라서 공무수탁사인은 공무를 수탁 받은 권한의 범위 안에서 행정행위를 발령할 수 있고, 행정행위나 행정지도를 하는 경우 「행정절차법」이 적용되며, 자력으로 수수료를 징수하는 등의 자력집행도 할 수 있다.

> 「**행정절차법**」 제2조 【정의】 이 법에서 사용하는 용어의 뜻은 다음과 같다.
> 1. "행정청"이란 다음 각 목의 자를 말한다.
> 가. 행정에 관한 <u>의사를 결정하여 표시</u>하는 국가 또는 지방자치단체의 기관
> 나. 그 밖에 법령 또는 자치법규(이하 "법령등"이라 한다)에 따라 <u>행정권한을 가지고 있거나 위임 또는 위탁받은 공공단체 또는 그 기관이나 사인(私人)</u>
>
> 「**행정소송법**」 제2조 【정의】 ① 이 법에서 사용하는 용어의 정의는 다음과 같다.
> ② 이 법을 적용함에 있어서 <u>행정청에는 법령에 의하여 행정권한의 위임 또는 위탁을 받은 행정기관, 공공단체 및 그 기관 또는 사인이 포함된다.</u>
>
> 「**행정기본법**」 제2조 【정의】 이 법에서 사용하는 용어의 뜻은 다음과 같다.
> 2. "행정청"이란 다음 각 목의 자를 말한다.
> 가. 행정에 관한 <u>의사를 결정하여 표시</u>하는 국가 또는 지방자치단체의 기관
> 나. 그 밖에 법령등에 따라 행정에 관한 <u>의사를 결정하여 표시하는 권한을 가지고 있거나 그 권한을 위임 또는 위탁받은 공공단체 또는 그 기관이나 사인(私人)</u>

17. 서울시 7급 공무수탁사인은 행정주체이면서 동시에 행정청의 지위를 갖는다. (○)

17. 사복직 공무수탁사인은 수탁받은 공무를 수행하는 범위 내에서 행정주체이고, 「행정절차법」, 「행정소송법」에서는 행정청이다.(○)

15. 서울시 9급 행정권한을 위임받은 사인도 행정청으로서 행정행위를 할 수 있다. (○)

11. 서울시 9급 공무수탁사인이 행정행위를 발하거나 행정지도를 하는 경우 「행정절차법」이 적용되지 않는다. (×) → 적용된다.

　　ⓑ 공무수탁사인의 임무 수행으로 침해를 받은 국민은 위임행정청이 아니라 공무수탁사인을 직접 피청구인 또는 피고로 하여 행정심판 또는 행정소송을 제기할 수 있다.

함께 정리하기

공법상 위임관계
▷ 수탁업무 수행의무·비용청구권 有

공무를 위탁한 행정주체
▷ 공무수탁사인의 수탁사무수행에 대한 합법성·합목적성 지휘·감독 可(특별감독관계)

공무를 위탁한 행정주체와는 독립된 행정주체이면서 동시에 행정청
▷ 행정행위, 자력집행 可

공무수탁사인이 행정행위나 행정지도를 하는 경우
▷ 행정절차법 적용○

행정심판 피청구인·항고소송의 피고
▷ 공무수탁사인(위임행정청×)

계약관련 분쟁
▷ 공법상 계약: 당사자소송
▷ 사법상 계약: 민사소송
당사자소송 · 민사소송의 피고
▷ 공무수탁사인
공무수탁사인의 불법행위
▷ 국가배상청구 可

적법한 공행정작용으로 재산권에 특별한 희생
▷ 공무수탁사인 상대로 손실보상청구 可

행정객체
▷ 행정의 상대방
▷ 사인 · 지방자치단체 등 공공단체
국가의 행정객체성
▷ 긍정설 vs 부정설(∵시원적 행정주체)
행정기관
▷ 권리 · 의무의 귀속주체×

서울국제우체국장에 대한 관세부과처분
▷ 당연무효(행정객체×)

10. 지방직 9급 공무수탁사인의 임무수행으로 인해 권리가 침해당한 사인은 행정심판과 행정소송을 제기할 수 있다. (○)

10. 지방직 9급 법령에 의하여 공무를 위탁받은 공무수탁사인이 행한 처분에 대하여 항고소송을 제기하는 경우 피고는 위임행정청이 된다. (×) → 공무수탁사인

ⓒ 공무수탁사인과 계약과 관련하여 분쟁이 있는 경우 공법상 계약에 대한 분쟁은 당사자소송으로, 사법상 계약에 관한 분쟁은 민사소송으로 다툴 수 있고 이때 피고는 공무수탁사인이 된다.

ⓓ 2009.10.21. 개정된 「국가배상법」 제2조 제1항은 「국가배상법」상 '공무원'을 '공무원 또는 공무를 위탁받은 사인'이라고 명시적으로 규정하고 있으므로 공무수탁사인의 위법한 직무집행의 경우에는 국가 등이 배상책임을 부담한다(다수설).

11. 서울시 9급, 05. 국가직 7급 공무수탁사인의 불법행위에 대해서는 국가를 상대로 손해배상청구를 할 수 있다. (○)

ⓔ 공무수탁사인의 적법한 공행정임무의 수행 과정 중 재산권에 특별한 손해를 받은 자는 공무수탁사인을 상대로 손실보상청구를 할 수 있다.

2 행정객체

1. 의의

행정객체란 행정주체에 의한 공권력 행사의 상대방(행정의 상대방)을 의미한다. 행정객체는 사인(자연인, 사법인 등)이 되는 것이 일반적이나, 경우에 따라서는 지방자치단체 등의 공공단체(공법인)도 행정객체가 되는 경우가 있다. 즉, 공공단체는 사인에 대한 관계에서는 행정주체가 되어 행정권을 발동하기도 하지만, 국가나 다른 공공단체에 대한 관계에서는 행정객체가 되어 행정권 발동의 상대방이 되기도 한다.

17. 사복직 지방자치단체는 행정주체이지 행정권 발동의 상대방인 행정객체는 될 수 없다. (×) → 있다

2. 국가

국가는 시원적 행정주체이므로 성질상 행정객체가 될 수 없다는 견해도 있지만, 국가에 대한 수도료 부과와 같이 국가도 예외적이지만 행정객체가 될 수 있다는 견해도 유력하다.

3. 행정기관

한편, 행정기관은 법인격이 없어 그에게 권리 · 의무가 귀속될 수 없다.

> 🔍 **관련판례**
>
> **서울국제우체국장은 관세법상 납세의무자가 될 수 없으므로 이에 대한 관세부과처분은 무효이다. ★★**
>
> 서울국제우체국장은 우편사업을 담당하는 국가의 일개 기관에 불과할 뿐으로서 법률상 담세능력이 있다거나 책임재산을 가질 수 있다고 볼 수 없어 관세법상의 납세의무자가 될 수 없으므로 위 우체국장에 대한 이 사건 관세부과처분은 관세의 납세의무자가 될 수 없는 자를 그 납세의무자로 한 위법한 처분으로서 그 하자가 중대하고도 명백하여 당연무효라고 할 것이다(대판 1987.4.28. 86누93).

제2절 | 공권과 공의무 (행정상 법률관계, 공법관계의 내용)

1 개설

(1) 행정상 법률관계(공법관계)의 내용은 행정주체와 행정객체가 가지는 공권(공법상의 권리)와 공의무(공법상의 의무)로 구성된다. 이는 다시 행정주체가 가지는 권리(국가적 공권)와 의무(국가적 공의무), 행정객체가 가지는 권리(개인적 공권)와 의무(개인적 공의무)로 나눌 수 있다.

(2) 여기서 공권(公權)이란 공법관계에서 직접 자기를 위하여 일정한 이익을 주장할 수 있는 법률상의 힘을 말하고, 공의무(公義務)란 의무자의 의사에 가하여진 공법상의 구속을 의미한다. 공권에는 국가적 공권과 개인적 공권이 있다. 행정법에서 통상 공권이라 함은 개인적 공권을 의미하므로 이하에서는 개인적 공권을 중심으로 살펴본다.

2 공권

1. 국가적 공권

국가적 공권이란 행정주체가 우월한 의사주체로서 행정객체에 대하여 가지는 권리를 말한다. 그런데 국가적 공권은 하명권, 강제권, 형성권 등 일방적인 명령, 강제, 처벌을 주된 내용으로 하는 지배권적 성격을 가지기 때문에 실제로는 권리라기보다는 권한, 권능의 성격이 강하다고 할 수 있다.

국가적 공권
▷ 행정주체가 우월한 의사주체로서 행정객체에 대해 가지는 권한

2. 개인적 공권

(1) 의의 및 논의의 필요성

① 개인적 공권(個人的 公權)이란 개인이 자신의 이익을 위하여 국가 그 밖의 행정주체에게 일정한 행위(작위, 부작위, 수인)를 요구할 수 있는 공법상의 힘(공법에 의하여 보호된 사익)으로서, 주관적 공권이라 부르기도 한다.

② 개인적 공권이 인정되면 이에 대응하여 행정권에게는 일정한 의무가 부과되므로 개인적 공권이 침해된 자는 그러한 침해행위(상태)를 다툴 법적인 지위(법률상의 이익, 원고적격, 청구인적격)가 인정되고, 개인적 공권이 위법하게 침해되어 손해가 발생하면 국가배상을 청구할 수 있다.

개인적 공권
▷ 개인이 행정주체에 대하여 일정한 행위를 요구할 수 있는 공법상의 힘(주관적 공권)
▷ 행정심판의 청구인적격·항고소송의 원고적격·국가배상 인정과 매우 밀접한 관련

(2) 사권과 다른 특수성

개인적 공권은 오로지 개인의 사적인 이익 추구를 위해서만 존재하는 것이 아니라 공익적 견지에서 개인에게 부여된 권리이므로 공익에 합치되도록 행사되어야 한다. 따라서 사권과 달리 권리의 이전, 포기, 대행(대리) 등이 제한되는 특수성이 있다.

일신전속적 개인적 공권
▷ 이전성 제한○
▷ 양도·상속·압류가 금지·제한

국가유공자 및 유족의 보상금·각종 보호를 받을 권리
▷ 일신전속적 권리(양도·압류×)

비일신전속적 개인적 공권
▷ 이전성 제한×(이전 可)

개인적 공권
▷ 원칙적 포기 불가

행정소송상 소권
▷ 개인적 공권
▷ 당사자의 합의로 포기 불가

비대체성
▷ 대행·위임 제한되는 경우 많음

❶ 청구권능 부여성
전통적인 이론은 개인이 법적으로 인정되는 이익을 행정주체에 대해 소송으로 요구할 수 있는 법적인 힘이 있을 것을 요구한다. 그러나 청구가능성(법상의 힘)의 문제는 과거 독일의 행정소송제도가 열기주의를 취하고 있을 때 필요한 요소였지, 오늘날에는 헌법상 재판청구권과 「행정소송법」상 개괄적 권리구제제도가 보장되고 있으므로 청구가능성(의사력·법상의 힘)은 별도의 성립요건으로 보지 않는 것이 일반적이다.

① 이전성의 제한

  ㉠ 개인적 공권은 일반적으로 공익적 차원에서 인정된 것으로서 일신전속적 성질을 가지므로 양도·상속·압류가 금지 또는 제한되는 경우가 많다(예 선거권, 국가배상청구권, 공무원연금청구권, 생활보호를 받을 권리 등).

  07. 서울시 9급 국민연금수급권은 이를 타인에게 양도·압류하거나 담보로 제공할 수 있다. (×) → 없다

  > ⚖ **관련판례**
  >
  > 국가유공자 등 예우 및 지원에 관한 법률에 의하여 <u>국가유공자와 유족으로 등록되어 보상금을 받고, 교육보호 등 각종 보호를 받을 수 있는 권리</u>는 당해 개인에게 부여되는 일신전속적인 권리이어서 다른 사람에게 <u>양도하거나 압류할 수 없다</u>(대판 2010.9.30. 2010두12262). ★

  ㉡ 그러나 개인적 공권 중에서도 그 내용이 일신전속적 성질을 갖지 아니하거나, 주로 채권적·경제적 가치를 주된 대상으로 하는 것은 사권과 같이 이전이 가능하다(예 공무원 봉급청구권은 2분의 1 이하의 한도 내에서 압류의 대상이 됨, 행정상 공물사용권, 손실보상청구권 등).

② 포기성의 제한: 개인적 공권은 공익적 목적에서 인정된 것인 만큼 법령에 특별한 규정이 있는 경우를 제외하고는 원칙적으로 포기할 수 없다[예 재판청구권(소권), 선거권, 연금청구권, 「석탄산업법 시행령」상의 재해위로금청구권 등]. 따라서 행정소송에 대한 부제소 특약은 무효이다.

  09. 국가직 9급 개인적 공권은 공익적 성질을 가지므로 임의로 포기할 수 없는 것이 원칙이다. (○)
  17. 교행 개인적 공권은 사권처럼 자유롭게 포기할 수 있는 것이 원칙이다. (×) → 사권과 달리 / 없는

  > ⚖ **관련판례**
  >
  > 행정소송에 있어서 소권은 개인의 국가에 대한 공권이므로 당사자의 합의로써 이를 포기할 수 없다(대판 1995.9.15. 94누4455). ★★
  >
  > 17. 경찰 행정소송에 있어서의 소권은 개인의 국가에 대한 공권이므로 당사자의 합의로써 이를 포기할 수 없다. (○)
  > 11. 사복직 제3자와 소권(訴權)의 포기에 관한 계약을 체결하더라도 그 계약은 무효이다. (○)

③ 대행의 제한(비대체성): 공권은 일신전속적 성질을 가지므로 타인에게 대행이나 위임이 제한(예 선거권 행사의 대행 및 위임금지 등)되는 경우가 많다.

  09. 국가직 9급 개인적 공권은 일반적으로 일신전속적 성질을 가지므로 대행이나 위임이 제한되는 경우가 많다. (○)

(3) 개인적 공권의 성립요소

종래에는 개인적 공권의 성립요소로 강행법규에 의한 행정권에 대한 의무의 부과(강행법규성), 법규의 사익보호성, 청구권능 부여성(의사력·법상의 힘·소구가능성)을 들었다(3요소론). 여기서 청구권능의 부여는 재판을 통한 이익의 실현을 의미한다. 그런데, 오늘날에는 헌법상 재판청구권이 보장되고, 「행정소송법」상 개괄적으로 권리구제제도가 보장되고 있으므로 청구권능 부여성❶은 별도의 성립요소로 보지 않게 되었다. 따라서 오늘날 공권이 성립하기 위하여는 다음의 두 요소를 갖추어야 한다(2요소론).

13. 국가직 7급 오늘날 공권의 성립요건 가운데 '의사력(법상의 힘)의 존재'를 요구하는 것이 새로운 경향이다. (×) → 요구하지 않는 것

① **강행법규의 존재(행정주체의 의무의 존재)**

ㄱ 개인적 공권이 성립하기 위해서는 이에 대응하는 행정주체의 의무의 존재가 전제되어야 하는바, 우선 강행법규(공법)에 의해 행정주체에게 일정한 행위(작위 또는 부작위)를 하여야 할 의무가 부과되고 있어야 한다.

ㄴ 다만, 그 의무는 일반적으로 기속행위(기속규범)의 경우에 인정될 것이지만, 재량규범으로부터도 생겨날 수 있다는 점이 과거와 다르다. 기속행위의 경우에는 특정행위의 발령이 의무이지만(예 기속행위인 일반건축물의 건축허가의 경우, 허가행위 그 자체가 의무적임), 재량행위의 경우에는 특정행위의 발령여부의 하자없는 재량행사 그 자체가 의무적이다(예 재량행위인 위락용 건축물의 건축허가의 경우, 허가행위 그 자체가 의무적이 아니라 허가할 것인지 아니할 것인지의 결정이 의무적임). 따라서 재량행위에서도 개인적 공권이 성립될 수 있다.

17. 국가직 9급 개인적 공권이 성립되려면 강행법규가 국가, 기타 행정주체에게 행위의무를 부과해야 한다. 과거에는 그 의무가 기속행위인 경우에만 인정되었으나, 오늘날에는 재량행위에도 인정된다고 보는 것이 일반적이다. (○)

15. 경찰 3차 오늘날 행정재량의 영역에서도 일정한 경우 개인적 공권이 성립될 수 있다. (○)

15. 교행 처분의 근거법규가 재량규정으로 되어 있는 경우에는 공권이 성립될 수 없다. (×) → 에도 / 있다

② **강행법규의 사익보호성**

ㄱ **의의**: 개인적 공권이 성립하려면 강행법규가 공익의 실현뿐만 아니라 개인의 이익 실현도 아울러 목적으로 하고 있어야 한다(사익보호성). 따라서 전적으로 공익보호만을 의도하는 법규로부터는 개인적 공권이 성립할 수 없다. 이러한 법규의 집행을 통하여 개인에게 발생되는 사실상의 이익은 법적으로 보호받는 개인적 공권이 아니라 반사적 이익에 불과하다.

11. 사복직 처분의 근거법규가 공익뿐만 아니라 개인의 이익도 아울러 보호하고 있는 경우에 공권이 인정될 수 있다. (○)

12. 국가직 9급 개인적 공권은 강행적인 행정법규에 의하여 행정청을 기속함으로써 비로소 성립하는 것일 뿐 개인의 사익보호성은 성립요건이 아니라는 것이 일반적인 견해이다. (×) → 성립요건이라는

ㄴ **개인적 공권과 반사적 이익의 구별**

ⓐ **의의 및 구별기준**

㉮ 공익을 보호하는 행정법규가 개인의 이익(사익)도 아울러 보호하고자 하는 목적(취지)를 가지고 있다면 이로써 보호되는 개인의 이익은 법의 보호를 받는 법률상의 이익으로서 개인적 공권(이하 공권이라 한다)에 해당한다. 반면, 행정작용의 근거법규가 오로지 공익만을 위하여 행정주체 또는 제3자에게 일정한 의무를 부과한 결과, (법이 직접 의도하지 않았지만) 개인이 향유하게 되는 이익을 강학상 '반사적 이익' 또는 '사실상 이익'이라고 한다(예 「의료법」에서 의사에게 환자를 진료할 의무를 부과함으로써 일반인이 반사적으로 진료를 받게 되는 이익, 공중목욕탕업의 거리제한으로 인하여 기존업자가 얻게 된 경제적·독점적 이익, 특정인에 대한 법적 규제로 인하여 제3자가 받는 이익 등).

종래 개인적 공권 성립요건
▷ 행정청의 의무의 존재(강행법규성)
▷ 법규의 사익보호성
▷ 청구가능성(의사력·법상의 힘, 소구가능성)

오늘날 개인적 공권 성립요건
▷ 행정청의 의무의 존재(강행법규성)
▷ 법규의 사익보호성

강행법규의 존재
▷ 강행법규가 행정주체에게 일정한 행위의무를 부과해야 함

종래
▷ 기속행위인 경우에만 공권 인정

오늘날
▷ 기속행위뿐만 아니라 재량행위인 경우에도 공권 인정

❶
과거에는 재량권이 인정되는 재량행위에는 행정청의 의무가 존재하지 않기 때문에 행정주체에게는 의무가 없어 개인적 공권이 성립되지 않는다고 보았으나, 오늘날에는 공권의 확대화 경향에 따라 재량행위의 경우에도 재량행사를 하자 없이 행사해 줄 것을 청구할 수 있는 권리인 무하자재량행사청구권이 인정되고, 재량이 0으로 수축되는 경우에 행정개입청구권을 행사할 수 있다고 보아 재량행위에 대해서도 개인적 공권의 성립을 인정하고 있다.

사익보호성
▷ 강행법규가 사익보호를 목적으로 하여야 함

반사적 이익
▷ 행정법규가 공익만을 위하여 행정권에게 일정한 의무를 부과한 결과, 개인이 향유하는 사실상의 이익

개인적 공권
▷ 법률이 공익 추구 + 부수적으로 사익보호를 목적으로 하는 경우

반사적 이익
▷ 법률이 공익만 추구

구별실익
▷ 개인적 공권: 원고적격(청구인적격) 인정, 손해배상청구 可
▷ 반사적 이익: 원고적격(청구인적격) 부정, 손해배상청구 不可

ⓘ 공권과 반사적 이익을 구별하는 기준이 되는 것은 처분의 근거 및 관계법규의 목적(취지)이다. 즉, 공익을 보호하는 법규가 개인의 이익(사익)도 아울러 보호하고 있는 경우 그 보호되는 개인의 이익은 법률상의 이익으로서 법이 보호하는 공권이 되지만, 법규가 공익 보호만을 목적으로 하고 있다면 그로 인해 개인이 반사적으로 누리는 이익은 법의 보호를 받는 공권이 아니다.

ⓑ **구별실익**

㉮ 어떠한 법규가 사익보호를 전혀 의도하지 않고, 전적으로 공익보호만 목적으로 하고 있다면, 그로 인하여 개인이 반사적 이익을 받고 있다고 하더라도 이는 법에 의해 직접 보호된 이익이 아니므로 그 이익이 침해되어도 그 이익 보장을 법적인 권리로써 주장할 수 없다. 즉, 공권이 침해된 자는 재판을 통하여 권익의 구제를 청구할 수 있지만, 반사적 이익이 침해된 자는 재판을 통한 구제를 청구할 수 없고 그 이익의 침해를 감수하여야 한다. 달리 말하면, 공권이 침해된 자는 행정소송에서 원고적격(소송을 제기할 자격)을 인정받지만, 반사적 이익이 침해된 자는 원고적격을 인정받지 못한다. 원고적격은 소송요건이기에 원고적격을 인정받을 수 없는 자가 소송을 제기하면 그 소송은 부적법하여 각하된다.

㉯ 한편, 국가배상에서도 반사적 이익이 침해된 경우에는 국가배상의 성립요건으로서의 손해에 해당하지 않는다.

㉰ 결론적으로, 공권과 반사적 이익을 구별하는 실익은 공권의 성립요소가 무엇인가라는 실체법적 의미뿐만 아니라 쟁송법적으로 항고소송의 원고적격 여부(또는 행정심판에서 청구인적격 여부)를 따지거나 국가배상에서 손해의 인정여부를 가리는데 의미가 있다.

> **참고** **개인적 공권과 법률상의 이익(원고적격, 청구인적격)**
> 「행정소송법」 제12조와 「행정심판법」 제13조는 '법률상의 이익'이 있는 자에게 취소소송에서 원고적격과 행정심판에서 청구인적격을 인정하고 있는바, 여기서 법률상 이익의 의미는 개인적 공권과 내용적으로 동일한 개념이라고 보는 것이 일반적이다.
>
> > 「행정소송법」 제12조 【원고적격】 취소소송은 처분등의 취소를 구할 법률상 이익이 있는 자가 제기할 수 있다.
> > 「행정심판법」 제13조 【청구인 적격】 ① 취소심판은 처분의 취소 또는 변경을 구할 법률상 이익이 있는 자가 청구할 수 있다.

반사적 이익의 공권화(사익보호성의 확대)
▷ 처분의 근거법규의 사익보호성 적극 해석
▷ 처분의 관련법률까지 고려하여 사익보호성 도출
▷ 제3자의 원고적격 확대

ⓒ **반사적 이익의 공권화(사익보호성의 확대):** 국민의 권익보호 강화를 위하여 법원은 종래 반사적 이익으로 여겨졌던 것들을 공권으로 인정하려는 경향에 있다. 즉, 가급적이면 처분의 근거법규가 공익보호뿐만 아니라 아울러 사익보호를 목적으로 하고 있는 것으로 적극적으로 해석하고, 만약 처분의 근거법규에서 이러한 사익보호목적이 도출되지 않는 경우라도 근거법규 전체의 취지나 관련법률까지 고려하여 사익보호목적을 도출하려는 시도들이 이에 해당한다. 이러한 반사적 이익의 공권화는 제3자효 행정행위에 있어서 제3자의 취소소송(경업자, 경원자, 인인소송 등)의 원고적격 인정여부와 밀접한 관련이 있다. 이에 대한 자세한 논의는 취소소송의 원고적격 부분에서 살펴보기로 한다.

(4) 개인적 공권의 성립원인(인정근거)

개인적 공권은 헌법에서 직접 인정되는 것도 있고, 법률의 규정에 의해 성립되는 것도 있으며, 집행행위(행정행위나 공법상 계약)나 관습법에 의해 성립되는 것도 있으므로 각 경우를 구분하여 살피는 것이 필요하다. 그런데 이들 여러 경우 중에서도 가장 중심적인 문제는 법률의 규정에 의한 성립의 경우이다.

① **법률의 규정에 의한 성립**: 개인적 공권은 법규범의 존재와 행정주체의 법적 의무의 존재를 전제로 하는바, 어떠한 요건 하에, 어떠한 내용의 개인적 권리를 보호할 것인가를 확정하는 것은 입법자의 의무에 해당한다. 따라서 공권 성립의 가장 일반적인 형태는 개별 법률규정에 의하여 성립되는 것으로 법률에 의한 공권의 성립 여부의 판단기준은 전술한 바와 같이 종전의 공권의 3요소론에서 오늘날은 2요소론을 중심으로 논의되어 왔다. 이에 대해서는 전술한 개인적 공권의 성립요건 부분을 참조하길 바란다.

법률상 개인적 공권
▷ 강행법규가 사익보호를 목적으로 하는 경우 인정O

② **헌법에 의한 성립**: 법률의 헌법에 대한 적용우위의 원칙(법률은 헌법의 구체화)상 공권은 우선적으로 관련 개별법규범에서 인정근거를 찾아야 하고, 그로부터 개인적 공권이 도출될 수 없을 경우 개인의 중대한 법익의 침해를 방지하기 위하여 헌법의 기본권규정이 개인적 공권성립의 보충적인 근거규정이 될 수 있다.

헌법상 기본권 규정
▷ 개인적 공권 성립의 보충적인 근거규정

㉠ **문제점**: 헌법이 보장하는 국민의 기본적인 권리(기본권)가 국민 개개인을 위한 권리라는 점에 대해서는 이견이 없지만, 헌법이 규정하고 있는 모든 종류의 기본권이 직접 국민에게 현실적이고도 구체적인 권리를 부여하는, 즉 국민이 직접 행정주체에게 '특정한 행위'를 청구할 수 있게 하는 개인적 공권이라고 볼 수는 없다. 문제는 헌법상 보장되는 기본권 중에서 구체적이고도 현실적인 권리로 인정될 수 있는 범위의 설정이다. 헌법에 의한 개인적 공권의 성립을 인정한다면 사인은 헌법상 기본권의 침해를 이유로 행정소송을 제기할 수 있다.

㉡ **기본권에 의한 개인적 공권 성립의 범위**

ⓐ **자유권·평등권·재산권(구체적 기본권)**: 소극적인 방어권으로서의 자유권적 기본권은 물론 평등권, 재산권은 법률에 의해 따로 구체화되지 않더라도 헌법상 기본권 규정에 의하여 직접 개인적 공권이 성립될 수 있다.

자유권·평등권·재산권(구체적 기본권)
▷ 법률에 의한 구체화 없이 직접 공권성립

17. 교행 헌법상의 기본권 규정으로부터는 개인적 공권이 바로 도출될 수 없다. (×) → 될 수도 있다

17. 지방직 9급 소극적 방어권인 헌법상의 자유권적 기본권은 법률의 규정이 없다고 하더라도 직접 공권이 성립될 수도 있다. (○)

> **참고** **법률의 헌법에 대한 적용우위의 원칙의 예외(처분의 직접 상대방이론, 수범자이론)**
> 침익적 처분(예 허가취소처분)의 상대방이 그 침익적 처분의 제거를 목적으로 하는 경우(예 허가취소처분의 취소를 구하는 경우)에도 논리적으로 보면 처분의 근거법률의 사익보호목적의 존재를 검토하여야 하지만, 학설은 이러한 경우에는 사익보호성의 문제를 검토함이 없이 기본권으로서의 자유권에 대한 침해의 관점에서 원고적격을 인정하고 있는 독일의 학설과 판례의 논리(직접상대방이론, 수범자이론)를 원용하여 기본권으로부터 직접 개인적 공권의 성립을 인정한다. 이러한 입장은 헌법상의 자유권은 국가권력이 위법하게 자유권을 침해하는 경우 그 침해의 배제를 요구할 수 있는 권리라는 점을 배경으로 한다.

구속된 피고인·피의자의 타인과의 접견권
▷ 헌법상 기본권에서 곧바로 도출O(∵ 구체적 권리)

자유권적 기본권인 경쟁의 자유
▷ 법률상 이익O

관련판례

1 구속된 피고인 또는 피의자의 타인과의 접견권은 헌법상의 기본권으로서 형사소송법의 규정에 의하여 비로소 창설되는 것은 아니다(대판 1992.5.8. 91부8). ★

2 행정처분의 직접 상대방이 아닌 제3자라도 당해처분의 취소를 구할 법률상 이익이 있는 경우에는 행정소송을 제기할 수 있다. 이 사건에서 보건대, 설사 국세청장의 지정행위의 근거규범인 이 사건 조항들이 단지 공익만을 추구할 뿐 청구인 개인의 이익을 보호하려는 것이 아니라는 이유로 청구인에게 취소소송을 제기할 법률상 이익을 부정한다고 하더라도, 청구인의 기본권인 경쟁의 자유가 바로 행정청의 지정행위의 취소를 구할 법률상 이익이 된다 할 것이다(헌재 1998.4.30. 97헌마141). ★

사회권적 기본권·청구권적 기본권(추상적 기본권)
▷ 법률에 의한 구체화가 있어야 공권성립

ⓑ 사회권적 기본권·청구권적 기본권(추상적 기본권): 한편, 사회권적 기본권(예 근로의 권리, 환경권 등), 청구권적 기본권(예 퇴직급여청구권, 재판청구권 등)의 경우에는 법률이 기본권의 행사절차, 내용, 범위 등을 확정하기 전에는 구체적·현실적 권리화가 되었다고 볼 수 없기 때문에 헌법상 기본권 규정으로부터 바로 구체적인 개인적 공권이 성립된다고 보기 어렵다.

15. 교행 헌법상의 모든 기본권은 법률에 의해 구체화되지 않더라도 재판상 주장될 수 있는 구체적 공권이다 (×) → 구체적

관련판례

1 직장존속청구권과 퇴직급여청구권 ★★

헌법상 근로의 권리
▷ 사회적 기본권, 직접 일자리청구권, 생계지급청구권, 직장존속청구권 도출×
(고용증진을 위한 정책요구권O)

[1] 헌법 제32조 제1항이 규정하는 근로의 권리는 사회적 기본권으로서 국가에 대하여 직접 일자리를 청구하거나 일자리에 갈음하는 생계비의 지급청구권을 의미하는 것이 아니라 고용증진을 위한 사회적·경제적 정책을 요구할 수 있는 권리에 그치며, 근로의 권리로부터 국가에 대한 직접적인 직장존속청구권이 도출되는 것도 아니다.

17. 경찰 헌법 제32조 제1항이 규정하는 근로의 권리는 사회적 기본권으로서 국가에 대하여 직접 일자리를 청구하거나 일자리에 갈음하는 생계비의 지급청구권을 의미하는 것이 아니라 고용증진을 위한 사회적·경제적 정책을 요구할 수 있는 권리에 그치며, 근로의 권리로부터 국가에 대한 직접적인 직장존속청구권이 도출되는 것도 아니다. (O)

퇴직급여청구권
▷ 헌법 규정에 의해 곧바로 도출×

[2] 근로자가 퇴직급여를 청구할 수 있는 권리도 헌법상 바로 도출되는 것이 아니라 법률이 구체적으로 정하는 바에 따라 비로소 인정될 수 있는 것이다(헌재 2011.7.28. 2009헌마408).

12. 국가직 9급 근로자가 퇴직급여를 청구할 수 있는 권리와 같은 이른바 사회적 기본권은 헌법 규정에 의하여 바로 도출되는 개인적 공권이라 할 수 없다. (O)

2 연금수급권 ★★

사회보장수급권(연금수급권)
▷ 헌법 규정만으로×
▷ 법률에 의한 형성이 필요, 법률에 의하여 비로소 확정됨

사회적 기본권의 성격을 가지는 연금수급권은 국가에 대하여 적극적으로 급부를 요구하는 것이므로 헌법규정만으로는 이를 실현할 수 없고, 법률에 의한 형성을 필요로 한다. 연금수급권의 구체적 내용, 즉 수급요건, 수급권자의 범위, 급여금액 등은 법률에 의하여 비로소 확정된다(헌재 1999.4.29. 97헌마333 ; 헌재 2013.9.26. 2011헌바272).

19. 군무원 9급, 18. 경찰 2차, 17. 국회직 8급 공무원연금 수급권은 국가에 대하여 적극적으로 급부를 요구하는 것이므로 헌법규정만으로는 이를 실현할 수 없어 법률에 의한 형성이 필요하고, 그 구체적인 내용, 즉 수급요건, 수급권자의 범위 및 급여금액 등은 법률에 의하여 비로소 확정된다. (○)

17. 지방직 9급 사회권적 기본권의 성격을 가지는 연금수급권은 헌법에 근거한 개인적 공권이므로 헌법 규정만으로도 실현할 수 있다. (×) → 없다

③ 기타

㉠ 개인적 공권은 성문법령 외에도 조리·관습법 등 불문법(例 음용수권 및 관습법상 권리인 입어권 등)으로도 성립할 수 있고, 공법상 계약, 법규명령, 행정행위에 의해서도 성립할 수 있다.

17. 교행, 12. 국가직 9급 공법상 계약을 통해서는 개인적 공권이 성립할 수 없다. (×) → 있다

12. 국가직 9급 개인적 공권은 명확한 법규의 존재를 전제로 하는 것이므로 성문법에 근거하자 않으면 성립할 수 없다. (×) → 하지 않아도 조리·관습법 등 불문법으로도 성립할 수 있다.

개인적 공권
▷ 조리·관습법 등 불문법으로도 성립 可
▷ 공법상 계약, 법규명령, 행정행위에 의해서도 성립 可

🔍 관련판례

1 구 도시계획법과 헌법상 개인의 재산권 보장의 취지에 비추어 보면, 도시계획구역 내 토지 등을 소유하고 있는 주민으로서는 입안권자에게 도시계획입안을 요구할 수 있는 법규상 또는 조리상의 신청권이 있다(대판 2004.4.28. 2003두1806). ★★

18. 경찰 2차, 12. 국회직 9급 도시계획구역 내 토지 등을 소유하고 있는 주민은 입안권자에게 도시계획입안을 요구할 수 있는 법규상 또는 조리상의 신청권이 있다. (○)

2 법규명령인 건축법 시행규칙으로부터도 공법상의 권리가 인정될 수 있다. ★

건축주명의변경신고에 관한 건축법 시행규칙 제3조의2의 규정은 단순히 행정관청의 사무집행의 편의를 위한 것에 지나지 않는 것이 아니라, 허가대상건축물의 양수인에게 건축주 명의변경을 신고할 수 있는 공법상의 권리를 인정함과 아울러 행정관청에게는 그 신고를 수리할 의무를 지게 한 것으로 봄이 상당하다(대판 1992.3.31. 91누4911).

㉡ 그러나 국민의 권리·의무와 관련 없는 행정규칙에 의해서는 개인적 공권이 성립될 수 없다.

개인적 공권
▷ 행정규칙에 의해서는 성립×

🔍 관련판례

서울특별시의 '철거민에 대한 시영아파트 특별분양 개선지침'은 서울특별시 내부에 있어서의 행정지침에 불과하며, 그 지침 소정의 사람에게 공법상의 분양신청권이 부여되는 것은 아니므로 시영아파트 분양불허의 의사표시는 항고소송의 대상이 되는 행정처분으로 볼 수 없다(대판 1991.11.26. 91누3352). ★★

10. 국가직 9급 서울특별시의 '철거민에 대한 시영아파트 특별분양개선지침'에 의한 무허가 건물 소유자의 시영아파트 특별분양신청권은 개인적 공권이라 할 수 있다. (×) → 없다

시영아파트 특별분양 개선지침에 근거한 분양신청권
▷ 개인적 공권×

(5) 개인적 공권의 확대화 경향

개인적 공권의 확대는 여러 측면에서 행하여졌다. 2요소론의 대두, 헌법상 기본권 규정에서 공권의 도출, 반사적 이익의 개인적 공권화[반사적 이익의 공권화는 제3자효 행정행위(경업자, 경원자, 인인소송 등)에 있어서 원고적격 문제와 관련 있음, 제6편에서 후술], 특수한 공권의 인정(무하자재량행사청구권과 행정개입청구권) 등이 그것이다.

개인적 공권의 확대화 경향
▷ 2요소론의 대두
▷ 헌법상 기본권 규정에서 공권 도출
▷ 반사적 이익의 개인적 공권화
▷ 특수한 공권의 인정

무하자재량청구권
▷ 행정청에 대하여 재량권을 하자(흠) 없이 행사하여 줄 것을 요구할 수 있는 권리

ⓘ

예컨대, 기속처분인 운전면허 신청자는 요건이 충족된 경우 자신에게 운전면허를 발급해달라고 요구할 수 있지만 재량처분인 개인택시면허 신청자는 요건이 충족되어도 자신에게 면허를 발급하도록 요구할 권리는 인정되지 않는다. 단지 재량을 잘 행사해서 순위가 정당하게 매겨지도록 요청할 권리 정도가 인정되는데, 이러한 권리가 무하자재량행사청구권이다.

무하자재량청구권
▷ 형식적 권리 · 적극적 권리

부정설
▷ 독자성 없는 추상적 · 형식적인 권리
▷ 민중소송화 우려

긍정설
▷ 공권의 확대화 경향
▷ 사익보호성 요건으로 민중소송화 방지

판례
▷ 무하자재량행사청구권의 개념(재량권의 일탈 · 남용이 없는 적법한 응답을 요구할 권리) 인정

3. 특수한 개인적 공권

(1) 무하자재량행사청구권(하자 없는 재량행사청구권)

① **개념**: 특정한 행위의 발령권한이 행정청의 재량권에 속하면, 사인은 행정청에 대하여 원칙적으로 그 특정한 행위의 발령을 요구할 수 있는 권리를 가지지 않는다. 그러나 그 특정한 행위의 발령권한이 행정청의 재량에 놓이더라도 동시에 그 결정이 법적으로 보호되는 사인의 이익과 관련되면, 그 사인은 행정청에 대하여 특정행위를 발령함에 있어 하자 없는 결정을 구할 수 있는 권리를 가지는 바, 이를 무하자재량행사청구권이라 한다.❶

② **법적 성질**
  ㉠ 무하자재량행사청구권은 특정한 행위의 발급을 요구하는 실체적 권리가 아니라 단지 하자 없는 재량행위의 발급을 요구하는 형식적 권리에 불과하다 (다만, 무하자재량행사청구권도 재량이 0으로 수축되는 경우에는 특정한 행위에 대한 청구권으로 변하게 된다).
  ㉡ 또한 무하자재량행사청구권은 위법한 처분의 배제를 구하는 소극적 · 방어적 권리가 아니라 행정청에 대하여 재량권의 법적 한계를 준수하여 처분해 줄 것을 요구하는 적극적 권리이다.

③ **독자성 인정여부**: 무하자재량행사청구권을 실체적 권리(실질적 권리)와 독립된 독자적 권리로서 인정할 필요가 있는가에 대해 이를 부정하는 견해와 긍정하는 견해가 대립하나, 다수의 견해는 이를 독자적인 권리로 인정하고 있다(긍정설).
  ㉠ **부정설**: 이 견해는 무하자재량행사청구권은 실체적 권리에 종속된 독자성이 없는 추상적 · 형식적인 권리에 불과하므로 무하자재량행사청구권의 침해만으로는 원고적격을 인정할 수 없고, 재량행사에 하자가 있으면 재량처분이 위법하여 실체적 권리가 침해되었음을 이유로 재량처분을 행정소송의 대상으로 다투면 되며, 실체적 권리의 침해가 없는데도 무하자재량행사청구권이라는 형식적인 권리의 침해만으로도 소의 이익을 인정한다면 원고적격을 부당하게 넓혀 민중소송화될 우려가 있다고 한다.
  ㉡ **긍정설(다수설)**: 무하자재량행사청구권의 독자적 존재의의를 긍정하는 견해이다. 이 견해는 무하자재량행사청구권은 종래 원고적격이 부인되어 왔던 재량행위를 사법심사의 대상으로 하여 그 통제를 실현시키는데 그 본질적 의의가 있다는 점, 재량행위에서도 공권이 인정될 수 있다는 것과 재량행위에서 인정되는 공권의 내용과 의미를 분명히 하기 위하여 인정할 필요가 있다는 점, 무하자재량행사청구권은 사익보호성이 있는 경우에만 인정되므로 민중소송화할 위험은 없다는 점, 무하자재량행사청구권은 의무이행심판에서 적법재량행사를 명하는 재결의 실체법적 근거가 된다는 점을 논거로 한다.
  ㉢ **판례**: 판례는 검사임용거부처분취소소송 사건에서 무하자재량행사청구권이라는 용어를 명시적으로 사용하고 있지는 않지만 무하자재량행사청구권의 개념(재량권의 일탈 · 남용이 없는 적법한 응답을 요구할 권리)을 인정하였다. 그러나, 판례상 보편적으로 사용되는 개념은 아니다.

관련판례

검사 임용신청자는 재량권의 한계 일탈이나 남용이 없는 적법한 응답을 요구할 권리가 있다. ★★

[1] (검사임용이 거부된 사법연수원 수료자가 그 처분을 다툰 검사임용거부사건에서 다수의 검사 임용신청자 중 일부만을 검사로 임용하는 결정을 함에 있어 그 임용 여부의 응답을 해줄 의무가 있는지 여부) 검사의 임용 여부는 임용권자의 자유재량에 속하는 사항이나, 법령상 검사임용 신청 및 그 처리의 제도에 관한 명문 규정이 없다고 하여도 조리상 임용권자는 임용신청자들에게 전형의 결과인 임용 여부의 응답을 해줄 의무가 있다고 할 것이며, 응답할 것인지 여부조차도 임용권자의 편의재량사항이라고는 할 수 없다.

12. 사복직 검사의 임용 여부는 임용권자의 자유재량에 속하는 사항이나, 법령상 검사임용 신청 및 그 처리의 제도에 관한 명문 규정이 없을 ~~때~~ 조리상 임용권자는 임용신청자들에게 전형의 결과인 임용 여부의 응답을 해줄 의무가 ~~없다.~~ (×) → 없더라도 / 있다

15. 국가직 9급 다수의 검사 임용신청자 중 일부만을 검사로 임용하는 결정을 함에 있어, 임용신청자들에게 전형의 결과인 임용 여부의 응답을 할 것인지는 임용권자의 편의재량사항이다. (×) → 재량이 아니다

[2] (검사임용거부처분의 항고소송대상 여부) 검사의 임용에 있어서 임용권자가 임용 여부에 관하여 어떠한 내용의 응답을 할 것인지는 임용권자의 자유재량에 속하므로 일단 임용거부라는 응답을 한 이상 설사 그 응답내용이 부당하다고 하여도 사법심사의 대상으로 삼을 수 없는 것이 원칙이나, 적어도 재량권의 한계 일탈이나 남용이 없는 위법하지 않은 응답을 할 의무가 임용권자에게 있고 이에 대응하여 임용신청자로서도 재량권의 한계 일탈이나 남용이 없는 적법한 응답을 요구할 권리가 있다고 할 것이며, 이러한 응답신청권에 기하여 재량권 남용의 위법한 거부처분에 대하여는 항고소송으로서 그 취소를 구할 수 있다고 보아야 하므로 임용신청자가 임용거부처분이 재량권을 남용한 위법한 처분이라고 주장하면서 그 취소를 구하는 경우에는 법원은 재량권남용 여부를 심리하여 본안에 관한 판단으로서 청구의 인용 여부를 가려야 한다(대판 1991.2.12. 90누5825).

14. 지방직 9급 신청에 따른 행정청의 처분이 기속행위인 때에는 행정청은 신청에 대한 응답의 ~~무를 지지만, 재량행위인 때에는 응답의무가 없다.~~ (×) → 가 있고 / 에도 응답의무가 있다

08. 국가직 7급 검사의 임용에 있어서 임용권자는 적어도 재량의 일탈이나 남용이 없는 위법하지 않은 응답을 할 의무가 있고, 이에 대응하여 임용신청권자는 적법한 응답을 요구할 수 있는 응답신청권을 가지며, 나아가 이를 바탕으로 재량권남용의 임용거부처분에 대하여 항고소송으로 그 취소를 구할 수 있다. (○)

④ **성립요건**: 무하자재량행사청구권도 개인적 공권이므로 공권의 성립요건을 갖추어야 한다. 따라서 ㉠ 행정청에게 재량권의 한계 내에서 행사하여야 할 의무를 부과하는 의미에서의 강행법규가 존재하고, ㉡ 당해 재량법규가 공익뿐만 아니라 사익도 보호하여야 한다.

15. 국가직 9급 일반적인 개인적 공권의 성립요건인 사익보호성은 무하자재량행사청구권이나 행정개입청구권에는 적용되지 ~~않는다.~~ (×) → 에도 / 된다

⑤ **인정범위**: 무하자재량행사청구권은 기속행위가 아닌 재량행위에 인정되는 개인적 공권이라는 특징이 있다. 재량권이 인정되는 행정작용이라면 수익적 행정행위뿐만 아니라 부담적 행정행위에도 인정된다. 또한 행정기관이 선택재량뿐만 아니라 결정재량❶을 가지는 경우에도 인정된다.

09. 국가직 9급 무하자재량행사청구권은 기속규범에서는 인정되지 않고 재량규범에서 인정된다. (○)

18. 교행 무하자재량행사청구권은 수익적 행정행위뿐만 아니라 부담적 행정행위에도 적용될 수 있다. (○)

임용여부
▷ 재량

응답여부
▷ 의무

임용권자
▷ 재량하자 없는 응답의무○

임용신청자
▷ 재량하자 없는 응답요구권○

성립요건
▷ 강행법규의 존재 + 사익보호성

재량권이 인정되는 모든 행정권 행사에서 인정
▷ 수익적, 부담적 행정행위○
▷ 선택재량, 결정재량○

❶ **결정재량**
행정청에게 행위를 할 것인지 말 것인지에 대한 선택의 자유가 있는 것이고, 선택재량이란 행정청에게 다수의 행위 중 어느 하나를 선택할 수 있는 자유가 있는 것을 말한다.

함께 정리하기

재량권의 영(0)으로의 수축이론
▷ 재량권이 있던 행정청에게 선택의 여지가 없어지고 특정처분을 해야 할 의무가 생기는 것

중요한 법익에 급박하고 현저한 위험有·행정권 발동에 의해 위험제거可·개인의 노력으로는 권익침해방지 불충분
▷ 재량이 영으로 수축

재량이 영으로 수축
▷ 무하자재량행사청구권이 행정개입청구권으로 전환

부담적 행정처분
▷ 취소심판·취소소송 제기

거부·부작위
▷ 의무이행심판·취소소송·부작위위법확인소송 제기

행정개입청구권
▷ 자기의 이익을 위해 자기나 제3자에게 행정권 발동을 요구하는 공권

❶
견해에 따라서는 행정개입청구권을 광의와 협의로 나누어, 광의의 행정개입청구권을 (개인이 자기의 이익을 위해 자기에게 행정권의 발동을 구하는 권리인) 행정행위발급(발령)청구권과 (자기의 이익을 위해 타인에게 행정권의 발동을 청구하는 권리인) 협의의 행정개입청구권(예 이웃이 불법건축을 하여 일조권 등을 침해할 때 건축행정청에 대하여 이웃에게 불법건축물의 철거명령을 발동해 줄 것을 청구할 수 있는 권리 등)으로 분류하기도 한다. 이 견해에 따르면 행정개입청구권을 협의의 개념으로 정의한다.

행정개입청구권
▷ 실체적 권리·적극적 권리

⑥ 재량권의 영(0)으로의 수축이론

㉠ **의의**: 재량권의 영(0)으로의 수축이라 함은 일정한 예외적인 경우 재량권이 있는 행정청에게 선택의 여지가 없어지고 특정한 내용의 처분을 하여야 할 의무가 생기는 것을 말한다.

㉡ **재량권의 영(0)으로의 수축하는 예외적인 경우**: ⓐ 사람의 생명, 신체 및 재산 등 중요한 법익에 급박하고 현저한(중대한) 위험이 존재하고, ⓑ 그러한 위험이 행정권의 발동(예 시정명령 또는 조업중지명령)에 의해 제거될 수 있는 것으로 판단되며, ⓒ 피해자의 개인적인 노력으로는 권익침해의 방지가 충분하게 이루어질 수 없다고 인정되는 경우에 행정의 재량권이 영으로 수축한다. 이 경우 행정청은 특정한 내용의 처분을 하여야 할 의무를 지게 된다(기속행위와 같은 결과가 됨). 즉, 무하자재량행사청구권이 행정청에게 특정한 내용의 처분을 하여 줄 것을 청구할 수 있는 행정개입청구권(특정행위청구권)으로 전환된다.

11. 사복직 재량권이 영으로 수축하는 경우 행정개입청구권은 무하자재량행사사청구권으로 전환된다. (×) → 무하자재량행사청구권은 행정개입청구권으로

⑦ 무하자재량행사청구권의 실현방법(권리구제수단)

㉠ **부담적 행정처분**: 행정청이 개인에게 행한 재량행위의 내용이 부담적 행정처분(예 제재처분, 허가의 취소나 정지처분 등)이고 재량권의 행사가 재량권의 한계를 넘은 경우(선택재량의 하자), 당사자는 적법한 재량행사를 요구하며 처분의 취소를 구하는 취소심판이나 취소소송을 제기할 수 있다.

㉡ **수익적 행정처분의 신청에 대한 거부나 부작위**: 개인의 무하자재량행사청구권에 근거한 재량처분의 발급요구(예 임용신청, 허가신청 등)에 대하여 행정청의 거부나 부작위(상당한 기간 동안 방치)가 있어 재량권이 남용된 경우(결정재량의 하자), 당사자는 행정심판으로는 의무이행심판, 행정소송으로는 거부처분취소소송이나 부작위위법확인소송을 제기할 수 있다.

(2) 행정개입청구권

① **의의**: 행정개입청구권이란 자기를 위하여 행정청으로 하여금 제3자에게 행정권을 발동할 것을 요구하는 것을 내용으로 하는 공권이다.**❶**

> **참고** **독일 연방행정재판소의 띠톱판결**
> 행정개입청구권의 법리는 1960.8.18. 독일 연방행정재판소의 띠톱판결에서 정립되었다. 이 판결은 주거지역에 설치된 석탄제조업소에서 띠톱사용으로 소음이 심각해지자 피해를 받고 있던 인근 주민이 행정청에게 건축경찰상의 금지처분을 발할 것을 청구하자, 행정청은 이 업소의 조업은 건축관계법규에 위반되지 않는 것이라 하여 기각하였고, 이에 인근 주민들이 기각처분에 대한 취소소송을 제기한 사안이다. 이에 대하여 베를린고등법원은 이 청구를 기각하였으나, 연방재판소는 경찰법상의 일반수권조항에 따른 경찰권발동은 재량이고, 이에 대하여 인근주민은 무하자재량행사청구권을 갖는데, 재량권이 영으로 수축되면 인근주민은 경찰권발동을 요구하는 권리를 갖게 된다고 하여, 원고의 청구를 인용하였다.

② **법적 성질**

㉠ 행정개입청구권은 형식적 권리에 불과한 무하자재량행사청구권과는 달리 특정한 행위의 발급을 요구하는 실체적 권리에 해당한다.

ⓒ 또한 행정개입청구권은 단순히 개인의 권익침해를 배제해 줄 것을 요구하는 소극적·방어적 권리가 아니라 행정청에 대하여 특정한 내용의 행정권을 발동해 줄 것을 요구하는 적극적 권리이다.

③ **인정여부**: 행정개입청구권의 인정여부에 관하여 견해의 대립이 있으나, 생명·신체 등의 중대한 법익에 대한 목전의 위험이 있는 경우에는 일정한 요건 하에 행정개입청구권을 인정하는 것이 일반적 견해이다(다수설). 판례는 행정개입청구권을 명시적으로 밝힌 것은 아니지만, 판결이유의 해석상 행정개입청구권의 법리를 인정한 경우도 있고 부정한 경우도 있다.

통설
▷ 생명·신체 등 중대한 법익에 대한 목전의 위험이 있는 경우 인정
판례
▷ 명시적 언급은 없으나 법리를 인정 또는 부정함

🔎 관련판례

1 환경영향평가 대상지역 안의 주민에게 행정개입청구권을 인정한 사례 ★

환경영향평가 대상지역 안에 거주하는 주민에게는 공유수면매립면허의 처분청에게 공유수면 매립법상 취소·변경등의 사유가 있음을 내세워 <u>면허의 취소·변경을 요구할 조리상의 신청권(행정개입청구권)</u>이 있다(대판 2006.3.16. 2006두330 전합).

환경영향평가 대상지역 안 주민
▷ 공유수면매립면허 취소·변경 요구할 조리상 신청권○

2 행정개입청구권에 근거한 국가배상청구를 인정한 사례 ★★

[1] 경찰관직무집행법 제5조는 경찰관은 인명 또는 신체에 위해를 미치거나 재산에 중대한 손해를 끼칠 우려가 있는 위험한 사태가 있을 때에는 그 각 호의 조치를 취할 수 있다고 규정하여 형식상 경찰관에게 재량에 의한 직무수행권한을 부여한 것처럼 되어 있으나, 경찰관에게 그러한 권한을 부여한 취지와 목적에 비추어 볼 때 구체적인 사정에 따라 <u>경찰관이 그 권한을 행사하여 필요한 조치를 취하지 아니하는 것이 현저하게 불합리하다고 인정되는 경우에는 그러한 권한의 불행사는 직무상의 의무를 위반한 것이 되어 위법하게 된다.</u>

[2] 경찰관이 농민들의 시위를 진압하고 시위과정에 도로 상에 방치된 트랙터 1대에 대하여 이를 도로 밖으로 옮기거나 후방에 안전표지판을 설치하는 것과 같은 위험발생방지조치를 취하지 아니한 채 그대로 방치하고 철수하여 버린 결과, 야간에 그 도로를 진행하던 운전자가 위 방치된 트랙터를 피하려다가 다른 트랙터에 부딪혀 상해를 입은 사안에서 국가배상책임을 인정한 사례(대판 1998.8.25. 98다16890).

경찰관의 위험발생 방지조치 부작위
▷ 현저히 불합리한 재량 불행사로 위법可

3 건축허가취소등 필요한 조치를 요구할 권리(행정개입청구권)을 부정한 사례 – 국민이 행정청에 대하여 제3자에 대한 건축허가와 준공검사의 취소 및 제3자 소유의 건축물에 대한 철거명령을 요구할 수 있는 법규상 또는 조리상 권리는 인정되지 않는다. ★★

건축법 및 기타 관계 법령에 국민이 행정청에 대하여 제3자에 대한 건축허가의 취소나 준공검사의 취소 또는 제3자 소유의 건축물에 대한 철거 등의 조치를 요구할 수 있다는 취지의 규정이 없고, 같은 법 제69조 제1항 및 제70조 제1항은 각 조항 소정의 사유가 있는 경우에 시장·군수·구청장에게 건축허가 등을 취소하거나 건축물의 철거 등 필요한 조치를 명할 수 있는 권한 내지 권능을 부여한 것에 불과할 뿐, 시장·군수·구청장에게 그러한 의무가 있음을 규정한 것은 아니므로 위 조항들도 그 근거 규정이 될 수 없으며, 그 밖에 <u>조리상 이러한 권리가 인정된다고 볼 수도 없다</u>(대판 1999.12.7. 97누17568).

15. 국가직 9급 규제권한발동에 관해 행정청의 재량을 인정하는 건축법의 규정은 소정의 사유가 있는 경우 행정청에 건축물의 철거 등을 명할 수 있는 권한을 부여한 것일 뿐만 아니라, 행정청에 그러한 의무가 있음을 규정한 것<u>이다</u>. (×) → × / 은 아니다

「건축법」상 규제권한 발동규정
▷ 행정청에 규제 권한을 부여하는 규정일 뿐(규제 의무×)
개인
▷ 행정청에 대하여 제3자에 대한 건축허가의 취소 등을 요구할 수 있는 조리상 신청권×

인정범위
▷ 실무상 주로 경찰행정분야

성립요건
▷ 강행법규의 존재 + 사익보호성

재량이 0으로 수축되는 경우
▷ 중대한 법익에 위해 + 행정권발동 의해 제거가능 + 개인의 노력으로는 구제不可

❶
경찰행정이란 넓은 의미에서 위해의 방지를 임무로 하는 행정작용을 말하고, 형식적 의미의 경찰뿐만 아니라 건축행정, 보건행정, 영업행정, 환경행정 등도 모두 여기에 포함될 수 있다.

행정개입요구에 대한 행정청의 거부·부작위
▷ 의무이행심판·거부처분취소소송·부작위위법확인소송 可
▷ 현행법상 의무이행소송 無

행정적 조치가 발동되지 않음으로 인한 손해
▷ 국가배상청구 可

❷
판례는 무장공비에 의해 생명을 위협받고 있는 청년의 가족이 인근 파출소에 출동을 요청하였음에도 경찰이 출동하지 않아 그 청년이 희생된 사건에서 국가배상책임을 인정하기도 하였다(대판 1971.4.6. 71다124).

공의무
▷ 의무자의 의사에 가해진 공법상의 구속

주체에 따른 분류
▷ 국가적 공의무·개인적 공의무

내용에 따른 분류
▷ 작위의무, 부작위의무, 수인의무, 급부의무

④ 인정범위 및 성립요건

　㉠ 행정개입청구청구권은 이론적으로 모든 행정영역에서 인정될 수 있으나, 주로 행정개입을 청구하는 국민의 생명, 신체 및 재산을 보호하기 위하여 인정되는 것이기 때문에 경찰행정분야(질서행정분야)❶에서 논의되고 있다.

　㉡ 행정개입청구권도 공권의 일종이므로 공권의 성립요건을 갖추어야 한다.

　　ⓐ 행정개입의 의무를 부과하는 강행법규의 존재가 필요하다. 기속법규의 경우에는 행정개입청구권을 인정함에 있어서 어려움이 없지만 재량법규의 경우에 행정개입청구권이 발생하기 위해서는 재량이 0으로 수축되어 행정권을 발동할 의무가 생긴 경우여야 한다(예컨대, 중요한 법익에 대한 현저한 위험의 존재, 개인의 생명·건강에 대한 위험, 중요한 물건에 대한 직접적인 위험이 있는 경우).

　　ⓑ 행정권 발동에 관한 법규가 공익뿐만 아니라 최소한 사익보호를 의도하고 있어야 한다(사익보호성). 행정권의 개입의무는 개인의 사적 이익의 보호와 관계없이 공익 목적만을 위해서도 발생할 수 있으나, 사익보호성이 없다면 공권으로 성립할 수 없다.

　　15. 국가직 9급 개인의 신체, 생명 등 중요한 법익에 급박하고 현저한 침해의 우려가 있는 경우 재량권이 영으로 수축된다. (○)

　　17. 교행 재량권의 영으로의 수축이론은 개인적 공권을 확대하는 이론이다. (○)

　　07. 경북 9급 재량행위의 경우에는 무하자재량행사청구권이 인정되고 행정개입청구권은 원칙상 인정되지 않지만 재량권이 영으로 수축하는 경우에는 무하자재량행사청구권이 행정개입청구권으로 전환되어 행정개입청구권이 인정된다. (○)

　　15. 국가직 9급 일반적인 개인적 공권의 성립요건인 사익보호성은 무하자재량행사청구권이나 행정개입청구권에는 적용되지 않는다. (×) → 적용된다

⑤ 행정개입청구권의 실현방법(권리구제수단)

　㉠ 개인의 행정개입청구권에 근거한 행정개입의 요구에 대하여 행정청의 거부나 부작위가 있는 경우, 행정심판으로는 의무이행심판, 행정소송으로는 거부처분취소소송이나 부작위위법확인소송을 제기할 수 있다. 다만, 행정개입청구권의 보장을 위한 가장 적절한 소송수단인 의무이행소송은 현행법상 인정되고 있지 않다.

　　15. 교행 행정개입청구권은 현행법상 의무이행소송을 통하여 행사될 수 있다. (×) → 없다

　㉡ 개인의 행정개입청구권에 근거한 행정개입의 요구에 대하여 공무원의 거부나 부작위로 인하여 손해가 발생한 경우, 국가배상청구소송의 제기도 가능하다.❷

3 공의무

1. 의의

공의무란 공권에 대응하는 개념으로서 개인이 국가를 상대로 지는 공법상의 의무(공법에 의한 의사의 구속)를 말한다. 공의무는 주체에 따라 국가적 공의무와 개인적 공의무로 나뉘고, 개인적 공의무는 내용에 따라 작위의무, 부작위의무, 수인의무, 급부의무로 나뉠 수 있다.

2. 특성

개인적 공의무는 의무자의 의사에 따라 발생하기도 하나(예 공법상 계약의 경우) 법령 또는 법령에 근거한 행정주체의 일방적인 행정행위로 과해짐이 일반적이다. 특히 개인적 공의무는 병역복무의무와 같이 포기와 이전이 제한되기도 하고, 의무의 불이행 또는 위반시에는 행정상 강제수단(자력집행)이나 행정벌이 가해지기도 한다.

4 공권·공의무의 승계

1. 행정주체 간의 승계

행정주체의 변경은 반드시 법률상 근거가 필요하다. 따라서 승계의 문제는 법률의 규정에 따라야 하고, 행정주체의 권리와 의무는 명시적인 규정이 없이는 원칙적으로 이전되지 않는다(행정권한법정주의). 행정주체 간의 승계는 지방자치단체의 폐치·분합, 그 밖의 공공단체의 통·폐합의 경우와 같이 공법상 법인이 소멸되거나 합병되는 때에 이루지는 경우가 많다.

06. 국회직 8급 행정주체 간에도 권리·의무 및 지위의 이전·승계가 일어난다. (○)

2. 사인의 승계

(1) 실정법의 태도

개인적 공권과 공의무의 승계에 관한 일반법은 없다. 다만, 「행정절차법」은 제10조에서 지위의 승계에 관한 규정을 두고 있고, 그 밖의 개별법에서 지위승계에 관하여 다양하게 규정하고 있다(예 개별적인 권리의 양도를 금지하는 「국가배상법」 제4조, 개별적인 권리를 양수자가 신고해야 하는 「도로법」 제106조, 합병에 의한 일반승계가 양수자의 신고를 요건으로 하는 경우로 「식품위생법」 제39조 등). 한편, 「국세기본법」에서는 "법인합병의 경우 합병 후 존속하는 법인은 합병으로 인하여 소멸하는 법인에게 부과되거나 그 법인이 납부할 국세의 납세의무를 승계한다."라고 규정하고 있다(「국세기본법」 제23조).

> **「행정절차법」 제10조 【지위의 승계】** ① 당사자등이 사망하였을 때의 상속인과 다른 법령등에 따라 당사자등의 권리 또는 이익을 승계한 자는 당사자등의 지위를 승계한다.
> ② 당사자등인 법인등이 합병하였을 때에는 합병 후 존속하는 법인등이나 합병 후 새로 설립된 법인등이 당사자등의 지위를 승계한다.
> ④ 처분에 관한 권리 또는 이익을 사실상 양수한 자는 행정청의 승인을 받아 당사자등의 지위를 승계할 수 있다.
>
> 05. 국회직 8급 「행정절차법」은 제10조에서 지위의 승계에 관한 규정을 두고 있다. (○)
> 07. 서울시 9급 법인합병의 경우 합병 후 존속하는 법인은 합병으로 인하여 소멸하는 법인에게 부과되거나 그 법인이 납부할 국세의 납세의무를 승계한다. (○)

(2) 명문의 규정이 없는 경우

개별법령의 규정이 없는 경우에는 승계의 대상이 되는 권리 또는 의무가 일신전속적인 성질을 갖는지 여부에 따라 승계 여부가 달라진다. 비대체적 작위의무, 부작위의무, 수인의무 같은 일신전속적인 의무는 원칙적으로 승계가능성이 부정되나, 원래의 의무자 개인과 독립하여 이행될 수 있는 대체적 작위의무나 급부의무에 대하여는 그 승계가능성이 인정된다.

> **🔨 관련판례**
>
> **1** 산림복구의 공의무는 승계될 수 있다. ★★
>
> [1] 구 산림법령상 채석허가를 받은 자가 사망한 경우, 상속인이 그 지위를 승계한다.
>
> [2] (대체적 작위의무의 승계가능성을 긍정하는 사례) 산림을 무단형질변경한 자가 사망한 경우, 원상회복명령에 따른 복구의무는 타인이 대신하여 행할 수 있는 의무로서 일신전속적인 성질을 가진 것으로 보기 어려우므로 당해 토지의 소유권 또는 점유권을 승계한 상속인은 그 복구의무를 부담한다고 봄이 상당하고, 따라서 관할 행정청은 그 상속인에 대하여 복구명령을 할 수 있다고 보아야 한다(대판 2005.8.19. 2003두9817).
>
> 18. 국회직 8급 구 「산림법」상 산림을 무단형질변경한 자가 사망한 경우 당해 토지의 소유권 또는 점유권을 승계한 상속인은 그 복구의무를 부담한다고 봄이 상당하다. (○)
>
> 21. 국가직 7급 구 「산림법」에 의해 형질변경허가를 받지 아니하고 산림을 형질변경한 자가 사망한 경우, 해당 토지의 소유권을 승계한 상속인은 그 복구의무를 부담하지 않으므로, 행정청은 그 상속인에 대하여 복구명령을 할 수 없다. (×) → 하므로 / 있다
>
> **2** 이행강제금 납부의무는 승계될 수 없다. ★
>
> (일신전속적 의무의 승계가능성을 부정하는 사례) 구 건축법(2005.11.8. 법률 제7696호로 개정되기 전의 것)상의 이행강제금은 구 건축법의 위반행위에 대하여 시정명령을 받은 후 시정기간 내에 당해 시정명령을 이행하지 아니한 건축주 등에 대하여 부과되는 간접강제의 일종으로서 그 이행강제금 납부의무는 상속인 기타의 사람에게 승계될 수 없는 일신전속적인 성질의 것이므로 이미 사망한 사람에게 이행강제금을 부과하는 내용의 처분이나 결정은 당연무효이고, 이행강제금을 부과받은 사람의 이의에 의하여 비송사건절차법에 의한 재판절차가 개시된 후에 그 이의한 사람이 사망한 때에는 사건 자체가 목적을 잃고 절차가 종료한다(대결 2006.12.8. 2006마470).

(3) 영업양도와 공의무의 승계

행정청의 처분에 의하여 구체화된 개인적 공의무가 실제로 제3자에게 승계되기 위하여는 법률유보의 원칙에 따라 법률의 근거가 필요하다. 문제는 공의무의 승계에 관한 명문의 규정이 없는 경우에도 승계가 인정되는지 여부인데, 영업양도의 경우, 지위승계신고수리나 영업양도양수인가를 받아 양도인의 공법상의 지위가 양수인에게 이전되면 양도인의 공법상의 권리뿐만 아니라 '공의무'도 함께 양수인에게 승계된다.❶

1 개설

행정상 법률관계는 행정에 관한 법률관계(권리·의무관계)를 총칭하는 개념으로서, 넓은 의미로는 행정조직법관계와 행정작용법관계로 나누어지고, 좁은 의미로는 행정작용법관계만 가리킨다.

행정작용법관계는 다시 공법관계인 권력관계와 관리관계(비권력적 공행정관계)로, 사법관계인 (엄격한 의미의 사법관계인) 국고관계와 (사법관계이지만 일부 공법적 규율을 받는) 행정사법관계로 각 분류되고, 행정조직법관계는 행정주체 내부관계와 행정주체 상호간의 관계로 분류된다.

2 행정작용법관계

1. 공법관계(공법이 적용되는 법률관계)

(1) 권력관계(명령·강제관계)

① 권력관계란 국가 또는 지방자치단체 등 행정주체가 우월한 지위에서 그 상대방인 국민에게 일방적으로 명령·강제하거나 법률효과를 발생·변경·소멸시키는 법률관계를 말하고, '본래적 공법관계'라고도 한다.

> 11. 사복직 권력관계란 행정주체에게 개인에게는 인정되지 않는 우월적 지위가 인정되는 법률관계이다. (O)

② 이러한 우월적 지위에서 행한 행위에는 공정력·확정력(불가변력과 불가쟁력)·강제력 등 특별한 효력이 부여된다. 또한 공법관계에 대한 법 흠결시 사법규정의 적용에 있어서는 일반법원리적 규정(예 의사표시 효력발생시기, 조건, 기한, 대리의 효력 등) 이외의 사법규정(이해조절적 규정)은 원칙적으로 적용되지 않는다.

③ 권력관계를 다투는 소송은 항고소송이다.

(2) 관리관계(비권력적 행정법관계)

① 관리관계란 행정주체가 공물(예 도로, 하천, 가로등)이나 공기업 등을 관리·경영하는 것과 같이 사업을 수행하거나 재산을 관리하는 지위에서 국민과 맺는 대등한 관계를 말하고, '전래적 공법관계'라고도 한다.
주로 급부행정분야에서 많이 다루어지고 관리관계의 예로는 공법상 계약이나 행정지도 등을 들 수 있다.

② 관리관계는 비권력관계(대등관계)이므로 권력관계에서 인정되는 공정력, 확정력 및 강제력이 인정되지 않는다. 또한 비권력관계라는 점에서 사법관계와 유사하여 원칙적으로 사법 및 사법원리가 널리 적용된다. 그러나 사법관계와 달리 공익성이 강하기 때문에 공익목적을 달성하기 위하여 필요한 한도에서는 예외적으로 특수한 공법적 규율이 행하여질 수 있다.❶

광의의 행정상 법률관계
▷ 행정조직법관계·행정작용법관계

협의의 행정상 법률관계
▷ 행정작용법관계

행정작용법관계
▷ 공법관계(권력관계·관리관계)·사법관계(국고관계·행정사법관계)

행정조직법관계
▷ 행정주체 내부관계·행정주체 상호간의 관계

공법관계
▷ 권력관계(행정주체의 우월적 지위) + 관리관계(행정주체와 행정객체 사이에 대등한 법적지위)

권력관계
▷ 행정주체가 우월한 지위에서 상대방에게 일방적인 조치를 취하는 법률관계(본래적 공법관계)

적용법원리
▷ 공정력 등 우월적 효력 인정, 사법규정 원칙적 적용제외
▷ 단, 일반법원리적인 규정은 적용

분쟁해결
▷ 항고소송

권리관계
▷ 공권력주체가 아닌 사인과 대등한 관계에서 사업 또는 재산의 관리주체로서 그 상대방 사이에 맺는 법률관계(전래적 공법관계)

적용법 원리
▷ 비권력적 관계, 사법 및 사법원리 적용
▷ 단, 예외적으로 특수한 공법적 규율可

> ❶
> 한편, 관리관계를 공법관계의 하나로 구성하면서 기본적으로 사법의 적용을 받는다고 하는 것은 모순이라는 점, 행정사법관계가 발달한 오늘날 관리관계와 행정사법관계의 구별은 매우 어려운 점을 들어 관리관계 개념에 대해 비판적인 견해도 유력하다.

분쟁해결
▷ 원칙: 민사소송
▷ 공법적 규율관계: 당사자소송

(협의의) 국고관계
▷ 행정주체가 사경제활동의 주체로서 사인과 맺는 법률관계

적용법 원리
▷ 전적으로 사법 적용

❶
행정주체의 국고관계에서의 활동에 대하여는 「국가를 당사자로 하는 계약에 관한 법률」, 「국유재산법」, 「공유재산 및 물품관리법」 등에서 특수한 규율을 하고 있는 경우가 있는데 이들 특수한 규정은 공법규정이 아니라 사법규정이다. 판례는 조달계약을 사법상 계약으로 보고 있다.

분쟁해결
▷ 민사소송

행정사법관계
▷ 공행정(공적 의무)을 수행함에 있어서 사법적 형식에 의해 국민과 맺는 법률관계

필요성
▷ 오늘날에는 행정의 기능 확대에 따라 사적부문의 자율성에 기초하여 공행정을 효율적으로 수행할 필요有

적용영역
▷ 행정임무 수행방식에 대한 선택가능성이 인정되는 경우에만 적용(예 생존배려적 급부행정, 자금지원행정)

❷
사법의 세계에는 사적자치의 원칙이 지배하고 있기 때문에, 행정이 사법의 형식을 취할 수도 있다고 한다면 행정이 공법의 형식을 취하는 경우에 받게 되는 여러 가지 제약을 벗어나기 위하여 '행정의 사법으로 도피'가 일어날 수도 있다. 이러한 폐단을 막기 위해 나온 것이 '행정사법'의 이론이다. 이 이론에 따르면 행정주체가 사법의 형식으로 하는 활동이라도 헌법상 기본권 조항(헌법상 평등의 원칙, 자유권조항, 비례의 원칙 등)에 의한 제약을 받거나 사법적 규율이 수정·제약될 수 있다(예 「우편법」 중 무능력자의 행위를 능력자의 행위로 간주하는 규정, 공기업이용관계에서 계약강제 등).

적용법원리
▷ 원칙적 사법 적용
▷ 단, 해석상 공법원리 추가 적용可

분쟁해결
▷ 민사소송

11. 사복직 관리관계는 공법관계에 속하므로 전면적으로 공법규정 내지 공법원리가 적용된다. (✕)
→ 비권력관계 / 예외적으로 특수한 공법적 규율이

③ 관리관계를 다투는 소송은 원칙은 민사소송이나, 공법적 규율관계인 경우에는 당사자소송이다.

2. 사법관계

(1) (협의의) 국고관계

① 국고관계란 행정주체가 사법상의 재산권의 주체로서 사인과 맺는 법률관계를 말한다. 그 예로는 행정에 필요한 물품매매계약·청사·도로·교량의 공사도급계약 등의 조달행정, 일반재산(잡종재산)의 매각, 수표의 발행, 우체국 예금, 각종 공기업 등을 통한 영리활동 등을 들 수 있다.

② 국고관계는 전적으로 사법상의 행위이므로 사법에 의해 규율된다.❶

③ 국고관계를 다투는 소송은 민사소송이다.

(2) 행정사법관계

① 행정사법관계라 함은 행정주체가 사법형식에 의해 공행정(공적임무)을 수행함에 있어서 국민과 맺는 법률관계를 말한다.

② 전통적으로 공행정은 공법적 수단에 의해 수행되는 것이 원칙이었으나 오늘날에는 행정주체가 공법규정하에서의 여러가지 제약에서 벗어나 사적 부문의 자율성에 기초하여 공행정을 효율적으로 수행할 수 있도록 하기 위하여, 일정한 경우 행정주체를 공법적 제약으로부터 해방하여 공행정을 사법형식에 의해 수행하도록 하고 있다.

③ 행정사법은 행정기관에 행정임무 수행방식에 대한 선택가능성이 인정되는 경우에 적용되며, 그 대표적인 영역이 (생존배려적인) 급부행정(예 철도사업, 시영버스사업, 전기·가스 등 공급사업, 우편사업, 하수도관리사업, 쓰레기처리사업)과 자금지원행정(예 보조금의 지급, 융자)이다. 그러나 조세, 경찰 등 권력성과 공익성이 강하게 요구되는 영역에서는 사법형식에 의한 관리가 인정될 수 없다.

④ 행정사법관계는 공법형식의 제약에서 벗어나 사법형식에 의해 규율되는 법률관계이므로 기본적으로 사법관계이며 사법에 의해 규율된다. 그러나 행정주체가 수행하는 작용의 실질은 공행정이므로 공행정의 공공성을 최소한으로 보장하고, 국민의 기본권을 보장하기 위하여 해석상 일정한 공법원리가 적용된다[예 평등의 원칙, 비례의 원칙, 공역무(공행정)계속성의 원칙, 행정권의 기본권보장의무 등]. 이는 행정의 사법으로의 도피를 막기 위해서도 필요하다.❷

18. 교행 행정사법(行政私法) 영역에서는 사법이 적용되며, 공법원리는 추가로 적용될 수 없다. (✕) → 도 / 있다

⑤ 행정사법관계는 기본적으로 사법관계이므로 이를 다투는 소송은 민사소송이다.

20. 군무원 7급 행정사법작용에 관한 분쟁은 특별한 규정이 없는 한 민사소송을 통해 구제를 도모해야 한다. (○)

3 행정조직법관계

1. 행정주체 내부에서의 법관계

대등관청 간의 관계(예 각부 장관 간의 사무위탁·협력관계)와 비대등관청 간의 관계(예 장관의 소속기관장에 대한 권한위임·감독관계)등이 이에 해당한다. 이러한 관계는 행정기관 상호간의 관계로서 권리·의무관계라기 보다는 직무나 권한의 행사관계로서의 성질을 가지므로, 엄밀한 의미에서는 법률관계라 할 수 없다.

2. 행정주체 상호 간의 관계

행정주체 상호간의 관계는 국가와 지방자치단체 간, 지방자치단체 상호 간의 관계처럼 행정주체 사이에 맺어지는 관계를 말한다. 이러한 관계는 그 성질에 따라 행정작용법관계와 유사하게 취급될 수도 있고 행정조직 내부관계로 간주될 수도 있다.

4 특별권력관계(특별행정법관계)

1. 전통적 특별권력관계론의 의의 및 성립배경, 특징

(1) 종래 독일에서는 행정법관계를 일반권력관계와 특별권력관계로 구별하여 일반권력관계는 국가와 일반국민 사이에 당연히 성립하는 법률관계로 보는 반면, 특별권력관계는 특별한 법률원인에 의하여 개인이 행정의 내부영역에 편입됨으로써 성립하며 행정주체에게 포괄적인 지배권이 부여되고 구성원은 이에 복종하는 관계로 보았다.

12. 경찰 1차 국가와 납세자와의 관계는 특별권력관계(특별행정법관계) 이다. (×) → 일반권력관계

> **참고** **전통적인 특별권력관계이론**
> 19세기 후반 독일의 외견적 입헌군주제 하에서 의회(행정을 국민의 의사인 법률에 의하여 제한하려는 입장)가 군주(행정의 특권적 지위를 계속 확보하려는 입장)의 권력을 제한하는 반대급부로서 일정한 범위에서 군주의 자유로운 행정영역을 보장해 줄 필요에서 발생한 이론(의회와 군주 사이의 타협의 산물)으로서, 오토 마이어(Otto Mayer)에 의해 체계화되었다. 특별권력관계이론은 19세기 후반 독일에서 절대군주정이 붕괴되고 외견적 입헌군주국가의 헌법적·정치적 배경하에서 성립된 이론으로서 프랑스법에 없는 독일법의 특유의 이론이다.

(2) 또한, 과거에는 국가는 하나의 유기체로서 국가 내부에는 인격주체관계가 존재하지 않기 때문에 법이 침투할 수 없다는 이론(불침투설)을 바탕으로 특별권력관계에는 일반권력관계와는 달리 법치주의가 배제되어 법률유보의 원칙이 배제되며, 기본권이 적용되지 않고, 사법심사가 인정되지 않는 관계로 이해되어 왔다.

> **참고** **불침투이론(이론적 기초)**
> 특별권력관계의 이론적 기초는 법규개념에 관한 불침투이론에 근거하고 있다. 불침투이론이란 국가도 하나의 인격주체이므로 국가와 다른 인격주체 간에는 법이 적용되지만, 국가 내부에는 법이 침투할 수 없다는 이론이다. 즉, 국가는 단일 인격이므로 국가와 국민 간에는 법치주의가 적용되지만, 국가 내부에 편입된 공무원, 군인 등은 별도의 법인격을 인정할 수 없어 법치주의가 적용되지 않는다는 것이다.

일반권력관계
▷ 행정주체와 국민과의 권력관계로 법치주의가 적용되는 관계

특별권력관계
▷ 개인이 행정의 내부영역에 편입됨으로써 행정주체에게 포괄적인 지배권이 부여, 구성원은 이에 복종하는 관계

전통적인 특별권력관계이론
▷ 군주의 자유로운 행정영역을 보장해 줄 필요에서 발생한 의회와 군주 사이의 타협의 산물

특별권력관계의 이론적 기초
▷ 국가 내부에는 법이 침투할 수 없다는 이론(불침투이론)

전통적 특별권력관계론의 특색
▷ 법률유보 배제, 기본권의 제한, 사법심사의 배제

오늘날 특별권력관계
▷ 특별신분관계, 특별행정법관계라는 용어가 사용됨

긍정설
▷ 전통적인 특별권력관계이론을 유지하려는 입장, 사법심사 부정

제한적 긍정설
▷ 특별한 행정목적을 위하여 필요한 범위 내에서 법치주의, 기본권 및 사법심사가 완화되어 적용될 수 있다는 입장

울레(Ule)
▷ 기본관계: 사법심사긍정
▷ 경영수행관계(일반공무원관계, 개방적 영조물이용관계): 사법심사부정

---

(3) 그러나 2차 세계대전 이후 이 이론은 많은 비판을 받게 되었다. 이러한 배경에서 오늘날 특별신분관계, 특별행정법관계라는 용어가 사용되기도 한다.

> **참고 독일의 재소자판결(수형자사건 판결)**
> 수형자가 교도소 소장의 인격과 자기가 생각하는 교도소장 교체의 이유가 기재된 서신을 외부인사에게 발송하였는데, 관할부서장은 위 서신이 모욕적인 표현을 담고 있다는 이유로 행정규칙에 근거하여 압류하였다. 수형자는 위 서신의 압류가 헌법상 보장된 인간존엄의 불가침, 표현의 자유, 통신의 자유 등의 기본권을 침해한다고 하여 헌법소원을 제기하였다. 독일연방헌법재판소는 이 사건에서 수형자의 기본권 역시 오로지 법률에 의하거나 법률에 근거하여서만 제한될 수 있다고 결정하였다. 이 판결 후 전통적인 특별권력관계론은 화석화 내지 사망이라는 새로운 국면으로 접어들었다.

2. 전통적 특별권력관계론의 인정여부 및 사법심사 가능성

(1) 학설

① **긍정설**: 일반권력관계와 특별권력관계는 그 성립원인이나 지배권의 성질 등에서 본질적인 차이가 있으므로 전통적인 특별권력관계이론을 유지하자는 입장이다. 그러나 오늘날 이러한 견해 취하는 사람은 찾아보기 어렵다. 이 견해에 따르면 특별권력관계에서의 행위는 사법심사가 인정되지 않는다.

② **제한적 긍정설(울레의 수정론)**

　㉠ 특별권력관계의 관념을 인정은 하지만 법치주의의 적용이 배제되는(즉, 사인의 권리보호가 배제되는) 범위를 축소하려는 입장이다. 일반권력관계와 특별권력관계의 본질적인 차이를 부정하고 특별권력관계에서는 특별한 행정목적을 위하여 필요한 범위 내에서 법치주의, 기본권 및 사법심사가 완화되어 적용될 수 있다고 한다. 특별권력관계를 기본관계와 경영관계(또는 업무수행관계)로 나누어 고찰하는 울레(Ule)의 견해이다.

　㉡ 울레의 수정론(기본관계 · 경영수행관계 구별론)

　　ⓐ **개념**: 울레(Ule)는 특별권력관계를 기본관계(외부관계)와 업무수행관계 · 경영관계(내부관계)로 나누어 기본관계는 상대방의 권리 · 의무에 직접적인 영향을 미치므로 법치주의가 적용되어 사법심사의 대상이 된다고 한다. 한편, 경영수행관계는 특별권력관계의 목표를 실현하는데 필요한 행위를 말하는데, 이를 다시 방위근무관계(예 병역복무관계)와 폐쇄적 영조물이용관계(예 재소자관계, 감염병환자의 강제입원관계 등), 그리고 일반공무원관계(예 근무상 하급자에게 한 지시)와 개방적 영조물이용관계(예 학교 · 도서관 이용관계, 학교에서의 숙제부과 등)로 세분하여, 전자의 경우에는 사법적 권리보호가 인정되어야 하지만, 후자의 경우에는 개인의 법적 지위에 영향을 미치지 않기 때문에 사법심사의 대상에서 제외된다고 한다.

　　15. 국가직 7급 기본관계는 공법관계로서 법치행정원리가 적용된다. (○)
　　15. 국가직 7급 기본관계에서 이루어지는 법률관계의 변동은 행정처분으로서 행정소송의 대상이 된다. (○)

ⓑ **기본관계**: 기본관계란 특별권력관계의 성립, 변경, 종료 등 구성원의 법적 지위의 본질적 사항에 해당하는 관계를 의미한다(예 공무원임명, 국립학교 입학, 군 입대·제대, 죄수의 수감, 공무원의 승진, 학생의 상급반 진학, 공무원의 면직과 퇴직, 학생의 제적·졸업 등).

15. 국가직 7급 특별권력관계 자체의 성립·변경·종료와 관련된 경우는 기본관계에 해당한다. (○)

05. 서울시 9급 울레(Ule)의 수정설에 따르면 군인의 입대·제대와 같은 기본관계에 대해서는 사법심사가 허용되지 않는다. (×) → 허용된다

ⓒ **경영수행관계**: 경영수행관계는 특별권력관계의 설정목표를 실현하는 데 필요한 내부의 경영수행질서를 규율하는 관계를 의미한다(예 공무원의 직무수행, 공무원에 대한 직무명령, 학생의 수업, 군인의 훈련 등).

11. 국회직 9급 특별권력관계를 기본관계와 경영수행관계로 나누는 견해에 따르면 공무원에 대한 직무상 명령에 대해서 사법심사가 가능하게 된다. (×) → 불가하다

③ **부정설**: 전통적 특별권력관계의 개념을 부정하는 입장에는, 모든 공권력의 행사에는 법률의 근거를 요하며, 특별권력관계에서도 법치주의가 전면적으로 적용된다는 일반적·형식적 부정설(일반권력관계로 보는 견해)과 종래 특별권력관계로 보아온 법률관계의 내용을 개별적으로 검토하여 비권력적관계 또는 일반권력관계로 분해·해체하여 귀속·환원시키려는 개별적·실질적 부정설이 있다. 이러한 부정설에 의하면, 특별권력관계에서의 행위에 대해서도 일반권력관계와 마찬가지로 사법심사가 가능하다.

(2) 판례

판례는 전통적인 특별권력관계를 인정하지 않는다. 판례상 언급되고 있는 특별권력관계는 전통적인 의미의 특별권력관계가 아니라 특별행정법관계를 말한다. 판례는 특별행정법관계에 해당하는 사안들에 대해 행정처분성을 인정하는 것을 전제로 사법심사를 긍정하고 있다.

> ⚡ **관련판례**
>
> **1** 경찰공무원을 비롯한 공무원의 근무관계인 이른바 특별권력관계에 있어서도 사법심사가 가능하다. ★
> 경찰공무원을 비롯한 공무원의 근무관계인 이른바 특별권력관계에 있어서도 일반행정법관계에 있어서와 마찬가지로 행정청의 위법한 처분 또는 공권력의 행사·불행사 등으로 인하여 권리 또는 법적 이익을 침해당한 자는 행정소송 등에 의하여 그 위법한 처분 등의 취소를 구할 수 있다고 보아야 할 것이다(헌재 1993.12.23. 92헌마247 ; 헌재 1995.12.28. 91헌마80).
>
> **2** 수형자의 서신을 교도소장이 검열하는 행위에 대하여는 사법심사가 가능하다. ★★
> 수형자의 서신을 교도소장이 검열하는 행위는 이른바 권력적 사실행위로서 행정심판이나 행정소송의 대상이 되는 행정처분으로 볼 수 있으나, 위 검열행위가 이미 완료되어 행정심판이나 행정소송을 제기하더라도 소의 이익이 부정될 수밖에 없으므로 헌법소원심판을 청구하는 외에 다른 효과적인 구제방법이 있다고 보기 어렵기 때문에 보충성의 원칙에 대한 예외에 해당한다(헌재 1998.8.27. 96헌마398).

구청장과 동장의 관계
▷ 특별권력관계(사법심사 可)

국립교육대 학생에 대한 퇴학처분
▷ 처분○

국립교육대 학생에 대한 징계권 발동
▷ 사법심사 可

농지개량조합과 직원과의 관계
▷ 특별권력관계(공법상 사단관계)

3 구청장과 동장의 관계는 특별권력관계에 해당하나 완전한 사법심사가 가능하다. ★★

동장과 구청장과의 관계는 이른바 행정상의 특별권력관계에 해당되며 이러한 특별권력관계에 있어서도 위법한 특별권력의 발동으로 말미암아 권리를 침해당한 자는 행정소송법 제1조의 규정에 따라 그 위법한 처분의 취소를 구할 수 있다(대판 1982.7.27. 80누86).

05. 국회직 8급 우리 판례에 의하면 동장과 구청장과의 관계는 공법상 특별권력관계로 인정될 수 없기 때문에 위법 부당한 처분에 대하여 행정소송을 제기할 수 없다고 한다. (×) → 이고 / 할 수 있다

4 국립교육대학 학장의 학생에 대한 퇴학처분은 행정처분으로서 행정소송의 대상이 된다. ★★

[1] 국립 교육대학 학생에 대한 퇴학처분은, 국가가 설립·경영하는 교육기관인 동 대학의 교무를 통할하고 학생을 지도하는 지위에 있는 학장이 교육목적실현과 학교의 내부질서유지를 위해 학칙 위반자인 재학생에 대한 구체적 법집행으로서 국가공권력의 하나인 징계권을 발동하여 학생으로서의 신분을 일방적으로 박탈하는 국가의 교육행정에 관한 의사를 외부에 표시한 것이므로, 행정처분임이 명백하다.

15. 경찰 1차, 13. 지방직 7급 국립교육대학 학생에 대한 퇴학처분은 행정처분으로서 행정소송의 대상이 된다. (○)

10. 국가직 9급 ○○교육대학 학생에 대한 퇴학처분은 국립대학교의 내부질서유지를 위해 학칙 위반자인 재학생에 대한 구체적 법집행으로서 행정소송법상의 처분에 해당한다. (○)

[2] 학생에 대한 징계권의 발동이나 징계의 양정이 징계권자의 교육적 재량에 맡겨져 있다 할지라도 법원이 심리한 결과 그 징계처분에 위법사유가 있다고 판단되는 경우에는 이를 취소할 수 있는 것이고, 징계처분이 교육적 재량행위라는 이유만으로 사법심사의 대상에서 당연히 제외되는 것은 아니다(대판 1991.11.22. 91누2144).

08. 국가직 9급 판례에 의하면 학생에 대한 징계권의 발동이나 징계의 양정(量定)이 징계권자의 교육적 재량에 맡겨져 있다 할지라도 법원이 심리한 결과 그 징계처분에 위법한 사유가 있다고 판단되는 경우에는 이를 취소할 수 있다. (○)

5 농지개량조합과 그 직원과의 관계는 특별권력관계이고 조합의 직원에 대한 징계처분은 행정소송의 대상이 된다. ★★

농지개량조합과 그 직원과의 관계는 사법상의 근로계약관계가 아닌 공법상의 특별권력관계이고, 그 조합의 직원에 대한 징계처분의 취소를 구하는 소송은 행정소송사항에 속한다(대판 1995.6.9. 94누10870).

15. 경찰 1차, 13. 지방직 7급 농지개량조합과 그 직원의 관계는 공법상 특별권력관계이다. (○)

17. 사복직(서울) 농지개량조합의 직원에 대한 징계처분은 처분성이 인정된다. (○)

16. 지방직 7급 대법원은 농지개량조합(현 한국농어촌공사)과 그 직원과의 관계는 사법상의 근로계약관계가 아닌 공법상의 특별권력관계이고, 그 조합의 직원에 대한 징계처분의 취소를 구하는 소송은 행정소송사항에 속한다고 본다. (○)

3. 특별행정법관계(특별권력관계)의 성립 및 소멸

(1) 성립

특별행정법관계(특별권력관계)는 공법상 특별한 원인에 의하여 성립하는데, 법률의 규정에 의한 경우(예 「병역법」에 의한 병역의무자의 군입대, 감염병예방법에 의한 감염병환자의 강제입원 등)도 있고, 상대방의 동의에 의한 경우(예 자발적 동의에 의한 공무원의 임용, 강제적 동의에 의한 학령아동의 초등학교 취학 등)도 있다.

09. 국회직 9급 특별권력관계의 성립은 직접 법률에 의거하는 경우와 상대방의 동의에 의하는 경우가 있는데, 상대방의 동의는 자유로운 의사에 기한 자발적인 동의만을 인정한다. (×) → 하는 것은 아니다

(2) 소멸

특별행정법관계(특별권력관계)는 목적이 달성되거나(예 국·공립학교의 졸업, 만기전역), 스스로 임의탈퇴를 한 경우(예 공무원의 사임), 권력주체의 일방적인 배제가 이루어진 경우(예 공무원의 파면, 퇴학)에 소멸된다.

4. 특별행정법관계(특별권력관계)의 종류

이러한 특별행정법관계(특별권력관계)의 종류로 공법상 근무관계, 공법상 영조물이용관계, 공법상 특별감독관계, 공법상 사단관계 등을 들 수 있다.

15. 경찰 1차 특별행정법관계(특별권력관계)의 종류에는 공법상의 근무관계, 공법상의 영조물 이용관계, 공법상의 특별감독관계, 공법상의 사단관계가 있다. (○)

(1) 공법상 근무관계

공법상 근무관계란 특정인이 특별한 법률원인에 의하여 국가·공공단체를 위하여 포괄적으로 근무할 의무를 지는 것을 내용으로 하는 법률관계를 말한다. 예컨대, 공무원의 국가 또는 지방자치단체와의 근무관계, 군인이나 경찰의 국가에 대한 군복무관계가 이에 해당한다.

(2) 공법상 영조물이용관계

공법상 영조물이용관계란 특정인과 영조물주체 사이에 성립하는 이용관계를 말한다. 예컨대, 국공립학교의 재학관계, 수형자의 교도소 재소관계, 감염병환자의 강제입원관계, 국·공립병원 재원관계, 국·공립도서관 이용관계 등이 이에 해당한다.

12. 경찰 1차 전염병환자의 강제수용, 국립대학과 재학생과의 관계는 특별권력관계(특별행정법관계)이다. (○)

(3) 공법상 특별감독관계

공법상 특별감독관계란 단체 또는 개인이 국가 또는 공공단체와 특별한 법률관계에 있음으로써 그 행위에 대하여 국가나 공공단체로부터 특별한 감독을 받는 관계를 말한다. 예컨대, 공공조합, 특허기업자 또는 국가로부터 공무를 위탁받은 자가 특별한 감독을 받는 관계 등이 이에 해당한다.

(4) 공법상 사단관계

공법상 사단관계란 재개발조합이나 재건축조합, 농지개량조합과 같은 공공조합이 그 구성원(조합원)에 대한 특별한 권력을 갖는 관계를 말한다.

5. 특별행정법관계(특별권력관계)의 내용

행정주체의 포괄적인 지배권은 구체적으로 포괄적인 명령권과 그 위반에 대한 징계권을 그 내용으로 한다.

(1) 포괄적 명령권

특별행정법관계(특별권력관계)의 주체에게는 행정목적을 효율적으로 달성할 수 있도록 하기 위하여 포괄적인 명령권이 부여된다. 명령권은 일반적·추상적 형식(예 공무원관계에서의 훈령 등 행정규칙, 영조물이용관계에서의 영조물규칙, 특별감독관계에서의 특허명령서, 공사단관계에서의 공공조합규약 등) 또는 개별적·구체적인 형식(예 직무명령, 상대방에 대한 명령 등)으로 발동된다. 명령권은 법령을 위반하지 말아야 할 뿐만 아니라 특별행정법관계(특별권력관계)의 성립목적을 달성하기 위하여 필요한 한도 내에서 행사되어야 한다.

> **참고 이른바 특별명령**
>
> 종래 특별권력관계를 인정하는 견해는 학칙과 같이 특별권력관계 내의 구성원의 법적 지위를 규율하는 규칙에 대해 수범자의 권리와 의무를 규율하는 외부적 효력을 인정하였는데, 이를 특별명령이라고 불렀다. 이러한 특별명령은 법률의 수권이 없이도 제정될 수 있다는 점에서 법규명령과 차이가 있다. 그러나 오늘날 민주적 법치국가에서는 더 이상 특별권력관계를 인정할 수 없으므로 법률유보 원칙이 적용되지 않는 특별명령이라는 개념도 더 이상 인정하지 않는 것이 타당하다. 따라서 법률의 근거 없이 제정된 특별명령은 행정규칙에 불과하여 특별행정법관계(특별권력관계)의 구성원의 권리·의무를 규율할 수 없다고 보아야 한다.

특별권력관계의 내용
▷ 포괄적 명령권·징계권(형벌권×)

(2) 징계권

특별행정법관계(특별권력관계)의 주체는 내부의 질서를 유지하기 위하여 징계를 행할 수 있는 권한을 갖는다. 징계가 상대방의 법적 지위와 관계가 없을 때에는 법령에 근거가 없어도 가능하지만, 상대방의 법적 지위에 영향을 미칠 때에는 법령에 근거하여야 한다. 특별행정법관계(특별권력관계)의 주체의 징계에도 한계가 있다. 법령에 위반할 수 없으며, 특별행정법관계(특별권력관계)의 성립목적을 달성하기 위하여 필요한 한도 내에서 행사되어야 한다.

09. 국회직 9급 특별권력관계에서는 특별권력에 따른 명령권과 형벌권이 인정된다. (×) → 징계권

6. 오늘날 특별행정법관계(특별권력관계)와 법치주의

오늘날 특별권력관계
▷ 법률유보원칙 전면적용
▷ 단, 특수성으로 인하여 완화 가능

(1) 법률유보의 원칙

종래의 특별행정법관계(특별권력관계)로 이해하던 영역에도 법률유보의 원칙이 전면적으로 적용되어야 한다(법률유보원칙의 전면적용). 다만, 특별한 행정목적과 기능수행에 필요한 한도 내에서는 법치주의가 다소 완화될 수 있을 것이다.

(2) 기본권의 제한

① 특별행정법관계(특별권력관계)에도 헌법상 기본권 조항이 적용되는바, 특별행정법관계(특별권력관계)에서 기본권을 제한하기 위해서는 일반행정법관계와 마찬가지로 헌법 제37조 제2항❶의 기본권 제한의 원칙에 따라 법률에 근거하여야 한다.

10. 국가직 9급 오늘날 특별권력관계의 특수성은 여전히 인정되므로, 특별권력관계의 목적달성을 위하여는 법률의 근거가 없는 경우에도 당연히 기본권이 제한된다. (×) → 제한되는 것은 아니다

② 법률에 근거하더라도 기본권의 제한은 목적달성을 위하여 필요하다고 인정되는 최소한의 한도에서만 허용되며, 본질적 내용의 침해금지의 원칙이 준수되어야 한다. 판례도 수형자와 육군3사관생도에 대한 기본권 제한의 한계와 관련하여 헌법 제37조 제2항에 따른 과잉금지의 원칙을 준수하여야 한다고 판시하였다.

⚖ 관련판례

1 수형자의 기본권 일부제한은 불가피하나, 그 본질적인 내용을 침해하거나 과잉금지원칙에 위배되어서는 안 된다. ★

수형자의 기본권 제한에 대한 구체적인 한계는 헌법 제37조 제2항에 따라 법률에 의하여, 구체적인 자유·권리의 내용과 성질, 그 제한의 태양과 정도 등을 교량하여 설정하게 되며, 수용 시설 내의 안전과 질서를 유지하기 위하여 이들 기본권의 일부 제한이 불가피하다 하더라도 그 본질적인 내용을 침해하거나, 목적의 정당성, 방법의 적정성, 피해의 최소성 및 법익의 균형성 등을 의미하는 과잉금지의 원칙에 위배되어서는 안 된다(헌재 2004.12.16. 2002헌마478).

2 육군3사관학교 사관생도의 경우 일반 국민보다 기본권이 더 제한될 수 있으나, 그 경우에도 기본권 제한의 한계를 지켜야 한다. ★★

사관생도는 군 장교를 배출하기 위하여 국가가 모든 재정을 부담하는 특수교육기관인 육군3사관학교의 구성원으로서, 학교에 입학한 날에 육군 사관생도의 병적에 편입하고 준사관에 준하는 대우를 받는 특수한 신분관계에 있다(육군3사관학교 설치법 시행령 제3조). 따라서 그 존립 목적을 달성하기 위하여 필요한 한도 내에서 일반 국민보다 상대적으로 기본권이 더 제한될 수 있으나, 그러한 경우에도 법률유보원칙, 과잉금지원칙 등 기본권 제한의 헌법상 원칙들을 지켜야 한다(대판 2018.8.30. 2016두60591).

21. 군무원 7급 육군3사관학교의 구성원인 사관생도는 학교 입학일부터 특수한 신분관계에 놓이게 되므로 법률유보 원칙은 적용되지 아니한다. (×) → 있으나 / 적용된다

---

(3) 사법심사

특별행정법관계(특별권력관계) 또한 법으로부터 자유로운 영역이 될 수 없으므로, 일반권력관계와 동일하게 사법심사의 대상이 된다.

11. 사복직 특별권력관계에 있어서 권리를 침해당한 자는 행정소송을 제기할 수 있다. (○)

제4절 | 행정법관계에 대한 사법규정의 적용(행정법의 흠결의 보충)

1 개설

우리나라는 공·사법의 2원적 법체계를 가지고 있고, 행정에 관한 원리와 기본적 사항을 정한 「행정기본법」과 행정절차에 관한 일반법인 「행정절차법」 등 행정영역별로 일반법 또는 기본법들이 제정되어 있다. 그러나 민법전과 같이 행정법에 관한 통일된 단일법전이 없기 때문에 법의 흠결·공백이 있는 경우 어느 법률을 어느 범위에서 적용할 수 있는지 문제된다.

2 공법규정의 우선적 적용

행정법 흠결의 보충
▷ 우선 다른 공법규정 유추적용
▷ 헌법 및 법의 일반원칙(관습법)적용
▷ 적용할 공법규정이 없는 경우 사법규정 검토

(1) 같은 성질의 법률관계에는 같은 성질의 법이 적용된다는 원칙(공법관계에는 공법 적용, 사법관계에는 사법적용)에 따라 공법관계는 공법에 의해 규율되는 것이 원칙이다. 따라서 공법에 흠결이 있을 때는 우선 다른 공법규정을 유추적용하고, 유추적용할 공법 규정도 없는 경우에는 헌법규정 및 법의 일반원칙(또는 관습법)을 적용한다. 대법원도 국유로 된 하천 제외지 손실보상과 관련하여 구 「하천법」 제74조의 손실보상에 관한 규정을 유추하였고(대판 1987.7.21. 84누126), 공유수면매립공사 시행으로 인하여 어민들이 허가어업을 영위하지 못하는 손해를 입게 된 경우 구 「수산업법」 제81조 제1항의 손실보상 규정을 유추한 바 있다(대판 2004.12.23. 2002다73821).

유추적용(해석) 불가능한 영역
▷ 형벌과 조세에 관한 사항

(2) 다만, 모든 공법규정이 다 유추적용될 수 있는 것은 아니고, 조세법규와 형벌법규의 경우에는 조세법률주의 원칙과 죄형법정주의에 따라 유추해석이 아닌 법문대로 엄격하게 해석함이 원칙이다.

조세법규
▷ 법문대로 엄격해석(조세법률주의)

> **관련판례**
>
> **1** 조세법률주의의 원칙상 과세요건이거나 비과세요건 또는 조세감면요건을 막론하고 조세법규의 해석은 특별한 사정이 없는 한 법문대로 해석할 것이고, 합리적 이유 없이 확장해석하거나 유추해석하는 것은 허용되지 아니하고, 특히 감면요건 규정 가운데에 명백히 특혜규정이라고 볼 수 있는 것은 엄격하게 해석하는 것이 조세공평의 원칙에도 부합한다(대판 2004.5.28. 2003두7392). ★

조세법의 해석과 조세징수
▷ 행정편의적인 확장해석·유추적용不許

> **2** 조세법률주의 원칙은 과세요건 등 국민의 납세의무에 관한 사항을 국민의 대표기관인 국회가 제정한 법률로써 규정하여야 하고, 그 법률을 집행하는 경우에도 이를 엄격하게 해석·적용하여야 하며, 행정편의적인 확장해석이나 유추적용을 허용하지 아니함을 뜻한다(대판 2017.4.20. 2015두45700 전합). ★
>
> 17. 국가직 7급 조세법의 해석과 조세의 징수는 법에 따라 엄격하게 해석·적용되어야 하므로 행정편의적인 확장해석이나 유추적용은 허용되지 않는다. (○)

형벌법규 엄격해석
▷ 피고인에게 불리한 방향으로 지나치게 확장·유추해석 不許(죄형법정주의)

> **3** 형벌법규의 해석은 엄격하여야 하고 명문규정의 의미를 피고인에게 불리한 방향으로 지나치게 확장해석하거나 유추해석하는 것은 죄형법정주의의 원칙에 어긋나는 것으로서 허용되지 않는다(대판 2004.2.27. 2003도6535).

3 사법규정의 적용

만일 공법관계에 적용할 어떠한 공법규정도 존재하지 않는 경우라면 사법규정의 적용을 검토한다.

1. 명문의 규정이 있는 경우

행정법령이 스스로 사법을 적용하도록 하고 있는 경우에는 그에 따라 사법이 적용된다 (예 「행정기본법」 제6조 제1항, 「국가배상법」 제8조, 「국세기본법」 제54조 등).

> 「행정기본법」 제6조 【행정에 관한 기간의 계산】 ① 행정에 관한 기간의 계산에 관하여는 이 법 또는 다른 법령등에 특별한 규정이 있는 경우를 제외하고는 「민법」을 준용한다.
>
> 「국가배상법」 제8조 【다른 법률과의 관계】 국가나 지방자치단체의 손해배상 책임에 관하여는 이 법에 규정된 사항 외에는 「민법」에 따른다. 다만, 「민법」 외의 법률에 다른 규정이 있을 때에는 그 규정에 따른다.

2. 명문의 규정이 없는 경우

그런데 행정법령에 사법을 적용하도록 하는 명문의 규정이 없음에도, 공법관계에 사법규정을 적용할 수 있을지 문제된다. 과거에는 공법과 사법을 전혀 별개의 법체계로 보아 사법규정을 유추해석 하더라도 이로써 공법의 흠을 보충할 수 없다는 견해(공법적용설, 소극설)도 있었다. 그러나 오늘날에는 공·사법의 특수성과 적용되는 법관계의 내용 및 성질(권력관계인지 비권력관계인지), 사법규정의 성질(일반법원리적 규정인지 아닌지 등)등을 고려하여 사법규정을 유추적용할 수 있다는 견해(유추적용설, 적극설)가 통설이다.

3. 사법규정의 유추 및 그 한계

공법관계에서 사법적용의 가능성에 관한 학설 중 통설적 견해는 법령상 특별한 규정이 있거나 내용이 유사한 경우 사법이 유추적용될 수 있다는 입장으로(한정적 유추적용설), 공법관계에서 사법규정의 적용문제를 사법규정의 분석과 공법관계의 구분에 따라 판단한다(개괄적 구별설). 이 견해에 의하면 사법규정은 대체로 일반법원리적 규정·법기술적 규정·이해조절적 규정 등으로 이루어져 있고, 여기서 일반법원리적 규정이나 법기술적 규정은 권력관계와 비권력관계 모두에 적용되고, 다만 이해조절적인 규정은 비권력관계에서 유추적용이 가능한 경우도 있다고 한다.

(1) 일반법원리적 사법규정

일반법원리적 사법규정으로는 ① 신의성실의 원칙, 권리남용금지의 원칙과 같이 모든 법에 공통적으로 적용될 수 있는 법의 일반원칙과, ② 의사표시, 대리, 부관, 무효, 취소, 기간계산, 시효, 불법행위, 사무관리, 부당이득에 관한 규정 등의 법기술적 규정들이 있다. 이와 같은 일반법원리적 규정들은 비권력관계뿐만 아니라 권력관계에도 직접 적용 또는 유추적용될 수 있다.

16. 국가직 9급 「민법」상의 일반법원리적인 규정은 행정법상 권력관계에 대해서도 적용될 수 있다. (○)

함께 정리하기

명문규정이 있는 경우
▷ 사법 적용

명문규정이 없는 경우
▷ 공법관계의 내용 및 사법규정의 성질에 따라 사법규정 유추적용(多)

일반법원리적 사법(법의 일반원칙·법기술적 규정)적용
▷ 권력관계○, 비권력관계○

실권 또는 실효의 법리
▷ 관리관계 · 권력관계 적용○

「광업법」상 출원제한기간
▷ 기간계산에 관한 「민법」 규정 적용○

일반법원리적 규정 이외의 사법(이해조절적 규정)적용
▷ 권력관계×, 비권력관계○

🎯 관련판례

1 실권 또는 실효의 법리는 법의 일반원리인 신의성실의 원칙에 바탕을 둔 파생원칙인 것이므로 공법관계 가운데 관리관계는 물론이고 권력관계에도 적용되어야 함을 배제할 수는 없다(대판 1988.4.27. 87누915). ✶

14. 국가직 9급 실효의 원칙은 신의성실원칙에서 파생된 원칙으로서 공법관계 가운데 권력관계뿐 아니라 관리관계에도 적용되어야 함을 배제할 수는 없다. (○)

2 광업법에는 기간의 계산에 관하여 특별한 규정을 두고 있지 아니하므로, 광업법 제16조에 정한 출원제한기간을 계산할 때에도 기간계산에 관한 민법의 규정은 그대로 적용된다(대판 2009.11.26. 2009두12907). ✶

20. 변호사 「광업법」에는 기간의 계산에 관하여 특별한 규정을 두고 있지 아니하므로, 「광업법」 제16조에 정한 출원제한기간을 계산할 때에도 기간계산에 관한 「민법」의 규정은 그대로 적용된다. (○)

(2) 일반법원리적규정 이외의 사법규정

① **권력관계**: 일반법원리적 규정이 아닌 사법규정[사익 상호간 이익조절(이해조절)적 규정]은 권력관계에는 적용될 수 없다. 권력관계(명령 · 강제관계)는 행정주체의 우월성이 인정되고 사익과 공익이 대립되는 관계로, 대등한 당사자 사이의 자유로운 의사를 통한 사익 상호간의 이익 조절을 목적으로 하는 이해조절적 사법규정(예 하자담보책임, 영업양도인의 겸업금지등)과 그 성질을 달리하기 때문이다.

② **관리관계(비권력관계)**: 반면, 공법관계 중 관리관계(비권력관계)는 행정주체가 재산을 관리하고, 회계를 경리하고 사업을 경영하는 경우 상대방과 맺는 대등한 법률관계를 말하는데, 사법관계와 본질적인 차이가 없다. 따라서 관리관계(비권력관계)에는 일반법원리적 규정 이외의 사법규정(이해조절적 규정)도 적용될 수 있다.

제1절 　의의 및 종류

1 　개설

모든 법률관계는 일정한 요건(법률요건)이 충족되면 일정한 효과(법적효과)가 주어진다. 마찬가지로 행정법관계의 발생·변경·소멸(변동)이라는 법적 효과의 원인이 되는 것을 행정법상 법률요건이라 하고, 이러한 법률요건을 이루는 개개의 사실을 행정법상 법률사실이라고 한다. 행정법상 법률요건은 하나의 법률사실로 이루어지는 경우(예 이행, 권리의 포기, 실효 등)도 있으나 여러 개의 법률사실로 이루어지는 경우(예 허가의 신청, 수익적 행정행위, 공법상 계약 등)가 일반적이다.❶

2 　행정법상의 법률사실

행정법상의 법률사실은 행정법상의 사건과 행정법상의 용태로 구분된다.

1. 행정법상의 사건

행정법상의 사건은 사람의 정신작용을 요소로 하지 않는 법률사실로서 출생, 사망, 시간의 경과, 일정한 장소에의 거주 등와 같은 일정한 사실(자연적 사실)을 말한다.

2. 행정법상의 용태

행정법상의 용태는 사람의 정신작용을 요소로 하는 법률사실로서 여기에는 외부적 용태(공법행위, 작위·부작위)와 내부적 용태(선의·악의·고의·과실)가 있다. 외부적 용태는 외부에 표현되어 법적효과를 가져오는 것을 말하고, 내부적 용태는 외부에 표현되지 아니한 정신상태로서 법적효과를 가져오는 것을 말한다. 외부적 용태는 다시 행정주체의 공법행위(이에 관하여는 제2편에서 후술함)와 사인의 공법행위로 분류된다.

함께 정리하기

법률요건
= 법률사실 + 법률사실 + 법률사실 ‥

법률요건
▷ 행정법관계의 발생·변경·소멸이라는 법적 효과를 발생시키는 원인

법률사실
▷ 법률요건을 구성하는 개개의 사실

❶
예컨대, 매매가 행해지는 경우, 매매 그 자체는 법률요건이며 매매를 구성하는 청약과 승낙 등의 의사표시는 법률사실이고, 매매의 효과로서 생기는 대금지급청구권과 매매목적물의 인도청구권의 발생은 법률효과에 해당한다.

사건
▷ 사람의 정신작용을 요소로 하지 않는 법률사실(사람의 출생과 사망, 시간의 경과와 같은 자연적 사실)

용태
▷ 사람의 정신작용을 요소로 하는 법률사실(행위, 내심)
▷ 외부적 용태(행위): 행정주체의 공법행위, 사인의 공법행위
▷ 내부적 용태(내심): 선의·악의·고의·과실

제2절 행정법상 사건

1 기간

행정상 법률관계가 일정한 기간의 경과에 의해 변동되는 경우가 있다. 예를 들면, 허가의 존속기간이 경과하면 허가의 효력은 상실한다.

> **「행정기본법」 제6조【행정에 관한 기간의 계산】** ① 행정에 관한 기간의 계산에 관하여는 이 법 또는 다른 법령등에 특별한 규정이 있는 경우를 제외하고는 「민법」을 준용한다.
> 24. 국가직 9급, 22. 국회직 8급, 21. 서울시 7급 행정에 관한 기간의 계산에 관하여는 「행정기본법」 또는 다른 법령 등에 특별한 규정이 있는 경우를 제외하고는 「민법」을 준용한다. (○)
> ② 법령등 또는 처분에서 국민의 권익을 제한하거나 의무를 부과하는 경우 권익이 제한되거나 의무가 지속되는 기간의 계산은 다음 각 호의 기준에 따른다. 다만, 다음 각 호의 기준에 따르는 것이 국민에게 불리한 경우에는 그러하지 아니하다.
> 1. 기간을 일, 주, 월 또는 연으로 정한 경우에는 기간의 첫날을 산입한다.
> 2. 기간의 말일이 토요일 또는 공휴일인 경우에도 기간은 그 날로 만료한다.
> 24. 국가직 9급 법령등 또는 처분에서 국민의 권익을 제한하거나 의무를 부과하는 경우 권익이 제한되거나 의무가 지속되는 기간을 계산할 때에 기간을 일, 주, 월 또는 연으로 정한 경우에는 기간의 첫날을 산입한다. 다만, 그러한 기준을 따르는 것이 국민에게 불리한 경우에는 그러하지 아니하다. (○)
> 21. 서울시 7급 법령 등 또는 처분에서 국민의 권익을 제한하거나 의무를 부과하는 경우 권익이 제한되거나 의무가 지속되는 기간의 계산에 있어서 기간을 일, 주, 월 또는 연으로 정한 경우에는 원칙적으로 기간의 첫날은 산입하지 아니한다. (✕) → 산입한다
> 22. 국회직 8급 법령 등에서 국민의 권익을 제한하는 경우, 권익이 제한되는 기간의 계산에 있어 기간의 말일이 토요일 또는 공휴일인 경우에는 기간은 그 익일로 만료한다. (✕) → 그 날로

1. 의의 및 적용법령

(1) 기간이란 일정시점에서 다른 시점까지의 시간적 간격을 말한다. 따라서 기간개념에는 시간적 간격의 출발점인 기산점과 종료점인 만료점이 있다.

(2) 기간계산의 방법은 기술적인 문제이므로 특별한 규정이 없으면 「행정기본법」 제6조 제1항에 따라 기간계산의 일반원칙을 규정하고 있는 「민법」이 준용된다. 따라서 기간을 일, 주, 월 또는 연으로 정한 때에는 기간의 초일은 산입하지 않고(「민법」 제157조 본문), 기간의 말일이 토요일 또는 공휴일에 해당하는 때에는 기간은 그 익일로 만료한다(「민법」 제161조).❶

> **「민법」 제157조【기간의 기산점】** 기간을 일, 주, 월 또는 연으로 정한 때에는 기간의 초일은 산입하지 아니한다. 그러나 그 기간이 오전 영시로부터 시작하는 때에는 그러하지 아니하다.
> **제161조【공휴일 등과 기간의 만료점】** 기간의 말일이 토요일 또는 공휴일에 해당한 때에는 기간은 그 익일로 만료한다.

16. 국가직 9급 행정법관계에서 기간의 계산에 관하여 특별한 규정이 없으면 민법의 기간계산에 관한 규정이 적용된다. (○)
16. 교행 기간의 계산에 있어서 기간의 초일(初日)은 원칙상 산입하여 계산한다. (✕) → 산입하지 않고 그 익일부터 기산하여

기간
▷ 한 시점에서 다른 시점까지의 시간적 간격

행정에 관한 기간계산
▷ 특별한 규정이 없으면 「민법」 준용
▷ 초일: 불산입 원칙
▷ 기간 말일이 토요일·공휴일: 그 익일로 만료

❶ **초일산입의 예외**
예외적으로 초일을 산입하는 경우로는 ① 법령 등 또는 처분에서 국민의 권익을 제한하거나 의무를 부과하는 경우 그 기간의 계산(「행정기본법」 제6조 제2항 제1호), ② 행정에 관한 나이의 계산 및 표시(「행정기본법」 제7조의2), ③ 국회회기의 계산(「국회법」 제168조), ④ 공소시효·구속기간계산(「형사소송법」 제66조), ⑤ 오전 0시부터 시작하는 경우(「민법」 제157조 단서), ⑥ 민원사무 처리기간(「민원처리에 관한 법률」 제19조 제2항), ⑦ 출생신고·사망신고기간(「가족관계등록법」 제37조 제1항) 등이 있다.

2. 침익적 작용에서 특례

「행정기본법」 제6조 제2항은 국민의 권익을 제한하거나 의무를 부과하는 경우와 같이 국민에게 불리한 사항이 지속되는 기간을 계산할 때에는 「민법」과 별도로 기산일과 만료일에 관한 특칙을 정하고 있다. 이는 형사법에서 형의 집행, 구속기간 및 공소시효기간 계산에 관하여 「민법」과 다른 특칙을 두고 있는 점에 착안한 것이다. 행정법관계에서도 행정청의 우월한 지위를 고려하여 기간의 기산일과 만료일을 상대방에게 유리한 방식으로 계산할 필요가 있으므로 권익을 제한하거나 의무를 부과하는 처분의 경우 초일을 산입하고 기간의 말일이 토요일 또는 공휴일이더라도 그날 만료한다고 규정하고 있다.

2 시효

시효(時效)란 일정한 사실상태가 오랫동안 계속되면, 그 사실상태가 진실한 법률관계에 부합하는가를 묻지 않고 그 사실상태를 진실한 권리관계로 인정하여 권리를 취득 또는 소멸하게 하는 법률효과를 부여하는 법률요건이다. 시효에는 권리가 소멸되는 소멸시효와 권리를 취득하는 취득시효가 있다. 공법관계에서도 법률관계를 오래도록 미확정인 채로 방치하여 두는 것은 타당하지 않기 때문에 특별한 규정이 없는 한 「민법」의 시효에 관한 규정(「민법」 제162조❶ 이하)이 유추적용될 수 있다.

1. 소멸시효

소멸시효(消滅時效)란 권리자가 그의 권리를 행사할 수 있음에도 불구하고 일정한 기간 동안 그 권리를 행사하지 않은 경우 그 권리를 소멸시키는 제도이다. 공법상 금전채권의 소멸시효에 관하여 「국가재정법」 제96조와 「지방재정법」 제82조가 아래와 같은 특별한 규정을 두고 있다.

(1) 공법상 금전채권의 시효기간

> 「국가재정법」 제96조 【금전채권·채무의 소멸시효】 ① 금전의 급부를 목적으로 하는 국가의 권리로서 시효에 관하여 다른 법률에 규정이 없는 것은 5년 동안 행사하지 아니하면 시효로 인하여 소멸한다.
> ② 국가에 대한 권리로서 금전의 급부를 목적으로 하는 것도 또한 제1항과 같다.
> ③ 금전의 급부를 목적으로 하는 국가의 권리의 경우 소멸시효의 중단·정지 그 밖의 사항에 관하여 다른 법률의 규정이 없는 때에는 「민법」의 규정을 적용한다. 국가에 대한 권리로서 금전의 급부를 목적으로 하는 것도 또한 같다.
> ④ 법령의 규정에 따라 국가가 행하는 납입의 고지는 시효중단의 효력이 있다.
>
> 「지방재정법」 제82조 【금전채권과 채무의 소멸시효】 ① 금전의 지급을 목적으로 하는 지방자치단체의 권리는 시효에 관하여 다른 법률에 특별한 규정이 있는 경우를 제외하고는 5년간 행사하지 아니하면 소멸시효가 완성한다.
> ② 금전의 지급을 목적으로 하는 지방자치단체에 대한 권리도 제1항과 같다.
>
> 제83조 【소멸시효의 중단과 정지】 ① 금전의 지급을 목적으로 하는 지방자치단체의 권리에 관하여는 다른 법률에 특별한 규정이 있는 경우를 제외하고는 「민법」 중 소멸시효의 중단과 정지에 관한 규정을 준용한다.
> ② 금전의 지급을 목적으로 하는 지방자치단체에 대한 권리도 제1항과 같다.

제84조【납입 고지의 효력】 법령이나 조례에 따라 지방자치단체가 하는 <u>납입 고지는 시효 중단의 효력이 있다.</u>

① 「국가재정법」 제96조와 「지방재정법」 제82조에 따르면, 국가나 지방자치단체를 당사자로 하는 금전의 급부를 목적으로 하는 권리 또는 의무는 그 어느 쪽에 대한 것이든(국가·지방자치단체의 채권인지 또는 국가·지방자치단체에 대한 채권인지를 불문) 다른 법률에 규정이 없는 한 5년간 행사하지 않으면 시효로 소멸한다.❶ 여기에서 금전채권은 공법상의 금전채권뿐만 아니라 국가나 지방자치단체의 사법상 행위로 인하여 발생한 것(사법상의 금전채권)도 포함된다.

16. 국가직 9급 공법상 채권의 소멸시효는 다른 법률에 특별한 규정이 없는 한 5년이다. (○)

16. 국가직 9급 현행법상 국가에 대한 금전채권의 소멸시효에 대하여는 「민법」의 규정이 그대로 적용된다. (✕) → 「국가재정법」

19. 군무원 9급 국가나 지방자치단체를 당사자로 하는 금전채권은 다른 법률에 특별한 규정이 없는 한 5년간 이를 행사하지 않을 때에는 시효로 인하여 소멸한다. (○)

20. 소방직 소멸시효에 대해 「국가재정법」은 국가의 국민에 대한 금전채권은 물론이고 국민의 국가에 대한 금전채권에도 적용된다. (○)

> 🔨 **관련판례**
>
> **국가재정법상 금전급부를 목적으로 하는 국가의 권리에는 국가의 사법상 행위에서 발생한 금전채무도 포함한다.** ★★
>
> 구 예산회계법 제71조(현 국가재정법 제96조)는 금전의 급부를 목적으로 하는 국가의 권리로서 시효에 관하여 타 법률에 규정이 없는 것은 5년간 행하지 아니 할 때에는 시효로 인하여 소멸한다고 규정하고 있는 바, 금전의 급부를 목적으로 하는 국가의 권리라 함은 금전의 급부를 목적으로 하는 국가의 권리인 이상, 금전급부의 발생원인에 관하여는 아무런 제한이 없으므로 국가의 공권력의 발동으로 하는 행위는 물론 국가의 사법상 행위에서 발생한 국가에 대한 금전채무도 포함한다고 해석함이 타당하다(대판 1967.7.4. 67다751).
>
> 16. 지방직 9급 「국가재정법」상 5년의 소멸시효가 적용되는 '금전의 급부를 목적으로 하는 국가의 권리'에는 국가의 사법(私法)상 행위에서 발생한 국가에 대한 금전채무도 포함된다. (○)

② 한편, '다른 법률에 규정이 없는 것'이라는 의미는 다른 법률에서 「국가재정법」 제96조, 「지방재정법」 제82조에서 규정한 '5년의 소멸시효기간보다 짧은 기간'의 소멸시효를 규정한 경우를 가리키는 것이고, 이보다 긴 소멸시효를 규정하고 있는 경우는 이에 해당하지 않는다(대판 2001.4.24. 2000다57856).

③ '다른 법률의 규정'의 예로는 「관세법」상의 관세과오납반환청구권(5년), 「공무원연금법」상의 단기급여지급청구권(3년), 국가배상청구권(피해자나 법정대리인이 그 손해 및 가해자를 안 날로부터 3년), 「민법」 제766조 제1항(그러나 동조 제2항은 적용되지 않는다. 기간이 5년보다 긴 10년이기 때문이다)을 들 수 있다.

「민법」 제766조【손해배상청구권의 소멸시효】 ① 불법행위로 인한 손해배상의 청구권은 피해자나 그 법정대리인이 그 <u>손해 및 가해자를 안 날로부터 3년간</u> 이를 행사하지 아니하면 시효로 인하여 소멸한다.
② 불법행위를 한 날로부터 10년을 경과한 때에도 전항과 같다.

공법상 금전채권 소멸시효
▷ 특별한 규정 없는 한 5년

❶
① 「민법」상 금전채권의 소멸시효기간은 원칙적으로 10년이지만, 국가의 금전채권 또는 국가에 대한 금전채권의 소멸시효기간은 원칙적으로 5년이다(「국가재정법」 제96조). 따라서 「민법」의 시효기간에 관한 규정이 국가나 지방자치단체에 대한 금전채권의 소멸시효기간에 그대로 적용되는 것은 아니다.
② 구 「예산회계법」 제96조(현 「국가재정법」 제96조)에서 규정된 5년의 단기소멸시효제도는 합헌으로 선언되었다(헌재 2001.4.26. 99헌바37).
③ 지방자치단체에 대한 금전채권을 공법상의 원인에 기한 것과 사법상의 원인에 기한 것으로 구분하지 아니하고, 사법상의 채권에 대하여 공법상 채권과 마찬가지로 5년의 소멸시효를 규정한 것은 합리적인 이유가 있어 평등권을 침해하지 않는다(헌재 2004.4.29. 2002헌바58).

사법상 행위로 인한 국가에 대한 금전채무
▷ 5년

「국가재정법」상 '다른 법률의 규정' 의미
▷ 5년보다 짧은 기간 규정: 포함○
▷ 5년보다 긴 기간 규정: 포함✕

09. 지방직 9급 「관세법」에 의한 관세과오납금반환청구권의 소멸시효는 5년이다. (O)

20. 소방직 「관세법」상 납세자의 과오납금 또는 그 밖의 관세의 환급청구권은 그 권리를 행사할 수 있는 날부터 5년간 행사하지 아니하면 소멸시효가 완성된다. (O)

(2) 시효의 기산점 및 중단·정지

① 시효는 그 권리를 행사할 수 있는 때로부터 진행한다(「민법」 제166조).**❶** 권리를 행사할 수 있는 때라 함은 권리행사의 법률상 장애사유가 없는 경우를 말한다.

🔨 관련판례

1 소멸시효는 객관적으로 권리가 발생하여 그 권리를 행사할 수 있는 때로부터 진행하고 그 권리를 행사할 수 없는 동안만은 진행하지 않는바, '권리를 행사할 수 없는' 경우라 함은 그 권리행사에 법률상의 장애사유를 말한다(대판 1992.3.31. 91다32053 전합). ★

2 특별시장 등이 거짓이나 부정한 방법으로 화물자동차 유가보조금(이하 '부정수급액'이라 한다)을 교부받은 운송사업자 등으로부터 부정수급액을 반환받을 권리에 대해서는 지방재정법 제82조 제1항에서 정한 5년의 소멸시효가 적용된다. 그 소멸시효는 부정수급액을 지급한 때부터 진행하므로, 반환명령일을 기준으로 이미 5년의 소멸시효가 완성된 부정수급액에 대해서는 반환명령이 위법하다(대판 2019. 10.17. 2019두33897). ★

② 시효의 중단·정지, 기타의 사항에 대해서는 다른 법률에서 특별한 규정이 없는 한, 「민법」의 규정이 준용된다. 「민법」 제168조**❷**는 소멸시효의 중단사유로서 청구, 압류 또는 가압류, 가처분, 승인을 규정하고 있다.

22. 소방간부, 16. 경찰 '금전의 급부를 목적으로 하는 국가의 권리의 경우 소멸시효의 중단·정지 그 밖의 사항에 관하여 다른 법률의 규정이 없는 때에는 「민법」의 규정을 적용한다. (O)

19. 군무원 9급, 09. 지방직 9급 행정법상 시효의 중단과 정지에 관해서는 다른 법령에 특별한 규정이 없는 한 「민법」의 규정이 준용된다. (O)

20. 소방직 공법의 특수성으로 인해 소멸시효의 중단·정지에 관한 「민법」 규정은 적용되지 않는다. (×) → 된다

③ 한편, 「국가재정법」 제96조 제4항에 따르면 법령의 규정에 따라 국가가 행하는 납입고지도 시효중단의 효력이 있고, 「국세기본법」 제28조에 따르면 조세채권의 공통되는 소멸시효 중단사유로 납세고지(납세의무자에게 이미 성립·확정된 조세채무의 이행을 청구하는 행위), 독촉(또는 납부최고), 교부청구, 압류 등이 있다. 또한 「산업재해보상보험법」 제36조 제2항에 따른 보험금청구는 「민법」과 별개로 소멸시효의 중단사유가 된다.

> 「국세기본법」 제28조 【소멸시효의 중단과 정지】 ① 제27조에 따른 소멸시효는 다음 각 호의 사유로 중단된다.
> 1. 납부고지
> 2. 독촉
> 3. 교부청구
> 4. 압류
>
> 「민법」 제174조 【최고와 시효중단】 최고는 6월 내에 재판상의 청구, 파산절차참가, 화해를 위한 소환, 임의출석, 압류 또는 가압류, 가처분을 하지 아니하면 시효중단의 효력이 없다.

❶ 민법 제166조(소멸시효의 기산점)
① 소멸시효는 권리를 행사할 수 있는 때로부터 진행한다.

기산점
▷ 권리를 행사할 수 있는 때(법률상 장애사유가 없는 경우)

부정수급액 반환청구권 소멸시효 기산점
▷ 부정수급액을 지급한 때

공법상 시효중단·정지
▷ 「민법」규정 준용

❷ 「민법」 제168조 (소멸시효의 중단사유)
소멸시효는 다음 각 호의 사유로 인하여 중단된다.
1. 청구
2. 압류 또는 가압류, 가처분
3. 승인

국가가 행하는 납입고지에 민법상 최고보
다 더 강력한 시효중단효 인정
▷ 합헌

⚖ 관련판례

"법령의 규정에 의하여 국가가 행하는 납입의 고지는 시효중단의 효력이 있다."고 한
예산회계법 제98조가 사법상의 원인에 기한 납입의 고지에도 민법상의 최고와 달리
종국적인 시효중단을 인정하는 것이 평등권을 침해하지 않는다(헌재 2004.3.25.
2003헌바22). ★

11. 국가직 7급 사법(私法)상의 원인에 기한 국가채권의 경우에 납입고지에 있어 「민법」상 최고보
다 더 강한 시효중단의 효력을 인정한 것은 평등권을 침해하지 않는다. (○)

④ 소멸시효가 중단되면, 그때까지 진행되었던 소멸시효기간은 진행하지 않았던
것과 마찬가지가 되고 중단사유가 종료한 때부터 소멸시효가 다시 진행된다
(「민법」 제178조). 또한 시효중단의 효력을 갖는 독촉은 최초의 독촉에 한정되
는 것이지 그 이후에 이루어진 독촉은 「민법」상 최고의 효력만 있다(따라서 최
초의 독촉 이후의 독촉은 「민법」 제174조에 의해 6월 내에 재판상의 청구, 파산
절차참가, 화해를 위한 소환, 임의출석, 압류 또는 가압류, 가처분을 하지 않으면
시효중단의 효력이 없다).

> 「민법」 제178조 【중단후에 시효진행】 ① 시효가 중단된 때에는 중단까지에 경과
> 한 시효기간은 이를 산입하지 아니하고 중단사유가 종료한 때로부터 새로이
> 진행한다.

납입고지 의한 시효중단의 효력
▷ 추후 부과처분 취소되어도 효력상실×

⚖ 관련판례

1 국가재정법 제96조 제4항에서 법령의 규정에 의한 납입고지를 시효중단사유로
규정하고 있는바, 이러한 납입고지에 의한 시효중단의 효력은 그 납입고지에 의한
부과 처분이 추후 취소되더라도 상실되지 않는다(대판 2000.9.8. 98두19933 ·
6982 ; 대판 2000.9.8. 98두19933). ★★

16. 지방직 9급, 11. 국가직 7급 판례에 따르면 법령의 규정에 의한 납입고지에 의한 시효중단
의 효력은 그 납입고지에 의한 부과처분이 취소되면 상실된다. (×) → 상실되지 않는다

변상금부과처분에 대한 취소소송의 진행
되는 동안
▷ 부과권의 소멸시효 중단×

2 국유재산법상 변상금부과처분의 취소소송이 진행되는 동안에도 그 부과권의 소
멸시효는 중단되지 않는다. ★★

변상금부과처분에 대한 취소소송이 진행 중이라도 그 부과권자로서는 위법한 처
분을 스스로 취소하고 그 하자를 보완하여 다시 적법한 부과처분을 할 수도 있는
것이어서 그 권리행사에 법률상의 장애사유가 있는 경우에 해당한다고 할 수 없
으므로, 그 처분에 대한 취소소송이 진행되는 동안에도 변상금부과권의 소멸시효
는 중단되지 않는다(대판 2006.2.10. 2003두5686).

11. 국가직 7급 「국유재산법」상 변상금부과처분에 대한 취소소송이 진행되는 동안에도 그 부
과권의 소멸시효가 진행된다. (○)

22. 소방간부 「국유재산법」상 변상금부과처분에 대한 취소소송이 진행되는 동안에는 그 부과
권의 소멸시효는 진행하지 아니한다. (×) → 중단되지 않는다

17. 국가직 9급 변상금 부과처분에 대한 취소소송이 진행 중이면 변상금부과권의 권리행사에
법률상의 장애사유가 있는 경우에 해당하므로 그 부과권의 소멸시효는 진행되지 않는다. (×)
→ 해당하지 않으므로 / 진행한다

3 세무공무원이 국세징수법 제26조에 의하여 체납자의 가옥·선박·창고 기타의 장소를 수색하였으나 압류할 목적물을 찾아내지 못하여 압류를 실행하지 못하고 수색조서를 작성하는 데 그친 경우에도 소멸시효중단의 효력이 있다(대판 2001.8.21. 2000다12419). ★★

16. 경찰 2차 세무공무원이 「국세징수법」 제26조에 의하여 체납자의 가옥·선박·창고 기타의 장소를 수색하였으나 압류할 목적물을 찾아내지 못하여 압류를 실행하지 못하고 수색조서를 작성하는 데 그친 경우에도 소멸시효 중단의 효력이 있다. (○)

4 복수의 채권 중 어느 하나의 청구권을 행사하는 것은 다른 채권에 대한 시효중단의 효력이 없다. ★

국가배상청구권과 연금청구권은 별개의 채권이므로 국가배상청구권을 행사했더라도 연금청구권의 소멸시효중단의 효력은 없다(대판 2002.5.10. 2000다39735).

08. 지방직 7급 판례에 의하면, 국가배상청구에 있어서 채권자가 동일한 목적을 달성하기 위하여 복수의 채권을 갖고 있는 경우 어느 하나의 청구권을 행사하는 것이 다른 채권에 대한 소멸시효 중단의 효력이 있다고 할 수 없다. (○)

5 산재보험법상 보험급여 청구에는 민법상 최고의 시효중단효력규정이 적용되지 않는다. ★

관련 규정의 문언 및 입법 취지, 산재보험법상 보험급여 청구의 성격 등을 종합하여 보면, 산재보험법 제113조는 제36조 제2항에 따른 보험급여 청구를 민법상의 시효중단 사유와는 별도의 고유한 시효중단 사유로 규정한 것으로 볼 수 있다. 산재보험법에 따른 보험급여 청구에 대하여 최고의 시효중단 효력에 관한 민법 제174조까지 적용 내지 준용되는 것으로 해석하여 수급권자의 보험급여를 받을 권리를 제한할 수는 없다(대판 2018.6.15. 2017두49119).

(3) 시효완성의 효과

소멸시효가 완성되면 처음부터 그러한 권리가 없었던 것으로 취급된다(소급효). 따라서 소멸시효 완성 후에 이루어진 부과처분은 납세의무 없는 자에 대하여 한 것이므로 그 하자가 중대하고 명백하여 무효이다.❶

> 「민법」 제167조 【소멸시효의 소급효】 소멸시효는 그 기산일에 소급하여 효력이 생긴다.

✍ 관련판례

조세채권의 소멸시효가 완성된 이후에 부과된 과세처분은 무효이다. ★★

조세에 관한 소멸시효가 완성되면 국가의 조세부과권과 납세의무자의 납세의무는 당연히 소멸한다 할 것이므로 소멸시효가 완성된 후에 부과된 부과처분은 납세의무 없는 자에 대하여 부과처분을 한 것으로서 그와 같은 하자는 중대하고 명백하여 그 처분의 효력은 당연무효이다(대판 1985.5.14. 83누655 ; 대판 1988.3.22. 87누1018).

22. 소방간부, 16. 경찰 2차, 11. 국가직 7급 소멸시효 완성 후에 부과된 조세부과처분은 납세의무 없는 자에 대하여 부과처분을 한 것으로서 그와 같은 하자는 중대하고 명백하여 그 처분의 효력은 당연무효이다. (○)

16. 지방직 9급 조세에 관한 소멸시효가 완성된 후에 부과된 조세부과처분은 위법한 처분이지만 당연무효라고 볼 수는 없다. (×) → 위법한 처분으로 당연무효이다

함께 정리하기

압류목적물 찾지 못해 압류실행 못하고 수색조서를 작성하는 데 그친 경우
▷ 소멸시효 중단○

국가배상청구권 행사
▷ 연금청구권의 소멸시효 중단× (∵별개의 채권)

산재보험법상 보험급여청구
▷ 「민법」상 최고의 시효중단효력 적용×

소멸시효완성의 효과
▷ 권리 당연소멸(판례)

❶
「민법」에서 소멸시효기간 경과하면 권리가 당연히 소멸한다는 '절대적 소멸설'과 시효이익을 받는 자가 이를 원용하여 권리의 소멸을 주장해야만 그 권리가 소멸한다는 '상대적 소멸설'이 대립하고 있다. 판례는 「민법」에서와 마찬가지로 공법에서도 전자의 입장을 취하고 있다.

소멸시효 완성 후의 과세처분
▷ 무효

취득시효
▷ 타인의 부동산(토지·건물)이나 동산(물건)을 일정기간 점유하는 자가 소유권을 취득하게 되는 제도

❶
행정재산(공물)이란 국가 등 행정주체에 의하여 또는 관습법에 의하여 직접 공적 목적에 제공되어 공법적 규율을 받는 유체물과 무체물 및 물건의 집합체(시설)를 말한다(예 도로, 하천, 관공서, 교도소, 문화재 등). 「국유재산법」과 공유재산법은 국·공유재산을 행정재산과 일반재산으로 나눈 뒤, 행정재산을 다시 공용재산, 공공용재산, 기업용재산, 보존용재산으로 분류하고 있다.

행정재산(공물), 예정공물
▷ 시효취득 대상×(원칙)

2. 취득시효(시효취득)

(1) 의의 및 문제점

취득시효(取得時效)란 어떤 사람이 권리자인 것과 같이 권리를 행사하고 있는 상태가 일정한 기간동안 계속된 경우에 처음부터 그 사람이 권리자이었던 것으로 인정하는 제도이다. 「민법」 제245조는 "20년간 소유의 의사로 평온, 공연하게 부동산을 점유하는 자는 등기함으로써 그 소유권을 취득한다."고 규정하고 있다. 이러한 「민법」 규정이 국·공유재산에도 적용되는지 문제된다.

> **「민법」 제245조 【점유로 인한 부동산소유권의 취득기간】** ① 20년간 소유의 의사로 평온, 공연하게 부동산을 점유하는 자는 등기함으로써 그 소유권을 취득한다.

(2) 국·공유재산과 시효취득

① 행정재산(공물)❶

㉠ 「국유재산법」 제7조 제2항과 「공유재산 및 물품 관리법」(약칭: 공유재산법) 제6조 제2항은 "행정재산은 「민법」 제245조에도 불구하고 시효취득의 대상이 되지 아니한다."고 규정하고 있다. 따라서 위 규정으로 인해 국·공유재산 중 행정재산은 시효취득의 대상이 되지 않는 것이 원칙이다. 또한, 예정공물[도로예정지·공원예정지·청사예정지 등과 같이 장래 공물(행정재산)이 될 것이 예정되어 있는 물건]도 행정재산과 마찬가지로 시효취득의 대상이 되지 않는다.

> **「국유재산법」 제6조 【국유재산의 구분과 종류】** ① 국유재산은 그 용도에 따라 행정재산과 일반재산으로 구분한다.
> ② 행정재산의 종류는 다음 각 호와 같다.
> 1. 공용재산: 국가가 직접 사무용·사업용 또는 공무원의 주거용(직무 수행을 위하여 필요한 경우로서 대통령령으로 정하는 경우로 한정한다)으로 사용하거나 대통령령으로 정하는 기한까지 사용하기로 결정한 재산
> 2. 공공용재산: 국가가 직접 공공용으로 사용하거나 대통령령으로 정하는 기한까지 사용하기로 결정한 재산
> 3. 기업용재산: 정부기업이 직접 사무용·사업용 또는 그 기업에 종사하는 직원의 주거용(직무 수행을 위하여 필요한 경우로서 대통령령으로 정하는 경우로 한정한다)으로 사용하거나 대통령령으로 정하는 기한까지 사용하기로 결정한 재산
> 4. 보존용재산: 법령이나 그 밖의 필요에 따라 국가가 보존하는 재산
> ③ "일반재산"이란 행정재산 외의 모든 국유재산을 말한다.
>
> **제7조 【국유재산의 보호】** ② 행정재산은 「민법」 제245조에도 불구하고 시효취득(時效取得)의 대상이 되지 아니한다.
>
> **「공유재산 및 물품 관리법」 제5조 【공유재산의 구분과 종류】** ① 공유재산은 그 용도에 따라 행정재산과 일반재산으로 구분한다.
>
> **제6조 【공유재산의 보호】** ② 행정재산은 「민법」 제245조에도 불구하고 시효취득(時效取得)의 대상이 되지 아니한다.

⚖ 관련판례

1 행정재산은 공용폐지❶가 되지 아니하는 한 사법상 거래의 대상이 될 수 없으므로 <u>시효취득의 대상이 되지 아니하고</u>(대판 1994.9.13. 94다12579 등), 관재당국이 이를 모르고 행정재산을 매각하였다 하더라도 그 <u>매매는 당연무효이다</u>(대판 1996.5.28. 95다52383). ★★

18. 국회직 8급, 18. 5급 승진, 17. 서울시 7급 국유재산 또는 공유재산 중 일반재산을 제외한 공물은 공용폐지가 없는 한 시효취득의 대상이 되지 않는다. (○)

19. 행정사, 17. 행정사, 16. 경찰, 16. 국가직 9급, 09. 지방직 9급 등 공공용 또는 공용의 행정재산은 공용폐지를 하지 않는 한 잡종재산과 달리 시효취득의 대상이 되지 아니한다. (○)

21. 국가직 7급 행정재산은 공용폐지가 되지 아니하는 한 사법상 거래의 대상이 될 수 없으므로 관재당국이 이를 모르고 행정재산을 매각하였다 하더라도 그 매매를 당연무효라 할 수 없다. (×) → 는 당연무효이다

20. 국회직 8급 (甲은 새롭게 개발된 A시 외곽에서 대형마트를 신축 개점하여 운영하고 있다. 甲은 신도시 입주가 완료되면서 마트 이용객들이 늘어나자 마트 인근 부지에 주차장을 추가로 확보하기 위해 토지를 매입하기로 하였다. 乙은 마트 인근 토지에서 작물농사를 하고 있다. 甲은 乙로부터 매매를 통해 토지를 취득 후 고객용 임시주차장으로 사용 중이다. 그런데 A시장은 甲에 대하여 해당 부지는 도로인 공공용물이며, 이를 무단으로 점유·사용하였으므로 주차시설 철거명령 및 변상금부과처분을 하였다. 해당 부지는 공공용물이나, A시에서 제대로 관리하지 않은 지난 25년 동안 乙이 계속해서 농사를 지어온 것으로 밝혀졌다) 乙이 25년 동안 평온·공연하게 해당 부지를 사용해왔으므로 점유취득시효의 완성으로 乙의 소유권이 인정되어, A시는 철거명령 및 변상금부과처분을 할 수 없다. (×) → 왔으나, 공용폐지가 되지 않는 한 시효취득의 대상이 될 수 없으므로 / 인정되지 않아 / 있다

2 <u>문화재보호구역 내의 국유토지</u>는 '법령의 규정에 의하여 국가가 보존하는 재산', 즉 국유재산법 제4조 제3항 소정의 '<u>보존재산</u>'에 해당하므로 구 국유재산법 제5조 제2항에 의하여 <u>시효취득의 대상이 되지 아니한다</u>(대판 1994.5.10. 93다23442). ★

10. 지방직 7급 「국유재산법」상 보존용재산은 시효취득의 대상이 되지 아니한다. (○)

18. 지방직 7급 문화재보호구역 내의 국유토지는 「국유재산법」상 보존재산에 해당하므로 시효취득의 대상이 될 수 있다. (×) → 없다

3 <u>예정공물인 토지</u>도 일종의 행정재산인 공공용물에 준하여 취급하는 것이 타당하다고 할 것이므로 구 국유재산법 제5조 제2항이 준용되어 <u>시효취득의 대상이 될 수 없다</u>(대판 1994.5.10. 93다23442). ★★

19. 국회직 8급 도로구역이 결정·고시되어 공사가 진행 중인 경우에 해당 구역 내에 있지만 아직 공사가 진행되지 아니한 국유토지는 시효취득의 대상이 되지 아니한다. (○)

ⓛ 그러나 행정재산이라도 공용폐지가 되면 예외적으로 시효취득의 대상이 될 수 있다. 공용폐지에는 명시적 공용폐지 외에 묵시적 공용폐지도 포함된다. 행정재산이 공용폐지되어 취득시효의 대상이 된다는 사실에 대한 입증책임은 시효취득을 주장하는 원고에게 있다(대판 1994.3.22. 93다56220 ; 대판 1999.1.15. 98다49548 등).

22. 국가직 7급, 14. 지방직 7급 행정재산이 공용폐지되어 시효취득의 대상이 된다는 점에 대한 증명책임은 시효취득을 주장하는 자에게 있다. (○)

행정재산(공용재산, 공공용재산, 기업용재산, 보존용재산)
▷ 시효취득 대상×

관재당국이 선의로 한 행정재산 매각
▷ 무효

❶ 공용폐지
공적 목적에의 제공을 폐지시키는 법적 행위를 말한다. 공용폐지가 이루어지면 공물(행정재산)이 공물(행정재산)로서의 성질을 상실하게 된다.

보존용재산
▷ 시효취득 대상×

예정공물
▷ 시효취득 대상×

행정재산이라도 (명시·묵시) 공용폐지시
▷ 시효취득 대상○

입증책임
▷ 시효취득주장자에게 有

공용폐지의 의사표시
▷ 묵시적으로도 可, 적법한 의사표시일 것

행정재산이 본래의 용도에 제공되지 않는 상태에 놓여 있다는 사실만으로
▷ 묵시적 공용폐지✕

종전에 지방국도사무소 소장관사로 사용되던 국유의 부동산이 지방국도사무소가 폐지됨으로써 공용으로 사용되지 않게 된 경우
▷ 묵시적 공용폐지○, 시효취득 대상○

일반재산
▷ 시효취득 대상○
▷ 단, 취득시효기간 동안 계속하여 일반재산이어야 시효취득 可
▷ 입증책임: 시효취득주장자에게 有

❶
① 구 「국유재산법」 제5조 제2항과 구 지방재정법 제74조 제2항은 잡종재산도 시효취득의 대상이 되지 아니한다고 규정하였으나, 헌법재판소는 일반재산(구 잡종재산)에 대하여 취득시효를 배제하는 것은 합리적 근거 없이 국가만을 우대하는 불평등한 규정으로서 평등의 원칙과 사유재산권 보장의 이념에 위반된다는 이유로 위헌결정을 하였다(헌재 1991.5.13. 89헌가97).
② 판례는 원래 잡종재산(현행법상 일반재산)이던 것이 행정재산으로 된 경우 잡종재산일 당시에 취득시효가 완성되었다고 하더라도 행정재산으로 된 이상 이를 원인으로 하는 소유권이전등기를 청구할 수 없다고 한다(대판 1997.11.14. 96다10782).

⚖ 관련판례

1 공용폐지의 의사표시는 명시적 의사표시뿐 아니라 묵시적 의사표시이어도 무방하나, 적법한 의사표시이어야 하고, 행정재산이 본래의 용도에 제공되지 않는 상태에 놓여 있다는 사실만으로 관리청의 이에 대한 공용폐지의 의사표시가 있었다고 볼 수 없다(대판 1996.5.28. 95다52383). ★★

22. 국가직 7급, 20. 5급 승진, 14. 국가직 7급 공용폐지의 의사표시는 명시적 의사표시뿐 아니라 묵시적 의사표시이어도 무방하나 적법한 의사표시이어야 하고, 행정재산이 본래의 용도에 제공되지 않는 상태에 놓여 있다는 사실만으로 관리청의 이에 대한 공용폐지의 의사표시가 있었다고 볼 수 없다. (○)

21. 행정사 의사표시는 묵시적인 방법으로도 가능하므로 행정재산이 본래의 용도에 제공되지 않는 상태에 있다면 묵시적인 공용폐지가 있다고 ~~보아야 한다.~~ (✕) → 볼 수 없다

2 대구국도사무소가 폐지되고, 그 소장관사로 사용되던 부동산이 그 이래 달리 공용으로 사용된 바 없다면, 그 부동산은 이로 인하여 묵시적으로 공용이 폐지되어 시효취득의 대상이 되었다 할 것이다(대판 1990.11.27. 90다5948). ★

13. 국가직 9급 판례에 의하면 1949.6.4. 대구국도사무소가 폐지되고 그 소장관사로 사용되던 부동산이 그 이후에 달리 공용으로 사용된 바 없다면, 그 부동산은 이로 인하여 묵시적으로 공용이 폐지되어 시효취득의 대상이 되었다 할 것이다. (○)

② **일반재산(구 잡종재산):** 한편, 국·공유재산 중 일반재산(구 잡종재산)은 시효취득의 대상이 될 수 있다. 다만, 취득시효가 완성되기 위하여는 취득시효기간 동안 계속하여 시효취득의 대상이 될 수 있는 잡종재산이어야 한다(대판 2009.12.10. 2006다19177).❶

⚖ 관련판례

1 국·공유재산 중 행정재산을 제외한 일반재산(구 잡종재산)에 대한 사인의 시효취득은 가능(헌재 1991.5.13. 89헌가97 ; 대판 2010.11.25. 2010다58957) ★★

22. 군무원 7급 국유재산은 「민법」에도 불구하고 시효취득의 대상이 되지 아니한다. (✕) → 국유재산 중 행정재산은

21. 행정사, 16. 지방직 9급 일반재산은 「민법」상 시효취득의 대상이 ~~되지 아니한다.~~ (✕) → 된다

2 구 지방재정법(현 공유재산 및 물품 관리법)상 공유재산에 대한 취득시효가 완성되기 위하여는 그 공유재산이 취득시효기간 동안 계속하여 시효취득의 대상이 될 수 있는 일반재산이어야 하고, 이러한 점에 대한 증명책임은 시효취득을 주장하는 자에게 있다(대판 2009.12.10. 2006다19177 ; 대판 2010.11.25. 2010다58957). ★★

23. 지방직 7급 국유재산에 대한 취득시효가 완성되기 위해서는 그 국유재산이 취득시효기간 동안 계속하여 행정재산이 아닌 시효취득의 대상이 될 수 있는 일반재산이어야 한다. (○)

20. 국가직 7급, 15. 지방직 7급 공유재산에 대한 취득시효가 완성되기 위해서는 그 공유재산이 취득시효기간 동안 계속하여 시효취득의 대상이 될 수 있는 일반재산이어야 한다. (○)

3 제척기간

1. 개념

제척기간(除斥期間)이란 법이 정한 권리의 존속기간을 말한다. 제척기간은 기간의 경과로 권리소멸의 효과가 발생한다는 점에서 소멸시효와 동일하나, 상대적으로 기간이 짧고, 소급효가 없으며, 시효처럼 중단제도가 없다는 점에서 구별된다. 제척기간 제도는 권리자로 하여금 권리를 신속하게 행사하도록 함으로써 법률관계를 조속히 확정시키는 것을 목적으로 한다. 행정심판·행정소송 등의 제기기간(「행정심판법」 제27조, 「행정소송법」 제20조), 국세 부과의 제척기간(「국세기본법」 제26조의2), 공익사업을 위한 사업인정의 실효기간(토지보상법 제23조) 등이 그 예이다. 한편, 「행정기본법」 제23조는 제재처분의 제척기간에 관한 규정을 두고 있다.

제척기간
▷ 일정한 권리에 대하여 법이 정한 존속기간
▷ 취지: 법률관계 조속 확정

2. 제재처분의 제척기간

> **「행정기본법」 제23조【제재처분의 제척기간】** ① 행정청은 법령등의 위반행위가 종료된 날부터 5년이 지나면 해당 위반행위에 대하여 제재처분(인허가의 정지·취소·철회, 등록 말소, 영업소 폐쇄와 정지를 갈음하는 과징금 부과를 말한다. 이하 이 조에서 같다)을 할 수 없다.
> ② 다음 각 호의 어느 하나에 해당하는 경우에는 제1항을 적용하지 아니한다.
> 1. 거짓이나 그 밖의 부정한 방법으로 인허가를 받거나 신고를 한 경우
> 2. 당사자가 인허가나 신고의 위법성을 알고 있었거나 중대한 과실로 알지 못한 경우
> 3. 정당한 사유 없이 행정청의 조사·출입·검사를 기피·방해·거부하여 제척기간이 지난 경우
> 4. 제재처분을 하지 아니하면 국민의 안전·생명 또는 환경을 심각하게 해치거나 해칠 우려가 있는 경우
> ③ 행정청은 제1항에도 불구하고 행정심판의 재결이나 법원의 판결에 따라 제재처분이 취소·철회된 경우에는 재결이나 판결이 확정된 날부터 1년(합의제행정기관은 2년)이 지나기 전까지는 그 취지에 따른 새로운 제재처분을 할 수 있다.
> ④ 다른 법률에서 제1항 및 제3항의 기간보다 짧거나 긴 기간을 규정하고 있으면 그 법률에서 정하는 바에 따른다.

(1) 도입취지

「행정기본법」은 제23조에서 제재처분의 처분권자인 행정청이 그 처분 권한을 장기간 행사하지 않아 발생하는 법률관계의 불안정한 상태를 신속히 확정시키고, 당사자의 신뢰보호 및 행정의 법적 안정성을 높이기 위하여 제재처분에 대한 제척기간 제도를 도입하였다(2023.3.24. 시행).

도입취지
▷ 법률관계 조속확정, 신뢰보호, 법적안정성

(2) 적용대상

「행정기본법」 제23조가 적용되는 대상은 제재처분 중에서도 의무위반에 대한 제재적 성격이 뚜렷한 것으로서 인·허가의 정지·취소·철회, 등록 말소, 영업소 폐쇄와 정지를 갈음하는 과징금 부과로 한정하고 있다(「행정기본법」 제2조 제5호 단서에 의해 제30조 제1항 각 호에 따른 행정상 강제는 제재처분에서 제외됨).

적용대상
▷ 제재처분 中 인·허가의 정지·취소·철회, 등록말소, 영업소 폐쇄와 정지를 갈음하는 과징금 부과에 한정

원칙
▷ 위반행위 종료일부터 5년內

보호가치 없는 신뢰에 대한 제척기간 적용 배제(제2항 각호)
▷ 5년 지나도 제재처분可

판결 등에 따라 제재처분이 취소·철회된 경우
▷ 그 확정일부터 1년 內 새로운 제재처분可

「행정기본법」과 다른 기간을 정한 특별규정有
▷ 그 법률 적용

「민법」상 주소
▷ 실질주의·복수주의·객관주의
공법상 주소
▷ 형식주의·단일주의·의사주의

(3) 원칙

행정청은 법령 등의 위반행위가 종료된 날부터 5년이 지나면 해당 위반행위에 대하여 제재처분을 할 수 없다(「행정기본법」 제23조 제1항).

(4) 제척기간 적용의 배제

그러나 당사자의 보호가치 없는 신뢰에 대한 제척기간 적용을 배제하기 위하여 적용이 제외되는 사유를 구체적으로 명시하고 있다(「행정기본법」 제23조 제2항 각호 참조).

(5) 새로운 재재처분이 가능한 경우

행정청은 제1항에도 불구하고 법원의 판결 등에 따라 제재처분이 취소·철회된 경우에는 그 확정일부터 1년(재처분을 위한 과징금 재산정에 상당한 시일이 소요될 수 있는 합의제행정기관은 2년)이 지나기 전까지는 제재처분을 취소한 판결 등의 취지를 고려하여 위법하지 않은 내용의 새로운 제재처분을 할 수 있다(「행정기본법」 제23조 제3항). 이는 제재처분에 대한 쟁송절차가 진행되는 중에 제척기간이 도과한 경우 판결 등의 기속력으로 인한 행정청의 재처분의무가 제척기간의 도과에 따른 처분의무의 소멸로 제한되는 것을 방지하기 위한 것이다.

(6) 다른 법률과의 관계

한편, 제척기간을 달리 정한 개별 법률과의 적용상 우선순위가 해석상 문제될 수 있으므로, 행정기본법과 다른 기간을 정한 특별규정이 있으면 그 법률에 따르도록 하고 있다(「행정기본법」 제23조 제4항).

4 주소

1. 형식주의

「민법」은 생활의 근거가 되는 곳을 주소로 정하고 있으나(실질주의, 「민법」 제18조 제1항), 공법관계에서 원칙적인 주소지는 「주민등록법」에 따른 주민등록지이며, 현실적인 거주 외에 절차상 '등록'을 요구하고 있다(형식주의, 「주민등록법」 제23조 제1항).

> 「주민등록법」 제23조 【주민등록자의 지위 등】 ① 다른 법률에 특별한 규정이 없으면 이 법에 따른 <u>주민등록지를 공법(公法) 관계에서의 주소</u>로 한다.
>
> 제6조 【대상자】 ① 시장·군수 또는 구청장은 <u>30일 이상 거주할 목적</u>으로 그 <u>관할 구역에 주소나 거소</u>(이하 "거주지"라 한다)를 가진 다음 각 호의 <u>사람</u>(이하 "주민"이라 한다)을 <u>이 법의 규정에 따라 등록하여야 한다</u>. 다만, 외국인은 예외로 한다.

2. 단일주의

「민법」은 주소의 수와 관련하여 "주소는 동시에 두 곳 이상 있을 수 있다."고 규정하여 복수주의를 취하고 있다(「민법」 제18조 제2항). 그러나 「주민등록법」은 주민등록의 신고를 이중으로 하는 것을 금지하고 있으므로 공법상 자연인의 주민등록지(주소지)는 1개소에 한정된다(단일주의, 「주민등록법」 제10조 제2항). 다만, 다른 법률에 특별한 규정이 있으면 복수의 주소도 가능하다(「주민등록법」 제23조 제1항).

17. 지방직 9급 공법관계에 있어서 자연인의 주소는 주민등록지이고, 그 수는 1개소에 한한다. (○)

3. 의사주의

「민법」에서는 정주(定住)라는 객관적 사실에 따라 주소를 정의함(객관주의)에 반하여, 「주민등록법」에서는 '30일 이상 거주할 목적'을 요구하고 있다(의사주의, 「주민등록법」 제6조 제1항).

5 공법상 사무관리

1. 의의 및 취지

(1) 사무관리(事務管理)란 법률상 의무없이 타인을 위하여 사무를 관리하는 행위를 말한다(「민법」 제734조). 사무관리 제도의 취지는 의무 없이 임의로 한 행위일지라도 그것이 본인에게 이익이 되는 행위라면 본인과 관리자 상호간의 이해를 조절하는 것이 합리적이라고 보기 때문이다.

> 「민법」 제734조【사무관리의 내용】① 의무없이 타인을 위하여 사무를 관리하는 자는 그 사무의 성질에 좇아 가장 본인에게 이익되는 방법으로 이를 관리하여야 한다.
> 제739조【관리자의 비용상환청구권】① 관리자가 본인을 위하여 필요비 또는 유익비를 지출한 때에는 본인에 대하여 그 상환을 청구할 수 있다.

2. 공법상 사무관리 인정범위 및 적용법규

공법 분야에서도 사무관리가 인정된다는 것이 일반적 견해이다. 공법상 사무관리는 행정주체의 사무관리가 보통이나 사인의 사무관리도 가능하다. 그런데 공법상 사무관리에 관한 일반법이 없는 관계로 특별한 규정이 없는 한 「민법」의 사무관리에 관한 규정이 준용된다.

3. 사무관리의 성립요건

(1) 우선 ① 사무가 타인의 사무이고, ② 관리의 사실상 이익을 타인에게 귀속시키려는 관리의사가 있어야 하며, 나아가 ③ 사무의 처리가 본인에게 불리하거나 본인의 의사에 반한다는 것이 명백하지 아니할 것을 요한다.

(2) 다만, 사인이 국가의 사무를 관리하는 경우, 타인의 사무가 국가의 사무인 점을 고려하면, 그 사무가 사인이 국가를 대신하여 처리할 수 있는 성질의 것으로서, 사무처리의 긴급성 등 국가의 사무에 대한 사인의 개입이 정당화되는 경우에 한하여 사무관리가 성립하고, 사인은 그 범위 내에서 국가에 대하여 국가의 사무를 처리하면서 지출된 필요비 내지 유익비의 상환을 청구할 수 있다.

공법상 사무관리
▷ 법률상 의무없이 타인 위해 사무관리 (「민법」규정 유추적용)

공법상 사무관리 인정○
▷ 행정주체·사인의 사무관리可(비용상환청구)
▷ 특별한 규정이 없는 한 「민법」 준용

성립요건
▷ 타인사무·관리의사·본인의사에 반하지 않을 것

사인의 사무관리 성립요건
▷ 사무가 국가를 대신하여 처리 가능한 성질
▷ 사무처리의 긴급성 등 사인의 개입이 정당화되는 경우

종류
▷ 강제관리 · 보호관리 · 역무제공

부당이득
▷ 법률상 원인 없이 이득 얻고 타인에게 손해 가하는 것

> ⚡ **관련판례**
>
> **사인이 국가의 사무를 처리한 경우, 사무관리가 성립하기 위한 요건 ★**
>
> 사무관리가 성립하기 위하여는 우선 사무가 타인의 사무이고 타인을 위하여 사무를 처리하는 의사, 즉 관리의 사실상 이익을 타인에게 귀속시키려는 의사가 있어야 하며, 나아가 사무의 처리가 본인에게 불리하거나 본인의 의사에 반한다는 것이 명백하지 아니할 것을 요한다. 다만, 타인의 사무가 국가의 사무인 경우, 원칙적으로 사인이 법령상 근거 없이 국가의 사무를 수행할 수 없다는 점을 고려하면, 사인이 처리한 국가의 사무가 사인이 국가를 대신하여 처리할 수 있는 성질의 것으로서, 사무 처리의 긴급성 등 국가의 사무에 대한 사인의 개입이 정당화되는 경우에 한하여 사무관리가 성립하고, 사인은 그 범위 내에서 국가에 대하여 국가의 사무를 처리하면서 지출된 필요비 내지 유익비의 상환을 청구할 수 있다(대판 2014.12.11. 2012다15602).

4. 사무관리의 종류

(1) 행정주체의 사인을 위한 사무관리에는 ① 국가의 특별감독 아래 있는 사업에 대하여 감독권을 행사하여 강제적으로 관리하는 경우(예 재단에 문제가 있는 사립학교에 대한 교육위원회의 강제관리)와 ② 자연재해시 빈 상점의 물건의 처분, 시 · 군에서 행하는 행려병자 · 사자의 관리(보호관리)가 있다.

(2) 사인의 행정주체를 위한 사무관리에는 비상재해시 임의적인 행정사무의 일부에 대한 관리로서 조난자 구호, 시설물 응급복구조치(역무제공) 등이 있다.

12. 지방직 9급 자연재해시 빈 상점의 물건의 처분은 공법상 부당이득에 속한다. (×) → 사무관리

🟦 6 공법상 부당이득

1. 의의 및 취지

부당이득(不當利得)이란 법률상 원인 없이 타인의 재산 또는 노무로 인하여 이익을 얻고 이로 인하여 타인에게 손해를 가하는 것을 말한다(「민법」 제741조). 이때 법률상 원인 없는 이익은 반환하여야 하는데, 이를 부당이득반환의 법리라고 한다. 부당이득반환 제도의 취지는 어느 누구도 타인에게 손해를 가하면서 이득을 취해서는 안 된다는 공평의 원칙에 입각하여 당사자의 이해를 조절하는 제도이다.

> **「민법」 제741조 【부당이득의 내용】** 법률상 원인 없이 타인의 재산 또는 노무로 인하여 이익을 얻고 이로 인하여 타인에게 손해를 가한 자는 그 이익을 반환하여야 한다.

19. 군무원 9급, 08. 경기 공법상 부당이득이란 법률상 원인 없이 타인의 재산 또는 노무로 인하여 이득을 얻고 타인에게 손해를 가한 자에 대하여 그 이득의 반환의무를 과하는 것을 말한다. (○)

체납자를 대신해서 제3자가 납부한 체납액은 부당이득에 해당하지 않는다. ★★

<u>제3자가 체납자가 납부하여야 할 체납액을 체납자의 명의로 납부한 경우에는 원칙적으로 체납자의 조세채무에 대한 유효한 이행이 되고, 이로 인하여 국가의 조세채권은 만족을 얻어 소멸하므로, 국가가 체납액을 납부받은 것에 법률상 원인이 없다고 할 수 없고, 제3자는 국가에 대하여 부당이득반환을 청구할 수 없다</u>(대판 2015.11.12. 2013다215263).

22. 소방간부 제3자가 체납자가 납부해야 할 체납액을 체납자 명의로 완납한 경우, 제3자는 국가에 대하여 부당이득반환을 청구할 수 없다. (○)

16. 서울시 7급 제3자가 「국세징수법」에 따라 체납자의 명의로 체납액을 완납한 경우 국가에 대하여 부당이득반환을 청구할 수 있다. (×) → 청구할 수 없다

2. 공법상 부당이득 인정범위 및 적용법규

(1) 공법의 영역에서도 부당이득반환의 법리가 인정된다. 공법상 부당이득이라 함은 공법상 원인(예 무효인 과세처분에 따른 조세의 납부, 무자격자의 연금수령, 공무원의 봉급과다수령, 행정주체가 사인의 토지를 무단으로 사용한 경우 등)에 의하여 발생한 부당이득을 말한다. 공법상 부당이득으로 손해를 입은 자는 부당이득반환청구권을 갖는다. 이러한 공법상 부당이득에는 행정주체의 부당이득과 사인의 부당이득이 있다. 따라서 개별적인 사안에 따라 행정주체나 사인 모두 공법상 부당이득반환청구권을 행사할 수 있다.

17. 지방직 9급 공법상 부당이득반환에 대한 청구권의 행사는 개별적인 사안에 따라 행정주체도 주장할 수 있다. (○)

(2) 그런데 현재로서 공법상 부당이득에 관한 일반법이 없기에 법령에 특별한 규정이 없는 한 「민법」의 부당이득반환에 관한 규정이 준용된다. 다만, 공법상 부당이득에 관한 특별규정이 적지 않다(예 「국세기본법」 제51조 내지 제54조, 「관세법」 제46조 내지 제48조, 「우편법」 제25조 등).

17. 지방직 9급 공법상 부당이득에 관한 일반법은 없으므로 특별한 규정이 없는 경우, 「민법」상 부당이득반환의 법리가 준용된다. (○)

3. 공법상 부당이득반환청구권의 성질(관할법원)

공법상 원인에 의한 부당이득반환청구권이 공권인지 사권인지가 권리구제수단과 관련하여 다투어진다. 부당이득반환청구권을 공권으로 보면 부당이득반환청구소송을 당사자소송으로 제기하여야 하고, 사권으로 보면 부당이득반환청구소송을 민사소송으로 제기하여야 한다.

(1) 학설

① 부당이득의 문제는 법률상 원인이 없는 경우에 생기고 부당이득제도는 순수하게 경제적 이해조정의 견지에서 인정되므로 사법상의 것과 구별할 필요가 없다는 점에서 사권이라고 보는 견해(사권설)와, ② 청구권의 법적 성질은 청구권의 발생원인과 밀접한 관련을 갖는다고 보아 공법상 원인에 의한 부당이득반환은 공법상 원인에 의하여 발생한 결과를 조정하기 위한 것으로서 공권이라고 보는 견해(공권설, 통설)가 대립한다.

함께 정리하기

제3자가 체납자 명의로 체납액 납부
▷ 국가의 부당이득×

공법상 부당이득반환의무
▷ 행정주체, 사인 모두 발생 可

학설
▷ 공권, 당사자소송(통설)
판례
▷ 사권, 민사소송

(2) 판례

판례는 공법상 부당이득반환청구권을 사권으로 보아(사권설), 조세부과처분의 무효를 전제로 하여 이미 납부한 세금이 부당이득에 해당한다고 주장하며 그 반환을 청구하는 것은 민사소송절차를 따라야 한다고 한다.

20. 소방직 판례는 공법상 부당이득반환청구권은 사권(私權)에 해당되며, 그에 관한 소송은 민사소송절차에 따라야 한다고 보고 있다. (○)

무효인 조세부과처분에 기하여 납부한 세금의 부당이득반환청구
▷ 민사소송절차

존재·범위 확정된 과오납부액 반환
▷ 민사소송절차

🔥 **관련판례**

1 **판례는 부당이득반환청구권을 사권으로 보아 민사소송으로 처리한다.** ★★

조세부과처분이 당연무효임을 전제로 하여 이미 납부한 세금의 반환을 청구하는 것은 민사상의 부당이득반환청구로서 민사소송절차에 따라야 한다(대판 1995.4.28. 94다55019). 마찬가지로, 납세자가 이미 존재와 범위가 확정되어 있는 과오납부액에 대하여 반환을 구하는 소송은 부당이득반환을 구하는 민사소송으로 환급을 청구할 수 있다(대판 2015.8.27. 2013다212639).

19. 서울시 7급 이미 존재와 범위가 확정되어 있는 과오납부액은 납세자가 부당이득의 반환을 구하는 민사소송으로 환급을 청구할 수 있다. (○)

21. 국가직 7급 조세부과처분의 당연무효를 전제로 하여 이미 납부한 세금의 반환을 청구하는 것은 민사상 부당이득반환청구로서 당사자소송이 아니라 민사소송절차에 따른다. (○)

22. 군무원 9급 조세부과처분의 당연무효를 전제로 하여 이미 납부한 세금의 반환청구는 공법상 당사자소송의 절차에 따른다. (×) → 민사소송

12. 국가직 7급 존재와 범위가 확정되어 있는 과오납부액이나 환급세액의 부당이득반환청구는 그 원인행위가 공법적이므로 당사자소송에 의하여야 한다. (×) → 민사소송

2 **국가는 무단점유자를 상대로 변상금 부과·징수권의 행사와 별도로 국유재산의 소유자로서 민사상 부당이득반환 청구의 소를 제기할 수 있다.** ★★★

국유재산의 무단점유자에 대한 변상금 부과는 공권력을 가진 우월적 지위에서 행하는 행정처분이고, 그 부과처분에 의한 변상금 징수권은 공법상의 권리인 반면, 민사상 부당이득반환청구권은 국유재산의 소유자로서 가지는 사법상의 채권이다. … 구 국유재산법 제51조 제1항·제4항·제5항에 의한 변상금 부과·징수권은 민사상 부당이득반환청구권과 법적 성질을 달리하므로, 국가는 무단점유자를 상대로 변상금 부과·징수권의 행사와 별도로 국유재산의 소유자로서 민사상 부당이득반환청구의 소를 제기할 수 있다(대판 2014.7.16. 2011다76402 전합).

21. 소방직, 19. 서울시 7급, 17. 5급 승진, 16. 서울시 7급 「국유재산법」에 의한 변상금 부과·징수권은 민사상 부당이득반환청구권과 법적 성질을 달리하므로, 국가는 무단점유자를 상대로 변상금 부과·징수권의 행사와 별도로 국유재산의 소유자로서 민사상 부당이득반환청구의 소를 제기할 수 있다. (○)

18. 국가직 7급 국유재산의 무단점유와 관련하여 「국유재산법」에 의한 변상금 부과·징수가 가능한 경우에는 변상금 부과·징수의 방법에 의해서만 국유재산의 무단점유·사용으로 인한 이익을 환수할 수 있으며, 그와 별도로 민사소송의 방법으로 부당이득반환청구를 하는 것은 허용되지 않는다. (×) → × / 된다

국유재산의 무단점유자에 대한 변상금 부과
▷ 변상금 부과·징수와 별도로 민사상 부당이득반환청구 可

4. 부당이득의 유형

(1) 행정주체의 부당이득의 예로는 ① 행정행위에 근거하여 행정주체에게 이득이 생겼으나(例 과세부과처분에 근거한 납부 또는 징수), 그 후 행정행위가 무효임이 판명되거나 하자를 이유로 취소된 경우(단, 후자의 경우 취소되기 전까진 부당이득이 되지 않음), ② (행정행위의 발령과 무관하게) 국가가 사유지를 무단으로 사용하는 경우 등을 들 수 있다.

(2) 사인의 부당이득의 예로는 ① (행정주체의 부당이득과 마찬가지로) 사인의 이득이 행정행위에 근거한 경우 그 행정행위가 무효임이 판명되거나 취소된 때, ② (행정행위와 무관하게) 사인이 국유지를 무단으로 사용하는 경우, ③ 봉급을 과다하게 수령한 경우 등을 들 수 있다.

5. 공법상 부당이득반환청구권의 소멸시효·제척기간

(1) 기간

① 공법상 부당이득반환청구권의 소멸시효 기간은 특별한 규정이 없는 한 「국가재정법」 제96조 및 「지방재정법」 제82조에 따라 5년이다.

② 다만, 공법상 부당이득반환청구권의 시효·제척기간에 관하여 명문의 규정을 둔 경우가 적지 않다.

예컨대, 「관세법」상 납세자의 과오납금 또는 그 밖의 관세환급청구권은 5년(제22조 제2항), 「국세기본법」상 국세환급청구권은 5년(제54조)으로 시효기간을 규정하고 있다. 제척기간의 예로는 「우편법 시행령」상 우편요금 등의 반환청구기간을 60일 또는 30일(제35조 제2항)로 정하고 있다.

20. 소방직 「관세법」상 납세자의 과오납금 또는 그 밖의 관세의 환급청구권은 그 권리를 행사할 수 있는 날부터 5년간 행사하지 아니하면 소멸시효가 완성된다. (○)

(2) 소멸시효 기산점

> **⚖ 관련판례**
>
> **오납금에 대한 납부자의 부당이득반환청구권은 '납부 또는 징수시'에 발생하여 확정되며, 그때부터 소멸시효가 진행한다. ★★**
>
> 지방재정법 제87조 제1항에 의한 변상금부과처분이 당연무효인 경우에 이 변상금부과처분에 의하여 납부자가 납부하거나 징수당한 오납금은 지방자치단체가 법률상 원인 없이 취득한 부당이득에 해당하고, 이러한 오납금에 대한 납부자의 부당이득반환청구권은 처음부터 법률상 원인이 없이 납부 또는 징수된 것이므로 납부 또는 징수시에 발생하여 확정되며, 그때부터 소멸시효가 진행한다(대판 2005.1.27. 2004다50143).
>
> 21. 국가직 7급 구 「지방재정법」에 의한 변상금부과처분이 당연무효인 경우, 이 변상금부과처분에 의하여 납부자가 납부한 오납금은 지방자치단체가 법률상 원인 없이 취득한 부당이득에 해당한다. (○)
>
> 20. 국가직 9급 변상금부과처분이 당연무효인 경우, 당해 변상금부과처분에 의하여 납부한 오납금에 대한 부당이득반환청구권의 소멸시효는 변상금 부과처분의 부과시부터 진행한다. (✕) → 납부 또는 징수시

행정행위에 의해 성립
▷ 행정행위가 무효이거나 취소되어야 부당이득 발생

행정행위에 의하지 않고 성립
▷ 곧바로 부당이득 발생

소멸시효
▷ 특별한 규정이 없는 한 5년

「관세법」상 관세환급청구권, 「국세기본법」상 국세환급청구권의 소멸시효
▷ 5년

제척기간의 예시
▷ 「우편법 시행령」상 우편요금 등의 반환청구기간(60일, 30일)

오납금에 대한 납부자의 부당이득반환청구권의 소멸시효 기산점
▷ 납부 또는 징수시

(3) 소멸시효 중단

과세처분의 취소 또는 무효확인을 구하는 소송을 제기하면 부당이득반환청구권의 소멸시효는 중단된다.

> ⚖ **관련판례**
>
> **과세처분의 취소 또는 무효확인청구의 소는 조세환급을 구하는 부당이득반환청구권의 소멸시효 중단사유인 재판상 청구에 해당한다.** ★
>
> 일반적으로 위법한 행정처분의 취소, 변경을 구하는 행정소송은 사권을 행사하는 것으로 볼 수 없으므로 사권에 대한 시효중단사유가 되지 못하는 것이나, 다만 오납한 조세에 대한 부당이득반환청구권을 실현하기 위한 수단이 되는 과세처분의 취소 또는 무효확인을 구하는 소는 그 소송물이 객관적인 조세채무의 존부확인으로서 실질적으로 민사소송인 채무부존재확인의 소와 유사할 뿐 아니라, 과세처분의 유효 여부는 그 과세처분으로 납부한 조세에 대한 환급청구권의 존부와 표리관계에 있어 실질적으로 동일 당사자인 조세부과권자와 납세의무자 사이의 양면적 법률관계라고 볼 수 있으므로, 위와 같은 경우에는 과세처분의 취소 또는 무효확인청구의 소가 비록 행정소송이라고 할지라도 조세환급을 구하는 부당이득반환청구권의 소멸시효중단사유인 재판상 청구에 해당한다고 볼 수 있다(대판 1992.3.31. 91다32053 전합).

제3절 공법상의 행위

1 공법행위의 의의

공법행위란 국가 기타 행정주체와 사인간의 공법(행정법)관계에서의 행위로서, 공법상의 효과, 즉 공법상 법률관계의 발생·변경·소멸을 가져오는 모든 행정의 행위형식을 말한다. 공법행위는 여러 가지 기준에 따라 분류할 수 있으나, 가장 중요한 것은 행위주체에 의한 분류이다. 공법행위(행정법상의 행위)는 그 행위주체에 따라 행정주체의 공법행위와 사인의 공법행위로 나뉜다.

2 행정주체의 공법행위

행정주체의 공법행위는 행정입법이나 행정행위 등과 같이 상대방에 대하여 우월적인 지위에서 하는 경우(권력행위)도 있고, 공법상의 계약이나 공법상 합동행위 등과 같이 상대방과 대등한 지위에서 하는 경우(비권력적 행위)도 있다. 이러한 행정주체의 공법행위는 주로 행정주체가 행정목적을 실현하는 작용으로서 행하여진다.❶

3 사인의 공법행위

1. 개념

사인(私人)의 공법행위란 공법관계에서 사인의 행위로서 공법적 효과를 발생시키는 일체의 행위를 의미한다. 이러한 사인의 공법행위는 법적행위라는 점에서 공법상 사실행위와 구별❶되고, 사인의 행위라는 점에서 행정주체가 행하는 공법행위와도 다르며, 공법적 효과 발생을 목적으로 한다는 점에서 사적 자치에 의하여 지배되는 사법행위와도 다르다.

19. 소방간부 사인의 공법행위는 행정법 관계에서 사인의 행위로서 공법적 효과를 발생시키는 일체의 행위를 말한다. (○)
14. 국가직 7급 사인의 공법행위는 법적 행위인 점에서 공법상 사실행위와 구별된다. (○)

2. 종류

사인의 공법행위는 내용, 법적 성격 및 효과를 달리하는 다양한 행위를 포함하고 있는 바, 다음과 같이 여러가지 기준에 따라 분류될 수 있다.

(1) 행정주체의 기관으로서의 행위와 행정의 상대방으로서의 행위

이는 사인의 지위에 따른 구분으로, 사인의 공법행위 가운데 사인이 국가나 공공단체의 기관의 지위에서 하는 행위가 있는바, 공직선거에서 투표나 서명을 하는 행위가 이에 해당한다. 이에 대하여 행정의 상대방의 지위에서의 행위는 사인이 행정주체의 상대방의 입장에서 국가나 공공단체에 대하여 행하는 행위이다. 예컨대, 각종의 신고나 신청 내지 동의의 제출 등이 그 예이다. 이러한 상대방의 지위에서의 행위가 사인의 공법행위의 중심이 된다.

(2) 단순행위와 합성행위

이는 사인의 공법행위를 구성하는 의사표시의 수를 기준으로 한 구별이다. 단순행위란 신고나 등록과 같이 한 사람의 의사표시로써 특정한 법적 효과를 발생시키는 행위를 말하며, 합성행위란 투표에서 보는 바와 같이 여러 사람이 공동하여 하나의 의사를 구성하는 것을 말한다.

(3) 자기완결적(자체완성적) 공법행위와 행위요건적(행정요건적) 공법행위

① 이는 사인이 행하는 행위의 효과를 기준으로 한 구분으로, 사인의 어떠한 행위가 그 행위 자체만으로 일정한 법적 효과를 가져올 때 이를 자기완결적 공법행위라고 한다. 사인의 자기완결적 공법행위의 예로서 선거시 투표, 건축물의 신고, 옥외집회 및 시위의 신고 등이 있다. 자기완결적 공법행위로서 신고는 신고의 도달로서 그 효력이 발생한다.

② 반면에, 허가나 특허의 신청, 공무원 임명의 동의와 같이 사인의 행위가 행정청의 특정한 행정행위의 전제요건을 구성하는 경우가 있는바 이를 행위요건적 공법행위라고 한다. 예컨대, 특허나 허가의 신청의 경우에 있어서 신청은 허가의 하나의 요건에 지나지 않으며, 행정청이 상대방의 신청을 받아들여 허가를 한 경우에 비로소 그 효과가 발생된다. 신고의 경우에도 농지의 전용신고나 어업신고 등과 같이 수리를 요하는 경우에는 자기완결적 공법행위가 아니라 행위요건적 공법행위라고 보아야 한다.

함께 정리하기

사인의 공법행위
▷ 공법적 효과 발생을 목적으로 하는 사인의 법적행위

❶
한편, 사인의 공법상 행위란 사인이 공법상의 권리와 의무로서 하는 행위를 의미하는바, 이에는 법적행위인 경우도 있고 사실행위인 경우도 있다. 사실행위의 예로는 행정감시행위, 쓰레기 분리배출행위 등이 있다. 그런데 사인의 공법행위는 사인의 공법상 행위 중 법률행위의 성질을 갖는 것만을 지칭하는 것이다.

지위에 따른 구분
▷ 행정주체의 기관으로서의 행위 vs 행정의 상대방으로서의 행위
▷ 행정주체의 기관으로서의 행위(예) 공직선거에서 투표나 서명 등)
▷ 행정의 상대방으로서의 행위(예) 각종 신고, 신청, 동의의 제출 등)

의사표시의 수에 따른 구분
▷ 단순행위 vs 합성행위

단순행위
▷ 한 사람의 의사표시

합성행위
▷ 여러 사람이 공동하여 하나의 의사를 구성

행위의 효과에 따른 구분
▷ 자기완결(자체완성)적 공법행위 vs 행위(행정)요건적 공법행위

자기완결적 공법행위
▷ 사인의 행위 자체만으로 법적 효과

행위요건적 공법행위
▷ 사인의 행위가 행정청의 행위의 요건

함께 정리하기

공통점
▷ 공법적 효과 발생을 목적으로 한다는 점
차이점
▷ 행정행위: 우월적 효력○(공정력·존속력·집행력○)
▷ 사인의 공법행위: 우월적 효력×(공정력·존속력·집행력×)

공통점
▷ 사인이 행위의 주체, 비권력적, 법적 행위
차이점
▷ 사인의 공법행위: 행정목적 실현이 목표, 공법적 효과
▷ 사법행위: 당사자간 이해조절이 목적, 사법적 효과

「민법」상 법률행위 규정
▷ 성질상 허용될 수 있는 범위 내에서 유추 적용 可

의사능력에 관한 「민법」규정
▷ 사인의 공법행위에도 적용○
의사무능력자의 공법행위
▷ 무효(=「민법」)

3. 특성

(1) 행정행위와의 비교

사인의 공법행위와 행정행위는 모두 공법적 효과의 발생을 목적으로 하는 점은 동일하다. 그러나 사인의 공법행위는 사인의 행위일 뿐 행정주체의 행위가 아니므로 행정행위에서만 인정되는 특수한 효력인 구속력, 공정력, 존속력, 자력집행력 등과 같은 우월적인 효력을 갖지 못한다.

10. 국가직 7급 사인의 공법행위와 행정행위는 모두 공법적 효과의 발생을 목적으로 한다. (○)
20. 국회직 9급, 19. 소방간부, 15. 지방직 7급, 10. 국가직 7급 사인의 공법행위에는 행정행위에 인정되는 공정력, 존속력, 집행력 등이 인정되지 않는다. (○)

(2) 사법행위와의 비교

사인의 공법행위는 사인이 행위의 주체이고, 성질도 비권력적이라는 점에서 사법행위와 동일하다. 그러나 사법행위는 사적 자치 원칙에 따라 당사자 간의 이해조절을 목적으로 하고 사법적 효과를 발생시키는 반면, 사인의 공법행위는 행정목적(공익)의 실현을 목표로 하고 공법적 효과를 발생시킨다. 이 때문에 사인의 공법행위에 적용될 법원리는 사법행위와 다르다. 사인의 공법행위는 사법행위에 비해 공공성·객관성·형식성을 띤다.

13. 행정사 사인의 공법행위는 공법적 효과의 발생을 목적으로 하는 행위인 점에서 사법(私法)행위와 구별된다. (○)

4. 적용법규

사인의 공법행위에 관한 일반적·통칙적 규정은 없다. 따라서 각 개별법에 사인의 공법행위에 관한 특별한 규정을 두고 있으면 그 규정에 의한다(예 「행정기본법」에서 수리를 요하는 신고, 「행정절차법」에서 처분을 구하는 신청과 수리를 요하지 않는 신고, 「민원처리에 관한 법률」에서 민원사무의 처리에 관한 사항 등). 그런데 개별법령에 아무런 규정이 없는 경우 이에 적용할 법리가 문제된다. 사인의 공법행위는 행정목적 수행과 직접적 관련이 있고, 이해가 대립되는 대등한 당사자 간의 순수한 사법행위와 다른 점이 있기 때문에 「민법」규정의 수정·변경이 필요한 경우가 있다. 따라서 사인의 공법행위의 특수한 성격에 어긋나지 않는 범위 안에서 「민법」상의 법률행위에 관한 규정(의사표시의 효력발생시기, 대리행위의 효력, 조건과 기한의 효력 등)이나 법원칙이 적용될 수 있다는 것이 일반적인 견해이다. 구체적으로 이하 몇 가지 「민법」 규정을 살펴본다.

14. 서울시 9급 현재 사인의 공법행위에 관한 전반적인 사항을 규율하는 일반법은 없다. (○)
17. 지방직 9급 특별한 규정이 없는 경우, 「민법」의 법률행위에 관한 규정 중 의사표시의 효력발생시기, 대리행위의 효력, 조건과 기한의 효력 등의 규정은 행정행위에도 적용된다. (○)
22. 소방간부 사인의 공법행위의 특수한 성격과 어긋나지 않는 범위에서는 「민법」상의 법률행위에 관한 규정이 적용될 수 있다. (○)

(1) 의사능력과 행위능력

① 사인의 공법행위에도 의사능력(意思能力, 자기가 행한 행위의 결과를 인식·판단할 수 있는 능력)과 행위능력(行爲能力, 법적효과를 수반하는 행위를 단독으로 완전히 행할 수 있는 능력)이 필요한지 여부가 문제된다.

② 특별한 예외규정이 없는 한, 「민법」의 의사능력에 관한 규정은 사인의 공법행위에도 적용된다. 즉, 행위 당시 의사능력이 없는 사인의 공법행위는 「민법」상의 법률행위와 마찬가지로 무효이다.

20. 국회직 9급 의사능력이 없는 자의 공법행위는 무효이다. (O)
11. 국회직 9급 의사능력이 없는 자의 행위라 하더라도 사인의 공법행위에 있어서는 유효하다. (×) → 행위는 / 무효이다

③ 행위능력에 관한 민법규정도 사인의 공법행위에 원칙적으로 적용된다. 그런데 행위능력에 관하여는 공법상 특별한 규정을 두어 「민법」상의 행위능력의 규정을 배제시키는 경우가 적지 않다[「우편법」 제10조(우편물의 발송·수취나 그 밖에 우편 이용에 관하여 무능력자가 우편관서에 대하여 행한 행위는 능력자가 행한 것으로 본다), 「우편환법」 제17조 등]. 이와 같은 특별한 규정이 없는 경우에는 재산관계에 관한 행위인 때에는 행위능력에 관한 「민법」의 규정이 원칙적으로 유추적용되지만, 「민법」의 행위능력 규정의 입법취지(재산상 법률관계 보호)와 무관한 재산관계 이외의 행위인 때에는 적용되지 않을 수도 있다. 예컨대, 운전면허나 여권 발급 신청과 같이 재산상의 행위가 아닌 신분법상의 행위는 미성년자가 단독으로 할 수 있다.

16. 서울시 9급 사인의 공법행위에는 행위능력에 관한 「민법」의 규정이 원칙적으로 적용된다. (O)
10. 국가직 7급 행위무능력자에 의한 사인의 공법행위도 유효한 것이라고 보는 개별법이 있다. (O)

(2) 대리

① 사인의 공법행위에 대하여는 대리행위를 금지하는 특별한 규정을 두거나(예 「병역법」 제89조, 「공직선거법」 제157조) 행위의 성질이 일신전속적인 것(예 공무원시험 응시행위·공무원의 사직원 제출과 그 철회·귀화신청행위 등)이어서 대리가 허용되지 않는 경우가 있다.

② 그러나 사인의 행위가 (사인의 인격적 개성과 직접 관련이 없는 행위, 즉) 일신전속적 성질을 가지지 않는 행위일 때(예 부동산등기신청의 대리, 영업허가신청의 대리 등)에는 개별법률에 규정이 없어도 대리가 허용되며 그 경우에는 「민법」의 규정이 유추적용된다.❶

14. 국가직 7급 명문의 금지규정이 있거나 일신전속적인 행위는 대리가 허용될 수 없으나, 그렇지 않은 사인의 공법행위는 대리에 관한 「민법」 규정이 유추적용될 수 있다. (O)
12. 지방직 7급 공무원의 사직원의 제출 또는 그 철회에는 대리가 허용되지 않는다. (O)

(3) 효력발생시기

사인의 공법행위는 형식적인 확실성을 존중하기 위하여 특별한 규정이 없는 한, 그 효력발생시기에 관하여 「민법」상의 도달주의(「민법」 제111조)에 의함이 원칙이다(예컨대, 공무원의 사직의 의사표시는 행정청의 집무장소에 도달하여 행정청이 행위의 내용을 알 수 있는 상태에 이른 시점에 행위의 효력이 발생한다). 다만, 예외적으로 행정의 기술적 필요나 발신인의 이익을 위하여 명문의 규정에 의해 발신주의를 취하는 경우도 있다(예 「국세기본법」 제5조의2).

> 「민법」 제111조 【의사표시의 효력발생시기】 ① 상대방이 있는 의사표시는 상대방에게 도달한 때에 그 효력이 생긴다.

> 「국세기본법」 제5조의2 【우편신고 및 전자신고】 ① 우편으로 과세표준신고서, 과세표준수정신고서, 경정청구서 또는 과세표준신고·과세표준수정신고·경정청구와 관련된 서류를 제출한 경우 「우편법」에 따른 우편날짜도장이 찍힌 날(우편날짜도장이 찍히지 아니하였거나 분명하지 아니한 경우에는 통상 걸리는 배송일수를 기준으로 발송한 날로 인정되는 날)에 신고되거나 청구된 것으로 본다.

23. 지방직 9급 사인의 공법행위는 원칙적으로 발신주의에 따라 그 효력이 발생한다. (×) → 도달주의

함께 정리하기

행위능력에 관한 「민법」규정
▷ 사인의 공법행위에도 적용O(원칙)

행위무능력자의 공법행위
▷ 유효하게 보는 개별법 有(예외)

금지규정 有 or 일신전속적 성질O
▷ 대리 不許

일신전속적 성질×
▷ 대리 可(「민법」 유추적용)

❶
일정한 절차하에 대리를 허용하는 특별한 규정을 두고 있는 경우도 있다(예 「특허법」 제5조 내지 제9조, 「행정심판법」 제14조).

효력발생시기
▷ 원칙: 「민법」상 도달주의
▷ 예외: 발신주의(「국세기본법」 제5조의2)

(4) 의사표시의 흠결 및 하자 있는 의사표시

> 「**민법」 제107조【진의 아닌 의사표시】** ① 의사표시는 표의자가 진의아님을 알고 한 것이라도 그 효력이 있다. 그러나 상대방이 표의자의 진의아님을 알았거나 이를 알 수 있었을 경우에는 무효로 한다.
>
> **제108조【통정한 허위의 의사표시】** ① 상대방과 통정한 허위의 의사표시는 무효로 한다.
>
> **제109조【착오로 인한 의사표시】** ① 의사표시는 법률행위의 내용의 중요부분에 착오가 있는 때에는 취소할 수 있다. 그러나 그 착오가 표의자의 중대한 과실로 인한 때에는 취소하지 못한다.
>
> **제110조【사기, 강박에 의한 의사표시】** ① 사기나 강박에 의한 의사표시는 취소할 수 있다.

의사표시의 흠결·하자에 관한 「민법」규정
▷ 원칙 유추적용○ (예 사기·강박의 의사표시 무효·취소)

① 사인의 공법행위에 있어서 의사표시의 흠결(허위표시, 착오 등)이 있거나 의사결정에 하자가 있는 경우(사기, 강박 등)에는 원칙적으로 「민법」상의 법률행위에 관한 규정을 유추적용한다. 예컨대, 강요에 의해 의사능력이 상실된 상태에서 한 사직원의 제출은 무효이고, 강박에 의한 사직원의 제출은 「민법」 제110조 제1항에 따라 취소될 수 있다(단, 의원면직처분 전까지만 취소가 가능하다).

사인의 공법행위
▷ 사기·강박에 의한 의사표시(「민법」 제110조) 준용○

> **⚖ 관련판례**
>
> **민법 110조(사기·강박에 의한 의사표시)는 사인의 공법행위에 준용된다. ★★**
> 사직서의 제출이 감사기관이나 상급관청 등의 강박에 의한 경우에는 그 정도가 의사결정의 자유를 박탈할 정도에 이른 것이라면 그 의사표시가 무효로 될 것이고 그렇지 않고 의사결정의 자유를 제한하는 정도에 그친 경우라면 그 성질에 반하지 아니하는 한 의사표시에 관한 민법 제110조의 규정을 준용하여 그 효력을 따져보아야 할 것이다. 감사담당 직원이 당해 공무원에 대한 비리를 조사하는 과정에서 사직하지 아니하면 징계파면이 될 것이고 또한 그렇게 되면 퇴직금 지급상의 불이익을 당하게 될 것이라는 등의 강경한 태도를 취하였다고 할지라도 그 취지가 단지 비리에 따른 객관적 상황을 고지하면서 사직을 권고·종용한 것에 지나지 않고 위 공무원이 그 비리로 인하여 징계파면이 될 경우 퇴직금 지급상의 불이익을 당하게 될 것 등 여러 사정을 고려하여 사직서를 제출한 경우라면 그 의사결정이 의원면직처분의 효력에 영향을 미칠 하자가 있었다고는 볼 수 없다(대판 1997.12.12. 97누13962).
>
> 19. 경찰 2차 사직서의 제출이 감사기관이나 상급관청 등의 강박에 의한 경우, 그 정도가 의사결정의 자유를 제한할 정도에 그친다면, 그 성질에 반하지 아니하는 한 의사표시에 관한 「민법」 제110조의 규정을 준용하여 그 효력을 따져보아야 할 것이다. (○)
>
> 14. 국가직 7급 권고사직의 형식을 취하고 있더라도 사직의 권고가 공무원의 의사결정의 자유를 박탈할 정도의 강박에 해당하는 경우에는 당해 권고사직은 무효이다. (○)

단체적·정형적 성질이 강하게 요구되는 행정법관계
▷ 「민법」 적용× or 수정 적용

비진의의사표시에 관한 「민법」 제107조 제1항 단서 규정
▷ 사인의 공법행위에 유추적용×
▷ 진의가 아니어도 표시된 대로 효력발생○

② 그러나 행위의 단체적 성질 또는 정형적 성질이 강하게 요구되는 등(행정법관계의 특수성) 사인 간의 거래와는 다른 특수성이 인정되는 경우에는 「민법」규정이 적용되지 않거나 수정하여 적용된다. 예컨대, 투표와 같은 합성행위는 단체적 성질의 행위이므로 「민법」상 착오를 주장할 수 없다. 또한 「민법」상 비진의 의사표시의 무효에 관한 규정(「민법」 제107조 제1항 단서)은 그 성질상 영업재개신고나 일괄사직의 의사표시와 같은 사인의 공법행위에 적용되지 않는다. 따라서 상대방(행정청)에게 표시된 의사가 진의가 아니라 하더라도 표시된 대로 그 효력이 발생한다.

📌 관련판례

1 민법 제107조(비진의 의사표시 무효)는 사직의 의사표시와 같은 사인의 공법행위에 준용되지 않는다. ★★

공무원이 사직의 의사표시를 하여 의원면직처분을 하는 경우 그 사직의 의사표시는 그 법률관계의 특수성에 비추어 외부적·객관적으로 표시된 바를 존중하여야 할 것이므로 비록 사직원제출자의 내심의 의사가 사직할 뜻이 아니었다고 하더라도 진의 아닌 의사표시에 관한 민법 제107조는 그 성질상 사직의 의사표시와 같은 사인의 공법행위에는 준용되지 아니하므로 그 의사가 외부에 표시된 이상 그 의사는 표시된 대로 효력을 발한다(대판 1997.12.12. 97누13962).

22. 지방직 7급, 20. 국회직 9급 「민법」상 비진의 의사표시의 무효에 관한 규정은 그 성질상 공무원이 한 사직(일괄사직)의 의사표시와 같은 사인의 공법행위에 적용되지 않는다. (○)

21. 지방직 7급 사인의 공법행위에 적용되는 일반규정은 없으며, 특별한 규정이 없는 한 「민법」상 비진의의사표시의 무효에 관한 규정은 사인의 공법행위에 적용된다. (✕) → 되지 않는다

18. 5급 승진 사직원 제출자의 내심의 의사가 사직할 뜻이 아니었다고 하더라도 사직의 의사가 외부에 표시된 이상 그 의사는 표시된 대로 효력을 발생한다. (○)

2 전역지원의 의사표시에 민법 제107조 제1항 단서의 규정은 적용되지 않는다. ★★

군인사정책상 필요에 의하여 복무연장지원서와 전역(여군의 경우 면역임)지원서를 동시에 제출하게 한 방침에 따라 위 양 지원서를 함께 제출한 이상, 그 취지는 복무연장지원의 의사표시를 우선으로 하되, 그것이 받아들여지지 아니하는 경우에 대비하여 원에 의하여 전역하겠다는 조건부 의사표시를 한 것이므로 그 전역지원의 의사표시도 유효한 것으로 보아야 한다. 전역지원의 의사표시가 진의 아닌 의사표시라 하더라도 그 무효에 관한 법리를 선언한 민법 제107조 제1항 단서의 규정은 그 성질상 사인의 공법행위에는 적용되지 않는다 할 것이므로 그 표시된 대로 유효한 것으로 보아야 한다(대판 1994.1.11. 93누10057).

19. 소방간부 사인의 공법행위인 공무원의 사직의 의사표시에는 그 법률관계의 특수성도 있지만 개인의 자유로운 의사결정을 존중하여야 하므로 「민법」 제107조의 비진의 의사표시에 관한 규정이 준용된다. (✕) → ✕ / 준용되지 않는다

3 공직자숙정계획의 일환으로 공무원에 대한 의원면직처분이 이루어진 경우 민법 제107조 제1항 단서의 규정은 적용되지 않는다. ★★

1980년의 공직자숙정계획의 일환으로 일괄사표의 제출과 선별수리의 형식으로 공무원에 대한 의원면직처분이 이루어진 경우, 사직원 제출행위가 강압에 의하여 의사결정의 자유를 박탈당한 상태에서 이루어진 것이라고 할 수 없고 민법상 비진의 의사표시의 무효에 관한 규정은 사인의 공법행위에 적용되지 않는다는 등의 이유로 그 의원면직처분을 당연무효라고 할 수 없다고 한 사례(대판 2001.8.24. 99두9971)

16. 지방직 7급 사직원 제출자의 내심의 의사가 사직할 뜻이 없었더라도 「민법」상 비진의 의사표시의 무효에 관한 규정이 적용되지 않으므로 그 사직원을 받아들인 의원면직처분을 당연무효라 볼 수는 없다. (○)

19. 경찰 2차 1980년의 공직자숙정계획의 일환으로 일괄사표의 제출과 선별수리의 형식으로 공무원에 대한 의원면직처분이 이루어진 경우, 비진의의사표시의 무효에 관한 「민법」 제107조 제1항 단서에 관한 규정을 적용하여 그 의원면직처분을 당연무효라고 할 수 있다. (✕) → 없다

4 민법의 법률행위에 관한 규정은 행위의 격식화를 특색으로 하는 공법행위에 당연히 타당하다고 말할 수 없으므로 공법행위인 영업재개업신고에 민법 제107조는 적용될 수 없다(대판 1978.7.25. 76누276). ★★

16. 서울시 9급, 15. 지방직 7급 「민법」상 비진의 의사표시의 무효에 관한 규정은 영업재개신고와 같은 사인의 공법행위에 적용된다. (✕) → 적용되지 않는다

함께 정리하기

공무원의 사직의 의사표시
▷ 비진의 의사표시(「민법」 제107조) 준용✕

군인의 전역지원의 의사표시
▷ 비진의 의사표시(「민법」 제107조) 준용✕

공직자 숙정계획의 일환으로 공무원에 대한 의원면직처분
▷ 비진의 의사표시(「민법」 제107조) 준용✕

영업재개업신고(공법행위)
▷ 비진의 의사표시(「민법」 제107조) 준용✕

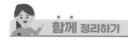

(5) 부관

행정법관계의 안정성의 요구에 비추어(명확성과 신속한 확정이 요구됨) 사인의 공법행위에는 사법행위와 달리 부관을 붙일 수 없음이 원칙이다.

20. 국회직 9급 행정법관계의 안정성과 정형성을 위해 사인의 공법행위에는 부관을 붙이지 않는 것이 적합하다. (○)

22. 소방간부, 19. 소방간부, 10. 국가직 7급, 07. 국가직 9급, 07. 서울시 9급 등 사인의 공법행위에는 부관을 붙일 수 없음이 원칙이다. (○)

(6) 철회·보정

「민법」상 의사표시는 표시되어 그 효력이 발생한 후에는 상대방의 동의 등이 없는 한 철회할 수 없는데 반하여, 사인의 공법행위의 경우에는 명문으로 금지되거나 그 성질상 불가능한 경우(예 투표행위 등)가 아닌 한 그에 따른 행정행위가 행하여질 때까지는 자유로이 철회나 보정이 가능하다(대판 2014.7.10. 2013두7025 ; 대판 2001.6.15. 99두5566). 이와 관련하여 「행정절차법」도 규정을 두고 있다.

> 「행정절차법」제17조【처분의 신청】⑧ 신청인은 처분이 있기 전에는 그 신청의 내용을 보완·변경하거나 취하(取下)할 수 있다. 다만, 다른 법령등에 특별한 규정이 있거나 그 신청의 성질상 보완·변경하거나 취하할 수 없는 경우에는 그러하지 아니하다.

21. 지방직 7급, 21. 서울시 7급, 19. 소방간부, 14. 지방직 9급, 11. 국회직 9급 등 사인의 공법행위는 명문으로 금지되거나 성질상 불가능한 경우가 아닌 한 그에 따른 행정행위가 행하여질 때까지 자유로이 철회하거나 보정할 수 있다. (○)

20. 지방직 7급 (자영업에 종사하는 甲은 일정요건의 자영업자에게는 보조금을 지급하도록 한 법령에 근거하여 관할 행정청에 보조금 지급을 신청하였으나 1차 거부되었고, 이후 다시 동일한 보조금을 신청하였다) 명문으로 금지되거나 성질상 불가능한 경우가 아닌 한, 甲은 신청에 대한 관할 행정청의 처분이 있기 전까지 신청의 내용을 변경할 수 있다. (○)

> 🔎 **관련판례**
>
> **의원면직처분 후 사직의 의사표시의 철회·취소는 불가하다.** ★★★
> 공무원이 한 사직 의사표시의 철회나 취소는 그에 터잡은 의원면직처분이 있을 때까지 할 수 있는 것이고, 일단 면직처분이 있고 난 이후에는 철회나 취소할 여지가 없다 (대판 2001.8.24. 99두9971).
>
> 23. 국가직 7급 공무원이 한 사직 의사표시는 그에 터잡은 의원면직처분이 있고 난 이후라도 철회나 취소할 수 있다. (×) → 이후에는 / 없다
>
> 23. 지방직 9급 공무원에 의해 제출된 사직원은 그에 터잡은 의원면직처분이 있을 때까지 철회될 수 있고, 일단 면직처분이 있고 난 이후에도 자유로이 취소 및 철회될 수 있다. (×) → 에는 / 없다
>
> 22. 소방간부, 20. 소방간부, 19. 경찰 2차, 17. 국가직 9급(추), 16. 서울시 9급 등 공무원이 한 사직 의사표시의 철회나 취소는 그에 터잡은 의원면직처분이 있을 때까지 할 수 있는 것이고, 일단 면직처분이 있고 난 이후에는 철회나 취소할 여지가 없다. (○)
>
> 14. 국가직 7급 공무원의 사직의 의사표시는 상대방에게 도달한 후에는 철회할 수 없다. (×) → 라도 처분이 있기 전까지는 / 있다

(7) 행위시법 적용의 원칙

특별한 규정이 없는 한 사인의 공법행위는 행위시의 법령에 따른다.

5. 사인의 공법행위의 효과

(1) 자기완결적 공법행위

자기완결적 공법행위는 사인의 공법행위 그 자체만으로 일정한 법적 효과가 발생하고 행정청의 별도의 조치가 필요 없다(⑩ 일반적인 건축신고, 「식품위생법」상 영업신고 등). 특히 자기완결적 공법행위로서 신고인 경우에는 그것이 형식적 요건을 갖춘 것이면 행정청의 수리처분 등을 기다릴 필요없이 그 접수시에 신고로서의 효력이 발생한다. 예컨대, 형식상의 요건을 모두 충족한 「식품위생법」상 영업신고가 행정청에 도달하면, 사인은 행정청의 별다른 의사표시 없이도 해당 영업을 적법하게 영위할 수 있다.

(2) 행위요건적 공법행위

행위요건적 공법행위의 경우 사인의 공법행위가 행해지면 행정청에게 처리의무(응답의무 또는 신청에 따른 처분의무)가 부과된다(⑩ 특허·허가의 신청, 노동조합설립신고, 공무원 임명의 동의 등). 특히 사인의 공법행위가 수리를 요하는 신고(행위요건적 신고)인 경우에는 행정청은 형식적·실질적 요건을 검토하여 이들이 충족되는 경우에는 수리를 하여야 할 의무를 진다. 법률효과의 발생은 사인의 의사표시에서 말미암은 것이 아니라 어디까지나 행정청의 행위에 의하여 효력이 발생하게 된다. 예컨대, 「식품위생법」상 영업허가의 경우 신청은 허가요건의 하나에 지나지 않으며, 행정청이 상대방의 신청을 받아들여 허가를 한 경우에 비로소 상대방은 해당 영업을 적법하게 영위할 수 있다.

6. 사인의 공법행위의 하자(흠결)와 행정행위의 효력

사인의 공법행위 그 자체로써 일정한 법률효과를 발생시키는 자기완결적 공법행위의 경우에는 특별히 문제가 되지 않으나, 행위요건적 공법행위에 하자가 있는 경우에는 하자 있는 행위요건적 공법행위에 따른 행정행위의 효력이 어떻게 되는지 문제된다[즉, 행정행위에 대한 신청 또는 동의 등과 같은 의사표시에 하자가 있는 경우 그 사인의 공법행위(신청 또는 동의)에 의거한 행정행위(허가 또는 특허)의 효력의 문제].

(1) 사인의 공법행위가 행정행위의 단순한 동기인 경우

사인의 공법행위가 행정행위의 전제요건이 아니고 단순한 동기인 경우(행정행위의 발동권 촉구에 불과)에는 사인의 공법행위의 하자(흠결)는 그 정도의 여하에 관계없이 행정행위에 아무런 영향을 미치지 않는다.

16. 서울시 9급 사인의 공법행위가 행정행위를 행하기 위한 동기에 불과한 경우에는 사인의 공법행위의 흠결은 행정행위에 아무런 영향을 미치지 않는다. (○)

함께 정리하기

행정행위의 전제요건
▷ 원칙적 취소사유설 vs 취소 · 무효 구별설(多, 判)

법령이 필요적 절차로 규정한 신청 또는 동의가 결여된 행위
▷ 무효

(2) 사인의 공법행위가 행정행위의 전제요건이 되는 경우

① **학설의 대립:** 일설에 따르면 사인의 공법행위가 행정행위의 효력을 좌우하게 되면 사인이 행정행위를 형성하는 것이 되어 행정청의 일방적 행위로서 행정행위의 성격에 합치되지 않게 된다는 점을 들어, 사인의 공법행위에 취소사유뿐만 아니라 무효에 해당하는 하자가 있는 경우에도(하자의 정도에 불구하고) 그에 따른 행정행위는 원칙적으로 취소할 수 있는 행정행위로 보아야 한다고 한다(원칙적 취소사유설). 그러나 사인의 공법행위에 무효사유가 존재하는 경우에는 그에 따른 행정행위는 그 전제요건이 없는 것이 되어 무효가 되는 반면, 취소사유에 그치는 하자가 있는 경우에는 그에 따른 행정행위는 원칙적으로 유효하되, 사인은 행정행위가 행해지기 전까지 그 전제요건이 되는 공법행위를 취소 또는 철회할 수 있고, 행정행위가 행하여진 이후에는 (공법행위를 취소 또는 철회할 수는 없고) 행정행위의 취소를 청구해야 한다는 견해(취소 · 무효 구별설)가 다수설과 판례의 입장이다.

② 다만, 개별법률에서 동의나 신청을 행정행위의 효력발생요건으로 규정하고 있는 경우에 있어 동의나 신청이 결여되어 있는 때에는 전제요건을 결하는 행정행위로서 무효라는 점에는 이견이 없다. 판례도 법령이 일정한 행정행위에 대하여 상대방의 신청(예 광업권 허가, 귀화허가) 또는 동의(예 공무원 임명)를 필요적 절차로 규정하고 있는 경우 상대방의 신청 또는 동의가 결여된 행위는 무효라고 본다.

공직자숙정계획에 따른 사직원제출 유효
▷ 의원면직처분 유효

> **관련판례**
>
> **1** 공직자숙정계획에 따른 사직원 제출행위는 유효하므로 의원면직처분 또한 당연무효라고 할 수 없다. ★
>
> 이른바 1980년의 공직자숙정계획의 일환으로 일괄사표의 제출과 선별수리의 형식으로 공무원에 대한 의원면직처분이 이루어진 경우, 사직원 제출행위가 강압에 의하여 의사결정의 자유를 박탈당한 상태에서 이루어진 것이라고 할 수 없고 민법상 비진의 의사표시의 무효에 관한 규정은 사인의 공법행위에 적용되지 않는다는 등의 이유로 그 의원면직처분을 당연무효라고 할 수 없다고 한 사례(대판 2001.8.24. 99두9971)

무효인 사직원 제출행위
▷ 면직처분 위법

> **2** 무효인 사직원 제출에 기한 면직처분은 위법하다. ★
>
> 중앙정보부가 공무원의 면직 등에 관여할 수 없다 하더라도 그 부원이 사실상 당해 공무원을 구타 위협하는 등으로 관여하여 이로 말미암아 본의 아닌 사직원을 제출케 한 이상, 위와 같은 사직원에 의한 공무원의 면직처분은 위법하다(대판 1968.4.30. 68누8).

사직의사표시의 철회나 취소
▷ 의원면직처분 있을 때까지 可

> **3** 사직의 의사표시의 철회나 취소의 가능성 ★★★
>
> 공무원이 한 사직 의사표시의 철회나 취소는 그에 터잡은 의원면직처분이 있을 때까지 할 수 있는 것이고, 일단 면직처분이 있고 난 이후에는 철회나 취소할 여지가 없다(대판 2001.8.24. 99두9971).

4 사인의 공법행위로서 신청

1. 신청의 의의

신청(申請)이라 함은 사인이 행정청에 대하여 일정한 조치를 취하여 줄 것을 요구하는 의사표시를 말한다. 신청은 공법상 의사표시이다(대판 2018.6.15. 2017두49119). 신청은 주로 자신에 대한 수익적 처분을 요구하기 위해 행하여지나(예 인·허가신청), 제3자에 대하여 규제조치를 발동할 것을 요구하는 경우도 있다. 「행정절차법」 제17조는 처분을 구하는 신청에 관한 절차를 규정하고 있고, 「민원처리에 관한 법률」 제2조 제1호 가목, 제8조에서는 ① 법정민원, ② 질의민원으로서 처분에 대한 신청, ③ 법령해석의 신청 등을 규정하고 있다.

2. 신청의 요건

신청의 요건이란 신청이 적법하기 위하여 갖추어야 할 요건을 말한다. 신청의 대상인 처분(예 허가, 등록) 요건과는 구별하여야 한다. 신청이 적법하기 위하여는 신청인에게 신청권이 있어야 하며(신청의 요건으로 신청권을 요구하지 않는 견해도 있음), 신청이 법령상 요구되는 구비서류 등의 요건을 갖추어야 한다.

(1) 신청권의 존재

신청권은 실정법령에 의해 주어질 수도 있고 조리상 인정될 수도 있다. 신청권은 행정청의 응답을 구하는 권리이며 신청된 대로의 처분을 구하는 권리는 아니다. 신청권은 실체법상의 적극적 청구권과는 구별되는 절차적 권리이다.

(2) 신청요건

① 법령상 신청에 구비서류 등 일정한 요건을 요한다. 행정절차법은 행정청에 대하여 처분을 구하는 신청은 원칙상 문서(전자문서 포함)로 하고, 전자문서로 하는 경우에는 행정청의 컴퓨터 등에 입력된 때에 신청한 것으로 본다(「행정절차법」 제17조 제1항·제2항, 「민원처리에 관한 법률」 제8조).

09. 관세사 행정청에 대하여 처분을 구하는 신청은 원칙적으로 문서로 하여야 하며, 특히 전자문서로 하는 경우에는 행정청의 컴퓨터 등에 입력된 때에 신청한 것으로 본다. (○)

② 다만, 기타민원(행정기관에 단순한 행정절차 또는 형식요건 등에 대한 상담·설명을 요구하거나 일상생활에서 발생하는 불편사항에 대하여 알리는 등 행정기관에 특정한 행위를 요구하는 민원)은 구술(口述) 또는 전화로 할 수 있다(「민원처리에 관한 법률」 제8조 단서).

③ 신청기간이 제척기간이고 강행규정❶인 경우 신청기간을 준수하지 못하였음을 이유로 한 거부처분은 적법하다(대판 2021.3.18. 2018두47264 전합).

함께 정리하기

신청
▷ 행정청에 대해 일정한 조치를 취해 줄 것을 요구하는 공법상 의사표시
▷ 행정청에 일정한 조치(자기: 수익적처분, 제3자: 침익적처분)를 취해 줄 것을 요구하는 공법상 의사표시

신청 요건
▷ 문서(원칙), 전자문서는 행정청의 컴퓨터 등에 입력된 때 신청한 것으로 간주

기타민원
▷ 구술(口述) 또는 전화로 可

신청기간이 제척기간, 강행규정인 경우
▷ 신청기간 불준수한 거부처분 적법

당사자의 의사(意思) 여하에 불구하고 강제적으로 적용되는 규정을 강행규정 또는 강행법규라 하며, 이에 대하여 당사자의 의사에 의하여 그 적용을 배제할 수 있는 규정을 임의규정(任意規定) 또는 임의법규(任意法規)라고 한다.

육아휴직급여 신청기간
▷ 제척기간, 강행규정

육아휴직급여 신청기간 ★

[1] 구 고용보험법 제70조 제2항에서 정한 <u>육아휴직급여 신청기간</u>은 추상적 권리의 행사에 관한 '<u>제척기간</u>'이라고 봄이 타당하다.

[2] 육아휴직급여 신청기간을 정한 이 사건 조항[구 고용보험법 제70조 제2항(제1항에 따른 육아휴직 급여를 지급받으려는 사람은 육아휴직을 시작한 날 이후 1개월부터 육아휴직이 끝난 날 이후 12개월 이내에 신청하여야 한다. 다만, 해당 기간에 대통령령으로 정하는 사유로 육아휴직 급여를 신청할 수 없었던 사람은 그 사유가 끝난 후 30일 이내에 신청하여야 한다.)]은 <u>강행규정</u>으로 훈시규정이라고 볼 수 없다(대판 2021.3.18. 2018두47264 전합).

3. 신청의 효과

(1) 접수의무

접수의무
▷ 신청이 형식적(절차적) 요건을 갖추어 적법하면 이를 접수하여야

행정청은 신청이 있는 때에는 다른 법령 등에 특별한 규정이 있는 경우를 제외하고는 그 접수를 보류 또는 거부하거나 부당하게 되돌려 보내서는 아니된다(「행정절차법」 제17조 제4항). 따라서, 신청이 형식적(절차적) 요건을 갖추어 적법하면 이를 접수하여야 한다.

(2) 보완조치의무

보완조치의무
▷ 부적법 신청시 보완요구(바로 반려✕)
▷ 보완하지 않을시 신청 반려 可

① 행정청은 신청에 구비서류의 미비 등 흠이 있는 경우에도 접수를 거부하여서는 안 되며 보완에 필요한 상당한 기간을 정하여 지체 없이 신청인에게 보완(補完)을 요구하여야 한다(「행정절차법」 제17조 제5항). 신청인이 제5항의 규정에 의한 기간 내에 보완을 하지 아니한 때에는 그 이유를 명시하여 접수된 신청을 되돌려 보낼 수 있다(제6항). 「민원처리에 관한 법률」도 보완요구에 관한 규정을 두고 있다(제22조).

> 「민원처리에 관한 법률」 제22조【민원문서의 보완·취하 등】① 행정기관의 장은 접수한 민원문서에 보완이 필요한 경우에는 상당한 기간을 정하여 지체 없이 민원인에게 보완을 요구하여야 한다.

23. 국가직 9급 행정청은 신청에 구비서류의 미비 등 흠이 있는 경우 접수를 거부하여야 한다. (✕) → 상당한 기간을 정하여 보완을 요구하여야 하고, 보완하지 않을 경우 그 이유를 구체적으로 밝혀 되돌려 보내야

18. 소방직 신청에 대해 서류 등이 미비할 경우, 바로 접수를 거부할 수 있다. (✕) → 없고 보완에 필요한 상당한 기간을 정하여 지체 없이 신청인에게 보완을 요구하여야 한다

보완대상
▷ 흠결이 보완 또는 보정할 수 있는 경우, 형식적, 절차적인 요건에 한함

실질적인 요건에 관한 흠이 있는 경우
▷ 민원인의 단순한 착오나 일시적인 사정 등에 기한 경우 보완 可

② 보완의 대상이 되는 흠은 보완이 가능한 경우이어야 함은 물론이고, 원칙상 그 내용 또한 형식적·절차적인 요건이다. 실질적인 요건에 대하여는 원칙상 보완 또는 보정요구를 하여야 하는 것은 아니지만(대판 2020.7.23. 2020두36007), 실질적인 요건에 관한 흠이 있는 경우라도 그것이 민원인의 단순한 착오나 일시적인 사정 등에 기인한 경우 등은 보완의 대상이 된다.

1 보완의 대상이 되는 흠은 흠결이 보완 또는 보정할 수 있는 경우이어야 하고, 원칙적으로 그 내용 또한 형식적, 절차적인 요건이다. ★★★

민원사무처리규정 제11조 제1항 소정의 보완 또는 보정의 대상이 되는 흠결은 보완 또는 보정할 수 있는 경우이어야 함은 물론이고, 그 내용 또한 형식적, 절차적인 요건에 한하고 실질적인 요건에 대하여까지 보완 또는 보정요구를 하여야 한다고 볼 수 없으며, 또한 흠결된 서류의 보완 또는 보정을 하면 이미 접수된 주요서류의 대부분을 새로 작성함이 불가피하게 되어 사실상 새로운 신청으로 보아야할 경우에는 그 흠결서류의 접수를 거부하거나 그것을 반려할 정당한 사유가 있는 경우에 해당하여 이의 접수를 거부하거나 반려하여도 위법이 되지 않는다(대판 1991.6.11. 90누8862).

22. 지방직 7급 행정청은 사인의 신청에 구비서류의 미비와 같은 흠이 있는 경우 신청인에게 보완을 요구하여야 하는바, 이때 보완의 대상이 되는 흠은 원칙상 형식적·절차적 요건뿐만 아니라 실체적 발급요건상의 흠을 포함한다. (×) → 을 의미하며, 실체적 발급요건상의 흠까지 포함하는 것은 아니다

18. 소방직 흠결된 서류의 보완이 주요서류의 대부분을 새로 작성함이 불가피하게 되어 사실상 새로운 신청으로 보아야 할 경우, 접수를 거부하거나 반려할 수 있다. (○)

2 행정청은 거부처분을 하기 전에 반드시 신청인에게 신청의 내용이나 처분의 실체적 발급요건에 관한 사항까지 보완할 기회를 부여하여야 할 의무가 없다. ★★★

행정절차법 제17조가 '구비서류의 미비 등 흠의 보완'과 '신청 내용의 보완'을 분명하게 구분하고 있는 점에 비추어 보면 행정절차법 제17조 제5항은 신청인이 신청할 때 관계 법령에서 필수적으로 첨부하여 제출하도록 규정한 서류를 첨부하지 않은 경우와 같이 쉽게 보완이 가능한 사항을 누락하는 등의 흠이 있을 때 행정청이 곧바로 거부처분을 하는 것보다는 신청인에게 보완할 기회를 주도록 함으로써 행정의 공정성·투명성 및 신뢰성을 확보하고 국민의 권익을 보호하려는 행정절차법의 입법 목적을 달성하고자 함이지, 행정청으로 하여금 신청에 대하여 거부처분을 하기 전에 반드시 신청인에게 신청의 내용이나 처분의 실체적 발급요건에 관한 사항까지 보완할 기회를 부여하여야 할 의무를 정한 것은 아니라고 보아야 한다(대판 2020.7.23. 2020두36007).

3 실질적인 요건에 관한 흠이 있는 경우라도 민원인의 단순한 착오나 일시적인 사정 등에 기한 경우 보완의 대상이 된다 ★★★

[1] (민원사무 처리에 관한 법률상, 행정기관은 민원사항의 신청이 있는 때에는 다른 법령에 특별한 규정이 있는 경우를 제외하고는 그 접수를 보류하거나 거부할 수 없으며, 민원서류에 흠이 있는 경우에는 보완에 필요한 상당한 기간을 정하여 지체 없이 민원인에게 보완을 요구하고 그 기간 내에 민원서류를 보완하지 아니할 때에는 7일의 기간 내에 다시 보완을 요구할 수 있으며, 위기간 내에 민원서류를 보완하지 아니한 때에 비로소 접수된 민원서류를 되돌려 보낼 수 있도록 규정되어 있는바) 위 규정 소정의 보완의 대상이 되는 흠은 보완이 가능한 경우이어야 함은 물론이고, 그 내용 또한 형식적·절차적인 요건이거나, 실질적인 요건에 관한 흠이 있는 경우라도 그것이 민원인의 단순한 착오나 일시적인 사정 등에 기한 경우 등이라야 한다.

[2] 건축불허가처분을 하면서 그 사유의 하나로 소방시설과 관련된 소방서장의 건축부동의 의견(옥내소화전과 3층 피난기구가 누락되어 있고, 전력구 규모가 명시되지 않아 법정. 소방시설의 검토가 불가능하다는 이유로 건축부동의함이라는 의견)을 들고 있으나 그 건축부동의 사유의 보완이 가능함에도 보완을 요구하지 아니한 채 곧바로 건축허가신청을 거부한 것은 재량권의 범위를 벗어난 것이다(대판 2004.10.15. 2003두6573).

흠결된 서류의 보완이 사실상 새로운 신청으로 보아야 할 경우
▷ 접수를 거부하거나 반려 可

신청 내용·처분의 실체적 발급요건에 관한 사항 흠결
▷ 보완기회 제공의무 無

---

❶
원심은 다음과 같은 이유(피고는 이 사건 폐기물처리 처리시설에서 발생할 것으로 예상되는 악취물질이 주민의 건강이나 주변 환경에 미치는 영향에 대한 과학적 조사 없이 원고에게 악취저감시설 등에 대한 보완 기회도 부여하지 않은 채 '악취로 인한 주민의 건강이나 주변 환경에 미치는 영향'이라는 포괄적·추상적인 사유만을 들어 이 사건 처분을 하였다)로 이 사건 폐기물처리사업계획서 부적합 통보(이하 '이 사건 처분'이라고 한다)가 재량권을 일탈·남용하여 위법하다고 판단하였다. 그러나 대법원은 위 판시와 함께 다음과 같은 이유에서 원심을 배척하였다. ① 피고가 이 사건 처분에 앞서 원고에게 따로 보완요구를 하지 않은 것은 원고가 악취방지시설을 설치·가동하더라도 이 사건 폐기물처리시설에서 발생하는 악취를 완전히 제거할 수 없다고 판단한 데 따른 것으로 보인다. 그러한 판단이 객관적으로 합리적이지 않다거나 명백한 사실오인에서 비롯되었다고 보이지 않으므로, 이 사건 처분이 보완요구 없이 이루어졌다는 이유만으로 재량권의 범위를 벗어났다고 할 수는 없다. ② 이 사건 처분서에는 이 사건 폐기물처리시설이 설치·운영될 경우 주변의 생활환경 등에 악영향을 미칠 것이라는 취지만 간략히 기재되어 있으나, 피고는 이 사건 소송 과정에서 판단 근거나 자료 등을 제시하여 구체적 불허가사유를 분명히 하였다.

실질적인 요건 흠(민원인의 단순한 착오나 일시적인 사정 등에 기한 경우)
▷ 보완대상○

흠의 보완이 가능함에도 보완을 요구하지 아니한 채 곧바로 건축허가신청 거부
▷ 위법

응답의무
▷ 행정청은 적법한 신청에 대한 응답의무 有(인용처분 or 거부처분)

응답의무
▷ 재량행위인지 기속행위인지 불문
▷ 상당기간 내 응답해야함

신청한 내용과 다른 내용으로 행정행위를 행하는 것, 즉 변경허가를 상대방이 이를 받아들이면 그대로 유효하고, 상대방이 받아들이지 않으면 그 변경허가를 거부처분으로 보고 거부처분취소소송 등을 제기하여야 한다. 상당한 기간이 지났음에도 응답하지 않으면 부작위가 된다. 신청기간이나 신청에 대한 처리기간이 정해진 경우 당해 기간규정이 강행규정인지 아니면 훈시규정인지가 문제되는데, 특별한 사정(명문의 규정 또는 제3자의 법적 이해관계등)이 없는 한 훈시규정으로 보는 것이 타당하다. 처리기간을 넘긴 경우 당연히 부작위가 되는 것은 아니며 부작위의 요인인 '상당한 기간의 경과'의 판단에 있어 하나의 고려사유가 된다.

국가유공자 등 등록신청의 일부를 받아들일 수 있는 경우임에도 단순 거부처분
▷ 위법(거부처분 전부 취소)

23. 지방직 9급 행정청은 신청에 구비서류의 미비 등 흠이 있는 경우 원칙상 형식적·절차적인 요건만을 보완요구하여야 하므로 실질적인 요건에 관한 흠이 민원인의 단순한 착오나 일시적인 사정 등에 기인한 경우에도 보완을 요구할 수 없다. (✕) → 하나 / 에는 / 있다

21. 군무원 9급, 20. 변호사 민원사항의 신청서류에 실질적인 요건에 관한 흠이 있더라도 그것이 민원인의 단순한 착오나 일시적인 사정 등에 기한 경우에는 행정청은 보완을 요구할 수 있다. (○)

(3) 처리의무(응답의무)

① 적법한 신청이 있는 경우 행정청은 상당한 기간 내에 신청에 대하여 응답(可否간의 처분 등)을 하여야 한다. 여기에서의 응답의무(應答義務)는 신청된 내용대로 처분할 의무와는 구별되어야 한다. 즉, 처분을 구하는 신청행위에 대하여 행정기관은 신청에 따른 행정행위를 하거나 거부처분을 하여야 한다.

09. 관세사 행정청은 적법한 신청에 대하여 상당한 기간 내에 응답을 하여야 할 의무가 있다. (○)

② 신청에 따른 행정청의 처분이 기속행위일 때뿐만 아니라 재량행위인 경우에도 행정청은 신청에 대한 응답의무를 진다. 신청을 받아들이는 처분에는 신청을 전부 받아들이는 처분과 일부 받아들이는 처분이 있다. 경우에 따라서는 신청을 일부 받아들이는 처분을 하여야 하는 경우도 있다.❶

14. 지방직 9급 신청에 따른 행정청의 처분이 기속행위인 때에는 행정청은 신청에 대한 응답의무를 자지만, 재량행위인 때에는 응답의무가 없다. (✕) → 지고 / 때에도 / 있다

> **🔎 관련판례**
>
> **행정청이 등록신청을 일부 받아들여야 함에도 전부 배척하는 단순 거부처분을 하였다면 이는 위법한 것으로 그 처분은 전부 취소될 수밖에 없다. ★**
>
> 국가보훈처장은 국가유공자 및 그 유족 등의 등록신청을 받으면 국가유공자 또는 지원대상자 및 그 유족 등으로 인정할 수 있는 요건을 확인한 후 그 지위를 정하는 결정을 하여야 한다(구 국가유공자 등 예우 및 지원에 관한 법률 제6조 참조). 따라서 처분청으로서는 국가유공자 등록신청에 대하여 단지 본인의 과실이 경합되어 있다는 등의 사유만이 문제가 된다면 등록신청 전체를 단순 배척할 것이 아니라 그 신청을 일부 받아들여 지원대상자로 등록하는 처분을 하여야 한다. 그럼에도 행정청이 등록신청을 전부 배척하는 단순 거부처분을 하였다면 이는 위법한 것이니 그 처분은 전부 취소될 수밖에 없다. 그런 점에서 자해행위로 인한 사망의 경우에 교육훈련 또는 직무수행과 사이에 상당인과관계가 인정되는 이상, 국가유공자에 해당하지 않는다고 하여 등록신청을 배척한 단순 거부처분은 그 자해행위를 하게 된 데에 불가피한 사유가 있었는지 여부 등과 상관없이 취소될 수밖에 없는 것이기는 하지만, 그렇다고 하여 그 처분의 취소가 곧바로 국가유공자로 인정되어야 한다는 것을 의미하는 것일 수는 없고, 불가피한 사유의 존부에 따라 국가유공자 또는 지원대상자로 인정될 수 있다는 것을 의미한다(대판 2013.7.11. 2013두2402).
>
> 20. 변호사 신청한 내용의 일부를 행정청이 받아들일 수 없는 경우에는 신청내용 전체를 배척하여야 하며 일부에 대해서 인용하는 처분을 할 수는 없다. (✕) → 할 것이 아니라 / 하여야 한다

4. 신청내용의 보완 등

신청인은 처분이 있기 전에는 그 신청의 내용을 보완·변경하거나 취하(取下)할 수 있다. 다만, 다른 법령 등에 특별한 규정이 있거나 그 신청의 성질상 보완·변경하거나 취하할 수 없는 경우(예 이해관계 있는 제3자가 있는 경우)에는 그러하지 아니하다(「행정절차법」 제17조 제8항). 이 경우의 신청의 보완은 신청의 하자를 전제로 하지 않으며 신청의 내용상의 보완을 의미한다. '그 신청의 성질상 보완·변경하거나 취하할 수 없는 경우'란 신청의 내용을 보완 또는 변경하는 것으로 인하여 제3자의 권익에 침해를 가져오는 경우 등을 말한다.

5. 신청과 권리구제

(1) 신청에 대한 거부처분에 대하여는 의무이행심판이나 취소심판 또는 취소소송으로, 부작위에 대하여는 의무이행심판 또는 부작위위법확인소송으로 다툴 수 있다.

(2) 신청을 받은 날로부터 일정한 처리기간 이내에 인용 여부를 알리지 않은 때에는 그 처리기간이 지난 날의 다음날에 해당 인용처분(예 승인처분)이 이루어진 것으로 의제한다는 특별한 규정이 있는 경우에는 처리기간을 임의로 연장할 수 없고, 처리기간이 지난 날의 다음날에 해당 인용처분(예 승인처분)이 이루어진 것으로 의제된다.

> **⚖ 관련판례**
>
> 원고가 피고에게 중소기업창업 지원법에 따라 사업계획승인신청을 하였는데, 피고가 원고에게 중소기업창업 지원법 제33조 제3항에서 정한 처리기간 내에 처리기간 연장 통보를 한 다음, 연장된 처리기간 내에 한 승인불가처분은 위법하다. ★
>
> [1] 사업계획승인 신청 민원의 처리기간과 승인 의제에 관한 중소기업창업법 제33조 제3항은 민원처리법 제3조 제1항에서 정한 '다른 법률에 특별한 규정이 있는 경우'에 해당한다. 따라서 사업계획승인 신청을 받은 시장 등은 민원처리법 시행령 제21조 제1항 본문에 따라 처리기간을 임의로 연장할 수 있는 재량이 없고, 사업계획승인 신청을 받은 날부터 20일 이내에 승인 여부를 알리지 않은 때에는 중소기업창업법 제33조 제3항에 따라 20일이 지난 날의 다음 날에 해당 사업계획에 대한 승인처분이 이루어진 것으로 의제된다.
>
> [2] 원고가 피고에게 중소기업창업법에 따라 사업계획 승인신청을 하였는데, 피고는 사업계획승인 신청일로부터 20일의 처리기간 내에 처리기간 연장통보를 한 다음, 연장된 기간 내에 승인불가처분을 하였다. 이에 대하여 원심은 원고의 사업계획승인 신청일로부터 20일의 처리기간이 지난 날의 다음날에 중소기업창업법 제33조 제3항에 따라 사업계획승인처분이 이루어진 효과가 발생하였으므로, 연장된 처리기간에 한 승인불가처분은 위법하다고 한 사례(대판 2021.3.11. 2020두42569)

(3) 신청인은 적법한 신청에 대한 접수거부와 위법하게 보완을 요구하는 신청서의 반려조치를 신청에 대한 거부처분으로 보고 항고소송을 제기할 수 있다.

다만 적법한 신청에 대해 접수는 하였지만, 반려함이 없이 위법하게 보완을 요구하는 보완명령을 한 경우 보완명령은 처분이 아니므로 당해 보완명령을 다툴 수는 없다. 이 경우, 신청인은 부작위위법확인소송을 제기하거나 보완명령이 실질적으로 거분처분에 해당하는 경우라면 거부처분취소소송을 제기할 수 있다. 또한 그로 인하여 손해를 입은 경우에 국가배상을 청구할 수 있다.

함께 정리하기

「행정절차법」 제17조 제8항의 보완
▷ 신청의 내용상의 보완을 의미

행정청의 거부처분
▷ 의무이행심판, 취소심판·취소소송

부작위
▷ 의무이행심판·부작위위법확인소송

신청을 받은 날로부터 일정기간 내에 인용 여부를 알리지 않으면 의제한다는 규정 有
▷ 처리기간 임의 연장 不可
▷ 규정대로 인용처분 의제됨

접수거부 또는 부당하게 보완을 요구하는 신청서의 반려조치
▷ 거부처분으로 보고 항고소송, 국가배상 청구可

통지함으로써 의무가 끝나는 신고(자기 완결적 신고)
▷ 적법한 신고서가 접수기관에 도달된 때에 신고의무가 이행된 것으로 간주

5 사인의 공법행위로서 신고

「행정절차법」제40조【신고】① 법령등에서 행정청에 일정한 사항을 통지함으로써 의무가 끝나는 신고를 규정하고 있는 경우 신고를 관장하는 행정청은 신고에 필요한 구비서류, 접수기관, 그 밖에 법령등에 따른 신고에 필요한 사항을 게시(인터넷 등을 통한 게시를 포함)하거나 이에 대한 편람을 갖추어 두고 누구나 열람할 수 있도록 하여야 한다. ② 제1항에 따른 신고가 다음 각 호의 요건을 갖춘 경우에는 신고서가 접수기관에 도달된 때에 신고 의무가 이행된 것으로 본다.

15. 국회직 8급, 10. 지방직 7급 법령 등에서 행정청에 일정한 사항을 통지함으로써 의무가 끝나는 신고는 그 기재사항에 흠이 없고, 필요한 구비서류가 첨부되어 있으며, 그 밖에 법령 등에 규정된 형식상의 요건에 적합할 때에는 신고서가 접수기관에 도달된 때에 신고의무가 이행된 것으로 본다. (○)

17. 국가직 9급, 16. 국가직 9급 법령 등에서 행정청에 일정한 사항을 통지함으로써 의무가 끝나는 신고를 규정하고 있는 경우 신고가 「행정절차법」제40조 제2항 각 호의 요건을 갖춘 경우에는 신고서가 접수기관에 발송된 때에 신고의무가 이행된 것으로 본다. (×) → 도달

13. 국회직 8급 수리를 요하지 않는 신고의 경우 신고의 적법여부나 수리여부와는 관계없이 신고서가 접수기관에 도달하면 신고의무가 이행된 것으로 본다. (×) → 적법한 신고가 있으면

자기완결적 신고의 이행요건
▷ 신고서의 기재사항에 흠×
▷ 필요한 구비서류 첨부
▷ 법령등에 규정된 형식상의 요건에 적합할 것

1. 신고서의 기재사항에 흠이 없을 것
2. 필요한 구비서류가 첨부되어 있을 것
3. 그 밖에 법령등에 규정된 형식상의 요건에 적합할 것

20. 지방직 9급 「행정절차법」은 '법령 등에서 행정청에 일정한 사항을 통지함으로써 의무가 끝나는 신고'에 대하여 '그 밖에 법령 등에 규정된 형식상의 요건에 적합할 것'을 그 신고의무 이행요건의 하나로 정하고 있다. (○)

③ 행정청은 제2항 각 호의 요건을 갖추지 못한 신고서가 제출된 경우에는 지체 없이 상당한 기간을 정하여 신고인에게 보완을 요구하여야 한다.
④ 행정청은 신고인이 제3항에 따른 기간 내에 보완을 하지 아니하였을 때에는 그 이유를 구체적으로 밝혀 해당 신고서를 되돌려 보내야 한다.

❶
'신고의 수리가 필요하다고 명시된 경우'란 신고의 수리가 필요하다는 것을 인지할 수 있는 수준의 표현이면 족하다. 예를 들면, 개별법률에서 '수리여부를 통지하여야 한다', '조건을 붙이거나 유효기간을 정하여 수리할 수 있다', '신고수리 전에'와 같은 문언으로 규정되어 있거나, 신고 수리 간주규정을 두고 있는 경우에는 '신고의 수리가 필요하다'고 규정한 것으로 본다. 즉, 해당 신고를 수리를 요하는 신고로 본다(법제처, 「행정기본법」해설서, 350면).

「행정기본법」제34조【수리 여부에 따른 신고의 효력】법령등으로 정하는 바에 따라 행정청에 일정한 사항을 통지하여야 하는 신고로서 법률에 신고의 수리가 필요하다고 명시되어 있는 경우❶(행정기관의 내부 업무 처리 절차로서 수리를 규정한 경우는 제외한다)에는 행정청이 수리하여야 효력이 발생한다.

신고
▷ 사인이 공법적 효과발생을 목적으로 일정한 사실을 행정기관에 알리는 행위

1. 신고의 의의

신고란 사인이 공법적 효과 발생을 목적으로 행정주체에 대하여 일정한 사실을 알리는 행위를 말한다. 아무런 법적 효과를 가져오지 않는 신고는 단순한 사실로서의 신고(사실제공을 위한)일 뿐, 사인의 공법행위로서 신고에 해당하지 아니한다.

신고대상이 아닌 사항의 신고에 대한 수리거부
▷ 행정처분×

🔧 관련판례

1 신고대상이 아닌 사항의 신고에 대한 수리거부는 항고소송의 대상이 되는 행정처분이 아니다. ★★

재단법인이 아닌 종교단체가 설치하고자 하는 납골탑에는 관리사무실, 유족편의 시설, 화장한 유골을 뿌릴 수 있는 시설, 그 밖에 필요한 시설물과 주차장을 마련하여야 하나, 위와 같은 시설들은 신고한 납골탑을 실제로 설치·관리함에 있어 마련해야 하는 시설에 불과한 것으로서 이에 관한 사항이 납골탑 설치신고의 신고대상이 되는 것으로 볼 아무런 근거가 없으므로, 종교단체가 납골탑 설치신고를 함에 있어 위와 같은 시설 등에 관한 사항을 신고한 데 대하여 행정청이 그 신고를 이를 일괄 반려하였다고 하더라도 그 반려처분 중 위와 같은 시설 등에 관한

신고를 반려한 부분은 항고소송의 대상이 되는 행정처분이라고 할 수 없다(대판 2005.2.25. 2004두4031).

13. 행정사 신고대상이 아닌 사항의 신고에 대한 행정청의 수리거부는 취소소송의 대상이 되는 처분에 해당한다. (×) → 하지 않는다

② 신고사항이 아닌 신고를 수리한 경우, 그 수리는 항고소송의 대상이 되는 행정처분이 아니다. ★★

공동주택 입주민의 옥외운동시설인 테니스장을 배드민턴장으로 변경하고 그 변동사실을 신고하여 관할 시장이 그 신고를 수리한 경우, 그 용도변경은 주택건설촉진법상 신고를 요하는 입주자 공유인 복리시설의 용도변경에 해당하지 아니하므로 그 변동사실은 신고할 사항이 아니고 관할 시장이 그 신고를 수리하였다 하더라도 그 수리는 공동주택 입주민의 구체적인 권리의무에 아무런 변동을 초래하지 않는다는 이유로 항고소송의 대상이 되는 행정처분이 아니다(대판 2000.12.22. 99두455).

14. 경찰 2차 신고사항이 아닌 신고를 수리한 경우, 그 수리는 항고소송의 대상이 되는 행정처분에 해당하지 않는다. (○)

신고사항이 아닌 신고를 수리한 경우, 그 수리가 취소소송의 대상이 되는지의 여부
▷ 행정처분×

2. 신고의 유형

신고는 정보제공적 신고와 금지해제적 신고, 자기완결적 신고와 행위요건적 신고로 구분할 수 있다.

(1) 정보제공적 신고와 금지해제적 신고

① **정보제공적 신고(사실파악형 신고)**: 정보제공적 신고란 효과적인 행정수행을 위하여 행정청에게 정보를 제공하는 기능을 갖는 신고를 말한다(예 「도로교통법」 제54조 제2항의 교통사고의 신고, 「소방기본법」 제29조에 의한 화재신고). 정보제공적 신고에 있어서 신고의무를 이행하지 않는 경우에는 벌금 또는 과태료의 처벌 대상이 되는 경우가 있으나, 신고 그 자체는 아무런 법적 효과를 발생시키지 않는다.

② **금지해제적 신고(신고유보부 금지)**: 금지해제적 신고란 사인의 영업활동이나 건축활동 등 법상 금지되어 해제시키는 기능을 갖는 신고를 말한다(예 「건축법」 제14조의 건축신고). 금지해제적 신고의 경우에 신고 없이 한 행위는 법상 금지된 행위로서 위법한 행위가 된다. 이러한 금지해제적 신고는 자기완결적 신고와 행위요건적 신고로 구별할 수 있다.

정보제공적 신고
▷ 행정수행을 위하여 행정청에게 정보를 제공하는 기능을 갖는 신고

금지해제적 신고
▷ 금지된 행위에 대해 금지를 해제하는 효력을 갖는 신고, 신고 없이 한 행위는 법상 금지된 행위로써 위법

> **참고** 정보제공적 신고와 금지해제적 신고와의 관계
> 1. 행위요건적 신고(수리를 요하는 신고)는 금지해제적 신고이다.
> 2. 자기완결적 신고(수리를 요하지 않는 신고)는 정보제공적 신고인 경우도 있고, 건축신고 등과 같이 금지해제적 신고인 경우도 있다.
> 3. 금지해제적 신고로 해석되는 신고는 일응 정보제공적 신고로서의 성격을 포함한다.

자기완결적 신고
▷ 일정한 사항을 통지하고 도달함으로써 법적 효력이 발생하는 신고

「행정절차법」 제40조의 신고
▷ 자기완결적 신고

(2) 자기완결적 신고와 행위요건적 신고

① **자기완결적 신고(자체완성적 신고, 수리를 요하지 않는 신고, 본래적 의미의 신고):** 자기완결적 신고는 행정청에 대하여 일정한 사항을 통지함으로써 의무가 끝나는 신고로서, 수리를 요하지 않으며 신고 자체로서 법적 효과를 발생시킨다(예 「건축법」 제14조 제1항에 의한 건축신고, 「체육시설의 설치·이용에 관한 법률」 제20조에 의한 체육시설업의 신고 등). 자기완결적 신고는 수리를 요하지 않는 신고라고 불리기도 하며, 「행정절차법」 제40조는 수리를 요하지 않는 신고에 대하여 규정하고 있다.

12. 경찰 3차 수리를 요하지 않는 신고는 일정한 사항을 행정청에 통지하고 도달함으로써 신고의 효력이 발생한다. (○)

22. 국회직 9급, 18. 국가직 9급, 11. 서울시 9급, 11. 지방직 9급 수리를 요하는 신고는 「행정절차법」에 규정되어 있다. (✕) → 요하지 않는

15. 교행 「행정절차법」은 수리를 요하는 신고와 수리를 요하지 않는 신고를 구분하여 별도로 규정하고 있다. (✕) → 있지 않다

⚖ 관련판례

1 체육시설의 설치·이용에 관한 법률상 골프장 이용료 변경신고 ★★★

행정청에 대한 신고는 행정청의 반사적 결정을 기다릴 필요가 없는 것이므로, 구 체육시설의 설치·이용에 관한 법률 제18조에 의한 골프장 이용료 변경신고서는 그 신고 자체가 위법하거나 그 신고에 무효사유가 없는 한 이것이 도지사에게 제출하여 접수된 때에 신고가 있었다고 볼 것이고, 도지사의 수리행위가 있어야만 신고가 있었다고 볼 것은 아니다(대결 1993.7.6. 93마635).

20. 소방간부 구 「체육시설의 설치·이용에 관한 법률」 제18조에 의한 체육시설의 이용료 또는 관람료 변경신고는 행정청의 수리를 요하지 않는다. (○)

18. 경찰 3차, 15. 경찰 1차 골프장이용료 변경신고와 같은 구 「체육시설의 설치·이용에 관한 법률」(1993.3.6. 법률 제4541호로 개정된 것) 제18조에 의한 신고는 행정청의 수리를 요한다. (✕) → 요하지 않는다

14. 국가직 9급 구 「체육시설의 설치·이용에 관한 법률」에 의한 골프장이용료 변경신고서는 행정청에 제출하여 접수된 때에 신고가 있었다고 볼 것이고, 행정청의 수리행위가 있어야만 하는 것은 아니다. (○)

2 수산제조업의 신고 ★★

행정관청에 대한 신고는 일정한 법률사실 또는 법률관계에 관하여 관계 행정관청에 일방적인 통고를 하는 것을 뜻하는 것으로 법령에 별도의 규정이 있거나 다른 특별한 사정이 없는 한 행정관청에 대한 통고로써 그치는 것이고, 그에 대한 행정관청의 반사적 결정을 기다릴 필요가 없는 것인바 … 수산제조업의 신고를 하고자 하는 자가 그 신고서를 구비서류까지 첨부하여 제출한 경우 시장·군수·구청장으로서는 형식적 요건에 하자가 없는 한 수리하여야 할 것이다(대판 1999.12.24. 98다57419·57426).

18. 경찰 3차 행정관청에 대한 신고는 일정한 법률사실 또는 법률관계에 관하여 관계 행정관청에 일방적인 통고를 하는 것을 뜻하는 것이므로 법령에 별도의 규정이 있거나 다른 특별한 사정이 없는 한 행정관청에 대한 통고로써 그치는 것이고, 그에 대한 행정관청의 반사적 결정을 기다릴 필요가 없다. (○)

골프장이용료 변경신고
▷ 자기완결적 신고

수산제조업 신고
▷ 자기완결적 신고

② **행위요건적 신고(행정요건적 신고, 수리를 요하는 신고)**: 행정청에 대하여 일정한 사항을 통지하고 행정청이 이를 수리함으로써 법적 효과가 발생하는 신고를 말한다(예 「건축법」 제14조 제2항에 의한 인·허가가 의제되는 건축신고, 「수산업법」 제47조에 의한 어업신고 등). 수리란 사인이 알린 일정한 사실을 행정청이 유효한 행위로서 받아들이는 것을 말한다. 행위요건적 신고는 수리를 요하는 신고라고 불리기도 하며, 「행정기본법」 제34조는 수리를 요하는 신고에 대하여 규정하고 있다. 실정법상 등록으로 표현되는 경우도 있다.

18. 교행 행정청에서 별도의 수리를 하여야 효력이 발생하는 행정상 신고는 허용되지 않는다. (×) → 허용된다

11. 국가직 9급 수리를 요하는 신고란 사인이 행정청에 대하여 일정한 사항을 통지하고 행정청이 이를 수리함으로써 법적 효과가 발생하는 신고를 말하며 실정법상 등록으로 표현되는 경우가 있다. (○)

22. 국회직 9급 수리를 요하지 않는 신고는 「행정기본법」에 규정되어 있다. (×) → 요하는

> **참고 지위승계신고의 성격을 양도대상이 되는 영업의 종류에 따라 달리 판단하는 견해**
> 한편 지위승계신고의 성격을 양도대상이 되는 영업의 종류에 따라 달리 판단하는 견해가 있다. 즉, 허가를 요하는 영업의 양도에 있어서 요구되는 신고는 허가신청으로, 행정요건적 신고를 요하는 영업의 양도에 있어서 요구되는 신고는 행위요건적 신고로, 자기완결적 신고를 요하는 영업의 양도에 있어서 요구되는 신고는 자기완결적 신고로 보는 견해이다. 이에 대해 판례는 영업양도에 따른 지위승계신고를 수리하는 허가관청의 행위는 단순히 양수인이 그 영업을 승계하였다는 사실의 신고를 접수하는 행위에 그치는 것이 아니라, 실질에 있어서 양도자의 사업허가를 취소함과 아울러 양수자에게 적법히 사업을 할 수 있는 권리를 설정하여 주는 행위로서 사업허가자의 변경이라는 법률효과를 발생시키는 행위라고 판시하였는데, 지위승계신고를 행위요건적 신고로 보고 지위승계신고수리의 처분성을 인정한 것으로 해석된다.

🔍 관련판례

1 **수산업법 제44조 소정의 어업의 신고 ★★★**

어업의 신고에 관하여 유효기간을 설정하면서 그 기산점을 '수리한 날'로 규정하고, 나아가 필요한 경우에는 그 유효기간을 단축할 수 있도록까지 하고 있는 수산업법 제44조 제2항의 규정 취지 및 어업의 신고를 한 자가 공익상 필요에 의하여 한 행정청의 조치에 위반한 경우에 어업의 신고를 수리한 때에 교부한 어업신고필증을 회수하도록 하고 있는 구 수산업법시행령 제33조 제1항의 규정 취지에 비추어 보면, 수산업법 제44조 소정의 어업의 신고는 행정청의 수리에 의하여 비로소 그 효과가 발생하는 이른바 '수리를 요하는 신고'라고 할 것이다(대판 2000.5.26. 99다37382).

22. 행정사, 20. 경찰 2차, 19. 서울시 9급, 17. 서울시 9급 「수산업법」상의 어업의 신고는 행정청의 수리에 의하여 비로소 그 효과가 발생하는 이른바 '수리를 요하는 신고'에 해당한다. (○)

22. 지방직 7급 「수산업법」상 신고어업을 하려면 법령이 정한 바에 따라 관할 행정청에 신고하여야 하고, 행정청의 수리가 있을 때에 비로소 법적 효과가 발생하게 된다. (○)

17. 국가직 7급 「수산업법」상 어업신고를 적법하게 하였으나, 관할 행정청이 수리를 거부한 경우 신고의 효과가 발생하지 않는다. (○)

2 **대규모점포의 개설 등록 ★★★**

구 유통산업발전법 제12조의2 제1항·제2항·제3항은 기존의 대규모점포의 등록된 유형 구분을 전제로 '대형마트로 등록된 대규모점포'를 일체로서 규제 대상으로 삼고자 하는 데 취지가 있는 점, 대규모점포의 개설 등록은 이른바 '수리를 요하는 신고'로서 행정처분에 해당한다(대판 2015.11.19. 2015두295 전합).

함께 정리하기

행위요건적 신고
▷ 일정한 사항을 통지하고 행정청이 이를 수리함으로써 법적 효과가 발생하는 신고

「행정기본법」 제34조의 신고
▷ 행위요건적 신고

「수산업법」 제44조 소정의 어업신고
▷ 행위요건적 신고

대규모점포의 개설 등록
▷ 행위요건적 신고

19. 국회직 8급, 19. 지방직 7급, 18. 지방직 7급, 17. 5급 승진 구 「유통산업발전법」에 따른 대규모점포의 개설 등록은 이른바 '수리를 요하는 신고'로서 행정처분에 해당한다. (○)

22. 국회직 9급 「유통산업발전법」상 대규모 점포의 개설 등록은 수리를 요하자 않는 신고에 해당한다. (×) → 요하는

「식품위생법」상 영업자 지위승계신고
▷ 행위요건적 신고

③ 식품위생법상 영업자 지위승계신고 ★★★

구 식품위생법 제25조 제1항 및 제3항에 의하여 영업양도에 따른 지위승계신고를 수리하는 허가관청의 행위는 단순히 양도·양수인 사이에 이미 발생한 사법상의 사업양도의 법률효과에 의하여 양수인이 그 영업을 승계하였다는 사실의 신고를 접수하는 행위에 그치는 것이 아니라, 실질에 있어서 양도자의 사업허가를 취소함과 아울러 양수자에게 적법히 사업을 할 수 있는 권리를 설정하여 주는 행위로서 사업허가자의 변경이라는 법률효과를 발생시키는 행위라고 할 것이다(대판 2001.2.9. 2000도2050).

21. 지방직 7급, 19. 지방직 9급, 18. 국회직 8급, 15. 변호사 「식품위생법」에 의한 영업양도에 따른 지위승계신고를 수리하는 허가관청의 행위는 단순히 양도·양수인 사이에 이미 발생한 사법상의 사업양도의 법률효과에 의하여 양수인이 그 영업을 승계하였다는 사실의 신고를 접수하는 행위에 그치는 것이 아니라 영업허가자의 변경이라는 법률효과를 발생시키는 행위이다. (○)

18. 지방직 9급 (甲은 「식품위생법」 제37조 제1항에 따라 허가를 받아 식품조사처리업 영업을 하고 있던 중 乙과 영업양도계약을 체결하였다. 乙이 같은 법 제39조에 따라 식품의약품안전처장에게 영업자지위승계신고를 한 사안에서) 식품의약품안전처장이 乙의 신고를 수리한다면, 이는 실질에 있어서 乙에게는 적법하게 사업을 할 수 있는 권리를 설정하여 주는 행위이다. (○)

17. 사복직 「식품위생법」에 의해 영업양도에 따른 지위승계신고를 수리하는 행정청의 행위는 단순히 양수인이 그 영업을 승계하였다는 사실의 신고를 접수한 행위에 크친다. (×) → 그치는 것이 아니라 사업허가자 변경이라는 법률효과를 발생시킨다

15. 국가직 7급 「식품위생법」상 신고요건을 갖춘 적법한 신고가 있었다면, 관할 행정청의 수리 여부와 관계없이 영업양도는 효력을 발생한다. (×) → 더라도 / 수리가 있어야

「액화석유가스의 안전 및 사업관리법」 제7조 제2항에 의한 사업양수에 의한 지위승계신고
▷ 행위요건적 신고

④ 액화석유가스의 안전 및 사업관리법상 사업양수에 의한 지위승계신고 ★★★

액화석유가스의 안전 및 사업관리법 제7조 제2항에 의한 사업양수에 의한 지위승계신고를 수리하는 허가관청의 행위는 단순히 양도, 양수자 사이에 발생한 사법상의 사업양도의 법률효과에 의하여 양수자가 사업을 승계하였다는 사실의 신고를 접수하는 행위에 그치는 것이 아니라 실질에 있어서 양도자의 사업허가를 취소함과 아울러 양수자에게 적법히 사업을 할 수 있는 법규상 권리를 설정하여 주는 행위로서 사업허가자의 변경이라는 법률효과를 발생시키는 행위이므로 허가관청이 법 제7조 제2항에 의한 사업양수에 의한 지위승계신고를 수리하는 행위는 행정처분에 해당한다(대판 1993.6.8. 91누11544).

19. 5급 승진 구 「액화석유가스의 안전 및 사업관리법」상 사업양수에 의한 지위승계신고를 수리하는 행위는 행정처분에 해당한다. (○)

15. 사복직 액화석유가스충전사업의 지위승계신고를 수리하는 행위는 사실행위에 해당한다. (×) → 처분

13. 국가직 7급 영업양도에 따른 지위승계신고를 수리하는 허가관청의 행위는 영업허가자의 변경이라는 법률효과를 발생시키는 행위로서 항고소송의 대상이 될 수 있다. (○)

구 「관광진흥법」 제8조 제4항에 의한 지위승계신고
▷ 행위요건적 신고

⑤ 구 관광진흥법에 의한 지위승계신고 ★★★

구 관광진흥법 제8조 제4항에 의한 지위승계신고를 수리하는 허가관청의 행위는 단순히 양도·양수인 사이에 이미 발생한 사법상의 사업양도의 법률효과에 의하여 양수인이 그 영업을 승계하였다는 사실의 신고를 접수하는 행위에 그치는 것이 아니라, 영업허가자의 변경이라는 법률효과를 발생시키는 행위라고 할 것이다(대판 2012.12.13. 2011두29144).

21. 지방직 9급 구 「관광진흥법」에 의한 지위승계신고를 수리하는 허가관청의 행위는 사실적인 행위에 불과하여 항고소송의 대상이 되자 않는다. (×) → 영업허가자의 변경이라는 법률효과를 발생시키므로 / 된다

3. 신고의 구별실익

(1) 자기완결적 신고와 행위요건적 신고는 그 효과(부적법한 신고의 경우 포함), 신고에 대한 신고필증의 의미, 신고 수리의 의미, 수리 거부행위의 성질 등을 달리한다.

(2) 특히 소제기의 적법성 판단과 관련하여, 신고의 법적 성질에 따라 신고의 수리 또는 수리거부의 처분성 여부가 문제되고(후술한다), 본안판단과 관련하여, 자기완결적 신고의 경우에는 행정청은 형식적 요건을 모두 갖춘 신고임에도 불구하고 실체적 사유를 들어 수리를 거부할 수 없다. 이에 반해 행위요건적 신고의 경우에는 중대한 공익상의 필요와 같은 실체적 사유를 들어 수리를 거부할 수 있다.

> ⚖ **관련판례**
>
> **숙박업신고는 공익상의 필요가 있는 경우 수리를 거부할 수 있다.** ★★
>
> 숙박업을 하고자 하는 자가 법령이 정하는 시설과 설비를 갖추고 행정청에 신고를 한 경우 행정청은 원칙적으로 수리하여야 하며 법령이 정한 요건 외의 사유를 들어 수리를 거부할 수는 없다. 행정청이 <u>법령이 정한 요건 이외의 사유를 들어 수리를 거부하는 것은 위 법령의 목적에 비추어 이를 거부해야 할 중대한 공익상의 필요가 있다는 등 특별한 사정이 있는 경우에 한한다.</u> 이러한 법리는 이미 다른 사람 명의로 숙박업 신고가 되어 있는 시설 등의 전부 또는 일부에서 새로 숙박업을 하려는 자가 신고한 경우에도 마찬가지이다(대판 2017.5.30. 2017두34087).

4. 신고의 구별기준

(1) 우선 관계법령이 신고와 등록을 구분하여 규정하고 있는 경우에는 '신고'는 자기완결적 신고, '등록'은 행위요건적 신고로 볼 수 있다.

> **「체육시설의 설치·이용에 관한 법률」 제10조 【체육시설업의 구분·종류】** ① 체육시설업은 다음과 같이 구분한다.
> 1. <u>등록 체육시설업:</u> 골프장업, 스키장업, 자동차 경주장업
> 2. <u>신고 체육시설업:</u> 요트장업, 조정장업, 카누장업, 빙상장업, 승마장업, 종합 체육시설업, 수영장업, 체육도장업, <u>골프 연습장업,</u> 체력단련장업, 당구장업, 썰매장업, <u>무도학원업,</u> 무도장업, 야구장업, 가상체험 체육시설업, 체육교습업, 인공암벽장업

> ⚖ **관련판례**
>
> **당구장업 영업신고는 자기완결적 신고이다.** ★
>
> 체육시설의 설치·이용에 관한 법률 제10조, 제11조, 제22조, 같은 법 시행규칙 제8조 및 제25조의 각 규정에 의하면, <u>체육시설업은 등록체육시설업과 신고체육시설업으로 나누어지고, 당구장업과 같은 신고체육시설업을 하고자 하는 자는 체육시설업의 종류별로 같은법시행규칙이 정하는 해당 시설을 갖추어 소정의 양식에 따라 신고서를 제출하는 방식으로 시·도지사에 신고하도록 규정하고 있으므로,</u> 소정의 시설을 갖추지 못한 체육시설업의 신고는 부적법한 것으로 그 수리가 거부될 수밖에 없고 그러한 상태에서 신고체육시설업의 영업행위를 계속하는 것은 무신고 영업행위에 해당할 것이지만, 이에 반하여 <u>적법한 요건을 갖춘 신고의 경우에는 행정청의 수리처분 등 별단의 조처를 기다릴 필요 없이 그 접수시에 신고로서의 효력이 발생하는 것이므로 그 수리가 거부되었다고 하여 무신고 영업이 되는 것은 아니다</u>(대판 1998.4.24. 97도3121).

함께 정리하기

자기완결적 신고와 행위요건적 신고의 구별실익
▷ 신고의 요건 및 심사정도, 신고필증의 의미, 신고의 효과, 수리 또는 수리거부의 처분성 등

자기완결적 신고
▷ 실체적 사유를 들어 수리 거부 不可

행위요건적 신고
▷ 실체적 사유를 들어 수리 거부 可

숙박업신고
▷ 공익상의 필요가 있는 경우 수리거부 可

법령에서 신고와 등록을 구분하여 규정하고 있는 경우
▷ 신고: 자기완결적 신고
▷ 등록: 행위요건적 신고

당구장업 영업신고
▷ 자기완결적 신고

23. 국가직 7급 자기완결적 신고의 경우 적법한 요건을 갖춘 신고를 하면 신고의 대상이 되는 행위를 적법하게 할 수 있고, 별도로 행정청의 수리를 기다릴 필요가 없다. (○)

법령에서 신고와 허가를 병렬적으로 규정하고 있는 경우
▷ 신고: 자기완결적 신고

(2) 마찬가지로 하나의 법률 안에 신고제와 허가제가 병렬적으로 규정되어 있는 경우에는 규제를 이원화하겠다는 것이 입법자의 의도이므로 이를 존중하여 이때의 신고는 가능한 한 자기완결적 신고로 본다.

🔨 관련판례

행정청은 개발행위허가 기준에 부합하지 않는다는 점을 이유로 가설건축물 축조신고의 수리를 거부할 수는 없다. ★

2017.1.17. 개정 전 구 건축법은 가설건축물이 축조되는 지역과 용도에 따라 허가제와 신고제를 구분하면서, 가설건축물 신고와 관련하여서는 국토의 계획 및 이용에 관한 법률에 따른 개발행위허가 등 인·허가의제 내지 협의에 관한 규정을 전혀 두고 있지 아니하다. 이러한 신고대상 가설건축물 규제 완화의 취지를 고려하면, 행정청은 특별한 사정이 없는 한 개발행위허가 기준에 부합하지 않는다는 점을 이유로 가설건축물 축조신고의 수리를 거부할 수는 없다(대판 2019.1.10. 2017두75606).

가설건축물 축조신고
▷ 자기완결적 신고

(3) 다만, 타법상의 요건의 구비를 요구하거나 인·허가의제와 같은 별도의 요건에 대한 심사가 요구되는 경우에는 행위요건적 신고로 보아야 한다.

🔨 관련판례

타법상의 요건충족을 전제로 하거나 인·허가의제와 같이 별도의 요건심사가 요구되는 경우
▷ 행위요건적 신고

타법상의 요건충족을 전제로 하는 신고
▷ 행위요건적 신고

1 **타법상의 요건충족을 전제로 하는 신고는 행위요건적 신고이다.** ★★

학교보건법과 체육시설의 설치·이용에 관한 법률은 그 입법목적, 규정사항, 적용범위 등을 서로 달리 하고 있어서 당구장의 설치에 관하여 체육시설의 설치·이용에 관한 법률이 학교보건법에 우선하여 배타적으로 적용되는 관계에 있다고는 해석되지 아니하므로 체육시설의 설치이용에 관한 법률에 따른 당구장업의 신고요건을 갖춘 자라 할지라도 학교보건법 제5조 소정의 학교환경 위생정화구역 내에서는 같은 법 제6조에 의한 별도 요건을 충족하지 아니하는 한 적법한 신고를 할 수 없다고 보아야 한다(대판 1991.7.12. 90누8350).

인·허가가 의제되는 건축신고
▷ 행위요건적 신고

2 **인·허가가 의제되는 건축신고는 행위요건적 신고이다. [다수의견]** ★★★

건축법에서 인·허가의제 제도를 둔 취지는, 인·허가의제 사항과 관련하여 건축허가 또는 건축신고의 관할 행정청으로 그 창구를 단일화하고 절차를 간소화하며 비용과 시간을 절감함으로써 국민의 권익을 보호하려는 것이지, 인·허가의제 사항 관련 법률에 따른 각각의 인·허가 요건에 관한 일체의 심사를 배제하려는 것으로 보기는 어렵다. 왜냐하면, 건축법과 인·허가의제 사항 관련 법률은 각각 고유한 목적이 있고, 건축신고와 인·허가의제 사항도 각각 별개의 제도적 취지가 있으며 그 요건 또한 달리하기 때문이다. 나아가 인·허가의제 사항 관련 법률에 규정된 요건 중 상당수는 공익에 관한 것으로서 행정청의 전문적이고 종합적인 심사가 요구되는데, 만약 건축신고만으로 인·허가의제 사항에 관한 일체의 요건 심사가 배제된다고 한다면, 중대한 공익상의 침해나 이해관계인의 피해를 야기하고 관련 법률에서 인·허가 제도를 통하여 사인의 행위를 사전에 감독하고자 하는 규율체계 전반을 무너뜨릴 우려가 있다. 또한 무엇보다도 건축신고를 하려는 자는 인·허가의제 사항 관련 법령에서 제출하도록 의무화하고 있는 신청서와 구비서류를 제출하여야 하는데, 이는 건축신고를 수리하는 행정청으로 하여금 인·허가의제 사항 관련 법률에 규정된 요건에 관하여도 심사를 하도록 하기 위한

것으로 볼 수밖에 없다. 따라서 인·허가의제 효과를 수반하는 건축신고는 일반적인 건축신고와는 달리, 특별한 사정이 없는 한 행정청이 그 실체적 요건에 관한 심사를 한 후 수리하여야 하는 이른바 '수리를 요하는 신고'로 보는 것이 옳다(대판 2011.1.20. 2010두14954 전합).

(4) 또한 신고요건으로 형식적 요건만을 요구하는 경우에는 자기완결적 신고로 볼 수 있고, 실질적 요건도 함께 요구하는 경우에는 행위요건적 신고로 보아야 할 것이다.

(5) 관계 법령에서 명문으로 '수리'규정을 두고 있는 경우에는 행정요건적 신고로 보아야 할 것이며, 신고사항이 사회질서나 공공복리에 미치는 영향이 미미하여 신고 불이행에 대해 별다른 제재가 없으면 자기완결적 신고, 신고사항이 사회질서나 공공복리에 미치는 영향이 크기 때문에 신고불이행에 대해서 행정벌 등 기타 제재가 가해지는 경우에는 행위요건적 신고로 볼 수 있다.

형식적 요건만 요구
▷ 자기완결적 신고

실질적 요건도 요구
▷ 행위요건적 신고

명문으로 '수리'규정을 두고 있는 경우
▷ 행위요건적 신고(「행정기본법」제34조)

신고불이행에 대해 별다른 제재 無
▷ 자기완결적 신고

신고불이행에 대해 행정벌 등 제재 有
▷ 행위요건적 신고

> **참고 신고의 수리를 요하는지 구분하는 법**
> 「행정기본법」은 양자의 구분을 법률의 규정을 기준으로 구분한다(제34조). 법률에 신고의 수리가 필요하다고 명시되어 있는 경우에는 수리를 요하는 신고이고, 법률에 신고의 수리가 필요하다고 명시되어 있지 않는 경우에는 수리를 요하지 않는 신고이다. 법률에 신고의 수리가 필요하다고 명시되어 있다고 하여도 그 수리가 행정기관의 내부 업무 처리 절차로서 수리를 규정한 것이라면, 그러한 신고의 수리는 수리를 요하지 않는 신고이다(제34조). 명시되어 있는지 여부 자체가 논란의 대상이 될 수 있는 경우에는 관련조문에 대한 합리적이고도 유기적인 해석을 통해 양자를 구분할 수밖에 없다.

(6) 이와 같이 관계법령의 내용과 목적에 따라 판단하되, 만약 구별이 쉽지 않은 경우에는 규제완화라는 신고제의 취지와 국민의 권익구제를 위하여 가능한 한 자기완결적 신고로 보는 것이 타당할 것이다.

5. 신고의 요건 및 심사

(1) 자기완결적 신고의 요건 및 심사

① 신고의 요건: 「행정절차법」은 자기완결적 신고(수리를 요하지 않는 신고)로서 의무적인 신고의 요건으로 3가지 사항(㉠ 신고서의 기재사항에 흠이 없을 것, ㉡ 필요한 구비서류가 첨부되어 있을 것, ㉢ 그 밖에 법령등에 규정된 형식상의 요건에 적합할 것)을 규정하고 있다(「행정절차법」 제40조 제2항). 행정청은 이러한 (형식적) 요건을 갖추지 못한 신고서가 제출된 경우(부적법한 신고의 경우) 지체 없이 상당한 기간을 정하여 신고인에게 보완을 요구하여야 하고(「행정절차법」 제40조 제3항), 신고인이 일정기간 내에 보완을 하지 아니한 때에는 그 이유를 구체적으로 명시하여 해당 신고서를 되돌려 보내야 한다(「행정절차법」 제40조 제4항).

17. 국가직 9급, 16. 행정사 행정청은 법령상 규정된 형식적 요건을 갖추지 못한 신고서가 제출된 경우에는 지체 없이 상당한 기간을 정하여 신고인에게 보완을 요구하여야 한다. (○)

19. 군무원 9급 행정청은 신고인이 일정한 기간 내에 보완을 하지 아니하였을 때에는 그 이유를 구체적으로 밝혀 해당 신고서를 되돌려 보내야 한다. (○)

② **요건 심사**: 자기완결적 신고는 법령에서 정하고 있는 형식적 요건, 즉 신고서 기재사항의 흠결 여부 및 소정의 필요서류 구비(첨부)여부 등이 심사대상이 되고, 행정청은 실체적인 사유(예 공익성심사나 안전성심사)를 들어 신고 수리를 거부할 수 없다. 또한 신고서 기재사항의 진실함이 입증될 필요는 없다.

14. 국가직 9급 「행정절차법」상 신고 요건으로는 신고서의 기재사항에 흠이 없고 필요한 구비서류가 첨부되어 있어야 하며, 신고의 기재사항은 그 진실함이 입증되어야 한다. (×) → 할 필요까지는 없다

형식요건 갖춘 원격평생교육시설신고
▷ 실체적 사유 들어 수리 거부 不可

⚡ **관련판례**

정보통신매체를 이용하여 학습비를 받고 불특정 다수인에게 원격평생교육을 실시하기 위해 구 평생교육법 등에서 정한 형식적 요건을 모두 갖추어 신고한 경우, 행정청이 실체적 사유를 들어 신고 수리를 거부할 수는 없다. ★★★

정보통신매체를 이용하여 학습비를 받지 아니하고 원격평생교육을 실시하고자 하는 경우에는 누구든지 아무런 신고 없이 자유롭게 이를 할 수 있고, 다만 위와 같은 교육을 불특정 다수인에게 학습비를 받고 실시하는 경우에는 이를 신고하여야 하나, 법 제22조가 신고를 요하는 제2항과 신고를 요하지 않는 제1항에서 '학습비'수수 외에 교육대상이나 방법 등 다른 요건을 달리 규정하고 있지 않을 뿐 아니라 제2항에서도 학습비 금액이나 수령 등에 관하여 아무런 제한을 하고 있지 않은 점에 비추어 볼 때, 행정청으로서는 신고서 기재사항에 흠결이 없고 정해진 서류가 구비된 때에는 이를 수리하여야 하고, 이러한 형식적 요건을 모두 갖추었음에도 신고대상이 된 교육이나 학습이 공익적 기준에 적합하지 않는다는 등 실체적 사유를 들어 신고 수리를 거부할 수는 없다(대판 2011.7.28. 2005두11784).

19. 국회직 8급 불특정 다수인을 대상으로 학습비를 받고 정보통신매체를 이용하여 원격평생교육을 실시하고자 하는 경우에는 누구든지 관계 법령에 따라 이를 신고하여야 하나 신고서의 기재사항에 흠결이 없고 소정의 서류가 구비된 때에는 이를 수리하여야 한다. (○)

21. 지방직 9급, 20. 5급 승진 불특정 다수인을 대상으로 학습비를 받고 정보통신매체를 이용하여 원격평생 교육을 실시하기 위해 구 「평생교육법」 제22조 제2항에 따라 형식적 요건을 모두 갖추어 신고하였으나 그 신고대상이 된 교육이나 학습이 공익적 기준에 적합하지 않다는 등의 실체적 사유를 들어 신고의 수리를 거부하는 것은 위법하다. (○)

16. 지방직 9급 정보통신매체를 이용하여 원격평생교육을 불특정 다수인에게 학습비를 받고 실시하기 위해 인터넷 침·뜸 학습센터를 평생교육시설로 신고한 경우 관할 행정청은 신고서 기재사항에 흠결이 없고 형식적 요건을 모두 갖추었더라도 신고대상이 된 교육이나 학습이 공익적 기준에 적합하지 않는다는 등의 실체적 사유를 들어 신고수리를 거부할 수 있다. (×) → 없다

(2) 행위요건적 신고의 요건 및 심사

① **신고의 요건**: 개별 법령에 정하는 요건을 구비하여야 한다. 개별 법령에 정함이 없다면, 수리를 요하지 않는 신고에 적용되는 「행정절차법」 규정을 성질이 허락하는 범위 안에서 유추적용할 수 있다.❶

② **요건심사**: 행위요건적 신고의 경우에는 **형식적 요건뿐만 아니라 실체적 요건의 구비여부도 심사하여 이를 구비하지 못한 경우 신고의 수리를 거부할 수 있다.**

13. 국가직 7급 수리를 요하는 신고의 경우 행정청은 형식적 심사를 하는 것으로 족하다. (×) → 족하지 않은 경우도 있다

---

❶
「행정절차법」 제40조 제3항·제4항은 수리를 요하는 신고의 경우에도 유추적용 할 수 있을 것이다. 따라서 수리를 요하는 신고에 있어서도 신고의 형식적 요건을 갖추지 않은 경우에는 보완을 요구하고, 그럼에도 보완을 하지 않을 경우에는 수리를 거부할 수 있다고 보아야 한다.

제1편

행정법통론 해커스공무원 함수민 행정법총론 기본서

관련판례

구 노인복지법상 유료노인복지주택설치신고는 수리를 요하는 신고로서 실질적 요건에 대한 심사가 가능하다. ★★

구 노인복지법 제33조 제2항에 의한 <u>유료노인복지주택의 설치신고를 받은 행정관청으로서는</u> 그 유료노인복지주택의 시설 및 운영기준이 위 법령에 부합하는지와 아울러 <u>그 유료노인복지주택이 적법한 입소대상자에게 분양되었는지와 설치신고 당시 부적격자들이 입소하고 있지는 않은지 여부까지 심사하여 그 신고의 수리 여부를 결정할 수 있다</u>(대판 2007.1.11. 2006두14537).

14. 국가직 9급 유료노인복지주택의 설치신고를 받은 행정관청은 그 유료노인복지주택의 시설 및 운용기준이 법령에 부합하는 지와 설치신고 당시 부적격자들이 입소하고 있는지 여부를 심사할 수 있다. (○)

③ **행위요건적 신고와 허가신청과의 비교:** 행위요건적 신고와 허가신청 모두 형식적 요건 이외에 실체적 요건의 구비여부도 심사한다는 점에서 공통점이 있다. 다만, 신고의 경우에도 행정관청에 광범위한 심사권한을 인정한다면 신고제가 사실상 허가제로 변질될 우려가 있다는 점을 고려하여 판례는 행위요건적 심사의 경우 실질심사의 범위를 제한하고 있다.

유료노인복지주택설치신고(행위요건적 신고)
▷ 신고 당시 부적격자 입소 여부 심사 可

관련판례

1 주민등록전입신고 수리 여부에 대한 심사는 주민등록법의 입법 목적의 범위 내에서 제한적으로 이루어져야 한다. ★★★

(무허가 건축물을 실제 생활의 근거지로 삼아 10년 이상 거주해 온 사람의 주민등록전입신고를 거부한 사안에서) 시장 등은 주민등록전입신고의 수리 여부를 심사할 수 있는 권한이 있다고 봄이 상당하다. 주민들의 거주지 이동에 따른 주민등록전입신고에 대하여 행정청이 이를 심사하여 그 수리를 거부할 수는 있다고 하더라도, 그러한 행위는 자칫 헌법상 보장된 국민의 거주·이전의 자유를 침해하는 결과를 가져올 수도 있으므로, <u>시장·군수 또는 구청장의 주민등록전입신고 수리 여부에 대한 심사는 주민등록법의 입법 목적의 범위 내에서 제한적으로 이루어져야 한다. 전입신고를 받은 시장·군수 또는 구청장의 심사 대상은 전입신고자가 30일 이상 생활의 근거로 거주할 목적으로 거주지를 옮기는지 여부만으로 제한된다고 보아야 한다.</u> 따라서 전입신고자가 거주의 목적 이외에 다른 이해관계에 관한 의도를 가지고 있는지 여부, 무허가 건축물의 관리, 전입신고를 수리함으로써 당해 지방자치단체에 미치는 영향 등과 같은 사유는 주민등록법이 아닌 다른 법률에 의하여 규율되어야 하고, 주민등록전입신고의 수리 여부를 심사하는 단계에서는 고려 대상이 될 수 없다. 따라서 무허가 건축물을 실제 생활의 근거지로 삼아 10년 이상 거주해 온 사람이 주민등록 전입신고를 한 경우에, <u>부동산투기나 이주대책 요구 등을 방지할 목적으로 주민등록전입신고를 거부하는 것은 주민등록법의 입법 목적과 취지 등에 비추어 허용될 수 없다</u>(대판 2009.6.18. 2008두10997 전합).❶

23. 지방직 9급 시장 등의 주민등록전입신고 수리 여부에 대한 심사는 「주민등록법」의 입법 목적의 범위 내에서 제한적으로 이루어져야 하는바, 전입신고자가 30일 이상 생활의 근거로서 거주할 목적으로 거주지를 옮기는지 여부가 심사 대상으로 되어야 한다. (○)

17. 사복직, 16. 국가직 9급, 14. 서울시 9급 주민등록전입신고는 수리를 요하는 신고에 해당하지만, 이를 수리하는 행정청은 거주의 목적에 대한 판단 이외에 부동산 투기 목적 등의 공익상의 이유를 들어 주민등록전입신고의 수리를 거부할 수는 없다. (○)

20. 소방간부, 11. 지방직 9급 주민등록 전입신고를 받은 시장, 군수 또는 구청장의 심사대상은 전입신고자가 30일 이상 생활의 근거로 거주할 목적으로 거주지를 옮기는지 여부만으로 제한된다고 보아야 한다. (○)

주민등록(전입)신고
▷ 행위요건적 신고

주민등록(전입)신고(행위요건적 신고)의 심사범위
▷ 「주민등록법」의 입법목적 범위 내로 제한
▷ 부동산투기나 이주대책 요구 등의 방지를 이유로 주민등록전입신고의 수리거부×

❶
주민등록의 대상이 되는 실질적 의미에서의 거주이전인지 여부를 심사하기 위하여 「주민등록법」의 입법목적과 주민등록의 법률상 효과 이외에 「지방자치법」 및 지방자치의 이념까지 고려하여야 한다고 판시한 대법원 2002.7.9. 2002두1748 판결을 변경한 판례이다.

22. 국회직 8급 주민등록전입신고자가 30일 이상 생활의 근거로 거주할 목적 이외에 다른 이해 관계에 관한 의도를 가지고 있는지 여부, 무허가건축물의 관리, 전입신고를 수리함으로써 당해 지방자치단체에 미치는 영향 등과 같은 사유는 「주민등록법」이 아닌 다른 법률에 의하여 규율되어야 하고, 주민등록전입신고의 수리 여부를 심사하는 단계에서는 고려 대상이 될 수 없다. (○)

18 변호사, 17. 지방직 7급 주민등록전입신고의 수리 여부와 관련하여서는, 전입신고자가 거주의 목적 외에 다른 이해관계에 관한 의도를 가지고 있었는지 여부, 무허가건축물의 관리, 전입 신고를 수리함으로서 당해 지방자치단체에 미치는 영향 등도 고려하여야 한다. (×) → 등은 고려 대상이 될 수 없다

13. 국회직 8급 주민등록전입신고 수리여부에 대한 심사는 「주민등록법」의 입법목적과 법률효과 이외에 「지방자치법」 및 지방자치의 이념까지 고려하여 실질적으로 판단해야 한다. (×) → 판단해야 하는 것은 아니다

2 **노동조합설립신고를 접수받은 행정청은 설립신고서를 접수할 당시 그 해당 여부가 문제된다고 볼만한 객관적인 사정이 있는 경우에 한하여 설립신고서와 규약 내용 외의 사항에 대하여 실질적인 심사를 거쳐 반려 여부를 결정할 수 있다. ★★**

노동조합설립신고서 접수당시 그 해당여부가 문제된다고 볼만한 객관적인 사정이 있는 경우에 한하여
▷ 실질심사 거쳐 반려 여부 결정

노동조합 및 노동관계조정법이 행정관청으로 하여금 설립신고를 한 단체에 대하여 같은 법 제2조 제4호 각 목에 해당하는지를 심사하도록 한 취지가 노동조합으로서의 실질적 요건을 갖추지 못한 노동조합의 난립을 방지함으로써 근로자의 자주적이고 민주적인 단결권 행사를 보장하려는 데 있는 점을 고려하면, 행정관청은 해당 단체가 노동조합법 제2조 제4호 각 목에 해당하는지 여부를 실질적으로 심사할 수 있다. 다만, 행정관청에 광범위한 심사권한을 인정할 경우 행정관청의 심사가 자의적으로 이루어져 신고제가 사실상 허가제로 변질될 우려가 있는 점 등을 고려하면, 행정관청은 일단 제출된 설립신고서와 규약의 내용을 기준으로 노동조합법 제2조 제4호 각 목의 해당 여부를 심사하되, 설립신고서를 접수할 당시 그 해당 여부가 문제된다고 볼 만한 객관적인 사정이 있는 경우에 한하여 설립 신고서와 규약 내용 외의 사항에 대하여 실질적인 심사를 거쳐 반려 여부를 결정할 수 있다(대판 2014.4.10. 2011두6998).

20. 경찰 2차 판례는 「노동조합 및 노동관계조정법」상 노동조합설립신고를 수리를 요하는 신고로 보았다. (○)

22. 국회직 9급 「노동조합 및 노동관계조정법」에 따른 노동조합의 설립신고는 근로자의 자주적이고 민주적인 단결권 행사를 보장하는 것에 취지가 있으므로 수리를 요하지 않는 신고에 해당한다. (×) → 요하는

3 **실질적 요건이 흠결된 노동조합설립신고에 의한 노동조합의 설립은 무효이다. ★**

실질요건 흠결된 노동조합설립신고에 의한 노동조합설립
▷ 무효

노동조합의 조직이나 운영을 지배하거나 개입하려는 사용자의 부당노동행위에 의해 노동조합이 설립된 것에 불과하거나, 노동조합이 설립될 당시부터 사용자가 위와 같은 부당노동행위를 저지르려는 것에 관하여 노동조합 측과 적극적인 통모·합의가 이루어진 경우 등과 같이 해당 노동조합이 헌법 제33조 제1항 및 그 헌법적 요청에 바탕을 둔 노동조합 및 노동관계조정법(이하 '노동조합법'이라고 한다) 제2조 제4호가 규정한 실질적 요건을 갖추지 못하였다면, 설령 설립신고가 행정관청에 의하여 형식상 수리되었더라도 실질적 요건이 흠결된 하자가 해소되거나 치유되는 등의 특별한 사정이 없는 한 이러한 노동조합은 노동조합법상 설립이 무효로서 노동3권을 향유할 수 있는 주체인 노동조합으로서의 지위를 가지지 않는다고 보아야 한다(대판 2021.2.25. 2017다51610).

6. 신고필증의 의미

행정실무는 신고를 필한 경우에 신고인에게 신고필증을 교부한다. 그러나 그 의미는 수리를 요하지 않는 경우와 수리를 요하는 경우에 상이하다.

(1) 자기완결적 신고에 있어서의 신고필증(신고증명서)은 사인이 일정한 사실을 행정기관에게 알렸다는 사실 자체를 사실로서 확인해 주는 의미밖에 없다. 즉, 신고필증이 사인의 행위에 적법성이나 정당성을 승인하는 효과를 갖는 것도 아니고, 신고의 효과를 발생시켜 주는 것도 아니다.

(2) 행위요건적 신고의 경우, 수리행위에 신고필증의 교부가 필수적인 것은 아니다. 그러나 그러한 신고필증은 사인의 신고를 수리하였음을 공적으로 증명하는 의미를 갖는 준법률행위적 행정행위로서 공증행위의 성격을 갖는다. 따라서 그것은 단순히 사실적인 것이 아니라 법적인 것이라는 점에서 자기완결적 신고의 경우와 다르다.

> **🔎 관련판례**
>
> **구 장사 등에 관한 법령상 납골당설치신고는 수리를 요하는 신고로서 신고필증 교부 등 행위가 꼭 필요한 것은 아니다. ★★★**
>
> 구 장사 등에 관한 법령상 납골당 설치신고는 이른바 '수리를 요하는 신고'라 할 것이므로, 납골당 설치신고가 구 장사법 관련 규정의 모든 요건에 맞는 신고라 하더라도 신고인은 곧바로 납골당을 설치할 수는 없고, 이에 대한 행정청의 수리처분이 있어야만 신고한 대로 납골당을 설치할 수 있다. 한편 수리란 신고를 유효한 것으로 판단하고 법령에 의하여 처리할 의사로 이를 수령하는 수동적 행위이므로 수리행위에 신고필증 교부 등 행위가 꼭 필요한 것은 아니다(대판 2011.9.8. 2009두6766).
>
> 19. 국회직 8급, 15. 경찰 3차, 15. 경찰 1차, 13. 국가직 7급 납골당설치 신고는 이른바 '수리를 요하는 신고'이므로 납골당설치 신고가 관련 법령 규정의 모든 요건을 충족하는 신고라 하더라도 행정청의 수리처분이 있어야만 그 신고한 대로 납골당을 설치할 수 있다. (O)
>
> 20. 경찰 2차, 19. 서울시 9급, 19. 행정사, 17. 5급 승진 납골당설치 신고가 구 「장사법」 관련 규정의 모든 요건에 맞는 신고라 하더라도 신고인은 곧바로 납골당을 설치할 수는 없고, 이에 대한 행정청의 수리처분이 있어야만 신고한 대로 납골당을 설치할 수 있다. (O)
>
> 21. 지방직 7급, 19. 행정사, 18. 국회직 8급, 18. 지방직 7급 수리를 요하는 신고에서 행정청의 수리행위에 신고필증 교부의 행위가 반드시 필요한 것은 아니다. (O)
>
> 20. 소방간부 납골당설치신고는 수리를 요하는 신고이므로 신고필증의 교부가 ~~필요하다.~~ (X) → 신고이지만 / 꼭 필요한 것은 아니다
>
> 19. 서울시 9급 수리란 신고를 유효한 것으로 판단하고 법령에 의하여 처리할 의사로 이를 수령하는 ~~적극적~~ 행위이므로 수리행위에는 신고필증의 교부와 같은 행정청의 행위가 ~~수반되어야 한다.~~ (X) → 수동적 / 꼭 필요한 것은 아니다

7. 신고의 효과

(1) 적법한 신고

  ① 자기완결적 신고

  ㉠ 법령등에 규정된 형식상의 요건을 갖춘 경우에는 신고서가 접수기관에 도달된 때에(행정청의 수리여부와 관계없이) 신고의 의무가 이행된 것으로 보고(「행정절차법」 제40조 제2항), 신고의 효력도 발생한다. 따라서 행정청이 적법한 신고서를 접수하지 않고 반려하여도 신고의무는 이행된 것으로 본다.

함께 정리하기

자기완결적 신고에서 신고필증
▷ 신고사실 자체를 확인해주는 사실행위
▷ 신고의 효력발생요건 ✕

행위요건적 신고에서 신고필증
▷ 수리하였음을 공적으로 증명하는 준법률행위적 행정행위로서 공증
▷ but 신고의 효력발생요건 ✕

납골당설치신고
▷ 행위요건적 신고(수리처분이 있어야 납골당설치 가능)

납골당설치신고의 수리행위에 신고필증의 교부
▷ 필수 ✕

자기완결적 신고의 효력발생시기
▷ 요건에 적합한 신고서가 접수기관에 도달된 때

적법한 신고가 있는 경우
▷ 행정청의 수리처분 등 별단의 조치를 기다릴 필요 없이 효력 발생

14. 경찰 2차 자기완결적 신고가 「행정절차법」상 요건을 갖춘 경우에는 신고서가 접수기관에 도달된 때에 신고의무가 이행된 것으로 본다. (○)

관련판례

1 자기완결적 신고에 있어 적법한 신고가 있는 경우 행정청의 수리처분 등 별단의 조치를 기다릴 필요 없이 효력이 발생한다. ★★★

신고대상인 건축물의 건축행위를 하고자 할 경우에는 그 관계 법령에 정해진 적법한 요건을 갖춘 신고만을 하면 그와 같은 건축행위를 할 수 있고, 행정청의 수리처분 등 별단의 조치를 기다릴 필요가 없다고 할 것이며, 또한 이와 같은 신고를 받은 행정청으로서는 그 신고가 같은 법 및 그 시행령 등 관계 법령에 신고만으로 건축할 수 있는 경우에 해당하는 여부 및 그 구비서류 등이 갖추어져 있는지 여부 등을 심사하여 그것이 법규정에 부합하는 이상 이를 수리하여야 하고, 같은 법 규정에 정하지 아니한 사유를 심사하여 이를 이유로 신고수리를 거부할 수는 없다(대판 1999.4.27. 97누6780).

19. 서울시 7급 신고대상인 건축물의 건축행위를 하고자 할 경우에는 관계법령에 정해진 적법한 요건을 갖춘 신고만 하면 그와 같은 건축행위를 할 수 있고 행정청의 수리행위 등 별다른 조치를 기다릴 필요가 없다. (○)

18. 지방직 7급 자기완결적 신고에 있어 적법한 신고가 있는 경우, 행정청은 법 규정에 정하지 아니한 사유를 심사하여 이를 이유로 신고수리를 거부할 수 있다. (×) → 없다

수산제조업의 신고
▷ 자기완결적 신고

담당공무원이 법령에 규정되지 아니한 다른 사유를 들어 적법한 신고를 반려한 경우, 신고의 효력발생 시기
▷ 신고서가 제출된 때

2 적법한 자기완결적 신고의 경우, 담당공무원이 이를 반려하였다고 하더라도 신고서가 제출된 때에 신고가 있었다고 볼 것이다. ★★

수산제조업의 신고를 하고자 하는 자가 그 신고서를 구비서류까지 첨부하여 제출한 경우 시장·군수·구청장으로서는 형식적 요건에 하자가 없는 한 수리하여야 할 것이고, 나아가 관할 관청에 신고업의 신고서가 제출되었다면 담당공무원이 법령에 규정되지 아니한 다른 사유를 들어 그 신고를 수리하지 아니하고 반려하였다고 하더라도, 그 신고서가 제출된 때에 신고가 있었다고 볼 것이다(대판 1999.12.24. 98다57419).

15. 경찰 3차, 13. 경찰 3차 수리를 요하지 않는 신고의 경우, 담당공무원이 법령에 규정되지 아니한 사유를 들어 신고를 반려하였다면 신고의 효력 발생 시기는 담당공무원이 반려의 의사를 표시한 때이다. (×) → 더라도 / 신고서가 제출된

자기완결적 신고에 있어서 담당 공무원이 관계 법령에 규정되지 아니한 서류를 요구하여 신고서를 제출하지 못하였다는 사정
▷ 신고가 있었던 것으로 볼×

3 자기완결적 신고에 있어서 담당 공무원이 관계 법령에 규정되지 아니한 서류를 요구하여 신고서를 제출하지 못하였다는 사정만으로는 신고가 있었던 것으로 볼 수 없다. ★★

수산제조업을 하고자 하는 사람이 형식적 요건을 모두 갖춘 수산제조업신고서를 제출한 경우에는 담당공무원이 관계 법령에 규정되지 아니한 사유를 들어 그 신고를 수리하지 아니하고 반려하였다고 하더라도 그 신고서가 제출된 때에 신고가 있었다고 볼 것이나, 담당공무원이 관계 법령에 규정되지 아니한 서류를 요구하여 신고서를 제출하지 못하였다는 사정만으로는 신고가 있었던 것으로 볼 수 없다(대판 2002.3.12. 2000다73612).

15. 국회직 8급 수산제조업 신고에 있어서 담당 공무원이 관계 법령에 규정되지 아니한 서류를 요구하여 신고서를 제출하지 못하였다는 사정만으로는 신고가 있었던 것으로 볼 수 없다. (○)

타법상의 요건을 충족시키지 못한 신고
▷ 부적법 신고

ⓒ 그러나 수리를 요하지 않는 신고를 규정한 법률상의 요건 외에 타법상의 요건도 충족하여야 하는 경우, 타법상의 요건을 충족시키지 못하는 한 적법한 신고를 할 수 없다고 보아야 한다.

🔨 관련판례

1 식품위생법에 따른 식품접객업의 영업신고의 요건에 적합하나, 그 영업신고를 한 당해 건축물이 무허가 건물이라면 적법한 신고를 할 수 없다. ★★★

식품위생법과 건축법은 그 입법 목적, 규정사항, 적용범위 등을 서로 달리하고 있어 식품접객업에 관하여 식품위생법이 건축법에 우선하여 배타적으로 적용되는 관계에 있다고는 해석되지 않는다. 그러므로 식품위생법에 따른 식품접객업(일반음식점영업)의 영업신고의 요건을 갖춘 자라고 하더라도, 그 영업신고를 한 당해 건축물이 건축법 소정의 허가를 받지 아니한 무허가 건물이라면 적법한 신고를 할 수 없다(대판 2009.4.23. 2008도6829).

24. 국가직 9급, 20. 지방직 9급, 16. 지방직 9급, 14. 사복직, 12. 국회직 8급 「식품위생법」에 따른 식품접객업(일반음식점영업)의 영업신고의 요건을 갖춘 자라고 하더라도, 그 영업신고를 한 당해 건축물이 「건축법」 소정의 허가를 받지 아니한 무허가 건물이라면 적법한 신고를 할 수 없다. (○)

19. 변호사 「식품위생법」에 따른 식품접객업(일반음식점영업)의 영업신고 요건을 갖춘 甲이 영업신고를 하였으나, 그 영업신고를 한 해당 건축물이 「건축법」 소정의 허가를 받지 아니한 무허가 건물이라는 이유로 관할 행정청이 甲의 신고를 거부하는 것은 허용된다. (○)

16. 국가직 9급, 15. 국회직 8급 식품접객업 영업신고에 대해서는 「식품위생법」이 「건축법」에 우선 적용되므로, 영업신고가 「식품위생법」상의 신고요건을 갖춘 경우라면 그 영업신고를 한 해당 건축물이 「건축법」상 무허가건축물이라도 적법한 신고에 해당된다. (×) → 되지 않으므로 / 라고 하더라도 / 라면 / 되지 않는다

2 체육시설의 설치·이용에 관한 법률에 따른 골프연습장의 신고요건을 갖춘 자라 할지라도 골프연습장을 설치하려는 건물이 건축법상 무허가 건물이라면 적법한 신고를 할 수 없다(대판 1993.4.27. 93누1374). ★

3 체육시설의 설치·이용에 관한 법률에 따른 당구장업의 신고요건을 갖춘 자라 할지라도 학교보건법 제5조 소정의 학교환경 위생정화구역 내에서는 같은 법 제6조에 의한 별도 요건을 충족하지 아니하는 한 적법한 신고를 할 수 없다(대판 1991.7.12. 90누8350). ★★

18. 변호사 「체육시설의 설치·이용에 관한 법률」에 따른 당구장업의 신고요건을 갖춘 甲은 학교환경위생정화구역 내에서 「학교보건법」에 따른 별도 요건을 충족하지 아니하고도 적법한 신고를 할 수가 있다. (×) → 아니하면 적법한 신고를 할 수 없다

② 행위요건적 신고

㉠ 행정청이 수리함으로써 신고의 효과가 발생한다(「행정기본법」 제34조).

15. 교행 수리를 요하는 신고의 경우에는 신고의 요건을 갖춘 신고서가 접수기관에 도달되면 신고의 효력이 발생한다. (×) → 된 것만으로는 / 하지 않는다

🔨 관련판례

주민등록신고의 효력발생시기는 행정청이 이를 수리한 때이다. ★★★

주민등록은 단순히 주민의 거주관계를 파악하고 인구의 동태를 명확히 하는 것 외에도 주민등록에 따라 공법관계상의 여러 가지 법률상 효과가 나타나게 되는 것으로서 주민등록의 신고는 행정청에 도달하기만 하면 신고로서의 효력이 발생하는 것이 아니라 행정청이 수리한 경우에 비로소 신고의 효력이 발생한다(대판 2009.1.30. 2006다17850).

22. 소방직, 21. 국가직 7급, 20. 국가직 9급, 19. 서울시 9급, 18. 지방직 7급, 17. 지방직 9급 등 주민등록(전입)의 신고는 행정청에 도달하기만 하면 신고로서의 효력이 발생하는 것이 아니라 행정청이 수리한 경우에 비로소 신고의 효력이 발생한다. (○)

17. 국가직 7급 「주민등록법」상 전입신고를 적법하게 하였으나, 관할 행정청이 수리를 거부한 경우 신고의 효과가 발생하지 않는다. (○)

함께 정리하기 (우측 칼럼)

식품접객업의 영업신고의 요건에 적합하나 영업신고를 한 당해 건축물이 무허가 건물인 경우
▷ 부적법 신고

건축법상 무허가건물에 대한 「체육시설의 설치·이용에 관한 법률」에 따른 골프연습장의 신고
▷ 부적법 신고

당구장업의 신고요건에 적합하나 학교환경위생정화구역 내에서「학교보건법」의 별도 요건을 충족하지 않은 경우
▷ 부적법 신고

행위요건적 신고의 효력발생시기
▷ 행정청이 수리한 때

주민등록신고
▷ 행위요건적 신고

주민등록 신고의 효력발생시기
▷ 행정청이 수리한 때

법령이 정한 요건을 갖춘 신고의 수리
▷ 원칙: 기속행위
▷ 예외: 기속재량행위(중대한 공익상 필요시 수리거부 可)

ⓛ 적법한 신고가 있는 경우 행정청은 그 신고를 수리하여야 한다. 즉, 신고의 수리는 원칙적으로 기속행위이다. 따라서 법령이 정한 요건을 구비한 적법한 신고가 있으면 행정청은 원칙적으로 수리하여야 하며 법령에 없는 사유를 들어 수리를 거부할 수 없다. 다만, 판례는 사설납골시설의 설치신고 수리 등을 기속재량행위로 보아 중대한 공익상 필요가 있는 경우에는 사설납골시설설치신고 수리를 거부할 수 있다고 본다.

관련판례

숙박업을 하고자 하는 자가 법령이 정하는 시설과 설비를 갖추고 행정청에 신고를 한 경우
▷ 법령이 정한 요건 외의 사유를 들어 수리거부×(원칙)

1 숙박업을 하고자 하는 자가 법령이 정하는 시설과 설비를 갖추고 행정청에 신고를 한 경우, 행정청은 수리해야 하며, 원칙적으로 법령이 정한 요건 외의 사유를 들어 수리를 거부할 수 없다. 이러한 법리는 이미 다른 사람 명의로 숙박업 신고가 되어 있는 시설 등의 전부 또는 일부에서 새로 숙박업을 하려는 자가 신고한 경우에도 마찬가지이다. ★★

숙박업을 하고자 하는 자가 법령이 정하는 시설과 설비를 갖추고 행정청에 신고를 하면, 행정청은 공중위생관리법령의 위 규정에 따라 원칙적으로 이를 수리하여야 한다. 행정청이 법령이 정한 요건 이외의 사유를 들어 수리를 거부하는 것은 위 법령의 목적에 비추어 이를 거부해야 할 중대한 공익상의 필요가 있다는 등 특별한 사정이 있는 경우에 한한다. 이러한 법리는 이미 다른 사람 명의로 숙박업 신고가 되어 있는 시설 등의 전부 또는 일부에서 새로 숙박업을 하고자 하는 자가 신고를 한 경우 에도 마찬가지이다. 기존에 다른 사람이 숙박업 신고를 한 적이 있더라도 새로 숙박업을 하려는 자가 그 시설 등의 소유권 등 정당한 사용권한을 취득하여 법령에서 정한 요건을 갖추어 신고하였다면, 행정청으로서는 특별한 사정이 없는 한 이를 수리하여야 하고, 단지 해당 시설 등에 관한 기존의 숙박업 신고가 외관상 남아있다는 이유만으로 이를 거부할 수 없다(대판 2017.5.30. 2017두34087).

20. 5급 승진, 18. 국가직 9급 숙박업을 하고자 하는 자가 법령이 정하는 시설과 설비를 갖추고 행정청에 신고를 하면 행정청은 공중위생관리 법령의 규정에 따라 원칙적으로 이를 수리하여야 하므로, 새로 숙박업을 하려는 자가 기존에 다른 사람이 숙박업 신고를 한 적이 있는 시설 등의 소유권 등 정당한 사용권한을 취득하여 법령에서 정한 요건을 갖추어 신고하였다면, 행정청으로서는 특별한 사정이 없는 한 이를 수리하여야 하고, 기존의 숙박업 신고가 외관상 남아 있다는 이유로 이를 거부할 수 없다. (○)

건축주명의변경신고
▷ 행위요건적 신고
건축주명의변경신고의 형식적 요건이 갖춰진 경우
▷ 실체적인 이유로 수리거부×

2 건축주명의변경신고의 형식적 요건이 갖춰진 경우 실체적 사유를 들어 수리를 거부할 수 없다. ★★★

구 건축법(2014.1.14. 법률 제12246호로 개정되기 전의 것) 제16조 제1항 본문과 구 건축법 시행령(2012.12.12. 대통령령 제24229호로 개정되기 전의 것) 제12조 제1항 제3호, 제4항 및 구 건축법 시행규칙(2012.12.12. 국토해양부령 제522호로 개정되기 전의 것, 이하 같다) 제11조 제1항, 제3항의 내용에 비추어 보면, 구 건축법 시행규칙 제11조의 규정은 단순히 행정관청의 사무집행의 편의를 위한 것이 아니라, 허가대상 건축물의 양수인에게 건축주 명의변경을 신고할 수 있는 공법상의 권리를 인정함과 아울러 행정관청에게는 그 신고를 수리할 의무를 지게 한 것으로 봄이 타당하므로, 허가대상 건축물의 양수인이 구 건축법 시행규칙에 규정되어 있는 형식적 요건을 갖추어 시장·군수 등 행정관청에 적법하게 건축주의 명의변경을

신고한 때에는 행정관청은 그 신고를 수리하여야지 실체적인 이유를 내세워 신고의 수리를 거부할 수는 없다(대판 2014.10.15. 2014두37658).

22. 국회직 8급, 20. 국가직 7급, 17. 5급 승진, 17. 지방직 7급 허가대상 건축물의 양수인이 구 「건축법 시행규칙」에 규정되어 있는 형식적 요건을 갖추어 행정관청에 적법하게 건축주의 명의변경을 신고한 경우, 행정관청은 실체적인 이유를 내세워 신고의 수리를 거부할 수는 없다. (○)

17. 변호사 허가권자는 건축주명의변경신고의 형식적 요건에 문제가 없더라도, 양수인에게 '건축할 대지의 소유 또는 사용에 관한 권리'가 없다는 실체적인 이유를 들어 신고의 수리를 거부할 수 있다. (×) → 없다

> **비교** 건축물소유권의 귀속 관련 소송 계속 중인 경우 판결확정시까지 건축주명의변경신고 수리 거부는 상당하다. ★★
>
> 허가대상 건축물의 양수인이 형식적 요건을 갖추어 적법하게 건축주의 명의변경을 신고한 때에는 시장·군수는 그 신고를 수리하여야지 실체적인 이유를 내세워 신고의 수리를 거부할 수 없다. 그러나 건축물의 소유권을 둘러싸고 소송이 계속 중이어서 판결로 소유권의 귀속이 확정될 때까지 건축주명의변경신고의 수리를 거부함이 상당하다(대판 1993.10.12. 93누883).
>
> 15. 국회직 8급 건축물의 소유권을 둘러싸고 소송이 계속 중이어서 판결로 소유권의 귀속이 확정될 때까지 건축주 명의변경신고의 수리를 거부함은 상당하다. (○)

3 정신과의원을 개설하려는 자가 법령에 규정되어 있는 요건을 갖추어 개설신고를 한 때에, 행정청은 원칙적으로 이를 수리하여 신고필증을 교부하여야 하고, 법령에서 정한 요건 이외의 사유를 들어 의원급 의료기관 개설신고의 수리를 거부할 수는 없다(대판 2018.10.25. 2018두44302). ★★

20. 경찰 2차 판례는 「의료법」 제33조 제3항에 따른 정신과의원 개설신고를 수리를 요하는 신고로 보았다. (○)

22. 소방직 「의료법」에 따라 정신과의원을 개설하려는 자가 법령에 규정되어 있는 요건을 갖추어 개설신고를 한 경우 행정청은 원칙적으로 이를 수리하여 신고필증을 교부하여야 하고, 법령에서 정한 요건 이외의 사유를 들어 의원급 의료기관 개설신고의 수리를 거부할 수는 없다. (○)

19. 지방직 7급 「의료법」에 따라 정신과의원을 개설하려는 자가 법령에 규정되어 있는 요건을 갖추어 개설신고를 한 경우라도 관할 시장·군수·구청장은 법령에서 정한 요건 이외의 사유를 들어 의원급 의료기관 개설신고의 수리를 거부할 수 있다. (×) → 라면 / 없다

4 가설건축물 존치기간을 연장하려는 건축주 등이 법령에 규정되어 있는 제반 서류와 요건을 갖추어 행정청에 연장신고를 한 경우, 행정청이 법령에서 요구하지 않은 '대지사용승낙서' 등의 서류가 제출되지 아니하였거나, 대지소유권자의 사용승낙이 없다는 등의 사유를 들어 가설건축물 존치기간 연장신고의 수리를 거부할 수 없다(대판 2018.1.25. 2015두35116). ★★

22. 소방직 가설건축물 존치기간을 연장하려는 건축주 등이 법령에 규정되어 있는 제반 서류와 요건을 갖추어 행정청에 연장신고를 한 때에는 행정청은 원칙적으로 이를 수리하여 신고필증을 교부하여야 하고, 법령에서 정한 요건 이외의 사유를 들어 수리를 거부할 수는 없다. (○)

19. 지방직 7급 가설건축물 존치기간을 연장하려는 건축주 등이 법령에 규정되어 있는 제반 서류와 요건을 갖추어 행정청에 연장신고를 한 경우, 행정청으로서는 법령에서 요구하고 있지도 아니한 '대지사용승낙서' 등의 서류가 제출되지 아니하였거나, 대지소유권자의 사용승낙이 없다는 등의 사유를 들어 가설건축물 존치기간 연장신고의 수리를 거부하여서는 아니 된다. (○)

5 국제표준무도교습학원의 신고·등록 ★
국제표준무도를 교습하는 학원을 설립·운영하려는 자가 체육시설법상 무도학원업으로 신고하거나 또는 학원법상 평생직업교육학원으로 등록하려고 할 때에, 관할 행정청은 그 학원이 소관 법령에 따른 신고 또는 등록의 요건을 갖춘 이상 신고 또는 등록의 수리를 거부할 수 없다고 보아야 한다(대판 2018.6.21. 2015두48655 전합).

함께 정리하기

소유권의 귀속 관련 소송 계속 중
▷ 확정시까지 건축주명의변경신고 수리거부 가능

정신과의원 개설신고
▷ 행위요건적 신고

「의료법」에 따라 정신과의원을 개설하려는 자가 법령상의 요건을 갖추어 개설신고를 한 경우
▷ 요건 이외의 사유로 수리거부× (원칙)

❶
대법원은 "정신과의원 개설신고가 '수리를 요하지 않는 신고'라는 취지로 판시한 부분은 적절하지 않다."고 하여 수리를 요하는 신고로 보고 있다.

법령상의 요건을 갖추어 가설건축물 존치기간 연장신고
▷ 대지사용승낙서 등 요건 이외의 사유로 수리거부×

법령상의 요건을 갖추어 무도학원업신고 또는 평생직업교육학원등록
▷ 요건 이외의 사유로 수리거부×

사설납골시설의 설치신고
▷ 행위요건적 신고
▷ 중대한 공익상 필요가 있으면 납골시설의 설치신고 거부 가능

부적법한 자기완결적 신고
▷ 도달 또는 수리하여도 신고의 효력 無

「체육시설의 설치·이용에 관한 법률」상 당구장업신고, 골프연습장업신고(신고체육시설업)
▷ 자기완결적 신고
부적법한 신고 후 한 영업행위
▷ 무신고영업으로 불법영업○
적법한 신고 후 한 영업행위
▷ 수리가 거부되었다고 하여 무신고 영업×

6 보건위생상 위해 방지나 국토의 효율적 이용 및 공공복리의 증진 등 중대한 공익상 필요가 있으면 납골시설 설치신고를 거부할 수 있다. ★

장사법 제14조 제1항에 의한 사설납골시설의 설치신고는, 같은 법 제15조 각 호에 정한 사설납골시설설치 금지지역에 해당하지 아니하고 같은 법 제14조 제3항 및 같은 법 시행령 제13조 제1항의에 정한 설치기준에 부합하는 한, 수리하여야 하나, 보건위생상의 위해를 방지하거나 국토의 효율적 이용 및 공공복리의 증진 등 중대한 공익상 필요가 있는 경우에는 그 수리를 거부할 수 있다(대판 2010.9.9. 2008두22631).

(2) 부적법한 신고

① 개설: 부적법한 신고에는 신고행위의 하자가 중대하고 명백한 경우와 신고행위의 하자가 중대하지만 명백하지 아니하거나 중대하지 않지만 명백한 경우가 있다. 전자는 무효인 신고이다. 무효인 신고의 경우에는 신고의 효과를 전혀 갖지 아니한다. 부적법한 신고 중 검토를 요하는 것은 무효에 이르지 않는 하자 있는 신고의 경우이다. 나누어서 보기로 한다.

② 자기완결적 신고: 수리를 요하지 않는 신고의 경우, 부적법한 신고가 있었다면 행정청이 수리하였다고 하여도 신고의 효과가 발생하지 아니한다. 왜냐하면 수리를 요하지 아니하는 신고는 도달로써 효력을 발생하는 것이고, 그 수리는 도달을 확인하는 사실상의 행위일 뿐, 신고가 도달되었다고 하여도 그 신고가 부적법한 것이라면 신고의 법적 효과를 발생하지 아니하기 때문이다. 따라서 요건 미비의 부적법한 신고를 하고 신고영업을 영위한다면, 그러한 영업은 무신고 영업으로서 불법영업에 해당하게 된다.

18. 소방직 수리를 요하지 아니하는 신고의 경우에 신고에 하자가 있다면 보정되기까지는 신고의 효과가 발생하지 않는다. (○)

관련판례

1 부적법한 체육시설업의 신고는 효력이 없으며 그 후의 영업행위는 무신고 영업행위에 해당한다. ★★

체육시설의설치·이용에 관한 법률 제10조, 제11조, 제22조, 같은법 시행규칙 제8조 및 제25조의 각 규정에 의하면, 체육시설업은 등록체육시설업과 신고 체육시설업으로 나누어지고, 당구장업과 같은 신고 체육시설업을 하고자 하는 자는 체육시설업의 종류별로 같은 법 시행규칙이 정하는 해당 시설을 갖추어 소정의 양식에 따라 신고서를 제출하는 방식으로 시·도지사에 신고하도록 규정하고 있으므로, 소정의 시설을 갖추지 못한 체육시설업의 신고는 부적법한 것으로 그 수리가 거부될 수밖에 없고 그러한 상태에서 신고체육시설업의 영업행위를 계속하는 것은 무신고 영업행위에 해당할 것이지만 적법한 요건을 갖춘 신고의 경우에는 행정청의 수리처분 등 별단의 조처를 기다릴 필요 없이 그 접수시에 신고로서의 효력이 발생하는 것이므로 그 수리가 거부되었다고 하여 무신고 영업이 되는 것은 아니다(대판 1998.4.24. 97도3121).

22. 국회직 8급 수리를 요하지 아니한 신고에 있어서 적법한 요건을 갖춘 신고의 경우에는 행정청의 수리처분 등 별단의 조처를 기다릴 필요 없이 그 접수시에 신고로서의 효력이 발생하는 것이므로 그 수리가 거부되었다고 하여 무신고 영업이 되는 것은 아니다. (○)

17. 국가직 7급 「체육시설의 설치·이용에 관한 법률」상 신고체육시설업에 대한 변경신고를 적법하게 하였으나, 관할 행정청이 수리를 거부한 경우 신고의 효과가 발생한다. (○)

16. 행정사 적법한 요건을 갖추어 당구장업 영업신고를 한 경우 행정청이 그 신고에 대한 수리를 거부하였음에도 영업을 하면 무신고 영업이 된다. (×) → 되지 않는다

11. 국가직 9급 「체육시설의 설치·이용에 관한 법률」에 의한 신고(신고체육시설업)는 적법하게 요건을 갖추어 신고하였을지라도 도지사의 수리 행위가 있어야 유효하다. (×) → 신고하였다면 수리가 없더라도

13. 국회직 9급 판례는 자기완결적 신고에서 부적법한 신고에 대하여 행정청이 일단 수리하였다면, 그 후의 영업행위는 무신고영업행위에는 해당하자 않는다고 한다. (×) → 더라도 / 해당한다

2 축산물 판매업법상 축산물 판매업에 대한 적법한 신고가 있었으면, 관할 관청이 이를 수리하지 않은 경우에도 신고의 효과가 발생하나, 부적법한 신고가 있었다면, 관할 관청이 이를 수리한 경우에도 신고의 효과는 발생하지 않는다. ★

축산물 판매업법 제21조 제1항 제6호, 제24조 제1항에 의하면, 축산물판매업을 하고자 하는 자는 농림부령이 정하는 기준에 적합한 시설을 갖추고 시장·군수·구청장에게 신고하여야 한다고만 규정하고 있는바, 이러한 법령에 비추어 볼 때 행정관청으로서는 위 법령에서 규정하는 시설기준을 갖추어 축산물판매업 신고를 하는 경우 당연히 그 신고를 수리하여야 하고, 적법한 요건을 갖춘 신고의 경우에는 행정관청의 수리처분 등 별단의 조처를 기다릴 필요 없이 그 접수시에 신고로서의 효력이 발생하는 것이므로 그 수리가 거부되었다고 하여 미신고 영업이 되는 것은 아니라고 할 것이다(대판 2010.4.29. 2009다97925).

17. 국가직 7급 「축산물 판매업법」상 축산물 판매업에 대한 부적합한 신고가 있었으나, 관할 관청이 이를 수리한 경우에는 신고의 효과가 발생하지 않는다. (○)

③ 행위요건적 신고

㉠ 수리를 요하는 신고의 경우 부적법한 신고에 대해서는 수리의무가 발생하지 않으므로 행정청은 신고의 수리를 거부할 수 있으나, 행정청이 이를 수리하였다면, 그 수리행위는 위법한 수리행위가 된다. 즉, 하자있는 행정행위가 된다. 따라서 그 하자가 중대하고 명백하다면 수리행위는 무효가 될 것이고, 그 하자가 중대하지만 명백하지 아니하거나 명백하지만 중대하지 아니하다면 취소할 수 있는 행위가 된다.

㉡ 수리행위가 무효인 경우에는 신고의 효과가 발생하지 않지만, 취소할 수 있는 행위의 경우에는 수리행위가 취소될 때까지는 신고의 효과가 발생한다. 따라서 수리행위가 무효인 경우에 이루어지는 신고업의 영업행위는 무신고영업으로서 불법(위법)영업에 해당하지만, 수리행위가 취소할 수 있는 행위인 경우에 이루어지는 신고업의 영업행위는 수리가 취소되기까지는 불법(위법)이 아니다.

관련판례

1 구 노인장기요양보험법상 장기요양기관 및 구 노인복지법상 노인의료복지시설의 폐지신고는 행정요건적 신고이고, 신고가 무효인 경우 수리도 무효이다. ★★

구 노인장기요양보험법상 장기요양기관 및 구 노인복지법상 노인의료복지시설의 폐지신고는, 행정청이 관계 법령이 규정한 요건에 맞는지를 심사한 후 수리하는 이른바 '수리를 필요로 하는 신고'에 해당한다. 그러나 행정청이 그 신고를 수리하였다고 하더라도, 신고서 위조 등의 사유가 있어 신고행위 자체가 효력이 없다면, 그 수리행위는 유효한 대상이 없는 것으로서, 수리행위 자체에 중대·명백한 하자가 있는지를 따질 것도 없이 당연히 무효이다(대판 2018.6.12. 2018두33593).

「축산물위생관리법」상 축산물판매업신고
▷ 자기완결적 신고

적법한 자기완결적 신고 후 영업행위
▷ 그 수리가 거부되었다고 하여 미신고 영업×

부적법한 행위요건적 신고
▷ 수리거부 可

행정청이 수리하면, 하자있는 수리행위의 효력(중대명백설)
▷ 중대·명백한 하자: 무효(신고의 효력 無)
▷ 취소사유의 하자: 취소 전 – 유효(신고의 효력 有), 취소 후 – 무효(신고의 효력 無)

장기요양기관 및 노인의료복지시설의 폐지신고
▷ 행위요건적 신고

신고가 무효인 경우 수리행위의 효력
▷ 무효
▷ 수리행위에 중대·명백한 하자가 있었는지 따질 것도 없음

22. 행정사 판례에 따를 때 「노인장기요양보험법」상 장기요양기관의 폐업신고는 수리를 요하는 신고에 해당한다. (○)

22. 소방간부 노인의료복지시설의 폐지신고는 수리를 필요로 하는 신고로서 행정청이 그 신고를 수리하였더라도 위조 등의 사유가 있어 신고행위 자체가 효력이 없다면, 그 수리행위는 수리행위 자체에 중대·명백한 하자가 있는지를 따질 것도 없이 당연히 무효이다. (○)

22. 소방직 장기요양기관의 폐업신고와 노인의료복지시설의 폐지신고는 행정청이 그 신고를 수리한 경우, 신고서 위조 등의 사유가 있더라도 그대로 유효하다. (×) → 있다면 당연히 무효이다

20. 국가직 7급 장기요양기관의 폐업신고 자체가 효력이 없음에도 행정청이 이를 수리한 경우, 그 수리행위가 당연무효로 되는 것은 아니다. (×) → 된다

대규모점포의 개설등록 및 시장관리자 지정
▷ 행위요건적 신고

지정의 하자와 지정(수리)의 효력
▷ 중대·명백한 하자: 무효
▷ 취소사유의 하자: 취소되지 않는 한 유효

2 **구 유통산업발전법에 따른 대규모점포의 개설등록 및 구 재래시장법에 따른 시장관리자 지정의 성질 및 부적법한 신고와 수리의 효력 ★★**

구 유통산업발전법에 따른 대규모점포의 개설등록 및 구 재래시장법에 따른 시장관리자 지정은 행정청이 실체적 요건에 관한 심사를 한 후 수리하여야 하는 이른바 '수리를 요하는 신고'로서 행정처분에 해당한다. 그러므로 이러한 행정처분에 당연무효에 이를 정도의 중대하고도 명백한 하자가 존재하거나 그 처분이 적법한 절차에 의하여 취소되지 않는 한 구 유통산업발전법에 따른 대규모점포개설자의 지위 및 구 재래시장법에 따른 시장관리자의 지위는 공정력을 가진 행정처분에 의하여 유효하게 유지된다고 봄이 타당하다(대판 2019.9.10. 2019다208953).

23. 국가직 7급 구 「유통산업발전법」에 따른 대규모점포의 개설등록 및 구 「재래시장 및 상점가 육성을 위한 특별법」에 따른 시장관리자 지정은 행정청이 실체적 요건에 관한 심사를 한 후 수리하여야 하는, 수리를 요하는 신고로서 행정처분에 해당한다. (○)

8. 수리 및 수리거부의 처분성 여부

(1) 수리의 처분성

자기완결적 신고의 수리
▷ 처분×

① 자기완결적 신고

㉠ 판례는 건축신고의 경우, 적법한 요건을 갖춘 신고만 하면 행정청의 수리행위 등 별다른 조치를 기다릴 필요 없이 건축을 할 수 있는 것이므로 행정청의 건축신고 수리가 제3자인 인근 토지 소유자나 주민들의 구체적인 권리의무에 직접 변동을 초래하는 행정처분이라고 할 수 없다고 하여 처분성을 부정하였다.

건축신고 수리
▷ 처분×

> ⚖ **관련판례**
>
> **건축신고 수리는 행정처분이 아니다. ★★**
> 구 건축법 제9조 제1항에 의하여 신고를 함으로써 건축허가를 받은 것으로 간주되는 경우에는 건축을 하고자 하는 자가 적법한 요건을 갖춘 신고만 하면 행정청의 수리행위 등 별다른 조치를 기다릴 필요 없이 건축을 할 수 있는 것이므로, 행정청이 위 신고를 수리한 행위가 건축주는 물론이고 제3자인 인근 토지 소유자나 주민들의 구체적인 권리의무에 직접 변동을 초래하는 행정처분이라 할 수 없다(대판 1999.10.22. 98두18435).

㉡ 또한 골프장사업계획의 승인을 얻은 자는 착공계획서의 수리 여부에 상관없이 설치공사에 착수하면 되는 것이지 착공계획서가 수리되어야만 비로소 공사에 착수할 수 있다거나 그 밖에 착공계획서 제출 및 수리로 인하여 어떠한 권리를 설정하거나 의무를 부담케 하는 법률효과가 발생하는 것은 아니라는 이유로 착공계획서 수리행위의 처분성을 부정하였다.

착공계획서 수리는 행정처분이 아니다. ★

구 체육시설의 설치·이용에 관한 법률 제16조, 제34조, 같은 법 시행령 제16조의 규정을 종합하여 볼 때, 등록체육시설업에 대한 사업계획의 승인을 얻은 자는 규정된 기한 내에 사업시설의 착공계획서를 제출하고 그 수리 여부에 상관없이 설치공사에 착수하면 되는 것이지, 착공계획서가 수리되어야만 비로소 공서에 착수할 수 있다거나 그 밖에 착공계획서 제출 및 수리로 인하여 사업계획의 승인을 얻은 자에게 어떠한 권리를 설정하거나 의무를 부담케 하는 법률효과가 발생하는 것이 아니므로 행정청이 사업계획의 승인을 얻은 자의 착공계획서를 수리하고 이를 통보한 행위는 그 착공계획서 제출사실을 확인하는 사실행위에 불과하고 그를 항고소송이나 행정심판의 대상이 되는 행정처분으로 볼 수 없다(대판 2001.5.29. 99두10292).

착공계획서 수리
▷ 처분×

② **행위요건적 신고**: 행위요건적 신고의 경우에는 행정청의 '수리'라는 단독적인 의사표시에 의하여 법적 효과가 발생하므로 수리행위는 당사자의 법적지위에 변동을 가하는 행위로서 행정쟁송의 대상이 되는 처분이라 할 수 있다(강학상 준법률행위적 행정행위로서 수리). 판례도 납골당설치신고를 수리를 요하는 신고로 보고 그 수리행위의 처분성을 인정하였다.

행위요건적 신고의 수리
▷ 처분○(준법률행위적 행정행위로서 수리)

14. 경찰 2차 수리를 요하는 신고에서 수리는 준법률행위적 행정행위의 하나로서 「행정소송법」상 처분에 해당한다. (○)

18. 국가직 9급 신고의 수리는 타인의 행위를 유효한 행위로 받아들이는 행정행위를 말하며, 이는 강학상 **법률**행위적 행정행위에 해당한다. (✕) → 준법률행위적

납골당설치신고는 행위요건적 신고이고, 그 수리행위는 행정처분이다. ★★

납골당설치신고는 이른바 '수리를 요하는 신고'라 할 것이므로, 납골당설치신고가 구 장사법 관련 규정의 모든 요건에 맞는 신고라 하더라도 신고인은 곧바로 납골당을 설치할 수는 없고, 이에 대한 행정청의 수리처분이 있어야만 신고한 대로 납골당을 설치할 수 있다(대판 2011.9.8. 2009두6766).

납골당설치신고 수리
▷ 처분○

(2) 수리거부의 처분성

① **자기완결적 신고**: 과거 대법원은 자기완결적 신고의 경우에는 적법요건을 갖춘 신고만 있으면 곧바로 관계법이 정하는 법적 효과가 발생하므로 행정청이 수리를 거부한다 하더라도 관계법이 정하는 법적 효과의 발생에 영향이 없다는 이유로 수리거부의 처분성을 부정하였다. 그러나 최근 대법원은 이러한 신고가 반려된 상태에서 건축이나 영업을 개시하면 시정명령, 이행강제금, 벌금의 대상이 될 우려가 있어 당사자의 법적지위가 불안정해질 수 있기 때문에, 이러한 법적 불안을 해소하고 분쟁을 조기에 근본적으로 해결할 수 있도록 하기 위하여 신고반려(수리거부)의 처분성을 긍정하는 것이 타당하다고 입장을 변경하였다.

자기완결적 신고의 수리거부
▷ 과거 대법원: 처분성×
▷ 최근 대법원: 처분성○
▷ 법적 불안 해소, 조기에 분쟁 해결을 위함

건축신고 반려행위
▷ 처분○

착공신고 반려행위
▷ 처분○

🔨 관련판례

1 건축신고 반려행위는 행정처분이다. ★★★

건축주 등은 신고제하에서도 건축신고가 반려될 경우 당해 건축물의 건축을 개시하면 시정명령, 이행강제금, 벌금의 대상이 되거나 당해 건축물을 사용하여 행할 행위의 허가가 거부될 우려가 있어 불안정한 지위에 놓이게 된다. 따라서 건축신고 반려행위가 이루어진 단계에서 당사자로 하여금 반려행위의 적법성을 다투어 그 법적불안을 해소한 다음 건축행위에 나아가도록 함으로써 장차 있을지도 모르는 위험에서 미리 벗어날 수 있도록 길을 열어 주고, 위법한 건축물의 양산과 그 철거를 둘러싼 분쟁을 조기에 근본적으로 해결할 수 있게 하는 것이 법치행정의 원리에 부합한다. 그러므로 건축신고 반려행위는 항고소송의 대상이 된다고 보는 것이 옳다(대판 2010.11.18. 2008두167 전합).

19. 지방직 9급, 15. 경찰 3차, 13. 국회직 8급, 12. 국회직 8급, 12. 국가직 9급 「건축법」상 건축신고 반려행위는 항고소송의 대상이 되는 행정처분에 해당한다. (○)

19. 5급 승진, 17. 서울시 9급 「건축법」에 따른 건축신고를 반려하는 행위는 장차 있을지도 모르는 위험에서 미리 벗어날 수 있도록 길을 열어주고 위법한 건축물의 양산과 그 철거를 둘러싼 분쟁을 조기에 근본적으로 해결할 수 있게 하여야 한다는 점에서 항고소송의 대상이 된다. (○)

21. 군무원 9급 건축주 등은 건축신고가 반려될 경우 건축물의 건축을 개시하면 시정명령, 이행강제금, 벌금의 대상이 되거나 당해 건축물을 사용하여 행할 행위의 허가가 거부될 우려가 있어 불안정한 지위에 놓이게 되므로, 건축신고 반려행위는 항고소송의 대상성이 인정된다. (○)

20. 지방직 9급, 19. 서울시 7급 다른 법령에 의한 인허가가 의제되지 않는 일반적인 건축신고는 자기완결적 신고이므로 이에 대한 수리 거부행위는 항고소송의 대상이 되는 처분이 ~~아니다~~. (×) → 지만 / 이다

19. 국가직 9급 「건축법」 제14조 제2항에 의한 인·허가의제 효과를 수반하는 건축신고에 대한 수리거부는 처분성이 인정되나, 동 규정에 의한 인·허가의제 효과를 수반하지 않는 건축신고에 대한 수리거부는 처분성이 ~~부정~~된다. (×) → 되며 / 도 처분성이 인정

2 착공신고 반려행위는 행정처분이다. ★★★

착공신고 반려행위가 이루어진 단계에서 당사자로 하여금 반려행위의 적법성을 다투어 법적 불안을 해소한 다음 건축행위에 나아가도록 함으로써 장차 있을지도 모르는 위험에서 미리 벗어날 수 있도록 길을 열어 주고, 위법한 건축물의 양산과 철거를 둘러싼 분쟁을 조기에 근본적으로 해결할 수 있게 하는 것이 법치행정의 원리에 부합하므로 행정청의 착공신고 반려행위는 항고소송의 대상이 되는 행정처분에 해당한다(대판 2011.6.10. 2010두7321).

17. 국가직 7급 구청장의 건축물 착공신고 반려행위는 처분성이 인정된다. (○)

16. 행정사 「건축법」에 따른 착공신고가 반려되었음에도 당해 건축물의 착공을 개시하면 시정명령, 이행강제금, 벌금 등의 대상이 될 우려가 있으므로 행정청의 착공신고 반려행위는 항고소송의 대상이 된다. (○)

17. 변호사 위법한 건축물의 양산과 그 철거를 둘러싼 분쟁을 조기에 근본적으로 해결할 수 있게 하는 것이 법치행정의 원리에 부합하므로 건축물 착공신고의 반려행위는 항고소송의 대상이 된다. (○)

20. 국가직 9급 건축법상의 착공신고의 경우에는 신고 그 자체로서 법적 절차가 완료되어 행정청의 처분이 개입될 여지가 없으므로, 행정청의 착공신고 반려행위는 항고소송의 대상인 처분에 ~~해당하지 않는다~~. (×) → 없다고 볼 여지가 있지만 / 한다

17. 지방직 9급 「건축법」상 착공신고가 반려될 경우 당사자에게 그 반려행위를 다툴 실익이 없는 것이므로 착공신고 반려행위의 처분성이 ~~인정되지 않는다~~. (×) → 있는 / 된다

17. 서울시 9급 「건축법」에 따른 착공신고를 반려하는 행위는 당사자에게 장래의 법적 불이익이 ~~예견되지 않아~~ 이를 법적으로 다툴 실익이 없으므로 항고소송의 대상이 될 수 ~~없다~~. (×) → 되어 / 있으므로 / 있다

3 원격평생교육신고의 반려행위는 행정처분이다. ★

전통 민간요법인 침·뜸행위를 온라인을 통해 교육할 목적으로 인터넷 침·뜸 학습센터를 설립한 원고가 구 평생교육법 제22조 제2항 등에 따라 평생교육시설로 신고하였으나 관할 행정청이 교육 내용이 의료법에 저촉될 우려가 있다는 등의 사유로 이를 반려하는 처분을 한 사안에서, 관할 행정청은 형식적 심사범위에 속하지 않는 사항을 수리거부사유로 삼았을 뿐만 아니라 처분사유도 인정되지 않는다는 이유로, 위 처분은 위법하다(대판 2011.7.28. 2005두11784).

② **행위요건적 신고**: 행정요건적 신고의 경우에는 행정청의 '수리'라는 단독적인 의사표시에 의하여 법적 효과가 발생하므로 적법 요건을 갖춘 신고가 있다 하더라도 행정청에 의해 수리되지 않으면 법적 효과가 발생하지 않는다. 따라서 행위요건적 신고에서 수리의 거부는 거부처분에 해당하여 행정소송의 대상이 된다. 판례도 주민등록전입신고나 인·허가가 의제되는 건축신고를 수리를 요하는 신고로 보고, 그 수리거부의 처분성을 긍정하는 전제에서 본안판결을 하였다.

14. 국가직 7급 수리를 요하는 신고의 경우 그 신고에 대한 거부행위는 행정소송의 대상이 되는 처분에 해당한다. (○)

관련판례

1 체육시설의 회원을 모집하고자 하는 자의 시·도지사 등에 대한 **회원모집계획서 제출은 수리를 요하는 신고에서의 신고에 해당하며, 시·도지사 등의 검토결과 통보는 수리행위로서 행정처분에 해당한다**(대판 2009.2.26. 2006두16243). ★★

20. 경찰 2차 판례에 따르면 체육시설의 회원을 모집하고자 하는 자의 시·도지사 등에 대한 회원모집계획서 제출은 수리를 요하는 신고에 해당한다. (○)

20. 국가직 7급 구 「체육시설의 설치·이용에 관한 법률」의 규정에 따라 체육시설의 회원을 모집하고자 하는 자의 '회원모집계획서 제출'은 수리를 요하는 신고이며, 이에 대하여 회원모집계획을 승인하는 시·도지사 등의 검토결과 통보는 수리행위로서 행정처분에 해당한다. (○)

12. 경찰 1차 타인의 행위를 유효한 행위로 받아들이는 행정행위를 수리라 하며, 이러한 수리 중 '체육시설업자 등이 제출한 회원모집계획서에 대한 시도지사의 검토 결과 통보'의 경우 대법원은 법적 효과를 발생하지 ~~아니하는~~ 수리행위로서 처분성이 인정되지 ~~않는다고~~ 보았다. (×)
→ 시키는 / 된다고

2 실질심사를 필요로 하는 당구장업 영업신고수리거부는 거부처분이다. ★★

학교보건법과 체육시설의 설치이용에 관한 법률은 그 입법목적, 규정사항, 적용범위 등을 서로 달리 하고 있어서 당구장의 설치에 관하여 체육시설의 설치·이용에 관한 법률이 학교보건법에 우선하여 배타적으로 적용되는 관계에 있다고는 해석되지 아니하므로 체육시설의 설치이용에 관한 법률에 따른 당구장업의 신고요건을 갖춘 자라 할지라도 학교보건법 제5조 소정의 학교환경 위생정화구역 내에서는 같은 법 제6조에 의한 별도 요건을 충족하지 아니하는 한 적법한 신고를 할 수 없다고 보아야 한다. 그리고 같은 조건하에 있는 다른 당구장업소에 대하여 체육시설업신고가 수리된 적이 있다는 진술만 가지고 바로 이 사건 거부처분이 재량권의 한계를 넘은 것이라는 주장으로 보기는 어려우니 원심판결에 소론과 같은 판단유탈이 있다고도 할 수 없다. 논지는 모두 이유 없다(대판 1991.7.12. 90누8350).

인 · 허가가 의제되는 건축신고
▷ 행위요건적 신고

수리거부
▷ 처분○

3 인 · 허가의제 효과를 수반하는 건축신고는 행위요건적 신고에 해당한다. ★★★

[1] 건축법에서 인 · 허가의제 제도를 둔 취지는, 인 · 허가의제 사항과 관련하여 건축허가 또는 건축신고의 관할 행정청으로 그 창구를 단일화하고 절차를 간소화하며 비용과 시간을 절감함으로써 국민의 권익을 보호하려는 것이지, 인 · 허가의제 사항 관련 법률에 따른 각각의 인 · 허가 요건에 관한 일체의 심사를 배제하려는 것으로 보기는 어렵다. 따라서 인 · 허가의제 효과를 수반하는 건축신고는 일반적인 건축신고와는 달리, 특별한 사정이 없는 한 행정청이 그 실체적 요건에 관한 심사를 한 후 수리하여야 하는 이른바 '수리를 요하는 신고'로 보는 것이 옳다.

23. 국가직 7급, 20. 국가직 9급, 19. 경찰 2차, 17. 지방직 7 · 9급, 17. 사복직, 17. 서울시 9급 등 「건축법」 제14조 제2항에 의한 인 · 허가의제 효과를 수반하는 건축신고는 행정청이 그 실체적 요건에 관한 심사를 한 후 수리하여야 하는 이른바 수리를 요하는 신고이다. (○)

22. 국회직 9급, 22. 행정사, 22. 지방직 7급, 22. 국회직 8급, 21. 서울시 7급 등 인 · 허가의제 효과를 수반하는 건축신고는 일반적인 건축신고와는 달리, 특별한 사정이 없는 한 행정청이 그 실체적 요건에 관한 심사를 한 후 수리하여야 하는 이른바 '수리를 요하는 신고'로 보아야 한다. (○)

21. 군무원 9급, 16. 국가직 9급, 15. 교행 「건축법」상의 건축신고가 다른 법률에서 정한 인가 · 허가 등의 의제효과를 수반하는 경우라도 특별한 사정이 없는 한 수리를 요하는 신고로 볼 수 없다. (×) → 있다

19. 국회직 8급 구 「건축법」에 의한 인 · 허가의제 효과를 수반하는 건축신고는 일반적인 건축신고와는 달리 특별한 사정이 없는 한 행정청이 그 형식적 요건에 관한 심사를 한 후 수리하여야 한다. (×) → 실체적

21. 지방직 9급 「건축법」에 의한 인 · 허가의제 효과를 수반하는 건축신고는 건축을 하고자 하는 자가 적법한 요건을 갖춘 신고만 하면 건축을 할 수 있고, 행정청의 수리 등 별단의 조처를 기다릴 필요가 없다. (×) → 없고 / 있다

개발행위허가로 의제되는 건축신고가 개발행위허가 요건을 충족하지 못한 경우 행정청의 수리거부
▷ 적법

[2] 국토의 계획 및 이용에 관한 법률상의 개발행위허가로 의제되는 건축신고가 위와 같은 기준을 갖추지 못한 경우 행정청으로서는 이를 이유로 그 수리를 거부할 수 있다고 보아야 한다(대판 2011.1.20. 2010두14954 전합).

20. 지방직 9급 「국토의 계획 및 이용에 관한 법률」상의 개발행위허가가 의제되는 건축신고는 특별한 사정이 없는 한 행정청이 그 실제적 요건에 관한 심사를 한 후 수리하여야 하는 이른바 '수리를 요하는 신고'로 보아야 한다. (○)

18. 국가직 7급, 17. 국가직 7급, 15. 경찰 1차, 14. 지방직 9급 「국토의 계획 및 이용에 관한 법률」상 건축물의 건축에 관한 개발행위허가가 의제되는 건축허가신청이 국토의 계획 및 이용에 관한 법령이 정한 개발행위허가기준에 부합하지 아니하면 건축허가권자는 이를 거부할 수 있다. (○)

참고 「건축법」상 신고 · 허가 관련 조문

「건축법」 제11조 【건축허가】 ① 건축물을 건축하거나 대수선하려는 자는 특별자치시장 · 특별자치도지사 또는 시장 · 군수 · 구청장의 허가를 받아야 한다. 다만, 21층 이상의 건축물 등 대통령령으로 정하는 용도 및 규모의 건축물을 특별시나 광역시에 건축하려면 특별시장이나 광역시장의 허가를 받아야 한다.

⑤ 제1항에 따른 건축허가를 받으면 다음 각 호의 허가 등을 받거나 신고를 한 것으로 보며, 공장건축물의 경우에는 「산업집적활성화 및 공장설립에 관한 법률」 제13조의2와 제14조에 따라 관련 법률의 인 · 허가등이나 허가등을 받은 것으로 본다.

3. 「국토의 계획 및 이용에 관한 법률」 제56조에 따른 개발행위허가

4. 「국토의 계획 및 이용에 관한 법률」 제86조 제5항에 따른 시행자의 지정과 같은 법 제88조 제2항에 따른 실시계획의 인가

⑥ 허가권자는 제5항 각 호의 어느 하나에 해당하는 사항이 다른 행정기관의 권한에 속하면 그 행정기관의 장과 미리 협의하여야 하며, 협의 요청을 받은 관계 행정기관의 장은 요청을 받은 날부터 15일 이내에 의견을 제출하여야 한다. 이 경우 관계 행정기관의 장은 제8항에 따른 처리기준이 아닌 사유를 이유로 협의를 거부할 수 없고, 협의 요청을 받은 날부터 15일 이내에 의견을 제출하지 아니하면 협의가 이루어진 것으로 본다.

제14조【건축신고】 ① 제11조에 해당하는 허가 대상 건축물이라 하더라도 다음 각 호의 어느 하나에 해당하는 경우에는 미리 특별자치시장·특별자치도지사 또는 시장·군수·구청장에게 국토교통부령으로 정하는 바에 따라 신고를 하면 건축허가를 받은 것으로 본다.

1. 바닥면적의 합계가 85제곱미터 이내의 증축·개축 또는 재축. 다만, 3층 이상 건축물인 경우에는 증축·개축 또는 재축하려는 부분의 바닥면적의 합계가 건축물 연면적의 10분의 1 이내인 경우로 한정한다.
2. 「국토의 계획 및 이용에 관한 법률」에 따른 관리지역, 농림지역 또는 자연환경보전지역에서 연면적이 200제곱미터 미만이고 3층 미만인 건축물의 건축. 다만, 다음 각 목의 어느 하나에 해당하는 구역에서의 건축은 제외한다.
   가. 지구단위계획구역
   나. 방재지구 등 재해취약지역으로서 대통령령으로 정하는 구역
3. 연면적이 200제곱미터 미만이고 3층 미만인 건축물의 대수선
4. 주요구조부의 해체가 없는 등 대통령령으로 정하는 대수선
5. 그 밖에 소규모 건축물로서 대통령령으로 정하는 건축물의 건축

② 제1항에 따른 건축신고에 관하여는 제11조 제5항 및 제6항을 준용한다.
③ 특별자치시장·특별자치도지사 또는 시장·군수·구청장은 제1항에 따른 신고를 받은 날부터 5일 이내에 신고수리 여부 또는 민원 처리 관련 법령에 따른 처리기간의 연장 여부를 신고인에게 통지하여야 한다. 다만, 이 법 또는 다른 법령에 따라 심의, 동의, 협의, 확인 등이 필요한 경우에는 20일 이내에 통지하여야 한다.

제21조【착공신고 등】 ① 제11조·제14조 또는 제20조 제1항에 따라 허가를 받거나 신고를 한 건축물의 공사를 착수하려는 건축주는 국토교통부령으로 정하는 바에 따라 허가권자에게 공사계획을 신고하여야 한다.
③ 허가권자는 제1항 본문에 따른 신고를 받은 날부터 3일 이내에 신고수리 여부 또는 민원 처리 관련 법령에 따른 처리기간의 연장 여부를 신고인에게 통지하여야 한다.
④ 허가권자가 제3항에서 정한 기간 내에 신고수리 여부 또는 민원 처리 관련 법령에 따른 처리기간의 연장 여부를 신고인에게 통지하지 아니하면 그 기간이 끝난 날의 다음 날에 신고를 수리한 것으로 본다.

18. 국가직 7급 행정청은 건축신고를 받은 날부터 5일 이내에 신고수리 여부 또는 민원 처리 관련 법령에 따른 처리기간의 연장여부를 신고인에게 통지하여야 하고, 그 기간 내에 통지하지 아니하면 그 기간이 끝난 날의 다음 날에 신고를 수리한 것으로 본다. (×) → 착공신고 / 3일

핵심정리 행위요건적 신고, 자기완결적 신고로 본 판례

행위요건적 신고	• 「식품위생법」상 영업자 지위승계신고(2000도2050) • 「액화석유가스의 안전 및 사업관리법」상 사업양수에 의한 지위승계신고(91누11544) • 구 「관광진흥법」에 의한 지위승계신고(2011두29144) • 「수산업법」 제44조 소정의 어업의 신고(99다37382) • 대규모점포의 개설등록(2015두295) • 납골당설치 신고(2009두6766) • 정신과의원 개설신고(2018두44302) • 숙박업 신고(2017두34087) • 유료노인복지주택의 설치신고(2006두14537) • 「노동조합 및 노동관계조정법」상 노동조합설립신고(2011두6998) • 주민등록전입신고(2008두10997) • 주민등록신고(2006다17850) • 건축주명의변경신고(2014두37658) • 가설건축물 존치기간 연장신고(2015두35116) • 장기요양기관 및 노인의료복지시설의 폐지신고(2018두33593) • 체육시설회원을 모집하고자 하는 자의 시·도지사 등에 대한 골프장 회원모집계획서 제출(2006두16243) • 인·허가의제되는 건축신고(2010두14954) • 혼인신고(91므344) • 채석허가 수허가자 명의변경신고(2005두3554) • 「학교보건법」상 위생정화구역 내 당구장업 신고(90누8350) • 국제표준무도교습학원의 신고·등록(2015두48655)
자기완결적 신고	• 「체육시설의 설치·이용에 관한 법률」상 골프장 이용료 변경신고(93마635) • 수산제조업의 신고(98다57419·57426) • 정보통신매체 이용한 원격평생교육신고(2005두11784) • 구 「의료법」상 의원개설신고(치과, 한의원, 조산소)(84도2953) • 「부가가치세법」상 사업자등록(2008두2200) • 「체육시설의 설치·이용에 관한 법률」상 당구장업신고, 골프연습장업신고(신고체육시설업)(97도3121) • 「축산물위생관리법」상 축산물판매업신고(2009다97925) • 일반적인 건축신고(소규모건축)(2008두167) • 차고증축신고(98두18435) • 담장축조신고(67누71) • 「유선 및 도선업법」상 유선장의 경영·변경신고(86누889) • 공장설립신고(95누11665) • 「식품위생법」상 영업신고(2008도6829) • 비산먼지 배출신고(2007두17076) • 「가축전염병예방법」상 죽거나 병든 가축 신고

MEMO

제2편

행정작용법

제1장   행정입법

제2장   행정행위

제3장   그 밖의 행정의 주요 행위형식

제1절 개설

1 의의

1. 개념

행정입법은 행정권이 일반적·추상적인 법규를 정립하는 작용 또는 그에 의하여 정립된 법규를 의미한다. 여기서 '일반적'이란 불특정 다수인에게 적용된다는 것을 의미하고, '추상적'이란 불특정 다수의 사안에 적용된다는 것을 의미한다. 행정입법은 실정법상의 개념이 아니라 학문적인 개념이다.

2. 종류

행정입법에는 국가에 의한 행정입법과 지방자치단체에 의한 행정입법이 있다. 국가에 의한 행정입법은 대외적 구속력(법규성)을 가지는가의 여부에 따라 법규명령과 행정규칙으로 구분된다. 지방자치단체에 의한 행정입법은 다시 조례와 규칙, 교육규칙으로 구분된다.

❖ 행정입법의 종류

3. 행정입법의 필요성

우리 헌법 제40조는 "입법권은 국회에 속한다."라고 규정함으로써 입법권은 국회의 전속 권한임을 명시하고 있다(국회입법의 원칙). 그러나 현대사회에서 행정기능의 확대 및 전문화·기술화 등의 현상과 요청으로 국회입법원칙의 예외로서 행정기관에 의한 행정입법이 불가피하게 되었다.❶ 이에 헌법도 행정기관에 의한 입법의 형식(대통령령·총리령·부령)을 스스로 규정하고 있다(헌법 제75조, 제76조, 제95조 등).

11. 사복직 행정입법은 입법내용의 전문화·기술화 및 행정현실 변화에 대한 법률의 적응성 결여 등으로 그 필요성이 제기되어 왔다. (○)

행정입법
▷ 행정권이 일반적·추상적인 규율을 제정하는 작용 또는 그에 의하여 제정된 법규범

국가에 의한 행정입법
▷ 법규명령과 행정규칙[대외적 구속력(법규성)을 가지는 가의 여부에 따라]

지방자치단체에 의한 행정입법
▷ 조례, 규칙, 교육규칙

❶ **행정입법이 필요불가결하게 된 이유**
① 전문적·기술적 입법사항 증대
② 행정상황의 급격한 변화에 적응하기 위한 탄력성 있는 입법 필요의 증가
③ 전시·기타 비상시에의 대처를 위한 광범위한 수권의 필요
④ 법률의 일반적 규정으로는 지역별 또는 분야별 특수한 사정을 규율하기 곤란한 점 등

행정입법의 필요성
▷ 행정기능의 확대 및 전문화·기술화, 국회입법원칙의 예외로서 행정기관에 의한 행정입법 불가피

2 법규명령과 행정규칙의 비교

1. 공통점

법규명령과 행정규칙은 둘 다 행정기관이 발하는 일반적·추상적 성질을 갖는 규범으로서 행정의 기준이 되는 규범이라는 점과 행정기관은 이 둘을 모두 준수하여야 할 법적 의무를 진다는 점에서 유사하다.

2. 차이점

(1) 법규성 유무

법규명령은 행정주체와 국민 간의 관계를 규율하는 법규범이다(양면적 구속력을 갖는 법규). 그러나 행정규칙은 행정조직 내에서 행정기관 또는 그 구성원에 적용하기 위하여 제정된 규범이다(일면적 구속력을 갖는 규범). 따라서 행정규칙은 법규가 아니라고 보는 것이 일반적이다.

(2) 법적 근거

① 법규명령에는 법률유보의 원칙, 법률우위의 원칙이 적용된다. 따라서 법규명령의 제정에는 법적 근거가 필요하다. 위임명령의 제정에는 개별적인 법률의 근거가 필요하고, 집행명령에는 개별적인 법적 근거는 필요하지 않지만 헌법에서 포괄적인 근거(헌법 제75조 후단, 제95조 후단)를 두고 있다.

② 이에 반하여 행정규칙은 법규가 아니므로 행정규칙의 제정에는 법적 근거가 필요하지 않다.

(3) 대외적 구속력 및 위반의 효과

① 법규명령은 일반적으로 대외적인 구속력을 가지며 법원의 재판규범이 되나, 행정규칙은 행정기관만을 구속하며 원칙상 대외적 구속력 및 재판규범의 효력을 갖지 않는다.

② 따라서 법규명령을 위반한 행정행위는 위법이 된다. 이에 반하여 행정규칙을 위반한 행정행위는 바로 위법의 문제는 발생하지 않는다.

(4) 법 형식

법규명령은 조문의 형식이어야 하나, 행정규칙은 조문의 형식일 필요는 없다.

(5) 공포

법규명령은 공포를 해야 효력을 발생하나 행정규칙은 공포를 효력발생요건으로 하지 않는다. 다만, 「행정절차법」 제20조 제1항에 의해 처분의 기준이 되는 행정규칙은 공표되어야 한다.

함께 정리하기

공통점
▷ 일반적·추상적 성질을 갖는 규범으로서 행정의 기준이 되는 규범

법규성
▷ 법규명령○, 행정규칙✕

법적 근거
▷ 법규명령○, 행정규칙✕

대외적 구속력
▷ 법규명령○, 행정규칙✕

위반의 효과
▷ 법규명령을 위반한 행정행위는 위법○
▷ 행정규칙을 위반한 행정행위는 바로 위법✕

조문의 형식
▷ 법규명령 要, 행정규칙 不要

성립 및 효력발생요건으로서 공포
▷ 법규명령 要, 행정규칙 不要

⊕ **핵심정리** 법규명령과 행정규칙 비교

구분	법규명령	행정규칙
권력적 기초	일반권력관계	특별권력관계
법규성유무	• 행정주체와 국민간의 관계를 규율하는 법규범(양면적 구속력을 갖는 법규) • 법규성O	• 행정조직 내에서 그 기관 또는 구성원에 적용하기 위하여 제정된 규범(일면적 구속력을 갖는 규범) • 법규성✕
법적 근거	제정에는 법적 근거 要 • 위임명령의 제정: 개별적인 법적 근거 要 • 집행명령의 제정: 개별적인 법적 근거 不要	제정에는 법적 근거 不要
법치행정의 원리	• 법률우위의 원칙O • 법률유보의 원칙O	• 법률우위의 원칙O • 법률유보의 원칙✕
대외적 구속력	법적구속력O, 재판규범O	법적구속력✕, 재판규범✕
위반의 효과	위법한 행정행위O	위법한 행정행위✕ (곧바로 위법한 작용이 되는 것은 아님)
법 형식	• 대통령령, 총리령, 부령 등 • 조문의 형식 要	• 훈령, 예규, 일일명령, 고시 등 • 조문의 형식 不要
공포	공포가 효력발생요건O	공포가 효력발생요건✕

제2절 법규명령

1 의의

1. 개념

법규명령이란 행정권이 정립하는 일반적 · 추상적 법규범으로서 대외적으로 구속력을 가지는 것을 말한다.

09. 국가직 7급 법규명령이란 일반적으로 행정권이 정립하는 일반적 · 추상적 규정으로서 대외적으로 일반적 구속력을 가지는 법규의 성질을 가지는 것을 말한다. (O)

2. 구별개념

(1) 법규명령은 대외적 구속력을 가지는 법이라는 점에서 행정 내부적 효력만 가지는 행정규칙과 구별된다. 법규명령과 행정규칙의 구별에 대해서는 전술한 바와 같다.

(2) 법규명령은 일반성과 추상성을 띤다는 점에서 개별적 · 구체적인 법집행행위인 행정행위나 일반적 · 구체적인 일반처분과 구별된다.

법규명령
▷ 행정권이 정립하는 일반적 · 추상적 법규범으로서 대외적으로 구속력을 가지는 것

법규명령
▷ 대외적 구속력O (≠행정규칙)

법규명령
▷ 일반적 · 추상적 (≠행정행위, ≠일반처분)

3. 법규명령의 성질

(1) 법규명령은 행정기관이 제정하는 것이기 때문에 형식적 의미에서는 행정이지만, 실질적 의미에 있어서는 입법에 속한다.

(2) 법규명령은 법규성이 있기 때문에 국민과 법원을 구속하는 대외적 효력이 있다. 따라서 법규명령에 반하는 행위는 위법행위가 된다.

12. 서울시 9급 법규명령은 실질적 의미의 입법행위이나 법적 구속력은 부인되고 있다. (×) → 인정

14. 서울시 9급 법규명령에 위반하는 행위는 위법행위가 된다. (○)

2 법규명령의 종류

1. 수권의 범위 및 근거에 따른 분류

(1) 헌법대위명령(비상명령)

헌법대위명령(비상명령)은 국가의 비상사태의 수습을 위해 발하는 헌법적 효력을 가지는 명령을 말하는바. 과거 1972년 유신헌법 제51조에 의한 긴급조치가 이에 해당한다. 현행 헌법에서는 비상명령에 관한 규정이 없다.

15. 교행 현행 헌법상 헌법적 효력을 갖는 비상명령이 인정된다. (×) → 되지 않는다

(2) 법률대위명령(독립명령)

법률대위명령은 헌법에 근거하여 법률과 동위의 효력을 갖는 명령을 말한다. 헌법 제76조상의 대통령의 긴급명령, 긴급재정·경제명령❶이 이에 해당한다.

11. 지방직 7급 대통령의 긴급명령, 긴급재정·경제명령은 헌법에 직접 근거를 둔 법규명령에 해당한다. (○)

05. 서울시 9급 헌법 제76조에 규정된 대통령의 긴급재정·경제명령은 법률종속적 법규명령이다. (×) → 법률대위명령

(3) 법률종속명령

법률종속명령은 법률에 종속되어 법률보다 하위의 효력을 가지는 명령으로서 법률대위명령을 제외한 대통령령·총리령·부령 등이 모두 이에 속한다. 법률종속명령은 다시 위임명령과 집행명령으로 나뉜다.

① **위임명령:** 위임명령은 법률 또는 상위명령에 의하여 위임된 사항에 관하여 발하는 명령으로서, 위임된 범위의 내에서는 새로운 입법사항(국민의 권리·의무에 관한 사항)을 정할 수 있다. 이러한 위임명령은 대통령령의 형식인 경우도 있고(헌법 제75조 전단), 총리령이나 부령 형식인 경우도 있다(헌법 제95조 전단). 경우에 따라서는 고시나 규칙의 형식인 경우도 있다(이른바 법령보충적규칙).

② **집행명령:** 집행명령은 법률 또는 상위명령의 집행을 위하여 필요한 사항(신고서 양식, 법령을 시행하기 위한 세칙 등)을 법령의 위임(근거) 없이 직권으로 발하는 명령을 말한다. 집행명령은 위임명령과 달리 새로운 입법사항을 정할 수는 없다. 대체로 위임명령과 집행명령은 하나의 명령에 혼합적으로 규정되는 것이 보통이다.

2. 제정권자에 따른 분류

(1) 대통령령

① **개념**: 대통령령은 대통령이 법률에서 구체적으로 범위를 정하여 위임받은 사항 (위임명령)이나 법률을 집행하기 위하여 필요한 사항(집행명령)에 관하여 발하는 명령을 말한다(헌법 제75조). 대통령령은 총리령이나 부령보다 우월한 효력이 인정된다.

> **헌법 제75조** 대통령은 <u>법률에서 구체적으로 범위를 정하여 위임받은 사항과 법률을 집행하기 위하여 필요한 사항</u>에 관하여 대통령령을 발할 수 있다.

14. 서울시 7급 법규명령은 제정권자를 기준으로 대통령령, 총리령, 부령 등으로 구분할 수 있다. (○)
20. 군무원 7급, 18. 경찰 2차 헌법에 의하면 대통령은 법률에서 구체적으로 범위를 정하여 위임받은 사항과 법률을 집행하기 위하여 필요한 사항에 관하여 대통령령을 발할 수 있다. (○)
19. 국회직 8급 대통령령은 총리령이나 부령보다 우월한 효력을 가진다. (○)

② **명칭**

○○법 시행령
▷ 모법의 시행에 관한 전반적 사항을 정하는 경우

○○규정, ○○령
▷ 모법의 일부규정의 시행에 필요한 개별적 사항을 정하거나 대통령령의 권한 범위 내의 사항을 정하는 경우

○○규정
▷ 조직법규에 관한 사항을 규정

○○령
▷ 작용법규에 관한 사항을 규정

㉠ 대통령령은 ○○법 시행령(예「도로교통법 시행령」)이라는 이름을 붙인다. 대통령령 중에는 ○○규정(規程)이라는 명칭을 붙이는 것(예 보완업무규정) 도 있다.

㉡ 대통령령의 경우 모법의 시행에 관한 전반적 사항을 정하는 경우에는 ○○법(법률)시행령으로, 모법의 일부규정의 시행에 필요한 개별적 사항을 정하거나 대통령령의 권한 범위 내의 사항을 정하는 경우에는 ○○규정, ○○령으로 한다. 이 중 ○○규정은 원칙적으로 조직법규에 관한 사항을 규정하고, ○○령은 작용법규에 관한 사항을 규정한다.

17. 서울시 7급 대통령령의 경우 모법의 시행에 관한 전반적 사항을 정하는 경우에는 ○○법(법률)시행령으로, 모법의 일부규정의 시행에 필요한 개별적 사항을 정하거나 대통령령의 권한 범위 내의 사항을 정하는 경우에는 ○○규정, ○○령으로 한다. (○)
17. 서울시 7급 대통령령 중 ○○규정은 원칙적으로 조직법규에 관한 사항을 규정하고, ○○령은 작용법규에 관한 사항을 규정한다. (○)

(2) 총리령·부령

① **개념**: 총리령·부령은 국무총리 또는 행정각부의 장이 소관사무에 관하여 법률이나 대통령령의 위임(위임명령) 또는 직권(집행명령)으로 발하는 명령을 말한다(헌법 제95조).

> **헌법 제95조** 국무총리 또는 행정각부의 장은 소관사무에 관하여 <u>법률이나 대통령령의 위임</u> 또는 <u>직권</u>으로 총리령 또는 부령을 발할 수 있다.

18. 경찰 2차 헌법에 의하면 국무총리 또는 행정각부의 장은 소관사무에 관하여 법률이나 대통령령의 위임의 경우에만 총리령 또는 부령을 발할 수 있다. (×) → 위임 또는 직권으로

② **명칭**: 총리령과 부령은 ○○법 시행규칙(예「식품위생법 시행규칙」)이라는 이름을 붙인다. 따라서 시행규칙이라는 이름이 붙여진 명령은 통상 총리령과 부령이다.

(3) 중앙선거관리위원회규칙 등

① 중앙선거관리위원회는 법령의 범위 안에서 선거관리, 국민투표관리, 정당사무 등에 관한 규칙을 제정할 수 있으며(헌법 제114조 제6항), 대법원은 대법원규칙(헌법 제108조), 헌법재판소는 헌법재판소규칙(헌법 제113조 제2항), 국회는 국회규칙(헌법 제64조 제1항)을 발할 수 있다.

> 13. 지방직 7급 중앙선거관리위원회는 법령의 범위 안에서 선거관리·국민투표관리·정당사무 등에 관한 규칙을 제정할 수 있는 바, 이 규칙은 법규명령의 성질을 가진다. (O)

② 이들 명령은 헌법상 근거를 가지고 있어 **법규명령**이며, ○○규칙이라는 이름을 붙인다.

> 19. 국회직 8급 국회규칙은 법규명령이다. (O)

(4) 관련문제

① **국무총리직속기관 및 행정각부소속기관의 명령**: 헌법 제95조는 부령의 발령권자를 행정각부의 장으로 규정하고 있다. 따라서 행정각부의 장에 해당하지 않는 국무총리직속기관(예 인사혁신처장, 법제처장, 국가보훈처장 등)이나 행정각부소속기관(예 경찰청장 등)은 독립하여 법규명령을 발할 수 없고 총리령이나 부령으로 발하여야 한다.

> 19. 서울시 9급 행정각부가 아닌 국무총리 소속의 독립기관은 독립하여 법규명령을 발할 수 있다. (×) → 없다
> 15. 서울시 9급 국민안전처장·인사혁신처장과 같은 국무총리 직속기관은 부령제정권을 가진다. (×) → 가지지 않는다

② **감사원규칙을 법규명령으로 볼 수 있는지 여부**: 감사원이 「감사원법」 제52조[1]에 근거하여 감사절차·감사원의 내부규율 등에 관하여 정한 규칙이 감사원규칙이다. 헌법에는 감사원에게 규칙제정권을 인정하는 명문의 규정이 없어, 그의 법적 성질에 관하여 학설이 대립하고 있다.

　　㉠ **법규명령설**: 헌법이 인정하고 있는 **행정입법의 형식**(대통령령·총리령·부령)은 예시적인 것이므로(헌재 2004.10.28. 99헌바91), 「감사원법」 제52조에 의한 감사원규칙을 **법규명령으로 보는 견해가 다수설**이다.

> 20. 국가직 7급 헌법에서 인정한 법규명령의 형식을 예시적인 것으로 이해하는 견해에 의하면 감사원규칙은 법규명령이 아니라고 본다. (×) → 이라고 본다 ▷ 법규명령(다수설)
> 16. 서울시 9급 헌법재판소 판례에 의하면 감사원규칙은 헌법에 근거가 없으므로 법규명령으로 인정되지 않는다. (×) → 없으나 / 인정된다

　　㉡ **행정규칙설**: 헌법상의 국회입법의 원칙에 대한 예외로서의 입법형식은 헌법 스스로 명문으로 인정하는 경우에 한하여야 하며, 법률은 입법형식 그 자체를 창설하지 못하므로 감사원규칙은 행정규칙의 성질을 갖는다는 견해이다.

③ **총리령과 부령의 효력 관계**: 총리령과 부령의 효력 관계에 대하여 **총리령 우위설과 동위설**(同位說)이 있다. 총리령과 부령은 통상 규율사항이 다르므로 상호 충돌할 염려가 없는바, 상호간에 우열을 논할 실익은 크지 않다. 즉, 총리령은 통상 국무총리 소속기관의 사무에 관하여 제정되고, 부령은 행정 각부의 사무에 관하여 정하여진다. 총리가 행정 각부의 장에게 명령의 제정을 위임할 권한도 없다. 그런데 집행명령에 있어서는 총리는 행정 각부를 통할하는 지위에서 명령을 발할 수 있고, 이 경우에는 총리령은 부령이 제정하는 집행명령에 우월하다고 보아야 한다.

함께 정리하기

중앙선거관리위원회규칙, 대법원규칙, 헌법재판소규칙, 국회규칙
▷ 법규명령, 행정법의 법원O

국무총리직속기관 or 행정각부소속기관
▷ 총리령×, 부령×

❶ 「감사원법」 제52조(감사원규칙)
감사원은 감사에 관한 절차, 감사원의 내부 규율과 감사사무 처리에 관한 규칙을 제정할 수 있다.

「감사원법」 제52조
▷ 감사원이 감사절차, 내부규율, 사무처리에 관한 규칙을 제정할 수 있다고 규정O
▷ 그러나 헌법에 감사원규칙에 관한 규정×

총리령과 부령의 효력 관계
▷ 총리령 우위설과 효력이 같다는 동위설이 대립함

3 법규명령의 근거와 한계

1. 위임명령의 근거와 한계

(1) 위임명령의 근거

① 근거법령의 존재

위임명령
▷ 법률이나 상위명령에 개별적인 수권규범이 있는 경우에만 가능(경우에 따라 예시적 위임 인정 可)

㉠ 위임명령은 헌법 제75조와 제95조에 따라 법률이나 상위명령에서 구체적으로 범위를 정한 개별적인 수권규정이 있는 경우에만 가능하다. 따라서 구체적인 위임 없이 국민의 권리·의무에 관한 사항을 새롭게 규정한 법규명령은 위법·무효이다. 그런데 판례는 법령의 위임이 없음에도 법령에 규정된 처분 요건에 해당하는 사항을 부령에서 변경하여 규정한 경우 그 부령의 규정은 행정규칙의 성격을 지닐 뿐 국민에 대한 대외적 구속력은 없다고 하여, 하자 있는 법규명령을 행정규칙으로 보기도 한다(대판 2013.9.12. 2011두10584).

14. 서울시 9급 법규명령 중 위임명령은 원칙적으로 헌법 제75조와 헌법 제95조에 따라 법률이나 상위명령에 개별적 수권규범이 있는 경우만 가능하다. (○)

㉡ 판례는 경우에 따라 예시적 위임(예컨대, 신상정보의 제공 시기 및 절차, 입증방법 등에 필요한 사항은 대통령령으로 정한다)을 인정하기도 한다.

🔨 관련판례

법률의 위임 없이 국민의 권리·의무에 관한 사항을 새롭게 규정한 법규명령
▷ 위법·무효

1 법률의 위임 없이 국민의 권리·의무에 관한 사항을 새롭게 규정한 법규명령은 효력을 가질 수 없다. ★★

농지의 전용에 관한 규제는 국민의 재산권 행사에 대한 제약으로서 그에 관하여 시행령에서 정할 사항의 위임은 보다 구체적이고 명확할 것이 요구되는 것인바, 농업인 주택과 같은 시설의 '설치지역'이란 그 문언적 의미에서 보더라도 시설의 범위나 규모 혹은 설치자의 범위에는 속할 수 없는 사항일 뿐만 아니라, 농지 전용의 허부와 관련하여 위와 같은 요소들과는 독립된 별도의 주요 기준에 해당하는 점에 비추어 보면, 농지법 제37조 제2항에서 위임사항으로 규정하고 있는 '신고대상 시설의 범위·규모 또는 설치자의 범위 등에 관한 사항'에는 농업인 주택과 같은 시설의 '설치지역'에 관한 사항은 포함되지 아니하는 것으로 풀이된다 할 것이어서, 같은 법 제37조 제2항에 근거한 구 농지법 시행령(1996.12.31. 대통령령 제15229호로 개정되기 전의 것) 제41조 [별표 1] 제1호에서 농지전용신고의 대상이 되는 농업인 주택을 '농업진흥지역 밖에' 설치하는 농업인 주택으로 규정함으로써, 결과적으로 농업진흥지역 내에 설치되는 농업인 주택에 대하여는 같은 법 제39조와 구 같은 법 시행령 제37조 및 제38조의 규정에 따라 농지로서의 보전가치와 농업경영 및 농어촌 생활환경의 유지라는 측면에서 보다 엄격한 심사가 이루어지는 허가를 받도록 한 것은, 결국 법률의 위임 없이 국민의 재산권 행사를 보다 제한한 것이 되어 효력을 가질 수 없다(대판 2000.10.19. 98두6265 전합).

법령의 위임이 없음에도 법령에 규정된 처분요건에 해당하는 사항을 변경하여 규정한 부령
▷ 행정명령○(법규명령×)

2 법령의 위임이 없음에도 법령에 규정된 처분 요건에 해당하는 사항을 부령에서 변경하여 규정한 경우, 그 부령의 규정은 행정명령의 성격을 지닐 뿐 국민에 대한 대외적 구속력은 없다. ★★★

법령에서 행정처분의 요건 중 일부 사항을 부령으로 정할 것을 위임한 데 따라 시행규칙 등 부령에서 이를 정한 경우에 그 부령의 규정은 국민에 대해서도 구속력이 있는 법규명령에 해당한다고 할 것이지만, 법령의 위임이 없음에도 법령에 규정된 처분 요건에 해당하는 사항을 부령에서 변경하여 규정한 경우에는 그 부령의 규정은 행정청 내부의 사무처리 기준 등을 정한 것으로서 행정조직 내에서 적용되는 행정명령의 성격을 지닐 뿐 국민에 대한 대외적 구속력은 없다고 보아야 한다.

따라서 어떤 행정처분이 그와 같이 법규성이 없는 시행규칙 등의 규정에 위배된다고 하더라도 그 이유만으로 처분이 위법하게 되는 것은 아니라 할 것이고, 또 그 규칙 등에서 정한 요건에 부합한다고 하여 반드시 그 처분이 적법한 것이라고 할 수도 없다. 이 경우 처분의 적법 여부는 그러한 규칙 등에서 정한 요건에 합치하는지 여부가 아니라 일반 국민에 대하여 구속력을 가지는 법률 등 법규성이 있는 관계 법령의 규정을 기준으로 판단하여야 한다(대판 2013.9.12. 2011두10584).

23. 국가직 7급, 22. 행정사, 21. 국회직 8급, 20. 군무원 7급, 20. 국가직 9급, 19. 서울시 9급 등 법령의 위임이 없음에도 법령에 규정된 처분 요건에 해당하는 사항을 부령에서 변경하여 규정한 경우에는 그 부령의 규정은 행정청 내부의 사무처리 기준 등을 정한 것으로서 행정조직 내에서 적용되는 행정명령의 성격을 지닐 뿐 국민에 대한 대외적 구속력은 없다. (O)

23. 국가직 9급 상위법령의 위임이 없음에도 상위법령에 규정된 처분 요건에 해당하는 사항을 부령에서 변경하여 규정한 경우 그 부령의 규정은 국민에 대한 대외적 구속력이 있다. (×) → 없다

16. 국회직 8급 상위법령의 위임이 없음에도 상위법령에 규정된 처분 요건을 부령에서 변경하여 규정하였다면 그 부령은 무효이며, 따라서 그 부령에 따른 처분 역시 위법하다. (×) → 행정명령의 성격을 지닐 뿐이므로 / 처분의 적법 여부는 법규성 있는 관계 법령의 규정을 기준으로 판단하여야 한다

21. 지방직 7급 법령의 위임이 없음에도 법령에 규정된 처분 요건에 해당하는 사항을 부령에서 변경하여 규정한 경우에 처분의 적법 여부는 그러한 부령에서 정한 요건을 기준으로 판단하여야 한다. (×) → 법규성 있는 관계 법령의 규정을

3 한국수력원자력 주식회사의 '공급자관리지침' 중 등록취소 및 그에 따른 일정 기간의 거래제한조치에 관한 규정들은 상위법령의 구체적 위임 없이 정한 것이어서 대외적 구속력이 없는 행정규칙에 해당한다. ★

공공기관의 운영에 관한 법률(이하 '공공기관운영법'이라 한다)이나 그 하위법령은 공기업이 거래상대방 업체에 대하여 공공기관운영법 제39조 제2항 및 공기업·준정부기관 계약사무규칙 제15조에서 정한 범위를 뛰어넘어 추가적인 제재조치를 취할 수 있도록 위임한 바 없다. 따라서 <u>한국수력원자력 주식회사가 조달하는 기자재, 용역 및 정비공사, 기기수리의 공급자에 대한 관리업무 절차를 규정함을 목적으로 제정·운용하고 있는 '공급자관리지침' 중 등록취소 및 그에 따른 일정 기간의 거래제한조치에 관한 규정들은 공공기관으로서 행정청에 해당하는 한국수력원자력 주식회사가 상위법령의 구체적 위임 없이 정한 것이어서 대외적 구속력이 없는 행정규칙이다</u>(대판 2020.5.28. 2017두66541).

22. 국가직 9급 한국수력원자력 주식회사가 조달하는 기자재, 용역 및 정비공사, 기기수리의 공급자에 대한 관리업무 절차를 규정함을 목적으로 제정·운용하고 있는 '공급자관리지침' 중 등록취소 및 그에 따른 일정 기간의 거래제한조치에 관한 규정들은 상위 법령의 구체적 위임 없이 정한 것이어서 대외적 구속력이 없는 행정규칙이다. (O)

② **근거법령의 적법성**: 법규명령의 근거를 제공하는 수권법률 등은 법규명령의 제정시점에 유효한 것이어야 한다. 따라서 수권의 근거가 없이 발령된 법규명령은 사후적인 법률로 치유될 수 없다. 그러나 판례는 제정 당시에 위임의 근거가 없어 무효였던 법규명령도 사후에 법 개정을 통해 위임의 근거가 부여되면 그때부터(소급×)는 유효한 법규명령이 되나, 일단 법률에 근거하여 유효하게 성립한 법규명령이라도 나중에 위임법률이 폐지·개정되어 그 근거가 없어지는 경우에는 소멸되어 그때부터(소급×) 무효인 법규명령이 된다고 한다.

한국수력원자력 주식회사의 '공급자관리지침' 중 등록취소 및 거래제한조치에 관한 규정
▷ 행정규칙(상위법령의 구체적 위임 無)

위임의 근거가 없어 무효였던 법규명령도 사후에 법개정으로 위임의 근거가 부여되면
▷ 그때부터(소급×)는 유효한 법규명령이 됨

위임에 근거가 있어서 유효한 법규명령이 법 개정으로 위임의 근거가 없어지면
▷ 그때부터(소급×) 무효인 법규명령이 됨

법률에 위임의 근거가 없어 무효였던 법규명령이 법 개정으로 위임의 근거가 부여
▷ 그때부터 유효한 법규명령

관련판례

법률에 위임의 근거가 없어 무효였던 법규명령이 법 개정으로 위임의 근거가 부여되면 그때부터 유효한 법규명령으로 된다. ★★★

1-1. 일반적으로 법률의 위임에 의하여 효력을 갖는 법규명령의 경우, 구법에 위임의 근거가 없어 무효였더라도 사후에 법개정으로 위임의 근거가 부여되면 그때부터는 유효한 법규명령이 되나, 반대로 구법의 위임에 의한 유효한 법규명령이 법개정으로 위임의 근거가 없어지게 되면 그때부터 무효인 법규명령이 되므로, 어떤 법령의 위임 근거 유무에 따른 유효 여부를 심사하려면 법개정의 전·후에 걸쳐 모두 심사하여야만 그 법규명령의 시기에 따른 유효·무효를 판단할 수 있다(대판 1995.6.30. 93추83).

22. 소방직, 22. 변호사, 21. 소방간부, 21. 경찰 2차, 20. 국회직 9급 등 일반적으로 법률의 위임에 의하여 효력을 갖는 법규명령의 경우, 구법에 위임의 근거가 없어 무효였더라도 사후에 법개정으로 위임의 근거가 부여되면 그때부터는 유효한 법규명령이 된다. (○)

24. 국가직 9급 일반적으로 법률의 위임에 따라 효력을 갖는 법규명령의 경우에 위임의 근거가 없어 무효였다면 나중에 법 개정으로 위임의 근거가 부여되었다고 하여 그때부터 유효한 법규명령이 되는 것은 아니다. (✕) → 다면 / 된다

22. 국가직 9급 법률의 위임에 의하여 효력을 갖는 법규명령이 법개정으로 위임의 근거가 없어지게 되더라도 효력을 상실하지 않는다. (✕) → 되면 효력을 상실한다

16. 행정사, 13. 서울시 7급 판례는 구법의 위임에 의한 유효한 법규명령이 법개정에 따라 위임의 근거가 없어지게 되면 소급하여 법규명령이 무효가 된다고 한다. (✕) → 그때부터

21. 지방직 9급, 21. 국가직 7급, 20. 지방직 7급, 20. 5급 승진, 15. 경찰 1차 등 법규명령이 위임의 근거가 없어 무효였더라도 나중에 법개정으로 위임의 근거가 부여되면, 법규명령·제정 당시로 소급하여 유효한 법규명령이 된다. (✕) → 그때부터

법규명령이 개정된 법률에 규정된 내용을 함부로 유추·확장하는 내용의 해석규정이어서 위임의 한계 일탈
▷ 법규명령 여전히 무효

1-2. 일반적으로 법률의 위임에 따라 효력을 갖는 법규명령의 경우에 위임의 근거가 없어 무효였더라도 나중에 법 개정으로 위임의 근거가 부여되면 그때부터는 유효한 법규명령으로 볼 수 있다. 그러나 법규명령이 개정된 법률에 규정된 내용을 함부로 유추·확장하는 내용의 해석규정이어서 위임의 한계를 벗어난 것으로 인정될 경우에는 법규명령은 여전히 무효이다(대판 2017.4.20. 2015두45700 전합).

22. 소방간부 일반적으로 법률의 위임에 따라 효력을 갖는 법규명령의 경우에 그 위임의 근거가 없어 무효였더라도 나중에 법 개정으로 위임의 근거가 부여되면, 그 법규명령이 위임의 한계를 벗어난 해석 규정으로 인정되지 않는 한, 그때부터는 유효한 법규명령으로 볼 수 있다. (○)

18. 국회직 8급 일반적으로 법률의 위임에 따라 효력을 갖는 법규명령의 경우에 위임의 근거가 없어 무효였더라도 나중에 법 개정으로 위임의 근거가 부여되면 그때부터는 유효한 법규명령으로 볼 수 있다. 그러나 법규명령이 개정된 법률에 규정된 내용을 함부로 유추·확장하는 내용의 해석 규정이어서 위임의 한계를 벗어난 것으로 인정될 경우에는 법규명령은 여전히 무효이다. (○)

③ 근거법령의 명시

법률의 위임관계를 명확하게 하기 위하여 하위법령의 개별조항에서 위임의 근거가 되는 상위법령의 해당 조항을 구체적으로 명시하는 것이 바람직하나, 판례는 구체적으로 명시하는 것을 요구하지는 아니한다.

법령의 위임관계
▷ 하위 개별조항에서 구체적 명시 不要

관련판례

법령의 위임관계는 반드시 하위법령의 개별조항에서 위임의 근거가 되는 상위법령의 해당 조항을 구체적으로 명시하고 있어야만 하는 것은 아니라고 할 것이다(대판 1999.12.24. 99두5658). ★★

16. 지방직 9급, 15. 지방직 9급, 14. 지방직 9급 법령의 위임관계는 반드시 하위 법령의 개별조항에서 위임의 근거가 되는 상위 법령의 해당 조항을 구체적으로 명시하고 있어야만 하는 것은 아니다. (○)

(2) 위임명령의 한계

① 수권상의 한계(수권법령의 한계)

㉠ 포괄적 위임의 금지(포괄위임금지의 원칙, 구체적 위임의 원칙)

ⓐ 의의: 헌법 제75조는 법률에서 대통령령에 위임할 경우 '구체적으로 범위를 정하여' 위임하도록 하여 위임입법의 범위와 한계를 제시하고 있다. 이 규정은 법률에서 위임명령에 규정할 사항을 위임함에 있어서는 일반적·포괄적 위임은 안 되며 '구체적으로 범위를 정하여' 위임하여야 함을 의미한다. 이를 포괄위임 금지라 한다. 포괄적 위임은 국회입법권의 포기나 법치주의를 부정할 위험이 있기 때문에 금지된다.

> **헌법 제75조** 대통령은 법률에서 <u>구체적으로 범위를 정하여 위임받은</u> 사항과 법률을 집행하기 위하여 필요한 사항에 관하여 대통령령을 발할 수 있다.
>
> 15. 국회직 9급 대통령령에 대한 법률의 위임은 반드시 구체적으로 범위를 정하여 할 필요가 없으며 포괄적인 것으로 족하다. (×) → 정하여 위임하여야 하고 / 으로 위임해서는 안 된다
>
> **제95조** 국무총리 또는 행정각부의 장은 소관사무에 관하여 법률이나 대통령령의 위임 또는 직권으로 총리령 또는 부령을 발할 수 있다.

🔨 관련판례

1 입법권의 위임은 구체적으로 범위를 정하여 하는 경우만 허용된다. ★★

위임입법이 필요한 분야라고 하더라도 <u>입법권의 위임은 법치주의의 원칙과 의회민주주의의 원칙, 권력분립의 원칙에 비추어 구체적으로 범위를 정하여 하는 경우만 허용된다</u>(헌재 2005.5.26. 2003헌가17).

10. 국가직 7급 위임입법이 필요한 분야라고 하더라도 입법권의 위임은 법치주의원칙과 의회민주주의의 원칙, 권력분립의 원칙에 비추어 구체적으로 범위를 정하여 하는 경우만 허용된다. (○)

2 헌법 제75조는 법률에서 대통령령에 위임할 경우 구체적으로 범위를 정하여 위임하도록 함으로써 그 한계를 제시하고 있고, 이와 같은 헌법상의 제한은 당연히 법률의 위임에 의한 부령의 경우에도 마찬가지로 적용된다. ★

<u>헌법 제75조는 위임입법의 근거를 마련하는 한편 대통령령으로 입법할 수 있는 사항을 법률에서 구체적으로 범위를 정하여 위임받은 사항으로 한정함으로써 위임입법의 범위와 한계를 제시하고 있다. 그리고 헌법 제95조는 부령에의 위임근거를 마련하면서 '구체적으로 범위를 정하여'라는 문구를 사용하고 있지는 않지만, 법률의 위임에 의한 대통령령에 가해지는 헌법상의 제한은 당연히 법률의 위임에 의한 부령의 경우에도 적용된다</u>(헌재 2019.11.28. 2017헌가23).❶

ⓑ 구체적 위임의 판단기준

㉮ 판례는 구체적 위임의 판단기준에 대해서 누구라도 당해 법률이나 상위법령으로부터 위임명령에 규정될 내용의 대강을 예측할 수 있어야 한다고 하여 예측가능성을 그 기준으로 삼고 있다. 이러한 예측가능성 유무는 당해 위임조항 하나만을 가지고 판단할 것이 아니라 관련 법조항 전체를 유기적·체계적으로 종합 판단하여야 한다는 입장이다.

포괄위임금지
▷ 법률이 위임명령에 위임시 구체적 범위를 정하여 위임

입법권의 위임
▷ 구체적으로 범위를 정하여 하는 경우만 허용

포괄위임금지의 원칙
▷ 대통령령뿐만 아니라 부령의 경우에도 적용○

❶
총리령과 부령을 규정하는 헌법 제95조는 헌법 제75와 달리 '구체적으로 범위를 정하여'라는 문구가 없다. 그러나 법률의 위임에 의한 대통령령에 가해지는 헌법상의 제한은 당연히 법률의 위임에 의한 부령의 경우에도 적용되므로 헌법 제95조 역시 포괄적 위임의 금지의 원칙이 적용하에 있다고 보아야 한다.

구체적 위임의 판단기준
▷ 누구라도 법률이나 상위법령으로부터 위임명령에 규정될 내용을 대강 예측 가능하여야 함

예측가능성 유무의 판단
▷ 관련법 조항을 유기적·체계적으로 종합해서 판단○(위임조항 하나만으로 판단×)

관련판례

1 구체적 위임의 판단은 관련 법률의 전반적인 체계와 취지 및 목적 등을 종합적으로 판단해야 한다. ★★

[1] 위임입법의 경우 그 한계는 예측가능성인바, 이는 법률에 이미 대통령령으로 규정될 내용 및 범위의 기본사항이 구체적으로 규정되어 있어 누구라도 당해 법률로부터 대통령령 등에 규정될 내용의 대강을 예측할 수 있어야 함을 의미하고, 이러한 예측가능성의 유무는 당해 특정조항 하나만을 가지고 판단할 것은 아니고 관련 법조항 전체를 유기적·체계적으로 종합 판단하여야 하며, 각 대상법률의 성질에 따라 구체적·개별적으로 검토하여 법률조항과 법률의 입법 취지를 종합적으로 고찰할 때 합리적으로 그 대강이 예측될 수 있는 것이라면 위임의 한계를 일탈하지 아니한 것이다.

12. 국회직 9급 위임입법의 한계인 예측가능성은 법률에서 이미 하위법규에 규정될 내용 및 범위의 기본사항이 구체적으로 규정되어 있어서 누구라도 당해 법률로부터 하위법규에 규정될 내용의 대강을 예측할 수 있으면 족하다. (○)

20. 5급 승진 위임입법의 한계인 예측가능성의 유무를 판단할 때에는 관련 법조항 전체를 유기적·체계적으로 종합 판단할 것이 아니라 당해 위임조항 자체에서 하위법령으로 규정될 내용 및 범위의 기본사항이 구체적으로 규정되어 있음을 기준으로 한다. (×) → 하여,

[2] 질서위반행위규제법 제17조 제2항은 과태료를 부과하는 서면에 명시하여야 할 사항으로 '질서위반행위', '과태료 금액'을 규정하고, 그 밖에 명시하여야 할 사항을 대통령령으로 정하도록 위임하였는바, 누구라도 위 법률조항의 위임을 받은 대통령령에서는 과태료의 부과주체, 부과대상자, 과태료 납부에 관한 사항, 불복절차 및 방법 등을 규정할 것이라고 예측할 수 있으므로 위 법률 조항이 위임의 한계를 벗어나 위헌이라고 할 수 없다(대결 2014.10.16. 2014아132).

18. 경찰 3차 구 「질서위반행위규제법」(2011.7.6. 법률 제10544호로 개정된 것) 제17조 제2항은 과태료를 부과하는 서면에 명시하여야 할 사항으로 '질서위반행위', '과태료 금액'을 규정하고, 그 밖에 명시하여야 할 사항을 대통령령으로 정하도록 위임하였는바, 누구라도 위 법률조항의 위임을 받은 대통령령에서는 과태료의 부과주체, 부과대상자, 과태료 납부에 관한 사항, 불복절차 및 방법 등을 규정할 것이라고 예측할 수 없으므로 위임입법의 한계를 벗어나 위헌이라고 할 것이다 (×) → 있으므로 / 할 수 없다

2 어느 시행령 규정이 모법의 위임 범위를 벗어난 것인지를 판단할 때 중요한 기준 중 하나는 예측 가능성이다. ★★

법규명령이 법률의 위임 범위를 벗어났는지는 직접적인 위임 법률조항의 형식과 내용뿐만 아니라 법률의 전반적인 체계와 목적 등도 아울러 고려하여 법률의 위임 범위나 한계를 객관적으로 확정한 다음 법규명령의 내용과 비교해서 판단해야 한다. 법규명령의 내용이 위와 같이 확정된 법률의 위임 범위 내에 있다고 인정되거나 법률이 예정하고 있는 바를 구체적으로 명확하게 한 것으로 인정되면 법규명령은 무효로 되지 않는다. 나아가 어느 시행령 규정이 모법의 위임 범위를 벗어난 것인지를 판단할 때 중요한 기준 중 하나는 예측 가능성이다(대판 2021.7.29. 2020두39655).

3 의료기기 판매업자의 의료기기법 위반행위 등에 대하여 보건복지가족부령이 정하는 기간 이내의 범위에서 업무정지를 명할 수 있도록 규정한 의료기기법 제32조 제1항 부분이 헌법 제75조의 포괄위임금지원칙에 위배된다. ★★

업무정지기간은 국민의 직업의 자유와 관련된 중요한 사항으로서 업무정지의 사유 못지않게 업무정지처분의 핵심적·본질적 요소라 할 것이고, 그 구체적 기준을 하위법령에 위임할 수밖에 없다 하더라도 최소한 그 상한만은 법률의 형식으로 이를 명확하게 규정하여야 할 것인데, 이 사건 법률조항은 업무정지기간의 범위에 관하여 아무런 규정을 두고 있지 아니하고, 나아가 의료기기법의 다른 규정이

예측가능성
▷ 어느 시행령 규정이 모법의 위임 범위를 벗어난 것인지를 판단할 때 중요한 기준 중 하나

업무정지기간 범위규정 없이 위임한 「의료기기법」
▷ 포괄위임금지원칙 위배○

나 다른 관련 법률을 유기적·체계적으로 종합하여 보더라도 보건복지가족부령에 규정될 업무정지기간의 범위, 특히 상한이 어떠할지를 예측할 수 없으므로 헌법 제75조의 포괄위임금지원칙에 위배된다(헌재 2011.9.29. 2010헌가93).

14. 변호사 의료기기 판매업자의 의료기기법 위반행위에 대하여 보건복지부령이 정하는 기간이내의 범위에서 업무정지를 명할 수 있도록 한 「의료기기법」 조항은 포괄위임금지원칙에 위반되자 않는다. (×) → 위배된다

4 분담금의 분담방법 및 분담비율에 관한 사항을 대통령령으로 정하도록 규정한 교통안전공단법 제17조는 포괄적인 위임입법으로서 헌법 제75조에 위반된다. ★★

분담금의 분담방법 및 분담비율에 관한 사항을 대통령령으로 정하도록 규정한 교통안전공단법 제17조는 국민의 재산권과 관련된 중요한 사항 내지 본질적인 요소인 분담금의 분담방법 및 분담비율에 관한 기본사항을 구체적이고 명확하게 규정하지 아니한 채 시행령에 포괄적으로 위임함으로써 … 포괄적인 위임입법으로서 헌법 제75조에 위반된다(헌재 1999.1.28. 97헌가8).

18. 경찰 3차 구 「교통안전공단법」(1990.8.1.법률 제4254호로 개정된 것) 제17조는 국민의 재산권과 관련된 중요한 사항 내지 본질적인 요소인 분담금의 분담방법 및 분담비율에 관한 기본사항을 구체적이고 명확하게 규정하지 아니한 채 시행령에 포괄적으로 위임한 것으로 헌법 제75조에 위반된다. (○)

> 분담금의 분담방법 및 분담비율에 관한 기본적인 사항을 대통령령으로 정하도록 규정한 「교통안전공단법」
> ▷ 포괄위임금지원칙 위배○

ⓓ 나아가 대법원과 헌법재판소는 외형상으로는 포괄적으로 위임한 것처럼 보이더라도, 그 법률의 전반적인 체계 등을 고려하여 위임의 한계를 객관적으로 분명히 확정할 수 있는 것이라면 포괄적 위임에 해당하는 것으로 볼 수는 없다고 한다.

> 외형상 포괄적 위임으로 보이더라도 법률의 전반적 체계상 확정할 수 있으면
> ▷ 포괄적 위임×

⚖ 관련판례

1 위임조항에서 위임의 구체적 범위를 명확히 규정하고 있지 않다고 하더라도 당해 법률의 전반적 체계와 관련 규정에 비추어 위임조항의 내재적인 위임의 범위나 한계를 객관적으로 분명히 확정할 수 있다면 이를 일반적이고 포괄적인 백지위임에 해당하는 것으로 볼 수 없다(헌재 1997.12.24. 95헌마390). ★★

15. 변호사 위임조항에서 위임의 구체적 범위를 명확히 규정하고 있지 않다고 하더라도 당해 법률의 전반적 체계와 관련 규정에 비추어 위임조항의 내재적인 위임의 범위나 한계를 객관적으로 분명히 확정할 수 있다면 이를 포괄적인 백지위임에 해당하는 것으로 볼 수 없다. (○)

2 행정입법의 내용이 일반적, 추상적, 개괄적인 규정이라 할지라도 법관의 법 보충작용으로서의 해석을 통하여 그 의미가 구체화·명확화 될 수 있다면 그 규정은 그 규정이 명확성을 결여하여 과세요건명확주의에 반하는 것으로 볼 수 없다(대판 2001.4.27. 2000두9076). ★★

07. 국가직 7급 행정입법의 내용이 일반적, 추상적, 개괄적으로 되어 있다면 법관의 법 보충작용으로서의 해석을 통하여 그 의미가 구체화·명확화 될 수 있다 할지라도 그 규정은 명확성의 원칙에 반한다. (×) → 있더라도 / 있다면 / 반하지 않는다

> 법관의 법 보충작용으로 명확화 가능한 추상적·개괄적 규정
> ▷ 과세요건명확주의 위반×

ⓒ **구체성의 정도❶**: 위임입법에 있어 구체성의 요구 정도는 각종 법률이 규제하고자 하는 대상의 종류와 성질에 따라 달라진다. 침해행정의 영역에서는 구체성의 정도가 강화되고, 급부행정영역 및 규율대상이 다양하거나 수시로 변화하는 것일 때에는 구체성의 정도가 완화된다.

> ❶ 구체성의 정도(강화↑, 완화↓)
> ① 국민의 기본권을 직접적으로 침해할 소지가 있는 법규(처벌법규, 조세법규)↑
> ② 급부행정법규↓
> ③ 다양한 사실관계를 규율↓
> ④ 사실관계가 수시로 변화될 것이 예상되는 분야↓

관련판례

헌법 제75조에서 말하는 위임의 구체성·명확성의 정도는 그 규율대상의 종류와 성격에 따라 달라질 것이지만 특히 처벌법규나 조세법규와 같이 국민의 기본권을 직접적으로 침해할 소지가 있는 법규에서는 구체성·명확성의 요구가 강화되어 그 위임의 요건과 범위가 일반적인 급부행정의 경우보다 더 엄격하게 제한적으로 규정되어야 하는 반면에, 규율대상이 지극히 다양하거나 수시로 변화하는 성질의 것일 때에는 위임의 구체성·명확성의 요건이 완화되어야 한다(헌재 1997.2.20. 95헌바27 ; 헌재 2017.5.25. 2014헌마844). ★★★

20. 국회직 9급 위임입법에서 요구되는 구체성과 명확성은 침해행정 영역에서 강하게 요청되고 급부행정 영역에서는 다소 완화될 수 있다. (○)

14. 국가직 9급 처벌법규나 조세법규는 다른 법규보다 구체성과 명확성의 요구가 강화되어야 한다. (○)

19. 5급 승진, 17. 지방직 9급, 12. 경찰 포괄적 위임금지의 원칙을 규정한 헌법 제75조에서 말하는 위임의 구체성·명확성의 요구 정도는 각종 법률이 규제하고자 하는 대상의 종류와 성질에 따라 달라지는데, 특히 규율대상이 지극히 다양하거나 수시로 변화하는 성질의 것일 때에는 위임의 구체성·명확성의 요건이 완화된다. (○)

11. 사복직 일반적인 급부행정법규는 처벌법규나 조세법규의 경우보다 그 위임의 요건과 범위가 더 엄격하게 제한적으로 규정되어야 한다. (×) → 완화될 수 있다

ⓓ **포괄적 위임금지의 예외**

㉮ **조례에 대한 위임**: 조례에 대한 법률의 위임은 포괄적 위임도 가능하다.

> **조례에 대한 법률의 위임**
> ▷ 포괄적 위임이 가능

「지방자치법」 제28조 【조례】 ① 지방자치단체는 법령의 범위에서 그 사무에 관하여 조례를 제정할 수 있다. 다만, 주민의 권리 제한 또는 의무 부과에 관한 사항이나 벌칙을 정할 때에는 법률의 위임이 있어야 한다.

20. 지방직 9급 지방자치단체는 법령에 위반되지 않는 범위 내에서 자치사무에 관하여 주민의 권리를 제한하거나 의무를 부과하는 사항이 아닌 한 법률의 위임 없이 조례를 제정할 수 있다. (○)

관련판례

> **세 자녀 이상 세대 양육비 등 지원에 관한 조례**
> ▷ 법률의 개별적 위임 不要

1 지방자치단체가 세 자녀 이상 세대 양육비 등 지원에 관한 조례안을 제정함에 있어서 법률의 개별적 위임이 필요한 것은 아니다. ★

지방자치단체의 세자녀 이상 세대 양육비 등 지원에 관한 조례안은 저출산 문제의 국가적·사회적 심각성을 십분 감안하여 향후 지방자치단체의 출산을 적극 장려토록 하여 인구정책을 보다 전향적으로 실효성 있게 추진하고자 세 자녀 이상 세대 중 세 번째 이후 자녀에게 양육비 등을 지원할 수 있도록 하는 것으로서, 위와 같은 사무는 지방자치단체 고유의 자치사무이므로 그 제정에 있어서 반드시 법률의 개별적 위임이 따로 필요한 것은 아니다(대판 2006.10.12. 2006추38).

20. 지방직 9급 군민의 출산을 장려하기 위하여 세 자녀 이상 세대 중 세 번째 이후 자녀에게 양육비 등을 지원할 수 있도록 하는 조례의 제정에는 법률의 위임이 필요 없다. (○)

> **자치조례에 대한 위임**
> ▷ 포괄적인 것으로 족함

2 조례에 대한 법률의 위임은 포괄적 위임도 가능하다. ★★★

[1] (청구인들은 자판기의 설치를 제한하고 설치된 자판기를 철거하도록 한 부천시조례 제4조 및 부칙 제2항과 같은 내용의 강남구조례 제4조 및 부칙 제2항은 위임입법의 한계를 벗어난 무효의 규정으로서 청구인들의 헌법상 보장된 직업선택의 자유 등 기본권을 침해하고 있다고 하여, 각 해당 조례에 대하여 헌법재판소에 이 사건 헌법소원심판을 각 청구하였다) 이 사건 조례들은 담배소매업을 영위하는 주민들에게 자판기 설치를 제한하는 것을 내용으로 하

고 있으므로 주민의 직업선택의 자유 특히 직업수행의 자유를 제한하는 것이 되어 지방자치법 제15조 단서 소정의 주민의 권리의무에 관한 사항을 규율하는 조례라고 할 수 있으므로 지방자치단체가 이러한 조례를 제정함에 있어서는 법률의 위임을 필요로 한다.

20. 지방직 9급 담배자동판매기의 설치를 금지하고 설치된 판매기를 철거하도록 하는 조례는 기존 담배자동판매기업자의 직업의 자유와 재산권을 제한하는 조례이므로 법률의 위임이 필요하다. (○)

20. 국회직 8급 담배소매업을 영위하는 주민들에게 자판기 설치를 제한하는 것을 내용으로 하는 조례는 주민의 권리·의무에 관한 사항을 규율하는 조례라고 할 수 있으므로 지방자치단체가 이러한 조례를 제정함에 있어서는 법률의 위임을 필요로 한다. (○)

[2] 그런데 조례의 제정권자인 지방의회는 선거를 통해서 그 지역적인 민주적 정당성을 지니고 있는 주민의 대표기관이고, 헌법이 지방자치단체에 대해 포괄적인 자치권을 보장하고 있는 취지로 볼 때, 조례에 대한 법률의 위임은 법규명령에 대한 법률의 위임과 같이 반드시 구체적으로 범위를 정하여 할 필요가 없으며 포괄적인 것으로 족하다(헌재 1995.4.20. 92헌마264 등).

22. 지방직 9급, 13. 국회직 8급 자치조례에 대한 법률의 위임은 반드시 구체적으로 범위를 정하여 할 필요가 없으며 포괄적인 것으로 족하다. (○)

19. 5급 승진, 18. 서울시 7급, 18. 교행, 16. 서울시 7급 자치조례에 대한 법률의 위임은 법규명령에 대한 법률의 위임과 같이 반드시 구체적으로 범위를 정하여서 해야 한다. (×) → 정하여 할 필요가 없다

3 자치사무와 단체위임사무에 관한 자치조례는 국가법에 적용되는 일반적인 위임입법의 한계가 적용될 여지가 없다. ★★

지방자치법 제9조 제1항과 제15조 등의 관련 규정에 의하면 지방자치단체는 원칙적으로 그 고유사무인 자치사무와 법령에 의하여 위임된 단체위임사무에 관하여 이른바 자치조례를 제정할 수 있는 외에, 개별 법령에서 특별히 위임하고 있을 경우에는 그러한 사무에 속하지 아니하는 기관위임사무에 관하여도 그 위임의 범위 내에서 이른바 위임조례를 제정할 수 있지만, 조례가 규정하고 있는 사항이 그 근거 법령 등에 비추어 볼 때 자치사무나 단체위임사무에 관한 것이라면 이는 자치조례로서 지방자치법 제15조가 규정하고 있는 '법령의 범위 안'이라는 사항적 한계가 적용될 뿐, 위임조례와 같이 국가법에 적용되는 일반적인 위임입법의 한계가 적용될 여지는 없다(대판 2000.11.24. 2000추29).

17. 지방직 7급 지방자치단체는 원칙적으로 그 고유사무인 자치사무와 법령에 의하여 위임된 단체위임사무에 관하여 이른바 자치조례를 제정할 수 있는 외에, 개별 법령에서 특별히 위임하고 있을 경우 기관위임사무에 관하여도 그 위임의 범위 내에서 이른바 위임조례를 제정할 수 있다. (○)

12. 사복직 판례는 자치조례의 경우에도 위임조례와 같이 국가법에 적용되는 일반적인 위임입법의 한계가 적용된다고 한다. (×) → 적용되지 않는다고 한다

4 법률에서 포괄적으로 위임했다 하더라도 조례로 주민의 권리의무에 관한 사항을 제정할 수 있다. ★★

법률이 주민의 권리의무에 관한 사항에 관하여 구체적으로 아무런 범위도 정하지 아니한 채 조례로 정하도록 포괄적으로 위임하였다고 하더라도, 행정관청의 명령과는 달리 조례도 주민의 대표기관인 지방의회의 의결로 제정되는 지방자치단체의 자주법인 만큼 지방자치단체가 법령에 위반되지 않는 범위 내에서 주민의 권리·의무에 관한 사항을 조례로 제정할 수 있다(대판 2006.9.8. 2004두947 ; 대판 1991.8.27. 90누6613).

21. 소방간부, 20. 군무원 7급, 18. 국회직 8급 법률이 주민의 권리의무에 관한 사항에 관하여 구체적으로 아무런 범위도 정하지 아니한 채 조례로 정하도록 포괄적으로 위임한 경우에도 지방자치단체는 법령에 위반되지 않는 범위 내에서 각 지역의 실정에 맞게 주민의 권리의무에 관한 사항을 조례로 제정할 수 있다. (○)

10. 서울시 9급 법률이 주민의 권리의무에 관한 사항에 관하여 구체적으로 아무런 범위도 정하지 아니한 채 조례로 정하도록 포괄적으로 위임한 것은 헌법상 허용되지 않는다. (×) → 허용될 수 있다

자치조례
▷ 포괄위임금지원칙 적용×

㉯ **공법상 단체의 정관에 대한 위임:** 법률이 공법상 단체(주택재개발조합 등)의 정관에 자치법적 사항을 위임한 경우에도 포괄위임은 가능하다.

법률이 자치법적 사항을 공법적 단체의 정관에 위임하는 경우
▷ 포괄위임금지원칙 적용×
▷ 의회유보원칙 적용○

구 「도시 및 주거환경정비법」에 따라 사업시행인가 신청시의 동의요건을 조합의 정관에 위임하는 경우
▷ 포괄위임금지원칙 적용×

법률이 국가유공자 단체의 대의원 선출에 관한 사항을 유공자단체의 정관에 위임하는 경우
▷ 포괄위임금지원칙 적용×

🔨 관련판례

1 법률이 주택재개발조합 등 공법적 단체의 정관에 자치법적 사항을 위임하는 경우 포괄적 위임금지원칙이 적용되지 않는다. ★★★

[1] 법률이 공법적 단체 등의 정관에 자치법적 사항을 위임한 경우에는 헌법 제75조가 정하는 포괄적인 위임입법의 금지는 원칙적으로 적용되지 않는다고 봄이 상당하고, 그렇다 하더라도 그 사항이 국민의 권리·의무에 관련되는 것일 경우에는 적어도 국민의 권리·의무에 관한 기본적이고 본질적인 사항은 국회가 정하여야 한다.

20. 국회직 9급 공법적 단체 등의 정관에 자치법적 사항을 위임한 경우에는 포괄적 위임이 가능하다. (○)

21. 국가직 9급, 20. 행정사, 17. 서울시 7급, 16. 사복직, 15. 지방직 9급 등 법률이 공법적 단체 등의 정관에 자치법적 사항을 위임한 경우에는 헌법 제75조가 정하는 포괄적인 위임입법의 금지는 원칙적으로 적용되지 않지만, 그 사항이 국민의 권리·의무에 관련되는 것일 경우에는 적어도 국민의 권리·의무에 관한 기본적이고 본질적인 사항은 국회가 정하여야 한다. (○)

11. 사복직 공법적 단체 등의 정관에 대한 자치법적 사항의 위임이라도 국민의 권리·의무에 관한 본질적이고 기본적인 사항은 국회가 정하여야 한다. (○)

22. 지방직 7급 법률이 공법적 단체 등의 정관에 자치법적 사항을 위임한 경우에도 원칙적으로 헌법 제75조가 정하는 포괄적인 위임입법금지원칙이 적용되므로 이와 별도로 법률유보 내지 의회유보의 원칙을 적용할 필요는 없다. (×) → 에는 / 되지 않고 / 은 적용된다

[2] 따라서 도시 및 주거환경정비법 제28조 제4항 본문이 사업시행인가 신청시의 동의요건을 조합의 정관에 포괄적으로 위임하고 있다고 하더라도 헌법 제75조가 정하는 포괄위임입법금지의 원칙이 적용되지 아니하므로 이에 위배된다고 할 수 없다(대판 2007.10.12. 2006두14476).

22. 소방간부, 17. 지방직 9급(추) 구 「도시 및 주거환경정비법」 제28조 제4항 본문이 사업시행인가 신청시의 동의요건을 조합의 정관에 포괄적으로 위임한 것은 헌법 제75조가 정하는 포괄위임입법금지의 원칙이 적용되어 이에 위배된다고 하였다. (×) → 되지 아니하므로 / 할 수 없다

2 법률이 국가유공자 단체의 대의원 선출에 관한 사항을 유공자단체의 정관에 위임한 경우에는 포괄적 위임금지원칙이 적용되지 않는다. ★★

국가유공자 등 단체설립에 관한 법률의 조항이 상이군경회를 비롯한 각 국가유공자 단체의 대의원 선출에 관한 사항을 정관에 위임하는 형식을 갖추었다 하더라도 이는 본래 정관에서 자치적으로 규율하여야 할 사항을 정관규정사항으로 남겨둔 것에 불과하고, 헌법 또는 다른 법률에서 이를 법률규정사항으로 정한 바도 없는바 그 위헌심사에는 헌법상 포괄위임입법금지원칙이 적용되지 않는다(헌재 2006.3.30. 2005헌바31).

14. 변호사 「국가유공자 등 단체설립에 관한 법률」의 조항이 상이군경회를 비롯한 각 국가유공자단체의 대의원 선출에 관한 사항을 정관에 위임하는 형식을 갖추었다 하더라도, 이는 본래 정관에서 자치적으로 규율하여야 할 사항을 정관규정사항으로 남겨둔 것에 불과하고, 헌법 또는 다른 법률에서 이를 법률규율사항으로 정한 바도 없기 때문에 그 위헌심사에는 헌법상 포괄위임금지원칙이 적용되지 않는다. (○)

ⓒ 국회전속적 입법사항(의회유보사항)의 위임금지

ⓐ 헌법이 어떠한 사항을 직접 법률로서 정하도록 위임한 사항은 국회가 정해야 하며, 이를 행정부에서 정하도록 위임할 수 없다. 그 예로는 국적 취득요건(헌법 제2조 제1항), 재산권의 내용과 한계(헌법 제23조 제1항❶), 국회의원의 수, 선거구 등(헌법 제41조 제2항·제3항), 조세의 종목과 세율(조세법률주의, 헌법 제59조❷), 지방자치단체의 종류(헌법 제117조 제2항❸) 등을 들 수 있다.

ⓑ 다만, 이러한 국회전속입법사항이라도 그 본질적 내용을 법률로 정하여야 한다는 것이지, 전적으로 법률에 의해 규율되어야만 하는 것은 아니므로 세부적 사항에 대하여 구체적으로 범위를 정하여 명령이나 규칙 등에 위임하는 것은 허용된다.❹

09. 국가직 9급, 07. 서울시 9급, 06. 국가직 7급 국회전속적 입법사항의 위임이 금지된다는 것이 전적으로 법률로 규율되어야 한다는 것을 의미하지는 않는다. (○)

14. 지방직 9급 국회전속적 입법사항은 반드시 법률에 의하여 규정되어야 하며, 입법자가 법률에서 구체적으로 범위를 정하여도 법규명령에 위임될 수는 없다. (×) → 되어야만 하는 것은 아니고 / × / 있다

📌 **관련판례**

1 입법자는 법률에서 구체적으로 범위를 정하기만 한다면 대통령령뿐만 아니라 부령에 입법사항을 위임할 수도 있다(헌재 1998.2.27. 97헌마64). ★★

12. 국회직 9급 입법자는 법률에서 구체적으로 범위를 정하기만 한다면 대통령령뿐만 아니라 부령에 입법사항을 위임할 수도 있다. (○)

2 과세요건과 징수절차 등 조세권행사의 요건과 절차는 법률로써 규정해야 하나 그 세부사항에 대하여는 위임입법이 가능하다. ★★

헌법 제38조, 제59조에서 채택하고 있는 조세법률주의의 원칙은 과세요건과 징수절차 등 조세권행사의 요건과 절차는 국민의 대표기관인 국회가 제정한 법률로써 규정하여야 한다는 것이나, 과세요건과 징수절차에 관한 사항을 명령·규칙 등 하위법령에 위임하여 규정하게 할 수 없는 것은 아니고, 이러한 사항을 하위법령에 위임하여 규정하게 하는 경우 구체적·개별적 위임만이 허용되며 포괄적·백지적 위임은 허용되지 아니하고(과세요건법정주의), 이러한 법률 또는 그 위임에 따른 명령·규칙의 규정은 일의적이고 명확하여야 한다(과세요건명확주의)는 것이다(대결 1994.9.30. 94부18).

07. 국가직 7급 과세요건과 징수절차에 대하여는 조세법률주의 원칙상 위임입법에 의한 규율이 허용되지 않는다. (×) → 된다

21. 국가직 9급 헌법에서 채택하고 있는 조세법률주의의 원칙상 과세요건과 징수절차에 관한 사항을 명령·규칙 등 하위법령에 구체적·개별적으로 위임하여 규정할 수 없다. (×) → 있다

ⓒ 처벌(벌칙)규정의 위임: 헌법상 죄형법정주의 원칙으로 인해 처벌규정을 법규명령에 위임하는 것은 원칙적으로 인정되지 않는다. 다만, 모법이 구성요건의 구체적인 기준과 처벌의 최고 한도를 정하고 그 범위 내에서 세부적인 사항을 법규명령에서 정하도록 위임하는 것은 허용된다.

함께 정리하기

국회전속적 입법사항
▷ 본질적 내용은 법률로 정하여야, 위임 不可
▷ 본질적 사항 아닌 세부사항은 위임 可

❶ 헌법 제23조
① 모든 국민의 재산권은 보장된다. 그 내용과 한계는 법률로 정한다.

❷ 헌법 제59조
조세의 종목과 세율은 법률로 정한다.

❸ 헌법 제117조
② 지방자치단체의 종류는 법률로 정한다.

❹
예�대, 헌법 제59조는 조세의 종목과 세율은 법률로 정하도록 위임하고 있다. 조세의 종목과 세율을 명령에 전적으로 위임하는 것은 헌법에 위반된다. 그러나 조세의 종목과 세율의 기본적인 사항은 법률로 정하고 구체적 내용은 법령에 위임할 수 있다.

입법사항을 총리령이나 부령에 위임여부
▷ 법률에서 구체적으로 범위를 정하면 可

과세요건·징수절차 등 조세권행사의 요건과 절차
▷ 세부사항에 대하여 구체적·개별적 위임 可

▷ 원칙
헌법상 죄형법정주의 원칙으로 형벌의 종류 및 상한과 폭은 법률로 정하여야 함
▷ 예외
모법이 구성요건의 구체적인 기준과 처벌의 상한 폭을 정하여 위임하는 것은 허용됨(죄형법정주의 원칙 위반×)

형벌규정의 위임
▷ 법률에서 구성요건을 예측할 수 있도록 구체적으로 정하고 형벌의 종류, 상한, 폭 등을 명확하게 규정하는 것을 전제로 허용

🎯 관련판례

1 **형벌규정의 위임은 구성요건을 예측할 수 있도록 구체적으로 정하고 형벌의 종류와 상한과 폭 등을 명확하게 규정하는 것을 전제로 위임입법이 허용된다.** ★★★

형벌법규에 대하여도 특히 긴급한 필요가 있거나 미리 법률로써 자세히 정할 수 없는 부득이한 사정이 있는 경우에 한하여(보충성의 원칙) 수권법률(위임법률)이 구성요건의 점에서는 처벌대상인 행위가 어떠한 것인지 이를 예측할 수 있을 정도로 구체적으로 정하고, 형벌의 점에서는 형벌의 종류 및 그 상한과 폭을 명확히 규정하는 것을 조건(전제)로 위임입법이 허용되며, 이러한 위임입법은 죄형법정주의에 반하지 않는다(헌재 1996.2.29. 94헌마213 ; 대판 2013.3.28. 2012도16383).

11. 지방직 7급 처벌규정의 위임은 죄형법정주의로 인하여 어떠한 경우에도 허용되지 않는다. (×) → 예외적으로 허용된다

14. 서울시 9급, 13. 지방직 7급 형사처벌에 관한 위임입법의 경우, 수권법률이 구성요건의 점에서는 처벌대상인 행위가 어떠한 것인지 이를 예측할 수 있을 정도로 구체적으로 정하고, 형벌의 점에서는 형벌의 종류 및 그 상한과 폭을 명확히 규정하는 것을 전제로 한다. (○)

19. 국가직 9급 특히 긴급한 필요가 있거나 미리 법률로 자세히 정할 수 없는 부득이한 사정이 있어 법률에 형벌의 종류·상한·폭을 명확히 규정하더라도, 행정형벌에 대한 위임입법은 허용되지 않는다. (×) → 한다면 / 허용된다

법률의 시행령이 형사처벌에 관한 사항을 규정하면서 법률의 명시적인 위임범위 벗어나 처벌대상 확장
▷ 위임입법한계 일탈
▷ 시행령 무효

2 **법률의 시행령이 형사처벌에 관한 사항을 규정하면서 법률의 명시적인 위임 범위를 벗어나 처벌의 대상을 확장하는 것은 위임입법의 한계를 벗어난 것으로서 무효이다.** ★★

법률의 시행령은 모법인 법률의 위임 없이 법률이 규정한 개인의 권리·의무에 관한 내용을 변경·보충하거나 법률에서 규정하지 아니한 새로운 내용을 규정할 수 없고, 특히 법률의 시행령이 형사처벌에 관한 사항을 규정하면서 법률의 명시적인 위임 범위를 벗어나 처벌의 대상을 확장하는 것은 죄형법정주의의 원칙에도 어긋나는 것이므로, 그러한 시행령은 위임입법의 한계를 벗어난 것으로서 무효이다(대판 2017.2.16. 2015도16014 전합).

22. 지방직 9급 법률의 시행령이 형사처벌에 관한 사항을 규정하면서 법률의 명시적인 위임 범위를 벗어나 처벌의 대상을 확장하는 것은 위임입법의 한계를 벗어난 것으로 그 시행령은 무효이다. (○)

17. 지방직 9급 법률의 시행령이 형사처벌에 관한 사항을 규정하면서 법률의 명시적인 위임 범위를 벗어나 처벌의 대상을 확장하는 것은 죄형법정주의의 원칙에도 어긋나는 것이므로, 그러한 시행령은 위임입법의 한계를 벗어난 것으로서 무효이다. (○)

원칙
▷ 전면적 재위임(백지위임)금지
예외
▷ 위임받은 사항에 관하여 대강을 정하고, 특정사항을 범위를 정한 재위임은 허용

ⓔ **위임입법권의 재위임**: 재위임이란 위임된 입법권을 다시 하위명령에 위임하는 것을 말하는데, 법률에서 위임받은 사항을 전혀 규정하지 않고 재위임하는 것(전면적 재위임)은 위임명령의 제정 형식에 관한 수권법의 내용을 변경하는 것이 되므로 허용되지 않는다(대판 2006.4.14. 2004두14793 등). 다만, 전면적 재위임이 아니고 위임받은 사항에 관하여 대강을 정한 다음 그 세부적인 사항을 하위명령에 재위임하는 것은 허용된다.

관련판례

재위임에 의한 부령의 경우에도 위임에 대한 대통령령에 가해지는 헌법상의 제한이 당연히 적용되므로 법률에서 위임받은 사항을 전혀 규정하지 아니하고 그대로 재위임하는 것은 허용되지 않으며, 위임받은 사항에 관하여 대강을 정하고 그 중의 특정사항을 범위를 정하여 하위법령에 다시 위임하는 경우에만 재위임이 허용된다. 이러한 법리는 조례가 지방자치법 제22조 단서에 따라 주민의 권리제한 또는 의무부과에 관한 사항을 법률로부터 위임받은 후, 이를 다시 지방자치단체장이 정하는 '규칙'이나 '고시' 등에 재위임하는 경우에도 마찬가지이다(대판 2015.1.15. 2013두14238 ; 헌재 1996.2.29. 94헌마213). ★★★

15. 변호사, 14. 국가직 9급, 12. 사복직, 10. 국가직 7급 법률에서 위임받은 사항을 전혀 규정하지 아니하고 그대로 재위임하는 것은 허용되지 않으며 위임받은 사항에 관하여 대강을 정하고 그 중의 특정사항을 범위를 정하여 하위법령에 다시 위임하는 경우에만 재위임이 허용된다. (O)

17. 국회직 8급 수권법령에 재위임을 허용하는 규정이 없더라도 위임받은 사항에 관하여 대강을 정하고 그 중의 특정사항을 범위를 정하여 하위법령에 재위임하는 것은 허용된다. (O)

21. 국가직 9급 법률에서 위임받은 사항에 관하여 대강을 정하고 그 중의 특정사항을 범위를 정하여 하위법령에 다시 위임하는 경우에는 재위임이 허용된다. 이러한 법리는 조례가 「지방자치법」에 따라 주민의 권리제한 또는 의무부과에 관한 사항을 법률로부터 위임받은 후, 이를 다시 지방자치단체장이 정하는 '규칙'이나 '고시' 등에 재위임하는 경우에도 마찬가지이다. (O)

18. 국가직 9급, 18. 행정사 법규명령이 법률에서 위임받은 사항에 관하여 대강을 정하고 그 중 특정사항을 범위를 정하여 하위법령에 다시 위임하는 것은 재위임 금지의 원칙에 따라 허용되지 않는다. (X) → 허용된다

② 위임명령자체의 제정상(내용상)한계

ⓒ 위임명령은 수권의 범위 내에서 제정되어야 한다. 수권의 범위를 일탈한 위임명령은 위법한 명령이 된다. 즉, 위임명령은 수권되지 않은 입법사항에 대하여 스스로 규정을 할 수 없고, 규정의 내용도 상위법령의 내용에 반하지 말아야 한다.

관련판례

1 위임명령이 위임내용을 구체화하는 단계를 벗어나 새로운 입법을 한 것으로 평가할 수 있다면 위임의 한계를 일탈한 것으로서 허용되지 않는다. ★★★

법률이 특정 사안과 관련하여 시행령에 위임을 한 경우 시행령이 위임의 한계를 준수하고 있는지를 판단할 때는 당해 법률 규정의 입법 목적과 규정 내용, 규정의 체계, 다른 규정과의 관계 등을 종합적으로 살펴야 한다. 법률의 위임 규정 자체가 그 의미 내용을 정확하게 알 수 있는 용어를 사용하여 위임의 한계를 분명히 하고 있는데도 시행령이 그 문언적 의미의 한계를 벗어났다든지, 위임 규정에서 사용하고 있는 용어의 의미를 넘어 그 범위를 확장하거나 축소함으로써 위임 내용을 구체화하는 단계를 벗어나 새로운 입법을 한 것으로 평가할 수 있다면, 이는 위임의 한계를 일탈한 것으로서 허용되지 않는다(대판 2012.12.20. 2011두30878 전합 ; 대판 2016.8.17. 2015두51132).

20. 소방직, 20. 5급 승진, 행정사 위임명령이 위임 내용을 구체화하는 단계를 벗어나 새로운 입법을 한 것으로 평가할 수 있다면, 이는 위임의 한계를 일탈한 것으로서 허용되지 않는다. (O)

17. 국가직 7급 법률의 위임 규정 자체가 그 의미 내용을 정확하게 알 수 있는 용어를 사용하여 위임의 한계를 분명히 하고 있는데도 시행령이 위임 규정에서 사용하고 있는 용어의 의미를 넘어 그 범위를 확장하거나 축소함으로써 위임 내용을 구체화하는 단계를 벗어나 새로운 입법을 한 것으로 평가할 수 있는 경우라도 이를 위임의 한계를 일탈한 것 보기는 어렵다. (X) → 있다면 / 한 것이다

위임받은 사항을 전혀 규정하지 않은 재위임
▷ 허용×

위임받은 조례가 규칙·고시에 재위임하는 경우
▷ 전면적 재위임금지의 법리 적용

내용상 한계
▷ 수권의 범위 내에서 제정되어야
▷ 상위법령(예 헌법, 법률, 상위 명령)에 위반하여서는 안 되며, 명확하고 실현 가능한 것이어야

위임내용을 구체화하는 단계를 벗어나 새로운 입법을 한 것으로 평가될 수 있는 경우
▷ 위임한계 일탈

법률의 시행령
▷ 법률에 의한 위임 없이 법률이 규정한 개인의 권리·의무에 관한 내용을 변경·보충하거나 새로운 내용을 규정할 수 없음

2 법률의 시행령은 법률에 의한 위임 없이 법률이 규정한 개인의 권리·의무에 관한 내용을 변경·보충하거나 법률에 규정되지 아니한 새로운 내용을 규정할 수는 없다. ★★★

법률의 시행령은 모법인 법률에 의하여 위임받은 사항이나 법률이 규정한 범위 내에서 법률을 현실적으로 집행하는 데 필요한 세부적인 사항만을 규정할 수 있을 뿐, 법률에 의한 위임이 없는 한 법률이 규정한 개인의 권리·의무에 관한 내용을 변경·보충하거나 법률에 규정되지 아니한 새로운 내용을 규정할 수는 없다 (대판 2020.9.3. 2016두32992 전합).

24. 국가직 9급 법률의 시행령은 모법인 법률에 의하여 위임받은 사항이나 법률이 규정한 범위 내에서 법률을 현실적으로 집행하는 데 필요한 세부적인 사항만을 규정할 수 있을 뿐, 법률에 의한 위임이 없는 한 법률이 규정한 개인의 권리·의무에 관한 내용을 변경·보충하거나 법률에 규정되지 아니한 새로운 내용을 규정할 수는 없다. (○)

모법의 위임범위를 확정하거나 하위 법령이 위임의 한계를 준수하고 있는지 판단할 때
▷ 의회유보의 원칙의 적용 영역인지 고려

3 특정 사안과 관련하여 법률에서 하위 법령에 위임을 한 경우, 모법의 위임범위를 확정하거나 하위 법령이 위임의 한계를 준수하고 있는지 판단할 때에는 의회유보의 원칙이 지켜져야 할 영역인지 여부 등을 종합적으로 고려하여야 한다. ★★

특정 사안과 관련하여 법률에서 하위 법령에 위임을 한 경우에 모법의 위임범위를 확정하거나 하위 법령이 위임의 한계를 준수하고 있는지 여부를 판단할 때에는, 하위 법령이 규정한 내용이 입법자가 형식적 법률로 스스로 규율하여야 하는 본질적 사항으로서 의회유보의 원칙이 지켜져야 할 영역인지 여부, 당해 법률 규정의 입법 목적과 규정 내용, 규정의 체계, 다른 규정과의 관계 등을 종합적으로 고려하여야 한다(대판 2015.8.20. 2012두23808 전합).

2. 집행명령의 근거와 한계

(1) 근거

집행명령
▷ 상위법령의 집행에 필요한 절차·형식에 관한 사항을 규정
▷ 상위법의 개별적·명시적인 수권(위임) 없어도 직권 발령 可(∵새로운 법규사항 포함×)

① 상위법령의 집행에 필요한 절차 및 형식에 관한 사항을 규정하는 집행명령은 새로운 법규사항을 포함하지 않기 때문에 위임명령과 달리 법률 또는 상위명령의 개별적·명시적인 수권이 없더라도 헌법 제75조와 제95조에 근거하여 직권으로 발할 수 있다.

20. 행정사, 12. 사복직 집행명령은 새로운 법규사항을 규정하지 않으므로 법령의 수권 없이 제정될 수 있다. (○)

20. 국가직 7급 집행명령은 상위법령의 집행을 위해 필요한 사항을 규정한 것으로 법규명령에 해당하지만 법률의 수권 없이 제정할 수 있다. (○)

18. 행정사, 15. 서울시 9급, 13. 국회직 8급 상위법령의 시행에 관하여 필요한 절차 및 형식에 관한 사항을 규정하는 집행명령은 상위법령의 명시적 수권이 없는 경우에도 발할 수 있다. (○)

11. 사복직 집행명령은 법률 또는 상위명령에서 정해진 대로 내용을 실현하기 위한 세칙규정이므로 법률 또는 상위명령의 개별수권 없이 발할 수 없다. (×) → 있다

발령근거 예시
▷ 어떤 법률의 말미에 "이 법의 시행에 필요한 사항은 대통령령으로 정한다."고 규정

② 어떤 법률의 말미에 "이 법의 시행에 필요한 사항은 대통령령으로 정한다."라고 규정하고 있으면, 이것은 법률의 시행에 필요한 집행명령을 발할 수 있음을 규정한 것에 지나지 아니하며 위임명령의 일반적 발령근거로 볼 수는 없다. 판례도 같은 취지이다(대판 1982.11.23. 82누221 전합).

17. 서울시 7급 어떤 법률의 말미에 "이 법의 시행에 필요한 사항은 대통령령으로 정한다."라고 하여 일반적 시행령 위임조항을 두었다면 이것은 위임명령의 일반적 발령근거로 작용한다. (×) → 집행명령을 발할 수 있음을 규정한 것에 지나지 아니한다

(2) 법적 성질

① 집행명령의 경우 법률의 위임이 없으므로 새로운 권리의무를 정할 수 없다는 점에서 법규명령에 해당하는지 여부가 문제되나, 집행명령은 제정에 대한 근거가 헌법에 직접 명시되어 있고(헌법 제75조 후단, 제95조 후단) 행정조직 내부와 관련된 사항을 규율하는 것이 아니라 법률을 집행하기 위하여 필요한 사항을 규율하고 있으므로 행정규칙으로 볼 것은 아니다.

② 판례는 해석명령도 집행명령의 일종이라고 할 수 있으므로 모법에 이에 관하여 직접 위임하는 규정을 두지 아니하였다 하더라도 이를 무효라고 볼 수는 없다고 판시한 바 있다.

(3) 한계

집행명령은 상위법령의 집행에 필요한 세칙을 정하는 범위 내에서만 가능하고, 새로운 국민의 권리·의무에 관한 사항(입법사항)은 정할 수 없다. 따라서 집행명령이 새로운 법규사항을 규정하였다면 그 집행명령은 위법한 명령이 되고 무효가 된다.

19. 지방직 9급 집행명령은 상위법령의 집행에 필요한 세칙을 정하는 범위 내에서만 가능하고 새로운 국민의 의무·권리를 정할 수 없다. (○)

11. 국회직 9급 집행명령은 법률 또는 상위법령을 집행하기 위하여 필요한 사항만을 정할 수 있으며 국민의 권리나 의무에 관한 새로운 법규사항을 창설하지 못한다. (○)

4 법규명령의 성립 · 효력발생요건

법규명령이 적법하게 성립하여 유효하게 효력을 발생하기 위해서는 다음의 요건을 충족하여야 한다.

1. 성립요건

(1) 주체에 관한 요건

법규명령은 대통령, 국무총리, 행정각부의 장, 중앙선거관리위원회 등 헌법과 법률에 의하여 수권을 받은 기관, 즉 정당한 권한을 가진 기관이 제정하여야 한다.

(2) 절차에 관한 요건

절차
▷ 대통령령: 법제처의 심사O, 국무회의 심의O
▷ 총리령, 부령: 법제처의 심사O, 국무회의 심의X

① 국무회의 심의와 법제처의 심사

㉠ 대통령령은 국무회의 심의(헌법 제89조 제3호)와 법제처의 심사를 거쳐야 하며(「정부조직법」 제23조 제1항) 총리령과 부령은 법제처의 심사를 거쳐야 한다(「정부조직법」 제23조 제1항).

23. 국가직 9급 총리령·부령의 제정절차는 대통령령의 경우와는 달리 국무회의 심의는 거치지 않아도 된다. (O)
17. 국가직 9급 대통령령을 제정하려면 국무회의의 심의와 법제처의 심사를 거쳐야 한다. (O)
18. 지방직 7급 국무회의에 상정될 총리령안과 부령안은 법제처의 심사를 받아야 한다. (O)

대통령령, 총리령, 부령 등을 제정 · 개정 · 폐지하려는 경우
▷ 입법예고(「행정절차법」 제41조)하여야 함

② 입법예고제도

㉠ 대통령령, 총리령 · 부령은 원칙적으로 입법예고를 거쳐야 한다. 「행정절차법」 제41조~제45조는 행정청이 법령 등을 제정 · 개정 또는 폐지하려는 경우에 따라야 할 행정상 입법예고제도에 대하여 규정하고 있다.

> **「행정절차법」 제41조 【행정상 입법예고】** ① 법령등을 제정 · 개정 또는 폐지(이하 "입법"이라 한다)하려는 경우에는 해당 입법안을 마련한 행정청은 이를 예고하여야 한다. 다만, 다음 각 호의 어느 하나에 해당하는 경우에는 예고를 하지 아니할 수 있다.
>
> 06. 국회직 8급 법규명령을 폐지하고자 할 때에는 법규명령을 제정하고자 할 때와 달리 별도의 행정상 입법예고를 할 필요는 없다. (X) → 마찬가지로 / 하여야 한다

㉡ 입법예고제도는 행정절차법상의 행정입법절차이다. 입법예고를 거치지 아니한 행정절차상의 하자에 대하여 최근의 주류적 판례는 취소사유로 본다.

입법예고(「행정절차법」 제41조) 누락한 시행규칙
▷ 무효X

> 🔎 **관련판례**
>
> **행정절차법 제41조에 의한 입법예고를 거치지 아니한 시행규칙을 무효인 법령으로 보지는 않는다. ★★**
>
> 1987.5.8. 대통령령 제12154호로 개정되어 1989.8.1. 대통령령 제12767호로 개정되기 전의 소득세법시행령 제115조 제3항이 조세법률주의의 원칙에 위배되는 무효의 규정이라고 볼 수 없고, 이와 같이 개정됨에 있어서 입법예고나 홍보가 없었다고 하여 그 조항이 신의성실의 원칙에 위배되는 무효인 규정이라고 볼 수도 없으므로 그 위임에 따라 제정된 소득세법시행규칙 제56조의5 제7항도 같은 시행령 제115조 제1항이나 제2항에 위배되는 무효인 규정이라고 볼 수 없다(대판 1990.6.8. 90누2420).
>
> 10. 국가직 9급 「행정절차법」 제41조에 의한 입법예고를 거치지 아니한 시행규칙은 무효인 법령으로 보는 것이 판례의 입장이다. (X) → 무효로 보지 않는 것이

③ **공청회**: 행정청은 입법안에 관하여 공청회를 개최할 수 있다(「행정절차법」 제45조 제1항).

(3) 형식에 관한 요건

법규명령은 조문·번호·일자 등의 형식을 갖추어 문서로 제정되어야 한다.

(4) 내용에 관한 요건

법규명령은 상위법령에 저촉될 수 없고(법률우위), 상위 법령에 그 근거가 있어야 하며(법률유보), 그 내용이 명확하고 실현가능한 것이어야 한다.

(5) 공포

법규명령은 그 내용을 외부(국민)에 표시함으로써 유효하게 성립한다. 이와 같이 대외적 표시절차를 공포라고 하는데 공포는 관보에 게재를 함으로써 한다.

> **「법령 등 공포에 관한 법률」 제11조 【공포 및 공고의 절차】** ① 헌법개정·법률·조약·대통령령·총리령 및 부령의 공포와 헌법개정안·예산 및 예산 외 국고부담계약의 공고는 관보(官報)에 게재함으로써 한다.

2. 효력발생요건

(1) 법규명령은 시행됨으로써 효력을 발생한다. 시행일이 정해져 있는 경우는 그날부터 효력을 발생하고, 시행일 정해지지 않은 경우에는 공포한 날로부터 20일이 경과함으로써 효력을 발생한다(헌법 제53조 제7항, 「법령 등의 공포에 관한 법률」 제13조).

(2) 다만, 국민의 권리제한 또는 의무부과와 직접 관련되는 법규명령은 긴급히 시행하여야 할 특별한 사유가 있는 경우를 제외하고는 공포일로부터 적어도 30일이 경과한 날부터 시행되도록 하여야 한다(「법령 등의 공포에 관한 법률」 제13조의2).

5 법규명령의 하자

1. 하자 있는 법규명령의 효력

법규명령이 위에서 살펴본 성립·효력요건을 갖추지 못한 때에는 하자있는 법규명령이 된다. 하자있는 법규명령의 효력에 관하여 학설상의 대립이 있으나, 통설은 법규명령에는 행정행위와 달리 공정력이 부여되지 않기 때문에 법규범 일반의 하자법리에 따라 하자 있는 법규명령은 무효에 해당한다고 본다. 판례 역시 하자 있는 법규명령은 무효라는 입장을 취하고 있다.

09. 국가직 7급 법규명령이 그 성립·발효요건을 갖추지 못한 때에는 하자 있는 것으로 된다. (○)
16. 교행 위법한 법규명령은 무효가 된다. (○)
17. 교행 위법한 법규명령은 ~~무효가 아니라 취소할 수 있다.~~ (×) → 무효가 된다

함께 정리하기

입법안에 관하여
▷ 공청회 개최 可(「행정절차법」 제45조)

형식
▷ 조문·번호·일자 등의 형식을 갖추어 제정되어야 됨

내용
▷ 법률우위·유보의 원칙을 준수하고 명확, 실현가능한 것이어야 함

공포
▷ 법규명령의 성립 및 효력 요건

법령의 효력발생시기
▷ 시행일이 정해져 있는 경우: 그날부터
▷ 시행일 정해지지 않은 경우: 공포한 날로부터 20일 경과한 날부터
▷ 국민의 권리제한·의무부과와 직접 관련되는 법규명령: 긴급히 시행하여야 할 특별한 사유가 있는 경우를 제외하고는 공포일로부터 적어도 30일이 경과한 날부터

하자 있는(성립·발효 요건 결여) 법규명령의 효력
▷ 무효

법률 또는 대통령령으로 규정할 사항을
부령으로 규정한 경우
▷ 무효

관련판례

법령상 대통령령으로 규정하도록 되어 있는 사항을 부령으로 정하면 그 부령은 무효이다. ★★

행정각부 장관이 부령으로 제정할 수 있는 범위는 법률 또는 대통령령이 위임한 사항이나 법률 또는 대통령령을 실시하기 위하여 필요한 사항에 한정되므로 법률 또는 대통령령으로 규정할 사항을 부령으로 규정하였다고 하면 그 부령은 무효임을 면치 못한다(대판 1962.1.25. 61다9).

18. 서울시 7급 법률이 대통령령으로 정하도록 규정한 사항을 부령으로 정했다면 그 부령은 무효이다. (O)

18. 교행 법령상 대통령령으로 규정하도록 되어 있는 사항을 부령으로 정하더라도 그 부령은 유효하다. (×) → 정하면 / 무효이다

2. 하자 있는 법규명령에 근거한 처분의 효력

(1) 하자 있는 법규명령에 근거하여 이루어진 처분은 위법하다. 다만, 법원의 판결이 선고되지 아니한 상태에서는 그 법규명령의 위헌·위법 여부가 객관적으로 명백한 것이라고 할 수 없으므로, 이러한 법규명령에 근거한 행정처분의 하자는 취소사유에 해당한다고 본다.

하자 있는 법규명령 근거한 처분의 효력
▷ 위법(취소사유)

관련판례

시행령이 헌법이나 법률에 위반된다는 사
정은 대법원 판결 전까지는 명백×
▷ 시행령에 근거한 처분의 하자: 취소사유

1 **시행령이 헌법이나 법률에 위반된다는 사정은 대법원의 판결이 선고되지 아니한 상태에서는 객관적으로 명백한 것이라 할 수 없으므로, 행정처분의 하자는 취소사유에 해당한다. ★★★**

일반적으로 시행령이 헌법이나 법률에 위반된다는 사정은 그 시행령의 규정을 위헌 또는 위법하여 무효라고 선언한 대법원의 판결이 선고되지 아니한 상태에서는 그 시행령 규정의 위헌 내지 위법 여부가 해석상 다툼의 여지가 없을 정도로 명백하였다고 인정되지 아니하는 이상 객관적으로 명백한 것이라 할 수 없으므로, 이러한 시행령에 근거한 행정처분의 하자는 취소사유에 해당할 뿐 무효사유가 되지 아니한다(대판 2007.6.14. 2004두619).

21. 국회직 8급, 15. 지방직 9급 시행령의 규정을 위헌 또는 위법하여 무효라고 선언한 대법원의 판결이 선고되지 아니한 상태에서는 그 시행령 규정의 위헌 내지 위법 여부가 해석상 다툼의 여지가 없을 정도로 명백하였다고 인정되지 아니하는 이상 그 시행령에 근거한 행정처분의 하자는 취소사유에 해당할 뿐 무효사유가 되지 아니한다. (O)

18. 국가직 9급, 18. 서울시 7급, 18. 소방직, 14. 서울시 9급 일반적으로 시행령이 헌법이나 법률에 위반된다는 사정은 그 시행령의 규정을 위헌 또는 위법 하여 무효라고 선언한 대법원의 판결이 선고되지 아니한 상태에서도 그 시행령 규정의 위헌 내지 위법 여부가 객관적으로 명백한 것이라 할 수 있으므로, 이러한 시행령에 근거한 행정처분의 하자는 취소사유에 해당할 뿐 무효사유에 해당한다. (×) → 에서는 / 없으므로 / 가 된다고 볼 수 없다

조례가 법률 등 상위법령에 위배된다는
사정은 대법원 판결 전까지는 명백×
▷ 조례에 근거한 행정처분의 하자: 취소
사유

2 **조례가 법률 등 상위법령에 위배된다는 사정은 그 조례를 무효라고 선언한 대법원의 판결이 선고되지 아니한 상태에서는 명백하다고 볼 수 없으므로 그 조례에 근거한 행정처분의 하자는 취소사유에 해당한다(대판 2009.10.29. 2007두26285). ★★**

22. 군무원 7급 일반적으로 조례가 법률 등 상위법령에 위배된다는 사정은 그 조례의 규정을 위법하여 무효라고 선언한 대법원의 판결이 선고되지 아니한 상태에서는 그 조례 규정의 위법여부가 해석상 다툼의 여지가 없을 정도로 명백하였다고 인정되지 아니하는 이상 객관적으로 명백한 것이라 할 수 없으므로, 이러한 조례에 근거한 행정처분의 하자는 취소사유에 해당할 뿐 무효사유가 된다고 볼 수는 없다. (O)

18. 국회직 8급 조례가 법률 등 상위법령에 위배되면 비록 그 조례를 무효라고 선언한 대법원의 판결이 선고되지 않았더라도 그 조례에 근거한 행정처분은 당연무효가 된다. (×) → 취소사유

(2) 그러나, 행정청이 대법원에 의하여 위법으로 확인된 시행령을 적용하여 새로운 행정처분을 한 경우, 그 행정처분은 그 위법 여부가 객관적으로 명백하므로 당연 무효에 해당한다.

14. 지방직 7급 행정기관이 대법원에 의해 위법으로 판단된 시행령을 적용하여 행정처분을 한 경우, 그 행정처분은 취소할 수 있는 처분에 해당한다. (✕) → 당연무효에

6 법규명령의 소멸

1. 법규명령의 폐지

(1) 직접적 폐지(명시적 폐지)

행정청이 폐지하려는 법규명령과 동위(동일한 형식의 법규명령) 또는 상위의 법령에서 명시적으로 폐지의 의사표시를 하는 경우 해당 법규명령은 소멸된다(예 A법률 시행령의 폐지령을 제정).

(2) 간접적 폐지(묵시적 폐지)

법규명령은 해당 법규명령과 내용상 충돌되는 동위 또는 상위의 법령이 나중에 제정되는 경우에는 신법·상위법 우선의 원칙에 따라 종전의 명령은 동위 또는 상위 법령과 저촉되는 한도 내에서 소멸한다.

06. 국회직 8급 법규명령은 명시적인 방법 외에도 묵시적으로도 폐지될 수 있다. (○)

2. 법규명령의 실효

(1) 종기의 도래 또는 해제조건의 성취

시행기간 또는 해제조건이 붙은 법규명령은 종기의 도래 또는 해제조건의 성취에 의하여 각각 소멸한다.

(2) 근거법령의 소멸 등

① 근거법령의 소멸

㉠ 법규명령은 상위의 법령에 근거하여 발하여지는 것이므로, 특별한 규정이 없는 한 근거법령이 폐지·개정되어 소멸된 경우에는 법규명령도 소멸함이 원칙이다(예 A법률이 폐지되면 A법률에 근거한 A법률 시행령도 폐지된다).

07. 국회직 8급 위임명령은 상위법령의 폐지에 의해 소멸된다. (○)

㉡ 또한 법규명령의 위임근거가 되는 법률에 대하여 위헌결정이 선고되면 그 위임에 근거하여 제정된 법규명령도 원칙적으로 효력을 상실한다(대판 2001.6.12. 2000다18547 ; 대판 1998.4.10. 96다52359).

22. 변호사, 20. 군무원 7급, 19. 5급 승진, 18. 행정사, 14. 지방직 7급, 13. 서울시 7급 등 법규명령의 위임근거가 되는 법률에 대하여 위헌결정이 선고되면 그 위임에 근거하여 제정된 법규명령도 원칙적으로 효력을 상실한다. (○)

21. 지방직 9급, 08 지방직 7급(하) 법규명령의 위임근거가 되는 법률에 대하여 위헌결정이 선고되더라도 그 위임에 근거하여 제정된 법규명령은 별도의 폐지행위가 있어야 효력을 상실한다. (✕) → 되면 / 도 별도의 폐지행위가 없어도 원칙적으로

대법원이 무효확인한 시행령을 근거로 처분
▷ 당연무효

직접적 폐지
▷ 동위·상위법령에서 명시적으로 폐지의 의사표시를 하는 것

간접적 폐지
▷ 동위·상위법령에서 해당 법규명령과 충돌되는 내용을 규정하는 것

종기 또는 해제조건이 붙은 법규명령
▷ 종기의 도래 또는 해제조건의 성취로 인하여 소멸

법규명령의 근거법령이 폐지·개정되어 소멸된 경우
▷ 법규명령도 소멸

법규명령의 위임근거가 되는 법률의 위헌결정
▷ 위임에 근거하여 제정된 법규명령도 별도의 폐지행위 없이 실효

함께 정리하기

집행명령의 근거법령이 단순히 개정됨에 그친 경우
▷ 새로운 집행명령이 제정, 발효될 때까지 여전히 효력 유지○

집행명령
▷ 상위법령 폐지: 당연실효○
▷ 상위법령 개정: 당연실효×

② 상위법령이 개정된 경우 종전 집행명령의 효력 유무: 다만, 집행명령의 경우 상위법령이 폐지된 것이 아니라 단순히 근거법령이 개정됨에 그친 경우에는 개정법령의 시행을 위한 새로운 집행명령이 제정, 발효될 때까지는 여전히 그 효력을 가진다.

> **🔨 관련판례**
>
> **상위법령이 폐지되면 특별한 규정이 없는 이상 집행명령은 실효되고, 근거법령이 개정됨에 그친 경우에는 집행명령은 여전히 효력을 유지한다. ★★★**
>
> 상위법령의 시행에 필요한 세부적 사항을 정하기 위하여 행정관청이 일반적 직권에 의하여 제정하는 이른바 집행명령은 근거법령인 상위법령이 폐지되면 특별한 규정이 없는 이상 실효되는 것이나, 상위법령이 개정됨에 그친 경우에는 개정법령과 성질상 모순, 저촉되지 아니하고 개정된 상위법령의 시행에 필요한 사항을 규정하고 있는 이상 그 집행명령은 상위법령의 개정에도 불구하고 당연히 실효되지 아니하고 개정법령의 시행을 위한 집행명령이 제정, 발효될 때까지는 여전히 그 효력을 유지한다(대판 1989.9.12. 88누6962).
>
> 11. 국회직 8급, 10. 서울시 9급 상위법령의 시행의 필요한 세부적 사항을 정하기 위하여 행정관청이 일반적으로 직권에 의하여 제정하는 이른바 집행명령은 근거법령인 상위법령이 폐지되면 특별한 규정이 없는 한 실효된다. (○)
>
> 20. 5급 승진, 19. 지방직 9급, 17. 국회직 8급, 17. 5급 승진 상위법령이 개정됨에 그친 경우에는 개정법령과 성질상 모순, 저촉되지 아니하고 개정된 상위법령의 시행에 필요한 사항을 규정하고 있는 이상 그 집행명령은 상위법령의 개정에도 불구하고 당연히 실효되지 아니하고 개정법령의 시행을 위한 집행명령이 제정, 발효될 때까지는 여전히 그 효력을 유지한다. (○)
>
> 15. 경찰 1차 근거법령인 상위법령이 개정됨에 그친 경우 개정법령의 시행을 위한 집행명령이 제정·발효될 때까지 여전히 그 효력을 유지하는 것은 아니다. (×) → 할 수 있다

7 법규명령의 통제

1. 입법적 통제(국회에 의한 통제)

(1) 직접적 통제

국회는 법률을 개정하여 법규명령의 제정에 관한 수권을 제한하거나, 법규명령의 내용과 저촉되는 법률을 제정하는 방법으로 법규명령을 통제할 수 있다. 또한, 법규명령에 대한 의회제출제도(「국회법」 제98조의2)와 승인권 유보제도(헌법 제76조)도 국회에 의한 직접적 통제수단의 일종이다.

08. 지방직 7급 국회는 「국회법」상 제출제도를 통하여 행정입법에 대한 통제를 할 수 있다. (○)

① 의회제출제도(행정입법의 의회에의 제출절차)

ㄱ 개념: 행정입법의 의회에의 제출절차라 함은 행정입법이 수권의 범위를 이탈했는지, 또는 행정입법이 법률을 위반하지는 않았는지를 감시하고 위법하게 제정된 행정입법을 통제하기 위하여 행정입법을 의회에 제출하도록 하는 제도이다.

ㄴ 내용

ⓐ 「국회법」 제98조의2는 행정입법 제출(행정규칙 포함) 및 위법통보(행정규칙 제외) 및 처리결과제출 제도를 규정하고 있다. 또한, 「행정절차법」 제42조 제2항은 대통령에 대한 국회의 적절한 통제수단을 확보하기 위하여 행정청이 입법예고하는 경우에는 대통령령은 국회 소관 상임위원회에 제출하도록 규정하고 있다.

「국회법」 제98조의2【대통령령 등의 제출 등】 ① 중앙행정기관의 장은 법률에서 위임한 사항이나 법률을 집행하기 위하여 필요한 사항을 규정한 대통령령·총리령·부령·훈령·예규·고시 등이 제정·개정 또는 폐지되었을 때에는 10일 이내에 이를 국회 소관 상임위원회에 제출하여야 한다. 다만, 대통령령의 경우에는 입법예고를 할 때(입법예고를 생략하는 경우에는 법제처장에게 심사를 요청할 때를 말한다)에도 그 입법예고안을 10일 이내에 제출하여야 한다.

18. 경찰 2차 「국회법」에 의하면 중앙행정기관의 장은 법률에서 위임한 사항이나 법률을 집행하기 위하여 필요한 사항을 규정한 대통령령·총리령·부령·훈령·예규·고시 등이 제정·개정 또는 폐지되었을 때에는 10일 이내에 이를 국회 소관 상임위원회에 제출하여야 한다. (○)

18. 경찰 2차 「국회법」에 의하면 대통령령의 경우에는 입법예고를 할 때(입법예고를 생략하는 경우에는 법제처장에게 심사를 요청할 때를 말한다)에도 그 입법예고안을 10일 이내에 이를 국회 소관 상임위원회에 제출하여야 한다. (○)

12. 국회직 8급 중앙행정기관의 장은 법률에서 위임한 사항이나 법률을 집행하기 위하여 필요한 사항을 규정한 대통령령·총리령·부령 등이 제정 또는 개정된 때에는 ~~14일~~ 이내에 이를 국회에 송부하여 국회에 의한 통제를 받게 된다. (×) → 10일

「행정절차법」 제42조【예고방법】 ② 행정청은 대통령령을 입법예고하는 경우 국회 소관 상임위원회에 이를 제출하여야 한다.

19. 서울시 7급 행정청은 대통령령을 입법예고할 경우에는 국회 소관 상임위원회에 이를 제출하여야 한다. (○)

ⓑ 현행법은 대통령령, 총리령, 부령과 같은 법규명령은 국회가 직접 통제해서 위법한 경우 이를 소관 중앙행정기관의 장에게 통보하도록 하고 있으나(「국회법」 제98조의2 제7항), 훈령·예규·고시인 행정규칙에 대해서는 국회의 직접적 통제수단을 규정하고 있지 않다.

「국회법」 제98조의2【대통령령 등의 제출 등】 ③ 상임위원회는 위원회 또는 상설소위원회를 정기적으로 개회하여 그 소관 중앙행정기관이 제출한 대통령령·총리령 및 부령(이하 이 조에서 "대통령령등"이라 한다)의 법률 위반 여부 등을 검토하여야 한다.
④ 상임위원회는 제3항에 따른 검토 결과 대통령령 또는 총리령이 법률의 취지 또는 내용에 합치되지 아니한다고 판단되는 경우에는 검토의 경과와 처리 의견 등을 기재한 검토결과보고서를 의장에게 제출하여야 한다.
⑤ 의장은 제4항에 따라 제출된 검토결과보고서를 본회의에 보고하고, 국회는 본회의 의결로 이를 처리하고 정부에 송부한다.
⑥ 정부는 제5항에 따라 송부받은 검토결과에 대한 처리 여부를 검토하고 그 처리결과(송부받은 검토결과에 따르지 못하는 경우 그 사유를 포함한다)를 국회에 제출하여야 한다.
⑦ 상임위원회는 제3항에 따른 검토 결과 부령이 법률의 취지 또는 내용에 합치되지 아니한다고 판단되는 경우에는 소관 중앙행정기관의 장에게 그 내용을 통보할 수 있다.
⑧ 제7항에 따라 검토내용을 통보받은 중앙행정기관의 장은 통보받은 내용에 대한 처리 계획과 그 결과를 지체 없이 소관 상임위원회에 보고하여야 한다.

17. 행정사 법규명령에 대하여는 국회도 직접적으로 통제할 수 있는 방법이 있다. (○)

12. 서울시 9급 현행법은 국회의 행정규칙에 관한 심사라는 직접적 통제수단을 갖고 있지 않다. (○)

행정입법 제출제도
▷ 중앙행정기관의 장은 법규명령 등의 제정·개정·폐지 시 10일 내 국회 소관상임위에 제출

대통령령 입법예고
▷ 입법예고안 10일 이내에 제출

국회에 의한 행정입법 통제
▷ 법규명령에 대한 직접적 통제○
▷ 행정규칙에 대한 직접적 통제×

국회의 동의·승인
▷ 명령에 대한 국회의 동의·승인권 인정×
▷ 다만, 긴급재정·경제명령이나 긴급명령에 대한 승인제도 인정○

② 의회의 동의 또는 승인권 유보제도
  ㉠ **개념**: 의회의 동의 또는 승인권의 유보라 함은 행정부가 명령을 제정·개정할 때 사전에 국회의 동의 또는 승인을 받도록 하거나 국회가 사후에 명령을 승인해야 명령이 효력을 가지게 되도록 하는 제도이다.
  ㉡ **내용**: 우리나라에서는 명령에 대한 국회의 동의·승인권은 인정되지 않는다. 다만, 긴급명령, 긴급재정경제명령은 국회의 승인을 받도록 규정하고 있다 (헌법 제76조).

> **헌법 제76조** ③ 대통령은 제1항과 제2항의 처분 또는 명령을 한 때에는 지체없이 국회에 보고하여 그 승인을 얻어야 한다.
> ④ 제3항의 승인을 얻지 못한 때에는 그 처분 또는 명령은 그때부터 효력을 상실한다. 이 경우 그 명령에 의하여 개정 또는 폐지되었던 법률은 그 명령이 승인을 얻지 못한 때부터 당연히 효력을 회복한다.
> 13. 국회직 8급 긴급명령이나 긴급재정·경제명령은 지체 없이 국회의 승인을 받아야 하며 승인을 얻지 못한 때에는 그 명령은 그때부터 효력을 상실한다. (○)

의회의 간접적 통제
▷ 국정조사·감사, 국무총리 등에 대한 질문, 국무총리·국무위원 해임건의, 대통령 등에 대한 탄핵소추 등

(2) 간접적 통제

국회는 법규명령의 제정과정에 직접적인 관여를 하지 못하고, 국회가 행정부에 대해 가지는 국정감시권을 통하여 간접적으로 법규명령의 적법·타당성을 통제할 수 있다. 그 수단으로는 국회의 국정감사·조사(헌법 제61조), 국무총리 등에 대한 질문권(헌법 제62조), 국무총리 또는 국무위원에 대한 해임건의권(헌법 제63조), 대통령 등에 대한 탄핵소추권(헌법 제65조) 등을 이용할 수 있다.

12. 국회직 8급 국회는 국정감사 또는 조사권, 국무총리 등에 대한 질문권, 국무총리 또는 국무위원에 대한 해임건의권, 대통령에 대한 탄핵소추권 등을 행사하여 위법·부당한 행정입법을 간접적으로 통제할 수 있다. (○)

2. 사법적 통제

(1) 법원에 의한 통제

법원에 의한 행정입법의 통제로는 구체적 규범통제(간접적 통제)와 항고소송(직접적 통제)이 있다.

① **구체적 규범통제(간접적·부수적 통제)**
  ㉠ **의의**

❶ 추상적 규범통제
추상적 규범통제란 구체적인 소송사건과 관계없이 법규명령 등 규범의 위헌·위법성 그 자체를 소송의 대상으로 삼아 다투는 것을 말한다(예 「건축법 시행령」 제A조가 위법한 경우에 甲이 법규명령인 「건축법 시행령」 제A조의 무효확인을 구하는 소송이 추상적 규범통제에 해당한다).

법원에 의한 행정입법 통제
▷ 추상적 규범통제×, 구체적 규범통제(재판의 전제성 要)○

❷
다만, 「지방자치법」 제120조 제3항 및 제192조 제3항·제4항에서 위법한 조례안에 대한 지방자치단체장 또는 감독기관의 제소에 대하여 사전적인 추상적 규범통제가 예외적으로 인정되고 있다.

  ⓐ 구체적 규범통제란 법규명령 그 자체를 직접 소송의 대상으로 하는 것(추상적 규범통제❶)이 아니라, 구체적인 소송사건에서 어떤 법규명령의 위헌·위법 여부가 재판의 전제가 되는 경우, 즉 '선결문제'가 된 경우에 그 소송사건을 심사하기 위해 해당 법규명령의 위헌·위법여부를 심사하는 것을 말한다(예 동작구청장이 「건축법 시행령」 제A조를 근거로 하여 甲이 신청한 건축허가를 거부한 경우에, 甲이 「건축법 시행령」 제A조의 위법을 이유로 건축허가거부처분의 취소를 구하는 소송이 구체적 규범통제에 해당한다).
  ⓑ 우리 헌법 제107조 제2항은 "명령·규칙 또는 처분이 헌법이나 법률에 위반되는 여부가 재판의 전제가 된 경우에는 대법원은 이를 최종적으로 심사할 권한을 가진다."라고 규정함으로써 구체적 규범통제제도를 원칙으로 하고 있다.❷

헌법 제107조 ① 법률이 헌법에 위반되는 여부가 <u>재판의 전제가 된 경우</u>에는 법원은 헌법재판소에 제청하여 그 심판에 의하여 재판한다.

② <u>명령·규칙 또는 처분이 헌법이나 법률에 위반되는 여부가 <u>재판의 전제가 된 경우</u>에는 대법원은 이를 최종적으로 심사할 권한을 가진다.

18. 소방직 헌법은 대법원이 명령에 대한 심사권한이 있음을 직접 규정하고 있다. (○)

12. 지방직 9급 법규명령에 대한 사법적 통제로 우리나라는 구체적 규범통제를 원칙으로 하고 있다. (○)

16. 행정사, 14. 경찰 2차, 11. 국회직 8급 명령·규칙 또는 처분이 헌법이나 법률에 위반되는 여부가 재판의 전제가 된 경우에는 대법원은 이를 최종적으로 심사할 권한을 가진다. (○)

16. 국회직 8급, 12. 국가직 9급, 09. 국가직 9급 법원에 의한 명령·규칙의 위헌·위법심사는 그 위헌 또는 위법의 여부가 재판에 전제가 된 경우 비로소 가능하다. (○)

🔨 관련판례

1 당사자는 행정입법 자체의 합법성 심사를 목적으로 하는 독립한 신청을 제기할 수는 없다. ★★

헌법 제107조 제2항의 규정에 따르면 행정입법의 심사는 일반적인 재판절차에 의하여 구체적 규범통제의 방법에 의하도록 명시하고 있으므로, 당사자는 <u>구체적 사건의 심판을 위한 선결문제로서 행정입법의 위법성을 주장하여 법원에 대하여 당해 사건에 대한 적용 여부의 판단을 구할 수 있을 뿐 행정입법 자체의 합법성의 심사를 목적으로 하는 독립한 신청을 제기할 수는 없다</u>(대결 1994.4.26. 93부32).

24. 국가직 9급 헌법 제107조 제2항은 구체적 규범통제를 규정하고 있기 때문에 당사자는 구체적 사건의 심판을 위한 선결문제로서 행정입법의 위법성을 주장하여 법원에 대하여 당해 사건에 대한 적용 여부의 판단을 구할 수 있다. (○)

18. 국회직 8급 헌법 제107조 제2항의 규정에 따르면 행정입법의 심사는 일반적인 재판절차에 의하여 구체적 규범통제의 방법에 의하도록 하고 있으므로, 원칙적으로 당사자는 구체적 사건의 심판을 위한 선결문제로서 행정입법의 위법성을 주장하여 법원에 대하여 당해 사건에 대한 적용 여부의 판단을 구할 수 있을 뿐 행정입법 자체의 합법성의 심사를 목적으로 하는 독립한 신청을 제기할 수는 없다. (○)

2 법원이 구체적 규범통제를 통해 위헌·위법으로 선언할 심판대상은 원칙적으로 해당규정 중 재판의 전제성이 인정되는 조항에 한정된다. ★★★

법원이 법률 하위의 법규명령, 규칙, 조례, 행정규칙 등(이하 '규정'이라 한다)이 위헌·위법인지를 심사하려면 그것이 '재판의 전제'가 되어야 한다. 여기에서 '<u>재판의 전제'란 구체적 사건이 법원에 계속 중이어야 하고, 위헌·위법인지가 문제된 경우에는 규정의 특정 조항이 해당 소송사건의 재판에 적용되는 것이어야 하며, 그 조항이 위헌·위법인지에 따라 그 사건을 담당하는 법원이 다른 판단을 하게 되는 경우를 말한다.</u> 따라서 법원이 구체적 규범통제를 통해 위헌·위법으로 선언할 심판대상은, 해당 규정의 전부가 불가분적으로 결합되어 있어 일부를 무효로 하는 경우 나머지 부분이 유지될 수 없는 결과를 가져오는 특별한 사정이 없는 한, <u>원칙적으로 해당 규정 중 재판의 전제성이 인정되는 조항에 한정된다</u>(대판 2019.6.13. 2017두33985).

23. 국가직 7급 법원이 법률 하위의 법규명령이 위헌·위법인지를 심사하려면 그것이 재판의 전제가 되어야 하는데, 여기에서 재판의 전제란 구체적 사건이 법원에 계속 중이어야 하고, 위헌·위법인지가 문제 된 경우에는 그 법규명령의 특정 조항이 해당 소송사건의 재판에 적용되는 것이어야 하며, 그 조항이 위헌·위법인지에 따라 그 사건을 담당하는 법원이 다른 판단을 하게 되는 경우를 말한다. (○)

ⓒ 구체적 규범통제는 명령·규칙이 헌법이나 법률에 위반되는 여부가 재판의 전제가 된 경우에 명령·규칙을 통제하는 것이므로 간접적 통제방법에 해당한다.

ⓛ **통제의 주체**: 법규명령이 헌법이나 법률에 위반되는지 여부에 관한 심사권은 원칙적으로 각급 법원의 관할이다. 대법원은 최종적으로 심사할 권한을 갖는다.

23. 지방직 9급 대법원 이외의 각급법원도 구체적 규범통제의 방법으로 법규명령 조항에 대한 위헌·위법 판단을 할 수 있다. (○)

17. 행정사 법규명령에 대한 구체적 규범통제의 최종적 심사권은 헌법재판소에 전속한다. (×) → 대법원

ⓒ **통제의 대상**

ⓐ 헌법 제107조 제2항의 구체적 규범통제의 대상은 명령과 규칙이다. 명령이란 법규명령을 의미하며 위임명령과 집행명령 모두 통제의 대상이 된다. 규칙이란 대법원규칙, 국회규칙, 헌법재판소규칙, 중앙선거관리위원회규칙 등 법규명령인 규칙을 의미한다. 판례는 헌법 제107조 제2항의 '명령·규칙'에는 자치법규인 지방자치단체의 조례와 규칙도 포함된다고 본다(대판 1995.8.22. 94누5694 전합).

18. 행정사 법규명령은 원칙적으로 구체적 규범통제의 대상이 된다. (○)

23. 지방직 9급 중앙선거관리위원회규칙은 법규명령이므로 구체적 규범통제의 대상이 될 수 있다. (○)

19. 경찰 2차, 19. 변호사 헌법 제107조 제2항은 "명령·규칙 또는 처분이 헌법이나 법률에 위반되는 여부가 재판의 전제가 된 경우에는 대법원은 이를 최종적으로 심사할 권한을 가진다."라고 규정하고 있는데, 이때 규칙에는 지방자치단체의 조례와 규칙도 포함된다. (○)

ⓑ 법규성이 없는 행정규칙은 구체적 규범통제의 대상이 아니다(대판 1990.2.27. 88재누55). 그러나 형식상 행정규칙이라도 법규성을 가지는 법령보충적 행정규칙은 대상이 될 수 있다.

19. 경찰 2차 법령보충적 행정규칙은 헌법 제107조의 구체적 규범통제 대상이 되지만, 법규성이 없는 행정규칙은 헌법 제107조의 통제대상이 되지 않는다. (○)

ⓔ **통제의 효력**

ⓐ 헌법 제107조에 따른 구체적 규범통제의 결과 처분의 근거가 된 명령이 위법하다는 대법원의 판결이 있는 경우에 당해 명령은 효력을 상실하는 것으로 보는 견해도 있으나, 일반적인 견해는 당해 규정은 당해 사건에 한하여 적용이 배제될 뿐, 그 행정입법이 법령개정절차에 의해 폐지되지 않는 한 형식적으로는 여전히 유효하게 남아 있게 된다고 본다(개별적 효력).

20. 행정사 행정입법이 대법원에 의하여 위법하다는 판정이 있더라도 일반적으로 그 효력이 상실되는 것은 아니다. (○)

19. 경찰 헌법 제107조에 따른 구체적 규범통제의 결과 처분의 근거가 된 명령이 위법하다는 대법원의 판결이 난 경우, 그 명령은 당해 사건에 한하여 적용되지 않는 것이 아니라 일반적으로 효력이 상실된다. (×) → 적용이 배제될 뿐 / 되는 것이 아니다

구체적 규범통제
▷ 간접적 통제방법에 해당

통제주체
▷ 각급법원(대법원은 최종심사)

통제대상
▷ (법규)명령, 대법원규칙, 국회규칙 등 법규명령인 규칙, 조례·규칙○
▷ 단순한 행정규칙×, 법령보충적 행정규칙○

명령이 위법하다는 대법원의 판결이 있는 경우
▷ 당해 사건에서만 적용배제(개별적 효력○, 일반적 효력×)

19. 군무원 9급 대법원은 구체적 규범통제를 행하면서 법규명령의 특정 조항이 위헌·위법인 경우 무효라고 판시하며, 이 경우 무효로 판시된 당해 조항은 일반적으로 효력이 부인된다. (×) → 당해 사건에 한하여 적용이 배제된다

ⓑ 「행정소송법」은 대법원 판결에 의하여 명령·규칙이 헌법 또는 법률이 위반된다는 것이 확정된 경우 대법원은 지체 없이 그 사유를 행정안전부장관에게 통보하여야 하며, 그 통보를 받은 행정안전부장관은 지체 없이 이를 관보에 게재할 것을 규정하고 있다(「행정소송법」 제6조).

> **「행정소송법」 제6조 【명령·규칙의 위헌판결등 공고】** ① 행정소송에 대한 대법원 판결에 의하여 명령·규칙이 헌법 또는 법률에 위반된다는 것이 확정된 경우에는 대법원은 지체없이 그 사유를 행정안전부장관에게 통보하여야 한다.
> ② 제1항의 규정에 의한 통보를 받은 행정안전부장관은 지체없이 이를 관보에 게재하여야 한다.

21. 소방간부 행정소송에 대한 대법원판결에 의하여 대통령령이 법률에 위반된다는 것이 확정된 경우에는 대법원은 지체 없이 그 사유를 행정안전부장관에게 통보하여야 한다. (○)

18. 소방직 명령 등이 헌법이나 법률에 위반되어 대법원에서 무효라고 선언하여도 당해 사건에만 적용이 배제될 뿐 형식적으로는 존재하므로 판결확정 후 대법원은 행정안전부장관에게 통보하도록 하고 있다. (○)

22. 행정사, 17. 경찰 2차 행정소송법 제6조에 의하면 행정소송에 대한 대법원판결에 의하여 명령·규칙이 헌법 또는 법률에 위반된다는 것이 확정된 경우에는 대법원은 지체 없이 그 사유를 법무부장관에게 통보하여야 한다. (×) → 행정안전부장관

19. 국가직 9급, 19. 변호사, 16. 국가직 7급, 16. 변호사, 16. 행정사, 11. 국회 8급 행정소송에 대한 대법원 판결에 의하여 명령·규칙이 헌법 또는 법률에 위반된다는 것이 확정된 경우, 대법원은 지체 없이 그 사유를 해당 법령의 소관부처의 장에게 통보하여야 한다. (×) → 행정안전부장관

② 처분적 법규명령에 대한 항고소송(직접적 통제)

㉠ 법규명령이 취소소송의 대상이 될 수 있는지 여부에 관하여 학설상 논란이 되고 있으나, 통설은 일반적·추상적인 법규명령은 처분성을 갖고 있지 않기 때문에 취소소송의 대상이 될 수가 없다고 본다. 판례도 같은 입장이다 (대판 1979.4.24. 78누242).

> **🔨 관련판례**
>
> **일반적 추상적인 법령 그 자체로서 국민의 구체적인 권리의무에 직접적인 변동을 초래하는 것이 아닌 것은 취소소송의 대상이 될 수 없다. ★★**
>
> 행정소송의 대상이 될 수 있는 것은 구체적인 권리의무에 관한 분쟁이어야 하고 일반적 추상적인 법령 그 자체로서 국민의 구체적인 권리의무에 직접적인 변동을 초래하는 것이 아닌 것은 그 대상이 될 수 없으므로 구체적인 권리의무에 관한 분쟁을 떠나서 재무부령(일반적·추상적 법령) 자체의 무효확인을 구하는 청구는 행정소송의 대상이 아닌 사항에 대한 것으로서 부적법하다(대판 1987.3.24. 86누656).
>
> 17. 행정사 일반적·추상적인 법령이나 규칙은 항고소송의 대상이 될 수 없다. (○)
>
> 15. 지방직 9급 일반적·추상적인 법령 그 자체로서 국민의 구체적인 권리의무에 직접적인 변동을 초래하는 것이 아닌 것은 취소소송의 대상이 될 수 없다. (○)

㉡ 그러나, 행정청의 별도의 집행행위 없이도 국민의 권리·의무를 직접적으로 규율하는 처분적 법규명령은 그 실질이 처분이므로 예외적으로 항고소송의 대상이 될 수가 있다고 보는 것이 통설과 판례의 태도이다.

23. 지방직 9급 처분적 법규명령은 무효등 확인소송 또는 취소소송의 대상이 된다. (○)

함께 정리하기

명령·규칙이 헌법 또는 법률에 위반시
▷ 대법원은 행정안전부장관에 통보하고, 행정안전부장관은 관보에 게재

일반적·추상적인 법령이나 규칙
▷ 항고소송의 대상×

법규명령에 대한 항고소송
▷ 원칙: 부정
▷ 처분적 법규명령: 긍정

18. 국가직 9급 법규명령이 구체적인 집행행위 없이 직접 개인의 권리의무에 영향을 주는 경우 처분성이 인정된다. (O)

09. 지방직 9급 법령은 그 자체가 직접 국민의 권리·의무를 침해하는 경우에도 행정소송의 대상이 되지 아니한다. (×) → 에는 / 된다

조례 자체로 직접 법률상 효과 발생하는 처분적 조례
▷ 처분○

관련판례

(경기도 가평군 가평읍 상색초등학교 두밀분교의 폐지 등을 내용으로 하여 피고 경기도 의회가 의결한 경기도립학교설치조례 중 개정조례의 무효확인을 구한 두밀분교 폐지조례사건에서) **조례가 집행행위의 개입 없이도 그 자체로서 직접 국민의 구체적인 권리의무나 법적 이익에 영향을 미치는 등의 법률상 효과를 발생하는 경우 그 조례는 항고소송의 대상이 되는 행정처분에 해당한다**(대판 1996.9.20. 95누8003). ★★★

22. 국회직 9급, 22. 소방직, 21. 소방직, 20. 군무원 9급, 20. 국회직 9급 등 조례가 집행행위의 개입 없이도 그 자체로서 직접 국민의 구체적인 권리의무나 법적 이익에 영향을 미치는 등의 법률상 효과를 발생하는 경우 그 조례는 항고소송의 대상이 되는 행정처분에 해당한다. (O)

18. 소방직 처분은 행정청이 행한 구체적 사실에 관한 법집행행위이므로 일반적·추상적 행위는 처분이 아니나, 그 효력이 다른 집행행위의 매개 없이 그 자체로서 직접 국민의 구체적인 권리와 의무나 법률관계를 규율하는 성격을 가지는 처분법규는 처분이 된다. (O)

13. 서울시 7급 판례는 조례가 집행행위의 개입 없이도 그 자체로서 직접 국민의 구체적인 권리의무나 법적 이익에 영향을 미치는 등의 법률상 효과를 발생하는 경우에도 그 조례는 항고소송의 대상이 되는 행정처분이 아니라고 하였다. (×) → 에 해당한다고 하였다

재판의 전제성이 없는 경우에 법규명령이 헌법소원의 대상적격이 있는지
▷ 대법원과 헌법재판소의 입장이 다름

(2) 헌법재판소에 의한 통제

① **문제의 상황**: 헌법 제107조 제2항은 구체적인 사건에서 법규명령의 위헌·위법의 여부가 재판의 전제가 된 경우에 대법원에게 최종적인 심판권을 부여하고 있다. 그러나 재판의 전제성이 없는 경우에 법규명령이 헌법소원의 대상적격이 있는지에 관하여 대법원과 헌법재판소의 견해가 나뉘고 있다.

② **판례의 태도**

대법원
▷ 헌법 제107조를 근거로 헌법재판소의 법규명령에 대한 위헌심판권을 부정

유신헌법 제53조의 '대통령 긴급조치' 위헌심사기관
▷ 대법원 관할(∵긴급조치는 법률×) vs.
헌법재판소 관할(∵긴급조치는 법률과 동일한 효력○)

ㄱ **대법원**: 대법원은 헌법 제107조의 규정은 법률에 대한 위헌심사권은 헌법재판소에 부여(제1항)하고 있는 반면, 명령·규칙에 대한 심사권은 법원에 부여(제2항)하고 있다는 이유로 헌법재판소는 법규명령에 대한 위헌심판권을 갖지 않는다고 한다.

14. 국가직 9급, 12. 국가직 9급, 11. 지방직 7급 등 헌법 제107조 제2항이 규정한 명령·규칙에 대한 최종심사권은 대법원에게 있기 때문에, 명령·규칙 그 자체에 의하여 직접 기본권이 침해되었을지라도 헌법소원심판을 청구하는 것은 불가능하다는 것이 헌법재판소의 입장이다. (×) → 대법원

❶

그러나 헌법재판소는 '이 사건 긴급조치들은 유신헌법 제53조에 근거한 것으로서 그에 정해진 요건과 한계를 준수해야 한다는 점에서 이를 헌법과 동일한 효력을 갖는 것으로 보기는 어렵지만, 표현의 자유 등 기본권을 제한하고, 형벌로 처벌하는 규정을 두고 있으며, 영장주의나 법원의 권한에 대한 특별한 규정 등을 두고 있는 점에 비추어 보면, 이 사건 긴급조치들은 최소한 법률과 동일한 효력을 가지는 것으로 보아야 하고, 그 위헌 여부 심사권한도 헌법재판소에 전속한다(헌재 2013.3.21. 2010헌바70·132·170)고 하여 긴급조치의 위헌심사권이 헌법재판소에 속한다고 본다.

관련판례

유신헌법 제53조에 근거한 '대통령 긴급조치' 위헌 여부의 최종적 심사기관은 대법원이다. ★

유신헌법에 근거한 긴급조치는 국회의 입법권 행사라는 실질을 전혀 가지지 못한 것으로서, 헌법재판소의 위헌심판대상이 되는 '법률'에 해당한다고 할 수 없고, 긴급조치의 위헌 여부에 대한 심사권은 최종적으로 대법원에 속한다(대판 2013.5.16. 2011도2631 전합 ; 대판 2010.12.16. 2010도5986 전합).❶

18. 소방직 대법원은 유신헌법상 긴급조치가 법률이 아니므로 대법원이 심사권을 가진다고 판시하였다. (O)

ⓒ **헌법재판소**: 헌법재판소는 「법무사법 시행규칙」에 대한 헌법소원의 결정례에서 법원의 명령·규칙에 대한 심사는 명령·규칙이 재판의 전제가 된 경우에 한해 가능한 것이므로, 재판의 전제가 되는 경우가 아닌 명령·규칙이 그 자체에 의하여 직접 국민의 기본권을 침해하는 경우에는 헌법소원의 대상이 될 수 있다는 입장이다.

11. 사복직 헌법재판소는 법규명령이 재판의 전제가 됨이 없이 직접 개인의 기본권을 침해하는 경우에는 헌법소원의 대상이 된다고 한다. (○)

09. 국가직 7급 법규명령이 헌법이나 법률에 위반되는지 여부에 관한 심사권은 헌법상 헌법재판소의 배타적 권한이다. (×) → 대법원 또는 헌법재판소에 있다

> ⚖️ **관련판례**
>
> **명령·규칙 그 자체에 의하여 직접 기본권이 침해되었을 경우에는 그것을 대상으로 하여 헌법소원심판을 청구할 수 있다. ★★★**
>
> (구 법무사법시행규칙 제3조 제1항(법원행정처장이 법무사를 보충할 필요가 없다고 인정하면 법무사 시험을 실시하지 아니하여도 된다)에 대한 헌법소원사건에서) 헌법 제107조 제2항이 규정한 명령·규칙에 대한 대법원의 최종심사권이란 구체적인 소송사건에서 명령·규칙의 위헌여부가 재판의 전제가 되었을 경우 법률의 경우와는 달리 헌법재판소에 제청할 것 없이 대법원의 최종적으로 심사할 수 있다는 의미이며, 명령·규칙 그 자체에 의하여 직접 기본권이 침해되었음을 이유로 하여 헌법소원심판을 청구하는 것은 위 헌법규정과는 아무런 상관이 없는 문제이다. 따라서 입법부·행정부·사법부에서 제정한 규칙이 별도의 집행행위를 기다리지 않고 직접 기본권을 침해하는 것일 때에는 모두 헌법소원심판의 대상이 될 수 있는 것이다 … 법령자체에 의한 직접적인 기본권침해 여부가 문제되었을 경우 그 법령의 효력을 직접 다투는 것을 소송물로 하여 일반 법원에 구제를 구할 수 있는 절차는 존재하지 아니하므로 이 사건에서는 다른 구제절차를 거칠 것 없이 바로 헌법소원심판을 청구할 수 있는 것이다. 법무사법시행규칙 제3조 제1항은 법원행정처장이 법무사를 보충할 필요가 없다고 인정하면 법무사 시험을 실시하지 아니해도 된다는 것으로서 상위법인 법무사법 제4조 제1항에 의하여 모든 국민에게 부여된 법무사 자격취득의 기회를 하위법인 시행규칙으로 박탈한 것이어서 평등권과 직업선택의 자유를 침해한 것이다(헌재 1990.10.15. 89헌마178).
>
> 21. 소방간부, 17. 행정사, 14. 국가직 9급, 12. 사복직 명령·규칙 그 자체로 기본권이 침해되었을 경우에는 이에 대한 헌법소원심판을 청구할 수 있고, 그 경우 제소요건은 당해 법령이 구체적 집행행위를 매개로 하지 않고 직접적·현재적으로 국민의 기본권을 침해하고 있어야 한다. (○)
>
> 17. 국가직 9급, 08. 지방직 7급 헌법재판소는 대법원규칙인 구 「법무사법 시행규칙」에 대해 법규명령이 별도의 집행행위를 기다리지 않고 직접 기본권을 침해하는 것일 때에는 헌법 제107조 제2항의 명령·규칙에 대한 대법원의 최종심사권에도 불구하고 헌법소원심판의 대상이 된다고 한다. (○)
>
> 11. 경찰 1차, 09. 국가직 9급 헌법 제107조 제2항이 규정한 명령·규칙에 대한 최종심사권은 대법원에게 있기 때문에, 명령·규칙 그 자체에 의하여 직접 기본권이 침해되었을지라도 헌법소원심판을 청구하는 것은 불가능하다는 것이 헌법재판소의 입장이다. (×) → 있으나 / 되었을 때에는 / 가능

③ **헌법소원결정의 효력**: 행정입법에 대한 헌법소원에서 인용결정이 내려진 경우에 당해 행정입법은 장래에 향하여 효력을 상실하게 된다. 또한 헌법재판소의 인용결정은 모든 국가기관과 지방자치단체를 기속한다(「헌법재판소법」 제75조 제1항).

대법원
▷ 명령·규칙이 재판의 전제가 된 경우

헌법재판소
▷ 명령·규칙이 그 자체에 의하여 직접 국민의 기본권을 침해하는 경우

법령 그 자체가 직접 기본권을 침해하는 「법무사법 시행규칙」
▷ 헌법소원 심판대상○
▷ 평등권·직업선택자유 침해로 위헌○

행정입법에 대한 헌법소원 인용결정의 효력
▷ 장래적, 일반적으로 실효됨(모든 국가기관과 지방자치단체를 기속)

3. 행정적 통제

(1) 상급행정청의 감독권에 의한 통제

① 감독청의 개정·폐지 명령

ㄱ 상급행정청은 하급행정청에 대한 적법·타당한 권리행사와 통일성 있는 행정을 위하여 지휘·감독권을 행사할 수 있다. 이러한 지휘·감독권의 대상에는 하급행정청의 행정입법권 행사도 포함된다. 따라서 상급행정청은 훈령 등으로 하급행정청이 제정하는 행정입법권의 행사의 기준과 방향을 지시할 수 있고, 위법한 법규명령의 개정 또는 폐지를 명할 수 있다.

ㄴ 다만, 상급행정청이라도 하급행정청의 법규명령을 스스로 개정하거나 폐지할 수 없고, 상위법령의 제정이나 개정을 통해 하위법규명령의 효력을 소멸시킬 수 있다.

12. 국회직 8급 상급행정청의 감독권의 대상에는 하급행정청의 행정입법권 행사도 포함되지만 상급행정청은 하급행정청의 법규명령을 스스로 폐지할 수 없다. (○)

② 중앙행정심판위원회의 시정조치요청: 행정심판의 경우도 감독권에 의한 통제로 볼 수 있다. 특히 「행정심판법」제59조 제1항에 따르면 중앙행정심판위원회는 심판청구를 심리·재결할 때에 처분 또는 부작위의 근거가 되는 명령 등이 법령에 근거가 없거나 상위 법령에 위배되거나 국민에게 과도한 부담을 주는 등 크게 불합리하면 관계 행정기관에 그 명령 등의 개정·폐지 등 적절한 시정조치를 요청할 수 있도록 하고 있어 중앙행정심판위원회에 법령 등의 개선에 관한 강력한 통제권을 부여하고 있다.

> 「행정심판법」제59조 【불합리한 법령 등의 개선】 ① 중앙행정심판위원회는 심판청구를 심리·재결할 때에 처분 또는 부작위의 근거가 되는 명령 등(대통령령·총리령·부령·훈령·예규·고시·조례·규칙 등을 말한다. 이하 같다)이 법령에 근거가 없거나 상위법령에 위배되거나 국민에게 과도한 부담을 주는 등 크게 불합리하면 관계 행정기관에 그 명령 등의 개정·폐지 등 적절한 시정조치를 요청할 수 있다. 이 경우 중앙행정심판위원회는 시정조치를 요청한 사실을 법제처장에게 통보하여야 한다.
> ② 제1항에 따른 요청을 받은 관계 행정기관은 정당한 사유가 없으면 이에 따라야 한다.

14. 경찰 2차, 13. 국회직 9급 중앙행정심판위원회는 심판청구를 심리·재결할 때에 처분 또는 부작위의 근거가 되는 명령 등이 법령에 근거가 없거나 상위법령에 위배되거나 국민에게 과도한 부담을 주는 등 크게 불합리하면 관계 행정기관에 그 명령 등의 개정·폐지 등 적절한 시정조치를 요청할 수 있다. (○)

③ 국민권익위원회의 권고: 국민권익위원회는 법률·대통령령·총리령·부령 및 그 위임에 따른 훈령·예규·고시·공고와 조례·규칙의 부패유발요인을 분석·검토하여 그 법령 등의 소관 기관의 장에게 그 개선을 위하여 필요한 사항을 권고할 수 있다(「부패방지 및 국민권익위원회의 설치와 운영에 관한 법률」 제28조 제1항).

「부패방지 및 국민권익위원회의 설치와 운영에 관한 법률」 제28조 【법령 등에 대한 부패유발요인 검토】① 위원회는 다음 각 호에 따른 법령 등의 부패유발요인을 분석·검토하여 그 법령 등의 소관 기관의 장에게 그 개선을 위하여 필요한 사항을 권고할 수 있다.
1. 법률·대통령령·총리령 및 부령
2. 법령의 위임에 따른 훈령·예규·고시 및 공고 등 행정규칙
3. 지방자치단체의 조례·규칙
4. 「공공기관의 운영에 관한 법률」 제4조에 따라 지정된 공공기관 및 「지방공기업법」 제49조·제76조에 따라 설립된 지방공사·지방공단의 내부규정

19. 군무원 9급, 18. 경찰 3차 「부패방지 및 국민권익위원회의 설치와 운영에 관한 법률」상 국민권익위원회는 법률을 포함한 명령 및 그 위임에 따른 훈령·예규·고시·공고와 조례·규칙의 부패유발요인을 분석·검토하여 당해 법규명령의 소관기관의 장에게 그 개선을 위하여 필요한 사항을 권고할 수 있다. (O)

(2) 절차적 통제

법규명령의 제정에 있어서 일정한 절차를 거치도록 함으로써 법규명령의 적법성을 확보하는 방법이다. 법규명령의 제정절차로서 국무회의의 심의(헌법 제89조 제3호) 및 법제처의 심사(「정부조직법」 제23조)가 있으며, 아울러 「행정절차법」은 행정상 입법예고제도(40일 이상 예고)를 두고 있다(「행정절차법」 제41조 내지 제44조). 또한 「행정기본법」은 법령이 헌법이나 법률에 위반되는 것이 명백한 경우 등 대통령령으로 정하는 경우 해당 법령을 개선하도록 하고 있다.

「행정기본법」 제39조 【행정법제의 개선】① 정부는 권한 있는 기관에 의하여 위헌으로 결정되어 법령이 헌법에 위반되거나 법률에 위반되는 것이 명백한 경우 등 대통령령으로 정하는 경우에는 해당 법령을 개선하여야 한다.

24. 국가직 9급 정부는 권한 있는 기관에 의하여 위헌으로 결정되어 법령이 헌법에 위반되거나 법률에 위반되는 것이 명백한 경우 등 대통령령으로 정하는 경우에는 해당 법령을 개선하여야 한다. (O)

4. 국민에 의한 통제

국민에 의한 법규명령의 통제수단에는 현재로서 간접적인 것 밖에 없다. 국민에 의한 통제방법으로써 법규명령안 예고, 공청회, 청원, 국민여론, 시민단체의 활동, 촛불집회 등이 있다.

17. 행정사 법규명령에 대한 국민의 통제수단으로는 여론·압력단체의 활동 등과 같은 간접적인 수단이 있다. (O)

07. 국회직 8급 오늘날에는 언론이나 시민단체 활동 등을 통하여 법규명령을 통제하는 것도 가능하며, 이를 국민에 의한 통제라고도 한다. (O)

절차적 통제
▷ 국무회의의 심의 및 법제처의 심사, 행정상 입법예고제도(40일 이상 예고)

국민에 의한 통제
▷ 법규명령안 예고·공청회·여론

8 행정입법부작위

1. 의의

행정입법부작위란 행정권에게 행정입법을 제정·개정 또는 폐지할 법적의무가 있음에도 불구하고 합리적인 이유 없이 지체하다가 그 행정입법을 제정·개정 또는 폐지하지 않는 것을 말한다.

2. 행정입법부작위의 요건

행정입법부작위
▷ 행정입법 제정·개정·폐지할 법적 의무 有, but 이행✕

행정입법부작위가 인정되기 위해서는 ① 행정청에 행정입법을 제정·개폐할 법적 의무가 있어야 하고, ② 상당한 기간이 경과하여야 하며, ③ 상당한 기간이 지났음에도 불구하고 행정입법이 제정·개폐되지 않아야 한다(헌재 1998.7.16. 96헌마246).

행정입법부작위의 요건
▷ 행정입법의 제정·개폐할 법적의무가 존재·상당한 기간의 경과·행정입법이 제정·개폐되지 않았을 것

🔨 관련판례

입법부가 법률로써 행정부에게 입법을 위임했음에도 불구하고 행정부가 정당한 이유 없이 행정입법부작위
▷ 위법·위헌

1 **입법부가 법률로써 행정부에게 특정한 사항을 위임했음에도 정당한 이유 없이 이를 이행하지 않는다면 위헌·위법하다. ★★**

입법부가 법률로써 행정부에게 특정한 사항을 위임했음에도 불구하고 행정부가 정당한 이유 없이 이를 이행하지 않는다면 권력분립의 원칙과 법치국가 내지 법치행정의 원칙에 위배되는 것으로서 위법함과 동시에 위헌적인 것이 된다(대판 2007.11.29. 2006다3561).

20. 변호사, 20. 군무원 9급, 17. 국가직 7급 입법부가 법률로써 행정부에게 특정한 사항을 위임했음에도 불구하고 행정부가 정당한 이유 없이 이를 이행하지 않는다면 권력분립의 원칙과 법치국가 내지 법치행정의 원칙에 위배되는 것으로서 위법함과 동시에 위헌적인 것이 된다. (O)

행정권의 행정입법 등 법집행의무
▷ 헌법적 의무

2 **삼권분립의 원칙, 법치행정의 원칙을 당연한 전제로 하고 있는 우리 헌법하에서 행정권의 행정입법 등 법집행의무는 헌법적 의무라고 보아야 한다. ★★**

(보건복지부장관이 의료법 및 대통령령에 따라 치과전문의 자격시험에 관한 시행규칙 제정의무가 있음에도 불구하고 이를 방치(부작위)하고 있자 치과의사들이 청구한 헌법소원사건에서) 삼권분립의 원칙, 법치행정의 원칙을 당연한 전제로 하고 있는 우리 헌법하에서 행정권의 행정입법 등 법집행의무는 헌법적 의무라고 보아야 한다. 이 사건과 같이 치과전문의제도의 실시를 법률 및 대통령령이 규정하고 있고 그 실시를 위하여 시행규칙의 개정 등이 행해져야 함에도 불구하고 행정권이 법률의 시행에 필요한 행정입법을 하지 아니하는 경우에는 행정권에 의하여 입법권이 침해되는 결과가 되기 때문이다. 따라서 보건복지부장관에게는 헌법에서 유래하는 행정입법의 작위의무가 있다고 할 것이다(헌재 1998.7.16. 96헌마246).

21. 군무원 9급 행정권의 시행명령제정의무는 헌법적 의무이다. (O)

22. 군무원 9급, 17. 서울시 7급 삼권분립의 원칙, 법치행정의 원칙을 당연한 전제로 하고 있는 우리 헌법하에서 행정권의 행정입법 등 법집행의무는 헌법적 의무라고 보아야 한다. (O)

하위 행정입법 제정없이 상위 법령규정만으로 집행가능
▷ 하위 행정입법 제정의무✕(상위 법령의 명시적 위임 있어도 마찬가지)

3 **하위 행정입법의 제정 없이 상위 법령의 규정만으로도 집행이 이루어질 수 있는 경우라면 행정입법을 제정해야 할 작위 의무는 인정되지 않는다. ★★★**

[구 사법시험령(= 집행명령) 제15조 제8항이 행정자치부장관에게 제2차시험 성적을 포함하는 종합성적의 세부산출방법 기타 최종합격에 필요한 사항을 정하도록 위임하더라도 행정자치부장관에게 그런 규정을 제정할 작위의무가 있는 것은 아니라고 한 사례] 행정입법의 부작위가 위헌·위법이라고 하기 위하여는 행정청에게 행정입법을 하여야 할 작위 의무를 전제로 하는 것이고, 그 작위의무가 인정되기 위하여는 행정입법의 제정이 법률의 집행에 필수불가결한 것이어야 하는바,

만일 하위 행정입법의 제정 없이 상위 법령의 규정만으로도 집행이 이루어질 수 있는 경우라면 하위 행정입법을 제정하여야 할 작위의무는 인정되지 아니한다고 할 것이다(대판 2007.1.11. 2004두10432).

21. 국회직 8급, 20. 변호사, 17. 변호사 행정입법의 부작위가 위헌·위법이라고 하기 위하여는 행정청에게 행정입법을 하여야 할 작위의무를 전제로 하는 것이므로, 만일 하위 행정입법의 제정 없이 상위 법령의 규정만으로도 집행이 이루어질 수 있는 경우라면 하위 행정입법을 제정하여야 할 작위의무는 인정되지 않는다. (○)

22. 군무원 9급 행정입법의 부작위가 위헌·위법이라고 하기 위하여는 행정청에게 행정입법을 하여야 할 작위의무를 전제로 하는 것이나, 그 작위의무가 인정되기 위하여는 행정입법의 제정이 법률의 집행에 필수불가결한 것일 필요는 없다. (✕) → 가 있다

16. 지방직 9급 행정입법부작위의 위헌·위법성과 관련하여, 하위 행정입법의 제정 없이 상위 법령의 규정만으로 집행이 이루어질 수 있는 경우에도 상위 법령의 명시적 위임이 있다면 하위 행정입법을 제정하여야 할 작위의무는 인정된다. (✕) → 인정되지 않는다

06. 서울시 9급 집행명령이 없어도 법령이 시행될 수 있는 경우에는 특별한 규정이 없는 한 행정권에게 집행명령을 제정할 의무는 있다. (✕) → 없다

4 상위법령을 시행하기 위하여 하위법령을 제정하거나 필요한 조치를 함에 있어서는 상당한 기간을 필요로 하며 합리적인 기간 내의 지체를 위헌적인 부작위로 볼 수 없다(헌재 2002.7.18. 2000헌마707). ★★

상위법령의 시행을 위해 하위법령을 제정하거나 필요한 조치를 함에 있어 합리적인 기간 내의 지체
▷ 위헌적인 부작위✕

20. 국가직 7급 상위법령을 시행하기 위하여 하위법령을 제정하거나 필요한 조치를 함에 있어서는 상당한 기간을 필요로 하며 합리적인 기간 내의 지체를 위헌적인 부작위로 볼 수 없다. (○)

5 행정부가 위임입법에 따른 시행령을 제정하지 않거나 개정하지 않은 것에 대한 정당한 이유가 있음을 주장하기 위해서는 그 위임입법 자체가 헌법에 위반된다는 것이 누가 보아도 명백하거나, 그 위임입법에 따른 행정입법 의무의 이행이 오히려 헌법질서를 파괴하는 결과를 가져옴이 명백할 정도는 되어야 한다(헌재 2004.2.26. 2001헌마718). ★★

행정입법부작위의 정당한 이유
▷ 위임입법 자체가 헌법에 위반되는 것이 명백하거나 의무의 이행이 오히려 헌법질서를 파괴함이 명백하여야

20. 변호사 행정부가 위임입법에 따른 시행령을 제정하지 않거나 개정하지 않은 것에 대한 정당한 이유가 있음을 주장하기 위해서는 그 위임입법 자체가 헌법에 위반된다는 것이 누가 보아도 명백하거나, 위임입법에 따른 행정입법의 제정이나 개정이 당시 실시되고 있는 전체적인 법질서체계와 조화되지 아니하여 그 위임입법에 따른 행정입법 의무의 이행이 오히려 헌법질서를 파괴하는 결과를 가져옴이 명백할 정도는 되어야 한다. (○)

3. 행정입법부작위에 대한 권리구제

(1) 항고소송의 가능성

「행정소송법」의 조문을 고려할 때 부작위위법확인소송의 대상은 '처분'의 부작위이지 '입법'의 부작위는 아니다. 따라서 대법원은 입법의 부작위는 성질상 부작위위법확인소송의 대상이 되지 않는다고 판시하였다.❶

항고소송 中 부작위위법확인 소송의 대상
▷ '처분'의 부작위○
▷ '입법'의 부작위✕

「행정소송법」 제2조【정의】 ① 이 법에서 사용하는 용어의 정의는 다음과 같다.
2. "부작위"라 함은 행정청이 당사자의 신청에 대하여 상당한 기간내에 일정한 처분을 하여야 할 법률상 의무가 있음에도 불구하고 이를 하지 아니하는 것을 말한다.

❶
행정심판의 대상으로서의 부작위는 행정소송의 대상으로서의 부작위와 동일하므로(「행정심판법」 제2조 제2호), 항고소송에 관한 논의가 행정심판에서도 그대로 적용될 것이다. 즉, 행정입법부작위는 의무이행심판의 대상으로서 부작위에 해당하지 않는다.

행정입법부작위
▷「행정소송법」상 부작위위법확인 소송 대상✕

행정입법의 부작위는 그 자체로서 국민의 구체적인 권리의무에 직접적인 변동을 초래하는 것이 아니어서 행정소송의 대상이 될 수 없다. ★★★

[원고는 안동지역댐 피해대책위원회 위원장으로서 안동댐 건설로 인하여 급격한 이상기후의 발생 등으로 많은 손실을 입어 왔는바, 특정다목적댐법 제41조에 의하면 다목적댐 건설로 인한 손실보상 의무가 국가에게 있고 같은 법 제42조에 의하면 손실보상 절차와 그 방법 등 필요한 사항은 대통령령으로 규정하도록 되어 있음에도 피고(대통령)가 이를 제정하지 아니한 것은 행정입법부작위에 해당하는 것이어서 그 부작위위법확인을 구한다고 주장하나] 행정소송은 구체적 사건에 대한 법률상 분쟁을 법에 의하여 해결함으로써 법적 안정을 기하자는 것이므로 부작위위법확인소송의 대상이 될 수 있는 것은 구체적 권리의무에 관한 분쟁이어야 하고 추상적인 법령에 관하여 제정의 여부 등은 그 자체로서 국민의 구체적인 권리의무에 직접적 변동을 초래하는 것이 아니어서 그 소송의 대상이 될 수 없다(대판 1992.5.8. 91누11261).

23. 지방직 9급 행정입법부작위는 부작위위법확인소송의 대상이 된다. (✕) → 되지 않는다

23. 국가직 9급 「특정다목적댐법」에서 댐 건설로 손실을 입으면 국가가 보상해야 하고 그 절차와 방법은 대통령령으로 제정토록 명시되어 있음에도 미제정 된 경우, 법령제정의 여부는 「행정소송법」상 부작위위법확인소송의 대상이 될 수 없다. (○)

22. 지방직 7급, 22. 군무원 9급, 22. 소방간부, 20. 국회직 9급, 18. 국가직 9급 등 부작위위법확인소송의 대상이 될 수 있는 것은 구체적 권리의무에 관한 분쟁이어야 하고 추상적인 법령에 관하여 제정의 여부 등은 그 자체로서 국민의 구체적인 권리의무에 직접적 변동을 초래하는 것이 아니어서 그 소송의 대상이 될 수 없다. (○)

21. 서울시 7급, 20. 경찰 2차 추상적인 법령에 관하여 제정의 여부 등은 그 자체로서 국민의 구체적인 권리의무에 변동을 초래하는 것이어서 행정소송의 대상이 될 수 있다. (✕) → 것이 아니어서 / 없다

17. 국회직 8급, 14. 국가직 7급 상위법령의 시행을 위하여 법규명령을 제정하여야 할 의무가 인정됨에도 불구하고 법규명령을 제정하고 있지 않은 경우, 그러한 부작위는 부작위위법확인소송을 통하여 다툴 수 있다. (✕) → 없다

(2) 헌법소원의 가능성

① 진정입법부작위

진정입법부작위
▷ 헌법소원의 대상○

ㄱ 입법자가 헌법상 입법의무가 있는 어떤 사항에 관하여 전혀 입법을 하지 아니함으로써 '입법행위의 흠결'이 있는 진정입법부작위는 헌법소원의 대상이 된다(헌재 2003.5.15. 2000헌마192 등).

ㄴ 헌법재판소는 대통령의 군법무관 보수입법부작위 위헌확인 사건, 보건복지부장관의 치과전문의자격시험 불실시 위헌확인 사건 등에서 헌법소원의 대상이 됨을 인정하고 있다.

10. 지방직 9급 판례는 행정입법부작위에 대하여 헌법소원을 인정하고 있지 않다. (✕) → 있다

관련판례

1 대통령이 법률의 명시적 위임에도 불구하고 시행령을 제정하지 않은 입법부작위는 정당한 이유 없이 청구인들의 재산권을 침해하는 것으로써 헌법에 위반된다. ★★★

법률이 군법무관의 보수를 판사, 검사의 예에 의하도록 규정하면서 그 구체적 내용을 시행령에 위임하고 있다면, 이는 군법무관의 보수의 내용을 법률로써 일차적으로 형성한 것이고, 따라서 상당한 수준의 보수청구권이 인정되는 것이라 해석함이 상당하다. 그러므로 이 사건에서 대통령이 법률의 명시적 위임에도 불구하고 지금까지 해당 시행령을 제정하지 않아 그러한 보수청구권이 보장되지 않고 있다면 그러한 입법부작위는 정당한 이유 없이 청구인들의 재산권을 침해하는 것으로써 헌법에 위반된다(헌재 2004.2.26. 2001헌마718).

12. 경찰 1차 행정입법에 대해서 헌법재판소는 헌법소원을 통하여 통제할 수 있으나 시행명령을 제정할 의무가 있음에 명령제정을 거부하거나 입법부작위가 있는 경우에는 헌법소원의 대상이 되지않는다. (×) → 된다

2 치과전문의자격시험제도를 실시할 수 있는 절차를 마련하지 아니하는 입법부작위는 헌법에 위반된다. ★★

치과전문의제도의 시행을 위하여 필요한 사항 중 일부를 누락함으로써 제도의 시행이 불가능하게 되었다면 그 누락된 부분에 대하여는 진정입법부작위에 해당하고, 보건복지부장관이 의료법과 위 규정의 위임에 따라 치과전문의자격시험제도를 실시할 수 있는 절차를 마련하지 아니하는 입법부작위는 헌법에 위반된다(헌재 1998.7.16. 96헌마246).

② **부진정입법부작위**: 입법자가 어떤 사항에 관하여 입법을 하였으나 그 입법의 내용·범위·절차 등이 당해 사항을 불완전, 불충분 또는 불공정하게 규율함으로써 입법행위에 결함이 있는 부진정입법부작위는 행정입법부작위가 아니므로 입법부작위 그 자체를 헌법소원의 대상으로 할 수 없고(헌재 2003.5.15. 2000헌마192 등), 결함이 있는 당해 입법규정 그 자체를 대상으로 헌법소원을 제기하여야 한다.

21. 군무원 9급 시행명령을 제정 또는 개정하였지만 그것이 불충분 또는 불완전하게 된 경우에는 행정입법부작위가 아니다. (○)

16. 사복직 부진정입법부작위에 대해서는 입법부작위 그 자체를 헌법소원의 대상으로 할 수 있다. (×) → 없다

관련판례

부진정입법부작위에 대해서는 입법부작위 그 자체를 헌법소원의 대상으로 할 수 없고, 결함이 있는 당해 입법규정 그 자체를 대상으로 헌법소원을 제기하여야 하며, 이 경우에는 헌법재판소법 소정의 제소기간을 준수하여야 한다. ★★★

행정입법의 경우에도 "부진정 입법부작위"를 대상으로 헌법소원을 제기하려면 그 입법부작위를 헌법소원의 대상으로 삼을 수는 없고, 결함이 있는 당해 입법규정 그 자체를 대상으로 하여 그것이 평등의 원칙에 위배된다는 등 헌법위반을 내세워 적극적인 헌법소원을 제기하여야 하며, 이 경우에는 법령에 의하여 직접 기본권이 침해되는 경우라고 볼 수 있으므로 헌법재판소법 제69조 제1항 소정의 청구기간(제소기간)을 준수하여야 한다(헌재 2009.7.14. 2009헌마349 ; 헌재 2008.8.19. 2008헌마505 ; 헌재 1996.10.31. 94헌마204).

17. 서울시 7급 입법의 내용·범위·절차 등의 결함을 이유로 헌법소원을 제기하려면 결함이 있는 당해 입법규정 그 자체를 대상으로 하여 그것이 평등의 원칙에 위배된다는 등 헌법위반을 내세워 적극적인 헌법소원을 제기하여야 하며, 이 경우에는 「헌법재판소법」 소정의 제소기간을 준수하여야 한다. (○)

대통령의 군법무관 보수 입법부작위
▷ 진정입법부작위로서 헌법소원의 대상○
▷ 위헌(재산권 침해)

보건복지부장관의 치과전문의자격시험 실시절차 입법부작위
▷ 진정입법부작위로서 헌법소원의 대상○
▷ 위헌(직업의 자유 침해)

부진정입법부작위
▷ 입법부작위 그 자체를 헌법소원의 대상 ×(결함이 있는 당해 입법규정 그 자체를 대상으로 헌법소원 제기○)

20. 변호사 입법자가 불충분하게 규율한 이른바 부진정입법부작위에 대하여 헌법소원을 제기하려면 그것이 평등의 원칙에 위배된다는 등 헌법위반을 내세워 적극적인 헌법소원을 제기하여야 하며, 이 경우에는 기본권 침해 상태가 계속되고 있으므로 「헌법재판소법」 소정의 제소기간을 준수할 필요는 없다. (✕) → 하여야 한다

(3) 국가배상청구의 가능성

행정입법부작위로 인하여 손해가 발생한 경우에 행정권에게 과실이 있다면 국가배상청구가 가능하다. 판례는 국가배상청구소송은 민사소송으로 제기하여야 한다는 입장이다.

행정입법부작위
▷ 국가배상청구의 대상 可
▷ 실무상 민사소송

15. 서울시 7급 행정입법부작위로 인하여 손해가 발생한 경우에 국가배상청구가 인정될 수 있다. (○)

12. 지방직 9급 행정입법부작위에 대한 국가배상은 인정되지 않으며, 실무적으로 무명항고소송을 통해 해결하고 있다. (✕) → 되며 / 민사소송

🔨 관련판례

행정부의 군법무관보수에 관한 시행령 미제정
▷ 보수청구권 침해로 불법행위에 해당, 국가배상청구 可

입법부가 법률에서 군법무관의 보수의 구체적 내용을 시행령에 위임했음에도 불구하고 행정부가 정당한 이유 없이 시행령을 제정하지 않은 것은 불법행위에 해당한다. ★★★

입법부가 법률로써 행정부에게 특정한 사항을 위임했음에도 불구하고 행정부가 정당한 이유 없이 이를 이행하지 않는다면 권력분립의 원칙과 법치국가 내지 법치행정의 원칙에 위배되는 것으로서 위법함과 동시에 위헌적인 것이 되는바, 구 군법무관 임용법 제5조 제3항과 군법무관임용 등에 관한 법률 제6조가 군법무관의 보수를 법관 및 검사의 예에 준하도록 규정하면서 그 구체적 내용을 시행령에 위임하고 있는 이상, 위 법률의 규정들은 군법무관의 보수의 내용을 법률로써 일차적으로 형성한 것이고, 위 법률들에 의해 상당한 수준의 보수청구권이 인정되는 것이므로, 위 보수청구권은 단순한 기대이익을 넘어서는 것으로서 법률의 규정에 의해 인정된 재산권의 한 내용이 되는 것으로 봄이 상당하고, 따라서 행정부가 정당한 이유 없이 시행령을 제정하지 않은 것은 위 보수청구권을 침해하는 불법행위에 해당한다(대판 2007.11.29. 2006다3561).

20. 경찰 2차 입법부가 법률로써 행정부에게 특정한 사항을 위임했음에도 불구하고 행정부가 정당한 이유 없이 법률에서 위임한 시행령을 제정하지 않은 것은 그 법률에서 인정된 권리를 침해하는 불법행위가 될 수 있다. (○)

22. 소방직, 17. 5급 승진 법률에서 군법무관의 보수의 구체적 내용을 시행령에 위임했음에도 불구하고 행정부가 정당한 이유 없이 시행령을 제정하지 않은 것은 불법행위이므로 이에 대하여 국가배상청구를 할 수 있다. (○)

21. 국회직 8급 입법자가 법률로써 특정한 사항을 시행령으로 정하도록 위임했음에도 불구하고 행정부가 정당한 이유 없이 이를 이행하지 않는다면 권력분립의 원칙과 법치국가 내지 법치행정의 원칙에 위배되는 것으로서 위헌성이 인정되나 이는 헌법소원을 통한 구제의 대상이 될 뿐이고 국가배상의 대상이 되는 것은 아니다. (✕) → 되어 / 되고 / 된다

제3절 행정규칙

1 행정규칙의 의의

1. 개념

행정규칙 또는 행정명령이란 상급행정기관 또는 상급자가 하급행정기관 또는 그 구성원에 대하여 행정조직의 운영, 행정사무처리기준 등을 규율하기 위해 그의 권한의 범위 내에서 발하는 일반적·추상적 규범을 말한다. 실무에서의 훈령·통첩·예규 등이 행정규칙에 해당한다.

2. 행정규칙과 법규명령의 구별

행정규칙은 행정기관이 발하는 일반적·추상적 규정이라는 점에서 법규명령과 같으나, 행정규칙은 통상 법률의 수권 없이 상급행정기관이 자신의 직무권한을 근거로 발하며, 원칙적으로 행정조직 내부에서만 구속력을 갖는다는 점에서 법규명령과 구별된다.❶

2 행정규칙의 종류

1. 내용에 따른 분류

(1) 조직규칙

행정조직 내부에서의 행정기관의 설치 및 조직, 내부적 권한배분, 업무처리절차 등을 정하는 행정규칙을 의미한다(예 행정기관 내부의 사무분장규정, 위임전결규정 등).

(2) 근무규칙

상급행정기관이 하급행정기관 및 구성원의 근무에 대한 사항을 규율하기 위한 행정규칙을 말한다(예 서류를 처리하는 방식에 대한 행정규칙, 행정을 처리하는 절차에 대한 행정규칙, 근무시간에 대한 행정규칙 등).

(3) 영조물규칙

영조물의 관리청이 그 조직·관리·이용관계 등을 규율하기 위하여 발하는 행정규칙을 말한다(예 국공립학교의 학칙, 국공립도서관·박물관의 이용규칙 등). 영조물규칙은 영조물의 내부조직관계를 규율하는 경우도 있지만 영조물의 사용에 관한 부분은 대외적 관계에 영향을 미친다.

(4) 재량준칙

① 법령이 행정기관에게 재량을 부여하는 경우에, 적법·타당한 재량행사를 확보하기 위해 상급행정기관이 하급행정기관의 재량권 행사의 기준을 정하는 행정규칙을 말한다(예 국토교통부장관이 시장·군수·구청장에 대하여 철거대상이 되는 위법건물의 기준을 정하는 경우, 경찰청장이 각 지방경찰청장에게 음주운전을 이유로 하는 면허정지나 취소처분의 기준을 정하는 경우 등).

19. 서울시 9급 재량권행사의 기준을 정하는 행정규칙을 재량준칙이라 한다. (○)

행정규칙
▷ 행정조직의 운영, 행정사무처리기준 등을 규율하기 위해 그의 권한의 범위 내에서 발하는 일반적·추상적 규범

실무상 명칭
▷ 훈령·통첩·예규 등

❶ **행정규칙의 특징**
① 법률우위원칙 적용○
② 법률유보원칙 적용✕
③ 대외적 구속력✕
④ 재판규범✕
⑤ 조문 형식일 필요✕
⑥ 공포가 성립·효력발생요건✕

내용에 따라
▷ 조직규칙·근무규칙·재량준칙·규범해석규칙·규범구체화행정규칙·법률대위규칙

재량준칙
▷ 상급행정기관이 하급행정기관의 재량권 행사의 기준을 정하는 행정규칙

재량준칙
▷ 대외적 효력×

규범해석규칙
▷ 불확정적인 법개념의 통일적·단일적인 적용을 위하여 규범해석의 지침을 정하는 행정규칙(대외적 효력×)

② 재량준칙은 행정권 행사의 기준을 정하는 일반적인 성격의 규범인 점에서 법규명령과 유사하지만, 기본적으로 행정청 내부 조치인 재량준칙은 법규명령과 달리 행정권 행사의 일반적인 기준 내지 방침을 제시할 뿐, 그 자체로서는 국민에게 직접적인 법적효과를 미치지 않는다. 그러나 재량준칙이 적용되어 행정처분이 이루어지면 결국 상대방인 국민도 재량준칙의 영향을 간접적으로 받는 셈이므로 재량준칙은 다른 행정규칙과는 달리 국민에게도 간접적인 영향을 미치게 된다는 점에 그 특징이 있다.

17. 국가직 7급 재량준칙은 제정됨으로써 일반적으로 행정조직 내부뿐만 아니라 대외적인 구속력을 갖는다. (×) → 갖는 것은 아니다

(5) 규범해석규칙(법령해석규칙)

① 불확정적인 법개념(예 공익·질서유지·미풍양속 등)의 통일적·단일적인 적용을 가능하게 하기 위하여 규범해석의 지침을 정하는 행정규칙을 말한다. 규범해석규칙은 법집행기관(하급행정기관)의 법령해석의 어려움을 덜어주고 통일적인 법적용을 도모하기 위하여 제정된다.

② 법령을 구속적으로 해석할 수 있는 권한은 법원이 가지므로 행정기관이 제정한 규범해석규칙은 대외적 구속력을 가지지 않는다.

12. 서울시 9급 해석준칙(규범해석행정규칙)은 계쟁처분의 판단에 있어 법원을 구속한다. (×) → 하지 않는다

(6) 법률대위규칙(법률대체적 규칙)

법률이 따로 존재하지 않는 경우 법률을 대신하여 행정작용의 기준과 방법을 정하는 행정규칙을 말한다. 예를 들어 법률이 특정분야에서 단지 "보조금을 지급할 수 있다."라고만 규정하고 있는 경우에 제정되는 보조금의 지급기준을 정하는 행정규칙은 법률대위규칙이다.

(7) 규범구체화행정규칙❶

① 개념

　㉠ 규범구체화행정규칙이란 과학기술이나 환경분야와 같은 전문영역에서 관계법령이 전혀 없거나 있어도 지나치게 포괄적으로 규정되어 있는 경우 그 관계법령의 내용을 구체화하는 행정규칙을 의미한다.

　㉡ 독일에서 환경관계법상의 환경기준은 전문가들의 감정을 반영하여 행정규칙으로 정하도록 하고 있는바, 이러한 것이 규범구체화행정규칙의 전형적인 예이다.

② 연혁: 규범구체화행정규칙의 법리는 1985년 독일의 '빌(Whyl) 판결'이후 논의된 개념이다. 독일연방행정법원이 '빌(Whyl) 원자력발전소판결'에서 내무부장관의 지침(방사성 노출에 대한 일반적 산정기준)을 규범구체화 행정규칙이라고 했다. 독일은 법령의 위임 없는 규범구체화적 규칙을 인정한다.

③ 인정영역: 규범구체화행정규칙이 인정되는 영역은 원자력행정이나 환경행정과 같이 고도의 전문성이고 기술적인 분야이다.

④ 법적 성질: 규범구체화행정규칙은 일반적인 행정규칙과 달리 그 자체가 직접적으로 대외적인 구속력을 가진다.

❶ 규범구체화행정규칙
① 개념: 고도의 전문성·기술성을 가진 행정영역에 있어서 행정기관이 상위법령의 내용을 구체화하는 행정규칙
② 연혁: 1985년 독일의 '빌(Whyl) 판결'
③ 인정영역: 원자력행정이나 환경행정과 같이 고도의 전문적이고 기술적인 행정분야
④ 법적 성질: 대외적인 구속력○
⑤ 인정여부: 부정설(다수설)

⑤ 우리나라에서의 논의(인정여부)

　　㉠ **인정설**: 국세청훈령인 재산제세사무처리규정이 법규성을 갖는다고 한 판례(대판 1987.9.29. 86누484)와 국무총리훈령인 개별토지가격합동조사지침이 법규성을 갖는다고 한 판례(대판 1994.2.8. 93누111)의 해석과 관련하여 독일이 인정하고 있는 규범구체화행정규칙을 우리 대법원이 인정한 것으로 볼 수 있다는 견해이다.

　　㉡ **부정설(다수설)**: 규범구체화행정규칙은 ⓐ 행정기관이 갖는 과학기술적인 전문지식 등의 사정을 고려하여 인정된 것이므로 이를 일반적으로 확대할 수 없다는 점, ⓑ 규범구체화행정규칙이라는 개념을 받아들이게 되면 법규성이 있는 행정규칙을 인정하게 되어 법규명령과 행정규칙의 기본적인 구별이 무시된다는 점에서 부정하는 견해이다.

2. 형식에 따른 분류

(1) 「행정업무의 운영 및 혁신에 관한 규정」❶상의 분류

대통령령인 「행정업무의 운영 및 혁신에 관한 규정」(약칭: 행정업무규정) 제4조 제2호는 공문서의 한 종류로서 지시문서를 훈령, 지시, 예규, 일일명령으로 구분하고 있다.

> 「행정업무의 운영 및 혁신에 관한 규정」 제4조 【공문서의 종류】 공문서(이하 "문서"라한다)의 종류는 다음 각 호의 구분에 따른다.
> 2. 지시문서: 훈령 · 지시 · 예규 · 일일명령 등 행정기관이 그 하급기관이나 소속 공무원에 대하여 일정한 사항을 지시하는 문서

15. 경찰 3차, 14. 경찰 1차, 11. 국회직 9급 행정규칙의 종류로는 훈령, 예규, 지시 등이 있다. (○)
14. 국가직 9급 훈령, 지시, 예규, 일일명령 등 행정기관이 그 하급기관이나 소속 공무원에 대하여 일정한 사항을 지시하는 문서는 지시문서이다. (○)

① **훈령**: 상급행정기관이 장기간에 걸쳐서 하급행정기관의 권한행사를 일반적으로 지휘 · 감독하기 위하여 발하는 명령이다. 훈령은 기본적인 사항을 규율하는 점에서 세부적인 사항을 규율하는 통첩과 구별된다. 또한 훈령 중 일반적 · 추상적 성질을 갖는 것만이 행정규칙이다.

② **지시**: 상급행정기관이 직권으로 또는 하급행정기관의 문의나 신청에 의하여 개별적 · 구체적으로 발하는 명령이다. 지시는 개별적 · 구체적이라는 점에서 행정규칙에 해당되지 않고 단순한 직무명령에 해당한다고 보는 견해가 유력하다.

③ **예규**: 법규문서 이외의 문서로서 행정사무의 통일을 기하기 위하여 반복적 행정사무의 기준을 제시하는 명령이다.

05. 지방직 9급 법규문서 이외의 문서로서 반복적 행정사무 기준을 제시하는 명령을 예규라 한다. (○)

④ **일일명령**: 당직 · 출장 · 시간외근무 등 일일업무에 관한 명령을 말한다.

(2) 고시

① **개념**: 고시란 법령이 정하는 바에 따라 행정기관이 불특정 다수의 일반인에게 일정한 사실을 알리는 행위로서 법규의 성질을 갖지 아니하는 행정규칙을 말한다.

② **고시의 법적 성질**: 고시는 일반적으로 행정규칙의 한 형식이지만, 고시의 법적 성질이 항상 행정규칙인 것만은 아니다. 따라서 고시에 관한 법령의 규정, 내용 등에 따라 개별적으로 그 성질이 결정되어야 한다.

고시의 법적 성질
▷ 고시에 담긴 내용에 따라 일반·추상적 성격: 법규명령 또는 행정규칙
▷ 구체적인 규율의 성격: 행정처분

🔨 관련판례

고시가 일반·추상적 성격을 가질 때는 법규명령 또는 행정규칙에 해당하지만, 고시가 구체적인 규율의 성격을 갖는다면 행정처분에 해당한다. ★★★

고시 또는 공고의 법적 성질은 일률적으로 판단될 것이 아니라 고시에 담겨진 내용에 따라 구체적인 경우 마다 달리 결정된다고 보아야 한다. 즉, 고시가 일반·추상적 성격을 가질 때에는 법규명령 또는 행정규칙에 해당하지만, 고시가 구체적인 규율의 성격을 갖는다면 행정처분에 해당한다(헌재 1998.4.30. 97헌마141).

20. 소방간부, 18. 경찰 2차, 17. 국가직 9급, 13. 국회직 8급, 11. 국가직 9급 등 고시(告示)에 대하여 헌법재판소는 고시가 일반·추상적 성격을 가질 때는 법규명령 또는 행정규칙에 해당하지만, 고시가 구체적인 규율의 성격을 갖는다면 행정처분에 해당한다고 본다. (○)

19. 국가직 7급, 17. 행정사 고시에 담긴 내용이 구체적 규율의 성격을 갖는다고 하더라도, 해당 고시를 행정처분으로 볼 수는 없으며 법령의 수권 여부에 따라 법규명령 또는 행정규칙으로 볼 수 있을 뿐이다. (×) → 가질 때에는 / 으로 볼 수 있다

행정규칙적 고시
▷ 행정사무의 처리기준이 되는 일반적·추상적 규범의 성격을 갖는 경우

일반처분적 고시
▷ 고시가 일반적·구체적 성질을 갖는 경우

ⓐ **행정규칙적 고시:** 고시가 행정사무의 처리기준이 되는 일반적·추상적 규범의 성격을 갖는 경우 행정규칙에 해당한다.

ⓑ **일반처분적 고시:** 고시가 일반적·구체적 성질을 가질 때에는 '일반처분'에 해당하며 고시의 내용이 어떤 물건의 성질 또는 상태를 규율하는 내용을 담고 있을 때에는 물적 행정행위에 해당한다.

청소년유해매체물결정고시
▷ 일반처분

🔨 관련판례

청소년유해매체물 결정고시는 일반처분이다. ★★★

구 청소년보호법(2001.5.24. 법률 제6479호로 개정되기 전의 것)에 따른 청소년유해매체물 결정 및 고시처분은 당해 유해매체물의 소유자 등 특정인만을 대상으로 한 행정처분이 아니라 일반 불특정 다수인을 상대방으로 하여 일률적으로 표시의무, 포장의무, 청소년에 대한 판매·대여 등의 금지의무 등 각종 의무를 발생시키는 행정처분이다(대판 2007.6.14. 2004두619).

행정규칙인 고시가 법령의 수권에 의해 법령을 보충하는 사항을 규정하는 경우
▷ 근거법령과 결합하여 대외적 구속력이 있는 법규명령으로서의 성질

ⓒ **법규명령적 고시:** 행정규칙인 고시가 법령의 수권에 의해 법령을 보충하는 사항을 규정하는 경우에는, 법령보충적 고시(예 「물가안정에 관한 법률」 제2조 제4항에 근거한 최고가격고시, 「대외무역법」 제19조 제1항에 근거한 수출허가 등 제한에 필요한 전략물자의 고시 등)로서 근거법령의 규정과 결합하여 대외적 구속력이 있는 법규명령으로서의 성질을 갖는다(대판 1999.11.26. 97누13474 ; 대판 2007.5.10. 2005도591).

22. 지방직 9급 고시가 법령의 수권에 의하여 법령을 보충하는 사항을 정하는 경우 위임의 한계를 벗어나지 않는 한 그 근거 법령과 결합하여 대외적으로 구속이 있는 법규명령으로서의 효력을 가진다. (○)

21. 군무원 9급, 19. 국가직 7급, 19. 서울시 9급, 15. 국회직 8급 행정규칙인 고시가 법령의 수권에 의해 법령을 보충하는 사항을 정하는 경우에는 법령보충적 고시로서 근거법령규정과 결합하여 대외적으로 구속 있는 법규명령의 효력을 갖는다. (○)

10. 국가직 7급 행정규칙인 고시가 법령의 수권에 의하여 법령을 보충하는 사항을 정하는 경우에 그 근거 법령규정과 결합하더라도 그 성질상 행정규칙인 부분만큼은 대외적인 구속력이 없다. (×) → 있다

3 행정규칙의 구속력(효력)

1. 행정규칙의 내부적 구속력

(1) 행정규칙은 원칙적으로 대내적 구속력이 있다.❶ 행정규칙은 상급행정기관의 지휘·감독권에 근거하여 제정되는 명령이므로 하급행정기관의 수범자는 공무원법상의 복종의무에 따라 행정규칙을 준수하여야 할 법적 의무를 진다(예 「국가공무원법」제57조). 따라서 행정규칙에 반하는 행위를 한 자에게는 징계책임 또는 징계벌이 가해질 수 있다(대판 2001.8.24. 2000두7704).

> **「국가공무원법」 제57조 【복종의 의무】** 공무원은 직무를 수행할 때 소속 상관의 직무상 명령에 복종하여야 한다.

15. 경찰 3차 행정규칙을 위반하는 행위는 직무상의 의무위반으로 징계사유에 해당한다. (○)
05. 지방직 9급 행정규칙은 법규성이 없으므로 공무원은 행정규칙의 적용을 일반적으로 거부할 수 있다. (×) → 없다
13. 서울시 7급 행정규칙의 내용이 명백히 부당한 경우 공무원이 이의 적용을 거부하더라도 공무원법상 복종의무위반의 징계책임은 없다. (×) → 있다 (∵명백히 위법한 경우에만 복종 거부 가능)

🔎 관련판례

행정규칙 그 자체로는 대외적 구속력을 인정할 수 없으나 행정기관은 이를 준수할 의무가 있다. ★★
제재적 행정처분의 가중사유나 전제요건에 관한 규정이 법령이 아니라 규칙의 형식으로 되어 있다고 하더라도, 그러한 규칙이 법령에 근거를 두고 있는 이상 그 법적 성질이 대외적·일반적 구속력을 갖는 법규명령인지 여부와는 상관없이, 관할 행정청이나 담당공무원은 이를 준수할 의무가 있으므로 이들이 그 규칙에 정해진 바에 따라 행정작용을 할 것이 당연히 예견되고, 그 결과 행정작용의 상대방인 국민으로서는 그 규칙의 영향을 받을 수밖에 없다(대판 2006.6.22. 2003두1684 전합).
16. 국가직 7급 제재적 행정처분의 가중사유나 전제요건에 관한 규정이 법령이 아닌 행정규칙의 형식으로 되어 있다면 이는 행정청 내부의 재량준칙을 규정한 것에 불과하므로 관할 행정청이나 담당공무원은 이를 준수할 의무가 없다. (×) → 하나 / 있다

(2) 그러나 행정규칙의 내용이 상위법령에 위반하는 것이라면 법질서상 당연무효이고, 행정내부의 효력도 인정될 수 없다. 따라서 위법한 행정규칙을 위반한 것은 징계사유가 되지 않는다.

🔎 관련판례

1 **행정규칙의 내용이 상위법령이나 법의 일반원칙에 반하는 것이라면 법치국가원리에서 파생되는 법질서의 통일성과 모순금지 원칙에 따라 그것은 법질서상 당연무효이고, 행정내부적 효력도 인정될 수 없다. ★★★**
상급행정기관이 소속 공무원이나 하급행정기관에 대하여 세부적인 업무처리절차나 법령의 해석·적용 기준을 정해 주는 '행정규칙'은 상위법령의 구체적 위임이 있지 않는 한 조직 내부에서만 효력을 가질 뿐 대외적으로 국민이나 법원을 구속하는 효력이 없다. 행정규칙이 이를 정한 행정기관의 재량에 속하는 사항에 관한 것인 때에는 그 규정 내용이 객관적 합리성을 결여하였다는 등의 특별한 사정이 없는 한 법원은 이를 존중하는 것이 바람직하다.

❶ 내부적 효력
① 행정내부에서만 효력을 갖는 내부법이면서 직무명령의 성격
② 행정규칙을 위반하는 행위: 직무상의 의무위반으로 징계사유에 해당

행정규칙 형식의 제재적 처분 요건
▷ 행정청·공무원은 준수의무 有

행정규칙의 내용이 상위법령이나 법의 일반원칙에 위반
▷ 당연무효(행정내부적 효력도 인정×)

그러나 행정규칙의 내용이 상위법령이나 법의 일반원칙에 반하는 것이라면 법치국가원리에서 파생되는 법질서의 통일성과 모순금지 원칙에 따라 그것은 법질서상 당연무효이고, 행정내부적 효력도 인정될 수 없다. 이러한 경우 법원은 해당 행정규칙이 법질서상 부존재하는 것으로 취급하여 행정기관이 한 조치의 당부를 상위법령의 규정과 입법 목적 등에 따라서 판단하여야 한다(대판 2020.5.28. 2017두66541 ; 대판 2019.10.31. 2013두20011).

21. 지방직 7급 행정규칙이 이를 정한 행정기관의 재량에 속하는 사항에 관한 것인 때에는 그 규정 내용이 객관적 합리성을 결여하였다는 등의 특별한 사정이 없는 한 법원은 이를 존중하는 것이 바람직하다. (O)

22. 국가직 7급 행정규칙의 내용이 상위법령이나 법의 일반원칙에 반하는 것이라면 행정내부적 효력도 인정될 수 없다. (O)

21. 군무원 7급 행정규칙의 내용이 상위법령이나 법의 일반원칙에 반하는 것이라면 그것은 법질서상 당연무효이고 취소의 대상이 될 수 없다. (O)

2 법령에 반하는 위법한 행정규칙은 무효이므로 위법한 행정규칙을 위반한 것은 징계사유가 되지 않는다. ★

피고(법무부장관)는 원고들(공증인들)이 단지 '대부업자 등'이 쌍방대리 형태로 촉탁한 집행증서를 작성을 거절하지 않음으로써 집행증서 작성사무 지침 제4조를 위반하였다는 점을 징계사유로 삼아 원고들에 대하여 징계처분을 하였는데, 집행증서 작성사무 지침 제4조(행정규칙)가 무효이므로 징계사유가 인정되지 않는다고 판단한 사례(대판 2020.11.26. 2020두42262).

23. 지방직 7급 법령에 반하는 위법한 행정규칙은 무효이므로 위법한 행정규칙을 위반한 것은 징계사유가 되지 않는다. (O)

위법한 행정규칙을 위반한 집행증서 작성 행위
▷ 징계사유×

2. 행정규칙의 외부적(대외적) 구속력

행정규칙의 외부적(대외적) 구속력이란 행정행위가 행정규칙에 위반하였다는 이유로 국민이 행정행위의 위법을 주장할 수 있는지와 행정규칙이 법원에 대하여 재판규범이 되는 것인지와 관련된 문제이다. 행정규칙의 대외적 구속력을 인정하면 행정규칙을 위반한 행정작용은 그것만으로 위법하고, 행정규칙에 대외적 구속력을 인정하지 않으면 행정작용이 행정규칙에 위반하였다는 것만으로는 위법하게 되지 않는다.

(1) 원칙 – 직접적 · 외부적(대외적) 구속효 부정

① 행정규칙은 대외적 구속력이 인정되지 않는 것이 원칙이다. 행정규칙은 일반적으로 행정조직 내부의 규율일 뿐 사인의 권리 · 의무를 규정하지 못하고, 법원도 구속하지 못한다. 다수설과 판례의 기본적인 입장도 이와 같다.

직접적 · 외부적(대외적) 효력
▷ 행정조직 내부에서만 효력을 가질 뿐 대외적으로 국민이나 법원을 구속하는 효력×

⚖ 관련판례

행정규칙은 일반적으로 행정조직 내부에서만 효력을 가질 뿐 대외적 구속력은 없다. ★★★

상급행정기관이 하급행정기관에 대하여 업무처리지침이나 법령의 해석적용에 관한 기준을 정하여 발하는 이른바 '행정규칙이나 내부지침'은 일반적으로 행정조직 내부에서만 효력을 가질 뿐 대외적인 구속력을 갖는 것은 아니므로 행정처분이 그에 위반하였다고 하여 그러한 사정만으로 곧바로 위법하게 되는 것은 아니다(대판 2009.12.24. 2009두7967).

19. 소방간부, 18. 서울시 7급, 12. 서울시 9급, 11. 국가직 9급 상급기관이 하급행정기관에 대하여 업무처리지침이나 법령에 해석적용에 관한 기준을 정하여 발하는 행정규칙은 일반적으로 행정조직 내부에서만 효력을 가질 뿐이며 대외적인 구속력을 갖지 않는다. (O)

20. 소방직, 15. 국회직 8급 상급행정기관이 하급행정기관에 대하여 업무처리지침이나 법령의 해석적 용에 관한 기준을 정하여서 발하는 이른바 행정규칙은 일반적으로 행정조직 내부에서의 효력뿐만 아니라 대외적인 구속력도 갖는다. (×) → 내부에서만 효력을 가질 뿐 대외적인 구속력을 갖는 것은 아니다

22. 국가직 7급, 18. 5급 승진 상급행정기관이 하급행정기관에 대하여 법령의 해석적용에 관한 기준을 정하여 발하는 이른바 '행정규칙이나 내부지침'은 일반적으로 대외적인 구속력을 갖는 것은 아니므로 행정처분이 그에 위반하였다는 사정만으로 곧바로 위법하게 되는 것은 아니다. (○)

② 행정규칙의 대외적 구속력을 부정하는 다수설과 판례에 따르면 행정규칙은 법규가 아니므로 행정규칙의 위반은 위법이 아니다. 따라서 사인에 대해 행정기관이 행정규칙에 반하여 불이익처분을 하여도 사인은 행정규칙 위반을 이유로 다툴 수가 없다. 또한 행정규칙에 따른 행정처분은 적법성의 추정도 받지 아니한다.

참고 행정법에서의 법규(法規) 개념과 행정규칙의 법적 성질

법규 (法規)	개념	행정규칙의 법적 성질
협의	• 실질설: 행정주체와 국민의 권리의무에 관한 사항을 정하는 일반적·추상적인 구속력 있는 규범 • 형식설: 법령의 형식으로 제정된 일반적·추상적 규범	원칙상 법규×
광의	행정사무의 처리기준이 되는 일반적·추상적인 구속력 있는 규범	법규○

관련판례

1 행정처분이 법규성이 없는 시행규칙 등의 규정에 위배된다고 하더라도 그 이유만으로 처분이 위법하게 되는 것은 아니라 할 것이고, 또 그 규칙 등에서 정한 요건에 부합한다고 하여 반드시 그 처분이 적법한 것이라고 할 수도 없다. ★★★

어떤 행정처분이 그와 같이 법규성이 없는 시행규칙 등의 규정에 위배된다고 하더라도 그 이유만으로 처분이 위법하게 되는 것은 아니라 할 것이고, 또 그 규칙 등에서 정한 요건에 부합한다고 하여 반드시 그 처분이 적법한 것이라고 할 수도 없다. 이 경우 처분의 적법 여부는 그러한 규칙 등에서 정한 요건에 합치하는지 여부가 아니라 일반 국민에 대하여 구속력을 가지는 법률 등 법규성이 있는 관계 법령의 규정을 기준으로 판단하여야 한다(대판 2015.6.23. 2012두2986 ; 대판 2018.6.15. 2015두40248).

22. 소방직, 19. 서울시 7급 행정처분이 법규성이 없는 내부지침 등의 규정에 위배된다고 하더라도 그 이유만으로 처분이 위법하게 되는 것은 아니며, 내부지침 등에서 정한 요건에 부합한다고 하여 반드시 그 처분이 적법한 것이라고 할 수도 없다. (○)

18. 국회직 8급 어떤 행정처분이 법규성이 없는 부령의 규정에 위배되면 그 처분은 위법하고, 또 그 부령에서 정한 요건에 부합하면 그 처분은 적법하다. (×) → 된다고 하더라도 / 하게 되는 것은 아니고 / 한다고 하여 / 한 것이라고 할 수도 없다

2 규범해석규칙 성격의 행정규칙을 따랐다는 이유만으로 행정처분이 위법하게 되는 것은 아니다. ★★

행정청 내부에서의 사무처리지침이 행정부가 독자적으로 제정한 행정규칙으로서 상위법규의 규정내용을 벗어나 국민에게 새로운 제한을 가한 것이라면 그 효력을 인정할 수 없겠으나, 단순히 행정규칙 중 하급행정기관을 지도하고 통일적 법해석을 기하기 위하여 상위법규 해석의 준거기준을 제시하는 규범해석규칙의 성격을 가지는 것에 불과하다면 그러한 해석기준이 상위법규의 해석상 타당하다고 보여지는 한 그에 따랐다는 이유만으로 행정처분이 위법하게 되는 것은 아니라 할 것이다(대판 1992.5.12. 91누8128).

행정관청 내부의 사무처리규정에 불과한
전결규정에 위반하여 원래의 전결권자 아
닌 보조기관 등이 처분권자인 행정관청의
이름으로 한 행정처분
▷ 무효×

18. 5급 승진, 13. 지방직 7급 행정청 내부에서의 사무처리지침이 단순히 하급행정기관을 지
도하고 통일적 법해석을 기하기 위하여 상위법규 해석의 준거기준을 제시하는 규범해석규칙의
성격을 가지는 것에 불과하다면 그러한 해석기준이 상위법규의 해석상 타당하다고 보여지는 한
그에 따랐다는 이유만으로 행정처분이 위법하게 되는 것은 아니다. (○)

3 행정관청 내부의 사무처리규정에 불과한 전결규정에 위반하여 원래의 전결권자
아닌 보조기관 등이 처분권자인 행정관청의 이름으로 행정처분을 한 경우, 그 처
분은 무효가 아니다. ★★

[행정처분을 태안군사무전결처리규칙에 의한 전결권자인 부군수가 아닌 재무과
장이 피고(태안군수)의 이름으로 한 것이어서 무권한자에 의한 무효의 행정처분
이라는 이유로 그 무효확인을 구하는 공유재산대부신청반려처분무효확인소송에
서] 전결과 같은 행정권한의 내부위임은 법령상 처분권자인 행정관청이 내부적인
사무처리의 편의를 도모하기 위하여 그의 보조기관 또는 하급 행정관청으로 하여
금 그의 권한을 사실상 행사하게 하는 것으로서 법률이 위임을 허용하지 않는 경
우에도 인정되는 것이므로, 설사 행정관청 내부의 사무처리규정에 불과한 전결규
정에 위반하여 원래의 전결권자 아닌 보조기관 등이 처분권자인 행정관청의 이름
으로 행정처분을 하였다고 하더라도 그 처분이 권한 없는 자에 의하여 행하여진
무효의 처분이라고는 할 수 없다(대판 1998.2.27. 97누1105).

21. 경찰 2차 전결(專決)과 같은 행정권한의 내부위임은 법령상 처분권자인 행정관청이 내부
적인 사무처리의 편의를 도모하기 위하여 그의 보조기관 또는 하급 행정관청으로 하여금 그의
권한을 사실상 행사하게 하는 것으로서 법률의 위임이 있어야 허용된다. (×) → 없어도
22. 지방직 7급, 21. 서울시 7급 행정관청 내부의 사무처리규정에 관한 전결규정에 위반하여
원래의 전결권자 아닌 보조기관 등이 처분권자인 행정관청의 이름으로 행정처분을 하였다고 하
더라도 그 처분이 권한 없는 자에 의하여 행하여진 무효의 처분이라고는 할 수 없다. (○)
20. 국가직 9급 행정관청 내부의 사무처리규정에 불과한 전결규정에 위반하여 원래의 전결권
자 아닌 보조기관 등이 처분권자인 행정관청의 이름으로 행정처분을 한 경우, 그 처분은 권한 없
는 자에 의하여 행하여진 것으로 무효이다. (×) → 무효의 처분이라고는 할 수 없다

③ 행정기관 내부의 사무처리기준에 불과한 예

⚖ 관련판례

1 서울특별시 개인택시운송사업면허 업무처리요령(대판 1997.9.26. 97누8878)

12. 국가직 9급 서울특별시가 정한 개인택시운송사업 면허지침은 재량권 행사의 기준으로 설
정된 행정청의 법규명령에 해당한다. (×) → 행정규칙

2 공정거래위원회 예규인 부당한지원행위의심사지침(대판 2004.4.23. 2001두6517)

09. 국회직 8급 공정거래위원회의 '부당한지원행위의심사지침'은 공정거래위원회 내부의 사무
처리준칙에 불과하다. (○)

3 서울시 철거민에 대한 국민주택 특별공급규칙(대판 2007.11.29. 2006두8495)

4 구 국립묘지안장대상심의위원회 운영규정(대판 2013.12.26. 2012두19571)

16. 경찰 구 국립묘지안장대상심의위원회 운영규정은 국가보훈처장이 심의위원회의 운영에 관
하여 구 「국립묘지의 설치 및 운영에 관한 법률」 및 시행령에서 위임된 사항과 그 시행에 필요한
사항을 규정함을 목적으로 하여 국가보훈처 훈령으로 제정된 것으로서, 영예성 훼손 여부 등에
관한 판단의 기준을 정한 행정청 내부의 사무처리준칙이다. (○)

5 감정평가업협회의 토지보상평가지침(대판 2002.6.14. 2000두3450)

20. 5급 승진 한국감정평가업협회가 제정한 '토지보상평가지침'은 단지 한국감정평가업협회가
내부적으로 기준을 정한 것에 불과하여 일반 국민이나 법원을 기속하는 것이 아니다. (○)
09. 국회직 8급 한국감정평가업협회가 제정한 '토지보상평가지침'은 일반 국민이나 법원을 기
속하는 효력을 가진다. (×) → 가진 것이 아니다

6 교육공무원 보수업무 등 편람(대판 2010.12.9. 2010두16349)

17. 교행 법령의 위임 없이 제정한 2006년 교육공무원 보수업무 등 편람은 법규명령이다. (×)
→ 행정규칙

7 보건복지가족부 고시인 '요양급여비용 심사·지급업무 처리기준'에 근거하여 제정한 심사지침인 방광내압 및 요누출압 측정 시 검사방법(대판 2017.7.11. 2015두2864)

19. 국회직 8급 건강보험심사평가원이 보건복지가족부 고시인 '요양급여비용 심사·지급업무 처리기준'에 근거하여 제정한 심사지침인 '방광내압 및 요누출압 측정 시 검사방법'은 내부적 업무처리기준으로서 행정규칙에 불과하다. (○)

8 건강보험심사평가원의 원장이 보건복지부장관의 고시에 따라 진료심사평가위원회의 심의를 거쳐 정한 요양급여비용의 심사기준 또는 심사지침(대판 2012.11.29. 2008두21669)

18. 경찰 3차 건강보험심사평가원의 원장이 보건복지부장관의 고시('요양급여비용 심사 지급업무처리기준')에 따라 진료심사평가위원회의 심의를 거쳐 정한 요양급여비용의 심사기준 또는 심사지침은 행정규칙에 불과하다. (○)

9 기록의 열람·등사의 제한을 정하고 있는 검찰보존사무규칙(대판 2006.5.25. 2006두3049)

(2) 예외 – 간접적·외부적(대외적) 구속효 인정

① **학설**: 이는 주로 재량준칙과 관련하여 논의되는 문제인데, 행정규칙은 원칙적으로 대외적인 구속력은 없지만 예외적으로 행정의 실제상 평등의 원칙, 행정의 자기구속의 원칙 등을 매개로 하여 간접적·외부적 구속력을 갖는다는 것이 지배적인 견해이다.

② **판례**
  ㉠ 대법원
    ⓐ 대법원은 원칙적으로 행정규칙에 대해 대외적 구속력을 인정하지 않지만, 재량준칙이 객관적으로 합리적이 아니라든가 타당하지 않다고 볼만한 특별한 사정이 없다면 행정청의 의사는 존중되어야 한다고 하고, 이러한 재량준칙에 따른 처분은 적법한 것으로 본다.
    ⓑ 또한 재량준칙은 그 자체가 직접적으로 법규성이 있는 것은 아니나 재량준칙이 되풀이 시행되어 행정관행이 성립된 경우에는 자기구속력이 인정되므로, 그 재량준칙에 반하는 처분은 법규범인 당해 재량준칙을 간접적으로 위반한 것으로서 위법한 처분이 된다. 따라서 상대방은 행정규칙의 위반이 아니라 자기구속의 원칙 등의 위반을 이유로 위법성을 주장할 수 있다.
    ㉢ 이러한 대법원의 판례는 재량준칙은 직접적으로 외부적 효력을 갖는 것이 아니라 헌법상의 평등의 원칙 또는 행정의 자기구속의 원칙 등을 매개로 하여 간접적으로 외부적 구속력을 인정하는 다수설의 견해와 유사하다.

13. 서울시 7급 재량준칙은 행정의 자기구속의 법리에 의거하여 간접적으로 대외적 구속력을 갖는다. (○)

학설의 지배적인 견해
▷ 원칙: 대외적 구속력×
▷ 예외: 행정의 자기구속의 원칙 등을 매개로 하여 간접적·외부적 구속력을 가짐

재량준칙에 따른 행정청의 행위
▷ 특별한 사정이 없다면 그 재량준칙에 따른 처분은 적법한 것으로 봄

재량준칙에 자기구속력이 인정되는 경우
▷ 재량준칙에 반하는 처분은 재량권을 일탈·남용한 처분으로서 위법

간접적·외부적(대외적) 효력
▷ 재량준칙은 평등의 원칙(행정의 자기구속의 원칙)을 매개로 하여 간접적으로 외부적인 효력 가짐

관련판례

1 자가구속력이 인정되는 재량준칙을 따르지 않은 처분은 특별한 사정이 없는 한 평등의 원칙이나 신뢰보호의 원칙에 어긋나 재량권을 일탈·남용한 위법한 처분이다. ★★★

재량기준이 객관적으로 합리적이 아니라든가 타당하지 않다고 볼 만한 특별한 사정이 없는 경우
▷ 행정청의 의사는 가능한 한 존중되어야

[1] 구 '부당한 공동행위 자진신고자 등에 대한 시정조치 등 감면제도 운영고시' 제16조 제1항·제2항은 그 형식 및 내용에 비추어 재량권 행사의 기준으로 마련된 행정청 내부의 사무처리준칙 즉 재량준칙이라 할 것이고, 구 '독점규제 및 공정거래에 관한 법률 시행령' 제35조 제1항 제4호에 의한 추가감면 신청 시 그에 필요한 기준을 정하는 것은 행정청의 재량에 속하므로 그 기준이 객관적으로 보아 합리적이 아니라든가 타당하지 아니하여 재량권을 남용한 것이라고 인정되지 않는 이상 행정청의 의사는 가능한 한 존중되어야 한다.

17. 사복직(서울) 설정된 재량기준이 객관적으로 합리적이 아니라든가 타당하지 않다고 볼 만한 특별한 사정이 없다면 행정청의 의사는 존중되어야 한다. (○)

관행이 성립된 재량준칙에 반하는 처분
▷ 재량권을 일탈·남용한 위법한 처분○

[2] 이러한 재량준칙은 일반적으로 행정조직 내부에서만 효력을 가질 뿐 대외적인 구속력을 갖는 것은 아니므로 행정처분이 이를 위반하였다고 하여 그러한 사정만으로 곧바로 위법하게 되는 것은 아니고, 다만 그 재량준칙이 정한 바에 따라 되풀이 시행되어 행정관행이 이루어지게 되면 평등의 원칙이나 신뢰보호의 원칙에 따라 행정기관은 상대방에 대한 관계에서 그 규칙에 따라야 할 자기구속을 받게 되므로, 이러한 경우에는 특별한 사정이 없는 한 그에 반하는 처분은 평등의 원칙이나 신뢰보호의 원칙에 어긋나 재량권을 일탈·남용한 위법한 처분이 된다(대판 2013.11.14. 2011두28783).

22. 행정사 재량준칙은 행정의 자기구속법리나 평등원칙 등에 의해 대외적 구속력을 가질 수 있다. (○)

20. 지방직 9급, 18. 서울시 7급, 17. 사복직(서울), 16. 국가직 7급, 13. 지방직 7급 등 재량준칙이 정한 바에 따라 되풀이 시행되어 행정관행이 이루어지게 되면 평등의 원칙이나 신뢰보호의 원칙에 따라 행정기관은 상대방에 대한 관계에서 그 규칙에 따라야 할 자기구속을 받게 되므로, 이러한 경우에는 특별한 사정이 없는 한 그에 반하는 처분은 평등의 원칙이나 신뢰보호의 원칙에 어긋나 재량권을 일탈·남용한 위법한 처분이 된다. (○)

19. 서울시 7급, 17. 행정사 재량권 행사의 준칙인 행정규칙이 있으면 그에 따른 관행이 없더라도 평등의 원칙에 따라 행정기관은 상대방에 대한 관계에서 그 규칙에 따라야 할 자기구속을 받게 된다. (×) → 이루어지게 되면

17. 국가직 9급 재량준칙이 공표된 것만으로도 자기구속의 원칙이 적용될 수 있으며 재량준칙이 되풀이 시행되어 행정관행이 성립될 필요는 없다. (×) → 없으며 / 가 있다

헌법재판소의 입장
▷ 대법원과 마찬가지로 재량준칙에 자기구속력이 인정되는 경우 행정규칙은 대외적인 구속력을 가지게 됨

ⓒ 헌법재판소: 헌법재판소 판례도 원칙적으로 행정규칙에 대해 대외적 구속력을 인정하지 않지만, 대법원과 마찬가지로 재량권 행사의 준칙인 행정규칙이 그 정한 바에 따라 되풀이 시행되어 행정관행이 성립하여 평등의 원칙이나 신뢰보호의 원칙에 따라 행정기관이 그 상대방에 대한 관계에서 그 규칙에 따라야 할 자기구속을 당하게 되는 경우에는 대외적인 구속력을 가지게 된다고 본다(헌재 1990.9.3. 90헌마13).

12. 지방직 7급 헌법재판소는 재량준칙의 대외적 구속력 인정과 관련한 행정의 자기구속의 법리의 근거를 평등의 원칙이나 신뢰보호의 원칙에서 찾고 있다. (○)

18. 서울시 7급(추), 08. 국가직 7급 행정규칙이 법령의 규정에 의하여 행정관청에 법령의 구체적 내용을 보충할 권한을 부여한 경우, 평등의 원칙이나 신뢰보호의 원칙에 따라 행정기관은 그 상대방에 대한 관계에서 그 규칙에 따라야 할 자기구속을 당하게 된다. (○)

4 행정규칙의 성립 및 효력발생요건

함께 정리하기

1. 성립요건

(1) 주체에 대한 요건

행정규칙은 행정조직법상 정당한 권한을 가진 행정기관이 그 권한의 범위 내에서 발하여야 한다.

주체
▷ 정당한 권한 가진 행정기관이 권한범위 내에서

(2) 절차에 관한 요건

행정규칙의 제정과 관련된 일반적 규정은 없지만, 제정과 관련된 개별법상의 절차규정이 있으면 이를 거쳐야 한다. 예컨대, 대통령훈령 및 국무총리훈령의 제정은 '법제에 관한 사무'의 하나로서 법제처의 사전심사를 거치고(「법제업무운영규정」 제23조), 각 부·처·청의 장의 훈령도 법제처의 사전 또는 사후의 통제를 받는다(「법제업무운영규정」 제25조 제3항).

절차
▷ 법정절차×
▷ 대통령훈령 및 국무총리훈령: 법제처의 사전심사
▷ 훈령 및 예규: 법제처의 사전 또는 사후 통제

(3) 형식에 관한 요건

행정규칙은 보통 훈령·고시·예규·통첩 등의 형식으로 행하여지며 고유한 형식이 있는 것이 아니다. 따라서 문서 또는 구술에 의한 발령도 가능하다.

11. 국회직 9급 행정규칙은 보통 훈령, 고시, 예규의 형식으로 행하여지며 고유한 서식에 따라야 한다. (×) → 문서 또는 구술에 의한 발령도 가능하다

형식
▷ 반드시 문서×(구술 可)
▷ 반드시 조문 형식×

(4) 내용에 관한 요건(근거 및 한계)

행정규칙은 행정기관이 자신의 직권에 의하여 발하는 명령에 해당하기 때문에 법규명령과는 달리 법률의 근거를 요하지 않는다. 그러나 법률우위의 원칙에 따라 법령에 위배되어서는 안 되며 아울러 이행가능하고 명확하여야 한다. 행정규칙은 또한 비례의 원칙, 평등의 원칙, 신뢰보호의 원칙 등 행정법의 일반원칙에 위배되어서도 안 된다.

17. 행정사, 15. 행정사 행정규칙의 제정에는 법령의 수권을 요하지 않는다. (○)

내용
▷ 법률유보원칙 적용×
▷ 법률우위원칙·행정법의 일반원칙(비례의 원칙, 평등의 원칙, 신뢰보호의 원칙, 신의성실의 원칙 등) 적용○

> **⚖ 관련판례**
>
> **행정규칙에서 사용하는 개념이 달리 해석할 여지가 있더라도 수권의 범위 내에서 법령이 위임한 취지 및 형평과 비례의 원칙에 기초하여 합목적적으로 기준을 설정하여 개념을 해석·적용하고 있다면 위임의 한계를 벗어났다고 볼 수 없다. ★★**
>
> 법령상의 어떤 용어가 별도의 법률상의 의미를 가지지 않으면서 일반적으로 통용되는 의미를 가지고 있다면, 상위규범에 그 용어의 의미에 관한 별도의 정의규정을 두고 있지 않고 권한을 위임받은 하위규범에서 그 용어의 사용기준을 정하고 있다 하더라도 하위규범이 상위규범에서 위임한 한계를 벗어났다고 볼 수 없으며, 행정규칙에서 사용하는 개념이 달리 해석할 여지가 있다 하더라도 행정청이 수권의 범위 내에서 법령이 위임한 취지 및 형평과 비례의 원칙에 기초하여 합목적적으로 기준을 설정하여 그 개념을 해석·적용하고 있다면, 개념이 달리 해석할 여지가 있다는 것만으로 이를 사용한 행정규칙이 법령의 위임 한계를 벗어났다고는 할 수 없다(대판 2008.4.10. 2007두4841).
>
> 15. 지방직 7급 행정규칙에서 사용하는 개념이 달리 해석될 여지가 있다 하더라도 행정청이 수권의 범위 내에서 법령이 위임한 취지 및 형평과 비례의 원칙에 기초하여 합목적적으로 기준을 설정하여 그 개념을 해석·적용하고 있다면, 개념이 달리 해석될 여지가 있다는 것만으로 이를 사용한 행정규칙이 법령의 위임한계를 벗어났다고는 할 수 없다. (○)

행정규칙에서 사용하는 개념이 달리 해석될 여지 있는 경우
▷ 상위법령의 위임취지에 맞게 해석·적용하고 있다면 위임한계 일탈×

2. 효력발생요건

(1) 행정규칙은 원칙적으로 대외적 구속력이 없으므로 법규명령과는 달리 표시에 있어 공포라는 형식에 의함을 요하지 않는다. 따라서 관보게재 · 게시 · 사본배부 · 전문 등 적당한 방법으로 수명기관에 통보되고 도달함으로써 그 효력을 발생하고 해당 기관은 그때부터 행정규칙에 구속된다.

22. 지방직 7급 행정기관 내부의 사무처리준칙에 불과한 행정규칙은 공포되어야 하는 것은 아니므로 특별한 규정이 없는 한, 수명기관에 도달된 때부터 효력이 발생한다. (○)

21. 군무원 7급 행정규칙은 적당한 방법으로 통보되고 도달하면 효력을 가지며, 반드시 국민에게 공포되어야만 하는 것은 아니다. (○)

행정규칙의 효력발생
▷ 수명기관에 도달함으로써 효력이 발생 (공포×)
▷ 처분기준을 설정하거나 변경하는 경우에는 공표 要(「행정절차법」 제20조)
▷ but 공표가 행정규칙의 성립요건×, 효력요건×

(2) 행정규칙의 공표는 그 효력발생요건은 아니지만, 행정청은 처분기준을 설정하거나 변경하는 경우 해당 처분의 성질에 비추어 되도록 구체적으로 정하여 공표하여야 한다(「행정절차법」 제20조 제1항).

> **「행정절차법」 제20조 【처분기준의 설정 · 공표】** ① 행정청은 필요한 처분기준을 해당 처분의 성질에 비추어 되도록 구체적으로 정하여 공표하여야 한다. 처분기준을 변경하는 경우에도 또한 같다.

18. 국가직 9급 행정규칙의 공표는 행정규칙의 성립요건이나 효력요건은 아니나, 「행정절차법」에서는 행정청은 필요한 처분기준을 당해 처분의 성질에 비추어 될 수 있는 한 구체적으로 공표하도록 하고 있다. (○)

재량준칙인 개인택시운송사업면허지침
▷ 외부고지 안 해도 효력 有

> **🔎 관련판례**
>
> **서울특별시가 정한 개인택시운송사업면허지침은 재량권 행사의 기준으로 설정된 행정청의 내부의 사무처리준칙에 불과하므로, 대외적으로 국민을 기속하는 법규명령의 경우와는 달리 외부에 고지되어야만 효력이 발생하는 것은 아니다**(대판 1997.1.21. 95누12941). ★★
>
> 15. 경찰 1차, 12. 국가직 9급 서울특별시가 정한 개인택시운송사업면허지침은 재량권행사의 기준으로 설정된 행정청의 법규명령에 해당한다. (×) → 행정규칙
>
> 07. 지방직 9급 서울특별시가 정한 개인택시운송사업면허지침은 재량권행사의 기준으로 설정된 행정청의 내부사항 처리준칙으로서 외부에 공포하여야 효력을 발생한다. (×) → 하는 것은 아니다

5 행정규칙의 하자 및 소멸

1. 하자

하자 있는 행정규칙의 효력
▷ 무효(취소×)

적법요건을 구비하지 못한 행정규칙은 하자있는 것이 된다. 하자있는 행정규칙은 위법한 행정규칙으로서 그 효과는 무효이다. 행정행위의 경우에는 하자의 효과로서 무효와 취소의 경우가 있으나 행정규칙과 같이 일반 · 추상적 행정작용은 항고소송의 대상이 되지 못하므로 하자의 효과로는 무효만 존재한다.

18. 서울시 7급(추) 행정규칙도 행정작용의 하나이므로 하자가 있으면 하자의 정도에 따라 무효 또는 취소할 수 있는 행정규칙이 된다. (×) → 무효가

2. 소멸

법규명령과 마찬가지로 유효하게 성립된 행정규칙도 명시적·묵시적 폐지, 종기의 도래, 해제조건의 성취 등의 사유로 인해 효력이 소멸된다.

12. 지방직 7급 해제조건의 성취는 법규명령과 행정규칙의 공통적 소멸사유이다. (○)

6 행정규칙의 통제

행정규칙은 비록 직접적인 외부적 효력을 갖지 않더라도 행정운영상으로 국민의 생활에 많은 영향을 주고 있기 때문에 그 적법성과 타당성을 확보하기 위하여 통제기관에 따라 입법적 통제·사법적 통제·행정적 통제가 있다.

1. 입법적 통제(국회에 의한 통제)

(1) 직접적 통제

행정규칙에 대한 국회의 통제방식도 법규명령의 경우와 유사하다. 즉, 직접적 통제방식으로 「국회법」 제98조의2 제1항에 제출절차가 인정되고 있다. 다만, 법규명령과 달리 「국회법」 제98조의2 제3항의 법 위반사실의 통보제도는 적용되지 않는다. 이는 행정규칙의 내부법성에 기인한 것으로 볼 수 있다.

(2) 간접적 통제

현행법상 간접적인 통제방식으로는 법규명령의 경우와 동일하게 국회의 국정감사·국정조사(헌법 제61조), 국무총리·국무위원 등에 대한 질문(헌법 제62조), 국무총리 및 국무위원해임건의(헌법 제63조), 대통령 등에 대한 탄핵소추(헌법 제65조)에 의한 통제를 들 수 있다.

2. 사법적 통제

(1) 일반법원에 의한 통제

① 항고소송의 대상

㉠ 일반적·추상적 규범인 행정규칙은 그 자체로는 국민의 권리의무에 직접적이고 구체적인 영향을 주는 처분이 아니므로 원칙적으로 항고소송의 대상이 되지 않는다.

14. 경찰 2차 행정규칙 자체는 원칙적으로 행정소송법상 처분에 해당되지 않는다. (○)

㉡ 다만, 대외적 구속력이 있는 행정규칙으로 인하여 직접적으로 국민의 권익이 침해된 경우에는 그 행정규칙은 처분이 되므로 예외적으로 항고소송의 대상이 된다.

12. 국회직 8급 행정규칙이 직접적으로 국민의 권익을 침해하는 경우에는 처분성이 인정되어 항고소송에 의한 사법적 통제를 받게 된다. (○)

함께 정리하기

행정규칙의 소멸
▷ 폐지, 종기의 도래, 해제조건의 성취 등

행정규칙의 통제
▷ 입법적·사법적·행정적 통제

직접적 통제
▷ 「국회법」 제98조의2 제1항에 제출절차 인정○
▷ 제3항의 법 위반사실의 통보제도는 적용×

간접적 통제
▷ 국회의 국정감사·국정조사 등

항고소송의 대상(원칙)
▷ 행정규칙은 법규성×
▷ 사법통제대상×

항고소송의 대상(예외)
▷ 행정규칙이 직접적으로 국민의 권익을 침해하는 경우

교육부장관의 내신성적 산정지침
▷ 처분×

관련판례

1 **교육부장관이 내신성적 산정기준에 관한 시행지침을 마련하여 시·도 교육감에게 통보한 것은 항고소송의 대상이 되는 행정처분으로 볼 수 없다. ★★**

교육부장관이 내신성적 산정기준의 통일을 기하기 위해 대학입시기본계획의 내용에서 내신성적 산정기준에 관한 시행지침을 마련하여 시·도 교육감에서 통보한 것은 행정조직 내부에서 내신성적 평가에 관한 내부적 심사기준을 시달한 것에 불과하며, 각 고등학교에서 위 지침에 일률적으로 기속되어 내신성적을 산정할 수밖에 없고 또 대학에서도 이를 그대로 내신성적으로 인정하여 입학생을 선발할 수밖에 없는 관계로 장차 일부 수험생들이 위 지침으로 인해 어떤 불이익을 입을 개연성이 없지는 아니하나, 그러한 사정만으로서 위 지침에 의하여 곧바로 개별적이고 구체적인 권리의 침해를 받은 것으로는 도저히 인정할 수 없으므로, 그것만으로는 현실적으로 특정인의 구체적인 권리의무에 직접적으로 변동을 초래케 하는 것은 아니라 할 것이어서 내신성적 산정지침을 항고소송의 대상이 되는 행정처분으로 볼 수 없다(대판 1994.9.10. 94두33).

16. 경찰 2차, 15. 경찰 1차, 14. 국가직 9급, 12. 국가직 9급 대법원은 교육부장관이 내신성적산정지침을 시·도 교육감에게 통보한 것은 행정조직 내부에서 내신성적평가에 관한 심사기준을 시달한 것에 불과하다고 보아 위 지침을 행정처분으로 볼 수 없다고 판단하였다. (○)

19. 국가직 9급, 10. 지방직 9급 교육부장관이 대학입시기본계획의 내용에서 내신성적 산정기준에 관한 시행지침을 정한 경우, 각 고등학교는 이에 따라 내신성적을 산정할 수밖에 없어 이는 행정처분에 해당된다. (×) → 되지 않는다

보건복지부 약제급여 등 고시
▷ 처분○

2 **보건복지부 고시인 약제급여·비급여목록 및 급여상한금액표는 항고소송 대상이 되는 행정처분에 해당한다. ★★**

보건복지부 고시인 약제급여·비급여목록 및 급여상한금액표는 다른 집행행위의 매개 없이 그 자체로서 국민건강보험가입자, 국민건강보험공단, 요양기관 등의 법률관계를 직접 규율 하는 성격을 가지므로 항고소송 대상이 되는 행정처분에 해당한다(대판 2006.9.22. 2005두2506).

22. 국회직 9급, 18. 국가직 9급 보건복지부 고시인 구 「약제급여·비급여목록 및 급여상한금액표」는 다른 집행행위의 매개 없이 그 자체로서 국민건강보험가입자, 국민건강보험공단, 요양기관 등의 법률관계를 직접 규율하는 성격을 가지므로 항고소송의 대상이 되는 행정처분에 해당한다. (○)

항정신병 치료제의 요양급여 인정 기준
▷ 처분○

3 **항정신병 치료제의 요양급여 인정기준은 항고소송 대상이 되는 행정처분에 해당한다. ★★**

항정신병 치료제의 요양급여 인정기준에 관한 보건복지부 고시가 다른 집행행위의 매개 없이 그 자체로서 제약회사, 요양기관, 환자 및 국민건강보험공단 사이의 법률관계를 직접 규율 하여 항고소송의 대상이 되는 행정처분에 해당한다(대결 2003.10.9. 2003무23).

22. 국가직 9급, 12. 지방직 9급 항정신병 치료제의 요양급여 인정기준에 관한 보건복지부 고시가 다른 집행행위의 매개 없이 그 자체로서 직접 국민의 구체적인 권리·의무와 법률관계를 규율하는 성격을 가질 때에는 항고소송의 대상이 되는 행정처분에 해당한다. (○)

행정규칙에 근거한 처분
▷ 상대방 권리·의무에 직접 영향을 미치는 행위라면 항고소송의 대상○

4 **행정규칙에 근거한 처분이라도 상대방의 권리·의무에 직접 영향을 미치는 경우에는 항고소송의 대상이 되는 행정처분에 해당한다. ★★★**

어떠한 처분의 근거나 법적인 효과가 행정규칙에 규정되어 있다고 하더라도, 그 처분이 행정규칙의 내부적 구속력에 의하여 상대방에게 권리의 설정 또는 의무의 부담을 명하거나 기타 법적인 효력을 발생하게 하는 등으로 그 상대방의 권리의무에 직접 영향을 미치는 행위라면, 이 경우에도 항고소송의 대상이 되는 행정처분에 해당한다고 보아야 할 것이다(대판 2002.7.26. 2001두3532 ; 대판 2012.9.27. 2010두3541 ; 대판 2004.11.26. 2003두10251).

22. 소방직, 22. 지방직 7급, 22. 국가직 7급, 15. 사복직, 15. 지방직 7급 등 어떠한 처분의 근거나 법적인 효과가 행정규칙에 규정되어 있다고 하더라도, 그 처분이 상대방의 권리의무에 직접 영향을 미치는 행위라면 항고소송의 대상이 되는 행정처분에 해당한다. (○)

19. 서울시 7급(추) 근거규정이 행정규칙에 해당하는 이상, 그 근거규정에 의거한 조치는 행정처분에 해당하지 않는다. (×) → 해당할 수 있다

20. 국가직 9급 어떠한 처분의 근거나 법적인 효과가 행정규칙에 규정되어 있다면, 그 처분이 행정규칙의 내부적 구속력에 의하여 상대방의 권리 의무에 직접 영향을 미치는 행위라도 항고소송의 대상이 되는 행정처분이라 볼 수 없다. (×) → 라면 / 있다

② **구체적 규범통제(간접적 통제)**

㉠ 구체적 규범통제의 대상은 명령과 규칙이다. 헌법 제107조 제2항에서 말하는 명령과 규칙은 법규성이 인정되는 것을 의미한다. 따라서 법규적 효력이 없는 일반적 행정규칙은 재판의 전제성이 인정되지 않아 원칙적으로 헌법 제107조의 구체적 규범통제의 대상❶이 될 수 없다(대판 1990.2.27. 88재누55).

㉡ 그러나 법령보충규칙이나 행정관행이 성립되어 평등의 원칙이나 신뢰보호 원칙에 따라 간접적으로 대외적 구속력을 갖는 재량준칙의 경우에는 법원이 처분의 위법여부를 판단함에 있어 그 위법여부가 재판의 전제가 되었을 때, 헌법 제107조 제2항에 따른 구체적 규범통제의 대상이 될 수 있다.

19. 경찰 2차 법령보충적 행정규칙은 헌법 제107조의 구체적 규범통제의 대상이 되지만, 법규성이 없는 행정규칙은 헌법 제107조의 통제대상이 되지 않는다. (○)

(2) 헌법재판소에 의한 통제

① 행정규칙은 행정조직 내부에서만 효력을 가지는 것이고 대외적인 구속력을 가지는 것이 아니어서 원칙적으로 「헌법재판소법」 제68조 제1항의 헌법소원의 대상이 되는 '공권력의 행사'에 해당하지 아니한다(헌재 2001.7.18. 2001헌마605).

🔨 **관련판례**

경기도교육청의 1999.6.2.자 학교장·교사 초빙제 실시는 학교장·교사 초빙제의 실시에 따른 구체적 시행을 위해 제정한 사무처리지침으로서 행정조직 내부에서만 효력을 가지는 행정상의 운영지침을 정한 것이어서, 국민이나 법원을 구속하는 효력이 없는 행정규칙에 해당하므로 헌법소원의 대상이 되지 않는다(헌재 2001.5.31. 99헌마413). ★★

19. 국회직 8급 학교장·교사 초빙제의 실시는 행정조직 내부에서만 효력을 가지는 행정상의 운영지침을 정한 것으로서 국민이나 법원을 구속하는 효력이 없는 행정규칙에 해당한다. (○)

② 그러나, 행정규칙이 사실상 구속력을 갖고 있어 국민의 기본권을 현실적으로 침해하는 경우에는 헌법소원의 대상이 된다. 헌법재판소는 국립대학의 대학입학고사 주요 요강을 사실상의 준비행위 내지 사전안내로 보고, 항고소송의 대상인 처분으로 보지 않으면서도 헌법소원의 대상이 되는 공권력 행사로 보고 있다.

---

❶ 헌법 제107조의 구체적 규범통제의 대상

대상×	법규적 효력이 없는 행정규칙
대상○	• 법규적 성질을 갖는 행정규칙(법령보충적 행정규칙) • 재량준칙 등에 의하여 일정한 행정관행이 성립되어 간접적으로 대외적 구속력을 갖는 경우

원칙
▷ 헌법소원 대상×

예외
▷ 국민의 기본권에 대해 직접적인 영향을 미치는 경우 대상○

학교장·교사 초빙제 실시
▷ 행정규칙, 헌법소원의 대상×

서울대 94학년도 대학입학고사주요요강
▷ 그대로 실시 + 기본권 직접 침해 시 헌법소원 可

관련판례

서울대학교 '94학년도 대학입학고사주요요강'은 행정규칙이지만 그대로 실시될 것이 틀림없어 직접적으로 국민의 기본권을 침해하므로 헌법소원의 대상이 되는 공권력의 행사에 해당한다. ★★★

국립대학인 서울대학교의 "94학년도 대학입학고사주요요강"은 사실상의 준비행위 내지 사전안내로서 행정쟁송의 대상이 될 수 있는 행정처분이나 공권력의 행사는 될 수 없지만 그 내용이 국민의 기본권에 직접 영향을 끼치는 내용이고 앞으로 법령의 뒷받침에 의하여 그대로 실시될 것이 틀림없을 것으로 예상되어 그로 인하여 직접적으로 기본권 침해를 받게 되는 사람에게는 사실상의 규범작용으로 인한 위험성이 이미 현실적으로 발생하였다고 보아야 할 것이므로 이는 헌법소원의 대상이 되는 헌법재판소법 제68조 제1항 소정의 공권력의 행사에 해당된다고 할 것이며, 이 경우 헌법소원 외에 달리 구제방법이 없다(헌재 1992.10.1. 92헌마68 등).

14. 지방직 7급, 17. 서울시 7급 헌법재판소의 결정에 따르면, 대학입학고사 주요요강은 항고소송의 대상인 처분은 아니지만 헌법소원의 대상이 되는 공권력 행사에는 해당된다. (○)

③ 그리고, 판례는 예외적으로 행정규칙이 법령보충규칙의 경우이거나 또는 재량준칙이 평등의 원칙이나 신뢰보호의 원칙을 매개로 간접적으로 대외적인 구속력을 갖게 되는 경우에는 헌법소원의 대상이 된다고 본다.

기본권 직접 침해하는 법령보충규칙·대외적 구속력 있는 행정규칙
▷ 헌법소원 可

관련판례

1 행정규칙이 법령보충규칙의 경우이거나 또는 재량준칙이 평등의 원칙이나 신뢰보호의 원칙을 매개로 간접적으로 대외적인 구속력을 갖게 되는 경우에는 헌법소원의 대상이 된다. ★★★

행정규칙이 법령의 규정에 의하여 행정관청에 법령의 구체적 내용을 보충할 권한을 부여한 경우나, 재량권 행사의 준칙인 규칙이 그 정한 바에 따라 되풀이 시행되어 행정관행이 이룩되게 되면 평등의 원칙이나 신뢰보호의 원칙에 따라 행정기관은 그 상대방에 대한 관계에서 그 규칙에 따라야 할 자기구속을 당하게 되는 경우에는 대외적 구속력을 가지게 되는 바, 이러한 경우에는 헌법소원의 대상이 될 수도 있고, 또한 법령의 직접적 위임에 따라 수임행정기관이 그 법령을 시행하는데 필요한 구체적 사항을 정한 것이면, 그 제정형식은 비록 법규명령이 아닌 고시·훈령·예규 등과 같은 행정규칙이더라도 그것이 상위법령의 위임한계를 벗어나지 않는 한 상위법령과 결합하여 대외적인 구속력을 갖는 법규명령으로서 기능하게 된다고 보아야 할 것인 바, 헌법소원의 청구인이 법령과 예규의 관계규정으로 말미암아 직접 기본권을 침해받았다면 이에 대하여 헌법소원을 청구할 수 있다(헌재 2001.7.18. 2001헌마605).

19. 소방간부 행정규칙은 원칙적으로 헌법소원의 심판대상이 될 수 없으나, 재량권 행사의 준칙인 규칙이 그 정한 바에 따라 되풀이 시행되어 행정관행이 형성되고 행정기관이 그 상대방에 대하여 그 규칙에 따라 자기구속을 당하게 되는 경우 헌법소원의 대상이 될 수도 있다. (○)

20. 국가직 7급 고시가 상위법령과 결합하여 대외적 구속력을 갖고 국민의 기본권을 침해하는 법규명령으로 기능하는 경우 헌법소원의 대상이 된다. (○)

18. 지방직 7급 법령보충규칙에 해당하는 고시의 관계규정에 의하여 직접 기본권침해를 받는다 하여도 이에 대하여 바로 「헌법재판소법」 제68조 제1항에 의한 헌법소원심판을 청구할 수 없다. (×) → 받았다면 / 있다

21. 행정사, 20. 국가직 9급, 19. 군무원 9급, 19. 변호사, 18. 5급 승진 등 행정규칙이 법령의 규정에 의하여 행정관청에 법령의 구체적 내용을 보충할 권한을 부여한 경우나, 재량권행사의 준칙인 규칙이 그 정한 바에 따라 되풀이 시행되어 행정관행이 형성되어 행정기관이 그 상대방에 대한 관계에서 그 규칙에 따라야 할 자기구속을 당하게 되는 경우에는 헌법소원의 대상이 될 수도 있다. (○)

23. 국가직 9급 법령보충적 행정규칙은 물론이고 재량권 행사의 준칙이 되는 행정규칙이 행정의 자기구속원리에 따라 대외적 구속력을 가지는 경우에는 헌법소원의 대상이 될 수 있다. (○)

2 신문고시는 상위법령(공정거래법과 동 시행령)과 결합하여 대외적 구속력을 갖는 법령보충규칙이므로 이로 말미암아 직접 기본권을 침해받은 국민은 헌법소원을 청구할 수 있다(헌재 2002.7.18. 2001헌마605). ★★

함께 정리하기

법령보충규칙인 신문고시
▷ 법령보충규칙
▷ 헌법소원 可

3. 행정적 통제

행정규칙에 대한 행정적 통제도 법규명령과 마찬가지로 ① 상급행정기관의 감독권에 의한 통제, ② 절차적 통제, ③ 공무원·행정기관의 행정규칙심사, ④ 국민권익위원회의 권고 등을 생각할 수 있다.

제4절 형식과 내용의 불일치

본래적 의미에서 보면, 법규명령은 입법사항을 규율하는 외부법이고, 행정규칙은 행정 내부적 사항을 규율하는 내부법이다. 그러나 입법의 실제에서는 법형식과 그 내용이 서로 일치하지 않는 경우가 있어 학설과 판례에서는 이들의 법적 성격에 대해 적지 않게 논란이 일고 있다. 이와 같은 형식과 내용의 불일치의 문제는 ① 행정규칙에 해당하는 것이 법규명령형식으로 제정되는 경우와, ② 법규명령에 해당하는 것이 행정규칙형식으로 규정되는 경우로 구분된다.

1 법규명령형식의 행정규칙(대통령·총리령·부령 형식의 행정규칙사항)

1. 의의

(1) 개념

행정규칙은 고시·훈령·예규·통첩 등으로 정립되는 것이 일반적이나 행정규칙으로 정해질 내용이 대통령령·총리령·부령 등의 법규명령의 형식으로 정립되는 경우가 있다. 이와 같이 법규명령의 형식을 취하고 있지만 그 내용이 행정규칙의 실질을 가지는 것을 법규명령형식의 행정규칙이라 한다. 법규명령형식의 행정규칙은 재량권 행사의 기준(재량준칙, 특히 제재적 처분의 기준)을 법규명령형식으로 제정한 경우가 보통이다.

법규명령 형식의 행정규칙
▷ 형식: 법규명령
▷ 실질: 행정규칙

(2) 법령의 예

① 총리령 형식으로 정해진 제재적처분 기준

> 「식품위생법」 제75조 【허가취소 등】 ① 식품의약품안전처장 또는 특별자치시장·특별자치도지사·시장·군수·구청장은 영업자가 다음 각 호의 어느 하나에 해당하는 경우에는 대통령령으로 정하는 바에 따라 <u>영업허가 또는 등록을 취소하거나 6개월 이내의 기간을 정하여 그 영업의 전부 또는 일부를 정지하거나 영업소 폐쇄</u>(제37조 제4항에 따라 신고한 영업만 해당한다. 이하 이 조에서 같다)<u>를 명할 수 있다.</u> (이하 생략)

⑤ 제1항 및 제2항에 따른 행정처분의 세부기준은 그 위반 행위의 유형과 위반 정도 등을 고려하여 <u>총리령으로 정한다.</u>

「식품위생법 시행규칙」 제89조【행정처분의 기준】 법 제71조, 법 제72조, 법 제74조부터 법 제76조까지 및 법 제80조에 따른 행정처분의 기준은 별표 23과 같다.

> **[별표 23]**
> • 위반사항: 청소년에게 주류를 제공하는 행위(출입하여 주류를 제공한 경우 포함)를 한 경우
> • 행정처분기준: 1차 위반-영업정지 2월, 2차 위반-영업정지 6월, 3차 위반-영업허가 취소 또는 영업소 폐쇄

② 부령 형식으로 정해진 제재적처분 기준

「공중위생관리법」 제7조【이용사 및 미용사의 면허취소등】 ① 시장·군수·구청장은 이용사 또는 미용사가 다음 각호의 1에 해당하는 때에는 <u>그 면허를 취소하</u>거나 6월 이내의 기간을 정하여 그 면허의 정지를 명할 수 있다. (이하 생략)
② 제1항의 규정에 의한 면허취소·정지처분의 세부적인 기준은 그 처분의 사유와 위반의 정도등을 감안하여 <u>보건복지부령으로 정한다.</u>

「공중위생관리법 시행규칙」 제19조【행정처분기준】 법 제7조 제1항 및 제11조 제1항부터 제3항까지의 규정에 따른 <u>행정처분의 기준은 별표 7과 같다.</u>

> **[별표 7]**
> • 위반사항: 숙박자에게 도박 그밖에 사행행위를 하게 한 경우
> • 행정처분기준: 1차 위반-영업정지 1월, 2차 위반-영업정지 3월, 3차 위반-영업장 폐쇄명령

2. 법적 성질

형식은 법규명령이 주로 취하는 시행령·시행규칙(대통령령·총리령·부령)인데 그 내용은 재량권 행사의 기준을 정한 재량준칙(행정청 내부의 사무처리기준)으로 행정규칙의 실질을 가지고 있는 경우, 이러한 행정입법의 법적 성질이 법규명령인지 아니면 행정규칙인지에 관하여 견해가 대립한다.

(1) 학설

① **법규명령설(형식설, 적극설):** 규범 형식을 중시하여 법규의 형식으로 제정된 이상, 그 내용에 관계없이 일반국민을 구속하는 것이기 때문에 법규명령으로 보아야 한다고 보는 견해이다. 이 견해가 다수설이다.

② **행정규칙설(실질설, 소극설):** 당해 규범의 실질을 중시하여 행정기관의 내부에서의 행정사무처리기준이 법규명령의 형식을 취하고 있더라도 당해 규범을 행정규칙으로 보아야 한다고 보는 견해이다.

③ **수권여부기준설(절충설):** 법률상 수권이 존재하는지 여부에 따라 수권이 존재한다면 법규명령으로, 존재하지 않는다면 행정규칙으로 보아야 한다고 보는 견해이다.

형식설
▷ 형식을 중시하여 법규명령

실질설
▷ 실질을 중시하여 행정규칙

수권여부기준설
▷ 수권이 있는 경우 법규명령

(2) 판례

판례는 제재적 처분기준이 시행령 형식인지 시행규칙 형식인지에 따라서 그 법적
성격을 달리 보고 있다. 시행규칙의 형식으로 제정된 경우에는 행정규칙으로 보고
있으나, 시행령 형식으로 제정된 경우에는 법규명령으로 보고 있다. 한편, 판례는
「여객자동차운수사업법」의 위임에 따라 시외버스운송사업의 인가기준 등을 구체
적으로 정한 「여객자동차운수사업법 시행규칙」 조문들에 대하여 법규명령이라고
판시함으로써, 제재적 처분기준이 아닌 경우 시행규칙 형식의 처분기준을 법규명
령으로 본 예가 있다.

① 시행규칙의 형식으로 제정된 경우

　㉠ 제재적 처분기준을 정한 경우

　　ⓐ 판례는 부령의 형식(시행규칙)으로 정해진 제재적 처분(영업허가의 취
소 또는 정지, 과징금부과 등)기준은 그 규정의 성질과 내용이 행정청 내
의 사무처리기준을 규정하는 것에 불과하므로 행정규칙(재량준칙)의 성
질을 가지며 대외적으로 국민이나 법원을 구속하는 것은 아니라고 본다.
제재적 처분기준이 총리령(시행규칙)이나 지방자치단체의 규칙으로 정해
진 경우에도 마찬가지다.

20. 행정사 제재적 처분기준이 부령의 형식으로 규정되어 있는 때에는 국민에게 법적 구속
력이 없다. (○)

16. 교행 부령의 형식으로 정해진 제재적 처분기준은 법규명령이다. (×) → 행정규칙

📌 관련판례

1 구 도로교통법 시행규칙 제53조 제1항이 정한 [별표 16]의 운전면허행정처분기준
★★★

도로교통법 시행규칙 제53조 제1항이 정한 [별표 16]의 운전면허행정처분기준은
부령의 형식으로 되어 있으나, 그 규정의 성질과 내용이 운전면허의 취소처분 등
에 관한 사무처리기준과 처분절차 등 행정청 내부의 사무처리준칙을 규정한 것에
지나지 아니하므로 대외적으로 국민이나 법원을 기속하는 효력이 없으므로, 자동
차운전면허취소처분의 적법 여부는 그 운전면허행정처분기준만에 의하여 판단할
것이 아니라 도로교통법의 규정 내용과 취지에 따라 판단되어야 한다(대판
1997.5.30. 96누5773 ; 대판 1998.3.27. 97누20236).

20. 국회직 9급, 14. 지방직 9급, 13. 국가직 9급 구 「도로교통법 시행규칙」 제53조 제1항이
정한 [별표 16]의 운전면허행정처분기준은 부령의 형식으로 되어 있으나, 그 규정의 성질과 내
용이 운전면허의 취소처분 등에 관한 사무처리기준과 처분절차 등 행정청 내부의 사무처리준칙
을 규정한 것에 지나지 아니하므로 대외적 구속력이 없다. (○)

12. 경찰 1차 (개인택시운전사 甲은 운전 도중 휴대전화로 통화를 하다가 교통경찰관에게 적발
되었다. 이에 관할 지방경찰청장(경찰서장)이 「도로교통법」 제49조 제1항, 같은 법 시행규칙
제91조 제1항 [별표 28]의 운전면허행정처분기준에 의거 甲에게 벌점 15점을 부과한 사안에
서) 「도로교통법 시행규칙」 제91조 [별표 28]에서 정한 행정처분기준의 법적 성질은 법규명령
이다. (×) → 행정규칙

2 구 식품위생법 시행규칙 제53조 [별표15]의 영업정지처분기준 ★★★

(원고가 1992.2.11. 02:10경까지 지정된 영업시간을 초과하여 시간외 영업을 하였
고 3개의 밀실과 가라오케를 설치하여 식품위생법 제21조, 제31조를 위반하였다
고 하여 피고 강남구청장으로부터 같은 해 4.5.부터 6.19.까지 2월 15일의 영업정지
처분을 받았다. 식품위생법 시행규칙 [별표 15]의 처분기준에 따르면 A의 위반행
위는 영업정지 1월에 해당하는 사안)

제재적 처분기준(판례)
▷ 시행규칙 형식: 행정규칙
▷ 시행령 형식: 법규명령

제재적 처분기준이 아닌 경우(판례)
▷ 시행규칙 형식: 법규명령

부령(시행규칙)형식의 제재적 처분기준
▷ 행정규칙

**구 「도로교통법 시행규칙」 제53조 제1항이
정한 [별표 16]의 운전면허행정처분기준**
▷ 행정규칙

**구 「식품위생법 시행규칙」 제53조 별표
15의 영업정지·영업허가 취소 기준**
▷ 행정규칙

구 식품위생법시행규칙 제53조에서 [별표 15]로 식품위생법 제58조에 따른 행정처분의 기준을 정하였다 하더라도, 이는 형식은 부령으로 되어 있으나 성질은 행정기관 내부의 사무처리준칙을 규정한 것에 불과한 것으로서 보건사회부장관이 관계행정기관 및 직원에 대하여 직무권한행사의 지침을 정하여 주기 위하여 발한 행정명령의 성질을 가지는 것이지 같은 법 제58조 제1항의 규정에 의하여 보장된 재량권을 기속하는 것이라고 할 수 없고, 대외적으로 국민이나 법원을 기속하는 힘이 있는 것은 아니다(대판 1993.6.29. 93누5635).

17. 국가직 9급(추) 부령인 「식품위생법 시행규칙」에 위반행위의 종류 및 위반 횟수에 따른 행정처분의 기준을 구체적으로 정하고 있는 경우에 이 행정처분기준은 행정기관 내부의 사무처리준칙을 규정한 것에 불과하여 법적 구속력이 인정되지 않는다. (○)

14. 지방직 9급 구 「식품위생법 시행규칙」 제53조가 정한 <별표 15>의 행정처분기준은 구 「식품위생법」 제58조에 따른 영업허가의 취소 등에 관한 행정처분의 기준을 정한 것으로 대외적 구속력이 있다. (×) → 을 정하였다 하더라도 / 없다

21. 국가직 9급 [A도(道) B군(郡)에서 식품접객업을 하는 甲은 청소년에게 술을 팔다가 적발되었다. 「식품위생법」은 위법하게 청소년에게 주류를 제공한 영업자에게 "6개월 이내의 기간을 정하여 그 영업의 전부 또는 일부를 정지할 수 있다."라고 규정하고, 「식품위생법 시행규칙」 [별표 23]은 청소년 주류제공(1차 위반)시 행정처분기준을 '영업정지 2개월'로 정하고 있다. B군수는 甲에게 2개월의 영업정지처분을 하였다] 이 경우에 「식품위생법 시행규칙」의 행정처분기준은 행정규칙의 형식이나, 「식품위생법」의 내용을 보충하면서 「식품위생법」의 규정과 결합하여 위임의 범위 내에서 대외적인 구속력을 가진다. (×) → 법규명령 / 성질은 행정기관 내부의 사무처리준칙을 규정한 것에 불과하여 대외적 구속력을 가지지 않는다

3 공공기관의 운영에 관한 법률에 따라 입찰참가자격 제한 기준을 정하고 있는 구 공기업 준정부기관 계약사무규칙, 국가를 당사자로 하는 계약에 관한 법률 시행규칙 ★★

공공기관의 운영에 관한 법률 제39조 제2항·제3항에 따라 입찰참가자격 제한기준을 정하고 있는 구 공기업·준정부기관 계약사무규칙 제15조 제2항, 국가를 당사자로 하는 계약에 관한 법률 시행규칙 제76조 제1항 [별표 2], 제3항 등은 비록 부령의 형식으로 되어 있으나 규정의 성질과 내용이 공기업·준정부기관이 행하는 입찰참가자격 제한처분에 관한 행정청 내부의 재량준칙을 정한 것에 지나지 아니하여 대외적으로 국민이나 법원을 기속하는 효력이 없다(대판 2014.11.27. 2013두18964).

17. 사복직 「공공기관의 운영에 관한 법률」의 위임에 따라 입찰자격제한기준을 정하는 부령은 행정내부의 재량준칙에 불과하다. (○)

17. 서울시 9급 「공공기관의 운영에 관한 법률」에 따라 입찰참가자격 제한기준을 정하고 있는 구 「공기업 준정부기관 계약사무규칙」, 「국가를 당사자로 하는 계약에 관한 법률 시행규칙」은 대외적으로 국민이나 법원을 기속하는 효력이 없다. (○)

4 규정 형식상 부령인 시행규칙 또는 지방자치단체의 규칙으로 정한 행정처분의 기준 ★★

규정 형식상 부령인 시행규칙 또는 지방자치단체의 규칙으로 정한 행정처분의 기준은 행정처분 등에 관한 사무처리기준과 처분절차 등 행정청 내의 사무처리준칙을 규정한 것에 불과하므로 행정조직 내부에 있어서의 행정명령의 성격을 지닐 뿐 대외적으로 국민이나 법원을 구속하는 힘이 없다(대판 1995.10.17. 94누14148 전합).

18. 경찰 3차 규정 형식상 부령인 시행규칙 또는 지방자치단체의 규칙으로 정한 행정처분의 기준은 행정처분 등에 관한 사무처리기준과 처분절차 등 행정청 내의 사무처리준칙을 규정한 것에 불과하므로 행정조직 내부에 있어서의 행정명령의 성격을 지닐 뿐 대외적으로 국민이나 법원을 구속하는 힘이 없다. (○)

ⓑ 행정규칙은 국민과 법원을 기속하지 아니하므로 당해 처분의 적법 여부는 처분기준이 아니라 모법에 따라 판단하여야 한다. 따라서 입법자가 모법에 재량을 부여한 경우, 당해 처분은 재량행위이므로 법원은 재량의 일탈·남용여부를 판단하여 당해 처분의 적법여부를 판단한다.

ⓒ 다만, 판례는 제재적 행정처분의 기준이 부령의 형식으로 규정되어 있는 경우 당해 제재처분기준을 존중하여야 한다고 본다. 달리 말하면, 부령 형식으로 규정된 재량처분기준이 그 자체로 헌법 또는 법률에 합치되지 않거나 그 기준을 적용한 결과가 처분사유인 위반행위의 내용 및 관계 법령의 규정과 취지에 비추어 현저히 부당하다고 인정할 만한 합리적인 이유가 없는 한, 섣불리 그 기준에 따른 처분이 재량권의 범위를 일탈하였다거나 재량권을 남용한 것으로 판단해서는 안 된다.

함께 정리하기

관련판례

시행규칙 형식의 제재적 처분기준의 경우 처분의 위법성 판단기준 ★★★

1-1. 구법 시행규칙 제53조 [별표 15] 행정처분기준이 비록 행정청 내부의 사무처리 준칙을 정한 것에 지나지 아니하여 대외적으로 법원이나 국민을 기속하는 효력은 없지만, 위 행정처분기준이 수입업자들 및 행정청 사이에 처분의 수위를 가늠할 수 있는 유력한 잣대로 인식되고 있는 현실에 수입식품으로 인하여 생기는 위생상의 위해를 방지하기 위한 단속의 필요성과 그 일관성 제고라는 측면까지 아울러 참작하면, 위 행정처분기준에서 정하고 있는 범위를 벗어나는 처분을 하기 위해서는 그 기준을 준수한 행정처분을 할 경우 공익상 필요와 상대방이 받게 되는 불이익 등과 사이에 현저한 불균형이 발생한다는 등의 특별한 사정이 있어야 한다(대판 2010.4.8. 2009두22997).

1-2. 공공기관의 운영에 관한 법률 제39조 제2항·제3항에 따라 입찰참가자격 제한기준을 정하고 있는 구 계약사무규칙 제15조 제2항, 국가계약법 시행규칙 제76조 제1항 [별표 2], 제3항 등은 비록 부령의 형식으로 되어 있으나 그 규정의 성질과 내용이 공기업·준정부기관(이하 '행정청'이라 한다)이 행하는 입찰참가자격 제한처분에 관한 행정청 내부의 재량준칙을 정한 것에 지나지 아니하여 대외적으로 국민이나 법원을 기속하는 효력이 없으므로, 입찰참가자격 제한처분이 적법한지 여부는 이러한 규칙에서 정한 기준에 적합한지 여부만에 따라 판단할 것이 아니라 공공기관의 운영에 관한 법률상 입찰참가자격 제한처분에 관한 규정과 그 취지에 적합한지 여부에 따라 판단하여야 할 것이다(대판 1990.1.25. 89누3564 ; 대판 2007.9.20. 2007두6946).

1-3. 제재적 행정처분의 기준이 부령의 형식으로 규정되어 있더라도 그것은 행정청 내부의 사무처리준칙을 정한 것에 지나지 아니하여 대외적으로 국민이나 법원을 기속하는 효력이 없고, 당해 처분의 적법 여부는 위 처분기준만이 아니라 관계 법령의 규정 내용과 취지에 따라 판단되어야 하므로, 위 처분기준에 적합하다 하여 곧바로 당해 처분이 적법한 것이라고 할 수는 없지만, 위 처분기준이 그 자체로 헌법 또는 법률에 합치되지 아니하거나 위 처분기준에 따른 제재적 행정처분이 그 처분사유가 된 위반행위의 내용 및 관계 법령의 규정 내용과 취지에 비추어 현저히 부당하다고 인정할 만한 합리적인 이유 없는 한 섣불리 그 처분이 재량권의 범위를 일탈하였거나 재량권을 남용한 것이라고 판단해서는 안 된다(대판 2007.9.20. 2007두6946 ; 대판 2013.10.24. 2013두963 ; 대판 2018.5.15. 2016두57984).

22. 국가직 9급 부령의 형식으로 정해진 제재적 행정처분의 기준은 그 규정의 성질과 내용이 행정청 내부의 사무처리준칙을 정한 것에 불과하므로 대외적으로 국민이나 법원을 구속하는 것은 아니다. (O)

22. 지방직 9급 부령 형식으로 정해진 제재적 행정처분의 기준은 법규성이 있어서 대외적으로 국민이나 법원을 기속하는 효력이 있다. (×) → 없어서 / 없다

제재적 처분기준을 행정규칙으로 보는 경우 처분의 적법 여부
▷ 모법에 따라 판단, 제재처분기준 존중

부령 형식의 제재적 처분기준에 근거한 처분의 적법 여부의 판단방법
▷ 처분기준만이 아니라 관계 법령의 규정 내용과 취지에 따라 판단

특허 등의 인가기준을 부령으로 정한 경우
▷ 법규명령

ⓛ **특허 등의 인가기준(수익적 처분기준)을 부령으로 정한 경우:** 판례는 재량행위인 특허의 인가기준을 법령의 위임을 받아 부령(시행규칙)으로 정한 경우 법규명령으로 보고 있다.

부령(시행규칙) 형식으로 규정된 시외버스운송사업의 사업계획변경에 관한 인가기준
▷ 법규명령

> 🔨 **관련판례**
>
> **부령(시행규칙) 형식으로 규정된 시외버스운송사업의 사업계획변경의 인가기준은 법규명령의 성질을 가진다. ★★★**
> 구 여객자동차 운수사업법 시행규칙 제31조 제2항 제1호·제2호·제6호는 구 여객자동차 운수사업법 제11조 제4항의 위임에 따라 시외버스운송사업의 사업계획변경에 관한 절차, 인가기준 등을 구체적으로 규정한 것으로서, 대외적인 구속력이 있는 법규명령이라고 할 것이고, 그것을 행정청 내부의 사무처리준칙을 규정한 행정규칙에 불과하다고 할 수는 없다(대판 2006.6.27. 2003두4355).
>

② **시행령의 형식으로 제정된 경우**

㉠ 판례는 제재적 처분기준이 대통령령(시행령)의 형식으로 규정된 경우 부령의 경우와는 달리 당해 기준을 법규명령으로 보고 있다.

대통령령(시행령) 형식의 제재적 처분기준의 성질
▷ 법규명령

주택건설사업 영업정지처분기준을 규정한 구 「주택건설촉진법 시행령」
▷ 법규명령

> 🔨 **관련판례**
>
> **1** **주택건설촉진법 시행령 제10조의3 제1항 [별표 1]은 주택건설촉진법 제7조 제2항의 위임규정에 터 잡은 규정 형식상 대통령령이므로 대외적으로 국민이나 법원을 구속하는 힘이 있는 법규명령에 해당한다. ★★**
> (금융종합건설회사 원고는 주택건설사업자로서 아파트 신축을 하였는데 하자가 있어 사용검사권자인 제천시장은 기간을 정하여 하자보수를 명하였으나 원고는

입주가 시작 된지 3년이 경과하도록 하자 중 일부만 보수하였다. 피고 서울특별시 노원구청장은 사용검사권자의 하자보수지시를 이행하지 아니하거나 지체한 때에 해당한다는 이유로 원고에 대하여 3개월간 영업을 정지하는 처분을 하였다) 당해 처분의 기준이 된 주택건설촉진법시행령 제10조의3 제1항 [별표 1]은 주택건설촉진법 제7조 제2항의 위임규정에 터잡은 규정형식상 대통령령이므로 그 성질이 부령인 시행규칙이나 또는 지방자치단체의 규칙과 같이 통상적으로 행정조직 내부에 있어서의 행정명령에 지나지 않는 것이 아니라 대외적으로 국민이나 법원을 구속하는 힘이 있는 법규명령에 해당한다(대판 1997.12.26. 97누15418).

13. 국가직 9급, 09. 지방직 7급 판례에 의하면 「주택건설촉진법 시행령」 제10조의3 제1항 <별표 1>은 「주택건설촉진법」 제7조 제2항의 위임규정에 터 잡은 규정 형식상 대통령령이므로 대외적으로 국민이나 법원을 구속하는 힘이 있다. (○)

2 경찰공무원임용령 제46조 제1항은 그 수권형식과 내용에 비추어 이는 일반 국민이나 법원을 구속하는 법규명령에 해당 한다. ★★

경찰공무원임용령 제46조 제1항은 경찰공무원의 채용시험 또는 경찰간부후보생 공개경쟁선발시험에서 부정행위를 한 응시자에 대하여는 당해 시험을 정지 또는 무효로 하고, 그로부터 5년간 이 영에 의한 시험에 응시할 수 없도록 규정하고 있는바, 경찰공무원임용령 제46조 제1항의 수권형식과 내용에 비추어 이는 행정청 내부의 사무처리기준을 규정한 재량준칙이 아니라 일반국민이나 법원을 구속하는 법규명령에 해당한다(대판 2008.5.29. 2007두18321).

15. 사복직 경찰공무원 채용시험에서의 부정행위자에 대한 5년간의 응시자격제한을 규정한 「경찰공무원 임용령」 제46조 제1항은 행정청 내부의 사무처리기준을 규정한 재량준칙에 불과하다. (×) → 이 아니다

14. 경찰 1차, 12. 경찰 3차, 10. 국가직 9급 "경찰공무원의 채용시험 또는 경찰간부후보생공 개경쟁선발시험에서 부정행위를 한 응시자에 대하여는 당해 시험을 정지 또는 무효로 하고, 그 로부터 5년간 이 영에 의한 시험에 응시할 수 없게 한다." 라고 규정한 「경찰공무원임용령」 제 46조 제1항은 그 수권형식과 내용에 비추어 이는 행정청 내부의 사무처리기준을 정한 재량준칙 에 해당한다. (×) → 하지 않는다

ⓛ 한편 대법원은 대통령령 형식으로 정해진 제재적처분의 기준을 법규명령으로 보면서도 일부 판례에서는 재량권 행사의 여지를 인정하기 위하여 대통령령으로 정한 처분기준(과징금처분기준)을 정액이 아닌 처분의 최고한도액이라고 보고 있다.

⚖ **관련판례**

구 청소년보호법 시행령으로 정한 '위반행위의 종별에 따른 과징금처분기준'은 법규명령이기는 하나, 사안에 따라 적정한 과징금의 액수를 정하여야 하므로 그 기준에 명시된 수액은 정액이 아닌 최고한도액이다. ★★★

[청소년 2명을 유해업소인 주점(상호: 안개하우스)에 고용한 군산시의 유흥주점업자인 원고에 대한 피고 청소년보호위원회의 과징금부과처분을 다툰 유흥주점 안개하우스 과징금부과사건에서 유흥업소에 청소년 2명을 고용한 위법행위에 대하여 별표상 상한액의 2배를 과징금으로 부과한 것이 재량권의 한계를 일탈한 것으로 위법하다고 본 사례] 구 청소년보호법 제49조 제1항·제2항에 따른 같은 법 시행령 제40조 [별표 6]의 위반행위의 종별에 따른 과징금처분기준은 법규명령이기는 하나 모법의 위임규정의 내용과 취지 및 헌법상의 과잉금지의 원칙과 평등의 원칙 등에 비추어 같은 유형의 위반행위라 하더라도 그 규모나 기간·사회적 비난 정도·위반행위로 인하여 다른 법률에 의하여 처벌받은 다른 사정·행위자의 개인적 사정 및 위반행위로 얻은 불법이익의 규모 등 여러 요소를 종합적으로 고려하여 사안에 따라 적정한 과징금의 액수를 정하여야 할 것이므로 그 수액은 정액이 아니라 최고한도액이다(대판 2001.3.9. 99두5207).❷

---

❶
입법자가 모법에 재량을 부여하였음에도 처분기준이 일의적으로 규정되어 있다면 당해 처분기준이 모법의 수권취지에 반하는 문제가 발생한다. 이 경우 판례는 처분기준을 제재의 상한, 즉 최고한도액으로 해석하여 처분기준에 근거한 처분을 재량행위로 해석한 다음, 재량의 일탈·남용여부를 판단하여 당해 처분의 적법여부를 판단한다. 다만, 처분기준에서 가중·감경규정을 두고 있다면 처분기준에 근거한 처분이 재량행위가 되므로 법원은 바로 재량의 일탈·남용여부를 판단하여 처분의 적법여부를 판단할 수 있으므로 해석상 별다른 문제가 발생하지 않는다.

구 「청소년보호법 시행령」상 위반행위의 종별에 따른 과징금처분기준
▷ 법규명령

그 기준에 명시된 수액
▷ 정액이 아닌 최고한도액

❷
① 이 사건에서 대법원은 위반행위가 유흥업소에 청소년 2명을 고용한 것은 결코 가벼운 위반행위는 아니나 그 고용기간이 7일로 비교적 짧고 그로 인하여 얻은 이익이 실제 많지 아니하며, 원고는 동일한 위반행위로 인하여 식품위생법에 따른 15일간의 영업정지처분을 받은 점 등 제반 사정에 비추어 보면 상한액의 2배인 16,000,000원의 과징금을 부과한 이 사건 처분이 재량권의 한계를 일탈한 것으로 위법하다고 판단하면서, 시행령에 규정된 과징금의 수액은 정액이 아니라 최고한도액이라고 해석하고 있다.
② 국민건강보험법 시행령의 과징금 부과기준의 법적 성질은 법규명령이다. 국민건강보험법 위반행위에 대한 업무정지기간과 과징금의 금액의 의미도 최고한도이다(대판 2006.2.9. 2005두11982).

18. 지방직 9급 과징금부과처분의 기준을 규정하고 있는 구 「청소년보호법 시행령」 제40조 [별표 6]은 행정규칙의 성질을 갖는다. (×) → 법규명령

19. 지방직 9급, 16. 변호사 구 청소년보호법 시행령 제40조 [별표 6]의 위반행위의 종별에 따른 과징금처분기준에서 정한 과징금 수액은 정액이 아니고 최고한도액이다. (○)

15. 사복직, 13. 지방직 9급, 11. 지방직 9급 판례에 의하면 구 「청소년보호법」 제49조에 따른 시행령(대통령령) 제40조 <별표 6> 의 '위반행위의 종별에 따른 과징금처분기준'은 법규명령이기는 하나, 사안에 따라 적정한 과징금의 액수를 정하여야 하므로 그 기준에 명시된 수액은 정액이 아니라 최고한도액으로 보아야 한다. (○)

ⓒ 그러나 법령상 기속행위로 규정된 처분의 기준은 상한(최고한도액)이 아니라 절대적 구속력을 갖는다고 본 판례도 있다.

⚖ **관련판례**

국토의 계획 및 이용에 관한 법률 및 같은 법 시행령이 정한 이행강제금의 부과기준은 단지 상한을 정한 것에 불과한 것이 아니라, 위반행위 유형별로 계산된 특정 금액을 규정한 것이므로 행정청에 이와 다른 이행강제금액을 결정할 재량권이 없다. ★★

(행정청에 국토의 계획 및 이용에 관한 법률 시행령 제124조의3 제3항에서 정한 토지이용의무를 위반한 자에게 부과할 이행강제금 부과기준과 다른 이행강제금액을 결정할 재량권이 있는지 여부) 국토의 계획 및 이용에 관한 법률 제124조의2 제1항·제2항 및 국토의 계획 및 이용에 관한 법률 시행령 제124조의3 제3항이 토지이용에 관한 이행명령의 불이행에 대하여 법령 자체에서 토지이용의무 위반을 유형별로 구분하여 이행강제금을 차별하여 규정하고 있는 등 규정의 체계, 형식 및 내용에 비추어 보면, 국토의 계획 및 이용에 관한 법률 및 국토의 계획 및 이용에 관한 법률 시행령이 정한 이행강제금의 부과기준은 단지 상한을 정한 것에 불과한 것이 아니라, 위반행위 유형별로 계산된 특정 금액을 규정한 것이므로 행정청에 이와 다른 이행강제금액을 결정할 재량권이 없다고 보아야 한다(대판 2014.11.27. 2013두8653).

21. 서울시 7급, 15. 지방직 7급 국토의 계획 및 이용에 관한 법령이 정한 이행강제금의 부과기준은 단지 상한을 정한 것에 불과하여 행정청에 이와 다른 이행강제금액을 결정할 재량권이 있다고 보아야 한다. (×) → 한 것이 아니므로 / 없다

---

② 행정규칙 형식의 법규명령(법령보충적 행정규칙, 법령보충규칙)

1. 의의

(1) 개념

법령보충적 행정규칙(법령보충규칙)이라 함은 법령의 위임에 의해 법령을 보충하는 법규사항을 정하는 행정규칙을 말한다. 행정기관이 상위법령의 위임에 따라 고시·훈령 등의 행정규칙의 형식으로 상위법령의 내용을 보충하는 경우(국민의 권리·의무를 규율), 이러한 고시·훈령 등의 법적 성질을 행정규칙으로 볼 것인가 법규명령으로 볼 것인가 문제이다.

(2) 법령의 예

> 구 「노인복지법」 제13조 【노령수당】 ① 국가 또는 지방자치단체는 65세 이상의 자에 대하여 노령수당을 지급할 수 있다.
> ② 제1항의 노령수당을 지급할 시기 및 대상자의 선정기준 등에 관하여 필요한 사항은 대통령령으로 정한다.

「국토의 계획 및 이용에 관한 법률」 및 같은 법 시행령이 정한 이행강제금의 부과기준
▷ 특정 금액 규정(∴재량×)

법령보충적 행정규칙
▷ 법령의 위임에 의해 법령을 보충하는 법규사항을 정하는 행정규칙(형식: 행정규칙, 실질: 법규명령)

> 구 「노인복지법 시행령」 제17조 【노령수당의 지급대상자】 법 제13조의 규정에 의한 노령수당의 지급대상자는 65세 이상의 자 중 소득수준 등을 참작하여 <u>보건복지부장관이 정하는 일정소득 이하의 자로 한다.</u>
>
> **보건사회부장관이 정한 1994년도 노인복지사업지침** <u>70세 이상의 생활보호대상자에게 노령수당을 지급한다.</u>

2. 법적 성질

(1) 학설

① **법규명령설(다수설)**: 상위법령의 구체적인 위임이 있고, 상위법령을 보충·구체화하는 기능이 있는 행정규칙형식의 법규명령은 근거법령과 결합하여 국민에 대하여 대외적 구속력을 갖기 때문에 법규명령으로 보아야 한다는 견해이다.

② **행정규칙설**: 헌법이 규정하는 법규명령의 형식은 대통령령·총리령·부령으로 한정되어 있으므로, 이러한 형식이 아닌 행정규칙형식의 법규명령은 그 형식을 존중하여 행정규칙으로 보아야 한다는 견해이다.

③ **규범구체화행정규칙설**: 대외적 구속력은 인정되지만 행정규칙의 형식을 취하고 있으므로, 통상의 행정규칙과는 달리 상위규범을 구체화하는 규범구체화행정규칙으로 보아야 한다는 견해이다.

(2) 판례

① **대법원**

㉠ 대법원은 1987년 「소득세법 시행령」에 근거한 국세청의 훈령인 재산제세조사사무처리규정의 법규성을 인정한 이래(대판 1988.5.10. 87누1028), 행정규칙의 형식으로 제정된 것이라도 상위법령의 위임이 있고, 위임의 한계를 벗어나지 않으며, 상위법령의 내용을 보충하는 기능을 가지는 경우에는 수권법령(상위법)과 결합하여 대외적인 구속력이 있는 법규명령으로서의 효력을 갖는다고 본다.

> **⚖ 관련판례**
>
> **1** 법령보충규칙은 당해 법령의 위임의 한계를 벗어나지 아니하는 한 당해 법령과 결합하여 대외적인 구속력 있는 법규명령으로서 효력을 갖게 된다. ★★★
>
> 상급행정기관이 하급행정기관에 대하여 업무처리지침이나 법령의 해석적용에 관한 기준을 정하여서 발하는 이른바 행정규칙은 일반적으로 행정조직 내부에서만 효력을 가질 뿐 대외적인 구속력을 갖는 것은 아니지만, <u>법령의 규정이 특정행정기관에게 그 법령내용의 구체적 사항을 정할 수 있는 권한을 부여하면서 그 권한행사의 절차나 방법을 특정하고 있지 아니한 관계로 수임 행정기관이 행정규칙의 형식으로 그 법령의 내용이 될 사항을 구체적으로 정하고 있다면, 그와 같은 행정규칙, 규정은 행정규칙이 갖는 일반적 효력으로서가 아니라 행정기관에 법령의 구체적 내용을 보충할 권한을 부여한 법령규정의 효력에 의하여 그 내용을 보충하는 기능을 갖게 된다 할 것이므로 이와 같은 행정규칙, 규정은 당해 법령의 위임한계를 벗어나지 아니하는 한 그것들과 결합하여 대외적인 구속력이 있는 법규명령으로서의 효력을 갖게 된다</u>(대판 1987.9.29. 86누484).
>
> 20. 국가직 9급 법령의 규정이 특정 행정기관에게 법령 내용의 구체적 사항을 정할 수 있는 권한을 부여하면서 권한행사의 절차나 방법을 특정하지 아니한 경우에는 수임 행정기관은 행정규칙으로 법령 내용이 될 사항을 구체적으로 정할 수 있다. (○)

법규명령설
▷ 실질을 중시

행정규칙설
▷ 형식을 중시

규범구체화행정규칙설
▷ 대외적 구속력 인정

법령보충적 행정규칙
▷ 상위법과 결합하여 법규명령의 효력(대법원)

법령보충규칙
▷ 상위법령과 결합하여 대외적 구속력○

19. 서울시 7급 법령의 규정이 특정 행정기관에 그 법령 내용의 구체적 사항을 정할 수 있는 권한을 부여하면서 그 권한행사의 절차나 방법을 특정하고 있지 아니한 관계로 수임 행정기관이 행정규칙의 형식으로 그 법령의 내용이 될 사항을 구체적으로 정하고 있다면 그와 같은 행정규칙은 행정기관에 법령의 구체적 내용을 보충할 권한을 부여한 법령 규정의 효력에 의하여 그 내용을 보충하는 기능을 갖게 된다. (O)

13. 지방직 7급 법령의 규정이 행정기관에 그 내용의 구체화 권한을 부여하면서 그 권한 행사의 절차나 방법을 특정하지 않아서 수임행정기관이 행정규칙의 형식으로 그 법령의 내용이 될 사항을 구체적으로 정한 경우, 그 행정규칙은 당해 법령의 위임한계를 벗어나지 아니하는 한 법령과 결합하여 대외적으로 구속력이 있는 법규명령으로서 효력을 가진다. (O)

2 행정각부의 장이 정하는 고시라도 법령 내용을 보충하는 기능을 가지는 경우에는 형식과 상관없이 근거 법령 규정과 결합하여 법규명령의 효력을 가진다. ★★★

행정각부의 장이 정하는 고시라도 법령 내용을 보충하는 기능을 가지는 경우
▷ 상위법령과 결합하여 대외적 구속력○

일반적으로 행정 각부의 장이 정하는 고시라 하더라도 그것이 특히 법령의 규정에서 특정 행정기관에서 법령 내용의 구체적 사항을 정할 수 있는 권한을 부여함으로써 그 법령 내용을 보충하는 기능을 가질 경우에는 그 형식과 상관없이 근거 법령 규정과 결합하여 대외적으로 구속력이 있는 법규명령으로서의 효력을 가진다(대판 2017.5.31. 2017두30764).

18. 서울시 9급 행정각부의 장이 정하는 고시라도 법령 내용을 보충하는 기능을 가지는 경우에는 형식과 상관없이 근거 법령 규정과 결합하여 법규명령의 효력을 가진다. (O)

19. 소방간부 행정각부의 장이 정하는 고시라 하더라도 그것이 특정 법령 규정에서 특정 행정기관에서 법령 내용의 구체적 사항을 정할 수 있는 권한을 부여할 경우 그 형식과 상관없이 근거법령 규정과 결합하여 법규명령의 효력을 갖는다. (O)

18. 국가직 9급 행정 각부의 장이 정하는 고시(告示)는 법령의 규정으로부터 구체적 사항을 정할 수 있는 권한을 위임받아 그 법령 내용을 보충하는 기능을 가진 경우라도 그 형식상 대외적으로 구속력을 갖지 않는다. (×) → 경우에는 / 갖는다

3 상위법령과 결합하여 법규명령으로서의 효력을 인정한 사례 [대법원]

3-1. 소득세법 시행령의 위임에 근거한 재산제세조사사무처리규정 ★★

「소득세법 시행령」의 위임에 근거한 재산제세조사사무처리규정
▷ 법규명령으로서의 효력

재산제세조사사무처리규정이 국세청장의 훈령형식으로 되어 있다 하더라도 이에 의한 거래 지정은 소득세법시행령의 위임에 따라 그 규정의 내용을 보충하는 기능을 가지면서 그와 결합하여 대외적인 구속력이 있는 법규명령으로서의 효력을 갖게 된다(대판 1988.5.10. 87누1028).

19. 소방간부, 13. 국가직 9급, 13. 경찰 2차, 10. 경찰 1차, 10. 국회직 8급 등 재산제세조사사무처리규정이 국세청장의 훈령형식으로 되어 있다 하더라도 이에 의한 거래지정은 소득세법 시행령의 위임에 따라 그 규정의 내용을 보충하는 기능을 가지면서 그와 결합하여 대외적인 구속력이 있는 법규명령으로서의 효력을 갖게 된다고 보아야 한다. (O)

3-2. 식품위생법에 따른 보건복지부장관이 고시인 식품제조업 영업허가기준(보존음료수 제조업허가) ★★

보건사회부장관 고시인 식품제조영업허가기준
▷ 법규명령으로서의 효력

식품제조영업허가기준이라는 고시는 공익상의 이유로 허가를 할 수 없는 영업의 종류를 지정할 권한을 부여한 구 식품위생법 제23조의3 제4호에 따라 보건사회부장관이 발한 것으로서, 실질적으로 법의 규정내용을 보충하는 기능을 지니면서 그것과 결합하여 대외적으로 구속력이 있는 법규명령의 성질을 가진 것이다(대판 1994.3.8. 92누1728).

3-3. 전라남도 주유소 등록요건에 관한 고시 [별표1] ★

전라남도 주유소 등록요건에 관한 고시
▷ 법규명령으로서의 효력

주유소 진출입로는 도로상의 횡단보도로부터 10m 이상 이격되게 설치해야 한다고 규정하고 있는 전라남도지사의 주유소 등록요건에 관한 고시는 법령의 규정과 결합하여 대외적 구속력이 있는 법규명령이다(대판 1998.9.25. 98두7503).

09. 지방직 9급 판례는 "주유소의 진출입로는 도로상의 횡단보도로부터 10m 이상 이격되게 설치하여야 한다."고 규정한 「전라남도 주유소 등록요건에 관한 고시」 제2조 제2항 [별표 1]에 대하여 법규명령으로서의 효력을 긍정하였다. (O)

3-4. 공정거래위원회가 정한 표시·광고에 관한 공정거래지침 ★

<u>독점규제 및 공정거래에 관한 법률 제23조 제3항은 "공정거래위원회가 불공정거래행위를 예방하기 위하여 필요한 경우 사업자가 준수하여야 할 지침을 제정·고시할 수 있다."고 규정하고 있으므로 위 위임규정에 근거하여 제정·고시된 표시·광고에 관한 공정거래지침의 여러 규정 중 불공정거래행위를 예방하기 위하여 사업자가 준수하여야 할 지침을 마련한 것으로 볼 수 있는 내용의 규정은 위법의 위임범위 내에 있는 것으로서 위법의 규정과 결합하여 법규적 효력을 가진다</u>(대판 2000.9.29. 98두12772).

11. 국가직 9급 「독점규제 및 공정거래에 관한 법률」 제23조 제3항에 근거한 불공정거래행위의 지정고시 또는 「대외무역법」 제19조 제2항에 근거한 물품수출입공고 등은 행정규칙의 형식을 취하고 있으므로 내용상으로도 행정규칙으로 보는 것이 타당하다. (×) → 법규명령 (∵ 모두 법규명령이다. 법률에 '근거'가 있는 행정규칙임에 주목한다.)

3-5. 1994년도 노인복지사업지침 ★★

<u>보건사회부(현 보건복지부)장관이 정한 '1994년도 노인복지사업지침'은 노령수당의 지급대상자의 선정기준 및 지급수준 등에 관한 권한을 부여한 구 노인복지법 제13조 제2항, 구 같은 법 시행령 제17조, 제20조 제1항에 따라 보건사회부장관이 발한 것으로서 실질적으로 법령의 규정내용을 보충하는 기능을 지니면서 그것과 결합하여 대외적으로 구속력이 있는 법규명령의 성질을 가지는 것으로 보인다</u> (대판 1996.4.12. 95누7727).

12. 국가직 9급 구 「노인복지법」 및 같은 법 시행령은 65세 이상인 자에게 노령수당의 지급을 규정하고 있는데, 같은 법 시행령의 위임에 따라 보건사회부장관(현 보건복지부장관)이 정한 70세 이상의 보호대상자에게만 노령수당을 지급하는 '1994년도 노인복지사업지침'은 법규명령의 성질을 가진다. (○)

3-6. 행정자치부 예규인 '지방공무원보수업무 등 처리지침' ★★

<u>구 지방공무원보수업무 등 처리지침 [별표 1] '직종별 경력환산율표 해설'이 정한 민간근무경력의 호봉 산정에 관한 부분은 지방공무원법 제45조 제1항과 구 지방공무원 보수규정 제8조 제2항, 제9조의2 제2항, [별표 3]의 단계적 위임에 따라 행정자치부장관이 행정규칙의 형식으로 법령의 내용이 될 사항을 구체적으로 정한 것이고, 달리 지침이 위 법령의 내용 및 취지에 저촉된다거나 위임 한계를 벗어났다고 보기 어려우므로, 지침은 상위법령과 결합하여 대외적인 구속력이 있는 법규명령으로서의 효력을 갖게 된다</u>(대판 2016.1.28. 2015두53121).

18. 서울시 9급 구 「지방공무원보수업무 등 처리지침」은 안전행정부 예규로서 행정규칙의 성질을 가진다. (×) → 법규명령의 효력

3-7. 건축물에 대한 이행강제금 산정기준인 2014년도 건물 및 기타물건 시가표준액 ★★

<u>건축법 제80조 제1항 제2호, 지방세법 제4조 제2항, 지방세법 시행령 제4조 제1항 제1호의 내용, 형식 및 취지 등을 종합하면, '2014년도 건물 및 기타물건 시가표준액 조정기준'의 각 규정들은 일정한 유형의 위반 건축물에 대한 이행강제금의 산정기준이 되는 시가표준액에 관하여 행정자치부장관으로 하여금 정하도록 한 위 건축법 및 지방세법령의 위임에 따른 것으로서 그 법령 규정의 내용을 보충하고 있으므로, 그 법령 규정과 결합하여 대외적인 구속력이 있는 법규명령으로서의 효력을 가진다</u>(대판 2017.5.31. 2017두30764).

22. 국회직 9급 '2014년도 건물 및 기타물건 시가표준액 조정기준'은 「건축법」 및 지방세법령의 위임에 따른 것으로서 대외적인 구속력이 있는 법규명령으로서의 효력을 가진다. (○)

18. 서울시 9급 2014년도 건물 및 기타물건 시가표준액 조정기준은 「건축법」 및 지방세법령의 위임에 따른 것이지만 행정규칙의 성격을 가진다. (×) → 법규명령

18. 경찰 3차 구 「건축법」 제80조 제1항 제2호, 「지방세법」 제4조 제2항, 구 「지방세법 시행령」 제4조 제1항 제1호의 내용, 형식 및 취지 등을 종합하면, '2014년도 건물 및 기타 물건 시가표준액 조정기준'은 이행강제금의 산정기준이 되는 시가표준액에 관하여 법령 규정의 내용을 보충하고 있으므로, 그 법령 규정과 결합하여 대외적인구속력이 있는 법규명령으로서의 효력을 가진다. (○)

함께 정리하기

공정거래위원회가 정한 표시·광고에 관한 공정거래지침
▷ 법규명령으로서의 효력

1994년도 노인복지사업지침
▷ 법규명령으로서의 효력

지방공무원보수업무 등 처리지침
▷ 법규명령으로서의 효력

2014년도 건물 및 기타물건 시가표준액 조정기준
▷ 법규명령으로서의 효력

함께 정리하기

산업자원부장관이 「공업배치 및 공장설립에 관한 법률」 제8조의 규정에 따라 공장입지의 기준을 구체적으로 정한 고시
▷ 법규명령으로서의 효력

법령의 내용이 될 사항을 구체적으로 규정한 지방자치단체장의 고시
▷ 법규명령으로서의 효력

금융위원회가 고시한 '금융기관 검사 및 제재에 관한 규정'
▷ 법규명령으로서의 효력

토지보상법 시행규칙
▷ 토지보상법 규정과 결합해 대외적 구속력○

❶
그러나 이에 대하여는 형식이 시행규칙이므로 법규명령에 해당하는 것이지 법령보충적 행정규칙으로 보기에는 무리가 있다는 견해도 있다.

행정적 편의를 도모하기 위한 절차적 규정
▷ 행정규칙

3-8. 산업자원부장관이 공업배치 및 공장설립에관한법률 제8조의 규정에 따라 공장입지의 기준을 구체적으로 정한 고시 ★

산업자원부장관이 공업배치 및 공장설립에 관한 법률 제8조의 규정에 따라 공장입지의 기준을 구체적으로 정한 고시는 법규명령으로서 효력을 가진다(대판 2004.5.28. 2002두4716).

15. 사복직 산업자원부장관이 구 「공업배치 및 공장설립에 관한 법률」(현 산업집적활성화 및 공장설립에 관한 법률) 제8조의 위임에 따라 공장입지의 기준을 구체적으로 정한 고시는 법규명령으로서 효력을 가진다. (○)

3-9. 법령의 내용이 될 사항을 구체적으로 규정한 지방자치단체장의 고시 ★

법령의 규정이 지방자치단체장(허가관청)에게 그 법령내용의 구체적인 사항을 정할 수 있는 권한을 부여하면서 그 권한행사의 절차나 방법을 정하지 아니하고 있는 경우, 그 법령의 내용이 될 사항을 구체적으로 규정한 지방자치단체장의 고시는, 당해 법률 및 그 시행령의 위임한계를 벗어나지 아니하는 한 그 법령의 규정과 결합하여 대외적인 구속력이 있는 법규명령으로서의 효력을 가진다(대판 2002.9.27. 2000두7933).

09. 지방직 9급 법령의 규정이 지방자치단체장에게 그 법령내용의 구체적 사항을 정할 수 있는 권한을 부여하면서 그 권한행사의 절차나 방법을 정하지 아니하고 있는 경우, 그 법령의 내용이 될 사항을 구체적으로 규정한 지방자치단체장의 고시는 당해 법령의 위임한계를 벗어나지 않는 한 법규명령으로서의 효력이 있다. (○)

3-10. 금융위원회의 설치 등에 관한 법률 제60조의 위임에 따라 금융위원회가 고시한 '금융기관 검사 및 제재에 관한 규정' 제18조 제1항 ★

금융위원회의 설치 등에 관한 법률 제60조의 위임에 따라 금융위원회가 고시한 '금융기관 검사 및 제재에 관한 규정' 제18조 제1항은 금융위원회법의 위임에 따라 법령의 내용이 될 사항을 구체적으로 정한 것으로서 금융위원회 법령의 위임 한계를 벗어나지 않으므로 그와 결합하여 대외적으로 구속력이 있는 법규명령의 효력을 가진다(대판 2019.5.30. 2018두52204).

3-11. 공익사업을 위한 토지 등의 취득 및 보상에 관한 법률(약칭: 토지보상법) 시행규칙 제22조 ★★

공익사업을 위한 토지 등의 취득 및 보상에 관한 법률 제68조 제3항은 협의취득의 보상액 산정에 관한 구체적 기준을 시행규칙에 위임하고 있고, 위임 범위 내에서 공익사업을 위한 토지 등의 취득 및 보상에 관한 법률 시행규칙 제22조는 토지에 건축물 등이 있는 경우에는 건축물 등이 없는 상태를 상정하여 토지를 평가하도록 규정하고 있는데, 이는 비록 행정규칙의 형식이나 공익사업법의 내용이 될 사항을 구체적으로 정하여 내용을 보충하는 기능을 갖는 것이므로, 공익사업법 규정과 결합하여 대외적인 구속력을 가진다(대판 2012.3.29. 2011다104253).❶

14. 지방직 9급 「공익사업을 위한 토지 등의 취득 및 보상에 관한 법률」 제68조 제3항은 협의취득의 보상액 산정에 관한 구체적 기준을 시행규칙에 위임하고 있고, 위임 범위 내에서 동법(同法) 시행규칙 제22조는 토지에 건축물 등이 있는 경우에는 건축물 등이 없는 상태를 상정하여 토지를 평가하도록 규정하고 있는데, 이는 대외적 구속력이 없다. (×) → 있다

ⓛ 그러나 대법원은 법률의 위임을 받은 것이기는 하나 행정적 편의를 도모하기 위한 절차적 규정(예 소득금액조정합계표 작성요령)은 법률 보충적 행정규칙이 아니라 단순히 행정규칙의 성질을 가지는 데 불과하다고 본다.

⚖️ 관련판례

구 법인세법상 소득금액조정합계표 작성요령은 법률의 위임을 받은 것이기는 하나 법인세의 부과징수라는 행정적 편의를 도모하기 위한 절차적 규정으로서 단순히 행정규칙의 성질을 가지는 데 불과하여 과세관청이나 일반국민을 기속하는 것이 아니다(대판 2003.9.5. 2001두403). ★★

14. 국가직 9급 대법원은 행정적 편의를 도모하기 위해 법령의 위임을 받아 제정된 절차적 규정을 법령보충적 행정규칙으로 본다. (×) → 행정규칙

19. 국회직 8급 총리령으로 제정된 「법인세법 시행규칙」에 따른 소득금액조정합계표 작성요령은 법령을 보충하는 법규사항으로서 법규명령의 효력을 가진다. (×) → 행정규칙이다

② **헌법재판소**: 헌법재판소도 헌법이 인정하고 있는 위임입법의 형식은 예시적인 것이라 하면서 대법원의 입장과 마찬가지로 법령보충적 행정규칙의 대외적 구속력을 인정하고 있다.

⚡ 관련판례

1 헌법이 인정하고 있는 위임입법의 형식은 예시적인 것으로 보아야 하고, 법률이 일정한 사항을 행정규칙에 위임하더라도 그 행정규칙은 위임된 사항만을 규율할 수 있으므로 국회입법의 원칙과 상치된다고 할 수 없다. ★★★

헌법 제40조, 제75조, 제95조의 의미를 살펴보면, 국회가 입법으로 행정기관에게 구체적인 범위를 정하여 위임한 사항에 관하여는 당해 행정기관이 법 정립의 권한을 갖게 되고, 입법자가 그 규율의 형식도 선택할 수 있다고 보아야 하므로, 헌법이 인정하고 있는 위임입법의 형식은 예시적인 것으로 보아야 한다. 법률이 일정한 사항을 행정규칙에 위임하더라도 그 행정규칙은 위임된 사항만을 규율할 수 있으므로, 국회입법의 원칙과 상치되지 않는다. 다만, 행정규칙은 법규명령과 같은 엄격한 제정 및 개정절차를 필요로 하지 아니하므로, 기본권을 제한하는 내용의 입법을 위임할 때에는 법규명령에 위임하는 것이 원칙이고, 고시와 같은 형식으로 입법위임을 할 때에는 법령이 전문적·기술적 사항이나 경미한 사항으로서 업무의 성질상 위임이 불가피한 사항에 한정된다(헌재 2017.9.28. 2016헌바140 ; 헌재 2014.7.24. 2013헌바183 ; 헌재 2004.10.28. 99헌바91).

14. 변호사 헌법은 국회입법의 원칙을 천명하면서 법규명령인 대통령령, 총리령과 부령, 법원규칙, 헌법재판소규칙, 중앙선거관리위원회규칙에 대한 위임입법을 한정적으로 열거하고 있으므로 행정기관의 고시 등과 같은 행정규칙에 입법사항을 위임할 수 없다. (×) → 예시 / 있다

21. 경찰 2차, 20. 군무원 9급, 17. 변호사, 10. 국회직 8급 헌법이 인정하고 있는 위임입법의 형식은 예시적인 것으로 보아야 하고, 법률이 일정한 사항을 행정규칙에 위임하더라도 그 행정규칙은 위임된 사항만을 규율할 수 있으므로 국회입법의 원칙과 상치된다고 할 수 없다. (○)

23. 지방직 7급, 17. 국가직 9급 법률이 일정한 사항을 고시와 같은 행정규칙에 위임하는 것은 전문적·기술적 사항이나 경미한 사항으로서 업무의 성질상 위임이 불가피한 사항에 한정된다. (○)

2 법령보충적 행정규칙은 상위법령과 결합하여 그 위임한계를 벗어나지 아니하는 범위 내에서 상위법령의 일부가 됨으로써 대외적 구속력을 발생한다. ★★★

원칙적으로 행정규칙은 그 성격상 대외적 효력을 갖는 것은 아니나, 특별히 예외적인 경우에 대외적으로 효력을 가질 수 있는데 … 이른바 법령보충적 행정규칙이라도 그 자체로서 직접적으로 대외적인 구속력을 갖는 것은 아니다. 즉, 상위법령과 결합하여 일체가 되는 한도 내에서 상위법령의 일부가 됨으로써 대외적 구속력이 발생되는 것일 뿐 그 행정규칙 자체는 대외적 구속력을 갖는 것은 아니라 할 것이다(헌재 2004.10.28. 99헌바91).

18. 경찰 2차 행정규칙은 원칙적으로 그 성격상 대외적 효력을 갖는 것은 아니나, 예외적인 경우에 대외적으로 효력을 가질 수 있다. (○)

18. 경찰 2차, 17. 사복직, 12. 지방직 7급 이른바 법령보충적 행정규칙은 그 자체로서 직접적으로 대외적인 구속력을 갖는다. (×) → 갖는 것은 아니다

15. 경찰 3차, 12. 국가직 9급 법령보충적 행정규칙은 상위법령과 결합하여 그 위임한계를 벗어나지 아니하는 범위 내에서 상위법령의 일부가 됨으로써 대외적 구속력을 발생한다. (○)

행정규칙에 입법사항을 위임하는 경우
▷ 법령이 전문적·기술적 사항이나 경미한 사항으로서 업무의 성질상 위임이 불가피한 사항에 한정

법령보충규칙
▷ 그 자체가 직접 대외적 구속력 인정되는 것×

게임제공업소의 경품취급기준고시
▷ 법규명령으로서의 효력

'청소년유해매체물의 표시방법'에 관한
정보통신부고시
▷ 법규명령으로서의 효력

「행정규제기본법」 제4조 제2항 단서
▷ 법령보충규칙의 법규성 인정의 실정법
적 근거

❶
또한 「행정기본법」은 법령보충적 행정
규칙을 「행정기본법」상 '법령'의 하나로
규정하고 있다(제2조 제1호 가목의 3)
참조).

법령보충규칙의 한계
▷ 사항적·내용상·형식상 한계

3 상위법령과 결합하여 법규명령으로서의 효력을 인정한 사례 [헌법재판소]

3-1. 게임제공업소의 경품취급기준고시 ★

게임제공업소의 경품취급기준고시는 게임제공업을 영위하는 자가 게임이용자에게 제공할 수 있는 경품의 종류와 지급 방법 등에 관한 기준을 정하고 있는데, 이 사건 고시는 이 사건 모법조항의 위임에 의하여 제정된 것으로서 국민의 기본권을 제한하는 내용을 담고 있어 상위법령과 결합하여 대외적 구속력을 갖는 법규명령으로 기능하고 있는 것이라 볼 수 있으므로 헌법소원의 대상이 된다(헌재 2008.11.27. 2005헌마161 등).

3-2. '청소년유해매체물의 표시방법'에 관한 정보통신부고시(현 방송통신위원회고시) ★

'청소년유해매체물의 표시방법'에 관한 정보통신부고시'는 청소년유해매체물을 제공하려는 자가 하여야 할 전자적 표시의 내용을 정하고 있는데, 이는 정보통신망이용촉진및정보보호등에관한법률 제42조 및 동법시행령 제21조 제2항·제3항의 위임규정에 의하여 제정된 것으로서 국민의 기본권을 제한하는 것인바 상위법령과 결합하여 대외적 구속력을 갖는 법규명령으로 기능하고 있는 것이므로 헌법소원의 대상이 된다(헌재 2004.1.29. 2001헌마894).

(3) 실정법 규정

「행정규제기본법」 제4조 제2항 본문은 '행정규제법정주의'를 규정하면서 단서에서 "법령이 전문적·기술적 사항이나 경미한 사항으로서 업무의 성질상 위임이 불가피한 사항에 관하여 구체적으로 범위를 정하여 위임한 경우에는 고시 등으로 정할 수 있다."라고 규정하고 있는데, 이는 법령보충적 행정규칙을 명문으로 인정한 것으로 평가할 수 있다.❶

> 「행정규제기본법」 제4조 【규제 법정주의】 ② 규제는 법률에 직접 규정하되, 규제의 세부적인 내용은 법률 또는 상위법령(上位法令)에서 구체적으로 범위를 정하여 위임한 바에 따라 대통령령·총리령·부령 또는 조례·규칙으로 정할 수 있다. 다만, 법령에서 전문적·기술적 사항이나 경미한 사항으로서 업무의 성질상 위임이 불가피한 사항에 관하여 구체적으로 범위를 정하여 위임한 경우에는 고시 등으로 정할 수 있다.

10. 국회직 8급 「행정규제기본법」 제4조 제2항 단서는 "법령이 전문적·기술적 사항이나 경미한 사항으로서 업무의 성질상 위임이 불가피한 사항에 관하여 구체적으로 범위를 정하여 위임한 경우에는 고시 등으로 정할 수 있다."고 규정하고 있는데, 이는 행정규칙형식의 법규명령을 명문으로 인정한 것으로 평가할 수 있다. (○)

18. 교행 성질상 위임이 불가피한 전문적·기술적 사항에 관하여 구체적으로 범위를 정하여 법령에서 위임~~하더라도 고시 등으로는~~ 규제의 세부적인 내용을 정할 수 ~~없다~~. (×) → 위임하면 고시 등으로 / 있다

3. 한계

법령보충규칙은 전문적·기술적 사항이나 경미한 사항으로서 업무의 성질상 위임이 불가피한 사항이어야 하고(사항적 한계), 상위법령은 포괄적 위임금지의 원칙을 준수하여야 하며 법령보충규칙은 위임받은 사항만 규율이 가능하고(내용상 한계), 고시, 지침 등 행정규칙의 형식으로 정하도록 위임되어야 한다(형식상 한계). 법령보충규칙도 법규명령에 해당하므로, 특히 상위법령의 수권상의 한계와 제정상의 한계가 문제된다.

(1) 수권상의 한계

법령보충적 행정규칙은 법령의 수권에 근거하여야 하고, 그 수권(법률의 위임)은 포괄위임금지의 원칙상 반드시 구체적·개별적으로 한정된 사항에 대하여 행하여져야 한다(헌재 2014.7.24. 2013헌바183 ; 헌재 2004.10.28. 99헌바91 등). 법령을 보충하는 행정규칙이 위임 없이 제정된 경우에는 단순한 행정규칙에 불과하며 법령보충적 행정규칙이라고 할 수 없다.

> 19. 국가직 7급 법령보충적 행정규칙은 법령의 수권에 의하여 인정되고, 그 수권은 포괄위임금지의 원칙상 구체적·개별적으로 한정된 사항에 대하여 행해져야 한다. (○)

(2) 제정상(내용상)의 한계

상위법령의 수권에 따른 법령보충적 행정규칙이라도 상위법령이 위임한 내용범위를 벗어나거나 그 형식을 달리하는 경우에는 법규성을 인정할 수 없다.

🔨 관련판례

1 행정규칙이나 규정이 상위법령의 위임범위를 벗어나거나, 상위법령에서 세부사항 등을 시행규칙(부령)으로 정하도록 위임하였음에도 이를 행정규칙으로 정한 경우에는 대외적 구속력을 가지는 법규명령으로서 효력이 인정될 수 없다. ★★★
법령의 규정이 특정 행정기관에게 법령 내용의 구체적 사항을 정할 수 있는 권한을 부여하면서 권한행사의 절차나 방법을 특정하지 아니한 경우에는 수임 행정기관은 행정규칙이나 규정 형식으로 법령 내용이 될 사항을 구체적으로 정할 수 있다. 이 경우 행정규칙 등은 당해 법령의 위임한계를 벗어나지 않는 한 대외적 구속력이 있는 법규명령으로서 효력을 가지게 되지만, 이는 행정규칙이 갖는 일반적 효력이 아니라 행정기관에 법령의 구체적 내용을 보충할 권한을 부여한 법령규정의 효력에 근거하여 예외적으로 인정되는 것이다. 따라서 행정규칙이나 규정이 상위법령의 위임범위를 벗어난 경우에는 법규명령으로서 대외적 구속력을 인정할 여지는 없다. 이는 행정규칙이나 규정 '내용'이 위임범위를 벗어난 경우뿐 아니라 상위법령의 위임규정에서 특정하여 정한 권한행사의 '절차'나 '방식'에 위배되는 경우도 마찬가지이므로, 상위법령에서 세부사항 등을 시행규칙으로 정하도록 위임하였음에도 이를 고시 등 행정규칙으로 정하였다면 그 역시 대외적 구속력을 가지는 법규명령으로서 효력이 인정될 수 없다(대판 2012.7.5. 2010다72076).

> 22. 소방직 법령의 규정이 특정 행정기관에게 법령 내용의 구체적 사항을 정하도록 권한을 부여하여 특정 행정기관이 행정규칙을 정하였으나 그 행정규칙이 상위 법령의 위임범위를 벗어났다면, 그러한 행정규칙은 대외적 구속력을 가지는 법규명령으로서의 효력이 인정되지 않는다. (○)

> 20. 지방직 9급, 20. 지방직 7급, 17. 서울시 7급, 17. 사복직, 16. 지방직 9급 등 상위법령에서 세부사항 등을 시행규칙으로 정하도록 위임하였음에도 이를 고시 등 행정규칙으로 정하였다면 이때 고시 등 행정규칙은 대외적 구속력을 갖는 법규명령으로서 효력이 인정될 수 없다. (○)

> 23. 국가직 7급 상위법령에서 세부사항 등을 시행규칙으로 정하도록 위임하였음에도 이를 고시 등 행정규칙으로 정한 경우 그 행정규칙은 대외적 구속력을 가지는 법규명령으로서 효력이 인정된다. (×) → 되지 않는다

> 22. 변호사 상위법령에서 세부사항 등을 시행규칙으로 정하도록 위임하였으나 이를 고시의 형식으로 정하였더라도 규정 내용이 위임의 범위를 벗어나지 않았다면 그 고시는 대외적 구속력을 가지는 법규명령으로서 효력이 인정된다. (×) → 다면 / 더라도 / 되지 않는다

> 19. 지방직 9급, 19. 변호사, 15. 지방직 9급, 13. 지방직 7급 상위법령에서 세부사항 등을 시행규칙으로 정하도록 위임하였음에도 이를 고시 등 행정규칙으로 정한 경우에는 그 고시 등은 당해 법령과 결합하여 대외적으로 구속력이 있는 법규명령으로서 효력이 인정된다. (×) → 효력이 인정될 수 없다

함께 정리하기

위임 없이 제정된 경우
▷ 단순한 행정규칙(법령보충규칙×)

수권상의 한계
▷ 포괄위임금지

제정상의 한계
▷ 위임받은 범위 내에서 규정

상위법령에서 세부사항 등을 시행규칙으로 정하도록 위임하였음에도 이를 고시 등 행정규칙으로 정한 경우
▷ 법규명령으로서 효력×(∵대외적 구속력×)

법령의 위임 범위를 벗어난 고시
▷ 대외적 구속력 ✕

2 고시가 비록 법령에 근거를 둔 것이라고 하더라도 그 규정 내용이 법령의 위임 범위를 벗어난 것일 경우에는 법규명령으로서의 대외적 구속력을 인정할 여지는 없다. ★★★

일반적으로 행정 각부의 장이 정하는 고시라 하더라도 그것이 특히 법령의 규정에서 특정 행정기관에게 법령 내용의 구체적 사항을 정할 수 있는 권한을 부여함으로써 그 법령 내용을 보충하는 기능을 가질 경우에는 그 형식과 상관없이 근거 법령 규정과 결합하여 대외적으로 구속력이 있는 법규명령으로서의 효력을 가지는 것이나 이는 어디까지나 법령의 위임에 따라 그 법령 규정을 보충하는 기능을 가지는 점에 근거하여 예외적으로 인정되는 효력이므로 특정 고시가 비록 법령에 근거를 둔 것이라고 하더라도 그 규정 내용이 법령의 위임 범위를 벗어난 것일 경우에는 위와 같은 법규명령으로서의 대외적 구속력을 인정할 여지는 없다(대판 1999.11.26. 97누13474).

21. 국가직 7급, 20. 지방직 9급, 19. 서울시 7급(추), 17. 5급 승진, 16. 국회직 8급 등 행정 각부의 장이 정하는 고시가 비록 법령에 근거를 둔 것이라고 하더라도 그 규정 내용이 법령의 위임 범위를 벗어난 것일 경우에는 법규명령으로서의 대외적 구속력을 인정할 여지는 없다. (○)

23. 지방직 7급 행정 각부의 장이 정하는 고시가 법령에 근거를 둔 것이라면, 그 규정 내용이 법령의 위임 범위를 벗어난 것이라도 법규명령으로서의 대외적 구속력이 인정된다. (✕) → 이라고 하더라도 / 이라면 / 인정되지 않는다

20. 국회직 9급 법률이 입법사항을 고시 등의 형식으로 위임하더라도 위임의 한계가 있으며, 고시 등이 위임의 한계를 벗어난 경우에는 법규명령의 효력이 인정될 수 없다. (○)

18. 서울시 9급 법령에 근거를 둔 고시는 상위 법령의 위임범위를 벗어난 경우에도 법규명령으로서 기능한다. (✕) → 에는 법규명령으로서의 대외적 구속력이 인정되지 않는다

무효인 훈령에만 기초한 주류판매업정지 처분
▷ 당연무효

3 상위법령에 근거가 없는 주류유통거래에 관한 규정은 무효이며, 그에 근거한 주류판매업정지 처분 또한 무효이다. ★★

국세청장 훈령인 주류유통거래에 관한 규정 제20조, 제26조는 주류판매업자에 대한 관계에 있어서는 상위법령에 근거가 없어 무효라 할 것이고, 위 무효인 훈령에 기초한 주류판매업정지 처분은 그 위법의 하자가 중대하고 명백하여 당연무효라 할 것이다(대판 1980.12.23. 79누382).

12. 국가직 7급 판례에 의하면 상위법령에 근거를 두고 있지 않은 훈령에만 근거하여 발령된 침익적 행정처분은 무효인 훈령에 기초한 것으로서 당연무효이다. (○)

노령수당을 정하고 있는 노인복지지침의 성질
▷ 법규명령

「노인복지법 시행령」
▷ 노령수당 지급기준 : 65세 이상

노인복지사업지침
▷ 노령수당 지급기준 : 70세 이상

시행령은 노령수당 기준을 65세로 규정하고 있음에도 70세 이상으로 규정한 보건복지부 장관의 노령수당 지침
▷ 상위법에 반하여 위법(위임한계일탈)

70세 이상으로 규정한 노인복지지침에 근거한 노령수당 거부처분
▷ 위법

4 시행령은 노령수당 기준을 65세로 규정하고 있음에도 70세 이상으로 규정한 보건복지부 장관의 노령수당 지침은 법령의 위임한계를 벗어난 것이어서 그 효력이 없다. ★★

(노령수당의 지급대상자를 '70세 이상'으로 규정한 노인복지사업지침이 노인복지법 제13조, 같은 법 시행령 제17조의 위임한계를 벗어나 효력이 없다고 한 사례) 법령보충적인 행정규칙, 규정은 당해 법령의 위임한계를 벗어나지 아니하는 범위 내에서만 그것들과 결합하여 법규적 효력을 가지고, 노인복지법 제13조 제2항의 규정에 따른 노인복지법시행령 제17조, 제20조 제1항은 노령수당의 지급대상자의 연령범위에 관하여 위 법 조항과 동일하게 '65세 이상의 자'로 반복하여 규정한 다음 소득수준 등을 참작한 일정소득 이하의 자라고 하는 지급대상자의 선정기준과 그 지급대상자에 대한 구체적인 지급수준(지급액) 등의 결정을 보건사회부장관에게 위임하고 있으므로, 보건사회부장관이 노령수당의 지급대상자에 관하여 정할 수 있는 것은 65세 이상의 노령자 중에서 그 선정기준이 될 소득수준 등을 참작한 일정소득 이하의 자인 지급대상자의 범위와 그 지급대상자에 대하여 매년 예산확보상황 등을 고려한 구체적인 지급수준과 지급시기, 지급방법 등일 뿐이지, 나아가 지급대상자의 최저연령을 법령상의 규정보다 높게 정하는 등 노령수당의 지급대상자의 범위를 법령의 규정보다 축소·조정하여 정할 수는 없다고 할 것임에도, 보건사회부장관이 정한 1994년도 노인복지사업지침은 노령수당의 지급대상자를 '70세 이상'의 생활보호대상자로 규정함으로써 당초 법령이 예정한

노령수당의 지급대상자를 부당하게 축소·조정하였고, 따라서 위 지침 가운데 노령수당의 지급대상자를 '70세 이상'으로 규정한 부분은 법령의 위임한계를 벗어난 것이어서 그 효력이 없다(대판 1996.4.12. 95누7727).

18. 경찰 3차 보건사회부장관이 정한 1994년도 노인복지사업지침은 노령수당의 지급대상자를 '70세 이상'의 생활보호대상자로 규정함으로써 구 「노인복지법」(1994.6.28. 법률 제4633호로 개정된 것) 제13조 제2항과 구 「노인복지법 시행령」(1994.12.23. 대통령령 제14447호로 개정된 것) 제20조 제1항에서 '65세 이상'의 자로 규정한 노령수당의 지급대상자를 부당하게 축소 조정하였으므로 그 부분은 법령의 위임한계를 벗어난 것이다. (○)

5 농림부고시인 농산물원산지 표시요령 제4조 제2항의 규정 내용이 근거 법령인 구 농수산물품질관리법 시행규칙에 의해 고시로써 정하도록 위임된 사항에 해당한다고 할 수 없어 법규명령으로서 대외적 구속력을 가질 수 없다. ★★

농산물원산지 표시요령 제4조 제2항이 "가공품의 원료로 가공품이 사용될 경우 원산지표시는 원료로 사용된 가공품의 원료 농산물의 원산지를 표시하여야 한다."고 규정하고 있더라도 이는 원산지표시 방법에 관한 기술적인 사항이 아닌 원산지표시를 하여야 할 대상에 관한 것이어서 구 농수산물품질관리법 시행규칙에 의해 고시로써 정하도록 위임된 사항에 해당한다고 할 수 없어 법규명령으로서의 대외적 구속력을 가질 수 없고, 따라서 법원이 구 농산물품질관리법 시행령을 해석함에 있어서 농산물원산지 표시요령 제4조 제2항을 따라야 하는 것은 아니다(대결 2006.4.28. 2003마715).

17. 서울시 9급 가공품의 원료로 가공품이 사용될 경우 원산지표시는 원료로 사용된 가공품의 원료 농산물의 원산지를 표시하여야 한다는 농림부고시인 「농산물원산지 표시요령」은 법규명령으로서의 대외적 구속력을 가진다. (×) → 대외적 구속력이 없다

4. 공포 여부

법령보충적 행정규칙은 법규성이 인정된다 하더라도 어디까지나 행정규칙이고 그 자체가 법령이 아니므로 법규명령의 형식과 같이 공포를 요하지 않는다. 판례는 원칙상 법령보충적 행정규칙의 효력발생요건으로 공포나 공표를 요구하고 있지 않지만, 적당한 방법으로 이를 일반인 또는 관계인에게 표시 또는 통보함으로써 그 효력이 발생한다고 본다.

> **⚖ 관련판례**
>
> **법령보충적 행정규칙은 상위법령과 결합하여 법규명령의 효력을 가지나 그 자체가 법령은 아니고 행정규칙에 지나지 않으므로 적당한 방법으로 이를 일반인 또는 관계인에게 표시 또는 통보함으로써 그 효력이 발생한다. ★★**
>
> 수입선다변화품목의 지정 및 그 수입절차 등에 관한 상공부 고시 제91-21호는 그 근거가 되는 대외무역법 시행령 제35조의 규정을 보충하는 기능을 가지면서 그와 결합하여 대외적인 구속력이 있는 법규명령으로서의 효력을 가지는 것으로서 그 시행절차에 관하여 '대외무역관리규정'은 아무런 규정을 두고 있지 않으나, 그 자체가 법령은 아니고 행정규칙에 지나지 않으므로 적당한 방법으로 이를 일반인 또는 관계인에게 표시 또는 통보함으로써 그 효력이 발생한다(대판 1993.11.23. 93도662).

19. 서울시 7급(추) 고시가 법령의 규정을 보충하는 기능을 가지면서 그와 결합하여 대외적인 구속력이 있는 법규명령으로서의 효력을 가지는 경우에도 그 자체가 법령은 아니고 행정규칙에 지나지 않으므로 적당한 방법으로 이를 일반인 또는 관계인에게 표시 또는 통보함으로써 그 효력이 발생한다. (○)

08. 지방직 9급 법령보충적 행정규칙은 법규명령의 효력을 가지므로 공포 또는 공표되지 않으면 그 효력이 없다는 것이 판례의 입장이다. (×) → 가지나 / 를 요구하지 않는다는

함께 정리하기

가공품의 원료로 가공품이 사용될 경우 원산지 표시에 관한 농림부고시인 「농산물원산지 표시요령」
▷ 위임 外 사항을 정한 것(∴대외적 구속력×)

법령보충적 행정규칙
▷ 공포 不要
▷ 적당한 방법으로 수범자에게 통보함으로써 효력발생

핵심정리 행정규칙의 법규성 인정 여부에 관한 판례

법규성이 인정되는 경우	법규성이 인정되지 않는 경우
• 게임제공업소의 경품취급기준 중 사행성게임물 경품금지규정(2005헌마161) • 청소년유해매체물의 표시방법에 대한 정보통신부고시(2001헌마894) • 식품제조영업허가기준(92누1728) • 전라남도 주유소 등록요건에 관한 고시 <별표1>(98두7503) • 공정거래위원회 예규인 표시·광고에 관한 공정거래지침(98두12772) • 수입선다변화품목의 지정 등에 관한 상공부고시(93도662) • 1994년도 노인복지사업지침(95누7727) • 구 지방공무원보수업무 등 처리지침 <별표1>(2015두53121) • 주류도매면허제도 개선업무처리지침(93누21668) • 국세청장 훈령인 재산제세사무처리규정(86누484) • 국무총리 훈령인 개별토지가격합동조사지침(93누111) • 액화석유가스 판매사업기준에 관한 광주광역시장의 고시(2000두7933) • 공장입지기준인 지식경제부 고시(2002두4716) • 국토교통부 고시인 산업입지의 개발에 관한 통합지침(2009두23822) • 의료보험진료수가기준인 보건복지부 고시(98두17807) • 건설교통부장관이 정한 도시계획시설기준에 관한 규칙(2003두14840) • 2014년도 건물 및 기타물건 시가표준액 조정기준(2017두30764)	• 개인택시운송사업면허지침(95누12941) • 일반적인 훈령(82누324) • 서울시 철거민에 대한 국민주택 특별공급규칙(2006두8495) • 서울특별시 개인택시운송사업면허 업무처리요령(97누8878) • 공정거래위원회 예규인 '부당한지원행위의심사지침'(2001두6517) • 구 국립묘지안장대상심의위원회 운영규정(2012두19571) • 감정평가업협회의 '토지보상평가지침'(2000두3450) • 서울시 상수도손괴원인자부담처리지침(92누7535) • 교육공무원 보수업무 등 편람(2010두16349) • 요양급여비용심사기준을 정한 보건복지부장관의 고시(2008두21669) • 내용이 위임범위를 벗어나는 고시(97누13474) • 위임되지 않은 사항을 허가신청의 구비서류로 정하는 고시의 규정(97누13474) • 시행규칙으로 정하도록 위임했음에도 고시 등 행정규칙으로 정한 경우(2010다72076) • 상위법령에 근거가 없는 주류유통거래에 관한 규정(79누382)

제2장 행정행위

제1절 행정행위의 개념

1 행정행위의 의의

1. 개설

행정의 행위형식의 한 유형으로서 행정행위라는 개념은 실정법상의 개념이 아니라 학문상 필요에 의하여 만들어진 강학상의 개념이다. 실정법상으로는 허가·인가·면허·특허·확인·면제 등 여러 가지 용어로 규정되어 있으며 이러한 용어들의 공통적인 성질을 포괄하는 개념으로 사용하는 것이 '행정행위'이다. 실무적으로는 '처분', '행정처분'이라고 한다.

05. 지방직 9급 행정행위는 원칙적으로 실정법상에서 사용하는 개념이 아니다. (○)

2. 행정행위의 개념 분류

행정행위의 개념은 일반적으로 최광의설, 광의설, 협의설, 최협의설로 구분되지만, 통설은 최협의설의 개념이 강학상의 행정행위의 개념에 해당한다고 본다.

(1) 최광의설

'행정청이 행하는 모든 행위'를 행정행위라 한다. 그러나 여기에는 사법행위, 공법행위, 법률행위·사실행위, 통치행위 등이 모두 포함될 수 있어 개념정립의 실익이 없다.

(2) 광의설

행정청이 행하는 행정작용 중에서 '공법행위'만을 의미한다. 행정행위를 '공법행위'로 정의함에 따라 사실행위, 사법행위는 배제되나, 행정입법, 공법상의 계약 및 합동행위, 행정계획, 통치행위는 포함되어 있어 여전히 넓은 개념이다.

(3) 협의설

'행정청이 법아래서 구체적 사실에 관한 법집행으로 행하는 공법행위'를 의미한다. '법 아래서'라는 점에서 통치행위는 배제되고, '구체적 사실에 대한 법집행'이라는 점에서 행정입법은 배제되나, 공법상 계약이나 공법상 합동행위 등 비권력적 행위는 여전히 포함된다.

17. 국가직 9급 행정행위를 '행정청이 법아래서 구체적 사실에 대한 법집행으로서 행하는 공법행위'로 정의하면 공법상 계약과 공법상 합동행위는 행정행위의 개념에서 제외된다. (✕) → 포함

함께 정리하기

행정행위의 개념
▷ 강학상의 개념(실정법상 개념✕)

실무상 용어
▷ 행정처분·처분

최광의설
▷ 행정청이 행하는 모든 행위

광의설
▷ 행정청이 행하는 공법행위

협의설
▷ 행정청이 법아래서 구체적 사실에 관한 법집행으로 행하는 공법행위
▷ 공법상 계약이나 공법상 합동행위와 같은 비권력적 행위 포함○

최협의설
▷ 행정청이 법 아래에서 구체적인 사실에 관한 법집행으로 행하는 권력적 단독행위로서 공법행위
▷ 공법상 계약이나 공법상 합동행위와 같은 비권력적 행위 포함✕

❶ 최협의 행정행위의 개념요소(제외되는 행정작용)
① 법아래서(통치행위×)
② 구체적인 사실에 관한 법집행으로 행하는(행정입법×)
③ 권력적(비권력적 행위×)
④ 단독행위(쌍방행위×)
⑤ 공법행위(사법행위·사실행위×)

(4) 최협의설❶

'행정청이 법 아래에서 구체적인 사실에 관한 법집행으로서 행하는 권력적 단독행위인 공법행위'로 정의된다. 이로써 비권력적 쌍방행위인 공법상 계약이나 공법상 합동행위는 배제되고 권력적 단독행위만이 남게 된다. 이 학설이 통설이다.

② 행정행위의 개념적 요소

행정행위는 '행정청이 법 아래에서 구체적인 사실에 대한 법집행으로서 행하는 권력적 단독행위인 공법행위'를 말한다. 행정행위의 정의에 따라 개념적 요소로 나누어 설명하면 다음과 같다.

1. '행정청'의 행위(기능적 의미의 행정청)

(1) 행정행위는 '행정청의 행위이다. 행정조직법상 행정청이란 행정주체의 의사를 내부적으로 결정하고 외부에 표시할 수 있는 권한을 가진 기관을 말한다.

> 15. 서울시 9급 행정권한을 위임받은 사인도 행정청으로서 행정행위를 할 수 있다. (○)

(2) 그러나 실정법상 행정청이라 함은 반드시 엄격한 의미의 행정청(행정조직법상 행정청)만을 의미하지 않으며 실질적·기능적 의미도 갖고 있음을 유의하여야 한다. 따라서 보조기관(행정 각부의 차관, 차장, 실장, 국장 등)도 때로는 행정청이 될 수 있고, 국회사무총장이나 법원행정처장도 행정청에 해당될 수 있으며(예 직권의 임명 등), 행정권한을 위임 또는 위탁받은 공공단체, 공무수탁사인도 행정청이 될 수 있다.

'행정청'의 범위
▷ 권한을 위임·위탁받은 행정기관, 공공단체 및 그 기관, 공무수탁사인 포함

(3) 「행정기본법」 제2조 제2호와 「행정절차법」 제2조 제1호 및 「행정심판법」 제2조 제4호는 행정청이라 함은 '행정에 관한 의사를 결정하여 표시하는 국가 또는 지방자치단체의 기관과 그 밖에 법령 등에 따라 행정에 관한 의사를 결정하여 표시하는 권한을 가지고 있거나 그 권한을 위임 또는 위탁받은 공공단체 또는 그 기관이나 사인'을 말한다고 정의하고 있으며, 「행정소송법」 제2조 제2항은 "이 법을 적용함에 있어서 행정청에는 법령에 의하여 행정권한의 위임 또는 위탁을 받은 행정기관, 공공단체 및 그 기관 또는 사인이 포함된다."라고 하여 행정청의 범위를 규정하고 있다.

> 17. 사복직 공무수탁사인은 수탁받은 공무를 수행하는 범위 내에서 행정주체이고, 「행정절차법」이나 「행정소송법」에서는 행정청이다. (○)

2. 법적 행위

(1) 직접적·법적 효과

행정행위는 직접 권리·의무관계의 발생·변경·소멸을 의도하는 법적 행위이다. 따라서 그 자체로는 아무런 법적 효과를 가져 오지 않는 사실행위(예 행정지도, 도로청소, 도로보수와 같은 순수한 사실행위)나 단순히 법령의 내용을 이행하는 행위 등은 행정행위에 해당하지 않는다.

> 15. 교행 행정행위는 법적 행위이므로 행정청이 도로를 보수하는 행위는 행정행위가 아니다. (○)
> 15. 교행 행정행위는 국민에 대하여 법적 효과를 발생시키는 행위이므로 행정청이 귀화신청인에게 귀화를 허가하는 행위는 행정행위가 아니다. (×) → 이다

관련판례

1 구 공원법에 의해 건설부장관이 행한 국립공원지정처분에 따라 공원관리청이 행한 경계측량 및 표지의 설치 등은 행정처분이 아니다. ★★

건설부(현 국토교통부)장관이 행한 국립공원지정처분은 그 결정 및 첨부된 도면의 공고로써 그 경계가 확정되는 것이고, 시장이 행한 경계측량 및 표지의 설치 등은 공원관리청이 공원구역의 효율적인 보호, 관리를 위하여 이미 확정된 경계를 인식, 파악하는 사실상의 행위로 봄이 상당하며, 위와 같은 사실상의 행위를 가리켜 공권력행사로서의 행정처분의 일부라고 볼 수 없고, 이로 인하여 건설부장관이 행한 공원지정처분이나 그 경계에 변동을 가져온다고 할 수 없다(대판 1992.10.13. 92누2325).

21. 소방직, 17. 지방직 9급(추) 건설부장관(현 국토교통부장관)이 행한 국립공원지정처분에 따른 경계측량 및 표지의 설치 등은 처분이 아니다. (○)

14. 국가직 9급 권한 있는 장관이 행한 국립공원지정처분에 따라 공원관리청이 행한 경계측량 및 표지의 설치는 행정처분이다. (×) → 이 아니다

건설부장관이 행한 국립공원지정처분에 따라 공원관리청이 행한 경계측량 및 표지의 설치
▷ 행정처분×

2 행정청이 전기·전화의 공급자에게 위법 건축물임을 이유로 단전·단전화 요청행위는 행정행위로 볼 수 없다. ★★

구 건축법 제69조 제2항·제3항의 규정에 비추어 보면, 행정청이 위법 건축물에 대한 시정명령을 하고 나서 위반자가 이를 이행하지 아니하여 전기·전화의 공급자에게 그 위법 건축물에 대한 전기·전화공급을 하지 말아 줄 것을 요청한 행위는 권고적 성격의 행위에 불과한 것으로서 전기·전화공급자나 특정인의 법률상 지위에 직접적인 변동을 가져오는 것은 아니므로 이를 항고소송의 대상이 되는 행정처분이라고 볼 수 없다(대판 1996.3.22. 96누433).

17. 서울시 9급, 13. 지방직 9급 전기·전화의 공급자에게 위법건축물에 대한 단전 또는 전화통화 단절조치의 요청행위는 항고소송의 대상이 되는 처분에 해당하지 않는다. (○)

21. 군무원 9급 위법한 건축물에 대한 단전 및 전화통화 단절조치 요청행위는 처분성이 인정되는 행정지도이다. (×) → 되지 않는

11. 지방직 7급, 10. 국가직 9급 판례에 의하면 행정청이 「건축법」 제79조 제2항에 의하여 한 국력전력공사에게 위법 건축물임을 이유로 전기공급을 하지 않을 것을 요청하는 행위는 항고소송의 대상이 되는 처분이다. (×) → 처분에 해당하지 않는다

행정청의 단전·단전화 요청
▷ 행정처분×

3 소득세법에 의한 원천징수의무자의 원천징수행위는 행정처분이 아니다. ★★

원천징수하는 소득세에 있어서는 납세의무자의 신고나 과세관청의 부과결정이 없이 법령이 정하는 바에 따라 그 세액이 자동적으로 확정되고, 원천징수의무자는 소득세법 제142조 및 제143조의 규정에 의하여 이와 같이 자동적으로 확정되는 세액을 수급자로부터 징수하여 과세관청에 납부하여야 할 의무를 부담하고 있으므로, 원천 징수의무자가 비록 과세관청과 같은 행정청이더라도 그의 원천징수행위는 법령에서 규정된 징수 및 납부의무를 이행하기 위한 것에 불과한 것이지, 공권력의 행사로서의 행정처분을 한 경우에 해당되지 아니한다(대판 1990.3.23. 89누4789).

19. 국회직 8급, 11. 지방직 9급 법령에 의해서 자동적으로 확정되는 소득세에 있어서는 원천징수 의무자가 비록 과세관청과 같은 행정청이더라도 그의 원천징수행위는 법령에서 규정된 징수 및 납부의무를 이행하기 위한 것에 불과한 것이지 공권력의 행사로서의 행정처분을 한 경우에 해당되지 아니한다. (○)

원천징수의무자의 원천징수행위
▷ 행정처분×

행정기관 내부행위
▷ 행정행위×

다른 행정청의 동의를 얻어야 하는 행정행위에서 동의
▷ 행정조직 내부의 행위: 행정행위×

❶
예컨대, 동작구청장이 건축과장에게 甲 소유의 건축물이 불법건축물에 해당된다는 이유로 철거명령을 내리는 지시를 한다면 이는 행정행위가 아니라 단순한 직무명령에 지나지 않는다.

행정행위
▷ 행정청이 행하는 '구체적 사실에 대한 법집행작용'(법의 제정 작용×)

(2) 외부적 행위

행정행위는 외부에 대하여 직접 법적 효과를 발생시키는 행위이다. 따라서 법적 효과를 발생시키지 않는 행정조직 내부의 행위(예 상급행정기관의 하급 행정기관에 대한 승인·동의·지시❶ 등)는 행정행위가 아니다(대판 1997.9.26. 97누8540). 또한, 다른 행정청의 동의를 얻어야 하는 행정행위에서 다른 행정청의 동의가 행정행위의 성립에 중요한 요소라 하더라도 다른 행정청의 동의는 행정조직 내부의 행위이므로 행정행위가 아니다(대판 2004.10.15. 2003두6573).

15. 서울시 9급 부하 공무원에 대한 상관의 개별적인 직무명령은 행정행위가 아니다. (○)

19. 행정사 하급행정관청의 권한행사에 대한 상급행정관청의 내부적인 승인·인가는 행정처분이 아니다. (○)

11. 국회직 9급 다른 행정청의 동의를 얻어 처분을 하는 경우 다른 행정청의 동의는 법적 행위가 아니라고 보았다. (○)

3. '구체적 사실'에 대한 법집행행위

(1) 행정행위는 규범정립행위가 아니라 '구체적 사실에 대한 법집행작용'이다. 구체적 사실의 여부는 관련자가 개별적(특정적)인가 일반적(불특정적)인가와, 규율대상(사안)이 구체적(1회적)인가 추상적(무제한적)인가에 따라 판단된다.

(2) 관련자의 개별성·일반성과 사안(사건)의 구체성·추상성의 결합은 ① 개별·구체적 규율(특정인·특정사건), ② 개별·추상적 규율(특정인·불특정사건), ③ 일반·구체적 규율(불특정인·특정사건), ④ 일반·추상적 규율(불특정인·불특정사건)의 4가지의 형태를 갖는다.

(3) ①의 경우가 가장 기본적인 형태의 행정행위에 해당한다(예 A는 양도세 100만원을 납부하라). ②의 경우 역시 개별적·구체적 규율과 실질적으로 차이가 없으며 단지 계속적 성격을 갖는 규율로써 행정행위에 해당한다(예 A는 도로가 빙판이 될 때마다 도로에 모래를 뿌려라). ③의 경우는 일반처분이라 부르는데, 이 역시 행정행위의 일종이다(후술). 그러나 ④의 경우는 입법에 해당하는바(예 운전면허 없이 운전을 하지 말라), 이와 같은 행정청에 의한 '일반적·추상적 법의 제정 작용'은 행정행위가 아니다.

07. 국회직 8급 행정행위는 행정청이 행하는 구체적 사실에 관한 법집행작용이라는 점에서 행정청에 의한 법의 제정작용은 행정행위가 아니다. (○)

핵심정리 | **구체적 사실의 판단**

구분		규율대상	
		구체적	추상적
관련자의 범위	개별적	행정행위	행정행위
	일반적	행정행위(일반처분)	법규범

4. 권력적 단독행위

(1) 행정행위는 권력적 단독행위(일방적 행위)이다. 따라서 공권력의 실체가 없는 비권력적 행위나 공법상 계약이나 합동행위와 같은 쌍방행위는 행정행위가 아니다.

<small>16. 서울시 9급 행정행위는 행정주체가 행하는 구체적 사실에 관한 법집행 작용이므로 공법상 계약, 공법상 합동행위도 행정행위에 포함된다. (×) → 포함되지 않는다</small>

(2) 그러나 상대방의 동의나 신청을 요건으로 하는 이른바 협력을 요하는 행정행위 (예 특허·허가·인가와 같은 신청 요하는 경우, 공무원 임명 등 동의를 요하는 경우 등)는 어디까지나 일방적인 공권력 행사에 해당하기 때문에 행정행위에 해당한다. 또한 행정청에 의해 의도된 것인 이상, 자동기계에 의해 자동적으로 결정되는 경우 (예 공과금부과처분 등)도 일방적 행위로서 행정행위에 해당한다.

5. 공법행위

(1) 행정행위는 '공법행위'이다. 행정청의 사법행위(예 일반재산의 매각결정)는 행정행위가 아니다. 다만, 행정행위가 '공법행위'라는 것은 그 행위 근거가 공법적이라는 것이지 행위의 효과까지 공법적이라는 것은 아니다.

<small>14. 국회직 8급 행정행위가 '공법상의 행위'라는 것은 그 행위 근거가 공법적이라는 것이지 행위의 효과까지 공법적이라는 것은 아니다. (○)</small>

(2) 따라서 행정청이 특정인에게 어업권과 같이 사권의 성질을 가지는 권리를 설정하는 행위는 사법상 효과가 발생하지만 공법적 규율을 받는 행위이므로 행정행위이다.

<small>15. 교행 행정행위는 공법상의 행위이므로 행정청이 특정인에게 어업권과 같이 사권의 성질을 가지는 권리를 설정하는 행위는 행정행위가 아니다. (×) → 이다</small>

3 행정절차법·행정쟁송법·행정기본법상의 '처분'의 개념과의 동일성 문제

1. 처분의 개념

현행 「행정소송법」은 처분의 개념을 '행정청이 행하는 구체적 사실에 관한 법집행으로서의 공권력의 행사 또는 그 거부와 그 밖에 이에 준하는 행정작용'이라고 정의하고 있고(제2조 제1항 제1호), 「행정심판법」(제2조 제1호), 「행정절차법」(제2조 제2호), 「행정기본법」(제2조 제4호)의 경우에도 동일하다.

2. 동일성 문제

위의 「행정절차법」, 「행정쟁송법」, 「행정기본법」상의 '처분'의 개념과 행정행위의 개념을 동일하게 보아야 할 것인지 아니면 상이하게 볼 것인지에 관하여 견해의 대립이 있다.

(1) 일원설(실체법적 개념설)

실체법상 개념인 행정행위와 항고소송의 대상이 되는 처분이라는 개념은 동일하다는 견해이다.

함께 정리하기

공법상계약·합동행위
▷ 행정행위×

협력을 요하는 행정행위
▷ 행정행위○

자동결정(자동적 처분)
▷ 행정행위○

공법행위
▷ 사법행위×

행정행위가 '공법상의 행위'라는 것
▷ 행위 근거가 공법적이라는 것이지 행위의 효과까지 공법적이라는 것은 아님

특정인에게 어업권과 같이 사권의 성질을 가지는 권리를 설정하는 행위
▷ 사법상 효과가 발생하지만 공법적 규율을 받는 행위로 행정행위○

처분의 개념
▷ 쟁송법상 '처분'의 개념과 강학상 '행정행위'의 개념의 동일성 문제

일원설
▷ 처분 = 행정행위

(2) 이원설(쟁송법적 개념설)

다수의 견해는 양자를 상이한 개념으로 보고 있다. 즉, 항고소송의 대상이 되는 '처분'의 개념은 '공권력의 행사 또는 그 거부와 그 밖에 이에 준하는 행정작용'이라 규정함으로써 최협의의 행정행위개념에서 말하는 '권력적 단독행위인 공법행위'보다는 더 넓은 개념이라고 본다.

17. 국가직 9급 「행정소송법」상 처분의 개념과 강학상의 행정행위의 견해가 다르다고 보는 견해는 처분의 개념을 강학상 행정행위의 개념보다 넓게 본다. (○)

핵심정리 행정행위개념 비교

최협의의 행정행위의 개념	쟁송법상의 '처분'의 개념과 「행정기본법」상의 '처분'의 개념	상호 비교
행정청이 법 아래에서	행정청이 행하는	의미 동일
구체적인 사실에 대한	구체적 사실에 관한	의미 동일
법집행으로서 행하는	법집행으로서의	의미 동일
권력적 단독행위로서 공법행위	공권력의 행사 또는 그 거부와 그 밖에 이에 준하는 행정작용	처분의 개념이 더 넓다.

제2절 행정행위의 분류

1 법률행위적 행정행위와 준법률행위적 행정행위

1. 법률행위적 행정행위

행정청의 의사표시(효과의사)를 구성요소로 하는 행위로서 행정청의 의사표시의 내용에 따라 일정한 법적 효과가 발생하는 행위를 말한다(예 허가, 인가, 특허 등).

2. 준법률행위적 행정행위

행정청의 의사표시(효과의사) 이외의 정신작용을 구성요소로 하고, 행정청의 의사표시와는 무관하게 법규가 정한 바에 따라 법적 효과가 발생하는 행위를 말한다(예 공증, 통지, 수리, 확인).

2 기속행위와 재량행위

1. 기속행위

행정권 행사의 요건과 효과가 법에 일의적이고 확정적으로 규정되어 있어서 법령상의 요건이 충족되면 행정청은 효과의 선택과 결정에 있어 자유영역을 갖지 못하고 단 하나의 행위를 하여야 할 의무를 지는 행정행위를 말한다.

2. 재량행위

행정권 행사의 요건이나 효과의 선택에 관하여 법이 행정청에게 행위 여부(결정재량)나 행위내용에 대한 선택의 가능성(선택재량)을 부여하여 행정청에게 여러 행위 중 하나를 선택할 수 있는 자유가 주어진 행정행위를 말한다.

3 수익적 행정행위 · 침익적(부담적 · 침해적)행정행위 · 복효적 행정행위

1. 수익적 행정행위와 침익적 행정행위

(1) 수익적 행정행위

상대방에게 권리나 이익을 부여하거나 또는 각종 부담적 행정행위의 철회 등 권리나 이익의 제한을 없애는 행정행위를 말한다(예 건축허가의 발급, 입학허가, 장학금의 지급결정, 공무원의 임명 등). 수익적 행정행위는 일반적으로 재량행위로서 부관의 부과가 허용된다.

(2) 침익적 행정행위

상대방에게 의무를 부과하거나 권리 · 이익을 박탈하는 등 국민의 이익을 해하는 행정행위이다(예 인 · 허가의 취소, 조세부과처분 등). 침익적 행정행위는 일반적으로 기속행위로서 부관의 부과가 원칙적으로 인정되지 않는다.

◈ 핵심정리 수익적 행정행위와 침익적 행정행위의 구별실익

구분	수익적 행정행위	침익적 행정행위
법률의 유보	법률유보가 완화된다.	법률유보가 비교적 엄격하다.
절차	비교적 엄격하지 않다.	비교적 엄격하다.
신청	신청을 전제로 함이 보통이다.	신청과 무관하다.
부관	부관과 친하다.	부관과 비교적 거리가 멀다.
취소 · 철회	용이하지 않다.	비교적 용이하다.
강제집행	친하지 않다.	비교적 친하다.

2. 복효적 행정행위

(1) 복효적 행정행위란 하나의 행정행위가 이익과 불이익의 효과를 동시에 발생시키는 행위를 말한다. 이중효과적 행정행위라고도 한다.

기속행위
▷ 행정청이 법에 정해진 행위를 기계적으로 하여야 할 의무를 지는 행정행위

재량행위
▷ 행정권 행사의 요건이나 효과의 선택에 관하여 법이 행정청에게 독자적 판단권을 인정하는 경우에 행하는 행정행위

수익적 행정행위
▷ 상대방에게 수익적 효과(권리나 이익의 부여, 침해제거) 발생
수익적 행정행위의 특성
▷ 일반적으로 재량행위
▷ 부관 부과 可

부담적 행정행위
▷ 국민의 이익을 해하는(상대방의 권리박탈 · 의무부과) 행정행위
침익적 행정행위의 특성
▷ 일반적으로 기속행위
▷ 부관 부과 不可

복효적 행정행위(이중효과적 행정행위)
▷ 혼효적 행정행위 · 제3자효 행정행위
혼효적 행정행위
▷ 동일인에게 수익적 효과와 부담적 효과를 동시에 발생시키는 행정행위
제3자효 행정행위
▷ 상대방에게는 수익적, 제3자에게는 침익적 효과를 발생시키는 행정행위

(2) 하나의 행정행위가 동일인에게 수익적 효과와 부담적 효과를 동시에 발생시키는 행정행위를 행정행위(혼합효적 행정행위)라고 하고(예 부관부 영업허가), 반면 상대방에게는 수익을, 제3자에게는 불이익을 주는 상반된 효과를 발생시키는 행정행위를 제3자효 행정행위라고 한다(예 공해공장 설치허가, 공장의 건축허가 등). 일반적으로 복효적 행정행위라 함은 제3자효 행정행위를 의미한다.

12. 서울시 9급 공해공장 설치허가는 복효적 행정행위이다. (○)

4 대인적·대물적 행정행위 및 혼합적 행정행위

1. 대인적 행정행위

대인적 행정행위
▷ 행정행위 상대방의 주관적 사정에 착안 (제3자에게 승계×)

행정행위의 상대방의 주관적 사정(예 신분, 능력 등)에 착안하여 이루어지는 행정행위를 말한다(예 자동차 운전면허, 의사면허, 인간문화재 지정 등). 그 효과는 일신전속적인 것이므로 제3자에게 승계되지 않는다.

서훈수여, 서훈취소
▷ 일신전속적(망인에게 수여된 서훈이 취소된 경우, 그 유족은 서훈취소처분의 상대방이 되지×)

> **🔎 관련판례**
>
> **망인에게 수여된 서훈이 취소된 경우, 그 유족은 서훈취소처분의 상대방이 되지 아니한다. ★★**
>
> 헌법 제11조 제3항과 구 상훈법 제2조, 제33조, 제34조, 제39조의 규정 취지에 의하면, 서훈은 서훈대상자의 특별한 공적에 의하여 수여되는 고도의 일신전속적 성격을 가지는 것이다. … 이러한 서훈의 일신전속적 성격은 서훈취소의 경우에도 마찬가지이므로, 망인에게 수여된 서훈의 취소에서도 유족은 그 처분의 상대방이 되는 것이 아니다 (대판 2014.9.26. 2013두2518).
>
> 23. 국가직 9급, 18. 지방직 7급, 17. 지방직 9급 서훈은 서훈대상자의 특별한 공적에 의하여 수여되는 고도의 일신전속적 성격을 가지는 것이므로, 망인에게 수여된 서훈이 취소된 경우 그 유족은 서훈취소처분의 상대방이 되지 아니한다. (○)

2. 대물적 행정행위

대물적 행정행위
▷ 행위의 대상·객관적 사정 고려

대물적 행정행위의 효과의 승계
▷ 명문 규정이 없어도 제3자에게 승계○

행정행위의 상대방의 주관적 사정을 고려하지 않고 행위의 대상인 물건이나 시설의 객관적 사정을 착안하여 행해지는 행정행위를 말한다(예 건축허가, 차량검사합격처분, 문화재지정처분, 공중위생업소폐쇄명령, 채석허가, 환지처분 등). 대물적 행정행위는 명문의 규정이 없어도 제3자에게 승계된다.

3. 혼합적 행정행위

혼합적 행정행위
▷ 주관적·객관적 사정 함께 고려

행위의 상대방의 주관적 사정뿐만 아니라 대상 물건이나 객관적 사정을 함께 고려하여 이루어지는 행정행위를 말한다(예 고물영업허가, 구 전당포 영업허가, 도시가스사업허가, 총포·도검·화약류 판매허가, 폐기물처리업허가 등). 혼합적 행정행위의 이전은 명문의 규정이 있는 경우에 한하여 인정되며, 통상 행정청의 승인 또는 허가 등을 받도록 규정하고 있다.

5 일방적 행정행위와 쌍방적 행정행위

(1) 일방적 행정행위

상대방의 협력을 요하지 않고 행정청이 직권으로 발하는 행정행위를 말한다. 그 예로는 조세부과, 경찰하명, 허가의 취소, 영업정지처분 등 주로 부담적 행정행위가 이에 해당한다.

(2) 쌍방적 행정행위

상대방의 신청(예 허가·인가·특허 등에서 상대방의 신청)·동의(공무원 임명행위에서의 동의) 등의 협력이 성립요건인 행정행위를 말한다. 그 예로는 영업허가, 공유수면 매립면허 등 대부분의 수익적 행정행위가 이에 해당한다.

07. 국회직 8급 행정행위는 행정청이 우월적인 지위에서 행하는 것이지만, 상대방의 동의나 신청 등의 협력이 필요한 경우에도 역시 행정행위에 포함될 수 있다. (○)

09. 지방직 9급 쌍방적 행정행위는 상대방의 협력을 요건으로 하는 행정행위로서 상대방의 신청을 요건으로 하는 허가·인가·특허와 상대방의 동의를 요하는 공무원 임명 등을 들 수 있다. (○)

6 요식행위와 불요식행위

(1) 행정행위에 일정한 형식(서면 등)이 요구되는가에 따른 구별이다. 행정행위 성립에 일정한 형식이 요건으로 되어 있는 행정행위를 요식행위라고 하고, 그렇지 않은 행위를 불요식행위라고 한다.

(2) 「행정절차법」은 행정청의 처분은 다른 법령에 특별한 규정이 있는 경우를 제외하고는 문서로 하도록 하고 있다(「행정절차법」 제24조).

7 개별처분과 일반처분

행정행위의 상대방이 불특정 다수인가 특정되어 있는가에 따른 구별이다.

(1) 개별처분

행정행위의 상대방이 특정되어 있는 행정행위이다.

(2) 일반처분(일반적 · 구체적 규율)

① 의의
  ㉠ 개념: 일반처분이란, 관련자의 범위는 일반적(인적 범위의 불특정)이나 규율하는 대상은 구체적인(시간적·공간적으로 특정) 행정의 행위형식을 말한다. 일반적·구체적 규율의 예로는 외국원수의 방문을 계기로 특정한 장소에 개최된 집회의 참가자에 대한 해산 명령을 들 수 있다.

09. 지방직 9급 2007년 독일에서 개최된 G8 정상회담 당시, 독일정부는 회담기간 중 행사장 주변지역에서의 모든 옥외집회를 금지하였다. 이 규율 내용의 법적 성격은 일반적·구체적 규율이다. (○)

일방적 행정행위
▷ 행정청이 직권으로 발하는 행정행위

쌍방적 행정행위
▷ 상대방의 신청·동의·출원 등의 협력이 성립요건인 행정행위

요식행위
▷ 행정행위 성립에 일정한 형식이 요건으로 되어 있는 행정행위
불요식행위
▷ 행정행위 성립에 일정한 형식이 요건으로 되어 있지 않는 행정행위
행정청의 처분
▷ 원칙: 문서로 하여야 함

개별처분
▷ 상대방이 특정되어 있는 행정행위

일반처분
▷ 관련자의 범위는 일반적이나 규율하는 대상은 구체적인 행정의 행위형식

일반처분의 법적 성질
▷ 행정행위의 한 유형에 속함(통설·판례)

ⓛ **법적 성질**: 통설과 판례는 일반적·구체적 규율의 성격을 가지는 일반처분도 행정행위의 한 유형으로 본다. 따라서 일반처분으로 법률상 이익이 침해된 자는 항고소송을 제기할 수 있다.

05. 지방직 9급 일반적·구체적 규율의 성격을 가지는 일반처분도 행정행위의 일종으로 분류하는 것이 지배적 견해이다. (○)

16. 서울시 9급 구체적 사실을 규율하는 경우라도 불특정 다수인을 상대방으로 하는 처분이라면 행정행위가 아니다. (✕) → 일반처분으로서 행정행위에 해당한다

법규명령과의 구별
▷ 구체적인 법효과를 가져오는 행위인 점에서 법규명령과 구별됨

ⓒ **법규명령과 구별**: 일반처분은 법규명령과 구별된다. 일반처분은 일반적이기는 하나 구체적인 법적 효과를 가져오는 행위인 점에서 일반적일 뿐만 아니라 추상적인 성격을 갖는 법규명령과 구별된다.

② **일반처분의 종류**: 일반처분은 그 처분의 직접적인 규율대상이 사람인가 물건인가에 따라 대인적 일반처분과 대물적 일반처분으로 구분할 수 있다.

대인적 일반처분
▷ 일정한 기준에 의해 결정되는 불특정 다수인을 대상으로 하는 행정행위

ⓛ **대인적 일반처분**: 대인적 일반처분이란 일정한 기준에 의해 결정되는 불특정 다수인을 대상으로 하는 행정행위를 말한다. 그 예로는 일정한 장소에서의 집회행위의 금지처분, 통행금지처분, 입산금지, 청소년유해매체물결정고시 등이 있다.

대물적 일반처분(물적 행정행위)
▷ 행정행위의 직접적인 규율대상은 물건이고, 사람에 대해서는 물건과의 관계를 통하여 간접적으로 규율하는 행정행위

ⓒ **대물적 일반처분(물적 행정행위)**

ⓐ 대물적 일반처분이란 행정행위의 직접적인 규율대상은 물건이고, 사람에 대해서는 물건과의 관계를 통하여 간접적으로 규율하는 행정행위를 말한다. 이러한 물적 행정행위로는 물건의 공법적 성격에 관한 규율과 공공시설 등에 대한 사용규율이 있다.

대물적 일반처분의 예
▷ 도로의 공용지정행위, 국토계획법상 용도지역·지구의 지정행위, 교통표지판을 통한 도로의 사용규율 등

ⓑ 물건의 공법적 성격에 관한 규율에 대한 예로는 도로의 공용지정행위, 특정 물건을 문화재로 지정하는 행위, 「국토의 계획 및 이용에 관한 법률」상 용도지역·용도지구 구역의 지정행위 등이 있으며, 공공시설 등에 대한 사용규율에 대한 예로는 교통표지판을 통한 도로의 사용규율(주차금지, 속도제한, 일방통행, 통행금지) 등이 있다.

06. 국회직 8급 도로의 공용개시 또는 통행금지 등은 일반처분의 예이다. (○)

횡단보도 설치
▷ 대물적 일반처분(물적 행정행위)

> ⚖ **관련판례**
>
> **횡단보도를 설치하여 보행자의 통행방법을 규제하는 것은 물적 행정행위로 행정처분이다.** ★★
> 지방경찰청장이 횡단보도의 설치하여 보행자의 통행방법을 규제하는 것은, 행정청이 특정사항에 대하여 부담을 명하는 행위이고 이는 국민의 권리·의무에 직접 관계가 있는 행위로서 행정처분이다(대판 2000.10.27. 98두8964).
> 22. 지방직 9급, 20. 지방직 9급, 19. 소방직, 17. 국가직 7급, 15. 서울시 9급 등 시·도경찰청장이 횡단보도를 설치하여 보행자 통행방법 등을 규제하는 것은 국민의 권리·의무에 직접 관계가 있는 행위로서 행정처분이다. (○)
> 21. 경찰 2차 횡단보도를 설치하여 보행자 통행방법 등을 규제하는 것은 특정사항에 대하여 의무의 부담을 명하는 행위이고, 이는 국민의 권리·의무에 직접 관계가 있는 행위로서 행정처분이다. (○)
> 17. 사복직(서울) 지방경찰청장의 횡단보도 설치행위는 국민의 구체적인 권리 의무에 직접적인 변동을 초래하지 않으므로 「행정소송법」상 처분에 해당하지 않는다. (✕) → 하므로 / 한다

8 적극적 행정행위와 소극적 행정행위

현재의 법률상태에 변동을 가져오는가에 따른 구별이다. 적극적 행정행위는 허가 또는 특허 등 적극적으로 현재의 법률상태에 변동을 초래하는 행정행위를 말한다. 소극적 행정행위는 허가 또는 특허의 신청에 대한 거부처분(예 허가신청서류를 반려하는 행위)과 같이 현재의 법률상태에 변동을 초래하지 않는 행정행위를 말한다.

15. 교행 행정행위는 당해 행위로써 직접 법적효과를 가져오는 행위이므로 행정청이 건축허가의 신청을 반려하는 행위는 행정행위가 아니다. (×) → 이다

9 가행정행위와 단계적 행정결정

1. 가행정행위(잠정적 행정행위)

(1) 의의

가행정행위란 사실관계와 법률관계가 확정되기 전이지만, 종국적 행정행위(본행정행위)를 하기에 앞서 잠정적으로 결정해야할 필요성 때문에 사실관계와 법률관계의 계속적인 심사를 유보한 상태에서 당해 행정법관계의 권리와 의무의 전부 또는 일부에 대해 잠정적으로 확정하는 행정행위를 말한다(예 과징금부과처분을 한 후 자진신고를 이유로 과징금 감면처분을 한 경우, 「국가공무원법」 제73조의3 제1항 제3호에 의하여 징계의결이 요구 중인 자에게 잠정적으로 직위를 해제하는 경우, 물품수입에 있어서 일단 잠정세율을 적용하여 부과처분을 하였다가 나중에 확정세율을 적용하여 부과처분을 정산하는 경우, 「먹는물관리법」 제10조에 의거한 샘물개발의 가허가 등).

> 「국가공무원법」 제73조의3 【직위해제】 ① 임용권자는 다음 각 호의 어느 하나에 해당하는 자에게는 직위를 부여하지 아니할 수 있다.
> 3. 파면 · 해임 · 강등 또는 정직에 해당하는 징계 의결이 요구 중인 자
>
> 「먹는물관리법」 제10조 【샘물등의 개발의 임시 허가】 ① 시 · 도지사는 제9조에 따라 샘물등의 개발을 허가하기 전에 제13조 제1항에 따른 환경영향조사의 대상이 되는 샘물등을 개발하려는 자에게는 환경영향조사를 실시하고, 그에 관한 서류(이하 "조사서"라 한다)를 환경부령으로 정하는 기간에 제출할 것을 조건으로 샘물등의 개발을 임시 허가할 수 있다.

(2) 법적 성질

가행정행위의 법적 성질에 대해 행정행위라는 견해와 특수한 행정의 행위 형식이라는 견해가 대립하나, 다수설은 가행정행위는 잠정적이기는 하지만 직접 법적 효과를 발생시키므로 행정행위성을 긍정한다.

(3) 법적 근거

명시적 규정이 없는 경우에도 가행정행위가 가능한지에 대하여 ① 행정청이 본처분의 권한이 있으면 가행정행위를 발령할 수 있다는 견해와 ② 법률유보의 일반원칙에 따라 침익적인 영역에서는 법률의 근거가 필요하다는 견해가 대립하나, ①설이 다수설이다.

효과
▷ 종국처분시 가행정행위 효력 상실(불가변력 無, 신뢰보호문제×)

소송계속 중 종국결정시 소의 이익
▷ 직위해제와 직권면직: 직위해제처분의 취소를 구할 소의 이익○
▷ 과징금부과처분과 자진신고를 이유로 한 과징금감면처분: 과징금부과처분의 취소를 구할 소의 이익×

❶
이 경우 후행처분에 대한 소송으로 소변경은 가능하다.

직위해제 후 직권면직
▷ 선행처분은 직권면직에 흡수되어 소멸×

공정위의 과징금부과 후 자진신고로 감면처분
▷ 선행처분은 감면처분에 흡수되어 소멸○

(4) 특징

가행정행위는 ① 사실관계와 법률관계에 대한 개략적인 심사에 기초하여 행하여진다는 점, ② 종국적인 결정(본행정행위)이 있을 때까지 잠정적인 효력만 인정된다는 점, ③ 종국적인 결정(본행정행위)이 내려지면 이에 의해 가행정행위는 종국적인 결정(본행정행위)으로 대체되고 효력을 상실한다는 점에 특징을 갖고 있다. 따라서 가행정행위는 행정행위의 존속력 중, 행정기관이 자신의 결정에 구속되는 이른바 불가변력이 발생하지 않고, 신뢰보호원칙도 적용되지 않는다.

08. 지방직 9급 가행정행위는 불가변력이 발생하지 않기 때문에 신뢰보호원칙이 적용된다고 보기 어렵다. (○)

(5) 권리구제

① 가행정행위는 잠정적이기는 하지만, 직접 법적 효과를 발생시키는 행정행위이므로 가행정행위로 인해 권익침해를 받은 자는 취소소송 또는 취소심판을 제기하여 권리구제를 받을 수 있다.

19. 국회직 8급 가행정행위는 그 효력발생이 시간적으로 잠정적이라는 것 외에는 보통의 행정행위와 같은 것이므로 가행정행위로 인한 권익침해에 대한 구제도 보통의 행정행위와 다르지 않다. (○)

② 그런데 가행정행위에 대한 취소소송 계속 중 종국적인 결정(본행정행위)이 나온 경우 가행정행위를 다툴 소의 이익이 인정되는지 여부가 문제된다. 판례는 직위해제와 직권면직의 관계와 같이 선행처분이 후행처분에 흡수되지 않고 실효되는 경우에는 선행처분을 다툴 소의 이익을 인정하나, 과징금 부과처분과 자진신고를 이유로 한 과징금 감면처분의 관계와 같이 선행처분이 후행처분에 흡수되어 소멸되는 경우에는 선행처분의 취소를 구할 소의 이익을 인정하지 않는다.❶

19. 서울시 7급(추) 가행정행위인 선행처분이 후행처분으로 흡수되어 소멸하는 경우에도 선행처분의 취소를 구하는 소는 가능하다. (×) → 불가하다(∵소의 이익이 없어서 부적법 각하)

> **⚖ 관련판례**
>
> **1** **직위해제처분에 대한 항고소송 중 정년을 초과한 경우에도 직위해제일부터 직권면직일까지 감액된 봉급 등의 지급을 구할 수 있는 경우 소의 이익이 있다. ★**
>
> 국가공무원법상 직위해제처분의 무효확인 또는 취소소송 계속 중 정년을 초과하여 직위해제처분의 무효확인 또는 취소로 공무원 신분을 회복할 수는 없다고 할지라도, 그 무효확인 또는 취소로 직위해제일부터 직권면직일까지 기간에 대한 감액된 봉급 등의 지급을 구할 수 있는 경우에는 직위해제처분의 무효확인 또는 취소를 구할 법률상 이익이 있다(대판 2014.5.16. 2012두26180).
>
> **2** **공정거래위원회가 부당한 공동행위를 한 사업자에게 과징금 부과처분(선행처분)을 한 뒤, 다시 자진신고 등을 이유로 과징금 감면처분(후행처분)을 한 경우, 선행처분의 취소를 구하는 소는 부적법하다. ★★**
>
> 공정거래위원회가 부당한 공동행위를 행한 사업자로서 구 독점규제 및 공정거래에 관한 법률 제22조의2에서 정한 자진신고자나 조사협조자에 대하여 과징금 부과처분(이하 '선행처분'이라 한다)을 한 뒤, 독점규제 및 공정거래에 관한 법률 시행령 제35조 제3항에 따라 다시 자진신고자 등에 대한 사건을 분리하여 자진신고 등을 이유로 한 과징금 감면처분(이하 '후행처분'이라 한다)을 하였다면, 후행처분은 자진신고 감면까지 포함하여 처분 상대방이 실제로 납부하여야 할 최종적인 과징금액을 결정하는 종국적 처분이고, 선행처분은 이러한 종국적 처분을 예정하고

있는 일종의 잠정적 처분으로서 후행처분이 있을 경우 선행처분은 후행처분에 흡수되어 소멸한다. 따라서 위와 같은 경우에 선행처분의 취소를 구하는 소는 이미 효력을 잃은 처분의 취소를 구하는 것으로 부적법하다(대판 2015.2.12. 2013두987).

19. 변호사 공정거래위원회가 부당한 공동행위를 한 사업자에게 과징금 부과처분을 한 뒤 다시 자진신고 등을 이유로 과징금 감면처분을 하였다면, 선행 과징금 부과처분은 일종의 잠정적 처분으로서 후행 과징금 감면처분에 흡수되어 소멸한다. (○)

22. 국가직 9급 공정거래위원회가 부당한 공동행위를 한 사업자에게 과징금 부과처분을 한 뒤 다시 자진신고 등을 이유로 과징금 감면처분을 한 경우, 선행처분은 후행처분에 흡수되어 소멸하므로 선행처분의 취소를 구하는 소는 부적법하다. (○)

21. 소방간부, 21. 국가직 9급 공정거래위원회가 부당한 공동행위를 한 사업자들 중 자진신고자에 대하여 구 독점규제 및 공정거래에 관한 법령에 따라 과징금 부과처분(선행처분)을 한 뒤, 다시 자진신고자에 대한 사건을 분리하여 자진신고를 이유로 과징금 감면처분(후행처분)을 한 경우라도 선행처분의 취소를 구하는 소는 적법하다. (×) → 라면 / 부적법하다

2. 단계적 행정결정

오늘날 대규모 시설사업(예 원자력발전소, 공항건설, 고속전철건설, 항만건설 등)에 대한 허가절차는 매우 복잡하기 때문에 허가절차에 장기간이 소요되기도 하는바, 행정상대방의 예견가능성과 유연성을 확보하기 위하여 발전한 제도가 다단계행정절차이다. 이러한 다단계절차 가운데 행정법상 특별히 논해 지는 것이 사전결정과 부분허가이다.

(1) 사전결정(예비결정)

① 의의

㉠ 사전결정 또는 예비결정이란 시설의 설치 및 운영에 대한 최종적인 행정결정을 내리기 전에 사전적인 단계에서 최종적 행정결정의 요건 중 일부에 대해 종국적인 판단으로서 내려지는 결정을 말한다.❶

㉡ 그 예로 폐기물처리업허가 전에 이루어지는 사업계획적정(적합)통보(「폐기물관리법」 제25조 제2항), 노선면허 전에 이루어지는 운수권배분(「항공법」 제118조), 건축허가 전에 이루어지는 사전결정(「건축법」 제10조 제1항❷), 주택건설사업계획승인 전에 이루어지는 사전결정(구 「주택건설촉진법」 제32조의4 제1항), 원자로 및 관계시설 건설허가 전에 이루어지는 부지사전승인(「원자력안전법」 제10조 제3항, 원자력발전소부지의 적합성 여부), 로스쿨본인가 전에 이루어지는 예비인가 등이 있다.

② 법적 성질

㉠ 사전결정은 그 결정에서 정해진 부분에만 제한적인 효력을 가지고, 부분허가와 달리 특정한 부분의 설치나 운영을 할 수 있는 것은 아니라는 점에서 처분성에 대한 의문이 제기되나, 사전결정을 받은 자만이 종국결정을 신청할 수 있는 법적 지위를 부여받는다는 점에서 그 자체가 하나의 확인적 행정행위로서 처분성이 인정된다.

16. 서울시 9급 사전결정(예비결정)은 단계화된 행정절차에서 최종적인 행정결정을 내리기 전에 이루어지는 행위이지만, 그 자체가 하나의 행정행위이기도 하다. (○)

사전결정
▷ 다단계행정행위에서 최종 행정결정 전 요건 일부에 대한 종국적 판단(선취된 결정)
▷ 예 「건축법」상 사전결정, 「폐기물관리법」상 사업계획적합통보, 「원자력안전법」상 부지사전승인 등

❶ **사전결정 제도의 취지**
사전결정 제도는 사업승인의 전에 주택건설입지로서의 타당성을 검토하여 불필요한 토지취득이나 설계비용 등의 낭비를 방지하고 도시계획, 환경, 상하수도 등 여러 측면을 사전에 심의하여 조화 있는 도시개발을 유도하고, 층고조정, 일조권 및 시계제한 등에 관하여 사전에 심의하여 주변 주택의 민원을 방지하며, 사업계획 승인에 관련된 소관 부서 간에 사전에 협의하도록 하여 사업시행자의 부담을 덜어주고 사업승인기간을 단축시킬 것을 목적으로 하는 제도이다(서울고법 1998.9.24. 97구12015).

❷
「건축법」 제10조는 건축허가권자는 건축허가 대상 건축물을 건축하려는 자가 건축허가를 신청하기 전에 그 건축물을 해당 대지에 건축하는 것이 이 법이나 관계 법령에서 허용되는지 여부에 대하여 사전결정을 할 수 있다고 규정하고 있다.

법적 성질
▷ 사전 결정은 그 자체가 하나의 완결된 행정행위(처분성 인정)

폐기물처리업허가 전 사업계획(부)적정
통보
▷ 행정처분

1 폐기물관리법령상 폐기물처리업허가 전의 사업계획에 대한 적정·부적정통보는
항고소송의 대상이 되는 행정처분에 해당한다. ★★

폐기물관리법 관계 법령의 규정에 의하면 폐기물처리업의 허가를 받기위하여는
먼저 사업계획서를 제출하여 허가권자로부터 사업계획에 대한 적정통보를 받아
야 하고, 그 적정통보를 받은 자만이 일정기간 내에 시설, 장비, 기술능력, 자본금
을 갖추어 허가신청을 할 수 있으므로, 결국 부적정통보(사전결정)는 허가신청 자
체를 제한하는 등 개인의 권리 내지 법률상의 이익을 개별적이고 구체적으로 규
제하고 있어 행정처분에 해당한다(대판 1998.4.28. 97누21086).

23. 지방직 7급, 19. 서울시 7급(추), 10. 국가직 9급 폐기물처리업 허가 전의 사업계획에 대
한 부적정통보는 항고소송의 대상이 되는 행정처분에 해당한다. (○)

21. 소방간부, 17. 국가직 9급 폐기물관리법 관계 법령의 규정에 의하면 폐기물처리업의 허가
를 받기 위하여는 먼저 사업계획서를 제출하여 허가권자로부터 사업계획에 대한 적정통보를 받
아야 하고, 그 적정통보를 받은 자만이 일정기간 내에 시설, 장비, 기술능력, 자본금을 갖추어 허
가신청을 할 수 있으므로, 결국 부적정통보(사전결정)는 허가신청 자체를 제한하는 등 개인의
권리 내지 법률상의 이익을 개별적이고 구체적으로 규제하고 있어 행정처분에 해당한다. (○)

19. 변호사 폐기물처리업의 허가를 받기 위하여 먼저 허가권자로부터 사업계획에 대한 적정통
보를 받아야 하고 그 적정통보를 받은 자만이 허가신청을 할 수 있다 하더라도, 그 적정여부 통
보절차는 ~~중간단계에 지나지 아니하므로~~ 사업계획 부적정통보는 항고소송의 대상이 될 수 없다.
(✕) → 해당하지만 / 있다

부지사전승인처분
▷ 원자로 및 관계시설 건설허가의 사전적
부분허가의 성격

원자로 및 관계시설의 건설허가기준에 관
한 사항
▷ 건설허가의 기준이 됨은 물론 부지사전
승인의 기준이 됨

2 부지사전승인처분은 원자로 및 관계시설 건설허가의 사전적 부분허가의 성격을
가지고 있으므로, 원자로 및 관계시설의 건설허가기준에 관한 사항은 건설허가의
기준이 됨은 물론 부지사전승인의 기준이 된다. ★★

(구 원자력법 제12조 제2호, 제3호 소정의 원자로 및 관계 시설의 허가기준이 같
은 법 제11조 제3항에 근거한 부지사전승인처분의 기준이 되는지 여부) 원자로시
설부지사전승인처분의 근거 법률인 구 원자력법 제11조 제3항에 근거한 원자로
및 관계 시설의 부지사전승인처분은 원자로 등의 건설허가 전에 그 원자로 등 건
설예정지로 계획중인 부지가 원자력법의 관계 규정에 비추어 적법성을 구비한 것
인지 여부를 심사하여 행하는 사전적 부분 건설허가처분의 성격을 가지고 있는
것이므로, 원자력법 제12조 제2호, 제3호로 규정한 원자로 및 관계 시설의 허가기
준에 관한 사항은 건설허가처분의 기준이 됨은 물론 부지사전승인처분의 기준으
로도 된다(대판 1998.9.4. 97누19588).

18. 변호사 부지사전승인처분은 원자로 및 관계시설 건설허가의 사전적 부분허가의 성격을 가
지고 있으므로, 원자로 및 관계시설의 건설허가기준에 관한 사항은 건설허가의 기준이 됨은 물
론 부지사전승인의 기준이 된다. (○)

사전결정이 재량행위인지 기속행위인지
여부
▷ 최종분의 성질에 따라 결정
▷ 최종처분이 재량행위(기속행위)인 경우
사전결정도 재량행위(기속행위)

ⓛ 판례는 사전결정은 최종적 행정행위의 요건과 일치해야 성립되므로 그 법
적 성질 또한 최종처분(본행정행위)에 따라 결정된다고 본다. 따라서 최종
처분이 기속행위인 경우 사전결정도 기속행위이고, 최종처분이 재량행위인
경우 사전결정이 재량행위인지 여부는 최종처분의 재량판단 부분이 사전결
정의 대상이 되는지에 의해 결정된다.

관련판례

주택건설촉진법상 주택건설사업계획의 사전결정은 주택건설사업계획승인(본행정행위)과 같은 재량행위이다. ★★

주택건설촉진법 제33조 제1항이 정하는 주택건설사업계획의 승인은 이른바 수익적 행정처분으로서 행정청의 재량행위에 속하고, 따라서 그 전 단계로서 같은 법 제32조의4 제1항이 정하는 주택건설사업계획의 사전결정 역시 재량행위라고 할 것이므로, 사전결정을 받으려고 하는 주택건설사업계획이 관계 법령이 정하는 제한에 배치되는 경우는 물론이고, 그러한 제한사유가 없는 경우에도 공익상 필요가 있으면 처분권자는 그 사전결정 신청에 대하여 불허가결정을 할 수 있다(대판 1998.4.24. 97누1501).

19. 서울시 7급 구 「주택건설촉진법」에 의한 주택건설사업계획의 승인의 경우 승인 받으려는 주택건설사업계획에 관계 법령이 정하는 제한사유가 없는 경우에도 공익상 필요가 있으면 처분권자는 그 승인을 받기 위한 신청에 대하여 불허가결정을 할 수 있다. (○)

③ **법적 근거**: 행정청의 사전결정권은 본처분에 포함되므로 법령에 특별한 규정이 없더라도 본 처분에 대한 법적 근거가 있으면 사전결정을 행할 수 있다고 보는 것이 일반적이다.

④ **효력(구속력)**

ㄱ **사전결정의 구속력**: 행정청은 사전결정의 구속력 때문에 원칙적으로 합리적 사유 없이 최종결정에서 사전결정의 내용과 상충되는 결정을 할 수 없다. 판례도 폐기물처리법상의 사업계획에 대한 적정통보가 있는 경우 폐기물사업의 허가 단계에서는 나머지 허가요건만을 심사하면 족하다고 한다.

관련판례

사업계획서 적합통보가 있는 경우 폐기물처리업의 허가단계에서는 나머지 허가요건만을 심사한다. ★★

폐기물처리업의 허가에 앞서 사업계획서에 대한 적정·부적정 통보제도를 두고 있는 것은 폐기물처리업을 하고자 하는 자가 스스로 시설 등을 설치하여 허가신청을 하였다가 허가단계에서 그 사업계획이 부적정하다고 판명되어 불허가되면 허가신청인이 막대한 경제적·시간적 손실을 입게 되므로, 이를 방지하는 동시에 허가관청으로 하여금 미리 사업계획서를 심사하여 그 적정·부적정통보 처분을 하도록 하고, 나중에 허가단계에서는 나머지 허가요건만을 심사하여 신속하게 허가업무를 처리하는데 그 취지가 있다(대판 1998.4.28. 97누21086).

18. 국가직 7급 사업계획서 적합통보가 있는 경우 폐기물처리업의 허가단계에서는 나머지 허가요건만을 심사한다. (○)

15. 국가직 7급 사업계획에 대한 적합통보결정은 최종행정행위인 폐기물처리 사업허가에 기본적으로 구속력을 미치지 않는다. (×) → 미친다

ㄴ **구속력의 예외**: 사전결정을 한 경우 사업계획승인을 할 때 그 사전결정에 따라야 한다는 취지는, 사업계획의 승인이 행정청의 재량행위에 속한다고 하더라도 일단 사전결정을 거친 이상은 특별한 사정이 없는 한 사전결정을 존중하는 취지에 불과하고, 일단 사전결정이 이루어지면 사업승인 단계에서 행정청이 어떠한 경우에도 그 사전결정에 기속되어 이에 반하는 처분을 할 수 없다는 취지로 해석할 수는 없다.

주택건설사업계획승인 사전결정
▷ 주택건설사업계획승인(본행정행위)과 같은 재량행위

별도의 법적 근거
▷ 不要(본처분 권한에 포함)

원칙
▷ 최종결정에서 사전결정의 내용과 상충되는 결정 不可

예외
▷ 사전결정 시 불가피하게 파악하지 못한 사실관계나 법적 관계가 변경되었다는 특별한 사정이 있다면 기속×(∴다시 승인 여부 결정 可)

사업계획서 적합통보가 있는 경우
▷ 폐기물처리업 허가단계에서 나머지 허가요건만 심사

따라서 사전결정 자체가 잘못되었거나 사전결정 당시에는 미처 고려하지 못한 공공의 이익에 관련된 사항이 발견되었을 때는 사전결정에 기속되지 아니하고 사익과 공익을 비교·형량하여 그 승인 여부를 결정할 수 있다(서울고법 1998.9.24. 97구12015).

17. 서울시 9급 구 「주택건설촉진법」에 의한 주택건설사업계획 사전결정이 있는 경우 주택건설계획 승인 처분은 사전결정에 기속되므로 다시 승인 여부를 결정할 수 없다. (×) → 기속되지 않으므로 / 있다

⑤ **효력의 한계**: 사전결정은 단계화된 행정절차에 있어서 종국적인 결정의 유보 하에 이루어지는 행위이다. 따라서 사전결정을 받은 것만으로는 어떠한 행위를 할 수 없다. 이 점에서 사전결정은 후술하는 부분허가와 구별된다. 예컨대, 폐기물처리업 적정통보를 받았다고 해서 폐기물처리업을 할 수 있는 것은 아니다.

18. 국가직 7급 폐기물처리 사업계획서 적합통보를 받으면 폐기물처리업의 허가를 받기 전이라도 부분적으로 폐기물처리를 적법하게 할 수 있다. (×) → 없다

⑥ **권리구제**: 사전결정은 그 자체로서 행정행위이므로 처분성이 인정되어 항고소송의 대상이 된다. 그러나 사전결정 이후 본처분이 내려지면 사전결정은 본처분에 흡수되어 별도의 취소의 대상이 되지 못한다.

효력의 한계
▷ 사전결정을 받은 것만으로는 어떠한 행위도 不可

권리구제
▷ 처분성이 인정되어 항고소송의 대상
▷ but 사전결정 이후 본처분이 내려지면 사전결정은 본처분에 흡수되어 소의 이익×

원자로 부지사전승인처분
▷ 독립한 행정처분○
▷ but 나중에 건설허가처분이 있게 되면 이에 흡수되어 소의 이익×
▷ 부지사전승인의 위법성은 건설허가처분에 대한 취소소송에서 다툼

> 🔍 **관련판례**
>
> **부지사전승인처분은 사전적 부분건설허가처분이므로 본 건설허가처분시 흡수되어 취소할 소의 이익이 없다. ★★★**
>
> 원자로 및 관계 시설의 부지사전승인처분은 그 자체로서 건설부지를 확정하고 사전공사를 허용 하는 법률효과를 지닌 독립한 행정처분이기는 하지만, 건설허가 전에 신청자의 편의를 위하여 미리 그 건설허가의 일부 요건을 심사하여 행하는 사전적 부분 건설허가처분의 성격을 갖고 있는 것이어서 나중에 건설허가처분이 있게 되면 그 건설허가처분에 흡수되어 독립된 존재가치를 상실함으로써 그 건설허가처분만이 쟁송의 대상이 되는 것이므로, 부지사전승인처분의 취소를 구하는 소는 소의 이익을 잃게 되고, 따라서 부지사전승인처분의 위법성은 나중에 내려진 건설 허가처분의 취소를 구하는 소송에서 이를 다투면 된다(대판 1998.9.4. 97누19588).
>
> 21. 소방간부, 13. 지방직 7급 구 「원자력법」 제11조 제3항에 따른 원자로 및 관계 시설의 부지사전승인처분은 나중에 건설허가처분이 있게 되면 부지사전승인처분의 취소를 구하는 소는 소의 이익을 잃게 된다. (○)
>
> 20. 군무원 9급 원자로 및 관계시설의 부지사전승인처분은 나중에 건설허가처분이 있게 되더라도 그 건설허가처분에 흡수되어 독립된 존재가치를 상실하는 것이 아니므로, 부지사전승인 처분의 취소를 구할 이익이 있다. (×) → 되면 / 하므로 / 없다
>
> 22. 국가직 9급, 20. 5급 승진 원자력안전법상 원자로 건설허가에 앞선 부지사전승인처분은 그 자체로서 건설부지를 확정하고 사전공사를 허용하는 법률효과를 지닌 독립한 행정처분이지만, 사전적 부분 건설허가의 성격을 갖고 있어서 나중에 건설허가처분이 있게 되면 그 건설허가처분에 흡수되어 그 건설허가처분만이 쟁송의 대상이 된다. (○)
>
> 18. 변호사 부지사전승인처분은 나중에 건설허가처분이 있게 되면 그 건설허가처분에 흡수되어 독립된 존재가치를 상실하므로 부지사전승인처분의 위법성은 나중에 내려진 건설허가처분의 취소를 구하는 소송에서 이를 다투면 된다. (○)

(2) 부분허가(부분승인)

① **의의**: 부분허가란 다단계 행정결정에 있어서 신청자에게 전체시설 중 특정부분의 설치나 운영 내지 공사의 시작을 허용해 주는 것을 말한다. 예를 들어, 고속전철공사에 있어서 그 일부 구간의 공사허가나 부지사전승인 받은 후 원자력시설의 기초공사 등이 이에 해당한다.

② **법적 성질**: 부분허가는 전체 허가대상의 일부분에 대한 허가이기는 하지만, 그 일부분에 대하여는 종국적으로 결정한 것이므로 그 자체로서 행정행위의 성질을 갖는다.

③ **효력**: 부분허가를 받은 자는 허가받은 범위 안에서 허가의 대상이 되는 행위를 적법하게 할 수 있으며, 행정청은 최종결정에서 부분허가의 내용과 상충되는 결정을 할 수 없다. 부분허가는 최종적 결정력에 구속력을 지니기 때문이다.

④ **법적 근거**: 부분허가권은 허가권에 포함되는 것이므로 허가에 대한 권한을 가진 행정청은 부분허가에 대한 별도의 법적 근거가 없다 하더라도 부분허가를 행할 수 있다.

16. 서울시 9급 부분허가(부분승인)는 본허가 권한과 분리되는 독자적인 행정행위이기 때문에 부분허가를 위해서는 본허가 이외에 별도의 법적 근거를 필요로 한다. (×) → 권한에 포함되는 행위 / 하지 않는다.

⑤ **권리구제**: 부분허가는 행정행위이므로 법률상의 이익을 침해당한 당사자나 일정한 범위의 제3자는 취소소송을 제기할 수 있다.

제3절 기속행위와 재량행위, 불확정 개념과 판단여지

1 기속행위와 재량행위

1. 기속행위

기속행위란 근거법이 행정권 행사의 요건 및 법적 결과(효과)를 일의적·확정적으로 규정하고 있어서 법규에서 정한 요건이 충족되면 행정청이 반드시 어떠한 행위를 발하거나 발하지 말아야 하는 행정행위를 말한다. 즉, 기속행위는 법을 기계적으로 집행할 것을 요구한다.

22. 서울시 7급 기속행위란 법규상의 구성요건에서 정한 요건이 충족되면 행정청이 반드시 어떤 행위를 하거나 하지 말아야 하는 행정행위를 말한다. (○)

> **참고 행정법규의 구성: 요건규정과 효과규정**
>
> 행정에 관한 법규정들은 일반적으로 '~하는 경우에는, ~한다.'의 경우와 같이, <u>요건을 정하는 요건규정</u>과 이에 따른 일정한 법적 효과를 정하는 <u>효과규정</u>으로 구성되어 있다.
> 예컨대, 「도로교통법」 제93조에 따라 시·도 경찰청장은 운전면허를 받은 사람이 운전 중 고의 또는 과실로 교통사고를 일으킨 경우 운전면허를 취소하거나 1년 이내의 범위에서 운전면허의 효력을 정지시킬 수 있다. 여기서 <u>'고의 또는 과실로 교통사고를 일으킨 경우'</u>가 요건규정이고, <u>"운전면허를 취소하거나 1년 이내의 범위에서 운전면허의 효력을 정지시킬 수 있다."</u>가 효과규정이다.

부분허가
▷ 전체시설 중 특정부분 설치·운영·공사 허용

법적 성질
▷ 전체 허가대상 일부분에 대한 종국적 허가(결정)
▷ 그 자체가 행정행위의 성질

효력
▷ 허가받은 범위 안에서 허가의 대상이 되는 행위를 적법하게 할 수 있음
▷ 부분허가에 구속력 有

부분허가권
▷ 별도의 법적 근거 不要

권리보호
▷ 행정소송제기 可

기속행위
▷ 법규상 요건이 충족되면 행정청이 반드시 어떠한 행위를 발하거나 발하지 말아야 하는 행정행위

재량행위
▷ 근거법이 행정행위의 요건 및 법적 결과
(효과)의 선택에 관하여 행정청에게 독자
적 판단권을 인정하고 있는 경우에 행하는
행정행위
▷ 행정청은 법이 정한 요건을 충족하더라
도 특정행위를 해야 할 의무✕

2. 재량행위

(1) 개념

① 재량행위란 근거법이 행정청에게 행정행위의 요건 및 법적 결과(효과)의 선택에 관하여 독자적 판단권을 인정하고 있는 경우에 행하는 행정행위를 말한다.

22. 서울시 7급 재량행위란 행정법규가 행정행위를 규율함에 있어서 행정청에게 자기판단을 할 여지를 부여하고 있는 경우에 행정청이 행하는 행정행위를 말한다. (○)

② 따라서 재량행위의 경우 행정청은 재량권의 한계 내에서는 법이 정한 요건을 충족하더라도 특정한 행위를 해야 할 의무는 없는 것이다.

20. 군무원 7급 재량행위의 경우 행정청은 재량권의 한계 내에서는 법이 정한 요건을 충족하더라도 그 행위를 해야 할 의무는 없는 것이다. (○)

(2) 재량의 유형

재량행위는 법상 수권의 내용에 따라 결정재량과 선택재량으로 나눌 수 있으며, 양자가 결합하기도 한다.

00. 국가직 9급 재량행위는 결정재량과 선택재량으로 나눌 수 있다. (○)

05. 지방직 9급 선택재량과 결정재량은 요건 면에서의 재량이다. (✕) → 효과

05. 국가직 7급 공무원에게 징계사유에 해당하는 사실이 있는 경우에 징계권자는 징계를 할 것인지 말 것인지에 대한 결정재량과 어떤 징계를 선택할 것인가에 대한 선택재량을 가진다. (○)

결정재량
▷ 어떠한 행정행위를 할 수도 있고 안할 수
도 있는 자유가 부여되는 재량

① **결정재량**: 행정청이 어떠한 행정행위를 할 수도 있고 안할 수도 있는 자유가 부여되는 재량을 말한다. 그 예로는 경찰권을 발동할 것인지 여부, 감독기관에 보고할 것인지 여부 등이 있다.

선택재량
▷ 법령상 허용되는 여러 행정행위 중에서
어느 것을 선택할 수 있는 재량

② **선택재량**: 법령상 허용되는 여러 행정행위 중에서 어느 것을 선택할 수 있는 재량을 말한다. 그 예로는 영업허가 취소 또는 정지처분 중 선택하는 경우 등이 있다.

의무에 합당한 재량
▷ 재량은 무한한 자유를 의미하지 않고 의
무에 합당한 재량(법에 구속된 재량)을 의
미함

(3) 의무에 합당한 재량

행정청은 재량이 있는 처분을 할 때에는 관련 이익을 정당하게 형량하여야 하며, 그 재량권의 범위를 넘어서는 아니 된다(「행정기본법」 제21조). 즉, 재량의 행사는 행정의 고유영역에 속하나 재량행사가 무한한 자유를 의미하지 않는다. 따라서 행정청의 재량이란 언제나 의무에 합당한 재량(법에 구속된 재량)을 의미하며, 재량권의 남용이나 일탈이 있는 때에는 사법심사의 대상이 된다.

08. 지방직 9급 재량행위라 하더라도 완전히 법에서 자유로운 행위는 아니고, 행정의 법률적합성의 원리상 행정법령상에서 인정되는 의무에 합당한 재량이라고 볼 수 있다. (○)

13. 국가직 7급 근거 법규의 효과부분이 경찰행정청에 재량을 부여하고 있다 하더라도 경찰행정청은 이를 의무에 합당하게 행사하여야 적법한 것으로 인정된다. (○)

14. 국회직 8급 행정청의 재량이란 언제나 의무에 합당한 재량을 의미하며 재량권의 남용이나 일탈이 있는 때에는 사법심사의 대상이 된다. (○)

00. 국가직 9급 재량행위도 재량권을 일탈·남용한 경우에는 위법이 된다. (○)

(4) 기속재량과 자유재량

① **전통적 견해에 따른 구별**: 전통적 견해에 따르면 기속행위와 구별되는 재량행위를 다시 기속재량행위(법규재량행위)와 자유재량행위(공익재량행위)로 세분화하여 구분하고 있다.

○ **기속재량행위**: 무엇이 '법'인가를 판단하는 재량을 의미한다. 따라서 기속재량은 법률적 판단에 대한 재량이기 때문에 그 재량을 그르친 행위는 기속행위에 있어서 기속위반과 마찬가지로 위법성이 인정되어 사법심사의 대상이 된다고 한다.

○ **자유재량행위**: 법규의 요건에 전혀 기속됨이 없이 무엇이 '공익'에 적합한가에 관한 재량을 의미한다(편의재량). 따라서 이러한 공익재량은 당·부당의 문제로서 사법심사의 대상이 되지 않게 된다고 한다.

② **오늘날 일반적 견해에 따른 구별 및 판례**

○ 기속재량과 자유재량의 구분이 반드시 명백한 것이 아니라는 점과 재량권의 남용이나 일탈의 경우에는 기속재량이거나, 자유재량이거나를 불문하고 사법심사의 대상이 된다는 점에서 기속재량과 자유재량을 구별하지 않고 기속행위와 재량행위의 이원적 구분이 일반화되고 있다.

○ 한편, 유력설은 기속행위와 재량행위의 중간 개념으로 새로운 의미의 기속재량행위를 제안하고 있다.

○ 판례는 원칙상 기속행위이지만 예외적으로 중대한 공익상 필요가 있는 경우에 한하여 예외적으로 허가 등을 거부할 수 있는 행위, 즉 기속행위와 재량행위의 중간영역으로서 기속재량행위를 인정하고 있는 것으로 보인다. 이러한 의미의 기속재량은 거부재량으로 불리기도 한다.

🔧 관련판례

1 건축허가권자는 중대한 공익상의 필요가 없음에도 불구하고 법령에서 정하는 제한사유 이외의 사유를 들어 건축허가를 거부할 수 없다. ★★★

건축허가권자는 건축허가신청이 건축법 등 관계 법령에서 정하는 어떠한 제한에 배치되지 않는 이상 같은 법령에서 정하는 건축허가를 하여야 하고, 중대한 공익상의 필요가 없음에도 불구하고 요건을 갖춘 자에 대한 허가를 관계 법령에서 정하는 제한사유 이외의 사유를 들어 거부할 수는 없다(대판 2012.11.22. 2010두22962 전합).

2 법령상 사설납골시설설치 금지지역에 해당하지 않더라도 중대한 공익상 필요가 있는 경우 사설납골시설 설치신고의 수리를 거부할 수 있다. ★

사설납골시설의 설치신고는, 같은 법 제15조 각 호에 정한 사설납골시설설치 금지지역에 해당하지 않고 같은 법 제14조 제3항 및 같은 법 시행령 제13조 제1항의 [별표 3]에 정한 설치기준에 부합하는 한 수리하여야 하나, 보건위생상의 위해를 방지하거나 국토의 효율적 이용 및 공공복리의 증진 등 중대한 공익상 필요가 있는 경우에는 그 수리를 거부할 수 있다(대판 2010.9.9. 2008두22631).

3 법령상 금지 또는 제한 지역에 해당하지 않더라도 중대한 공익상의 필요가 있을 경우 산림형질변경허가(산림훼손허가)를 거부할 수 있다. ★★★

산림형질변경허가는 법령상의 금지 또는 제한 지역에 해당하지 않더라도 신청 대상 토지의 현상과 위치 및 주위의 상황 등을 고려하여 국토 및 자연의 유지와 상수원 수질과 같은 환경의 보전 등을 위한 중대한 공익상의 필요가 있을 경우 그 허가를 거부할 수 있으며, 이는 산림형질변경허가기간을 연장하는 경우에도 마찬가지이다(대판 2000.7.7. 99두66).

🙋 함께 정리하기

기속재량행위
▷ 무엇이 '법'인가를 판단하는 재량

자유재량행위
▷ 무엇이 '공익'에 적합한가에 관한 재량

오늘날 일반적 견해
▷ 기속재량과 자유재량을 구별×

기속재량행위
▷ 중대한 공익상 필요 있는 경우 허가거부 가

판례
▷ 중간영역으로 기속재량행위 인정

인·허가의제의 효과를 수반하지 않는 순수한 의미에서의 건축허가
▷ 기속재량행위

사설납골시설 설치신고
▷ 기속재량행위

산림형질변경허가(산림훼손허가)
▷ 기속재량행위

석유판매업허가
▷ 기속재량행위

채광계획인가
▷ 기속재량행위

「대기환경보전법」상 배출시설 설치허가
▷ 기속재량행위

4 법령상의 제한 이외의 중대한 공익상 필요가 있는 경우에는 석유판매업허가의 수리를 거부할 수 있다. ★★

주유소등록신청을 받은 행정청은 주유소설치등록신청이 석유사업법, 같은 법 시행령, 혹은 위 시행령의 위임을 받은 시·지사의 고시 등 관계 법규에 정하는 제한에 배치되지 않고, 그 신청이 법정등록 요건에 합치되는 경우에는 특별한 사정이 없는 한 이를 수리하여야 하고, 관계 법령에서 정하는 제한사유 이외의 사유를 들어 등록을 거부할 수는 없는 것이나, 심사결과 관계 법령상의 제한 이외의 중대한 공익상 필요가 있는 경우에는 그 수리를 거부할 수 있다(대판 1998.9.25. 98두7503).

5 채광계획인가는 기속재량행위에 속한다. ★

채광계획인가는 기속재량행위에 속하는 것으로 보아야 하며, 일반적으로 기속재량행위에는 부관을 붙일 수 없고 가사 부관을 붙였다 하더라도 이는 무효이다(대판 1997.6.13. 96누12269).

6 환경부장관은 중대한 공익상 필요가 있을 때 대기환경보전법상 배출시설 설치허가를 거부할 수 있다. ★

이와 같은 배출시설 설치허가와 설치제한에 관한 규정들의 문언과 그 체제·형식에 따르면 환경부장관은 배출시설 설치허가 신청이 구 대기환경보전법 제23조 제5항에서 정한 허가 기준에 부합하고 구 대기환경보전법 제23조 제6항, 같은 법 시행령 제12조에서 정한 허가제한사유에 해당하지 아니하는 한 원칙적으로 허가를 하여야 할 것이다. 다만 배출시설의 설치는 국민건강이나 환경의 보전에 직접적으로 영향을 미치는 행위라는 점과 대기오염으로 인한 국민건강이나 환경에 관한 위해를 예방하고 대기환경을 적정하고 지속가능하게 관리·보전하여 모든 국민이 건강하고 쾌적한 환경에서 생활할 수 있게 하려는 구 대기환경보전법의 목적(제1조) 등을 고려하면, 환경부장관은 구 대기환경보전법 시행령 제12조 각 호에서 정한 사유에 준하는 사유로서 환경 기준의 유지가 곤란하거나 주민의 건강·재산, 동식물의 생육에 심각한 위해를 끼칠 우려가 있다고 인정되는 등 중대한 공익상의 필요가 있을 때에는 허가를 거부할 수 있다고 보는 것이 타당하다(대판 2013.5.9. 2012두22799).

2 기속행위와 재량행위의 구별

1. 구별이유(구별실익)

(1) 행정소송과의 관계

① 법원의 통제

기속행위
▷ 법원의 전면적인 사법심사의 대상

재량행위
▷ 재량의 일탈·남용(위법)이 없고, 재량을 그르친 경우(부당)에 불과하다면 법원의 통제 대상×

○ **기속행위의 경우**: 기속행위는 행정권 행사에 잘못이 있는 경우에는 곧바로 위법하게 되어 법원의 전면적인 사법심사의 대상이 된다.

○ **재량행위의 경우**: 재량행위는 재량권의 한계를 넘지 않는 한(재량권의 행사에 일탈·남용이 없는 한) 재량을 그르친 경우에도 위법한 행위가 되지 않고 부당한 행위가 되는데 불과하므로 법원에 의해 통제되지 않는다.

② 사법심사의 방식

　　㉠ **기속행위의 경우(완전심사 및 판단대체방식):** 기속행위의 사법심사방식은 법원이 일정한 결론을 도출한 후 그 결론에 비추어 행정청이 한 판단의 적법 여부를 독자의 입장에서 판단한다.

　　㉡ **재량행위의 경우(제한심리방식):** 재량행위의 사법심사방식에 있어서 법원은 독자의 결론을 도출함이 없이 당해 행위에 재량권의 일탈·남용이 있는지 여부만 판단한다.

　　㉢ 한편, 법원은 본안심사 결과 처분의 일부에 대한 위법성이 인정될 때, 재량행위의 경우에는 처분청의 재량권을 존중하는 차원에서 전부취소를 하나, 기속행위의 경우에는 일부취소를 하기도 한다.

관련판례

1　기속행위와 재량행위는 법원의 심사방식이 다르다는 것이 판례의 입장이다. ★★★

(구 도시계획법상의 개발제한구역 내의 주택에 대하여 농업종사 등의 목적으로 이축허가를 받아 이를 신축한 후 취사용 가스판매장으로 용도변경신청을 하자 행정청이 당시 추진하여 온 'LPG 판매업소 외곽이전 공동화사업'과 그 주택에 대한 당초의 이축허가 목적 등에 적합하지 아니하다는 사유로 불허가처분을 한 경우) 행정행위를 기속행위와 재량행위로 구분하는 경우 양자에 대한 사법심사는, ① 기속행위 내지 기속재량행위의 경우 그 법규에 대한 원칙적인 기속성으로 인하여 법원이 사실인정과 관련 법규의 해석·적용을 통하여 일정한 결론을 도출한 후 그 결론에 비추어 행정청이 한 판단의 적법 여부를 독자의 입장에서 판정하는 방식에 의하게 되나, ② 재량행위 내지 자유재량행위의 경우 행정청의 재량에 기한 공익판단의 여지를 감안하여 법원은 독자의 결론을 도출함이 없이 당해 행위에 재량권의 일탈·남용이 있는지 여부만을 심사하게 되고, ③ 이러한 재량권의 일탈·남용 여부에 대한 심사는 사실오인, 비례·평등의 원칙 위배, 당해 행위의 목적 위반이나 동기의 부정 유무 등을 그 판단 대상으로 한다(대판 2001.2.9. 98두 17593 ; 대판 2016.1.28. 2015두52432).

20. 국가직 7급, 18. 경찰 2차, 17. 국가직 9급(추), 14. 서울시 9급, 13. 지방직 7급 등 기속행위에 대한 사법심사는 그 법규에 대한 원칙적인 기속성으로 인하여 법원이 사실인정과 관련 법규의 해석·적용을 통하여 일정한 결론을 도출한 후 그 결론에 비추어 행정청이 한 판단의 적법 여부를 독자의 입장에서 판정하는 방식에 의한다. (○)

20. 변호사, 18. 국가직 7급, 17. 국가직 9급, 16. 국가직 9급, 12. 지방직 9급 등 재량행위에 대한 사법심사는 행정청의 재량에 기한 공익판단의 여지를 감안하여 법원은 독자의 결론을 도출함이 없이 당해 행위에 재량권의 일탈·남용이 있는지 여부를 심사한다. (○)

21. 국회직 8급 재량행위에 대한 사법심사에 있어서 법원은 사실인정과 관련 법규의 해석·적용을 통하여 일정한 결론을 도출한 후 그 결론에 비추어 행정청이 한 판단의 적법 여부를 독자의 입장에서 판정하는 방식에 의한다. (✕) → 도출함이 없이 재량권의 일탈·남용이 있는지 여부만을 심사하게 된다.

20. 군무원 7급, 15. 서울시 7급, 14. 국회직 8급 재량권의 일탈·남용 여부에 대한 심사는 사실오인, 비례·평등원칙 위배, 당해 행위의 목적 위반이나 동기의 부정 유무 등을 그 판단 대상으로 한다. (○)

2　과징금 납부명령이 재량권을 일탈한 경우, 법원은 그 전부를 취소할 수밖에 없고, 적정하다고 인정하는 부분을 초과한 부분만 취소할 수는 없다. ★

처분을 할 것인지 여부와 처분의 정도에 관하여 재량이 인정되는 과징금 납부명령에 대하여 그 명령이 재량권을 일탈하였을 경우, 법원으로서는 재량권의 일탈 여부만 판단할 수 있을 뿐이지 재량권의 범위 내에서 어느 정도가 적정한 것인지에 관하여는 판단할 수 없어 그 전부를 취소할 수밖에 없고, 법원이 적정하다고 인정하는 부분을 초과한 부분만 취소할 수는 없다(대판 2009.6.23. 2007두18062).

법령의 근거가 없는 경우 부관 부가
▷ 기속행위·기속재량행위×
▷ 재량행위○

(2) 부관의 가능성

① 전통적인 견해와 판례는 명문규정이 없는 경우 기속행위(또는 기속재량행위)의 경우 부관을 붙일 수 없고 재량행위는 부관을 붙일 수 있기 때문에 양자는 구별할 필요가 있다고 한다.

07. 국가직 9급 기속행위에는 부관을 붙일 수 있고 재량행위에는 부관을 붙일 수 없다는 것이 통설이다. (×) → 없고 / 있다

> 🔹 **관련판례**
>
> **1** **법령상 근거 없이 기속행위인 건축허가에 붙은 부관은 무효이다.** ★
>
> 건축허가를 하면서 일정 토지를 기부채납하도록 하는 내용의 허가조건은 부관을 붙일 수 없는 기속행위 내지 기속적 재량행위인 건축허가에 붙인 부담이거나 또는 법령상 아무런 근거가 없는 부관이어서 무효이다(대판 1995.6.13. 94다56883).
>
> **2** **재량행위인 공유수면매립면허는 법률상의 근거가 없다고 하더라도 부관을 붙일 수 있다.** ★
>
> 일반적으로 이 사건 공유수면매립면허와 같은 기속적 행정행위가 아닌 재량적 행정행위에 있어서는 법령상의 근거가 없다고 하더라도 부관을 붙일 수 있음은 당연하다(대판 1982.12.28. 80다731·732).

② 그러나 최근의 다수설은 기속행위에 효과제한적인 부관은 붙일 수 없지만 요건보충적 부관은 붙일 수 있고, 재량행위에도 성질상 부관을 붙일 수 없는 경우가 있다고 본다. 따라서 오늘날 부관의 가능성과 관련하여 양자의 구별은 그 의미가 퇴색되었다.

최근 다수설
▷ 기속행위에 효과제한적인 부관은 붙일 수 없지만 요건보충적 부관은 붙일 수 있고, 재량행위에도 성질상 부관을 붙일 수 없는 경우가 있다고 봄

(3) 공권의 성립여부

① 종래에는 기속행위의 경우에는 공권이 성립되지만, 재량행위의 경우에는 공권이 성립하지 못한다고 보았다.

② 오늘날에는 재량행위에 대해서도 무하자재량행사청구권이라는 공권이 성립할 수 있다고 본다. 재량행위와 기속행위 모두 개인적인 공권이 성립한다는 점에서 양자의 구별실익은 오늘날 크지 않다.

③ 다만, 기속행위에 있어서는 행정청에 대하여 특정한 내용을 청구할 공권이 인정되나, 재량행위에는 그러한 공권은 인정되지 않고 단순히 하자 없는 재량행사를 청구하는 형식적 권리인 무하자재량행사청구권이 인정된다는 점에서 재량행위와 기속행위에 있어 인정되는 공권의 내용에는 차이가 있다.

06. 지방직 9급 재량행위에 대해서는 원칙적으로 특정한 행위를 요구할 수 있는 실체적 공권은 인정되지 않는다. (○)

공권
▷ 기속행위: 특정행위발급청구권, 행정개입청구권
▷ 재량행위: 무하자재량행사청구권

(4) 요건 충족 여부에 따른 효과 부여

① 행정청은 기속행위의 경우 요건이 충족되면 반드시 법에서 정해진 효과를 부여하여야 하지만, 재량행위의 경우에는 요건이 충족되었다 하더라도 공익과의 이익형량을 통해 법에서 정해진 효과를 부여하지 않을 수도 있다. 또한 기속재량행위의 경우에는 거부처분을 해야 할 중대한 공익상 필요가 없는 한, 요건이 충족되면 허가 등의 처분을 하여야 한다.

20. 국가직 7급 재량행위는 요건이 충족되어도 공익과의 이익형량을 통하여 법에 정해진 효과를 부여하지 않을 수 있다. (○)

요건 충족 여부에 따른 효과부여
▷ 기속행위: 효과 선택 불가
▷ 재량행위: 효과 선택 가
▷ 기속재량행위: 중대한 공익상 필요가 없는 한, 효과선택 불가

관련판례

1 주택건설사업계획 승인신청에 대하여 처분권자는 관계 법령이 정하는 제한사유가 없는 경우에도 공익상 필요가 있으면 불허가결정을 할 수 있다. ★

주택건설촉진법 제33조에 의한 <u>주택건설사업계획의 승인</u>은 상대방에게 권리나 이익을 부여하는 효과를 수반하는 이른바 <u>수익적 행정처분</u>으로서 법령에 행정처분의 요건에 관하여 일의적으로 규정되어 있지 아니한 이상 행정청의 재량행위에 속한다 할 것이고, 이러한 승인을 받으려는 <u>주택건설사업계획이 관계 법령이 정하는 제한에 배치되는 경우는 물론이고 그러한 제한사유가 없는 경우에도 공익상 필요가 있으면 처분권자는 그 승인신청에 대하여 불허가 결정을 할 수 있다</u>(대판 2005.4.15. 2004두10883).

② 한편, 요건을 갖추지 못한 경우 기속행위뿐만 아니라 재량행위에서도 요건충족적 부관부 행정행위를 할 수 있는 경우를 제외하고는 거부처분을 하여야 한다.

주택건설사업계획승인
▷ 재량행위, 법령상 제한사유 없는 경우에도 공익상 필요가 있으면 승인거부 可

요건 불충족 시
▷ 기속행위·재량행위 모두 거부처분하여야 함

관련판례

귀화요건을 갖추지 못한 경우 법무부장관은 재량권을 행사할 여지 없이 귀화불허처분을 하여야 한다. ★

귀화신청인이 구 국적법(2017.12.19. 법률 제15249호로 개정되기 전의 것) 제5조 각호에서 정한 귀화요건을 갖추지 못한 경우 법무부장관은 귀화 허부에 관한 재량권을 행사할 여지 없이 귀화불허처분을 하여야 한다(대판 2018.12.13. 2016두31616).

귀화요건 불충족 시
▷ 재량권행사 여지 없이 귀화불허처분

(5) 입증책임

기속행위의 경우에는 처분이 적법하게 행해졌음을 행정청이 입증해야 하고, 재량행위의 경우에는 그 행정처분의 효력을 다투는 원고가 재량권의 한계를 벗어난 것이어서 위법하다는 점을 주장·입증하여야 한다는 점에서 양자는 구별된다. 또한 기속재량행위의 경우에는 허가 등을 거부할 중대한 공익상 필요가 있다는 점을 행정청이 입증하여야 한다.

15. 서울시 7급 재량권의 일탈·남용 여부에 대한 입증책임은 **처분청인 행정청에게 있다.** (×) → 원고

입증책임
▷ 기속행위: 처분이 적법함을 행정청이 입증
▷ 재량행위: 처분이 위법함(재량의 일탈·남용)을 원고가 입증
▷ 기속재량행위: 처분이 적법함(중대한 공익상 필요가 있음)을 행정청이 입증

핵심정리 | 기속행위와 재량행위의 비교

구분	기속행위	재량행위
규정방식	~하여야 한다.	~할 수 있다.
사법심사의 대상 여부	법원의 전면적인 사법심사의 대상O	재량권 일탈·남용에 이르지 않았다면 법원의 사법심사의 대상X
사법심사의 방식	완전심사 및 판단대체방식: 일정한 결론을 도출한 후 독자의 입장에서 판단	제한심리방식: 독자적 결론 도출 없이 재량권 일탈·남용 여부만 심사
부관의 가능성	법령의 근거가 없는 한 부관X	법령의 규정이 없어도 부관O
공권의 내용	행정청에 대하여 특정한 내용을 청구할 공권이 인정됨	하자 없는 재량 행사를 청구하는 형식적 권리인 무하자재량행사청구권 인정
요건 충족에 따른 효과부여	요건이 충족되면 효과 부여(허가)	요건이 충족되었다 하더라도 이익형량을 통해 효과 부여 여부 결정(특허)
입증책임	처분의 적법성에 대해 행정청	재량의 일탈·남용 다투는 원고

과거 학설
▷ 요건재량설 vs. 효과재량설

요건재량설
▷ 재량행위: 공백규정을 두거나, 종국목적만을 규정한 경우
▷ 기속행위: 공익보다는 좀 더 구체화된 중간목적(예 위생상 필요)의 달성을 요건으로 규정한 경우

요건재량설에 대한 비판
▷ 법률문제인 요건인정을 재량행위로 오인, 종국목적과 중간목적의 구별이 불명, 행정재량은 효과의 선택에서 더 많이 인정됨

효과재량설
▷ 기속행위: 부담적 행정행위
▷ 재량행위: 수익적 행정행위

효과재량설에 대한 비판
▷ 재량행위인가 기속행위인가 하는 문제는 행위의 성질과는 무관함

1차적 기준
▷ 관련 법규정의 표현을 고려(재량행위: ~행정청은 할 수 있다, 기속행위: ~행정청은 해야 한다)

2. 구별기준

(1) 과거의 학설

종래의 전통적 재량이론에 기반을 둔 기속행위와 재량행위 구별기준에 관하여 요건재량설과 효과재량설이 대립하였다.

① **요건재량설(법규재량설)**

ㄱ **내용**: 이 견해는 어떤 사실이 법률요건에 해당하는지에 대한 판단에 재량이 존재할 수 있다고 전제한다. 이에 따르면, ⓐ 행정법규가 처분의 수권만 규정하고 처분의 요건에 대하여 아무런 규정을 두지 않거나(공백규정), ⓑ 구체적이며 직접적인 목적의 적시 없이 단지 공익상 필요와 같은 행위의 종국목적만을 규정한 경우에는 재량행위에 해당하나, 공익보다는 좀 더 구체화된 중간목적(예 위생상 필요 등)의 달성을 요건으로 규정한 경우에는 기속행위라고 한다.

ㄴ **비판**: 요건재량설에 대해서는 ⓐ 법률문제인 요건인정을 재량행위로 오인하였고, ⓑ 종국목적과 중간목적의 구별이 쉽지 않고, ⓒ 행정재량은 요건의 인정에서 뿐만 아니라 효과의 선택에서 더 많이 인정된다는 것을 간과하고 있다는 등의 비판이 있다.

10. 경찰 1차 요건재량설에 대해서는 행정행위의 종국목적과 중간목적의 분류나 구체적 기준 자체가 불명확하다는 비판이 있다. (O)
06. 지방직 9급 요건재량설은 행정재량은 요건의 인정에서 뿐만 아니라 효과의 선택에서 더 많이 인정된다는 것을 간과한 것이다. (O)

② **효과재량설(성질설)**

ㄱ **내용**: 이 견해는 재량은 행정행위의 요건인정이 아니라 법률효과의 선택에 있다는 것을 전제로 하여 행정행위가 상대방에게 어떠한 효과를 가져 오는가 하는 행정행위의 성질에 따라 재량행위와 기속행위를 구별한다. 이에 따르면, ⓐ 행정행위가 침익적 성질을 가지는 경우에는 기속행위로 보고, ⓑ 수익적 성질을 가지는 경우에는 재량행위로 본다.

19. 서울시 7급 재량행위와 기속행위의 구분기준에 관한 효과재량설에 따르면 수익적 행정행위는 법규상 또는 해석상 특별한 기속이 없는 한 재량행위이다. (O)

ㄴ **비판**: 효과재량설에 대해서는 수익적 행정행위도 기속행위인 경우도 있으며, 침익적 행정행위도 재량행위가 있는 것처럼 어떠한 행위가 재량행위인가 기속행위인가 하는 문제는 행위의 성질과는 무관한 것이라는 점에서 비판이 가능하다.

(2) 오늘날의 학설

① **1차적 기준**

ㄱ 기속행위와 재량행위의 구별기준은 1차적으로 입법자가 자신의 의사를 표현한 행정법규의 문언에서 찾아야 한다고 본다(법문언기준설).

ㄴ 이에 따르면, ⓐ 법률에서 효과규정을 '(행정청은) ~할 수 있다'라고 가능규정의 형식을 둔 경우에는 재량행위이고, ⓑ '(행정청은) ~하여야 한다, ~할 수 없다'라고 강제규정의 형식을 둔 경우에는 기속행위이다.

② **2차적 기준**: 법령의 규정이 재량행위인지 기속행위인지 명확하지 않은 경우(예) ~하고자 하는 자는 ~허가를 받아야 한다.)에는 법률규정과 함께 문제가 되는 행위의 성질, 법규의 입법취지, 목적, 기본권 관련성 및 공익관련성 등을 종합적으로 고려하여 판단하여야 한다고 본다(종합설).

(3) 판례

① **원칙론**: 판례는 종합설의 입장에서 그 법령의 취지, 목적, 행위의 성질, 기본권 관련성 등을 종합적으로 고려하여 기속행위와 재량행위 구분하여야 한다는 것을 원칙적 기준으로 하면서, 특정인에게 권리나 이익을 부여하는 이른바 수익적 행정처분은 법령에 특별한 규정이 없는 한 재량행위로 볼 수 있다고 판시함으로써 효과재량설(성질설)을 보충적인 기준으로 활용하고 있는 것으로 보인다.

　㉠ **종합설을 취한 판례**

> ⚖ **관련판례**
>
> **1** 행정행위가 그 재량성의 유무 및 범위와 관련하여 이른바 기속행위 내지 기속재량행위와 재량행위 내지 자유재량행위로 구분된다고 할 때, 그 **구분은 당해 행위의 근거가 된 법규의 체재·형식과 그 문언, 당해 행위가 속하는 행정 분야의 주된 목적과 특성, 당해 행위 자체의 개별적 성질과 유형 등을 모두 고려하여 판단하여야 한다**(대판 2001.2.9. 98두17593). ★★★
>
> 20. 지방직 9급, 15. 국가직 7급, 12. 경찰 3차, 10. 국회직 9급 기속행위와 재량행위의 구분은 당해 행위의 근거가 된 법규의 체재·형식과 그 문언, 당해 행위가 속하는 행정 분야의 주된 목적과 특성, 당해 행위 자체의 개별적 성질과 유형 등을 모두 고려하여 판단하여야 한다. (○)
>
> **2** 어느 행정행위가 기속행위인지 재량행위인지 나아가 재량행위라고 할지라도 기속재량행위인지 또는 자유재량에 속하는 것인지의 여부는 이를 일률적으로 규정지을 수는 없는 것이고, **당해 처분의 근거가 된 규정의 형식이나 체제 또는 문언에 따라 개별적으로 판단하여야 한다**(대판 1997.12.26. 97누15418). ★★★
>
> 17. 경찰 2차, 15. 경찰 3차 어느 행정행위가 기속행위인지 재량행위인지 나아가 재량행위라고 할지라도 기속재량행위인지 또는 자유재량에 속하는 것인지의 여부는 이를 일률적으로 규정지을 수는 없는 것이고, 당해 처분의 근거가 된 규정의 형식이나 체제 또는 문언에 따라 개별적으로 판단하여야 한다. (○)

　㉡ **효과재량설(성질설)을 취한 판례**

> ⚖ **관련판례**
>
> **1 주택건설사업계획의 승인** ★★★
>
> 구 주택건설촉진법 제33조에 의한 **주택건설사업계획의 승인은** 상대방에게 권리나 이익을 부여하는 효과를 수반하는 이른바 **수익적 행정처분으로서** 법령에 행정처분의 요건에 관하여 **일의적으로 규정되어 있지 아니한 이상 행정청의 재량행위에 속하므로**, 이러한 승인을 받으려는 주택건설사업계획이 관계 법령이 정하는 제한에 배치되는 경우는 물론이고 그러한 제한사유가 없는 경우에도 공익상 필요가 있으면 처분권자는 그 승인신청에 대하여 불허가결정을 할 수 있으며, 여기에서 말하는 '공익상 필요'에는 자연환경보전의 필요도 포함된다(대판 2007.5.10. 2005두13315 ; 대판 2005.4.15. 2004두10883).

함께 정리하기

2차적 기준
▷ 법령의 규정으로 재량행위인지 기속행위인지 판단할 수 없는 경우(예) ~허가를 받아야 한다)에는 행정의 실질을 고려하여 판단(행위의 성질, 입법취지, 목적, 기본권 관련성 및 공익관련성 등)

구별기준
▷ 법규형식·문언, 행정의 목적·특성·행위의 성질·유형 모두 고려하여 구분(종합설에 해당), 보충적으로 효과재량설 활용

기속행위와 재량행위의 구별기준
▷ 법령취지·목적 등 종합적으로 고려(종합설)

주택건설사업계획승인
▷ 재량행위

21. 국회직 8급, 19. 서울시 7급(추), 16. 교행, 12. 국가직 7급 「주택법」상 주택건설사업계획의 승인은 재량행위에 해당하므로, 처분권자는 주택건설사업계획이 법령이 정하는 제한사유에 배치되지 않는 경우에도 공익상 필요가 있으면 사업계획승인신청에 대하여 불허가 결정을 할 수 있다. (○)

23. 국가직 7급 구 「주택건설촉진법」 제33조에 의한 주택건설사업계획의 승인은 인간이 본래 가지고 있는 자연적 자유의 회복을 내용으로 하는 행정청의 기속행위에 속한다. (✕) → 상대방에게 권리나 이익을 부여하는 효과를 수반하는 이른바 수익적 행정처분으로서 재량행위

08. 국가직 9급 대법원은 주택건설촉진법상의 주택건설사업계획의 승인은 상대방에게 권리나 이익을 부여하는 효과를 수반하는 수익적 행정처분이라는 점에서 재량행위라고 판단하고 있는데 이것은 이른바 요건재량설에 따른 것이다. (✕) → 효과재량설

2 주택재건축사업시행의 인가 ★★

주택재건축사업시행의 인가
▷ 재량행위

주택재건축사업시행의 인가는 상대방에게 권리나 이익을 부여하는 효과를 가진 이른바 수익적 행정처분으로서 법령에 행정처분의 요건에 관하여 일의적으로 규정되어 있지 아니한 이상 행정청의 재량행위에 속한다(대판 2007.7.12. 2007두6663).

10. 국가직 9급 주택재건축사업시행의 인가는 상대방에게 권리나 이익을 부여하는 효과를 가진 이른바 수익적 행정처분으로서 법령에 행정처분의 요건에 관하여 일의적으로 규정되어 있지 아니한 이상 행정청의 재량행위에 속한다. (○)

3 야생동·식물보호법상 국제적 멸종위기종의 용도변경승인행위 ★★

「야생동·식물보호법」상 국제적 멸종위기종의 용도변경승인
▷ 재량행위

야생동·식물보호법(현 야생생물 보호 및 관리에 관한 법률) 제16조 제3항과 같은 법 시행규칙 제22조 제1항의 체제 또는 문언을 살펴보면 원칙적으로 국제적멸종위기종 및 그 가공품의 수입 또는 반입 목적 외의 용도로의 사용을 금지하면서 용도변경이 불가피한 경우로서 환경부장관의 용도변경승인을 받은 경우에 한하여 용도변경을 허용하도록 하고 있으므로, 용도변경승인은 수익적 행정행위로서 법령에 특별한 규정이 없는 한 재량행위이고, 그 설정된 기준이 객관적으로 합리적이 아니라거나 타당하지 않다고 볼 만한 다른 특별한 사정이 없는 이상 행정청의 의사는 가능한 한 존중되어야 한다(대판 2011.1.27. 2010두23033).

17. 지방직 9급(추) 「야생동·식물보호법」상 곰의 웅지를 추출하여 비누, 화장품 등의 재료를 사용할 목적으로 곰의 용도를 '사육곰'에서 '식·가공품 및 약용재료'로 변경하겠다는 내용의 국제적 멸종위기종의 용도변경승인 행위는 재량행위이다. (○)

19. 서울시 7급 야생동·식물보호법령에 따른 용도변경승인의 경우 용도변경이 불가피한 경우에만 용도변경을 할 수 있도록 제한하는 규정을 두고 있으므로 환경부장관의 용도변경승인처분은 기속행위이다. (✕) → 재량행위

② 구체적 판례❶

㉠ 기속행위로 본 판례

관련판례

1 강학상 허가에 해당하는 식품위생법상 일반음식점영업허가 ★★

❶ 허가와 특허의 경우
개인의 기본권실현이라는 측면에서 본래 가지고 있는 자연적 자유의 회복을 내용으로 하는 허가는 기속행위로 해석될 가능성이 크고, 공익적 관점에서 상대방에게 새로이 권리나 이익을 설정해 주는 특허는 재량행위로 해석될 가능성이 크다.

「식품위생법」상 일반음식점영업허가
▷ 기속행위

식품위생법상 일반음식점영업허가는 성질상 일반적 금지의 해제에 불과하므로 허가권자는 허가신청이 법에서 정한 요건을 구비한 때에는 허가하여야 하고 관계 법령에서 정하는 제한사유 외에 공공복리 등의 사유를 들어 허가신청을 거부할 수는 없고, 이러한 법리는 일반음식점 허가사항의 변경허가에 관하여도 마찬가지이다(대판 2000.3.24. 97누12532)..

2 도로교통법상 음주측정을 거부한 운전자에 대한 운전면허취소 ★★

<u>도로교통법 제78조 제1항 단서 제8호의 규정에 의하면</u>, 술에 취한 상태에 있다고 인정할 만한 상당한 이유가 있음에도 불구하고 <u>경찰공무원의 측정에 응하지 아니한 때에는 필요적으로 운전면허를 취소하도록 되어 있어 처분청이 그 취소여부를 선택할 수 있는 재량의 여지가 없음이 그 법문상 명백하므로</u>, 위 법조의 요건에 해당하였음을 이유로 한 <u>운전면허취소처분에 있어서 재량권의 일탈 또는 남용의 문제는 생길 수 없다</u>(대판 2004.11.12. 2003두12042).

15. 국회직 8급 음주측정거부를 이유로 운전면허취소를 함에 있어서 행정청이 그 취소 여부를 선택할 수 있는 재량의 여지가 없음이 법문상 명백하므로 재량권의 일탈·남용의 문제는 생길 수 없다. (O)

17. 경찰 2차 술에 취한 상태에 있다고 인정할 만한 상당한 이유가 있음에도 불구하고 경찰공무원의 측정에 응하지 아니한 때에는 필요적으로 운전면허를 취소하도록 되어 있어 처분청이 그 취소 여부를 선택할 수 있는 재량의 여지가 없음이 「도로교통법」상 명백하므로, 동법 요건에 해당하였음을 이유로 한 운전면허취소처분에 있어서 재량권의 일탈 또는 남용의 문제는 생길 수 없다. (O)

3 지방병무청장의 공익근무요원소집처분 ★

행정행위가 재량행위인지 여부는 당해 행위의 근거가 된 법규의 체제·형식과 그 문언, 당해 행위가 속하는 행정 분야의 주된 목적과 특성, 당해 행위 자체의 개별적 성질과 유형 등을 모두 고려하여 판단하여야 하고, 한편 병역법 제26조 제2항은 보충역을 같은 조 제1항 소정의 업무나 분야에서 복무하여야 할 공익근무요원으로 소집한다고 규정하고 있는바, 위 법리와 병역법 제26조 제2항의 규정의 취지에 비추어 보면 병역의무자가 보충역에 해당하는 이상 <u>지방병무청장으로서는 관련 법령에 따라 병역의무자를 공익근무요원으로 소집하여야 하는 것이고, 이와 같이 보충역을 공익근무요원으로 소집함에 있어 지방병무청장에게 재량이 있다고 볼 여지는 없다</u>(대판 2002.8.23. 2002두820).

4 관광사업 양도·양수에 의한 지위승계신고수리 ★

구 관광진흥법(2002.1.26. 법률 제6633호로 개정되기 전의 것) 제8조 등 관계 규정의 형식이나 체재 또는 문언 등을 종합하여 보면, 관광사업의 양도·양수에 의한 지위승계신고에 대하여는 적법·유효한 사업양도가 있고, 양수인에게 구 관광진흥법 제7조 제1항 각 호의 결격사유가 없는 한 행정청이 다른 사유를 들어 수리를 거절할 수 없다고 할 것이므로, 위 신고의 수리에 관한 처분을 재량행위라고 볼 수 없다(대판 2007.6.29. 2006두4097).

5 강학상 인가에 해당하는 학교법인이사취임승인처분 ★

이사취임승인은 학교법인의 임원선임행위를 보충하여 법률상의 효력을 완성시키는 보충적 행정행위로서 기속행위에 속한다(대판 1992.9.22. 92누5461).

6 지방재정법상 공유재산 무단점유에 대한 변상금부과처분 ★★

<u>지방재정법 제87조 제1항에 의한 변상금부과처분은</u> 법률에 의한 대부 또는 사용·수익허가 등을 받지 아니하고, 공유재산을 점유하거나 사용·수익한 자에 대하여는 정상적인 대부료 또는 사용료를 징수할 수 없으므로 그 대신에 대부 등을 받은 경우에 납부하여야 할 대부료 상당액 이외에 2할을 가산한 금원을 변상금으로 부과하는 행정처분으로 이는 <u>무단점유에 대한 징벌적인 의미가 있는 것으로 법규의 규정 형식으로 보아 처분청의 재량이 허용되지 않은 기속행위이다</u>(대판 2000.1.14. 99두9735).

12. 국가직 9급 「지방재정법」상 공유재산의 무단점유에 대한 변상금부과처분은 재량행위이다. (×) → 기속행위

음주측정거부로 인한 운전면허취소
▷ 기속행위

공익근무요원소집처분
▷ 기속행위

관광사업 양도·양수에 의한 지위승계신고수리
▷ 기속행위

학교법인이사취임승인
▷ 기속행위

「지방재정법」상 무단점유에 대한 변상금부과처분
▷ 기속행위

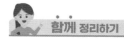
공무원에 대한 복직명령
▷ 기속행위

명의신탁자에 대한 과징금부과
▷ 기속행위

과징금 감경여부
▷ 재량행위

법무부장관의 난민인정
▷ 기속행위

법무부장관의 난민인정결정 취소
▷ 재량행위

7 육아휴직 중 복직 요건인 '휴직사유가 없어진 때'에 해당하여 행하는 복직명령 ★★

국가공무원법 제73조 제2항의 문언에 비추어 복직명령은 기속행위이므로 휴직사유가 소멸하였음을 이유로 신청하는 경우 임용권자는 지체 없이 복직명령을 하여야 한다(대판 2014.6.12. 2012두4852).

23. 국가직 7급 육아휴직 중 「국가공무원법」 제73조 제2항에서 정한 복직 요건인 '휴직사유가 없어진 때'에 하는 복직명령은 기속행위이므로 휴직사유가 소멸하였음을 이유로 복직을 신청하는 경우 임용권자는 지체 없이 복직명령을 하여야 한다. (○)

22. 지방직 9급 「국가공무원법」상 휴직 사유 소멸을 이유로 한 신청에 대한 복직명령은 재량행위에 해당한다. (×) → 기속행위

20. 5급 승진 「국가공무원법」상 복직명령은 기속행위이므로 휴직 중인 공무원이 휴직사유가 소멸하였음을 이유로 복직을 신청하는 경우 임용권자는 지체 없이 복직명령을 하여야 한다. (○)

8 부동산 실권리자명의 등기에 관한 법률 및 시행령상 명의신탁자에 대한 과징금부과처분 ★★

부동산 실권리자 명의 등기에 관한 법률에 의하면 명의신탁자에 대하여 과징금을 부과할 것인지 여부는 기속행위에 해당하므로, 명의신탁이 조세를 포탈하거나 법령에 의한 제한을 회피할 목적이 아닌 경우에 한하여 그 과징금을 일정한 범위 내에서 감경할 수 있을 뿐이지 그에 대하여 과징금부과처분을 하지 않거나 과징금을 전액 감면할 수 있는 것은 아니다(대판 2010.7.15. 2010두7031).

09. 지방직 7급 「부동산 실권리자명의 등기에 관한 법률」 및 시행령상 명의신탁자에 대한 과징금부과처분은 기속행위의 성질을 갖는다. (○)

비교 과징금을 감경할 것인지 여부 ★★

부동산 실권리자명의 등기에 관한 법률 시행령 제3조의2 단서는 조세를 포탈하거나 법령에 의한 제한을 회피할 목적이 아닌 경우에 과징금의 100분의 50을 감경할 수 있다고 규정하고 있고, 이는 임의적 감경규정임이 명백하므로, 위와 같은 감경사유가 존재하더라도 과징금을 감경할 것인지 여부는 과징금 부과관청의 재량에 속한다(대판 2007.7.12. 2006두4554).

9 법무부장관의 난민인정 ★

구 출입국관리법 제2조 제3호, 제76조의2 제1항·제3항·제4항, 구 출입국관리법 시행령 제88조의2, 난민의 지위에 관한 협약 제1조, 난민의 지위에 관한 의정서 제1조의 문언, 체계와 입법 취지를 종합하면, 난민 인정에 관한 신청을 받은 행정청은 원칙적으로 법령이 정한 난민 요건에 해당하는지를 심사하여 난민 인정 여부를 결정할 수 있을 뿐이고, 이와 무관한 다른 사유만을 들어 난민 인정을 거부할 수는 없다(대판 2017.12.5. 2016두42913).

24. 국가직 9급 난민 인정에 관한 신청을 받은 행정청은 원칙적으로 법령이 정한 난민 요건에 해당하는지를 심사하여 난민 인정 여부를 결정할 수 있을 뿐이고, 법령이 정한 난민 요건과 무관한 다른 사유만을 들어 난민 인정을 거부할 수는 없다. (○)

비교 법무부장관의 난민인정취소 ★

구 출입국관리법 제76조의3 제1항 제3호의 문언·내용 등에 비추어 보면, 비록 그 규정에서 정한사유가 있더라도, 법무부장관은 난민인정 결정을 취소할 공익상의 필요와 취소로 당사자가 입을 불이익 등 여러 사정을 참작하여 취소 여부를 결정할 수 있는 재량이 있다(대판 2017.3.15. 2013두16333).

10 의료기관이 의료법 제64조 제1항 제8호(의료기관 개설자가 거짓으로 진료비를 청구하여 금고 이상의 형을 선고받고 그 형이 확정된 때)에 해당하는 경우 ★★

의료기관이 <u>의료법 제64조 제1항 제1호에서 제7호, 제9호의 사유에 해당하면 관할 행정청이 1년 이내의 의료업 정지처분과 개설 허가 취소처분(또는 폐쇄명령) 중에서 제재처분의 종류와 정도를 선택할 수 있는 재량을 가지지만, 의료기관이 의료법 제64조 제1항 제8호에 해당하면 관할 행정청은 반드시 해당 의료기관에 대하여 더 이상 의료업을 영위할 수 없도록 개설 허가 취소처분(또는 폐쇄명령)을 하여야 할 뿐 선택재량을 가지지 못한다</u>(대판 2021.3.11. 2019두57831).

ⓒ 재량행위로 본 판례

함께 정리하기

「의료법」제64조 제1항 제8호의 사유에 해당
▷ 개설 허가 취소처분(또는 폐쇄명령)을 하여야 함(∵기속행위)

관련판례

1 하천부지 점용허가 ★★

<u>하천부지 점용허가 여부는 관리청의 자유재량에 속하고, 재량행위에 있어서는 법령상의 근거가 없다고 하더라도 부관을 붙일 것인가의 여부는 당해 행정청의 재량에 속한다고 할 것이고, 또한 같은 법 제25조 단서가 하천의 오염방지에 필요한 부관을 붙이도록 규정하고 있으므로 하천부지 점용허가의 성질의 면으로 보나 법규정으로 보나 부관을 붙일 수 있음은 명백하다</u>(대판 1991.10.11. 90누8688).

14. 행정사 하천부지에 대한 점용허가 여부는 관리청의 자유재량에 속하므로 이에 대해서 부관을 붙여 허가할 수 있다. (○)

하천부지 점용허가
▷ 재량행위

2 구 자동차운수사업법 제4조에 의한 마을버스운송사업면허 및 마을버스 운송사업면허의 허용 여부 및 마을버스 한정면허 시 확정되는 마을버스 노선을 정함에 있어서 기존 일반노선버스의 노선과의 중복 허용정도에 대한 판단 ★★

구 자동차운수사업법 제4조 제1항·제3항, 같은 법 시행규칙 제14조의2 등의 관련 규정에 의하면, <u>마을버스운송사업면허의 허용 여부는 사업구역의 교통수요, 노선결정, 운송업체의 수송능력, 공급 능력 등에 관하여 기술적·전문적인 판단을 요하는 분야로서 이에 관한 행정처분은 운수행정을 통한 공익실현과 아울러 합목적성을 추구하기 위하여 보다 구체적 타당성에 적합한 기준에 의하여야 할 것이므로 그 범위 내에서는 법령이 특별히 규정한 바가 없으면 행정청의 재량에 속하는 것이라고 보아야 할 것이고, 마을버스 한정면허시 확정되는 마을버스 노선을 정함에 있어서도 기존 일반노선버스의 노선과의 중복 허용 정도에 대한 판단도 행정청의 재량에 속한다</u>(대판 2001.1.19. 99두3812 ; 대판 2002.5.10. 2001두10028).

마을버스운송사업면허·한정면허 시 확정되는 마을버스 노선
▷ 재량행위

20. 지방직 9급 마을버스운송사업면허의 허용 여부는 운수행정을 통한 공익실현과 아울러 합목적성을 추구하기 위하여 보다 구체적 타당성에 적합한 기준에 의하여야 할 것이므로 행정청의 재량에 속하는 것이라고 보아야 한다. (○)

17. 지방직 9급, 10. 국회직 9급 구 여객자동차운수사업법령상 마을버스운송사업면허 및 마을버스 한정면허시 확정되는 마을버스 노선을 정함에 있어서도 기존 일반노선버스의 노선과의 중복 허용 정도에 대한 판단은 행정청의 재량에 속한다. (○)

동지 여객자동차운송사업의 한정면허 ★★

여객자동차운송사업의 한정면허는 특정인에게 권리나 이익을 부여하는 수익적 행정행위로서, 교통수요, 운송업체의 수송 및 공급능력 등에 관한 기술적·전문적 판단이 필요하고, 원활한 운송체계의 확보, 일반 공중의 교통 편의성 제고 등 운수행정을 통한 공익적 측면과 함께 관련 운송사업자들 사이의 이해관계 조정 등 사적인 측면을 고려하는 등 합목적성과 구체적 타당성을 확보하기 위한 적합한 기준에 따라야 하므로, 그 범위 내에서는 법령이 특별히 규정한 바가 없으면 행정청이 재량을 보유하고 이는 한정면허가 기간만료로 실효되어 갱신되는 경우에도 마찬가지이다.

여객자동차운송사업의 한정면허
▷ 재량행위

여객자동차 운송사업자에 대한 휴업허가
결정 · 허가기준 설정
▷ 재량행위

3 여객자동차 운송사업자에 대한 휴업허가결정 · 허가기준 설정 ★

여객자동차 운수사업법령은 운송사업자의 휴업을 허용하면서도 구체적으로 휴업허가에 관한 기준을 정하지 않음으로써 행정청이 휴업하는 사업의 종류와 운행형태, 휴업예정기간, 휴업사유 등을 살펴 휴업의 필요성과 휴업을 허가하여서는 안 될 공익상 필요가 있는지 등을 종합적으로 고려하여 휴업허가 여부를 결정할 수 있도록 재량의 여지를 남겨 두고 있다. 그리고 여객자동차 운송사업이 적정하게 이루어질 수 있도록 해당 지역에서의 현재 및 장래의 수송 수요와 공급 상황 등을 고려하여 휴업허가를 위하여 필요한 기준을 정하는 것도 역시 행정청의 재량에 속하는 것이므로 그에 관하여 내부적으로 설정한 기준이 객관적으로 합리적이 아니라거나 타당하지 않다고 볼 만한 다른 특별한 사정이 없는 이상 행정청의 의사는 가능한 한 존중하여야 한다(대판 2018.2.28. 2017두51501).

개인택시운송사업면허 및 그 면허기준을
정하는 것
▷ 재량행위

4 개인택시운송사업면허 및 그 면허기준을 정하는 것 ★★★

개인택시운송사업면허는 특정인에게 권리나 이익을 부여하는 행정행위로서 법령에 특별한 규정이 없는 한 재량행위이고 그 면허에 필요한 기준을 정하는 것 역시 법령에 규정이 없는 한 행정청의 재량에 속하나, 이 경우에도 이는 객관적으로 타당하여야 하며 그 설정된 우선순위 결정방법이나 기준이 객관적으로 합리성을 잃은 것이라면 이에 따라 면허 여부를 결정하는 것은 재량권의 한계를 일탈한 것이 되어 위법하다(대판 2007.2.8. 2006두13886).

22. 지방직 9급, 21. 국가직 7급 「여객자동차 운수사업법」에 의한 개인택시운송사업면허는 특정인에게 권리나 이익을 부여하는 행정행위로서 법령에 특별한 규정이 없는 한 재량행위이다. (○)

귀화허가
▷ 재량행위

5 귀화허가 ★★★

국적법 제4조 제1항은 "외국인은 법무부장관의 귀화허가를 받아 대한민국의 국적을 취득할 수 있다."라고 규정하고, 그 제2항은 "법무부장관은 귀화 요건을 갖추었는지를 심사한 후 그 요건을 갖춘 자에게만 귀화를 허가한다."라고 정하고 있다. 그런데 국적은 국민의 자격을 결정짓는 것이고, 이를 취득한 자는 국가의 주권자가 되는 동시에 국가의 속인적 통치권의 대상이 되므로, 귀화허가는 외국인에게 대한민국 국적을 부여함으로써 국민으로서의 법적 지위를 포괄적으로 설정하는 행위에 해당한다. 한편 국적법 등 관계 법령 어디에도 외국인에게 대한민국의 국적을 취득할 권리를 부여하였다고 볼 만한 규정은 없다. 이와 같은 귀화허가의 근거 규정의 형식과 문언, 귀화허가의 내용과 특성 등을 고려해 보면, 법무부장관은 귀화신청인이 귀화 요건을 갖추었다 하더라도 귀화를 허가할 것인지 여부에 관하여 재량권을 가진다고 봄이 상당하다(대판 2010.10.28. 2010두6496).

재외동포에 대한 사증발급
▷ 재량행위

6 재외동포에 대한 사증발급 ★

재외동포에 대한 사증발급은 행정청의 재량행위에 속하는 것으로서, 재외동포가 사증발급을 신청한 경우에 출입국관리법 시행령 [별표 1의2]에서 정한 재외동포체류자격의 요건을 갖추었다고 해서 무조건 사증을 발급해야 하는 것은 아니다(대판 2019.7.11. 2017두38874).

23. 국가직 7급 재외동포에 대한 사증발급은 행정청의 귀속행위에 속하는 것으로서, 재외동포가 사증발급을 신청한 경우에 구 「출입국관리법 시행령」 [별표 1의2]에서 정한 재외동포체류자격의 요건을 갖추었다면 사증을 발급해야 한다. (×) → 재량 / 다고 해서 무조건 / 하는 것은 아니다

7 사립학교법 제20조의2가 정한 임원취임승인 취소처분 ★

사립학교법 제20조의2가 정한 임원취임승인 취소처분은 재량행위에 해당하고, 이러한 처분이 사회통념상 재량권의 범위를 일탈하였거나 남용하였는지는 처분사유로 된 위반행위의 내용과 처분에 의하여 달성하려는 공익목적 및 이에 따르는 제반 사정 등을 객관적으로 심리하여 공익 침해의 정도와 처분으로 개인이 입게 될 불이익을 비교·형량하여 판단하여야 한다(대판 2017.12.28. 2015두56540).

8 강학상 예외적 허가(승인)에 해당하는 개발제한구역 내의 건축허가 ★★

구 도시계획법 제21조와 같은 법 시행령 제20조 및 같은 법 시행규칙 제7조, 제8조 등의 규정을 종합해 보면, 개발제한구역 내에서는 구역지정의 목적상 건축물의 건축 및 공작물의 설치 등 개발행위가 원칙적으로 금지되고, 다만 구체적인 경우에 이러한 구역지정의 목적에 위배되지 아니할 경우 예외적으로 허가에 의하여 그러한 행위를 할 수 있게 되어 있음이 그 규정의 체제와 문언상 분명하고, 이러한 예외적인 개발행위의 허가는 상대방에게 수익적인 것이 틀림이 없으므로 그 법률적 성질은 재량행위 내지 자유재량행위에 속하는 것이고, 이러한 재량행위에 있어서는 관계 법령에 명시적인 금지규정이 없는 한 행정목적을 달성하기 위하여 조건이나 기한, 부담 등의 부관을 붙일 수 있고, 그 부관의 내용이 이행 가능하고 비례의 원칙 및 평등의 원칙에 적합하며 행정처분의 본질적 효력을 저해하지 아니하는 이상 위법하다고 할 수 없다(대판 2004.3.25. 2003두12837).

9 행정계획에 해당하는 구 도시계획법상 도시계획결정 ★★

행정계획이라 함은 행정에 관한 전문적·기술적 판단을 기초로 하여 도시의 건설·정비·개량 등과 같은 특정한 행정목표를 달성하기 위하여 서로 관련되는 행정수단을 종합·조정함으로써 장래의 일정한 시점에 있어서 일정한 질서를 실현하기 위한 활동기준으로 설정된 것으로서, 도시계획법 등 관계 법령에는 추상적인 행정목표와 절차만이 규정되어 있을 뿐 행정계획의 내용에 대하여는 별다른 규정을 두고 있지 아니하므로 행정주체는 구체적인 행정계획을 입안·결정함에 있어서 비교적 광범위한 형성의 자유를 가진다고 할 것이지만, 행정주체가 가지는 이와 같은 형성의 자유는 무제한적인 것이 아니라 그 행정계획에 관련되는 자들의 이익을 공익과 사익 사이에서는 물론이고 공익 상호간과 사익 상호간에도 정당하게 비교교량하여야 한다는 제한이 있는 것이고, 따라서 행정주체가 행정계획을 입안·결정함에 있어서 이익형량을 전혀 행하지 아니하거나 이익형량의 고려 대상에 마땅히 포함시켜야 할 사항을 누락한 경우 또는 이익형량을 하였으나 정당성·객관성이 결여된 경우에는 그 행정계획결정은 재량권을 일탈·남용한 것으로서 위법하다(대판 1996.11.29. 96누8567).

10 폐기물처리사업계획서의 적합 여부의 판단과 사업계획 적정 통보를 위하여 필요한 기준을 정하는 것도 역시 행정청의 재량에 속한다. ★

10-1. 폐기물관리법 제1조, 제25조 제1항·제2항 제4호, 환경정책기본법 제12조 제1항, 제13조, 제3조 제1호의 내용과 체계, 입법 취지에 비추어 보면, 행정청은 사람의 건강이나 주변 환경에 영향을 미치는지 여부 등 생활환경과 자연환경에 미치는 영향을 두루 검토하여 폐기물처리사업계획서의 적합 여부를 판단할 수 있으며, 이에 관해서는 행정청에 광범위한 재량권이 인정된다(대판 2019.12.24. 2019두45579).

함께 정리하기

「사립학교법」제20조의2가 정한 임원취임승인 취소처분
▷ 재량행위

개발제한구역 내의 건축허가
▷ 재량행위

구 도시계획법상 도시계획결정
▷ 재량행위

폐기물처리사업계획서의 적합 여부 판단
▷ 재량행위

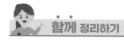
폐기물처리사업계획 적정 통보를 위해 필
요한 기준을 정하는 것
▷ 재량행위

공정거래위원회의 공정거래법 위반행위
자에 대한 과징금 부과처분
▷ 재량행위

표시광고법상 공표명령
▷ 재량행위
공정거래위원장의 시정조치사실 공표명령
▷ 재량행위(대판 2014.6.26. 2012두1525).

가축분뇨 처리방법 변경허가
▷ 재량행위

10-2. 폐기물처리업 허가와 관련된 법령들의 체제 또는 문언을 살펴보면 이들 규정들은 폐기물처리업 허가를 받기 위한 최소한도의 요건을 규정해 두고는 있으나, 사업계획 적정 여부에 대하여는 일률적으로 확정하여 규정하는 형식을 취하지 아니하여 그 사업의 적정 여부에 대하여 재량의 여지를 남겨 두고 있다 할 것이고, 이러한 경우 사업계획 적정 여부 통보를 위하여 필요한 기준을 정하는 것도 역시 행정청의 재량에 속하는 것이다(대판 2004.5.28. 2004두961).

11 공정거래위원회의 공정거래법 위반행위자에 대한 과징금 부과처분 ★★

구 독점규제 및 공정거래에 관한 법률 제6조, 제17조, 제22조, 제24조의2, 제28조, 제31조의2, 제34조의2 등 각 규정을 종합하여 보면, 공정거래위원회는 공정거래법 위반행위에 대하여 과징금을 부과할 것인지 여부와 만일 과징금을 부과할 경우 공정거래법령이 정하고 있는 일정한 범위 안에서 과징금의 액수를 구체적으로 얼마로 정할 것인지에 관하여 재량을 가지고 있으므로, 공정거래위원회의 법 위반행위자에 대한 과징금 부과처분은 재량행위에 해당한다(대판 2018.4.24. 2016두40207).

17. 5급 승진, 12. 국가직 9급 「독점규제 및 공정거래에 관한 법률」상 부당한 공동행위로 인한 위 법률 위반행위에 대한 공정거래위원회의 과징금 부과처분은 재량행위이다. (○)

12 표시광고법상 공표명령 ★

표시광고법 제7조 제1항 제2호·제2항, 시행령 제8조에 따르면, 공정거래위원회는 부당한 표시·광고 행위를 한 사업자에 대하여 시정명령을 받은 사실의 공표를 명할 수 있다. 그 규정의 문언과 공표명령 제도의 취지 등을 고려하면, 공정거래위원회는 그 공표명령을 할 것인지 여부와 공표를 명할 경우에 어떠한 방법으로 공표하도록 할 것인지 등에 관하여 재량을 가진다고 볼 것이다(대판 2014.12.24. 2012두26708).

18. 경찰 3차 판례는 구 「표시 광고의 공정화에 관한 법률」 제7조 제1항 제2호 및 제2항, 구 「표시 광고의 공정화에 관한 법률 시행령」 제8조에 의하여 부당한 표시 광고 행위를 한 사업자에 대하여 공정거래위원회가 공표명령을 할 것인지의 여부를 재량행위로 본다. (○)

13 가축분뇨 처리방법 변경허가 ★★

가축분뇨의 관리 및 이용에 관한 법률(이하 '가축분뇨법'이라 한다)의 입법 목적, 가축분뇨법 제11조 제1항, 제2항, 가축분뇨의 관리 및 이용에 관한 법률 시행령 제7조 제1항, 제2항, 구 가축분뇨의 관리 및 이용에 관한 법률 시행규칙(2020.2.20. 환경부령 제849호로 개정되기 전의 것) 제5조 제1항 제4호의 체제·형식과 문언, 특히 가축분뇨법 제11조 제1항, 제2항에서 배출시설 설치허가와 변경허가의 기준을 따로 구체적으로 정하고 있지는 않은 사정 등을 종합하면, 다음과 같은 결론을 도출할 수 있다. 가축분뇨법에 따른 처리방법 변경허가는 허가권자의 재량행위에 해당한다. 허가권자는 변경허가 신청 내용이 가축분뇨법에서 정한 처리시설의 설치기준(제12조의2 제1항)과 정화시설의 방류수 수질기준(제13조)을 충족하는 경우에도 반드시 이를 허가하여야 하는 것은 아니고, 자연과 주변 환경에 미칠 수 있는 영향 등을 고려하여 허가 여부를 결정할 수 있다. 가축분뇨 처리방법 변경 불허가처분에 대한 사법심사는 법원이 허가권자의 재량권을 대신 행사하는 것이 아니라 허가권자의 공익판단에 관한 재량의 여지를 감안하여 원칙적으로 재량권의 일탈·남용이 있는지 여부만을 판단하여야 하고, 사실오인과 비례·평등원칙 위반 여부 등이 판단 기준이 된다(대판 2021.6.30. 2021두35681).

23. 지방직 7급 「가축분뇨의 관리 및 이용에 관한 법률」에 따른 가축분뇨 처리방법 변경허가는 허가권자의 재량행위에 해당한다. (○)

허가 관련	• 「도로교통법」상 음주측정을 거부한 운전자에 대한 운전면허취소(2003두12042) • 구 「식품위생법」상 대중음식점영업허가(93누2216) • 「식품위생법」상 일반음식점영업허가(97누12532) • 구 「공중위생법」상 위생접객업허가(94누13497) • 구 「대기환경보전법」상 배출시설 설치허가(2012두22799) [기속재량] • 「공중위생관리법」상 숙박업영업신고(2017두34087) [기속재량] • 「건축법」상 일반건축물의 건축허가(2006두1227) [기속재량] • 「산림법」상 산림훼손허가(산림형질변경허가)(2002두12113 ; 2002두6651) [기속재량] • 산림 내에서의 토석채취허가(94누5489) [기속재량] • 입목벌채ㆍ굴채허가(2001두5866) [기속재량] • 사설법인묘지의 설치허가(2007두6106) [기속재량] • 「석유사업법」상 석유판매업등록 또는 허가(98두7503) [기속재량] • 구 「식품위생법」상 광천음료수제조업허가(92누5959) • 북한어린이살리기의약품지원본부에 대한 기부금품모집허가(99두3690) • 주류판매업면허(95누5714)
인가 관련	• 학교법인이사취임승인처분(92누5461) • 토지거래허가(96누9362)
승인 관련	• 건축하려는 자가 제출한 교육환경평가서 승인(2019두45739)
기타	• 국가전력발전업무훈령에서 정한 연구개발확인서 발급(2019다264700) • 국유재산의 무단점유 등에 대한 변상금의 징수(97누4098) 22. 지방직 9급 국유재산의 무단점유에 대한 변상금 징수의 요건은 「국유재산법」에 명백히 규정되어 있으므로 변상금을 징수할 것인가는 처분청의 재량을 허용하지 않는 기속행위이다. (○) • 「지방재정법」상 공유재산 무단점유에 대한 변상금부과처분(97누4098) • 구 「국유재산법」 제51조 제2항에 따른 변상금 연체료 부과처분(2012두16787) • 「국토의 계획 및 이용에 관한 법률 시행령」에서 정한 토지이용의무를 위반한 자에게 부과할 이행강제금 부과기준과 다른 이행강제금액결정(2013두8653) • 법무부장관의 난민인정(2016두42913) 　비교 법무부장관의 난민인정취소ㆍ불허가결정 ▷ 재량행위 • 구 「국적법」상의 귀화요건을 갖추지 못한 경우 귀화불허처분(2016두31616) • 육아휴직 중 복직 요건인 '휴직사유가 없어진 때'에 해당하여 행하는 복직명령(2012두4852) • 「부동산실권리자명의 등기에 관한 법률」상 명의신탁자에 대한 과징금부과(2010두7031) 　비교 동법 시행령상 과징금감경여부 ▷ 재량행위 • 마을버스 운수업자가 유류사용량을 실제보다 부풀려 유가보조금을 과다 지급받은 데 대한 환수처분(2011두3388) 24. 국가직 9급 「여객자동차 운수사업법」에 따르면, 여객자동차 운수사업자가 거짓이나 부정한 방법으로 지급받은 보조금에 대한 국토교통부 장관 또는 시ㆍ도지사의 환수처분은 기속행위에 해당한다. (○) • 경찰공무원의 채용시험에서 부정행위를 한 응시자에 대한 5년간 응시자격제한(2007두18321) • 지방병무청장의 보충역 대상자의 공익근무요원 소집(2002두820) • 의료기관이 「의료법」 제64조 제1항 제8호에 해당하는 경우(2019두57831)

⊕ **핵심정리** 재량행위로 본 판례

특허 관련	• 「국적법」에 의한 귀화허가(2010두6496) • 여객자동차 운송사업에서 운송할 여객 등에 관한 업무의 범위나 기간을 한정하는 면허의 사업계획변경에 대한 인가처분(2011두14685) • 개인택시운송사업면허(97누13061 ; 2009두19137) • 구 「자동차운수사업법」에 의한 자동차운송사업면허(99두6026 ; 90누2918) • 구 「자동차운수사업법」 제4조에 의한 마을버스운송사업면허 및 마을버스 운송사업면허의 허용 여부 및 마을버스 한정면허 시 확정되는 마을버스 노선을 정함에 있어서 기존 일반노선버스의 노선과의 중복 허용정도에 대한 판단(99두3812 ; 2001두10028) • 구 「여객자동차 운수사업법」에 따른 여객자동차 운송사업면허나 운송사업계획 변경인가 여부(2017두33176) • 구 토지이용법상의 사업인정(92누596) • 여객자동차 운송사업자에 대한 휴업허가결정 · 허가기준 설정(2017두51501) • 구 「공유수면매립법」상 공유수면매립면허(88누9206) • 「출입국관리법」상 체류자격변경허가(2015두48846) 22. 지방직 9급 판례에 의하면 「출입국관리법」상 체류자격 변경허가는 재량행위에 해당한다. (○) • 공유수면의 점용 · 사용허가(2017두30139) • 도로점용허가(2002두5795) • 하천점용허가(90누8688) • 「자연공원법」상 자연공원사업시행허가(99두5092) 12. 서울시 9급 판례에 의하면 「자연공원법」상 자연공원사업 시행허가는 재량행위에 해당한다. (○) • 보세구역 설영특허(88누4188) • 재외동포에 대한 사증 발급(2017두38874) • 구 「수도권 대기환경개선에 관한 특별법」상 대기오염물질 총량관리사업장 설치의 허가(2012두22799) 22. 지방직 9급 판례에 의하면 구 「수도권 대기환경개선에 관한 특별법」상 대기오염물질 총량관리사업장 설치허가는 재량행위에 해당한다. (○) • 주택건설사업계획의 승인(2005두13315)
인가 관련	• 「민법」상 비영리법인 설립허가(95누18437) • 구 「주택건설촉진법」상 주택조합설립인가(94누12302) • 구 「자동차관리법」상 시 · 도지사 등의 조합설립인가처분(2013두635) • 「사립학교법」 제20조의2가 정한 임원취임승인 취소처분(2015두56540) • 재단법인의 임원취임에 대한 주무관청의 승인(98두16996) • 공익법인의 기본재산의 처분에 대한 주무관청의 허가(2004다50044) • 사회복지법인의 정관변경의 허가(2000두5661) • 주택재건축사업시행의 인가(2007두6663)
허가 관련	• 구 「도시계획법」상의 개발제한구역 내의 건축허가(2003두12837)와 건축물의 용도변경허가(98두17593) • 유기장영업허가취소(84누147) • 토지의 형질변경허가(98두17845) • 토지의 형질변경행위를 수반하는 건축허가(2004두6181 ; 2013두9625) • 「야생동 · 식물보호법」상 용도변경승인(2010두23033) • 「총포 · 도검 · 화약류단속법」상 총포 등 소지허가(92도2179) 10. 경찰 1차 「총포 · 도검 · 화약류단속법」상 총포 등 소지허가는 기속행위라 할 수 없다. (○) • 「학교보건법」상 학교환경위생정화구역 내에서의 금지행위 및 금지시설의 해제신청에 대하여 신청을 인용하거나 거부하는 처분(96누8253) • 음주운전을 이유로 운전면허취소처분(2017두67476)

판단 여지 관련	• 구「사법시험령」상 사법시험 문제 출제행위(99다33960) • 공무원임용을 위한 면접전형에서 임용신청자의 능력이나 적격성 등에 관한 면접위원의 판단(97누11911) • 교과서검정(91누6634) • 구「지가공시 및 토지등의 평가에 관한 법률 시행령」상 감정평가사 시험의 합격기준선택(96누6882) • 개발제한구역에서의 자동차용 액화석유가스충전사업허가(2015두52432) •「국토계획법」이 정한 용도지역 안에서의 건축허가(2016두55490) •「의료법」제59조 제1항에서 정한 지도와 명령의 요건에 해당하는지, 요건에 해당하는 경우 행정청이 어떠한 종류와 내용의 지도나 명령을 할 것인지의 판단(2013두21120) • 구「전염병예방법」상 예방접종으로 인한 질병, 장애 또는 사망의 인정여부결정(2014두274) •「국토계획법」상 개발행위허가와「농지법」상 농지전용허가·협의(2017두48956) •「문화재보호법」상 건설공사를 계속하기 위한 고분발굴허가(99두264) • 공무원임용을 위한 면접전형에서 임용신청자의 능력이나 적격성 등에 관한 면접위원의 판단(97누11911)
행정 계획 관련	• 구「도시계획법」상 도시계획결정(96누8567) • 도시계획법령상 용도지역지정·변경행위(2002두5474) •「도로법」상 도로구역결정행위(2015두35215)
기타	• 공정거래위원회의 공정거래법 위반행위자에 대한 과징금 부과처분(2016두40207) • 폐기물처리사업계획서의 적합 여부의 판단(2019두45579) 및 필요한 기준을 정하는 것(2004두961) • 도시·군계획시설사업 시행자지정 및 협약체결 등을 위하여 순위를 정하여 그 제안을 받아들이거나 거부하는 행위 또는 특정 제안자를 우선협상자로 지정하는 행위(2017두43319) • 표시광고법상 공표명령(2012두26708) • 공정거래위원장의 시정조치사실 공표명령(2012두1525) • 대규모유통업에서의 거래 공정화에 관한 법령상 공정거래위원회가 정하는 위반행위별 과징금 산정기준(2015두36010) • 유족 중 일부가 다른 유족들의 동의 없이 국립묘지 외의 장소로 이장하겠다는 신청(2017두50690) • 가축분뇨 처리방법 변경허가(2021두35681)

3 재량의 하자(재량권의 한계)

1. 재량하자의 의의

행정청에게 재량권이 부여된 경우에도 그것은 의무에 합당한 재량이어야 하므로 재량권이 주어진 목적과 한계 내에서 행사되어야 한다. 만일 행정청의 재량행사가 그 목적과 한계를 벗어나면 재량에 하자가 있는 것이 되고 위법한 것이 되어 행정소송의 심사대상이 된다. 이와 같이 재량권의 한계를 넘는 것, 즉 재량의 하자를 재량의 일탈 또는 남용이라고 한다. 반면, 행정청의 재량행사가 재량권이 주어진 목적과 한계 내에서 행사되는 경우에는 당·부당의 문제가 되며 행정심판의 심판대상이 될 수 있으나 행정소송의 심사대상은 되지 못한다.❶

재량행사가 재량의 한계를 넘거나 남용이 있는 경우(위법한 행위)
▷ 행정심판·행정소송의 대상O

단순히 재량을 그르친 경우(부당한 행위)
▷ 행정심판의 통제대상O
▷ 행정소송의 통제대상✕

❶
재량권의 행사가 재량의 한계 내에 있지만 합목적적이지 못한 경우로서 그보다 더 합리적인 결정을 할 수 있었던 경우에 이는 부당(적법하나 최선이 아닌 상태)한 처분으로서 행정심판의 대상은 되지만 행정소송의 대상은 되지 않는다.

16. 교행 재량권의 일탈·남용이 있으면 위법하다. (O)

06. 국가직 9급 단순한 재량위반은 부당함에 그치는 것이나 그 일탈, 남용은 당해 재량행위를 위법하게 만든다. (O)

21. 소방직 재량행위가 법령이나 평등원칙을 위반한 경우뿐만 아니라 합목적성의 판단을 그르친 경우에도 위법한 처분으로서 행정소송의 대상이 된다. (×) → × / 에는 부당한 처분으로서 위법이 아니므로 / 되지 않는다

23. 국가직 7급 재량행위에 대한 법원의 심사는 재량권의 일탈 또는 남용 및 재량권의 한계 내에서의 행정청의 판단, 즉 합목적성 내지 공익성의 판단 등을 대상으로 한다. (×) → ×

⚖ 관련판례

재량권의 남용이나 재량권의 일탈의 경우에는 그 재량권이 기속재량이거나 자유재량이거나를 막론하고 사법심사의 대상이 된다(대판 1984.1.31. 83누451). ★

08. 지방직 9급 종전에는 무엇이 '법' 또는 '공익'인가를 기준으로 기속재량과 자유재량을 구분하였으나 판례는 양자가 모두 사법심사의 대상이 된다고 보고 있다. (O)

기속재량이거나 자유재량이거나를 막론하고 재량권의 남용·일탈의 경우
▷ 사법심사 대상○

재량권의 행사가 법적 한계를 넘거나 그 남용이 있는 경우(재량의 일탈·남용)
▷ 사법심사 대상○

2. 실정법의 규정

행정청에게 재량권이 부여된 경우에는 관련 이익을 정당하게 형량하여야 하며 그 재량권의 범위를 넘어서면 안 된다(「행정기본법」 제21조). 만약 이러한 한계를 넘는 행위에 대해서는 재량의 하자가 인정되어 법원은 이를 취소할 수 있다(「행정소송법」 제27조). 재량의 한계를 넘지는 않았으나 그렇다고 타당하다고 할 수도 없는 경우, 즉 부당한 행위는 행정소송을 통해서 구제받을 수는 없으나 행정심판을 통해서는 구제받을 수 있다(「행정심판법」 제1조, 제5조).

> **「행정기본법」 제21조【재량행사의 기준】** 행정청은 재량이 있는 처분을 할 때에는 관련 이익을 정당하게 형량하여야 하며, 그 재량권의 범위를 넘어서는 아니 된다.
>
> **「행정소송법」 제27조【재량처분의 취소】** 행정청의 재량에 속하는 처분이라도 재량권의 한계를 넘거나 그 남용이 있는 때에는 법원은 이를 취소할 수 있다.
>
> **「행정심판법」 제1조【목적】** 이 법은 행정심판 절차를 통하여 행정청의 위법 또는 <u>부당</u>한 처분(處分)이나 부작위(不作爲)로 침해된 국민의 권리 또는 이익을 구제하고, 아울러 행정의 적정한 운영을 꾀함을 목적으로 한다.
>
> **제5조【행정심판의 종류】** 행정심판의 종류는 다음 각 호와 같다.
> 1. 취소심판: 행정청의 위법 또는 <u>부당</u>한 처분을 취소하거나 변경하는 행정심판
> 3. 의무이행심판: 당사자의 신청에 대한 행정청의 위법 또는 <u>부당</u>한 거부처분이나 부작위에 대하여 일정한 처분을 하도록 하는 행정심판

22. 서울시 7급, 15. 경찰 3차, 13. 지방직 7급, 12. 지방직 9급, 10. 국가직 9급 등 행정청의 재량에 속하는 처분이라도 재량권의 한계를 넘거나 그 남용이 있는 때에는 법원은 이를 취소할 수 있다. (O)

10. 경찰 1차 「행정소송법」 제27조는 "행정청의 재량에 속하는 처분이라도 재량권의 한계를 넘거나 그 남용이 있는 때에는 법원은 이를 취소할 수 있다."라고 규정하고 있다. (O)

17. 경찰 2차 「행정소송법」 제27조에 의하면 행정청의 재량에 속하는 처분이라도 재량권의 한계를 넘거나 그 남용이 있는 때에는 법원은 이를 취소하여야 한다. (×) → 할 수 있다

09. 국가직 9급 재량행위가 그 한계를 넘거나 남용이 있더라도 법원은 이를 취소할 수 없다. (×) → 있는 때에는 / 있다

3. 재량하자(위법)의 유형

재량하자에는 ① 재량권의 일탈(유월), ② 재량권의 남용, ③ 재량권의 불행사와 해태가 존재한다. 재량권의 일탈·남용을 구분하는 것은 학설의 입장이고, 판례는 재량권의 일탈과 재량권의 남용을 명확히 구분하지 않고 재량권의 행사에 '재량권의 일탈 또는 남용'이 없는지 여부를 판단한다.

15. 국가직 9급 판례는 재량권의 일탈과 재량권의 남용을 명확히 구분하고 있다. (×) → 명확히 구분하지 않고 있다

(1) 재량권의 일탈(유월)

법률의 외적 한계(즉, 법적·객관적 한계)를 넘어 재량권이 행사된 경우를 말한다(예 법률이 정한 액수 이상의 과태료를 부과한 처분, 「식품위생법」이 6개월의 한도 내에서 영업정지처분을 할 수 있다는 규정하고 있음에도 불구하고 행정청이 1년의 영업정지 처분 또는 영업허가를 취소 결정을 내리는 경우 등).

14. 서울시 9급 법이 정한 재량권의 외적 한계를 넘어선 경우를 재량의 일탈이라 한다. (○)
11. 사복직 법률에서 정한 액수 이상의 과태료를 부과한 처분은 **부당한** 처분이다. (×) → 위법

(2) 재량권의 남용

① **의의**: 법률의 외적 한계는 넘지 않았으나 재량권을 부여한 법의 목적이나 행정법의 일반원칙 등 내적 한계를 넘어 재량권이 행사된 경우를 말한다.

15. 국가직 9급 재량권의 일탈이란 재량권의 내적 한계를 벗어난 것을 말하고, 재량권의 남용이란 재량권의 외적 한계를 벗어난 것을 말한다. (×) → 외적 / 내적

② **재량권의 남용의 경우**

㉠ **목적위반 및 동기의 부정**: 재량권의 행사가 법률이 정한 목적과 다르게 행사되거나 부정한 동기에 의해 행사된 경우에는 재량권의 남용으로 위법하다(예 소방관이 화재의 예방·진압을 목적으로 가택을 출입하는 경우가 아니라 범죄예방을 위해 출입한 경우).

11. 사복직 재량권의 행사가 법률이 정한 목적과 다르게 행사되거나 부정한 동기에 의해 행사된 경우 당해 재량처분은 위법한 것이 된다. (○)

㉡ **사실의 오인**: 사실의 존부에 대한 판단에는 재량권이 인정될 수 없으므로 사실을 오인하여 재량권을 행사한 경우(예 위법사실이 없음에도 불구하고 영업허가를 철회하는 경우)에는 그 처분은 위법하다(대판 2001.7.27. 99두2970).

20. 국가직 7급 사실의 존부에 대한 판단에도 재량권이 인정될 수 있으므로, 사실을 오인하여 재량권을 행사한 경우라도 처분이 위법한 것은 아니다. (×) → 없으므로 / 경우에는 / 하다
17. 교행 사실을 오인하여 재량권을 행사한 처분은 위법하다. (○)

㉢ **행정법의 일반원칙 위반**: 재량권 행사가 평등의 원칙, 비례의 원칙, 부당결부금지의 원칙 등 행정법의 일반원칙을 위반한 경우에는 재량권의 남용으로 위법하다(대판 2001.2.9. 98두17593).

15. 서울시 7급 재량행위에 있어서도 비례원칙을 위반하는 경우에는 위법한 행위가 된다. (○)
11. 사복직 재량의 범위를 넘지는 않았지만 평등원칙에 위반한 처분은 **부당한** 처분이다. (×) → 위법한

제재적 행정처분이 재량권의 범위를 일탈·남용하였는지 여부의 판단 기준
▷ 공익침해의 정도와 개인이 입게 될 불이익을 비교·교량하여 판단

제재적 행정처분이 재량권의 범위를 일탈·남용하였는지 여부는 공익침해의 정도와 그 처분으로 인하여 개인이 입게 될 불이익을 비교·교량하여 판단하여야 한다. ★★

제재적 행정처분이 사회통념상 재량권의 범위를 일탈하였거나 남용하였는지 여부는 처분사유로 된 위반행위의 내용과 당해 처분행위에 의하여 달성하려는 공익목적 및 이에 따르는 제반 사정 등을 객관적으로 심리하여 공익침해의 정도와 그 처분으로 인하여 개인이 입게 될 불이익을 비교·교량하여 판단하여야 한다(대판 2001.3.9. 99두 5207 ; 대판 2016.6.28. 2014두2638 ; 대판 2017.12.28. 2015두56540).

12. 사복직 제재적 행정처분이 사회통념상 재량권의 범위를 일탈하였거나 남용하였는지 여부는 처분사유로 된 위반행위의 내용과 당해 처분행위에 의하여 달성하려는 공익목적 및 이에 따르는 제반 사정 등을 객관적으로 심리하여 공익침해의 정도와 그 처분으로 인하여 개인이 입게 될 불이익을 비교·교량하여 판단하여야 한다. (○)

재량의 불행사
▷ 재량권을 전혀 행사하지 않은 경우

재량의 해태
▷ 재량권을 충분히 행사하지 않는 경우(고려해야 할 사정 불충분 고려)

재량을 불행사·해태한 행정행위
▷ 위법한 행위

(3) 재량권의 불행사와 해태(재량의 결여·재량권 미달)

① 재량권의 불행사란 행정청이 법령상 재량권이 있음에도 과실로 또는 법령의 규정을 잘못 해석하여 부작위의무가 있다고 판단하여 재량권을 전혀 행사하지 않은 경우를 말한다(예 행정기관이 재량행위를 기속행위로 오인하여 재량권을 행사하지 않은 경우).

② 재량권의 해태란 재량권을 행사함에 있어 고려할 구체적 사정에 대한 고려를 하였지만 충분히 고려하지 않은 경우를 말한다(예 재량권 행사 시 고려하여야 하는 관계 이익(공익 및 사익)을 충분히 고려하지 않은 경우).

11. 사복직 고려해야 할 구체적 사정을 고려하지 않고 재량권을 행사한 처분은 ~~부당한~~ 처분이다. (×) → 위법

③ 재량의 해태는 재량의 불행사에 포함된다고 볼 수 있으며, 재량을 불행사한 행정행위는 위법한 행위가 된다.

15. 국가직 9급 재량권의 불행사는 재량권을 충분히 행사하지 않은 경우는 ~~포함되지 않는다~~. (×) → 된다

재량을 불행사한 행정행위는 위법한 행위가 된다. ★★

(처분의 근거 법령이 행정청에 처분의 요건과 효과 판단에 일정한 재량을 부여하였는데도, 행정청이 처분으로 달성하려는 공익과 처분상대방이 입게 되는 불이익을 전혀 비교형량 하지 않은 채 처분을 한 경우, 재량권 일탈·남용으로 해당 처분을 취소해야 할 위법사유가 되는지 여부) 처분의 근거 법령이 행정청에 처분의 요건과 효과 판단에 일정한 재량을 부여하였는데도, 행정청이 자신에게 재량권이 없다고 오인한 나머지 처분으로 달성하려는 공익과 그로써 처분상대방이 입게 되는 불이익의 내용과 정도를 전혀 비교형량하지 않은 채 처분을 하였다면, 이는 재량권 불행사로서 그 자체로 재량권 일탈·남용으로 해당 처분을 취소하여야 할 위법사유가 된다(대판 2019.7.11. 2017두 38874).

23. 지방직 7급, 20. 변호사 처분의 근거법령이 행정청에 처분 요건과 효과 판단에 일정한 재량을 부여하였는데도, 행정청이 자신에게 재량권이 없다고 오인하여 처분으로 달성하려는 공익과 그로써 처분상대방이 입게 되는 불이익의 내용과 정도를 전혀 비교형량하지 않은 채 처분을 하였다면, 이는 재량권 불행사로서 그 자체로 재량권 일탈·남용에 해당된다. (○)

처분의 근거법령이 행정청에 일정한 재량을 부여하였는데도, 행정청이 전혀 비교형량하지 않은 채 처분
▷ 재량권의 불행사로서 그 자체로 위법○

4. 구체적 판례

(1) 재량의 일탈·남용으로 인정되는 경우

⚖ 관련판례

1 법령에 과징금의 임의적 감경사유가 있음에도 이를 전혀 고려하지 않거나 감경사유에 해당하지 않는다고 오인하여 과징금을 감경하지 아니한 과징금 부과처분 ★★★

1-1. 실권리자명의 등기의무를 위반한 명의신탁자에 대하여 부과하는 과징금의 감경에 관한 '부동산 실권리자명의 등기에 관한 법률 시행령' 제3조의2 단서는 임의적 감경규정임이 명백하므로, 그 감경사유가 존재하더라도 과징금 부과관청이 감경사유까지 고려하고도 과징금을 감경하지 않은 채 과징금 전액을 부과하는 처분을 한 경우에는 이를 위법하다고 단정할 수는 없으나, 위 감경사유가 있음에도 이를 전혀 고려하지 않았거나 감경사유에 해당하지 않는다고 오인한 나머지 과징금을 감경하지 않았다면 그 과징금 부과처분은 재량권을 일탈·남용한 위법한 처분이라고 할 수밖에 없다(대판 2010.7.15. 2010두7031).

20. 소방직, 17. 지방직 7급 법이 과징금 부과처분에 대한 임의적 감경규정을 두었다면 감경여부는 행정청의 재량에 속한다고 할 것이나, 행정청이 감경사유가 있음에도 이를 전혀 고려하지 않았거나 감경사유에 해당하지 않는다고 오인한 나머지 과징금을 감경하지 않았다면 그 과징금 부과처분은 재량권을 일탈·남용한 위법한 처분으로 보아야 한다. (○)

20. 변호사 실권리자명의 등기의무를 위반한 명의신탁자에 대한 과징금 부과와 관련하여 임의적 감경규정이 존재하는 경우, 그 감경규정에 따른 감경사유가 존재하여 이를 고려하고도 과징금을 감경하지 않은 것을 위법하다고 단정할 수는 없으므로, 감경사유를 전혀 고려하지 않았거나 감경사유에 해당하지 않는다고 오인하여 과징금을 감경하지 않았다 ~~해도 그 과징금 부과처분이 재량권을 일탈·남용한 위법한 처분이라고 할 수 없다.~~ (×) → 없으나 / 않았다면 / 할 수밖에 없다

1-2. 부동산 실권리자명의 등기에 관한 법률 시행령 제4조의2 단서는 조세를 포탈하거나 법령에 의한 제한을 회피할 목적이 아닌 경우에 과징금의 100분의 50을 감경할 수 있다고 규정하고 있고, 이는 임의적 감경규정임이 명백하므로, 감경사유가 존재하더라도 과징금 부과관청이 감경사유까지 고려하고도 과징금을 감경하지 않은 채 과징금 전액을 부과하는 처분을 한 경우에는 이를 위법하다고 단정할 수는 없으나, 행정행위를 함에 있어 이익형량을 전혀 하지 아니하거나 이익형량의 고려대상에 마땅히 포함시켜야 할 사항을 누락한 경우 또는 이익형량을 하였으나 정당성·객관성이 결여된 경우에는 그 행정행위는 재량권을 일탈·남용한 위법한 처분이라고 할 수밖에 없는바, 기록에 의하면, 피고는 이 사건 과징금 부과처분 과정에서 원고에게 부동산실명법 시행령 제4조의2 단서 소정의 과징금 감경사유가 있음에도 이를 전혀 고려하지 않았거나 감경사유에 해당하지 않는다고 오인한 결과 부동산실명법 시행령 제4조의2 본문 [별표]에 의하여 산정한 과징금 전액을 부과한 것으로 보이므로, 이 사건 과징금 부과처분은 마땅히 고려대상에 포함시켜야 할 사항을 누락하였거나 고려대상에 관한 사실을 오인한 경우에 해당하여 재량권을 일탈·남용한 위법한 처분이라고 할 수밖에 없다(대판 2005.9.15. 2005두3257).

⊕ 비교

명의신탁자에 대한 과징금 부과는 기속행위이다. 법정감경사유가 있다면 100분의 50을 경감할 수 있을 뿐 과징금을 부과하지 아니할 권한은 없다(대판 2007.7.12. 2005두17287).

2 감경에 관한 참작 사유가 있음에도 이를 전혀 고려하지 않거나 감경 사유에 해당하지 않는다고 오인하여 영업정지 기간을 감경하지 아니한 영업정지처분 ★★

행정청이 건설산업기본법 및 구 건설산업기본법 시행령 규정에 따라 건설업자에 대하여 영업정지 처분을 할 때 건설업자에게 영업정지 기간의 감경에 관한 참작 사유가 존재하는 경우, 행정청이 그 사유까지 고려하고도 영업정지 기간을 감경

제2편 행정작용법 해가소공원 함수인 행정법총론 기본서

과징금의 임의적 감경사유가 존재하는 경우
▷ 감경사유를 고려하고도 감경하지 않은 채 과징금 부과: 위법×
▷ 감경사유를 전혀 고려하지 않거나 감경사유에 해당하지 않는다고 오인하여 감경하지 않은 채 과징금 부과: 위법○(재량권의 일탈·남용○)

건설업자에게 영업정지기간의 감경에 관한 참작 사유가 존재하는 경우
▷ 행정청이 그 사유까지 고려하고도 영업정지기간을 감경하지 아니한 채 영업정지처분: 위법×
▷ 행정청이 그 사유가 있음에도 이를 전혀 고려하지 않거나 감경 사유에 해당하지 않는다고 오인하여 감경하지 아니한 채 영업정지처분: 위법○(재량권 일탈·남용○)

하지 아니한 채 시행령 제80조 제1항 [별표 6] '2. 개별기준'이 정한 영업정지 기간 대로 영업정지 처분을 한때에는 이를 위법하다고 단정할 수 없으나, 위와 같은 사유가 있음에도 이를 전혀 고려하지 않거나 그 사유에 해당하지 않는다고 오인한 나머지 영업정지 기간을 감경하지 아니하였다면 영업정지 처분은 재량권을 일탈·남용한 위법한 처분이다(대판 2016.8.29. 2014두45956).

민원조정위원회의 심의과정에서 고려대상에 마땅히 포함시켜야 할 사항을 누락한 채 행해진 처분
▷ 위법O(재량권 일탈·남용O)

3 행정기관의 장의 거부처분이 사전통지의 흠결로 민원인에게 의견진술의 기회를 주지 아니한 결과 민원조정위원회의 심의과정에서 고려대상에 마땅히 포함시켜야 할 사항을 누락하는 등 재량권의 불행사 또는 해태로 볼 수 있는 구체적 사정이 있는 경우 ★★

민원사무를 처리하는 행정기관이 민원 1회 방문 처리제를 시행하는 절차의 일환으로 민원사항의 심의·조정 등을 위한 민원조정위원회를 개최하면서 민원인에게 회의일정 등을 사전에 통지하지 아니하였다 하더라도, 이러한 사정만으로 곧바로 민원사항에 대한 행정기관의 장의 거부처분에 취소사유에 이를 정도의 흠이 존재한다고 보기는 어렵다. 다만, 행정기관의 장의 거부처분이 재량행위인 경우에, 위와 같은 사전통지의 흠결로 민원인에게 의견진술의 기회를 주지 아니한 결과 민원조정위원회의 심의과정에서 고려대상에 마땅히 포함시켜야 할 사항을 누락하는 등 재량권의 불행사 또는 해태로 볼 수 있는 구체적 사정이 있다면, 거부처분은 재량권을 일탈·남용한 것으로서 위법하다(대판 2015.8.27. 2013두1560).

18. 경찰 2차 민원사무를 처리하는 행정기관이 민원 1회 방문 처리제를 시행하는 절차의 일환으로 민원사항의 심의·조정 등을 위한 민원조정위원회를 개최하면서 사전통지의 흠결로 민원인에게 의견진술의 기회를 주지 아니한 결과 민원조정위원회의 심의과정에서 고려대상에 마땅히 포함시켜야 할 사항을 누락하는 등 재량권의 불행사 또는 해태로 볼 수 있는 구체적 사정이 있다면, 거부처분은 재량권을 일탈·남용한 것으로서 위법하다. (O)

경찰공무원에 대한 징계위원회의 심의과정에 감경사유에 해당하는 공적 사항이 제시되지 아니한 경우의 징계처분
▷ 위법O(징계양정의 적정성과 무관)

4 경찰공무원에 대한 징계위원회의 심의과정에 감경사유에 해당하는 공적 사항이 제시되지 아니한 경우의 징계처분 ★★

경찰공무원에 대한 징계위원회의 심의과정에 감경사유에 해당하는 공적 사항이 제시되지 아니한 경우에는 그 징계양정이 결과적으로 적정한지와 상관없이 이는 관계 법령이 정한 징계절차를 지키지 않은 것으로서 위법하다(대판 2012.10.11. 2012두13245).

20. 변호사 경찰공무원에 대한 징계위원회 심의과정에서 감경사유에 해당하는 공적(功績) 사항이 제시되지 아니한 경우에는 징계양정 결과가 적정한지 여부와 무관하게 징계처분은 위법하다. (O)

구체적이고 합리적인 이유의 제시 없이 한 폐기물처리업사업계획 부적정통보
▷ 위법O

5 구체적이고 합리적인 이유의 제시 없이 한 폐기물처리업사업계획 부적정 통보 ★★

폐기물처리업 허가에 설정된 기준이 객관적으로 합리적이 아니라거나 타당하지 않다고 보이는 경우 또는 그러한 기준을 설정하지 않은 채 구체적이고 합리적인 이유의 제시 없이 사업계획의 부적정 통보를 하거나 사업계획서를 반려하는 경우에까지 단지 행정청의 재량에 속하는 사항이라는 이유만으로 그 행정청의 의사를 존중하여야 하는 것은 아니고, 이러한 경우의 처분은 재량권을 남용하거나 그 범위를 일탈한 조치로서 위법하다(대판 2004.5.28. 2004두961).

12. 경찰 3차 폐기물처리업 허가와 관련된 사업계획 적정 여부에 관하여 구체적이고 합리적인 이유의 제시 없이 사업계획의 부적정 통보를 하거나 사업계획서를 반려하는 경우는 재량권의 일탈·남용에 해당한다. (O)

입찰담합에 부과되는 과징금의 액수가 균형을 상실한 경우
▷ 위법O

6 입찰담합에 부과되는 과징금의 액수가 균형을 상실한 경우 ★

입찰담합에 의한 부당한 공동행위에 대하여 부과되는 과징금의 액수는 해당 입찰담합의 구체적 태양 등에 기하여 판단되는 위법성의 정도뿐만 아니라 그로 인한 이득액의 규모와도 상호 균형을 이룰 것이 요구되고, 이러한 균형을 상실할 경우에는 비례의 원칙에 위배되어 재량권의 일탈·남용에 해당할 수 있다(대판 2017.4.27. 2016두33360).

7 임원의 직접관여라는 사유로 과징금을 가중하였으나, 간접적으로 관여하는 데 그쳤다는 등의 특별한 사정이 있는 경우, 과징금부과처분 ★

공정거래위원회가 고위 임원이 위반행위에 '직접 관여'한 경우라고 보아 위 고시 조항을 적용하여 과징금을 가중하였으나, 관여행위가 단순히 위반행위에 관하여 보고를 받고도 이를 제지하지 않는 경우처럼 간접적으로 관여하는 데 그쳤다는 등의 특별한 사정이 있다면, 그와 같이 산정한 과징금부과처분은 재량권 일탈·남용에 해당하여 위법하다고 볼 수 있다(대판 2018.11.15. 2016두48737).

> **비교**
> 공정거래위원회가 비등기 임원이 위반행위에 직접 관여한 경우도 고시조항의 적용대상이라고 보아 과징금을 가중하였더라도 재량권을 일탈·남용한 위법이 없다(대판 2017.1.12. 2016두35199).

8 북한 어린이에게 의약품을 지원하기 위한 모금행위 불허 ★★

준조세 폐해 근절 및 경제난 극복을 이유로 북한어린이를 위한 의약품 지원을 위하여 성금 및 의약품 등을 모금하는 행위 자체를 불허한 것이 재량권의 일탈·남용 및 비례의 원칙에 위반된다(대판 1999.7.23. 99두3690).

11. 국회직 8급 '준조세 폐해 근절 및 경제난 극복'이라는 이유를 내세워 북한 어린이를 위한 의약품지원을 위하여 성금 및 의약품 등을 모금하는 행위 자체를 불허한 것은 재량권의 일탈 또는 남용이다. (○)

9 공무원의 동의 없는 전출명령에 그 공무원이 따르지 않았다고 하여 내린 감봉 3월의 징계처분 ★★

지방공무원 A는 자신의 동의 없이 다른 지방자치단체로의 전출명령을 받았다. A는 그 전출명령이 위법하다고 주장하면서 전출받은 근무지에 출근하지 아니하였고, 이에 대해 감봉 3월의 징계처분이 내려졌다. 당해 공무원의 동의 없는 지방공무원법 제29조의3의 규정에 의한 전출명령은 위법하여 취소되어야 하므로, 그 전출명령이 적법함을 전제로 내린 감봉 3월의 징계처분은 그 전출명령이 공정력에 의하여 취소되기 전까지는 유효하다고 하더라도 징계양정에 있어 재량권을 일탈하여 위법하다고 할 것이다(대판 2001.12.11. 99두1823).

14. 변호사 지방공무원 甲이 그에 대한 임명권자를 달리하는 지방자치단체로의 전출명령이 동의 없이 이루어진 것으로 위법하다고 주장하면서 전출받은 근무지에 출근하지 아니하자 이에 대하여 감봉 3개월의 징계처분이 내려진 경우, 위 전출명령이 위법한 것으로 취소되어야 하므로 비록 위 전출명령이 공정력에 의하여 취소되기 전까지는 유효한 것으로 취급되어야 하더라도 징계양정에 있어서는 결과적으로 재량권을 일탈한 위법이 있다. (○)

10 사업시행자가 공익사업을 위한 토지보상법에 따른 사업인정을 받은 후 해당 공익사업을 수행할 의사나 능력을 상실하였음에도 수용권을 행사하는 것 ★★

공용수용은 헌법상의 재산권 보장의 요청상 불가피한 최소한에 그쳐야 한다는 헌법 제23조의 근본취지에 비추어 볼 때, 사업시행자가 사업인정을 받은 후 그 사업이 공용수용을 할 만한 공익성을 상실하거나 사업인정에 관련된 자들의 이익이 현저히 비례의 원칙에 어긋나게 된 경우 또는 사업시행자가 해당 공익사업을 수행할 의사나 능력을 상실하였음에도 여전히 그 사업인정에 기하여 수용권을 행사하는 것은 수용권의 공익 목적에 반하는 수용권의 남용에 해당하여 허용되지 않는다(대판 2011.1.27. 2009두1051).

19. 경찰 사업시행자가 「공익사업을 위한 토지 등의 취득 및 보상에 관한 법률」에 따른 사업인정을 받은 후 해당 공익사업을 수행할 의사나 능력을 상실하였음에도 수용권을 행사하는 것은 수용권의 공익목적에 반하는 수용권의 남용에 해당하므로 허용되지 않는다. (○)

13. 국회직 8급 사업시행자가 사업인정을 받은 이후 수용재결 당시 사업을 수행할 능력을 상실한 상태에서 수용재결을 신청하여 그 재결을 받았다 하더라도 수용권의 남용에 해당한다고 볼 수 없다. (✕) → 있다

함께 정리하기

임원의 직접관여라는 사유로 과징금을 가중하였으나, 간접적으로 관여하는 데 그쳤다는 특별한 사정이 있는 경우 과징금부과처분
▷ 위법○

북한 어린이에게 의약품을 지원하기 위한 모금행위 불허
▷ 위법○

공무원의 동의 없는 전출명령에 공무원이 따르지 않았다고 하여 내린 감봉 3월의 징계처분
▷ 위법○

사업시행자가 공익사업을 수행할 의사나 능력을 상실하였음에도 수용권을 행사
▷ 위법○(수용권의 남용)

(2) 재량의 일탈·남용으로 인정되지 않은 경우

🔨 관련판례

하자가 있는 난민인정결정의 취소
▷ 위법×

1 하자가 있는 난민인정결정에 대한 법무부장관의 취소처분 ★★

출입국관리법 제76조의3 제1항 제3호는 거짓 진술이나 사실은폐 등으로 난민인정 결정을 하는 데 하자가 있음을 이유로 이를 취소하는 것이므로, 당사자는 애초 난민인정 결정에 관한 신뢰를 주장할 수 없음은 물론 행정청이 이를 고려하지 않았다고 하더라도 재량권을 일탈·남용하였다고 할 수 없다(대판 2017.3.15. 2013두16333).

20. 국회직 9급 「출입국관리법」에 따라 거짓진술이나 사실은폐 등으로 난민인정 결정을 하는 데 하자가 있음을 이유로 법무부장관이 난민인정결정을 취소한 처분은 재량의 일탈 또는 남용에 해당하지 않는다. (○)

대학교 교비회계자금을 법인회계로 부당 전출하고 시정요구를 이행하지 아니한 임원취임승인취소처분
▷ 위법×

2 대학교 교비회계자금을 법인회계로 전출하고 시정요구를 이행하지 아니한 임원취임승인취소처분 ★★

학교법인의 임원취임승인취소처분에 대한 취소소송에서, 교비회계자금을 법인회계로 부당 전출한 위법성의 정도와 임원들의 이에 대한 가공의 정도가 가볍지 아니하고, 학교법인이 행정청의 시정요구에 대하여 이를 시정하기 위한 노력을 하였다고는 하나 결과적으로 대부분의 시정 요구사항이 이행되지 아니하였던 사정 등을 참작하여, 위 취소처분이 재량권을 일탈·남용하였다고 볼 수 없다(대판 2007.7.19. 2006두19297 전합).

22. 소방직 학교법인의 임원이 교비회계 자금을 법인회계로 부당전출하였고, 업무 집행에 있어서 직무를 태만히 하여 학교법인이 이를 시정하기 위한 노력을 하였으나 결과적으로 대부분의 시정 요구 사항이 이행되지 아니하였던 점 등을 고려하면, 교육부장관의 임원승인취소처분은 재량권을 일탈·남용한 것으로 볼 수 없다. (○)

11. 경찰 1차, 09. 지방직 7급, 08. 국회직 8급 판례에 의하면 학교법인의 임원취임승인취소처분에 대한 취소소송에서, 교비회계자금을 법인회계로 부당전출한 위법성의 정도와 임원들의 이에 대한 가공의 정도가 가볍지 아니하고, 학교법인이 행정청의 대부분의 시정요구사항을 이행하지 아니하였던 사정 등을 참작하더라도, 위 취소처분은 재량권의 일탈·남용에 해당한다. (×)
→ 해당하지 않는다

문화재를 원형 그대로 보존하기 위한 선도산 고분 발굴불허가처분
▷ 위법×

3 신라시대의 주요한 역사·문화적 유적이 다수 소재한 선도산에 위치한 고분에 대한 발굴불허가처분 ★★

구 문화재보호법 제44조 제1항 단서 제3호의 규정에 의하여 문화체육부장관 또는 그 권한을 위임 받은 문화재관리국장 등이 건설공사를 계속하기 위한 발굴허가신청에 대하여 그 공사를 계속하기 위하여 부득이 발굴할 필요가 있는지의 여부를 결정하여 발굴을 허가하거나 이를 허가하지 아니함으로써 원형 그대로 매장되어 있는 상태를 유지하는 조치는 허가권자의 재량행위에 속하는 것이므로, … 행정청이 매장문화재의 원형보존이라는 목표를 추구하기 위하여 구 문화재보호법 등 관계 법령이 정하는 바에 따라 내린 전문적·기술적 판단은 특별히 다른 사정이 없는 한 이를 최대한 존중하여야 한다. … 신라시대의 주요한 역사·문화적 유적이 다수 소재한 선도산에 위치한 고분에 대한 발굴불허가처분은 재량권의 일탈 또는 남용이 아니라고 할 것이다(대판 2000.10.27. 99두264).

14. 지방직 7급 판례에 의하면 건설공사를 계속하기 위한 매장문화재의 발굴허가신청에 대하여, 이를 원형 그대로 매장되어 있는 상태를 유지하기 위해 「문화재보호법」 등 관계 법령이 정하는 바에 따라 내린 허가권자의 불허가 조치는 재량권의 일탈·남용에 해당하지 아니한다. (○)

개발제한구역 내에서의 건축물의 건축 등에 대한 예외적 허가
▷ 위법×

4 개발제한구역 내에서의 건축물의 건축 등에 대한 예외적 허가 ★★

개발제한구역 내에서의 건축물의 건축 등에 대한 예외적 허가는 그 상대방에게 수익적인 것으로서 재량행위에 속하는 것이라고 할 것이므로 그에 관한 행정청의

판단이 사실오인, 비례·평등의 원칙 위배, 목적 위반 등에 해당하지 아니하는 이상 재량권의 일탈·남용에 해당한다고 할 수 없다(대판 2004.7.22. 2003두7606).

18. 경찰 2차, 14. 지방직 7급 개발제한구역 내에서의 건축물의 건축 등에 대한 예외적 허가는 재량행위에 속하는 것이며, 그에 관한 행정청의 판단이 비례·평등의 원칙 위배, 목적 위반 등에 해당하지 아니하는 이상 이를 재량권의 일탈·남용에 해당한다고 할 수 없다. (○)

5 대학교원 기간임용제에 따라 임용된 사립대학 교원에게 사립학교법에서 정한 면직사유가 발생하였으나 면직처분을 하지 않고 재임용을 거부하는 형식으로 임용계약을 종료시킨 경우 ★

대학교원 기간임용제에 따라 임용된 사립대학 교원에게 사립학교법에서 정한 면직사유가 발생한 경우 곧바로 면직처분을 하지 않고 임용기간의 만료를 기다려 재임용을 거부하는 형식으로 임용계약을 종료시켰다고 하더라도, 이러한 처분이 교원에게 불리하다고 볼 수 없는 이상 임용 기간 만료 당시 재임용거부의 사유가 없다거나 학교법인이 재량권을 일탈·남용하여 사회통념상 부당한 방법으로 재임용을 거부한 것이라고 말할 수 없다(대판 2017.2.15. 2016두52545).

6 개인택시운송사업의 면허를 발급하면서 '개인택시운송사업면허 사무처리지침'에 따라 택시 운전경력자를 일정 부분 우대하는 처분 ★★

행정청이 개인택시운송사업의 면허를 발급함에 있어 '개인택시운송사업면허 사무처리지침'에 따라(즉, 택시 운전경력의 업무적 유사성과 유용성 등 해당 면허와의 상관성에 대한 고려와 함께 당해 행정청 관내 운송사업 및 면허발급의 현황과 장기적인 전망 및 대책 등을 포함한 정책적 고려까지 감안하여) 택시 운전경력자를 일정 부분 우대하는 처분을 하게 된 것이라면, 그러한 차별적 취급의 근거로 삼은 행정청의 합목적적 평가 및 정책적 고려 등에 사실의 왜곡이나 현저한 불합리가 인정되지 아니하는 한 그 때문에 택시 이외의 운전경력자에게 반사적인 불이익이 초래된다는 결과만을 들어 그러한 행정청의 조치가 불합리 혹은 부당하여 재량권을 일탈·남용한 위법이 있다고 볼 수는 없다(대판 2009.7.9. 2008두11099).

15. 사복직 행정청이 개인택시운송사업의 면허를 발급함에 있어 '개인택시운송사업면허 사무처리지침'에 따라 택시 운전경력자를 일정 부분 우대하는 처분을 한 경우, 택시 이외의 운전경력자에게 반사적인 불이익이 초래되는 결과가 되므로 그러한 내용의 지침에 따른 처분은 재량권을 일탈·남용한 처분에 해당된다. (×) → 만을 들어 / 되지 않는다

7 지방공무원 복무조례개정안에 대한 의견을 표명하기 위하여 전국공무원노동조합 간부 10여 명과 함께 시장의 사택을 방문한 노동조합 시지부 사무국장의 파면처분 ★★

지방공무원 복무조례개정안에 대한 의견을 표명하기 위하여 전국공무원노동조합 간부 10여 명과 함께 시장의 사택을 방문한 위 노동조합 시지부 사무국장에게 지방공무원법 제58조에 정한 집단행위 금지의무를 위반하였다는 등의 이유로 징계권자가 파면처분을 한 사안에서, 그 징계 처분이 사회통념상 현저하게 타당성을 잃거나 객관적으로 명백하게 부당하여 징계권의 한계를 일탈하거나 재량권을 남용하였다고 볼 수 없다(대판 2009.6.23. 2006두16786).

15. 사복직, 12. 국회직 8급 전국공무원노동조합 시지부 사무국장이 지방공무원 복무조례 개정안에 대한 의견을 표명하기 위하여 전국공무원노동조합 간부들과 함께 시장의 사택을 방문하였고, 이에 징계권자가 시장 개인의 명예와 시청의 위신을 실추시키고 「지방공무원법」에서 정한 집단행위 금지의무를 위반하였다는 등의 이유로 사무국장을 파면처분 한 것은 재량권의 일탈·남용에 해당되지 않는다. (○)

8 행정구역변경에 따라 장의자동차운수사업자인 원고의 차고지 소재지를 원고의 사업구역으로 정하고 장의자동차운수사업자가 없게 된 곳을 사업구역으로 하여 제3자에게 한 신규면허처분 ★★

행정구역변경에 따라 장의자동차운수사업자인 원고에게 그 사업구역을 김제시와 김제군 중 하나를 선택할 기회를 주었음에도 7개월 이상 이에 응하지 아니하

면직사유가 발생한 사립대학 교원에게 재임용을 거부하는 형식으로 임용계약을 종료시킨 행위
▷ 위법×

개인택시운송사업의 면허를 발급함에 있어 '개인택시운송사업면허 사무처리지침'에 따라 택시 운전경력자를 일정 부분 우대하는 처분
▷ 위법×

전국공무원노동조합 간부 10여 명과 함께 시장의 사택을 방문한 노동조합 시지부 사무국장의 파면처분
▷ 위법×

행정구역변경에 따른 사업구역 조정의 일환으로 기존업자의 사업구역을 축소하여 행한 장의자동차운수사업 신규면허처분
▷ 위법×

다가 양쪽 모두를 사업구역으로 하겠다고 요구하므로 차고지 소재지인 김제시를 원고의 사업구역으로 정하고 장의자동차운수사업자가 없게 된 김제군을 사업구역으로 하여 제3자에게 신규면허처분을 하였다면, 사업구역을 축소한 결과가 되어 원고에게 경제적 손실을 가져온다 하더라도 이는 행정구역변경에 따른 사업구역조정이라는 공익상의 필요에 따른 것으로서 위 신규면허처분에 재량권 남용 등의 위법이 없다(대판 1992.4.28. 91누10220).

11. 국회직 8급 자동차운송사업 신규면허처분이 기존업자의 사업구역을 축소한 결과가 되어 경제적 손실을 가져온다 하더라도 그것이 행정구역변경에 따른 사업구역 조정이라는 공익상의 필요에 따른 것이라면 신규면허처분에 재량권 남용 등의 위법이 없다. (○)

9 법규위반자를 적발하고 돈을 요구하면서 전달방법까지 요구한 경찰관의 해임처분 ★★

경찰공무원이 그 단속의 대상이 되는 신호위반자에게 먼저 적극적으로 돈을 요구하고 다른 사람이 볼 수 없도록 돈을 접어 건네주도록 전달방법을 구체적으로 알려주었으며 동승자에게 신고시 범칙금 처분을 받게 된다는 등 비위신고를 막기 위한 말까지 하고 금품을 수수한 경우, 비록 그 받은 돈이 1만원에 불과하더라도 위 금품수수행위를 징계사유로 하여 당해 경찰공무원을 해임처분한 것은 징계재량권의 일탈·남용이 아니다(대판 2006.12.21. 2006두16274).

15. 경찰 3차, 08. 국회직 8급 경찰공무원이 교통법규 위반 운전자에게 1만원권 지폐 한 장을 두 번 접어서 면허증과 함께 달라고 한 경우에 내려진 해임처분은 징계재량권의 일탈·남용이 아니다. (○)

10 생물학적 동등성 시험 자료 일부에 조작이 있음을 이유로 해당 의약품의 회수 및 폐기를 명한 행정처분 ★★

생물학적 동등성 시험자료 일부가 조작되었음을 이유로 해당 의약품의 회수 및 폐기를 명한 사안에서, 그 행정처분으로 제약회사가 입게 될 경제적 손실이라는 불이익과 생물학적 동등성이 사전에 제대로 확인되지 않은 의약품이 유통되어 국민 건강이 침해될 수 있는 위험을 예방하기 위한 공익상의 필요를 단순 비교하기 어려운 점 등에 비추어 볼 때, 위 처분이 재량권을 일탈·남용하여 위법하다고 볼 수 없다(대판 2008.11.13. 2008두8628).

12. 사복직 생물학적 동등성 시험자료 일부가 조작되었음을 이유로 해당 의약품의 회수 및 폐기를 명한 경우, 그 행정처분으로 제약회사가 입게 될 경제적 손실이라는 불이익과 생물학적 동등성이 사전에 제대로 확인되지 않은 의약품이 유통되어 국민 건강이 침해될 수 있는 위험을 예방하기 위한 공익상의 필요를 단순 비교하기 어려운 점 등에 비추어, 위 처분이 재량권을 일탈·남용하여 위법하다고 볼 수 없다. (○)

11 군의관에 대한 전역거부처분 ★★

(전역지원의 시기를 상실하였을 뿐 아니라 의무장교의 인력운영 수준이 매우 저조하여 장기활용가능 자원인 군의관을 의무복무기간 중 군에서 계속하여 활용할 필요가 있다는 등의 이유로 해당 군의관을 전역대상자에서 제외한 처분에서) 장교 등 군인의 전역허가 여부는 전역심사위원회 등 관계 기관에서 원칙적으로 자유재량에 의하여 판단할 사항으로서 군의 특수성에 비추어 명백한 법규 위반이 없는 이상 군 당국의 판단을 존중하여야 할 것인데, 원고에 대한 이 사건 전역거부처분에 있어서 군 당국의 법규 위반이 있다고 보여지지 않고, 또한 원고가 주장하는 바와 같은 헌법상 보장된 원고의 직업선택의 자유, 행복추구권, 평등권 등 기본적 인권보호의 필요성을 고려하더라도 원심이 적법하게 인정한 장기복무 의무장교의 확보 필요성 등에 비추어 볼 때 위 처분이 재량의 범위를 일탈하였거나 남용하였다고 할 수도 없다(대판 1998.10.13. 98두12253).

20. 국회직 9급 전역지원의 시기를 상실하였을 뿐 아니라 의무장교의 인력운영 수준이 매우 저조하여 장기활용가능 자원인 군의관을 의무복무기간 중 군에서 계속하여 활용할 필요가 있다는 등의 이유로 해당 군의관을 전역대상자에서 제외한 처분은 재량의 일탈 또는 남용에 해당하지 않는다. (○)

법규위반자를 적발하고 돈을 요구하면서 전달방법까지 요구한 경찰관의 해임처분
▷ 위법×

생물학적 동등성 시험자료 일부가 조작되었음을 이유로 해당 의약품의 회수 및 폐기를 명한 처분
▷ 위법×

전역지원 시기를 상실하고, 장기복무 의무장교의 확보 필요성 등을 이유로 한 군의관에 대한 전역거부처분
▷ 위법×

일탈·남용으로 인정된 경우	인정되지 않은 경우
• 감경에 관한 참작 사유가 있음에도 이를 전혀 고려하지 않거나 감경 사유에 해당하지 않는다고 오인하여 영업정지 기간을 감경하지 아니한 영업정지처분(2014두45956)	• 하자가 있는 난민인정결정에 대한 법무부장관의 취소처분(2013두16333)
• 입찰담합에 부과되는 과징금의 액수가 균형을 상실한 경우(2016두33360)	• 법무부장관의 귀화허가거부(2010두6496)
• 임원의 직접관여라는 사유로 과징금을 가중하였으나, 간접적으로 관여하는 데 그쳤다는 등의 특별한 사정이 있는 경우(2016두48737)	• 징계사유 있음에도 징계의결요구를 하지 않고 승진처분을 한 하급지자체장의 행위에 대한 상급지자체장의 취소권 행사(2005추62)
• 상급자를 비판하는 기자회견문을 발표한 검사에 대한 징계면직처분(2000두7704)	• 집단행위금지의무를 위반한 공무원에 대한 파면처분(2006두16786)
• 징계사유 있음에도 징계의결 요구를 하지 않고 승진처분을 한 하급지자체장의 행위(97추67)	• 명예퇴직 합의 후 명예퇴직 예정일 사이에 허위로 병가를 받아 다른 회사에 근무하였음을 사유로 한 징계해임처분(2000다60890)
• 행정기관의 장의 거부처분이 사전통지의 흠결로 민원인에게 의견진술의 기회를 주지 아니한 결과 민원조정위원회의 심의과정에서 고려대상에 마땅히 포함시켜야 할 사항을 누락하는 등 재량권의 불행사 또는 해태로 볼 수 있는 구체적 사정이 있는 경우(2013두1560)	**13. 국회직 9급, 11. 국회직 8급** 명예퇴직 합의 후 명예퇴직 예정일 사이에 허위로 병가를 받아 다른 회사에 근무하였음을 사유로 한 징계해임처분은 징계재량권의 일탈·남용으로 볼 수 없다. (○)
• 경찰공무원에 대한 징계위원회의 심의과정에 감경사유에 해당하는 공적 사항이 제시되지 아니한 경우의 징계처분(2012두13245)	• 비관리청 항만공사 사업시행자 선정 및 공사시행허가처분(2010두20508)
• 7년간 경찰에 몸담는 동안 징계처분을 받은 사실이 없고 상관으로부터 2회의 표창을 받은 사실이 있는 교통경찰관이 교통위반차량 운전사로부터 돈 2천원을 받고 가볍게 처리하였음을 이유로 한 파면처분(84누86)	• 교통사고를 일으켜 피해자 2인에게 각 전치 2주의 상해를 입히고 약 296,890원 상당의 손해를 입히고도 구호조치 없이 도주한 수사 담당 경찰관에 대한 해임처분(99두6101)
• 공정한 업무처리에 대한 사의로 두고 간 돈 30만원을 피동적으로 수수하였다가 돌려 준 20여년 근속의 경찰공무원에 대한 해임처분(90누8954)	**11. 경찰** 1차 교통사고를 일으켜 피해자 2인에게 각 전치 2주의 상해를 입히고 약 296,890원 상당의 손해를 입히고도 구호조치 없이 도주한 수사 담당경찰관에 대한 해임처분은 재량권의 일탈·남용에 해당한다. (×) → 하지 않는다
20. 국회직 9급, 09. 지방직 7급 공정한 업무처리에 대한 사의로 두고 간 돈 30만원이 든 봉투를 소지함으로써 피동적으로 금품을 수수하였다가 돌려준 20여 년 근속의 경찰공무원에 대한 해임처분은 재량의 일탈 또는 남용에 해당한다. (○)	• 법규위반자를 적발하고 돈을 요구하면서 전달방법까지 요구한 경찰관의 해임처분(2006두16274)
• 북한 어린이에게 의약품을 지원하기 위한 모금행위 불허(99두3690)	• 음주측정을 거부한 운전자에 대한 운전면허 취소처분(95누3602)
• 공무원의 동의 없는 전출명령에 그 공무원이 따르지 않았다고 하여 내린 감봉 3월의 징계처분(99두1823)	• 사법시험 제1차 시험에서의 입실시간 제한(2013헌마341)
• 박사논문심사를 통과한 자에 대한 정당한 이유 없는 학위수여 부결처분(75누63)	• 지방식품의약품안전청장이 수입 녹용 중 전지 3대를 절단부위로부터 5cm까지의 부분을 절단하여 측정한 회분함량이 기준치를 0.5% 초과하였다는 이유로 수입 녹용 전부에 대하여 전량 폐기 또는 반송처리를 지시한 처분(2004두3854)
• 구체적이고 합리적인 이유의 제시 없이 한 폐기물처리사업계획 부적정통보(2004두961)	**21. 소방직** 수입 녹용 중 일정성분이 기준치를 0.5% 초과하였다는 이유로 수입 녹용 전부에 대하여 전량 폐기 또는 반송처리를 지시한 처분은 재량권을 일탈·남용한 경우에 해당한다고 판시하였다. (×) → 하지 않는다
• 자연공원사업 시행상 사실오인에 근거한 공원시설 기본설계 및 변경설계승인(99두2970)	**13. 국회직 9급** 지방식품의약품안전청장이 수입 녹용 중 전지 3대를 절단부위로부터 5cm까지의 부분을 절단하여 측정한 회분함량이 기준치를 0.5% 초과하였다는 이유로 수입 녹용 전부에 대하여 전량 폐기 또는 반송처리를 지시한 처분이 재량권을 일탈·남용한 경우에 해당한다. (×) → 하지 않는다
• 주유소 관리인이 부정휘발유를 구입·판매한 것을 이유로 위험물취급소 설치허가 취소처분(87누436)	• 비등기임원의 위반행위에 대한 가중된 과징금처분(2016두35199)
09. 지방직 7급 주유소의 관리인이 부정휘발유를 구입·판매한 것을 이유로 한 위험물취급소 설치허가 취소처분은 재량의 일탈 또는 남용에 해당한다. (○)	• 성수대교를 부실시공하여 붕괴사고를 초래한 건설사에 대한 면허취소처분(99두1519)
• 단원에게 지급될 급량비를 바로 지급하지 않고 모아 두었다가 지급한 시립무용단원에 대한 해촉처분(95누4636)	• 초음파 검사를 통하여 알게 된 태아의 성별을 고지한 의사에 대한 의사면허자격정지처분(2002두4822)
08. 국회직 8급 단원에게 지급될 급량비를 바로 지급하지 않고 모아두었다가 지급한 시립무용단원에 대한 해촉처분은 재량권의 일탈 또는 남용에 해당된다. (○)	**13. 국회직 9급** 초음파 검사를 통하여 알게 된 태아의 성별을 고지한 의사에 대한 의사면허자격정지처분은 징계재량권의 일탈·남용으로 볼 수 없다. (○)
• 조세포탈 목적이 없는 부동산실명제 위반자에 대한 과징금 30% 부과	• 생물학적 동등성 시험자료에 조작이 있음을 이유로 해당 의약품의 회수, 폐기를 명한 처분(2008두8628)
• 면허기준의 해석상 우선순위자의 면허발급신청거부(2001두8414)	• 약사의 의약품 개봉판매행위에 대하여 구 약사법령에 근거하여 업무정지에 갈음하는 과징금 부과처분(2007두6946)
• 병을 이유로 육지근무를 청원한 낙도근무교사 파면(69누38)	**08. 국회직 8급** 약사의 의약품 개봉판매행위는 「약사법」에 의하여 금지되어 있는데, 이를 위반한 약사에 대하여 구 약사법령에 근거한 15일 영업정지에 갈음하는 과징금 855만원을 부과한 처분은 재량권의 일탈·남용한 처분에 해당되지 않는다. (○)

- 대학교 총장이 해외근무자들의 자녀를 대상으로 한 특별전형에서 외교관, 공무원의 자녀에 대하여만 가산점을 부여하여 합격사정을 함으로써, 실제 취득점수에 의하면 합격할 수 있었던 응시자들에 대한 불합격처분(89누8255)
  20. 국회직 9급 대학교 총장이 해외근무자들의 자녀를 대상으로 한 특별전형에서 외교관, 공무원의 자녀에 대하여만 실제 취득점수의 20%의 가산점을 부여해 합격사정을 함으로써, 실제 취득점수에 의하면 합격할 수 있었던 응시자들에 대한 불합격처분을 하였다면 재량의 일탈 또는 남용에 해당되어 위법하다. (O)
  13. 국회직 9급, 09. 지방직 7급 교육법 시행령 소정의 대학교 특별전형에서 외교관, 공무원의 자녀에 대하여만 획일적으로 과목별 실제 취득점수에 가산점을 부여함으로써, 실제 취득점수만으로 전형시 합격할 수 있는 다른 응시생에 대하여 불합격처분을 한 경우 재량권의 남용으로 위법하다. (O)
- 교수회의의 심의의결 없이 국공립대학교학생에 대한 학장의 징계처분(91누2144)
- 당직근무대기 중 화투를 친 공무원 파면(72누194)
- 미성년자 출입금지에 1회 위반한 유흥업소 영업취소
- 요정출입 1회 공무원의 파면(67누24)
- 사업시행자가 토지보상법에 따른 사업인정을 받은 후 해당 공익사업을 수행할 의사나 능력을 상실하였음에도 수용권을 행사하는 것(2009두1051)

- 대학교 교비회계자금을 법인회계로 전출하고 시정요구를 이행하지 아니한 임원승인처분취소처분(2006두19297 전합)
- 대학의 신규 교원 채용에 서류심사위원으로 관여하면서 소지하게 된 인사서류를 학교 운영과 관련한 진정서의 자료로 활용하고 위조된 서면에 대한 확인조치 없이 청원서 등에 첨부하여 사용한 사립학교의 교원에 대한 해임처분(98두8858)
  08. 국회직 8급 대학의 신규 교원 채용에 서류심사위원으로 관여하면서 소지하게 된 인사서류를 학교 운영과 관련한 진정서의 자료로 활용한 사립학교의 교원에 대한 해임처분은 재량권의 일탈·남용에 해당하지 않는다. (O)
- 대학의 장이 대학 인사위원회에서 임용동의안이 부결되었음을 이유로 교수의 임용 또는 임용제청을 거부하는 행위(2004두7818)
  19. 5급 승진 대학인사위원회에서 임용동의안이 부결되었음을 이유로 국립대학총장이 교수임용을 거부한 경우 사회통념상 현저히 타당성을 잃었다고 볼 만한 특별한 사정이 없는 이상 재량권의 일탈·남용이 있다고 볼 수 없다. (O)
- 학과 폐지로 인한 기간임용제 사립대학교원 재임용거부
- 신라시대의 주요한 역사·문화적 유적이 다수 소재한 선도산에 위치한 고분에 대한 발굴불허가처분(99두264)
- 국가지정문화재의 보호구역에 인접한 나대지에 건물을 신축하기 위한 국가지정문화재 현상변경신청에 대한 문화재청장의 불허가처분(2004두9920)
  13. 국회직 9급, 11. 국회직 8급 국가지정문화재의 보호구역에 인접한 나대지에 건물을 신축하기 위한 국가지정문화재 현상변경신청에 대한 문화재청장의 불허가처분은 재량권을 일탈·남용한 위법한 처분이라고 단정하기 어렵다. (O)
- 태국에서 수입하는 냉동새우에 유해화학물질인 말라카이트그린이 들어 있음에도 수입신고서에 말라카이트그린이 사용된 사실을 기재하지 않았음을 이유로 지방식품의약품안정청이 내린 영업정지 1개월의 처분(2009두22997)
  11. 경찰 1차 태국에서 수입하는 냉동새우에 유해화학물질인 말라카이트그린이 들어 있음에도 수입신고서에 말라카이트그린이 사용된 사실을 기재하지 않았음을 이유로 행정청이 영업정지 1개월의 처분을 한 것이 재량권을 일탈·남용한 것이 아니다. (O)
- 택시운전경력자를 우대하는 기준에 의한 개인택시운송사업면허처분(2008두11099)
- 허위의 무사고증명을 제출하여 개인택시면허를 받은 자에 대하여 신뢰이익을 고려하지 아니하고 한 면허취소처분(85누291)
  13. 국회직 9급, 11. 국회직 8급 허위의 무사고증명을 제출하여 개인택시면허를 받은 자에 대한 면허를 취소함에 있어서 행정청이 그 자의 신뢰이익을 고려하지 아니하였다면 재량권 남용이다. (×) → 에 해당하지 않는다
- 군의관에 대한 전역거부처분(98두12253)
- 학교위생정화구역 내 액화석유가스 설치금지해제신청 거부(2013두1614)
- 대학교수가 재임용·승진을 위한 평가자료(연구업적물)로서 제출한 서적들이 다른 저자의 원서를 그대로 번역한 것인데도 마치 자신의 창작물인 것처럼 가장하여 출판한 것임이 판명된 경우, 해임처분(2000두9380)
- 미성년자를 출입시켰다는 이유로 2회나 영업정지에 갈음한 과징금을 부과 받은 지 1개월 만에 다시 만 17세도 되지 아니한 고등학교 1학년 재학생까지 포함된 미성년자들을 연령을 확인하지 않고 출입시킨 행위에 대한 영업허가취소처분(93누5185)
  11. 경찰 1차 미성년자를 출입시켰다는 이유로 2회나 영업정지에 갈음한 과징금을 부과 받은 지 1개월 만에 다시 만 17세도 되지 아니한 고등학교 1학년 재학생까지 포함된 미성년자들을 연령을 확인하지 않고 출입시킨 행위에 대한 영업허가취소처분은 재량권의 일탈·남용에 해당한다. (×) → 하지 않는다

4 재량권에 대한 통제

1. 입법적 통제

(1) 법규적 통제

의회는 과도한 재량권이 행정권에게 주어지지 않도록 재량권의 한계를 직접 법률로 정할 수 있고, 법률이 재량권을 허용하는 경우에도 가능한 한 구체적이고 명확하게 규정하여 재량권 행사를 통제할 수 있다.

(2) 정치적 통제

의회는 행정부에 대하여 각종의 국정감시권[국정감사 또는 국정조사권(헌법 제61조), 국무총리·국무위원 출석요구 및 질문권(헌법 제62조), 국무위원·국무총리 해임건의권(헌법 제63조) 등]의 발동을 통하여 재량권 행사를 통제할 수 있다.

2. 행정적 통제

(1) 행정감독에 의한 통제

상급행정기관은 하급행정기관의 직무수행에 대하여 지휘·감독권을 가지고 있다. 이에 따라 상급행정기관은 위법·부당한 행정행위의 시정을 명하거나, 감시권, 훈령권, 승인권, 취소·정지권, 주관쟁의결정권 등을 통하여 하급행정기관의 재량권행사를 통제할 수 있다.

(2) 행정절차에 의한 통제

「행정절차법」은 의견제출(제22조 제3항), 청문(제22조 제1항), 공청회(제22조 제2항), 처분기준에 대한 공표(제20조), 이유제시(제23조)를 규정하고 있는데 이들은 행정재량의 사전적 통제수단으로 중요한 기능을 하고 있다.

(3) 행정심판에 의한 통제

위법한 처분뿐만 아니라 부당한 처분도 행정심판의 대상이 되므로, 행정청의 재량행위에 의하여 권익을 침해된 자는 행정심판위원회에 행정심판을 청구함으로써 재량처분의 위법·부당 여부에 관하여 심판을 받을 수 있다(「행정심판법」 제1조).

3. 사법적 통제

(1) 법원에 의한 통제

① 재량권 행사가 한계를 넘지 않고, 단순히 재량을 그르친 경우 당해 재량행위는 위법한 행위가 되지 않고 법원의 통제대상이 되지 않으나, 「행정소송법」 제27조에 의하여 재량의 일탈, 남용, 불행사의 경우에는 하자 있는 재량행사로서 위법한 행정행위가 되어 법원의 통제 대상이 된다(「행정소송법」 제27조).

② 따라서 재량행위가 위법하다는 이유로 취소소송이 제기된 경우에 법원은 재량권의 일탈 또는 남용이 없는지 여부에 관하여 본안심사를 하여 재량권의 일탈 또는 남용이 있으면 취소판결을 내리고, 재량권의 일탈·남용이 없으면 기각판결을 하여야 한다.

14. 서울시 9급 재량행위가 위법하다는 이유로 취소소송이 제기된 경우에 법원은 각하할 것이 아니라 그 일탈·남용 여부를 심사하여 그에 해당하지 않으면 청구를 기각하여야 한다. (○)

입법적 통제
▷ 법규적 통제, 정치적 통제

행정적 통제
▷ 행정감독, 행정절차, 행정심판

사법적 통제
▷ 법원, 헌법재판소

재량의 일탈·남용·불행사로 하자 있는 재량처분
▷ 취소소송에 의해 취소○

재량권의 일탈·남용이 있으면
▷ 취소판결

재량권의 일탈·남용이 없으면
▷ 기각판결

(2) 헌법재판소에 의한 통제

하자 있는 재량권 행사로 인해 자신의 기본권이 침해되고, 다른 방법으로는 그 침해를 다툴 수 없다면, 헌법재판소에 헌법소원심판을 제기하여 다툴 수 있다(헌법 제111조 제1항, 「헌법재판소법」 제68조 제1항).

> 「헌법재판소법」 제68조 【청구 사유】 ① 공권력의 행사 또는 불행사(不行使)로 인하여 헌법상 보장된 기본권을 침해받은 자는 법원의 재판을 제외하고는 헌법재판소에 헌법소원심판을 청구할 수 있다. 다만, 다른 법률에 구제절차가 있는 경우에는 그 절차를 모두 거친 후에 청구할 수 있다.

5 불확정개념과 판단여지

1. 불확정개념

(1) 의의

불확정개념
▷ 법률요건에 규정된 개념의 의미와 내용이 다의적인 것이어서 그 의미와 내용이 구체적인 상황에 따라 그때마다 달리 판단될 수 있는 개념

불확정개념(불확정법개념)이란 법률요건에 규정된 개념의 의미와 내용이 일의적인 것이 아니라 다의적인 것이어서 진정한 의미와 내용이 구체적인 상황에 따라 달리 판단될 수 있는 개념을 말한다.

11. 서울시 9급 불확정개념은 법률효과의 해석에 있어서 불분명한 경우에 인정되는 개념이다. (×) → 법률요건

(2) 구체적인 예

'공익', '공공복지', '공적 질서', '신뢰성', '필요한 경우', '상당한 이유', '공공안녕과 질서', '경관의 침해우려', '교통의 안전과 원활성', '식품의 안전', '환경의 보전' 등을 그 예로 들 수 있다.

(3) 불확정개념의 사법심사

사법심사 대상성
▷ 불확정개념의 해석은 사실관계 평가를 통해 법이 의도하는 하나의 정당한 결론을 발견하기 위한 인식작용이므로 원칙적으로 사법심사 가능

불확정개념의 해석·적용은 어떠한 사실이 법이 정한 요건에 해당하는지 여부에 대한 '인식'의 문제로서 법적 문제이기 때문에 원칙적으로 사법심사의 대상이 된다. 이런 인식의 영역에서는 법률효과의 영역과는 달리 단지 하나의 정당한 결론(일의적인 해석)만이 존재하게 된다.

17. 국가직 9급 다수설에 따르면 불확정개념의 해석은 법적 문제이기 때문에 일반적으로 전면적인 사법심사의 대상이 되고 특정한 사실관계와 관련하여서는 원칙적으로 일의적인 해석(하나의 정당한 결론)만이 가능하다고 본다. (○)

2. 판단여지(론)

(1) 의의

판단여지
▷ 행정청의 고도로 전문적이고 기술적인 판단이나 고도로 정책적인 판단에 속하는 불확정개념의 적용에 있어서 사법부가 그 정당성을 판단하는 것이 합당치 않은 영역

❶ 판단여지(론)
제2차 세계대전 후 독일의 바호프의 '판단여지설'과 울레의 '타당성이론(대체가능성설)' 등에 의하여 발전된 이론이다.

① 불확정개념에 대한 행정청의 평가 및 결정에 대하여 사법부가 그 정당성을 판단하는 것이 불가능하거나 합당하지 않아서 행정청의 판단을 존중해 줄 수밖에 없는 영역(행정청의 고도로 전문적이고 기술적인 판단이나 고도로 정책적인 판단이 필요한 영역)이 있는데, 이런 영역을 판단여지❶라고 부른다.

11. 서울시 9급 불확정개념이 사용된 경우 일정한 조건하에서 판단여지가 인정된다는 것이 판단여지설이다. (○)

② 판단여지가 인정되는 영역 내에서 행정청이 내린 판단은 법원에 의한 통제대상이 되지 않는다. 따라서 법원은 행정청이 그와 같은 판단에 이르는 과정에서 그 영역의 한계를 준수하였는가의 여부만을 심사할 수 있을 뿐이다.

(2) 판단여지 인정영역

불확정개념은 원칙적으로 법 개념이고 사법심사의 대상이 되므로 모든 불확정개념에 행정청의 판단여지가 인정되는 것은 아니다. 다음과 같은 예외적인 경우에만 판단여지가 인정되어 사법심사가 제한된다.

10. 국회직 9급 판단여지설에 의하면 요건부문에 불확정개념이 사용된 경우에는 모두 행정청의 판단여지가 인정된다. (×) → 인정되는 것은 아니다

① **비대체적 결정**: 시험결정 · 유급 결정과 같은 교육적인 평가, 상급공무원에 의한 하급공무원의 인사고과 및 승진결정 등 고도의 개인적이고 인격적인 사안에 관련된 결정이 이에 해당한다.

② **구속적 가치평가**: 공정거래위원회의 불공정거래행위결정, 청소년보호위원회의 청소년 유해도서의 해당 여부의 결정, 식품의약품안전처의 의약품허가결정, 영화의 공연적합성 판정, 문화재의 판정, 신문윤리위원회의 결정, 보호대상문화재의 대상여부에 대한 평가 등 종교 · 문화 · 예술 · 윤리 등의 분야에 있어서 어떤 물건이나 작품의 가치 또는 유해성 등에 대한 전문가와 이익대표자로 구성되는 독립된 합의체기관의 판단(구속적 가치평가)이 이에 해당한다.

10. 서울시 9급 공정거래위원회의 불공정거래행위결정, 청소년보호위원회의 청소년유해도서물결정, 인사평가위원회의 평가는 판단여지의 구속적 가치평가의 영역에 해당한다. (○)

③ **미래예측결정**: 지역경제여건에 대한 변화에 대한 예측, 주택시장변화에 대한 예측, 환경행정에 있어서 위험의 평가 등 특히 환경법 및 경제행정법 분야에서 미래의 사실관계에 대한 고려에서의 예측결정과 위험의 평가가 이에 해당한다.

④ **행정정책적 결정**: 공무원인사를 위한 인력수급계획의 결정, 자금지원대상업체의 결정, 기타 사회정책 및 교통정책 등 행정정책적인 결정 등의 분야에서 행정의 고유권한이 인정되는 영역이 이에 해당한다.

10. 서울시 9급 공무원인사를 위한 인력수급계획의 결정은 구속적 가치평가의 영역이다. (×) → 행정정책적 결정

(3) 재량과의 구별

① **학설**: 행정기관에게 판단여지가 인정되는 경우에는 그 한도에서 법원에 의한 심사권이 제한되므로 이 점에서 판단여지와 재량은 유사하다. 따라서 **재량행위와 구별되는 독자적인 개념으로서 판단여지라는 개념을 인정할 것인지에 대해서 견해가 나뉜다.**

㉠ **부정설**: 판단여지와 재량은 모두 법원에 의한 사법심사의 배제라는 측면에서 동일하고, 재량은 법규의 효과에만 국한되지 아니하므로 이를 구별할 실익이 없다고 한다.

㉡ **긍정설(다수설)**

ⓐ **판단여지는 법률요건의 해석 · 적용의 문제인 반면, 재량은 법률효과의 결정에 관한 문제라는 점,** ⓑ **재량은 입법자에 의하여 부여되는 것이지만, 판단여지는 법원이 행정청의 판단을 존중해 준 결과라는 점,** ⓒ **판단여지는 불확정개념에 대한 해석으로서 법률요건의 포섭단계에서 제기되는 문제이다.**

판단여지가 인정되는 영역
▷ 법원에 의한 통제의 대상×

적용영역
▷ 비대체적 결정 · 구속적 가치평가 · 예측결정 · 행정정책 결정

비대체적 결정
▷ 고도의 개인적이고 인격적인 사안에 관련된 결정

구속적 가치평가
▷ 예술, 문화, 도덕의 영역에 있어서 고도의 전문가로 구성된 직무상 독립성을 갖는 위원회의 결정

미래예측결정
▷ 환경법 및 경제행정법 분야에서의 예측결정과 위험의 평가

행정정책적 결정
▷ 공무원인사를 위한 인력수급계획의 결정 등 행정의 고유권한이 인정되는 영역에서의 결정

부정설
▷ 사법심사 배제라는 측면에서 동일하고, 재량은 법규의 효과에만 국한되지 아니하므로 이를 구별할 실익×

긍정설
▷ 판단여지는 법인식의 문제이지만 재량은 법률효과 선택의 문제라는 점, 양자는 그 인정근거와 내용 등을 달리하므로 구별할 실익○

반면, 재량은 법률효과의 결정 및 선택단계에서 제기되는 문제라는 점, ⓓ 판단여지의 경우에는 명문의 근거가 없는 한 법 효과를 제한하는 부관을 붙일 수 없지만, 재량행위의 경우에는 법 효과를 제한하는 부관을 붙일 수 있다는 점에서 구별실익이 있다고 한다.

18. 국가직 7급 법규정의 일체성에 의해 요건 판단과 효과 선택의 문제를 구별하기 어렵다고 보는 견해는 재량과 판단여지의 구분을 인정한다. (×) → 하는

17. 국가직 9급 판단여지를 긍정하는 학설은 판단여지는 법률효과 선택의 문제이고 재량은 법률요건에 대한 인식의 문제라는 점, 양자는 그 인정근거와 내용 등을 달리하는 점에서 구별하는 것이 타당하다고 한다. (×) → 재량은 / 판단여지는

15. 국가직 7급 판단여지와 재량을 구별하는 입장에서는, 재량행위에 법 효과를 제한하는 부관을 붙일 수 없다. (×) → 있다

핵심정리 판단여지와 재량 비교

구분	판단여지	재량
특징	법률요건에 대한 인식의 문제	법률효과 선택의 문제
문제가 제기되는 단계	법률요건의 포섭단계	법률효과의 결정 및 선택단계
부관의 부가	불가능	가능

판례
▷ 부정설의 입장: 재량행위와 판단여지를 구분×, 재량의 문제로 파악

② **판례:** 판례는 판단여지설의 논리를 일부 수용하면서도 재량행위와 판단여지를 구분하지 않고, 긍정설이 판단여지의 영역으로 보는 시험평가유사결정, 독립위원회의 결정 등을 모두 재량의 문제로 보고 있다(부정설의 입장).

11. 서울시 9급 판례가 판단여지를 명시적으로 도입하고 있는 것은 아니다. (○)

10. 국회직 9급 판례는 재량행위와 판단여지를 구분하지 않고 판단여지가 인정될 수 있는 경우에도 재량권이 인정되는 것으로 본다. (○)

⚖ 관련판례

출제위원의 시험출제업무
▷ 재량행위

1 구 사법시험령상 사법시험 문제 출제행위 ★

행정행위로서의 시험의 출제업무에 있어서, 출제 담당위원은 법령규정의 허용범위 내에서 자유롭게 정할 수 있다는 의미에서 재량권을 가진다(대판 2001.4.10. 99다33960).

07. 서울시 9급 판례는 구 「사법시험령」상 사법시험 문제 출제행위를 재량행위로 보았다. (○)

공무원 면접전형 시 능력·적격성판단
▷ (자유)재량행위

2 공무원 임용을 위한 면접전형에 있어서 임용신청자의 능력이나 적격성 등에 관한 판단 ★★

공무원 임용을 위한 면접전형에 있어서 임용신청자의 능력이나 적격성 등에 관한 판단은 면접위원의 고도의 교양과 학식, 경험에 기초한 자율적 판단에 의존하는 것으로서 오로지 면접위원의 자유재량에 속하고, 그와 같은 판단이 현저하게 재량권을 일탈 내지 남용한 것이 아니라면 이를 위법하다고 할 수 없다(대판 1997.11.28. 97누11911).

22. 국회직 9급, 20. 변호사 공무원 임용을 위한 면접전형에서 임용신청자의 능력이나 적격성 등에 관한 판단은 면접위원의 고도의 교양과 학식, 경험에 기초한 자율적 판단에 의존하는 것으로서 면접위원의 재량에 속한다. (○)

23. 지방직 7급 공무원 임용을 위한 면접전형에서 임용신청자의 능력이나 적격성 등에 관한 판단은 면접위원의 고도의 교양과 학식, 경험에 기초한 자율적 판단에 의존하는 것으로서 면접위원의 자유재량에 속하고, 그와 같은 판단이 현저하게 재량권을 일탈·남용하지 않은 한 이를 위법하다고 할 수 없다. (○)

3 교과서검정 ★★

교과서검정이 고도의 학술상, 교육상의 전문적인 판단을 요한다는 특성에 비추어 보면, 교과용 도서를 검정함에 있어서 법령과 심사기준에 따라서 심사위원회의 심사를 거치고, 또 검정상 판단이 사실적 기초가 없다거나 사회통념상 현저히 부당하다는 등 현저히 재량권의 범위를 일탈한 것이 아닌 이상 그 검정을 위법하다고 할 수 없다(대판 1992.4.24. 91누6634).

10. 지방직 9급 판례는 교과서검정의 위법성을 재량심사에 의하여 판단하고 있다. (○)

07. 지방직 9급 판례는 교과서검정을 기속행위로 보았다. (×) → 재량행위

교과서검정
▷ 재량행위

4 개발제한구역에서의 자동차용 액화석유가스충전사업허가 ★★

개발제한구역법 및 액화석유가스법 등의 관련 법규에 의하면, 개발제한구역에서의 자동차용 액화석유가스충전사업허가는 그 기준 내지 요건이 불확정개념으로 규정되어 있으므로 그 허가 여부를 판단함에 있어서 행정청에 재량권이 부여되어 있다고 보아야 한다(대판 2016.1.28. 2015두52432).

17. 지방직 9급 「개발제한구역의 지정 및 관리에 관한 특별조치법」 및 구 「액화석유가스의 안전관리 및 사업법」 등의 관련법규에 의하면, 개발제한구역에서의 자동차용 액화석유가스충전사업허가는 그 기준 내지 요건이 불확정개념으로 규정되어 있으므로 그 허가 여부를 판단함에 있어서 행정청에 재량권이 부여되어 있다고 보아야 한다. (○)

개발제한구역 내 액화석유가스충전소 액화석유가스충전사업허가
▷ 재량행위

5 국토계획법이 정한 용도지역 안에서의 건축허가 ★★

(건축허가신청반려처분에 대한 취소를 구하는 사건에서) 국토의 계획 및 이용에 관한 법률(이하 '국토계획법'이라 한다)이 정한 용도지역 안에서의 건축허가는 건축법 제11조 제1항에 의한 건축허가와 국토계획법 제56조 제1항의 개발행위허가의 성질을 아울러 갖는데, 개발행위허가는 허가기준 및 금지요건이 불확정개념으로 규정된 부분이 많아 그 요건에 해당하는지 여부는 행정청의 재량판단의 영역에 속한다(대판 2017.3.15. 2016두55490).

20. 지방직 9급 「국토의 계획 및 이용에 관한 법률」상 개발행위허가는 허가기준 및 금지요건이 불확정개념으로 규정된 부분이 많아 그 요건에 해당하는지 여부는 행정청의 재량판단의 영역에 속한다. (○)

20. 군무원 7급 「국토의 계획 및 이용에 관한 법률」이 정한 용도지역 안에서의 건축허가는 개발행위허가의 성질도 갖는데, 개발행위허가는 허가기준 및 금지요건이 불확정개념으로 규정된 부분이 많아 그 요건에 해당하는지 여부는 행정청의 판단여지에 속한다. (×) → 재량판단의 영역

국토계획법이 정한 용도지역 안에서의 건축허가
▷ 재량행위

6 불확정개념으로 규정되어 있는 의료법 제59조 제1항[1]에서 정한 지도와 명령의 요건에 해당하는지, 요건에 해당하는 경우 행정청이 어떠한 종류와 내용의 지도나 명령을 할 것인지의 판단 ★

[1] (보건복지부장관을 피고로 한 의료기술시행중단명령처분취소소송에서) 의료법 제53조 제1항·제2항, 제59조 제1항의 문언과 체제, 형식, 의료법의 목적 등을 종합하면, 불확정개념으로 규정되어 있는 의료법 제59조 제1항에서 정한 지도와 명령의 요건에 해당하는지, 나아가 요건에 해당하는 경우 행정청이 어떠한 종류와 내용의 지도나 명령을 할 것인지의 판단에 관해서는 행정청에 재량권이 부여되어 있다.

[2] 신의료기술의 안전성·유효성 평가나 신의료기술의 시술로 국민보건에 중대한 위해가 발생하거나 발생할 우려가 있는지에 관한 판단은 고도의 의료·보건상의 전문성을 요하므로, 판단의 기초가 된 사실인정에 중대한 오류가 있거나 판단이 객관적으로 불합리하거나 부당하다는 등의 특별한 사정이 없는 한 존중되어야 한다. 또한 행정청이 전문적인 판단에 기초하여 재량권의 행사로서 한 처분은 비례의 원칙을 위반하거나 사회통념상 현저하게 타당성을 잃는 등 재량권을 일탈하거나 남용한 것이 아닌 이상 위법하다고 볼 수 없다(대판 2016.1.28. 2013두21120).

[1] 「의료법」 제59조(지도와 명령)
① 보건복지부장관 또는 시·도지사는 보건의료정책을 위하여 필요하거나 국민보건에 중대한 위해가 발생하거나 발생할 우려가 있으면 의료기관이나 의료인에게 필요한 지도와 명령을 할 수 있다.

「의료법」 제59조 제1항에서 정한 지도와 명령의 요건에 해당하는지, 요건에 해당하는 경우 행정청이 어떠한 종류와 내용의 지도나 명령을 할 것인지의 판단
▷ 재량행위

21. 국회직 8급 「의료법」상 신의료기술의 안전성·유효성 평가나 신의료기술의 시술로 국민보건에 중대한 위해가 발생하거나 발생할 우려가 있는지에 대한 판단과, 그 경우 행정청이 어떠한 종류와 내용의 지도나 명령을 할 것인지의 판단에 관해서는 행정청에 재량권이 부여되어 있다. (○)

구 「전염병예방법」상 보건복지가족부장관의 예방접종으로 인한 질병, 장애 또는 사망의 인정여부결정
▷ 재량행위

7 구 전염병예방법상 보건복지가족부장관의 예방접종으로 인한 질병, 장애 또는 사망의 인정여부결정 ★★

구 전염병예방법 제54조의2 제2항에 의하여 보건복지가족부장관에게 예방접종으로 인한 질병, 장애 또는 사망의 인정 권한을 부여한 것은, 예방접종과 장애 등 사이에 인과관계가 있는지를 판단하는 것은 고도의 전문적 의학 지식이나 기술이 필요한 점과 전국적으로 일관되고 통일적인 해석이 필요한 점을 감안한 것으로 역시 보건복지가족부장관의 재량에 속하는 것이므로, 인정에 관한 보건복지가족부장관의 결정은 가능한 한 존중되어야 한다(대판 2014.5.16. 2014두274).

15. 국회직 8급 구 「전염병예방법」 제54조의2 제2항에 따른 예방접종으로 인한 질병, 장애 또는 사망의 인정여부 결정은 보건복지가족부장관의 재량에 속한다. (○)

(4) 판단여지의 법적 효과와 한계

예외적 사법심사
▷ 판단기관구성 부적법, 절차규정 부준수, 성문법·일반원칙 위반, 일반적으로 인정된 가치기준 위반, 사실오인

① 판단여지가 인정되는 범위 내에서 이루어진 행정기관의 판단은 법원에 의한 통제대상이 되지 않는 것이 원칙이다.

② 다만, 판단여지가 존재하는 경우에도 ㉠ 판단기관이 적법하게 구성되지 않은 경우, ㉡ 절차규정을 준수하지 않은 경우, ㉢ 명확히 성문법이나 행정법의 일반원칙을 위반한 경우, ㉣ 일반적으로 인정된 가치기준을 위반한 경우, ㉤ 사실인정을 잘못한 경우에는 위법이 인정되어 사법심사의 대상이 된다.

제4절 제3자효 행정행위

1 제3자효 행정행위의 의의

제3자효 행정행위
▷ 하나의 행정행위가 1인에게는 수익을, 타인에게는 불이익을 주는 상반된 효과를 동시에 발생시키는 행정행위

제3자효 행정행위 또는 복효적 행정행위는 하나의 행정행위가 상대방에게는 이익을 주고 제3자에게는 불이익을 주거나 상대방에게는 불이익을 주고 제3자에게는 이익을 주는 상반된 효과를 동시에 발생시키는 행정행위를 말한다. 이런 제3자효 행정행위는 수익적 행정행위의 일부가 여기에 해당하게 되고(예 1인에게 건축허가 또는 영업허가를 부여한 결과, 인접주민 또는 동종업자가 그 허가의 취소를 구하는 경우 등), 여러 당사자의 이해관계가 얽혀있기 때문에 행정법적으로 매우 다양한 쟁점을 가지고 있다.

2 행정절차법상의 문제

(1) 제3자효 행정행위로 인하여 침익적 효과를 받는 자의 권익을 보호하기 위하여 행정절차법은 원칙적으로 사전통지(「행정절차법」제21조 제1항)와 청문 및 공청회(「행정절차법」제22조 제1항·제2항)를 거치도록 하고 있으며, 청문이나 공청회가 필요하지 않은 경우라고 할지라도 당사자 등에게 최소한 의견제출을 할 수 있도록 규정하고 있다(「행정절차법」제22조 제3항).

(2) 여기서 '당사자'는 행정청의 처분에 대하여 직접 그 상대가 되는 당사자와 행정청이 직권 또는 신청에 의하여 행정절차에 참여하게 한 이해관계인을 말한다(「행정절차법」제2조 제4호). 따라서 행정처분의 상대방이 아니더라도 당해 처분에 의하여 자신의 권익을 침해받은 제3자는 직권 또는 신청에 의해 의견청취절차에 참여할 수 있다.

3 직권취소와 철회

일반적인 수익적 행정행위의 직권취소나 철회는 공익과 상대방의 신뢰보호를 비교·형량한다. 그에 반해 제3자효 행정행위는 공익과 상대방의 신뢰보호뿐만 아니라, 제3자의 이익도 아울러 비교형량하여야 한다.

4 행정쟁송법상 문제

1. 고지제도 적용여부

(1) 행정청이 처분을 서면으로 하는 경우에는 그 상대방에게 처분에 관하여 행정심판을 제기할 수 있는지 여부, 제기하는 경우의 행정심판 청구절차 및 청구기간을 알려야 한다(「행정심판법」제58조 제1항). 이러한 직권고지는 처분의 상대방에게 행하여진다.

(2) 따라서 행정청은 처분의 제3자에게는 원칙적으로 직권고지를 할 필요가 없으나, 다만 이해관계인에 해당하는 처분의 제3자로부터 당해 처분이 행정심판의 대상이 되는 처분인지 여부와 행정심판의 대상이 되는 경우에 행정심판위원회 및 청구기간에 관하여 알려 줄 것을 요구받은 때에는 지체 없이 이를 알려야 한다(「행정심판법」제58조 제2항).

2. 행정심판의 청구인적격과 행정소송의 원고적격

제3자효 행정행위의 제3자도 쟁송제기의 법률상 이익이 있는 한 「행정심판법」상의 청구인적격 및 행정소송의 원고적격을 갖는다(「행정심판법」제13조, 「행정소송법」제12조).

3. 쟁송제기기간

(1) 쟁송제기기간의 제한은 처분의 제3자가 심판이나 소송을 제기하는 경우라고 해서 그 적용이 배제되지는 않는다.

처분의 제3자
▷ 행정청의 직권 또는 신청에 의해 의견청취절차에 참여 可

제3자효 행정행위의 직권취소·철회
▷ 공익과 상대방의 신뢰보호, 제3자의 이익도 아울러 이익형량 要

「행정심판법」상 고지
▷ 직권고지: 처분의 직접 상대방
▷ 신청(청구)고지: 처분의 제3자

쟁송제기의 법률상 이익이 있는 처분의 제3자
▷ 청구인적격O, 원고적격O

처분의 제3자의 쟁송제기기간(원칙)
▷ 처분이 있음을 안 날로부터 90일
▷ 처분이 있은 날로부터 180일(행정심판) 또는 1년(행정소송)

처분의 제3자의 쟁송제기기간(예외)
▷ 처분의 제3자가 처분을 인지하지 못한 경우: 정당한 사유O(청구기간 제한×)
▷ but 어떤 경로로든 처분을 인지한 경우: 안 날로부터 90일 내 쟁송제기 要

(2) 다만, 현행 「행정절차법」은 제3자효 행정행위에 있어서 이해관계 있는 제3자에 대한 통지의무를 처분청에게 부과하지 않고 있다. 따라서 처분의 직접 상대방이 아닌 제3자는 처분이 있음을 바로 알 수 없는 처지이므로 '정당한 사유'가 있는 경우에 해당한다고 보아, 처분이 있은 날로부터 180일(행정심판의 경우) 또는 1년(행정소송의 경우)이 경과한 뒤에도 취소쟁송을 제기할 수 있다.

(3) 다만, 제3자가 어떠한 경위로든 처분이 있음을 안 이상, 그 처분이 있음을 안 날로부터 90일 이내에 취소쟁송을 제기하여야 한다.

4. 행정심판 및 행정소송의 참가인적격

처분의 제3자가 제기한 취소소송에서 참가인
▷ 처분의 상대방(필수적 공동소송인의 지위)

행정심판이나 행정소송의 결과에 대하여 이해관계가 있는 제3자는 당해 행정심판 또는 행정소송에 참가할 수 있다(「행정심판법」 제20조, 「행정소송법」 제16조). 제3자효 행정행위에 대하여 불이익을 받는 제3자가 제기한 취소소송에 있어서 소송참가인은 처분의 상대방이 되고, 여기서 소송참가인은 필수적 공동소송에 있어서 공동소송인에 준하는 지위를 갖게 된다(「행정소송법」 제16조 제4항).

5. 제3자효 행정행위의 집행정지

처분의 제3자가 제기한 취소소송에서 집행정지결정의 효력
▷ 처분의 상대방에게도 미침

집행정지결정은 제3자에 대하여도 미친다(「행정소송법」 제29조 제2항). 제3자에 대하여 효력이 미친다는 것은 집행정지결정을 신청한 자가 아닌 자에 대하여 미친다는 뜻으로서, 예컨대 제3자효 행정행위에 있어서 불이익을 받는 제3자가 취소소송을 제기하고 집행정지결정을 받은 경우에 그 효력이 제3자효 행정행위의 직접 상대방인 수익자에게 미치는 것을 의미한다.

6. 판결의 제3자에 대한 효력과 재심청구

재심청구
▷ 소송의 제3자가 귀책사유 없이 소송에 참가하지 못해 판결 결과에 영향을 미칠 공격·방어방법을 제출하지 못한 때 可

처분을 취소하는 판결은 제3자에게 대하여 효력이 있고(「행정소송법」 제29조 제1항), 책임 없는 사유로 소송에 참가하지 못하여 판결의 결과에 영향을 미칠 공격 또는 방어방법을 제출하지 못한 소송의 제3자는 확정된 판결에 대하여 재심을 청구할 수 있다(「행정소송법」 제31조 제1항). 이 때 재심은 확정판결이 있음을 안 날로부터 30일 이내, 판결이 확정된 날로부터 1년 이내에 제기하여야 한다(「행정소송법」 제31조 제2항).

제5절 행정행위의 내용

전통적 견해는 행정행위를 그 내용에 따라 「민법」의 법률행위의 분류와 같이 법률행위적 행정행위와 준법률행위적 행정행위로 구분한다. 즉, 행정청의 의사표시에 근거하여 법률효과가 발생하는 행정행위를 법률행위적 행정행위라 하고, 행정청의 의사표시가 아니라 법률의 효력규정에 근거하여 법률효과가 발생하는 행정행위를 준법률행위적 행정행위라 한다. 법률행위적 행정행위는 다시 명령적 행정행위와 형성적 행정행위로 구분된다.

한편, 최근의 유력설❶은 이러한 분류방식에 대해 비판이 제기하며 행정행위의 내용적 분류를 법률행위적 행정행위 또는 준법률행위적 행정행위로 분류하기보다는 단순히 명령적 행정행위, 형성적 행정행위, 확인적 행정행위로 분류하고 있다. 이하에서는 전통적인 분류에 따라 법률행위적 행정행위와 준법률행위적 행정행위로 구분하여 살펴본다.

○ 법률행위적 행정행위

○ 준법률행위적 행정행위

1 법률행위적 행정행위

행정청의 의사표시를 요소로 하는 법률행위적 행정행위는 다시 상대방에 대한 법률효과의 내용에 따라 명령적 행정행위, 형성적 행정행위로 구분된다.

행정행위의 내용에 따른 구분(전통적 견해)
▷ 법률행위적 행정행위: 행정청의 의사표시에 따라 법률효과 발생
▷ 준법률행위적 행정행위: 행정청의 의사표시가 아니라 법률의 효력규정에 따라 법률효과 발생

행정행위의 내용에 따른 구분(최근 유력설)
▷ 명령적 행정행위
▷ 형성적 행정행위
▷ 확인적 행정행위

❶ 최근 유력설
행정행위는 「민법」상의 법률행위와는 달리 상대방의 협력을 요하는 경우에도 공권력의 일방적인 행사에 지나지 않고, 행정행위는 법률의 구체화 또는 집행으로서의 성격을 갖기 때문에 행위자인 공무원의 의사표시는 중요한 의미를 갖지 아니하는바, 법률행위적 행정행위의 경우 행정청의 의사표시를 요소로 한다지만 그 행정청의 의사는 공무원의 심리적 의사가 아니라 법에 구현된 국가의사의 구체화에 지나지 않는다고 하며 전통적 분류방식에 대하여 비판을 제기한다.

법률행위적 행정행위
▷ 명령적 행정행위, 형성적 행정행위로 구분

명령적 행정행위
▷ 개념: 상대방에 대하여 일정한 작위·부작위·급부·수인 등의 의무를 명(부과)하거나 이러한 의무를 해제하는 행정행위
▷ 구분: 개인의 자유를 제한하거나 제한을 해제시키는 행위인 점에서, 개인의 권리·능력을 설정·변경·소멸시키는 형성적 행위와 구분
▷ 종류: 하명·허가·면제

하명
▷ 행정청이 국민에게 작위·부작위·수인·급부의무를 부과하는 행위

처분하명
▷ 법령에 근거한 행정행위 형식으로 행하여지는 명령

법규하명
▷ 법령자체에서 직접 의무를 발생시키는 하명(행정행위로서의 하명✕)

하명
▷ 부담적 행정행위(법령근거 요함)

하명의 상대방
▷ 특정인에 대해 구체적으로 행하여지는 것이 일반적이나 불특정 다수인에 대한 일반처분으로도 可

하명의 대상
▷ 사실행위○, 법률행위○

1. 명령적 행정행위

명령적 행정행위는 상대방에 대하여 일정한 작위·부작위·급부·수인 등의 의무를 명(부과)하거나 이러한 의무를 해제하는 행정행위이다. 이러한 명령적 행정행위는 공공의 필요에 의하여 개인의 자유를 제한하거나 제한을 해제시켜주는 행위라는 점에서, 개인의 권리나 능력을 설정·변경·소멸시키는 행위인 형성적 행위와 구별된다. 명령적 행정행위는 다시 그 내용에 따라 ① 의무를 부과하는 하명, ② 부작위의무를 해제하는 허가, ③ 작위·급부·수인의무를 해제하는 면제로 구분된다.

23. 국가직 7급 행정청의 의사표시를 요소로 하는 법률행위적 행정행위 중에서 명령적 행위에는 하명, 허가, 대리가 속한다. (✕) → 면제

(1) 하명

① **의의**

㉠ **개념**: 하명은 행정청이 국민에게 작위·부작위·급부·수인 등의 의무를 명(부과)하는 행정행위이다. 이 중에서 부작위의무를 명하는 것을 금지라고 부르기도 한다.

㉡ **형식**: 하명은 행정행위의 형식에 의해 행해지기도 하고, 법규의 형식에 의해 행해질 수도 있다.

05. 5급 승진 하명은 법령에서 직접 행하는 법규하명과 법령에 근거하여 구체적으로 행하는 처분하명으로 구분할 수 있다. (○)

ⓐ **처분하명**: 법령에 근거한 행정행위의 형식으로 행하여지는 명령으로서 보통 하명이라 함은 처분하명만을 의미한다.

ⓑ **법규하명**: 법령 자체에서 직접 의무를 발생시키는 하명이다(예 「도로교통법」상의 음주운전 금지, 「청소년보호법」상의 미성년자에 대한 유해약물판매금지 등). 법규하명은 법령에서 의무가 부과된다는 점에서 행정행위로서의 하명과는 구별된다.

② **성질**: 하명은 개인의 자유를 제한하고 의무를 부과하는 것을 내용으로 하므로 침익적 행정행위에 속하며, 이에 따라 법령의 근거가 필요하다. 하명은 기속행위의 성격을 갖는다는 견해가 있으나, 경찰하명의 경우에는(예 건축물의 철거명령, 영업정지명령, 집회의 해산명령 등) 대부분 재량행위에 해당한다. 따라서 하명이 기속행위인지 재량행위인지의 여부는 일률적으로 판단할 수 없으며 근거법령의 규정 형식(가능규정)과 취지에 따라 판단하여야 한다.

08. 지방직 9급 하명은 법령의 근거를 요하므로 법령이 정하는 요건이 갖추어졌을 때 행하여야 한다. (○)

③ **상대방과 대상**

㉠ **상대방**: 하명의 상대방은 특정인에 대해 구체적으로 행하여지는 것(예 조세부과처분 등)이 일반적이나, 불특정 다수인에 대해서 행하여지는 일반처분(예 입산금지, 통행금지 등)으로도 가능하다.

08. 지방직 9급 하명은 대부분 개별적·구체적 규율로서 행하여지나 일반처분으로도 행하여진다. (○)

㉡ **대상**: 하명의 대상은 주로 사실행위(예 통행금지, 불법광고물의 철거 등)가 일반적이나, 법률행위(예 영업양도금지, 불량식품에 대한 판매금지 등)일 수도 있다.

17. 국가직 7급 하명의 대상은 불법광고물의 철거와 같은 사실행위에 한정된다. (×) → 되지 않는다

④ 종류

　㉠ 하명은 부과하는 의무의 내용에 따라 작위하명(예 예방접종의무부과, 철거명령, 해산명령, ~하여야 할 의무) · 부작위하명(예 통행금지, 영업양도금지, ~하지 말아야 할 의무) · 수인하명(예 대집행 실행에 의한 수인의무부과, ~받아 들여야 할 의무) · 급부하명(예 조세부과, ~납부하여야 할 의무)으로, 달성하려는 목적에 따라 조직하명, 경찰하명, 제정하명, 군정하명 등으로 구분할 수 있다.

　㉡ 상대방의 특정 여부에 따라 개별 하명 · 일반 하명으로, 그 대상에 따라 대인적 하명 · 대물적 하명 · 혼합적 하명으로 구분할 수 있다.

⑤ 하명의 효과

　㉠ 하명은 그 내용에 따라 사인에게 일정한 공법상의 의무를 발생시킨다. 작위하명(시정명령)은 일정한 행위를 적극적으로 행하여야 할 의무(시정의무), 부작위하명(통행금지)은 일정한 행위를 하지 않을 의무(통행하지 않을 의무), 급부하명(조세부과처분)은 일정한 급부를 하여야 할 의무(조세납부의무), 수인하명(강제입원명령)은 행정청에 의한 강제를 감수하고 수인할 의무(강제입원을 수인할 의무)를 발생시킨다.

　㉡ 대인적 하명의 경우에는 그 효과가 상대(수명자)에게만 미치나, 대물적 하명의 경우에는 그 대상이 되는 물건을 승계한 자에게도 그 효과가 승계되는 것이 일반적이다.

　06. 국회직 8급 대인적 하명에 의해 부과된 공의무는 명문의 규정이 없는 한 이전되지 않는다. (○)

⑥ 하명 위반의 효과

　㉠ 하명에 의해 부과된 의무(예 위법건물의 철거의무)를 이행하지 아니하는 경우에는 행정상 강제집행이 행해지거나, 행정벌 등의 행정상 제재가 가해진다.

　07. 국가직 9급 명령적 행정행위의 수명자가 하명에 의하여 과하여진 의무를 이행하지 않는 경우에는 행정상 강제집행에 의하여 그 의무이행이 강제되거나 또는 행정상 제재가 부과된다. (○)

　㉡ 그러나 하명에 위반하여 행해진 행위의 사법상의 효력까지 부인되지는 않는다(예 어떠한 물품의 판매를 금지하는 명령을 위반하여 물품을 판매한 경우, 처벌을 받거나 강제집행의 대상은 될지언정 그 물품에 대한 매매의 효력이 부인되는 것은 아니다).

　12. 서울시 9급, 08. 지방직 9급 하명을 위반하면 원칙적으로 ~~무효가 된다~~. (×) → 「민법」상의 무효가 되는 것은 아니다

⑦ 위법한 하명에 대한 구제: 위법 또는 부당한 하명으로 권리 · 이익이 침해된 자는 행정쟁송을 제기하여 하명의 취소 또는 무효를 구할 수 있고, 손해가 있으면 국가 등을 상대로 손해배상을 청구할 수 있다.

　13. 국회직 8급 위법한 하명으로 권리가 침해된 자는 취소소송이나 무효확인소송을 제기하여 위법상태를 제거할 수 있고 손해배상청구소송을 제기하여 손해를 배상받을 수 있다. (○)

함께 정리하기

의무의 내용에 따라
▷ 작위하명 · 부작위하명 · 수인하명 · 급부하명

달성하려는 목적에 따라
▷ 조직하명, 경찰하명, 제정하명, 군정하명 등

상대방의 특정 여부에 따라
▷ 개별하명 · 일반하명

대상에 따라
▷ 대인적 하명 · 대물적 하명 · 혼합적 하명

하명의 효과
▷ 일정한 공법상 의무 발생
▷ 대인적 하명: 그 상대방에게만 효과가 발생(이전성×)
▷ 대물적 하명: 그 대상이 되는 물건을 승계한 자(승계인)에게도 미침(이전성○)

하명에 의해 부과된 의무의 불이행
▷ 행정상 강제집행○
▷ 행정상 제재로서 행정벌○

하명에 위반한 법률행위의 효력
▷ 반드시 무효×(사법상 무효×)

위법한 하명에 대한 구제
▷ 행정쟁송 · 손해배상청구

(2) 허가

① 의의

ⓐ **개념**: 허가란 인간의 본래 자유로운 활동에 대하여 공공의 질서유지·위험예방 등을 위해 일반적·예방적·잠정적으로 금지하였다가 법률상 일정한 요건을 갖춘 경우에 그 제한을 해제함으로써 본래의 자유를 회복시켜 주는 행정행위이다(예 영업허가, 건축허가, 어업허가, 주류판매업면허, 운전면허, 은행업허가, 신탁업인가, 사설법인 묘지 설치허가 등).

13. 경찰 2차 법령에 의해 개인의 자유가 제한되고 있는 경우에 그 제한을 해제하여 자유를 적법하게 행사할 수 있도록 회복하여 주는 행정행위이다. (O)

19. 경찰 지방경찰청장이 운전면허시험에 합격한 자에게 발급하는 운전면허는 강학상 특허이다. (×) → 허가

ⓑ **강학상(학문상) 개념**: 허가는 강학상 용어이며, 실정법상으로는 허가 이외에 면허(예 자동차운전·의사·약사 등)·인가(예 은행업, 신용금고업 등)·등록(예 사설학원 등)·지정(예 담배소매인 등)·특허·승인 등 다양한 표현으로 사용되고 있다. 따라서 당해 행위가 허가인지 여부는 법령의 규정이나 취지를 검토해 판단하여야 한다.

21. 군무원 9급 허가는 실정법상으로는 허가 이외에 면허, 인가, 인허, 승인 등의 용어가 사용되고 있기 때문에 그것이 학문상 개념인 허가에 해당하는지 검토할 필요가 있다. (O)

ⓒ **상대적 금지의 해제**: 허가는 금지해제의 가능성이 있는 상대적 금지(허가조건부금지)의 경우에만 가능하고, 금지해제의 가능성이 없는 절대적 금지의 경우에는 인정되지 않는다(예 인신매매 등).❶

ⓓ **예방적 금지의 해제**: 허가는 위험의 방지를 목적으로 금지하였던 것을 해제하는 행위이다(예방적 금지해제). 따라서 허가는 경찰허가로 불리기도 한다.

② 예외적 승인(예외적 허가)과의 구별

ⓐ **개념**: 예외적 허가란 사회적으로 바람직하지 않은 일정 행위를 법령상 원칙적으로 금지하고 예외적인 경우에 이러한 금지를 해제하여 당해 행위를 적법하게 할 수 있게 하여 주는 행위를 말한다. 강학상 허가는 예방적 금지의 해제로서 이때 금지되는 행위는 원래 사회적으로 용인되는 행위이나 일정한 공익적 목적을 이유로 금지되었던 것이므로 법률이 정하는 요건이 충족되면 그 금지가 반드시 해제되어야 하는 기속을 받는다. 그에 반해, 예외적 승인❷은 억제적 금지의 해제로서 이때 금지되는 행위는 공동체 전체의 관점에서 바람직하지 않아 금지되었던 것이므로 법률이 정하는 요건이 충족되는 경우에도 다른 사유를 고려하여 금지를 해제하지 않을 수도 있는 재량이 인정된다.

08. 선관위 허가는 공익침해의 우려가 있어 잠정적으로 금지된 행위를 적법하게 수행하도록 하는 행위인데 반하여, 예외적 승인은 그 자체가 사회적으로 유해하여 법령에 의해 일반적으로 금지된 행위를 예외적으로 적법하게 수행할 수 있도록 하는 것이다. (O)

13. 국회직 8급 예외적 승인은 위험방지를 대상으로 하고 허가는 사회적으로 유해한 행위를 대상으로 한다. (×) → 허가는 / 예외적 승인은

ⓑ **예외적 승인의 예**: 개발제한구역 내의 건축허가·용도변경허가, 공무·학술연구 또는 의료 목적의 아편 사용허가, 카지노·경마장 등의 사행행위 영업허가, 학교환경위생정화구역 내 유흥음식점 허가 등이 이에 해당한다.

15. 국가직 9급 개발제한구역 내의 용도변경허가, 치료목적의 마약류사용허가, 사행행위 영업허가는 예외적 승인에 해당한다. (O)

© **법적 성질:** 예외적 승인은 금지의 해제라는 점에서 허가와 차이가 없으나, 허가는 일반적으로 기속행위의 성질을 갖는데 반해, 예외적 승인은 억제적으로 금지된 자유를 회복시켜주는 것이어서 허가의 경우보다 개인의 법적 지위를 확대시켜 주는 의미가 강한 수익적 행정행위로서 재량행위이다.

12. 서울시 9급 일반적으로 허가는 기속행위라 할 수 있으나 예외적 승인은 재량행위라 할 수 있다. (○)

08. 선관위 예외적 승인은 상대적으로 금지된 자유를 회복시켜 주는 것이어서 허가의 경우보다 개인의 법적 지위를 확대시켜 주는 의미가 약하다. (✕) → 억제 / 강하다

> 🔨 **관련판례**

1 **예외적 승인으로서 개발제한구역 내에서의 건축허가** ★★

구 도시계획법 등의 규정을 종합해 보면, 개발제한구역 내에서는 구역지정의 목적상 건축물의 건축 및 공작물의 설치 등 개발행위가 원칙적으로 금지되고, 다만 구체적인 경우에 이러한 구역지정의 목적에 위배되지 아니할 경우 예외적으로 허가에 의하여 그러한 행위를 할 수 있게 되어 있음이 그 규정의 체제와 문언상 분명하고, 이러한 예외적인 개발행위의 허가는 상대방에게 수익적인 것이 틀림이 없으므로 그 법률적 성질은 재량행위 내지 자유재량행위에 속하는 것이다(대판 2004.3.25. 2003두12837 ; 대판 2003.3.28. 2002두11905).

19. 서울시 9급 개발제한구역 내에서는 구역지정의 목적상 건축물의 건축 및 공작물의 설치 등 개발행위가 원칙적으로 금지되고 예외적으로 허가에 의하여 그러한 행위를 할 수 있게 되어 있으므로 그 허가는 재량행위에 속한다. (○)

19. 국가직 7급 개발제한구역 내에서의 건축허가신청이 관련 법령의 요건을 모두 충족한 경우에는 관할 행정청은 허가를 하여야 하며, 관련 법령상 제한사유 이외의 사유를 들어 허가를 거부할 수 없다. (✕) → 할 수 있으며 / 있다

2 **예외적 승인으로서 개발제한구역 내의 건축물의 용도변경허가** ★★

구 도시계획법상의 개발제한구역 내의 건축물의 용도변경에 대한 예외적인 허가는 그 상대방에게 수익적이므로 재량행위 내지 자유재량행위에 속하는 것이다(대판 2001.2.9. 98두17593).

18. 국가직 7급 구 「도시계획법」상의 개발제한구역 내에서의 건축물 용도변경에 대한 허가는 예외적 허가로서 재량행위에 해당한다. (○)

21. 소방직 개발제한구역 내의 건축물의 용도변경에 대한 예외적 허가는 그 상대방에게 제한적이므로 기속행위에 속하는 것이다. (✕) → 수익적이므로 재량행위에

3 **예외적 승인으로서 학교환경위생정화구역 안에서의 금지행위의 해제** ★★

학교보건법 제6조 제1항 단서의 규정에 의하여 시·도교육위원회교육감 또는 교육감이 지정하는 자가 학교환경위생정화구역 안에서의 금지행위 및 시설의 해제신청에 대하여 그 행위 및 시설이 학습과 학교보건에 나쁜 영향을 주지 않는 것인지의 여부를 결정하여 위 금지행위 및 시설을 해제하거나 계속하여 금지(해제거부)하는 조치는 해제권자의 재량행위에 속한다(대판 1996.10.29. 96누8253).

18. 서울시 9급 학교환경위생정화구역의 금지행위해제는 예외적 승인에 해당한다. (○)

18. 변호사 학교환경위생정화구역 내에서의 금지행위 및 금지시설의 해제신청에 대하여 신청을 인용하거나 거부하는 처분은 재량행위에 속한다. (○)

12. 국가직 9급 주거지역 내의 건축허가와 상가지역 내의 유흥주점업허가는 예방적 금지의 해제로서 기속행위이고, 개발제한구역 내의 건축허가와 학교환경위생정화구역 내의 유흥주점업허가는 억제적 금지의 해제로서 재량행위이다. (○)

예외적 승인으로서 개발제한구역 내에서의 건축허가
▷ 재량행위

예외적 승인으로서 개발제한구역 내에서의 건축물의 용도변경허가
▷ 재량행위

예외적 승인으로서 학교환경위생정화구역 안에서의 금지행위의 해제
▷ 재량행위

| 🎯 핵심정리 | 허가와 예외적 승인의 비교 | |

구분	허가	예외적 허가
본질	• 원칙적 허가를 전제로 금지 • 잠정적·상대적·예방적 금지의 해제 • 자연적 자유의 회복	• 원칙적 금지를 전제로 예외적 허가 • 억제적 금지의 해제 • 권리범위의 확대
법적 성질	원칙적으로 기속행위	원칙적으로 재량행위
예시	• 자동차운전면허 • 일반 음식점 영업허가 • 건축허가 • 상가지역내의 유흥주점허가 • 의사·한의사·약사 면허 • 통행금지해제 • 양곡가공업허가 • 수렵면허 • 화약제조허가	• 토지수용법상의 타인의 토지에 대한 허가 • 공무·학술연구 또는 의료 목적의 아편사용허가 • 개발제한구역 내 건축허가·용도변경허가 • 학교환경위생정화구역 내 유흥음식점 허가 • 「도시계획법」상 도시구역 내 건물의 증·개축· 형질변경허가 • 자연공원 내 단란주점 영업허가 • 카지노·경마장 등의 사행행위 영업허가

③ 허가의 법적 성질

㉠ 명령적 행위 또는 형성적 행위 여부

ⓐ **명령적 행위설(전통적 견해):** 허가는 특별한 법적 권리를 새로이 부여하는 것이 아니라 인간이 본래 가지고 있는 자연적 자유를 회복시켜 주는 것에 불과한 것으로 하명과 같이 자연적 자유를 대상으로 하는 행위이므로 형성적 행위가 아니라 하명과 함께 명령적 행위에 해당한다고 본다(허가의 자유권 회복이라는 권리적 성격과 권리설정행위라는 형성행위적 성격을 구분).

11. 국가직 9급 허가는 일반적 금지를 해제하여 본래의 자유를 회복시켜 주는 명령적 행위라고 할 수 있다. (○)

10. 서울시 9급 허가는 형성적 행정행위의 일종이며 인가는 명령적 행정행위이다. (×) → 명령적 / 형성적

21. 군무원 9급 전통적인 의미에서 허가는 원래 개인이 누리는 자연적 자유를 공익적 차원(공공의 안녕과 질서유지)에서 금지해 두었다가 일정한 요건을 갖춘 경우 그러한 공공에 대한 위험이 없다고 판단되는 경우 그 금지를 풀어줌으로써 자연적 자유를 회복시켜주는 행위이다. (○)

ⓑ **형성적 행위설:** 형성적 행위를 새로이 권리를 설정해주는 행위에 한정할 이유는 없고, 허가는 허가를 받은 자라는 법적 지위를 창설해 주는 것이므로 형성적 행위라는 견해이다(명령이란 명령과 금지만을 의미하고 금지의 해제는 명령적 행위로 볼 수 없다고 함).

ⓒ **양면성설(병존설):** 허가를 명령적 행위와 형성적 행위의 양면성을 갖는다고 보며, 허가는 금지를 해제해 준다는 점에서 명령적 행위이나 일정한 법적 지위를 창설해 준다는 점에서는 형성적 행위라는 견해이다(금지를 명령으로 보면, 금지의 해제도 명령의 일종으로 보아야 한다고 함).❶

ⓓ **판례:** 판례는 전통적 견해와 마찬가지로 허가를 명령적 행위로 본다. 대법원은 한약조제시험무효확인소송에서 한의사 면허는 경찰금지를 해제하는 명령적 행위(강학상 허가)에 해당한다고 판시하였다(대판 1998.3.10. 97누4289).

전통적 견해와 판례
▷ 명령적 행위설
▷ 금지를 해제하여 본래의 자유권을 회복시키는 행정행위

❶ 양면성설(병존설)
예컨대, 단란주점의 영업허가의 경우 금지의 해제라는 소극적인 관점에서 보면 단란주점의 허가는 명령적 행위이나, 적극적 관점에서 보면 단란주점을 경영할 수 있는 법적지위가 창설된다는 점에서 단란주점허가는 형성적 행위이다.

20. 경찰 2차, 19. 소방직, 17. 5급 승진, 16. 서울시 7급, 12. 서울시 9급 등 한의사면허의 법적 성질은 경찰금지를 해제하는 명령적 행위로서 강학상 허가이다. (○)

18. 서울시 9급 한의사 면허는 진료행위를 할 수 있는 능력을 설정하는 설권행위이다. (×)
→ 경찰금지를 해제하는 명령적 행위로서 강학상 허가이다

ⓒ **기속행위 또는 재량행위 여부**

ⓐ **원칙 - 기속행위**: 허가는 법령에 특별한 규정이 없는 한 원칙적으로 기속행위에 해당한다. 왜냐하면, 허가는 헌법상 보장된 개인의 자유권을 공익목적상 제한하고, 일정한 요건을 충족시키는 경우에 회복시켜 주는 행위이므로 법상 요건이 충족되었음에도 허가를 거부하는 것은 정당한 사유 없이 자유권을 계속 제한하는 것이 되어 허용되지 않는다고 보아야 하기 때문이다.

⚖ 관련판례

1 구 식품위생법상 일반(대중)음식점영업허가 ★★★

구 식품위생법상 일반(대중)음식점영업허가는 성질상 일반적 금지의 해제에 불과하므로 허가권자는 허가신청이 법에서 정한 요건을 구비한 때에는 허가하여야 하고 관계 법령에서 정하는 제한사유 외에 공공복리 등의 사유를 들어 허가신청을 거부할 수는 없고, 이러한 법리는 일반음식점 허가사항의 변경허가에 관하여도 마찬가지이다(대판 2000.3.24. 97누12532 ; 대판 1993.5.27. 93누2216).

14. 국회직 8급 일반음식점영업허가는 관계법령이 정하는 제한사유 이외에 공익적 요소를 감안하여 그 허가를 거부할 수 있는 ~~재량행위~~로 볼 것이다. (×) → 없는 기속행위

18. 경찰 2차, 12. 국회직 9급 「식품위생법」상 일반(대중)음식점영업허가는 성질상 일반적 금지의 해제에 불과하므로 허가권자는 허가신청이 법에서 정한 요건을 구비한 때에는 허가하여야 하고 관계 법령에서 정하는 제한사유 외에 공공복리 등의 사유를 들어 허가신청을 거부할 수는 없다. (○)

2 공중위생법상의 위생접객업허가 ★

공중위생법상의 위생접객업허가는 그 성질상 일반적 금지의 해제에 불과하므로 허가권자는 법에서 정한 요건을 구비한 때에는 이를 반드시 허가하여야 한다(대판 1995.7.28. 94누13497).

3 주류판매업면허 ★★

주류판매업면허는 설권적 행위가 아니라 주류판매의 질서유지, 주세 보전의 행정목적 등을 달성하기 위하여 개인의 자연적 자유에 속하는 영업행위를 일반적으로 제한하였다가 특정한 경우에 이를 회복하도록 그 제한을 해제하는 강학상의 허가로 해석되므로 주세법 제10조 제1호 내지 제11호에 열거된 면허제한사유에 해당하지 아니하는 한 면허관청으로서는 임의로 그 면허를 거부할 수 없다(대판 1995.11.10. 95누5714).

14. 지방직 9급 주류판매업면허는 강학상의 허가로 해석되므로 「주세법」에 열거된 면허제한사유에 해당하지 아니하는 한 면허관청으로서는 임의로 그 면허를 거부할 수 없다. (○)

4 기부금품모집허가 ★

기부금품모집규제법상의 기부금품모집허가는 공익목적을 위하여 일반적·상대적으로 제한된 기본권적 자유를 다시 회복시켜 주는 강학상의 허가에 해당하는 만큼 … 기부금품모집행위가 같은 법 제4조 제2항의 각 호의 사업에 해당하는 경우에는 특별한 사정이 없는 한 그 모집행위를 허가하여야 하는 것으로 풀이하여야 한다(대판 1999.7.23. 99두3690).

일반(대중)음식점영업허가
▷ 기속행위

「공중위생법」상 위생접객업허가
▷ 기속행위

주류판매업면허
▷ 기속행위

기부금품모집허가
▷ 기속행위

유기장영업허가
▷ 강학상 허가(기속행위)

유기장영업허가의 철회
▷ 재량행위

기속재량행위
▷ 원칙상 기속행위이지만 예외적으로 심히 중대한 공익상 필요가 있는 경우 허가를 거부할 수 있는 재량행위

일반건축물 허가의 성질
▷ 원칙: 기속행위
▷ 예외: 재량행위(중대한 공익상의 필요가 있는 경우 예외적으로 거부 可)

산림훼손허가(산림형질변경허가)
▷ 기속재량행위

---

5 유기장영업허가 ★★

유기장영업허가는 유기장영업권을 설정하는 설권행위가 아니고 일반적 금지를 해제하는 영업자유의 회복이라 할 것이므로 그 영업상의 이익은 반사적 이익에 불과하고 행정행위의 본질상 금지의 해제나 그 해제를 다시 철회하는 것은 공익성과 합목적성에 따른 당해 행정청의 재량행위라 할 것이다(대판 1985.2.8. 84누369 ; 대판 1986.11.25. 84누147).

19. 소방직 9급 유기장 영업허가는 유기장영업권을 설정하는 설권행위이다. (×) → 가 아니다
07. 서울시 9급 유기장 영업허가로 인한 영업상 이익은 반사적 이익이다. (○)

ⓑ **예외 – 기속재량행위, 재량행위**

㉮ 판례는 건축허가, 산림훼손허가, 석유판매업허가 등 일정한 허가를 원칙상 기속행위라고 보면서도 예외적으로 심히 중대한 공익상 필요가 있는 경우 거부할 수 있는 재량권(기속재량권, 거부재량권)을 인정하고 있다. 판례에 따르면 이와 같은 허가들은 기속재량행위의 성격을 갖게 된다.

⚖️ **관련판례**

1 건축허가는 원칙상 기속행위이지만 중대한 공익상 필요가 있는 경우 예외적으로 건축허가를 거부할 수 있다. ★★

건축허가권자는 건축허가 신청이 건축법 등 관계 법규에서 정하는 어떠한 제한에 배치되지 않는 이상 당연히 같은 법조에서 정하는 건축허가를 하여야 하고, 중대한 공익상의 필요가 없는데도 관계 법령에서 정하는 제한사유 이외의 사유를 들어 요건을 갖춘 자에 대한 허가를 거부할 수는 없다(대판 2009.9.24. 2009두8946 ; 대판 2006.11.9. 2006두1227 ; 대판 2016.8.24. 2016두35762).

19. 서울시 7급 건축허가권자는 원칙상 기속행위이지만 중대한 공익상의 필요가 있는 경우 예외적으로 거부할 수 있다. (○)

22. 군무원 9급 건축허가는 기속행위이므로 「건축법」상 허가요건이 충족된 경우에는 ~~항상 허가하여야 한다.~~ (×) → 원칙적으로 허가를 하여야 하나 중대한 공익상 필요가 있는 경우에는 예외적으로 허가를 거부할 수 있다

19. 국가직 9급, 19. 서울시 9급 건축허가권자는 중대한 공익상의 필요가 없음에도 관계 법령에서 정하는 제한사유 이외의 사유를 들어 건축허가 요건을 갖춘 자에 대한 허가를 거부할 수 ~~있다.~~ (×) → 없다

2 산림훼손허가(산림형질변경허가) ★★★

산림훼손행위는 국토 및 자연의 유지와 수질 등 환경의 보전에 직접적으로 영향을 미치는 행위이므로, 법령이 규정하는 산림훼손 금지 또는 제한 지역에 해당하는 경우는 물론 금지 또는 제한 지역에 해당하지 않더라도 허가관청은 산림훼손허가신청 대상토지의 현상과 위치 및 주위의 상황 등을 고려하여 국토 및 자연의 유지와 환경의 보전 등 중대한 공익상 필요가 있다고 인정될 때에는 허가를 거부할 수 있고, 그 경우 법규에 명문의 근거가 없더라도 거부처분을 할 수 있다(대판 2003.3.28. 2002두12113 ; 대판 2002.10.25. 2002두6651 ; 대판 1997.8.29. 96누15213).

22. 군무원 9급, 18. 지방직 7급, 12. 국가직 7급 구 산림법령이 규정하는 산림훼손 금지 또는 제한 지역에 해당하지 않더라도 환경의 보존 등 중대한 공익상 필요가 인정되는 경우, 허가관청은 법규상 명문의 근거가 없어도 산림훼손허가신청을 거부할 수 있다. (○)

19. 서울시 9급 환경의 보전 등 중대한 공익상 필요가 있다고 인정~~되더라도~~ 법규에 명문의 근거가 ~~없다면~~ 산림훼손기간 연장허가를 거부할 수 ~~없다.~~ (×) → 된다면 / 없더라도 / 있다

350 해커스공무원 학원·인강 gosi.Hackers.com

3 배출시설 설치허가 ★★

구 대기환경보전법 등의 문언과 그 체제 · 형식에 따르면 환경부장관은 배출시설 설치허가 신청이 구 대기환경보전법 제23조 제5항에서 정한 허가 기준에 부합하고 구 대기환경보전법 제23조 제6항, 같은 법 시행령 제12조에서 정한 허가제한사유에 해당하지 아니하는 한 원칙적으로 허가를 하여야 한다. 다만, 환경부장관은 같은 법 시행령 제12조 각 호에서 정한 사유에 준하는 사유로서 환경 기준의 유지가 곤란하거나 주민의 건강 · 재산, 동식물의 생육에 심각한 위해를 끼칠 우려가 있다고 인정되는 등 중대한 공익상의 필요가 있을 때에는 허가를 거부할 수 있다 (대판 2013.5.9. 2012두22799).

19. 서울시 7급(추) 배출시설 설치허가의 신청이 구 「대기환경보전법」에서 정한 허가기준에 부합하고 동 법령상 허가제한사유에 해당하지 아니하는 한 환경부장관은 원칙적으로 허가를 하여야 한다. (○)

구 「대기환경보전법」상 배출시설 설치허가
▷ 기속재량행위

4 산림 내에서의 토석채취허가 ★

산림 내에서의 토석채취허가는 국토 및 자연의 유지와 환경보전 등 중대한 공익상 필요가 있다고 인정될 때에는 그 허가를 거부할 수 있다(대판 1994.8.12. 94누5489).

산림 내에서의 토석채취허가
▷ 기속재량행위

5 입목굴채허가 ★

허가관청은 국토 및 자연의 유지와 환경의 보전 등 중대한 공익상 필요가 있다고 인정될 때에는 입목굴채허가를 거부할 수 있다(대판 2001.11.30. 2001두5866).

12. 사복직 입목굴채허가는 기속행위에 해당한다. (✕) → 기속재량행위

입목굴채허가
▷ 기속재량행위

6 사설법인묘지의 설치허가 ★★

사설묘지 설치허가 신청 대상지가 관련 법령에 명시적으로 설치제한지역으로 규정되어 있지 않더라도 중대한 공익상 필요가 있다고 인정할 때에는 그 허가를 거부할 수 있다(대판 2008.4.10. 2007두6106).

19. 국가직 9급 사설법인묘지의 설치에 대한 행정청의 허가는 강학상 허가에 해당한다. (○)

사설법인묘지 설치허가
▷ 기속재량행위

7 석유판매업허가 ★★

주유소등록신청을 받은 행정청은 주유소설치등록신청이 석유사업법, 같은 법 시행령, 혹은 위 시행령의 위임을 받은 시 · 지사의 고시 등 관계 법규에 정하는 제한에 배치되지 않고, 그 신청이 법정등록 요건에 합치되는 경우에는 특별한 사정이 없는 한 이를 수리하여야 하고, 관계 법령에서 정하는 제한사유 이외의 사유를 들어 등록을 거부할 수는 없는 것이나, 심사결과 관계 법령상의 제한 이외의 중대한 공익상 필요가 있는 경우에는 그 수리를 거부할 수 있다(대판 1998.9.25. 98두7503).

석유판매업허가
▷ 기속재량행위

㉯ 법령에서 일정한 경우에 허가를 재량행위로 규정하고 있는 경우(예 「건축법」 제11조 제4항), 그 허가는 재량행위가 된다.

「건축법」 제11조 【건축허가】 ④ 허가권자는 제1항에 따른 건축허가를 하고자 하는 때에 「건축기본법」 제25조에 따른 한국건축규정의 준수 여부를 확인하여야 한다. 다만, 다음 각 호의 어느 하나에 해당하는 경우에는 이 법이나 다른 법률에도 불구하고 건축위원회의 심의를 거쳐 건축허가를 하지 아니할 수 있다.
1. 위락시설이나 숙박시설에 해당하는 건축물의 건축을 허가하는 경우 해당 대지에 건축하려는 건축물의 용도 · 규모 또는 형태가 주거환경이나 교육환경 등 주변 환경을 고려할 때 부적합하다고 인정되는 경우

16. 교행 숙박용 건물의 건축허가는 기속행위이므로 중대한 공익상의 이유가 있다 할지라도 그 허가를 거부할 수 없다. (✕) → 재량행위 / 있다면 / 있다

위락시설 · 숙박시설에 대한 건축허가
▷ 재량행위

재량행위
▷ 법령상 재량이 부여된 경우
▷ 공익상 필요로 이익형량이 요구되는 경우
▷ 의제되는 인·허가가 재량행위인 경우
▷ 허가요건이 불확정개념으로 규정된 경우
▷ 예외적 승인(허가)

토지형질변경허가
▷ 재량행위

ⓓ 명문의 규정이 없더라도 근거법령 또는 관계법령의 규정에 비추어 허가시 공익상 필요(환경상의 이익 등)가 있다고 인정되어 이익형량이 요구되는 경우나 허가의 요건이 불확정개념으로 규정되어 있는 경우 재량행위로 볼 수 있다.

> **⚖ 관련판례**
>
> **토지형질변경허가 ★★**
>
> 도시계획법 제4조 제1항 제1호, 같은 법 시행령 제5조의2, 토지의형질변경등행위허가 기준등에관한규칙 제5조의 규정의 형식이나 문언 등에 비추어 볼 때, 형질변경의 허가가 신청된 당해 토지의 합리적인 이용이나 도시계획사업에 지장이 될 우려가 있는지 여부와 공익상 또는 이해관계인의 보호를 위하여 부관을 붙일 필요의 유무나 그 내용 등을 판단함에 있어서 행정청에 재량의 여지가 있으므로 그에 관한 판단 기준을 정하는 것 역시 행정청의 재량에 속하고, 그 설정된 기준이 객관적으로 합리적이 아니라거나 타당하지 않다고 볼만한 특별한 사정이 없는 이상 행정청의 의사는 가능한 한 존중되어야 할 것이다(대판 1999.2.23. 98두17845).
>
> 14. 지방직 7급 「국토의 계획 및 이용에 관한 법률」상 토지형질변경의 허가신청에 대하여, 공익상 또는 이해관계인의 보호를 위하여 부관을 붙일 필요의 유무나 그 내용 등을 판단함에 있어서 행정청에 재량의 여지가 있다. (○)

ⓔ 법령에 의해 의제되는 인·허가가 재량행위인 경우에는 주된 인·허가가 기속행위인 경우에도 인·허가가 의제되는 한도 내에서 재량권이 인정된다(즉, 기속행위인 허가가 재량행위인 허가를 포함하는 경우 그 한도 내에서 재량행위가 됨).

> 20. 국가직 7급 의제되는 인·허가가 재량행위인 경우에는 주된 인·허가가 기속행위인 경우에도 인·허가가 의제되는 한도 내에서 재량행위로 보아야 한다. (○)

ⓕ 개발제한구역 안에서의 건축허가는 예외적 허가로서 원칙상 재량행위이다.

토지형질변경 수반하는 건축허가
▷ 재량행위

> **⚖ 관련판례**
>
> **1 국토의 계획 및 이용에 관한 법률에 따른 토지의 형질변경행위를 수반하는 건축허가는 재량행위이다. ★★★**
>
> 건축법 제8조 제6항 제3호는 건축법 제8조 제1항에 의하여 허가를 받은 경우에는 국토계획법 제56조의 규정에 의한 개발행위허가를 받은 것으로 본다고 규정하고 있는바, 이러한 각 규정에 비추어 보면, 국토의 계획 및 이용에 관한 법률에서 정한 도시지역 안에서 토지의 형질변경행위를 수반하는 건축허가는 건축법 제8조 제1항의 규정에 의한 건축허가와 국토의 계획 및 이용에 관한법률 제56조 제1항 제2호의 규정에 의한 토지의 형질변경허가의 성질을 아울러 갖는 것으로 보아야 할 것이고, 국토의 계획 및 이용에 관한 법률에 따른 토지의 형질변경허가는 그 금지요건이 불확정개념으로 규정되어 있어 그 금지요건에 해당하는지 여부를 판단함에 있어서 행정청에 재량권이 부여 되어 있다고 할 것이므로, 국토계획법에 따른 토지의 형질변경행위를 수반하는 건축허가는 재량행위에 속한다(대판 2005.7.14. 2004두6181 ; 대판 2013.10.31. 2013두9625).
>
> 21. 국가직 7급, 19. 서울시 7급, 18. 경찰 2차, 17. 국가직 9급(추), 14. 국회직 8급 등 「국토의 계획 및 이용에 관한 법률」상 토지의 형질변경허가는 그 금지요건이 불확정개념으로 규정되어 있으므로, 동법상 지정된 도시지역 안에서 토지의 형질변경행위를 수반하는 「건축법」상의 건축허가는 재량행위이다. (○)

19. 지방직 9급, 18. 지방직 7급 「국토의 계획 및 이용에 관한 법률」에 따른 토지의 형질변경 허가에는 행정청의 재량권이 부여되어 있다고 하더라도 「건축법」상의 건축허가는 기속행위이 므로, 「국토의 계획 및 이용에 관한 법률」에 따른 토지의 형질변경행위를 수반하는 건축허가는 기속행위에 속한다. (×) → 할 것이므로 / 이지만 / 재량행위

2 국토의 계획 및 이용에 관한 법률이 정한 용도지역 안에서 토지의 형질변경행위 · 농지전용행위를 수반하는 건축허가는 재량행위에 해당한다. ★★

국토계획법이 정한 용도지역 안에서 토지의 형질변경행위 · 농지전용행위를 수반(의제)하는 건축허가는 건축법 제11조 제1항에 의한 건축허가와 위와 같은 개발행위허가 및 농지전용허가의 성질을 아울러 갖게 되므로 이 역시 재량행위에 해당한다(대판 2017.10.12. 2017두48956).

21. 경찰 2차 「국토의 계획 및 이용에 관한 법률」이 정한 용도지역 안에서 토지의 형질 변경(경작을 위한 경우로서 대통령령으로 정하는 토지의 형질변경은 제외)을 수반하는 건축허가는 「건축법」 제11조 제1항에 의한 건축허가와 「국토의 계획 및 이용에 관한 법률」상의 개발행위허가의 성질을 아울러 갖게 되므로 재량행위에 해당한다. (○)

④ **허가의 신청**: 허가는 상대방의 신청(출원)에 의하여 행하여지는 것이 원칙이나 (쌍방적 행정행위), 예외적으로 통행금지의 해제와 같이 신청을 전제로 하지 않는 허가도 있다. 판례는 허가신청의 내용과 다른 내용의 허가도 당연무효는 아니라고 본다.

📌 **관련판례**

개축허가신청에 대하여 행정청이 착오로 대수선 및 용도변경허가를 하였다 하더라도 취소 등 적법한 조치 없이 그 효력을 부인할 수 없음은 물론 더구나 이를 다른 처분 (즉, 개축허가)으로 볼 근거도 없다(대판 1985.11.26. 85누382). ★★

11. 국가직 7급 개축허가신청에 대해 착오로 행한 용도변경허가는 무효가 아니다. (○)

07. 서울시 9급, 05. 국가직 9급 판례에 의하면 개축허가 신청에 대하여 행정청이 착오로 대수선 및 용도변경을 허가하였다 하더라도 취소 등의 적법한 조치 없이는 그 효력을 부인할 수 없다. (○)

⑤ **허가의 형식**: 허가는 성질상 행정행위의 형식(구체적 처분)으로만 이루어진다. 하명에는 법령에서 직접의무를 발생시키는 법규하명이 존재하지만, 허가에는 법규의 형태, 즉 법규허가는 불가능하다. 또한 허가는 「행정절차법」 제24조에 따라 원칙적으로 문서에 의하여야 한다.

04. 서울시 9급 허가는 직접 법령에 의하여 행해지는 경우도 있다. (×) → 는 없다

⑥ **허가의 상대방 및 대상**

㉠ **상대방**: 허가는 특정 상대방에 대하여 개별적으로 행하여지는 것이 원칙이나 일반처분과 같이 불특정 다수인에게 행하여질 수 있다(예 도로통행금지 해제 등).

㉡ **대상**: 허가의 대상은 사실행위뿐(예 통행금지 해제 등)만 아니라 법률행위(예 영업허가)일 경우도 있다.

10. 서울시 9급 허가의 대상은 사실행위와 법률행위지만 인가는 법률행위만 속한다. (○)

⑦ **허가의 기준**

㉠ **허가신청 후의 법령개정시 처분기준**

ⓐ **원칙**: 허가 신청 후 행정처분 전에 법령의 개정으로 허가기준에 변경이 있는 경우에는 원칙적으로 신청시가 아닌 처분시의 법령을 기준으로 허가 여부를 결정하여야 한다. 판례도 동일한 입장이다.

국토의 계획 및 이용에 관한 법률이 정한 용도지역 안에서 토지의 형질변경행위 · 농지전용행위를 수반하는 건축허가
▷ 재량행위

허가의 신청
▷ 원칙: 상대방의 신청 要(출원)
▷ 예외: 신청 不要(통행금지의 해제 등)
▷ 허가신청의 내용과 다른 내용의 허가: 당연무효×

개축허가신청에 대해 착오로 행한 대수선 및 용도변경허가
▷ 취소 등의 적법한 조치 없이 효력 부인 不可

허가의 형식
▷ 행정행위의 형식(구체적 처분)으로만 可
▷ 법규허가×
▷ 원칙적으로 문서(「행정절차법」 제24조)

허가의 상대방
▷ 특정 상대방 · 불특정 다수인을 대상

허가의 대상
▷ 사실행위 · 법률행위

원칙
▷ 처분시 법령 적용

「행정기본법」도 판례의 입장과 동일하게 '법 적용의 기준'을 규정하고 있다(「행정기본법」 제14조 제2항).

> **「행정기본법」 제14조【법 적용의 기준】** ② 당사자의 신청에 따른 처분은 법령등에 특별한 규정이 있거나 처분 당시의 법령등을 적용하기 곤란한 특별한 사정이 있는 경우를 제외하고는 처분 당시의 법령등에 따른다.
>
> 21. 지방직 7급 당사자의 신청에 따른 처분은 다른 법령에 특별한 규정이 있는 경우를 제외하고는 신청 당시의 법령 등에 따른다. (×) → 처분

ⓑ **예외:** 그러나 허가 신청 후 허가기준이 변경되었다 하더라도 그 허가관청이 허가신청을 수리하고도 정당한 이유 없이 그 처리를 늦추어 그 사이에 허가기준이 변경된 것이라면 예외적으로 허가신청 당시의 법령을 기준으로 한다.

예외
▷ 허가관청이 신청을 수리하고도 정당한 이유 없이 처리를 늦추어 그 사이에 허가기준이 변경된 경우: 신청시 법령 적용

신청시와 처분시의 법령이 다른 경우
▷ 처분시의 허가기준에 따라야 함(원칙)

허가신청 후 처분 전, 관계법령이 개정된 경우 새로운 법령 및 허가기준에 따라서 한 불허가처분
▷ 적법

> ⚖️ **관련판례**
>
> **1 허가 등의 행정처분은 원칙적으로 처분시의 법령과 허가기준에 의하여 처리되어야 한다.** ★★★
>
> 허가 등의 행정처분은 원칙적으로 처분시의 법령과 허가기준에 의하여 처리되어야 하고 허가신청 당시의 기준에 따라야 하는 것은 아니며, 비록 허가신청 후 허가기준이 변경되었다 하더라도 그 허가관청이 허가신청을 수리하고도 정당한 이유 없이 그 처리를 늦추어 그 사이에 허가기준이 변경된 것이 아닌 이상 변경된 허가기준에 따라서 처분을 하여야 한다(대판 2006.8.25. 2004두2974 ; 대판 1996.8.20. 95누10877).
>
> 19. 서울시 7급(추), 17. 교행 허가 등의 허가처분은 원칙적으로 허가신청 당시의 법령과 허가기준에 의하여 처리되어야 한다. (×) → 처분시의
>
> 22. 소방직, 21. 소방직, 19. 행정사, 14. 경찰 1차, 11. 국가직 7급 등 허가신청이 있은 후 그에 대한 결정이 있기 전에 허가기준을 정한 법령이 개정된 경우에는 처분청은 원칙적으로 개정된 법령을 적용하여야 한다는 것이 판례의 입장이다. (○)
>
> 20. 군무원 7급 허가 등의 행정처분은 원칙적으로 처분시의 법령과 허가기준에 의하여 처리되어야 하고 허가신청 당시의 기준에 따라야 하는 것은 아니며, 비록 허가신청 후 허가기준이 변경되었다 하더라도 그 허가관청이 허가신청을 수리하고도 정당한 이유 없이 그 처리를 늦추어 그 사이에 허가기준이 변경된 것이 아닌 이상 변경된 허가기준에 따라서 처분을 하여야 한다. (○)
>
> **2 허가신청 후 처분 전에 관계법령이 개정 시행된 경우, 새로운 법령 및 허가기준에 따라서 한 불허가처분은 위법하다고 할 수 없다.** ★★
>
> 행정행위는 처분 당시에 시행중인 법령 및 허가기준에 의하여 하는 것이 원칙이고, 인·허가신청 후 처분 전에 관계 법령이 개정 시행된 경우 신법령 부칙에서 신법령 시행 전에 이미 허가신청이 있는 때에는 종전의 규정에 의한다는 취지의 경과규정을 두지 아니한 이상 당연히 허가신청 당시의 법령에 의하여 허가 여부를 판단하여야 하는 것은 아니며, 소관 행정청이 허가신청을 수리하고도 정당한 이유 없이 처리를 늦추어 그 사이에 법령 및 허가기준이 변경된 것이 아닌 한 새로운 법령 및 허가기준에 따라서 한 불허가처분이 위법하다고 할 수 없다(대판 1992.12.8. 92누13813).
>
> 14. 변호사 허가 신청 후 처분 전에 관계법령이 개정 시행된 경우 신법령 부칙에 경과규정을 두지 아니한 이상 당연히 허가신청 당시의 법령에 의하여 허가 여부를 판단하여야 하는 것은 아니며, 소관 행정청이 허가신청을 수리하고도 정당한 이유 없이 처리를 늦추어 그 사이에 법령 및 허가기준이 변경된 것이 아닌 한 변경된 법령 및 허가기준에 따라서 한 불허가처분은 적법하다. (○)

ⓒ **행정권에 의한 허가요건의 추가**: 허가요건의 추가는 바로 기본권의 제한(제한의 신설, 제한의 강화 등)에 해당하므로 허가의 요건은 구체적으로 법률로서 규정되어야 하며, 법령의 근거 없이 행정권이 독자적으로 허가요건을 추가하는 것은 허용되지 아니한다.❶

⑧ **허가의 효과**

ⓒ **자연적 자유의 회복**: 허가가 주어지면 본래 가지고 있던 자연적 자유(헌법상의 자유권)가 회복된다. 따라서 허가(예 건축허가)를 받은 자는 적법하게 일정한 행위(예 건축행위)를 할 수 있게 된다. 그러나 허가를 통하여 새로운 권리나 능력이 설정되는 것은 아니다.

관련판례

건축허가는 상대적 금지를 관계 법규에 적합한 일정한 경우에 해제함으로써 일정한 건축행위를 하도록 회복시켜 주는 행정처분일 뿐, 허가받은 자에게 새로운 권리나 능력을 부여하는 것이 아니다. ★★

건축허가는 시장·군수 등의 행정관청이 건축행정상 목적을 수행하기 위하여 수허가자에게 일반적으로 행정관청의 허가 없이는 건축행위를 하여서는 안 된다는 <u>상대적 금지를 관계 법규에 적합한 일정한 경우에 해제함으로써 일정한 건축행위를 하도록 회복시켜 주는 행정처분일 뿐, 허가받은 자에게 새로운 권리나 능력을 부여하는 것이 아니다.</u> 그리고 건축허가서는 허가된 건물에 관한 실체적 권리의 득실변경의 공시방법이 아니며 그 추정력도 없으므로 <u>건축허가서에 건축주로 기재된 자가 그 소유권을 취득하는 것은 아니며, 건축중인 건물의 소유자와 건축허가의 건축주가 반드시 일치하여야 하는 것도 아니다</u>(대판 2009.3.12. 2006다28454 ; 대판 1997.3.28. 96다10638).

19. 서울시 9급 건축허가는 수허가자에게 어떤 새로운 권리나 능력을 부여하는 것이 아니다. (○)

14. 지방직 9급 건축허가시 건축허가서에 건축주로 기재된 자는 당연히 그 건물의 소유권을 취득하며, 건축 중인 건물의 소유자와 건축허가의 건축주는 ~~일치하여야 한다~~. (×) → 취득하는 것은 아니며 / 반드시 일치해야 하는 것도 아니다

ⓒ **법률상의 이익 또는 반사적 이익 여부**

ⓐ 허가로 인하여 기존 허가권자가 독점적으로 누리는 영업상의 이익은 원칙적으로 반사적 이익에 불과하다(대판 1998.3.10. 97누4289 등). 따라서 이미 허가한 영업시설과 동종의 영업허가를 함으로써 기존업자의 영업이익에 피해가 발생한 경우 기존업자는 동종의 신규 영업허가의 취소소송을 제기할 수 있는 원고적격이 인정되지 않는다(대판 1990.8.14. 89누7900 등).

19. 지방직 9급 (甲은 강학상 허가에 해당하는 「식품위생법」상 영업허가를 신청하였다) 甲에게 허가가 부여된 이후 乙에게 또 다른 신규허가가 행해진 경우, 甲에게는 특별한 규정이 없더라도 乙에 대한 신규허가를 다툴 수 있는 원고적격이 인정되는 것이 원칙이다. (×) → 되지 않는다

ⓑ 그러나 관계법령이 공익뿐만 아니라 사익도 보호하는 취지로 해석되는 경우에는 허가로 인한 이익은 법률상 이익에 해당한다. 예컨대, 영업허가의 요건으로 거리제한규정이 있는 경우에는(예 담배소매인지정의 경우 담배사업법령에 의하여 소매인 영업소 간 거리가 50m 이상이어야 한다) 당해 구역 안에서 허가를 통하여 누리는 독점적인 지위는 법률상 이익이라 볼 수 있다(대판 1963.8.31. 63누101).

허가요건의 추가
▷ 법령의 근거 없이 행정청의 독자적 추가×

❶ 따라서 「양곡관리법」 등 관계법령에 양곡 가공시설물 설치장소에 대한 거리제한의 규정이 없는 이상 서울특별시의 예규로써 그 거리를 제한할 수 없다(대판 1981.1.27. 79누433).

건축허가
▷ 강학상 허가(새로운 권리나 능력 부여×)
▷ 건축허가서에 건축주로 기재된 자가 당연히 건물소유권 취득×

허가로 인한 기존 허가권자의 영업상 이익
▷ 단순한 반사적 이익(∴기존업자 원고적격×)

관계법령의 사익보호성이 인정되는 경우 (예 거리제한규정)
▷ 법률상 이익(∴기존업자 원고적격○)

해제 범위
▷ 허가의 대상이 된 행위에 대한 금지만 해제될 뿐
▷ 타법상의 금지까지 해제×

접도구역 안에 있는 건물
▷ 「도로법」상의 개축허가를 받았어도 「건축법」상의 허가 다시 받아야

무허가행위
▷ 강제집행·행정벌 대상○
▷ 원칙: 행위 자체의 법률적 효력은 부인되지 않음

허가담당공무원이 허가대상 아니라고 오고지
▷ 무허가행위에 대해 처벌 불가

© **타법상의 제한:** 허가는 해당 법령에 의한 금지를 해제시켜줄 뿐이지 다른 법률에 의한 금지까지 해제해 주는 효과는 없다. 예컨대, 공무원이 영업허가를 받아도 공무원법상의 영리업무금지는 여전히 행해진다.

15. 행정사, 11. 국가직 9급, 08. 국가직 7급 허가가 있으면 당해 허가의 대상이 된 행위에 대한 금지가 해제될 뿐만 아니라 타법에 의한 금지까지 해제된다. (×) → × / 되는 것은 아니다

19. 지방직 9급 (甲은 강학상 허가에 해당하는 「식품위생법」상 영업허가를 신청하였다) 이 경우에 甲이 공무원인 경우 허가를 받으면 이는 「식품위생법」상의 금지를 해제할 뿐만 아니라 「국가공무원법」상의 영리업무금지까지 해제하여 주는 효과가 있다. (×) → × / 되는 것은 아니다

> **관련판례**
>
> 접도구역으로 지정된 지역 안에 있는 건물에 관하여서는 도로법상의 개축허가를 받았어도 건축법상의 허가를 다시 받아야 한다. ★★
>
> 도로법과 건축법에서 각 규정하고 있는 건축허가는 그 허가권자의 허가를 받도록 한 목적, 허가의 기준, 허가 후의 감독에 있어서 같지 아니하므로 <u>도로법 제50조 제1항에 의하여</u> 접도구역으로 지정된 지역 안에 있는 건물에 관하여 같은 조 제4·5항에 의하여 도로관리청인 도지사로부터 개축허가를 받았다고 하더라도 <u>건축법 제5조 제1항에 의하여 시장 또는 군수의 허가를 다시 받아야 한다</u>(대판 1991.4.12. 91도218).
>
> 06. 국가직 7급 접도구역으로 지정된 지역 안에 있는 건물에 관하여서는 「도로법」상의 개축허가를 받았어도 건축법상의 허가를 다시 받아야 한다. (○)
>
> 12. 국회직 9급 「도로법」과 「건축법」에서 각 규정하고 있는 건축허가는 그 허가권자의 허가를 받도록 한 목적, 허가의 기준, 허가 후의 감독에 있어서 동일하므로 「도로법」에 의하여 도로관리청인 도지사로부터 개축허가를 받았다면 「건축법」에 의하여 시장 또는 군수의 허가를 다시 받을 필요는 없다. (×) → 같지 아니하므로 / 다시 받아야 한다

② **무허가행위의 효과**

ⓐ 허가를 받아야 할 행위를 허가 없이 행한 경우(무허가행위) 행정상의 강제집행이나 행정벌의 대상은 되지만(허가는 적법요건), 행위 자체의 법률적 효력(무허가행위의 사법적 효력)은 부인되지 않는 것이 원칙이다 (이 점이 형성적 행위인 인가와 다르다).

20. 국회직 9급 허가를 받아야만 적법하게 할 수 있는 행위를 허가받지 않고 행한 경우에는 행정상 강제집행이나 행정벌의 대상이 되는 것은 별론으로 하고 당해 무허가행위의 사법상 효력까지 당연히 부인되는 것은 아니다. (○)

21. 군무원 9급 허가는 규제에 반하는 행위에 대해 행정강제나 제재를 가하기 보다는 행위의 사법상 효력을 부인함으로써 규제의 목적을 달성하는 방법이다. (×) → 가하지만 / 은 부인되지 않는 것이 원칙이다

14. 사복직 허가는 행위의 유효요건이므로 허가를 받아야 할 행위를 허가받지 아니하고 행한 경우, 그 행위는 행정강제나 행정벌(처벌)의 대상은 되지 않고 무효로 되는 것이 원칙이다. (×) → 적법요건 / 되지만, 사법상의 법적 효력은 유효한 것이 원칙이다

ⓑ 다만, 처벌만으로는 무허가행위를 막을 수 없다고 보여지는 경우에 법률이 처벌 이외에 무허가행위를 무효로 하는 경우도 있다.

13. 국회직 8급, 06. 국가직 7급 허가를 받은 후에 할 수 있는 행위를 허가를 받지 아니하고 행하면 일반적으로 행정상 강제집행 또는 행정벌이 가해지며 경우에 따라서는 무효가 되기도 한다. (○)

ⓒ 한편, 판례는 행정청의 허가가 있어야 함에도 불구하고 허가를 담당하는 공무원이 허가를 요하지 않는다고 잘못 알려 주어 이를 믿었기 때문에, 허가를 받지 아니하고 처벌대상의 행위를 한 경우에는 처벌할 수 없다고 본다(대판 1992.5.22. 91도2525).

11. 국회직 9급 행정청의 허가가 있어야 함에도 불구하고 허가를 받지 아니하여 처벌대상의 행위를 한 경우라도, 허가를 담당하는 공무원이 허가를 요하지 아니하는 것으로 잘못 알려 주어 이를 믿었기 때문에 허가를 받지 아니한 것이라면 허가를 받지 않더라도 죄가 되지 않는 것으로 착오를 일으킨 데 대하여 정당한 이유가 있는 경우에 해당하여 처벌할 수 없다. (○)

⑨ 허가의 갱신(기간연장)

㉠ 개념: 허가의 기간에 제한이 있는 경우에 종전의 허가를 존속하기 위해서는 허가의 갱신이 필요하다. 이와 같이 종전의 허가의 효력을 유지시키는 행위를 허가의 갱신이라 한다.

㉡ 갱신의 효과

ⓐ 허가의 갱신은 종전 허가의 효력을 존속시키는 행위이지 그것과 무관한 별도의 새로운 허가가 아니다.

ⓑ 따라서 허가의 갱신으로 갱신 전의 위법사유가 치유되는 것이 아니므로 갱신 후에도 갱신 전 위법사유를 이유로 허가를 취소할 수 있다.

⚡ 관련판례

1 허가가 갱신된 이후라고 하더라도, 갱신 전의 법위반사실을 이유로 허가를 취소할 수 있다. ★★★

유료직업 소개사업의 허가갱신은 허가취득자에게 종전의 지위를 계속 유지시키는 효과를 갖는 것에 불과하고 갱신 후에는 갱신 전의 법위반사항을 불문에 붙이는 효과를 발생하는 것이 아니므로 일단 갱신이 있은 후에도 갱신 전의 법위반사실을 근거로 허가를 취소할 수 있다(대판 1982.7.27. 81누174).

17. 교행 유료직업소개사업의 허가갱신 후에도 갱신 전 법위반사실을 근거로 허가를 취소할 수 있다. (○)

20. 군무원 7급, 18. 경찰 3차, 17. 경찰 2차, 16. 서울시 9급, 15. 지방직 9급 등 유료직업소개사업의 허가 갱신은 허가취득자에게 종전의 지위를 유지시키는 효과를 갖는 것에 불과하고 갱신 후에는 갱신 전의 법 위반사항을 불문에 붙이는 효과를 발생하는 것이 아니므로 일단 갱신이 있은 후에도 갱신 전의 법 위반사실을 근거로 허가를 취소할 수 있다. (○)

2 건설면허갱신에 의해 기존 면허에 있는 위법사유가 치유되지 않는다. ★★★

(건설업자가 타인에게 건설업면허를 대여하였고, 그 후 행정청이 건설업면허를 갱신해 준 사안에서)건설업면허의 갱신이 있으면 기존 면허의 효력은 동일성을 유지하면서 장래에 향하여 지속한다 할 것이고 갱신에 의하여 갱신전의 면허는 실효되고 새로운 면허가 부여된 것이라고 볼 수는 없으므로 면허갱신에 의하여 갱신 전의 건설업자의 모든 위법사유가 치유된다거나 일정한 시일의 경과로서 그 위법사유가 치유된다고 볼 수 없다(대판 1984.9.11. 83누658).

11. 국회직 9급, 11. 지방직 9급 건설업면허의 갱신이 있으면 기존면허의 효력은 동일성을 유지하면서 장래에 향하여 지속된다 할 것이고, 갱신에 의하여 갱신 전의 면허는 실효되고 새로운 면허가 부여된 것이라고 볼 수는 없으므로 면허갱신에 의하여 갱신 전의 건설업자의 모든 위법사유가 치유된다거나 일정한 시일의 경과로써 그 위법사유가 치유된다고 볼 수 없다. (○)

12. 서울시 9급 허가의 갱신의 경우에는 종전 허가는 실효되고 새로운 허가가 부여되는 것이다. (×) → 것이 아니다

㉢ 갱신의 신청

ⓐ 허가 갱신의 신청은 허가기간의 만료 전에 이루어져야 함이 원칙이다. 기한 도래 전에 갱신이 이루어지면 갱신 전후의 행위는 하나의 행위가 된다.

11. 국가직 9급 허가의 갱신 신청은 달리 정함이 없으면 원칙적으로 기한이 도래하기 전에 할 수도 있고 도래한 후에 할 수도 있다. (×) → 할 수 없다

함께 정리하기

허가의 갱신
▷ 종전의 허가의 효력을 유지시키는 행위

갱신의 효과
▷ 새로운 행위×(갱신 전의 위법사유가 치유×)

허가 갱신 후 갱신 전 사유로
▷ 허가취소 可

허가의 갱신
▷ 종전 허가의 효력 유지○(실효×)
▷ 갱신 전 위법사유 치유×

허가의 갱신
▷ 허가기간 만료 전에 이루어져야 함이 원칙

제2편
행정작용법 해커스공무원 함수민 행정법총론 기본서

제2장 행정행위 **357**

기한 도래 후 갱신신청에 따른 허가
▷ 새로운 허가(허가요건의 적합여부 새로이 판단)

ⓑ 허가 기간 경과 후에 이루어진 신청에 따른 허가는 갱신허가가 아니고 별개의 새로운 허가에 해당한다. 따라서 행정청은 허가요건의 적합여부를 새로이 판단해야 한다.

11. 국가직 9급 종전의 허가기간 경과 후에 이루어진 신청에 따른 허가는 일반적으로 갱신허가에 해당한다. (×) → 새로운 허가

유효기간 지난 후의 연장신청
▷ 새로운 허가신청

1 **유효기간이 지나서 한 연장신청은 새로운 허가신청으로 보아야 하므로 허가권자는 허가의 적합성을 새로이 판단해야 한다. ★★★**

종전의 허가가 기한의 도래로 실효한 이상 원고가 종전 허가의 유효기간이 지나서 신청한 이 사건 기간연장신청은 그에 대한 종전의 허가처분을 전제로 하여 단순히 그 유효기간을 연장하여 주는 행정처분을 구하는 것이라기보다는 종전의 허가처분과는 별도의 새로운 허가를 내용으로 하는 행정처분을 구하는 것이라고 보아야 할 것이어서, 이러한 경우 허가권자는 이를 새로운 허가신청으로 보아 법의 관계 규정에 의하여 허가요건의 적합 여부를 새로이 판단하여 그 허가 여부를 결정하여야 할 것이다(대판 1995.11.10. 94누11866).

22. 국가직 7급, 21. 경찰 2차 기한의 도래로 실효한 종전의 허가에 대한 기간연장신청은 새로운 허가를 내용으로 하는 행정처분을 구하는 것이 아니라, 종전의 허가처분을 전제로 하여 단순히 그 유효기간을 연장하여 주는 행정처분을 구하는 것으로 보아야 한다. (×) → 것이고 / 것이 아니다

10. 국가직 9급 종전의 허가의 유효기간이 지난 후의 기간연장신청은 새로운 허가신청으로 보아 법의 관계규정에 의하여 허가요건의 적합 여부를 새로이 판단하여 허가 여부를 결정해야 한다. (○)

16. 지방직 9급 허가의 유효기간이 지난 후에 그 허가의 기간연장이 신청된 경우, 허가권자는 특별한 사정이 없는 한 유효기간을 연장해 주어야 한다. (×) → 허가요건의 적합여부를 새로이 판단하여야 한다

어업허가 또는 신고
▷ 유효기간연장제도 無
▷ ∴유효기간 경과시 종전 허가나 신고의 효력 소멸

재차 한 어업허가 또는 신고
▷ 새로운 허가 또는 신고(갱신×)

2 **어업에 관한 허가 또는 신고의 경우 유효기간이 지나면 당연히 효력이 소멸하며, 이 경우 다시 어업허가를 받거나 신고를 하더라도 종전 허가나 신고의 효력 등이 계속되는 것은 아니다. ★★**

어업에 관한 허가 또는 신고의 경우에는 어업면허와 달리 유효기간연장제도가 마련되어 있지 아니하므로 그 유효기간이 경과하면 그 허가나 신고의 효력이 당연히 소멸하며, 재차 허가를 받거나 신고를 하더라도 허가나 신고의 기간만 갱신되어 종전의 어업허가나 신고의 효력 또는 성질이 계속된다고 볼 수 없고 새로운 허가 내지 신고로서의 효력이 발생한다고 할 것이다(대판 2011.7.28. 2011두5728).

22. 군무원 9급 어업에 관한 허가의 경우 그 유효기간이 경과하면 그 허가의 효력이 당연히 소멸하지만, 유효기간의 만료 후라도 재차 허가를 받게 되면 그 허가기간이 갱신되어 종전의 어업허가의 효력 또는 성질이 계속된다. (×) → 하며 / 되더라도 / 된다고 볼 수 없다

21. 소방간부 어업에 관한 허가 또는 신고는 어업면허와 마찬가지로 유효기간이 경과해도 그 허가나 신고의 효력이 당연히 소멸되는 것은 아니므로 재차 허가를 받거나 신고를 하면 허가나 신고의 기간이 갱신되어 종전의 어업허가나 신고의 효력 또는 성질이 계속된다고 볼 수 있다. (×) → 달리 / 경과하면 / 것이므로 / 없다

종기 도래 전 신청, 도래 후 갱신
▷ 기한의 도래 전에 갱신이 이루어진 것과 동일하게 봄

ⓒ 허가의 종기가 도래하기 전에 갱신의 신청이 있었으나, 도래 후에 갱신이 이루어진 경우에도 특별한 사정이 없는 한 기한의 도래 전에 이루어진 것과 동일하게 본다.

⑩ 허가의 종류 및 허가 효과의 승계(이전가능성)

㉠ 허가의 대상에 따라 대인적 허가(例 한의사 면허, 약사면허, 운전면허 등), 대물적 허가(例 건축허가, 음식점영업허가, 석유판매업(주유업)허가, 주류제조업면허, 목욕장영업허가 등), 혼합적 허가(例 폐기물처리업허가, 유흥주점영업허가, 전당포영업허가, 총포·화약류제조허가, 액화석유가스충전 사업허가 등)로 구분된다.

19. 서울시 9급, 16. 국가직 7급 지방경찰청장이 운전면허시험에 합격한 사람에게 발급하는 운전면허는 대인적 허가에 해당한다. (○)

05. 국가직 9급, 05. 지방직 9급 의사면허는 대인적 허가이다. (○)

㉡ 이러한 분류에 따라 허가 효과의 승계여부(허가의 이전가능성)가 달라진다. 사람의 능력이나 지식과 같은 주관적 요소를 심사대상으로 하는 대인적 허가의 승계는 불가능하고, 물건의 객관적 사정을 심사대상으로 하는 대물적 허가는 그의 승계가 가능하다. 따라서 대물적 허가의 효력은 허가대상인 물건 등의 이전에 따라 양수인에게 이전된다. 한편, 혼합적 허가는 인적 요소의 변경에 관하여는 새로운 허가를 요하고 물적 요소의 변경에는 신고를 요하는 등 제한이 따르는 것이 일반적인데, 판례에 따라 승계가 인정되는 경우도 있고 부정되는 경우도 있다.

07. 지방직 9급 허가의 효과는 원칙적으로 그 허가를 받은 사람에 대해서만 발생되지만 대물적 허가의 경우에는 허가 대상인 물건이나 시설 등의 이전에 따라 그 물건이나 시설을 이전받은 자에게 허가의 효과도 이전된다. (○)

관련판례

1 채석허가는 대물적 허가의 성질을 가지므로 수허가자가 사망한 경우 특별한 사정이 없는 한 수허가자의 상속인이 수허가자로서의 지위를 승계한다. ★★

구 산림법상 채석허가는 대물적 허가의 성질을 아울러 가지고 있는 점 등을 감안하여 보면, 수허가자(채석허가를 받은 자)가 사망한 경우 특별한 사정이 없는 한 수허가자의 상속인이 수허가자로서의 지위를 승계하고 … 산림을 무단형질변경한 자가 사망한 경우 당해 토지의 소유권 또는 점유권을 승계한 상속인은 그 복구의무를 부담한다고 봄이 상당하다(대판 2005.8.19. 2003두9817·9824).

18. 국회직 8급, 11. 국회직 9급 구 「산림법」상 산림을 무단형질변경한 자가 사망한 경우 당해 토지의 소유권 또는 점유권을 승계한 상속인은 그 복구의무를 부담한다고 봄이 상당하다. (○)

2 건축허가는 대물적 허가의 성질을 가지므로 허가의 효과는 허가대상 건축물에 대한 권리변동에 수반하여 이전된다. ★★

건축허가는 대물적 허가의 성질을 가지는 것으로 그 허가의 효과는 허가대상 건축물에 대한 권리변동에 수반하여 이전되고, 별도의 승인처분에 의하여 이전되는 것이 아니며, 건축주 명의변경은 당초의 허가대장상 건축주 명의를 바꾸어 등재하는 것에 불과하므로 행정소송의 대상이 될 수 없다(대판 1979.10.30. 79누190).

19. 국가직 9급 건축허가는 대물적 허가에 해당하므로, 허가의 효과는 허가대상 건축물에 대한 권리변동에 수반하여 이전되고 별도의 승인처분에 의하여 이전되는 것은 아니다. (○)

12. 사복직 대물적 행정행위 중 수익적 행정행위인 경우에는 그 효과가 승계된다. (○)

함께 정리하기

허가의 종류 및 허가의 승계

▷ 허가의 대상 기준: 대인적 허가·대물적 허가·혼합적 허가

▷ 허가의 이전가능성(승계 여부): 대인적 허가×, 대물적 허가○, 혼합적 허가△(이전성이 인정되는 경우도 있고 부정되는 경우도 존재)

채석허가

▷ 대물적 허가

산림을 무단형질변경한 자가 사망

▷ 그 상속인이 복구의무 부담

건축허가

▷ 대물적 허가

건축허가의 효과

▷ 건축물의 권리변동에 수반하여 이전(별도 승인처분 不要)

건축허가
▷ 대물적 허가
▷ 인적 요소에 관하여는 형식적 심사

주류제조업면허
▷ 대물적 허가
▷ 허가받은 자의 인격변동이 당연히 허가
취소사유×

학원 설립인가
▷ 대물적 허가
▷ 학원의 수인가자의 지위 양도 可

공중목욕장 영업허가
▷ 양도 不可(양수인은 영업허가를 새로이
받아야)

허가의 소멸
▷ 기한의 도래
▷ 대인적 허가: 상대방의 사망, 대물적 허
가: 허가 대상의 멸실
▷ 철회사유가 발생하면 철회에 의해 허가
소멸(일부철회 可)

면제
▷ 법령에서 정해진 작위의무·급부의무·
수인의무를 해제

허가
▷ 부작위의무의 해제

---

3 건축허가는 대물적 허가의 성질을 가지므로 인적 요소에 관하여는 형식적 심사만
한다. ★★

건축허가는 대물적 성질을 갖는 것이어서 행정청으로서는 허가를 할 때에 건축주
또는 토지 소유자가 누구인지 등 인적 요소에 관하여는 형식적 심사만 한다(대판
2017.3.15. 2014두41190 ; 대판 2010.5.13. 2010두2296).

22. 지방직 9급, 21. 경찰 2차, 20. 군무원 7급, 19. 서울시 7급(추) 건축허가는 대물적 성질
을 갖는 것이어서 행정청으로서는 허가를 할 때에 건축주 또는 토지 소유자가 누구인지 등 인적
요소에 관하여는 형식적 심사만 한다. (○)

19. 소방직, 19. 행정사 건축허가는 대물적 성질을 갖는 것이어서 그 허가를 할 때에 인적 요소
에 관해서는 형식적 심사만 한다. (○)

4 주류제조업면허는 제조장단위의 이전성이 인정되는 소위 대물적 허가로서 허가받은
자의 인격변동이 당연히 허가취소사유에 해당하는 것은 아니다(대판 1975.3.11.
74누138). ★

11. 국회직 9급 주류제조업면허는 제조장단위의 이전성이 인정되는 소위 대물적 허가로서 허
가받은 자의 인격변동이 당연히 허가취소사유에 해당하는 것은 아니다. (○)

5 학원의 설립인가는 강학상의 이른바 허가에 해당하는 것으로서 학원의 수인가자
의 지위의 양도는 허용된다(대판 1992.4.14. 91다39986). ★

20. 군무원 7급 구 「학원의 설립·운영에 관한 법률」 제5조 제2항에 의한 학원의 설립인가는
강학상의 이른바 인가에 해당하는 것으로서 그 인가를 받은 자에게 특별한 권리를 부여하는 것
이고 일반적인 금지를 특정한 경우에 해제하여 학원을 설립할 수 있는 자유를 회복시켜 주는 것
이 아니다. (×) → 허가 / 것이 아니고 / 것이다

6 공중목욕장의 영업허가는 양도할 수 없다. ★
공중목욕장의 영업허가를 받은 자가 그 허가를 타인에게 양도하는 경우에는 영업
의 시설이나 영업상의 이익 등만이 이전될 뿐 질서허가로서 영업의 자유를 회복
시켜 주는 것에 불과한 허가권 자체가 이전되는 것은 아니므로 양수인은 공중목
욕장업법에 의한 영업허가를 새로이 받아야 하는 것이다(대판 1981.1.13. 80다1126).

⑪ **허가의 소멸**
　㉠ 기한부 허가의 경우 기한이 도래하면 허가는 실효된다.
　㉡ 대인적 허가의 경우에는 사망, 대물적 허가의 경우에는 허가 대상의 멸실이
　　 허가의 소멸을 가져온다.
　㉢ 또한 철회사유가 발생하면 철회에 의해 허가가 소멸한다. 이 경우 외형상 하
　　 나의 처분이라 하더라도 가분성이 있거나 그 처분대상의 일부가 특정성이
　　 있는 경우 허가의 일부철회(예 복수 운전면허의 취소 또는 철회)도 가능하다
　　 (대판 1995.11.16. 95누8850 전합).

(3) 면제

① **의의**: 면제라 함은 법령에서 정해진 작위의무·급부의무·수인의무를 해제해 주
　 는 행정행위를 말한다(예 예방접종면제, 조세면제, 군입대의무면제 등).
② **허가와 비교**: 명령적 행위로서 의무의 해제라는 점에서 허가와 동일하나, 허가는
　 부작위의무의 해제인데 반하여 면제는 작위·급부·수인 등의 의무를 해제한다
　 는 점이 다르다.

13. 국회직 8급 의무의 해제라는 점에서 허가와 같으나, 허가는 부작위의무의 해제인데 반하여 면
제는 작위·급부·수인 등의 의무를 해제한다는 점이 다르다. (○)

2. 형성적 행정행위

형성적 행정행위는 특정한 상대방에게 권리·능력 또는 포괄적인 법률관계, 기타 법률상의 힘을 설정·변경·소멸시키는 행정행위를 말한다. 형성적 행정행위는 제3자에 대하여 대항할 수 있는 법률상의 힘을 부여하거나 또는 그것을 부정하는 것을 목적으로 하는 행위라는 점에서 자유의 제한 또는 그 해제를 내용으로 하는 명령적 행정행위와 구별된다. 형성적 행위는 상대방의 여하에 따라 ① 직접 상대방을 위하여 권리 등을 설정하거나 박탈·변경하는 행위(설권행위 또는 특허 등), ② 제3자의 법률행위를 보충 또는 동의하여 그 법률상 효력을 완성시키는 행위(보충행위 또는 인가), ③ 제3자를 대신하여 하는 행위(대리행위)로 나누어진다.

15. 국가직 7급 형성적 행정행위는 명령적 행정행위와 함께 법률행위적 행정행위에 속하며, 이에는 특허·인가·대리가 속한다. (○)

(1) 특허

① 특허의 의의

㉠ 광의의 특허❶란 특정인을 위하여 새로운 권리를 설정하는 행위[예 공물사용권의 특허(도로점용허가, 공유수면점용·사용허가, 하천점용허가 등), 철도·버스·항공 등의 운송사업면허, 개인택시운송사업면허, 전기사업허가, 도시가스사업허가, 통신사업허가, 폐기물처리업허가, 주택사업계획승인, 토지수용권의 설정(사업인정), 광업허가, 공유수면매립면허, 어업면허 등], 능력을 설정하는 행위(예 행정주체 또는 공법인으로서의 지위를 설립하거나 부여하는 행위로 재개발·재건축조합설립인가, 공증인 인가·임명처분 등), 포괄적인 법률관계를 설정하는 행위(예 공무원의 임명, 입학허가, 귀화허가 등)를 말한다. 이 중에서 권리를 설정하는 행위를 가리켜 협의의 특허라 한다.

㉡ 특허는 학문상의 개념이다. 실정법상으로는 특허 이외에 허가(광업허가) 또는 면허(어업면허) 등의 용어가 사용되기도 한다.❷

② 특허의 종류

권리설정행위 (협의의 특허)	• 「공유수면매립법」상 공유수면매립면허 • 공유수면 점용·사용허가 • 토지이용법상의 사업인정 • 「도로법」상 도로점용허가 • 하천점용허가(90누8688) 　22. 소방직 「하천법」에 의한 하천의 점용허가는 강학상 허가에 해당한다. (×) → 특허 • 광업허가 • 「수산업법」상 어업면허(98다14030) • 「국유재산법」상 행정재산의 사용수익허가 • 광업허가 • 전기·도시가스공급사업, 철도·버스등의 운송사업의 허가 　13. 지방직 7급 전기·가스 등의 공급사업이나 철도·버스 등의 운송사업에 대한 허가는 강학상의 특허로 보는 것이 일반적이다. (○) • 「여객자동차 운수사업법」상 개인택시운송사업면허 　20. 소방직 개인택시운송사업면허는 강학상 특허에 해당한다. (○) • 「자동차운수사업법」에 의한 자동차운송사업면허(99두6026 ; 90누2918) • 보세구역의 설영특허 • 「도시 및 주거환경정비법」상 재개발조합설립인가처분

함께 정리하기

형성적 행정행위

▷ 상대방에게 특정한 권리, 권리능력, 행위능력 또는 포괄적 법률관계 기타 법률상의 힘을 설정·변경·소멸시키는 행정행위

▷ 종류: 특허, 인가, 대리

설권행위(광의의 특허)

▷ 특정인에게 권리·능력·포괄적 법률관계 설정하는 행위

 광의의 특허에 의해 발생된 효력을 일부 변경하는 행위(예 「광업법」상 광구의 변경)를 변경행위라고 하고 광의의 특허에 의해 발생된 효력을 소멸시키는 행위(예 광업허가취소)를 탈권행위라고 한다.

특허의 실정법상 명칭

▷ 특허, 허가, 면허 등

 「특허법」상의 특허는 강학상(학문상) 특허가 아니고 준법률행위적 행정행위 중하나인 확인행위에 해당한다.

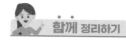
권리설정행위 (협의의 특허)	• 「수도권대기환경특별법」상 대기오염물질 총량관리사업장 설치의 허가 또는 변경허가 • 「출입국관리법」상 체류자격변경허가 • 개발촉진지구 안에서 시행되는 지역개발사업에 관한 지정권자의 실시계획승인처분
능력설정행위	• 공법인설립 • 공증인 인가 · 임명처분
포괄적 법률관계 설정행위	• 「국적법」에 의한 귀화허가 20. 소방직 귀화허가는 강학상 특허에 해당한다. (○) • 공무원의 임명 20. 소방직 공무원 임명은 강학상 특허에 해당한다. (○)

③ **특허의 성질**

특허의 성질
▷ 형성적 행위(설권적 처분)
▷ 협력을 요하는 행정행위
▷ 재량행위

ⓐ **형성적 행위**: 특허는 허가와 달리 사람이 본래 자연적으로 갖고 있지 않은 법률상의 힘, 즉 권리 또는 능력 등을 특정인에게 새로이 설정하여 주는 형성적 행정행위이다. 이런 점 때문에 판례는 특허를 설권적 처분이라고 부르기도 한다.

ⓑ **협력을 요하는(쌍방적) 행위**: 특허는 항상 출원(신청) 등을 요건으로 하는 협력을 요하는 (쌍방적)행정행위이다.

09. 지방직 9급 공유수면매립면허는 협력을 요하는 행정행위로 보는 것이 일반적 견해이다. (○)

ⓒ **재량행위**: 특허는 공익상의 필요에 따라 특정인에게 법률상의 힘을 부여하는 것이기 때문에 특허를 할 것인지 여부는 행정청의 재량에 속하는 것이 원칙이다(이 점에서 원칙적으로 기속행위에 해당하는 허가와 구별됨). 다만, 법규의 형식이나 중대한 기본권 관련성에 비추어 하나의 결정을 내려야 하는 경우에는 기속행위로 보아야 하는 경우도 있다(예 난민인정 등).

23. 국가직 7급 상대방에게 권리, 능력, 법적 지위, 포괄적 법률관계를 설정하는 특허는 형성적 행정행위이며 원칙적으로 기속행위이다. (×) → 재량

15. 국회직 8급 허가는 원칙적으로 재량행위, 특허는 원칙적으로 기속행위로 본다. (×) → 기속행위 / 재량행위

🔨 **관련판례**

1 여객자동차 운수사업법상 개인택시운송사업면허 ★★★

개인택시운송사업면허
▷ 특허
▷ 재량행위
개인택시운송사업면허기준 정하는 것
▷ 재량행위

여객자동차 운수사업법에 의한 <u>개인택시운송사업면허는 특정인에게 권리나 이익을 부여하는 이른바 수익적 행정행위(특허)로서 법령에 특별한 규정이 없는 한 재량행위이다.</u> 그 <u>면허에 필요한 기준을 정하는 것 역시 행정청의 재량에 속하는 것</u>이므로 그 기준이 객관적으로 보아 합리적이 아니라든가 타당하지 아니하여 재량권을 남용한 것이라고 인정되지 아니한 이상 행정청의 의사는 가능한 한 존중되어야 한다(대판 1998.2.13. 97누13061 ; 대판 2007.2.8. 2006두13886 ; 대판 2007.3.15. 2006두15783 ; 대판 2010.1.28. 2009두19137).

22. 국회직 8급, 17. 사복직 개인택시운송사업면허는 특정인에게 권리나 의무를 부여하는 것이므로 강학상 특허에 해당한다. (○)

19. 서울시 9급, 16. 국회직 8급, 14. 지방직 9급, 12. 국가직 7급, 08. 국가직 9급 등 판례에 의하면 「여객자동차 운수사업법」에 의한 개인택시운송사업면허는 특정인에게 특정한 권리나 이익을 부여하는 행위로서 법령에 특별한 규정이 없는 한 재량행위지만, 그 면허를 위하여 필요한 기준을 정하는 것은 행정청의 재량이 아니다. (×) → 재량에 속한다

2 국적법에 의한 귀화허가 ★★★

귀화허가는 외국인에게 대한민국 국적을 부여함으로써 국민으로서의 법적 지위를 포괄적으로 설정하는 행위에 해당한다. 한편, 국적법 등 관계 법령 어디에도 외국인에게 대한민국의 국적을 취득할 권리를 부여하였다고 볼 만한 규정이 없다. 이와 같은 귀화허가의 근거 규정의 형식과 문언, 귀화허가의 내용과 특성 등을 고려해 보면, 법무부장관은 귀화신청인이 귀화 요건을 갖추었다 하더라도 귀화를 허가할 것인지 여부에 관하여 재량권을 가진다고 보는 것이 타당하다(대판 2010.10.28. 2010두6496 ; 대판 2010.7.15. 2009두19069).

18. 경찰 2차, 17. 사복직(서울) 「국적법」에 따른 귀하허가는 강학상 특허에 해당한다. (○)

19. 5급 승진 귀화허가의 근거 규정의 형식과 문언, 귀화허가의 내용과 특성 등을 고려해 보면, 법무부장관은 귀화신청인이 귀화 요건을 갖추었다 하더라도 귀화를 허가할 것인지 여부에 관하여 재량권을 가진다. (○)

21. 국가직 7급 귀화허가는 강학상 허가에 해당하므로, 귀화신청인이 귀화 요건을 갖추어서 귀화가를 신청한 경우에 법무부장관은 귀화허가를 ~~해 주어야 한다.~~ (×) → 특허 / 할 것인지에 대하여 재량권을 가진다

3 출입국관리법상 체류자격 변경허가 ★★★

출입국관리법상 체류자격 변경허가는 신청인에게 당초의 체류자격과 다른 체류자격에 해당하는 활동을 할 수 있는 권한을 부여하는 일종의 설권적 처분의 성격을 가지므로, 허가권자는 신청인이 관계 법령에서 정한 요건을 충족하였더라도, 신청인의 적격성, 체류 목적, 공익상의 영향 등을 참작하여 허가 여부를 결정할 수 있는 재량을 가진다(대판 2016.7.14. 2015두48846).

19. 서울시 9급 「출입국관리법」상 체류자격 변경허가는 강학상 특허에 해당한다. (○)

20. 국회직 9급, 19. 소방직, 17. 지방직 9급(추) 「출입국관리법」상 체류자격 변경허가는 일종의 설권적 처분의 성격을 가지므로 허가권자는 신청인이 관계 법령에서 정한 요건을 충족하였더라도 신청인의 적격성, 체류 목적, 공익상의 영향 등을 참작하여 허가 여부를 결정할 수 있는 재량을 가진다. (○)

22. 소방직 「출입국관리법」상 체류자격 변경허가는 기속행위이므로 신청인이 관계법령에서 정한 요건을 충족하면 허가권자는 신청을 받아들여 허가~~해야 한다.~~ (×) → 재량행위 / 하는 것은 아니다

4 도로법상 도로점용허가 ★★★

도로법 제40조 제1항에 의한 도로점용은 일반공중의 교통에 사용되는 도로에 대하여 이러한 일반사용과는 별도로 도로의 특정부분을 유형적·고정적으로 특정한 목적을 위하여 사용하는 이른바 특별사용을 뜻하는 것이고, 이러한 도로점용의 허가는 특정인에게 일정한 내용의 공물사용권을 설정하는 설권행위로서, 공물관리자가 신청인의 적격성, 사용목적 및 공익상의 영향 등을 참작하여 허가를 할 것인지의 여부를 결정하는 재량행위이다(대판 2002.10.25. 2002두5795 ; 대판 2019.1.17. 2016두56721·56738).

20. 국회직 8급, 18. 경찰 2차 도로점용허가는 특정인에게 일정한 내용의 공물사용권을 설정하는 설권행위로서 강학상 특허에 해당한다. (○)

20. 변호사, 20. 국회직 8급, 18. 경찰 2차, 17. 5급 승진, 14. 국가직 7급 「도로법」상 도로점용허가는 특정인에게 일정한 내용의 공물사용권을 설정하는 설권행위로서 공물관리자가 신청인의 적격성, 사용목적 및 공익상의 영향 등을 참작하여 허가를 할 것인지의 여부를 결정하는 재량행위이다. (○)

귀화허가
▷ 대한민국 국민으로서의 법적 지위를 포괄적으로 설정하는 행위(특허)
▷ 재량행위

체류자격변경허가
▷ 특허
▷ 재량행위

도로점용허가
▷ 특허
▷ 재량행위

5 공유수면의 점용 · 사용허가 ★★★

공유수면 관리 및 매립에 관한 법률에 따른 공유수면의 점용 · 사용허가는 특정인에게 공유수면 이용권이라는 독점적 권리를 설정하여 주는 처분으로서 처분 여부 및 내용의 결정은 원칙적으로 행정청의 재량에 속한다(대판 2017.4.28. 2017두30139 ; 대판 2004.5.28. 2002두5016).

22. 국회직 8급 공유수면의 점용 · 사용허가는 허가 상대방에게 제한을 해제하여 공유수면이용권을 부여하는 처분으로 강학상 허가에 해당한다. (×) → 특정인에게 공유수면 이용권이라는 독점적 권리를 설정하여 주는 / 특허

21. 국가직 7급, 20. 국가직 7급, 20. 5급 승진, 15. 서울시 7급 공유수면의 점용 · 사용허가는 특정인에게 공유수면 이용권이라는 독점적 권리를 설정하여 주는 처분으로서 처분 여부 및 내용의 결정은 원칙적으로 행정청의 재량에 속한다. (○)

6 공유수면매립법상 공유수면매립면허 ★★★

공유수면매립면허는 설권행위인 특허의 성질을 갖는 것이므로 원칙적으로 행정청의 자유재량에 속하며, 일단 실효된 공유수면매립면허의 효력을 회복시키는 행위도 특단의 사정이 없는 한 새로운 면허부여와 같이 면허관청의 자유재량에 속한다고 할 것이다(대판 1989.9.12. 88누9206).

19. 국회직 8급, 17. 사복직, 16. 행정사, 11. 사복직 공유수면매립면허는 강학상 특허에 해당한다. (○)

13. 지방직 7급 공유수면매립면허는 설권행위인 특허의 성질을 갖는 것이므로 원칙적으로 행정청의 자유재량에 속한다. (○)

7 토지수용법상의 토지수용을 위한 사업인정 ★★

토지수용을 위한 사업인정은 단순한 확인행위가 아니라 형성행위(특허)이고 당해 사업이 비록 토지를 수용할 수 있는 사업에 해당된다 하더라도 행정청으로서는 과연 그 사업이 공용수용을 할 만한 공익성이 있는지의 여부를 모든 사정을 참작하여 구체적으로 판단하여야 하는 것이므로 사업인정의 여부는 행정청의 재량에 속한다 할 것이다(대판 1992.11.13. 92누596).

10. 국회직 8급 토지수용법상의 토지수용을 위한 사업인정은 특정한 사업이 공용수용을 할 만한 공익사업에 해당함을 인정하는 국가의 행위로서 그 성질은 확인행위가 아니라 형성행위이다. (○)

10. 국가직 7급 토지수용법상의 토지수용을 위한 사업인정 여부는 행정청의 재량에 속한다는 것이 판례의 입장이다. (○)

> **비교**
> 사업인정이란 공익사업을 토지 등을 수용 또는 사용할 사업으로 결정하는 것으로서 공익사업의 시행자에게 그 후 일정한 절차를 거칠 것을 조건으로 일정한 내용의 수용권을 설정하여 주는 형성행위이다(대판 2011.1.27. 2009두1051). ★★
> 13. 국회직 8급 사업인정이란 공익사업을 토지 등을 수용 또는 사용할 사업으로 결정하는 것으로서 공익사업의 시행자에게 그 후 일정한 절차를 거칠 것을 조건으로 일정한 내용의 수용권을 설정하여 주는 형성행위이다. (○)

8 보세구역의 설영특허 ★★

관세법 제78조 소정의 보세구역의 설영특허는 보세구역의 설치, 경영에 관한 권리를 설정하는 이른바 공기업의 특허로서 그 특허의 부여여부는 행정청의 자유재량에 속하며, 특허기간이 만료된 때에 특허는 당연히 실효되는 것이어서 특허기간의 갱신은 실질적으로 권리의 설정과 같으므로 그 갱신여부도 특허관청의 자유재량에 속한다(대판 1989.5.9. 88누4188).

19. 국회직 8급 보세구역의 설치 · 운영에 관한 특허는 강학상 특허에 해당한다. (○)

20. 군무원 7급, 15. 사복직 「관세법」 소정의 보세구역의 설영특허는 공기업의 특허로서 그 특허의 부여여부는 행정청의 자유재량에 속하고, 설영특허에 특허기간이 부과된 경우 그 기간의 갱신여부도 특허관청의 자유재량에 속한다. (○)

9 수도권대기환경특별법상 대기오염물질 총량관리사업장 설치의 허가 또는 변경허가 ★★

구 수도권대기환경특별법 제14조 제1항에서 정한 대기오염물질 총량관리사업장 설치의 허가 또는 변경허가는 특정인에게 인구가 밀집되고 대기오염이 심각하다고 인정되는 수도권 대기관리권역에서 총량관리대상 오염물질을 일정량을 초과하여 배출할 수 있는 특정한 권리를 설정하여 주는 행위로서 그 처분의 여부 및 내용의 결정은 행정청의 재량에 속한다(대판 2013.5.9. 2012두22799).

21. 국회직 9급, 19. 서울시 9급 구 「수도권 대기환경개선에 관한 특별법」상 대기오염 물질 총량관리사업장 설치의 허가는 강학상 특허에 해당한다. (○)

19. 5급 승진 구 「수도권대기환경특별법」 제14조 제1항에서 정한 대기오염물질 총량관리사업장 설치의 허가 또는 변경허가는 특정인에게 인구가 밀집되고 대기오염이 심각하다고 인정되는 수도권 대기관리권역에서 총량관리대상 오염물질을 일정량을 초과하여 배출할 수 있는 특정한 권리를 설정하여 주는 행위로서 그 처분의 여부 및 내용의 결정은 행정청의 재량에 속한다. (○)

10 공증인 인가 · 임명행위 ★

공증사무는 국가 사무로서 공증인 인가 · 임명행위는 국가가 사인에게 특별한 권한을 수여하는 행위이다. 그런데 위와 같이 공증인법령은 공증인 선정에 관한 구체적인 심사기준이나 절차를 자세하게 규율하지 않은 채 법무부장관에게 맡겨두고 있다. 위와 같은 공증인법령의 내용과 체계, 입법 취지, 공증사무의 성격 등을 종합하면, 법무부장관에게는 각 지방검찰청 관할 구역의 면적, 인구, 공증업무의 수요, 주민들의 접근가능성 등을 고려하여 공증인의 정원을 정하고 임명공증인을 임명하거나 인가공증인을 인가할 수 있는 광범위한 재량이 주어져 있다고 보아야 한다(대판 2019.12.13. 2018두41907).

11 도시 및 주거환경정비법상 조합설립인가처분 ★★★

구 도시정비법 제18조에 의하면 토지등소유자로 구성되어 정비사업을 시행하려는 조합은 제13조 내지 제17조를 비롯한 관계 법령에서 정한 요건과 절차를 갖추어 조합설립인가처분을 받은 후에 등기함으로써 성립하며, 그때 비로소 관할 행정청의 감독 아래 정비구역 안에서 정비사업을 시행하는 행정주체로서의 지위가 인정된다. 여기서 행정청의 조합설립인가처분은 조합에 정비사업을 시행할 수 있는 권한을 갖는 행정주체(공법인)로서의 지위를 부여하는 일종의 설권적 처분의 성격을 가진다(대판 2014.5.22. 2012도71907 전합).

17. 사복직, 16. 지방직 9급, 17. 교행 재건축조합설립인가는 강학상 특허에 해당한다. (○)

15. 국회직 8급 「도시 및 주거환경정비법」상 재개발조합설립 인가신청에 대한 행정청의 조합설립인가처분은 법령상 일정한 요건을 갖출 경우 행정주체의 지위를 부여하는 일종의 설권적 처분의 성격을 갖는다. (○)

12 행정재산의 사용 · 수익에 대한 허가 ★★★

국유재산 등의 관리청이 하는 행정재산의 사용 · 수익에 대한 허가는 순전히 사경제주체로서 행하는 사법상의 행위가 아니라 관리청이 공권력을 가진 우월적 지위에서 행하는 행정처분으로서 특정인에게 행정재산을 사용할 수 있는 권리를 설정하여 주는 강학상 특허에 해당한다(대판 2006.3.9. 2004다31074).

21. 국회직 8급 행정재산의 사용 · 수익에 대한 허가는 강학상 특허로서 공법관계의 일종이다. (○)

18. 서울시 9급, 15. 지방직 7급, 10. 국회직 8급 행정재산의 사용 · 수익에 대한 허가는 특정인에게 행정재산을 사용할 수 있는 권리를 설정하여 주는 강학상 특허에 해당한다. (○)

함께 정리하기

대기오염물질 총량관리사업장 설치의 허가
▷ 특허

대기오염물질 총량관리사업장 설치의 허가여부 및 내용의 결정
▷ 재량행위

공증인 인가 · 임명행위
▷ 특허
▷ 재량행위

「도시 및 주거환경정비법」상 조합설립인가처분
▷ 특허

행정재산의 사용 · 수익에 대한 허가
▷ 특허

개발촉진지구 안에서 시행되는 지구개발사업에 관한 지정권자의 실시계획승인처분
▷ 특허

신청(출원)
▷ 특허의 필요요건(∵신청을 요하는 행정행위)

신청(출원)이 없거나 그 취지에 반하는 경우
▷ 무효

법규특허
▷ 성질상 신청 不要

특허의 형식
▷ 원칙: 처분의 형식(행정행위로서의 특허)
▷ 예외: 법규의 형식(법규특허)

특허의 상대방
▷ 특정인○(불특정 다수인×)

특허의 효과
▷ 법률상의 힘(지위)을 발생시킴(경쟁자인 제3자에게 위법한 특허시, 기존 특허업자는 원고적격 인정됨)

제3자가 특허된 권리를 침해시
▷ 소송 등을 통해 구제 可

하천점용허가권자
▷ 하천부지의 무단점용자에 대하여 부당이득반환청구 可

---

13 개발촉진지구 안에서 시행되는 지구개발사업에 관한 지정권자의 실시계획승인처분 ★★

개발촉진지구 안에서 시행되는 지구개발사업에 관한 지정권자의 실시계획승인처분은 단순히 시행자가 작성한 실시계획에 대한 법률상의 효력을 완성시키는 보충행위에 불과한 것이 아니라 법령상의 요건을 갖춘 경우 법이 규정하고 있는 지구개발사업을 시행할 수 있는 지위를 시행자에게 부여하는 일종의 설권적 처분으로서의 성격을 가진 독립된 행정처분으로 보아야 한다(대판 2014.9.26. 2012두5602·5619).

19. 서울시 9급 개발촉진지구 안에서 시행되는 지역개발사업에 관한 지정권자의 실시계획승인처분은 강학상 특허에 해당한다. (○)

④ **특허의 신청(출원)**

㉠ 허가는 신청이 없는 경우에도 발해질 수 있지만(예 군작전지역에서 일방적 통행금지해제처분), 특허는 상대방의 신청(출원)을 필요요건으로 한다.

㉡ 특허는 출원이 없거나 그 취지에 반하는 경우에는 효력이 발생하지 않게 된다. 그러나 법규특허(법률의 규정에 의한 특허)는 성질상 출원이 요구되지 않는다.

08. 지방직 9급 특허의 경우에는 언제나 출원을 전제로 하지만, 법규에 의한 특허에는 출원이 요구되지 않는다. (○)

20. 국회직 9급 특허는 상대방의 신청을 요건으로 하므로 신청이 없거나 신청내용에 반하는 특허는 완전한 효력을 발생할 수 없다. (○)

⑤ **특허의 형식과 상대방**

㉠ **특허의 형식**: 특허는 처분의 형식으로 이루어지는 것이 원칙적이나, 예외적으로 공법인의 설립과 같이 법규의 형식으로 이루어지는 경우(예 「한국토지주택공사법」에 따른 한국토지주택공사의 설립 등)도 있다[이 경우는 법률에 의한 특허(법규특허)로서, 여기서 논의하는 행정행위로서의 특허와 구별된다].

㉡ **상대방**: 허가는 불특정 다수인을 상대로 행하여 질 수 있지만(예 일반처분), 특허는 언제나 특정인을 대상으로 행하여진다.

19. 서울시 7급 특허는 주로 특정인을 대상으로 행해지나 이에 한정되지 않으며 불특정다수인에게 행해지기도 한다. (×) → 언제나 / 행하여진다

⑥ **특허의 효과**

㉠ 특허는 상대방에게 새로운 권리, 능력, 기타 법률상의 힘(지위)을 발생시킨다. 따라서 특허를 받은 자는 특허된 법률상의 힘을 제3자에 대하여 법적으로 주장하고 행사할 수 있다. 즉, 행정청이 경쟁자인 제3자에게 위법하게 특허를 하면, 기존 특허권자는 행정소송을 통해 이를 다툴 수 있다(원고적격 인정). 또한 제3자가 특허된 권리를 침해하면 소송 등을 통해 구제받을 수 있다.

> 🔍 **관련판례**
>
> 하천의 점용허가를 받은 사람은 그 하천부지를 권원 없이 점유·사용하는 자에 대하여 직접 부당이득의 반환 등을 구할 수도 있다(대판 1994.9.9. 94다4592). ★★
>
> 20. 군무원 7급, 14. 행정사 하천부지의 점용허가를 받은 사람은 그 하천부지를 권원 없이 점유·사용하는 자에 대하여 직접 부당이득의 반환을 구할 수 있다. (○)

ⓛ 특허가 가지는 배타적인 권리로 인해 양립할 수 없는 이중의 특허(중복특허)가 존재하게 되면 특별한 사유가 없는 한 후행의 특허는 무효가 된다. 따라서 같은 업무구역 안에 중복된 어업면허, 동일한 구역에서 동일한 광물에 대한 광업권의 설정은 당연무효이다(대판 1978.4.25. 78누42 ; 대판 1986.2.25. 85누712).

ⓒ 특허로 인하여 설정되는 권리의 내용은 공권의 성질을 갖는 것(예 특허기업의 특허, 공물사용권의 특허)이 보통이나, 사권의 성질을 갖는 것(예 「광업법」 제10조의 광업권, 「수산업법」 제16조의 어업권)도 존재한다. 따라서 특허는 허가와 달리 사법적 효과의 발생도 가능하다.

⑦ 특허와 허가의 구별

ⓐ 공통점: 허가와 특허는 공통적으로 행정청의 효과의사의 표시에 의하여 성립되는 법률행위적 행정행위라는 점과 수익적 행정행위라는 점에서 공통점을 갖고 있다.

17. 국가직 9급 강학상 허가와 특허는 의사표시를 요소로 한다는 점과 반드시 신청을 전제로 한다는 점에서 공통점이 있다. (×) → 하지 않는다는 점에서 차이점이 있다

ⓑ 차이점

ⓐ 허가는 본래 인간의 자연적 자유에 속하는 것을 대상으로 하고, 특허는 인간의 자연적 자유에 속하지 않고, 공익성이 강한 사업(예 국민 생활에 필수적인 재화와 서비스를 제공하는 사업 등)을 대상으로 한다는 점, ⓑ 허가는 요건이 충족되면 특별한 사정이 없는 한 신청에 따른 처분을 해주어야 하고, 특허는 요건이 충족되어도 공급과잉, 미래 환경의 변화 등 공익을 이유로 거부할 수 있는 점, ⓒ 허가의 효과가 기본적으로 본래의 자연적 자유를 회복시켜 주는 것이고, 그로 인해 주어지는 영업상 이익은 반사적 이익에 불과한 반면, 특허는 그 효과가 제한적일 수는 있지만 배타적인 경영권을 설정하여 주고, 이에 따라 주어지는 영업상 이익이 법적 이익인 점 등에서 차이가 있다.

구분	허가	특허
법적 성질	• 원칙상 기속행위 • 명령적 행위	• 원칙상 재량행위 • 형성적 행위
상대방	특정인뿐만 아니라 불특정 다수에게도 행해짐	특정인에 대해서만 행해짐
신청	• 원칙적으로 신청을 요함 • 예외적으로 신청이 없어도 가능 (예 일반처분)	• 행정행위로서 특허: 반드시 신청을 요함 • 법규에 의한 특허: 신청을 요하지 않음
규제목적	소극적 질서유지(경찰목적)	적극적 공공복리(복리목적)
국가의 감독	질서유지를 위한 소극적·최소한의 감독	공공복리의 달성을 위한 적극적 감독
기존업자가 받은 이익	반사적 이익	법률상의 이익
효과	공법적 효과 발생	공법적인 것과 사법적인 것이 있음(예 광업권, 어업권)

중복특허
▷ 후행특허는 무효

같은 업무구역 안에 중복된 후행 어업면허
▷ 당연무효

동일한 구역에서 동일한 광물에 대한 광업권의 설정
▷ 당연무효

특허
▷ 사권으로도 존재 可(예 광업권, 어업권)
▷ 사법상 효과○
▷ cf. 허가: 사법상 효과×

허가와 특허의 공통점
▷ 법률행위적 행정행위
▷ 수익적 행정행위

참고 **허가와 특허의 구별의 상대화·접근화 경향**

허가와 특허를 구별하면서도 허가와 특허의 구별은 상대화하고 있고 양자는 상호 접근하는 경향이 있다고 보는 것(구별긍정설)이 통설이다. 예컨대, ① 전통적 견해 및 판례에 따르면 허가는 명령적 행위이고, 특허는 형성적 행위(설권적 행위)이지만, 허가도 적법하게 일정한 행위를 할 수 있는 법적 지위를 부여하는 행위라는 점에서 형성적 행위로 보는 견해가 늘고 있다는 점, ② 허가는 원칙상 기속행위이고 특허는 원칙상 재량행위이나, 재량행위인가 기속행위인가는 기본적으로 입법자에 의해 결정되는 것이어서 경우에 따라 허가도 재량행위인 경우가 있고, 특허도 기속행위인 경우가 있을 수 있다는 점, ③ 특허로 인한 영업상 이익은 통상 법적 이익이고 허가로 인한 영업상 이익은 원칙상 반사적 이익이나, 허가의 근거 내지 관계법규의 입법목적(사익보호성)에 따라 허가라도 그로 인한 영업상 이익이 법률상 이익인 경우도 있을 수 있다는 점에서 그러하다. 이에 대하여 영업의 자유라는 관점에서는 허가와 특허를 구별할 필요가 없으므로 허가와 특허를 구별하는 것이 타당하지 않다는 견해(구별부정설)도 있다.

(2) 인가

① 의의

㉠ 개념

ⓐ 인가는 행정청이 타인의 법률행위를 동의로써 보충하여 그 법률적 효력을 완성시켜주는 행정행위이다. 이를 보충행위라고도 한다. 원래 행정의 상대방과 제3자 간에 성립하는 법률관계는 행정청의 관여를 요하지 않고 효력을 발생하는 것이 원칙이지만, 인가는 공익과 관련이 있는 행위에 행정청의 후견적 간섭을 허용함으로써 그 행위의 효력을 행정청의 결정에 의해 발생시킬 공익상 필요가 있는 경우에 인정되는 제도이다. 예컨대, 「사립학교법」 제20조❶에 따라 학교법인의 임원에 대한 선임은 정관이 정하는 바에 의하여 이사회에서 선임하는 것이지만 이사회의 선임행위만으로는 그 효력이 완성되지 못하고 행정청의 인가(승인)가 있어야 선임행위는 완벽하게 효력을 발생하게 된다. 여기서 기본적 행위는 이사회의 선임행위이고 인가는 기본적 행위의 효력을 완성시키는 보충행위이다.

21. 국가직 7급, 17. 행정사, 14. 서울시 9급 인가는 당사자의 법률적 행위를 보충하여 그 법률적 효력을 완성시키는 행정주체의 보충적 의사표시로서의 법률행위적 행정행위이다. (○)

ⓑ 인가는 허가나 특허처럼 학문상의 개념이다. 실정법상으로는 허가·승인·특허 등의 용어로 혼용되어 사용되기도 한다.

㉡ 판례가 인가로 본 예: 비영리법인 설립인가, 재단법인의 정관변경허가, 공공단체의 정관변경승인, 사립학교설립인가, 자동차관리사업자단체의 조합설립인가, 사립학교법인 이사해임승인, 사립학교법인 임원에 대한 취임승인행위, 사립대학총장 취임임명승인, 의료법인 이사취임승인, 토지거래 구역 내의 토지거래계약허가, 주택재건축정비사업조합의 사업시행인가 등이 있다.

인가
▷ 타인의 법률행위를 동의로써 보충하여 그 효력을 완성시켜 주는 보충적 행정행위

❶「사립학교법」 제20조(임원의 선임과 임기)
① 임원은 정관이 정하는 바에 의하여 이사회에서 선임한다.
② 임원은 관할청의 승인을 얻어 취임한다.

인가
▷ 실무상 허가·승인·특허 등의 명칭을 사용

관련판례

1 토지거래허가구역 내의 토지거래계약허가 ★★★

<u>국토이용관리법상의 규제구역 내의 '토지 등의 거래계약'허가</u>에 관한 규정은 토지거래허가가 규제지역 내의 모든 국민에게 전반적으로 토지거래의 자유를 금지하고 일정한 요건을 갖춘 경우에만 금지를 해제하여 계약체결의 자유를 회복시켜 주는 성질의 것이라고 보는 것은 위 법의 입법취지를 넘어선 지나친 해석이라고할 것이고, 규제지역 내에서도 토지거래의 자유가 인정되나 <u>다만 위 허가를 허가 전의 유동적 무효 상태에 있는 법률행위의 효력을 완성시켜 주는 인가적 성질을 띤 것이라고 보는 것이 타당하다</u>(대판 1991.12.24. 90다12243 전합).

21. 국회직 9급, 19. 국가직 9급, 18. 서울시 9급, 13. 국가직 7급 「국토의 계획 및 이용에 관한 법률」상 토지거래허가는 강학상 인가에 해당한다. (○)

19. 경찰 2차 토지거래허가제에서의 토지거래허가는 유동적 무효 상태에 있는 법률행위의 효력을 완성시켜 주는 인가적 성질을 띤 것이라고 보는 것이 타당하다. (○)

22. 국회직 8급 토지거래허가는 토지거래허가구역 내의 토지거래를 전면적으로 금지시키고 특정한 경우에 예외적으로 토지거래계약을 체결할 수 있는 자격을 부여하는 점에서 강학상 특허에 해당한다. (✕) → 강학상 인가

20. 군무원 7급, 18. 교행 토지거래계약허가제에 있어서 허가란 규제지역 내의 모든 국민에게 전반적으로 토지거래의 자유를 원칙적으로 금지하고 일정한 요건을 갖춘 경우에만 사후에 금지를 해제하여 계약체결의 자유를 회복시켜 주는 성질의 것이다. (✕) → 것이 아니다

2 민법상 재단법인의 정관변경허가 ★★★

<u>민법 제45조와 제46조에서 말하는 재단법인의 정관변경 "허가"</u>는 법률상의 표현이 허가로 되어 있기는 하나, 그 성질에 있어 <u>법률행위의 효력을 보충해 주는 것이지 일반적 금지를 해제하는 것이 아니므로, 그 법적 성격은 인가라고 보아야 한다</u>(대판 1996.5.16. 95누4810 전합).

19. 국가직 9급, 17. 사복직, 16. 지방직 9급, 16. 행정사, 15. 국가직 9급 재단법인의 정관변경허가는 그 법적 성격을 인가라고 보아야 한다. (○)

20. 경찰 2차, 16. 국회직 8급, 14. 변호사, 14. 행정사 「민법」 제45조와 제46조에서 말하는 재단법인의 정관변경 '허가'는 그 성질에 있어 일반적 금지를 해제하는 것으로 허가에 해당한다. (✕) → 법률행위의 효력을 보충해 주는 것으로 인가

3 사립학교법인 임원에 대한 취임승인행위 ★★★

사립학교법 제20조 제1항·제2항은 <u>학교법인의 이사장·이사·감사 등의 임원은 이사회의 선임을 거쳐 관할청의 승인을 받아 취임하도록 규정하고 있는바, 관할청의 임원취임승인행위는 학교법인의 임원선임행위의 법률상 효력을 완성케 하는 보충적 법률행위이다</u>(대판 2007.12.27. 2005두9651).

17. 교행, 16. 국가직 9급 사립학교법인 임원에 대한 취임승인행위는 강학상 특허에 해당한다. (✕) → 인가

22. 국회직 8급, 19. 국회직 8급, 19. 서울시 9급 행정청의 사립학교법인 임원취임승인행위는 학교법인의 임원선임행위의 법률상 효력을 완성하게 하는 보충적 법률행위로서 강학상 인가에 해당한다. (○)

19. 5급 승진 구 「사립학교법」에 따르면 학교법인의 이사장·이사·감사 등의 임원은 이사회의 선임을 거쳐 관할청의 승인을 받아 취임하도록 규정하고 있는바, 관할청의 임원취임승인행위는 학교법인의 임원선임행위의 법률상 효력을 완성케 하는 보충적 법률행위이다. (○)

토지거래허가
▷ 인가

재단법인 정관변경허가
▷ 인가

사립학교법인 임원취임승인
▷ 인가

자동차관리사업자단체의 조합설립인가
▷ 인가

4 자동차관리사업자단체의 조합설립인가 ★★

구 자동차관리법 제67조 제1항·제3항·제4항·제5항, 구 자동차관리법 시행규칙 제148조 제1항·제2항의 내용 및 체계 등을 종합하면, 자동차관리법상 <u>자동차관리사업자로 구성하는 사업자단체인 조합 또는 협회의 설립인가처분은 국토해양부장관 또는 시·도지사가 자동차관리사업자들의 단체결성행위를 보충하여 효력을 완성시키는 처분에 해당한다</u>(대판 2015.5.29. 2013두635).

23. 지방직 9급 「자동차관리법」상 자동차관리사업자로 구성하는 사업자단체인 조합 또는 협회의 설립인가처분은 자동차관리사업자들의 단체결성행위를 보충하여 효력을 완성시키는 처분에 해당한다. (○)

21. 국회직 9급 「자동차관리법」상 사업자단체인 조합의 설립에 대한 인가는 강학상 인가에 해당한다. (○)

개인택시운송사업면허의 양도·양수에 대한 인가
▷ 인가 + 설권적 처분(양도인이 가지고 있던 동일한 면허를 양수인에게 부여하는 처분 포함)

5 개인택시운송사업면허의 양도·양수에 대한 인가 ★★

관할관청이 자동차운송사업의 일종인 개인택시운송사업면허의 양도·양수에 대한 인가를 하였을 때에는 거기에는 <u>양도인과 양수인 간의 양도행위를 보충하여 그 법률효과를 완성시키는 의미에서의 인가처분뿐만 아니라 양수인에 대해 양도인이 가지고 있던 면허와 동일한 내용의 면허를 부여하는 처분이 포함되어 있다</u>(대판 1994.8.23. 94누4882).

14. 변호사 관할관청이 자동차운송사업의 일종인 개인택시운송사업면허의 양도·양수에 대한 인가를 하였을 경우 거기에는 양도인과 양수인 간의 양도행위를 보충하여 그 법률효과를 완성시키는 의미에서의 인가처분뿐만 아니라 양수인에 대해 양도인이 가지고 있던 면허와 동일한 내용의 면허를 부여하는 처분이 포함되어 있다. (○)

공익법인의 기본재산처분허가
▷ 인가
▷ 처분이 완전히 끝날 때까지 허가의 효력 유효하게 존속

6 공익법인의 기본재산의 처분에 대한 주무관청의 처분허가 ★★

<u>공익법인의 기본재산에 대한 감독관청의 처분허가는 그 성질상 특정 상대에 대한 처분행위의 허가가 아니고 처분의 상대가 누구이든 이에 대한 처분행위를 보충하여 유효하게 하는 행위라 할 것이므로 그 처분행위에 따른 권리의 양도가 있는 경우에도 처분이 완전히 끝날 때까지는 허가의 효력이 유효하게 존속한다</u>(대판 2005.9.28. 2004다50044).

18. 국회직 8급 공익법인의 기본재산에 대한 감독관청의 처분허가는 그 성질상 특정 상대에 대한 처분행위의 허가가 아니고 처분의 상대가 누구이든 이에 대한 처분행위를 보충하여 유효하게 하는 행위라 할 것이므로 그 처분행위에 따른 권리의 양도가 있는 경우에도 처분이 완전히 끝날 때까지는 허가의 효력이 유효하게 존속한다. (○)

학교법인의 기본재산 용도변경·의무부담계약 허가
▷ 인가
▷ 반드시 계약 전 허가를 받아야만 하는 것은 아니고 계약 후라도 허가받으면 유효

7 학교법인의 기본재산의 용도변경이나 의무부담을 내용으로 하는 계약에 대한 관할청의 허가 ★★

<u>학교법인이 기본재산에 대한 용도변경 등을 하거나 의무를 부담하려는 경우에는 관할청의 허가를 받아야</u> 하고(사립학교법 제28조 제1항 본문), 관할청의 허가 없이 이러한 행위를 하면 효력이 없다. 위 규정은 학교법인의 용도변경 등 자체를 규제하려는 것이 아니라 사립학교를 설치·운영하는 학교법인의 재산을 유지·보전하기 위하여 관할청의 허가 없이 용도를 변경하거나 의무를 부담하는 것 등을 규제하려는 것이다. 따라서 <u>학교법인이 용도변경이나 의무부담을 내용으로 하는 계약을 체결한 경우 반드시 계약 전에 관할청의 허가를 받아야만 하는 것은 아니고 계약 후라도 관할청의 허가를 받으면 유효하게 될 수 있다.</u> 이러한 계약은 관할청의 불허가 처분이 있는 경우뿐만 아니라 당사자가 허가신청을 하지 않을 의사를 명백히 표시하거나 계약을 이행할 의사를 철회한 경우 또는 그 밖에 관할청의 허가를 받는 것이 사실상 불가능하게 된 경우 <u>무효로 확정된다</u>(대판 2022.1.27. 2019다289815).

8 주택재건축정비사업조합의 정관변경인가 ★★

도시 및 주거환경정비법 제20조 제3항은 "조합이 정관을 변경하고자 하는 경우에는 조합원 과반수의 동의를 얻어 시장·군수의 인가를 받아야 한다."고 규정하고 있는바, 여기서 관할 시장 등의 인가는 그 대상이 되는 기본행위를 보충하여 법률상 효력을 완성시키는 행위로서, 이러한 인가를 받지 못한 경우 변경된 정관은 효력이 없다고 할 것이다(대결 2007.7.24. 2006마635 ; 대판 2014.7.10. 2013도11532).

19. 소방직 정비조합 정관변경에 대한 인가는 인가에 해당하고 기본행위의 효력을 완성시켜 주는 보충적 행위이다. (○)

9 도시 및 주거환경정비법상 조합설립추진위원회 구성승인처분 ★★

조합설립추진위원회 구성승인처분은 조합의 설립을 위한 주체인 추진위원회의 구성행위를 보충하여 그 효력을 부여하는 처분이다(대판 2013.1.31. 2011두11112).

16. 국회직 8급 주택재개발조합설립추진위원회의 구성을 승인하는 처분은 보충행위로서 강학상 인가이다. (○)

23. 지방직 9급 구 「도시 및 주거환경정비법」상 조합설립추진위원회 구성승인처분은 조합의 설립을 위한 주체인 추진위원회의 구성행위를 보충하여 그 효력을 부여하는 처분이다. (○)

10 도시 및 주거환경정비법상 주택재건축정비사업조합의 사업시행계획인가 ★★★

구 도시 및 주거환경정비법(이하 '도정법'이라 한다)에 기초하여 도시환경정비사업조합이 수립한 사업시행계획은 그것이 인가·고시를 통해 확정되면 이해관계인에 대한 구속적 행정계획으로서 독립된 행정처분에 해당하므로, 사업시행계획을 인가하는 행정청의 행위는 도시환경정비사업조합[주택재건축(재개발)정비사업조합]의 사업시행계획에 대한 법률상의 효력을 완성시키는 보충행위에 해당한다(대판 2010.12.9. 2010두1248·2009두4913).

17. 국가직 7급, 16. 지방직 9급 「도시 및 주거환경정비법」상 주택재건축정비사업조합의 사업시행인가는 강학상 인가에 해당한다. (○)

18. 서울시 9급, 16. 국회직 8급 도시환경정비사업조합이 수립한 사업시행계획을 인가하는 행정청의 행위는 사업시행계획에 대한 법률상의 효력을 완성시키는 보충행위에 해당한다. (○)

11 도시 및 주거환경정비법상 관리처분계획인가❶ ★★★

도시 및 주거환경정비법상 재건축조합이 수립하는 관리처분계획에 대한 행정청의 인가는 관리처분계획의 법률상 효력을 완성시키는 보충행위로서의 성질을 갖는다(대판 2012.8.30. 2010두24951).

19. 국가직 9급 재건축조합이 수립하는 관리처분계획에 대한 행정청의 인가는 강학상 인가에 해당한다. (○)

16. 국가직 7급 「도시 및 주거환경정비법」상 관리처분계획에 대한 행정청의 인가는 관리처분계획의 법률상 효력을 완성시키는 보충행위로서의 성질을 갖는다. (○)

② **인가의 성질**

　㉠ **형성적 행정행위**: 인가는 인가의 대상이 되는 기본행위의 효력을 완성시켜 준다는 점에서 형성적 행정행위이다.

　　17. 행정사 인가는 형성적 행정행위이며, 공법상 행정처분이다. (○)

　㉡ **재량행위 여부**: 인가는 기속행위인 경우도 있지만 재량행위인 경우도 적지 않다. 따라서 인가가 기속행위인지 재량행위인지 여부는 기본행위가 다양하므로 일률적으로 판단할 수 없고, 법문에 따라 개별적으로 판단해야 한다. 만약 법령에 특별한 규정이 없다면 인가의 대상이 공익적 견지에서 판단을 요하는 것인지(주로 재량행위) 아니면 사익의 보호를 위한 것인지(주로 기속행위) 여부 등을 고려하여 판단한다. 인가가 재량행위인 경우 부관을 붙일 수 있다.

함께 정리하기

주택재건축정비사업조합의 정관변경인가
▷ 인가

조합설립추진위원회 구성승인
▷ 인가

재건축조합의 사업시행계획인가
▷ 인가

재건축조합의 관리처분계획인가
▷ 인가

❶ 재건축·재개발조합설립인가의 법적 성질
① 도시정비법상 조합설립인가: 특허
② 도시정비법상 사업시행계획인가: 인가
③ 도시정비법상 관리처분계획인가: 인가
④ 토지 등 소유자들이 직접 시행하는 도시환경정비사업에서 토지 등 소유자에 대한 사업시행계획인가: 특허 (대판 2013.6.13. 2011두19994)

인가의 성질
▷ 형성적 행정행위

재량행위여부 판단 기준
▷ 법문언에 따라 개별적 판단

인가에 부관부가
▷ 인가가 재량행위라면 可

함께 정리하기

11. 국가직 7급 판례는 인가에 해당하면 부관의 부가가 허용되지 않는다고 본다. (×) → 가능하다

ⓐ 재량행위로 본 판례

⚖ 관련판례

1 재단법인의 임원취임에 대한 주무관청의 승인(인가) ★★★

재단법인의 임원취임이 사법인인 재단법인의 정관에 근거한다 할지라도 이에 대한 행정청의 승인(인가)행위는 법인에 대한 주무관청의 감독권에 연유하는 이상 그 인가행위 또는 인가거부행위는 공법상의 행정처분으로서, 그 임원취임을 인가 또는 거부할 것인지 여부는 주무관청의 권한에 속하는 사항이라고 할 것이고, 재단법인의 임원취임승인 신청에 대하여 주무관청이 이에 기속되어 이를 당연히 승인(인가)하여야 하는 것은 아니다(대판 2000.1.28. 98두16996).

20. 국가직 9급, 19. 5급 승진 재단법인의 임원취임을 인가 또는 거부할 것인지 여부는 주무관청의 권한에 속하는 사항이라고 할 것이고, 재단법인의 임원취임승인 신청에 대하여 주무관청이 이에 기속되어 이를 당연히 승인(인가)하여야 하는 것은 아니다. (○)

19. 서울시 7급 재단법인의 임원 취임이 재단법인의 정관에 근거한다 할지라도 이에 대해 주무관청이 당연히 인가하여야 하는 것은 아니며 인가 여부를 재량으로 결정할 수 있다. (○)

2 공익법인의 기본재산 처분에 대한 주무관청의 허가 ★★

공익법인의 기본재산의 처분에 관한 공익법인의 설립·운영에 관한 법률 제11조 제3항의 규정은 강행규정으로서 이에 위반하여 주무관청의 허가를 받지 않고 기본재산을 처분하는 것은 무효라 할 것인데, 위 처분허가에 부관을 붙인 경우 그 처분허가의 법률적 성질이 형성적 행정행위로서의 인가에 해당한다고 하여 조건으로서의 부관의 부과가 허용되지 아니한다고 볼 수는 없고, 다만 구체적인 경우에 그것이 조건, 기한, 부담, 철회권의 유보 중 어느 종류의 부관에 해당하는지는 당해 부관의 내용, 경위 기타 제반 사정을 종합하여 판단하여야 할 것이다(대판 2005.9.28. 2004다50044).

24. 국가직 9급 공익법인의 기본재산 처분허가에 부관을 붙인 경우, 그 처분허가의 법적 성질은 명령적 행정행위인 허가에 해당하며 조건으로서의 부관의 부과가 허용되지 아니한다. (×) → 형성적 / 인가 / 된다

3 자동차관리법상 사업자단체 조합설립인가 ★★

구 자동차관리법상 자동차관리사업자로 구성하는 사업자단체인 조합 또는 협회(이하 '조합 등'이라고 한다) 설립인가 제도의 입법 취지, 조합 등에 대하여 인가권자가 가지는 지도·감독 권한의 범위 등과 아울러 자동차관리법상 조합 등 설립인가에 관하여 구체적인 기준이 정하여져 있지 않은 점에 비추어 보면, 인가권자인 국토해양부장관 또는 시·도지사는 조합 등의 설립인가 신청에 대하여 자동차관리법 제67조 제3항에 정한 설립요건의 충족 여부는 물론, 나아가 조합 등의 사업내용이나 운영계획 등이 자동차관리사업의 건전한 발전과 질서 확립이라는 사업자단체 설립의 공익적 목적에 부합하는지 등을 함께 검토하여 설립인가 여부를 결정할 재량을 가진다. 다만 이러한 재량을 행사할 때 기초가 되는 사실을 오인하였거나 비례·평등의 원칙을 위반하는 등의 사유가 있다면 이는 재량권의 일탈·남용으로서 위법하다(대판 2015.5.29. 2013두635).

24. 국가직 9급 자동차관리사업자로 구성하는 사업자단체 설립인가는 인가권자가 가지는 지도·감독권한의 범위 등과 아울러 설립인가에 관하여 구체적인 기준이 정하여져 있지 않은 점 등에 비추어 재량행위로 보아야 한다. (○)

재단법인의 임원취임승인(인가)
▷ 재량행위

공익법인 기본재산 처분허가
▷ 부관 부가 可

「자동차관리법」상 사업자단체 조합설립인가
▷ 재량행위

372 해커스공무원 학원·인강 gosi.Hackers.com

ⓑ 기속행위로 본 판례

관련판례

1 학교법인이사취임승인처분 ★★

이사취임승인은 학교법인의 임원선임행위를 보충하여 법률상의 효력을 완성시키는 보충적 행정행위로서 기속행위에 속한다(대판 1992.9.22. 92누5461).

07. 서울시 9급 이사취임승인은 학교법인의 임원선임행위를 보충하여 법률상의 효력을 완성시키는 보충적 행정행위로서 기속행위에 속한다. (○)

2 토지거래허가 ★★

(인근 주민들의 혐오시설설치 반대가 토지거래계약 불허가 사유가 되는지 여부)
토지거래계약의 허가권자는 그 허가신청이 구 국토이용관리법 제21조의4 제1항(현 부동산 거래신고 등에 관한 법률 제12조) 각 호 소정의 불허가사유에 해당하지 아니하는 한 허가를 하여야 하는 것인데, 인근 주민들이 당해 폐기물처리장 설치를 반대한다는 사유는 구 국토이용관리법 제21조의4 규정에 의한 불허가사유로 규정되어 있지 아니하므로 그와 같은 사유만으로는 토지거래허가를 거부할 사유가 될 수 없다(대판 1997.6.27. 96누9362).

③ **인가의 형식과 대상**

㉠ **형식**: 인가는 반드시 구체적인 처분(행정행위)의 형식으로 행하여지며 요식행위인 것이 원칙이다. 법령에 의한 일반적인 인가는 없다.

04. 국가직 7급 인가는 언제나 구체적 처분의 형식으로 행하여진다. (○)

㉡ **대상**

ⓐ 인가의 대상은 제3자의 행위로서, 허가와는 달리 반드시 법률행위에 한정되고 사실행위는 제외된다. 왜냐하면 인가는 법적 효력의 발생 요건이기 때문이다(인가는 효력발생요건).

17. 국가직 9급(추) 인가의 대상이 되는 기본행위는 법률적 행위일 수도 있고, 사실행위일 수도 있다. (×) → ⓐ에 한정된다

10. 서울시 9급 허가의 대상은 사실행위와 법률행위지만 인가는 법률행위만 속한다. (○)

ⓑ 인가의 대상은 법률행위인 이상, 공법상 행위(예 재개발정비조합의 사업시행계획결의, 공공단체의 정관변경)이든, 사법상의 행위(예 비영리법인의 설립, 사립학교법인이사의 선임행위, 토지거래허가)이든 불문한다.

14. 서울시 9급 인가의 대상인 법률행위에는 행위는 공법상 행위도 있고, 사법상의 행위도 있다. (○)

08. 국가직 7급 일반적으로 인가의 기본행위는 공법적 성질을 갖는 것에 한한다. (×) → 한하지 않는다

ⓒ 인가의 대상인 법률행위에는 계약(예 토지거래)에 한하지 않으며, 합동행위(예 비영리법인의 설립)도 있다.

④ **인가의 신청(출원)**: 인가는 신청에 따라 기본행위의 효력을 완성시켜 주는 보충적 행위이므로 당사자의 신청에 의하여 행해진다. 따라서 인가의 대상이 되는 행위의 내용은 신청인이 결정하므로 행정청은 인가여부만을 결정할 수 있을 뿐 법령에 명문의 규정이 없는 한 수정인가는 할 수 없다.

14. 서울시 9급 인가는 보충적 행위이므로 신청을 전제로 한다. (○)

11. 국가직 7급 다수설에 의하면 법령에 명문의 규정이 없는 한 수정인가를 할 수 없다. (○)

10. 서울시 9급 허가는 원칙적으로 신청을 요하나 무출원허가나 수정허가가 가능한 반면, 인가는 반드시 신청을 요하고 무출원 인가나 수정인가가 불가하다. (○)

학교법인 이사취임승인
▷ 기속행위

cf. 학교법인 이사취임승인 '취소'
▷ 재량행위

토지거래허가
▷ 기속행위

인가의 형식
▷ 구체적인 처분의 형식으로 행하여지며 요식행위인 것이 원칙
▷ 법규인가×

인가의 대상이 되는 행위
▷ 제3자의 행위이며 법률행위에 限, 사실행위×

인가의 대상이 되는 법률행위
▷ 공법상 행위, 사법상 행위, 계약, 합동행위

무출원인가
▷ 불가

수정인가
▷ 법령에 명문규정이 없는 한 수정인가×

인가의 효과
▷ 기본행위의 효력발생

면허관청의 인가를 받지 않은 공유수면
매립면허로 인한 권리의무의 양도·양수
약정
▷ 법률상 효력×

인가의 이전가능성
▷ 타인에게 이전×

무인가행위
▷ 무효
▷ 처벌대상×

인가는 보충적 행위
▷ 인가의 효력은 기본행위의 유무 및 하자
에 의해 영향 받음
▷ 기본행위 소멸되면 인가도 별도의 무효선
언이나 처분청의 직권취소 없이 당연 실효

인가 적법 + 기본행위 불성립·무효
▷ 인가도 무효
▷ 인가로 인해 기본행위가 유효하게 되지
않음(기본행위 하자를 치유하지 못함)

---

⑤ 인가의 효과

　ⓐ 효력요건: 인가에 의해 기본적 법률행위는 효력이 발생한다. 즉, 인가는 기본
행위가 효력을 발생하기 위한 효력요건이다. 따라서 인가의 대상이 되는 기
본행위는 인가가 있기 전에는 효력이 발생하지 않는다.

　　17. 변호사 인가의 대상이 되는 기본행위는 인가를 받아야 효력이 발생하므로, 인가를 받지 않
은 이상 기본행위는 법률상 효력이 발생하지 않는다. (○)

> **⚡ 관련판례**
>
> **공유수면매립면허로 인한 권리의무의 양도·양수약정은 이에 대한 면허관청의 인가를
> 받지 않은 이상 법률상 효력이 발생하지 않는다. ★★**
>
> 공유수면매립법 제20조 제1항 및 같은 법 시행령 제29조 제1항 등 관계법령의 규정내
> 용과 공유수면매립의 성질 등에 비추어 볼 때, 공유수면매립의 면허로 인한 권리의무
> 의 양도·양수에 있어서의 면허관청의 인가는 효력요건으로서, 위 각 규정은 강행규정
> 이라고 할 것인바, 위 면허의 공동명의자 사이의 면허로 인한 권리 의무양도약정은 면
> 허관청의 인가를 받지 않은 이상 법률상 아무런 효력도 발생할 수 없다(대판 1991.6.25.
> 90누5184).
>
> 20. 국가직 9급, 17. 국가직 9급 공유수면매립면허의 공동명의자 사이의 면허로 인한 권리의무양도
> 약정은 면허관청의 인가를 받지 않은 이상 법률상 아무런 효력도 발생할 수 없다. (○)
>
> 20. 군무원 9급 「공유수면매립법」 등 관계 법령상 공유수면매립의 면허로 인한 권리의무의 양도·양
> 수에 있어서의 면허관청의 인가는 효력요건으로서, 면허로 인한 권리의무양도약정은 면허관청의 인
> 가를 받지 않은 이상 법률상 아무런 효력도 발생할 수 없다. (○)

　ⓑ 이전성: 인가는 법률행위를 대상으로 하므로 그 효과는 당해 법률행위에 한하
여 발생한다. 따라서 인가 효과는 타인에게 이전되지 않는 것이 일반적이다.

　ⓒ 무인가행위: 인가는 효력발생요건이므로 인가를 받아야 하는 행위임에도 인
가받지 않고 한 행위는 무효이다. 그러나 인가를 받지 않았더라도 법률에 특
별한 규정이 없는 한 강제집행이나 처벌의 대상이 되지는 않는다. 이 점에
서 허가는 적법요건으로서 무허가행위는 처벌의 대상이 되나, 원칙적으로
무효가 되지 않는 것과 차이가 난다.

　　10. 서울시 9급 허가는 강제집행 등의 대상이 되자 않지만 인가는 행정벌이나 강제집행 대상이
다. (×) → 되지만 / 되지 않는다

⑥ 인가와 기본행위와의 관계

　ⓐ 기본행위의 하자와 인가(인가는 적법하나 기본행위에 하자가 있는 경우): 인가는
기본행위의 효력을 완성시켜 주는 보충적 행위이므로 인가의 효력은 기본
행위의 유무 및 하자에 의해 영향을 받는다. 따라서 기본행위가 소멸되면
인가도 별도의 무효선언이나 처분청의 직권취소 없이도 실효된다.

　　ⓐ 기본행위가 불성립 또는 무효인 경우: 인가는 자신과 직접 관계없는 법률관
계 당사자의 법률행위의 효과를 완성시켜주는 보충행위에 지나지 않기
때문에 그 기본행위가 성립되지 않거나 무효인 경우에는 인가가 있다고
하더라도 당해 인가는 무효일 뿐이고, 인가로 인해 기본행위가 유효하게
되는 것도 아니다. 즉, 인가는 기본행위의 하자를 치유하지 않는다.

　　　23. 국가직 7급 인가는 기본행위의 효력을 완성시켜 주는 보충적 행위이므로 기본행위가
무효인 경우에는 이에 대한 인가가 내려지더라도 그 인가는 무효이다. (○)

　　　15. 국가직 9급 기본행위가 성립하지 않거나 무효인 경우에 인가가 있어도 당해 인가는 무
효가 된다. (○)

12. 서울시 9급 인가의 대상인 기본행위가 무효라 하더라도 인가 자체에 하자가 없다면 그 인가는 ~~유효하다.~~ (×) → 라면 / 없더라도 / 무효이다

17. 행정사 무효인 기본행위를 인가한 경우 그 기본행위는 유효한 행위로 ~~전환된다.~~ (×) → 되지 않는다

14. 서울시 9급 인가의 전제가 되는 기본행위에 하자가 있다고 하더라도 행정청의 적법한 인가가 있으면 그 하자는 ~~치유가 된다.~~ (×) → 치유되지 못한다

ⓑ **기본행위에 취소원인이 있는 경우**: 유효한 기본행위를 대상으로 인가가 행해진 후에 기본행위가 취소대상이 된 경우에는 기본행위가 취소되지 않는 한 인가의 효력에는 영향이 없다. 그러나 취소원인이 있는 기본행위는 인가가 있은 후에도 이를 취소할 수 있고, (유효한 기본행위를 대상으로 유효하게 성립한 인가라고 할지라도) 후에 그 기본행위가 취소되거나 실효되면 인가는 그 존립의 바탕을 잃게 되어 실효된다.

07. 국가직 9급 기본행위에 취소원인이 있더라도 인가가 있는 후에는 기본행위를 취소할 수 ~~없다.~~ (×) → 있다

16. 국가직 9급 인가의 대상이 되는 행위에 취소원인이 있더라도 일단 인가가 있는 때에는 그 흠은 ~~치유된다.~~ (×) → 치유되는 것은 아니다

15. 국가직 9급 유효한 기본행위를 대상으로 인가가 행해진 후에 기본행위가 취소되거나 실효된 경우에는 인가도 실효된다. (○)

🔨 관련판례

1 임원선임행위가 불성립·무효라면 취임승인(인가) 있어도 선임행위가 유효한 것으로 될 수 없다. ★★★

학교법인의 임원에 대한 감독청의 취임승인은 학교법인의 임원선임행위를 보충하여 그 법률상의 효력을 완성케 하는 보충적 행정행위로서 성질상 기본행위를 떠나 승인처분 그 자체만으로는 법률상 아무런 효력도 발생할 수 없다. 기본행위인 학교법인의 임원선임행위가 불성립 또는 무효인 경우에는 비록 그에 대한 감독청의 취임승인이 있었다 하여도 이로써 무효인 그 선임행위가 유효한 것으로 될 수는 없다(대판 1987.8.18. 86누152).

18. 국회직 8급 「사립학교법」 제20조 제2항에 의한 학교법인의 임원에 대한 감독청의 취임승인은 학교법인의 임원선임 행위를 보충하여 그 법률상의 효력을 완성하게 하는 보충적 행위로서 성질상 기본행위를 떠나 승인처분 그 자체만으로는 법률상 아무런 효과도 발생할 수 없다. (○)

12. 국가직 9급 학교법인 임원에 대한 감독청의 취임승인은 그 대상인 기본행위의 효과를 완성시키는 보충행위이므로 그 기본행위가 불성립 또는 무효인 때에도 그에 대한 인가를 하면 그 기본행위가 ~~유효하게 될 수 있다.~~ (×) → 여전히 무효이다

16. 국가직 9급 「사립학교법」이 정하는 바에 의하여 이사회를 소집하지 않은 채 임원을 선임한 후 관할청이 취임을 승인하였다면 관할청의 임원 취임승인으로 선임절차상의 하자는 ~~치유되고~~ 이사회가 소집되지 않은 채 임원으로 선임된 자는 임원으로서의 지위를 ~~취득한다.~~ (×) → 치유되지 않고, 취득하지 못한다

2 정관변경 결의에 하자가 있을 때에는 인가가 있었다 하여도 기본행위인 정관변경 결의가 유효한 것으로 될 수 없다. ★★

인가는 기본행위인 재단법인(한국천부교 전도관 유지재단)의 정관변경에 대한 법률상의 효력을 완성시키는 보충행위로서, 그 기본이 되는 정관변경 결의에 하자가 있을 때에는 그에 대한 문화체육부장관의 인가가 있었다 하여도 기본행위인 정관변경 결의가 유효한 것으로 될 수 없다(대판 1996.5.16. 95누4810 전합).

20. 국회직 8급 재단법인의 정관변경시 정관변경결의에 하자가 있는 경우에 주무부장관의 인가가 있다고 하여도 정관변경 결의가 유효한 것으로 될 수 없다. (○)

21. 국가직 7급 재단법인의 정관변경 결의에 하자가 있더라도, 그에 대한 인가가 있었다면 기본행위인 정관변경 결의는 ~~유효한 것으로 된다.~~ (×) → 있을 때에는 / 있었다 하여도 / 될 수 없다

불성립 또는 무효인 학교법인 임원선임
▷ 취임승인 있어도 임원선임 무효

기본행위인 기술도입계약이 해지로 인하여 소멸
▷ 인가처분은 무효선언이나 그 취소처분이 없어도 당연 실효(처분청의 직권취소에 의하여 소멸×)

기본행위 적법 + 인가 무효
▷ 기본행위 무효(∵무인가행위)

기본행위 적법 + 인가 취소사유
▷ 인가 취소 전: 기본행위 유효
▷ 인가 취소 후: 기본행위 무효(∵무인가행위)

3 기본행위의 하자만으로 인가처분 자체에 하자가 있는 것이 되지는 않는다. ★★★

주택재건축조합이 재건축결의에서 결정된 내용과 다르게 사업시행계획을 작성하여 사업시행인가를 받은 경우 이러한 하자는 기본행위인 사업시행계획 작성행위의 하자이고, 이에 대한 보충행위인 행정청의 인가처분이 적법요건을 갖추고 있는 이상은 그 인가처분 자체에 하자가 있는 것이라 할 수 없다(대판 2008.1.10. 2007두16691).

20. 국회직 8급 조합이 사업시행계획을 재건축결의에서 결정된 내용과 달리 작성한 경우 이러한 하자는 기본행위인 사업시행계획 작성행위의 하자이고, 이에 대한 보충행위인 행정청의 인가처분이 적법요건을 갖추고 있는 이상은 그 인가처분 자체에 하자가 있는 것이라 할 수 없다. (O)

4 기본행위인 기술도입계약이 해지로 인하여 소멸되면 인가처분은 무효선언이나 그 취소처분이 없어도 당연히 실효된다. ★★

외자도입법 제19조에 따른 기술도입계약에 대한 인가는 기본행위인 기술도입계약을 보충하여 그 법률상 효력을 완성시키는 보충적 행정행위에 지나지 아니하므로 기본행위인 기술도입계약이 해지로 인하여 소멸되었다면 위 인가처분은 무효선언이나 그 취소처분이 없어도 당연히 실효된다(대판 1983.12.27. 82누491).

20. 군무원 9급 「외자도입법」 제19조에 따른 기술도입계약에 대한 인가는 기본행위인 기술도입계약을 보충하여 그 법률상 효력을 완성시키는 보충적 행정행위에 지나지 아니하므로 기본행위인 기술도입계약이 해지로 인하여 소멸되었다면 위 인가처분은 처분청의 직권취소에 의하여 소멸한다. (×) → 취소처분이 없어도

ⓒ 인가의 하자와 기본행위(기본행위는 적법하나 인가에 하자가 있는 경우)

ⓐ **인가의 하자가 무효인 경우**: 기본행위가 적법하나 인가행위가 무효인 경우에는 기본행위는 무인가행위가 되므로 아무런 효력도 발생 하지 않는다.

ⓑ **인가의 하자가 취소사유인 경우**: 기본행위가 적법하고 인가행위의 하자가 취소사유인 경우에는 인가행위가 취소되기 전까지는 기본행위는 유효하나 인가가 후에 취소된다면 기본행위는 무인가행위가 되어 효력을 상실한다.

◈ 핵심정리 기본행위와 인가의 관계

기본행위 [하자] + 인가 [적법]	기본행위가 불성립 또는 무효인 경우	• 인가 효력 발생하지 아니함(당해 인가는 무효) • 적법한 인가라도 기본행위의 하자를 치유×
	기본행위에 취소원인이 있는 경우	• 기본행위가 취소되지 않는 한 인가의 효력에는 영향× • 기본행위가 취소되거나 실효되면 인가도 실효
기본행위 [적법] + 인가 [하자]	인가의 하자가 무효인 경우	무인가행위, 기본행위 무효, 새로운 적법인가 필요
	인가의 하자가 취소사유인 경우	• 인가가 취소되기 전까지는 기본행위 유효 • 인가가 후에 취소된다면 기본행위는 무인가행위가 되어 효력을 상실
기본행위 [사후 취소나 실효]+ 인가 [적법]		인가도 효력 상실(실효)

⑦ 쟁송방법

　㉠ **기본행위에 하자가 있는 경우**: 인가의 대상인 기본행위에 하자가 있는 경우에는 기본행위의 하자를 다투어야 하며 기본행위의 하자를 이유로 인가처분의 취소 또는 무효확인을 구할 법률상 이익은 없다.

　㉡ **인가에 하자가 있는 경우**: 기본행위가 적법하고, 인가행위 자체에만 하자가 있다면 그 인가처분을 대상으로 무효확인이나 그 취소를 구할 법률상 이익이 있다.

　　20. 군무원 9급, 17. 국가직 9급(추) 기본행위가 적법·유효하고 보충행위인 인가처분 자체에 흠이 있다면 그 인가처분의 무효나 취소를 주장할 수 있다. (○)

관련판례

1 기본행위에 하자가 있는 경우 기본행위의 하자를 이유로 인가처분의 취소 또는 무효를 구할 법률상의 이익이 없다. ★★★

1-1. 기본행위인 관리처분계획이 적법유효하고 보충행위인 인가처분 자체에만 하자가 있다면 그 인가처분의 무효나 취소를 주장할 수 있지만, 인가처분에 하자가 없다면 기본행위에 하자가 있다 하더라도 따로 그 기본행위의 하자를 다투는 것은 별론으로 하고 기본행위의 무효를 내세워 바로 그에 대한 행정청의 인가처분의 취소 또는 무효확인을 소구할 법률상의 이익이 있다고 할 수 없다(대판 1994.10 14. 93누22753 ; 대판 1996.5.16. 95누4810 전합 ; 대판 2000.9.5. 99두1854 ; 대판 2005.10.14. 2005두1046).

　22. 국가직 7급, 20. 국가직 9급, 20. 군무원 9급, 14. 변호사 인가처분에 하자가 없다면 기본행위에 하자가 있다 하더라도 따로 그 기본행위의 하자를 다투는 것은 별론으로 하고 기본행위의 무효를 내세워 바로 그에 대한 행정청의 인가처분의 취소 또는 무효확인을 소구할 법률상의 이익이 없다. (○)

　20. 지방직 9급, 17. 국가직 7급, 16. 변호사, 15. 국회직 8급, 13. 지방직 7급 등 인가처분에 하자가 없더라도 기본행위에 무효사유가 있다면 기본행위의 무효를 내세워 그에 대한 행정청의 인가처분의 취소 또는 무효확인을 구할 소의 이익이 있다. (×) → 없다

　15. 국가직 9급 기본행위에 하자가 있는 경우에 그 기본행위의 하자를 다툴 수 있고, 기본행위의 하자를 이유로 인가처분의 취소 또는 무효확인도 소구할 수 있다. (×) → 을 소구할 수 없다

1-2. 기본행위인 사업시행계획이 무효인 경우 그에 대한 인가처분이 있다고 하더라도 그 기본행위인 사업시행계획이 유효한 것으로 될 수 없으며, 기본행위가 적법·유효하고 보충행위인 인가처분 자체에만 하자가 있다면 그 인가처분의 무효나 취소를 주장할 수 있다고 할 것이지만, 인가처분에 하자가 없다면 기본행위에 하자가 있다고 하더라도 따로 그 기본행위의 하자를 다투는 것은 별론으로 하고 기본행위의 무효를 내세워 바로 그에 대한 인가처분의 취소 또는 무효확인을 구할 수 없다(대판 2014.2.27. 2011두25173).

　23. 지방직 9급 주택재개발정비사업조합이 수립한 사업시행계획에 하자가 있음에도 불구하고 관할 행정청이 해당 사업시행계획에 대한 인가처분을 하였다면, 그 인가처분에는 고유한 하자가 없더라도 사업시행계획의 무효를 주장하면서 곧바로 그에 대한 인가처분의 무효확인이나 취소를 구하여야 한다. (×) → 없다면 / 구할 수 없다

2 기본행위를 떠나 인가처분 자체만으로는 법률상 아무런 효력도 발생하지 않으므로 기본행위 자체에 하자가 있다면 기본행위의 취소 또는 무효확인 등을 구하여야 한다. ★★

　[1] 주택조합의 조합장 명의변경에 대한 시장, 군수 또는 자치구 구청장의 인가처분은 종전의 조합장이 그 지위에서 물러나고 새로운 조합장이 그 지위에 취임함을 내용으로 하는 주택조합의 조합장 명의변경 행위를 보충하여 그 법률상의 효력을 완성시키는 보충적 행정행위로서 성질상 기본행위인 주택조합의 조합장 명의변경 행위를 떠나 인가처분 자체만으로는 법률상 아무런 효력도 발생할 수 없다.

함께 정리하기

기본행위에 하자가 있는 경우
▷ 기본행위를 다투어야, 기본행위의 하자를 이유로 인가처분을 다툴 법률상 이익 無

인가행위 자체에만 하자가 있는 경우
▷ 인가처분을 다툴 법률상 이익○

기본행위에 하자가 있는 경우
▷ 기본행위의 하자를 이유로 인가처분의 취소 또는 무효를 구할 법률상의 이익×

기본행위에 하자
▷ 기본행위를 다투어야 함

주택조합 조합장명의변경인가처분 후 신임조합장선출결의 무효주장
▷ 조합장지위확인을 다투어야 함(인가나 인가거부를 다툴 소의 이익×)

행정작용법 해커스공무원 함수민 행정법총론 기본서

제2장 행정행위　**377**

[2] 강학상의 '인가'에 속하는 행정처분에 있어서 인가처분 자체에 하자가 있다고 다투는 것이 아니라 기본행위에 하자가 있다 하여 그 기본행위의 효력에 관하여 다투는 경우에는 민사쟁송으로서 따로 그 기본행위의 취소 또는 무효확인 등을 구하는 것은 별론으로 하고 기본행위의 불성립 또는 무효를 내세워 바로 그에 대한 감독청의 인가처분의 취소를 구하는 것은 특단의 사정이 없는 한 소구할 법률상의 이익이 있다고 할 수 없다(대판 1995.12.12. 95누7338).

3 기본행위인 이사선임결의가 적법·유효하고 보충행위인 승인처분 자체에만 하자가 있다면 그 승인처분의 무효확인이나 그 취소를 주장할 수 있다. ★★

기본행위인 이사선임결의가 적법·유효하고 보충행위인 승인처분 자체에만 하자가 있다면 그 승인처분의 무효확인이나 그 취소를 주장할 수 있지만, 이 사건 임원취임승인처분에 대한 무효확인이나 그 취소의 소처럼 기본행위인 임시이사들에 의한 이사선임결의의 내용 및 그 절차에 하자가 있다는 이유로 이사선임결의의 효력에 관하여 다툼이 있는 경우에는 민사쟁송으로서 그 기본행위에 해당하는 위 이사선임결의의 무효확인을 구하는 등의 방법으로 분쟁을 해결할 것이지 그 이사선임결의에 대한 보충적 행위로서 그 자체만으로는 아무런 효력이 없는 승인처분만의 무효확인이나 그 취소를 구하는 것은 특단의 사정이 없는 한 분쟁해결의 유효적절한 수단이라 할 수 없으므로, 임원취임승인처분의 무효확인이나 그 취소를 구할 법률상 이익이 없다(대판 2002.5.24. 2000두3641).

19. 서울시 9급, 19. 사복직, 17. 국가직 9급 기본행위인 이사선임결의가 적법·유효하고 보충행위인 승인처분 자체에만 하자가 있다면 그 승인처분의 무효확인이나 그 취소를 주장할 수 있다. (○)

20. 국회직 9급 기본행위인 이사선임결의의 효력에 다툼이 있는 경우 민사쟁송으로 이사선임결의의 무효확인을 구할 것이 아니라 그 이사선임결의에 대한 승인처분의 무효확인이나 그 취소를 구하여야 한다. (×) → 것이지 / 구할 수 없다

⑧ 「도시 및 주거환경정비법」상 조합설립인가의 법적 성질: 조합설립인가의 법적 성질에 대하여 종래 판례는 "재건축조합설립인가는 불량·노후한 주택의 소유자들이 재건축을 위하여 한 재건축조합설립행위를 보충하여 그 법률상 효력을 완성시키는 보충행위(대판 2000.9.5. 99두1854)"라고 하여 강학상 인가로 보았으나, 최근 판례는 그 입장을 변경하여 조합설립인가는 조합에 대하여 「도시정비법」상 정비사업을 시행할 수 있는 권한을 갖는 행정주체(공법인)로서의 지위를 부여하는 일종의 설권적 처분의 성격(특허)도 갖는다고 보고 있다.

관련판례

1 도시 및 주거환경정비법 등 관련 법령에 근거하여 행하는 재건축조합설립인가처분은 사인들의 조합설립행위에 대한 보충행위로서의 성질을 갖는 것에 그치는 것이 아니라, 일종의 설권적 처분의 성격을 갖는다. ★★★

[1] 행정청이 도시 및 주거환경정비법 등 관련 법령에 근거하여 행하는 조합설립인가처분은 단순히 사인들의 조합설립행위에 대한 보충행위로서의 성질을 갖는 것에 그치는 것이 아니라 법령상 요건을 갖출 경우 도시 및 주거환경정비법상 주택재건축사업을 시행할 수 있는 권한을 갖는 행정주체(공법인)로서의 지위를 부여하는 일종의 설권적 처분의 성격을 갖는다고 보아야 한다.

[옆단]

임원취임승인처분 자체에만 하자가 있는 경우
▷ 승인처분의 무효확인이나 그 취소 주장○

기본행위인 이사선임결의에 하자가 있는 경우
▷ 승인처분의 무효확인이나 그 취소를 구할 법률상 이익×

종래 판례
▷ 인가

최근 판례
▷ 특허

도시정비법상 재건축조합설립인가
▷ 설권적 처분(특허)

조합설립인가처분 후 조합설립결의(동의)의 하자를 이유로 소제기시 소의 대상
▷ 조합설립인가처분(조합설립결의×)

인가에 설권적 성격이 더해진 경우 쟁송대상
▷ 인가에 하자가 있든 기본행위에 하자가 있든 모두 인가를 대상으로 함

[2] 그리고 그와 같이 보는 이상 <u>조합설립결의는 조합설립인가처분이라는 행정처분을 하는 데 필요한 요건 중 하나에 불과한 것이어서, 조합설립결의에 하자가 있다면 그 하자를 이유로 직접 항고소송의 방법으로 조합설립인가처분의 취소 또는 무효확인을 구하여야 하고, 이와는 별도로 조합설립결의 부분만을 따로 떼어내어 그 효력 유무를 다투는 확인의 소를 제기하는 것은 원고의 권리 또는 법률상의 지위에 현존하는 불안·위험을 제거하는 데 가장 유효·적절한 수단이라 할 수 없어 특별한 사정이 없는 한 확인의 이익은 인정되지 아니한다</u>(대판 2009.9.24. 2008다60568 ; 대판 2010.2.25. 2007다73598).

22. 지방직 7급, 19. 경찰 2차, 18. 변호사, 18. 서울시 9급, 17. 지방직 9급, 13. 국가직 7급 등 행정청이 도시 및 주거환경정비법 등 관련 법령에 근거하여 행하는 조합설립인가처분은 단순히 사인들의 조합설립행위에 대한 보충행위로서의 성질을 갖는 것에 그치는 것이 아니라 법령상 요건을 갖출 경우 도시 및 주거환경정비법상 주택재건축사업을 시행할 수 있는 권한을 갖는 행정주체(공법인)로서의 지위를 부여하는 일종의 설권적 처분의 성격을 갖는다고 보아야 한다. (○)

20. 군무원 7급, 14. 변호사 행정청이 도시 및 주거환경정비법 등 관련 법령에 근거하여 행하는 조합설립인가처분은 단순히 사인들의 조합설립행위에 대한 보충행위로서의 성질을 갖는 것에 그치고 법령상 요건을 갖출 경우 도시 및 주거환경정비법상 주택재건축사업을 시행할 수 있는 권한을 갖는 행정주체(공법인)로서의 지위를 부여하는 일종의 설권적 처분의 성격을 갖지 않는다. (×) → 그치는 것이 아니라 / 갖는다

2 도시 및 주거환경정비법상 재개발조합설립 인가신청에 대한 조합설립인가처분은 일종의 설권적 처분의 성질을 가진다. ★★★

구 도시 및 주거환경정비법상 재개발조합설립 인가신청에 대한 행정청의 조합설립인가처분은 단순히 사인들의 조합설립행위에 대한 보충행위로서의 성질을 갖는 것이 아니라 <u>법령상 일정한 요건을 갖출 경우 행정주체(공법인)의 지위를 부여하는 일종의 설권적 처분이다</u>(대결 2009.9.24. 2009마168·169 ; 대판 2010.1.28. 2009두4845).

20. 국회직 8급, 16. 국회직 8급, 15. 국가직 9급 주택재개발조합의 설립인가는 설권처분인 특허의 성질을 가지며 조합은 행정주체의 지위를 가진다. (○)

13. 국가직 7급, 13. 국회직 8급 재개발조합설립인가처분은 <s>법률관계의 당사자의 법률행위의 효과를 완성시켜주는 보충행위</s>에 해당한다. (×) → 설권적 처분

18. 서울시 9급, 15. 국회직 8급, 13. 지방직 7급, 11. 국가직 7급 재개발조합설립인가신청에 대한 행정청의 조합설립인가처분은 단순히 사인들의 조합설립행위에 대한 보충행위로서의 인가의 성질을 가지는 것이 아니라 법령상 일정한 요건을 갖추는 경우 행정주체(공법인)의 지위를 부여하는 일종의 설권적 처분이다. (○)

3 도시 및 주거환경정비법상 토지 등 소유자들이 조합을 따로 설립하지 않고 직접 시행하는 도시환경정비사업 시행인가처분은 일종의 설권적 처분의 성격을 가진다. ★★★

구 도시 및 주거환경정비법 제8조 제3항, 제28조 제1항에 의하면, <u>토지 등 소유자들이 그 사업을 위한 조합을 따로 설립하지 아니하고 직접 도시환경정비사업을 시행하고자 하는 경우에는</u> 사업 시행계획서에 정관 등과 그 밖에 국토해양부령이 정하는 서류를 첨부하여 시장·군수에게 제출 하고 사업시행인가를 받아야 하고, 이러한 절차를 거쳐 <u>사업시행인가를 받은 토지 등 소유자들은</u> 관할 행정청의 감독 아래 정비구역 안에서 구 도시정비법상의 도시환경정비사업을 시행하는 목적 범위 내에서 법령이 정하는 바에 따라 일정한 행정작용을 행하는 <u>행정주체로서의 지위를 가진다.</u> 그렇다면 <u>토지 등 소유자들이 직접 시행하는 도시환경정비사업에서 토지 등 소유자에 대한 사업시행인가처분은 단순히 사업시행계획에 대한 보충행위로서의 성질을 가지는 것이 아니라 구 도시정비법상 정비사업을 시행할 수 있는 권한을 가지는 행정주체로서의 지위를 부여 하는 일종의 설권적 처분의 성격을 가진다</u>(대판 2013.6.13. 2011두19994).

도시정비법상 재개발조합설립인가
▷ 설권적 처분(특허)

도시정비법상 토지 등 소유자들이 조합을 따로 설립하지 않고 직접 시행하는 도시환경정비사업 시행인가처분
▷ 설권적 처분(특허)

23. 지방직 9급 구 「도시 및 주거환경정비법」상 토지소유자들이 조합을 설립하지 아니하고 직접 도시환경정비사업을 시행하고자 하는 경우에 내려진 사업시행인가처분은 설권적 처분의 성격을 가진다. (○)

17. 국가직 7급 「도시 및 주거환경정비법」상 토지 등 소유자들이 조합을 따로 설립하지 않고 직접 시행하는 도시환경정비사업 시행인가는 특정인에 대하여 새로운 권리·능력 또는 포괄적 법률관계를 설정하는 행위에 해당한다. (○)

16. 국회직 8급 「도시 및 주거환경정비법」에 따른 토지 등 소유자에 대한 사업시행인가처분은 사업시행계획에 대한 보충행위로서의 성질을 가지는 것이 아니라 정비사업 시행권한을 가지는 행정주체로서의 지위를 부여하는 일종의 설권적 처분의 성격을 가진다. (○)

⊕ 핵심정리   허가와 인가 비교

구분	허가	인가
법적 성질	• 원칙상 기속행위 • 명령적 행위	• 재량행위 또는 기속행위(법문언에 따라 개별적으로 판단) • 형성적 행위
상대방	특정인뿐만 아니라 불특정 다수에게도 행해짐	특정인에 대해서만 행해짐
대상	법률행위와 사실행위에 모두 可	법률행위에만 可, 사실행위에는 不可
형식	처분○, 법규허가 ×	처분○, 법규인가×
신청	• 원칙적으로 신청을 요함 • 예외적으로 신청이 없어도 가능 (예 일반처분)	반드시 신청을 요함
수정 인·허가 가부	수정허가○	수정인가×
효과	공법적 효과만○, 사법적 효과는×	공법적·사법적 효과 모두 可
인·허가가 없는 행위	• 적법요건(당해 행위 유효) • 행정벌, 강제집행○	• 효력요건(당해 행위 무효) • 행정벌, 강제집행×

(3) 공법상 대리

① 대리의 의의

㉠ 공법상 대리는 제3자가 해야 할 일을 행정주체가 대신 행하되, 제3자가 행한 것과 같은 법적 효과를 일으키는 행정행위이다.❶

19. 행정사 제3자가 해야 할 행위를 행정기관이 대신하여 행함으로써 제3자가 행한 것과 같은 효과를 발생시키는 행위는 형성적 행정행위에 해당한다. (○)

㉡ 공법상의 대리는 피대리인(본인)의 수권에 따른 임의대리가 아니라 법률의 규정에 의한 것이므로 법정대리에 해당한다.

07. 국가직 9급 공법상 대리는 법률의 규정에 의한 법정대리가 아니라, 본인의 의사에 따른 대리행위이다. (×) → 이며 / 가 아니다

㉢ 공법상의 대리는 행정기관이 국민을 대리하는 것을 말하므로 행정조직 내부에서의 행정기관간의 권한의 대리는 여기에 해당되지 않는다.

공법상의 대리
▷ 행정주체가 행위
▷ 제3자가 행한 것과 같은 법적효과 발생하는 행정행위
▷ 법정대리(임의대리×)
▷ 행정기관이 국민을 대리하는 것(행정내부에서 권한의 대리×)

❶
대리행위는 행정청이 제3자가 할 행위를 대신하여 행한 경우에 그 효과를 직접 제3자에게 귀속·발생하게 하는 제도를 말한다.

② 대리의 종류

㉠ 행정청이 감독적 입장에서 행하는 공법인의 정관작성 또는 임원임명, 사학재단의 임시이사의 임명, ㉡ 당사자간 협의가 불성립할 경우에 조정적 입장에서 행하는 토지수용위원회의 수용재결, ㉢ 행정청이 개인보호입장에서 행하는 행려병자 또는 사자의 유류품처분, ㉣ 국가자산의 행정목적달성을 위해 행하는 조세체납처분절차에서의 압류재산의 공매처분 등은 모두 공법상 대리에 해당한다.

14. 사복직, 07. 서울시 9급 행려병자의 유류품처분은 준법률행위적 행정행위이다. (✕) → 법률행위적 행정행위 중 형성적 행정행위

3. 영업허가의 양도와 행정제재처분의 승계❶

(1) 영업허가의 양도

① 영업허가 양도의 가능 여부: 영업허가 양도의 가능여부는 양도의 대상이 되는 허가의 성질에 따라 다르다. ㉠ 대인적 허가는 그 효과가 일신전속적이므로 양도가 원칙적으로 인정되지 않고, ㉡ 대물적 허가는 명문 규정 없이도 원칙적으로 양도가 인정된다. ㉢ 혼합적 허가의 경우에는 원칙적으로 사전에 행정청의 승인 또는 허가를 받아야만 양도가 인정된다.

② 영업허가의 양도절차

㉠ 영업허가의 양도는 양도인과 양수인이 영업양도에 관한 사법상 계약을 체결한 후, 통상 법령에서 행정청의 인가를 받거나 영업양도·양수를 신고하도록 규정하고 있다. 판례는 이러한 영업양도·양수신고는 그 신고로 영업양도의 법적효과가 발생하므로 수리를 요하는 신고로 본다.

㉡ 영업허가 양도의 인가나 신고수리는 「행정절차법」상 처분에 해당하므로 「행정절차법」의 적용대상이 된다. 즉, 지위승계신고의 수리는 양도인의 사업허가취소와 양수인에 대한 권리설정행위의 성격을 아울러 갖는 것으로서 양도인에게는 침익적 성격의 처분이므로 행정청은 수리처분을 하기 전에 먼저 양도인에게 행정절차법상의 처분절차(사전통지 및 의견제출의 기회부여)를 거쳐야 한다.

🔎 관련판례

1 지위승계신고수리는 양도자의 사업허가를 취소함과 아울러 양수자에게 적법히 사업을 할 수 있는 권리를 설정하여 주는 행위로서 사업허가자의 변경이라는 법률효과를 발생시키는 행위이다. ★★★

구 식품위생법 제25조 제1항·제3항에 의하여 <u>영업양도에 따른 지위승계신고를 수리하는 허가관청의 행위</u>는, 단순히 양도·양수인 사이에 이미 발생한 사법상의 사업양도의 법률효과에 의하여 양수인이 그 영업을 승계하였다는 사실의 신고를 접수하는 행위에 그치는 것이 아니라, 실질에 있어서 <u>양도자의 사업허가를 취소함과 아울러 양수자에게 적법히 사업을 할 수 있는 권리를 설정하여 주는 행위로서 사업허가자의 변경이라는 법률효과를 발생시키는 행위</u>라고 할 것이다(대판 2001.2.9. 2000도2050).

18. 국회직 8급 지위승계신고는 영업허가자의 변경이라는 법률효과를 발생시키는 행위이다. (○)

함께 정리하기

종류
▷ 토지수용위원회의 수용재결, 조세체납처분절차에서 압류재산의 공매, 행려병자 또는 사자의 유류품처분 등

❶
강학상 영업허가의 양도와 행정제재처분 승계의 문제는 강학상 특허와 영업신고의 경우에도 그대로 적용된다.

영업허가 양도의 가부(양도의 대상이 되는 허가의 성질에 따라)
▷ 대인적허가✕
▷ 대물적허가○
▷ 혼합적허가: 행정청의 승인 또는 허가 시 可

지위승계신고 수리의 법적 성질
▷ 양도자의 사업허가취소와 양수자에 대한 권리설정행위의 성격을 아울러 갖는 복효적 행정행위(사업허가자 변경이라는 법적 효과 발생)

「식품위생법」상 영업자지위승계신고 수리처분
▷ 종전 영업자의 권익 제한
▷「행정절차법」상 사전통지, 의견제출 기회를 부여 要

2 식품위생법상의 영업자지위승계신고를 수리하는 경우에는 종전의 영업자에 대하여 행정절차법상 사전통지를 하고 의견제출의 기회를 주어야 한다. ★★★

위 행정청이 구 식품위생법 규정에 의하여 영업자지위승계신고를 수리하는 처분은 종전의 영업자의 권익을 제한하는 처분이라 할 것이고 따라서 종전의 영업자는 그 처분에 대하여 직접 그 상대가 되는 자에 해당한다고 봄이 상당하므로, 행정청으로서는 위 신고를 수리하는 처분을 함에 있어서 행정절차법 규정 소정의 당사자에 해당하는 종전의 영업자에 대하여 위 규정 소정의 행정절차를 실시하고 처분을 하여야 한다(대판 2003.2.14. 2001두7015).

21. 소방직, 20. 국가직 9급, 20. 국회직 9급, 17. 국가직 9급(추), 15. 지방직 9급 등 행정청이 구「식품위생법」규정에 의하여 영업자지위승계신고를 수리하는 처분은 종전의 영업자의 권익을 제한하는 처분에 해당하므로, 행정청은 이를 처리함에 있어 종전의 영업자에 대하여 처분의 사전통지, 의견청취 등「행정절차법」상의 처분절차를 거쳐야 한다. (○)

15. 국가직 7급 판례에 의하면「식품위생법」제39조의 규정에 의한 영업자지위승계신고의 수리는 종전의 영업자의 권익을 제한하는 처분이라 볼 수 없으므로「행정절차법」규정 소정의 행정절차를 실시하여야 하는 것은 아니다 (×) → 이므로 / 한다

18. 국가직 9급「행정절차법」상 사전통지의 상대방인 당사자는 행정청의 처분에 대하여 직접 그 상대가 되는 자를 의미하므로,「식품위생법」상의 영업자지위승계신고를 수리하는 행정청은 영업자지위를 이전한 종전의 영업자에 대하여 사전통지를 할 필요가 없다. (×) → 있다

ⓒ 사실상 영업이 양도·양수되었지만 아직 승계신고 및 수리처분이 있기 이전의 경우라면 행정제재처분 사유의 유무는 양도인을 기준으로 판단한다.

영업양도 후 승계신고 및 수리처분이 있기 전에 발생한 양수인의 위반행위에 대한 행정적 책임
▷ 양도인에게 귀속

⚡ 관련판례

영업이 양도·양수되었지만 아직 지위승계신고가 있기 이전에는 여전히 종전의 영업자인 양도인이 영업허가자이고 양수인은 영업허가자가 아니므로, 행정제재처분의 사유가 있는지 여부는 양도인을 기준으로 판단하여야 한다. ★★★

(양수인이 양도인으로부터 그 지분을 양수하고도 영업허가 명의를 양도인 앞으로 남겨 둔 채 단독으로 영업을 하던 중 일어난 위반행위 이외에 그 이전에 양도인이 주점에서 지정된 영업시간을 준수하지 아니하고 영업을 하던 중 적발된 적이 있었다면 위 위반행위로써 양도인은 2차로 위반한 셈이 된다고 한 사례) 사실상 영업이 양도·양수되었지만 아직 승계신고 및 그 수리처분이 있기 이전에는 여전히 종전의 영업자인 양도인이 영업허가자이고, 양수인은 영업허가자가 되지 못한다 할 것이어서 행정제재처분의 사유가 있는지 여부 및 그 사유가 있다고 하여 행하는 행정제재처분은 영업허가자인 양도인을 기준으로 판단하여 그 양도인에 대하여 행하여야 할 것이고, 한편 양도인이 그의 의사에 따라 양수인에게 영업을 양도하면서 양수인으로 하여금 영업을 하도록 허락하였다면 그 양수인의 영업 중 발생한 위반행위에 대한 행정적인 책임은 영업허가자인 양도인에게 귀속된다고 보아야 할 것이다(대판 1995.2.24. 94누9146).

20. 변호사, 19. 소방간부 영업이 양도·양수되었지만 아직 지위승계신고가 있기 이전에는 여전히 종전의 영업자인 양도인이 영업허가자이고 양수인은 영업허가자가 아니므로, 행정제재처분의 사유가 있는지 여부는 양도인을 기준으로 판단하여야 한다. (○)

14. 국가직 9급, 14. 사복직, 07. 서울시 7급 양도인이 자신의 의사에 따라 양수인에게 영업을 양도하면서 양수인으로 하여금 영업을 하도록 허락하였다면 영업승계신고 및 수리처분이 있기 전에 발생한 양수인의 위반행위에 대한 행정적 책임은 양도인에게 귀속된다. (○)

③ **영업허가 양도의 효과**: 영업허가의 양도로 허가의 효과가 승계됨으로써 양수인은 양도인의 영업허가자로서의 법적 지위를 승계하게 된다.

④ **영업양도행위가 무효인 경우 양도인의 쟁송수단**: 판례는 지위승계신고의 수리는 적법한 사업의 양도·양수가 있었음을 전제로 하는 것이므로 영업양도행위가 무효인 때에는 지위승계수리도 당연히 무효이고, 따라서 사업의 양도행위가 무효라고 주장하는 양도인은 민사쟁송으로 양도·양수행위의 무효를 구함이 없이 막바로 허가관청을 상대로 하여 행정소송으로 위 신고수리처분의 무효확인을 구할 법률상 이익이 있다고 판시하였다.❶

(2) 행정제재처분의 승계

영업양도의 경우, 양도인의 법위반행위를 이유로 한 양도인에 대한 제재처분의 효과 및 제재사유가 양수인에게도 승계되는지의 여부가 문제된다.❷

① **제재처분 효과의 승계**

㉠ 양도인의 위법행위로 양도인에게 이미 제재처분이 내려진 경우에 허가취소, 영업정지처분 또는 과징금부과처분 등 그 제재처분의 효과는 이미 양도인의 영업자의 지위에 포함된 것이고 물적 상태이므로 양수인에게 당연히 이전된다.❸

17. 서울시 9급 양도인의 위법행위로 양도인에게 이미 제재처분이 내려진 경우에 영업정지 등 그 재제처분의 효력은 양수인에게 당연히 이전된다. (○)

㉡ 다만, 선의의 양수인에 대해 제재처분 효과의 승계를 부인하는 규정을 두는 경우가 있다. 그러나 이와 같은 면책규정은 제재처분의 면탈을 위해 지위승계가 악용되는 것을 방지하기 위한 제재처분 효과 및 처분절차 승계조항의 입법취지에 비추어 볼 때, 양수인이 종전 처분 및 위반 사실에 관한 선의를 증명한 경우에만 예외적으로 적용될 수 있을 뿐이라는 것이 판례의 입장이다. 따라서 양수인의 선의를 인정함에 있어서는 신중하여야 한다.

「**식품위생법**」 제78조 【**행정 제재처분 효과의 승계**】 영업자가 영업을 양도하거나 법인이 합병되는 경우에는 제75조 제1항 각 호, 같은 조 제2항 또는 제76조 제1항 각 호를 위반한 사유로 종전의 영업자에게 행한 행정 제재처분의 효과는 그 처분기간이 끝난 날부터 1년간 양수인이나 합병 후 존속하는 법인에 승계되며, 행정 제재처분 절차가 진행 중인 경우에는 양수인이나 합병 후 존속하는 법인에 대하여 행정 제재처분 절차를 계속할 수 있다. 다만, 양수인이나 합병 후 존속하는 법인이 양수하거나 합병할 때에 그 처분 또는 위반사실을 알지 못하였음을 증명하는 때에는 그러하지 아니하다.

관련판례

선의의 양수인에 대해 제재처분 효과의 승계를 부인하는 규정을 둔 경우 양수인의 종전 처분 또는 위반 사실에 관한 선의를 인정함에 있어서는 신중하여야 한다. ★
석유 및 석유대체연료 사업법(이하 '법'이라고 한다) 제10조 제5항에 의하여 석유판매업자의 지위 승계 및 처분 효과의 승계에 관하여 준용되는 법 제8조는 "제7조에 따라 석유정제업자의 지위가 승계되면 종전의 석유정제업자에 대한 제13조 제1항에 따른 사업정지처분(제14조에 따라 사업정지를 갈음하여 부과하는 과징금부과처분을 포함한다)의 효과는 새로운 석유정제업자에게 승계되며, 처분의 절차가 진행 중일 때에는 새로운 석유정제업자에 대하여 그 절차를 계속 진행할 수 있다. 다만, 새로운 석유정제업자(상속으로 승계받은 자는 제외한다)가 석유정제업을 승계할 때에 그 처분이나 위반의 사실을 알지 못하였음을 증명하는 경우에는 그러하지 아니하다."라고 규정하고 있다(이하 '이 사건 승계조항'이라고 한다). 이러한 제재사유 및 처분절차의 승계조항을 둔 취지는 제재적 처분 면탈을 위하여 석유정제업자 지위승계가 악용되는 것을 방지하기 위한 것이고, 승계인에게 위와 같은 선의에 대한 증명책임을 지운 취지 역시 마찬가지로 볼 수 있다. 즉, 법 제8조 본문 규정에 의해 사업정지처분의 효과는 새로운 석유정제업자에게 승계되는 것이 원칙이고 단서 규정은 새로운 석유정제업자가 그 선의를 증명한 경우에만 예외적으로 적용될 수 있을 뿐이다. 따라서 승계인의 종전 처분 또는 위반 사실에 관한 선의를 인정함에 있어서는 신중하여야 한다(대판 2017.9.7. 2017두41085).

선의의 양수인에 대한 면책규정
▷ 양수인이 종전 처분 및 위반 사실에 관한 선의를 증명한 경우에만 예외적으로 적용 (선의 인정에 신중)

ⓒ 판례는 영업이 양도·양수되었지만 아직 지위승계신고 수리처분이 있기 이전에 행정청이 양도인의 영업허가를 취소하는 처분을 하였다면, 양수인은 행정소송으로 그 취소처분의 취소를 구할 법률상 이익이 있다고 본다. 그러나 판례는 주택건설사업이 양도되었으나 그 변경승인을 받기 이전에 행정청이 양수인에 대하여 양도인에 대한 사업계획승인을 취소하였다는 사실을 통지한 사안에서, 위 통지는 항고소송의 대상이 되는 처분이 아니라고 판시한 바도 있어 주의를 요한다.❶

ⓘ 본 사안에서 판례는 양수인은 양도인에 대한 사업계획승인취소처분의 취소를 구할 법률상의 이익은 있다고 하며 처분성이 결여된 위 통지를 소송의 대상으로 기재하였다가 사업계획승인취소처분을 취소하는 것으로 청구취지를 바꿀 경우 청구취지 정정에 해당하여 전심절차 및 제소기간을 준수한 것으로 보아야 한다고 판시하였다.

관련판례

1 **영업양도 후 지위승계신고 수리 전에 양수인은 양도인에게 행해진 허가취소처분의 취소를 구할 법률상 이익을 가진다.** ★★★
채석허가가 대물적 허가의 성질을 아울러 가지고 있고 수허가자의 지위를 양수받아 명의변경신고를 할 수 있는 양수인의 지위는 단순한 반사적 이익이나 사실상의 이익이 아니라 산림법령에 의하여 보호되는 직접적이고 구체적인 이익으로서 법률상 이익이라고 할 것이고, 채석허가가 유효하게 존속하고 있다는 것이 양수인의 명의변경신고의 전제가 된다는 의미에서 관할 행정청이 양도인에 대하여 채석허가를 취소하는 처분을 하였다면 이는 양수인의 지위에 대한 직접적 침해가 된다고 할 것이므로 양수인은 채석허가를 취소하는 처분의 취소를 구할 법률상 이익을 가진다(대판 2003.7.11. 2001두6289).

지위승계신고 수리 전 양수인
▷ 양도인에게 행해진 허가취소처분의 취소를 구할 법률상 이익○

20. 변호사, 19. 서울시 9급 영업이 양도·양수되었지만 아직 지위승계신고 수리처분이 있기 이전에 관할 행정청이 양도인의 영업허가를 취소하는 처분을 하였다면, 양수인은 행정소송으로 그 취소처분의 취소를 구할 법률상 이익이 있다. (○)

15. 변호사, 13. 국가직 7급 법령상 채석허가를 받은 자의 명의변경제도를 두고 있는 경우, 명의변경신고를 할 수 있는 양수인은 관할 행정청이 양도인의 허가를 취소하는 처분에 대해 취소를 구할 법률상 이익이 인정된다. (○)

19. 소방간부 채석허가를 받은 자에 대한 관할행정청의 채석허가 취소처분에 대하여 수허가자의 지위를 양수한 양수인에게 그 취소처분의 취소를 구할 법률상 이익이 있다. (○)

17. 국가직 7급 채석허가를 받은 자로부터 영업양수 후 명의변경신고 이전에 양도인의 법위반 사유를 이유로 채석허가가 취소된 경우, 양수인은 수허가자의 지위를 사실상 양수받았다고 하더라도 그 처분의 취소를 구할 법률상 이익을 가지자 않는다. (✕) → 갖는다

18. 국회직 8급, 18. 지방직 9급 양도계약이 있은 후 신고 전에 행정청이 종전의 영업자(양도인)에 대하여 영업허가를 위법하게 취소한 경우에, 영업자의 지위를 승계한 자(양수인)는 양도인에 대한 영업허가 취소처분을 다툴 원고적격을 갖자 못한다 (✕) → 갖는다

2 주택건설사업 양도 후 그 변경승인 전에 양수인에게 행한 양도인에 대한 사업계획승인 취소통지는 처분에 해당하지 않지만, 사업주체의 변경승인신청 이후 행정청이 양도인에 대하여 사업계획승인을 취소하는 처분을 하였다면 양수인은 위 처분의 취소를 구할 법률상 이익을 가진다. ★★

[1] 주택건설촉진법 제33조 제1항, 구 같은 법 시행규칙(1996.2.13. 건설교통부령 제54호로 개정되기 전의 것) 제20조의 각 규정에 의한 주택건설사업계획에 있어서 사업주체변경의 승인은 그로 인하여 사업주체의 변경이라는 공법상의 효과가 발생하는 것이므로, 사실상 내지 사법상으로 주택건설사업 등이 양도·양수되었을지라도 아직 변경승인을 받기 이전에는 그 <u>사업계획의 피승인자는 여전히 종전의 사업주체인 양도인이고 양수인이 아니라 할 것</u>이어서, 사업계획승인취소처분 등의 사유가 있는지의 여부와 취소사유가 있다고 하여 행하는 <u>사업계획승인 취소처분은 피승인자인 양도인을 기준으로 판단하여 그 양도인에 대하여 행하여져야 할 것</u>이므로 행정청이 주택건설사업의 양수인에 대하여 양도인에 대한 사업계획승인을 취소하였다는 사실을 통지한 것만으로는 <u>양수인의 법률상 지위에 어떠한 변동을 일으키는 것은 아니므로 위 통지는 항고소송의 대상이 되는 행정처분이라고 할 수는 없다.</u>

17. 서울시 9급 주택건설사업이 양도되었으나 그 변경승인을 받기 이전에 행정청이 양수인에 대하여 양도인에 대한 사업계획승인을 취소하였다는 사실을 통지한 것만으로 양수인의 법률상 지위에 어떠한 변동을 일으키므로 행정처분이다. (✕) → 일으키는 것은 아니므로 위 통지는 항고소송의 대상이 되는 행정처분이 아니다

[2] 주택건설촉진법 제33조 제1항, 구 같은 법 시행규칙(1996.2.13. 건설교통부령 제54호로 개정되기 전의 것) 제20조의 각 규정에 의하면 주택건설 사업주체의 <u>변경승인신청은 양수인이 단독으로 할 수 있고</u> 위 <u>변경승인은 실질적으로 양수인에 대하여 종전에 승인된 사업계획과 동일한 사업계획을 새로이 승인해 주는 행위</u>라 할 것이므로, <u>사업주체의 변경승인신청이 된 이후에 행정청이 양도인에 대하여 그 사업계획변경승인의 전제로 되는 사업계획승인을 취소하는 처분을 하였다면 양수인은 그 처분 이전에 양도인으로부터 토지와 사업승인권을 사실상 양수받아 사업주체의 변경승인신청을 한 자로서 그 취소를 구할 법률상의 이익을 가진다</u>(대판 2000.9.26. 99두646).

함께 정리하기

주택건설사업 변경승인 전 양수인에게 행한 양도인에 대한 사업계획승인 취소통지
▷ 항고소송의 대상이 되는 처분✕

양수인이 사업주체 변경승인신청 후 행정청이 양도인에 대하여 사업계획승인 취소처분
▷ 양수인은 사업계획승인취소처분의 취소를 구할 법률상 이익○

명문의 규정이 있는 경우
▷ 양수인에게 제재처분 可

명문의 규정이 없는 경우
▷ 양수인에게 제재처분 가능한지가 문제됨

긍정설
▷ 제재사유의 승계를 부정하면 영업허가의 양도가 양도인의 의도적인 책임회피수단으로 악용될 수 있어 승계긍정

부정설
▷ 위법행위로 인한 제재사유는 항상 인적 사유이고 경찰책임 중 행위책임의 문제로 보아 승계부정

판례
▷ 승계긍정설의 입장
▷ but 제재처분이 대인적 처분이거나, 지위승계가 인정되지 않는 경우에는 제재사유의 승계 부정

② **제재처분 사유의 승계(위법의 승계):** 허가영업을 양도 후 영업양도 전에 있었던 양도인의 법위반행위를 이유로 행정청이 양수인에 대하여 제재처분을 발령할 수 있는지, 즉 영업양도시 제재사유의 승계 여부가 문제된다. 명문규정을 두어 양도인의 위법 행위로 인한 제재사유의 양수인에 대한 승계를 규정하는 경우에는 개별법령에 따라 양수인에게 제재처분을 할 수 있다. 그러나 제재사유의 승계에 관한 명문규정이 없는 경우에도 행정청이 양도인의 위법행위를 이유로 양수인에 대하여 제재처분을 할 수 있는지에 관하여 견해가 대립한다.

㉠ **학설**

ⓐ **승계긍정설:** 이 견해는 영업허가의 양도에 의하여 승계되는 양도인의 지위에 제재사유가 이미 포함되고, 제재사유의 승계를 부정하면 영업허가의 양도가 양도인의 의도적인 책임회피수단으로 악용될 수 있다는 점에서 양도인의 법령위반 사실을 이유로 양수인에게 제재처분을 할 수 있다고 본다.

ⓑ **승계부정설:** 이 견해는 양도인의 법령위반으로 인한 제재사유는 인적 사유이므로 명문의 규정이 없는 한 양수인에게 이전될 수 없으며, 양도인의 위법행위로 인한 제재는 경찰행정법상의 행위책임에 속하는 문제이므로 양도인의 위법행위로 인한 제재사유는 명문의 규정이 없는 한 양수인에게 승계되지 않아 양수인에게 제재처분을 할 수 없다고 본다.

> **참고 행위책임과 상태책임**
> 경찰책임 중에서 행위책임이란 자기 또는 자기의 보호나 감독 하에 있는 자(친권자와 미성년자, 사용주와 고용인 등)의 행위로 법적 위험과 피해를 일으키는 경우에 인정되는 책임을 말하며, 행위책임의 경우 위험을 야기한 자만 책임을 지기에 승계인에게 승계되지 않는 것이 원칙이다. 반면에 상태책임은 물건이나 동물의 소유자, 점유자 또는 관리자가 그 물건이나 동물의 특정 상태 때문에 질서를 위반한 상태가 되어서 지는 책임(예 자신이 관리하는 창고에서 화재가 난 경우)을 말하며, 상태책임은 승계 여부에 관해서 학설 대립이 있으나 특정승계인 또는 포괄승계인에게 승계된다.

17. 서울시 9급 양도인이 위법행위를 한 후 제재를 피하기 위하여 영업을 양도한 경우 그 제재사유의 승계에 관하여 명문의 규정이 없는 경우, 위법행위로 인한 제재사유는 항상 인적 사유이고 경찰책임 중 행위책임의 문제라는 논거는 승계부정설의 논거이다. (O)

㉡ **판례:** 승계긍정설의 입장에서 양도인의 법령위반 사실을 이유로 양수인에게 제재처분을 할 수 있다고 보았다. 그 구체적인 논거는 다음과 같다.

ⓐ 석유판매업허가는 대물적 허가이므로(허가영업의 성질 검토) 영업양도의 효과로 양수인에게 승계되는 양도인의 지위에는 양도인의 위법행위로 인한 제재사유가 포함된다고 하여 양수인의 석유판매업허가를 취소한 예가 있다(대판 1986.7.22. 86누203).

ⓑ 영업정지 또는 (변형된) 과징금부과처분 등 제재처분이 대물적 처분임(제재처분의 성질 검토)을 이유로 양수인의 영업을 정지한 예가 있다(대판 2003.10.23. 2003두8005 ; 대판 2001.6.29. 2001두1611).

ⓒ 또한 양수인에 의한 양도인의 영업자의 지위승계에 관한 규정은 제재사유의 승계에 관한 근거규정으로 볼 수 있음을 전제로, 관할관청이 개인택시 운송사업의 양도·양수에 대한 인가를 한 후 그 이전에 있었던 양도인의 음주운전 사실로 운전면허가 취소되자, 양도인의 운전면허취소가 운송사업면허의 취소사유에 해당한다는 이유로 양수인의 운송사업면허를 취소한 바도 있다(제재사유의 원인사실만 존재한 경우도 승계가 가능하다고 한 사례, 대판 2010.4.8. 2009두17018).

ⓓ 그러나 제재처분이 대인적 처분인 경우에는 지위승계 후 발생한 제재사유(예 지위승계 후 발생한 유가보조금의 부정수급)에 한하여 양수인에게 제재처분(예 부정수급 유가보조금 환수처분)을 할 수 있다고 판시한 바도 있다(대판 2021.7.29. 2018두55968).

ⓔ 한편, 영업시설만 인수되는 등 영업허가자의 지위가 승계되지 않는 경우(양도인의 영업허가 취소와 양수인에 대한 새로운 영업허가를 하는 경우)에는 명문의 규정이 없는 한 제재사유도 승계되지 않는다고 한다(대판 2018.4.24. 2017두73310).

관련판례

1 석유판매업허가는 대물적 허가의 성질을 갖는 것이어서 양수인은 양도인의 지위를 승계하므로 양도인에게 그 허가를 취소할 법적 사유가 있는 경우 이를 이유로 양수인에게 제재조치를 할 수 있다. ★★★

석유판매업(주유소)허가는 소위 대물적 허가의 성질을 갖는 것이어서 그 사업의 양도도 가능 하고 이 경우 양수인은 양도인의 지위를 승계하게 됨에 따라 양도인의 위 허가에 따른 권리의무가 양수인에게 이전되는 것이므로 만약 양도인에게 그 허가를 취소할 위법사유가 있다면 허가관청은 이를 이유로 양수인에게 응분의 제재조치를 취할 수 있다 할 것이고, 양수인이 그 양수 후 허가관청으로부터 석유판매업허가를 다시 받았다 하더라도 이는 석유판매업의 양수·양도를 전제로 한 것이어서 이로써 양도인의 지위승계가 부정되는 것은 아니므로 양도인의 귀책사유는 양수인에게 그 효력이 미친다(대판 1986.7.22. 86누203).

21. 군무원 9급 석유판매업허가는 소위 대물적 허가의 성질을 갖는 것이어서 양수인이 그 양수 후 허가관청으로부터 석유판매업허가를 다시 받았다하더라도 이는 석유판매업의 양수·양도를 전제로 한 것이어서 이로써 양도인의 지위승계가 부정되는 것은 아니므로 양도인의 귀책사유는 양수인에게 그 효력이 미친다. (○)

13. 경찰 3차 석유판매업허가는 소위 대인적 허가의 성질을 갖는 것이어서 양도인의 귀책사유는 양수인에게 그 효력이 마치자 않는다. (×) → 대물적 / 미친다

19. 서울시 7급, 15. 경찰 3차, 15. 변호사 주유소허가의 양수인은 양도인의 지위를 승계하므로 양도인에게 그 허가를 취소할 법적 사유가 있는 경우 이를 이유로 양수인에게 응분의 제재조치를 할 수 있다. (○)

석유판매업(주유소)허가
▷ 대물적허가, 지위승계○
▷ 양도인의 귀책사유를 이유로 양수인에게 제재조치 可

석유판매업 등록
▷ 대물적허가, 지위승계○
▷ 종전 석유판매업자가 유사석유제품을 판매한 행위에 대해 승계인에게 사업정지 등 제재조치 可

개인택시운송사업면허
▷ 양도인의 귀책사유 양수인에게 승계

❶ 음주운전으로 인한 운전면허취소는 개인택시운송사업면허의 취소사유이다.

2 **석유판매업자의 지위를 승계한 자에 대하여 종전의 석유판매업자가 유사석유제품을 판매하는 위법행위를 하였다는 이유로 사업정지 등 제재처분을 취할 수 있다.** ★★

석유사업법 제9조 제3항 및 그 시행령이 규정하는 석유판매업의 적극적 등록요건과 제9조 제4항, 제5조가 규정하는 소극적 결격사유 및 제9조 제4항, 제7조가 석유판매업자의 영업양도, 사망, 합병의 경우뿐만 아니라 경매 등의 절차에 따라 단순히 석유판매시설만의 인수가 이루어진 경우에도 석유판매업자의 지위승계를 인정하고 있는 점을 종합하여 보면, 석유판매업 등록은 원칙적으로 대물적 허가의 성격을 갖고, 또 석유판매업자가 같은 법 제26조의 유사석유제품 판매금지를 위반함으로써 같은 법 제13조 제3항 제6호, 제1항 제11호에 따라 받게 되는 사업정지 등의 제재처분은 사업자 개인의 자격에 대한 제재가 아니라 사업의 전부나 일부에 대한 것으로서 대물적 처분의 성격을 갖고 있으므로, 위와 같은 지위승계에는 종전 석유판매업자가 유사석유제품을 판매함으로써 받게 되는 사업정지 등 제재처분의 승계가 포함되어 그 지위를 승계한 자에 대하여 사업정지 등의 제재처분을 취할 수 있다고 보아야 하고, 같은 법 제14조 제1항 소정의 과징금은 해당 사업자에게 경제적 부담을 주어 행정상의 제재 및 감독의 효과를 달성함과 동시에 그 사업자와 거래관계에 있는 일반 국민의 불편을 해소시켜 준다는 취지에서 사업정지처분에 갈음하여 부과되는 것일 뿐이므로, 지위승계의 효과에 있어서 과징금부과처분을 사업정지처분과 달리 볼 이유가 없다(대판 2003.10.23. 2003두8005).

22. **군무원 9급** 석유판매업 등록은 대물적 허가의 성질을 가지고 있으므로, 종전 석유판매업자가 유사석유제품을 판매한 행위에 대해 승계인에게 사업정지 등 제재처분을 할 수 있다. (○)

16. **국회직 8급** 대법원은 양도인 양수인 사이에 책임의 승계는 인정하지만 법적 책임을 부과하기 이전 단계에서의 제재사유의 승계는 현재까지 부정하고 있다. (×) → 승계를 인정하고 / 승계도 인정

16. **국회직 8급** 대법원은 영업정지 등의 제재처분에 있어서는 양도인에게 발생한 책임이 양수인에게 승계되는 것을 인정하지만 과징금의 부과에 대해서는 이를 인정하지 않고 있다. (×) → 하고 있다

3 **영업양수·양도 당시에 제재사유가 현실적으로 발생하지 않은 경우라도 그 원인되는 사실이 이미 존재하였다면, 영업양수·양도 이후 제재사유로 양수인에게 제재처분을 할 수 있다.** ★★★

구 여객자동차 운수사업법 제15조 제4항에 의하면 개인택시 운송사업을 양수한 사람은 양도인의 운송사업자로서의 지위를 승계하는 것이므로, 관할관청은 개인택시 운송사업의 양도·양수에 대한 인가를 한 후에도 그 양도·양수 이전에 있었던 양도인에 대한 운송사업면허 취소사유를 들어 양수인의 사업면허를 취소할 수 있는 것이고, 가사 양도·양수 당시에는 양도인에 대한 운송사업면허 취소사유가 현실적으로 발생하지 않은 경우라도 그 원인되는 사실이 이미 존재하였다면, 관할관청으로서는 그 후 발생한 운송사업면허 취소사유에 기하여 양수인의 사업면허를 취소할 수 있는 것이다(대판 2010.11.11. 2009두14934 ; 대판 2010.4.8. 2009두17018).❶

20. **국가직 7급** 개인택시운송사업의 양도·양수에 대한 인가가 있은 후에 그 양도·양수 이전에 있었던 양도인에 대한 운송사업면허취소사유를 들어 양수인의 사업면허를 취소할 수 있다. (○)

23. **지방직 7급** 개인택시운송사업의 양도·양수가 있고 그에 대한 인가가 있은 후 그 양도·양수 이전에 있었던 양도인에 대한 운송사업면허 취소사유(음주운전 등으로 인한 자동차운전면허의 취소)를 들어 양수인의 운송사업면허를 취소한 것은 위법하다. (×) → 할 수 있다

19. **소방간부** 개인택시운송사업의 양도·양수가 있고 그에 대한 인가가 있은 후 그 양도·양수 이전에 있었던 양도인의 귀책사유로 양수인의 개인택시운송사업면허를 취소할 수 있다. (○)

17. **변호사** 「여객자동차 운수사업법」상 개인택시 운송사업의 양도·양수 당시에는 양도인에 대한 운송사업면허 취소사유(예 양도인의 운전면허 취소)가 현실적으로 발생하지 않은 경우라도 그 원인이 되는 사실(예 양도인의 음주운전)이 이미 존재하였다면, 관할 관청으로서는 그 후 발생한 운송사업면허 취소사유(예 양도인의 운전면허 취소)에 기하여 양수인의 운송사업면허를 취소할 수 있다. (○)

4 공중위생영업에 있어 그 영업을 정지할 위법사유가 있는 경우, 그 영업이 양도·양수되었다 하더라도 양수인에 대하여 영업정지처분을 할 수 있다. ★★★

구 공중위생관리법상 영업정지나 영업장폐쇄명령 모두 대물적 처분으로 보아야 할 이치이고, 아울러 구 공중위생관리법 제3조 제1항에서 보건복지부장관은 공중위생영업자로 하여금 일정한 시설 및 설비를 갖추고 이를 유지·관리하게 할 수 있으며, 제2항에서 공중위생영업자가 영업소를 개설한 후 시장 등에게 영업소개설사실을 통보하도록 규정하는 외에 공중위생영업에 대한 어떠한 제한규정도 두고 있지 아니한 것은 공중위생영업의 양도가 가능함을 전제로 한 것이라 할 것이므로, 양수인이 그 양수 후 행정청에 새로운 영업소개설통보를 하였다 하더라도, 그로 인하여 영업양도·양수로 영업소에 관한 권리의무가 양수인에게 이전하는 법률효과까지 부정되는 것은 아니라 할 것인바, 만일 어떠한 공중위생영업에 대하여 그 영업을 정지할 위법사유가 있다면, 관할 행정청은 그 영업이 양도·양수되었다 하더라도 그 업소의 양수인에 대하여 영업정지처분을 할 수 있다고 봄이 상당하다(대판 2001.6.29. 2001두1611).

21. 국가직 9급 구 「공중위생관리법」상 공중위생영업에 대하여 영업을 정지할 위법사유가 있다면, 관할 행정청은 그 영업이 양도·양수되었다 하더라도 양수인에 대하여 영업정지처분을 할 수 있다. (○)

19. 소방간부 공중위생관리법령에 따라 공중위생영업이 양도·양수된 후 양수인이 그 후 행정청에 새로운 영업소 개설통보를 하였다면 양도인에 관한 사유로 양수인에 대하여 영업정지처분을 할 수 없다. (×) → 하였다 하더라도 / 있다

> **비교** 회사분할의 경우에는 제재처분사유의 승계가 불가하다. ★★
>
> 회사 분할 시 신설회사 또는 존속회사가 승계하는 것은 분할하는 회사의 권리와 의무이고, 분할하는 회사의 분할 전 법 위반행위를 이유로 과징금이 부과되기 전까지는 단순한 사실행위만 존재할 뿐 과징금과 관련하여 분할하는 회사에 승계 대상이 되는 어떠한 의무가 있다고 할 수 없으므로, 특별한 규정이 없는 한 신설회사에 대하여 분할하는 회사의 분할 전 법 위반행위를 이유로 과징금을 부과하는 것은 허용되지 않는다(대판 2011.5.26. 2008두18335 ; 대판 2007.11.29. 2006두18928).
>
> 17. 서울시 9급 회사 분할시 분할전 회사에 대한 제재사유가 신설회사에 대하여 승계되지 않으므로 회사의 분할전 법위반을 이유로 과징금을 부과하는 것은 허용되지 않는다. (○)

5 불법증차된 화물자동차를 양수한 화물자동차운송사업자에 대하여 지위승계 후 발생한 유가보조금 부정수급액의 반환을 명령할 수 있다. ★★

[1] 불법증차를 실행한 운송사업자로부터 운송사업을 양수하고 화물자동차법 제16조 제1항에 따른 신고를 하여 화물자동차법 제16조 제4항에 따라 운송사업자의 지위를 승계한 경우에는 설령 양수인이 영업양도·양수 대상에 불법증차 차량이 포함되어 있는지를 구체적으로 알지 못하였다 할지라도, 양수인은 불법증차 차량이라는 물적 자산과 그에 대한 운송사업자로서의 책임까지 포괄적으로 승계한다.

[2] 따라서 관할 행정청은 양수인의 선의·악의를 불문하고 양수인에 대하여 불법증차 차량에 관하여 지급된 유가보조금의 반환을 명할 수 있다. 다만, 그에 따른 양수인의 책임범위는 지위승계 후 발생한 유가보조금 부정수급액에 한정되고, 지위승계 전에 발생한 유가보조금 부정수급액에 대해서까지 양수인을 상대로 반환명령을 할 수는 없다. 유가보조금 반환명령은 '운송사업자등'이 유가보조금을 지급받을 요건을 충족하지 못함에도 유가보조금을 청구하여 부정수급하는 행위를 처분사유로 하는 '대인적 처분'으로서, '운송사업자'가 불법증차 차량이라는 물적 자산을 보유하고 있음을 이유로 한 운송사업 허가취소 등의 '대물적 제재처분'과는 구별되고, 양수인은 영업양도·양수 전에 벌어진 양도인의 불법증차 차량의 제공 및 유가보조금 부정수급이라는 결과 발생에 어떠한 책임이 있다고 볼 수 없기 때문이다(대판 2021.7.29. 2018두55968).

공중위생영업의 영업정지사유
▷ 양수인에게 승계○

회사분할
▷ 제재사유승계×(분할 전 법위반을 이유로 분할 후 회사에 과징금부과 불가)

불법증차된 화물자동차를 양수한 화물자동차운송사업자에 대한 유가보조금 반환명령의 범위
▷ 지위승계 후 발생한 유가보조금 부정수급액에 한정

지위승계규정이 없어 양도인의 영업허가 취소와 양수인에 대한 새로운 영업허가를 하는 경우
▷ 제재사유 승계 ✕

6 영업허가자의 지위가 승계되지 않는 경우에는 제재사유도 승계되지 않는다. ★

[1] 농어촌정비법령은 관광농원 개발사업의 사업시행자 명의가 변경되는 경우 새로운 사업시행자가 종전 사업시행자의 지위를 승계하는지 여부 등에 관하여는 명시적 규정을 두고 있지 않다. 이러한 <u>지위 승계 관련 규정이 없는 이상 사업계획 변경승인의 의미를 사업권 양도·양수에 대한 '인가'로서의 성격을 가진다고 볼 수 없는 것이 원칙이다.</u>

[2] 이러한 관련 규정의 내용, 체계 및 취지에 비추어 볼 때, 종전 사업시행자가 농업인 등에 해당하지 않음에도 부정한 방법으로 사업계획승인을 받음으로써 그 승인에 대한 취소 사유가 있더라도, 행정청이 사업시행자 변경으로 인한 사업계획 변경승인 과정에서 변경되는 사업시행자가 농업인 등에 해당하는지 여부에 관하여 새로운 심사를 거쳤다면, 지위 승계 등에 관한 별도의 명문 규정이 없는 이상, 종전 사업시행자가 농업인 등이 아님에도 부정한 방법으로 사업계획승인을 취득하였다는 이유만을 들어 변경된 사업시행자에 대한 사업계획 변경승인을 취소할 수는 없다(대판 2018.4.24. 2017두73310).

4. 인·허가의제

(1) 의의

인·허가의제 개념
▷ 하나의 인·허가 받으면 다른 법령상의 인·허가를 받은 것으로 보는 것

① **개념**: 「건축법」 제11조 제5항 제9호는 "건축허가를 받으면 「하천법」 제33조에 따른 하천점용 등의 허가를 받은 것으로 본다."라고 규정하고 있는데, 이와 같이 하나의 인허가(이하 "주된 인허가"라 한다)를 받으면 법률로 정하는 바에 따라 그와 관련된 여러 인허가(이하 "관련 인허가"라 한다)를 받은 것으로 보는 것을 '인·허가의제'라 한다(「행정기본법」 제24조 제1항).❶

13. 서울시 9급 인·허가의제 제도는 하나의 인·허가를 받으면 다른 허가, 인가, 특허, 신고 또는 등록 등을 받은 것으로 보는 제도를 말한다. (○)

❶ 인·허가의제 제도하에서 <u>주된 인·허가를 해 주는 기관이 주무행정기관(주무행정청)</u>이 되고 <u>의제되는 인·허가 등을 담당하는 행정기관이 관계행정기관(관계행정청)</u>이 된다.

민원인의 편의를 위해 행정절차 간소화
▷ 원스톱행정(one stop service)의 기능을 수행

❷ 복합민원
하나의 민원 목적을 실현하기 위하여 관계 법령 등에 의하여 여러 관계기관의 허가·인가·승인·추천·협의·확인 등을 받아야 하는 민원을 말한다.

② **취지**: 하나의 사업을 시행하기 위해 여러 종류의 인·허가 등을 받아야 하는 경우(복합민원❷)에, 이들 인·허가 등을 모두 각각 받도록 하는 것은 많은 시간, 많은 비용이 소요되는 등 민원인에게 큰 불편을 주므로 하나의 절차를 통해 관련 행정절차를 한 번에 처리(one stop service 기능 수행)함으로써 민원인에게 편의를 제공하고자 하는 것이 인·허가의제 제도의 취지이다.

13. 서울시 9급 인·허가의제 제도는 복합민원의 일종으로 민원인에게 편의를 제공하는 원스톱 서비스(one stop service)의 기능을 수행하게 된다. (○)

인·허가의제 제도의 취지
▷ 관할 행정청으로 창구를 단일화하고 절차를 간소화하며 비용과 시간을 절감함으로써 국민의 권익을 보호하려는 것, 관련 인·허가에 관한 일체의 심사배제 ✕

🔍 관련판례

인·허가의제 제도의 취지 ★★

<u>건축법에서 인·허가의제 제도를 둔 취지는, 인·허가의제사항과 관련하여 건축허가 또는 건축신고의 관할 행정청으로 그 창구를 단일화하고 절차를 간소화하며 비용과 시간을 절감함으로써 국민의 권익을 보호하려는 것</u>이지, 인·허가의제사항 <u>관련 법률에 따른 각각의 인·허가 요건에 관한 일체의 심사를 배제하려는 것으로 보기는 어렵다</u>(대판 2011.1.20. 2010두14954 ; 대판 2020.7.23. 2019두31839).

19. 서울시 7급 「건축법」에서 인·허가의제 제도를 둔 취지는, 인·허가의제사항과 관련하여 건축허가의 관할 행정청으로 창구를 단일화하고 절차를 간소화하며 비용과 시간을 절감함으로써 국민의 권익을 보호하려는 것이다. (○)

21. 국가직 9급 「건축법」에서 관련 인·허가의제 제도를 둔 취지는 인·허가의제사항 관련 법률에 따른 각각의 인·허가 요건에 관한 일체의 심사를 배제하려는 것이 아니다. (○)

③ **집중효와의 비교**: 인·허가의제 제도와 행정계획의 집중효는 그 본질이 절차간소화와 사업의 신속한 진행을 위한 것이라는 점에서 같으나 인·허가의제 제도는 행정계획뿐만 아니라 일반 행정행위에도 인정되나, 집중효는 행정계획에 부여되는 특유한 효과라는 점에서 양자는 구별된다. 그러나 실무상 그 구별의 실익은 없다.

(2) 법적 근거

「행정기본법」은 인·허가의제 법정주의를 취하고 있다(「행정기본법」 제24조 제1항). 인·허가의제 제도는 행정청의 소관사항과 관련하여 권한행사의 변경을 초래하므로 행정조직법정주의 원리에 비추어 개별 법률의 명시적인 근거가 있는 경우에만 허용된다.❶ 따라서 명문규정이 없는 한, '의제의 의제'(의제되는 인·허가에 의해 다른 인·허가가 재차 의제되는 것)는 인정되지 않는다.

16. 서울시 7급 인·허가의제는 반드시 법률에 명시적인 근거가 있어야 하는 것은 ~~아니다~~. (×) → 한다

14. 지방직 9급 인·허가의제는 의제되는 행위에 대하여 본래적으로 권한을 갖는 행정기관의 권한행사를 ~~보충~~하는 것이므로 법령의 근거가 ~~없는 경우에도 인정된다~~. (×) → 변경 / 있는 경우에만 허용된다

> **관련판례**
>
> **인·허가의제는 행정기관의 권한에 변경을 가져오므로 법령에 명시적인 근거가 있어야 한다.** ★
>
> 인허가의제 제도는 관련 인허가 행정청의 권한을 제한하거나 박탈하는 효과를 가진다는 점에서 법률 또는 법률의 위임에 따른 법규명령의 근거가 있어야 한다. 그런데 대기환경보전법령에서는 대기오염물질배출시설 설치허가를 받으면 악취배출시설 설치·운영신고가 수리된 것으로 의제하는 규정을 두고 있지 않다. 따라서 대기환경보전법에 따른 대기오염물질배출시설 설치허가를 받았다고 하더라도 악취배출시설 설치·운영신고가 수리되어 그 효력이 발생한다고 볼 수 없다(대판 2022.9.7. 2020두40327).

(3) 인·허가의제의 절차

① **인·허가 등의 신청**

㉠ 인·허가의제를 받으려면 주된 인·허가를 신청할 때 관련 인·허가에 필요한 서류를 함께 주된 인·허가담당관청(주무행정청)에 제출하여야 한다. 다만, 불가피한 사유로 함께 제출할 수 없는 경우에는 주된 인·허가 행정청이 별도로 정하는 기한까지 제출할 수 있다(「행정기본법」 제24조 제2항).

13. 서울시 9급 인·허가의제 제도가 인정되는 경우 민원인은 하나의 인·허가 신청과 더불어 의제를 원하는 인·허가 신청을 ~~각각의 해당 기관~~에 제출하여야 한다. (×) → 주된 인·허가담당관청

㉡ 인·허가의제는 민원인의 편의를 위해 인정되는 것이므로 인·허가의제규정이 있는 경우에도 반드시 관련 인·허가의제 처리를 신청할 의무가 있는 것은 아니다.❷ 즉, 주된 인·허가만을 우선 신청할 수도 있고, 의제되는 인·허가의 일부만 의제(부분 인·허가의제) 처리를 신청할 수도 있다.

㉢ 다만, 판례는 건축주가 건축물을 건축하기 위해서는 「건축법」상 건축허가와 국토계획법상 개발행위(건축물의 건축)허가를 각각 별도로 신청하여야 하는 것이 아니라, 「건축법」상 건축허가절차에서 관련 인·허가의제 제도를 통해 두 허가의 발급 여부가 동시에 심사·결정되도록 하여야 한다고 판시한 바 있다(대판 2020.7.23. 2019두31839).

함께 정리하기

행정계획의 집중효와 비교
▷ 인·허가의제는 주된 인·허가가 행정계획인 경우뿐만 아니라 일반 행정행위(예 건축허가)인 경우도 있음
▷ 집중효는 행정계획에 부여되는 특유한 효과

법적 근거
▷ 행정청의 권한행사에 변경을 가져오므로 법령의 근거 要

❶ 의제되는 인·허가는 민원인이 받아야 하는 주된 인·허가를 규율하는 법률에 열거되어 있다. 예컨대, 「건축법」 제11조 제5항은 건축허가를 받은 경우 「국토계획법」 제56조에 따른 개발행위허가 등을 받은 것으로 의제하고 있다.

대기오염물질배출시설 설치허가시 악취배출시설 설치·운영신고수리 의제 규정 無
▷ 악취배출시설 설치·운영신고 수리의 효력×

신청
▷ 주된 인·허가담당관청(주무행정청)에 신청
▷ 관련 인·허가에 필요한 서류도 함께 제출(관련 인·허가 신청서류 동시제출주의)

❷ 어떤 개발사업의 시행과 관련하여 인·허가의 근거 법령에서 절차간소화를 위하여 관련 인·허가를 의제 처리할 수 있는 근거 규정을 둔 경우, 사업시행자가 인·허가를 신청하면서 반드시 관련 인·허가의제 처리를 신청할 의무가 있는 것은 아니다(대판 2020.7.23. 2019두31839).

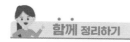
동의설
▷ 주무행정청은 관계행정청의 협의 의견에 구속됨

협의설(자문설)
▷ 주무행정청은 협의 의견 고려하여 독자적 판단 可(판례)

협의를 생략한 처분의 효력
▷ 절차상 하자, 취소사유

산림청장과 협의의 의미
▷ 자문을 구하는 것

산림청장과의 협의 누락
▷ 취소사유의 하자

의견제출
▷ 관계행정청은 협의요청 받은 날부터 20일 내에 의견제출 要, 의견 불제출시 협의가 성립된 것으로 간주됨

협의
▷ 본문: 관계행정청은 법령을 위반한 협의 不可
▷ 단서: 관련 인·허가에 필요한 절차는 특별한 규정이 있는 경우에만 거침

❶
「행정기본법」 제24조 제5항 본문은 관련 행정청은 관련 인·허가의 실체적 요건을 충족한 경우에만 협의를 해주도록 규정한 것이므로 실체집중 부정을 규정한 것으로 볼 수 있고, 같은 항 단서는 절차집중을 규정한 것으로 볼 수 있다.

절차
▷ 주무행정청은 주된 인·허가에 규정된 절차만 준수하면 되는지, 관련 인·허가에 규정된 절차까지 준수하여야 하는지

절차집중설
▷ 주된 인·허가에 요구되는 절차만 준수하면 됨(의제되는 인·허가의 절차는 거칠 필요×)

제한적 절충설
▷ 모든 절차 거칠 필요는×
▷ 중요한 절차는 준수하는 것이 바람직

② **관련 인·허가 행정청과 협의**

㉠ 주된 인허가 행정청은 주된 인·허가를 하기 전에 관련 인·허가에 관하여 미리 관련 인·허가 행정청과 협의하여야 한다(「행정기본법」 제24조 제3항).

13. 서울시 9급 인·허가의제 제도의 경우 다른 관계인이나 허가기관의 인·허가를 받지 않는 대신 다른 관계인이나 인·허가기관의 협의를 거치도록 하는 경우가 보통이다. (○)

㉡ 여기서 관계행정기관과의 '협의'의 성질에 대하여 주무행정청은 관계행정청의 협의 의견에 구속된다는 동의설과 협의의견을 고려하여 독자적으로 판단할 수 있다는 협의설(자문설)이 대립한다. 판례는 협의설의 입장을 취하고 있는 것으로 보인다.

㉢ 관계행정청의 협의를 생략한 처분은 절차상 하자가 있어 위법하다. 처분권한은 주무행정청에게만 있는 것이므로 관계행정청의 협의가 생략된 하자는 주체하자가 아닌 절차하자로 보아야 한다.

㉣ 관계행정청과 협의를 거쳤는지 여부는 행정내부적인 문제로서 일반인 관점에서 명백하지 않으므로 하자의 정도는 취소사유에 해당한다. 판례도 같다.

> **⚖ 관련판례**
>
> 사업계획승인을 받으면 산지전용허가를 받은 것으로 의제되는 사안에서, 미리 산림청장과 협의를 하라고 규정한 의미는 <u>그의 자문을 구하라는 것이지 그 의견을 따라 처분을 하라는 의미는 아니라 할 것이므로,</u> 이러한 협의를 거치지 아니하였다 하더라도 이는 당해 승인처분을 <u>취소할 수 있는 원인이 되는 하자</u>에 불과하다(대판 2006.6.30. 2005두14363). ★

③ **관련 인·허가 행정청의 의견제출**

㉠ 관련 인·허가 행정청은 제3항에 따른 협의를 요청받으면 그 요청을 받은 날부터 20일 이내(제5항 단서에 따른 절차에 걸리는 기간은 제외한다)에 의견을 제출하여야 한다. 이 경우 전단에서 정한 기간(민원 처리 관련 법령에 따라 의견을 제출하여야 하는 기간을 연장한 경우에는 그 연장한 기간을 말한다) 내에 협의 여부에 관하여 의견을 제출하지 아니하면 협의가 된 것으로 본다(「행정기본법」 제24조 제4항).

㉡ 제3항에 따라 협의를 요청받은 관련 인·허가 행정청은 해당 법령을 위반하여 협의에 응해서는 아니 된다. 다만, 관련 인·허가에 필요한 심의, 의견 청취 등 절차에 관하여는 법률에 인·허가의제 시에도 해당 절차를 거친다는 명시적인 규정이 있는 경우에만 이를 거친다(「행정기본법」 제24조 제5항).❶

④ **절차의 집중**: 인·허가의제의 절차와 관련하여 주무행정청은 주된 인·허가에 규정된 절차만을 준수하면 되는지, 아니면 의제되는 인·허가에 규정된 절차까지 준수하여야 하는지가 문제된다.

㉠ **학설**

ⓐ **절차집중설**: 특별한 규정이 없는 한, 주된 인·허가에 요구되는 절차만 거치면 되고 의제되는 인·허가의 절차는 거칠 필요가 없다는 견해로서 다수설의 입장이다.

ⓑ **제한적 절충설**: 의제되는 인·허가에 요구되는 모든 절차를 거칠 필요는 없으나, 이해관계인의 권리보호와 같은 중요한 절차는 주된 인·허가의 통합된 절차에서 준수하는 것이 바람직하다는 견해이다.

ⓒ **판례**: 판례는 절차집중설의 입장을 취하고 있다. 따라서 주된 인·허가에 필요한 절차만 거치면 되고 의제되는 인·허가에 필요한 절차를 거칠 필요는 없다.

1 주택건설사업계획 승인권자가 도시·군관리계획 결정권자와 협의를 거쳐 주택건설사업계획을 승인함으로써 도시·군관리계획결정이 이루어진 것으로 의제된 경우 협의 절차와 별도로 주민 의견청취 절차를 거칠 필요는 없다. ★★

<u>주택건설사업계획 승인권자가</u> 구 주택법 제17조 제3항에 따라 <u>도시·군관리계획 결정권자와 협의를 거쳐 관계 주택건설사업계획을 승인하면</u> 같은 조 제1항 제5호에 따라 <u>도시·군관리계획결정이 이루어진 것으로 의제</u>되고, 이러한 <u>협의 절차와 별도로</u> 국토의 계획 및 이용에 관한 법률 제28조 등에서 정한 도시·군관리계획 입안을 위한 <u>주민 의견청취 절차를 거칠 필요는 없다</u>(대판 2018.11.29. 2016두38792).

21. 국가직 9급 주택건설사업계획 승인권자가 구 주택법 따라 도시·군관리계획 결정권자와 협의를 거쳐 관계 주택건설사업계획을 승인하면 도시·군관리계획결정이 이루어진 것으로 의제되고, 이러한 협의 절차와 별도로 「국토의 계획 및 이용에 관한 법률」 등에서 정한 도시·군관리계획 입안을 위한 주민 의견청취 절차를 거칠 필요는 없다. (○)

2 건설부장관이 관계기관의 장과의 협의를 거쳐 주택건설사업계획 승인을 한 경우 별도로 도시계획법 소정의 중앙도시계획위원회의 의결이나 주민의 의견청취 등 절차를 거칠 필요는 없다. ★★

주택건설촉진법의 목적 및 기본원칙(제1, 2조)에 비추어 보면 <u>건설부장관이 촉진법 제33조에 따라 관계기관의 장과의 협의를 거쳐 사업계획승인을 한 이상</u> 같은 조 제4항의 허가, 인가, 결정, 승인 등이 있는 것으로 볼 것이고, <u>그 절차와 별도로 도시계획법 제12조 등 소정의 중앙도시계획위원회의 의결이나 주민의 의견청취 등 절차를 거칠 필요는 없는 것</u>이다(대판 1992.11.10. 92누1162).

22. 국회직 9급, 16. 국회직 8급 건설부장관이 구 「주택건설촉진법」에 따라 관계기관의 장과의 협의를 거쳐 사업계획승인을 한 이상 허가·인가·결정·승인 등이 있는 것으로 볼 것이고, 그 절차와 별도로 구 「도시계획법」 소정의 중앙도시계획위원회의 의결이나 주민의 의견청취 등 절차를 거칠 필요는 없다. (○)

16. 지방직 7급, 16. 서울시 7급 주된 인·허가처분이 관계기관의 장과 협의를 거쳐 발령된 이상 의제되는 인·허가에 법령상 요구되는 주민의 의견청취 등의 절차는 거칠 필요가 없다. (○)

(4) 인·허가의제요건의 판단방식

주무행정기관에 신청되거나 의제되는 인·허가 요건의 판단방식에 관하여 학설이 대립한다.

① 학설
  ⓐ **실체집중설**: 주된 인·허가 요건의 구비여부만 심사하면 족하고 의제되는 인·허가의 요건을 구비하였는지 여부는 판단할 필요가 없다는 견해이다.
  ⓑ **제한적 실체집중설**: 주무행정청은 의제되는 인·허가의 요건에 엄격하게 구속되지 않고, 단지 이익형량의 요소로서 종합적으로 고려하면 된다는 견해이다.
  ⓒ **실체집중부정설(독립판단설)**: 주된 인·허가 요건뿐만 아니라 의제되는 인·허가 요건까지 모두 구비된 경우에 주된 인·허가를 할 수 있다는 견해로서 다수설의 입장이다.

판례
▷ 의제되는 인·허가의 요건불비를 이유로 한 주된 인·허가에 대한 거부처분은 적법하다고 판시
▷ 실체집중부정설의 입장

채광계획인가로 공유수면점용허가가 의제되는 경우
▷ 채광계획인가관청은 공유수면점용불허가사유를 이유로 인가거부 可

② **판례:** 판례는 의제되는 인·허가의 요건불비를 이유로 한 주된 인·허가에 대한 거부처분은 적법하다고 판시하여 실체집중부정설의 입장을 취하고 있다.

16. 서울시 9급 판례는 주무행정기관에 신청되거나 의제되는 인·허가 요건의 판단방식에 관하여 실체집중설을 취하고 있다. (×) → 실체집중부정설

관련판례

1 **채광계획인가로 공유수면점용허가가 의제되는 경우 채광계획 인가관청은 공유수면점용불허가사유를 근거로 채광계획을 인가하지 아니할 수 있다. ★★**

구 광업법 제47조의2 제5호에 의하여 채광계획인가를 받으면 공유수면 점용허가를 받은 것으로 의제되고, 이 공유수면 점용허가는 공유수면 관리청이 공공위해의 예방 경감과 공공복리의 증진에 기여함에 적당하다고 인정하는 경우에 그 자유재량에 의하여 허가의 여부를 결정하여야 할 것이므로, 공유수면 점용허가를 필요로 하는 채광계획 인가신청에 대하여도, 공유수면 관리청이 재량적 판단에 의하여 공유수면 점용을 허가 여부를 결정할 수 있고 공유수면 점용을 허용하지 않기로 결정하였다면, 채광계획 인가관청은 이를 사유로 하여 채광계획을 인가하지 아니할 수 있는 것이다(대판 2002.10.11. 2001두151).

14. 국회직 8급 채광계획인가로 공유수면점용허가가 의제되는 경우 공유수면점용불허가사유를 근거로 채광계획을 인가하지 아니할 수 있다. (○)

16. 국회직 8급 공유수면 점용허가를 필요로 하는 채광계획 인가신청에 대하여, 공유수면 관리청이 공유수면 점용을 허용하지 않기로 결정한 경우, 채광계획 인가관청은 이를 사유로 채광계획 인가신청을 반려할 수 없다. (×) → 있다

도시계획시설인 주차장 건축허가신청
▷ 「건축법」상 허가 요건 + 도시계획시설사업 실시계획인가 요건 모두 충족要

2 **도시계획시설인 주차장에 대한 건축허가신청을 받은 행정청으로서는 건축법상 허가 요건뿐 아니라 국토의 계획 및 이용에 관한 법령이 정한 도시계획시설사업에 관한 실시계획인가 요건도 충족하는 경우에 한하여 허가해야 한다. ★★**

건축법에서 인·허가의제 제도를 둔 취지는, 인·허가의제사항과 관련하여 건축허가의 관할 행정청으로 그 창구를 단일화하고 절차를 간소화하며 비용과 시간을 절감함으로써 국민의 권익을 보호하려는 것이지, 인·허가의제사항 관련 법률에 따른 각각의 인·허가 요건에 관한 일체의 심사를 배제하려는 것으로 보기는 어려우므로, 도시계획시설인 주차장에 대한 건축허가신청을 받은 행정청으로서는 건축법상 허가 요건뿐 아니라 국토계획법령이 정한 도시계획시설사업에 관한 실시계획인가 요건도 충족하는 경우에 한하여 이를 허가해야 한다(대판 2015.7.9. 2015두39590).

22. 지방직 7급, 19. 소방간부 도시계획시설인 주차장에 대한 건축허가신청을 받은 행정청으로서는 「건축법」상 허가 요건뿐 아니라 그에 의해 의제되는 국토의 계획 및 이용에 관한 법령이 정한 도시계획시설사업에 관한 실시계획인가 요건도 충족하는 경우에 한하여 이를 허가해야 한다. (○)

19. 행정사 타법상의 인·허가가 의제되는 허가를 하는 경우, 행정청은 타법상의 인·허가 요건에 대한 심사 없어 허가처분을 할 수 있다. (×) → 를 한 후,

국토계획법상의 개발행위허가로 의제되는 건축신고가 개발행위허가의 기준을 갖추지 못한 경우
▷ 건축허가 거부 可

3 **국토의 계획 및 이용에 관한 법률상의 개발행위허가로 의제되는 건축허가신청이 동 법령이 정한 개발행위허가의 기준을 갖추지 못한 경우, 행정청은 건축허가를 거부할 수 있다. ★★★**

건축물의 건축이 국토의 계획 및 이용에 관한 법률상 개발행위에 해당할 경우 그에 대한 건축허가를 하는 허가권자는 건축허가에 배치·저촉되는 관계 법령상 제한사유의 하나로 국토의 계획 및 이용에 관한 법령의 개발행위허가기준을 확인하여야 하므로, 국토의 계획 및 이용에 관한 법률상 건축물의 건축에 관한 개발행위허가가 의제되는 건축허가신청이 국토의 계획 및 이용에 관한 법령이 정한 개발행위허가 기준에 부합하지 아니하면 허가권자로서는 이를 거부할 수 있고, 이는 건축법 제16조 제3항에 의하여 개발행위허가의 변경이 의제되는 건축허가사항의 변경허가에서도 마찬가지이다(대판 2016.8.24. 2016두35762 ; 대판 2011.1.20. 2010두14954 전합).

22. 소방직, 21. 국가직 9급, 18. 국가직 7급, 17. 국가직 7급(추) 건축물의 건축이 「국토의 계획 및 이용에 관한 법률」상 개발행위에 해당할 경우 그 건축의 허가권자는 국토계획법의 개발행위허가기준을 확인하여야 하므로, 국토계획법상 건축물의 건축에 관한 개발행위허가가 의제되는 건축허가신청이 국토계획법령이 정한 개발행위허가기준에 부합하지 아니하면 허가권자로서는 이를 거부할 수 있다. (○)

(5) 부분 인·허가의제 제도

부분 인·허가의제 제도라 함은 주된 인·허가로 의제되는 것으로 규정된 인·허가 중 일부에 대해서만 협의가 완료된 경우에도 민원인의 요청이 있으면 주된 인·허가를 할 수 있고, 이 경우 협의가 완료된 일부 인·허가만 의제되는 것으로 하는 제도를 의미한다. 의제되지 않은 인·허가는 관계행정청과의 협의가 완료되는 대로 순차적으로 의제되거나 별도의 인·허가의 대상이 될 수 있다. 부분 인·허가의제 만으로도 민원인에게 사업촉진 등의 이익(예 사업인정의제에 따른 수용절차의 조속 개시 등)이 있으므로 판례도 이를 인정하고 있다. 다만, 주된 인·허가 기관은 협의가 완료되지 않은 인·허가를 받을 수 없는 사정이 명백한 경우에는 이를 이유로 주된 인·허가를 거부할 수 있다(또는 발급된 주된 인·허가를 직권으로 취소·철회할 수도 있음).

관련판례

1 인·허가의제에 관계기관의 장과 협의가 요구되는 경우, 사업시행전에 모든 인·허가 의제 사항에 관하여 관계 행정기관의 장과 사전협의를 거쳐야 하는 것은 아니다. ★★

(구 주한미군 공여구역주변지역 등 지원 특별법 제11조에 의한 사업시행승인을 하는 경우, 같은 법 제29조 제1항❶에서 정한 사업 관련 모든 인허가의제 사항에 관하여 관계 행정기관의 장과 일괄하여 사전 협의를 거칠 것을 요건으로 하는지 여부) 구 주한미군 공여구역주변지역 등 지원 특별법 제29조의 인허가의제 조항은 목적사업의 원활한 수행을 위해 행정절차를 간소화하고자 하는 데 입법 취지가 있는데, 만일 사업시행승인 전에 반드시 사업 관련 모든 인허가의제 사항에 관하여 관계 행정기관의 장과 협의를 거쳐야 한다고 해석하면 일부의 인허가의제 효력만을 먼저 얻고자 하는 사업시행승인 신청인의 의사와 맞지 않을 뿐만 아니라 사업시행승인 신청을 하기까지 상당한 시간이 소요되어 그 취지에 반하는 점, 주한미군 공여구역주변지역 등 지원 특별법이 2009.12.29. 법률 제9843호로 개정되면서 제29조 제1항에서 인허가의제 사항 중 일부만에 대하여도 관계 행정기관의 장과 협의를 거치면 인허가의제 효력이 발생할 수 있음을 명확히 하고 있는 점 등 구 지원특별법 제11조 제1항 본문, 제29조 제1항·제2항의 내용, 형식 및 취지 등에 비추어 보면, 구 지원특별법 제11조에 의한 사업시행승인을 하는 경우 같은 법 제29조 제1항에 규정된 사업 관련 모든 인허가의제 사항에 관하여 관계 행정기관의 장과 일괄하여 사전 협의를 거칠 것을 요건으로 하는 것은 아니고, 사업시행승인 후 인허가의제 사항에 관하여 관계 행정기관의 장과 협의를 거치면 그때 해당 인허가가 의제된다고 보는 것이 타당하다(대판 2012.2.9. 2009두16305).

22. 국회직 9급 「주한미군 공여구역주변지역 등 지원 특별법」에 의한 사업시행승인을 하는 경우 모든 인·허가의제 사항에 관하여 사전협의를 거칠 것을 요건으로 하는 것은 아니고 사업시행승인 후 인·허가의제 사항에 관하여 관계 행정기관의 장과 협의를 거치면 그때 해당 인허가가 의제된다고 본다. (○)

16. 지방직 7급 인·허가 의제에 관계기관의 장과 협의가 요구되는 경우, 주된 인·허가를 하기 전에 의제되는 모든 인·허가 사항에 관하여 관계기관의 장과 사전협의를 거쳐야 한다. (✕) → 하는 것은 아니다

부분 인·허가의제
▷ 주된 인·허가로 의제되는 것으로 규정된 인·허가 중 협의가 완료된 일부 인·허가만 의제되는 것으로 하는 제도

인·허가의제에 관계행정청과의 협의가 필요한 경우
▷ 사업시행전에 모든 인·허가의제사항에 관하여 일괄하여 사전협의를 거칠 필요는 없음

❶ 주한미군 공여구역주변지역 등 지원 특별법 제29조(인·허가등의 의제)
① 제11조 제1항 또는 제2항에 따른 사업의 시행승인 또는 변경승인이 있는 때에는 다음 각 호의 허가·인가·지정·승인·협의·신고·해제·결정·동의 등(이하 "인·허가등"이라 한다) 중 제2항에 따라 관계 중앙행정기관의 장 및 지방자치단체의 장과 미리 협의한 사항에 대하여는 그 인·허가 등을 받은 것으로 본다.

공항개발사업 시 인·허가의제의 범위
▷ 미리 협의한 사항에 한하여 인·허가의제

건축주가「건축법」상 건축허가를 발급받은 후 부지 확보 가능성이 사라진 경우
▷ 건축허가 직권 취소·철회 可

공익상 긴급한 필요가 있고 중요사항에 대한 협의가 있는 경우
▷ 모든 협의 완료 전이라도 협의완료를 조건으로 먼저 승인·인가 可

❶ 주한미군 공여구역주변지역 등 지원 특별법 제29조(인·허가등의 의제)
③ 제2항에도 불구하고「공익사업을 위한 토지 등의 취득 및 보상에 관한 법률」제4조에 따른 공익사업을 시급하게 시행할 필요가 있고, 제1항 각 호의 사항 중 사업시행을 위한 중요한 사항에 대한 협의가 있는 경우에는 필요한 모든 사항에 대한 협의가 끝나지 아니하더라도 그 필요한 협의가 완료될 것을 조건으로 제11조 제1항 또는 제2항에 따른 사업의 시행 승인 또는 변경승인을 할 수 있다.

법적 근거 요부
▷ 선승인 후협의제: 필요
▷ 부분 인·허가의제: 불요

선승인 후협의제
▷ 협의가 완료되지 않은 인·허가도 일단 의제됨(단, 미완료된 협의는 완료해야 함)

부분 인·허가의제
▷ 협의가 완료된 인·허가만 의제됨(협의 완료에 따라 순차적으로 의제)

2 공항개발사업시 인·허가의제의 범위는 미리 협의한 사항에 한정된다. ★

인허가 의제 제도는 목적사업의 원활한 수행을 위해 창구를 단일화하여 행정절차를 간소화하는 데 그 입법 취지가 있고 목적사업이 <u>관계 법령상 인허가의 실체적 요건을 충족하였는지에 관한 심사를 배제하려는 취지는 아닌 점</u> 등을 아울러 고려하면, 공항개발사업 실시계획의 승인권자가 <u>관계 행정청과 미리 협의한 사항에 한하여 그 승인처분을 할 때에 인허가 등이 의제된다</u>고 보아야 한다(대판 2018.10.25. 2018두43095).

3 건축물의 건축은 건축주가 그 부지를 적법하게 확보한 경우에만 허용될 수 있으므로 건축주가 건축허가를 발급받은 후 개발행위허가를 받을 가능성이 없어진 경우, 건축행정청은 이미 발급한 건축허가를 직권 취소·철회하여 회수할 수 있다. ★

건축주가 '부지 확보' 요건을 완비하지는 못한 상태이더라도 가까운 장래에 '부지 확보' 요건을 갖출 가능성이 높다면, 건축행정청이 추후 별도로 국토의 계획 및 이용에 관한 법률(이하 '국토계획법'이라 한다)상 개발행위(토지형질변경) 허가를 받을 것을 명시적 조건으로 하거나 또는 당연히 요청되는 사항이므로 묵시적인 전제로 하여 건축주에 대하여 건축법상 건축허가를 발급하는 것이 위법하다고 볼 수는 없다. 그러나 <u>건축주가 건축법상 건축허가를 발급받은 후에 국토계획법상 개발행위(토지형질변경) 허가절차를 이행하기를 거부하거나, 그 밖의 사정변경으로 해당 건축부지에 대하여 국토계획법상 개발행위(토지형질변경) 허가를 발급할 가능성이 사라졌다면, 건축행정청은 건축주의 건축계획이 마땅히 갖추어야 할 '부지 확보' 요건을 충족하지 못하였음을 이유로 이미 발급한 건축허가를 직권으로 취소·철회하는 방법으로 회수하는 것이 필요하다</u>(대판 2020.7.23. 2019두31839).

(6) 선승인 후협의제도

① **의의 및 취지**: 선승인 후협의제라 함은 의제되는 인·허가에 대한 관계 행정기관과의 모든 협의가 완료되기 전이라도 공익상 긴급한 필요가 있고 사업시행을 위한 중요한 사항에 대한 협의가 있는 경우에는, 협의가 완료되지 않은 인·허가에 대해서 협의를 완료할 것을 조건으로 각종 공사 또는 사업의 시행승인이나 시행인가를 할 수 있도록 하는 제도를 말한다. 선승인 후협의제는 2009년 「도시 및 주거환경정비법」제57조 제6항 및 「주한미군 공여구역주변지역 등 지원 특별법」제29조 제3항❶ 등 법률에 도입이 되어 있고, 현재도 그 확대가 추진 중에 있다. 선승인 후협의제가 도입되면 중요 사항에 대한 협의가 있는 경우 관계 행정기관과의 협의가 모두 완료되기 전이라도 사업승인이나 사업인가를 받아 후속절차를 진행할 수 있게 되어 관련 토지·부지의 매수 등 사업절차가 간소화될 수 있는 효과가 있다.

14. 지방직 9급 인·허가와 관련 있는 행정기관 간에 협의가 모두 완료되기 전이라도 일정한 경우 인·허가에 대한 협의를 완료할 것을 조건으로 각종의 사업시행승인이나 시행인가를 할 수 있다. (○)

② **법적 근거**: 선승인 후협의제는 중요한 법정절차인 관계기관과의 사전협의에 대한 예외를 인정하여 협의가 완료되지 않은 경우에도 해당 인·허가를 의제하므로 명문의 법적 근거가 있어야 한다. 반면, 부분 인·허가의제는 명문의 법적 근거가 없어도 가능하다.

③ **부분 인·허가의제와의 구별**: 선승인 후협의제는 협의가 완료되지 않은 인·허가도 일단 의제된다. 다만, 완료되지 않은 협의를 완료하여야 한다. 부분 인·허가의제는 협의가 완료된 인·허가만 의제되고 협의 완료에 따라 순차적으로 인·허가가 의제된다.

④ 법적 효과: 선승인 후협의제에서는 협의가 완료되기 전이라도 중요한 사항에 관한 협의가 있으면 주된 인·허가를 할 수 있고, 주된 인·허가가 있으면 협의가 완료되지 않은 인·허가도 의제된다. 다만 완료되지 않은 협의는 일정기간까지 마쳐야 하며, 그 기간까지 협의가 이루어지지 않은 경우에는 그 주된 인·허가가 소멸되거나(해제조건부 행정행위), 철회될 수 있다(철회권 유보).

(7) 인·허가의제의 효과

① 「행정기본법」 제24조 제3항·제4항에 따라 협의가 된 사항에 대해서는 주된 인·허가를 받았을 때 관련 인·허가를 받은 것으로 본다(「행정기본법」 제25조 제1항). 즉, 의제되는 인·허가는 법령에 규정된 의제되는 인·허가 전부가 아닐 수 있다. 신청인이 신청하고, 관계 행정청과의 협의를 마친 범위 내에서 인·허가가 의제(부분 인·허가의제)된다(「행정기본법」 제25조 제1항).

> ### 🔷 관련판례
>
> **1** 인·허가의제 사항 중 일부만에 대하여도 관계 행정기관의 장과 협의를 거치면 인·허가의제의 효력이 발생할 수 있다. ★★
>
> 주한미군 공여구역주변지역 등 지원 특별법이 2009.12.29. 법률 제9843호로 개정되면서 제29조 제1항에서 인허가의제 사항 중 일부만에 대하여도 관계 행정기관의 장과 협의를 거치면 인허가의제 효력이 발생할 수 있음을 명확히 하고 있는 점 등 구 지원특별법 제11조 제1항 본문, 제29조 제1항·제2항의 내용, 형식 및 취지 등에 비추어 보면, 구 지원특별법 제11조에 의한 사업시행승인을 하는 경우 같은 법 제29조 제1항에 규정된 사업 관련 모든 인허가의제 사항에 관하여 관계 행정기관의 장과 일괄하여 사전 협의를 거칠 것을 요건으로 하는 것은 아니고, 사업시행승인 후 인허가의제 사항에 관하여 관계 행정기관의 장과 협의를 거치면 그때 해당 인허가가 의제된다고 보는 것이 타당하다(대판 2012.2.9. 2009두16305).
>
> **2** 관련 인·허가 사항에 관한 사전 협의가 이루어지지 않은 채 사업계획승인처분이 이루어진 것으로 의제된 경우, 창업자는 관련 인·허가를 관계 행정청에 별도로 신청하는 절차를 거쳐야 한다. ★★
>
> 중소기업창업 지원법(이하 '중소기업창업법'이라 한다) 제35조 제1항, 제4항에 따르면 시장 등이 사업계획을 승인할 때 제1항 각호에서 정한 관련 인허가에 관하여 소관 행정기관의 장과 협의를 한 사항에 대해서는 관련 인허가를 받은 것으로 본다고 정하고 있다. 이러한 인허가 의제 제도는 목적사업의 원활한 수행을 위해 창구를 단일화하여 행정절차를 간소화하는 데 입법 취지가 있고 목적사업이 관계 법령상 인허가의 실체적 요건을 충족하였는지에 관한 심사를 배제하려는 취지는 아니다. 따라서 시장 등이 사업계획을 승인하기 전에 관계 행정청과 미리 협의한 사항에 한하여 사업계획승인처분을 할 때에 관련 인허가가 의제되는 효과가 발생할 뿐이다. 관련 인허가 사항에 관한 사전 협의가 이루어지지 않은 채 중소기업창업법 제33조 제3항에서 정한 20일의 처리기간이 지난 날의 다음 날에 사업계획승인처분이 이루어진 것으로 의제된다고 하더라도, 창업자는 중소기업창업법에 따른 사업계획승인처분을 받은 지위를 가지게 될 뿐이고 관련 인허가까지 받은 지위를 가지는 것은 아니다. 따라서 창업자는 공장을 설립하기 위해 필요한 관련 인허가를 관계 행정청에 별도로 신청하는 절차를 거쳐야 한다. 만일 창업자가 공장을 설립하기 위해 필요한 국토의 계획 및 이용에 관한 법률에 따른 개발행위허가를 신청하였다가 거부처분이 이루어지고 그에 대하여 제소기간이 도과하는 등의 사유로 더 이상 다툴 수 없는 효력이 발생한다면, 시장 등은 공장설립이 객관적으로 불가능함을 이유로 중소기업창업법에 따른 사업계획승인처분을 직권으로 철회하는 것도 가능하다(대판 2021.3.11. 2020두42569).

협의불완료 시 법적 효과
▷ 주된 인·허가가 소멸(해제조건부 행정행위)되거나, 철회(철회권 유보)될 수 있음

인·허가의제 사항 중 일부만에 대하여 관계 행정청과 협의를 마친 경우
▷ 그 범위 내에서 부분 인·허가 의제O

관련 인·허가 사항에 관한 사전협의가 이루어지지 않은 채 사업계획승인처분이 의제된 경우
▷ 관련 인·허가를 관계 행정청에 별도로 신청하여야

❶ 재의제
의제를 다시 의제하는 것을 말한다.

주된 인·허가가 있는 경우
▷ 다른 법률에 의한 인·허가가 있는 것으로 보는 데 그치고, 이를 전제로 그 다른 법률의 모든 규정들까지 적용×

산업집적법상 입주계약체결로 공장설립 승인이 의제되는 경우
▷ 건축허가 또는 개발행위허가까지 받은 것으로 의제×

의제되는 인·허가의 효력
▷ 주된 인·허가로 인한 사업을 시행하는 데 필요한 범위 내에서만 그 효력이 유지

택지개발사업 실시계획승인에 의해 의제되는 도로공사시행허가 및 도로점용허가
▷ 택지개발사업을 시행하는 데 필요한 범위 내에서만 효력 유지(사업시행 완료 후 ×)

---

② 인·허가의제의 효과는 주된 인허가의 해당 법률에 규정된 관련 인·허가에 한정된다(「행정기본법」 제25조 제2항). 이 규정은 재의제❶를 인정하지 않는다는 것을 규정한 것이다.

> **⚖ 관련판례**
>
> **1** **인·허가의제규정의 경우, 주된 인·허가가 있으면 다른 법률에 의하여 인·허가를 받았음을 전제로 하는 그 다른 법률의 모든 규정들까지 적용되는 것은 아니다. ★★**
>
> 주된 인허가에 관한 사항을 규정하고 있는 법률에서 주된 인허가가 있으면 다른 법률에 의한 인허가를 받은 것으로 의제한다는 규정을 둔 경우, 주된 인허가가 있으면 다른 법률에 의한 인허가가 있는 것으로 보는 데 그치고, 거기에서 더 나아가 다른 법률에 의하여 인허가를 받았음을 전제로 하는 그 다른 법률의 모든 규정들까지 적용되는 것은 아니다(대판 2016.11.24. 2014두47686 ; 대판 2016.12.15. 2014두40531 ; 대판 2004.7.22. 2004다19715).
>
> 18. 국가직 7급 주된 인·허가에 관한 사항을 규정하고 있는 법률에서 주된 인·허가가 있으면 다른 법률에 의한 인·허가를 받은 것으로 의제한다는 규정을 둔 경우, 주된 인·허가가 있으면 다른 법률에 의하여 인·허가를 받았음을 전제로 하는 그 다른 법률의 모든 규정들까지 적용되는 것은 아니다. (○)
>
> 16. 서울시 7급 주된 인·허가에 관한 사항을 규정하고 있는 A 법률에서 주된 인·허가가 있으면 B 법률에 의한 인·허가를 받은 것으로 의제한다는 규정을 둔 경우, B 법률에 의하여 인·허가를 받았음을 전제로 하는 B 법률의 모든 규정이 적용된다. (×) → 적용되는 것은 아니다
>
> **2** **산업집적법상 입주계약체결로 공장설립 승인이 의제된다고 하여 건축허가 또는 개발행위허가를 받은 것으로 의제되지 않는다. ★★**
>
> 산업집적법에 따르면, 산업단지에서 제조업을 하려는 자가 관리기관과 입주계약을 체결한 때에는 시장·군수 또는 구청장의 공장설립 승인을 받은 것으로 의제된다(제13조 제2항 제2호, 제1항, 제38조 제1항). 그러나 공장설립 승인이 의제된다고 하여 건축법상 건축허가 또는 국토계획법상 개발행위허가를 받은 것으로 의제하는 규정은 없다. 또한 산업집적법상 입주계약은 건축법상 건축허가나 국토계획법상 개발행위허가와는 목적과 취지, 요건과 효과를 달리하는 별개의 제도이다. 따라서 입주계약 체결에 따라 공장설립 승인을 받은 것으로 의제되는 경우에도 그 공장건물을 건축하려면 건축법상 건축허가와 국토계획법상 개발행위허가를 받아야 한다고 보아야 한다(대판 2021.6.24. 2021두33883).

(8) 인·허가의제의 범위

주된 인·허가에 의해 의제되는 인·허가는 주된 인·허가로 인한 사업을 시행하는 데 필요한 범위 내에서만 그 효력이 유지되며, 주된 인·허가로 인한 사업시행완료 후 사업을 계속 유지·관리하기 위한 경우까지 의제된다고 볼 수는 없다.

> **⚖ 관련판례**
>
> 구 택지개발촉진법상 사업시행자가 택지개발사업 실시계획승인에 의해 의제되는 도로공사시행허가 및 도로점용허가는 원칙적으로 당해 택지개발사업을 시행하는 데 필요한 범위 내에서만 그 효력이 유지되므로, 사업시행 완료 후까지 의제된다고 볼 수는 없다. ★★
>
> 인·허가의제 제도는 목적사업의 원활한 수행을 위해 행정절차를 간소화하고자 하는 데 그 취지가 있는 것이므로 위와 같은 실시계획승인에 의해 의제되는 도로공사시행허가 및 도로점용허가는 원칙적으로 당해 택지개발사업을 시행하는 데 필요한 범위 내에서만 그 효력이 유지된다고 보아야 한다. 따라서 원고가 이 사건 택지개발사업과

관련하여 그 사업시행의 일환으로 도로예정지 또는 도로에 전력관을 매설하였다고 하더라도 사업시행완료 후 이를 계속 유지·관리하기 위해 도로를 점용하는 것에 대한 도로점용허가까지 그 실시계획 승인에 의해 의제된다고 볼 수는 없다(대판 2010.4.29. 2009두18547).

16. 지방직 7급 주된 인·허가에 의해 의제되는 인·허가는 원칙적으로 주된 인·허가로 인한 사업을 시행하는 데 필요한 범위 내에서만 그 효력이 유지되는 ~~것은 아니므로~~, 주된 인·허가로 인한 사업이 완료된 이후에도 효력이 ~~있다~~. (×) → 것이므로 / 는 / 없다

20. 서울시 7급 [甲은 「택지개발촉진법」상 택지개발사업계획승인(이하 '사업계획승인'이라 함)을 받았는데, 이 법에 따르면 사업계획승인을 받으면 「도로법」상 도로점용허가를 받은 것으로 본다고 규정하고 있다] 甲은 택지개발사업이 완료된 후에도 사업을 위해 지하에 매설한 전력관을 유지·관리하기 위해 도로를 계속 점용할 수 ~~있다~~. (×) → 없다

(9) 의제된 인·허가의 직권취소·철회

인·허가 의제로 의제된 인·허가가 실재(實在)하는 것으로 볼 것인지에 관하여 견해가 대립하나❶, 판례는 긍정설의 입장에서 주된 인·허가(창업사업계획승인)로 의제된 인·허가(산지전용허가)는 통상적인 인·허가와 동일한 효력을 가지므로, 의제된 인·허가의 취소나 철회가 허용된다고 본다. 또한, 의제된 인·허가의 직권취소나 철회는 항고소송의 대상이 되는 처분에 해당한다고 한다.

> 🔨 **관련판례**
>
> **주된 인·허가의 효력은 유지하면서 의제된 인·허가만을 취소 또는 철회할 수 있다.** ★★
> 중소기업창업법에 따른 사업계획승인의 경우 의제된 인허가만 취소 내지 철회함으로써 사업계획에 대한 승인의 효력은 유지하면서 해당 의제된 인허가의 효력만을 소멸시킬 수 있다(대판 2018.7.12. 2017두48734).
>
> 20. 변호사 (A군수는 甲에게 「중소기업창업지원법」 관련규정에 따라 농지의 전용허가 등이 의제되는 사업계획을 승인하는 처분을 하였다) 이에 관하여 사업계획의 승인을 받은 甲이 농지의 전용허가와 관련한 명령을 불이행하는 경우, 甲에 대해 사업계획에 대한 승인의 효력은 유지하면서 의제된 농지의 전용허가만을 철회할 수 있다. (○)

(10) 인·허가의제 제도에 있어서 불복(항고쟁송 및 취소의 대상)

① **주된 인·허가 신청에 대해 거부처분을 한 경우:** 판례는 주무행정청이 의제되는 인·허가의 거부사유를 들어 주된 인·허가의 신청에 대하여 거부처분을 한 경우, 의제되는 인·허가의 거부처분은 실질적으로 존재하지 않기 때문에 주된 인·허가의 거부처분에 대하여 행정쟁송을 제기하면서 의제되는 인·허가의 거부사유를 다투어야 한다는 입장이다. 즉, 주된 인·허가가 거부된 경우 의제된 인·허가가 거부된 것으로 의제되지 않는다.

14. 지방직 9급 판례에 따르면 인·허가의제에 있어서 인·허가가 의제되는 행위의 요건 불비를 이유로 사인이 신청한 주된 인·허가에 대한 거부처분이 있는 경우 주된 인·허가의 거부처분을 대상으로 소송을 제기해야 한다. (○)

16. 지방직 7급 주된 인허가 거부처분을 하면서 의제되는 인·허가 거부사유를 제시한 경우, 의제되는 인·허가 거부를 다투려는 자는 ~~주된 인·허가거부 외에 별도로 의제되는 인·허가거부에 대한 쟁송을 제기해야 한다~~. (×) → 주된 인·허가 거부처분을 대상으로 소송을 제기하고, 본안에서 의제되는 인·허가 거부사유에 대한 위법성을 다툰다

주된 인·허가로 의제된 인·허가가 실재하는지 여부
▷ 판례(긍정): 통상적인 인·허가와 동일한 효력, 의제된 인·허가의 취소·철회 可

❶ 의제되는 인·허가가 실재하는지 여부에 대한 견해 대립
신청된 인·허가(주된 인·허가)의 인용처분만 있고, 의제되는 인·허가의 인용처분은 실제로는 존재하지 않는다고 보아 부정하는 견해와, 인·허가의제 제도는 실체집중을 부정하고 의제되는 인·허가를 법률상 의제하고 있으므로 의제되는 인·허가가 법률상 실재하는 것으로 보아야 한다는 견해가 있다.

의제된 인·허가만 취소·철회
▷ 「중소기업창업 지원법」 따른 사업계획승인의 효력은 유지하면서 의제된 산지전용허가만 취소·철회 可

주무행정청이 의제되는 인·허가의 거부사유를 들어 주된 인·허가의 신청에 대하여 거부처분
▷ 소의 대상: 주된 인·허가 거부처분

소방서장의 건축부동의를 이유로 건축불
허가처분
▷ 건축불허가처분을 대상으로 쟁송

형질변경불허가 · 농지전용불허가사유로
건축불허가처분
▷ 건축불허가처분을 대상으로 쟁송제기
○
건축불허가처분에 대한 쟁송과 별개로 형
질변경불허가처분이나 농지전용불허가처
분에 대한 쟁송
▷ 不可(∵ 존재하지 않는 처분)

관련판례

1 건축불허가처분을 하면서 건축불허가 사유뿐만 아니라 구 소방법에 따른 소방서
장의 건축부동의 사유를 들고 있는 경우, 그 건축불허가처분에 관한 쟁송에서 건
축법상의 건축불허가 사유뿐만 아니라 소방서장의 부동의 사유에 관하여도 다툴
수 있다. ★★

(원고는 한국전력공사이다. 변전소건축허가 신청을 하였으나 피고 부산광역시 연
제구청장이 건축불허가 사유뿐만 아니라 소방서장의 건축부동의사유를 들어 건
축불허가처분을 한 사안에서) 건축허가권자가 건축불허가처분을 하면서 그 처분
사유로 건축불허가 사유뿐만 아니라 구 소방법 제8조 제1항에 따른 소방서장의
건축부동의 사유를 들고 있다고 하여 그 건축불허가처분 외에 별개로 건축부동의
처분이 존재하는 것이 아니므로, 그 건축불허가처분을 받은 사람은 그 건축불허
가처분에 관한 쟁송에서 건축법상의 건축불허가 사유뿐만 아니라 소방서장의 부
동의 사유에 관하여도 다툴 수 있다(대판 2004.10.15. 2003두6573).

17. 변호사 (甲은 건축물을 건축하기 위하여 관할 시장인 乙에게 건축허가 신청을 하였다. 乙은
상당한 기간 내에 건축불허가처분을 하면서 그 처분사유로 「건축법」상의 건축불허가 사유뿐만
아니라 「화재예방, 소방시설 설치 · 유지 및 안전관리에 관한 법률」 제7조 제1항에 따른 소방서장
의 건축부동의 사유를 들고 있다) 이에 관하여 甲은 건축불허가처분에 관한 쟁송에서 「건축법」
상의 건축불허가 사유뿐만 아니라 소방서장의 건축부동의 사유에 관하여도 다툴 수 있다. (○)

2 건축불허가처분을 하면서 건축불허가 사유 외에 형질변경불허가 사유나 농지전
용불허가 사유를 들고 있는 경우, 그 건축불허가처분에 관한 쟁송에서 형질변경불
허가 사유나 농지전용불허가 사유에 관하여도 다툴 수 있다. ★★★

(원고는 서산시장에게 건축허가신청을 하였으나 피고 서산시장이 건축불허가 사
유 외에 형질변경불허가 사유, 농지전용불허가 사유를 들어 건축불허가처분을 한
사안에서) 건축불허가처분을 하면서 그 처분사유로 건축불허가사유뿐만 아니라
형질변경불허가사유나 농지전용불허가사유를 들고 있다고 하여 그 건축불허가
처분 외에 별개로 형질변경불허가처분이나 농지전용불허가처분이 존재하는 것
이 아니므로, 그 건축불허가처분을 받은 사람은 그 건축불허가처분에 관한 쟁송
에서 건축법상의 건축불허가사유뿐만 아니라 같은 도시계획법상의 형질변경불
허가사유나 농지법상의 농지전용불허가사유에 관하여도 다툴 수 있는 것이지, 그
건축불허가처분에 관한 쟁송과는 별개로 형질변경불허가처분이나 농지전용불허
가처분에 관한 쟁송을 제기하여 이를 다투어야 하는 것은 아니며, 그러한 쟁송을
제기하지 아니하였어도 형질변경불허가 사유나 농지전용불허가 사유에 관하여
불가쟁력이 생기지 아니한다(대판 2001.1.16. 99두10988).

22. 지방직 7급 행정청이 건축불허가처분을 하면서 그 처분사유로 건축불허가사유뿐만 아니
라 그 의제의 대상이 되는 형질변경불허가사유나 농지전용불허가 사유를 들고 있다고 하여 그
건축불허가처분 외에 별개로 형질변경불허가처분이나 농지전용불허가처분이 존재하는 것은
아니다. (○)

22. 국회직 9급, 11. 지방직 7급 건축불허가처분의 사유로 건축불허가 사유뿐만 아니라 형질
변경 불허가 사유가 제시된 경우 그 건축불허가처분에 관한 쟁송과 별개로 형질변경불허가처분
에 관한 쟁송을 제기하여야 하는 것은 아니다. (○)

15. 국가직 9급 (「건축법」에는 건축허가를 받으면 「국토의 계획 및 이용에 관한 법률」에 의한
토지의 형질변경허가도 받은 것으로 보는 조항이 있다. 이 조항의 적용을 받는 甲이 토지의 형질
을 변경하여 건축물을 건축하고자 건축허가신청을 하였다) 이에 관하여 건축불허가처분을 하면
서 건축불허가 사유 외에 형질변경 불허가 사유를 들고 있는 경우, 甲은 건축불허가처분취소 청
구소송에서 형질변경불허가 사유에 대하여도 다툴 수 있다. (○)

15. 국가직 9급 (위 사례에서) 甲이 건축불허가처분에 관한 쟁송과는 별개로 형질변경불허가
처분취소소송을 제기하지 아니한 경우 형질변경불허가 사유에 하여 불가쟁력이 ~~발생한다~~. (×)
→ 발생하지 아니한다

② 주된 인·허가 신청에 대해 주된 인·허가 처분이 난 경우

  ㉠ 주된 인·허가가 난 경우에 제3자 등이 의제되는 인·허가의 요건의 결여나 재량권의 일탈 남용을 주장하면서 주된 인·허가와 별개로 의제되는 인·허가에 대해 항고소송을 제기할 수 있는지가 문제된다.❶

  ㉡ 부분 인·허가의제에서는 의제되는 인·허가의 실재가 인정되므로 의제되는 인·허가는 주된 인·허가와 별도로 항고소송의 대상이 되는 처분에 해당한다. 판례도 이해관계인이 의제된 인·허가가 위법함을 다투고자 하는 경우에는 주된 처분(주택건설사업계획승인처분)이 아니라 의제된 인·허가(지구단위계획결정)의 취소를 구하여야 하며, 이때 의제된 인·허가는 주된 인·허가와 별도로 항고소송의 대상이 되는 처분에 해당한다고 판시하였다.

⚖ 관련판례

주택건설사업계획 승인처분에 따라 의제된 지구단위계획결정에 하자가 있어 다투고자 하는 경우, 주된 처분(주택건설사업계획 승인처분)이 아니라 의제된 인·허가(지구단위계획결정)를 항고소송의 대상으로 삼아야 한다. ★★★

[1] 의제된 인·허가는 통상적인 인·허가와 동일한 효력을 가지므로, 적어도 '부분 인·허가의제'가 허용되는 경우에는 그 효력을 제거하기 위한 법적 수단으로 의제된 인·허가의 취소나 철회가 허용될 수 있고, 이러한 직권 취소·철회가 가능한 이상 그 의제된 인·허가에 대한 쟁송취소 역시 허용된다.

  19. 지방직 7급 허가에 타법상의 인·허가가 의제되는 경우, 의제된 인·허가는 통상적인 인·허가와 동일한 효력을 가질 수 없으므로 '부분 인·허가의제'가 허용되는 경우라도 그에 대한 쟁송취소는 허용될 수 없다. (×) → 가지므로 / 된다

[2] 주택건설사업계획 승인처분에 따라 의제된 인·허가가 위법함을 다투고자 하는 이해관계인은, 주택건설사업계획 승인처분의 취소를 구할 것이 아니라 의제된 인·허가의 취소를 구하여야 하며, 의제된 인·허가는 주택건설사업계획 승인처분과 별도로 항고소송의 대상이 되는 처분에 해당한다(대판 2018.11.29. 2016두38792).

  22. 지방직 7급 주된 인허가에 의해 의제된 인허가는 통상적인 인허가와 동일한 효력을 가지나, '부분 인허가의제'가 허용되는 경우 의제된 인허가의 취소나 철회는 허용되지 않으므로 이해관계인이 의제된 인허가의 위법함을 다투고자 하는 경우에는 주된 인허가처분을 항고소송의 대상으로 삼아야 한다. (×) → 가지고 / 되므로 / 의제된 인허가를

  22. 소방직, 21. 국가직 9급 주택건설사업계획 승인처분에 따라 의제된 인·허가가 위법함을 다투고자 하는 이해관계인은, 주택건설사업계획 승인처분의 취소를 구해야 의제된 인·허가의 취소를 구해서는 아니 되며, 의제된 인·허가는 주택건설사업계획 승인처분과 별도로 항고소송의 대상이 되는 처분에 해당하지 않는다. (×) → 구하는 것이 아니라 / 구하여야 하며 / 한다

  19. 서울시 7급(추) 주택건설사업계획승인처분에 따라 의제된 지구단위계획결정에 하자가 있어 다투고자 하는 경우, 의제된 지구단위결정이 아니라 주택건설사업계획 승인처분을 항고소송의 대상으로 삼아야 한다. (×) → 주택건설사업계획 승인처분이 아니라 의제된 지구단위결정

  ㉢ 또한 판례는 인·허가 의제대상이 되는 처분의 공시방법에 하자가 있다고 하더라도 그로써 해당 인·허가 등 의제의 효과가 발생하지 않을 여지가 있게 될 뿐이고, 그러한 사정이 주된 행정처분인 주택건설사업계획 승인처분 자체의 위법사유가 될 수는 없다고 보았다.

 함께 정리하기

문제점
▷ 주된 인·허가가 나온 경우 의제되는 인·허가의 대상적격 여부

❶
인·허가의제의 경우 현실적으로 주된 인·허가처분만 있고, 의제된 인·허가처분은 실제로 존재하지 않는다고 보게 되면 의제된 인·허가를 다투고자 하는 경우에도 주된 인·허가를 항고소송의 대상으로 하여야 하나, 의제된 인·허가가 실재하는 것으로 본다면 의제된 인·허가를 항고소송의 대상으로 할 수 있게 된다.

의제된 인·허가의 위법함 다투는 이해관계인
▷ 의제된 인·허가가 대상적격

의제된 인·허가는 통상적인 인·허가와 동일한 효력○
▷ 부분 인·허가의제가 허용되는 경우 의제된 인·허가에 대한 쟁송취소 可

주택건설사업계획승인처분에 따라 의제된 지구단위계획결정의 위법함을 다투는 이해관계인
▷ 의제된 지구단위계획결정이 대상적격

의제대상 처분의 공시방법의 하자
▷ 주된 처분 자체의 위법사유×

도시 · 군관리계획결정 공시방법의 하자
▷ 주택건설사업계획 승인처분 자체의 위법사유×

관련판례

도시 · 군관리계획결정 공시방법의 하자(지형도면 고시방법의 하자)는 주택건설사업계획승인처분 자체의 위법사유는 아니다. ★

인허가 의제대상이 되는 처분의 공시방법에 관한 하자가 있더라도, 그로써 해당 인허가 등 의제의 효과가 발생하지 않을 여지가 있게 될 뿐이고, 그러한 사정이 주택건설사업계획 승인처분 자체의 위법사유가 될 수는 없다(대판 2017.9.12. 2017두45131).

(11) 주된 인 · 허가가 취소(변경)된 경우 의제된 인 · 허가의 효력

① 인 · 허가의제 시 의제된 인 · 허가가 실재하는 것으로 보고, 불복사유에 따라 주된 인 · 허가 또는 의제된 인 · 허가가 항고쟁송의 대상이 된다고 보는 견해에 의하면, 주된 인 · 허가의 취소만으로 의제된 인 · 허가가 자동적으로 효력을 상실하는 것으로는 볼 수 없다. 원칙적으로 취소는 인 · 허가별로 행해지고 취소의 효력도 해당 인 · 허가별로 발생한다고 보는 것이 타당하기 때문이다. 또한 이렇게 보는 것은 상대방인 국민은 취소된 인 · 허가만 다시 받으면 해당 사업을 추진할 수 있다는 실익이 있다.❶

② 주된 인 · 허가가 취소되면 관련 인 · 허가기관은 관련 인 · 허가를 취소하거나 철회할 것인지 여부를 결정하여야 한다. 다만, 주된 인 · 허가가 의제된 인 · 허가의 성격도 갖거나 주된 인 · 허가가 의제된 인 · 허가의 전제가 되는 경우에는 주된 인 · 허가의 취소로 해당 의제된 인 · 허가도 효력을 상실하는 것으로 볼 수 있다.

❶
한편, 의제된 인 · 허가가 실재하지 않는 것으로 보고, 주된 인 · 허가만이 항고쟁송의 대상이 된다고 보는 견해를 취하면 주된 인 · 허가가 취소되면 의제된 인 · 허가도 효력을 상실하는 것으로 보는 것이 논리적이다.

최초 사업시행인가에 따라 사업인정이 의제된 후 사업시행변경인가가 있는 경우
▷ 수용의 필요성이 유지되는 한 의제된 사업인정 효력유지○

관련판례

특정한 토지를 최초로 사업시행 대상 부지로 삼은 최초의 사업시행인가가 효력을 유지하고 있고 그에 따라 의제된 사업인정의 효력 역시 유지되고 있는 경우라면, 수용의 필요성이 유지되는 한, 최초의 사업시행인가를 통하여 의제된 사업인정은 사업시행변경인가에도 불구하고 그 효력이 계속 유지된다. ★

구 도시 및 주거환경정비법상 사업시행인가는 사업시행계획에 따른 대상 토지에서의 개발과 건축을 승인하여 주고, 덧붙여 의제조항에 따라 토지에 대한 수용 권한 부여와 관련한 사업인정의 성격을 가진다. 따라서 어느 특정한 토지를 최초로 사업시행 대상 부지로 삼은 사업시행계획이 당연무효이거나 법원의 확정판결로 취소된다면, 그로 인하여 의제된 사업인정도 효력을 상실한다. 그러나 이와 달리 특정한 토지를 최초로 사업시행 대상 부지로 삼은 최초의 사업시행인가가 효력을 유지하고 있고 그에 따라 의제된 사업인정의 효력 역시 유지되고 있는 경우라면, 특별한 사정이 없는 한 최초의 사업시행인가를 통하여 의제된 사업인정은 변경인가에도 불구하고 그 효력이 계속 유지된다. 사업시행 대상부지 자체에 관하여는 아무런 변경 없이 건축물의 구조와 내용 등 사업시행계획의 내용을 대규모로 변경함으로써 최초 사업시행인가의 주요 내용을 실질적으로 변경하는 인가가 있는 경우에도 최초의 사업시행인가가 유효하게 존속하다가 변경인가 시부터 장래를 향하여 실효될 뿐이고, 사업시행 대상부지에 대한 수용의 필요성은 특별한 사정이 없는 한 변경인가 전후에 걸쳐 아무런 차이가 없다. 공익사업을 위한 토지 등의 취득 및 보상에 관한 법률(이하 '토지보상법'이라 한다) 제24조에 비추어 보더라도, 사업시행변경인가에 따라 사업대상 토지 일부가 제외되는 등의 방식으로 사업내용이 일부 변경됨으로써 종전의 사업대상 토지 중 일부에 대한 수용의 필요성이 없게 된 경우에, 그 부분에 한하여 최초 사업시행인가로 의제된 사업인정 중 일부만이 효력을 상실하게 될 뿐이고(제24조 제1항 · 제5항 참조), 변동 없이 수용의 필요성이 계속 유지되는 토지 부분에 대하여는 최초 사업시행인가로 의제된 사업인정의 효력이 그대로 유지됨을 당연한 전제로 하고 있다(대판 2018.7.26. 2017두33978).

(12) 인·허가의제의 사후관리

인·허가의제의 경우 관련 인·허가 행정청은 관련 인·허가를 직접 한 것으로 보아 관계 법령에 따른 관리·감독 등 필요한 조치를 하여야 한다(「행정기본법」 제26조 제1항). 즉, 의제된 인·허가의 사후관리·감독은 의제된 인·허가기관(관계행정청)이 담당한다. 주된 인·허가가 있은 후 이를 변경하는 경우에는 제24조·제25조 및 이 조 제1항을 준용한다(「행정기본법」 제25조 제2항).❶

2 준법률행위적 행정행위

법률행위적 행정행위는 행정청의 의사표시를 요소로 하는 행정행위임에 반하여, 준법률행위적 행정행위는 행정청의 인식·판단과 같은 단순한 정신작용을 요소로 하고 그 법적 효과는 행정청의 의사표시에 관계없이 직접 법규에 정하는 바에 따라 발생하는 행위를 말한다. 준법률행위적 행정행위는 확인, 공증, 통지, 수리로 구분한다.

1. 확인

(1) 확인의 의의

① 개념

ⓐ 확인이란 특정의 사실 또는 법률관계의 존부(存否) 또는 정부(正否)에 대하여 의문이나 다툼이 있는 경우에 행정청이 이를 공적으로 확정하는 행위를 말한다.

12. 경찰 1차 다툼의 여지가 있는 일정한 사실이나 법률관계가 존재하는 것인가 아닌가 또는 정당한 것인가 아닌가를 공적으로 판단하여 확정하는 행정행위를 공증이라 하며, 공증의 예로는 토지대장에의 등재가 이에 해당한다. (×) → 확인

ⓑ 확인은 실정법으로는 재결·재정·특허·검정 등의 여러 가지 용어로 사용되고 있다.

② 구체적인 예

친일반민족행위자 재산조사위원회의 친일재산국가귀속결정, 선거당선인의 결정, 소득세부과를 위한 소득액의 결정, 납세액의 결정, 발명특허, 행정관할권 다툼에 대한 인천경제자유구역청의 결정, 도로구역·하천구역의 결정, 신체검사, 건축물에 대한 준공검사처분(사용승인), 행정심판의 재결, 이의신청의 재결, 국가시험합격자결정, 교과서의 검·인정, 장애인등급결정, 국가유공자결정, 민주화운동관련자결정 등이 확인에 해당한다.

15. 국가직 7급, 11. 국회직 8급 확인은 특정한 사실 또는 법률관계에 관하여 의문이 있는 경우에 행정청이 그 존부 또는 정부를 판단하는 준법률행위적 행정행위이며, 그 예로는 합격증서의 발급 및 영수증의 교부 등을 들 수 있다. (×) → × / 합격증서의 발급 및 영수증의 교부는 공증행위에 해당함

20. 경찰 2차, 16. 서울시 7급, 11. 국가직 9급 선거당선인결정은 확인에 해당한다. (○)

17. 지방직 9급(추), 15. 교행, 11. 국가직 9급 행정심판의 재결은 준법률행위적 행정행위 중 확인행위이다. (○)

14. 사복직, 11. 국가직 9급, 09. 국가직 9급 발명특허, 교과서의 검정, 도로구역의 결정은 준법률행위적 행정행위 중 확인행위이다. (○)

14. 지방직 7급 납세의무의 확정은 이미 발생되어 있는 조세채권을 확정하는 것이므로 그 법적 성질은 확인행위이다. (○)

함께 정리하기

인·허가의제의 사후관리·감독

▷ 관계행정청은 관련 인·허가를 직접 한 것으로 보아 관리·감독 등 필요한 조치를 하여야

❶ 「행정기본법」 제26조 제2항은 주된 인·허가의 변경으로 관련 인·허가의 변경이 의제될 수 있는 것을 전제로 주된 인·허가의 변경으로 관련 인·허가의 변경 의제가 필요한 경우에는 인·허가의제 절차(관련 인·허가기관과의 협력 등)를 준용하여 주된 인·허가를 변경하고 이에 따라 관련 인·허가의 변경이 의제된다는 것을 규정한 것이라고 해석된다.

준법률행위적 행정행위

▷ 행정청의 인식·판단을 요소로 직접 법규에 정하는 바에 따라 법적 효과가 발생하는 행위

▷ 종류: 확인·공증·통지·수리

확인

▷ 특정의 사실·법률관계에 의문이 있거나 다툼이 있는 경우 행정청이 이를 공적으로 판단·확인하는 행위

16. 서울시 7급, 11. 국가직 9급, 09. 국가직 9급 국가시험합격자결정은 통지에 해당한다. (×) → 확인

11. 사복직 건축물에 대한 준공검사처분은 허가에 해당한다. (×) → 확인

관련판례

친일반민족행위자 재산조사위원회의 친일재산국가귀속결정은 문제된 재산이 친일재산에 해당한다는 사실을 확인하는 준법률행위적 행정행위이다. ★★★

친일반민족행위자 재산의 국가귀속에 관한 특별법 제2조 제2호에 정한 친일재산은 친일반민족 행위자재산조사위원회가 국가귀속결정을 하여야 비로소 국가의 소유로 되는 것이 아니라 특별법의 시행에 따라 그 취득·증여 등 원인행위시에 소급하여 당연히 국가의 소유로 되고, 위 위원회의 국가귀속결정은 당해 재산이 친일재산에 해당한다는 사실을 확인하는 이른바 준법률행위적 행정행위의 성격을 가진다(대판 2008.11.13. 2008두13491).

19. 서울시 7급(추), 17 서울사복 9급, 16. 국회직 8급, 12. 서울시 9급, 10. 국가직 9급 등 판례에 의하면 친일반민족행위자재산조사위원회의 친일재산 국가귀속결정은 문제된 재산이 친일재산에 해당한다는 사실을 확인하는 준법률행위적 행정행위이다. (○)

21. 서울시 7급 「친일반민족행위자 재산의 국가귀속에 관한 특별법」 제2조 제2호에 정한 친일재산은 위원회가 국가귀속결정을 하여야 비로소 국가의 소유로 되는 것이 아니라 특별법의 시행에 따라 그 취득·증여 등 원인행위시에 소급하여 당연히 국가의 소유로 되는 것이고, 위원회의 국가귀속결정은 당해 재산이 친일재산에 해당한다는 사실을 공적으로 증명하는 소위 공증행위에 속하는 준법률행위적 행정행위의 성격을 가지는 것이다. (×) → 확인하는

18. 교행 「친일반민족행위자 재산의 국가귀속에 관한 특별법」에 따른 친일재산은 친일반민족행위자재산조사위원회가 국가귀속결정을 하여야 비로소 국가의 소유로 된다. (×) → 특별법의 시행에 따라 취득·증여 등 원인행위시에 소급하여 당연히

(2) 확인의 법적 성질

① **준사법적 행위**: 확인은 특정한 사실관계(예 발명특허)나 법률관계(예 행정심판의 재결)의 존부 또는 진위 여부를 판단하는 것일 뿐, 새로운 법률관계를 창설하는 것이 아니라는 점에서 법원의 판단과 그 성질이 유사하다. 따라서 확인을 준사법적 행위(판단표시행위) 또는 법선언적 행위라고도 한다.

② **기속행위**: 확인은 사실관계 또는 법률관계를 확인하는 행위이므로 행정청에게 재량이 인정될 수 없다. 따라서 확인은 원칙적으로 기속행위이다. 다만, 판례는 교과서검정의 위법성 판단에 판단여지 또는 재량이 인정될 수 있다고 본다(대판 1992.4.24. 91누6634).

07. 지방직 9급 판례는 교과서검정을 기속행위로 보았다. (×) → 재량행위

관련판례

건축허가관청은 특단의 사정이 없는 한 건축허가내용대로 완공된 건축물의 준공을 거부할 수 없다. ★★

준공검사처분(건물사용검사처분)은 건축허가를 받아 건축한 건물이 건축허가사항대로 건축행정목적에 적합한가의 여부를 확인하고, 준공검사필증(사용검사필증)을 교부하여 줌으로써 허가받은 자로 하여금 건축한 건물을 사용, 수익할 수 있게 하는 법률효과를 발생시키는 것이므로 허가관청은 특단의 사정이 없는 한 건축허가내용대로 완공된 건축물의 준공을 거부할 수 없다(대판 1992.4.10. 91누5358).

19. 지방직 7급 건축허가관청은 특단의 사정이 없는 한 건축허가내용대로 완공된 건축물의 준공을 거부할 수 없다. (○)

(3) 확인의 형식

확인은 언제나 구체적인 처분의 형식으로 행하여지며 법령에 의한 일반적인 확인은 없다. 또한 확인은 행정심판의 재결서 등과 같이 일정한 형식을 요하므로 요식행위임이 원칙이다.

(4) 확인의 효과

① **불가변력 발생**: 확인행위는 특정의 사실 또는 법률관계의 존부 또는 정부를 공적으로 확정시키는 효과를 가져 온다. 그러므로 확인이 이루어진 후에는 행정청이 임의적으로 취소·변경을 할 수 없는 불가변력(실질적 존속력)이 발생한다.

20. 군무원 7급 확인은 특정한 사실 또는 법률관계의 존재 여부 또는 정당성 여부를 공적으로 확정하는 효과를 발생시키므로 확인행위에는 일반적으로 불가변력(실질적 존속력)이 발생한다. (○)

② **법률에 규정된 효과의 발생**: 확인의 법적 효과는 개별 법률의 규정에 의해 발생한다. 예컨대, 국방부가 甲을 국가유공자로 인정하면 「국가유공자보상법」에 따라 甲은 보상금수급권을 누린다. 이는 국방부의 확인행위에 의해서 부여된 효과가 아니라, 「국가유공자보상법」이라는 법률의 규정에 의한 것이다.

2. 공증

(1) 공증의 의의

① **개념**: 공증이란 진위가 확정적인 특정의 사실 또는 법률관계의 존부를 공적으로 증명하는 행정행위를 말한다. 공증행위는 효과의사의 표시도 아니고 어떠한 사항에 대한 확정적인 판단의 표시도 아니다. 그것은 다만 어떠한 사실 또는 법관계가 진실이라고 인식하여 그것을 공적으로 증명하는 행위일 뿐이다(인식의 표시). 따라서 증명대상이 되는 사실 또는 법관계가 진실이 아닐 수도 있기에 공증행위는 반증에 의해 전복될 수도 있다. 이러한 행위는 본래 사실행위에 그치는 것이나 법률이 그에 일정한 법률효과, 즉 공적 증거력을 부여하는 경우에 한하여 준법률행위적 행정행위로의 법적 성격을 가지는 것이다.

23. 국가직 7급 특정의 사실 또는 법률관계의 존재를 공적으로 증명하여 공적 증거력을 부여하는 행정행위는 확인행위로서 당선인결정, 장애등급결정, 행정심판의 재결 등이 그 예이다. (×) → 공증 / 공적장부 등기·등록·등재, 각종 증명서 교부·발급, 영수증교부, 여권 발급 등

② **확인과의 비교**

㉠ 확인은 특정한 사실이나 법률관계에 관한 의문이나 분쟁을 전제로 하는 것이나, 공증은 의문이나 분쟁이 없음을 전제로 한다는 점에서 차이가 있다.

㉡ 또한 확인은 특정한 사실이나 법률관계의 존부를 확정하기 위한 판단표시행위(준사법적 행위)이나, 공증은 특정한 법률사실이나 법률관계의 존재를 증명하는 인식표시행위라는 점에 차이가 있다. 그러나 확인은 일반적으로 공증(증명서)의 형식으로 표시되기 때문에 그 구체적인 구별이 쉽지 않다.

확인의 형식
▷ 처분형식○
▷ 요식행위○
▷ 법규확인×

불가변력 발생
▷ 행정청이 임의로 취소·변경 不可

법률에 규정된 효과 발생
▷ 개별 법률의 규정에 의해 발생(확인행위 자체의 효과×)

공증
▷ 특정의 사실 또는 법률관계의 존부를 공적으로 증명하는 행정행위

◈ 핵심정리 공증과 확인 비교

구분	공증	확인
공통점	• 기속행위 • 요식행위 • 처분으로만 可 • 법규확인×, 법규공증×	
차이점	• 의문이나 분쟁이 없음을 전제 • 인식표시행위	• 특정한 사실이나 법률관계에 의문이나 분쟁을 전제 • 판단표시행위

공증의 종류
▷ 공적장부 등기·등록·등재, 각종 증명서 교부·발급, 영수증교부, 여권 발급 등

(2) 공증의 종류

① **공적 장부에의 등기·등록·등재**: 부동산등기부의 등기, 차량등록, 광업원부의 등록, 발명특허의 등록, 선거인명부에의 등록, 상표사용권설정등록행위(대판 1991.8.13. 90누9414), 자동차운전면허대장상의 등재행위 등이 이에 해당한다.

21. 서울시 7급 상표사용권 설정등록신청서가 제출된 경우 특허청장은 신청서와 그 첨부서류만을 자료로 형식적으로 심사하여 그 등록신청을 수리할 것인지의 여부를 결정하여야 되는 것으로서, 특허청장의 상표사용권 설정등록행위는 사인 간의 법률관계의 존부를 공적으로 증명하는 준법률행위적 행정행위이다. (○)

17. 지방직 9급 의료유사업자 자격증 갱신발급행위, 상표사용권설정등록행위, 건설업면허증의 재교부는 강학상 공증에 해당한다. (○)

11. 국가직 9급 특허의 등록은 공증이다. (○)

11. 국회직 8급 공증행위는 특정한 사실 또는 법률관계의 존재를 공적으로 증명하는 행위로서 발명특허가 이에 해당한다. (×) → 발명특허의 등록

20. 경찰 2차 부동산등기부에의 등기는 준법률적 행정행위 중 공증행위에 해당한다. (○)

20. 군무원 7급 선거인명부에의 등록은 공증으로 법령에 정해진 바에 따라 권리행사의 요건이 된다. (○)

② **각종 증명서의 교부·발급**: 건설업면허증 및 건설업면허수첩 재교부, 의료유사업자 자격증 갱신발급행위, 합격증서 발급, 당선증서 발급, 주민등록증 발급, 인감증명서 발급, 운전면허증 교부, 각종 인가·허가·특허 등 인·허가증 발급, 학원사업등록증·의료사업등록증 발급 등이 이에 해당한다.

건설업면허증 및 건설업면허수첩의 재교부
▷ 공증

⚒ 관련판례

1 건설업면허증 및 건설업면허수첩의 재교부 ★★

건설업면허증 및 건설업면허수첩의 재교부는 그 면허증 등의 분실, 헐어 못쓰게 된 때, 건설업의 면허이전 등 면허증 및 면허수첩 그 자체의 관리상의 문제로 인하여 종전의 면허증 및 면허수첩과 동일한 내용의 면허증 및 면허수첩을 새로이 또는 교체하여 발급하여 주는 것으로서, 이는 건설업의 면허를 받았다고 하는 특정사실에 대하여 형식적으로 그것을 증명하고 공적인 증거력을 부여하는 행정행위(강학상의 공증행위)이다(대판 1994.10.25. 93누21231).

21. 서울시 7급, 15. 국회직 8급 건설업면허증 및 건설업면허수첩의 재교부는 그 면허증 등의 분실, 헐어 못쓰게 된 때, 건설업의 면허이전 등 면허증 및 면허수첩 그 자체의 관리상의 문제로 인하여 종전의 면허증 및 면허수첩과 동일한 내용의 면허증 및 면허수첩을 새로이 또는 교체하여 발급하여 주는 것으로서, 이는 건설업의 면허를 받았다고 하는 특정사실에 대하여 형식적으로 그것을 증명하고 공적인 증거력을 부여하는 강학상의 공증행위이다. (○)

21. 경찰 2차 건설업 등록증 및 건설업 등록수첩의 재발급은 건설업 등록을 하였다고 하는 사실을 특정인이나 불특정인에게 알리는 준법률행위적 행정행위인 통지행위에 해당한다. (×) → 형식적으로 증명하고 공적인 증거력을 부여하는 / 공증행위

2 의료유사업자 자격증 갱신발급행위 ★★

서울특별시장 또는 도지사의 <u>의료유사업자 자격증 갱신발급행위</u>는 유사의료업자의 자격을 부여 내지 확인하는 것이 아니라 <u>특정한 사실 또는 법률관계의 존부를 공적으로 증명하는 소위 공증행위에 속하는 행정행위</u>라 할 것이다(대판 1977.5.24. 76누295).

21. 서울시 7급, 12. 국회직 9급 의료유사업자 자격증 갱신발급행위는 유사의료업자의 자격을 부여 내지 확인하는 것이 아니라 특정한 사실 또는 법률관계의 존부를 공적으로 증명하는 소위 공증행위에 속하는 행정행위라 할 것이다. (○)

18. 교행 서울특별시장의 의료유사업자 자격증 갱신발급은 의료유사업자의 자격을 부여 내지 확인하는 행위의 성질을 가진다. (×) → 공증행위의

17. 교행, 11. 사복직 서울특별시장의 의료유사업자 자격증 갱신발급는 특허에 해당한다. (×) → 공증

③ **기타의 경우**: 영수증의 교부, 회의록 등의 기재, 여권 등의 발급 등이 있다.

11. 국가직 9급 영수증 교부는 공증이다. (○)

(3) 공증의 법적 성질

① **기속행위 · 요식행위**: 공증은 원칙적으로 특정한 사실 또는 법률관계가 객관적으로 존재할 경우 행하여야 하는 기속행위이며, 원칙적으로 문서에 의할 뿐 아니라 일정한 서식이 요구되는 요식행위이다.

② **준법률적 행정행위**: 공증은 준법률행위적 행정행위로서, 법률에 규정된 대로 일정한 법적 효과를 발생시킨다.

(4) 공증의 효과

① **공통적 효과**: 공증은 반증에 의하지 아니하고는 번복될 수 없는 공적 증거력이 발생한다. 반증이 있으면 권한 있는 기관에 의한 취소행위가 없어도 공적 증거력은 번복된다(사실상의 추정, 공정력의 부정).

04. 국회직 8급 공증은 반증에 의하지 아니하고는 전복될 수 없는 공적 증거력을 발생한다. (○)

② **개별법에 따른 효과**: 공증은 공적 증거력의 발생 이외에 개별법 규정에 따라 일정한 법률효과를 발생시키기도 한다. 즉, 권리행사요건(예 선거인명부에의 등록)이나 권리성립(설정)요건(예 부동산등기부에의 등기, 광업원부에의 등록)이 되기도 한다.

(5) 공증의 처분성

공증의 처분성은 증명서에 기재된 사항의 변경을 원하거나 증명서발급의 기초가 되는 공적장부의 내용 자체의 변경을 원하는 당사자의 신청에 대해 처분청이 거부하거나 처분청이 직권으로 공적장부의 내용을 변경한 경우 이를 취소소송으로 다툴 수 있는지에 대한 문제이다.

① **처분성 여부**: 행정행위의 특징 중 하나가 공정력인데 공증은 공정력과 공신력이 없다는 점에서 그 법적 성격을 일률적으로 판단하기 어려운바, 개인의 권리나 법적 지위를 구속적으로 확정하는 행위, 즉 규율적 성격을 갖는 경우(예 범죄기록부에 등재, 문화재지정등록 등)에는 행정행위의 성격을 갖는다고 보아 처분성이 인정되지만, 행정사무의 편의와 특정한 사실관계의 증명과 같이 반복적이고 기술적인 직무수행 활동에 지나지 않는 것에 불과한 경우(예 인감증명행위, 졸업 및 재학증명서발급 등)에는 사실행위로 보아 처분성이 부정된다고 할 것이다.

의료유사업자 자격증 갱신발급
▷ 공증

공증의 법적 성질
▷ 기속행위 · 요식행위

준법률행위적 행정행위
▷ 법률에 규정된 대로 법적 효과 발생

공적 증거력의 발생
▷ 반증으로 번복 可(사실상의 추정, 공정력 無)

개별 법률이 정하는 바에 따라
▷ 효과발생

공증의 처분성 인정여부
▷ 공정력이 없으므로 일률적으로 판단할 수 없음
규율적 성격
▷ 행정행위(처분성○)
반복적 · 기술적 직무수행 활동
▷ 사실행위(처분성×)

❶

① 토지대장에 일정한 사항을 등재하는 행위는 행정사무집행의 편의와 사실 증명의 자료로 삼기 위한 것일 뿐 그 등재행위로 인하여 당해 토지에 대한 실체상의 권리관계에 아무런 변동을 가져오는 것이 아니므로 항고소송의 대상이 되는 행정처분이라고는 할 수 없다(대판 1984.4.24. 82누308).

② 건축물대장에 일정한 사항을 등재하거나 등재된 사항을 변경하는 행위는 행정사무집행의 편의와 사실증명의 자료로 삼기 위한 것이고 그 등재나 변경등재행위로 인하여 당해 건축물에 대한 실체상의 권리관계에 어떤 변동을 가져오는 것은 아니므로 소관청이 그 등재사항에 대한 정정신청을 거부한 것을 가리켜 항고소송의 대상이 되는 행정처분이라고 할 수 없다(대판 1989.12.12. 89누5348).

처분성○
▷ 지목변경신청 반려행위
▷ 건축물대장 작성신청 반려행위
▷ 건축물대장 용도변경신청 거부행위

처분성×
▷ 무허가건물등재 삭제행위
▷ 토지대장 소유자명의변경신청 거부행위

무허가건물을 무허가건물관리대장에서 삭제하는 행위
▷ 행정처분×

토지대장상 소유자명의변경신청거부행위
▷ 행정처분×

② 판례의 태도

㉠ 입장변화의 추이

ⓐ 종래 대법원은 토지대장, 건축물관리대장 등 각종의 공적장부에의 등재행위는 행정사무집행의 편의와 사실증명자료로 삼기위한 것이고 그 등재로 실체상의 권리관계에 변동을 가져오지 않는다고 하여 처분성을 부인하였다.**❶**

ⓑ 그러나 최근 대법원은 공증행위가 개인의 실체적인 권리관계에 영향을 미치는 경우에는 처분성을 인정하고 그렇지 않은 경우에는 처분성을 부정하는 입장에서 처분성 인정범위를 넓혀가고 있다.

ⓒ 대법원은 헌법재판소가 지목변경신청거부행위를 헌법소원의 대상인 공권력의 행사(거부처분)로 판단하기 시작한 사건을 계기로(헌재 1999.6.24. 97헌마315), 입장을 바꾸어 지목은 토지행정의 기초로서 공법상의 법률관계에 영향을 미치고 토지소유자는 지목을 토대로 토지의 사용·수익·처분에 일정한 제한을 받으며, 토지소유자의 실체적 권리관계에 밀접하게 관련되어 있음을 이유로 지목변경신청거부행위의 처분성을 인정하였고, 그 후로도 건축물대장의 용도변경신청거부행위, 건축물대장 작성신청 반려행위와 토지대장·건축물대장 직권말소행위의 처분성을 인정하였다. 그러나 무허가건물등재대장삭제행위와 토지대장의 소유자명의변경신청거부행위는 실체상의 권리관계에 변동을 가져오는 것이 아니라는 이유로 처분성을 부정하였다.

㉡ 처분성을 부정한 판례

🔎 관련판례

1 무허가건물을 무허가건물관리대장에서 삭제하는 행위 ★★★

무허가건물관리대장은, 행정관청이 지방자치단체의 조례 등에 근거하여 무허가건물 정비에 관한 행정상 사무처리의 편의와 사실증명의 자료로 삼기 위하여 작성, 비치하는 대장으로서 무허가건물을 무허가건물관리대장에 등재하거나 등재된 내용을 변경 또는 삭제하는 행위로 인하여 당해 무허가 건물에 대한 실체상의 권리관계에 변동을 가져오는 것이 아니고, 무허가건물의 건축시기, 용도, 면적 등이 무허가건물관리대장의 기재에 의해서만 증명되는 것도 아니므로, 관할관청이 무허가건물의 무허가건물관리대장 등재 요건에 관한 오류를 바로잡으면서 당해 무허가건물을 무허가건물관리대장에서 삭제하는 행위는 다른 특별한 사정이 없는 한 항고소송의 대상이 되는 행정처분이 아니다(대판 2009.3.12. 2008두11525).

19. 지방직 7급, 19. 국회직 9급 무허가건물을 무허가건물관리대장에서 삭제하는 행위는 다른 특별한 사정이 없는 한 항고소송의 대상이 되는 행정처분에 해당한다. (×) → 해당하지 않는다

12. 서울시 9급 무허가건물등재대장삭제행위는 무허가건물에 대한 실체상의 권리관계에 변동을 가져오는 것이 아니므로 항고소송의 대상이 되는 처분이 아니다. (○)

2 토지대장상 소유자명의변경신청거부행위 ★★★

토지대장에 기재된 일정한 사항을 변경하는 행위는, 그것이 지목의 변경이나 정정 등과 같이 토지소유권 행사의 전제요건으로서 토지소유자의 실체적 권리관계에 영향을 미치는 사항에 관한 것이 아닌 한 행정사무집행의 편의와 사실증명의 자료로 삼기 위한 것일 뿐이어서, 그 소유자 명의가 변경된다고 하여도 이로 인하여 당해 토지에 대한 실체상의 권리관계에 변동을 가져올 수 없고 토지 소유권이

지적공부의 기재만에 의하여 증명되는 것도 아니다. 따라서 소관청이 토지대장상의 소유자명의변경신청을 거부한 행위는 이를 항고소송의 대상이 되는 행정처분이라고 할 수 없다(대판 2012.1.12. 2010두12354).

19. 서울시 7급 토지대장상의 소유명의변경신청을 거부하는 행위는 실체적 권리관계에 영향을 미치는 사항으로 행정처분아다. (×) → 이 아니므로 / 이 아니다

21. 국가직 9급 (乙은 甲의 토지가 사실은 자신 소유라고 주장하면서 토지대장상의 소유자명의변경을 신청하였으나 거부되었다) 乙에 대한 토지대장상의 소유자명의변경신청 거부는 처분성이 인정된다. (×) → 부정된다

3 부가가치세법상 과세관청의 사업자등록 직권말소행위 및 위장사업자의 사업자명의를 직권으로 실사업자의 명의로 정정하는 행위 ★★

[1] 부가가치세법상의 사업자등록은 과세관청으로 하여금 부가가치세의 납세의무자를 파악하고 그 과세자료를 확보하게 하려는 데 제도의 취지가 있는바, 이는 단순한 사업사실의 신고로서 사업자가 관할세무서장에게 소정의 사업자등록신청서를 제출함으로써 성립하는 것이고, 사업자등록증의 교부는 이와 같은 등록사실을 증명하는 증서의 교부행위에 불과한 것이다. 나아가 구 부가가치세법 제5조 제5항에 의한 과세관청의 사업자등록 직권말소행위도 폐업사실의 기재일 뿐 그에 의하여 사업자로서의 지위에 변동을 가져오는 것이 아니라는 점에서 항고소송의 대상이 되는 행정처분으로 볼 수 없다.

20. 국가직 7급 「부가가치세법」상 사업자등록은 단순한 사업사실의 신고에 해당하므로, 과세관청이 직권으로 등록을 말소한 행위는 항고소송의 대상인 행정처분에 해당하지 않는다. (○)

14. 행정사 과세관청의 「부가가치세법」상 사업자등록의 직권말소행위는 항고소송의 대상이 되는 처분에 해당한다. (×) → 해당하지 않는다

[2] 이러한 점에 비추어 볼 때, 과세관청이 사업자등록을 관리하는 과정에서 위장사업자의 사업자명의를 직권으로 실사업자의 명의로 정정하는 행위 또한 당해 사업사실 중 주체에 관한 정정기재일 뿐 그에 의하여 사업자로서의 지위에 변동을 가져오는 것이 아니므로 항고소송의 대상이 되는 행정처분으로 볼 수 없다(대판 2011.1.27. 2008두2200).

15. 국회직 8급 과세관청이 사업자등록을 관리하는 과정에서 위장사업자의 사업자명의를 직권으로 실사업자의 명의로 정정하는 행위는 항고소송의 대상이 되는 행정처분이 아니다. (○)

4 자동차운전면허대장상의 등재행위 ★★

자동차운전면허대장상 일정한 사항의 등재행위는 당해 운전면허 취득자에게 새로이 어떠한 권리가 부여되거나 변동 또는 상실되는 효력이 발생하는 것은 아니므로 이는 행정소송의 대상이 되는 독립한 행정처분으로 볼 수 없다(대판 1991.9.24. 91누1400).

18. 변호사 자동차운전면허대장에 일정한 사항을 등재하는 행위는 운전면허행정사무집행의 편의와 사실증명의 자료로 삼기 위한 것에 불과하고, 그 등재행위로 인하여 당해 운전면허 취득자에게 새로이 어떠한 권리가 부여되거나 변동 또는 상실되는 것은 아니므로, 소관청의 운전면허대장 등재행위는 항고소송의 대상이 되는 행정처분에 해당하지 아니한다. (○)

5 인감증명행위 ★★

인감증명행위는 인감증명청이 적법한 신청이 있는 경우에 인감대장에 이미 신고된 인감을 기준으로 출원자의 현재 사용하는 인감을 증명하는 것으로서 구체적인 사실을 증명하는 것일 뿐, 나아가 출원자에게 어떠한 권리가 부여되거나 변동 또는 상실되는 효력을 발생하는 것이 아니다(대판 2001.7.10. 2000두2136).

18. 서울시 7급 판례에 의하면 인감증명행위는 처분성이 인정되지 않는다. (○)

상표권자인 법인에 대한 청산종결등기가
되었음을 이유로 한 상표권 말소등록행위
▷ 행정처분×

말소된 상표권에 대한 회복등록신청의
거부
▷ 행정처분○

법무법인의 공정증서 작성행위
▷ 행정처분×

지목변경신청 반려행위
▷ 행정처분○

6 상표권자인 법인에 대한 청산종결등기가 되었음을 이유로 한 상표권의 말소등록
행위(↔ 말소된 상표권에 대한 회복등록신청의 거부는 행정처분) ★★

상표원부에 상표권자인 법인에 대한 청산종결등기가 되었음을 이유로 상표권의
말소등록이 이루어졌다고 해도 이는 상표권이 소멸하였음을 확인하는 사실적·
확인적 행위에 지나지 않고, 말소등록으로 비로소 상표권 소멸의 효력이 발생하
는 것이 아니어서, 위와 같은 상표권의 말소등록은 국민의 권리의무에 직접적으
로 영향을 미치는 행위라고 할 수 없다. 한편 상표법 제39조 제3항의 위임에 따른
특허권 등의 등록령 제27조는 "말소한 등록의 회복을 신청하는 경우에 등록에 대
한 이해관계가 있는 제3자가 있을 때에는 신청서에 그 승낙서나 그에 대항할 수
있는 재판의 등본을 첨부하여야 한다."고 규정하고 있는데, 상표권 설정등록이 말
소된 경우에도 위 등록령 제27조에 따른 회복등록의 신청이 가능하고, 회복신청
이 거부된 경우에는 거부처분에 대한 항고소송이 가능하다. 이러한 점들을 종합
하면, 상표권자인 법인에 대한 청산종결등기가 되었음을 이유로 한 상표권의 말
소등록행위는 항고소송의 대상이 될 수 없다(대판 2015.10.29. 2014두2362).

20. 지방직 9급 판례에 의하면 상표권자인 법인에 대한 청산종결등기가 되었음을 이유로 특허
청장이 행한 상표권 말소등록 행위는 항고소송의 대상으로 인정된다. (×) → 인정되지 않는다

16. 국회직 8급 상표권의 말소등록이 이루어져도 법령에 따라 회복등록이 가능하고 회복신청
이 거부된 경우에는 그에 대한 항고소송이 가능하므로 상표권의 말소등록행위 자체는 항고소송
의 대상이 될 수 없다. (○)

7 법무법인의 공정증서 작성행위 ★★

행정청이 한 행위가 단지 사인 간 법률관계의 존부를 공적으로 증명하는 공증행위
에 불과하여 그 효력을 둘러싼 분쟁의 해결이 사법원리에 맡겨져 있거나 행위의
근거 법률에서 행정소송 이외의 다른 절차에 의하여 불복할 것을 예정하고 있는
경우에는 항고소송의 대상이 될 수 없다. 따라서 법무법인의 공정증서 작성행위는
항고소송의 대상이 되는 행정처분이라고 볼 수 없다(대판 2012.6.14. 2010두19720).

17. 서울시 7급 행정청이 한 행위가 단지 사인간의 법률관계의 존부를 공적으로 증명하는 공증
행위에 불과하더라도 그 효력을 둘러싼 분쟁의 해결이 사법원리(私法原理)에 맡겨져 있는 경우
에는 취소소송의 대상이 된다. (×) → 하여 / 되지 않는다

ⓒ 처분성을 긍정한 판례

🔨 **관련판례**

1 지목변경신청 반려행위 ★★★

구 지적법 제20조, 제38조 제2항의 규정은 토지소유자에게 지목변경신청권과 지목
정정신청권을 부여한 것이고, 지목은 토지행정의 기초로서 공법상의 법률관계에
영향을 미치고, 토지소유자는 지목을 토대로 토지의 사용·수익·처분에 일정한 제
한을 받게 되는 점 등을 고려하면, 지목은 토지소유권을 제대로 행사하기 위한 전
제요건으로서 토지소유자의 실체적 권리관계에 밀접하게 관련되어 있으므로 지적
공부 소관청의 지목변경신청 반려행위는 국민의 권리관계에 영향을 미치는 것으로
서 항고소송의 대상이 되는 행정처분에 해당한다(대판 2004.4.22. 2003두9015).

22. 국가직 7급, 19. 서울시 7급, 16. 서울시 9급, 12. 국가직 9급 지적공부 소관청의 지목변
경신청 반려행위는 국민의 권리관계에 영향을 미친다고 볼 수 없어서 행정처분에 해당하지 않는
다. (×) → 있어서 / 한다

21. 국가직 9급, 17. 국가직 9급 甲은 토지대장에 전(田)으로 기재되어 있는 지목을 대(垈)로
변경하고자 지목변경신청을 하였다. 토지대장에 등재된 사항을 변경하는 행위는 행정사무집행
의 편의와 사실증명의 자료로 삼기 위한 것이므로, 甲은 지목변경신청이 거부되더라도 이에 대
하여 취소소송으로 다툴 수 없다. (×) → 국민의 권리관계에 영향을 미치는 것으로서 / 거부된
경우 행정소송을 제기할 수 있다

2 건축물대장 작성신청 반려행위 ★★★

건축물대장의 작성은 건축물의 소유권을 제대로 행사하기 위한 전제요건으로서 건축물 소유자의 실체적 권리관계에 밀접하게 관련되어 있으므로 건축물대장 소관청의 작성신청 반려행위는 국민의 권리관계에 영향을 미치는 것으로서 항고소송의 대상이 되는 행정처분에 해당한다(대판 2009.2.12. 2007두17359).

19. 소방직, 18. 서울시 7급(추) 판례에 의하면 건축물대장 작성신청의 반려행위는 항고소송의 대상이 되는 처분이다. (○)

건축물대장 작성신청 반려행위
▷ 행정처분○

3 건축물대장 용도변경신청 거부행위 ★★★

건축물대장의 용도는 건축물의 소유권을 제대로 행사하기 위한 전제요건으로서 건축물 소유자의 실체적 권리관계에 밀접하게 관련되어 있으므로, 건축물대장 소관청의 용도변경신청 거부행위는 국민의 권리관계에 영향을 미치는 것으로서 항고소송의 대상이 되는 행정처분에 해당한다(대판 2009.1.30. 2007두7277).

24. 국가직 9급, 18. 변호사, 14. 서울시 7급 건축물대장의 용도는 건축물의 소유권을 제대로 행사하기 위한 전제요건으로서 건축물소유자의 실체적 권리관계에 밀접하게 관련되어 있으므로, 소관청이 건축물대장상의 용도변경신청을 거부한 행위는 국민의 권리관계에 영향을 미치는 것으로서 항고소송의 대상이 되는 행정처분에 해당한다. (○)

17. 국가직 7급, 11. 국회직 8급 판례에 의하면 행정청이 건축물대장의 용도변경신청을 거부한 행위는 처분성이 인정되지 않는다. (✕) → 인정된다

건축물대장 용도변경신청거부
▷ 행정처분○

4 토지대장 직권말소행위 ★★

토지대장은 토지의 소유권을 제대로 행사하기 위한 전제요건으로서 토지 소유자의 실체적 권리관계에 밀접하게 관련되어 있으므로, 이러한 토지대장을 직권으로 말소한 행위는 국민의 권리관계에 영향을 미치는 것으로서 항고소송의 대상이 되는 행정처분에 해당한다(대판 2013.10.24. 2011두13286).

19. 지방직 7급, 14. 지방직 7급, 14. 국회직 8급, 14. 서울시 7급 지적공부 소관청이 토지대장을 직권으로 말소하는 행위는 항고소송의 대상이 되는 행정처분에 해당한다. (○)

토지대장의 직권말소행위
▷ 행정처분○

5 건축물대장 직권말소행위 ★★

건축물대장은 건축물의 소유권을 제대로 행사하기 위한 전제요건으로서 건축물 소유자의 실체적 권리관계에 밀접하게 관련되어 있으므로, 이러한 건축물대장을 직권말소한 행위는 국민의 권리관계에 영향을 미치는 것으로서 항고소송의 대상이 되는 행정처분에 해당한다(대판 2010.5.27. 2008두22655).

12. 국회직 8급 건축물대장 소관 행정청이 건축물에 관한 건축물대장을 직권말소한 행위는 항고소송의 대상이 된다. (○)

건축물대장의 직권말소
▷ 행정처분○

6 토지분할신청 거부행위 ★★

토지분할신청을 거부한다면 토지소유자는 자기소유 부분을 등기부에 표창할 수 없고 처분도 할 수 없게 된다는 점을 고려할 때, 지적 소관청의 이러한 토지분할신청의 거부행위는 국민의 권리관계에 영향을 미치는 것으로서 항고소송의 대상이 되는 처분으로 보아야 할 것이다(대판 1992.12.8. 92누7542 ; 대판 1993.3.23. 91누8968).

15. 지방직 9급 지적 소관청의 토지분할신청 거부행위는 행정처분에 해당한다. (○)

토지분할신청의 거부행위
▷ 행정처분○

토지면적등록 정정신청 반려행위
▷ 행정처분○

7 토지면적등록 정정신청 반려행위 ★★

평택~시흥 간 고속도로 건설공사 사업시행자인 한국도로공사가 고속도로 건설공사에 편입되는 토지들의 지적공부에 등록된 면적과 실제 측량 면적이 일치하지 않는 것을 발견하고 구 지적법 제24조 제1항, 제28조 제1호에 따라 토지소유자들을 대위하여 토지면적등록 정정신청을 하였으나 화성시장이 이를 반려한 사안에서, 반려처분은 공공사업의 원활한 수행을 위하여 부여된 사업시행자의 관계 법령상 권리 또는 이익에 영향을 미치는 공권력의 행사 또는 그 거부에 해당하는 것으로서 항고소송 대상이 되는 행정처분에 해당한다고 본 원심판단을 정당하다고 한 사례(대판 2011.8.25. 2011두3371)

12. 국회직 9급 고속도로 건설공사에 편입되는 토지소유자들을 대위하여 토지면적등록 정정신청을 하였으나 행정청이 이를 반려하였다면 이는 항고소송의 대상이 되는 행정처분에 해당한다. (○)

◎ 핵심정리 공증행위의 처분성

처분성을 부정한 판례	처분성을 긍정한 판례
• 무허가건물을 무허가건물관리대장에서 삭제하는 행위(2008두11525) • 토지대장상의 소유자명의변경신청 거부행위(2010두12354) • 「부가가치세법」상 과세관청의 사업자등록 직권말소행위 및 위장사업자의 사업자명의를 직권으로 실사업자의 명의로 정정하는 행위(2008두2200) • 토지대장상 일정사항 등재행위(79누309 ; 82누308) • 건축물관리대장의 등재사항에 대한 변경신청(96누5612) • 자동차운전면허대장상의 등재행위(91누1400) • 인감증명행위(2000두2136) • 상표권자인 법인에 대한 청산종결등기가 되었음을 이유로 한 상표권의 말소등록행위(↔ 말소된 상표권에 대한 회복등록신청의 거부는 행정처분)(2014두2362) • 법무법인의 공정증서 작성행위(2010두19720)	• 지목변경신청 반려행위(2003두9015 전합) • 건축물대장 작성신청 반려행위(2007두17359) • 건축물대장 용도변경신청 거부행위(2007두7277) • 토지대장의 직권말소행위(2011두13286) • 건축물대장의 직권말소행위(2008두22655) • 토지분할신청의 거부행위(92누7542 ; 91누8968) • 토지면적등록 정정신청 반려처분(2011두3371)

3. 통지

(1) 통지의 의의

통지
▷ 행정청이 어떠한 사실을 알림으로써 일정한 법적효과를 발생시키는 행정행위
▷ 단순한 사실행위로서의 통지(예 당연퇴직의 통보)와 구별됨
▷ 이미 성립한 행정행위의 효력발생요건인 송달, 공고와도 구별됨

① 통지란 행정청이 특정인 또는 불특정다수인에게 어떠한 사실을 알리는 행위를 말한다. 준법률행위적 행정행위로서 통지는 그 자체가 일정한 법률효과를 발생시키는 행정행위이다.

② 따라서 법적 효과가 없는 단순한 사실행위로서의 통지(예 당연퇴직의 통보)와 구별된다.

③ 통지는 그 자체가 독립된 하나의 행정행위이므로 이미 성립한 행정행위의 효력발생요건으로서 특정인에게 하는 송달이나 불특정다수인에게 하는 공고와도 구별된다.

(2) 통지의 종류

통지에는 ① 특정한 사실에 관한 관념을 알리는 행위(예 특허출원의 공고, 귀화의 고시, 의회소집 공고 등)와 ② 앞으로 어떠한 행위를 할 것이라는 행정청의 의사를 알리는 행위(예 토지수용에 있어서 사업인정의 고시, 대집행의 계고, 조세체납자에 대한 독촉 등)가 있다. 내용(효과)를 기준으로 할 때, 대집행의 계고는 작위하명, 납세독촉은 급부하명, 사업인정의 고시는 특허(형성적 행위)의 성질과 효과를 가진다.

20. 경찰 2차 특허출원의 공고, 귀화의 고시, 대집행의 계고는 준법률적 행정행위 중 통지행위에 해당한다. (○)

17. 지방직 9급(추), 16. 서울시 7급 특허출원의 공고는 공증행위에 해당한다. (×) → 통지행위

20. 군무원 7급 토지수용에 있어서의 사업인정의 고시는 ~~아미 성립한 행정행위의 효력발생요건으로서의 통지에 해당한다.~~ (×) → 준법률행위적 행정행위인

(3) 통지의 법적 성질

① 통지행위는 「행정절차법」상 처분에 해당하므로 요식행위임이 원칙이다(「행정절차법」 제24조 제1항).

② 통지행위의 기속성의 여부는 관계 법령을 보고 판단한다.

③ 준법률행위적 행정행위인 통지는 행정쟁송법상 처분에 해당하므로 항고소송의 대상이 되지만, 법적 효과를 동반하지 아니한 단순한 사실행위로서의 통지는 항고소송의 대상이 되는 처분에 해당하지 않는다.

㉠ 준법률행위적 행정행위로서 통지행위로 본 판례

⚖ 관련판례

1 기간제 조교수 재임용 거부취지의 임용기간만료통지 ★★★

기간제로 임용되어 임용기간이 만료된 국·공립대학의 조교수는 교원으로서의 능력과 자질에 관하여 합리적인 기준에 의한 공정한 심사를 받아 위 기준에 부합되면 특별한 사정이 없는 한 재임용되리라는 기대를 가지고 재임용 여부에 관하여 합리적인 기준에 의한 공정한 심사를 요구할 법규상 또는 조리상 신청권을 가진다고 할 것이니, 임용권자가 임용기간이 만료된 조교수에 대하여 재임용을 거부하는 취지로 한 임용기간만료의 통지는 위와 같은 대학교원의 법률관계에 영향을 주는 것으로서 행정소송의 대상이 되는 처분에 해당한다(대판 2004.4.22. 2000두7735 전합).

13. 지방직 9급 임용권자의 국립대학 조교수에 대한 임용기간만료통지는 당사자소송의 대상에 해당한다. (×) → 항고소송

2 교통안전공단의 납부의무자에 대한 분담금납부통지 ★★

구 교통안전공단법 제13조에 정한 분담금 납부의무자에 대하여 한 분담금 납부통지는 그 납부의무자의 구체적인 분담금 납부의무를 확정시키는 효력을 갖는 행정처분이라고 보아야할 것이다(대판 2000.9.8. 2000다12716).

14. 국가직 9급 교통안전공단이 구 「교통안전공단법」에 의거하여 교통안전분담금 납부의무자에게 한 분담금납부통지는 행정처분이 아니다. (×) → 행정처분이다

함께 정리하기

관념의 통지
▷ 어떠한 사실을 알리는 행위(예 특허출원의 공고, 귀화고시, 의회소집 공고 등)

의사의 통지
▷ 행정청의 의사를 알리는 행위(예 사업인정고시, 대집행의 계고·통지, 납세의 독촉 등)

통지의 법적 성질
▷ 요식행위○
▷ 기속성 여부: 관계 법령을 보고 판단
▷ 준법률행위적 행정행위인 통지: 처분성○
▷ 사실행위인 통지: 처분성×

임용기간 만료된 기간제 조교수 임용기간 만료통지
▷ 행정처분○

교통안전공단의 분담금 납부통지
▷ 행정처분○

부당한 공동행위 자진신고자 등의 시정조치 또는 과징금 감면신청 불인정 통지
▷ 행정처분○

3 부당한 공동행위 자진신고자 등의 시정조치 또는 과징금 감면신청 불인정 통지 ★★

이와 같은 관련 법령의 내용, 형식, 체제 및 취지를 종합하면, 신청인이 고시 제11조 제1항에 따라 자진신고자 등 지위확인을 받는 경우에는 시정조치 및 과징금의 감경 또는 면제, 형사고발의 면제 등의 법률상 이익을 누리게 되는 반면, 그 지위확인을 받지 못하고 고시 제14조 제1항에 따라 감면불인정 통지를 받는 경우에는 위와 같은 법률상 이익을 누릴 수 없게 되므로, 감면불인정 통지가 이루어진 단계에서 신청인으로 하여금 그 적법성을 다투어 법적 불안을 해소한 다음 조사협조행위에 나아가도록 함으로써 장차 있을지도 모르는 위험에서 벗어날 수 있도록 하는 것이 법치행정의 원리에도 부합한다. 따라서 이 사건 감면불인정 통지는 항고소송의 대상이 되는 행정처분에 해당한다고 보아야 한다(대판 2012.9.27. 2010두3541).

14. 국가직 9급 부당한 공동행위의 자진 신고자가 한 감면신청에 대해 공정거래위원회가 감면불인정 통지를 한 것은 항고소송의 대상인 행정처분으로 볼 수 없다. (×) → 있다

원천징수의무자에 대한 소득금액변동통지
▷ 행정처분○

4 원천징수의무자(법인)에 대한 소득금액변동통지 ★★★

과세관청의 소득처분과 그에 따른 소득금액변동통지가 있는 경우 원천징수의무자인 법인으로서는 소득금액변동통지서에 기재된 소득처분의 내용에 따라 원천징수세액을 그 다음달 10일까지 관할 세무서장 등에게 납부하여야 할 의무를 부담하며, 만일 이를 이행하지 아니하는 경우에는 가산세의 제재를 받게 됨은 물론이고 형사처벌까지 받도록 규정되어 있는 점에 비추어 보면, 소득금액변동통지는 원천징수의무자인 법인의 납세의무에 직접 영향을 미치는 과세관청의 행위로서, 항고소송의 대상이 되는 조세행정처분이라고 봄이 상당하다(대판 2006.4.20. 2002두1878 전합 ; 대판 2013.9.26. 2011두12917).

19. 5급 승진 과세관청의 소득처분에 따른 원천징수의무자에 대한 소득금액변동통지는 원천징수의무자의 납세의무에 직접 영향을 미치므로 원천징수의무자는 그것에 대해 취소소송을 제기할 수 있다. (○)

20. 국회직 8급 원천징수의무자인 법인에 대한 소득금액변동통지는 법인의 납세의무에 직접 영향을 미치므로 항고소송의 대상이 되는 처분이다. (○)

원천납세의무자(소득귀속자)에 대한 소득금액변동통지
▷ 행정처분×

> **비교 원천납세의무자(소득의 귀속자)에 대한 소득금액변동통지 ★★**
> 소득의 귀속자가 소득세 부과처분에 대한 취소소송 등을 통하여 소득처분에 따른 원천납세의무의 존부나 범위를 충분히 다툴 수 있는 점 등에 비추어 보면, 구 소득세법 시행령 제192조 제1항 단서에 따른 소득의 귀속자에 대한 소득금액변동통지는 원천납세의무자인 소득의 귀속자에 대한 법률상 지위에 직접적인 변동을 가져오는 것이 아니므로 항고소송의 대상이 되는 행정처분에 해당하지 않는다(대판 2015.1.29. 2013두4118 ; 대판 2015.3.26. 2013두9267).

17. 국회직 8급 구 「소득세법 시행령」에 따른 소득 귀속자에 대한 소득금액변동통지는 원천납세의무자인 소득귀속자의 법률상 지위에 직접적인 법률적 변동을 가져오므로 행정처분이다. (×) → 가져오는 것이 아니므로 행정처분이라 볼 수 없다

17. 서울시 7급 법인세법령에 따른 과세관청의 원천징수의무자인 법인에 대한 소득금액변동통지 및 「소득세법 시행령」에 따른 소득의 귀속자에 대한 소득금액변동통지는 항고소송의 대상이다. (×) → 는 항고소송의 대상이나 / 대상이 아니다

5 **공정거래위원회의 '표준약관 사용권장행위'** ★★★

공정거래위원회의 '표준약관 사용권장행위'는 그 통지를 받은 해당 사업자 등에게 표준약관과 다른 약관을 사용할 경우 표준약관과 다르게 정한 주요내용을 고객이 알기 쉽게 표시하여야 할 의무를 부과하고, 그 불이행에 대해서는 과태료에 처하도록 되어 있으므로, 이는 사업자 등의 권리·의무에 직접 영향을 미치는 행정처분으로서 항고소송의 대상이 된다(대판 2010.10.14. 2008두23184).

19. 서울시 9급, 14. 지방직 7급, 14. 국회직 8급, 12. 국회직 8급 구 「약관의 규제에 관한 법률」에 따른 공정거래위원회의 표준약관 사용권장행위는 항고소송의 대상이 되는 처분에 해당한다. (○)

17. 국회직 8급 공정거래위원회의 표준약관 사용권장행위는 비록 그 통지를 받은 해당 사업자 등에게 표준약관을 사용할 경우 표준약관과 다르게 정한 주요내용을 고객이 알기 쉽게 표시하여야 할 의무를 부과하고 그 불이행에 대해서는 과태료에 처하도록 되어 있으나, 이는 어디까지나 구속력이 없는 행정지도에 불과하므로 행정처분에 해당되지 아니한다. (×) → 있으므로 / 해당된다

6 **통행료 체납 후 통행료 납부통지(하급심 판례)** ★

통행료 체납 이후 그 납부기한을 정하여 통행료를 납부하라는 내용이 담긴 통행료 납부통지는 강제징수의 일환으로 체납처분을 하기 위하여 납부를 독촉하는 징수처분의 성격을 가지는 처분이다(수원지법 2000.11.29. 99구5610).

12. 지방직 7급 「유료도로법」에 의하여 국토교통부장관은 고속도로 통행료를 결정하였고, 통행료 징수구간, 징수기간 및 통행료의 액수 등에 관한 구체적인 사항을 공고한 후 통행료를 부과하였다. 이에 인근 주민들은 통행료가 지나치게 높게 결정되었다며 반발하고 있다. 이 경우 인근 주민들은 자신의 불이익을 감수하면서 일단 요금소를 무단통과한 후, 강제징수의 일환으로 통행료납부통지를 받게 되면 이에 대하여 취소소송을 제기할 수 있다. (○)

ⓛ **사실행위로서 통지행위로 본 판례**

📖 관련판례

1 **국가공무원법상 정년에 달한 공무원에게 발하는 정년퇴직발령** ★★

국가공무원법 제74조에 의하면 공무원이 소정의 정년에 달하면 그 사실에 대한 효과로서 공무담임권이 소멸되어 당연히 퇴직되므로 피고(영주지방철도청장)의 원고에 대한 정년퇴직발령은 정년퇴직사실을 알리는 이른바 관념의 통지에 불과하므로 행정소송의 대상이 되지 아니한다(대판 1983.2.8. 81누263).

18. 교행 정년에 달한 공무원에 대한 정년퇴직 발령은 정년퇴직 사실을 알리는 이른바 관념의 통지에 불과하여 행정소송의 대상이 될 수 없다. (○)

2 **국가공무원법상 당연퇴직자에 대한 인사발령** ★★★

국가공무원법 제69조에 의하면 공무원이 제33조 각 호의 1에 해당할 때에는 당연히 퇴직한다고 규정하고 있으므로, 국가공무원법상 당연퇴직은 결격사유가 있을 때 법률상 당연히 퇴직하는 것이지 공무원관계를 소멸시키기 위한 별도의 행정처분을 요하는 것이 아니며, 당연퇴직의 인사발령은 법률상 당연히 발생하는 퇴직사유를 공적으로 확인하여 알려주는 이른바 관념의 통지에 불과하고 공무원의 신분을 상실시키는 새로운 형성적 행위가 아니므로 행정소송의 대상이 되는 독립한 행정처분이라고 할 수 없다(대판 1995.11.14. 95누2036).

22. 국가직 7급, 11. 경찰 1차 공무원에 대한 당연퇴직의 인사발령은 공무원의 신분을 상실시키는 새로운 형성적 행위이므로 행정소송의 대상이 되는 행정처분이다. (×) → 가 아니므로 / 이 아니다

20. 군무원 9급 「국가공무원법」상 당연퇴직은 결격사유가 있을 때 법률상 당연히 퇴직하는 것이지, 공무원관계를 소멸시키기 위한 별도의 행정처분을 요하는 것이 아니며, 당연퇴직의 인사발령은 법률상 당연히 발생하는 퇴직사유를 공적으로 확인하여 알려주는 이른바 관념의 통지에 불과하고 공무원의 신분을 상실시키는 새로운 형성적 행위가 아니므로 행정소송의 대상이 되는 독립한 행정처분이라고 할 수 없다. (○)

함께 정리하기

공정거래위원회의 표준약관 사용권장행위
▷ 행정처분○

통행료 체납 후 통행료 납부통지
▷ 행정처분○

「국가공무원법」상 정년에 달한 공무원에게 발하는 정년퇴직발령
▷ 행정처분×(관념의 통지)

「국가공무원법」상 당연퇴직의 인사발령
▷ 행정처분×

17. 서울시 7급 공무원인 甲은 직무와 관련하여 「국가공무원법」상 청렴의무에 위반하여 뇌물을 받았다는 이유로 형사사건으로 기소되었다. 甲의 형사절차에서 당연퇴직사유에 해당하는 유죄판결이 확정되어 임용권자가 당연퇴직의 인사발령을 통지하였을 경우 위 통지는 항고소송의 대상이 되는 행정처분이다. (×) → 이 아니다

3 한국자산공사의 재공매(입찰)결정 및 공매통지 ★★★

한국자산공사의 재공매 결정·공매통지
▷ 행정처분×

한국자산공사가 당해 부동산을 인터넷을 통하여 재공매(입찰)하기로 한 결정 자체는 내부적인 의사결정에 불과하여 항고소송의 대상이 되는 행정처분이라고 볼 수 없고, 또한 한국자산공사가 한 공매통지는 공매의 요건이 아니라 공매사실 자체를 체납자에게 알려주는 데 불과한 것으로서, 통지의 상대방의 법적 지위나 권리·의무에 직접 영향을 주는 것이 아니라고 할 것이므로 이것 역시 <u>행정처분에 해당한다고 할 수 없다</u>(대판 1998.6.26. 96누12030 ; 대판 2007.7.27. 2006두8464).

18. 5급 승진, 18. 경찰 3차 한국자산공사가 당해 부동산을 인터넷을 통하여 재공매(입찰)하기로 한 결정 자체는 내부적인 의사결정에 불과하여 항고소송의 대상이 되는 행정처분이라고 볼 수 없다. (○)

19. 지방직 7급 「국세징수법」상의 공매통지 자체는 그 상대방인 체납자 등의 법적 지위나 권리·의무에 직접적인 영향을 주는 행정처분에 해당한다고 할 것이므로 공매통지 자체를 항고소송의 대상으로 삼아 그 취소 등을 구할 수 있다. (×) → 하지 아니하므로 / 없다

17. 지방직 7급 한국자산공사가 당해 부동산을 인터넷을 통하여 재공매하기로 한 결정 자체는 내부적인 의사결정에 불과하여 항고소송의 대상이 되는 행정처분이라고 볼 수 없지만, 이에 관한 공매통지는 공매사실 자체를 체납자에게 알려줌으로써 통지의 상대방의 법적 지위나 권리·의무에 직접 영향을 주게 되므로 항고소송의 대상인 행정처분에 해당한다. (×) → 없고 / 주는 것이 아니라고 할 것이므로 / 해당한다고 볼 수 없다

4 납골당설치 신고사항 이행통지(↔납골당설치 신고 수리는 처분) ★★

납골당설치 신고사항 이행통지
▷ 행정처분×

(파주시장이 종교단체 납골당설치 신고를 한 甲 교회에, '구 장사 등에 관한 법률에 따라 필요한 시설을 설치하고 유골을 안전하게 보관할 수 있는 설비를 갖추어야 하며 관계 법령에 따른 허가 및 준수 사항을 이행하여야 한다'는 취지의 납골당설치 신고사항 이행통지를 한 사안에서) 파주시장이 甲 교회에 이행통지를 함으로써 납골당설치 신고수리를 하였다고 보는 것이 타당하고, 이행통지가 새로이 甲 교회 또는 관계자들의 <u>법률상 지위에 변동을 일으키지는 않으므로</u> 이를 수리처분과 별도로 항고소송 대상이 되는 다른 <u>처분으로 볼 수 없다</u>(대판 2011.9.8. 2009두6766).

12. 지방직 7급 판례에 의하면 이행통지는 납골당 설치신고에 대하여 납골당을 설치하는 데 필요한 각종 인·허가 사항, 향후 절차 등에 관한 사항을 알려 주게 되어 새로이 참가인 또는 관계자들의 법률상 지위에 변동을 일으키므로, 수리처분과는 별도로 이행통지를 항고소송의 대상이 되는 다른 처분으로 볼 수 있다. (×) → 일으키지는 않으므로 / 없다

5 군수의 지정에 따른 읍·면장의 영농세대 선정행위 ★★

군수의 지정에 따른 읍·면장의 영농세대 선정행위
▷ 행정처분×

군수가 농지의 보전 및 이용에 관한 법률에 의하여 특정지역의 주민들을 대리경작자로 지정한 행위는 그 주민들에게 유휴농지를 경작할 수 있는 권리를 부여하는 행정처분이고 <u>이에 따라 그 지역의 읍장과 면장이 영농할 세대를 선정한 행위는 위 행정처분의 통지를 대행한 사실행위에 불과하다</u>(대판 1980.9.9. 80누308).

18. 국회직 8급 「농지법」에 의하여 군수가 특정지역의 주민들을 대리경작자로 지정한 행위에 따라 그 지역의 읍장과 면장이 영농할 세대를 선정하는 행위는 항고소송의 대상이 될 수 있다. (×) → 없다

6 구 민원사무 처리에 관한 법률상 사전심사결과 통보 ★★

민원처리법상 사전심사결과 통보
▷ 행정처분×

행정청은 사전심사결과 불가능하다고 통보하였더라도 사전심사결과에 구애되지 않고 민원사항을 처리할 수 있으므로 불가능하다는 통보가 민원인의 권리의무에 직접적 영향을 미친다고 볼 수 없고, 통보로 인하여 민원인에게 어떠한 법적 불이익이 발생할 가능성도 없는 점 등 여러 사정을 종합해 보면 <u>구 민원사무처리법이 규정하는 사전심사결과 통보는 항고소송의 대상이 되는 행정처분에 해당하지 아니한다</u>(대판 2014.4.24. 2013두7834).

19. 지방직 9급 구 「민원사무처리에 관한 법률」에서 정한 사전심사결과 통보는 항고소송의 대상이 되는 행정처분에 해당하지 않는다. (○)

7 국민건강보험공단에 의한 '직장가입자 자격상실 및 자격변동 안내' 통보 및 '사업장 직권탈퇴에 따른 가입자 자격상실 안내' 통보 ★★

(국민건강보험공단이 甲 등에게 '직장가입자 자격상실 및 자격변동 안내' 통보 및 '사업장 직권탈퇴에 따른 가입자 자격상실 안내' 통보를 한 사안에서) <u>국민건강보험 직장가입자 또는 지역가입자 자격 변동은 법령이 정하는 사유가 생기면 별도 처분 등의 개입 없이 사유가 발생한 날부터 변동의 효력이 당연히 발생하므로, 위 각 통보에 의하여 가입자 자격이 변동되는 효력이 발생한다고 볼 수 없고, 위 각 통보의 처분성이 인정되지 않는다</u>(대판 2019.2.14. 2016두41729).

20. 지방직 7급 국민건강보험공단에 의한 '직장가입자 자격상실 및 자격변동 안내' 통보 및 '사업장 직권탈퇴에 따른 가입자자격상실 안내' 통보는 가입자 자격이 변동되는 효력을 가져오므로 항고소송의 대상이 되는 처분에 해당한다. (×) → 가져오는 것은 아니므로 / 해당하지 않는다

8 공무원연금관리공단의 공무원연금법령의 개정사실과 퇴직연금 수급자가 퇴직연금 중 일부 금액의 지급정지대상자가 되었다는 사실의 통보 ★★

(공무원으로 재직하다가 퇴직하여 구 공무원연금법에 따라 퇴직연금을 받고 있던 사람이 철차산업 직원으로 다시 임용되어 철차산업으로부터는 급여를 받고 공무원연금관리공단으로부터는 여전히 퇴직연금을 지급받고 있다가, 구 공무원연금법시행규칙이 개정되면서 철차산업이 구 공무원연금법 제47조 제2호 소정의 퇴직연금 중 일부의 금액에 대한 지급정지기관으로 지정된 경우) <u>공무원연금관리공단의 지급정지처분 여부에 관계없이 개정된 구 공무원연금법시행규칙이 시행된 때로부터 그 법 규정에 의하여 당연히 퇴직연금 중 일부 금액의 지급이 정지되는 것이므로, 공무원연금관리공단이 위와 같은 법령의 개정사실과 퇴직연금 수급자가 퇴직연금 중 일부 금액의 지급정지대상자가 되었다는 사실을 통보한 것은 단지 위와 같이 법령에서 정한 사유의 발생으로 퇴직연금 중 일부 금액의 지급이 정지된다는 점을 알려주는 관념의 통지에 불과하고, 그로 인하여 비로소 지급이 정지되는 것은 아니므로 항고소송의 대상이 되는 행정처분으로 볼 수 없다</u>(대판 2004.7.8. 2004두244).

20. 국가직 7급 구 「공무원연금법」 상 공무원연금관리공단이 퇴직연금수급자에게 공무원연금법령이 개정되어 퇴직연금 중 일부 금액의 지급정지대상자가 되었다는 사실을 통보하는 행위는 항고소송의 대상이 되지 않는다. (○)

17. 국가직 9급(추) 공무원연금관리공단이 퇴직연금의 수급자에 대하여 공무원연금법령의 개정으로 퇴직연금 중 일부금액의 지급정지대상자가 되었음을 통보하는 행위는 행정소송의 대상인 행정처분에 해당한다. (×) → 해당하지 않는다

> **비교** 공무원연금관리공단의 과다 지급된 급여의 환수를 위한 환수통지 ★★
>
> 구 공무원연금법 제47조 각호 소정의 급여제한사유가 있음에도 불구하고 수급자에게 퇴직연금이 잘못 지급되었으면 이는 공무원연금법 제31조 제1항 제3호의 '기타 급여가 과오급된 경우'에 해당하고, 이때 <u>과다하게 지급된 급여의 환수를 위한 행정청의 환수통지는</u> 당사자에게 새로운 의무를 과하거나 권익을 제한하는 것으로서 <u>행정처분에 해당한다</u>(대판 2009.5.14. 2007두16202).
>
> 10. 국회직 8급 퇴직연금이 잘못 지급되어 급여가 과오급된 경우 과다하게 지급된 급여의 환수를 위한 행정청의 환수통지는 행정소송법상 항고소송의 대상인 행정처분에 해당한다. (○)

함께 정리하기

국민건강보험공단이 한 '직장가입자 자격상실 및 자격변동 안내' 통보 및 '사업장 직권탈퇴에 따른 가입자 자격상실 안내' 통보
▷ 행정처분✕

공무원연금관리공단의 공무원연금법령의 개정사실과 퇴직연금 중 일부 금액의 지급정지대상자가 되었다는 통보
▷ 행정처분✕

공무원연금관리공단의 과다 지급된 급여의 환수통지
▷ 행정처분○

핵심정리 통지의 처분성

처분성 긍정	처분성 부정
• 교통안전공단의 납부의무자에 대한 분담금납부통지(2000다12716) • 부당한 공동행위 자진신고자 등의 시정조치 및 과징금감면신청 불인정 통지(2010두3541) • 원천징수의무자에 대한 소득금액변동통지(2011두12917) • 공정거래위원회의 표준약관 사용권장행위(2008두23184) • 통행료 체납 이후 통행료 납부통지(99구5610) • 임용기간 만료된 기간제 조교수 임용기간만료통지(2000두7735 전합) • 공무원연금관리공단의 과다 지급된 급여의 환수를 위한 환수통지(2007두16202) • 폐기물관리법령상 폐기물처리업허가 전의 사업계획에 대한 부적정통보(97누21086)	• 원천납세의무자(소득의 귀속자)에 대한 소득금액변동통지(2013두9267) • 「국가공무원법」상 정년에 달한 공무원에게 발하는 정년퇴직발령(81누263) • 「국가공무원법」상 당연퇴직사유에 해당함을 알리는 인사발령(95누2036) • 한국자산공사의 재공매결정 및 공매통지(96누12030) • 납골당설치 신고사항 이행통지(2009두6766) • 군수의 지정에 따른 읍·면장의 영농세대 지정행위(80누308) • 주택건설사업주체 변경승인 이전에 양수인에 대하여 한 양도인에 대한 사업계획승인 취소통지(99두646) • 「민원사무 처리에 관한 법률」상 사전심사결과 통보(2013두7834) • 국민건강보험공단의 직장가입자 자격상실 관련 통보(2016두41729) • 민원사항에 대한 거부처분에 대한 이의신청을 받아들이지 않는 취지의 기각결정 또는 그 취지의 통지(2010두8676) • 공무원연금관리공단의 공무원연금법령의 개정사실과 퇴직연금 수급자가 퇴직연금 중 일부 금액의 지급정지대상자가 되었다는 사실 통보(2004두244) • 수도사업자의 급수공사 신청자에 대한 급수공사비 납부통지(93누6331) • 진료비청구명세서에 대한 의료보험연합회의 의료보호진료비심사결과통지(98두15863) • 청원에 대한 심사처리결과의 통지(90누1458) • 국토부장관의 고속도로 통행료 결정·징수구간·징수기간 등 공고행위

통지의 효력
▷ 관계 법령의 규정에 따름

(4) 통지의 효과

통지에 따른 법적 효과는 개별법이 정한 바에 따라 발생한다. 예컨대, 「국세징수법」상 독촉이나 납부최고가 있으면 이는 징수권의 소멸시효중단의 사유가 되는 동시에 체납처분의 요건으로서 통지 후에 강제징수의 법적절차가 시작되는 효과를 발생시킨다. 만약 통지행위에 아무런 법적 효과도 주어지지 않는다면 그러한 통지행위(예 지방자치단체가 홍보차원에서 하는 정보제공인 알림, 경기상황통보 등)는 여기서 말하는 준법률행위적 행정행위로서의 통지행위가 아니고 사실행위일 뿐이다.

4. 수리

(1) 수리의 의의

① 수리란 타인의 행정청에 대한 행위를 유효한 행위로서 받아들이는 행위를 의미한다(예 각종의 원서·신청서·청구서 등을 받아들이는 행위로서 혼인신고의 수리, 입후보등록, 공무원의 사표수리, 행정심판청구서의 수리 등). 수리는 행정청이 타인의 행위가 유효하다는 인식을 표시하는 행위라는 점에서 단순한 문서의 도달이나 접수와 다르고, 법령이 정하는 바에 따라 효과가 발생한다.

> **참고 공무원의 사표수리**
> 공무원관계의 소멸이라는 법적 효과를 발생시키므로 '형성적 행위'로서의 성질을 갖는다. 사표수리에서와 같이 어떤 법적 효과를 발생시키는 수리만 행정행위로서의 성질을 가지는 것이고, 그 밖의 수리는 사실행위로서의 성질만 가진다.

18. 국가직 9급 신고의 수리는 타인의 행위를 유효한 행위로 받아들이는 행정행위를 말하며, 이는 ~~강학상~~ **법률**행위적 행정행위에 해당한다. (×) → 준법률행위적 행정행위

20. 군무원 7급 수리는 행정청이 타인의 행위를 유효한 것으로서 수령하는 인식의 표시행위이며, 공무원의 사표 수리는 '형성적 행위'로서의 성질을 갖는다고 볼 수 있다. (○)

② 준법률행위적 행정행위로서의 수리란 '수리를 요하는 신고(행정요건적 신고)'에서의 수리를 의미하므로 수리나 수리의 거부(소극적 행정행위)는 처분성이 인정되어 항고소송의 대상이 된다.

③ 한편, 수리와 관련하여 특히 구별되어야 할 것은, 자기완결적 신고(수리를 요하지 않는 신고)의 접수이다. 자기완결적 신고는 형식적 요건을 갖춘 신고서가 접수기관에 도달한 때에 신고의 효력을 발생하므로 행정청의 별도의 수리를 요하지 않는다. 따라서 자기완결적 신고의 수리는 행정행위가 아니다. 이는 단순히 내부적 사실행위로서의 접수나 도달에 불과하다.

④ 법정요건이 미비된 신고나 신청이 있는 경우 보정명령이 내려질 수 있고 보정되지 않으면 행정청은 수리를 거부할 수 있다.

⑤ 법률에 특별한 규정이 없는 한 법정요건을 갖춘 신고는 수리되어야 하므로 수리는 기속행위이다(대판 1993.10.12. 93누883).

(2) 수리의 효과

수리행위에 대해 어떠한 법률효과가 발생하는지는 개별 법령이 정하는 바에 따라 다르다. 사법상의 법률효과가 발생하는 경우가 있고(예 혼인신고의 수리), 공법상의 법률효과가 발생하는 경우가 있으며(예 공무원의 사직원 수리), 행정청에 일정한 처리의무를 발생시키는 경우도 있다(예 행정심판 청구서의 수리).

수리
▷ 사인의 행정청에 대한 행위를 유효한 행위로서 수령하는 행위, 인식표시행위, 법령이 정하는 바에 따라 효과 발생
▷ 준법률행위적 행정행위로서의 수리: '수리를 요하는 신고'에서의 수리를 의미

특징
▷ 수리: '수리를 요하는 신고'에서의 수리
▷ 접수: 자기완결적 신고에서의 수리
▷ 기속행위

법적 효과(처분성)
▷ 수리○
▷ 접수×

준법률행위적 행정행위인지 여부
▷ 수리○(행정처분)
▷ 접수×(사실행위)

수리의 효과
▷ 사법상·공법상의 효과 모두 可

부관
▷ 주된 행정행위의 효과를 제한 또는 보충하기 위하여 부과된 종된 규율
▷ 행정행위의 내용, 외부표시要
▷ 주된 행정행위 소멸, 부관도 소멸(부종성)

순기능
▷ 행정의 탄력성, 유연성, 상황적합성 부여

역기능
▷ 부관의 남용, 국민의 권익을 침해할 위험성

❶
예컨대, 차고설치가 건물의 건축허가의 요건에 해당함에도 불구하고 신청서가 미비된 경우 건축허가의 거부처분 대신에 차고설치조건부의 건축허가를 내주는 경우처럼 행정행위 부관은 거부처분 대신 미비한 허가요건을 충족할 것을 부관(조건)으로 하여 허가를 내줌으로써 무용하게 행정이 반복되는 것을 막을 수 있고 신청인에게 신속한 행정을 제공할 수 있다.

행정청 스스로의 의사가 아닌 법령의 규정에 의해 직접 부과된 부관
▷ 부관×

법정부관의 예
▷ 여권의 유효기간, 인감증명의 유효기간, 어업면허의 유효기간 등

❷ 「수산업법」 제14조(면허의 유효기간)
① 제8조에 따른 어업면허의 유효기간은 10년으로 한다.

제6절 행정행위의 부관

1 부관의 개념

1. 의의

(1) 행정행위 부관이란 주된 행정행위의 효과를 제한 또는 보충하기 위하여 부과된 종된 규율을 말한다. 부관은 학문상 개념이고 실정법에서는 주로 조건으로 표시되고 있다.

09. 국가직 9급 부관은 행정행위의 법률효과를 제한하거나 보충하는 기능을 수행한다. (O)

(2) 행정행위의 부관은 행정청으로 하여금 구체적인 사정에 적합한 행정을 할 수 있도록 유연성과 탄력성, 상황적합성을 부여해 주는 기능을 한다.❶ 그러나 행정행위의 부관이 행정편의에 치우치거나, 행정목적과 무관한 부관이 남용되거나 과중한 부담을 활용하는 경우에는 부관이 오히려 국민의 권익을 침해할 위험성이 존재하게 된다.

18. 서울시 9급 부관은 행정의 탄력성을 보장하는 기능을 갖는다. (O)

(3) 부관은 주된 행정행위의 일체적인 내용을 이루는 것이므로 주된 행정행위와 함께 외부에 표시되어야 하며, 표시되지 않으면 행정행위의 동기에 불과할 뿐이어서 부관이 되는 것은 아니다.

12. 국가직 7급 부관도 행정행위의 내용을 이루는 것이므로 외부에 표시되어야 한다. (O)

(4) 부관은 주된 행정행위에 의존하는 것으로 행정행위의 존재에 종속적이다(부종성). 따라서 특별한 규정이나 약정이 없는 한 주된 행정행위가 효력을 상실하면 부관도 그 효력을 상실한다.

2. 구별개념

(1) 법정부관과의 구별

① 법령이 직접 행정행위의 조건, 기한 등을 정하는 경우와 같이 법령의 규정에 의해 직접 부가된 부관을 법정부관이라 한다. 법정부관은 행정청이 스스로의 의사로 붙이는 행정행위의 부관과 구별되어야 한다. 예컨대, 여권의 유효기간, 인감증명의 유효기간, 어업면허의 유효기간(「수산업법」 제14조❷), 광업권의 존속기간(「광업법」 제28조), 운전면허의 유효기간 등이 법정부관에 해당한다.

18. 지방직 9급 행정행위의 부관은 법령이 직접 행정행위의 조건이나 기한 등을 정한 경우와 구별되어야 한다. (O)

② 그런데 실제에 있어서는 법정부관의 내용을 다시 행정행위의 부관으로 붙이는 경우가 있는데 이와 같은 경우 여전히 법정부관의 실질을 갖는 것으로 본다.

관련판례

행정청이 임시이사를 선임하면서 임기를 '후임 정식이사가 선임될 때까지'로 기재하였다면 이는 법정부관에 해당한다. ★

관할 행정청이 사회복지법인의 임시이사를 선임하면서 임기를 '후임 정식이사가 선임될 때까지'로 기재한 것은 근거 법률의 해석상 당연히 도출되는 사항을 주의적·확인적으로 기재한 이른바 '법정부관'일 뿐, 행정청의 의사에 따라 붙이는 본래 의미의 행정처분 부관이라고 볼 수 없다. 후임 정식이사가 선임되었다는 사유만으로 임시이사의 임기가 자동적으로 만료되어 임시이사의 지위가 상실되는 효과가 발생하지 않고, 관할 행정청이 후임 정식이사가 선임되었음을 이유로 임시이사를 해임하는 행정처분을 해야만 비로소 임시이사의 지위가 상실되는 효과가 발생한다(대판 2020.10.29. 2017다269152).

임시이사를 선임하면서 임기를 '후임 정식이사가 선임될 때까지'로 기재한 것
▷ 법정부관(행정행위의 부관×)

③ 법정부관은 부관이 아닌 법규의 실질을 가지므로 행정행위의 부관에 대한 규율(부관의 한계 등)이 적용되지 않고, 법정부관이 위법할 경우 법령에 대한 규범통제제도(위헌법률심사 또는 명령규칙심사, 헌법 제107조 제1항·제2항)에 의해 통제된다.❶ 판례는 보존음료수(생수)의 국내판매를 금지하는 법정부관(법령보충적 고시인 식품제조영업허가기준고시)에 위반하여 과징금부과처분이 내려지자 과징금부과처분취소소송이 제기된 사안에서, 과징금부과처분의 위법판단의 전제문제로서 법정부관의 위법성을 통제하였다.

17. 지방직 9급(추) 행정청이 행정행위에 부가한 부관과 달리 법령이 직접 행정행위의 조건을 정한 경우에 그 조건이 위법하면 이는 법률 및 법규명령에 대한 통제제도에 의해 통제된다. (○)

법정부관
▷ 행정행위의 부관의 한계에 관한 일반원칙 적용×
▷ 법령에 대한 규범통제제도에 의해 통제

❶
다만, 법정부관이 처분성을 갖는 경우라면 항고소송의 대상이 될 수 있다.

관련판례

법정부관에는 행정행위에 부관을 붙일 수 있는 한계에 관한 일반원칙이 적용되지 않는다. ★★

보건사회부장관의 고시인 식품제조영업허가기준고시에 정한 허가기준에 따라 보존음료수 제조업의 허가에 붙여진 전량수출 또는 주한외국인에 대한 판매에 한한다는 내용의 조건은 이른바 법정부관으로서 행정청의 의사에 기하여 붙여지는 본래의 의미에서의 행정행위의 부관은 아니므로, 이와 같은 법정부관에 대하여는 행정행위에 부관을 붙일 수 있는 한계에 관한 일반적인 원칙이 적용되지는 않는다(대판 1994.3.8. 92누1728).

14. 행정사 법정부관에 대해서는 행정행위에 부관을 붙일 수 있는 한계에 관한 일반적인 원칙이 적용되지 아니한다. (○)

19. 국회직 8급, 10. 국가직 9급 고시에 정한 허가기준에 따라 보존음료수 제조업의 허가에 부가된 조건은 행정행위에 부관을 붙일 수 있는 한계에 관한 일반적인 원칙이 적용되지는 않는다. (○)

보존음료수 제조업의 허가에 부가된 조건 (법정부관)
▷ 부관의 한계에 관한 일반원칙 적용×

(2) 행정행위의 내용상 제한과의 구별

① 행정행위의 부관은 행정행위의 주된 규율에 대한 부가적 규율에 해당하므로 행정행위의 일반적 효과 내지 행정행위의 내용 그 자체를 제한하는 규율(주된 규율 내용을 직접 제한하는 규율)은 부관이 아니다. 예컨대 학원영업허가를 받은 자가 술을 팔 수 없는 것은 내용상 제한이지 부관이 아니다. 학원영업허가를 하면서 학원영업을 22시까지 하도록 한 것은 부관에 해당한다.

② 행정행위 자체의 내용상 제한의 유형으로 주장되고 있는 것으로 ㉠ 법률효과의 일부배제와, ㉡ 수정부담을 들 수 있다. 이에 관해서는 후술한다.

행정행위의 일반적 효과 내지 행정행위의 내용 그 자체를 제한하는 규율
▷ 부관×

2 부관의 종류

부관의 종류에는 조건, 기한, 부담, 철회권의 유보, 법률효과의 일부배제 등이 있다.

1. 조건

조건
▷ 행정행위의 효력발생·소멸을 장래의 불확실한 사실에 의존시키는 부관

(1) 조건이란 행정행위의 효과의 발생 또는 소멸을 장래의 도래가 '불확실한' 사실의 발생에 의존시키는 부관을 의미한다.

14. 서울시 7급, 12. 국회직 9급 조건은 행정행위의 효력의 발생·소멸을 장래에 발생 여부가 객관적으로 확실한 사실에 의존시키는 부관이다. (✕) → 불확실한

정지조건부 행정행위
▷ 효력정지
▷ 조건성취: 효력발생

해제조건부 행정행위
▷ 효력발생
▷ 조건성취 : 효력상실

(2) 조건이 성취되어야 행정행위가 비로소 효력을 발생하는 조건을 정지조건이라 하고, 행정행위가 일단 효력이 발생하고 조건이 성취되면 행정행위가 효력을 상실하는 조건을 해제조건이라 한다.

15. 교행 장래의 도래가 불확실한 사실에 행정행위의 효력발생을 의존시키는 조건을 정지조건이라 한다. (○)

20. 소방직, 07. 국가직 9급 행정행위의 효력의 소멸을 장래의 불확실한 사실에 의존시키는 부관을 정지조건이라 한다. (✕) → 해제조건

❶ 정지조건부의 예
주차시설을 완비할 것을 조건으로 한 호텔영업허가, 진입도로 완공을 조건으로 한 주유소영업허가, 시설완공을 조건으로 한 학교법인설립인가 등

❷ 해제조건부의 예
특정 기업에 취업을 조건으로 하는 체류허가의 발급, 일정기간 내에 공사착수를 조건으로 한 공유수면매립면허 등

(3) 예컨대, 도로의 완공을 조건으로 한 자동차운수사업면허의 경우에는 정지조건부면허❶에 해당하고, 면허일로부터 3개월 내에 공사에 착수할 것을 조건으로 하는 공유수면매립면허의 경우에는 해제조건부면허❷에 해당한다.

12. 경찰 1차 시설완성을 조건으로 하는 학교법인설립허가는 해제조건에 해당한다. (✕) → 정지조건

11. 사복직 일정기간 내에 공사에 착수할 것을 조건으로 한 공유수면매립면허는 정지조건에 해당한다. (✕) → 해제조건

2. 기한

기한
▷ 행정행위의 효력의 발생·소멸을 장래 발생 여부가 확실한 사실에 의존시키는 부관
▷ 장래 발생여부가 불확실한 사실에 의존시키는 부관인 조건과 구별

(1) 개념

기한은 행정행위의 효과의 발생 또는 소멸을 장래에 발생이 '확실한' 사실에 의존시키는 부관을 의미한다. 기한이나 조건은 행정행위의 시간상의 효력범위를 정하는 점에서 같으나 기한은 사건의 발생이 확실하다는 점에서 사건의 발생자체가 불확실한 조건과 구별된다.

20. 경찰 2차 기한이란 행정행위 효력의 발생·소멸을 장래에 발생 여부가 확실한 사실에 종속시키는 부관을 말한다. (○)

12. 국회직 9급 '기한'은 행정행위의 시간상의 효력범위를 정하는 점에서 조건과 같으나, 확정기한이든 불확정기한이든 그 도래가 확실하다는 점에서 조건과 구별된다. (○)

(2) 종류

시기
▷ 기한이 도래함으로써 효력발생

종기
▷ 기한이 도래함으로써 효력소멸

① 기한이 도래함으로써 행정행위의 효력이 발생하는 기한을 시기(始期)라 하고 (예 ○○년 ○월 ○일부터 ○○허가), 기한이 도래함으로써 행정행위의 효력이 상실하는 기한을 종기(終期)라 한다(예 ○○년 ○월 ○일까지 ○○허가).

10. 서울시 9급 기한에 있어서 시기부 행정행위는 특정한 사실 발생시 그 효력이 발생하고, 종기부 행정행위는 특정한 사실 발생시 그 효력이 소멸한다. (○)

11. 사복직 어업면허처분을 함에 있어 그 면허의 유효기간을 1년으로 정한 경우는 종기를 정한 것이다. (○)

12. 경찰 1차 2012년 2월 25일까지의 도로사용허가는 조건이다. (✕) → 기한 (종기부)

② 기한 중 도래시점이 확정된 기한을 확정기한이라 하고, (도래할 것은 확실하나) 도래시점이 확정되지 않은 기한을 불확정기한이라 한다. 예컨대 "2017년 12월 31일까지 영업을 허가한다."라는 부관은 확정기한에 속하지만 "사망할 때까지 영업을 허가한다."라는 부관은 불확정기한에 해당한다.

(3) 종기의 해석(행정행위 자체의 존속기간과 행정행위 조건의 존속기간의 구별)

기한과 관련하여 문제가 되는 것은 허가 등의 행정행위에 종기의 일종인 유효기간이 부가된 경우, 그 종기가 행정행위의 절대적 소멸원인이 되는지 여부이다. 즉, 그 종기가 행정행위 자체의 존속기간으로 해석되는지 아니면 행정행위 조건의 존속기간으로 해석되는지의 문제이다.

① **구별기준**: 행정행위(예 영업허가, 특허)가 그 내용상 장기간에 걸쳐 계속될 것이 예상되는데, 그 유효기간이 허가 또는 특허된 사업의 성질상 부당하게 단기로 붙여진 경우, 그 유효기간은 당해 행정행위의 존속기간이 아니라 유효기간을 포함하는 행정행위의 조건의 존속기간(갱신기간)으로 보는 것이 판례의 입장이다. 한편, 행정행위 조건의 존속기간이 아닌 유효기간은 행정행위 자체의 존속기간이다.

② **행정행위 조건의 존속기간으로 해석되는 경우**
   ㉠ **종기(유효기간) 도래 전 연장신청(갱신신청)을 한 경우**
      ⓐ 행정청은 유효기간이 도래하기 '전'에 당사자의 '연장신청'이 있는 경우, 그 조건의 개정을 고려할 수 있으나 특별한 사정이 없는 한 행정행위의 유효기간을 갱신 내지 연장하여 주어야 한다. 그러나 이 경우에도 허가에 붙은 당초의 기한이 상당 기간 연장되어 더 이상 허가된 사업의 성질상 부당하게 짧은 경우에 해당하지 않게 된 때에는, 관계 행정청은 기간연장을 불허가할 수도 있다.
      ⓑ 갱신기간 '내'에 적법한 갱신신청이 있었음에도 갱신가부의 결정이 없는 경우에는 유효기간이 지나도 주된 행정행위는 효력이 상실되지 않는다.
      11. 지방직 9급 허가조건의 존속기간 내에 적법한 갱신신청이 있었음에도 갱신 가부의 결정이 없으면 주된 행정행위는 효력이 상실된다. (×) → 상실되는 것은 아니다
   ㉡ **종기(유효기간) 도래 전 연장신청(갱신신청)을 하지 않은 경우**: 갱신신청이 없이 유효기간이 '지나면' 주된 행정행위는 효력이 상실된다. 즉, 갱신기간이 '지나서' 한 신청은 기간연장신청이 아니라 새로운 허가신청으로 보아야 하므로 행정청은 허가요건의 충족 여부를 새로이 판단하여야 한다.

🔎 관련판례

1 **기한이 부당히 짧은 경우 그 기한은 허가 자체의 존속기간이 아닌 허가 조건의 존속 기간으로 보아야 한다. ★★★**

일반적으로 행정처분에 효력기간이 정하여져 있는 경우에는 그 기간의 경과로 그 행정처분의 효력은 상실되고, 다만 <u>허가의 붙은 기한이 그 사업의 성질상 부당히 짧은 경우 이를 허가자체의 존속기간이 아니라 그 허가조건의 존속기간으로 보아 그 기한이 도래함으로써 그 조건의 개정을 고려한다는 뜻으로 해석할 수는 있지만</u>, 그와 같은 경우라 하더라도 <u>그 허가기간이 연장되기 위하여는 그 종기가 도래하기 전에 그 허가기간의 연장에 관한 신청이 있어야 하며, 만일 그러한 연장신청이 없는 상태에서 허가기간이 만료하였다면 그 허가의 효력은 상실된다</u>(대판 2007.10.11. 2005두12404).

확정기한
▷ 도래여부, 도래시기 모두 확실

불확정기한
▷ 도래여부는 확실
▷ 도래시기는 불확실

종기가 부당하게 짧은 경우
▷ 종기는 '행정행위 조건의 존속기간(갱신 기간)'

유효기간이 도과하기 전에 당사자의 갱신 신청이 있는 경우
▷ 행정청은 특별한 사정이 없는 한 갱신해 주어야 함

갱신기간 내에 적법한 갱신신청
▷ 갱신가부결정이 없더라도 유효기간 경과 후 주된 행정행위 효력 상실×

갱신기간 지나 갱신신청
▷ 유효기간 경과로 주된 행정행위 효력 상실○
▷ 허가요건 새로이 판단

부당히 짧은 허가기한
▷ 허가조건의 존속기간(갱신기간)으로 해석
▷ but 종기도래 전 연장신청 필요

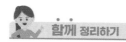

20. 5급 승진, 15. 국가직 9급, 14. 지방직 9급, 11. 지방직 9급 허가에 붙은 기한이 그 허가된 사업의 성질상 부당하게 짧은 경우에는 이를 허가 자체의 존속기간이 아니라 허가조건의 존속기간으로 보아 그 기한이 도래함으로써 그 조건의 개정을 고려한다는 뜻으로 해석할 수 있다. (○)

20. 국가직 9급, 10. 국회직 8급 허가에 붙은 기한이 그 허가된 사업의 성질상 부당하게 짧아 그 기한을 허가조건의 존속기간으로 볼 수 있는 경우에 허가기간이 연장되기 위하여는 그 종기가 도래하기 전에 그 허가기간의 연장에 관한 신청이 있어야 한다. (○)

17. 사복직 허가에 붙은 기한이 부당하게 짧은 경우에는 허가기간의 연장신청이 없는 상태에서 허가기간이 만료하였더라도 그 후에 허가기간 연장신청을 하였다면 허가의 효력은 상실되지 않는다. (✕) → 하였다면 / 하였더라도 / 된다

연장기간포함 기간전체를 기준했을 때 부당히 짧지 않은 경우
▷ 기간연장 불허 可

2 당초에 붙은 기한을 허가 자체의 존속기간이 아니라 허가조건의 존속기간으로 보더라도 그 후 당초의 기한이 상당 기간 연장되어 연장된 기간을 포함한 존속기간 전체를 기준으로 볼 경우 더 이상 허가된 사업의 성질상 부당하게 짧은 경우에 해당하지 않게 된 때에는 관계 법령의 규정에 따라 허가 여부의 재량권을 가진 행정청으로서는 그 때에도 허가조건의 개정만을 고려하여야 하는 것은 아니고 재량권의 행사로서 더 이상의 기간연장을 불허가할 수도 있는 것이며, 이로써 허가의 효력은 상실된다(대판 2004.3.25. 2003두12837). ★★★

22. 군무원 9급, 17. 변호사, 16. 지방직 7급 허가에 붙은 기한이 그 허가된 사업의 성질상 부당하게 짧아 이 기한을 그 허가 조건의 존속기간으로 해석할 수 있더라도, 그 후 당초의 기한이 상당 기간 연장되어 연장된 기간을 포함한 존속기간 전체를 기준으로 보면 더 이상 허가된 사업의 성질상 부당하게 짧은 경우에 해당하지 않게 된 때에는, 관계법령상 허가여부의 재량권을 가진 행정청은 허가조건의 개정만을 고려하여야 하는 것은 아니고, 재량권의 행사로서 더 이상의 기간 연장을 불허가하여 허가의 효력을 상실시킬 수 있다. (○)

유효기간 지난 후 연장신청
▷ 새로운 허가신청, 허가요건 새로 판단

3 유효기간이 지나서 한 연장신청은 새로운 허가신청이고, 허가의 적합여부를 새로이 판단하여야 한다. ★★★

종전의 허가가 기한의 도래로 실효한 이상 원고가 종전 허가의 유효기간이 지나서 신청한 이 사건 기간연장신청은 그에 대한 종전의 허가처분을 전제로 하여 단순히 그 유효기간을 연장하여 주는 행정처분을 구하는 것이라기 보다는 종전의 허가처분과는 별도의 새로운 허가를 내용으로 하는 행정처분을 구하는 것이라고 보아야 할 것이어서, 이러한 경우 허가권자는 이를 새로운 허가신청으로 보아 법의 관계 규정에 의하여 허가요건의 적합 여부를 새로이 판단하여 그 허가 여부를 결정하여야 할 것이다(대판 1995.11.10. 94누11866).

18. 지방직 7급 종전 허가의 유효기간이 지난 후에 한 허가기간연장 신청은 종전의 허가처분과는 별도의 새로운 허가를 내용으로 하는 행정처분을 구하는 것이라고 보아야 한다. (○)

16. 지방직 9급, 11. 국가직 9급, 10. 국가직 9급 종전의 허가가 기한의 도래로 실효되었다고 하여도 종전 허가의 유효기간이 지나서 기간연장을 신청하였다면 그 신청은 종전 허가의 유효기간을 연장하여 주는 행정처분을 구한 것으로 보아야 하지 종전 허가와는 별개로 새로운 허가를 내용으로 하는 행정처분을 구한 것으로 보아서는 아니 된다. (✕) → 종전 허가처분과는 별도의 새로운 허가를 구하는 것이다

유효기간 연장제도無
▷ 유효기간 경과로 효력 소멸

4 유효기간연장제도가 마련되어 있지 아니하면 유효기간의 경과로 허가나 신고의 효력이 당연히 소멸한다. ★

어업에 관한 허가 또는 신고의 경우에는 어업면허와 달리 유효기간연장제도가 마련되어 있지 아니하므로 그 유효기간이 경과하면 그 허가나 신고의 효력이 당연히 소멸하며, 재차 허가를 받거나 신고를 하더라도 허가나 신고의 기간만 갱신되어 종전의 어업허가나 신고의 효력 또는 성질이 계속된다고 볼 수 없고 새로운 허가 내지 신고로서의 효력이 발생한다고 할 것이다(대판 2011.7.28. 2011두5728).

③ 행정행위 자체의 존속기간으로 해석되는 경우

ⓐ 허가 또는 특허에 붙은 유효기간이 허가 또는 특허된 사업의 성질상 부당하게 단기로 정해진 경우가 아니라면, 그 유효기간은 행정행위 자체의 존속기간으로 해석되는바, 그 종기의 도래로 주된 행정행위는 당연히 효력을 상실한다. 당사자는 기간연장에 대하여 어떠한 기득권도 주장할 수 없으며, 행정청도 기간을 연장해 주어야 할 의무가 없다. 기간연장신청은 새로운 행정행위의 신청이다.

ⓑ 그러나 행정청이 관계 법령의 규정이나 자체적인 판단에 따라 처분상대방에게 특정한 권리나 이익 또는 지위 등을 부여한 후 일정한 기간마다 심사하여 갱신 여부를 판단하는 이른바 '갱신제'를 채택하여 운용하는 경우에는, 처분상대방은 합리적인 기준에 의한 공정한 심사를 받아 그 기준에 부합되면 특별한 사정이 없는 한 갱신되리라는 기대를 가지고 갱신 여부에 관하여 합리적인 기준에 의한 공정한 심사를 요구할 권리를 가진다.

📌 **관련판례**

'갱신제'를 채택하여 운용하는 경우에는, 처분상대방은 합리적인 기준에 의한 공정한 심사를 받아 그 기준에 부합되면 특별한 사정이 없는 한 갱신되리라는 기대를 가지고 갱신 여부에 관하여 합리적인 기준에 의한 공정한 심사를 요구할 권리를 가진다. ★★
행정청이 관계 법령의 규정이나 자체적인 판단에 따라 처분상대방에게 특정한 권리나 이익 또는 지위 등을 부여한 후 일정한 기간마다 심사하여 갱신 여부를 판단하는 이른바 '갱신제'를 채택하여 운용하는 경우에는, 처분상대방은 합리적인 기준에 의한 공정한 심사를 받아 그 기준에 부합되면 특별한 사정이 없는 한 갱신되리라는 기대를 가지고 갱신 여부에 관하여 합리적인 기준에 의한 공정한 심사를 요구할 권리를 가진다. 여기에서 '공정한 심사'란 갱신 여부가 행정청의 자의가 아니라 객관적이고 합리적인 기준에 의하여 심사되어야 할 뿐만 아니라, 처분상대방에게 사전에 심사기준과 방법의 예측가능성을 제공하고 사후에 갱신 여부 결정이 합리적인 기준에 의하여 공정하게 이루어졌는지를 검토할 수 있도록 심사기준이 사전에 마련되어 공표되어 있어야 함을 의미한다. 사전에 공표한 심사기준 중 경미한 사항을 변경하거나 다소 불명확하고 추상적이었던 부분을 명확하게 하거나 구체화하는 정도를 뛰어넘어, 심사대상기간이 이미 경과하였거나 상당 부분 경과한 시점에서 처분상대방의 갱신 여부를 좌우할 정도로 중대하게 변경하는 것은 갱신제의 본질과 사전에 공표된 심사기준에 따라 공정한 심사가 이루어져야 한다는 요청에 정면으로 위배되는 것이므로, 갱신제 자체를 폐지하거나 갱신상대방의 수를 종전보다 대폭 감축할 수밖에 없도록 만드는 중대한 공익상 필요가 인정되거나 관계 법령이 제·개정되었다는 등의 특별한 사정이 없는 한, 허용되지 않는다(대판 2020.12.24. 2018두45633).

④ **갱신의 효과**: 행정행위 자체의 존속기간이든 행정행위 조건의 존속기간이든 행정행위의 갱신으로 갱신 전 행정행위의 효력은 장래를 향하여 동일성을 유지하며 존속한다. 그러나 갱신으로 인해 갱신 전 법위반사항이 치유되는 것은 아니므로 갱신이 있은 후에도 갱신 전 법위반사실을 근거로 행정청은 행정행위를 취소할 수 있다(대판 1982.7.27. 81누174).

함께 정리하기

'적정한' 종기의 부관을 붙인 경우
▷ 종기는 '행정행위 자체의 존속기간'

종기인 기한 도래 시
▷ 행정행위 당연 실효

종기가 행정행위 자체의 존속기간인 경우
▷ 상대방 기득권 無, 행정청 기간연장의무 無

갱신제 채택
▷ 상대방에게 합리적 기준에 의한 공정한 심사요구권 有

갱신의 효과
▷ 갱신 전 행정행위의 효력이 장래를 향해 동일성을 유지하여 존속

행정행위 갱신 후
▷ 갱신 전 위반사실로 행정행위 취소 可 (위반사실 치유×)

3. 부담

(1) 의의 및 법적 성질

부담
▷ 행정행위에 부수하여 작위 · 부작위 · 수인 · 급부 등의 의무를 부과하는 부관

① 부담은 행정행위의 주된 내용에 부수하여 상대방에게 작위 · 부작위 · 수인 · 급부 등의 의무를 부과하는(하명의 성격) 부관을 의미한다. 어떠한 허가를 내주면서 일정한 시설의 설치의무를 부과하는 것 등이 그 예이다(예 음식점 영업허가를 하며 위생설비설치의무 · 심야영업금지의무 부과, 공장건축허가를 하며 근로자의 정기건강진단의무 부과, 주택사업계획승인을 하며 토지의 기부채납의무 부과, 도로 · 하천 점용허가를 하며 점용료납부의무 부과 등).

19. 행정사 (2019.2.1.행정청 甲은 乙에 대하여 2019.3.1.부터 2020.4.30.까지의 기간을 정하여 도로점용허가처분을 하면서, 매달 100만원의 점용료를 납부할 의무를 명하는 부관을 부가하였다) 이 사례에서 매달 100만원의 점용료를 납부하도록 하는 부관은 조건에 해당한다. (×) → 부담

독립된 행정행위(하명)
▷ 행정소송(처분성○)
▷ 강제집행의 대상

② 부담은 주된 행정행위에 구성요소를 이루는 기한이나 조건과는 달리, 주된 행정행위에 추가하여 상대방에게 의무를 부과하는 규율이므로 그 자체로써 별도의 행정행위성이 인정된다. 따라서 부관 중 부담만이 독립하여 항고소송의 대상이 된다.

09. 국회직 8급 (한강 둔치에 편의점을 운영하고자 하는 甲에게 관할 행정청이 부지점용허가를 하면서 매달 일정한 점용료를 납부할 것을 부담으로 붙인 경우의 사례에서) 점용료납부의무만 독립하여 행정쟁송의 대상으로 삼을 수 있다. (○)

주된 행정행위가 효력발생×
▷ 부담도 효력발생×

③ 부담은 주된 행정행위에 부가된 부관이므로 부담의 효력은 주된 행정행위의 효력에 의존한다(부종성). 따라서 주된 행정행위가 효력을 발생하지 않으면 부담으로 부과된 의무도 효력이 발생하지 않는다.

10. 국가직 9급 부담은 주된 행정행위에 부가하여 상대방에게 의무를 부과하는 것이므로, 주된 행정행위가 효력을 발생하지 않더라도 부담으로 부과된 의무는 이에 영향을 받지 아니하고 효력을 발생한다. (×) → 않는다면 / 도 효력이 발생하지 않는다

(2) 조건과의 구별

부담
▷ 처음부터 행정행위 효력발생
▷ 의무이행 없어도 행정행위 효력 당연소멸×

정지조건
▷ 조건성취 시 행정행위 효력발생

해제조건
▷ 조건성취 시 행정행위 효력 당연소멸○

부담은 실정법상 조건으로 표시되기 때문에 조건과의 구별이 쉽지 않다. 그러나 ① 정지조건부 행정행위는 일정한 사실의 성취가 있어야 효력이 발생하는 반면 부담부 행정행위는 처음부터 효력이 발생한다는 점에서, ② 해제조건부 행정행위는 일정한 사실의 성취에 의하여 당연히 효력이 소멸되는 데 반하여 부담은 이를 이행하지 않더라도 당연히 효력이 소멸되지 않는다는 점에서 큰 차이가 있다. 부담과 조건의 구별이 애매한 경우에는 상대방에게 유리한 부담으로 추정된다.❶

17. 지방직 9급 부담부 행정행위의 경우 부담에서 부과하고 있는 의무의 이행이 있어야 비로소 주된 행정행위의 효력이 발생한다. (×) → 의무이행 없어도 처음부터

13. 국회직 9급 해제조건부 행정행위는 조건성취시 기발생했던 행정행위의 효력이 사라져 버리므로 부담부 행정행위보다 당사자에게 미치는 불이익이 더 크다. (○)

❶
예컨대, 영업허가시 주차시설 설치의무가 부과된 경우, 이를 부담으로 보면 주차시설설치의무는 독립된 행정행위로서 영업허가의 효력발생요건이 아니므로 부담의 이행여부와 관계없이 영업허가는 허가시 즉시 효력을 발생하지만, 이를 정지조건으로 보면 주차시설을 설치해야 영업허가의 효력이 발생된다.

(3) 기한과의 구별

기한은 그 도래에 의해 주된 행정행위의 효력을 발생 또는 실효시키지만, 부담의 경우는 의무기한의 도래로 의무불이행이 되어 철회사유가 될 뿐이다.

관련판례

사도개설허가에서 정해진 공사기간이 부담의 성질을 갖는 경우, 그 공사기간 내에 사도로 준공검사를 받지 못하였다 하더라도 사도개설허가가 당연히 실효되는 것은 아니다. ★★

사도개설허가에는 본질적으로 사도를 개설하기 위한 토목공사 등 현실적인 도로개설공사가 따르기 마련이므로 허가를 하면서 공사기간을 특정하기도 하지만 사도개설허가는 사도를 개설할 수 있는 권한의 부여 자체에 주안점이 있는 것이지 공사기간의 제한에 주안점이 있는 것이 아닌 점 등에 비추어 보면, 사도개설허가처분에 명시된 공사기간은 허가를 받은 자에 대하여 공사기간을 준수하여 공사를 마치도록 하는 의무를 부과하는 일종의 부담에 불과한 것이지, 사도개설허가 자체의 존속기간(즉 유효기간)을 정한 것이라 볼 수 없고, 따라서 사도개설허가에서 정해진 공사기간 내에 사도로 준공검사를 받지 못하였다 하더라도, 이를 이유로 행정관청이 새로운 행정처분을 하는 것은 별론으로 하고, 사도개설허가가 당연히 실효되는 것은 아니다(대판 2004.11.25. 2004두7023).

17. 변호사 「사도법」상 사도개설허가에서 정해진 공사기간이 공사기간을 준수하여 공사를 마치도록 하는 의무를 부과하는 부담의 성질을 갖는 경우, 그 공사기간 내에 사도로 준공검사를 받지 못하였다 하더라도 사도개설허가가 당연히 실효되는 것은 아니다. (O)

(4) 협약의 형식에 의한 부담(부담의 부가 형식)

부담은 행정청이 일방적으로 부가할 수도 있지만, 부담을 부가하기 이전에 상대방과 협의하여 부담의 내용을 협약의 형식으로 미리 정한 다음 처분을 하면서 이를 부담으로 부가할 수도 있다.

관련판례

수익적 행정처분에 있어서는 법령에 특별한 근거규정이 없다고 하더라도 그 부관으로서 부담을 붙일 수 있고, 그와 같은 부담은 행정청이 행정처분을 하면서 일방적으로 부가할 수도 있지만 부담을 부가하기 이전에 상대방과 협의하여 부담의 내용을 협약의 형식으로 미리 정한 다음 행정처분을 하면서 이를 부가할 수도 있다(대판 2009.2.12. 2005다65500). ★★★

21. 소방직, 20. 소방직, 19. 국가직 7급, 19. 서울시 9급, 17. 국가직 9급 등 부담은 행정청이 일방적으로 부가할 수도 있으나, 사전에 상대방과 협의하여 부담의 내용을 협약의 형식으로 미리 정한 다음 행정처분을 하면서 이를 부가하는 것도 허용된다. (O)

21. 군무원 9급, 17. 지방직 9급(추), 15. 서울시 7급, 14. 지방직 9급 등 부담은 행정청이 행정처분을 하면서 일방적으로 부가하는 것이 일반적이므로 상대방과 협의하여 협약의 형식으로 미리 정한 다음 행정처분을 하면서 이를 부가하는 경우 부담으로 볼 수 없다. (X) → 이지만 / 경우도 / 있다

(5) 부담의 불이행 문제

① 부담에 의해 부과된 의무의 불이행이 있는 경우 부담부 행정행위가 당연히 효력을 상실하는 것은 아니며 당해 의무불이행은 부담부 행정행위(주된 수익적 행정행위)의 철회사유가 될 뿐이다(예 도로점용권자가 점용료를 납부하지 않는 경우 도로점용허가를 철회하는 것). 철회시에는 철회의 일반이론에 따라 이익형량의 원칙(철회를 함으로써 달성되는 공익과 상대방의 불이익 등 이익형량, 비례의 원칙)이 적용된다.

21. 국회직 9급 부담에 의하여 부과된 의무를 이행하지 않았다고 하여 본체인 행정행위 자체가 당연히 효력을 상실하는 것은 아니다. (O)

19. 서울시 7급(추), 15. 서울시 9급, 14. 경찰 부담부 행정행위에 있어서 처분의 상대방이 부담을 이행하지 아니한 경우에 당해 부담부 행정행위는 당연히 효력을 상실하게 된다. (X) → 되지 않는다

함께 정리하기

사도개설허가에서 정해진 공사기간이 부담의 성질 有
▷ 공사기간 내 준공검사 받지 못하여도 사도개설허가 당연실효×

부담
▷ 협약의 형식으로도 부가 可

부담부가 방식
▷ 행정청이 일방적으로 부가 or 사전에 상대방과 협의하여 부담의 내용을 협약의 형식으로 미리 정한 다음 처분을 하면서 부가

부담의 불이행 시
▷ 주된 행정행위 당연실효×
▷ 주된 행정행위 철회 可

부담 불이행을 이유로 주된 수익적 행정행위 철회시
▷ 이익형량에 따른 철회권 제한법리 적용O
▷ 강제집행O, 행정벌 부과O
▷ 후속처분 거부 可

제2장 행정행위 **427**

20. 소방간부 해제조건의 경우에 조건이 성취되면 행정행위의 효력은 당연히 소멸되지만, 부담의 경우에 부담에 의해 부과된 의무의 불이행은 행정행위의 철회사유가 된다. (○)

② 부담의 불이행은 위와 같은 철회에 이르지 않더라도 독립하여 행정상의 강제집행이나 제재의 대상이 된다(예 도로점용료를 납부하지 않은 경우, 점용료를 강제징수하는 것).

05. 서울시 9급 부담에 의해 부과된 의무의 불이행이 있는 경우에 당해 의무의 불이행은 독립하여 강제집행의 대상이 된다. (○)

③ 부담상의 의무불이행을 이유로 그 후의 단계적인 조치를 거부하는 것도 가능하다(예 개발제한구역 내에서 건축허가에 붙은 부담의 불이행을 이유로 그 후의 사용승인을 하지 않는 것).

4. 철회권의 유보

(1) 의의 및 해제조건과의 구별

철회권의 유보
▷ 일정한 사실 발생시 주된 행정행위의 철회권한을 행정청에게 유보하는 부관
▷ 상대방의 의무이행을 강제하고 철회로 인한 상대방의 신뢰보호위반 주장을 제한하는 기능

① 철회권의 유보는 행정청이 일정한 경우에 행정행위를 철회하여 그 효력을 소멸시킬 수 있는 권한을 유보하는 부관을 말한다(예 숙박영업허가를 함에 있어 윤락행위를 알선하면 허가를 취소한다는 부관, 인가조건을 정하고 그 불이행시 인가를 취소한다는 부관 등). 철회권의 유보는 행정의 상대방에게 철회의 가능성을 미리 주지시킴으로써 철회시 상대방의 신뢰보호원칙 주장을 제한하고 공익 침해를 방지한다.

16. 서울시 9급 수익적 행정행위에 대한 철회권유보의 부관은 그 유보된 사유가 발생하여 철회권이 행사된 경우 상대방이 신뢰보호원칙을 원용하는 것을 제한한다는 데 실익이 있다. (○)

> **⚖ 관련판례**
>
> **행정청이 종교단체에 대하여 기본재산전환인가를 함에 있어 인가조건을 부가하고 그 불이행시 인가를 취소할 수 있도록 한 경우, 인가조건의 의미는 인가처분에 대한 철회권을 유보한 것이다(대판 2003.5.30. 2003다6422). ★★**
>
> 22. 소방직, 18. 지방직 7급, 14. 지방직 9급, 11. 국회직 8급 행정청이 종교단체에 대하여 기본재산전환인가를 함에 있어 인가조건을 부가하고 그 불이행시 인가를 취소할 수 있도록 한 경우, 인가조건의 의미는 인가처분에 대한 철회권을 유보한 것이다. (○)

인가조건을 부가하고 그 불이행시 인가를 취소할 수 있도록 한 경우, 인가조건의 의미
▷ 철회권 유보

해제조건
▷ 조건 성취로 행정청의 별도의 의사표시 없이 행정행위 효력 당연 소멸
철회권의 유보
▷ 철회사유가 발생해도 행정청의 별도의 철회의 의사표시가 있어야 행정행위 효력 소멸

② 철회권의 유보는 주된 행정행위의 효력소멸의 원인이 된다는 점에서 해제조건과 유사하지만, 해제조건은 조건의 성취에 따라 자동적으로 주된 행정행위의 효력이 소멸하는데 반하여, 철회권의 유보는 유보된 사실이 발생하더라도 주된 행정행위의 효력을 소멸시키는 행정청의 별도의 의사표시(철회행위)가 있어야 비로소 그 효력이 소멸한다는 점에서 양자는 차이가 있다.

13. 국회직 9급 해제조건은 조건사실이 발생하면 당연히 행정행위의 효력이 소멸되지만 철회권 유보는 유보된 사실이 발생하더라도 그 효력을 소멸시키려면 행정청의 별도의 의사표시(철회)가 필요하다. (○)

(2) 법적 근거

법적 근거
▷ 不要

별도의 법적 근거가 없더라도 행정청은 부관으로 철회권을 유보할 수 있다. 따라서 법령에 철회사유가 명시되어 있는 경우에 법령에 규정된 명시적인 사유 이외의 사유를 들어 철회권을 유보할 수 있다.

행정행위의 부관으로 철회권을 유보한 경우, 법령에 규정된 사유 외에도 가능하다. ★★

행정행위의 부관으로 취소권이 유보되어 있는 경우, 당해 행정행위를 한 행정청은 그 취소사유가 법령에 규정되어 있는 경우뿐만 아니라 의무위반이 있는 경우, 사정변경이 있는 경우, 좁은 의미의 취소권이 유보된 경우, 또는 중대한 공익상의 필요가 발생한 경우 등에도 그 행정처분을 취소할 수 있는 것이다(대판 1984.11.13. 84누269).

11. 국가직 7급 철회권 유보의 부관을 붙이는 데 별도의 법적 근거가 필요한 것은 아니다. (○)

(3) 효과(철회권의 행사요건)

철회권이 유보되었고 유보된 철회권 사유가 발생하였다고 하더라도 행정청의 철회권의 행사가 아무런 제약 없이 가능한 것은 아니다. 행정행위 철회의 제한에 관한 일반요건, 즉 철회제한 이론인 이익형량의 원칙이 충족되어야 한다. 다만, 행정행위의 계속성에 대한 상대방의 신뢰는 유보된 철회사유에 관하여는 인정되지 않는다. 즉, 행정의 상대방은 당해 행정행위가 추후 철회될 수 있음을 미리 예견할 수 있었으므로 당해 행정행위의 철회시 신뢰보호원칙을 원용하여 철회의 제한을 주장하거나 신뢰보호에 근거한 손실보상을 청구할 수 없다.

19. 소방직 철회권이 유보된 경우의 철회에는 이익형량원칙이 적용되지 않는다. (×) → 된다

11. 국가직 9급 철회권이 유보된 경우일지라도 행정행위의 상대방은 당해 행정행위 철회시 신뢰보호의 원칙을 원용하여 손실보상을 청구할 수 있다. (×) → 없다

5. 법률효과의 일부배제

(1) 의의

법률효과의 일부배제란 법령이 행정행위에 부여하는 효과의 일부를 배제하는 내용의 부관을 말한다(예 격일제운행을 내용으로 하는 택시영업허가, 영업구역을 설정한 영업허가 등). 이는 법률이 행정행위에 일반적으로 부여하게 되어 있는 효과의 일부를 행정청의 의사로 배제하는 것이므로 법률의 근거가 있는 경우에만 허용된다(예 「여객자동차 운수사업법」 제4조 제3항).

05. 국가직 9급 택시의 영업허가에 격일제 운행을 부관으로 붙이는 경우, 이는 법률효과의 일부배제에 해당한다. (○)

15. 교행 법률효과의 일부배제는 법률에 근거가 있어야 한다. (○)

(2) 부관인지 여부

법률효과 일부배제는 행정행위의 효과에 대한 내용적 제한에 불과하므로 부관과는 구별되는 것으로 보는 견해가 있으나, 부관이란 원래 행정행위의 효과를 제한하는 것이므로 법률효과 일부배제를 부관의 하나로 보아도 무방하다고 본다(다수설). 판례도 법률효과의 일부배제로 볼 수 있는 '공유수면매립준공인가 중 매립지 일부에 대하여 한 국가귀속처분'에 대하여 부관으로 보고 있다.

20. 행정사 법률이 예정하는 행정행위의 효과를 일부 배제하는 부관도 인정된다. (○)

08. 국가직 7급 법률효과의 일부배제는 행정행위의 내용상의 제한으로서, 행정행위와 독립하여 행정소송의 대상으로 삼을 수 없다. (×) → 부관의 하나로서

공유수면매립준공인가 중 매립지 일부 국가귀속처분
▷ 법률효과 일부배제○
▷ 독립쟁송✕

행정청이 공유수면매립지 일부에 대하여 국가 또는 지방자치단체에 귀속처분 한 것은 법률효과의 일부를 배제하는 부관을 붙인 것이므로 이러한 행정행위의 부관은 독립하여 행정쟁송 대상이 될 수 없다. ★★★

행정행위의 부관은 부담의 경우를 제외하고는 독립하여 행정소송의 대상이 될 수 없는 것인바, 지방국토관리청장이 일부 공유수면매립지에 대하여 한 국가 또는 직할시 귀속처분은 매립준공 인가를 함에 있어서 매립의 면허를 받은 자의 매립지에 대한 소유권취득을 규정한 공유수면매립법 제14조의 효과 일부를 배제하는 부관을 붙인 것이고, 이러한 행정행위의 부관은 위 법리와 같이 독립하여 행정소송 대상이 될 수 없다 (대판 1993.10.8. 93누2032 ; 대판 1991.12.13. 90누8503).

20. 소방직 지방국토관리청장이 일부 공유수면매립지에 대하여 한 국가 또는 직할시(현 광역시) 귀속처분은 법률효과의 일부배제에 해당하는 것으로 행정행위의 부관의 유형으로 볼 수 없다는 것이 판례의 태도이다. (✕) → 있다

14. 서울시 7급 공유수면매립준공인가처분 중 매립지 일부에 대하여 한 국가 및 지방자치단체에의 귀속처분은 「공유수면매립법」 제14조의 효과 일부를 배제하는 부관을 붙인 것으로 볼 것이고 이를 독립하여 행정소송의 대상으로 삼을 수 없다. (○)

6. 수정부담

(1) 의의 및 부관인지 여부

상대방이 신청한 것과 다르게 행정행위의 내용 정하는 것
▷ 부관✕(다수설)
▷ 행정행위의 내용적 규율로서 변경처분

① 수정부담이란 행정행위에 부가하여 새로운 의무를 부과하는 것이 아니라, 상대방이 신청한 것과는 다르게 행정행위의 내용을 정하는 것을 말한다(예 신청한 노선과는 다른 노선의 자동차운수사업면허를 하는 경우, 3층 주택의 건축허가신청에 대하여 2층 주택의 건축허가를 하는 경우, 기와지붕을 가지는 건축허가신청에 대하여 콘크리트지붕을 가진 건축허가를 하는 경우).

② 이러한 수정부담의 부관성 여부가 문제된 바 있으나, 신청한 내용의 처분을 거부하고 다른 내용의 처분을 하는 것이므로 그 실질은 부관이라기보다는 행정행위의 내용적 규율로서 변경처분(변경허가)에 해당한다는 것이 통설적 견해이다.

17. 지방직 9급 학설의 다수견해는 수정부담의 성격을 부관으로 이해한다. (✕) → 행정행위의 내용적 규율로서 변경처분

(2) 권리구제

권리구제
▷ 신청한 행정행위에 대한 의무이행심판·거부처분 취소소송(∵거부를 내포)

수정부담은 신청한 내용의 행정행위 발급에 대한 거부를 내포하고 있기 때문에 상대방이 수정된 내용을 받아들이기 원치 않는 경우, 수정된 내용의 행정행위에 대한 취소소송을 제기할 것이 아니라 신청한 행정행위에 대한 의무이행심판이나 거부처분취소소송을 제기하여야 할 것이다.

「행정기본법」 제17조 【부관】 ① 행정청은 처분에 재량이 있는 경우에는 부관(조건, 기한, 부담, 철회권의 유보 등을 말한다. 이하 이 조에서 같다)을 붙일 수 있다.

23. 국가직 7급 행정청은 처분에 재량이 있는 경우에는 부관을 붙일 수 있다. (O)

② 행정청은 처분에 재량이 없는 경우에는 법률에 근거가 있는 경우에 부관을 붙일 수 있다.

23. 국가직 7급 행정청은 처분에 재량이 없는 경우에는 법률에 근거가 있는 경우에 부관을 붙일 수 있다. (O)

③ 행정청은 부관을 붙일 수 있는 처분이 다음 각 호의 어느 하나에 해당하는 경우에는 그 처분을 한 후에도 부관을 새로 붙이거나 종전의 부관을 변경할 수 있다.

1. 법률에 근거가 있는 경우
2. 당사자의 동의가 있는 경우
3. 사정이 변경되어 부관을 새로 붙이거나 종전의 부관을 변경하지 아니하면 해당 처분의 목적을 달성할 수 없다고 인정되는 경우

23. 국가직 7급 행정청은 사정이 변경되어 종전의 부관을 변경하지 아니하면 해당 처분의 목적을 달성할 수 없다고 인정되는 경우에도 법률에 근거가 없다면 종전의 부관을 변경할 수 없다. (X) → X / 없어도 / 있다

④ 부관은 다음 각 호의 요건에 적합하여야 한다.

1. 해당 처분의 목적에 위배되지 아니할 것
2. 해당 처분과 실질적인 관련이 있을 것
3. 해당 처분의 목적을 달성하기 위하여 필요한 최소한의 범위일 것

23. 국가직 7급 부관은 해당 처분의 목적에 위배되지 아니하여야 하며, 그 처분과 실질적인 관련이 있어야 하고 또한 그 처분의 목적을 달성하기 위하여 필요한 최소한의 범위 내에서 붙여야 한다. (O)

1. 부관의 사항적 한계(부관의 가능성, 부관을 붙일 수 있는 행정행위)

(1) 법령에 근거규정이 있는 경우

① 개별법령에 부관을 붙일 수 있다는 명문규정이 있는 경우에는 행정행위의 종류나 성질을 불문하고 (기속행위와 재량행위 또는 법률행위적 행정행위와 준법률행위적 행정행위에 모두) 해당 규정에 의거하여 부관을 붙일 수 있는 것은 당연하다.

10. 국가직 9급, 08. 국가직 9급 「식품위생법」은 관할 관청이 영업허가를 하는 때에는 필요한 조건을 붙일 수 있다고 규정하고 있다. 이에 군수 A는 유흥주점영업을 허가하면서 일정한 규모의 주차 공간을 확보할 것을 조건으로 붙였다. 이 경우, 「식품위생법」상의 근거규정이 있기 때문에 유흥주점영업허가에 조건을 붙일 수 있다. (O)

② 「행정기본법」 제17조 제2항에서도 기속행위의 경우 법률에 명시적인 근거가 있는 경우(예 「공유수면법」 제29조, 「식품위생법」 제37조 제2항)에는 부관을 붙일 수 있다고 규정하고 있다.

21. 국가직 7급, 21. 지방직 9급 행정청은 처분에 재량이 없는 경우에는 법률에 근거가 있는 경우에 부관을 붙일 수 있다. (O)

17. 국가직 9급, 15. 서울시 9급 기속행위도 법률에서 명시적으로 부관을 허용하고 있으면 부관을 붙일 수 있다. (O)

명문규정 有
▷ 부관부가 可(기속행위 · 재량행위, 법률행위 · 준법률행위적 행정행위 불문)

명문규정 無
▷ 재량행위 O
▷ 기속 · 기속재량행위 X

(2) 법령에 근거규정이 없는 경우

① **법률행위적 행정행위**: 법률행위적 행정행위는 행정기관의 의사표시에 따라 법적 효과가 발생하는 행위이므로 법률행위적 행정행위에는 부관을 붙일 수 있는 것이 원칙이나, 행정행위의 성질상 부관과 친하지 않은 귀화허가, 공무원의 임명행위, 입학허가 등과 같은 신분설정행위에는 부관을 붙일 수 없다.

10. 국가직 9급 법률행위적 행정행위에는 부관을 붙일 수 있는 것이 원칙이므로 귀화허가 및 공무원의 임명행위 등과 같은 신분설정행위에는 부관을 붙일 수 있다. (×) → 없다

05. 지방직 9급 귀화허가는 부관을 붙일 수 있다. (×) → 없다

② **준법률행위적 행정행위**: 전통적 견해에 따르면 부관은 행정청의 주된 '의사표시'의 효과를 제한하기 위하여 붙이는 것이므로 의사표시를 요소로 하지 않는 확인·공증·통지·수리 등의 준법률행위적 행정행위에는 부관을 붙일 수 없다. 그러나 부관을 붙일 수 있는지 여부는 행정행위의 성질에 따라 결정되어야 하고 현실적으로도 확인·공증 등과 같은 준법률행위적 행정행위에 기한(종기)과 같은 부관은 붙일 수 있다(예 여권에 붙여진 유효기간).

11. 국가직 9급 준법률행위에는 부관을 붙일 수 없다는 것이 전통적 견해이다. (○)

③ **기속행위**

㉠ 재량행위와 달리 기속행위의 경우에는 상대방이 행정청에 대하여 특정한 행위를 요구할 수 있는 공권을 행사할 수 있으므로 여기에 부관을 붙이면 상대방의 권리를 침해할 수 있고, 기속행위는 법규의 기속성으로 인한 기계적 집행이므로 행정청이 부관을 붙여 법규가 정한 효과를 임의로 제한할 수 없다. 따라서 기속행위의 경우에는 법률에 근거가 있는 경우에 한하여 부관을 붙일 수 있고 법률에 근거가 없음에도 기속행위에 부관이 붙은 경우, 그 부관은 무효로 보는 것이 판례의 입장이다. 또한 판례는 기속재량행위의 경우에도 기속행위의 경우와 마찬가지로 부관을 붙일 수 없다고 한다.

19. 국가직 9급, 18. 국가직 7급 기속행위에 대하여는 법령상 특별한 근거가 없는 한 부관을 붙일 수 없고, 가사 부관을 붙였다 하더라도 무효이다. (○)

14. 서울시 7급 재량행위나 기속재량행위에는 부관을 붙인다면 이는 무효이다. (×) → ×

㉡ 그러나 부관의 다양한 기능 내지 현상을 고려하면, 행정행위의 효력을 제한하는 것만 아니라 장래에 법률요건을 충족할 필요가 있는 때에도 부관을 붙일 수 있어야 하므로 기속행위의 경우에도 법률요건을 충족하는 것을 정지조건으로 하는 부관(요건충족적 부관)은 붙일 수 있다고 보아야 한다. 즉, 당사자의 허가신청에 법이 정한 요건 중 경미한 요건을 충족하지 못한 경우 이 요건을 충족할 것을 조건으로 허가해 줄 수 있다(예 기속행위인 일반건축물 건축허가신청을 하였으나 일부요건에 미비가 있는 경우 행정청이 건축허가를 거부하지 않고 미비된 요건을 충족할 것을 조건으로 건축허가처분을 발령하는 경우).

🔎 관련판례

1 **기속행위나 기속재량행위에 대해서는 법령상 특별한 근거가 없는 한 부관을 붙일 수 없고, 붙였다 하더라도 이는 무효이다. ★★★**

[1] 일반적으로 기속행위나 기속적 재량행위에는 부관을 붙일 수 없고 가사 부관을 붙였다 하더라도 이는 무효의 것이다.

10. 경찰 1차 대법원은 '일반적으로 기속행위나 기속적 재량행위에는 부관을 붙일 수 없고 가사 부관을 붙였다 하더라도 이는 취소의 것이다'라고 판시하였다. (×) → 무효

13. 국회직 8급 기속행위에 붙인 부담은 특별한 불복절차를 거치지 않더라도 이행할 의무가 없다. (○)

21. 국가직 9급, 20. 국회직 9급, 15. 서울시 9급, 13. 지방직 9급, 12. 사복직 등 일반적으로 기속행위의 경우 법령의 근거 없이 조건을 부가하는 것은 위법하다. (○)

[2] 이사회소집승인에 있어서의 일시, 장소의 지정을 가리켜 소집승인 행위의 부관으로 본다 하더라도, 일반적으로 기속행위나 기속적 재량행위에는 부관을 붙일 수 없는 것이고, 위 이사회소집승인 행위가 기속행위 내지 기속적 재량행위에 해당함은 위에서 설시한 바에 비추어 분명하므로, 여기에는 부관을 붙이지 못한다 할 것이며, 기사 부관을 붙였다 하더라도 이는 무효의 것으로서 당초부터 부관이 붙지 아니한 소집승인 행위가 있었던 것으로 보아야 할 것이다(대판 1988.4.27. 87누1106).

16. 국가직 7급 기속행위 내지 기속적 재량행위에 해당하는 이사회소집승인 행위에 붙인 부관은 무효이다. (○)

2 **건축허가를 하면서 일정 토지를 기부채납하도록 하는 내용의 허가조건을 붙였다면 이는 무효이다. ★★★**

건축허가를 하면서 일정 토지를 기부채납하도록 하는 내용의 허가조건은 부관을 붙일 수 없는 기속행위 내지 기속적 재량행위인 건축허가에 붙인 부담이거나 또는 법령상 아무런 근거가 없는 부관이어서 무효이다(대판 1995.6.13. 94다56883).

21. 군무원 9급, 21. 소방간부, 12. 국회직 9급, 11. 지방직 9급 건축허가를 하면서 일정 토지의 기부채납을 허가조건으로 하는 부관은 기속행위 내지 기속적 재량행위에 붙인 부담이거나 또는 법령상 근거가 없는 부관이어서 무효이다. (○)

20. 소방직 건축허가를 하면서 일정 토지를 기부채납하도록 하는 내용의 허가조건을 붙였다면 원칙상 취소사유로 보아야 한다. (×) → 무효이다

3 **행정청이 관리처분계획에 대한 인가처분을 할 때에는 인가 여부를 결정할 수 있을 뿐 기부채납과 같은 다른 조건을 붙일 수는 없다. ★★**

관리처분계획 및 그에 대한 인가처분의 의의와 성질, 그 근거가 되는 도시정비법과 그 시행령상의 위와 같은 규정들에 비추어 보면, 행정청이 관리처분계획에 대한 인가 여부를 결정할 때에는 그 관리처분계획에 도시정비법 제48조 및 그 시행령 제50조에 규정된 사항이 포함되어 있는지, 그 계획의 내용이 도시정비법 제48조 제2항의 기준에 부합하는지 여부 등을 심사·확인하여 그 인가 여부를 결정할 수 있을 뿐 기부채납과 같은 다른 조건을 붙일 수는 없다고 할 것이다. 따라서 재건축정비사업조합에 대한 관리처분계획인가 시 인가조건을 부과한 것은 그 위법성이 중대하고 명백하여 무효이다(대판 2012.8.30. 2010두24951).

20. 국회직 9급 행정청이 관리처분계획에 대한 인가처분을 할 때에는 인가 여부를 결정할 수 있을 뿐 기부채납과 같은 다른 조건을 붙일 수는 없다. (○)

기속행위 내지 기속적재량행위
▷ 부관 부가 不可(무효)

기속행위 내지 기속적재량행위인 이사회 소집승인
▷ 부관 부가 不可

기속행위 내지 기속재량행위인 건축허가에 붙은 토지기부채납조건
▷ 무효(∴이행의무 無)

관리처분계획인가 시 인가조건 부과
▷ 허용×(무효)

재량행위
▷ 부관 可

④ **재량행위:** 재량행위의 경우에는 재량권의 행사 여부에 관한 결정권이 행정청에 있으므로, 행정청이 행정행위와 함께 그 내용을 제한하거나 보충하는 부관을 붙이는 것은 법적인 근거가 없어도 가능하다. 「행정기본법」 제17조 제1항에서도 그에 입각하여 규정하고 있다.

17. 지방직 9급 행정행위의 부관은 법령에 명시적 근거가 있는 경우에만 부가할 수 있다. (×) → 행정행위가 재량행위라면 법령에 명시적 근거가 없는 경우에도 부가할 수 있다

🔨 관련판례

1 재량행위의 경우 법령에 근거가 없더라도 부관을 붙일 수 있다. ★★★
재량행위에 있어서는 법령상의 근거가 없다고 하더라도 부관을 붙일 수 있는데, 그 부관의 내용은 적법하고 이행가능하여야 하며 비례의 원칙 및 평등의 원칙에 적합하고 행정처분의 본질적 효력을 해하지 아니하는 한도의 것이어야 한다(대판 1997.3.14. 96누16698).

15. 서울시 9급, 14. 국가직 9급, 13. 서울시 7급, 11. 경찰 1차 재량행위의 경우에는 법에 근거가 없는 경우에도 부관을 붙일 수 있다. (○)

14. 경찰 1차 행정청은 법령에 명시적 근거가 없으면 재량행위의 경우에도 부관을 붙일 수 없다. (×) → 에는 / 있다

수익적 행정처분
▷ 법률상 근거 없이 부관 부가 可

2 수익적 처분의 경우 법령의 근거가 없더라도 부담을 붙일 수 있다. ★★★
(일반적으로 재량행위에 해당하는) 수익적 행정처분에 있어서는 원칙적으로 법령에 특별한 근거규정이 없더라도 그 부관으로서 부담을 붙일 수 있으나, 그러한 부담은 비례의 원칙, 부당결부금지의 원칙에 위반되지 않아야만 적법하다(대판 1997.3.11. 96다49650).

23. 국가직 9급 수익적 행정처분에 있어서는 법령에 특별한 근거규정이 있는 경우에만 그 부관으로서 부담을 붙일 수 있다. (×) → 없더라도

15. 경찰 3차, 11. 국회직 8급 수익적 행정행위에 있어서는 법령에 특별한 근거규정이 없다고 하더라도 그 부관으로서 부담을 붙일 수 있다. (○)

주택재건축사업시행인가(수익적 행정행위)
▷ 재량행위
▷ 조건(부담) 부가 可

3 수익적 행정처분으로서 재량행위인 주택재건축 사업시행인가에는 법령상의 제한에 근거한 것이 아니라 하더라도 공익상 필요 등에 의하여 필요한 범위 내에서 조건(부담)을 부과할 수 있다. ★★★
주택재건축사업시행의 인가는 상대방에게 권리나 이익을 부여하는 효과를 가진 이른바 수익적 행정처분으로서 법령에 행정처분의 요건에 관하여 일의적으로 규정되어 있지 아니한 이상 행정청의 재량행위에 속하므로, 처분청으로서는 법령상의 제한에 근거한 것이 아니라 하더라도 공익상 필요 등에 의하여 필요한 범위 내에서 여러 조건(부담)을 부과할 수 있다(대판 2007.7.12. 2007두6663).

16. 경찰 2차 주택재건축사업시행의 인가는 상대방에게 권리나 이익을 부여하는 효과를 가진 이른바 수익적 행정처분으로서 법령에 행정처분의 요건에 관하여 일의적으로 규정되어 있지 아니한 이상 행정청의 재량행위에 속하지만, 처분청으로서는 법령상의 제한에 근거한 것이 아니라면 공익상 필요 등에 의하여 필요한 범위 내에서 여러 조건(부담)을 부과할 수 없다. (×) → 속하므로 / 아니라 하더라도 / 있다

「사회복지사업법」상 사회복지법인의 정관변경허가
▷ 부관 부가 可

4 사회복지사업법상 사회복지법인의 정관변경 허가에는 부관을 붙일 수 있다. ★★★
사회복지법인의 정관변경을 허가할 것인지의 여부는 주무관청의 정책적 판단에 따른 재량에 맡겨져 있다고 할 것이고, 주무관청이 정관변경허가를 함에 있어서는 비례의 원칙 및 평등의 원칙에 적합하고 행정처분의 본질적 효력을 해하지 않는 한도 내에서 부관을 붙일 수 있다(대판 2002.9.24. 2000두5661).

17. 사복직 사회복지법인의 정관변경허가에 대해서는 부관을 붙일 수 없다. (×) → 있다

5 공유수면매립면허와 같은 재량적 행정행위에는 법률상의 근거가 없다고 하더라도 부관을 붙일 수 있다(대판 1982.12.28. 80다731 · 732). ★★

18. 경찰 3차 공유수면매립면허와 같은 재량적 행정행위에는 법률상의 근거가 없다고 하더라도 부관을 붙일 수 있다 (○)

6 재량행위인 도매시장의 지정도매인 지정처분에는 법률상의 근거가 없어도 부관을 붙일 수 있다. ★
농수산물유통및가격안정에관한법률에 의한 도매시장의 지정도매인지정처분은 도매시장 개설자인 피고의 재량행위에 속하는 행정처분이라 할 것이므로 법규에 특별한 규정이 없더라도 그 처분에 조건, 기한, 부담, 철회권유보 등의 부관을 붙일 수 있다(대판 1990.10.16. 90누2253).

2. 부관의 내용적 한계(부관의 자유성)

부관은 행정의 법률적합성의 원칙에 따라 법령에 위배되지 않는 한도 내에서만 붙일 수 있다. 또한 부관은 주된 처분의 목적에 위배되지 않아야 하며(「행정기본법」 제17조 제4항 제1호), 해당 처분과 실질적인 관련성을 가져야 하며(「행정기본법」 제17조 제4항 제2호), 해당 처분의 목적을 달성하기 위하여 필요한 최소한의 범위에 그쳐야 한다(「행정기본법」 제17조 제4항 제3호).

(1) 적법성 한계
① 부관은 법령의 규정은 물론 헌법의 내용에 저촉되어서도 안 된다.
② 부제소특약이란, 어떠한 사안에 대해 나중에 소송을 제기하지 않겠다는 약속을 의미한다. 행정청이 부제소 특약의 부관을 붙이는 것은 당사자가 임의로 처분할 수 없는 공법상 권리관계를 대상으로 한 것으로서 법치주의에 반하여 허용될 수 없다.

17. 행정사 부관의 내용은 적법하고 이행 가능하여야 한다. (○)

> **⚡ 관련판례**
>
> **부제소특약은 사인의 공권의 포기에 해당하여 허용될 수 없다. ★★★**
> 지방자치단체장이 도매시장법인의 대표이사에 대하여 위 지방자치단체장이 개설한 농수산물 도매시장의 도매시장법인으로 다시 지정함에 있어서 그 지정조건으로 '지정기간 중이라도 개설자가 농수산물 유통정책의 방침에 따라 도매시장법인 이전 및 지정취소 또는 폐쇄 지시에도 일체 소송이나 손실보상을 청구할 수 없다.'라는 부관을 붙였으나, 그 중 부제소특약에 관한 부분은 당사자가 임의로 처분할 수 없는 공법상의 권리관계를 대상으로 하여 사인의 국가에 대한 공권인 소권을 당사자의 합의로 포기하는 것으로서 허용될 수 없다(대판 1998.8.21. 98두8919).
>
> 19. 서울시 9급 처분을 하면서 처분과 관련한 소의 제기를 금지하는 내용의 부제소특약을 부관으로 붙이는 것은 허용되지 않는다. (○)
>
> 17. 국회직 8급 행정청이 특정 개발사업의 시행자를 지정하는 처분을 하면서 상대방에게 지정처분의 취소에 대한 소권을 포기하도록 하는 내용의 부관을 붙이는 것은 단지 부제소특약만을 덧붙이는 것이어서 허용된다. (✕) → 되지 않는다

함께 정리하기

재량행위인 공유수면매립면허
▷ 부관 부가 可

재량행위인 도매시장의 지정도매인 지정처분
▷ 부관 부가 可

부관의 적법성 한계
▷ 헌법 · 법령의 내용에 저촉되지 않아야 함

부제소특약 부관
▷ 허용✕(∵ 법치주의에 反)

부관의 목적상 한계
▷ 주된 행정행위의 목적에 반하거나 그 본질적 효력을 해하지 않아야 함

(2) 목적상 한계

부관은 행정행위에 따른 종된 규율이므로 주된 행정행위의 목적에 반하거나(「행정기본법」 제17조 제4항 제1호), 그 본질적 효력을 해하지 않아야 한다. 따라서 주택건축허가를 하면서, 영업목적으로만 사용할 것을 부관으로 정한 경우에 이러한 부관은 주된 행정행위(주택건축허가)의 목적에 위배된다.

09. 국가직 9급 부관은 당해 행정행위의 목적과 무관한 다른 목적을 위하여 붙일 수 없다. (○)

기선선망어업의 허가를 하면서 부속선을 사용할 수 없도록 제한하는 부관
▷ 위법○

> 🔍 **관련판례**
>
> **기선선망어업허가를 하면서 부속선을 사용할 수 없도록 제한하는 부관은 허가된 어업의 본질적 효력을 해하므로 위법하다. ★★**
>
> 수산업법 제15조에 의하여 어업의 면허 또는 허가에 붙이는 부관은 그 성질상 허가된 어업의 본질적 효력을 해하지 않는 한도의 것이어야 하고 허가된 어업의 내용 또는 효력 등에 대하여는 행정청이 임의로 제한 또는 조건을 붙일 수 없다고 보아야 할 것이며 수산업법시행령 제14조의4 제3항의 규정내용은 기선선망어업에는 그 어선규모의 대소를 가리지 않고 등선과 운반선을 갖출 수 있고, 또 갖추어야 하는 것이라고 해석되므로 기선선망어업의 허가를 하면서 운반선, 등선 등 부속선을 사용할 수 없도록 제한한 부관은 그 어업허가의 목적달성을 사실상 어렵게 하여 그 본질적 효력을 해하는 것일 뿐만 아니라 위 시행령의 규정에도 어긋나는 것이며, 더욱이 어업조정이나 기타 공익상 필요하다고 인정되는 사정이 없는 이상 위법한 것이다(대판 1990.4.27. 89누6808).
>
> 23. 국가직 9급 기선선망어업의 허가를 하면서 운반선, 등선 등 부속선을 사용할 수 없도록 제한한 부관은 그 어업허가의 목적달성을 사실상 어렵게 하여 그 본질적 효력을 해하는 것이므로 위법한 것이다. (○)

(3) 부관의 이행가능성 및 행정법의 일반원칙상 한계

① 부관은 명확하고 이행 가능하여야 한다. 특히 요건충족적 부관의 경우 해당 요건의 충족이 가능하여야 한다.

토지분할이 관계 법령상 제한에 해당되어 명백히 불가능
▷ 건축행정청은 토지분할 조건부 건축허가 거부하여야 함

> 🔍 **관련판례**
>
> **건축행정청은 토지분할이 관계 법령상 제한에 해당되어 명백히 불가능하다면 토지분할 조건부 건축허가를 거부하여야 한다. ★★**
>
> 행정청이 객관적으로 처분상대방이 이행할 가능성이 없는 조건을 붙여 행정처분을 하는 것은 법치행정의 원칙상 허용될 수 없으므로 건축행정청은 신청인의 건축계획상 하나의 대지로 삼으려고 하는 '하나 이상의 필지의 일부'가 관계 법령상 토지분할이 가능한 경우인지를 심사하여 토지분할이 관계 법령상 제한에 해당되어 명백히 불가능하다고 판단되는 경우에는 토지분할 조건부 건축허가를 거부하여야 한다(대판 2018.6.28. 2015두47737).
>
> 21. 소방간부 건축행정청은 신청인의 건축계획상 하나의 대지로 삼으려고 하는 '하나 이상의 필지의 일부'가 관계법령상 토지분할이 가능한 경우인지를 심사하여 토지분할이 관계 법령상 제한에 해당되어 명백히 불가능하다고 판단되는 경우에는 토지분할 조건부 건축허가를 거부하여야 한다. (○)

부관의 한계
▷ 이행가능하여야 함
▷ 비례원칙, 평등원칙, 신뢰보호의 원칙, 부당결부금지원칙 등의 일반원칙에 위반되지 않아야 함

② 부관은 비례의 원칙, 평등의 원칙, 신뢰보호의 원칙, 부당결부금지의 원칙 등 행정법의 일반원칙에 반하지 않아야 한다.

18. 서울시 7급 부관을 붙일 수 있는 경우에도 신뢰보호의 원칙, 부당결부금지의 원칙에 위배되어서는 안 된다. (○)

③ 부관은 주된 행정행위와 실질적(실체적) 관련성이 있어야 하며(「행정기본법」 제17조 제4항 제2호), 그렇지 못한 것은 부당결부금지의 원칙에 반하여 위법한 부관이 된다. 한편, 부관이 주된 행정행위와 실질적 관련성이 있어 부당결부금지의 원칙에 위반되지 않더라도 주된 행정행위의 효과를 무의미하게 만드는 경우라면 그러한 부관은 비례원칙에 반하는 하자 있는 부관이 된다.

🔨 관련판례

1 주택건설사업계획승인을 하면서 주택사업과 무관한 토지를 기부채납하도록 하는 부관은 부당결부금지원칙 위반되어 위법하다. ★★★

지방자치단체장이 사업자에게 <u>주택사업계획승인을 하면서 그 주택사업과는 아무런 관련이 없는 토지를 기부채납하도록 하는 부관을 주택사업계획승인에 붙인 경우, 그 부관은 부당결부금지의 원칙에 위반되어 위법하지만</u>, 지방자치단체장이 승인한 사업자의 주택사업계획은 상당히 큰 규모의 사업임에 반하여, 사업자가 기부채납한 토지 가액은 그 100분의 1 상당의 금액에 불과한 데다가, 사업자가 그동안 그 부관에 대하여 아무런 이의를 제기하지 아니하다가 지방자치단체장이 업무착오로 기부채납한 토지에 대하여 보상협조요청서를 보내자 그 때서야 비로소 부관의 하자를 들고 나온 사정에 비추어 볼 때 부관의 하자가 중대하고 명백하여 <u>당연무효라고는 볼 수 없다</u>(대판 1997.3.11. 96다49650).

19. 지방직 9급, 18. 서울시 7급(추), 15. 국가직 9급, 12. 국가직 9급, 11. 경찰 1차 등 지방자치단체장이 사업자에게 주택사업계획승인을 하면서 그 주택사업과는 아무런 관련이 없는 토지를 기부채납하도록 하는 부관을 붙인 경우, 그 부관은 부당결부금지의 원칙에 위반되어 위법하다. (○)

16. 국가직 7급 지방자치단체장이 사업자에게 주택사업계획승인을 하면서 그 주택사업과는 아무런 관련이 없는 토지를 기부채납하도록 하는 부관은 부당결부금지의 원칙에 위반되어 위법하지만, 당연무효라고는 볼 수 없다. (○)

> **비교**
> 65세대의 주택건설사업에 대한 사업계획승인 시 "진입도로 설치 후 기부채납, 인근 주민의 기존 통행로 폐쇄에 따른 대체 통행로 설치 후 그 부지 일부 기부채납"을 조건으로 붙인 것은 위법한 부관에 해당하지 않는다(대판 1997.3.14. 96누16698). ★
> 20. 소방간부 65세대의 주택건설사업에 대한 사업계획승인 시 '진입도로 설치 후 기부채납, 인근 주민의 기존 통행로 폐쇄에 따른 대체 통행로 설치 후 그 부지 일부 기부채납'을 조건으로 붙인 것은 위법한 부관에 해당하지 않는다. (○)

2 행정처분과 실제적 관련성이 없는 부관은 사법상 계약으로도 부과할 수 없다. ★★★

[1] 공무원이 인·허가 등 수익적 행정처분을 하면서 상대방에게 그 처분과 관련하여 이른바 부관으로서 부담을 붙일 수 있다 하더라도, 그러한 부담은 법치주의와 사유재산 존중, 조세법률주의 등 헌법의 기본원리에 비추어 비례의 원칙이나 부당결부금지의 원칙에 위배되지 않아야만 적법한 것인바, <u>행정처분과 부관 사이에 실제적 관련성이 있다고 볼 수 없는 경우 공무원이 공법상의 제한을 회피할 목적으로 행정처분의 상대방과 사이에 사법상 계약을 체결하는 형식을 취하였다면 이는 법치행정의 원리에 반하는 것으로서 위법하다고</u> 보지 않을 수 없다.

21. 국가직 9급, 22. 지방직 9급, 21. 지방직 9급, 20. 국가직 9급, 19. 서울시 7급(추) 등 행정처분과 부관 사이에 실제적 관련성이 있다고 볼 수 없는 경우, 공무원이 공법상의 제한을 회피할 목적으로 행정처분의 상대방과 사이에 사법상 계약을 체결하는 형식을 취하였더라도 법치행정의 원리에 반하는 것으로서 위법하다고 볼 수 없다. (×) → 취하였다면 / 위법하다

지자체가 골프장사업계획승인과 관련하
여 사업자로부터 기부금을 지급받기로 한
증여계약
▷ 무효(「민법」 제103조 위반)

「행정기본법」
▷ 법률에 근거, 당사자의 동의, 사정변경
시 可
판례
▷ 법률규정, 미리 유보, 상대방의 동의, 사
정변경 시 可

사후변경
▷ 법률규정·미리유보·상대방동의(원칙 可)
▷ 사정변경시(예외적 可)

법률규정·미리유보·상대방동의 有
▷ 면허발급 이후 감차명령 사후 부가 可

[2] 지방자치단체가 골프장사업계획승인과 관련하여 사업자로부터 기부금을 지급받기로 한 증여계약은 공무수행과 결부된 금전적 대가로서 그 조건이나 동기가 사회질서에 반하므로 민법 제103조에 의해 무효이다(대판 2009.12.10. 2007다63966).

12. 국회직 9급 지방자치단체가 골프장사업계획승인과 관련하여 사업자로부터 기부금을 지급받기로 한 증여계약은 무효이다. (○)

3. 부관의 시간적 한계(부관의 사후부가, 사후변경)

부관은 본질상 행정행위의 발령과 동시에 부과되어야 하는데, 사후에도 부관을 붙이거나 변경하는 것이 가능한지에 관하여 「행정기본법」 제정 이전에는 견해의 대립이 있었다. 최근 제정된 「행정기본법」 제17조 제3항에서는 부관을 붙일 수 있는 처분이 ① 법률에 근거가 있는 경우, ② 당사자의 동의가 있는 경우, ③ 사정이 변경되어 부관을 새로 붙이거나 종전의 부관을 변경하지 아니하면 해당 처분의 목적을 달성할 수 없다고 인정되는 경우에는 그 처분을 한 후에도 부관을 새로 붙이거나 종전의 부관을 변경할 수 있다고 규정하고 있다. 여기에 덧붙여 판례는 사후변경이 미리 유보된 경우에도 부관의 사후변경이 가능하다고 한다.

21. 국가직 7급 행정청은 부관을 붙일 수 있는 처분이 당사자의 동의가 있는 경우에는 그 처분을 한 후에도 부관을 새로 붙이거나 종전의 부관을 변경할 수 있다. (○)
22. 지방직 9급 부관의 사후변경은 종전의 부관을 변경하지 아니하면 해당 처분의 목적을 달성할 수 없는 경우가 아니라면 인정되지 않는다. (✕) → 외에도 / 된다

⚖ 관련판례

1 부관의 사후변경이 허용되는 경우 ★★★

정처분에 이미 부담이 부가되어 있는 상태에서 그 의무의 범위 또는 내용 등을 변경하는 부관의 사후변경은, 법률에 명문의 규정이 있거나 그 변경이 미리 유보되어 있는 경우 또는 상대방의 동의가 있는 경우에 한하여 허용되는 것이 원칙이지만, 사정변경으로 인하여 당초에 부담을 부가한 목적을 달성할 수 없게 된 경우에도 그 목적달성에 필요한 범위 내에서 예외적으로 허용된다(대판 1997.5.30. 97누2627 ; 대판 2009.11.12. 2008다98006).

21. 군무원 9급, 18. 서울시 7급, 17. 국가직 9급, 16. 경찰 2차, 11. 국회직 8급 등 부관의 사후변경은, 법률에 명문의 규정이 있거나 그 변경이 미리 유보되어 있는 경우 또는 상대방의 동의가 있는 경우에 한하여 허용되는 것이 원칙이지만, 사정변경으로 인하여 당초에 부담을 부가한 목적을 달성할 수 없게 된 경우에도 그 목적달성에 필요한 범위 내에서 예외적으로 허용된다. (○)
22. 소방직, 17 서울사복 9급 부관은 주된 행정행위에 부가된 종된 규율로서 독자적인 존재를 인정할 수 없으므로 사정변경으로 인해 당초 부담을 부가한 목적을 달성할 수 없게 된 경우라도 부담의 사후변경은 허용될 수 없다. (✕) → 에도 / 있다

2 법률에 명문의 규정이 있거나 변경이 미리 유보되어 있는 경우 또는 상대방의 동의가 있는 경우 등에는 특별한 사정이 없는 한 부관의 사후부가가 허용된다. ★★★

여객자동차 운수사업법(이하 '여객자동차법'이라 한다) 제85조 제1항 제38호에 의하면, 운송사업자에 대한 면허에 붙인 조건을 위반한 경우 감차 등이 따르는 사업계획변경명령(이하 '감차명령'이라 한다)을 할 수 있는데, 감차명령의 사유가 되는 '면허에 붙인 조건을 위반한 경우'에서 '조건'에는 운송사업자가 준수할 일정한 의무를 정하고 이를 위반할 경우 감차명령을 할 수 있다는 내용의 '부관'도 포함된다. 그리고 부관은 면허 발급 당시에 붙이는 것뿐만 아니라 면허 발급 이후에 붙이는 것도 법률에 명문의 규정이 있거나 변경이 미리 유보되어 있는 경우 또는 상대방의 동의가 있는 경우 등에는 특별한 사정이 없는 한 허용된다.

따라서 관할 행정청은 면허 발급 이후에도 운송사업자의 동의하에 여객자동차운송사업의 질서 확립을 위하여 운송사업자가 준수할 의무를 정하고 이를 위반할 경우 감차명령을 할 수 있다는 내용의 면허 조건을 붙일 수 있고, 운송사업자가 조건을 위반하였다면 여객자동차법 제85조 제1항 제38호에 따라 감차명령을 할 수 있다(대판 2016.11.24. 2016두45028).

23. 국가직 9급, 21. 경찰 2차, 20. 소방간부, 20. 5급 승진 면허발급 당시에 붙이는 부관뿐만 아니라 면허발급 이후에 붙이는 부관도 법률에 명문 규정이 있거나 변경이 미리 유보되어 있는 경우 또는 상대방의 동의가 있는 경우 등에는 특별한 사정이 없는 한 허용된다. (○)

4 부담의 하자와 그 이행행위인 법률행위의 효력

하자 있는 부담이 취소되거나 무효인 경우 그 부담의 이행으로 한 법률행위의 효력은 어떻게 되는지 특히 기부채납의 부담에서 문제된다(부담과 이행행위의 관계).

1. 법적 성격 – 독립설(판례)

(1) 판례는 부담의 이행으로 이루어진 기부채납을 사법상의 증여계약으로 보아 부담을 붙인 행정처분과는 별개의 법률행위로 이해하고 있다(이른바 독립설). 즉, 기부채납에 의한 소유권 이전의 법률상 원인은 기부채납이라는 증여계약이고, 기부채납부담은 그 증여계약을 하게 된 동기에 불과하다고 본다.

(2) 이러한 입장에 따르면, 소유권이전등기말소청구소송은 민사소송으로 진행되고, 만약 부담이 취소되거나 무효라 하더라도 이는 증여의 의사표시를 하게 된 하나의 동기 내지 연유에 불과한 것이므로 이를 이유로 증여계약의 무효를 원인으로 한 소유권이전등기의 말소를 구하는 것은 허용되지 않고, 단지 이와 같은 부담의 하자는 증여계약의 중요부분에 대한 착오로서 취소사유가 될 뿐이다.

> **참고 기부채납과 부담인 부관**
>
> **1. 기부채납과 기부채납부담**
> 기부채납이란 개인이 그 소유재산을 국가나 지방자치단체에게 증여(기부)하는 의사표시를 하고 국가나 지방자치단체가 이를 승낙(채납)하는 의사표시를 함으로써 성립하는 증여계약을 의미하고(대판 1996.11.8. 96다20581), 기부채납부담은 이러한 기부채납을 수익적 행정처분에 부수하여 하명하는 부관을 의미한다.
>
> **2. 부관종속설**
> 부관의 이행으로 행한 사법상의 법률행위는 부관과 무관한 것이 아니라 부관의 이행행위에 불과하다는 입장에서는 기부채납의 원인은 기부채납부담이므로 기부채납과 관련된 법률관계는 기부채납부담이라는 처분을 원인으로 하는 법률관계에 해당하는 것으로서 기부채납부담의 위법을 이유로 제기되는 소유권이전등기말소청구소송은 당사자소송으로 진행되어야 한다고 본다. 이 견해에 따르면 부담이 무효이거나 취소되면 기부채납은 법률상 원인 없이 이루어진 것으로 부당이득이 되나, 부담이 취소사유에 그치는 경우라면 권한 있는 기관에 의하여 취소되지 않는 한 법률상 원인이 인정되므로 부당이득이 되지 않는다.

독립설
▷ 부담과 그 이행행위: 별개의 법률행위 (상호무관○)
▷ 부담의 무효·취소시: 이행행위 무효× (부당이득×)

종속설
▷ 부담과 그 이행행위: 상호무관×
▷ 부담의 무효·취소시: 이행행위 무효○ (부당이득○)

독립설(판례)
▷ 부담: 공법행위
▷ 이행행위: 사법행위
▷ 기부채납부담 무효·취소 시: 증여계약 당연무효×(착오 취소사유○, ∵기부채납부담은 증여계약을 하게 된 동기에 불과)

부담에 불가쟁력 生
▷ 부담의 이행행위는 별도로 유효성 판단 可

부담 무효
▷ 부담의 이행행위 당연무효×

불가쟁력 발생한 부담의 이행으로 인한 사법행위
▷ 별도로 사법행위 효력 다툼 可

기부채납부관 붙은 증여계약
▷ 부관이 무효·취소되지 않는 한 부관으로 인한 증여계약 착오취소 不可

2. 효력

판례는 부담에 불가쟁력이 생겨 더 이상 다툴 수 없게 되었다 하더라도 부담의 이행으로서 하게 된 사법상 매매 등의 법률행위는 그 부담의 불가쟁력과 별도로 사회질서 위반이나 강행규정에 위반되는지 여부 등을 따져 그 법률행위의 유효 여부를 판단할 수 있다고 한다.

> ⚖ **관련판례**
>
> **1** 행정처분에 부가한 부담이 무효인 경우 그 부담의 이행으로 이루어진 사법상 법률행위가 당연히 무효가 되는 것은 아니며 행정처분에 부가한 부담이 제소기간의 도과로 불가쟁력이 생긴 경우에도 그 부담의 이행으로 한 사법상 법률행위의 효력은 별도로 판단하여야 한다. ★★★
>
> [1] 행정처분에 부담인 부관을 붙인 경우 부관의 무효화에 의하여 본체인 행정처분 자체의 효력에도 영향이 있게 될 수는 있지만, 그 처분을 받은 사람이 부담의 이행으로 사법상 매매 등의 법률행위를 한 경우에는 그 부관은 특별한 사정이 없는 한 법률행위를 하게 된 동기 내지 연유로 작용하였을 뿐이므로 이는 법률행위의 취소사유가 될 수 있음은 별론으로 하고 그 법률행위 자체를 당연히 무효화하는 것은 아니다.
>
> 24. 국가직 9급 행정처분에 부담인 부관을 붙인 경우 부관의 무효화에 의하여 본체인 행정처분 자체의 효력에도 영향이 있게 될 수 있으며, 그 처분을 받은 사람이 부담의 이행으로 사법상 매매 등의 법률행위를 한 경우 그 법률행위 자체는 ~~당연무효이다~~. (×) → 있지만, / 가 당연히 무효가 되는 것은 아니다
>
> 22. 소방직, 22. 지방직 9급, 19. 국가직 9급, 15. 지방직 9급, 12. 국가직 7급 등 행정처분에 붙인 부관인 부담이 무효가 되면 그 부담의 이행으로 한 사법상 법률행위도 ~~당연히 무효가 된다~~. (×) → 되는 것은 아니다
>
> 21. 국회직 8급, 19. 서울시 7급 기속행위 행정처분에 부담인 부관을 붙인 경우 그 부관은 무효이므로 그 처분을 받은 사람이 그 부담의 이행으로서 하게 된 증여의 의사표시 자체도 당연히 무효가 ~~된다~~. (×) → 되는 것은 아니다
>
> 14. 국회직 8급 부관인 부담의 이행행위인 법률행위는 공법상의 법률행위의 성격을 갖기 때문에 부담이 무효이거나 취소가 되면, 그 이행행위인 기부채납이나 금전납부는 법률상 원인 없이 이루어진 것으로 부당이득이 ~~된다~~. (×) → 사법 / 되지 않는다
>
> [2] 또한 행정처분에 붙은 부담인 부관이 제소기간의 도과로 확정되어 이미 불가쟁력이 생겼다면 그 하자가 중대하고 명백하여 당연무효로 보아야 할 경우 외에는 누구나 그 효력을 부인할 수 없을 것이지만, 부담의 이행으로서 하게 된 사법상 매매 등의 법률행위는 부담을 붙인 행정처분과는 어디까지나 별개의 법률행위이므로 그 부담의 불가쟁력의 문제와는 별도로 법률행위가 사회질서 위반이나 강행규정에 위반되는지 여부 등을 따져보아 그 법률행위의 유효 여부를 판단하여야 한다(대판 2009.6.25. 2006다18174).
>
> 19. 국회직 8급 행정처분에 부가한 부담이 무효인 경우에도 그 부담의 이행으로 한 사법상 법률행위가 당연히 무효가 되는 것은 아니며 행정처분에 부가한 부담이 제소기간의 도과로 불가쟁력이 생긴 경우에도 그 부담의 이행으로 한 사법상 법률행위의 효력을 다툴 수 있다. (○)
>
> 22. 소방간부, 21. 국가직 7급, 16. 지방직 7급, 13. 지방직 7급 행정처분에 붙인 부담인 부관이 제소기간 도과로 불가쟁력이 생긴 경우에는 그 부담의 이행으로 한 사법상 법률행위의 효력을 ~~다툴 수 없다~~. (×) → 에도 / 있다
>
> **2** 토지소유자가 토지형질변경행위허가에 붙은 기부채납의 부관에 따라 토지를 기부채납(증여)한 경우, 기부채납의 부관이 당연무효이거나 취소되지 않은 상태에서는 그 부관으로 인하여 증여 계약의 중요부분에 착오가 있음을 이유로 증여계약을 취소할 수 없다(대판 1999.5.25. 98다53134). ★★★

24. 국가직 9급, 23. 국가직 9급 토지소유자가 토지형질변경행위허가에 붙은 기부채납의 부관에 따라 토지를 국가나 지방자치단체에 기부채납(증여)한 경우, 기부채납의 부관이 당연무효이거나 취소되지 아니한 이상 토지소유자는 위 부관으로 인하여 기부채납계약의 중요부분에 착오가 있음을 이유로 기부채납계약을 취소할 수 없다. (○)

3 **건축허가를 하면서 토지를 기부채납하도록 한 무효인 허가조건을 유효한 것으로 믿고 토지를 증여하였다면 이는 동기의 착오에 불과하여 그 소유권이전등기의 말소를 청구할 수는 없다. ★★**

건축허가를 하면서 일정 토지를 기부채납하도록 하는 내용의 허가조건은 부관을 붙일 수 없는 기속행위 내지 기속적 재량행위인 건축허가에 붙인부담이거나 또는 법령상 아무런 근거가 없는 부관이어서 무효이다. 이 경우 허가조건이 무효라고 하더라도 그 부관 및 본체인 건축허가 자체의 효력이 문제됨은 별론으로 하고, 허가신청대행자가 그 소유인 토지를 허가관청에게 기부채납함에 있어 위 허가조건은 증여의사표시를 하게 된 하나의 동기 내지 연유에 불과한 것이고, 위 허가신청대행자가 건축허가를 받은토지의 일부를 반드시 허가관청에 기부채납하여야 한다는 법령상의 근거규정이 없음에도 불구하고 위 허가조건의 내용에 따라 위 토지를 기부채납하여야만 허가신청인들이 시공한 건축물의 준공검사가 나오는 것으로 믿고 증여계약을 체결하여 허가관청인 시 앞으로 위 토지에 관하여 소유권이전등기를 경료하여 주었다면 이는 일종의 동기의 착오로서 그 허가조건상의 하자가 허가신청대행자의 증여의사표시 자체에 직접 영향을 미치는 것은 아니므로, 이를 이유로 하여 위 시 명의의 소유권이전등기의 말소를 청구할 수는 없다(대판 1995.6.13. 94다56883).

24. 국회직 8급 건축허가를 하면서 일정 토지를 기부채납하도록 한 허가조건의 효력이 무효라고 하더라도, 무효인 허가조건을 유효한 것으로 믿고 토지를 증여하였다면 이는 동기의 착오에 불과하여 그 소유권이전등기의 말소를 청구할 수는 없다. (○)

5 부관의 하자

1. 위법한 부관의 효력

부관에 하자가 있는 경우 그 부관의 효력은 행정행위 하자의 일반이론(중대·명백설)에 따라 그 하자가 중대하고 명백할 때에는 무효, 그렇지 않을 때에는 취소할 수 있는 부관이 된다. 부관의 위법 여부는 처분시의 법령을 기준으로 한다.

> 🔍 **관련판례**
>
> **수익적 행정처분을 하며 부가한 부담의 위법 여부는 처분 당시 법령을 기준으로 판단하여야 한다. ★★★**
> 행정청이 수익적 행정처분을 하면서 부가한 부담의 위법 여부는 처분 당시 법령을 기준으로 판단하여야 하고, 부담이 처분 당시 법령을 기준으로 적법하다면 처분 후 부담의 전제가 된 주된 행정처분의 근거 법령이 개정됨으로써 행정청이 더 이상 부관을 붙일 수 없게 되었다 하더라도 곧바로 위법하게 되거나 그 효력이 소멸하게 되는 것은 아니다. 따라서 행정처분의 상대방이 수익적 행정처분을 얻기 위하여 행정청과 사이에 행정처분에 부가할 부담에 관한 협약을 체결하고 행정청이 수익적 행정처분을 하면서 협약상의 의무를 부담으로 부가하였으나 부담의 전제가 된 주된 행정처분의 근거 법령이 개정됨으로써 행정청이 더 이상 부관을 붙일 수 없게 된 경우에도 곧바로 협약의 효력이 소멸하는 것은 아니다(대판 2009.2.12. 2005다65500).

22. 지방직 7급, 21. 국가직 9급, 19. 서울시 7·9급, 17. 경찰 2차, 16. 지방직 7급 등 부담이 처분 당시 법령을 기준으로 적법하더라도, 처분 후 부담의 전제가 된 주된 행정처분의 근거 법령이 개정됨으로써 행정청이 더 이상 부관을 붙일 수 없게 되었다면 그 부담은 곧바로 위법하게 되거나 그 효력이 소멸한 것으로 보아야 한다. (×) → 하다면 / 되었다고 하더라도 / 하게 되는 것은 아니다

20. 국가직 9급, 18. 지방직 7급, 18. 서울시 9급, 16. 지방직 7급, 16. 경찰 2차 등 행정청이 수익적 행정처분을 하면서 사전에 상대방과 체결한 협약상의 의무를 부담으로 부가하였는데, 부담의 전제가 된 주된 행정처분의 근거 법령이 개정되어 부관을 붙일 수 없게 된 경우에는 곧바로 협약의 효력이 소멸한다. (×) → 에도 / 소멸하는 것은 아니다

2. 위법한 부관이 붙은 행정행위의 효력

(1) 부관이 무효인 경우

통설은 무효인 부관이 주된 행정행위의 본질적인 부분인 경우, 즉 부관을 붙이지 않았더라면 주된 행정행위를 하지 않았을 것이라고 판단되는 경우 주된 행정행위도 무효가 되나, 본질적인 부분이 아닌 경우에는 부관의 무효사유는 주된 행정행위의 효력에 영향을 미치지 않고 부관만 무효라고 본다.

(2) 위법한 부관이 취소할 수 있는 부관인 경우

부관이 주된 행정행위와 분리될 수 있고 주된 행정행위의 본질적 부분이 아닌 경우에는 부관만이 취소될 수 있지만, 부관이 주된 행정행위와 분리될 수 없거나 주된 행정행위의 본질적인 부분을 이루는 경우에는 부관만의 취소는 인정되지 않는다.

(3) 기속행위에 법령의 근거 없이 붙여진 효과제한적 부관인 경우

본질적 요소인 부관의 위법
▷ 행정행위 전체가 위법
기속행위에 법령의 근거 없이 붙여진 효과제한적 부관
▷ 부관만 무효

기속행위에 행정행위의 효과를 제한하는 부관이 법령에 근거 없이 붙여졌다면 본래 기속행위에는 행정행위의 효과를 제한하는 부관을 붙일 수 없기 때문에 그 부관은 무효이고, 부관만이 무효가 된다.

05. 국회직 8급 부관이 무효인 경우에 그것이 본체인 행정행위의 효력에 어떤 영향을 미치는가에 관하여 판례는 부관이 행정행위의 중요한 요소인 경우에 한하여 행정행위를 무효로 만들며 그렇지 않은 경우에는 아무런 영향을 미치지 않는다고 한다. (○)

🔨 관련판례

도로점용허가의 점용기간
▷ 본질적 요소
점용기간 위법
▷ 도로점용허가 전부 위법

1 도로점용허가의 점용기간은 행정행위의 본질적인 요소에 해당한다고 볼 것이어서 부관인 점용기간을 정함에 있어서 위법사유가 있다면 이로써 도로점용허가 전부가 위법하게 된다(대판 1985.7.9. 84누604). ★★★

19. 국가직 9급, 12. 경찰 3차 도로점용허가에 있어 부관인 점용기간을 정함에 위법이 있는 경우, 도로점용허가 전부가 위법이다. (○)

기부채납 받은 행정재산 사용·수익 허가에 있어 허가기간
▷ 본질적 요소
허가기간 위법
▷ 사용·수익 허가 전부 위법

2 기부채납 받은 공원시설의 사용·수익허가에서 그 허가기간은 행정행위의 본질적 요소에 해당한다고 볼 것이어서, 부관인 허가기간에 위법사유가 있다면 이로써 공원시설의 사용·수익허가 전부가 위법하게 될 것이다(대판 2001.6.15. 99두509). ★★★

17. 지방직 9급, 16. 사복직 공유재산의 관리청이 기부채납된 행정재산에 대하여 행하는 사용·수익 허가의 경우, 부관인 사용·수익 허가의 기간에 위법사유가 있다면 허가 전부가 위법하게 된다. (○)

6 위법한 부관에 대한 행정쟁송

부관이 위법한 경우 행정행위의 상대방은 부관 부분만 독립한 쟁송의 대상으로 할 수 있는 지 아니면 부관부 행정행위 전체를 쟁송의 대상으로 삼아야 하는지의 문제(부관의 독립쟁송가능성)와 이 때 소송의 형태는 어떠한지(쟁송제기의 형식), 법원이 부관만의 취소·무효확인을 선고할 수 있는지 아니면 부관부 행정행위 전체에 대한 취소·무효확인을 선고하여야 하는지의 문제(부관의 독립취소가능성)가 발생한다.

1. 부관에 대한 독립쟁송가능성(소송요건 중 대상적격의 문제)

(1) 학설

① **부담에 한하여 독립쟁송가능성을 인정하는 견해:** 부관 중 부담은 그 자체로 특정한 의무를 명하는 처분으로서의 성질을 가지므로 독립하여 쟁송의 대상이 되지만, 그 외의 부관은 주된 행정행위의 한 부분에 불과하여 부관부 행정행위의 전체를 소의 대상으로 하여야 한다는 견해이다(다수설, 판례).

② **모든 부관에 대하여 독립쟁송가능성을 인정하는 견해:** 소의 이익이 있는 한 모든 부관에 대하여 독립하여 행정쟁송을 제기할 수 있다는 견해이다.

③ **분리 가능성이 있는 부관만의 독립쟁송가능성을 인정하는 견해:** 부관의 독립쟁송의 문제는 법원이 본안심리를 통해 부관을 취소할 경우 주된 행정행위가 여전히 그 자체로 존속할 수 있는지 여부와 밀접한 관련이 있다는 전제하에, 부관만의 독립취소가 법원에 의해 인정될 정도로 주된 행정행위와 분리 가능성을 가지는 부관이라면 그 처분성 여부와 무관하게 독립하여 행정쟁송으로 다툴 수 있다는 견해이다.

(2) 판례

판례는 일관되게 부담만 독립하여 행정쟁송의 대상이 될 수 있고, 그 외의 부관은 독립하여 행정쟁송의 대상이 될 수 없다는 입장이다. 따라서 부담이 아닌 부관만의 취소를 구하는 소송이 제기된 경우에 법원은 각하판결을 하여야 한다.

17. 서울시 9급 부담이 아닌 부관은 독립하여 행정소송의 대상이 될 수 없으므로 이의 취소를 구하는 소송에 대하여는 각하판결을 하여야 한다. (○)

16. 지방직 9급 부담이 아닌 부관만의 취소를 구하는 소송이 제기된 경우에 법원은 각하판결을 하여야 한다. (○)

> ### 관련판례
>
> **1 부담은 다른 부관과는 달리 그 자체로서 행정쟁송의 대상이 된다. ★★★**
>
> **1-1.** 행정행위의 부관은 행정행위의 일반적인 효력이나 효과를 제한하기 위하여 의사표시의 주된 내용에 부가되는 종된 의사표시이지 그 자체로서 직접 법적 효과를 발생하는 독립된 처분이 아니므로 현행 행정쟁송제도 아래서는 부관 그 자체만을 독립된 쟁송의 대상으로 할 수 없는 것이 원칙이나 <u>행정행위의 부관 중에서도 행정행위에 부수하여 그 행정행위의 상대방에게 일정한 의무를 부과하는 행정청의 의사표시인 부담의 경우에는 다른 부관과는 달리 행정행위의 불가분적인 요소가 아니고 그 존속이 본체인 행정행위의 존재를 전제로 하는 것일 뿐이므로 부담 그 자체로서 행정쟁송의 대상이 될 수 있다.</u>
>
> 21. 소방직 행정행위의 부관 중 행정행위에 부수하여 그 상대방에게 일정한 의무를 부과하는 행정청의 의사표시인 부담은 그 자체만으로 행정소송의 대상이 될 수 있다. (○)

부담만 독립쟁송가능성 인정하는 견해 (다수설, 판례)
▷ 부담: 독립쟁송 可
▷ 그 외의 부관: 독립쟁송 不可(부관부 행정행위 전체가 소의 대상)

부담인 부관
▷ 독립하여 항고소송의 대상○

부담이 아닌 부관
▷ 독립적인 항고소송의 대상×

부담이 아닌 부관의 취소소송
▷ 각하

부담
▷ 처분○

부담 이외의 부관
▷ 처분×

당해 행정청 아닌 다른 행정청의 부담상 의무이행 의사표시
▷ 당연히 처분✕

①
건설부장관이 공유수면매립면허를 함에 있어 그 면허 받은 자에게 당해 공유수면에 이미 토사를 투기한 지방해운항만청장에게 그 대가를 지급하도록 한 부관에 따라 한 같은 해운항만청장의 수토대금 납부고지행위는 법령상의 근거 없이 한 것으로서 행정처분에 해당한다고 할 수 없다고 한 사례(→ 부담상의 의무이행 요구의 의사표시로서 공권력을 수반하지 아니하는 사경제적 작용에 불과한 사법상의 행위)

사용 · 수익허가기간
▷ 독립쟁송 불가(∵기한)

면허유효기간
▷ 독립쟁송 불가(∵기한)

공유수면매립준공인가 중 매립지 일부에 대한 국가귀속처분
▷ 독립쟁송 불가(∵법률효과 일부배제)

19. 소방직 행정행위의 부관은 부담의 경우를 제외하고는 독립하여 항고소송의 대상이 아니다. (○)

20. 지방직 9급, 20. 변호사 부관 중에서 부담은 주된 행정행위로부터 분리할 수 있다 할지라도 부담 그 자체는 독립된 행정행위가 아니므로 주된 행정행위와 분리하여 쟁송의 대상이 될 수 없다. (✕) → 있고 / 이므로 / 있다

1-2. 행정행위의 부관인 부담에 정해진 바에 따라 당해 행정청이 아닌 다른 행정청이 그 부담상의 의무이행을 요구하는 의사표시를 하였을 경우, 이러한 행위가 당연히 또는 무조건으로 행정소송법상 항고소송의 대상이 되는 처분에 해당한다고 할 수는 없다(대판 1992.1.21. 91누1264).①

24. 국가직 9급 행정행위의 부관인 부담에 정해진 바에 따라 당해 행정청이 아닌 다른 행정청이 그 부담상의 의무이행을 요구하는 의사표시를 하였을 경우, 이러한 행위가 당연히 항고소송의 대상이 되는 처분에 해당한다고 할 수는 없다. (○)

2 사용 · 수익허가의 기간에 대하여 독립하여 행정소송을 제기할 수 없다. ★★★
행정행위의 부관은 부담인 경우를 제외하고는 독립하여 행정소송의 대상이 될 수 없는바, 기부채납 받은 행정재산에 대한 사용 · 수익허가에서 공유재산의 관리청이 정한 사용 · 수익허가의 기간은 그 허가의 효력을 제한하기 위한 행정행위의 부관으로서 이러한 사용 · 수익허가의 기간에 대해서는 독립하여 행정소송을 제기할 수 없다. … 결국 이 사건 주위적 청구는 부적법하여 각하를 면할 수 없다(대판 2001.6.15. 99두509).

24. 국가직 9급 기부채납받은 행정재산에 대한 사용 · 수익허가에서 공유재산의 관리청이 정한 사용 · 수익허가의 기간은 그 허가의 효력을 제한하기 위한 행정행위의 부관으로서 이러한 사용 · 수익허가의 기간에 대해서는 독립하여 행정소송을 제기할 수 없다. (○)

20. 지방직 9급, 17. 서울시 9급, 16. 서울시 7급, 14. 국가직 9급, 13. 행정사 등 기부채납받은 행정재산에 대한 사용 · 수익허가의 기간은 그 허가의 효력을 제한하기 위한 행정행위의 부관으로서, 이러한 사용 · 수익허가의 기간에 대해서는 독립하여 행정소송을 제기할 수 있다. (✕) → 없다

21. 경찰 2차, 11. 지방직 9급 공유재산에 대한 40년간의 사용허가신청에 대해 행정청이 20년간 사용허가한 경우에 사용허가 기간에 대해서 독립하여 행정소송을 제기할 수 있다. (✕) → 없다

3 면허유효 기간만의 취소를 구하는 청구는 허용될 수 없다. ★★
어업면허처분을 함에 있어 그 면허의 유효기간을 1년으로 정한 경우, 위 면허의 유효기간은 행정청이 위 어업면허처분의 효력을 제한하기 위한 행정행위의 부관이라 할 것이고 이러한 행정행위의 부관은 독립하여 행정소송의 대상이 될 수 없는 것이므로 위 어업면허처분중 그 면허유효 기간만의 취소를 구하는 청구는 허용될 수 없다(대판 1986.8.19. 86누202).

22. 소방간부, 15. 서울시 7급 어업면허처분을 함에 있어 그 면허의 유효기간을 1년으로 정한 경우, 그 유효기간만의 취소를 구하는 청구는 허용될 수 없다. (○)

4 공유수면매립준공인가 중 매립지 일부에 대하여 한 국가귀속처분에 대하여 독립하여 행정소송의 대상으로 삼을 수 없다. ★★★
행정청이 한 공유수면매립준공인가 중 매립지 일부에 대하여 한 국가귀속처분은 매립준공인가를 함에 있어서 매립의 면허를 받은 자의 매립지에 대한 소유권취득을 규정한 공유수면매립법 제14조의 효과 일부를 배제하는 부관을 붙인 것이므로 이러한 행정행위의 부관에 대하여는 독립하여 행정소송의 대상으로 삼을 수 없다(대판 1991.12.13. 90누8503 ; 대판 1993.10.8. 93누2032).

19. 지방직 9급, 19. 서울시 7급, 16. 국가직 7급 공유수면매립준공인가처분을 하면서 매립지 일부에 대하여 한 국가 및 지방자치단체에의 귀속처분은 부관 중 부담에 해당하므로 독립하여 행정소송 대상이 될 수 있다. (✕) → 법률효과의 일부배제 / 없다

2. 쟁송제기의 형식

(1) 학설

부관에 대한 소송형태는 형식(대상적격)과 내용(본안판단) 모두 부관만의 취소를 구하는 '진정일부취소소송'과 형식은 부관부 행정행위 전체의 취소를 구하나 내용은 부관만의 일부 취소를 구하는 '부진정일부취소소송'으로 구분된다. 학설은 대체로 부담에 대하여는 진정일부취소소송을, 부담 이외의 부관에 대해서는 부관부 행정행위 전체를 소송대상으로 하되 그 중에서 부관 부분만의 일부 취소를 구하는 부진정일부취소소송의 형식으로 다툴 수 있다고 본다.

10. 국가직 9급 「식품위생법」은 관할 관청이 영업허가를 하는 때에는 필요한 조건을 붙일 수 있다고 규정하고 있다. 이에 군수 A는 유흥주점영업을 허가하면서 일정한 규모의 주차공간을 확보할 것을 조건으로 붙였다. 이 경우, 취소소송을 통하여 조건을 다투는 경우에 조건을 포함한 유흥주점영업허가를 취소소송의 대상으로 하면서 조건만을 취소해 달라고 청구하는 경우를 진정일부취소소송이라 한다. (×) → 부진정일부취소소송

(2) 판례

판례는 부담은 처분성이 인정되기 때문에 부담 그 자체가 행정소송의 대상이 된다고 한다(진정일부취소소송). 그러나 부담 이외의 부관은 주된 행정행위의 불가분적 요소를 이루고 있어 독립하여 취소소송의 대상이 될 수 없고, 부관부 행정행위 전체를 소송의 대상으로 하고 부관부 행정행위 전체의 취소를 구하는 소송을 제기하거나(전체취소소송), 처분청에 부관의 변경(또는 부관이 없는 처분으로의 변경)을 신청하고 거부당하면 거부처분 취소소송을 제기하여야 한다고 본다.

19. 서울시 7급, 12. 사복직, 10. 국회직 8급 부담 이외의 부관으로 인하여 권리를 침해당한 자는 부관부 행정행위 전체에 대해 취소소송을 제기하거나, 행정청에 부관이 없는 행정행위로 변경해 줄 것을 청구한 다음 그것이 거부된 경우 거부처분 취소소송을 제기할 수 있다. (○)

13. 서울시 7급 판례에 의하면 부담 외의 부관에 대한 일부취소소송은 인정되지 않고 부담 외의 부관이 위법한 경우 행정행위 전부를 취소한다. (○)

16. 국가직 9급, 13. 국회직 8급 위법한 부담 이외의 부관으로 인해 권리를 침해받은 자는 형식상 부관부 행위 전체를 소송의 대상으로 하면서 부관만의 취소를 구하는 부진정일부취소소송을 제기할 수 있다. (×) → 없다 (단, 학설은 인정)

⚖ 관련판례

기선선망어업의 허가를 하면서 부속선을 사용할수 없도록 제한한 위법한 부관에 대해서는 부속선을 사용할 수 있도록 어업허가변경신청을 한 다음 그것이 거부된 경우 거부처분 취소소송을 제기할 수 있다. ★★

원고는 위 허가받은 내용에 따라 조업을 해오다가 원고 소유의 제38 청룡호(기존허가어선)와 제3 대운호를 제1 대영호(기존허가어선)의 등선으로, 제22 대원호, 제3선경호 및 한진호를 제1 대영호의 운반선으로 각 사용할 수 있도록 하여 선박의 척수를 변경(본선2척을 1척으로 줄이는 대신 등선 2척과 운반선 3척을 추가하는 내용임)하여 달라는 어업허가사항변경신청을 하였는데 피고는 관련 규정에 따라 수산자원보호 및 다른 어업과 어업조정을 위하여 앞서 한 제한조건을 변경할 수 없다는 사유로 위 신청을 불허가하였다. 이에 어업허가사항변경신청을 불허가한 피고의 처분 역시 위법하다고 보아야 할 것이다(대판 1990.4.27. 89누6808).

15. 국회직 8급 기선선망어업의 허가를 하면서 부속선을 사용하수 없도록 제한한 위법한 부관에 대해서는 부속선을 사용할 수 있도록 어업허가변경신청을 한 다음 그것이 거부된 경우에 거부처분의 취소소송을 제기할 수 있다. (○)

함께 정리하기

진정일부취소소송
▷ 부관만 대상, 부관만 취소 청구

부진정일부취소소송
▷ 부관부 행정행위 전체가 대상, 부관만 취소 청구

학설
▷ 부담: 진정일부취소소송
▷ 부담 아닌 부관: 부진정일부취소소송

판례
▷ 부담: 진정일부취소소송
▷ 부담 아닌 부관: 전체취소소송 또는 거부처분취소소송(진정일부취소×, 부진정일부취소×)

전체취소소송
▷ 부관부 행정행위 전체가 대상
▷ 부관부 행정행위 전체 취소 청구

거부처분취소소송
▷ 부관의 변경을 신청하고 거부처시

위법한 부관을 제거한 어업허가변경신청 거부에 대하여
▷ 거부처분 취소소송제기 可

3. 부관의 독립취소가능성(본안의 문제)

(1) 학설

① **재량행위와 기속행위를 구별하는 견해:** 주된 행정행위가 기속행위인 경우 행정청은 법규의 기속성에 따라 기계적 집행을 하여야 하므로 임의로 부관을 붙인 경우 부관만을 분리하여 취소할 수 있으나, 재량행위의 경우에는 부관만을 취소하여 행정행위를 유지시키는 것은 행정청에게 부관 없는 행정행위를 강요하는 결과가 되므로 부관만의 취소가 허용되지 않는다는 견해이다.

② **분리가능성 여부로 판단하는 견해:** 부관이나 주된 행정행위의 유형과 관계없이 부관이 주된 행정행위와 분리될 수 있는 경우에만 부관의 독립취소가 인정된다는 견해이다.

(2) 판례

판례는 부담의 독립취소가능성은 인정하고 있으나, 부진정일부취소소송을 인정하지 않기에 부담 이외의 부관의 독립취소가능성은 부정하는 입장이다. 즉, 부담 아닌 부관은 본체인 행정행위와 합쳐 하나의 행정행위를 이루는 것이어서 본체인 행정행위에 중요한 요소인 부관인지 여부를 불문하고 부관만 떼어내어 독립쟁송의 대상으로 삼을 수 없고, 당해 행정행위 전체의 취소를 구하여야 하며(전체취소소송), 부관만의 취소를 구하는 것은 부적법하여 각하된다.

18. 지방직 9급 하천점용허가에 조건인 부관이 부가된 경우 해당 부관에 대해서는 독립적으로 소를 제기할 수 없다. (O)

16. 서울시 9급 부관이 붙은 행정행위 전체를 소송의 대상으로 하였다가 부관만이 위법하다고 판단되는 경우에는 부관의 독립적 취소가 가능하다. (X) → 는 불가하다

부담
▷ 독립취소 可

부담 아닌 부관
▷ 독립취소不可
▷ 판례: 부진정일부취소소송 인정×

제7절 행정행위의 성립요건 · 적법요건 · 효력발생요건

1 개설

행정행위의 요건은 성립요건, 적법요건, 효력발생요건으로 구분할 수 있다. 행정에 관한 의사결정이 행정청에 의하여 외부에 표시되어 행정행위로서 성립하더라도 적법요건과 효력발생요건을 충족하여야 적법 · 유효한 행정행위가 된다. 이러한 요건을 갖추지 못한 행정행위는 부존재하거나 하자(흠)있는 행정행위가 된다. 예컨대, 행정행위가 외부에 표시되지 않으면 행정행위는 성립하지 않고, 행정행위가 표시됨에 있어 서면으로 할 것을 구술로 하게 되면 형식에 관한 적법요건을 결하게 된다. 표시된 행정행위가 상대방에 대하여 도달하지 않으면 행정행위는 상대방에 대하여 효력을 발생하지 않는다.

2 행정행위의 성립요건❶

행정행위의 성립요건은 행정행위의 부존재를 가리기 위한 기준이 되는바, 행정행위가 존재하기 위한 최소한의 요건을 의미한다. 행정행위가 성립(존재)하기 위하여는 행정에 관한 의사결정능력을 가진 행정기관에 의해 행정의사가 내부적으로 결정되고(내부적 성립❷), 이러한 내부적 의사결정이 외부에 표시되어야 한다(외부적 성립).❸ 행정행위의 성립요건을 갖추지 못한 행정행위는 부존재하는 것이 되어 부존재확인청구소송의 대상이 된다.

🔥 관련판례

1 행정기관에 의해 행정의사가 내부적 성립요건을 갖추고, 외부적으로 표시되면 행정행위는 성립한다. ★★

일반적으로 행정처분이 주체·내용·절차와 형식이라는 내부적 성립요건과 외부에 대한 표시라는 외부적 성립요건을 모두 갖춘 경우에는 행정처분이 존재한다고 할 수 있다. 행정처분의 외부적 성립은 행정의사가 외부에 표시되어 행정청이 자유롭게 취소·철회할 수 없는 구속을 받게 되는 시점을 확정하는 의미를 가지므로, 어떠한 처분의 외부적 성립 여부는 행정청에 의해 행정의사가 공식적인 방법으로 외부에 표시되었는지를 기준으로 판단하여야 한다(대판 2017.7.11. 2016두35120 ; 대판 2021.12.16. 2019두45944).

21. 소방직, 21. 군무원 9급 일반적으로 행정행위가 주체·내용·절차와 형식의 요건을 모두 갖추고 외부에 표시된 경우에 행정행위의 존재가 인정된다. (○)

21. 국가직 9급, 21. 군무원 9급 행정의사가 외부에 표시되어 행정청이 자유롭게 취소·철회할 수 없는 구속을 받게 되는 시점에 처분이 성립하고, 그 성립 여부는 행정청이 행정의사를 공식적인 방법으로 외부에 표시하였는지를 기준으로 판단해야 한다. (○)

2 법무부장관이 甲의 입국을 금지하는 결정을 하고 그 정보를 내부전산망인 '출입국관리정보시스템'에 입력하였으나, 甲에게 통보하지 않은 사안에서, 위 입국금지결정은 항고소송의 대상이 되는 '처분'에 해당하지 않는다. ★★

(병무청장이 법무부장관에게 '가수 甲이 공연을 위하여 국외여행허가를 받고 출국한 후 미국 시민권을 취득함으로써 사실상 병역의무를 면탈하였으므로 재외동포 자격으로 재입국하고자 하는 경우 국내에서 취업, 가수활동 등 영리활동을 할 수 없도록 하고, 불가능할 경우 입국 자체를 금지해 달라'고 요청함에 따라 법무부장관이 甲의 입국을 금지하는 결정을 하고, 그 정보를 내부전산망인 '출입국관리정보시스템'에 입력하였으나, 甲에게는 통보하지 않은 사안에서, 위 입국금지결정은 항고소송의 대상이 되는 '처분'에 해당하지 않는다고 한 사례) 행정청이 행정의사를 외부에 표시하여 행정청이 자유롭게 취소·철회할 수 없는 구속을 받기 전에는 '처분'이 성립하지 않으므로, 법무부장관이 위와 같은 법령에 따라 이 사건 입국금지결정을 했다고 해서 '처분'이 성립한다고 볼 수는 없다. 이 사건 입국금지결정은 법무부장관의 의사가 공식적인 방법으로 외부에 표시된 것이 아니라 단지 그 정보를 내부전산망인 '출입국관리정보시스템'에 입력하여 관리한 것에 지나지 않으므로, 항고소송의 대상이 될 수 있는 '처분'에 해당하지 않는다(대판 2019.7.11. 2017두38874).

21. 군무원 9급 (병무청장이 법무부장관에게 '가수 甲이 공연을 위하여 국외여행허가를 받고 출국한 후 미국 시민권을 취득함으로써 사실상 병역의무를 면탈하였으므로 재외동포 자격으로 재입국하고자 하는 경우 국내에서 취업, 가수활동 등 영리활동을 할 수 없도록 하고, 불가능할 경우 입국 자체를 금지해 달라'고 요청함에 따라 법무부장관이 甲의 입국을 금지하는 결정을 하고, 그 정보를 내부 전산망인 '출입국관리정보시스템'에 입력하였으나, 甲에게는 통보하지 않았다) 위 입국금지결정은 항고소송의 대상이 되는 '처분'에 해당한다. (×) → 하지 않는다

함께 정리하기

❶
행정행위가 적법하게 성립하려면 주체·절차·형식·내용에 관한 요건을 갖추어 발령되어야 한다. 이러한 요건은 종래 행정행위의 성립요건이라 불리어왔으나, 현재는 대다수의 학자들이 행정행위의 적법요건이라고 표현하고 있다. 그런데 판례는 이러한 행정행위의 적법요건을 내부적 성립요건과 외부적 성립요건이라고 하여 구분하여 살피고 있다.

❷ 내부적 성립
행정행위는 통상 서명 등(전자이미지서명, 전자문서서명 및 행정전자서명을 포함한다)의 방법으로 결재권자가 결재함으로써 내부적으로 성립한다(행정업무의 운영 및 혁신에 관한 규정 제6조 제1항, 전자정부법 제17조 제1항, 동법 시행령 제8조, 대판 2020.12.10. 2015도19296).

❸ 행정의사의 외부에 대한 표시(외부적 성립요건)
여기에서의 '표시'란 행정청의 의사를 공식적인 방법으로 대외적으로 알리는 것을 말한다. 따라서 행정기관의 공무원에 의한 사적인 통지나 우연히 알게 된 것만으로는 행정행위가 성립되지 않는다. 또한 행정청의 내부적 의사결정이 신문에 보도된 것도 행정청의 의사가 공식적인 방법으로 외부에 표시된 것으로 볼 수 없다.

행정행위의 성립요건
▷ 행정행위가 존재하기 위한 요건
▷ 행정주체에 의해 내부적으로 결정되고(내부적 성립), 공식적인 방법으로 외부에 표시되어야 함(외부적 성립)

성립요건이 결여된 경우
▷ 행정행위의 부존재○

행정처분의 성립요건(판례)
▷ 주체·내용·절차와 형식이라는 내부적 성립요건 + 외부에 대한 표시라는 외부적 성립요건

법무부장관이 입국금지결정을 내부전산망인 출입국관리정보시스템에 입력함에 그친 경우
▷ 처분 성립×(∵공식적인 방법으로 외부표시×)

3 행정행위의 적법요건

행정행위의 적법요건이란 행정행위가 행해짐에 있어 법에 의해 요구되는 요건을 말한다. 이러한 적법요건은 주체·절차·형식·내용요건으로 구분할 수 있다.

1. 적법요건의 구분(주체·절차·형식·내용요건)

(1) 주체에 관한 요건

행정행위는 법령상 정당한 권한을 가진 행정청에 의하여 그 권한의 범위 내에서 정상적인 의사에 의하여 발하여져야 한다.

주체 요건
▷ 정당한 권한을 가진 행정청에 의해 그 권한 내에서 정상적인 의사에 따라 이루어져야

> ⚖ **관련판례**
>
> 행정청의 권한에는 사무의 성질 및 내용에 따르는 제약이 있고, 지역적·대인적으로 한계가 있으므로 이러한 권한의 범위를 넘어서는 권한유월의 행위는 무권한 행위로서 원칙적으로 무효라고 할 것이다(대판 2007.7.26. 2005두15748). ★★
>
> 13. 지방직 9급 행정청의 권한은 지역적 한계가 있으므로 행정청이 자신의 권한이 미치는 지역적 한계를 벗어나 발하는 행정행위는 위법하게 된다. (○)

권한유월의 행위(무권한의 행위)
▷ 원칙적으로 무효

(2) 절차에 관한 요건

행정행위에 대하여 일정한 절차가 요구되는 경우에는 그에 관한 절차를 거쳐야 한다. 특히 행정절차에 관한 일반법인 「행정절차법」은 행정청이 상대방에게 의무를 부과하거나 권익을 제한하는 행정행위를 하는 경우에 사전통지(제21조), 청문·공청회·의견제출(제22조) 등의 절차를 거치도록 하고 있다. 또한 개별법에서 행정행위를 하기 전에 타 기관의 자문이나 협의, 동의 등을 요구하는 경우가 있는데, 이러한 것들도 절차에 관한 요건에 해당한다.

절차 요건
▷ 「행정절차법」이나 개별법령이 정하고 있는 절차에 관한 규정을 준수하여야 함

(3) 형식에 관한 요건

「행정절차법」은 행정청이 처분을 하는 때에는 다른 법령 등에 특별한 규정이 있는 경우를 제외하고는 문서로 하도록 하고 있으며(제24조), 행정청이 행정행위를 하는 경우에 원칙적으로 그 근거와 이유를 제시하도록 하고 있다(제23조).

형식 요건
▷ 근거와 이유를 제시하며 문서로 하여야 함(서면주의 원칙)

(4) 내용에 관한 요건(적법, 가능, 명확, 확정)

① 행정의 법률적합성의 원칙에 따라 행정행위는 그 내용이 법에 적합하여야 한다. 즉, 행정행위는 법률우위의 원칙에 따라 그가 집행하는 법규범뿐만 아니라 비례의 원칙 등 헌법을 비롯한 모든 관련된 법규범에 위반되어서는 아니되고, 행정행위는 법률유보의 원칙이 적용되는 범위에서는 법률의 근거가 있어야 한다.❶

② 또한 행정행위는 법률상이나 사실상으로 실현가능한 것이어야 하고 객관적으로 명확하며, 그 내용이 확정되어야 한다.

❶ 법률유보의 원칙과 관련하여 적어도 침익적 행위의 발령에는 법적근거를 요한다. 복효적 행위의 경우에도 마찬가지이다. 재량행위인 경우에는 재량자가 없어야 한다. 뿐만 아니라, 재량행위의 경우에는 공표된 처분기준을 준수하여야 한다. 공표된 처분기준과 상이한 결정은 행정의 자기구속의 원칙 또는 평등원칙에 위반되는 위법한 행위가 될 수도 있다. 만일, 행정행위의 근거가 되고 있는 법규범이 헌법에 위배되어 무효인 경우에는 행정행위는 법적 근거를 상실하여 하자가 있게 된다. 이 경우에 중대하고 명백한 하자가 없는 경우 이외에는 취소할 수 있는 행정행위가 된다.

내용 요건
▷ 법률우위원칙·법률유보원칙 준수
▷ 법률상·사실상 실현가능할 것
▷ 객관적으로 명확할 것
▷ 확정적일 것

2. 적법요건의 판단시점

행정행위의 적법요건 판단시점은 행정행위의 발급시이다. 만약 행정행위의 기초가 되는 사실관계나 법령이 행정행위 발급 이후에 변경된다면 이는 행정행위의 위법성 판단에 영향을 미치지 않고, 단지 행정행위의 철회사유가 될 뿐이다.

3. 적법요건을 결여한 행정행위의 효력

(1) 행정행위가 적법요건을 결여하면 '하자(흠) 있는 위법한 행정행위'가 된다. 하자있는 행정행위의 효력은 부존재[1], 무효 및 취소할 수 있는 행정행위가 된다.

> **관련판례**
>
> **주체, 내용, 절차, 형식의 요건 중 어느 하나의 요건의 흠결도 절대적 무효이다.[2] ★★**
> 행정행위 효력요건은 정당한 권한 있는 기관이 필요한 수속을 거치고 필요한 표시의 형식을 갖추어야 할 뿐만 아니라, 행정행위의 내용이 법률상 효과를 발생할 수 있는 것이어야 되며 그 중의 어느 하나의 요건의 흠결도 당해 행정행위의 절대적 무효를 초래하는 것이며 행정행위의 내용이 법률상 결과를 발생할 수 없는 권리의무를 목적한 것이면 그 행정행위 및 부관은 절대무효이다(대판 1959.5.14. 4290민상834).
>
> 18. 국회직 8급 행정행위 효력요건은 정당한 권한 있는 기관이 필요한 수속을 거치고 필요한 표시의 형식을 갖추어야 할 뿐만 아니라, 행정행위의 내용이 법률상 효과를 발생할 수 있는 것이어야 되며 그 중의 어느 하나의 요건의 흠결도 당해 행정행위의 절대적 무효를 초래하는 것이며 행정행위의 내용이 법률상 결과를 발생할 수 없는 권리의무를 목적한 것이면 그 행정행위 및 부관은 절대무효이다. (○)

(2) 한편, 적법요건을 갖춘 행정행위는 효력이 발생(유효)하지만, 적법요건을 갖추어야만 유효한 행정행위가 되는 것은 아니다. 적법요건에 중대·명백한 하자가 있으면 행정행위는 무효가 되나, 적법요건에 그 정도에 이르지 않는 단순위법의 하자가 있더라도 행정행위의 공정력으로 인하여 권한 있는 기관에 의하여 취소되기 전까지는 유효한 행정행위일 수도 있기 때문이다.

4 행정행위의 효력발생요건

행정행위의 효력발생요건이란 행정행위가 상대방에 대하여 효력을 발생하기 위한 요건을 말한다. 행정청에 의하여 성립한 행정행위는 송달이나 공고 또는 고시를 통하여 효력이 발생하여야 한다. 효력발생요건이 충족되지 않으면 해당 행정행위는 상대방에 대하여 효력을 발생하지 못하므로 무효이다.

> **관련판례**
>
> **과세처분에 관한 납세고지서의 송달이 국세기본법 제8조 제1항의 규정에 위배되는 부적법한 것으로서 송달의 효력이 발생하지 아니하는 이상, 그 과세처분은 무효이다(대판 1995.8.22. 95누3909). ★★**
>
> 18. 국가직 7급 과세처분에 관한 납세고지서의 송달이 「국세기본법」 제8조 제1항의 규정에 위배되는 부적법한 것으로서 송달의 효력이 발생하지 아니하는 이상, 그 과세처분은 무효이다. (○)

함께 정리하기

적법요건 판단시점
▷ 행정행위 발급시

❶
이와 같이 행정행위의 부존재를 하자의 한 유형으로 보는 견해도 있고, 행정행위의 하자는 개념상 행정행위의 존재를 전제로 하므로 부존재는 하자의 범주에 속하지 않는다는 견해도 있다.

❷
예외적인 판례에 해당한다.

적법요건을 결여한 행정행위의 효력
▷ 하자 있는 위법한 행정행위로서 무효 또는 취소할 수 있는 행정행위가 됨(부존재는 견해대립)

효력발생요건
▷ 행정행위가 효력을 발생하기 위한 요건 (송달·공고·고시)

부적법한 송달·공고·고시
▷ 행정행위 무효

부적법한 납세고지서의 송달
▷ 과세처분 무효

1. 개설

「행정절차법」제14조【송달】① 송달은 우편, 교부 또는 정보통신망 이용 등의 방법으로 하되, 송달받을 자(대표자 또는 대리인을 포함한다. 이하 같다)의 주소·거소(居所)· 영업소·사무소 또는 전자우편주소(이하 "주소등"이라 한다)로 한다. 다만, 송달받을 자가 동의하는 경우에는 그를 만나는 장소에서 송달할 수 있다.

② 교부에 의한 송달은 수령확인서를 받고 문서를 교부함으로써 하며, 송달하는 장소에서 송달받을 자를 만나지 못한 경우에는 그 사무원·피용자(被傭者) 또는 동거인으로서 사리를 분별할 지능이 있는 사람(이하 이 조에서 "사무원등"이라 한다)에게 문서를 교부할 수 있다. 다만, 문서를 송달받을 자 또는 그 사무원등이 정당한 사유 없이 송달받기를 거부하는 때에는 그 사실을 수령확인서에 적고, 문서를 송달할 장소에 놓아둘 수 있다.

③ 정보통신망을 이용한 송달은 송달받을 자가 동의하는 경우에만 한다. 이 경우 송달받을 자는 송달받을 전자우편주소 등을 지정하여야 한다.

④ 다음 각 호의 어느 하나에 해당하는 경우에는 송달받을 자가 알기 쉽도록 관보, 공보, 게시판, 일간신문 중 하나 이상에 공고하고 인터넷에도 공고하여야 한다.
1. 송달받을 자의 주소등을 통상적인 방법으로 확인할 수 없는 경우
2. 송달이 불가능한 경우

⑤ 제4항에 따른 공고를 할 때에는 민감정보 및 고유식별정보 등 송달받을 자의 개인정보를 「개인정보 보호법」에 따라 보호하여야 한다.

⑥ 행정청은 송달하는 문서의 명칭, 송달받는 자의 성명 또는 명칭, 발송방법 및 발송 연월일을 확인할 수 있는 기록을 보존하여야 한다.

제15조【송달의 효력 발생】① 송달은 다른 법령등에 특별한 규정이 있는 경우를 제외하고는 해당 문서가 송달받을 자에게 도달됨으로써 그 효력이 발생한다.

② 제14조 제3항에 따라 정보통신망을 이용하여 전자문서로 송달하는 경우에는 송달받을 자가 지정한 컴퓨터 등에 입력된 때에 도달된 것으로 본다.

③ 제14조 제4항의 경우에는 다른 법령등에 특별한 규정이 있는 경우를 제외하고는 공고일부터 14일이 지난 때에 그 효력이 발생한다. 다만, 긴급히 시행하여야 할 특별한 사유가 있어 효력 발생 시기를 달리 정하여 공고한 경우에는 그에 따른다.

(1) 도달주의

① 상대방이 있는 행정행위는 상대방에게 통지(고지)되어 도달됨으로써 효력을 발생한다(도달주의). 「행정절차법」 제15조 제1항에서는 "송달은 다른 법령에 특별한 규정이 있는 경우를 제외하고는 해당 문서가 상대방에게 도달됨으로써 그 효력을 발생한다."라고 규정하여 이를 명시하고 있다. 다만, 개별법에서 달리 정함이 없는 한 행정청에게 제3자(이해관계인)에 대한 통지의무는 없으며, 이는 효력발생요건이 아니다.❶

15. 서울시 7급, 10. 서울시 9급 처분은 원칙적으로 상대방에게 도달 시 효력이 발생한다. (○)

12. 지방직 9급 행정처분의 송달은 「민법」상 도달주의가 아니라 「행정절차법」 제15조에 의한 발신주의를 취한다. (✕) → 에서와 같이 / 도달주의

19. 서울시 9급 행정행위는 상대방에 대한 통지(도달)로서 효력이 발생하며, 행정청은 개별법에서 달리 정하지 않는 한 제3자인 이해관계인에 대한 행정행위 통지의무를 부담하지 않는다. (○)

처분의 효력발생(도달주의)
▷ 상대방에게 통지되어 도달됨으로써 효력 발생

송달의 상대방
▷ 처분의 상대방○, 처분의 제3자인 이해관계인에 대한 통지의무✕

개별법령에서 제3자에 대한 통지를 규정하고 있는 경우도 있는데(예 토지보상법령상 사업인정시 토지소유자등에 대한 통지의무, 도시정비법령상 토지주택공사등에 대한 사업시행자지정시 토지등소유자에 대한 통지의무 등), 이 경우 제3자에 대한 통지가 처분의 효력발생요건인지 아니면 절차규정인지 논란이 있을 수 있다.

관련판례

상대방 있는 행정처분이 상대방에게 고지(통지)되지 않았다면 상대방이 다른 경로를 통해 알게 되었다 하더라도 처분의 효력이 발생한다고 볼 수 없다. ★★

[1] 상대방 있는 행정처분은 특별한 규정이 없는 한 의사표시에 관한 일반법리에 따라 상대방에게 고지되어야 효력이 발생하고, 상대방 있는 행정처분이 상대방에게 고지되지 아니한 경우에는 상대방이 다른 경로를 통해 행정처분의 내용을 알게 되었다고 하더라도 행정처분의 효력이 발생한다고 볼 수 없다.

[2] 피고가 인터넷 홈페이지에 이 사건 처분의 결정 내용(원고에 대한 장해등급 결정)을 게시한 것만으로는 행정절차법 제14조에서 정한 바에 따라 송달이 이루어졌다고 볼 수 없고, 원고가 그 홈페이지에 접속하여 결정 내용을 확인하여 알게 되었다고 하더라도 마찬가지이다(대판 2019.8.9. 2019두38656).

21. 변호사 상대방이 있는 행정처분은 특별한 규정이 없는 한 상대방에게 고지되지 아니하더라도 상대방이 다른 경로를 통해 행정처분의 내용을 알게 되었다면 그 효력이 발생한다. (×) → 아니한 경우에는 / 다고 하더라도 / 하지 않는다

21. 소방직 상대방 있는 행정처분이 상대방에게 고지되지 아니한 경우에도 상대방이 다른 경로를 통해 행정처분의 내용을 알게 된다면 그 행정처분의 효력이 발생한다. (×) → 에는 / 되었다 하더라도 / 한다고 볼 수 없다

② 여기서 '도달'이라 함은 반드시 상대방이 행정행위를 현실적으로 수령하여 그 내용을 알았을 것을 의미하는 것이 아니고 상대방이 알 수 있는 상태에 놓여진 것을 의미한다.

관련판례

1 행정처분의 효력발생요건으로서 도달이란 처분상대방이 처분서의 내용을 현실적으로 알았을 필요까지는 없고 처분상대방이 알 수 있는 상태에 놓임으로써 충분하다(대판 2017.3.9. 2016두60577). ★★

19. 국회직 8급 보통의 행정행위는 상대방이 수령하여야만 효력이 발생하는 것이므로 상대방이 그 행정행위를 현실적으로 알고 있어야 한다. (×) → 것은 아니므로 / 하는 것은 아니다

2 문화재보호법 제13조 제2항 소정의 중요문화재 가지정의 효력발생요건인 통지는 행정처분을 상대방에게 표시하는 것으로서 상대방이 인식할 수 있는 상태에 둠으로써 족하고, 객관적으로 보아서 행정처분으로 인식할 수 있도록 고지하면 되는 것이다(대판 2003.7.22. 2003두513). ★★

18. 국가직 9급 처분의 통지는 행정처분을 상대방에게 표시하는 것으로서 상대방이 인식할 수 있는 상태에 둠으로써 족하고, 객관적으로 보아 행정처분으로 인식할 수 있도록 고지하면 된다. (○)

3 구 중기관리법에 도로교통법 시행령 제86조 제3항 제4호와 같은 운전면허의 취소·정지에 대한 통지에 관한 규정이 없다고 하여 중기조종사면허의 취소나 정지는 상대방에 대한 통지를 요하지 아니한다고 할 수 없고, 오히려 반대의 규정이 없다면 행정행위의 일반원칙에 따라 이를 상대방에게 고지하여야 효력이 발생한다고 볼 것이다(대판 1993.6.29. 93다10224). ★★

18. 국회직 8급 구 「중기관리법」에 「도로교통법 시행령」 제86조 제3항 제4호와 같은 운전면허의 취소·정지에 대한 통지에 관한 규정이 없다면 중기조종사면허의 취소나 정지는 상대방에 대한 통지를 요하지 아니한다고 할 수 있고 행정행위의 일반원칙에 따라 이를 상대방에게 고지하여야 효력이 발생한다고 볼 수 없다. (×) → 없다고 하여 / 없고 / 볼 것이다

상대방 있는 행정처분
▷ 상대방에게 고지되어야 효력 발생○

인터넷 홈페이지에 처분의 내용 게시
▷ 상대방에게 고지된 것×
▷ 상대방이 홈페이지에 접속하여 알았다고 하더라도 처분의 효력 발생×

'도달'의 의미
▷ 상대방이 처분의 내용을 현실적 인식×
▷ 상대방이 알 수 있는 상태에 놓여진 것○

도달
▷ 상대방이 알 수 있는 상태에 놓인 때

통지
▷ 객관적으로 보아 상대방이 처분으로 인식할 수 있도록 고지하면 됨

운전면허 취소·정지에 대한 통지규정이 없는 경우
▷ 반대 규정이 없다면, 통지(고지)하여야 효력 발생

4 면허관청이 운전면허정지처분을 하면서 [별지 52호] 서식의 통지서에 의하여 면허정지사실을 통지하지 아니하거나 처분집행예정일 7일 전까지 이를 발송하지 아니한 경우에는 특별한 사정이 없는 한 위 관계 법령이 요구하는 절차·형식을 갖추지 아니한 조치로서 그 효력이 없고, 이와 같은 법리는 면허관청이 임의로 출석한 상대방의 편의를 위하여 구두로 면허정지사실을 알렸다고 하더라도 마찬가지이다(대판 1996.6.14. 95누17823). ★★

13. 지방직 9급 면허관청이 운전면허정지처분을 하면서 통지서에 의하여 면허정지사실을 통지하지 아니하거나 처분집행예정일 7일 전까지 이를 발송하지 아니한 경우에는 절차와 형식을 갖추지 아니한 조치로서 효력이 없으나, 면허관청이 임의로 출석한 상대방의 편의를 위하여 구두로 면허정지사실을 알렸다면 운전면허정지처분의 효력이 인정된다. (×) → 없고 / 다고 하더라도 / 없다

5 상대방이 부당하게 등기취급 우편물의 수취를 거부함으로써 우편물의 내용을 알 수 있는 객관적 상태의 형성을 방해한 경우 수취 거부시에 의사표시의 효력이 생긴 것으로 보아야 한다. ★★

상대방이 부당하게 등기취급 우편물의 수취를 거부함으로써 우편물의 내용을 알 수 있는 객관적 상태의 형성을 방해한 경우 그러한 상태가 형성되지 아니하였다는 사정만으로 발송인의 의사표시의 효력을 부정하는 것은 신의성실의 원칙에 반하므로 허용되지 아니한다. 이러한 경우에는 부당한 수취 거부가 없었더라면 상대방이 우편물의 내용을 알 수 있는 객관적 상태에 놓일 수 있었던 때, 즉 수취 거부 시에 의사표시의 효력이 생긴 것으로 보아야 한다(대판 2020.8.20. 2019두34630).

(2) 통지의 방식

① 통지의 방식으로는 송달과 고시 또는 공고가 있다. 상대방이 특정되어 있는 행정행위의 통지는 송달의 방법에 의하고(「행정절차법」 제15조 제1항), 상대방이 불특정 다수인이거나 상대방의 주소 또는 거소가 불분명하여 송달이 불가능한 경우 등에는 고시 또는 공고에 의한다(개별법령 및 「행정절차법」 제15조).

② 만일, 상대방이 존재하지 않는 행정행위(예 망인에 대한 서훈취소)라면 처분권자의 의사에 따라 상당한 방법으로 대외적으로 표시됨으로써 행정행위로서 성립하여 효력이 발생한다.

> **⚖ 관련판례**
>
> **망인에 대한 서훈취소는 대외적으로 표시됨으로써 효력이 발생한다. ★★**
>
> 망인에 대한 서훈취소는 유족에 대한 것이 아니므로 유족에 대한 통지에 의해서만 성립하여 효력이 발생한다고 볼 수 없고, 그 결정이 처분권자의 의사에 따라 상당한 방법으로 대외적으로 표시됨으로써 행정행위로서 성립하여 효력이 발생한다고 봄이 타당하다(대판 2014.9.26. 2013두2518).
>
> 17. 지방직 9급 망인에 대한 서훈취소는 유족에 대한 것이 아니므로 유족에 대한 통지에 의해서만 성립하여 효력이 발생한다고 볼 수 없고, 그 결정이 처분권자의 의사에 따라 상당한 방법으로 대외적으로 표시됨으로써 행정행위로서 성립하여 효력이 발생한다고 봄이 타당하다. (○)

통지하지 않거나 구두로 알린 운전면허정지처분
▷ 무효

상대방이 부당하게 등기취급 우편물의 수취를 거부함으로써 우편물의 내용을 알 수 있는 객관적 상태의 형성을 방해한 경우
▷ 수취거부시에 의사표시의 효력 발생

통지의 방식
▷ 송달, 고시 또는 공고

상대방이 특정된 경우
▷ 송달

상대방이 불특정 다수이거나 상대방의 주소·거소가 불분명하여 송달이 불가능한 경우 등
▷ 고시 또는 공고

상대방이 존재하지 않는 행정행위
▷ 상당한 방법으로 대외적으로 표시됨으로써 효력 발생

망인에 대한 서훈취소
▷ 대외적으로 표시됨으로써 효력 발생(유족에 대한 통지×)

2. 송달에 의한 효력 발생

(1) 개설

① 상대방이 정해져 있는 행정행위는 우편, 교부 또는 정보통신망 이용 등의 방법으로 송달한다(「행정절차법」 제14조 제1항). 이때 송달은 송달받을 자의 주소·거소·영업소·사무소 또는 전자우편주소로 하되, 해당 문서가 송달받을 자에게 도달함으로써 효력이 발생한다(「행정절차법」 제15조 제1항). 다만, 송달받을 자가 동의하는 경우에는 그를 만나는 장소에서 송달할 수도 있다(조우송달).

14. 서울시 9급 송달은 우편, 교부 또는 정보통신망 이용 등의 방법으로 할 수 있다. (○)

② 행정청은 송달하는 문서의 명칭, 송달받는 자의 성명 또는 명칭, 발송방법 및 발송 연월일을 확인할 수 있는 기록을 보존하여야 한다(「행정절차법」 제14조 제6항).

20. 국회직 8급 행정청은 송달하는 문서의 명칭, 송달받는 자의 성명 또는 명칭, 발송방법 및 발송 연월일을 확인할 수 있는 기록을 보존하여야 한다. (○)

(2) 송달의 방법 및 효력발생

① **우편에 의한 송달**: 처분서가 처분상대방의 주민등록상 주소지로 송달되어 처분의 상대방 또는 처분상대방의 사무원 등 또는 그 밖에 우편물 수령권한을 위임받은 사람이 수령하면 처분상대방이 알 수 있는 상태가 되었다(예 동거하는 처에게 교부하는 것)고 할 것이다(대판 2017.3.9. 2016두60577).

㉠ **등기우편으로 송달한 경우**: 등기에 의한 우편송달의 경우 반송되었다는 등의 특별한 사정이 없는 한, 발송되었다는 사실만으로 수일 내에 수취인에게 도달된 것으로 추정되나, 수취인이 주민등록지에 실제로 거주하지 않고 전입신고만 해둔 경우에는 도달사실이 추정되지 않는다.

🏃 관련판례

1 우편물이 등기취급의 방법으로 발송된 경우 반송되었다는 등의 특별한 사정이 없는 한 도달사실이 추정된다. ★★

1-1. 등기우편으로 서류를 송달받을 자의 주소지로 발송한 이상 특단의 사정이 없는 한 위 서류는 수령확인을 받은 날 또는 수령확인이 없는 경우 발송일로부터 수일 내 송달받을 자나 그의 가족 등에게 송달되었다고 봄이 상당하다 할 것이다(대판 1998.2.13. 97누8977).

1-2. 우편법 등 관계 규정의 취지에 비추어 볼 때 우편물이 <u>등기취급의 방법으로 발송된 경우 반송되는 등의 특별한 사정이 없는 한 그 무렵 수취인에게 배달되었다고 보아야 한다</u>(대판 1992.3.27. 91누3819).

20. 국회직 8급 보통우편에 의한 송달과 달리 등기우편에 의한 송달은 반송 등 기타 특별한 사유가 없는 한 배달된 것으로 추정된다. (○)

10. 서울시 9급 등기우편의 방법으로 송달하는 경우, 수일 내에 우편물이 수취인에게 도달했다고 추정한다. (○)

1-3. 우편물이 등기취급의 방법으로 발송된 경우 그것이 도중에 <u>유실되었거나 반송되었다는 등의 특별한 사정에 대한 반증이 없는 한</u> 그 무렵 수취인에게 <u>배달되었다고 추정할 수 있다</u>(대판 2017.3.9. 2016두60577).

20. 경찰 2차 우편물이 등기취급의 방법으로 발송된 경우 그것이 도중에 유실되었거나 반송되었다는 등의 특별한 사정에 대한 반증이 없는 한 그 무렵 수취인에게 배달되었다고 간주할 수 있다. (×) → 추정

송달 방법
▷ 우편·교부·정보통신망(「행정절차법」 제14조 제1항)

행정청
▷ 송달기록 보존의무 有(「행정절차법」 제14조 제6항)

우편송달
▷ 등기우편·보통우편 송달
처분 상대방으로부터 수령권한을 위임받은 자의 수령
▷ 도달○(효력발생)

등기우편으로 송달(원칙)
▷ 특별한 사정이 없는 한, 발송사실만으로 도달 추정○
등기우편으로 송달(예외)
▷ 수취인이 주민등록지에 실제로 거주하지 아니하는 경우에는 우편물이 수취인에게 도달하였다고 추정×
▷ 이 경우 도달사실의 입증책임: 처분청

2 등기에 의한 우편송달의 경우라도 수취인이 주민등록지에 실제로 거주하지 않고 전입신고만 해 둔 경우에는 우편물이 수취인에게 도달하였다고 추정할 수 없고, 처분청이 우편물의 도달사실을 입증하여야 한다. ★★

우편물이 등기취급의 방법으로 발송된 경우, 특별한 사정이 없는 한, 그 무렵 수취인에게 배달되었다고 보아도 좋을 것이나, <u>수취인이나 그 가족이 주민등록지에 실제로 거주하고 있지 아니하면서 전입신고만을 해 둔 경우에는 그 사실만으로써 주민등록지 거주자에게 송달수령의 권한을 위임하였다고 보기는 어려울 뿐 아니라 수취인이 주민등록지에 실제로 거주하지 아니하는 경우에도 우편물이 수취인에게 도달하였다고 추정할 수는 없고, 따라서 이러한 경우에는 우편물의 도달사실을 과세관청이 입증</u>해야 할 것이다(대판 1998.2.13. 97누8977).

20. 국회직 8급 실제로 거주하지 않더라도 전입신고가 되어 있는 곳에 송달한 것은 위법하지 않다. (×) → 위법하다

18. 국가직 9급 등기에 의한 우편송달의 경우라도 수취인이 주민등록지에 실제로 거주하지 않는 경우에는 우편물의 도달사실을 처분청이 입증해야 한다. (○)

> **비교**
> 납세고지서의 명의인이 다른 곳으로 이사하였지만 주민등록을 옮기지 아니한 채 <u>주민등록지로 배달되는 우편물을 새로운 거주자가 수령하여 자신에게 전달하도록 한 경우, 그 새로운 거주자에게 우편물 수령권한을 위임한 것으로 보아 그에게 한 납세고지서의 송달이 적법</u>하다(대판 1998.4.10. 98두1161). ★
>
> 20. 경찰 2차 납세고지서의 명의인이 다른 곳으로 이사하였지만 주민등록을 옮기지 아니한 채 주민등록지로 배달되는 우편물을 새로운 거주자가 수령하여 자신에게 전달하도록 한 경우, 그 새로운 거주자에게 우편물 수령권한을 위임한 것으로 보아 그에게 한 납세고지서의 송달이 적법하다. (○)

납세고지서의 명의인이 다른 곳으로 이사하였지만 주민등록을 옮기지 않은 채 주민등록지로 배달되는 우편물을 새로운 거주자가 수령하여 자신에게 전달하도록 한 경우
▷ 수령권한 위임○, 송달 적법

ⓛ **보통우편으로 송달한 경우**: 내용증명우편이나 등기우편과는 달리, 보통우편(통상우편)의 송달은 발송되었다는 사실만으로는 상당기간 내에 처분서가 도달하였다고 추정할 수 없다.

보통우편으로 송달
▷ 발송사실만으로 도달 추정 불가
▷ 도달사실의 입증책임: 송달의 효력을 주장하는 측

> **관련판례**
> 내용증명우편이나 등기우편과는 달리, <u>보통우편의 방법으로 발송되었다는 사실만으로는 그 우편물이 상당한 기간 내에 도달하였다고 추정할 수 없고, 송달의 효력을 주장하는 측에서 증거에 의하여 이를 입증</u>하여야 한다(대판 2009.12.10. 2007두20140 ; 대판 2002.7.26. 2000다25002). ★★★
>
> 20. 경찰 2차, 17. 서울시 9급 내용증명우편이나 등기우편과는 달리, 보통우편의 방법으로 발송된 경우 송달의 효력을 주장하는 측에서 증거에 의하여 이를 입증하여야 한다. (○)
>
> 18. 국가직 9급, 18. 지방교행, 16. 사복직, 12. 지방직 9급 보통우편으로 발송되었다는 사실만으로는 우편물이 상당기간 내에 도달하였다고 추정할 수 없다. (○)

ⓒ **외국사업자에 대한 우편송달**: 행정청은 국내에 주소·거소·영업소 또는 사무소가 없는 외국사업자에 대하여도 우편송달의 방법으로 문서를 송달할 수 있다(대판 2006.3.24. 2004두11275).

18. 경찰 2차 행정청은 국내에 주소·거소·영업소 또는 사무소가 없는 외국 사업자에 대하여 우편송달의 방법으로 문서를 송달할 수 있다. (○)

외국사업자
▷ 국내에 주소·거소·영업소·사무소가 없어도 우편송달 可

② 교부에 의한 송달

　　㉠ 교부에 의한 송달은 수령확인서를 받고 문서를 교부함으로써 하며, 송달하는 장소에서 송달받을 자를 만나지 못한 경우에는 그 사무원·피용자 또는 동거인으로서 사리를 분별할 지능이 있는 사람에게 문서를 교부할 수 있다 (보충송달, 「행정절차법」 제14조 제2항).

　　　14. 서울시 9급 송달하는 장소에서 송달받을 자를 만나지 못한 경우에는 그 사무원·피용자 또는 동거인으로서 사리를 분별할 지능이 있는 사람에게 문서를 교부할 수 있다. (O)
　　　10. 서울시 9급 교부에 의한 송달은 상대방이 직접 수령하여야 한다. (×) → 하는 것은 아니다

　　㉡ 다만, 문서를 송달받을 자 또는 그 사무원 등이 정당한 사유 없이 송달받기를 거부하는 때에는 그 사실을 수령확인서에 적고, 문서를 송달할 장소에 놓아둘 수 있다(유치송달, 「행정절차법」 제14조 제2항 단서). 교부송달은 교부시 도달된 것으로 본다.

　　　17. 국가직 7급 문서를 송달받을 자 또는 그 사무원 등이 정당한 사유 없이 송달받기를 거부하는 때에는 그 사실을 수령확인서에 적고, 문서를 송달할 장소에 놓아둘 수 있다. (O)

🔍 관련판례

1 만 8세 1개월 남짓한 딸은 사리를 분별할 지능이 없으므로 그에 대한 보충송달은 적법하지 않다. ★

　　[1] 근로복지공단을 상대로 유족급여 및 장의비 부지급 처분 취소 청구소송을 제기한 甲에 대하여 우편집배원이 상고기록접수통지서를 송달하기 위해 甲의 주소지에 갔으나 甲을 만나지 못하자 甲과 동거하는 만 8세 1개월 남짓의 딸 乙에게 이를 교부하고 乙의 서명을 받은 사안에서, 상고기록접수통지서의 보충송달이 적법하지 않다고 한 사례

　　[2] 송달받을 사람의 동거인에게 송달할 서류가 교부되고 그 동거인이 사리를 분별할 지능이 있는 이상 송달받을 사람이 그 서류의 내용을 실제로 알지 못한 경우에도 송달의 효력은 있다. 이 경우 사리를 분별할 지능이 있다고 하려면, 사법제도 일반이나 소송행위의 효력까지 이해할 수 있는 능력이 있어야 한다고 할 수는 없을 것이지만 적어도 송달의 취지를 이해하고 그가 영수한 서류를 송달받을 사람에게 교부하는 것을 기대할 수 있는 정도의 능력은 있어야 한다(대판 2011.11.10. 2011재두148).

2 납세고지서의 교부송달 및 우편송달에 있어서는 과세처분의 내용을 이미 알고 있는 경우에도 그 송달이 필요하며, 수취인이 수령을 회피할 정황이 있어 부득이 사업장에 납세고지서를 두고 왔다고 하더라도 그 납세고지서가 송달이 이루어진 것이 아니다. ★★★

　　[1] 납세고지서의 교부송달 및 우편송달에 있어서는 반드시 납세의무자 또는 그와 일정한 관계에 있는 사람의 현실적인 수령행위를 전제로 하고 있다고 보아야 하며, 납세자가 과세처분의 내용을 이미 알고 있는 경우에도 납세고지서의 송달이 불필요하다고 할 수는 없다.

　　　17. 교행 납세자가 과세처분의 내용을 이미 알고 있는 경우 납세고지서의 송달이 불필요하다. (×) → 필요하다

　　[2] 납세고지서의 송달을 받아야 할 자가 부과처분 제척기간이 임박하자 그 수령을 회피하기 위하여 일부러 송달을 받을 장소를 비워 두어 세무공무원이 송달을 받을 자와 보충송달을 받을 자를 만나지 못하여 부득이 사업장에 납세고지서를 두고 왔다고 하더라도 이로써 신의성실의 원칙을 들어 그 납세고지서가 송달되었다고 볼 수는 없다(대판 2004.4.9. 2003두13908).

　　　20. 국회직 8급 수취인이 수령을 회피할 정황이 있어 부득이 사업장에 납세고지서를 두고 왔다면 납세고지서가 송달이 이루어 진 것이다. (×) → 진 것이 아니다

교부송달
▷ 수령확인서를 받고 문서를 교부함으로써 송달

보충송달
▷ 송달받을 자를 만나지 못한 경우 사무원·피용자·동거인으로서 사리를 분별할 지능이 있는 사람에게 문서를 교부 可

유치송달
▷ 송달받기를 거부하는 경우 문서를 송달할 장소에 유치 可

만 8세 1개월 딸에게 보충송달
▷ 위법(사리를 분별할 지능 無)

납세자가 과세처분의 내용을 이미 알고 있는 경우
▷ 납세고지서 송달 要

수취인이 수령을 회피할 정황이 있어 부득이 사업장에 납세고지서를 두고 온 경우
▷ 납세고지서가 송달된 것×

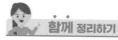

정보통신망을 이용한 전자문서 송달
▷ 송달받을 자가 동의한 경우만 可(송달받을 자는 송달을 전자우편주소 등을 지정하여야 함)
▷ 송달받을 자가 지정한 컴퓨터에 입력된 때에 도달된 것으로 간주

③ 정보통신망에 의한 송달

  ㉠ 정보통신망을 이용한 송달은 송달받을 자가 동의하는 경우에만 가능하다. 이 경우 송달받을 자는 송달받을 전자우편주소 등을 지정하여야 한다(「행정절차법」 제14조 제3항).

   10. 서울시 9급 신속을 요하는 경우, 송달받을 자의 동의 없어도 정보통신망을 이용한 송달이 가능하다. (×) → 자가 동의하는 경우에만

   17. 국가직 7급(추) 정보통신망을 이용한 송달을 할 경우 행정청은 송달 받을 자의 동의를 얻어 송달받을 전자우편주소 등을 지정하여야 한다. (×) → 송달받을 자가

  ㉡ 정보통신망을 이용하여 전자문서로 송달을 하는 경우에는 송달받을 자가 지정한 컴퓨터에 입력된 때에 도달된 것으로 본다(동법 제15조 제2항).

   23. 국가직 9급, 20. 국회직 8급, 18. 교행, 12. 지방직 9급 정보통신망을 이용하여 전자문서로 송달하는 경우에는 송달받을 자가 지정한 컴퓨터 등에 입력된 때에 도달된 것으로 본다. (○)

3. 고시 또는 공고에 의한 효력 발생

고시 또는 공고는 「행정절차법」상의 공고와 개별법령상의 고시 또는 공고가 있다.

「행정절차법」상 공시송달(송달에 갈음하는 공고)에 의한 효력 발생
▷ 상대방이 특정되었지만, 주소 등 확인불가 또는 기타 송달불능인 경우

개별법령상 고시 또는 공고에 의한 효력 발생
▷ 상대방이 불특정 다수인 경우

공고방법
▷ 관보·공보·게시판·일간신문 중 하나 이상+인터넷공고

(1) 「행정절차법」상 공고(송달에 갈음하는 공고, 공시송달)

① 공고방법: (행정행위의 상대방이 특정되어 있음에도 불구하고) 송달받을 자의 주소 등을 통상적인 방법으로 확인할 수 없는 경우 또는 송달이 불가능한 경우에는 송달받을 자가 알기 쉽도록 관보, 공보, 게시판, 일간신문 중 하나 이상에 공고하고 인터넷에도 공고하여야 한다(「행정절차법」 제14조 제4항).

   20. 국회직 8급 송달받을 자의 주소 등을 통상의 방법으로 확인할 수 없을 때에는 공시송달 절차에 의해 송달할 수 있다. (○)

   23. 국가직 9급, 18. 5급 승진, 17. 국가직 7급(추), 08. 국가직 9급 송달이 불가능한 경우에는 송달받을 자가 알기 쉽도록 관보·공보·게시판·일간신문·인터넷 중 하나 이상에 공고하고 인터넷에도 공고하여야 한다. (○)

   21. 소방직, 10. 서울시 9급 「행정절차법」은 행정행위 상대방에 대한 송달받을 자의 주소 등을 통상적인 방법으로 확인할 수 없는 경우에 한하여, 공고의 방법에 의한 송달이 가능하도록 규정하고 있다. (×) → 경우 또는 송달이 불가능한 경우에

   18. 지방교행 송달이 불가능한 경우에는 송달받을 자가 알기 쉽도록 관보, 공보, 게시판, 일간신문 중 하나에 공고하여야 한다. (×) → 하나 이상에 공고하고 인터넷에도 공고하여야 한다

공고의 효력발생시기
▷ 공고일로부터 14일 지난 때 효력발생

② 공고의 효력발생시기: 이 경우에는 법령 등에 특별한 규정이 있는 경우를 제외하고는 공고일로부터 14일 지난 때에 효력이 발생한다. 다만, 긴급히 시행하여야 할 특별한 사유가 있어 효력 발생 시기를 달리 정하여 공고한 경우에는 그에 따른다(동법 제15조 제3항).

   21. 소방직, 12. 지방직 9급 송달이 불가능하여 관보, 공보 등에 공고한 경우에는 다른 법령등에 특별한 규정이 있는 경우를 제외하고 공고일 부터 14일이 경과한 때에 그 효력이 발생한다. 다만, 긴급히 시행하여야 할 특별한 사유가 있어 효력발생 시기를 달리 정해 공고한 경우에는 그에 따른다. (○)

(2) 개별법상 고시 또는 공고

행정행위의 상대방이 불특정 다수이거나 상대방이 특정될 수 있으나 일일이 통지하는 것이 적절하지 않은 경우 개별법에서 고시 또는 공고를 행정행위의 통지방법으로 규정하고 있는 경우가 있다(예 토지보상법 제20조의 사업인정, 도시정비법상의 관리처분계획인가 등). 특히, 행정행위의 상대방이 불특정 다수인 일반처분의 통지는 통상적인 송달방식에 의한 통지가 불가능하기 때문에 개별법에 명시적인 규정이 없더라도 관보 등에 공고하거나 고시하는 방법에 의할 수 있다. 판례는 이러한 일반처분의 효력발생에 대해서 「행정절차법」을 적용시키지 않고 있는바, 공고나 고시의 효력발생일에 대하여 별도의 규정이 있는 경우에는 그에 따르고, 만약 별도의 규정이 없다면 「행정업무의 운영 및 혁신에 관한 규정(구 사무관리규정)」에 따라 고시 또는 공고일부터 5일이 경과한 날 효력이 발생한다고 한다.

① **효력발생일에 관한 명시적인 규정이 있는 경우**: 개별법에서 당해 고시 또는 공고의 효력발생일을 명시적으로 규정하고 있는 경우에는 그 규정한 바에 따른다. 예를 들어, 「국토의 계획 및 이용에 관한 법률」 제31조에 따르면 도시·군관리계획 결정의 효력은 지형도면을 고시한 날부터 발생하도록 하고 있고, 「공익사업을 위한 토지 등의 취득 및 보상에 관한 법률」 제22조 제3항에 따르면 사업인정의 고시는 고시된 날부터 효력이 발생하도록 규정하고 있다.

09. 국가직 9급 도시관리계획결정은 고시가 있은 날부터 즉시 효력을 발생한다. (×) → 지형도면을 고시한 날부터

> 🏃 **관련판례**
>
> **정보통신윤리위원회가 특정 인터넷 웹사이트를 청소년유해매체물로 결정하고 청소년보호위원회가 효력발생시기를 명시하여 고시함으로써 그 명시된 시점에 효력이 발생한다.** ★★
> 구 청소년보호법에 따른 청소년유해매체물 결정 및 고시처분은 당해 유해매체물의 소유자 등 특정인만을 대상으로 한 행정처분이 아니라 일반 불특정 다수인을 상대방으로 하여 일률적으로 표시의무, 포장의무, 청소년에 대한 판매·대여 등의 금지의무 등 각종 의무를 발생시키는 행정처분으로서, 정보통신윤리위원회가 특정 인터넷 웹사이트를 청소년유해매체물로 결정하고 청소년보호위원회가 효력발생시기를 명시하여 고시함으로써 그 명시된 시점에 효력이 발생하였다고 봄이 상당하고, 정보통신윤리위원회와 청소년보호위원회가 위 처분이 있었음을 위 웹사이트 운영자에게 제대로 통지하지 아니하였다고 하여 그 효력 자체가 발생하지 아니한 것으로 볼 수는 없다(대판 2007.6.24. 2004두619).
> 18. 국가직 9급 구 「청소년 보호법」에 따라 정보통신윤리위원회가 특정 웹사이트를 청소년유해매체물로 결정하고 청소년보호위원회가 효력발생시기를 명시하여 고시하였으나 정보통신윤리위원회와 청소년보호위원회가 웹사이트 운영자에게는 위 처분이 있었음을 통지하지 않았다면 그 효력이 발생하지 아니한다. (×) → 않았더라도 그 명시한 효력발생시점에 효력이 발생한다

② **효력발생일에 관한 명시적인 규정이 없는 경우**: 「행정업무의 운영 및 혁신에 관한 규정」 제6조 제3항은 공고문서는 그 문서에서 효력발생시기를 구체적으로 밝히고 있지 않으면 그 고시 또는 공고 등이 있은 날부터 5일이 경과한 때에 효력이 발생한다고 규정하고 있다(제6조 제3항). 공고문서는 고시·공고 등 행정기관이 일정한 사항을 일반에게 알리는 문서를 말한다(제4조 제3호). 판례는 고시 또는 공고의 효력발생일에 대하여 개별법령에 명시적인 규정이 없는 경우 위 규정을 적용하여 당해 '고시 또는 공고가 있은 후 5일이 경과한 날'을 효력발생일로 보고 있다. 예를 들어, 2022.9.2.고시하였다면 2022.9.8.에 효력이 발생한다.

함께 정리하기

개별법상 고시 또는 공고의 효력발생
▷ 명문규정이 있는 경우: 법령에서 정한 효력발생일이나 관보에 게재된 공고에서 명기한 효력발생일
▷ 명문규정이 없는 경우: 「행정업무의 운영 및 혁신에 관한 규정」이 적용되어 고시 또는 공고 등이 있은 날부터 5일이 경과한 때에 효력 발생

개별법령에서 명시적 규정이 있는 경우
▷ 규정한 바에 따름

효력발생일 예시
▷ 도시·군관리계획결정: 지형도면 고시한 날
▷ 사업인정: 고시한 날

일반처분인 청소년유해매체물결정·고시
▷ 통지 없어도 고시에 명시된 시점에 효력 발생

효력발생일에 관한 명시적인 규정 없는 경우
▷ 고시 또는 공고 등이 있은 날부터 5일경과 후부터 발생

20. 국가직 9급 (2020.1.6. 인기 아이돌 가수인 甲의 노래가 수록된 음반이 청소년 유해 매체물로 결정 및 고시되었는데, 여성가족부장관은 이 고시를 하면서 그 효력발생시기를 구체적으로 밝히지 않았다. 이 사례에서) 행정 효율과 협업 촉진에 관한 규정(현 행정업무의 운영 및 혁신에 관한 규정)에 따르면 여성가족부장관의 고시의 효력은 ~~2020.1.20.~~부터 발생한다. (×) → 2020.1.12.

✛ 핵심정리 「행정절차법」상 송달방법과 효력발생

구분	송달방법	효력발생시기
우편에 의한 송달	보통우편 또는 등기우편으로	도달 시
교부에 의한 송달	• 수령확인서를 받고 문서를 교부 • 보충송달: 송달받을 자를 만나지 못한 경우 사무원·피용자·동거인으로서 사리를 분별할 지능이 있는 사람에게 문서를 교부 可 • 유치송달: 송달받기를 거부하는 경우 문서를 송달할 장소 유치 可	교부 시 도달 한 것으로 간주
정보통신망에 의한 송달	송달받을 자가 동의한 경우 정보통신망을 이용한 송달 可	송달받을 자가 지정한 컴퓨터에 입력된 때 도달로 간주
공고 (송달에 갈음하는 공고)	• 송달받을 자의 주소 등을 통상적인 방법으로 확인할 수 없는 경우 또는 송달이 불가능한 경우 • 송달받을 자가 알기 쉽도록 관보, 공보, 게시판, 일간신문 중 하나 이상에 공고하고 인터넷에도 공고	공고일로부터 14일이 지난 때

제8절 행정행위의 효력

행정행위가 성립·적법·유효요건을 충족하면 행정행위의 내용에 따라 일정한 법적 효력이 발생한다. 구체적으로 어떠한 효력을 발생하는지는 근거법령이나 행정행위의 종류에 따라 다르지만, 일반적으로 행정행위는 다른 행정의 행위형식에 대하여 특수한 효력으로서 구속력, 공정력, 구성요건적 효력, 존속력, 강제력을 가지고 있다.

1 내용적 구속력

1. 의의 및 성질

(1) 행정행위는 성립·적법·유효요건을 갖추면 행정청이 표시한 의사의 내용에 따라 (법률행위적 행정행위) 또는 법령이 정하는 바에(준법률행위적 행정행위) 일정한 법적효과를 발생시키고 당사자(관계행정청 및 상대방과 관계인)를 구속하는 힘을 갖는바, 이 힘을 내용적 구속력 또는 구속력이라 부른다.

행정행위 특수한 효력
▷ 구속력·공정력·구성요건적 효력·존속력·강제력

내용적 구속력
▷ 행정행위가 그 내용에 따라 당사자에 대하여 일정한 법적 효과가 발생시키는 힘(구속력)
▷ 관계행정청·상대방·관계인에 미침
▷ 실체법상 효력O, 절차적 효력X
▷ 모든 행정행위에 인정됨이 원칙
▷ 무효인 행정행위에는 구속력X

16. 사복직 구속력이란 행정행위가 적법요건을 구비하면 **법률행위적** 행정행위의 경우 법령이 정하는 바에 의해, 준법률행위적 행정행위의 경우 행정청이 표시한 의사의 내용에 따라 일정한 법적 효과가 발생하여 당사자를 구속하는 실체법상 효력이다. (×) → 준법률행위적 / 법률행위적

19. 행정사 내용상 구속력은 행정행위의 실체법상 효력으로 관계인도 구속한다. (○)

(2) 이러한 내용적 구속력은 통상 행정행위의 성립·발효와 동시에 발생하고 취소나 철회가 있기까지 지속한다. 처분청도 그 행위를 취소하거나 철회하지 않는 한 행위의 내용에 구속된다(예컨대, 건물철거명령의 경우 상대방에게 그 내용에 따라 철거의무를 발생시키고 처분청도 그 행위를 취소하거나 철회하지 않는 한 행위의 내용에 구속된다). 즉, 행정행위의 발령은 일방적인 것이나, 내용상의 구속력은 쌍방적이다.

2. 내용

(1) 행정행위의 내용상 구속력은 행정행위의 가장 본래적인 효력 또는 모든 행정행위에 인정되는 실체법상의 효력이다. 다만, 무효인 행정행위에는 인정되지 않는다.

(2) 따라서 행정행위의 내용에 따라 하명의 경우는 일정한 의무를 발생시키고(예 과세처분에 따라 상대방에게 급부의무가 발생), 형성적 행위의 경우는 권리·의무의 형성을 가져오게 된다.

2 공정력(행정행위의 잠정적 통용력, 잠정적 유효성을 인정받는 힘)

1. 의의

> 「행정기본법」 제15조 【처분의 효력】 <u>처분은</u> 권한이 있는 기관이 취소 또는 철회하거나 기간의 경과 등으로 소멸되기 전까지는 <u>유효한 것으로 통용된다.</u> <u>다만, 무효인 처분은 처음부터 그 효력이 발생하지 아니한다.</u>
>
> 22. 국가직 7급 처분은 무효가 아닌 한 권한이 있는 기관이 취소 또는 철회하거나 기간의 경과 등으로 소멸되기 전까지는 유효한 것으로 통용된다. (○)
> 22. 행정사 실정법상 공정력을 직접적으로 규정하는 법률은 없다. (×) → 있다

(1) 행정행위의 공정력이란 일단 행정행위가 행하여지면 비록 행정행위에 하자(흠)가 있다고 하더라도(위법하더라도) 그 하자가 중대하고 명백하여 당연히 무효로 인정되는 경우가 아닌 한(유효한 행정행위가 존재하는 이상), 권한 있는 기관(처분청 또는 감독청❶, 행정심판위원회❷, 행정법원❸)에 의하여 취소되기 전까지 '유효한 것으로 통용되는 힘(효력)'을 말한다. 예컨대, 조세부과처분이 비록 위법하다 하더라도 그 하자가 중대하고 명백하여 무효가 되지 않는 한, 일단 상대방은 세금을 납부해야할 의무를 지는 것은 공정력 때문이다.

22. 군무원 7급, 15. 서울시 7급 행정행위의 공정력이란 행정행위가 위법하더라도 취소되지 않는 한 유효한 것으로 통용되는 효력을 의미하는 것이다. (○)

20. 국회직 8급 공정력이란 행정행위의 위법이 중대·명백하여 당연무효가 아닌 한 권한 있는 기관에 의해 취소되기까지는 행정의 상대방이나 이해관계자에게 적법하게 통용되는 힘을 말한다. (×) → 유효

공정력
▷ 행정행위에 하자가 있더라도 무효가 아닌 한, 취소되기 전까지 '유효한 것으로 통용'되는 힘(적법성의 추정×)

❶
처분청 또는 감독청은 하자 있는 처분을 직권으로 취소할 수 있다.

❷
취소심판을 제기받은 행정심판위원회는 하자 있는 처분을 취소하는 재결을 할 수 있다.

❸
취소소송을 제기받은 행정법원은 하자 있는 처분을 취소하는 판결을 할 수 있다.

> **참고 공정력**
>
> 과거에는 공정력을 행정행위 내용의 적법성을 추정하는 효력으로 이해한 견해도 있었지만, 오늘날 다수설은 공정력은 행정행위가 하자 있는 것이라 하여도 당연무효가 아닌 한, 권한 있는 기관에 의해 취소되기 전까지는 행위의 상대방이나 이해관계자를 '절차법적으로 구속하는 힘(예선적 효력)'이라고 본다. 즉, 공정력은 행정법관계의 안정을 위하여 단순 위법한 행정행위를 원칙적으로 유효한 것으로 하고, 사후적으로 이를 다툴 수 있게 하는 제도(행정쟁송제도)의 산물로 나타난 것으로, 이러한 공정력의 잠정적 유효성에서 나오는 효력이 내용적 구속력이다.

(2) 이렇게 행정행위에는 취소되기 전까지 '유효하게 통용되는 힘'이 있다. 그런데 오늘날 다수설은 위와 같은 효력이 미치는 '상대방'에 따라 공정력과 뒤에서 보는 구성요건적 효력으로 구별하고 있다(구별설). 과거의 전통적 견해는 이를 구별하지 않고 공정력을 '누구든지(상대방 및 이해관계인뿐만 아니라 다른 행정청 및 법원)' 그 효력을 부인할 수 없는 힘이라고 정의했지만, 오늘날 다수설은 행정행위의 '상대방 또는 이해관계인'에 대한 구속력과 '제3의 국가기관(다른 행정청 및 법원)'에 대한 구속력을 구별하여 전자를 공정력, 후자를 구성요건적 효력으로 나눈다.

(3) 이러한 관점에서 공정력을 정의하면, '비록 행정행위에 하자가 있더라도 그 하자가 중대하고 명백하여 무효가 아니라면, '상대방 또는 이해관계인'이 권한 있는 기관에 의하여 취소되기까지는 그 효력을 부인할 수 없는 힘'이라고 할 수 있다.

(4) 그러나 판례는 아직까지는 구성요건적 효력이라는 용어 대신 공정력이라는 용어를 쓰면서 공정력과 뒤에서 보는 구성요건적 효력을 구별하지 않고 있다(비구별설).

공정력과 구성요건적 효력의 구별
▷ 전통적 견해: 공정력을 넓게 이해하여 구성요건적 효력을 공정력의 한 내용으로 보아 양자의 구별을 부정(비구별설)
▷ 오늘날 다수설: 공정력은 행정행위의 상대방 및 이해관계인에 대한 구속력인데 반해, 구성요건적 효력은 취소소송의 수소법원 이외의 다른 법원 및 제3의 국가기관에 대한 구속력으로 보아 양자를 서로 구별함(구별설)
▷ 판례: 공정력과 구성요건적 효력을 구별하지 않음(비구별설)

공정력(판례)
▷ 행정행위가 위법하더라도 취소되지 않는 한 유효한 것으로 통용되어 누구나 그 효력을 부인할 수 없는 힘(비구별설)

> **관련판례**
>
> 행정행위에 하자가 있는 경우에도 그 하자가 중대하고 명백하여 당연무효로 보아야 할 사유가 있는 경우 이외에는 적법히 취소될 때까지는 단순히 취소할 수 있는 사유가 있는 것만으로는 '누구나' 그 효력을 부인할 수는 없다. ★
> 행정행위는 공정력과 불가쟁의 효력이 있어 설혹 행정행위에 하자가 있는 경우에도 그 하자가 중대하고 명백하여 당연무효로 보아야 할 사유가 있는 경우 이외에는 그 행정행위가 행정소송이나 다른 행정행위에 의하여 적법히 취소될 때까지는 단순히 취소할 수 있는 사유가 있는 것만으로는 누구나 그 효력을 부인할 수는 없고 법령에 의한 불복기간이 경과한 경우에는 당사자는 그 행정처분의 효력을 다툴 수 없다(대판 1991.4.23. 90누8756).
>
> 18. 5급 승진 행정행위에 당연무효로 보아야 할 사유가 있는 경우 이외에는 그 행정행위가 행정소송이나 다른 행정행위에 의하여 적법하게 취소될 때까지는 단순히 취소할 수 있는 사유가 있는 것만으로는 누구도 그 효력을 부인할 수 없다. (○)

2. 근거

(1) 이론적 근거

행정행위의 공정력은 이론적으로 자기확인설, 국가권위설, 예선적 효력설, 법적 안정성설 등이 그 근거로 제시되기도 하지만, 행정목적의 신속한 달성, 행정법관계의 안정성 유지, 상대방의 신뢰보호 등과 같은 정책적 고려에서 구하는 법적 안정성설(행정정책설)이 통설이다.

20. 국회직 8급 공정력을 인정하는 이론적 근거는 법적 안정성설이 통설이다. (○)

공정력의 이론적 근거
▷ 행정의 원활한 수행, 행정법관계의 안정성(행정의 안정성과 상대방이나 제3자의 신뢰보호)을 보장하기 위하여 필요(법적 안정성설)(통설)

함께 정리하기

참고 **공정력의 이론적 근거에 관한 학설**

자기확신설 (Otto Mayer)	행정청이 권한 내에서 행한 행정행위는 법원의 판결과 유사하게 행정청이 적법성을 스스로 확인하여 행하는 것이므로, 당연무효가 아닌 한 적법성을 추정 받는다는 견해이다.
국가권위설 (E. Forsthoff)	행정행위는 위법성이나 흠의 유무를 불문하고 언제나 국가의 권위의 표현이므로 적법성이 추정된다는 견해이다. 10. 교행 행정행위의 공정력에 대한 이론적 근거로 국가권위의 표현으로 행정청이 우월적인 지위에서 행한 국가행위이기 때문에 공정력이 인정된다는 국가권위설을 주장한 학자는 E. Forsthoff이다. (O)

(2) 실정법상 근거

「행정기본법」 제15조에서는 처분의 효력 중 '공정력'에 관한 사항을 규정하였는데, 처분은 권한이 있는 기관이 취소 또는 철회하거나 기간의 경과 등으로 소멸되기 전까지는 '유효한 것으로 통용'되도록 하되, 무효인 처분은 처음부터 효력이 발생하지 않는다는 점을 명시하고 있다. 무효가 아닌 행위에는 적법한 행위와 단순 위법행위(취소의 대상이 되는 행위)가 있는바, 적법한 행위가 유효한 것으로 통용되는 것은 당연한 것이므로, 「행정기본법」 제15조는 단순 위법행위가 공정력을 갖는다는 것에 특별한 의미를 둔 규정이다. 또한 위 규정에서 '유효한 것으로 통용되는 힘'의 대상을 처분의 상대방이나 이해관계인으로 한정하고 있지 않으므로, 여기에서 말하는 처분의 효력에는 뒤에서 살펴볼 다른 국가기관에 대한 효력인 구성요건적 효력을 포함하는 것으로 해석된다.

한편, 「행정심판법」이나 「행정소송법」과 같은 취소쟁송제도를 뒷받침하는 실정법상의 규정이나 직권취소제도 등도 공정력의 간접적인 근거가 될 수 있다.❶

3. 공정력의 한계

(1) 공정력은 취소할 수 있는 행정행위에서만 인정되며, 무효인 행정행위에서는 인정되지 않는다. 무효인 행정행위에 대해서는 언제든지 행정심판, 행정소송 등을 통하여 그 행정행위의 무효확인을 구할 수 있기 때문이다.

12. 사복직 무효인 행정행위에는 불가쟁력은 인정되지만 공정력은 인정되지 않는다. (X) → 불가쟁력과 공정력이

(2) 또한 취소쟁송제도가 '공정력'의 주된 근거를 이루므로, 취소쟁송의 대상이 되지 않는 행정입법(법규명령, 행정규칙, 자치법규 등)이나 행정계약(공법상계약, 사법상계약), 단순한 사실행위, 사법행위 등과 같은 **행정행위가 아닌 작용**에서도 공정력은 인정되지 않는다.

16. 사복직 공정력은 행정청의 권력적 행정행위뿐만 아니라 비권력적 행정행위, 사실행위, 사법상 행위에는 인정된다. (X) → 에만 인정되고 / 인정되지 않는다

4. 공정력과 증명책임(입증책임)

과거에는 공정력을 '적법성의 추정'으로 이해하는 견해가 있었고, 그 견해는 상대방(원고)이 행정행위의 위법성에 대한 증명책임을 부담한다고 보았다. 그러나 행정행위의 공정력이란 법적안정성을 위하여 하자 있는 행정행위가 취소될 때까지 잠정적으로 그 유효성을 인정하는 제도일 뿐, 법원의 심리절차에서 적법성 여부의 판단기초가 되는 사실관계의 존재여부에 대한 입증책임의 분배와는 아무런 관련이 없다(통설).❷

공력의 실정법적 근거
▷ 직접적 근거: 「행정기본법」 제15조
▷ 간접적 근거: 취소쟁송제도, 직권취소제도

❶
집행부정지원칙(「행정소송법」 제23조 제1항)은 각국의 입법정책에 따라 인정 여부가 결정되는 것이므로 행정행위의 공정력과 관계가 없다는 견해와 공정력의 간접적 근거가 될 수 있다는 견해가 대립한다.

공정력이 인정되지 않는 경우
▷ 무효인 행정행위
▷ 행정행위 이외의 행정작용: 행정입법, 행정계약, 단순한 사실행위, 사법행위 등

공정력
▷ 입증책임의 분배와 무관함

❷
행정행위의 적법성에 대한 입증책임은 「민사소송법」상의 입증책임의 분배원칙인 법률요건분류설을 원칙으로 하되, 행정소송의 특수성을 감안하여 당사자 간의 공평, 사안의 성질, 입증의 난이 등의 구체적 사안에 따라 입증책임을 결정하여야 한다.

07. 국가직 9급 공정력은 취소소송에 있어 입증책임의 소재에까지 영향을 미치는 것으로 볼 수 없다. (○)

21. 군무원 7급 공정력의 근거를 적법성의 추정으로 보아 행정행위의 적법성은 피고인 행정청이 아니라 원고 측에 입증책임이 있다. (×) → × [∵공정력은 유효성을 추정하는 효력이다. 따라서 입증책임의 분배와는 관련이 없다(통설)]

> **관련판례**
>
> **취소소송에서 처분의 적법사유에 대한 입증책임은 처분이 적법하다고 주장하는 피고 (행정청)에게 있다. ★★**
>
> 행정처분의 위법을 주장하여 그 처분의 취소를 구하는 소위 항고소송에 있어서는 그 처분이 적법하였다고 주장하는 피고에게 그가 주장하는 적법사유에 대한 입증책임이 있다고 하는 것이 당원판례의 견해이고, 그 견해를 행정처분의 공정력을 부정하는 것 이라고는 할 수 없다(대판 1966.10.18. 66누134).

처분의 적법사유에 대한 입증책임
▷ 피고 행정청

선결문제
▷ 행정행위의 위법 여부 또는 효력 유무를 민사법원·형사법원이 심리·판단할 수 있는지의 문제, 구성요건적 효력과 관련됨

5. 공정력과 선결문제

선결문제란 행정행위의 위법 여부 또는 효력 유무를 항고소송의 관할법원 이외의 법원, 즉 민사법원과 형사법원이 심리·판단할 수 있는지의 문제이다. 지금까지의 학설은 이러한 선결문제를 공정력과 관련하여 언급하여 왔으나, 공정력은 행위의 상대방이나 이해관계인에 관련된 것이지 제3의 국가기관에 관련된 개념은 아닌 점, 선결문제는 절차상 힘의 문제(공정력)라기보다 행정행위의 내용에 관련된 문제(구성요건적 효력)라는 점에서 선결문제는 후술하는 바와 같이 공정력에 근거한 행정행위의 구속력 중 다른 국가기관에 대한 구속력, 즉 구성요건적 효력과 관련하여 다루어져야 할 문제이다.

구성요건적 효력
▷ 유효한 행정행위가 존재하는 이상 모든 국가기관은 그의 존재를 존중하여 스스로의 판단기초 내지는 구성요건으로 삼아야 한다는 구속력(무효인 행정행위×)

❶
구성요건적 효력은 행정행위를 스스로 폐지할 수 없는 다른 행정청과 법원에 관련된 개념이다. 따라서 이때의 다른 법원에는 형사사건이나 민사사건을 담당하는 지방법원뿐만 아니라 당사자소송을 제기받은 행정법원도 포함된다.

❷
구성요건적 효력도 행정행위의 내용과 관련된 효력의 일종이다. 다만 앞서 본 내용적 구속력이 당해 행위 그 자체의 내용상의 문제인 데 반해, 구성요건적 효력은 당해 행위와 다른 행위와의 관계에서 당해 행위가 다른 행위의 구성요건요소가 되는 경우의 효력을 의미한다.

③ 구성요건적 효력

1. 의의 및 근거, 공정력과의 구별

(1) 의의

행정행위의 구성요건적 효력이란 '비록 행정행위에 하자가 있더라도 그 하자가 중대하고 명백하여 무효가 아니라면(유효한 행정행위가 존재하는 이상), 모든 국가기관(취소소송의 수소법원 이외의 다른 법원❶이나 제3의 국가기관)은 그 행정행위의 존재 또는 효력을 존중하여 스스로의 판단의 기초 또는 구성요건으로 삼아야 하는 구속력'을 말한다.❷

예컨대, 법무부장관이 甲에게 귀화허가를 해 준 경우 甲에 대한 귀화허가가 무효가 아닌 한 모든 국가기관을 구속하므로 각부 장관은 甲을 국민으로 보고 처분 등을 하여야 한다. 구성요건적 효력은 무효인 행정행위에는 인정되지 않는다.

구성요건적 효력의 근거
▷ 명시적인 근거규정×
▷ 국가기관 상호 간의 권한 및 관할권존중의 원칙(↔ 공정력은 법적 안정성)

(2) 근거

이러한 행정행위의 구성요건적 효력을 명시적으로 인정하는 법적 근거는 없으나, 학설은 권한과 직무(또는 관할)를 달리하는 국가기관들이 서로 권한을 존중하고 그 권한을 침해해서는 안 된다는 국가기관 상호간의 권한 존중의 원칙에서 그 간접적인 근거(예 행정권과 사법권의 분립규정, 행정기관 상호간의 관할권 배분에 관한 규정 등)를 찾고 있다. 이렇게 구성요건적 효력은 국가기관 상호간의 권한존중에 기인하는 것인 반면, 공정력은 법적 안정성에서 기인한다(구별설).

20. 국회직 8급 구성요건적 효력에 대한 명시적인 법적근거는 없으나, 국가기관 상호 간의 관할권의 배분이 간접적인 근거가 된다. (○)

17. 국가직 9급 행정행위의 효력으로서 구성요건적 효력과 공정력은 이론적 근거를 법적 안정성에서 찾고 있다는 공통점이 있다. (×) → × / ×

(3) 공정력과의 구별

앞서 살펴본 바와 같이, 공정력과 구성요건적 효력의 개념과 관련하여 공정력을 넓게 이해하여 구성요건적 효력을 공정력의 한 내용으로 보아 양자의 구별을 부정하는 견해와(판례, 비구별설), 공정력은 행정행위의 상대방 및 이해관계인에 대한 구속력인데 반해 구성요건적 효력은 취소소송의 수소법원 이외의 다른 법원 및 제3의 국가기관에 대한 구속력이므로 서로 구별해야 한다고 보는 견해가 있다(구별설). 이러한 구별설에 따르면, 공정력과 구성요건적 효력은 다음 표에서와 같이 그 내용, 효력이 미치는 상대방 및 이론적·실정법적 근거 등을 달리한다.❶

핵심정리 구별설에 따른 공정력과 구성요건적 효력의 비교

구분	공정력	구성요건적 효력
개념	행정행위가 무효가 아닌 한 상대방 또는 이해관계인은 행정행위가 권한 있는 기관에 의해 취소되기까지는 그의 효력을 부인할 수 없는 힘	유효한 행정행위가 존재하는 이상 모든 국가기관(다른 행정청, 법원)은 그의 존재를 존중하여 스스로의 판단기초 내지는 구성요건으로 삼아야 한다는 구속력
범위(상대방)	상대방 및 이해관계인에 대한 구속력	처분청 이외의 다른 국가기관(지방자치단체를 포함한 행정기관 및 법원 등)에 대한 구속력
이론적 근거	행정의 원활한 수행, 행정법관계의 안정성의 확보	국가기관 상호간의 권한 및 관할권존중의 원칙
실정법적 근거	「행정기본법」 제15조	행정권과 사법권의 분립규정, 행정기관 상호간의 사무분장 규정
성질	절차적 효력	실체적 효력

2. 구성요건적 효력과 선결문제

구성요건적 효력과 관련하여 주로 문제가 되는 것은 민사소송(또는 당사자소송)과 형사소송에 있어서의 선결문제이다. 즉, 민·형사사건 등에서 어떠한 행정행위의 위법 여부 또는 효력유무가 그 사건의 소송에서 본안판단을 함에 있어 먼저 그 해결이 필수적인 전제문제가 된 경우(선결문제)에, 당해 사건을 맡은 민·형사법원 등이 그것에 대하여 스스로 심리·판단할 수 있는가, 아니면 구성요건적 효력 때문에 선결문제를 심리·판단할 수 없게 되는가 하는, 이른바 선결문제심사권의 문제가 발생한다.

---

❶
공정력과 구성요건적 효력을 구별할 실익은 없지만, 상호 그 실질이 다르다고 보아 학문상 양자를 구별하는 것이 다수설의 입장이다.

선결문제
▷ 처분의 위법·효력 유무가 민·형사사건 등의 본안재판에 있어 먼저 해결할 문제가 된 경우

행정행위 위법여부가 선결문제인 경우
▷ 행정행위가 위법하다는 이유로 국가배
상을 청구한 경우 민사법원이 행정행위의
위법여부를 심사할 수 있는지 문제됨

(1) 민사소송에서의 선결문제❶

「행정소송법」 제11조【선결문제】① 처분등의 효력 유무 또는 존재 여부가 민사소송
의 선결문제로 되어 당해 민사소송의 수소법원이 이를 심리·판단하는 경우에는
제17조, 제25조, 제26조 및 제33조의 규정을 준용한다.

11. 지방직 7급 처분 등의 효력 유무 및 위법 여부 또는 존재 여부가 민사소송의 선결문제로 되
어 당해 민사소송의 수소법원이 이를 심리·판단하는 경우에 대하여 「행정소송법」은 명시적인
규정을 두고 있다. (×) → ×

18. 국가직 7급 행정청의 소송참가(제17조)는 처분의 효력 유무가 민사소송의 선결문제로 되어
당해 민사소송의 수소법원이 이를 심리·판단하는 경우에도 허용된다. (○)

「국가배상법」 제2조【배상책임】① 국가나 지방자치단체는 공무원 또는 공무를 위탁
받은 사인이 직무를 집행하면서 고의 또는 과실로 법령을 위반하여 타인에게 손
해를 입히거나, 「자동차손해배상 보장법」에 따라 손해배상의 책임이 있을 때에
는 이 법에 따라 그 손해를 배상하여야 한다.

「민법」 제741조【부당이득의 내용】법률상 원인 없이 타인의 재산 또는 노무로 인하여
이익을 얻고 이로 인하여 타인에게 손해를 가한 자는 그 이익을 반환하여야 한다.

① 행정행위의 위법성을 확인하는 것이 선결문제인 경우(국가배상청구소송)

㉠ 문제점: 행정행위의 위법을 이유로 국가배상청구소송을 제기한 경우에 수
소법원인 민사법원이 선결문제인 행정행위의 위법 여부를 심사할 수 있는
지에 대해 별도의 규정이 없어 문제된다. 예컨대, 행정청의 철거명령으로 건
물을 철거당해 손해를 입은 자가 그 철거명령의 위법을 이유로 국가배상청
구소송을 제기한 경우, 철거명령이 위법한지 여부가 국가배상청구소송에서
선결문제가 된다. 왜냐하면, 가해행위(손해를 발생시킨 행위, 사안에서는 철
거명령)의 위법이 국가배상의 요건 중의 하나이기 때문이다. 이때 수소법원
인 민사법원이 국가배상의 요건인 가해행위의 위법을 판단하기 위하여 선결
문제(먼저 해결해야할 문제, 전제문제)로서 행정청이 행한 철거명령의 위법
여부를 스스로 심사할 수 있는지에 대한 문제가 발생한다.

㉡ 학설
ⓐ 심사부정설은 구성요건적 효력은 행정행위의 적법성 추정을 의미한다는
점, 행정행위의 위법성 판단에 대해서는 항고소송을 제기받은 행정법원
만이 배타적 관할을 가지므로 민사법원은 행정행위의 위법성을 심사할
수 없다는 점, 「행정소송법」 제11조 제1항은 '처분의 효력 유무 또는 존재
여부'가 민사소송의 선결문제로 되는 경우만을 규정하고 있고 '위법여부'
는 규정이 없는바, 이는 민사법원의 선결문제 심사권에 대한 열거적 규정
에 해당하므로 민사법원은 행정행위의 위법성 판단에 대한 심사권을 가
질 수 없다는 입장이다.

ⓑ 이에 반하여 심사긍정설(다수설)은 구성요건적 효력은 행정행위의 유효
성이 잠정적으로 통용되는 효력에 불과하고 처분의 적법·위법과는 관
계가 없는 점, 따라서 민사법원이 행정행위의 위법성을 심사하는 것은 구
성요건적 효력에 반하지 않으므로 행정행위의 위법성 판단에 관해서는
항고소송을 제기받은 행정법원만이 배타적 관할을 갖는 것은 아닌 점,
「행정소송법」 제11조 제1항은 선결문제심사권에 대한 예시적 규정에 불
과하므로 민사법원은 행정행위의 위법성 판단에 대한 심사권을 가질 수
있다는 입장이다.

참고	행정행위의 위법여부가 선결문제인 경우 민사법원의 선결문제심사권 유무
심사부정설	구성요건적 효력은 행정행위의 적법성 추정을 의미하고,「행정소송법」제11조 제1항을 열거적 규정으로 보아 민사법원이 처분의 위법성을 심리하는 것은 구성요건적 효력에 반하며, 현행법이 취소소송의 배타적 관할제도를 취하고 있으므로 부정되어야 한다.
심사긍정설	구성요건적 효력은 행정행위 유효성의 잠정적 추정에 불과하고, 국가배상청구소송에서 선결문제로서 행정행위의 위법성 판단은 행정행위의 효력을 부인하는 것이 아니라, 단순한 위법성 심사에 그치는 것이므로 구성요건적 효력 및 취소소송의 배타적 관할제도에 반하지 않으며,「행정소송법」제11조 제1항은 예시적 규정으로 볼 수 있다. 또한 제소기간이 도과하여 처분을 취소할 수 없다 하더라도 위법한 처분에 의한 손해의 배상의 길을 열어 두는 것이 정의의 관념에 부합한다.

ⓒ **판례(긍정설):** 판례는 민사법원이 행정행위의 위법 여부를 판단할 수 있다고 본다.

20. 국회직 8급 위법한 행정처분으로 인해 피해를 입은 자가 제기한 국가배상청구소송에서 민사법원은 행정행위의 위법성 여부를 확인하여 배상청구를 인용할 수 있다. (○)

11. 서울시 9급 행정행위의 위법 여부가 선결문제인 경우 민사법원이 선결문제인 행정행위의 위법 여부를 판단할 수 없다는 것이 대법원의 견해이다. (×) → 있다

🔍 관련판례

1 **행정처분의 취소판결이 있어야만, 그 행정처분의 위법임을 이유로 한 손해배상 청구를 할 수 있는 것은 아니다. ★★★**

(건물철거가 불법행위임을 전제로 서울특별시에 손해배상을 청구한 사건에서) 위법한 행정대집행이 완료되면 그 처분의 무효확인 또는 취소를 구할 소의 이익은 없다 하더라도, 미리 그 행정처분(계고처분)의 취소판결이 있어야만, 그 행정처분의 위법임을 이유로 한 손해배상 청구를 할 수 있는 것은 아니다(대판 1972.4.28. 72다337).

23. 지방직 7급, 22. 군무원 7급, 17. 사복직, 16. 국가직 7급 등 계고처분이 위법한 경우 행정대집행이 완료되면 그 처분의 취소를 구할 소의 이익은 없다 하더라도, 미리 그 행정처분의 취소판결이 있어야만 그 행정처분의 위법임을 이유로 한 손해배상청구를 할 수 있는 것은 아니다. (○)

18. 교행 위법한 행정행위에 대한 국가배상소송이 제기된 경우. 민사법원은 해당 행정행위가 취소되어야만 그 위법 여부를 심리·판단하여 배상을 명할 수 있다. (×) → 있는 것은 아니다

19. 국가직 9급 행정처분이 위법임을 이유로 국가배상을 청구하기 위한 전제로서 그 처분이 취소되어야만 하는 것은 아니다. (○)

22. 지방직 9급 영업허가취소처분으로 손해를 입은 자가 제기한 국가배상청구소송에서 법원은 영업허가취소처분에 취소사유에 해당하는 하자가 있는 경우에는 영업허가취소처분의 위법을 이유로 배상청구를 인용할 수 없다. (×) → 있다

2 **세무담당공무원이 직무상 과실로 과세대상을 오인하여 과세처분을 행한 경우 그 처분이 취소되지 아니하였더라도 국가는 손해배상 책임이 있다. ★★**

물품세 과세대상이 아닌 것을 세무공무원이 직무상 과실로 과세대상으로 오인하여 과세처분을 행함으로 인하여 손해가 발생된 경우에는, 동 과세처분이 취소되지 아니하였다 하더라도, 국가는 이로 인한 손해를 배상할 책임이 있다(대판 1979.4.10. 79다262).

20. 지방직 7급, 18. 지방직 7급 물품세 과세대상이 아닌 것을 세무공무원이 직무상 과실로 과세대상으로 오인하여 과세처분을 행함으로 인하여 손해가 발생된 경우에는, 동 과세처분이 취소되지 아니하였다 하더라도, 국가는 이로 인한 손해를 배상할 책임이 있다. (○)

함께 정리하기

국가배상청구소송에서 위법여부가 선결문제
▷ 민사법원 심사 可

위법한 행정대집행처분의 취소판결 없어도
▷ 처분의 위법임을 이유로 한 국가배상청구 가능 可

위법한 과세처분의 취소판결 없어도
▷ 처분의 위법임을 이유로 한 손해배상청구 可

행정행위 효력유무가 선결문제인 경우
▷ 조세부과처분이 위법하다는 이유로 이미 납부한 세금의 반환을 청구한 경우 민사법원이 행정행위의 효력 유무를 심사할 수 있는지 문제됨

처분이 당연무효인 경우
▷ 민사법원은 처분의 효력 부인 언제든지 可 → 민사법원은 처분이 무효임을 전제로 판결

민사소송에서 효력유무가 선결문제
▷ 당연무효를 전제로 판결 可

처분의 하자가 취소사유인 경우
▷ 민사법원은 처분의 효력 부인 不可 → 민사법원은 처분이 유효임을 전제로 판결

② 행정행위의 효력유무가 선결문제인 경우(부당이득반환청구소송)

　　⊙ **문제점**: 예컨대 과세처분이 위법하다는 이유로 이미 납부한 세금의 반환을 청구한 경우 수소법원인 민사법원이 선결문제인 조세부과처분의 효력유무를 스스로 심리·판단할 수 있는지 문제된다.

　　ⓛ **행정행위의 무효를 확인하는 것이 선결문제인 경우**: 구성요건적 효력은 행정행위가 무효인 경우에는 인정되지 않는다. 따라서 누구든지 행정행위의 무효를 주장할 수 있고, 어느 법원도 행정행위의 무효를 확인할 수 있다. 또한, 「행정소송법」 제11조 제1항도 처분 등의 효력 유무가 민사소송의 선결문제인 경우 민사법원이 이를 심리·판단할 수 있다고 규정하고 있다. 따라서 조세부과처분이 당연무효라면 관할 민사법원은 조세부과처분이 무효임을 확인하여 부당이득을 인정한 다음 부당이득반환청구소송에 대하여 인용판결을 내릴 수 있다(즉, 민사법원은 조세부과처분이 무효임을 전제로 판결하면 되는 것이지 별도로 행정소송 등의 절차를 통해 처분이 취소되거나 무효임이 확인되어야 하는 것은 아니다).

　　22. 군무원 7급 선결문제가 행정행위의 당연무효이면 민사법원이 직접 그 무효를 판단할 수 있다. (O)
　　22. 지방직 9급 조세부과처분이 무효임을 이유로 이미 납부한 세금의 반환을 청구하는 민사소송에서 법원은 그 조세부과처분이 무효라는 판단과 함께 세금을 반환하라는 판결을 할 수 있다. (O)

> 🔨 **관련판례**
>
> **민사소송에 있어서 어느 행정처분의 당연무효 여부가 선결문제로 되는 때에는 이를 판단하여 당연무효임을 전제로 판결할 수 있고 반드시 행정소송 등의 절차에 의하여 그 취소나 무효확인을 받아야 하는 것은 아니다. ★★★**
> 민사소송에 있어서 어느 행정처분의 당연무효 여부가 선결문제로 되는 때에는 민사법원은 행정소송 등의 절차에서 행정처분의 무효나 취소가 없이도 행정처분의 무효여부를 민사법원 스스로 심사하여 민사사건에 대하여 판결을 내릴 수 있다. 그러나 행정법원이 아닌 민사법원은 그 행정처분의 무효확인판결을 할 수는 없다(대판 2010.4.8. 2009다90092).
> 22. 국회직 8급, 21. 지방직 9급, 21. 소방간부, 21. 군무원 7급, 19. 경찰 2차 등 민사소송에 있어서 어느 행정처분의 당연무효 여부가 선결문제로 되는 때에는 이를 판단하여 당연무효임을 전제로 판결할 수 있고 반드시 행정소송 등의 절차에 의하여 그 취소나 무효확인을 받아야 하는 것은 아니다. (O)
> 23. 지방직 7급 민사소송에서 어느 행정처분의 당연무효 여부가 선결문제로 되는 경우 행정소송 등의 절차에 의하여 그 취소나 무효확인을 받아야 한다. (X) → 하는 것은 아니다
> 20. 5급 승진 민사소송에서 어느 행정처분의 당연무효여부가 선결문제로 되는 경우 당해 법원은 이를 판단하여 당연무효임을 전제로 판결할 수는 없다. (X) → 있다
> 19. 지방직 9급 민사소송에 있어서 어느 행정처분의 당연무효 여부가 선결문제로 되는 때에는 당해 소송의 수소법원은 이를 판단하여 그 행정처분의 무효확인판결을 할 수 있다. (X) → 없다

　　ⓒ **행정행위의 효력을 부인하는 것이 선결문제인 경우**: 행정행위의 효력을 상실시키는(부인하는) 것이 민사소송에서 선결문제가 된 경우 민사법원은 위법한 행정행위의 효력을 상실시킬 수 없다. 이는 공정력(또는 구성요건적 효력)에 반하기 때문이다. 따라서 조세부과처분이 취소사유에 불과한 경우, 그 처분이 권한 있는 기관에 의하여 취소되지 않는 한 민사법원은 그 효력을 부인할 권한이 없으므로 조세부과처분이 유효임을 확인하여 부당이득이 발생하지 않았음을 이유로 기각판결을 하여야 한다[이 경우 원고는 먼저 조세부과처분의 취소소송(항고소송)을 통해 공정력(또는 구성요건적 효력)을 제거한 후 부당이득반환소송을 제기하거나 취소소송(항고소송)과 부당이득반환소송을 병합하여 소를 제기하는 수밖에 없다].

19. 국가직 7급 개별공시지가결정에 따라 부과된 재산세를 납부한 후 이미 납부한 재산세에 대한 부당이득반환을 구하는 민사소송을 제기한 경우, 민사법원은 재산세부과처분에 취소사유의 하자가 있음을 이유로 재산세부과처분의 효력을 부인하고 그 납세액의 반환을 명하는 판결을 내릴 수 있다. (×) → 없다

12. 경찰 1차 판례에 의할 때, 무효가 아닌 위법한 조세부과처분에 의하여 국세를 이미 납부한 개인이 제기한 부당이득반환청구사건에서 법원은 청구를 인용하여야 한다. (×) → 기각

⚖ 관련판례

1 **행정처분의 하자가 중대하고도 명백하여 당연무효라고 인정될 경우에는 이를 전제로 하여 판단할 수 있으나 그 하자가 단순한 취소사유에 그칠 때에는 민사법원은 그 효력을 부인할 수 없다.** ★★★

국세 등의 부과 및 징수처분 등과 같은 행정처분이 당연무효임을 전제로 하여 민사소송을 제기한 때에는 그 행정처분이 당연무효인지의 여부가 선결문제이므로, 법원은 이를 심사하여 그 <u>행정처분의 하자가 중대하고 명백하여 당연무효라고 인정될 경우 이를 전제로 판단 할 수 있으나, 그 하자가 단순한 취소사유에 그칠 때에는 법원은 그 효력을 부인할 수 없다고 할 것이다</u>(대판 1973.7.10. 70다1439).

17. 국가직 7급(추), 15. 서울시 7급 행정처분이 당연무효임을 전제로 하여 민사소송을 제기한 때에는 그 행정처분이 당연무효인지의 여부가 선결문제이므로 법원은 이를 심사하여 그 행정처분의 하자가 당연무효라고 인정될 경우에는 이를 전제로 하여 판단할 수 있으나 그 하자가 단순한 취소사유에 그칠 때에는 법원은 그 효력을 부인할 수 없다. (○)

16. 국회직 8급 취소할 수 있는 행정행위는 민사소송에서 선결문제로서 그 효력을 부인할 수 없지만, 무효인 행정행위는 민사소송에서 그 선결문제로서 무효를 확인할 수 있다. (○)

10. 국가직 7급 국세 등의 부과 및 징수처분에 대한 부당이득반환청구사건에서 행정처분의 하자가 단순한 취소사유에 그칠 때에는 법원은 그 행정처분의 효력을 부인할 수 없다. (○)

2 **조세과오납의 반환청구사건에서 조세의 과오납이 취소사유에 불과할 경우에는 부당이득으로 볼 수 없다.** ★★★

<u>조세의 과오납이 부당이득이 되기 위하여는 납세 또는 조세의 징수가 실체법적으로나 절차법적으로 전혀 법률상의 근거가 없거나 과세처분의 하자가 중대하고 명백하여 당연무효이어야 하고, 과세처분의 하자가 단지 취소할 수 있는 정도에 불과할 때에는 과세관청이 이를 스스로 취소하거나 항고소송절차에 의하여 취소되지 않는 한 그로 인한 조세의 납부가 부당이득이 된다고 할 수 없다</u>(대판 1994.11.11. 94다28000).

23. 지방직 7급, 16. 서울시 7급, 13. 경찰 2차, 11. 지방직 7급 과세처분의 하자가 단지 취소할 수 있는 정도에 불과할 때에는 과세관청이 이를 스스로 취소하거나 항고쟁송절차에 의하여 취소되지 않는 한, 그로 인한 조세의 납부가 부당이득이 된다고 할 수 없다. (○)

19. 경찰 2차 국민이 조세부과처분의 위법을 이유로 이미 납부한 세금의 반환을 청구하는 민사소송을 제기한 경우, 과세처분의 하자가 단지 취소할 수 있는 정도에 불과하더라도, 당해 민사법원은 위법한 과세처분의 효력을 직접 상실시켜 납부된 세금의 반환을 명할 수 있다. (×) → 없다

21. 군무원 7급 행정처분이 아무리 위법하다고 하여도 당연무효인 사유가 있는 경우를 제외하고는 아무도 그 하자를 이유로 무단히 그 효과를 부정하지 못한다. (○)

3 **과세처분에 취소할 수 있는 위법사유가 있다 하더라도 민사소송절차에서 그 과세처분의 효력을 부인할 수 없다.** ★★★

<u>과세처분이 당연무효라고 볼 수 없는 한 과세처분에 취소할 수 있는 위법사유가 있다 하더라도 그 과세처분은 행정행위의 공정력 또는 집행력에 의하여 그것이 적법하게 취소되기 전까지는 유효하다 할 것이므로, 민사소송절차에서 그 과세처분의 효력을 부인할 수 없다</u>(대판 1999.8.20. 99다20179).

18. 국회직 8급 과세처분에 취소할 수 있는 위법사유가 있다 하더라도 그 과세처분은 그것이 적법하게 취소되기 전까지는 유효하다 할 것이므로, 민사소송절차에서 그 과세처분의 효력을 부인할 수 없다. (○)

19. 서울시 9급 취소사유 있는 과세처분에 의하여 세금을 납부한 자는 과세처분취소소송을 제기하지 않은 채 곧바로 부당이득반환청구소송을 제기하더라도 납부한 금액을 반환받을 수 있다. (×) → 제기하여 / 없다

취소사유 있는 조세 과오납
▷ 취소되지 않는 한 부당이득×

취소사유 있는 과세처분
▷ 취소되지 않는 한 과세처분의 효력 부인×

행정행위 위법여부가 선결문제인 경우
▷ 시정명령위반죄로 기소된 경우 형사법원이 시정명령의 위법 여부를 심사할 수 있는지 문제됨

❶
행정행위의 위법여부가 형사소송의 선결문제가 되는 경우는 죄명이 '~위반죄'로 되어 있을 때이다. 행정기관의 하명(예 시정명령, 철거명령, 조치명령 등)의 위반죄의 경우에는 명문의 규정이 없는 경우에도 당해 하명이 적법할 것이 범죄구성요건이 된다고 보는 것이 일반적 견해이다.

형사소송에서 위법여부가 선결문제
▷ 형사법원 심사 可

시정명령이 당연무효는 아니지만 위법한 것으로 인정되는 경우
▷ 개발제한구역법상 시정명령위반죄 성립×

시정명령이 절차적 하자로 위법한 경우
▷ 시정명령위반죄 성립×

(2) 형사소송에서의 선결문제

① 행정행위의 위법성을 확인하는 것이 선결문제인 경우(하명 위반이 범죄구성요건으로 되는 경우)**❶**

ㄱ 문제점: 행정행위의 위법여부가 형사소송의 범죄구성요건 판단의 선결문제가 된 경우, 형사법원이 행정행위의 위법 여부를 심사할 수 있는지에 대해 별도의 규정이 없어서 문제된다(예컨대, 「건축법」상 위법건축물에 내려진 시정명령을 이행하지 않아 시정명령위반죄로 기소된 경우, 형사법원은 선결문제로서 시정명령의 위법 여부를 스스로 심리·판단할 수 있는지의 문제이다).

ㄴ 학설, 판례: 통설과 판례는 민사소송절차에서와 마찬가지로 형사소송에서 선결문제로서 행정행위의 위법 여부를 판단하는 것은 행정행위의 효력을 부인하는 것이 아니므로 공정력(또는 구성요건적 효력)에 반하지 않는다고 본다. 따라서 형사법원은 선결문제로서 행정행위(예 시정명령, 철거명령, 조치명령 등)의 위법 여부를 판단할 수 있다.

20. 국회직 8급 「건축법」상 위법건축물에 내려진 시정명령을 이행하지 않아 시정명령위반죄로 기소된 경우 형사법원은 이를 판단할 수 있다. (○)

> **관련판례**
>
> **1** 개발제한구역의 지정 및 관리에 관한 특별조치법에 따라 행정청으로부터 시정명령을 받은 자가 이를 이행하지 않은 경우, 당해 시정명령이 위법한 것으로 인정되는 한 죄가 성립될 수 없다. ★★★
>
> [1] (피고인 甲 주식회사의 대표이사 피고인 A는 개발제한구역 내에 무단으로 고철을 쌓아 놓은 행위 등에 대하여 관할관청으로부터 원상복구를 명하는 시정명령을 받고도 이행하지 아니하였다고 하여 개발제한구역의 지정 및 관리에 관한 특별조치법(이하 '개발제한구역법'이라 한다) 위반으로 기소된 사건에서) 개발제한구역법 제30조 제1항에 의하여 행정청으로부터 시정명령을 받은 자가 이를 위반한 경우, 그로 인하여 개발제한구역법 제32조 제2호에 정한 처벌을 하기 위하여는 시정명령이 적법한 것이라야 하고, 시정명령이 당연무효가 아니더라도 위법한 것으로 인정되는 한 개발제한구역법 제32조 제2호 위반죄가 성립될 수 없다.
>
> 19. 경찰 2차 「개발제한구역의 지정 및 관리에 관한 특별조치법」에 따라 행정청으로부터 시정명령을 받은 자가 이를 이행하지 않은 경우, 당해 시정명령이 위법한 것으로 인정되는 한 죄가 성립될 수 없다. (○)
>
> [2] 관할관청이 침해적 행정처분인 시정명령을 하면서 A에게 행정절차법 제21조, 제22조에 따른 적법한 사전통지를 하거나 의견제출 기회를 부여하지 않았고 이를 정당화할 사유도 없으므로 시정명령은 절차적 하자가 있어 위법하고, 시정명령이 당연무효가 아니더라도 위법한 것으로 인정되는 이상 A가 시정명령을 이행하지 아니하였더라도 A에 대하여 개발제한구역법 제32조 제2호 위반죄가 성립하지 아니한다(대판 2017.9.21. 2017도7321).
>
> 18. 국가직 7급 행정청이 침해적 행정처분인 시정명령을 하면서 사전통지를 하거나 의견제출 기회를 부여하지 않아 시정명령이 절차적 하자로 위법하다면, 그 시정명령을 위반한 사람에 대하여는 시정명령위반죄가 성립하지 않는다. (○)

2 (개발제한구역 안에 건축되어 있던 비닐하우스를 매수한 자에게 구청장이 이를 철거하여 토지를 원상회복하라는 시정조치를 따르지 아니한 자를 구 도시계획법위반죄로 기소한 사건에서) 도시계획법 제78조 제1항에 정한 처분이나 조치명령을 받은 자가 이에 위반한 경우, 이로 인하여 동법 제92조에 정한 처벌을 하기 위하여는 그 처분이나 조치명령이 적법한 것이라야 하고, 그 처분이 당연무효가 아니라 하더라도 그것이 위법한 처분으로 인정되는 한 같은 법 제92조 위반죄가 성립될 수 없다(대판 1992.8.18. 90도1709 ; 대판 2004.5.14. 2001도2841). ★★

13. 국가직 9급 구 「도시계획법」에 정한 처분이나 조치명령을 받은 자가 이에 위반한 경우, 이로 인하여 동법 제92조에 정한 처벌을 하기 위하여는 그 처분이나 조치명령이 적법한 것이라야 하고, 그 처분이 당연무효가 아니라 하더라도 그것이 위법한 처분으로 인정되는 한 같은 법 제92조 위반죄가 성립될 수 없다. (O)

22. 국가직 9급 구 「도시계획법」상 원상회복 등의 조치명령을 받고도 이를 따르지 않은 자에 대해 형사처벌을 하기 위해서는 적법한 조치명령이 전제되어야 하며, 이때 형사법원은 그 적법 여부를 심사할 수 있다. (O)

3 (주택법위반이 문제된 형사사건에서)행정청으로부터 구 주택법 제91조에 의한 시정명령을 받고도 이를 위반하였다는 이유로 위 법 제98조 제11호에 의한 처벌을 하기 위해서는 그 시정명령이 적법한 것이어야 하고, 그 시정명령이 위법하다고 인정되는 한 위 법 제98조 제11호 위반죄는 성립하지 않는다(대판 2009.6.25. 2006도824). ★★

21. 군무원 7급 어떤 법률에 의하여 행정청으로부터 시정명령을 받은 자가 이를 위반한 경우 그 때문에 그 법률에서 정한 처벌을 하기 위하여는 그 시정명령은 적법한 것이라야 한다. (O)

16. 지방직 7급 구 「주택법」 제91조에 따른 시정명령이 위법하더라도 ~~당연무효가 아닌 이상~~ 그 시정명령을 따르지 아니한 경우에는 동법상 시정명령 위반죄가 ~~성립된다~~. (X) → 하다면 당연무효가 아니라 하더라도 / X / 하지 않는다

4 명령이 무효인 경우, 위 명령 위반을 이유로 행정형벌을 부과할 수 없다. ★★
(집합건물 중 일부 구분건물의 소유인인 피고인이 시흥소방서장으로부터 소방시설 불량사항에 관한 시정보완명령(소방공무원이 방문하여 구두로 고지)을 받고도 따르지 아니하였다는 내용으로 기소된 사안에서) 소방시설 설치유지 및 안전관리에 관한 법률 제9조에 의한 소방시설 등의 설치 또는 유지·관리에 대한 명령을 정당한 사유 없이 위반한 자는 같은 법 제48조의2 제1호에 의하여 행정형벌에 처해지는데, 위 명령이 행정처분으로서 하자가 있어 무효인 경우에는 명령에 따른 의무위반이 생기지 아니하므로 행정형벌을 부과할 수 없다(대판 2011.11.10. 2011도11109).

23. 지방직 7급 소방시설 등의 설치 또는 유지·관리에 대한 명령이 행정처분으로서 하자가 있어 무효인 경우, 위 명령 위반을 이유로 행정형벌을 부과할 수 없다. (O)

22. 소방간부 관할 소방서장으로부터 소방시설 불량사항에 관한 시정보완명령을 받고도 따르지 아니하였다는 내용으로 기소된 사안에서, 담당 소방공무원이 시정보완명령을 구술로 고지하였다면, 이러한 행정처분은 당연무효이고 행정형벌을 부과할 수 없다. (O)

② 행정행위의 효력유무가 선결문제인 경우❶
　ㄱ 문제점: 행정행위의 효력유무가 형사소송의 범죄구성요건 판단의 선결문제가 된 경우, 형사법원이 행정행위의 효력유무를 심리·판단하여 그 효력을 부인할 수 있는지에 대해 별도의 규정이 없어서 문제된다. 예컨대, 위법 사유가 있는 운전면허를 가진 자가 무면허운전죄로 기소된 경우, 형사법원은 운전면허소지자를 무면허운전자로 처벌하기 위해서 선결문제로서 운전면허처분의 효력을 부인할 수 있는지, 영업허가가 취소되었음에도 영업을 계속한 자가 무허가영업을 한 죄로 기소된 경우 형사법원이 영업허가 취소처분의 효력을 부인할 수 있는지의 문제이다.

함께 정리하기

위법한 시정명령 위반
▷ 「도시계획법」상 조치명령 위반죄 성립×

위법한 공사중지명령의 위반
▷ 「주택법」상 시정명령 위반죄 성립×

무효인 명령위반
▷ 의무위반죄 성립×(행정형벌 부과 불가)

❶
행정행위의 효력유무가 형사소송의 선결문제가 되는 경우는 죄명이 무면허운전죄, 무허가영업죄 등 허가나 등록 또는 승인 등을 받지 않고 한 행위를 처벌하는 규정이 있을 때이다.

행정행위 효력유무가 선결문제인 경우
▷ 무면허운전죄나 무허가영업죄로 기소된 경우 형사법원이 행정행위의 효력 유무를 심사할 수 있는지 문제됨

처분이 당연무효인 경우
▷ 형사법원은 처분의 효력 부인 언제든지 可 → 형사법원은 처분이 무효임을 전제로 판결

과세처분 당연무효
▷ 조세범처벌법위반죄 성립✕

처분의 하자가 취소사유인 경우
▷ 형사법원은 처분의 효력 부인 不可 → 형사법원은 처분이 유효임을 전제로 판결

❶
한편, 형사소송에서는 피고인의 인권보장과 신속한 재판을 받을 권리가 보장되어야 한다는 형사소송의 특수성을 이유로 형사재판에는 공정력(또는 구성요건적 효력)이 미치지 않는다고 보는 견해(긍정설)가 있고, 처분이 취소되어야 범죄가 '불성립'되는 경우에는 형사피고인의 인권보장을 위하여 예외적으로 형사법원도 행정행위의 효력을 부인할 수 있어야 한다는 견해(예외적 긍정설)도 있다.

ⓛ **행정행위의 무효를 확인하는 것이 선결문제인 경우:** 구성요건적 효력은 행정행위가 무효인 경우에는 인정되지 않으므로 형사법원은 행정행위의 무효를 확인하여 무죄를 선고할 수 있다.

18. 교행 형사법원은 행정행위가 당연무효라면, 선결문제로서 그 행정행위의 효력을 부인할 수 있다. (○)

> ⚖️ **관련판례**
>
> **과세처분이 무효인 경우 체납의 대상이 없어 조세범처벌법위반죄가 성립하지 않는다. ★★**
> 소론 법조에 정한 체납범은 정당한 과세에 대하여서만 성립되는 것이고, 과세가 당연히 무효한 경우에 있어서는 체납의 대상이 없어 체납범 성립의 여지가 없다고 볼 것이니, 원심이 같은 취지에서 당연무효의 설시 과세를 설시 체납의 대상에서 제외한 판단은 옳고, 이와는 반대의 견해에서 그러한 과세처분이라고 하더라도 국세심사청구법 제10조에 의한 구제를 못 받은 한 체납범의 대상이 되는 과세로 인정하여야 될 것이라는 취의로 원판결 판단을 비위하는 논지는 채용할 길이 없다(대판 1971.5.31. 71도742).

ⓒ **행정행위의 효력을 부인하는 것이 선결문제인 경우**
　ⓐ **학설:** 행정행위의 효력을 부인하는(상실시키는) 것이 형사소송에서 선결문제가 된 경우, 형사법원이 행정행위의 하자를 심사하여 행정행위의 효력을 부인하는 것은 민사소송에서처럼 공정력(또는 구성요건적 효력)에 반하므로 인정될 수 없다고 보는 것이 통설이다(부정설).❶ 따라서 처분의 하자가 취소사유에 불과한 경우, 그 처분이 권한 있는 기관에 의하여 취소되지 않는 한 형사법원은 그 효력을 부인할 권한이 없으므로 처분이 유효임을 확인하여 유·무죄 판결을 하여야 한다(예컨대, 처분이 취소되어야 범죄가 '성립'하는 경우에는 무죄판결을, 처분이 취소되어야 범죄가 '불성립'하는 경우에는 유죄판결을 한다).

16. 서울시 7급 영업허가가 취소되었음에도 불구하고 영업을 계속하던 乙이 무허가영업을 한 죄로 기소되자 그 취소처분에 대해 취소사유가 있음을 들어 무죄를 주장하는 경우, 그 취소처분의 효력 유무 또는 부인을 선결문제로 하여 형사법원이 심리·판단할 수 없다. (○)

14. 지방직 9급 행정처분이 당연무효가 아닌 한 형사법원은 선결문제로 그 행정처분의 효력을 부인할 수 없다. (○)

　ⓑ **판례**
　　㉮ 판례는 기본적으로 통설과 같은 입장으로, 운전면허에 취소사유에 해당하는 하자가 있는 경우 운전면허의 효력을 형사법원이 부인하여 무면허운전죄로 처벌할 수 없다고 판시하여, 처분이 취소되어야 범죄가 '성립'하는 경우(예 15세 미성년자가 운전면허를 발급받아 운전하다가 적발되어 무면허운전죄로 기소된 경우)에는 형사법원이 처분의 효력을 부인할 수 없다는 입장이다.

　　㉯ 그런데, 최근에 판례는 처분이 취소되어야 범죄가 '불성립'하는 경우(예 위법하게 운전면허취소처분을 당한 자가 운전을 계속하다가 무면허운전죄로 기소된 경우)와 관련하여, 운전면허 취소처분을 받은 사람이 자동차를 운전하였으나 취소의 원인이 된 교통사고 또는 법규 위반에 대하여 범죄의 증명이 없는 때에 해당한다는 이유로 무죄판결이 확정된 경우, 운전면허 취소처분이 취소되지 않았더라도 무면허운전죄로 처벌할 수 없다고 판시한 바 있다(대판 2021.9.16. 2019도11826).

관련판례

1 운전면허에 취소사유가 있다 하더라도 취소되지 않는 한 유효하므로 무면허운전죄는 성립하지 않는다. ★★★

(무면허운전을 이유로 기소된 사건에서) 연령미달의 결격자인 피고인이 소외인의 이름으로 운전면허시험에 응시, 합격하여 교부받은 운전면허는 당연무효가 아니고 도로교통법 제65조 제3호의 사유에 해당함에 불과하여 취소되지 않는 한 유효하므로 피고인의 운전행위는 무면허운전에 해당하지 아니한다(대판 1982.6.8. 80도2646).

22. 국가직 9급 연령미달 결격자가 다른 사람 이름으로 교부받은 운전면허는 당연무효가 아니고 취소되지 않는 한 유효하므로 그 연령미달 결격자의 운전행위는 무면허운전에 해당하지 아니한다. (○)

20. 국회직 8급 연령미달의 결격자가 이를 속이고 운전면허를 교부받아 운전 중 적발되어 기소된 경우 형사법원은 운전면허처분의 효력을 부인하고 무면허운전죄로 판단할 수 없다. (○)

2 사위(詐僞) 기타 부정한 방법으로 받은 수입승인서를 함께 제출하여 수입면허를 받았다고 해도, 그 수입면허가 당연무효가 아닌 한 관세법상의 무면허수입죄가 성립될 수 없다. ★★★

(수입제한품목인 생사의 무면허수입으로 인해 특정범죄가중처벌등에 관한 법률위반(무면허수입)으로 기소된 사건에서) 물품을 수입하고자 하는 자가 일단 세관장에게 수입신고를 하여 그 면허를 받고 물품을 통관한 경우에는, 세관장의 수입면허가 중대하고도 명백한 하자가 있는 행정행위이어서 당연무효가 아닌 한 관세법상의 무면허수입죄가 성립될 수 없다(대판 1989.3.28. 89도149).

22. 지방직 9급, 13. 국가직 9급, 08. 국가직 9급 물품을 수입하고자 하는 자가 세관장에게 수입신고를 하여 그 면허를 받고 물품을 통관한 경우에는, 세관장의 수입면허가 중대하고도 명백한 하자가 있는 행정행위이어서 당연무효가 아닌 한 「관세법」 소정의 무면허수입죄가 성립될 수 없다. (○)

3 운전면허 취소처분을 받은 사람이 자동차를 운전하였으나 운전면허 취소처분의 원인이 된 교통사고 또는 법규 위반에 대하여 범죄사실의 증명이 없는 때에 해당한다는 이유로 무죄판결이 확정된 경우, 운전면허 취소처분이 취소되지 않았더라도 도로교통법상 무면허운전죄로 처벌할 수 없다. ★

[1] 구 도로교통법(2020.6.9. 법률 제17371호로 개정되기 전의 것) 제93조 제1항 제1호에 의하면, 지방경찰청장은 운전면허를 받은 사람이 같은 법 제44조 제1항을 위반하여 술에 취한 상태에서 자동차를 운전한 경우 행정안전부령으로 정하는 기준에 따라 운전면허를 취소하거나 1년 이내의 범위에서 운전면허의 효력을 정지시킬 수 있다. 그러나 자동차 운전면허가 취소된 사람이 그 처분의 원인이 된 교통사고 또는 법규 위반에 대하여 혐의없음 등으로 불기소처분을 받거나 무죄의 확정판결을 받은 경우 지방경찰청장은 구 도로교통법 시행규칙(2020.12.10.행정안전부령 제217호로 개정되기 전의 것) 제91조 제1항 [별표 28] 1. 마.항 본문에 따라 즉시 그 취소처분을 취소하고, 같은 규칙 제93조 제6항에 따라 도로교통공단에 그 내용을 통보하여야 하며, 도로교통공단도 즉시 취소당시의 정기적성검사기간, 운전면허증 갱신기간을 유효기간으로 하는 운전면허증을 새로이 발급하여야 한다.

[2] 그리고 행정청의 자동차 운전면허 취소처분이 직권으로 또는 행정쟁송절차에 의하여 취소되면, 운전면허 취소처분은 그 처분 시에 소급하여 효력을 잃고 운전면허 취소처분에 복종할 의무가 원래부터 없었음이 확정되므로, 운전면허 취소처분을 받은 사람이 운전면허 취소처분이 취소되기 전에 자동차를 운전한 행위는 도로교통법에 규정된 무면허운전의 죄에 해당하지 아니한다.

취소사유 있는 운전면허
▷ 취소 전까지는 유효(∴무면허운전×)

취소사유 있는 수입면허
▷ 취소 전까지는 유효(∴무면허수입×)

운전면허 취소처분을 받은 사람이 자동차를 운전하였으나 취소의 원인이 된 교통사고 또는 법규 위반에 대하여 무죄판결이 확정된 경우
▷ 운전면허 취소처분이 취소되지 않았더라도 무면허운전죄로 처벌×

[3] 위와 같은 관련 규정 및 법리, 헌법 제12조가 정한 적법절차의 원리, 형벌의 보충성 원칙을 고려하면, 자동차 운전면허 취소처분을 받은 사람이 자동차를 운전하였으나 운전면허 취소처분의 원인이 된 교통사고 또는 법규 위반에 대하여 범죄사실의 증명이 없는 때에 해당한다는 이유로 무죄판결이 확정된 경우에는 그 취소처분이 취소되지 않았더라도 도로교통법에 규정된 무면허운전의 죄로 처벌할 수는 없다고 보아야 한다(대판 2021.9.16. 2019도11826).

22. 경찰간부 자동차 운전면허 취소처분을 받은 사람이 자동차를 운전하였으나 운전면허 취소처분의 원인이 된 교통사고 또는 법규위반에 대하여 범죄사실의 증명이 없는 때에 해당한다는 이유로 무죄판결이 확정되었더라도 그 운전면허 취소처분이 취소되지 않고 있다면 「도로교통법」에 규정된 무면허운전의 죄로 처벌할 수 있다. (×) → 된 경우에는 / 않았더라도 / 없다

4 존속력(확정력)

1. 개념

행정행위가 일단 행해지면 그에 터 잡아 많은 법률관계가 형성되므로 법적 안정성과 관계인의 신뢰보호관점에서 그 행위의 자유로운 취소·변경은 바람직하지 않다. 이에 따라 일단 발하여진 행정행위를 존속시키기 위하여 인정되는 제도를 존속력(또는 확정력)이라고 한다. 존속력에는 불가쟁력(형식적 존속력)과 불가변력(실질적 존속력)이 있다.

2. 불가쟁력(형식적 존속력, 형식적 확정력)

(1) 의의

불가쟁력이란 하자 있는 행정행위라 하더라도 쟁송제기기간이 경과하거나, 쟁송수단을 다 거친 경우(쟁송절차가 종료된 경우)에는 상대방 또는 이해관계인은 더 이상 그 행정행위의 효력을 다툴 수 없게 하는 효력을 말한다. 불가쟁력은 형식적 존속력 또는 형식적 확정력이라고도 한다. 이러한 불가쟁력(형식적 존속력·확정력)은 행정법관계의 안정과 능률적인 행정목적의 수행을 위하여 그 효력에 관한 다툼을 제한된 시간 내에서만 허용한다는 목적에서 인정되는 것이다.

15. 서울시 9급 일정한 불복기간이 경과하거나 쟁송수단을 다 거친 후에는 더 이상 행정행위를 다툴 수 없게 되는 효력을 행정행위의 불가변력이라 한다. (×) → 불가쟁력

(2) 효력

① 상대방 또는 이해관계인 – 처분에 대한 행정쟁송(심판·소송) 제기 불가: 불복기간을 넘어 불가쟁력이 발생한 행정행위에 대한 행정심판이나 행정소송의 제기는 부적법한 것으로 각하된다. 다만, 취소할 수 있는 행정행위에는 불가쟁력이 발생하는 반면 무효인 행정행위는 쟁송제기기간의 제한을 받지 않으므로(「행정심판법」 제27조 제7항, 「행정소송법」 제20조, 제38조 제1항) 불가쟁력이 발생하지 않는다.

19. 소방직, 15. 사복직, 11. 국회직 8급 무효인 행정행위는 쟁송기간의 제한을 받지 않으므로 불가쟁력이 발생하지 않는다. (○)

12. 경찰 1차 무효인 행정행위도 상당한 시간이 경과하게 되는 경우 불가쟁력이 인정된다. (×) → 되지 않는다

존속력(확정력)
▷ 법적안정성·신뢰보호관점에서 일단 발하여진 행정행위를 존속시키는 효력
▷ 불가쟁력: 형식적 존속력
▷ 불가변력: 실질적 존속력

불가쟁력
▷ 쟁송기간이 도과했거나 또는 쟁송수단을 다 거친 경우에는 더 이상 행정행위의 효력을 다툴 수 없게 하는 힘

인정취지
▷ 행정법관계의 안정성 확보
▷ 능률적인 행정목적의 수행

불가쟁력이 발생한 행정행위에 대한 행정심판·행정소송 제기
▷ 각하

무효인 행정행위
▷ 쟁송제기기간의 제한×
▷ 불가쟁력 발생×

② **행정청 – 직권에 의한 취소·철회·변경 가능:** 불가쟁력은 행정행위 상대방이나 이해관계인에 대해서만 발생하는 효력이기 때문에 처분청이나 그 밖의 국가기관을 구속하지 못한다. 따라서 처분청은 불가쟁력이 발생한 이후에도 사실적 또는 법적 상황을 다시 심사하여 위법함이 발견되면 행정행위를 취소·철회하거나 새로운 행정행위로 변경할 수 있다.

22. 행정사, 18. 교행, 15. 교행 불가쟁력은 행정행위의 상대방이나 이해관계인에 대한 구속력이다. (○)
20. 5급 승진 불가쟁력이 발생한 행정행위에 대해 국가배상청구나 직권취소는 허용되지 아니한다. (×) → 된다

함께 정리하기

불가쟁력이 미치는 인적범위
▷ 처분의 상대방이나 이해관계인○
▷ 처분청이나 그 밖의 국가기관 구속×
(∴처분청은 불가쟁력이 발생한 이후에도 처분을 취소·철회·변경 可)

⚡ 관련판례

불가쟁력이 발생한 행정행위라도 위법이 확인되면 행정청은 직권으로 취소할 수 있다. ★★★

개별토지에 대한 가격결정도 행정처분에 해당하며, 원래 행정처분을 한 처분청은 그 행위에 하자가 있는 경우에는 원칙적으로 별도의 법적 근거가 없더라도 스스로 이를 직권으로 취소할 수 있는 것이고, 행정처분에 대한 법정의 불복기간이 지나면 직권으로도 취소할 수 없게 되는 것은 아니므로, 처분청은 토지에 대한 개별토지가격의 산정에 명백한 잘못이 있다면 이를 직권으로 취소할 수 있다(대판 1995.9.15. 95누6311).

16. 국가직 9급, 12. 경찰 1차 위법한 행정행위에 대하여 불가쟁력이 발생한 이후에도 당해 행정행위의 위법을 이유로 직권취소할 수 있다. (○)
18. 지방직 9급 위법한 점용허가를 다투지 않고 있다가 제소기간이 도과한 경우에는 처분청이라도 그 점용허가를 취소할 수 없다. (×) → 은 / 있다
18. 소방직 불가쟁력이 발생한 행정행위일지라도 불가변력이 없는 경우에는 행정청 등 권한 있는 기관은 이를 직권으로 취소할 수 있다. (○)

불가쟁력 발생
▷ 행정청은 직권취소·철회 可

---

③ **국가배상청구소송 가능**

㉠ **문제점:** 위법한 과세처분에 불가쟁력이 발생한 후에 처분의 상대방인 납세자가 정당한 세액을 초과한 금액을 국가배상청구소송을 통해 배상을 받을 수 있을 것인가에 관해 견해가 나뉜다.

㉡ **학설:** 처분의 효력을 다투는 취소소송과 피해의 배상을 구하는 국가배상은 그 제도의 취지를 달리하므로 취소판결이 없이도 국가배상을 청구할 수 있다는 적극설(다수설)과 국가배상을 인정하면 불가쟁력이 발생한 처분에 대한 취소소송을 인정하는 효과가 나타날 수 있으므로 적극설에 문제가 있다는 소극설이 있다.

㉢ **판례:** 판례는 적극설의 입장이다. 따라서 국가배상청구소송은 처분의 효력을 다투는 것이 아니므로 불가쟁력이 발생한 행정행위로 손해를 입은 국민은 손해배상청구권이 시효로 소멸하지 않은 한 국가배상청구소송을 제기할 수 있다.❶

21. 지방직 9급 불가쟁력이 발생한 행정행위로 손해를 입은 국민은 국가배상청구를 할 수 있다. (○)
19. 서울시 9급 취소사유 있는 영업정지처분에 대한 취소소송의 제소기간이 도과한 경우 처분의 상대방은 국가배상청구소송을 제기하여 재산상 손해의 배상을 구할 수 있다. (○)

불가쟁력이 발생한 행정행위로 손해를 입은 상대방 등
▷ 손해배상(국가배상)청구소송 제기 可

❶
물품세 과세대상이 아닌 것을 세무공무원이 직무상 과실로 과세대상으로 오인하여 과세처분을 행함으로 인하여 손해가 발생된 경우에는, 동 과세처분이 취소되지 아니하였다 하더라도, 국가는 이로 인한 손해를 배상할 책임이 있다(대판 1979.4.10. 79다262).

불가쟁력 발생
▷ 당사자·법원 다른 주장·판단 可

(3) 불가쟁력과 기판력과의 관계 – 법률관계 내용의 확정여부

불복기간의 경과로 발생하는 처분의 효력인 불가쟁력(형식적 확정력)은 처분의 상대방이나 이해관계인이 처분의 효력을 더 이상 다툴 수 없다는 의미일 뿐, 판결과 같은 기판력이 인정되는 것은 아니다. 따라서 처분의 불가쟁력으로 처분의 기초가 된 사실관계나 법률적 판단이 확정되는 것은 아니므로 당사자들이나 법원이 이에 기속되어 모순되는 주장이나 판단을 할 수 없게 되는 것은 아니다.

처분의 불가쟁력
▷ 판결과 같은 기판력✕ (∴당사자·법원 다른 주장·판단 可)

> ### ⚖ 관련판례
>
> 일반적으로 행정처분이나 행정심판 재결이 불복기간의 경과로 확정될 경우 그 확정력은 처분으로 법률상 이익을 침해받은 자가 당해 처분이나 재결의 효력을 더 이상 다툴 수 없다는 의미일 뿐, 판결과 같은 기판력이 인정되는 것은 아니다. ★★★
>
> [1] 일반적으로 행정처분이나 행정심판 재결이 불복기간의 경과로 확정될 경우 그 확정력은, 처분으로 법률상 이익을 침해받은 자가 당해 처분이나 재결의 효력을 더 이상 다툴 수 없다는 의미일 뿐, 더 나아가 판결과 같은 기판력이 인정되는 것은 아니어서 그 처분의 기초가 된 사실관계나 법률적 판단이 확정되고 당사자들이나 법원이 이에 기속되어 모순되는 주장이나 판단을 할 수 없게 되는 것은 아니다.
>
> 14. 지방직 7급 일반적으로 행정처분이 불복기간의 경과로 인하여 확정될 경우 그 확정력에는 판결과 같은 기판력이 인정되지 아니한다. (○)
>
> 19. 국가직 7급, 17. 지방직 7급, 17. 경찰 2차 행정심판의 재결이 확정되었다 하더라도 처분의 기초가 된 사실관계나 법률적 판단이 확정되는 것은 아니므로, 당사자들이나 법원이 이에 기속되어 모순되는 주장이나 판단을 할 수 없게 되는 것은 아니다. (○)
>
> 22. 군무원 9급, 20. 5급 승진, 18. 국회직 8급, 16. 국가직 7급 행정처분이 불복기간의 경과로 인하여 불가쟁력이 발생하면 그 처분의 기초가 된 사실관계나 법률적 판단이 확정되는 것이므로 당사자들이나 법원이 이에 기속되어 모순되는 주장을 할 수 없게 된다. (✕) → 은 아니므로 / 없게 되는 것은 아니다
>
> 19. 행정사 행정행위에 불가쟁력이 발생하면 판결에서와 같은 기판력이 발생하여 그 처분의 기초가 된 사실관계나 법률적 판단은 확정된다. (✕) → 인정되는 것이 아니므로 / 되는 것은 아니다
>
> [2] 따라서 종전의 산업재해요양보상급여취소처분이 불복기간의 경과로 인하여 확정되었더라도 요양급여청구권이 없다는 내용의 법률관계까지 확정된 것은 아니며 소멸시효에 걸리지 아니한 이상 다시 요양급여를 청구할 수 있고 그것이 거부된 경우 이는 새로운 거부처분으로서 위법 여부를 소구할 수 있다(대판 1993.4.13. 92누17181 ; 대판 2004.7.8. 2002두11288 ; 대판 2008.7.24. 2006두20808 ; 대판 2019.10.17. 2018두104).
>
> 17. 국가직 7급(추) 산업재해요양보상급여취소처분이 불복기간의 경과로 인해 확정되면 요양급여청구권 없음이 확정되므로 다시 요양급여를 청구할 수 없다. (✕) → 되는 것은 아니며 / 있다

산재요양보상급여취소처분의 불복기간이 경과된 후에도
▷ 다시 요양급여청구 可

(4) 불가쟁력이 발생한 행정행위에 대한 취소·변경 신청권 유무

쟁송제기기간이 경과하여 불가쟁력이 발생한 행정행위에 대한 취소 또는 변경신청권이 인정되는지가 문제된다. 만약 이러한 신청권이 인정된다면 취소 또는 변경신청에 대한 거부처분에 대하여 취소소송을 제기할 수 있게 되어 쟁송제기기간을 두어 법률관계를 조속히 안정시키려는 입법자의 의도를 몰각시킬 수 있다는 점에서 신중해야 한다. 판례는 원칙적으로 불가쟁력이 발생한 처분의 상대방인 국민에게 처분의 변경을 구할 신청권을 인정하지 않고 있으며, 극히 예외적인 경우 제한적인 상황에서만 신청권을 인정하고 있다.

불가쟁력이 발생한 행정행위에 대한 취소·변경 신청권
▷ 판례: 원칙 부정

🔧 관련판례

1 불가쟁력이 생긴 행정처분에 대하여는 개별 법규에서 그 변경을 요구할 신청권을 규정하고 있거나 관계 법령의 해석상 그러한 신청권이 인정될 수 있는 등 특별한 사정이 없는 한 신청권은 인정될 수 없다. ★★★

[1] 제소기간이 이미 도과하여 불가쟁력이 생긴 행정처분에 대하여는 개별 법규에서 그 변경을 요구할 신청권을 규정하고 있거나 관계 법령의 해석상 그러한 신청권이 인정될 수 있는 등 특별한 사정이 없는 한 국민에게 그 행정처분의 변경을 구할 신청권이 있다 할 수 없다.

18. 국회직 8급 제소기간이 이미 도과하여 불가쟁력이 생긴 행정처분에 대하여는 특별한 사정이 없는 한 국민에게 그 행정처분의 변경을 구할 신청권이 있다고 할 수는 없다. (O)

17. 국가직 7급 제소기간이 이미 도과하여 불가쟁력이 생긴 행정처분에 대하여는, 관계 법령의 해석상 그 변경을 요구할 신청권이 인정될 수 있는 경우라 하더라도 국민에게 그 행정처분의 변경을 구할 신청권이 없다. (X) → 경우에는 / 있다

[2] 원고들의 이 사건 신청은 제소기간 경과로 이미 불가쟁력이 생긴 이 사건 사업계획승인상의 부관에 대해 그 변경을 요구하는 것으로서, 구 주택건설촉진법 등 관련 법령에서 그러한 변경신청권을 인정하는 아무런 규정도 두고 있지 않을 뿐 아니라, 나아가 관계 법령의 해석상으로도 그러한 신청권이 인정된다고 볼 수 없으므로 원고들에게 이를 구할 법규상 또는 조리상의 신청권이 인정된다 할 수 없고, 그러한 이상 피고가 원고들의 이 사건 신청을 거부하였다 하여도 그 거부로 인해 원고들의 권리나 법적 이익에 어떤 영향을 주는 것은 아니라 할 것이므로 그 거부행위인 이 사건 통지는 항고소송의 대상이 되는 행정처분이 될 수 없다(대판 2007.4.26. 2005두11104).

19. 지방직 7급 영업허가를 취소하는 처분에 대해 불가쟁력이 발생하였더라도 이후 사정변경을 이유로 그 허가취소의 변경을 요구하였으나 행정청이 이를 거부한 경우라면, 그 거부는 원칙적으로 항고소송의 대상이 되는 처분이다. (X) → 이 아니다

2 예외적으로 불가쟁력이 발생한 행정행위에 대한 취소·변경 신청권을 인정한 사례 ★★

구체적인 공유수면매립면허에 의하여 매립사업이 진행되는 과정에서 환경 및 생태계 또는 경제성에 있어 예상하지 못한 변화가 발생하였다면, 처분청은 매립기본계획의 타당성을 검토하여야 함이 공유수면매립법의 취지에 부합하는 점, 공유수면매립면허에 의하여 환경영향평가 대상지역 안에 거주하는 주민이 수인할 수 없는 환경침해를 받거나 받을 우려가 있어 개별적·구체적 환경이익을 침해당하였다면, 그 이익 침해의 배제를 위하여 면허의 취소·변경 등을 요구할 위치에 있다고 봄이 상당한 점, 환경영향평가 대상지역 안에 있어 환경상의 이익을 침해당한 개인이 공유수면매립면허가 취소되거나 변경됨으로써 그 이익을 회복하거나 침해를 줄일 수 있다고 주장하면서 그 주장의 당부를 판단하여 주도록 요구하는 재판 청구에 대하여 소송요건 심리에서 이를 배척할 것이 아니라 그 본안에 나아가 판단함이 개인의 권리구제를 본질로 하는 사법국가 원리에도 부합하는 점 등을 종합하면, 환경영향평가 대상지역 안에 거주하는 주민에게는 공유수면매립면허의 처분청에게 공유수면매립법 제32조에서 정한 취소·변경 등의 사유가 있음을 내세워 면허의 취소·변경을 요구할 조리상의 신청권이 있다고 보아야 함이 상당하다(서울고법 2005.12.21. 2005누4412 ; 대판 2006.3.16. 2006두330 전합).

불가쟁력 발생한 처분
▷ 원칙: 처분변경 신청권×
▷ 예외: 법규상 또는 조리상 신청권 有

환경영향평가 대상지역 안에 거주하는 주민
▷ 공유수면매립면허의 취소·변경을 요구할 조리상 신청권 有(예외)

(5) 불가쟁력의 예외 – 재심사의 청구(「행정기본법」 제37조)

> **「행정기본법」 제37조 【처분의 재심사】** ① 당사자는 처분(제재처분 및 행정상 강제는 제외한다. 이하 이 조에서 같다)이 행정심판, 행정소송 및 그 밖의 쟁송을 통하여 다툴 수 없게 된 경우(법원의 확정판결이 있는 경우는 제외한다)라도 다음 각 호의 어느 하나에 해당하는 경우에는 해당 처분을 한 행정청에 처분을 취소 · 철회하거나 변경하여 줄 것을 신청할 수 있다.
> 1. 처분의 근거가 된 사실관계 또는 법률관계가 추후에 당사자에게 유리하게 바뀐 경우
> 2. 당사자에게 유리한 결정을 가져다주었을 새로운 증거가 있는 경우
> 3. 「민사소송법」 제451조에 따른 재심사유에 준하는 사유가 발생한 경우 등 대통령령으로 정하는 경우
> ② 제1항에 따른 신청은 해당 처분의 절차, 행정심판, 행정소송 및 그 밖의 쟁송에서 당사자가 중대한 과실 없이 제1항 각 호의 사유를 주장하지 못한 경우에만 할 수 있다.
> ③ 제1항에 따른 신청은 당사자가 제1항 각 호의 사유를 안 날부터 60일 이내에 하여야 한다. 다만, 처분이 있은 날부터 5년이 지나면 신청할 수 없다.

행정행위에 불가쟁력이 발생한 이후에 그 행위에 위법성이 확인되면 처분청은 직권취소나 철회 또는 변경할 수 있으나, 행정행위 상대방 등은 더 이상 다툴 수 있는 방법이 없게 되어 개인의 권리구제가 크게 희생되는 문제가 있다.

법원에서 확정된 판결에 대해서도 「민사소송법」과 「형사소송법」에 따라 일정한 요건에 따라 재심이 허용되고 있는 점을 고려할 때, 행정행위에 대해서도 재심사의 기회를 보장하지 않을 이유가 없으므로 「행정기본법」은 불가쟁력을 깨는 예외적인 제도로서 처분의 재심사청구제도를 명문으로 인정하고 있다(「행정기본법」 제37조). 이에 관하여는 제6편 행정심판 부분에서 상세히 설명하기로 한다.

3. 불가변력(실질적 존속력, 실질적 확정력)

(1) 의의

① 행정의 법률적합성의 원칙상 행정행위에 원시적인 흠이나 후발적 사유가 있으면, 처분청은 이를 취소 또는 변경하거나 철회하는 것이 원칙이다. 그러나 일부의 행정행위는 처분청도 스스로 당해 행위의 내용에 구속되어 직권으로 이를 취소 · 변경하거나 철회할 수 없는데 행정행위가 갖는 이러한 힘을 불가변력 또는 실질적 존속력(실체적 존속력, 실질적 확정력)이라고 한다. 이러한 불가변력은 행정행위의 취소 · 변경을 허용하지 않음으로써 법적 안정성을 도모하고자 하는 데 그 의미를 갖는다. 또한 불가변력은 개념상 행정행위의 유효를 전제로 하는 것이기 때문에 무효인 행정행위에는 불가변력이 인정되지 않는다.

09. 국가직 9급 행정행위가 발해지면 일정한 경우에 행정청 자신도 직권으로 자유로이 이를 취소 또는 철회할 수 없다. (○)

> **참고** **수익적 행정행위의 취소 · 철회가 제한되는 경우**
> 일부 견해는 수익적 행정행위(예 건축허가, 영업허가 등)의 취소 · 철회권이 제한되는 경우를 불가변력(실질적 존속력)이 발생하는 경우로 보기도 하나, 일부 견해는 실질적 존속력의 유무는 개개 행정행위의 성질과 관련하여 판단될 문제라고 보아 신뢰보호와 관련하여 취소 · 철회권이 제한되는 경우를 실질적 존속력이 발생하는 경우와 구분하여 달리 다루기도 한다.

② 행정행위의 불가변력은 당해 행정행위에 대하여서만 인정되는 것이고, 동종의
행정행위라도 그 대상을 달리할 때에는 인정되지 않는다.

> **관련판례**
>
> **국민의 권리와 이익을 옹호하고 법적 안정을 도모하기 위하여 특정한 행위에 대하여
> 는 행정청이라 하더라도 이것을 자유로이 취소, 변경 및 철회할 수 없다는 행정행위의
> 불가변력은 당해 행정행위에 대하여서만 인정되는 것이고, 동종의 행정행위라 하더라
> 도 그 대상을 달리할 때에는 이를 인정할 수 없다**(대판 1974.12.10. 73누129). ★★
>
> 21. 지방직 9급 행정행위의 불가변력은 당해 행정행위에 대해서만 인정되는 것어 아니고, 동종의 행정
> 행위라면 그 대상을 달리 하더라도 인정된다. (×) → 것이고 / 라 하더라도 / 할 때에는 / 될 수 없다

(2) 근거 및 성질

불가변력은 법령에 명문규정이 없는 경우에도 행정행위 중 공신력이 큰 행정행위
에 대한 신뢰를 보호할 필요가 있기 때문에 행정행위의 성질에 비추어 인정되는
실체법적 효력이다.

12. 경찰 1차 불가변력은 법령상 명문의 규정이 없는 경우에도 행정행위의 성질에 비추어 인정되는 효
력이다. (○)

(3) 인정범위

불가변력은 불가쟁력과 달리 모든 행정행위에 공통된 효력이 아니고 예외적으로
특별한 경우에만 인정된다.

17. 국가직 7급(추) 불가변력은 모든 행정행위에 공통되는 것이 아니라 행정심판의 재결 등과 같이 예
외적이고 특별한 경우에 처분청 등 행정청에 대한 구속으로 인정되는 실체법적 효력을 의미한다. (○)

① **준사법적 행정행위**: 행정심판의 재결, 특허심판원의 심결, 토지수용 재결❶ 등과
같이 일정한 쟁송절차를 거쳐 행해지는 준사법적 행정행위에는 소송법상의 확
정력(판결의 실질적 확정력, 기판력)에 준하는 불가변력이 인정된다.

20. 행정사 행정심판 재결에는 특별한 사유가 없는 한 불가변력이 발생하자 않는다. (×) → 한다

10. 국가직 7급 특허심판원이 행하는 심결은 일단 행해지면 그 심결에 흠이 있다 하더라도 특허심
판원 스스로 이를 취소할 수 없다. (○)

> **관련판례**
>
> **과세관청이 이의신청사유가 옳다고 인정하여 과세처분을 직권으로 취소한 이상, 그 후
> 특별한 사유 없이 이를 번복하고 종전 처분을 되풀이하는 것은 허용되지 않는다. ★★★**
>
> 과세처분에 관한 불복절차과정에서 과세관청이 그 불복사유가 옳다고 인정하고 이에
> 따라 필요한 처분을 하였을 경우에는 불복제도와 이에 따른 시정방법을 인정하고 있는
> 구 국세기본법 제55조 제1항·제3항 등 규정들의 취지에 비추어 동일 사항에 관하여 특
> 별한 사유 없이 이를 번복하고 다시 종전의 처분을 되풀이할 수는 없는 것이므로, 과세
> 처분에 관한 이의신청절차에서 과세관청이 이의신청 사유가 옳다고 인정하여 과세처
> 분을 직권으로 취소한 이상 그 후 특별한 사유 없이 이를 번복하고 종전 처분을 되풀이
> 하는 것은 허용되지 않는다(대판 2010.9.30. 2009두1020 ; 대판 2017.3.9. 2016두56790).
>
> 20. 국회직 8급, 11. 국회직 8급 과세처분에 대해 이의신청을 하고 이에 따라 직권취소가 이루어졌
> 다면 특별한 사정이 없는 한 불가변력이 발생한다. (○)
>
> 20. 국가직 7급, 17. 변호사, 11. 지방직 7급 과세처분에 관한 이의신청 절차에서 과세관청이 이의
> 신청 사유가 옳다고 인정하여 과세처분을 직권으로 취소한 이상 그 후 특별한 사유 없이 이를 번복하
> 고 종전 처분을 되풀이하는 것은 허용되지 않는다. (○)

불가변력의 근거 및 성질
▷ 법령에 명문규정이 없는 경우에도 행정
행위의 성질에 비추어 인정되는 실체법적
효력
▷ 행정행위 중 공신력이 큰 행정행위에 대
한 신뢰를 보호할 필요가 있기 때문에 인정

불가변력이 인정되는 행정행위
▷ 준사법적 행위
▷ 확인행위

불가변력이 인정되지 않는 행정행위
▷ 수익적 행위
▷ 무효인 행위
▷ 대상을 달리하는 동종의 행정행위

토지 수용재결은 행정심판의 재결이 아
니라 원행정행위이지만 사법절차에 준
하는 절차에 따라 행해지므로 불가변력
을 인정할 필요가 있다.

과세처분 이의신청에 따른 직권취소
▷ 불가변력 인정○

과세처분에 대한 쟁송진행 중 절차상 하자를 이유로 직권취소 후, 하자를 보완하여 다시 같은 내용의 과세처분
▷ 불가쟁력·불가변력에 저촉×

> **비교**
>
> 과세처분에 대한 쟁송이 진행 중에 과세관청이 그 과세처분의 납부고지 절차상의 하자를 발견한 경우에는 위 과세처분을 취소하고 절차상의 하자를 보완하여 다시 동일한 내용의 과세처분을 할 수 있고, 이와 같은 새로운 처분이 행정행위의 불가쟁력이나 불가변력에 저촉되는 것도 아니라고 할 것이다(대판 2005.11.25. 2004두3656). ★★
>
> 17. 변호사 과세처분에 대한 쟁송이 진행 중에 과세관청이 그 과세처분의 납부고지 절차상의 하자를 발견한 경우에는 위 과세처분을 취소하고 절차상의 하자를 보완하여 다시 동일한 내용의 과세처분을 할 수 있고, 이와 같은 새로운 처분이 행정행위의 불가쟁력이나 불가변력에 저촉되는 것도 아니라고 할 것이다. (○)

　② **확인행위**: 확인행위(예 국가시험합격자결정과 선거관리위원장의 당선인결정 등)는 쟁송절차를 거쳐 행해지지는 않지만 다툼이 있는 사실 또는 법률관계에 관하여 공적 권위를 가지고 확인하는 행위이므로 성질상 처분청이 스스로 변경할 수 없는 불가변력이 발생한다.

　20. 군무원 7급 확인은 특정한 사실 또는 법률관계의 존재 여부 또는 정당성 여부를 공적으로 확정하는 효과를 발생시키므로 확인행위에는 일반적으로 불가변력(실질적 존속력)이 발생한다. (○)

불가변력의 효력
▷ 행정청은 직권으로 취소·철회 不可
▷ 상대방 또는 이해관계인은 불가쟁력이 발생하지 않는 한 쟁송제기 可

(4) 효력

　① 행정청은 불가변력이 있는 행정행위를 직권으로 취소·철회할 수 없다. 실질적 존속력(불가변력)이 있는 행정행위를 취소하거나 철회하면 그 자체로 위법한 것이 된다. 그 하자가 중대하고 명백하다면 취소나 철회는 무효가 될 것이다.

　16. 사복직 행정행위에 불가변력이 발생한 경우 행정청은 당해 행정행위를 직권으로 취소할 수 없으나 철회는 가능하다. (×) → 없고 / 도 할 수 없다

　② 불가변력이 있는 행정행위라도 상대방 또는 이해관계인은 불가쟁력이 발생하지 않는 한(쟁송제기기간이 도과하기 전에는), 행정쟁송절차를 통하여 그 효력을 다툴 수 있다.

　15. 사복직 불가변력이 인정되는 행정행위에 대하여 상대방은 행정쟁송절차에 의하여 그 효력을 다툴 수 없다. (×) → 있다

(5) 불가쟁력과 불가변력의 관계

불가쟁력과 불가변력은 행정법관계의 안정성을 도모하고 상대방의 신뢰보호를 위해 행정행위의 효력을 지속시킨다는 점을 제외하고는 다음과 같이 서로 상이한 내용을 갖는다.

불가쟁력
▷ 상대방 및 이해관계인에 대한 구속력
불가변력
▷ 처분청 등 행정기관에 대한 구속력

　① **효력이 미치는 상대방**: 불가쟁력은 행정행위의 상대방 및 이해관계인에 대한 구속력이지만, 불가변력은 처분청 등 행정기관에 대한 구속력이다.

　18. 소방직 불가변력은 행정행위의 상대방 및 이해관계인에 대한 구속력이고, 불가쟁력은 처분청 등 행정기관에 대한 구속력이다. (×) → 불가쟁력 / 불가변력

불가쟁력과 불가변력의 관계
▷ 상호 무관하여 별개·독립적임
▷ 불가쟁력이 생긴 행정행위라고 해서 불가변력이 발생하는 것은 아님 → 직권취소 가능
▷ 불가변력이 있다고 하더라도 당연히 불가쟁력이 있는 것은 아님 → 쟁송취소 가능

　② **상호 독립적 효과 발생**

　　㉠ 불가쟁력이 생긴 행정행위라고 해서 당연히 불가변력이 발생하는 것은 아니다. 따라서 불가쟁력이 발생한 행정행위도 불가변력이 발생되지 않는 한 행정청은 직권으로 취소·철회하거나 변경할 수 있다.

　　18. 소방직, 14. 경찰 1차 불가쟁력이 발생한 행정행위일지라도 불가변력이 없는 경우에는 행정청 등 권한 있는 기관은 이를 직권으로 취소할 수 있다. (○)

ⓒ 불가변력이 있는 행위라고 해서 당연히 불가쟁력을 가지는 것은 아니다. 따라서 불가변력이 있는 행정행위도 쟁송기간이 경과하기 전에는 쟁송을 제기하여 그 효력을 다툴 수 있다.

21. 소방직 불가변력이 있는 행위가 당연히 불가쟁력을 발생시키는 것은 아니다. (○)

22. 행정사 불가변력이 있는 행정행위일지라도 쟁송기간이 경과하지 않는 한 행정쟁송에 의한 취소가 가능하다. (○)

③ **적용범위 및 성질:** 불가쟁력은 모든 행정행위에 발생하고 제소기간에 따른 절차법상의 효력인 반면, 불가변력은 준사법적 행정행위 등 아주 제한적인 행정행위에만 발생하는 것으로 행정행위 성질에 따른 실체법상 효력을 갖는다.

함께 정리하기

불가쟁력
▷ 모든 행정행위, 절차법상의 효력

불가변력
▷ 일정한 행정행위, 실체법상 효력

◎ **핵심정리** **불가쟁력과 불가변력의 비교**

구분	불가쟁력(형식적 존속력)	불가변력(실질적 존속력)
공통점	행정법관계의 안정성 도모와 상대방의 신뢰보호의 목적	
성질	「행정소송법」의 규정(제소기간)에 따라 발생하는 절차법상 효력	행정행위의 성질에 따른 실체법상 효력
법률상 근거	○	×
구속의 상대방	상대방과 이해관계인	처분청과 상급기관 등의 행정기관
효력발생시점	쟁송기간의 도과 시	행정행위의 효력발생 시
적용범위	모든 행정행위	특정의 행정행위
행정청의 직권취소	可	不可
취소소송의 제기	不可	可

5 강제력(자력집행력·제재력)

1. 자력집행력

(1) 행정행위의 집행력이란 행정행위에 의하여 부과된 행정상 의무를 상대방이 이행하지 않는 경우 행정청이 스스로의 강제력을 발동하여 그 의무를 실현시키는 힘을 말하며, 자력집행력이라고도 한다.❶

(2) 모든 행정행위가 집행력을 가지는 것이 아니라 상대방에게 일정한 의무(작위·부작위·수인·급부)를 부과하는 하명행위만 집행력을 가질 수 있으므로 허가·면제·특허·인가 등과 같이 의무의 부과와 무관한 수익적 행정행위나 확인적 행정행위는 집행력이 없다.

22. 행정사 집행력은 의무가 부과되는 행정행위에서 문제된다. (○)

15. 교행 상대방에게 일정한 의무를 부과하는 하명은 집행력을 가진다. (○)

(3) 오늘날 집행력은 해당 행정행위에 내재하는 당연한 속성이라고 보지 않는다. 의무를 부과하는 행정행위에 추가하여 개인의 자유와 재산을 침해할 수 있기 때문에 별도의 법률적 근거가 필요하다. 예를 들어, 「행정대집행법」은 대체적 작위의무에 대한 행정상 강제집행의 일반적 근거법이 되고, 「국세징수법」은 공법상 금전급부의무에 대한 강제징수의 일반적인 근거법이 되고 있다.

자력집행력
▷ 행정상의 의무를 상대방이 이행하지 않는 경우 행정청이 스스로 강제력을 발동하여 그 의무를 실현시키는 힘

❶
사법관계(私法關係)에 있어서는 채권자는 채무자의 의무의 불이행의 경우에 확정판결에 부여된 집행권원을 통하여 집행기관에 강제집행을 구하여야 하는 것에 반하여, 행정법관계에 있어서는 행정청이 자신의 청구권을 법원 또는 국가의 특별한 집행기관의 도움이 없이 스스로 집행하여 그 의무의 이행을 실현시킬 수 있다.

적용범위
▷ 하명행위에서만 인정됨

의무를 부과하는 행정행위와 별도로 법적 근거 要
▷ 예 「행정대집행법」, 「국세징수법」

제재력
▷ 행정상 의무불이행시 행정벌(형벌, 질서벌)을 부과하는 효력(별도의 법적근거 要)

행정행위 하자
▷ 적법요건을 갖추지 못한 경우

❶
통상 행정행위의 하자라 함은 '위법한 경우'만을 포함시키는 좁은 의미의 하자를 말한다. 그런데 하자를 넓은 의미로 정의할 때에는 위법한 경우 이외에 '부당한 경우'도 포함된다. '위법'이란 법의 위반을 의미하며 '부당'이란 법을 위반함이 없이 공익 또는 합목적성 판단을 잘못한 경우를 말한다. 행정행위의 하자를 다투는 가장 대표적인 제도인 취소소송에서 부당한 경우는 적법한 경우와 마찬가지로 구제받지 못하므로 굳이 여기서 부당을 논하지 않고 '부당'에 대해서는 행정심판 부분에서 설명하기로 한다.

행정행위의 단순한 오기나 계산의 착오 등
▷ 행정행위의 하자×

❷「행정절차법」제25조(처분의 정정)
행정청은 처분에 오기(誤記), 오산(誤算) 또는 그 밖에 이에 준하는 명백한 잘못이 있을 때에는 직권으로 또는 신청에 따라 지체 없이 정정하고 그 사실을 당사자에게 통지하여야 한다.

처분의 위법 여부(하자유무) 판단시점
▷ 처분시(처분 후 법령개폐나 사실상태의 변동에 의해 영향받지 않음)

15. 서울시 9급 판례에 따르면 행정행위의 집행력은 행정행위의 성질상 당연히 내재하는 효력으로서 별도의 법적 근거를 요하지 않는다. (×) → 으로 볼 수 없어 / 요한다

2. 제재력

제재력이란 행정행위에 의해 부과된 의무를 상대방이 이행하지 않는 경우 그에 대한 제재로 행정벌(행정형벌, 행정질서벌)을 부과하는 효력을 말한다. 이러한 행정행위의 제재력도 법률상 근거를 필요로 한다는 점에서 집행력의 경우와 같이 행정행위 자체에 내재되어 있는 효력이라고 볼 수 없다.

14. 서울시 7급 행정의사의 강제력에는 제재력과 자력집행력이 있는바, 제재에는 행정형벌과 행정질서벌이 있다. (○)

제9절 **행정행위의 하자(흠)**

1 개설

1. 하자의 의의

(1) 행정행위가 적법하게 성립하고 효력을 발생하기 위하여는 성립요건(적법요건)과 효력요건을 갖추어야 한다. 그러나 행정행위가 적법요건을 갖추지 못한 경우에는 그 행정행위는 '적법요건에 하자가 있는 위법한 행정행위'가 된다. 이와 같이 행정행위의 하자(흠)는 '적법요건을 갖추지 못한 경우'를 의미한다.❶

(2) 행정행위의 오기, 오산(계산의 착오) 또는 그 밖에 이에 준하는 명백한 표현상의 오류 등은 행정청이 직권으로 또는 당사자의 신청에 따라 지체 없이 정정하면 되므로(「행정절차법」제25조❷) 행정행위의 하자가 아니다.

14. 경찰 1차 법규에 특별한 규정이 없는 한 단순한 계산의 착오만으로 행정행위의 효력에 영향이 없다. (○)

2. 하자의 판단시점

행정행위에 하자가 있는지 여부의 판단시점은 행정행위가 외부에 표시된 시점(처분시, 행정행위의 발급시)이라는 것이 통설과 판례의 입장이다(처분시설).

> 🔖 **관련판례**
>
> **행정소송에서 행정처분의 위법 여부는 행정처분이 행하여졌을 때의 법령과 사실상태를 기준으로 하여 판단하여야 하고, 처분 후 법령의 개폐나 사실상태의 변동에 의하여 영향을 받지는 않는다**(대판 2002.7.9. 2001두10684). ★★
>
> 20. 소방직 행정소송에서 행정처분의 위법 여부는 행정처분이 있을 때의 법령과 사실상태를 기준으로 하여 판단하여야 하고 처분 후 법령의 개폐나 사실상태의 변동이 있다면 그러한 법령의 개폐나 사실상태의 변동에 의하여 처분의 위법성이 치유될 수 있다. (×) → 있다 하여도 / 없다

3. 하자의 법적 효과

행정행위의 하자이론은 언제 행정행위의 하자가 발생되는지, 또 이러한 하자가 행정행위의 효력에 어떠한 영향을 미치는가의 문제로 귀결된다. 이에 대하여는 독일행정절차법과는 달리 명문의 일반적 규정을 두고 있지 않는 우리의 경우는 개별 법률에 별도의 규정(예「국가공무원법」 제13조 제2항, 제81조 제3항)이 없는 한 전적으로 학설과 판례에 맡겨져 있다. 한편, 다수설은 적법요건에 하자 있는 행정행위를 그 하자의 정도에 따라 취소할 수 있는 행정행위와 무효인 행정행위로 구분하고 있는 데 반하여, 일설은 여기에 행정행위의 부존재를 추가시키고 있다.

2 행정행위의 부존재

1. 의의

(1) 행정행위의 부존재란 행정행위가 사실상 존재하지 않는 경우, 즉 행정행위라고 볼 수 있는 외형상의 존재 자체가 없는 경우를 말한다. 행정행위의 부존재가 행정행위의 성립요건을 충족하지 못하여 행정행위로서의 외관을 갖추고 있지 못하다는 점에서, 법적효과는 발생하지 않지만 행정행위로서의 외관을 갖추고 있는 무효인 행정행위와 구별된다. 그러나 법적효과가 발생하지 않는다는 점에서 행정행위의 부존재와 무효인 행정행위 간에는 차이가 없다.

08. 국회직 8급 무효인 행정행위는 행정행위의 외형은 갖추고 있는 데 대해서, 행정행위의 부존재는 외형 자체가 존재하지 않는다. (○)

(2) 학설에서는 행정행위가 부존재하는 예로 ① 행정청이 아닌 명백한 사인이 행한 경우(예 사인이 공무원 자격을 사칭하여 행정행위를 한 경우), ② 행정권의 발동으로 볼 수 없는 경우(행정청의 사법상의 행위 또는 지도·권유·주의·알선과 같은 법적효과를 발생하지 않은 사실행위), ③ 행정기관 내에서 내부적 의사결정이 있었을 뿐 아직 외부에 표시되지 않은 경우, ④ 해제조건의 성취, 취소·철회·실효 등에 의하여 행정행위의 효력이 소멸된 경우 등을 열거하고 있다.

2. 무효와 부존재의 구별실익(부존재를 하자로 볼 것인가)

(1) 행정행위의 부존재와 무효인 행정행위를 구별할 필요성이 있는지에 대하여 학설에 다툼이 있다. 이에 대하여 무효는 행정행위로서의 외형이 있으나 부존재는 그러한 외형조차 없다는 점, 무효인 행정행위는 전환이 인정되나 부존재의 경우는 전환이 인정되지 않는다는 점, 무효의 경우에는 무효확인을 구하는 취소소송이 허용되나 부존재의 경우는 이러한 소송이 허용되지 않는다는 점 등을 들어 양자를 구별할 실익이 있다고 보는 견해가 다수의 입장이다.❶

(2) 한편, 일설은 행정행위의 부존재를 처분 또는 행정행위의 외관이 있는 경우에만 인정되는 것으로 보고, 부존재를 행정행위의 하자의 한 유형으로 파악하기도 한다. 이 견해에 따르면 부존재는 내용적으로 위법성의 정도가 무효인 경우보다 더 중대한 경우에 인정될 수 있는 관념이라고 이해한다. 그런데 이와 같이 부존재를 하자의 한 유형으로 파악한다면 아무런 법적 효력을 발생하지 않는다는 점에서 무효와 부존재의 구별실익은 없게 되고, 행정행위의 하자는 개념상으로 행정행위의 존재를 전제로 하고 있으므로 부존재는 하자의 범주에 귀속시킬 수 없을 것이다.

함께 정리하기

하자있는 행정행위의 효력
▷ 무효인 행정행위와 취소할 수 있는 행정행위로 구분 可

행정행위 부존재
▷ 행정행위의 성립요건을 갖추지 못해 행정행위의 외형 자체가 존재하지 않는 경우
▷ 외형이 존재하는 무효와 구별

부존재의 예
▷ 명백한 사인의 행위
▷ 행정권의 발동 아닌 행위
▷ 의사결정만 있고 외부적으로 표시되지 않은 행위
▷ 취소·철회·실효 등으로 소멸한 경우 등

무효와 부존재의 구별실익
▷ 외형 존재 유무
▷ 취소소송제기 여부
▷ 행정행위 전환 가부

❶
일부 견해는 무효인 행정행위와 부존재는 법률효과를 발생시키지 않는다는 점에서 동일하고, 「행정소송법」과 「행정심판법」은 부존재의 경우에도 무효의 경우와 마찬가지로 쟁송가능성을 인정하고 있고, 그것도 동일조문에서 규정하고 있다(「행정심판법」 제5조 제2호, 「행정소송법」 제4조 제2호)는 점을 들어 양자를 구별할 실익이 없다고 보기도 한다.

행정행위의 부존재를 하자로 볼 것인가
▷ 긍정설 vs 부정설

무효인 행정행위
▷ 처음부터 효력이 발생하지 않는 행정행위
▷ 취소 없이도 누구나 효력 부인 可

취소할 수 있는 행정행위
▷ 하자가 있지만 취소되기 전까지 유효한 행위로 통용되는 행정행위

❶
이와 같은 개념상의 차이에도 불구하고 실무상으로 무효인 행정행위와 취소할 수 있는 행정행위의 구별은 많은 어려움을 발생시키고 있을 뿐만 아니라, 이에 관련된 학설의 견해도 매우 다양한 실정이다.

무효인 행정행위
▷ 처음부터 아무런 효력발생 ✕

취소할 수 있는 행정행위
▷ 공정력·불가력력 발생
▷ 유효하나 취소되면 소급하여 소멸

무효인 행정행위
▷ 쟁송제기기간 제한✕
▷ 불가쟁력✕

취소할 수 있는 행정행위
▷ 쟁송제기기간 제한○
▷ 불가쟁력○

무효인 행정행위
▷ 하자전환 可

취소할 수 있는 행정행위
▷ 하자치유 可

❷
이에 대해서는 무효인 행정행위도 흠의 치유를 인정하자는 견해, 취소할 수 있는 행정행위에도 하자의 전환을 인정하자는 견해도 있다.

무효인 행정행위
▷ 하자승계○

취소할 수 있는 행정행위
▷ 원칙: 하나의 법률효과 완성시 승계

❸
선행행위에 취소사유에 해당하는 하자가 있는 경우에는 원칙적으로 선행행위와 후행행위가 결합하여 하나의 법률효과를 완성시키는 경우에만 하자의 승계가 인정된다. 이에 대해서는 후술하는 하자의 승계 부분에서 자세히 설명한다.

3 행정행위의 무효와 취소

1. 의의

(1) 무효인 행정행위

무효인 행정행위라 함은 행정행위로서 외형을 갖추고 있으나 그 효력이 전혀 없는 경우를 말한다. 따라서 행정행위에 무효에 해당하는 (중대하고 명백한) 하자가 있는 경우에는 권한 있는 기관의 취소 없이도 누구나 그 효력을 부인할 수 있다.

(2) 취소할 수 있는 행정행위

취소할 수 있는 행정행위라 함은 [그 성립(적법요건)에 원시적] 하자가 있음에도 불구하고 공정력의 결과로서 권한 있는 기관인 행정청 또는 법원의 취소가 있을 때까지는 유효한 행정행위로서 그 효력을 지속하는 행정행위를 말한다. 따라서 행정행위의 취소가 있을 때까지는 사인은 물론이고 다른 국가기관도 그 효력을 부인하지 못한다. 이는 행정의 실효성 확보·법적안정성·신뢰보호의 견지에서 인정되는 것이다.❶

2. 무효와 취소 구별의 필요성(구별실익)

(1) 효력에 있어서 차이

무효인 행정행위는 처음부터 어떠한 효력(공정력, 불가쟁력, 불가변력 등)도 발생하지 않는데 반하여, 취소할 수 있는 행정행위는 공정력이 인정되기 때문에 권한 있는 기관에 의해 취소될 때까지는 유효한 행위로 통용된다.

17. 교행 무효인 행정행위는 공정력, 불가쟁력 등이 발생한다. (✕) → 하지 않는다

(2) 불가쟁력과의 관계

무효인 행정행위는 언제나 무효(불가쟁력도 없음)이므로 쟁송제기 기간의 제한을 받지 않는다(「행정심판법」 제27조 제7항, 「행정소송법」 제20조, 제38조). 이에 반해 취소할 수 있는 행정행위는 쟁송제기기간이 경과하면 불가쟁력이 생긴다.

13. 국회직 9급 취소할 수 있는 행정행위는 제소기간의 제한을 받지만 무효인 행정행위는 제소기간의 제한을 받지 않는다. (○)

(3) 하자의 치유와 전환

다수설에 의하면 취소할 수 있는 행정행위만이 요건의 사후보완을 통하여 하자를 치유할 수 있으며, 무효인 행정행위만이 타행정행위로의 전환이 인정된다고 한다.❷

(4) 하자의 승계

취소할 수 있는 행정행위의 경우에만 어떤 요건하에서 하자의 승계를 인정할 수 있는지가 문제되고❸, 선행정행위가 무효사유인 하자인 경우에는 언제나 선행행위의 무효를 근거로 후행행위를 다툴 수 있기 때문에 당연히 하자의 승계가 인정된다.

18. 교행 선행행위에 무효의 하자는 당연히 후행행위에 승계되지 않는다. (✕) → 된다

(5) 행정쟁송에 있어서의 구별실익

① 행정쟁송형태

ㄱ. 취소할 수 있는 행정행위에 있어서는 취소심판 또는 취소소송의 형식으로 취소를 구할 수 있는데 반하여(「행정심판법」제5조 제1호, 「행정소송법」제4조 제1호), 무효인 행정행위에 대하여는 무효확인심판 또는 무효확인소송의 형식으로 확인을 구할 수 있다(「행정심판법」제5조 제2호, 「행정소송법」제4조 제2호).

ㄴ. 다만, 무효인 행정행위에 대하여는 '무효선언을 구하는 의미에서의 취소소송'이 판례상 인정되고 있다. 이 경우에는 소송의 형식이 취소소송이므로 취소소송의 제소요건(특히 제소기간, 전심절차에 주의)을 구비하여야 한다(대판 1984.5.29. 84누175). 만일 취소소송의 소제기기간(제소기간)이 경과한 경우에는 당해 소는 각하되고, 취소소송의 소송요건이 충족된 경우에는 법원은 취소판결을 한다.

15. 서울시 9급 무효선언을 취소소송의 형식으로 주장하는 경우에는 제소기간 등 취소소송의 요건을 갖추어야 한다는 것이 판례의 입장이다. (○)

② 행정심판전치주의: 행정심판전치주의는 취소소송(무효선언을 구하는 취소소송 포함)에는 적용되지만, 무효확인소송에는 적용되지 않는다.

17. 국회직 8급 행정심판전치주의는 무효확인소송에는 적용되지만 취소소송에는 적용되지 않는다. (×) → 취소소송 / 무효확인소송

③ 민사소송 또는 형사소송에서의 선결문제: 무효인 행정행위는 민사법원이나 형사법원이 독자적인 판단으로 선결문제로서 그 무효를 확인할 수 있으나, 취소할 수 있는 행정행위는 민사법원이나 형사법원이 스스로 그 효력을 부인할 수 없다.

15. 사복직 민사소송 또는 형사소송에서의 선결문제는 무효인 행정행위와 취소할 수 있는 행정행위를 구별하는 실익에 해당한다. (○)

④ 사정재결 및 사정판결: 다수설과 판례는 사정재결 및 사정판결에 관한 규정이 무효확인심판 및 무효확인소송에 준용되고 있지 않다는 점과 무효인 행정행위에 대하여는 처음부터 효력을 유지시킬 유효한 행정행위가 존재하지 않는다는 이유로, 취소할 수 있는 행정행위에 한하여 이들 제도를 인정하고 있다.

15. 서울시 9·7급 「행정소송법」상의 사정판결은 취소할 수 있는 행정행위에 대해서만 인정되고, 무효인 행정행위에 대해서는 인정되지 않는다. (○)

⑤ 간접강제: 현행 「행정소송법」상 거부처분의 취소판결에는 간접강제가 인정되고 있지만(「행정소송법」제34조), 무효확인판결에는 인정되고 있지 않다(「행정소송법」제38조 제1항).

무효인 행정행위
▷ 무효확인심판·무효확인소송
취소할 수 있는 행정행위
▷ 취소심판·취소소송

무효인 행정행위
▷ 무효선언을 구하는 취소소송 可
▷ 단, 취소소송의 제소요건 구비 要

무효확인소송
▷ 행정심판전치주의 적용×
취소소송(무효선언을 구하는 취소소송포함)
▷ 행정심판전치주의 적용○

무효인 행정행위
▷ 민·형사법원 효력 부인○
취소할 수 있는 행정행위
▷ 민·형사법원 효력 부인×

무효확인소송
▷ 사정재결·사정판결 不可
취소소송
▷ 사정재결·사정판결 可

무효확인소송
▷ 간접강제 不可
취소소송
▷ 간접강제 可

❶
이는 입법의 불비라는 견해도 있다.

제2편 행정작용법 해커스공무원 함수민 행정법총론 기본서

제2장 행정행위 483

⊕ 핵심정리 무효인 행정행위와 취소할 수 있는 행정행위의 구별실익

구분	무효인 행정행위	취소할 수 있는 행정행위
행정행위의 효력	• 처음부터 효력발생✕ • 공정력·불가쟁력 발생✕	• 권한 있는 기관에 의하여 취소되기 전까지 유효함(취소되면 소급소멸) • 공정력·불가쟁력 발생○
쟁송방법의 형태	• 무효확인심판 • 무효확인소송 • 무효선언을 구하는 의미에서의 취소소송	• 취소심판 • 취소소송
쟁송제기기간의 제한	✕	○
하자의 치유	✕	○
하자의 전환	○	✕(인정하는 소수설 있음)
선행행위의 하자승계	○	선행행위와 후행행위가 결합하여 하나의 법률효과를 완성하는 경우에만 하자가 승계○
민사소송 또는 형사소송에서의 선결문제	효력부인 可	효력부인 不可
사정판결, 사정재결	✕	○
행정심판전치주의	✕	○
「행정소송법」상 간접강제	✕	○
신뢰보호의 원칙	✕	○
국가배상청구	국가배상은 행정작용이 위법하기만 하면 인정되므로 구별실익은 없다.	
집행부정지 여부	집행부정지원칙은 무효확인소송에도 준용되므로 구별실익은 없다.	

3. 무효와 취소의 구별기준

우리 「행정절차법」이나 「행정기본법」은 어떤 경우가 무효사유이고 어떤 경우가 취소사유인지 규정하지 않고 이를 학설과 판례에 맡겨놓은 상태이다.

(1) 학설

중대· 명백설 (통설· 판례)	• 행정행위의 하자의 내용이 중대하고 그 하자가 외관상 명백하면 당해 행정행위는 무효가 되나, 이 중 어느 한 요건 또는 두 요건 전부를 갖추지 못한 경우에는 당해 행정행위는 취소할 수 있는 행정행위(취소사유)에 불과하다는 견해이다. 중대·명백설은 무효의 범위를 가장 좁게 본다. • 여기서 하자의 '중대성'이란 행정행위가 중요한 법률요건을 위반하고 그 위반의 정도가 상대적으로 심하여 그 흠이 내용적으로 중대하다는 것을 의미하며, 하자의 '명백성'이란 일반인의 정상적인 인식능력을 기준으로 관찰할 때 하자가 있음이 객관적으로 외관상 명백한 것을 말한다. 13. 서울시 7급 중대·명백설은 하자 있는 행정처분이 당연무효이기 위해서는 그 하자가 적법요건의 중대한 위반과 일반인의 관점에서도 외관상 명백할 것을 기준으로 한다. (○) 13. 국가직 7급 행정행위의 하자론에서의 중대·명백설에 대한 비판은 주로 명백성 요구를 둘러싸고 전개된다. (○)
객관적 명백성설 (조사 의무설)	중대·명백설을 원칙으로 하면서 하자의 명백성을 판단하는 주체를 일반인뿐만 아니라 관계 공무원으로까지 확대하여 명백성 요건을 완화하는 견해이다. 즉, 하자가 외관상 일견하여 인정될 수 있는 경우뿐만 아니라, 공무원의 직무수행상 당연히 요구되는 조사에 의하여 당해 처분의 위법성이 명백하게 인정될 수 있는 경우에도, 하자의 명백성요건이 충족된다고 한다.
명백성 보충요건설 (유력설, 대법원 판례의 소수의견)	• 행정행위의 무효의 기준으로 하자의 중대성은 필수적인 요건이지만, 하자의 명백성은 행정의 법적 안정성이나 제3자의 신뢰보호의 요청이 있는 경우에만 가중적으로 요구된다는 견해이다. • 이 설에 의하면, 무효판단의 기준에 명백성이 항상 요구되지는 않으므로 중대명백설보다 무효의 인정 범위가 넓어지게 된다. 15. 서울시 9급 명백성 보충요건설에서는 행정행위의 무효의 기준으로 중대성 요건만을 요구하지만, 제3자나 공공의 신뢰보호의 필요가 있는 경우에는 보충적으로 명백성 요건도 요구한다. (○) 17. 지방직 9급 명백성보충설에 의하면 무효판단의 기준에 명백성이 항상 요구되지는 아니하므로 중대명백설보다 무효의 범위가 넓어지게 된다. (○)
중대설 (개념론적 견해)	하자의 중대성을 기준으로 행정행위에 중대한 하자가 있으면 무효가 되고 명백성은 무효의 요건이 아니라고 보는 견해이다.
구체적 가치형량설 (다원설)	다양한 이해관계를 갖는 행정행위에 대해서 무효사유와 취소사유를 구분하는 일반적인 기준을 정립하는 것에 반대하고, 구체적 사안마다 권리구제의 요청과 법적안정성의 요청 및 제3자의 이익 등을 구체적·개별적으로 이익형량하여 무효사유와 취소사유를 구별하자는 견해이다.

중대·명백설(다수설, 판례)
▷ 하자의 내용이 중대하고 외관상 명백하면 당해 행정행위는 무효가 되나, 이 중 어느 한 요건이라도 갖추지 못한 경우에는 취소사유에 불과하다는 견해

객관적 명백성설(조사의무설)
▷ 중대명백설을 기초로 명백성 요건을 완화하는 견해(일반 국민에게 명백한 경우뿐만 아니라 관계공무원이 조사해 보았더라면 명백한 경우도 명백성 요건 충족)

명백성 보충요건설(대법원 소수의견)
▷ 하자의 중대성은 필수적인 요건이지만, 하자의 명백성은 행정의 법적 안정성이나 제3자의 신뢰보호의 요청이 있는 경우에만 가중적으로 요구된다는 견해

중대설
▷ 행정행위에 중대한 하자가 있으면 무효가 되고 명백성은 무효의 요건이 아니라고 보는 견해

구체적 가치형량설
▷ 구체적 사안마다 권리구제의 요청과 법적안정성의 요청 및 제3자의 이익 등을 구체적·개별적으로 이익형량하여 무효사유와 취소사유를 구별하자는 견해

❶

실무상 전술한 바와 같이 무효와 취소가 구별되고 있으나 현실적으로 행정행위의 어떤 하자가 무효인 하자인지 취소사유인 하자인지 그 구별이 명백하지 않은 경우가 적지 않다. 실무상 취소소송이 제기된 경우 법원은 무효인 위법인지 취소할 수 있는 위법인지를 묻지 않고 행정행위가 위법하면 취소판결을 내리고 있다.

당연무효
▷ 중대·명백한 하자가 있어야 함

법령 해석에 관한 법원이나 헌법재판소의 분명한 판단이 있고, 행정청이 법령을 해석·적용하는 데에 아무런 법률상 장애가 없는데도 합리적 근거 없이 사법적 판단과 어긋나게 처분
▷ 객관적으로 명백한 하자○

해석에 다툼의 여지가 없음
▷ 명백성○

해석에 다툼의 여지가 있음
▷ 명백성×

해석에 다툼의 여지가 없음에도 불구하고 처분요건이 충족되지 아니한 상태에서의 처분
▷ 무효(해석에 다툼의 여지가 있는 때에는 취소사유)

법령의 문언상 과세처분 요건의 의미가 분명함에도 합리적인 근거 없이 잘못 해석한 결과, 요건이 충족되지 아니한 상태에서 처분
▷ 명백한 하자○

(2) 판례

판례는 통설과 동일하게 기본적으로 중대·명백설을 취하고 있지만, 예외적으로 명백성 보충요건설을 취한 판례도 있다.**❶**

⚖ 관련판례

1 [대법원 다수의견 - 중대명백설] 처분이 당연무효라고 하기 위해서는 그 하자가 법규의 중요한 부분을 위반한 중대한 것으로서 객관적으로 명백한 것이어야 한다. ★★★

1-1. 행정처분이 당연무효라고 하기 위하여는 처분에 위법사유가 있다는 것만으로는 부족하고 그 하자가 법규의 중요한 부분을 위반한 중대한 것으로서 객관적으로 명백한 것이어야 하며, 하자가 중대하고 명백한 것인지 여부를 판별함에 있어서는 그 법규의 목적, 의미, 기능 등을 목적론적으로 고찰함과 동시에 구체적 사안 자체의 특수성에 관하여도 합리적으로 고찰함을 요한다(대판 1995.7.11. 94누4615).

22. 군무원 7급, 20. 소방간부, 18 소방간부, 15. 서울시 7급 하자 있는 행정처분이 당연무효가 되기 위해서는 그 하자가 법규의 중요한 부분을 위반한 중대한 것으로서 객관적으로 명백한 것이어야 하며, 하자가 중대하고 명백한지 여부를 판별할 때에는 그 법규의 목적, 의미, 기능 등을 목적론적으로 고찰함과 동시에 구체적 사안 자체의 특수성에 관하여도 합리적으로 고찰함을 요한다. (○)

1-2. 특히 법령 규정의 문언만으로는 처분 요건의 의미가 분명하지 아니하여 그 해석에 다툼의 여지가 있었더라도 해당 법령 규정의 위헌 여부 및 그 범위, 법령이 정한 처분 요건의 구체적 의미 등에 관하여 법원이나 헌법재판소의 분명한 판단이 있고, 행정청이 그러한 판단 내용에 따라 법령 규정을 해석·적용하는 데에 아무런 법률상 장애가 없는데도 합리적 근거 없이 사법적 판단과 어긋나게 행정처분을 하였다면 그 하자는 객관적으로 명백하다고 봄이 타당하다(대판 2017.12.28. 2017두30122).

2 어느 법률관계나 사실관계에 대하여 어느 법률규정을 적용할 수 없다는 법리가 명백히 밝혀지지 않아 해석에 다툼의 여지가 있는 때에는 행정관청이 잘못 해석하여 행정처분을 했더라도 하자가 명백하다고 할 수 없다. ★★

2-1. 행정청이 어느 법률관계나 사실관계에 대하여 어느 법률의 규정을 적용하여 행정처분을 한 경우에 그 법률관계나 사실관계에 대하여는 그 법률의 규정을 적용할 수 없다는 법리가 명백히 밝혀져 그 해석에 다툼의 여지가 없음에도 불구하고 행정청이 위 규정을 적용하여 처분을 한 때에는 그 하자가 중대하고도 명백하다고 할 것이나, 그 법률관계나 사실관계에 대하여 그 법률의 규정을 적용할 수 없다는 법리가 명백히 밝혀지지 아니하여 그 해석에 다툼의 여지가 있는 때에는 행정관청이 이를 잘못 해석하여 행정처분을 하였더라도 이는 그 처분 요건사실을 오인한 것에 불과하여 그 하자가 명백하다고 할 수 없는 것이다(대판 2004.10.15. 2002다68485 ; 대판 2012.8.23. 2010두13463 ; 대판 2014.5.16. 2011두27094).

22. 지방직 7급, 18. 경찰 3차 행정청이 어느 법률관계나 사실관계에 대하여 어느 법률의 규정을 적용하여 행정처분을 한 경우에, 그 법률관계나 사실관계에 대하여는 그 법률의 규정을 적용할 수 없다는 법리가 명백히 밝혀져 해석에 다툼의 여지가 없음에도 행정청이 그 규정을 적용하여 처분을 한 때에는 하자가 중대하고 명백하다. (○)

14. 경찰 2차 법률관계나 사실관계에 대하여 그 법률 규정을 적용할 수 없다는 법리가 명백히 밝혀지지 않아 해석에 다툼의 여지가 있는 때에는 행정청이 이를 잘못 해석하여 행정처분을 했더라도 이는 처분 요건사실을 오인한 것에 불과하여 하자가 명백하다고 할 수 없다. (○)

2-2. 과세관청이 법령 규정의 문언상 과세처분 요건의 의미가 분명함에도 합리적인 근거 없이 그 의미를 잘못 해석한 결과, 과세처분 요건이 충족되지 아니한 상태에서 해당 처분을 한 경우에는 법리가 명백히 밝혀지지 아니하여 그 해석에 다툼의 여지가 있다고 볼 수 없다(대판 2019.4.23. 2018다287287).

3 행정처분의 대상이 되는지의 여부가 그 사실관계를 정확히 조사하여야 비로소 밝혀질 수 있는 때에는 비록 이를 오인한 하자가 중대하다고 할지라도 외관상 명백하다고 할 수는 없다. ★★

3-1. 행정처분에 사실관계를 오인한 하자가 있는 경우 그 하자가 중대하다고 하더라도 객관적으로 명백하지 않다면 그 처분을 당연무효라고 할 수 없는바, 하자가 명백하다고 하기 위하여는 그 사실관계 오인의 근거가 된 자료가 외형상 상태성을 결여하거나 또는 객관적으로 그 성립이나 내용의 진정을 인정할 수 없는 것임이 명백한 경우라야 할 것이고 사실관계의 자료를 정확히 조사하여야 비로소 그 하자 유무가 밝혀질 수 있는 경우라면 이러한 하자는 외관상 명백하다고 할 수는 없을 것이다(대판 1992.4.28. 91누6863).

3-2. 행정처분의 대상이 되는 법률관계나 사실관계가 전혀 없는 사람에게 행정처분을 한 때에는 그 하자가 중대하고도 명백하다 할 것이나, 행정처분의 대상이 되지 아니하는 어떤 법률관계나 사실관계에 대하여 이를 처분의 대상이 되는 것으로 오인할 만한 객관적인 사정이 있는 경우로서 그것이 처분대상이 되는지의 여부가 그 사실관계를 정확히 조사하여야 비로소 밝혀질 수 있는 때에는 비록 이를 오인한 하자가 중대하다고 할지라도 외관상 명백하다고 할 수는 없다(대판 2004.10.15. 2002다68485).

21. 소방직 행정처분의 대상이 되는 법률관계나 사실관계가 있는 것으로 오인할 만한 객관적인 사정이 있고 사실관계를 정확히 조사하여야만 그 대상이 되는지 여부가 밝혀질 수 있는 경우에는 비록 그 하자가 중대하더라도 명백하지 않아 무효로 볼 수 없다. (○)

4 공공사업의 경제성 내지 사업성의 결여로 인하여 행정처분이 무효로 되기 위하여는 그 하자가 중대하여야 할 뿐만 아니라, 그러한 사정이 객관적으로 명백한 경우라야 할 것이다. ★★

공공사업의 경제성 내지 사업성의 결여로 인하여 위 각 처분이 무효로 되기 위하여는 공공사업을 시행함으로 인하여 얻는 이익에 비하여 공공사업에 소요되는 비용이 훨씬 커서 이익과 비용이 현저하게 균형을 잃음으로써 사회통념에 비추어 위 각 처분으로 달성하고자 하는 사업 목적을 실질적으로 실현할 수 없는 정도에 이르렀다고 볼 정도로 과다한 비용과 희생이 요구되는 등 그 하자가 중대하여야 할 뿐만 아니라, 그러한 사정이 객관적으로 명백한 경우라야 할 것이다(대판 2006.3.16. 2006두330).

18. 경채 3차 공공사업의 경제성 내지 사업성의 결여로 인하여 위 각 처분이 무효로 되기 위하여는 공공사업을 시행함으로 인하여 얻는 이익에 비하여 공공사업에 소요되는 비용이 훨씬 커서 이익과 비용이 현저하게 균형을 잃음으로써 사회통념에 비추어 위 각 처분으로 달성하고자 하는 사업 목적을 실질적으로 실현할 수 없는 정도에 이르렀다고 볼 정도로 과다한 비용과 희생이 요구되는 등 그 하자가 중대하여야 할 뿐만 아니라, 그러한 사정이 객관적으로 명백한 경우라야 할 것이다. (○)

5 [대법원 소수의견 – 명백성 보충요건설] 행정행위의 무효사유를 판단하는 기준으로서의 명백성은 행정행위의 법적 안정성 확보를 통하여 행정의 원활한 수행을 도모하는 한편, 그 행정행위를 유효한 것으로 믿은 제3자나 공공의 신뢰를 보호하여야 할 필요가 있는 경우에 보충적으로 요구된다. ★★

행정행위의 무효사유를 판단하는 기준으로서의 명백성은 행정처분의 법적 안정성 확보를 통하여 행정의 원활한 수행을 도모하는 한편 그 행정처분을 유효한 것으로 믿은 제3자나 공공의 신뢰를 보호하여야 할 필요가 있는 경우에 보충적으로 요구되는 것으로서, 그와 같은 필요가 없거나 하자가 워낙 중대하여 그와 같은 필요에 비하여 처분 상대방의 권익을 구제하고 위법한 결과를 시정할 필요가 훨씬 더 큰 경우라면 그 하자가 명백하지 않더라도 그와 같이 중대한 하자를 가진 행정처분은 당연무효라고 보아야 할 것이다(대판 1995.7.11. 94누4615).

제2편
행정작용법 해커스공무원 학수민 행정법총론 기본서

자료를 정확히 조사하여야 비로소 하자 유무가 밝혀질 수 있는 경우
▷ 외관상 명백한 하자✕

하자 중대
▷ 이익과 비용이 현저히 균형을 잃고, 처분이 달성하려는 사업 목적을 실질적으로 실현하기 불가할 정도로 과다한 비용·희생 요구시(법침해의 심각성을 의미)

명백
▷ 그러한 사정이 일반인의 관점에서 객관적으로 명백한 때

명백성보충요건설(대법원 소수의견)
▷ 명백성요건은 제3자나 공공의 신뢰보호 필요성이 있는 경우 보충적으로 요구됨

17. 국회직 8급 대법원은 무효와 취소의 구별기준에 대해서 중대명백설을 취하고 있으나, 반대의견으로 객관적 명백성요건설이 제시된 판례도 존재한다. (×) → 명백성 보충요건설

20. 국가직 7급 행정행위의 무효사유를 판단하는 기준으로서의 명백성은 행정행위의 법적 안정성 확보를 통하여 행정의 원활한 수행을 도모하는 한편, 그 행정행위를 유효한 것으로 믿은 제3자나 공공의 신뢰를 보호하여야 할 필요가 있는 경우에 보충적으로 요구된다. (×) → ×(∵판례의 주류적 입장은 중대명백설의 입장이다. 따라서 해당 지문은 명백성보충요건설을 취한 소수의 반대의견이므로 틀린 지문이다)

6 취득세 신고행위는 제3자의 보호가 특별히 문제되지 않아 당연무효로 보더라도 법적 안정성이 크게 저해되지 않는 반면, 과세요건에 관한 중대한 하자가 있고 납세의무자에게 불이익을 감수시키는 것이 권익구제 측면에서 현저히 부당하다고 볼 특별한 사정이 있으면 예외적으로 하자있는 신고행위가 당연무효라고 함이 타당하다. ★★

납세의무자의 신고행위가 당연무효라고 하기 위해서는 그 하자가 중대하고 명백하여야 함이 원칙이다. 그러나 취득세 신고행위는 납세의무자와 과세관청 사이에 이루어지는 것으로서 취득세 신고행위의 존재를 신뢰하는 제3자의 보호가 특별히 문제되지 않아 그 신고행위를 당연무효로 보더라도 법적 안정성이 크게 저해되지 않는 반면, 과세요건 등에 관한 중대한 하자가 있고 그 법적 구제수단이 국세에 비하여 상대적으로 미비함에도 위법한 결과를 시정하지 않고 납세의무자에게 그 신고행위로 인한 불이익을 감수시키는 것이 과세행정의 안정과 그 원활한 운영의 요청을 참작하더라도 납세의무자의 권익구제 등의 측면에서 현저하게 부당하다고 볼 만한 특별한 사정이 있는 때에는 예외적으로 이와 같은 하자 있는 신고행위가 당연무효라고 함이 타당하다(대판 2009.2.12. 2008두11716).❶

21. 소방직 부동산에 관한 취득세를 신고하였으나 부동산매매계약이 해제됨에 따라 소유권 취득의 요건을 갖추지 못한 경우에는 그 하자가 중대하지만 외관상 명백하지 않아 무효는 아니며 취소할 수 있는 데 그친다. (×) → 않아도 예외적으로 당연무효라고 할 수 있다

4. 하자의 구체적 유형

행정행위에 내재하는 흠이 행정행위의 무효원인인가 취소원인인가 혹은 행정행위의 효력에 아무런 영향을 미치지 않는 것인가는 구체적인 사정에 비추어 결정되어야 할 것으로 일률적으로 말하기는 곤란하다. 현재로서는 '중대하고 명백한 하자'가 무효와 취소를 구별하기 위한 일반적인 기준으로 되고 있다. 아래에서는 학설과 판례상 무효와 취소사유로 제시되고 있는 구체적인 유형을 행정행위의 적법요건인 주체, 절차, 형식, 내용의 개별적인 요건별로 나누어서 설명한다.

(1) 주체에 관한 하자

행정행위는 정당한 권한을 가진 행정청이 법령에 의하여 부여된 권한의 범위 내에서 정상적인 의사에 따라 행해져야 한다. 그렇지 못한 경우에는 무효 또는 취소사유가 된다.

① 정당한 권한을 가진 행정기관이 아닌 자의 행위

　㉠ 공무원이 아닌 자의 행위

　　ⓐ 원칙: 적법하게 임명되지 아니한 공무원(무효인 선거 또는 임명에 의하여 공무원으로 된 자)이나, 적법하게 선임되기는 하였으나 행위 당시에는 공무원의 지위에 있지 않은 자(정년퇴직·당연퇴직·면직으로 공무원 신분을 상실한 자)의 행위는 원칙적으로 무효이다.

[좌측 여백]

취득세 납세자의 신고행위에 중대한 하자가 있는 경우
▷ 신고행위 당연무효(명백성보충요건설을 취한 예외적인 판례)

❶ 해당 판례는 행정처분은 아니지만 취득세 납세의무자의 신고행위에 관하여 명백성보충요건설을 채택하여 명백성의 요건을 참작하지 않고 중대성만 가지고 신고행위의 무효여부를 판단하였다.

주체의 하자
▷ 원칙: 무효사유
▷ 예외: 취소사유

공무원이 아닌 자의 행위
▷ 원칙: 무효
▷ 예외: 사실상 공무원 이론

ⓑ 예외: 그러나 공무원의 결격사유의 유무, 임용행위의 적법여부 또는 정년이나 면직여부는 외부에서 쉽게 알 수 없는 경우가 많다. 따라서 적법하게 선임되지 않은 공무원의 행위라고 하더라도 객관적으로 공무원의 행위라고 믿을 만한 상태 아래에서 행하여진 경우에는 공무원의 외관을 신뢰한 선의의 상대방을 보호하기 위하여 사실상의 공무원의 행위로서 유효한 행정행위로 인정하여야 할 필요도 있다(사실상 공무원 이론❶).

ⓛ 대리권이 없는 자 또는 권한의 위임을 받지 아니한 자의 행위

　ⓐ 원칙: 정당한 대리권이 없는 자 또는 권한의 위임을 받지 아니한 자의 행위는 원칙적으로 무효에 해당한다고 할 것이다.

　ⓑ 예외: 그러나 이 경우에도 상대방이 행위자를 정당한 권한을 가진 자로 믿을 만한 상당한 이유가 있는 경우에는 「민법」상 표현대리❷의 법리를 유추하여 당해 행위가 유효하게 될 때가 있다(대판 1963.12.5. 63다519).

ⓒ 적법하게 구성되지 않은 합의제행정기관의 행위: 합의제행정기관은 법규가 요구하는 일정한 구성을 갖출 것을 전제로 하여 일정한 행정행위를 할 수 있는 권한이 부여된 행정기관이다. 이에 따라 법규가 요구하는 구성을 갖추지 않은 합의제행정기관, 즉 적법하게 소집되지 않았거나, 의사 또는 의결정족수에 미달하였거나, 적법하게 임명 또는 위촉되지 않은 자(결격자)가 구성원으로 참여하여 의결한 경우 등 그 구성에 중대한 흠이 있는 행위는 원칙적으로 무효이다.❸

② 행정기관의 권한 외의 행위(무권한의 행위): 행정기관의 권한에는 사무의 성질 및 내용에 따르는 제약이 있고, 지역적·대인적으로 한계가 있으므로 이러한 권한의 한계를 넘어서는 행정행위는 무권한 행위로서 원칙적으로 무효이다. 판례도 권한유월의 행위를 무권한의 행위로서 역시 무효사유로 보고 있다(대판 1996.6.28. 96누4374). 다만, 무권한의 하자라도 그 하자가 중대·명백하지 않으면 취소사유가 될 수도 있다.

함께 정리하기

❶ 사실상 공무원 이론
상대방이 당해 공무원에게 정당한 권한이 있는 것으로 믿을 만한 상당한 이유가 있는 경우에는 상대방의 신뢰보호와 법적안정성을 위하여 당해 공무원의 행위를 유효한 행정행위로 보는 이론이다.

대리권이 없는 자 또는 권한의 위임을 받지 아니한 자의 행위
▷ 원칙: 무효
▷ 예외: 상대방이 행위자가 대리권이 있다고 믿을 만한 상당한 이유가 있는 경우에 유효

❷ 표현대리
대리권이 없음에도 불구하고 마치 대리권이 있는 것과 같은 외관을 나타내는 경우에 거래의 안전을 도모하기 위하여 본인에게 일정한 법률상의 책임을 지우는 제도이다(「민법」 제125조, 제126조, 제129조).

적법하게 구성되지 않은 합의제 행정기관의 행위
▷ 무효

❸
의결기관이나 승인기관 또는 동의기관의 의결이나 승인 또는 동의를 결한 경우, 의결기관 또는 동의기관인 위원회의 구성에 하자가 있는 경우에 있어서는 주체의 하자에 해당하며 원칙상 무효원인이다.

군수와 주민대표가 선정·추천한 전문가가 참여하지 아니한 폐기물처리시설 입지선정위원회의 폐기물처리시설 입지결정처분
▷ 무효

행정기관의 권한 외의 행위(무권한의 행위)
▷ 원칙: 무효
▷ 예외: 무권한의 하자라도 그 하자가 중대·명백하지 않으면 취소사유

15. 사복직 행정기관의 무권한행위는 원칙적으로 무효이다. (○)

15. 서울시 9급 무권한은 중대·명백한 하자이므로 항상 무효사유라는 것이 판례의 입장이다. (×)
→ 원칙적으로

음주운전 단속경찰관이 자신의 명의로 행한 운전면허정지처분
▷ 무효

🔎 관련판례

1 음주운전을 단속한 경찰관이 자신의 명의로 행한 운전면허정지처분은 무효이다. ★★

운전면허에 대한 정지처분권한은 경찰청장으로부터 경찰서장에게 권한위임된 것이므로 음주운전자를 적발한 단속 경찰관으로서는 관할 경찰서장의 명의로 운전면허정지처분을 대행 처리할 수 있을지는 몰라도 자신의 명의로 이를 할 수는 없다 할 것이므로, 단속 경찰관이 자신의 명의로 운전면허행정처분통지서를 작성·교부하여 행한 운전면허정지처분은 비록그 처분의 내용·사유·근거 등이 기재된 서면을 교부하는 방식으로 행하여졌다고 하더라도 권한 없는 자에 의하여 행하여진 점에서 무효의 처분에 해당한다(대판 1997.5.16. 97누2313).

12. 지방직 7급 음주운전 단속경찰관이 자신의 명의로 운전면허행정처분통지서를 작성·교부하여 행한 운전면허정지처분은 위법하며, 취소의 원인이 된다. (×) → 무효

내부위임 받은 데 불과한 구청장이 자신의 명의로 한 압류처분
▷ 무효

2 내부위임을 받은 기관이 위임한 기관의 이름이 아닌 자신의 이름으로 행정처분을 한 경우, 그 행정처분은 무효이다. ★★

체납취득세에 대한 압류처분권한은 도지사로부터 시장에게 권한위임된 것이고 시장으로부터 압류처분권한을 내부 위임받은 데 불과한 구청장으로서는 시장 명의로 압류처분을 대행처리할 수 있을 뿐이고 자신의 명의로 이를 할 수 없다 할 것이므로 구청장이 자신의 명의로 한 압류처분은 권한 없는 자에 의하여 행하여진 위법무효의 처분이다(대판 1993.5.27. 93누6621).

21. 군무원 7급 처분 권한을 내부위임 받은 기관이 자신의 이름으로 한 처분은 무효이다. (○)

19. 5급 승진 시장으로부터 체납취득세에 대한 압류처분권한을 내부위임받은 구청장이 자신의 이름으로 한 압류처분은 권한 없는 자에 의하여 행하여진 위법무효의 처분이다. (○)

❶ 의원면직
본인의 원하여 면직되는 것, 즉 사표수리를 의미한다.

임면권자가 아닌 국정원장이 5급 이상 국정원직원에 대하여 한 의원면직처분
▷ 무효×
▷ 취소사유○

3 임면권자가 아닌 국정원장이 5급 이상 국정원직원에 대하여 한 의원면직❶처분은 당연무효가 아니다. ★★★

행정청의 권한에는 사무의 성질 및 내용에 따르는 제약이 있고, 지역적·대인적으로 한계가 있으므로 이러한 권한의 범위를 넘어서는 권한유월의 행위는 무권한 행위로서 원칙적으로 무효라고 할 것이나, 행정청의 공무원에 대한 의원면직처분은 공무원의 사직의사를 수리하는 소극적 행정행위에 불과하고, 당해 공무원의 사직 의사를 확인하는 확인적 행정행위의 성격이 강하며 재량의 여지가 거의 없기 때문에 의원면직처분에서의 행정청의 권한유월 행위를 다른 일반적인 행정행위에서의 그것과 반드시 같이 보아야 할 것은 아니다. 5급 이상의 국가정보원직원에 대한 의원면직처분이 임면권자인 대통령이 아닌 국가정보원장에 의해 행해진 것으로 위법하고, 나아가 국가정보원직원의 명예퇴직원 내지 사직서 제출이 직위해제 후 1년여에 걸친 국가정보원장 측의 종용에 의한 것이었다는 사정을 감안한다 하더라도 그러한 하자가 중대한 것이라고 볼 수는 없으므로, 대통령의 내부결재가 있었는지에 관계없이 당연무효는 아니다(대판 2007.7.26. 2005두15748).

18. 지방직 9급 무권한의 행위는 원칙적으로 무효라고 할 것이므로, 5급 이상의 국가정보원 직원에 대해 임면권자인 대통령이 아닌 국가정보원장이 행한 의원면직처분은 당연무효에 해당한다. (×) → 것이나 / 해당하지 않는다

17. 국회직 8급 판례는 권한유월의 행위는 무권한의 행위로서 원칙적으로 취소사유로 보면서도 의원면직처분에서의 권한유월은 확인적 행정행위로서의 성격을 갖고 있기 때문에 원칙적으로 무효사유로 보아야 한다는 입장이다. (×) → 무효사유 / 취소사유

4 적법한 권한위임 없이 세관출장소장이 한 관세부과처분은 당연무효에 해당하지 않는다. ★★★

세관출장소장에게 관세부과처분에 관한 권한이 위임되었다고 볼 만한 법령상의 근거가 없는데도 피고(군산세관 익산출장소장)가 관세부과처분을 한 경우, 적법한 권한 위임 없이 행해진 위 처분은 그 하자가 중대하기는 하지만 객관적으로 명백하다고 할 수는 없어 당연무효는 아니라고 보아야 할 것이다(대판 2004.11.26. 2003두2403).

19. 지방직 9급 적법한 권한위임 없이 세관출장소장에 의하여 행하여진 관세부과처분은 그 하자가 중대하기는 하지만 객관적으로 명백하다고 할 수는 없어 당연무효는 아니다. (○)

17. 지방교행, 15. 지방직 9급, 11. 국회직 8급 적법한 권한 위임 없이 세관출장소장이 한 관세부과처분은 당연무효이다. (×) → 에 해당하지 않는다

5 교육장의 공립유치원 교사에 대한 직권면직처분은 적법한 위임 없이 권한 없는 자가 행한 처분으로서 그 하자가 중대하지만 객관적으로 명백하다고는 할 수 없어 당연무효는 아니다. ★★

교육인적자원부장관이 공립유치원 교사의 임용권을 당해 교육감에게 위임하였고, 교육감은 공립유치원 교사의 관내전보, 직위해제, 의원면직, 신규채용권한을 교육장에게 재위임하였을 뿐 직권면직 권한까지 재위임한 바는 없으므로 피고가 공립유치원 교사인 원고에 대하여 이 사건 직권면직처분을 한 것은 적법한 위임 없이 권한 없는 자가 행한 처분으로서 그 하자가 중대하다고 할 것이나, 객관적으로 명백하다고는 할 수 없어 당연무효는 아니다(대판 2007.9.21. 2005두11937).

18. 5급 승진 공립유치원 교사의 신규채용·전보·직위해제·의원면직의 권한을 교육감으로부터 위임을 받은 교육장이 그 위임사항에 없는 직권면직의 권한을 행사한 경우, 그 직권면직처분은 당연무효는 아니다. (○)

6 기관위임사무를 조례로 재위임한 경우 그 조례에 근거한 처분은 취소사유에 해당한다. ★★

조례 제정권의 범위를 벗어나 국가사무를 대상으로 한 무효인 서울특별시행정권한위임조례의 규정에 근거하여 구청장이 건설업영업정지처분을 한 경우, 그 처분은 결과적으로 적법한 위임 없이 권한 없는 자에 의하여 행하여진 것과 마찬가지가 되어 그 하자가 중대하나, 지방자치단체의 사무에 관한 조례와 규칙은 조례가 보다 상위규범이라고 할 수 있고, 또한 헌법 제107조 제2항의 "규칙"에는 지방자치단체의 조례와 규칙이 모두 포함되는 등 이른바 규칙의 개념이 경우에 따라 상이하게 해석되는 점 등에 비추어 보면 위 처분의 위임 과정의 하자가 객관적으로 명백한 것이라고 할 수 없으므로 이로 인한 하자는 결국 당연무효사유는 아니라고 봄이 상당하다(대판 1995.7.11. 94누4615 전합). ❶

③ 행정청의 정상적인 의사에 의하지 않은 행위

　㉠ 의사능력이 없는 공무원의 행위: 공무원이 의사무능력 상태에서 행한 행위나 저항할 수 없는 정도의 물리적 강제에 의한 행위는 무효이다.

　㉡ 행위능력이 없는 공무원의 행위: 미성년자도 18세 이상이면 8급 이하의 공무원이 될 수 있으므로(「공무원임용시험령」 제16조) 그 경우에는 행위의 효력에 영향이 없다. 그러나 피한정후견인❷ 또는 피성년후견인❸은 공무원이 될 수 없는 결격사유에 해당하므로(「국가공무원법」 제33조, 「지방공무원법」 제21조) 이들에 해당되는 공무원의 행위는 무효에 해당할 것이다.

적법한 권한위임 없이 세관출장소장이 한 관세부과처분
▷ 무효×
▷ 취소사유○

교육감으로부터 위임받은 사항이 아닌 교육장의 공립유치원교사에 대한 직권면직처분
▷ 무효×
▷ 취소사유○

무효인 위임조례에 근거한 건설업영업정지처분
▷ 무효×
▷ 취소사유○

❶
마찬가지로 자치사무를 규칙으로 위임한 경우 그 규칙에 근거한 처분도 취소사유에 해당한다(대판 1997.6.19. 95누8669 전합).

의사무능력자인 공무원의 행위
▷ 무효

18세 이상 미성년자인 공무원의 행위
▷ 유효

피성년후견인, 피한정후견인인 공무원의 행위
▷ 무효

❷ 피한정후견인
질병, 장애, 노령, 그 밖의 사유로 인한 정신적 제약으로 사무를 처리할 능력이 부족한 사람에 대하여 가정법원이 한정후견개시의 심판을 한 사람을 의미한다.

❸ 피성년후견인
질병, 장애, 노령, 그 밖의 사유로 인한 정신적 제약으로 사무를 처리할 능력이 지속적으로 결여된 사람에 대하여 가정법원이 성년후견개시의 심판을 한 사람을 의미한다.

착오로 인한 행위
▷ 내용 자체가 실현 불가능한 경우는 무효
▷ 그 외의 위법인 경우에는 취소
▷ 사소한 오기 등에 불과한 경우에는 유효

ⓒ 착오로 인한 행위

ⓐ 행정행위가 착오로 이루어진 경우 착오는 거래안전, 신뢰보호의 관점에서 그 자체가 독립된 무효사유나 취소사유가 되지 않고 착오에 의하여 표시된 대로 효력을 발생한다는 것이 통설이다(표시설). 즉, 표시의 착오, 즉, 오기, 오산 등 이에 준하는 명백한 잘못이 있는 때에는 행정청은 직권 또는 당사자의 신청에 의해 오류의 정정이 가능하므로(「행정절차법」 제25조), 사소한 오기 등에 불과한 경우에는 행정행위의 효력에 영향이 없고 유효하다. 그러나 착오로 인하여 그로 인한 행위의 내용이 불능 또는 위법한 것으로 된 때에는 이를 이유로 무효 또는 취소할 수 있다고 할 것이다.

ⓑ 판례는 착오로 인한 행정행위의 내용 자체가 위법한 경우 무효와 취소의 구별기준에 따라 무효 또는 취소할 수 있는 행정행위로 판시하고 있다.

부동산을 양도한 사실이 없는 자에 대한 양도소득세 부과처분
▷ 무효

🔍 관련판례

1 **부동산을 양도한 사실이 없는 자에 대한 양도소득세 부과처분은 당연무효이다. ★★**
부동산을 양도한 사실이 없음에도 세무당국이 부동산을 양도한 것으로 오인하여 양도소득세를 부과하였다면 그 부과처분은 착오에 의한 행정처분으로서 그 표시된 내용에 중대하고 명백한 하자가 있어 당연무효이다(대판 1983.8.23. 83누179).

11. 지방직 9급 부동산을 양도한 사실이 없음에도 세무당국이 부동산을 양도한 것으로 오인한 양도소득세 부과처분은 착오에 의한 행정처분으로서 취소할 수 있는 행정행위에 해당한다. (×)
→ 당연무효인

납부의무자 아닌 조합원들에 대한 개발부담금 부과처분
▷ 무효

2 **납부의무자가 아닌 조합원들에게 한 개발부담금 부과처분은 무효이다. ★★**
개발부담금 납부의무자는 사업시행자인 주택조합이고 그 조합원들이 아니므로, 납부의무자가 아닌 조합원들에 대한 개발부담금 부과처분은 그 처분의 법적 근거가 없는 것으로서 그 하자가 중대하고 명백하여 무효이다(대판 1998.2.8. 95다30390).

11. 국회직 8급 구 「개발이익환수에 관한 법률」 시행 당시, 납부의무자가 아닌 조합원에 대하여 행한 개발부담금 부과 처분은 무효사유에 해당한다. (○)

국가의 과실에 의한 공무원임용결격자에 대한 임용행위
▷ 무효

3 **국가의 과실에 의한 공무원임용결격자에 대한 임용행위 당연무효로 보아야 한다. ★★**
임용당시 공무원임용결격사유가 있었다면 비록 국가의 과실에 의하여 임용결격자임을 밝혀 내지 못하였다 하더라도 그 임용행위는 당연무효로 보아야 한다(대판 1987.4.14. 86누459).

18. 5급 승진, 16. 국가직 9급 임용 당시 법령상 공무원임용결격사유가 있었더라도 임용권자의 과실에 의하여 임용결격자 임을 밝혀내지 못한 경우라면 그 임용행위가 당연무효가 된다고 할 수는 없다. (×) → 된다

납부고지서에 납부기한을 법정납부기한보다 단축하여 기재
▷ 무효×

4 **개발부담금 부과처분을 하면서 납부고지서에 납부기한을 법정납부기한보다 단축하여 기재하였다 해도 무효는 아니다. ★**
개발부담금의 납부기한은 개발이익환수에 관한 법률 제16조의 규정에 따라 정하여지고 납부고지서의 기재는 그 정하여진 날짜를 그대로 기재하는 것에 불과하여 납부기한을 잘못 기재한 것만으로는 납부기한이 단축되는 효력이 발생되는 것이 아니고, 따라서 처분에 대한 불복 여부의 결정과 불복신청에 지장을 주었다고 단정하기 어려우므로 그 처분이 위법하게 되는 것은 아니다(대판 2002.7.23. 2000두9946).

ⓔ **사기·강박·증뢰 등에 의한 행위**: 다수설은 상대방의 사기·강박 또는 증뢰 등의 부정수단으로 말미암아 행해진 행정행위는 상대방의 신뢰를 보호할 필요가 없으므로 취소할 수 있다고 보고 있다. 판례도 사위로 받은 한지의사면허처분에 취소사유가 있다고 판시한 사례가 있다(대판 1975.12.9. 75누123).

(2) 절차에 관한 하자

절차의 하자란 행정청이 행정처분을 행함에 있어 사전에 거쳐야할 절차 중 하나 또는 그 이상을 거치지 않았거나 거쳤으나 절차상 하자가 있는 것을 말한다. 절차의 하자는 하자의 정도에 따라 무효 또는 취소사유가 되나, 경미한 하자는 처분의 효력에 영향을 미치지 않는다.

판례는 원칙상 절차의 하자를 중요한 하자로 보지 않으면서 취소할 수 있는 하자로 보지만, 환경영향평가절차나 과세전적부심사절차를 거치지 않은 하자는 원칙상 중대·명백한 하자로 보고 당연무효사유로 본다.

① **법령상 필요한 상대방의 신청 또는 동의를 결한 행위**: 법령이 일정한 행정행위에 대하여 상대방의 신청 또는 동의를 필요적 절차로 규정하고 있는 경우에 상대방의 신청 또는 동의 없이 행해진 행정행위는 원칙적으로 무효에 해당한다.

② **타 기관과의 협의 등을 거치지 않은 행위**: 법령에서 행정청이 행정행위를 함에 있어서 타기관의 의결·승인·협의·자문을 거치도록 규정된 경우가 있다. 이 경우 다른 기관의 의결이나 승인 또는 동의 등과 같이 행정청의 결정이 다른 기관의 의사결정에 기속되는 경우와 협의·자문 등과 같이 그렇지 않은 경우로 구별하여야 한다. 전자의 경우는 주체의 하자에 해당하여 원칙적으로 무효원인이 되지만 후자의 경우에는 그 절차가 당해 행정행위에 갖고 있는 의미에 따라 무효 또는 취소원인이 된다.

🔍 **관련판례**

1 **국방·군사시설 사업에 관한 법률 및 구 산림법에서 보전임지를 다른 용도로 이용하기 위한 사업에 대하여 승인 등 처분을 하기 전에 미리 산림청장과 협의를 하라고 규정한 경우, 이러한 협의를 거치지 아니한 승인처분은 당연무효가 아니다. ★★**

국방·군사시설 사업에 관한 법률및 구 산림법에서 보전임지를 다른 용도로 이용하기 위한 사업에 대하여 승인 등 처분을 하기 전에 미리 산림청장과 협의를 하라고 규정한 의미는 그의 자문을 구하라는 것이지 그 의견을 따라 처분을 하라는 의미는 아니라 할 것이므로, 이러한 협의를 거치지 아니하였다고 하더라도 이는 당해 승인처분을 취소할 수 있는 원인이 되는 하자 정도에 불과하고 그 승인처분이 당연무효가 되는 하자에 해당하는 것은 아니라고 봄이 상당하다(대판 2006.6.30. 2005두14363).

15. 지방직 7급 「국방·군사시설 사업에 관한 법률」 및 구 「산림법」에서 보전임지를 다른 용도로 이용하기 위한 사업에 대하여 승인 등 처분을 하기 전에 미리 산림청장과 협의를 하라고 규정한 의미는 ~~그 의견에 따라 처분을 하라는 것이므로, 이러한 협의를 거치지 아니하고서 행해진 승인처분은 당연무효이다.~~ (×) → 그의 자문을 구하라는 것이지 그 의견에 따라 처분을 하라는 의미는 아니라 할 것이므로 / 취소사유에 해당한다

사기·강박, 증뢰에 의한 행위
▷ 위법○
▷ 취소사유○

절차의 하자
▷ 원칙: 취소사유, 경우에 따라 무효인 경우와 위법하지 않은 경우도 있음

❶
분배신청을 한 바 없고 분배받은 사실조차 알지 못하고 있는 자에 대한 농지분배는 허무인에게 분배한 것이나 다름이 없는 당연무효의 처분이라고 할 것이다(대판 1970.10.23. 70다1750).

산림청장과 협의를 거치지 아니한 보전임지를 다른 용도로 이용하기 위한 사업승인처분
▷ 취소사유

「택지개발촉진법」상 택지개발예정지구를 지정함에 있어 거쳐야 하는 관계중앙행정기관의 장과의 협의를 거치지 않은 택지개발예정지구 지정처분
▷ 취소사유

학교환경위생정화위원회 심의를 결한 정화구역 내 금지행위 및 시설 해제처분
▷ 취소사유

학교법인 이사회의 승인의결 없이 한 기존재산교환허가신청에 대한 감독청(시교육위원회)의 교환허가처분
▷ 무효

2 국토교통부장관이 관계 중앙행정기관의 장과 협의를 거치지 아니하고 택지개발예정지구를 지정한 경우, 위 지정처분은 당연무효는 아니다. ★★

택지개발법 제3조에서 건설부장관이 택지개발예정지구를 지정함에 있어 <u>미리 관계 중앙행정기관의 장과 협의를 하라고 규정한 의미는 그의 자문을 구하라는 것이지 그 의견을 따라 처분을 하라는 의미가 아니라 할 것이므로 이러한 협의를 거치지 아니하였다고 하더라도</u> 이는 <u>위 지정처분을 취소할 수 있는 원인이 되는 하자 정도에 불과하고 위 지정처분이 당연무효가 되는 하자에 해당하는 것은 아니다</u>(대판 2000.10.13. 99두653).

17. 지방직 7급 「택지개발촉진법」상 택지개발예정지구를 지정함에 있어 거쳐야 하는 관계중앙행정기관의 장과의 협의를 거치지 않은 택지개발예정지구 지정처분은 무효인 행정행위에 해당한다. (×) → 취소할 수 있는

3 학교환경위생정화구역(현 교육환경보호구역)에서의 금지행위 및 시설의 해제 여부에 관한 행정처분을 하면서 학교환경위생정화위원회(현 지역교육환경보호위원회) 심의를 누락한 흠은 행정처분을 위법하게 하는 취소사유가 된다. ★★★

행정청이 구 학교보건법 소정의 학교환경위생정화구역 내에서 금지행위 및 시설의 해제 여부에 관한 행정처분을 함에 있어 학교환경위생정화위원회의 심의를 거치도록 한 취지는 그에 관한 전문가 내지 이해관계인의 의견과 주민의 의사를 행정청의 의사결정에 반영함으로써 공익에 가장 부합하는 민주적 의사를 도출하고 행정처분의 공정성과 투명성을 확보하려는 데 있고, … 금지행위 및 시설의 해제 여부에 관한 행정처분을 하면서 절차상 위와 같은 <u>심의를 누락한 흠이 있다면</u> 그와 같은 흠을 가리켜 위 행정처분의 효력에 아무런 영향을 주지 않는다거나 경미한 정도에 불과하다고 볼 수는 없으므로, <u>특별한 사정이 없는 한 이는 행정처분을 위법하게 하는 취소사유가 된다</u>(대판 2007.3.15. 2006두15806).

22. 소방직, 19. 5급 승진, 13. 지방직 9급 구 「학교보건법」상 학교환경위생정화구역에서의 금지행위 및 시설의 해제 여부에 관한 행정처분을 하면서 학교환경위생정화위원회 심의를 누락한 흠은 행정처분을 위법하게 하는 취소사유가 된다. (○)

4 학교법인 이사회의 승인의결 없이 한 기본재산교환허가신청에 대한 감독청(시교육위원회)의 교환허가처분은 당연무효이다. ★★

이 사건 학교법인의 감독청인 피고(부산시교육위원회)의 <u>학교법인기본재산교환허가처분은 학교법인의 이사장이 교환허가신청을 함에 있어서 이사회의 승인의결을 받음이 없이 이사회 회의록사본을 위조하여 첨부한 교환허가신청서에 의한 것인바,</u> 사립학교법 제1조, 제16조, 제28조, 제73조 동법 시행령 제11조의 각 규정취지를 종합 고찰하면 <u>피고의 이 사건 허가처분은 중대하고 명백한 하자가 있어 당연무효라 할 것이고 위 학교법인이사회가 위 교환을 추인·재추인하는 의결을 한 사실만으로써 무효인 허가처분의 하자가 치유된다고 볼 수 없다</u>(대판 1984.2.28. 81누275).

11. 국회직 8급 학교법인이사회의 승인의결 없이 회의록을 위조하여 행한 기본재산교환허가신청에 대한 시교육위원회의 교환허가처분은 당연무효이다. (○)

③ **필요한 공고·통지·열람 등을 거치지 아니한 행위**: 법령이 행정행위를 함에 있어서 이해관계인으로 하여금 그의 권리를 주장하고 이의신청을 할 기회를 부여하기 위하여 행정행위에 앞서 일정한 공고 또는 통지를 하도록 규정하고 있는 경우가 있다. 특히 「행정절차법」 제21조는 당사자에게 의무를 과하거나 권익을 제한하는 경우에 당사자에게 사전통지를 하도록 규정하고 있다. 판례는 이러한 사전통지나 공고를 결한 경우에 원칙적으로 취소사유로 보는 경향이 있다.

⚡ 관련판례

1 **독촉절차 없이 압류처분을 하였다 하더라도 이는 취소사유에 불과하다. ★★**

납세의무자가 세금을 납부기한까지 납부하지 아니하자 과세청이 그 징수를 위하여 압류처분에 이른 것이라면 비록 독촉절차 없이 압류처분을 하였다 하더라도 이러한 사유만으로는 압류처분을 무효로 되게 하는 중대하고도 명백한 하자로는 되지 않는다(대판 1987.9.22. 87누383).

2 **주민등록말소처분이 주민등록법에 규정한 최고·공고의 절차를 거치지 아니하였다 하더라도 그러한 하자는 중대하고 명백한 것이라고 할 수 없어 처분의 당연무효사유에 해당하지 않는다. ★★**

재외국민이 관할행정청에게 여행증명서의 무효확인서를 제출, 주민등록신고를 하여 주민등록이 되었는데, 관할행정청이 주민등록신고시 거주용여권의 무효확인서를 첨부하지 아니하고 여행용여권의 무효확인서를 첨부하는 위법이 있었다고 하여 주민등록을 말소하는 처분을 한 경우 이 처분이 주민등록법 제17조의2에 규정한 최고·공고의 절차를 거치지 아니하였다 하더라도 그러한 하자는 중대하고 명백한 것이라고 할 수 없어 처분의 당연무효 사유에 해당하는 것이라고는 할 수 없다(대판 1994.8.26. 94누3223).

14. 사복직 「주민등록법」상 최고·공고절차가 생략된 주민등록말소처분은 무효인 행정행위에 해당하지 않는다. (○)

3 **환지계획인가 후에 수정하고자 하는 환지계획의 내용에 대하여 토지소유자 등 이해관계인의 공람절차를 거치지 아니한 채 수정된 내용에 따라 한 환지예정지 지정처분은 당연무효이다. ★★**

3-1. 환지계획 인가 후에 당초의 환지계획에 대한 공람과정에서 토지소유자 등 이해관계인이 제시한 의견에 따라 수정하고자 하는 내용에 대하여 다시 공람절차 등을 밟지 아니한 채 수정된 내용에 따라 한 환지예정지 지정처분은 환지계획에 따르지 아니한 것이거나 환지계획을 적법하게 변경하지 아니한 채 이루어진 것이어서 당연무효라고 할 것이다(대판 1999.8.20. 97누6889).

15. 서울시 7급 환지계획인가 후에 수정하고자 하는 내용에 대하여 토지소유자 등 이해관계인의 공람절차를 거치지 아니한 채 수정된 내용에 따라 한 환지예정지지정처분은 당연무효이다. (○)

3-2. 환지처분이 일단 확정되어 효력을 발생한 후에는 이를 소급하여 시정하는 뜻의 환지변경처분이란 있을 수 없고, 그러한 환지변경의 필요가 있을 때에는 환지절차를 새로이 밟아야 하며 이를 밟지 아니하고 한 환지변경처분은 위법하다 할 것인바, 그와 같은 위법은 환지절차의 본질을 해한 것으로서 그 흠은 중대하고 명백하여 행정처분의 무효사유에 해당한다(대판 1992.11.10. 91누8227 ; 대판 1998.2.13. 97다49459).

11. 국회직 8급 환지변경이 있을 때에는 환지절차를 새로이 밟아야 하며 이를 밟지 아니하고 한 환지변경처분은 위법하다 할 것인바, 다만 그와 같은 위법은 중대하기는 하나 명백하다고 할 수는 없다. (✗) → 중대하고 명백하여 무효사유에 해당한다

4 **도지사의 인사교류안 작성과 그에 따른 인사교류의 권고가 전혀 이루어지지 않은 상태에서 행하여진 관할구역 내 시장의 인사교류에 관한 처분은 지방공무원법 제30조의2 제2항의 입법 취지에 비추어 그 하자가 중대하고 객관적으로 명백하여 당연무효이다(대판 2005.6.24. 2004두10968). ★★**

20. 지방직 7급 도지사의 인사교류안 작성과 그에 따른 인사교류의 권고가 전혀 이루어지지 않은 상태에서, 관할구역 내 A시의 시장이 인사교류로서 소속 지방공무원인 甲에게 B시 지방공무원으로 전출을 명한 처분은 당연무효이다. (○)

독촉절차 없는 압류처분
▷ 취소사유

「주민등록법」상 최고·공고의 절차를 거치지 아니한 주민등록말소처분
▷ 취소사유

토지소유자 등 이해관계인의 공람절차를 거치지 아니한 채 수정된 내용에 따라 한 환지예정지지정처분
▷ 무효

환지처분이 확정되어 효력을 발생한 후 환지절차를 새로이 밟지 아니하고 한 환지변경처분
▷ 무효

인사교류안 작성 및 권고가 이루어지지
아니한 인사교류 처분
▷ 무효

이해관계자의 의견을 듣지 아니하거나 토
지소유자에 통지하지 아니한 채 행한 국
토교통부장관의 택지개발계획승인
▷ 취소사유

사업시행자가 토지소유자의 협의를 거치
지 않은 채, 수용재결신청
▷ 취소사유

❶ 「국가공무원법」 제13조(소청인의
진술권)
① 소청심사위원회가 소청 사건을 심사
할 때에는 대통령령등으로 정하는 바
에 따라 소청인 또는 제76조 제1항
후단에 따른 대리인에게 진술 기회를
주어야 한다.
② 제1항에 따른 진술 기회를 주지 아니
한 결정은 무효로 한다.

청문실시 법규정 위반
▷ 처분의 취소사유

④ **필요한 이해관계인의 참여 또는 협의를 결한 행위:** 이해관계인의 이익보호 또는 조정을 위해 이해관계인의 참여 또는 협의 없이 행한 행정행위는 원칙적으로 무효이다. 그러나 판례는 이해관계자의 의견을 듣지 아니하거나 토지소유자에 대한 통지를 하지 아니한 채 행한 국토교통부장관의 택지개발계획승인과 사업시행자가 토지소유자의 협의를 거치지 않은 채, 수용의 재결을 신청하는 것은 취소사유에 그친다고 판시하였다.

🔎 관련판례

1 택지개발계획을 승인함에 있어서 이해관계자의 의견을 듣지 아니하였거나 토지소유자에 대한 통지를 하지 아니하였다고 하더라도 사업인정 자체가 당연무효라고 할 수 없다. ★

건설부장관이 택지개발계획을 승인함에 있어서 구 토지수용법 제15조에 의한 이해관계자의 의견을 듣지 아니하였거나, 같은 법 제16조 제1항 소정의 토지소유자에 대한 통지를 하지 아니한 하자는 중대하고 명백한 것이 아니므로 사업인정 자체가 당연무효라고 할 수 없다(대판 1993.6.29. 91누2342).

2 토지소유자와의 협의절차를 거치지 않은 토지수용재결은 절차상 하자가 있어 취소사유에 해당한다. ★

기업자가 토지소유자와 협의를 거치지 아니한 채 토지의 수용을 위한 재결을 신청하였다는 등의 하자들 역시 절차상 위법으로서 이의재결의 취소를 구할 수 있는 사유가 될지언정 당연무효의 사유라고 할 수는 없다(대판 1993.8.13. 93누2148).

⑤ **필요한 청문 또는 의견진술의 기회를 주지 않은 행위:** 법률상 요구되는 청문(「행정절차법」 제22조 제1항)이나 의견제출(「행정절차법」 제22조 제3항)의 절차를 결여한 하자는 취소사유에 해당한다. 다만, 법률이 청문이 흠결된 행정행위를 무효로 규정하고 있는 경우도 있다(예 「국가공무원법」 제13조 제2항❶, 「지방공무원법」 제18조 제2항).

🔎 관련판례

1 처분의 근거 법령 등에 청문을 실시하도록 규정하고 있는 경우 그 절차를 결여한 위법한 처분은 취소사유에 해당한다. ★★★

행정청이 특히 침해적 행정처분을 할 때 그 처분의 근거 법령 등에서 청문을 실시하도록 규정하고 있다면, 행정절차법 등 관련 법령상 청문을 실시하지 않아도 되는 예외적인 경우에 해당하지 않는 한 반드시 청문을 실시하여야 하며, 그러한 절차를 결여한 처분은 위법한 처분으로서 취소사유에 해당한다(대판 2007.11.16. 2005두15700 ; 대판 2004.7.8. 2002두8350).

16. 변호사 청문을 실시하지 않아도 되는 예외적인 경우에 해당하지 않는 한 행정청은 침익적 행정처분을 할 때 반드시 청문을 실시하여야 하고 그 절차를 결여한 처분은 위법한 처분으로서 당연무효에 해당한다. (×) → 취소사유

17. 지방직 7급 「행정절차법」상 청문절차를 거쳐야 하는 처분임에도 청문절차를 결여한 처분은 무효인 행정행위에 해당한다. (×) → 취소할 수 있는

2 과세관청이 과세예고 통지 후 과세전적부심사 청구나 그에 대한 결정이 있기 전에 과세처분을 한 경우, 절차상 하자가 중대·명백하여 과세처분은 당연무효이다. ★★

2-1. 과세예고 통지 후 과세전적부심사 청구나 그에 대한 결정이 있기도 전에 과세처분을 하는 것은 원칙적으로 과세전적부심사 이후에 이루어져야 하는 과세처분을 그보다 앞서 함으로써 과세전적부심사 제도 자체를 형해화 시킬 뿐만 아니라 과세전적부심사결정과 과세처분 사이의 관계 및 불복절차를 불분명하게 할 우려가 있으므로, 그와 같은 과세처분은 납세자의 절차적 권리를 침해하는 것으로서 절차상 하자가 중대하고도 명백하여 무효이다(대판 2016.12.27. 2016두49228).

18. 국가직 7급 과세관청이 과세예고 통지 후 과세전적부심사 청구나 그에 대한 결정이 있기 전에 국세부과처분을 한 경우, 특별한 사정이 없는 한 그 하자가 중대·명백하다고 볼 수 없어 당연무효가 아닌 취소사유에 해당한다. (✕) → 하여 무효사유

2-2. 특별한 사정이 없는 한, 과세관청이 과세처분에 앞서 필수적으로 행하여야 할 과세예고 통지를 하지 아니함으로써 납세자에게 과세전적부심사의 기회를 부여하지 아니한 채 과세처분을 하였다면, 이는 납세자의 절차적 권리를 침해한 것으로서 과세처분의 효력을 부정하는 방법으로 통제할 수밖에 없는 중대한 절차적 하자가 존재하는 경우에 해당하므로, 과세처분은 위법하다(대판 2016.4.15. 2015두52326).

18. 지방직 7급 특별한 사정이 없는 한, 과세관청이 과세처분에 앞서 필수적으로 행하여야 할 과세예고 통지를 하지 아니함으로써 납세자에게 과세전적부심사의 기회를 부여하지 아니한 채 과세처분을 하였다면, 그 과세처분은 위법하다. (○)

⑥ 환경영향평가의 실시대상사업에 대하여 환경영향평가를 거치지 않고 행한 처분: 판례는 환경영향평가를 실시하여야 할 사업에 대하여 환경영향평가를 거치지 아니하였음에도 승인 등 처분을 한 경우, 그 하자는 중대하고 명백하여 당연무효 사유에 해당한다고 보는 반면, 그러한 환경영향평가를 거친 경우에는, 비록 그 환경영향평가의 내용이 다소 부실하다 하더라도 그 부실로 인하여 당연히 승인 등 처분이 위법하게 되는 것은 아니라고 본다. 다만, 행정청이 사전환경성검토협의를 거쳐야 할 대상사업에 관하여 법의 해석을 잘못한 나머지 세부용도지역이 지정되지 않은 개발사업 부지에 대하여 사전환경성검토협의를 할지 여부를 결정하는 절차를 생략한 채 승인 등의 처분을 한 사안에서는, 그 하자가 객관적으로 명백하다고 할 수 없다고 하여 취소사유로 판시한 바 있다.

관련판례

1 구 환경영향평가법상 환경영향평가를 실시하여야 할 사업에 대하여 환경영향평가를 거치지 아니하였음에도 승인 등 처분을 한 경우, 그 처분은 중대·명백한 하자가 있어 당연무효이다. ★★★

환경영향평가를 거쳐야 할 대상사업에 대하여 환경영향평가를 거치지 아니하였음에도 불구하고 승인 등 처분이 이루어진다면, 이러한 행정처분의 하자는 법규의 중요한 부분을 위반한 중대한 것이고 객관적으로도 명백한 것이라고 하지 않을 수 없어, 이와 같은 행정처분은 당연무효이다(대판 2006.6.30. 2005두14363).

22. 소방직, 19. 지방직 9급, 17. 국회직 8급, 17. 지방직 7급, 15. 지방직 9급 등 환경영향평가를 거쳐야 하는 대상사업에 대하여 환경영향평가를 거치지 아니하였음에도 불구하고 승인 등 처분이 행해진 경우, 그 행정처분은 당연무효이다. (○)

16. 서울시 7급 법령상 환경영향평가를 거쳐야 할 대상사업에 대하여 환경영향평가를 거치지 않고 행하여진 승인처분은 위법하지만 당연무효는 아니며, 취소의 대상이 될 뿐이다. (✕) → 하여 당연무효이다

과세예고 통지 후 과세전적부심사 청구나 그 결정이 있기 전에 행한 과세처분
▷ 절차상 하자가 중대·명백하여 무효

과세관청이 과세처분에 앞서 필수적으로 행하여야 할 과세예고 통지를 하지 아니함으로써 과세전적부심사의 기회를 부여하지 않은 과세처분
▷ 위법

구 「환경영향평가법」상 환경영향평가를 실시하여야 할 사업에 대하여 환경영향평가를 거치지 않고 행한 승인 등 처분
▷ 무효

환경영향평가를 거치긴 거쳤으나 내용이
부실한 경우 후속처분
▷ 당연히 위법한 것✕

환경영향평가법령에서 정한 환경영향평가를 거쳤다면, 비록 그 환경영향평가의 내용이 다소 부실하다 하더라도 그 부실로 인하여 당연히 승인 등 처분이 위법하게 되는 것은 아니다. ★★★

환경영향평가법령에서 정한 환경영향평가를 거쳐야 할 대상사업에 대하여 그러한 환경영향평가를 거쳤다면, 비록 그 환경영향평가의 내용이 다소 부실하다 하더라도, 그 부실의 정도가 환경영향평가제도를 둔 입법취지를 달성할 수 없을 정도이어서 환경영향평가를 하지 아니한 것과 다를 바 없는 정도의 것이 아닌 이상, 그 부실은 당해 승인 등 처분에 재량권 일탈·남용의 위법이 있는지 여부를 판단하는 하나의 요소로 됨에 그칠 뿐, 그 부실로 인하여 당연히 당해 승인 등 처분이 위법하게 되는 것이 아니다(대판 2006.3.16. 2006두330).

22. 소방직, 22. 국가직 7급 환경영향평가절차를 거쳤다면, 환경영향평가의 내용이 다소 부실하다 하더라도, 그 부실의 정도가 환경영향평가를 하지 아니한 것과 다를 바 없는 정도의 것이 아니라면 당연히 당해 승인 등 처분이 위법하게 되는 것은 아니다. (○)

17. 국회직 8급 환경영향평가법령에서 요구하는 환경영향평가절차를 거쳤더라도 그 내용이 부실한 경우 부실의 정도가 환경영향평가를 하지 아니한 것과 마찬가지인 정도가 아니라면 이는 취소사유에 해당한다. (✕) → 해당하지 않는다

16. 서울시 7급 법령상 환경영향평가 대상사업에 대하여 환경영향평가를 부실하게 거쳐 사업승인을 하였다면, 그러한 부실로 인하여 당연히 승인처분은 위법하게 된다. (✕) → 되는 것은 아니다

행정청이 사전에 교통영향평가를 거치지
아니한 채 부관을 붙여서 한 실시계획 및
공사시행변경인가처분
▷ 취소사유

행정청이 사전에 교통영향평가를 거치지 아니한 채 '건축 허가 전까지 교통영향평가 심의필증을 교부받을 것'을 내용으로 하는 부관을 붙여서 한 실시계획변경 및 공사시행변경 인가처분은 중대하고 명백한 흠이 있다고 할 수 없으므로 이를 무효로 보기는 어렵다(대판 2010.2.25. 2009두102). ★★

19. 지방직 9급 행정청이 사전에 교통영향평가를 거치지 아니한 채 '건축허가 전까지 교통영향평가 심의필증을 교부받을 것'을 부관으로 붙여서 한 '실시계획 승인 및 공사시행변경 인가 처분'은 그 하자가 중대하고 객관적으로 명백하여 당연무효이다. (✕) → 명백한 흠이 있다고 할 수 없으므로 이를 무효로 보기는 어렵다

사전환경성검토협의를 할지 여부를 결정
하는 절차를 생략한 채 승인 등의 처분
▷ 취소사유

2 행정청이 사전환경성검토협의를 거쳐야 할 대상사업에 관하여 법의 해석을 잘못한 나머지 세부용도지역이 지정되지 않은 개발사업 부지에 대하여 사전환경성검토협의를 할지 여부를 결정하는 절차를 생략한 채 승인 등의 처분을 하였다면 그 하자는 객관적으로 명백하다고 할 수 없다(대판 2009.9.24. 2009두2825). ★

22. 소방직 행정청이 사전환경성검토협의를 거쳐야 할 대상사업에 관하여 법의 해석을 잘못한 나머지 세부용도지역이 지정되지 않은 개발사업 부지에 대하여 사전환경성검토협의를 할지 여부를 결정하는 절차를 생략한 채 승인 등의 처분을 하였다면, 그 행정처분은 당연무효이다. (✕) → 위법하나 당연무효는 아니다

⑦ **절차하자가 경미한 경우:** 절차의 하자가 경미한 경우에는 처분의 효력에 영향을 미치지 않는다.

민원1회 방문처리제에서 사전통지결여
▷ 민원거부처분의 취소사유✕

1 민원 1회 방문처리제 시행에 있어 민원인에게 회의일정 등을 사전에 통지하지 않은 행위는 민원거부처분의 취소사유에 해당하지 않는다. ★★★

민원사무를 처리하는 행정기관이 민원 1회 방문 처리제를 시행하는 절차의 일환으로 민원사항의 심의·조정 등을 위한 민원조정위원회를 개최하면서 민원인에게 회의일정 등을 사전에 통지하지 아니하였다 하더라도, 이러한 사정만으로 곧바로 민원사항에 대한 행정기관의 장의 거부처분에 취소사유에 이를 정도의 흠이 존재한다고 보기는 어렵다(대판 2015.8.27. 2013두1560).

19. 서울시 9급 민원사무를 처리하는 행정기관이 민원조정위원회를 개최하면서 민원인에게 그 회의일정 등을 사전에 통지하여야 함에도 불구하고 그러하지 아니한 경우에 이러한 사정만으로 곧바로 그 민원사항에 대한 행정기관의 장의 거부처분이 위법하다고 볼 수는 없다. (○)

17. 국회직 8급 판례는 민원사무를 처리하는 행정기관이 민원 1회 방문 처리제를 시행하는 절차의 일환으로 민원사항의 심의, 조정 등을 위한 민원조정위원회를 개최하면서 민원인에게 회의일정 등을 사전에 통지하지 아니하였다면 ~~취소사유가 존재한다~~는 입장이다. (×) → ×(∵아니하였다 하더라도, 취소사유에 이를 정도의 흠이 존재한다고 보기는 어렵다는 입장이다)

2 절차규정 위반에도 불구하고 처분 상대방 등의 의견진술권이나 방어권행사에 실질적으로 지장이 초래되었다고 볼 수 없는 특별한 사정이 있는 경우에 그 처분을 취소할 것은 아니다. ★★

행정청이 처분절차에서 관계법령의 절차 규정을 위반하여 절차적 정당성이 상실된 경우에는 해당 처분은 위법하고 원칙적으로 취소하여야 한다. 다만 처분상대방이나 관계인의 의견진술권이나 방어권 행사에 실질적으로 지장이 초래되었다고 볼 수 없는 특별한 사정이 있는 경우에는, 절차 규정 위반으로 인하여 처분절차의 절차적 정당성이 상실되었다고 볼 수 없으므로 해당 처분을 취소할 것은 아니다(대판 2021.2.4. 2015추528 ; 대판 2018.3.13. 2016두33339).

3 예산의 편성에 절차상 하자가 있다는 사정만으로 '4대강 살리기 사업' 중 한강 부분에 관한 각 하천공사시행계획 및 각 실시계획승인처분에 취소사유에 이를 정도의 하자가 존재한다고 보기 어렵다. ★★

국가재정법령에 규정된 예비타당성조사는 이 사건 각 처분과 형식상 전혀 별개의 행정계획인 예산의 편성을 위한 절차일 뿐 이 사건 각 처분에 앞서 거쳐야 하거나 그 근거 법규 자체에서 규정한 절차가 아니므로, 예비타당성조사를 실시하지 아니한 하자는 원칙적으로 예산 자체의 하자일 뿐, 그로써 곧바로 이 사건 각 처분의 하자가 된다고 할 수 없어, 예산이 각 처분 등으로써 이루어지는 '4대강 살리기 사업' 중 한강 부분을 위한 재정 지출을 내용으로 하고 있고 예산의 편성에 절차상 하자가 있다는 사정만으로 '4대강 살리기 사업' 중 한강 부분에 관한 각 하천공사시행계획 및 각 실시계획승인 처분에 취소사유에 이를 정도의 하자가 존재한다고 보기 어렵다(대판 2015.12.10. 2011두32515).

16. 국회직 8급 예산의 편성에 절차적 하자가 있으면 그 예산을 집행하는 처분은 ~~위법하게 된다.~~ (×) → 되는 것은 아니다

(3) 형식에 관한 하자

① 문서에 의하지 않은 행위: 법령상 문서에 의하도록 하고 있는 행정행위를 문서에 의하지 아니한 경우 무효이다. 예컨대, 재결서에 의하지 않은 행정심판의 재결, 독촉장에 의하지 않은 납세의 독촉 등은 무효이다.

16. 서울시 7급 법령상 문서에 의할 것을 요건으로 한 경우에 문서에 의해 하지 아니한 때, 그 처분은 하자가 중대하고 명백하여 원칙적으로 무효이다. (○)

🔎 관련판례

1 소방공무원이 소방시설 시정보완명령을 구술로 고지한 것은 행정절차법 제24조를 위반한 것으로 하자가 중대하고 명백하여 당연무효이다. ★★

행정절차법 제24조는, 행정청이 처분을 하는 때에는 다른 법령 등에 특별한 규정이 있는 경우를 제외하고는 문서로 하여야 하고 전자문서로 하는 경우에는 당사자 등의 동의가 있어야 하며, 다만 신속을 요하거나 사안이 경미한 경우에는 구술 기타 방법으로 할 수 있다고 규정하고 있는데, 이는 행정의 공정성·투명성 및 신뢰성을 확보하고 국민의 권익을 보호하기 위한 것이므로 위 규정을 위반하여 행

하여진 행정청의 처분은 하자가 중대하고 명백하여 원칙적으로 무효이다(대판 2011.11.10, 2011도11109).

21. 국회직 9급 「행정절차법」상 문서로 하도록 한 처분을 구술로 한 행정처분은 당연무효이다. (O)

19. 국가직 9급 건물소유자에게 소방시설 불량사항을 시정·보완하라는 명령을 구두로 고지한 것은 「행정절차법」에 위반한 것으로 하자가 중대·명백하여 당연무효이다. (O)

2 예비군대원의 교육훈련을 위한 소집은 당해 경찰서장이 발부하는 소집통지서에 의하여야 하며 구두, 싸이렌, 타종 기타 방법에 의할 수 없다(대판 1970.3.24, 69도724). ★

예비군대원 교육훈련소집 형식
▷ 소집통지서(구두 不可)

② **이유제시 등을 결한 행위**: 학설은 일반적으로 법령이 이유를 제시하도록 하고 있는 경우에 이유를 전혀 제시하지 않은 행위는 원칙적으로 무효라고 보고, 이유제시가 불충분한 경우에는 원칙상 취소사유로 본다. 그러나 판례는 이유제시가 누락된 처분도 취소사유로 보고 있다.

이유제시를 결한 행위
▷ 취소사유

🔍 관련판례

세액의 산출근거를 기재하지 않은 과세처분의 하자는 취소사유에 해당한다. ★★
구 국세징수법 제9조 제1항(현 제6조 제1항)은 단순히 세무행정상의 편의를 위한 훈시규정이 아니라 조세행정에 있어 자의를 배제하고 신중하고 합리적인 처분을 행하게 함으로써 공정을 기함과 동시에 납세의무자에게 부과처분의 내용을 상세히 알려 불복여부의 결정과 불복신청에 편의를 제공하려는 데서 나온 강행규정이므로 세액의 산출근거가 기재되지 아니한 물품세 납세고지서에 의한 부과처분은 위법한 것으로서 취소의 대상이 된다(대판 1984.5.9, 84누116).

세액산출근거를 기재하지 않은 과세처분
▷ 취소사유

③ **서명·날인을 결한 행위**: 처분청의 서명·날인을 결여한 행위(예 선거관리위원회의 서명날인이 없는 선거록)는 원칙적으로 무효이다.❶

처분청의 서명·날인을 결여한 행위
▷ 무효

❶
개별법령상으로 규정이 있는 경우는 물론이고, 그러한 규정이 없는 경우에도 「행정업무의 효율적 운영에 관한 규정」에 의하여 행정기관이 발하는 문서에는 원칙적으로 정당한 행정기관이 행한 것임을 명백하게 하기 위하여 관인을 찍거나 장이 서명하여야 하며, 이것을 결한 경우는 원칙적으로 무효이다.

(4) 내용에 관한 하자

행정행위가 완전한 효력을 발생하기 위해서는 행정행위는 그 내용이 실현 불가능하지 않아야 하고 불명확하지 않아야 하며, 법에 위반하지 아니하고 공서양속(선량한 풍속 기타 사회질서)에 반하지 않아야 한다. 내용의 하자의 대표적인 유형인 위헌법률에 근거한 행정처분에 대해서는 항을 달리하여 논하기로 한다.

① **내용의 실현 불가능**: 이에는 내용의 실현이 사실상 불가능한 경우와 법률상 불가능한 경우가 있다. 예컨대, 1시간 내 불법고층건물 철거명령 등과 같이 사회통념상 기술적·물리적·현실적으로 실현이 불가능한 경우(사실상 실현불능인 경우)나 국가시험에 불합격한 자에 대한 의사면허부여, 사망자에 대한 과세처분·영업허가처분 등과 같이 법률상 인정되지 않은 권리를 부여하거나 의무를 과하는 행위(법률상 실현불능인 경우)등이 그것이다. 이러한 불능을 내용으로 하는 행정행위는 무효이다.

내용에 관한 하자
▷ 실현가능, 명확, 적법, 공익 및 사회질서에 적합하여야 함

행정행위의 내용이 사실상·법률상 실현 불가능한 행위
▷ 무효

08. 국회직 8급 국가시험에 불합격한 자에 대한 의사면허는 의료법에 위배되는 법률상 실현불능의 행위로서 내용에 관한 흠에 해당되어 무효이다. (O)

관련판례

1 사망자에게 대한 행정처분은 무효이고 그 무효의 행정처분이 그 상속인에게 송달되었다 하여서 그 무효의 행정처분이 유효화될 리가 없다(대판 1969.1.21. 68누190).

2 납세자가 아닌 제3자의 재산을 대상으로 한 압류처분은 그 처분의 내용이 법률상 실현될 수 없는 것이어서 당연무효이다(대판 2012.4.12. 2010두4612 ; 대판 2006.4.13. 2005두15151 ; 대판 1993.4.27. 92누1211). ★★

22. 소방직, 21. 국회직 9급, 18. 서울시 7급, 15. 지방직 9급 납세자가 아닌 제3자의 재산을 대상으로 한 압류처분은 당연무효이다. (○)
18. 5급 승진 국세징수법이 압류의 대상을 납세자의 재산에 국한하는 것은 아니므로 납세자가 아닌 제3자의 재산을 대상으로 한 압류처분도 유효하다. (×) → 하고 있으므로 / 은 무효이다

② **내용의 불명확**: 행정행위의 내용이 사회통념상 인식할 수 없을 정도로 불명확하거나 확정되지 아니한 경우에는 소기의 법적 효과를 발생할 수 없으므로 원칙적으로 무효이다(예 대상을 특정하지 아니한 대집행의 계고, 경계확정 없이 한 도로구역결정 등).❶

관련판례

목적물의 특정이 없는 행정처분은 무효이다. ★
행정처분은 행정청의 일방적 의사표시로서 상대방에게 일정한 권리를 설정하고 또는 의무를 명하는 공법상의 법률행위이며 특히 귀속재산에 대한 임대처분은 상대방으로 하여금 목적물을 직접 점유사용케 하는 준물권적 행정처분이라 할 수 있으므로 그 목적물의 특정은 행정처분의 표시라 할 것이요 그 특정이 없는 행정처분은 무효라 아니할 수 없다(대판 1961.3.13. 59누92).

③ **법 또는 행정법의 일반원칙 위반**: 행정행위의 내용은 헌법과 법의 일반원칙을 포함하여 모든 법에 위반하여서는 안 되며 법에 위반하면 위법한 행정행위가 된다. 법에 위반한 행정행위는 무효와 취소의 구별기준(중대명백설)에 따라 무효 또는 취소할 수 있는 행정행위가 된다.

관련판례

1 공유수면에 대한 적법한 사용인지 무단 사용인지의 여부에 관한 판단을 그르쳐 변상금 부과처분을 할 것을 사용료 부과처분을 하거나 반대로 사용료 부과처분을 할 것을 변상금 부과처분을 한 경우, 그 부과처분의 하자가 중대한 하자라고 할 수 없다. ★★
공유수면 점·사용 허가 등을 받아 적법하게 사용하는 경우에는 사용료 부과처분을, 허가를 받지 않고 무단으로 사용하는 경우에는 변상금 부과처분을 하는 것이 적법하다. 그러나 적법한 사용이든 무단 사용이든 그 공유수면 점·사용으로 인한 대가를 부과할 수 있다는 점은 공통된 것이고, 적법한 사용인지 무단 사용인지의 여부에 관한 판단은 사용관계에 관한 사실 인정과 법적 판단을 수반하는 것으로 반드시 명료하다고 할 수 없으므로, 그러한 판단을 그르쳐 변상금 부과처분을 할 것을 사용료 부과처분을 하거나 반대로 사용료 부과처분을 할 것을 변상금 부과처분을 하였다고 하여 그와 같은 부과처분의 하자를 중대한 하자라고 할 수는 없다(대판 2013.4.26. 2012두20663).

사망자에 대한 행정처분의 효력
▷ 무효

납세자 아닌 제3자의 재산에 대한 압류처분
▷ 무효

행정행위의 내용이 불명확한 경우
▷ 원칙 무효

❶
다만, 행정행위의 내용이 불명확하더라도 전후의 사정으로 보아 그 내용이 명확히 될 수 있는 경우에는 그 흠은 치유가 된 것으로 볼 수도 있을 것이다.

목적물이 불특정한 행정처분의 효력
▷ 무효

행정행위의 내용이 법령에 위반된 경우
▷ 무효 또는 취소할 수 있는 행정행위

무단사용에 대한 사용료부과처분·적법한 사용에 대한 변상금부과처분
▷ 취소사유

도시계획시설사업의 대상 토지 소유 및
동의요건을 갖추지 못한 사업시행자 지정
처분
▷ 무효

20. 5급 승진 공유수면을 점용·사용 허가를 받아 적법하게 사용하는 경우, 공유수면 사용자에게 사용료 부과처분을 할 것을 변상금 부과처분을 하였다면 그 변상금 부과처분은 당연무효이다. (×) → 가 아니다 (∵취소사유)

2 국토계획법령이 정한 <u>도시계획시설사업의 대상 토지의 소유와 동의 요건을 갖추지 못하였는데도 사업시행자로 지정하였다면,</u> 이는 국토계획법령이 정한 법규의 중요한 부분을 위반한 것으로서 특별한 사정이 없는 한 그 하자가 중대하다고 보아야 한다. 이 사건 사업시행자 지정 처분에서 소유 요건을 충족하지 못한 하자는 중대할 뿐만 아니라 <u>객관적으로 명백하다</u>(대판 2017.7.11. 2016두35120). ★★

20. **변호사** A회사가 도시계획시설사업 대상 토지의 소유와 동의 요건을 갖추지 못하였는데도 사업시행자로 지정되었다면 특별한 사정이 없는 한 그 사업시행자 지정처분의 하자는 중대하다고 보아야 한다. (○)

행정행위의 내용이 공서양속에 위반한 경우
▷ 취소사유
▷ 단, 인신매매허가: 무효

❶ 「민법」 제103조(반사회질서의 법률행위)
선량한 풍속 기타 사회질서에 위반한 사항을 내용으로 하는 법률행위는 무효로 한다.

④ **공서양속 위반**: 선량한 풍속 기타 사회질서에 위반하는 사항을 내용으로 하는 행정행위의 효력에 대해서는 「민법」 제103조❶와는 달리 취소의 원인이 된다는 견해가 다수설이다.

⑤ **공익위반**: 행정행위의 내용이 공익에 반하는 경우 부당한 행정행위가 된다. 부당한 행정행위는 법원의 통제 대상은 되지 않으나 행정심판의 취소대상은 된다.

행정행위의 내용이 공익에 반하는 경우
(부당)
▷ 취소사유, 행정심판의 대상

08. **국회직 8급** 행정행위의 내용이 공익위반인 때에는 무효원인이 되는 데 대하여, 단순한 위법인 때에는 취소사유가 된다. (×) → 이거나 (∵행정행위의 내용이 공익위반인 경우나 단순한 위법인 경우나 가리지 않고 모두 취소사유가 된다)

4 위헌결정과 행정처분의 효력

1. 위헌인 법률에 근거한 처분의 효력

(1) 행정처분의 근거법률이 헌법재판소에 의하여 위헌결정을 받은 경우, 그 행정처분은 위헌인 법률에 근거한 처분이므로 당연히 위법하다. 문제는 위헌인 법률에 근거한 처분의 효력인데, 대법원은 처분에 근거가 되는 법률이 헌법에 위반된다는 점은 결과적으로 법률에 근거 없이 처분이 행하여진 것과 마찬가지이므로 하자의 중대성이 인정되나, 그것이 헌법재판소에 의하여 확정되기 전에는 일반인에게 명백한 것이라 할 수 없으므로 취소사유에 해당한다고 보고 있다.

대법원
▷ 취소사유○

위헌결정 전 처분의 근거법률이 위헌이라
는 사정
▷ 객관적으로 명백×(∵당연무효사유×)

🔍 관련판례

1 위헌결정 전 위헌법률에 근거한 처분의 효력은 원칙적으로 당연무효사유는 아니다. ★★★

법률에 근거하여 행정처분이 발하여진 후에 헌법재판소가 그 행정처분의 근거가 된 법률을 위헌으로 결정하였다면 결과적으로 위 행정처분은 법률의 근거가 없이 행하여진 것과 마찬가지가 되어 하자가 있는 것이 되나, <u>하자 있는 행정처분이 당연무효가 되기 위하여는 그 하자가 중대할 뿐만 아니라 명백한 것이어야 하는데,</u> <u>일반적으로 법률이 헌법에 위반된다는 사정은 헌법재판소의 위헌결정이 있기 전에는 객관적으로 명백한 것이라고 할 수는 없으므로</u> 헌법재판소의 위헌결정 전에 행정처분의 근거되는 당해 법률이 헌법에 위반된다는 사유는 특별한 사정이 없는 한 그 <u>행정처분의 취소소송의 전제가 될 수 있을 뿐 당연무효사유는 아니라고 봄이 상당하다</u>(대판 1994.10.28. 92누9463 ; 대판 1994.10.28. 93다41860 ; 대판 2002.11.8. 2001두3181 ; 대판 2014.3.27. 2011두24057).

13. 국가직 9급 법률에 근거하여 행정청이 행정처분을 한 후에 헌법재판소가 그 법률을 위헌으로 결정하였다면 결과적으로 그 행정처분은 하자가 있는 것이 된다고 할 것이나, 특별한 사정이 없는 한 이러한 하자는 위 행정처분의 취소사유에 해당할 뿐 당연무효사유는 아니라고 본다. (O)

17. 변호사, 15. 경찰 3차, 14. 지방직 9급 일반적으로 법률이 헌법에 위배된다는 사정은 헌법재판소의 위헌결정이 있기 전에는 객관적으로 명백한 것이라고 할 수 없어 헌법재판소의 위헌결정 전에 행정처분의 근거가 되는 해당 법률이 헌법에 위배된다는 사유는 특별한 사정이 없는 한 그 행정처분 취소소송의 전제가 될 수 있을 뿐 당연무효사유는 아니다. (O)

22. 국가직 7급, 21. 국회직 9급 행정처분이 발하여진 후에 헌법재판소가 그 행정처분의 근거가 된 법률을 위헌으로 결정하였다면, 그 행정처분은 특별한 사정이 없는 한 당연무효이다. (×)
→ 는 아니다

2 어느 행정처분의 근거법률이 위헌이라는 이유로 행정처분무효확인의 소가 제기된 경우, 다른 특별한 사정이 없는 한 법원으로서는 기각하여야 한다. ★★

(처분의 근거가 된 법률이 위헌이라 하더라도 통상 당해 처분은 취소할 수 있는 행위에 불과하기 때문에) 어느 행정처분에 대하여 그 행정처분의 근거가 된 법률이 위헌이라는 이유로 무효확인청구의 소가 제기된 경우에는 다른 특별한 사정이 없는 한 법원으로서는 그 법률이 위헌인지 여부에 대하여는 판단할 필요 없이 그 무효확인청구를 기각하여야 한다(대판 1994.10.28. 92누9463).

13. 국가직 9급, 13. 지방직 9급 행정처분에 대하여 그 행정처분의 근거가 된 법률이 위헌이라는 이유로 무효확인청구의 소가 제기된 경우에는 다른 특별한 사정이 없는 한 법원으로서는 그 법률이 위헌인지 여부에 대하여는 판단할 필요 없이 그 무효확인청구를 각하하여야 한다. (×)
→ 기각

22. 변호사 어느 처분에 대하여 제소기간이 도과하고 집행이 종료된 다음 그 처분의 근거가 된 법률조항이 위헌이라는 이유로 무효확인소송이 제기된 경우, 법원은 해당 법률조항이 위헌인지 여부를 심리하여 위헌이라고 판단되는 때에는 헌법재판소에 위헌법률심판을 제청하여야 한다. (×) → 판단할 필요 없이, 무효확인청구를 기각

행정처분의 근거법률이 위헌이라는 이유로 한 행정처분무효확인의 소
▷ 기각

(2) 이에 대하여 헌법재판소의 다수의견은 원칙상 취소할 수 있는 행위로 보지만, 예외적으로 행정처분을 무효로 보더라도 법적 안정성을 크게 해치지 않는 반면에 그 하자가 중대하여 권리구제가 필요한 경우에는 위헌으로 선고된 법률에 근거한 처분을 무효로 볼 수 있다고 보고 있다.

헌법재판소
▷ 원칙: 취소사유
▷ 예외: 무효

관련판례

1 원칙 – 취소사유 ★★

행정처분의 근거법률이 헌법에 위반된다는 사정은 헌법재판소의 위헌결정이 있기 전에는 객관적으로 명백한 것이라고 할 수는 없으므로 특별한 사정이 없는 한 그러한 하자는 행정처분의 취소사유에 해당할 뿐 당연무효사유는 아니다(헌재 2014.1.28. 2010헌바251).

17. 5급 승진, 16. 변호사 행정처분이 있은 후 그 근거법률에 대하여 헌법재판소의 위헌결정이 있었다면, 일반적으로 처분 당시 근거법률의 위헌성이 객관적으로 명백한 것이라고 할 수 없으므로, 그와 같은 하자는 특별한 사정이 없는 한 당연무효사유에 해당하지 않는다. (O)

위헌결정 전 이루어진 처분
▷ 하자가 중대하여 구제가 필요한 경우에는 예외적으로 당연무효

2 예외 – 무효사유 ★★★

행정처분의 집행이 이미 종료되었고 그것이 번복될 경우 법적 안정성을 크게 해치게 되는 경우에는 후에 행정처분의 근거가 된 법규가 헌법재판소에서 위헌으로 선고된다고 하더라도 그 행정처분이 당연무효가 되지는 않음이 원칙이라 할 것이나, 행정처분 자체의 효력이 쟁송 기간 경과 후에도 존속 중인 경우, 특히 그 처분이 위헌법률에 근거하여 내려진 것이고 그 행정처분의 목적달성을 위하여서는 후

행 행정처분이 필요한데 후행행정처분은 아직 이루어지지 않은 경우, 그 행정처분을 무효로 하더라도 법적 안정성을 크게 해치지 않는 반면에 그 하자가 중대하여 그 구제가 필요한 경우에 대하여서는 그 예외를 인정하여 이를 당연무효사유로 보아서 쟁송기간 경과 후에라도 무효확인을 구할 수 있는 것이라고 봐야 할 것이다(헌재 1994.6.30. 92헌바23).

18. 지방직 9급 행정처분 자체의 효력이 쟁송기간 경과 후에도 존속 중인 경우, 그 행정처분이 위헌인 법률에 근거하여 내려졌고 그 목적달성을 위해 필요한 후행 행정처분이 아직 이루어지지 않았다면 그 하자가 중대하여 그 구제가 필요한 경우에 대하여서는 쟁송기간 경과 후라도 무효확인을 구할 수 있다. (O)

19. 서울시 9급 행정처분을 무효로 하더라도 법적안정성을 크게 해치지 않는 반면에 그 하자가 중대하여 구제가 필요한 경우에도 그 예외를 인정하여 이를 당연무효사유로 볼 수는 없다. (×) → 있다

15. 서울시 7급 위헌법률에 근거한 처분의 효력이 제소기간 경과 후에도 존속 중이고 그 처분의 목적달성을 위해서는 후행처분이 필요한 경우와 같이 그 하자가 중대하여 구제가 필요한 경우에는 예외적으로 당연무효사유로 보아야 할 것이다. (O)

2. 위헌결정의 예외적 소급효 인정여부 및 인정범위

> 「헌법재판소법」 제47조【위헌결정의 효력】① 법률의 위헌결정은 법원과 그 밖의 국가기관 및 지방자치단체를 기속(羈束)한다.
> ② 위헌으로 결정된 법률 또는 법률의 조항은 그 결정이 있는 날부터 효력을 상실한다.
> ③ 제2항에도 불구하고 형벌에 관한 법률 또는 법률의 조항은 소급하여 그 효력을 상실한다. 다만, 해당 법률 또는 법률의 조항에 대하여 종전에 합헌으로 결정한 사건이 있는 경우에는 그 결정이 있는 날의 다음 날로 소급하여 효력을 상실한다.

위헌결정의 효력
▷ 원칙: 장래효
▷ 예외: 개인의 권리구제를 위해 대법원과 헌법재판소는 소급효를 예외적으로 인정

(1) 「헌법재판소법」 제47조 제2항은 위헌결정에 대하여 장래효만을 인정하고 있는데, 개인의 권리구제차원에서 해석상 예외적으로 소급효를 인정할 수 있는지 문제된다.

14. 지방직 7급 위헌으로 결정된 법률 또는 법률의 조항은 그 결정이 있는 날부터 효력을 상실한다. (O)

13. 서울시 7급 「헌법재판소법」 제47조는 위헌으로 결정된 법률 또는 법률의 조항은 원칙적으로 그 법률 또는 법률 조항이 제정된 날까지 소급하여 관련된 사건의 효력을 상실시킨다고 규정하고 있다. (×) → 결정이 있는 날부터

대법원
▷ 원칙: 헌법재판소의 위헌결정의 효력은 당해사건, 동종사건, 병행사건뿐만 아니라 일반사건에 대해서도 원칙적으로 소급효가 미친다고 봄

소급효 제한
▷ 행정처분의 확정력(불가쟁력)이 발생한 경우, 법적 안정성의 유지나 당사자의 신뢰보호를 위하여 불가피한 경우

(2) 이에 대해 대법원은 헌법재판소의 위헌결정의 효력은 ① 위헌제청을 한 '당해사건', ② 위헌결정이 있기 전에 이와 동종의 위헌 여부에 관하여 헌법재판소에 위헌여부심판제청을 하였거나 법원에 위헌여부심판제청신청을 한 '동종사건', ③ 따로 위헌제청신청은 하지 아니하였지만 당해 법률 또는 법률의 조항이 재판의 전제가 되어 법원에 계속 중인 '병행사건', ④ 위헌결정 이후에 위와 같은 이유로 제소된 '일반사건'에도 미친다고 하여 소급효의 인정범위를 확대하고 있다. 다만 일반사건 중 제소기간을 경과하여 불가쟁력이 발생한 행정처분이나 법적 안정성의 유지나 당사자의 신뢰보호를 위하여 불가피한 경우에는 위헌결정의 소급효가 미치지 않아 취소소송을 통한 구제가 불가능하다고 한다.

🔖 관련판례

1 헌법재판소의 위헌결정의 효력은 당해사건, 동종사건, 병행사건, 위헌결정 이후에 당해 법률 또는 법조항이 재판의 전제가 되어 제소된 일반사건에도 미친다. ★★

1-1. 헌법재판소의 위헌결정의 효력은 위헌제청을 한 '당해사건', 위헌결정이 있기 전에 이와 동종의 위헌 여부에 관하여 헌법재판소에 위헌여부심판제청을 하였거나 법원에 위헌여부심판제청신청을 한 '동종사건'과 따로 위헌제청신청은 아니하였지만 당해 법률 또는 법률 조항이 재판의 전제가 되어 법원에 계속 중인 '병행사건'뿐만 아니라, 위헌결정 이후 같은 이유로 제소된 '일반사건'에도 미친다(대판 2017.3.9. 2015다233982).

　22. 변호사 위헌결정의 효력은 위헌제청이 이루어진 '당해사건', 동종의 위헌제청신청이 있었던 '동종사건', 따로 위헌제청신청을 하지 않았지만 해당 법률조항이 재판의 전제가 되어 위헌결정 당시에 법원에 계속 중인 '병행사건'에도 미친다. (○)

1-2. 헌법재판소의 위헌결정의 효력은 위헌제청을 한 당해 사건은 물론 위헌제청신청은 아니하였지만 당해 법률 또는 법률의 조항이 재판의 전제가 되어 법원에 계속 중인 사건(병행사건)뿐만 아니라 위헌결정 이후에 위와 같은 이유로 제소된 일반사건에도 미친다(대판 1993.2.26. 92누12247).

　19. 사복직 헌법재판소의 위헌결정의 효력은 위헌제청을 한 당해 사건은 물론 위헌제청신청은 아니하였지만 당해 법률 또는 법률의 조항이 재판의 전제가 되어 법원에 계속 중인 사건뿐만 아니라 위헌결정 이후에 위와 같은 이유로 제소된 일반사건에도 미친다. (○)

2 취소소송의 제기기간을 경과하여 확정력(불가쟁력)이 발생한 행정처분에는 위헌결정의 소급효가 미치지 않는다. ★★★

2-1. 위헌인 법률에 근거한 행정처분이 당연무효인지의 여부는 위헌결정의 소급효와는 별개의 문제로서, 위헌결정의 소급효가 인정된다고 하여 위헌인 법률에 근거한 행정처분이 당연무효가 된다고는 할 수 없고, 오히려 이미 취소소송의 제기기간을 경과하여 확정력이 발생한 행정처분에는 위헌결정의 소급효가 미치지 않는다고 보아야 한다(대판 2021.12.30. 2018다241458 ; 대판 1994.10.28. 92누9463 ; 대판 2014.3.27. 2011두24057).❶

　18. 지방직 9급 위헌인 법률에 근거한 행정처분이 당연무효인지의 여부는 위헌결정의 소급효와는 별개의 문제로서, 취소소송의 제기기간을 경과하여 확정력이 발생한 행정처분에는 위헌결정의 소급효가 미치지 않는다. (○)

　21. 소방간부 위헌결정의 소급효가 인정된다고 하여 위헌인 법률에 근거한 행정처분이 당연무효가 된다고 할 수 없고 오히려 이미 취소소송의 제기기간을 경과하여 확정력이 발생한 행정처분에는 위헌결정의 소급효가 미치지 않는다. (○)

　15. 변호사 행정처분 이후 근거법률이 위헌으로 결정된 경우, 당해 행정처분은 원칙적으로 당연무효가 되므로 이미 취소소송의 제소기간이 경과하여 확정력이 발생한 행정처분에도 위헌결정의 소급효가 마친다. (×) → 된다고는 할 수 없고 / 에는 / 미치지 않는다

2-2. 당해 법률에 근거하여 행정처분이 발하여진 후에 헌법재판소가 그 행정처분의 근거가 된 법률을 위헌으로 결정하였다면 결과적으로 행정처분은 법률의 근거가 없이 행하여진 것과 마찬가지가 되어 하자가 있는 것이 되나, 이미 취소소송의 제기기간을 경과하여 확정력이 발생한 행정처분의 경우에는 위헌결정의 소급효가 미치지 않는다(대판 2002.11.8. 2001두3181).

　12. 국가직 7급 대법원은 처분이 있은 후에 근거법률이 위헌으로 결정된 경우, 그 처분은 법률의 근거가 없이 행하여진 것과 마찬가지의 하자가 인정되므로 불가쟁력이 발생하였다 하더라도 위헌결정의 소급효가 마친다고 보았다. (×) → 되나 / 다면 / 미치지 않는다

불가쟁력이 발생한 처분
▷ 위헌결정의 소급효×

❶ 따라서 부과처분에 따라 부담금을 납부하였고 그 부과처분에 불가쟁력이 발생한 경우에는 부과처분의 근거법률이 나중에 위헌으로 결정되었다고 하더라도 이미 납부한 부담금의 반환청구는 허용되지 않는다.

3 법적 안정성의 유지나 당사자의 신뢰보호를 위하여 불가피한 경우에 법치주의의 원칙상 위헌결정의 소급효가 예외적으로 제한된다. ★★

> [1] 헌법재판소의 위헌결정의 효력은 … 위헌결정 이후 같은 이유로 제소된 '일반사건'에도 미친다. 하지만 위헌결정의 효력이 미치는 범위가 무한정일 수는 없고, 다른 법리에 의하여 그 소급효를 제한하는 것까지 부정되는 것은 아니며, 법적 안정성의 유지나 당사자의 신뢰보호를 위하여 불가피한 경우에 위헌결정의 소급효를 제한하는 것은 오히려 법치주의의 원칙상 요청된다.

금고 이상의 형의 선고유예를 받은 공무원 당연 퇴직규정
▷ 위헌결정 이후 제소된 일반사건에 대하여 위헌결정의 소급효×

> [2] 금고 이상의 형의 선고유예를 받은 경우에 공무원직에서 당연히 퇴직하는 것으로 규정한 구 지방공무원법 제61조 중 제31조 제5호 부분에 대한 헌법재판소의 위헌결정의 소급효를 인정할 경우 그로 인하여 보호되는 퇴직공무원의 권리구제라는 구체적 타당성 등의 요청에 비하여 종래의 법령에 의하여 형성된 공무원의 신분관계에 관한 법적 안정성과 신뢰보호의 요청이 현저하게 우월하다는 이유로, 위 위헌결정 이후 제소된 일반사건에 대하여 위 위헌결정의 소급효가 제한된다(대판 2005.11.10. 2005두5628).
>
> 14. 지방직 9급 대법원은 금고 이상의 형의 선고유예를 받은 경우에 공무원직에서 당연히 퇴직하는 것으로 규정한 구 「지방공무원법」 제61조 중 제31조 제5호 부분에 대한 헌법재판소의 위헌결정의 효력에 대하여, 종래의 법령에 의하여 형성된 공무원의 신분관계에 관한 법적 안정성과 신뢰보호의 요청에 ~~비하여~~ 퇴직공무원의 권리구제의 요청이 현저하게 우월하므로, 위 위헌결정 이후 제소된 일반사건에 대하여 위 위헌결정의 소급효가 인정된다고 판시하였다. (×) → 요청이 / 요청에 비하여 / 인정되지 않는다고

(3) 헌법재판소도 대법원과 마찬가지로 ① 당해사건과, ② 동종사건 및 병행사건에 대해서는 전면적으로 소급효를 인정하고, ③ 일반사건에 대해서는 당사자의 권리구제를 위한 구체적 타당성의 요청이 현저한 반면에 소급효를 인정해도 법적 안정성의 침해우려가 없는 사건에 한하여 소급효를 인정하고 있다(헌재 1993.5.13. 92헌가10 등).

헌법재판소
▷ 당해사건 · 동종사건 · 병행사건 · 일반사건 중 구체적 타당성의 요청이 현저하고 소급효의 부인이 정의와 형평에 반하는 경우 예외적으로 소급효 인정

> **🔨 관련판례**
>
> **위헌결정은 원칙적으로 장래효를 가지나, 예외적으로 당해사건, 동종사건, 병행사건에 효력을 미치며, 위헌결정 이후 제소된 일반사건에서도 소급효의 부인이 정의와 형평에 반하는 경우에는 소급효가 인정된다.** ★★★
>
> 구 헌법재판소법 제47조 제2항 본문은 위헌결정의 시간적 효력 범위에 관하여 장래효를 원칙으로 규정하고 있으나, ① 위헌결정을 위한 계기를 부여한 사건(당해사건), ② 위헌결정이 있기 전에 이와 동종의 위헌 여부에 관하여 헌법재판소에 위헌제청을 하였거나 법원에 위헌제청신청을 한 사건(동종사건), ③ 따로 위헌제청신청을 아니하였지만 당해 법률조항이 재판의 전제가 되어 법원에 계속 중인 사건(병행사건)에 대하여 예외적으로 소급효가 인정되고, ④ 위헌결정 이후에 제소된 사건(일반사건)이라도 구체적 타당성의 요청이 현저하고 소급효의 부인이 정의와 형평에 반하는 경우에는 예외적으로 소급효를 인정할 수 있다(헌재 2013.6.27. 2010헌마535 등).
>
> 22. 서울시 7급 헌법재판소의 위헌결정은 원칙적으로 장래효이지만 위헌결정이 있기 전에 이와 동종의 위헌여부에 대하여 헌법재판소에 위헌여부심판제청을 한 사건에 대해서는 소급효를 인정한다. (○)
>
> 19. 서울시 9급 헌법재판소의 위헌결정의 효력은 위헌제청을 한 당해 사건은 물론 위헌제청신청은 아니하였지만 당해 법률 또는 법률의 조항이 재판의 전제가 되어 법원에 계속 중인 사건에도 미친다. (○)
>
> 20. 국회직 8급 위헌결정은 원칙적으로 장래효를 가지나, 예외적으로 당해사건, 동종사건, 병행사건에 효력을 미치며, 위헌결정 이후 제소된 일반사건에서도 소급효의 부인이 정의와 형평에 반하는 경우에는 소급효가 인정된다. (○)

3. 위헌인 법률에 근거한 처분의 집행력

(1) 문제점

행정처분의 근거법률에 대해 위헌결정이 나온다 하더라도 그에 근거한 처분은 취소사유에 불과하므로 제소기간을 경과하여 불가쟁력이 발생한 처분은 확정적으로 유효한 것이 된다. 그에 따라 처분청이 이러한 처분의 유효성을 이유로 압류처분과 같은 강제집행을 하려 하는 경우, 이처럼 위헌결정 이후에 확정된 처분의 집행을 위한 새로운 후속처분이 허용되는지 문제된다.

(2) 학설

① **집행력부정설**: 위헌인 법률에 근거한 처분에 의해 부과된 의무를 이행하지 않고 있는 상태에서 강제집행 등을 통해 그 의무의 이행을 강요하는 것은 위헌결정의 기속력(법률의 위헌결정은 법원 기타 국가기관 및 지방자치단체를 구속한다)에 반하고, 위헌결정 이후 당해 법률에 근거한 처분을 집행하는 것은 위헌결정된 법률을 적용하는 것과 다르지 아니하며, 위헌 법률의 종국적 집행을 위해 국가가 추가적 행위를 하는 것은 용납되어서는 안 된다고 하여 처분의 강제집행은 가능하지 않다는 견해이다.

② **집행력긍정설**: 위헌·위법결정의 효력은 불가쟁력이 발생한 처분에 대해서는 소급효가 없고 강제집행에는 위헌결정의 기속력이 미치지 않으며, 불가쟁력이 발생한 처분에 따른 강제집행은 유효하게 확정된 처분에 따라 존재하는 적법한 의무의 강제집행이므로 당해 처분의 집행이 가능하다고 보는 견해이다. 또한 처분의 근거법령이 위헌인 것이지 강제집행의 근거법령이 위헌인 것은 아니라고 한다.

(3) 판례

판례는 "조세채권의 집행을 위한 체납처분의 근거규정 자체에 대하여는 따로 위헌결정이 내려진 바 없다고 하더라도, 위헌결정 이후에 조세채권의 집행을 위한 새로운 체납처분에 착수하거나 이를 속행하는 것은 더 이상 허용되지 않고, 나아가 이러한 위헌결정의 효력에 위배하여 이루어진 체납처분은 그 사유만으로 하자가 중대하고 객관적으로 명백하여 당연무효"라고 판시하였다. 즉, 위헌법률에 기한 처분의 (후속)집행이나 집행력을 유지하기 위한 행위는 위헌결정의 기속력(「헌법재판소법」 제47조 제1항)에 위반되어 허용되지 않는다고 하여 집행력 부정설을 취하고 있다.

> #### 🔑 관련판례
>
> **1 행정처분이 있은 후 그 처분의 근거가 된 법률이 위헌으로 결정된 경우 그 처분의 집행이나 집행력을 유지하기 위한 행위는 위헌결정의 기속력에 위반되어 허용되지 않는다. ★★★**
>
> 위헌법률에 기한 행정처분의 집행이나 집행력을 유지하기 위한 행위는 위헌결정의 기속력에 위반되어 허용되지 않는다고 보아야 할 것인데, 그 규정 이외에는 체납부담금을 강제로 징수할 수 있는 다른 법률적 근거가 없으므로, 그 위헌결정 이전에 이미 부담금 부과처분과 압류처분 및 이에 기한 압류등기가 이루어지고 위의 각 처분이 확정되었다고 하여도, 위헌결정 이후에는 별도의 행정처분인 매각처분, 분배처분 등 후속 체납처분절차를 진행할 수 없는 것은 물론이고, 특별한 사정이 없는 한 기존의 압류등기나 교부청구만으로는 다른 사람에 의하여 개시된 경매절차에서 배당을 받을 수도 없다(대판 2002.8.23. 2001두2959).

문제점
▷ 위헌인 처분에 근거한 처분에 불가쟁력이 발생한 경우 집행력을 부여할 수 있는지의 문제

집행력부정설
▷ 위헌결정의 기속력에 반하고 실질적 법치주의에 위반되므로 부정

집행력긍정설
▷ 불가쟁력이 발생한 처분에는 위헌결정의 소급효가 미치지 않으므로 처분의 후속집행 가능

판례
▷ 위헌법률에 기한 처분의 집행이나 집행력을 유지하기 위한 행위는 위헌결정의 기속력에 반하여 당연무효(집행력 부정설)

위헌법률에 기한 후속처분 발령·집행력 속행
▷ 기속력 위배

13. 국가직 9급, 12. 국가직 7급 행정처분이 있은 후에 집행단계에서 그 처분의 근거된 법률이 위헌으로 결정되는 경우 그 처분의 집행이나 집행력을 유지하기 위한 행위는 위헌결정의 기속력에 위반되어 허용되지 않는다. (○)

18. 지방직 9급 근거법률의 위헌결정 이전에 이미 부담금 부과처분과 압류처분 및 이에 기한 압류등기가 이루어지고 각 처분이 확정된 경우에는 기존의 압류등기나 교부청구로도 다른 사람에 의하여 개시된 경매절차에서 배당을 받을 수 있다. (×) → 라도 / 만으로는 / 없다

2 과세처분이 있은 후 조세부과의 근거가 되었던 법률규정에 대해 위헌결정이 내려진 경우 그 조세채권의 집행을 위한 체납처분은그 하자가 중대·명백하여 당연무효이다. ★★★

위헌결정 전 이미 형성된 법률관계에 기한 후속처분
▷ 위헌적 법률관계 생성·확대시 당연무효

[1] 헌법재판소법 제47조 제1항은 "법률의 위헌결정은 법원 기타 국가기관 및 지방자치단체를 기속한다."고 규정하고 있는데, 이러한 위헌결정의 기속력과 헌법을 최고규범으로 하는 법질서의 체계적 요청에 비추어 국가기관 및 지방자치단체는 위헌으로 선언된 법률규정에 근거하여 새로운 행정처분을 할 수 없음은 물론이고, 위헌결정 전에 이미 형성된 법률관계에 기한 후속처분이라도 그것이 새로운 위헌적 법률관계를 생성·확대하는 경우라면 이를 허용할 수 없다.

16. 지방직 7급 법률이 위헌으로 선언된 경우, 위헌결정 전에 이미 형성된 법률관계에 기한 후속처분은 비록 그것이 새로운 위헌적 법률관계를 생성·확대하는 경우라도 당연무효라 볼 수는 없다. (×) → 이라도 / 라면 / 이다

위헌인 법률에 근거한 과세처분에 불가쟁력이 발생한 경우 조세채권 집행을 위한 체납처분
▷ 기속력에 반하여 당연무효

[2] 따라서 조세부과의 근거가 되었던 법률규정이 위헌으로 선언된 경우, 비록 그에 기한 과세처분이 위헌결정 전에 이루어졌고, 과세처분에 대한 제소기간이 이미 경과하여 조세채권이 확정되었으며, 조세채권의 집행을 위한 체납처분의 근거규정 자체에 대하여는 따로 위헌결정이 내려진 바 없다고 하더라도, 위와 같은 위헌결정 이후에 조세채권의 집행을 위한 새로운 체납처분에 착수하거나 이를 속행하는 것은 더 이상 허용되지 않고, 나아가 이러한 위헌결정의 효력에 위배하여 이루어진 체납처분은 그 사유만으로 하자가 중대하고 객관적으로 명백하여 당연무효라고 보아야 한다(대판 2012.2.16. 2010두10907 전합).

22. 소방직, 19. 소방직 조세부과처분의 근거가 되었던 법률규정에 대하여 위헌결정이 내려진 후 체납처분을 한 경우 그 처분은 무효이다. (○)

17. 국가직 9급, 17. 서울시 7급, 15. 변호사 과세처분이 조세부과처분의 근거법령에 대한 위헌결정전에 이루어졌고 과세처분의 제소기간이 경과하여 조세채권이 확정되었더라도 그 위헌결정 이후 조세채권의 새로운 체납처분에 착수하거나 이를 속행하는 것은 허용되지 않는다. (○)

17. 변호사 과세처분이 확정된 이후 조세부과의 근거가 되었던 법률조항이 위헌으로 결정된 경우에도 조세채권의 집행을 위한 체납처분의 근거규정 자체에 대하여는 따로 위헌결정이 내려진 바 없다면, 위와 같은 위헌결정 이후에 조세채권의 집행을 위한 새로운 체납처분에 착수하거나 이를 속행할 수 있고, 이러한 체납처분어 당연무효가 되는 것도 아니다. (×) → 없다고 하더라도 / 하는 것은 더 이상 허용되지 않고 / 은 / 이다

21. 소방간부 과세처분 이후 조세 부과의 근거가 되었던 법률 규정에 대해서만 위헌결정이 내려진 경우, 그 과세처분과는 별개의 후속 행정처분인 체납처분은 위법하다고 볼 수 없다. (×) → 위법하고 당연무효이다

24. 국가직 9급 (세무서장 A가 甲에게 과세처분을 하였는데, 그 후 과세처분의 근거가 되었던 법률규정은 헌법재판소에 의해 위헌으로 선언되었다. 그러나 그 과세처분에 대한 제소기간은 이미 경과하여 확정되었고, A는 甲 명의의 예금에 대한 압류처분을 하였다. 한편, 과세처분의 집행을 위한 위 압류처분의 근거규정 자체는 따로 위헌결정이 내려진 바 없다) 과세처분 이후 조세부과의 근거가 되었던 법률규정에 대하여 위헌결정이 내려진 경우, 과세처분이 당연무효가 아니더라도 위헌결정 이후에 과세처분의 집행을 위한 압류처분을 하는 것은 더 이상 허용되지 않는다. (○)

24. 국가직 9급 (위 사례) 압류처분은 과세처분 근거규정이 직접 적용되지 않고 압류 처분 관련 규정이 적용될 뿐이므로, 과세처분 근거규정에 대한 위헌결정의 기속력은 압류처분과 ~~는 무관하다.~~ (×) → ~~않지만~~ / 무관하지 않다

24. 국가직 9급 (위 사례) 甲에 대한 과세처분과 압류처분은 별개의 행정처분이므로 선행처분인 과세처분이 당연무효가 ~~아닌 이상~~ 압류처분을 다툴 수 있는 방법은 존재하지 ~~않는다.~~ (×) → ~~이지만~~ / 아니더라도 / 한다

5 행정행위의 하자의 승계

1. 의의 및 논의의 전제

(1) 의의

① 하자의 승계란 둘 이상의 행정행위가 연속적으로 이루어지는 경우(예 철거명령과 이를 전제로 한 대집행 계고처분), 원칙적으로 선행행위의 위법을 이유로 후행행위를 취소할 수는 없는 것이지만, 선행행위에 불가쟁력이 생겨 쟁송의 대상으로 삼을 수 없을 때, 후행행위를 쟁송의 대상으로 하면서 국민의 권리보호를 위해 일정한 요건하에 선행행위의 위법이 후행행위에 승계되어, 선행행위의 위법을 후행행위의 위법사유로 주장할 수 있고 선행행위의 위법을 이유로 후행행위를 취소할 수 있는 것을 말한다.

> **참고 행정행위의 하자 또는 효력의 판단**
> 행정행위의 하자 또는 효력은 당해 행정행위별로 판단되는 것이 원칙이다. 따라서 행정행위의 상대방이나 이해관계인은 선행 행정행위의 위법을 후행 행정행위를 다투면서 주장할 수 없는 것이 원칙이다. 그러나 국민의 권리를 보호하기 위하여 하자의 승계를 인정할 필요가 있는바, 학설 및 판례는 일정한 요건하에서 선행 행정행위의 위법이 후행 행정행위에 승계되어 후행행위의 위법사유로 주장할 수 있고 후행행위를 취소할 수 있다고 본다.

② 한편, 후행행위의 하자를 이유로 선행행위를 다투는 것은 하자의 승계문제가 아니며, 인정될 수도 없다.

19. 5급 승진 하자승계의 차원에서 선행행위의 하자를 이유로 후행행위를 다툴 수 있을 뿐만 아니~~라, 후행행위의 하자를 이유로 선행행위를 다투는 것도 가능하다.~~ (×) → × / 것은 불가능하다

> **🔍 관련판례**
> **후속절차인 대집행에 위법이 있다는 사유를 선행절차인 계고처분의 부적법한 사유로 삼을 수 없다. ★★★**
> 계고처분의 후속절차인 대집행에 위법이 있다고 하더라도, 그와 같은 후속절차에 위법성이 있다는 점을 들어 선행절차인 계고처분이 부적법하다는 사유로 삼을 수는 없다(대판 1997.2.14. 96누15428).
> 21. 소방직, 20. 지방직 7급, 20. 국가직 9급, 16. 국가직 7급, 14. 경찰 1차 등 계고처분의 후속절차인 대집행에 위법이 있다고 하여 그와 같은 후속절차에 위법성이 있다는 점을 들어 선행절차인 계고처분이 부적법하다는 사유로 삼을 수는 없다. (○)

하자승계의 문제
▷ 둘 이상의 행정행위가 연속적으로 행하여지는 경우, 선행행위에 불가쟁력이 생겨 쟁송의 대상으로 삼을 수 없을 때 후행행위를 쟁송의 대상으로 하면서 선행행위의 위법을 주장할 수 있는지의 문제
▷ 후행행위 하자로 선행행위 다툴 수×
(하자의 승계문제×)

후속절차의 하자
▷ 선행절차의 부적법 사유로 주장 불가

하자승계 논의의 전제 조건
▷ 선행행위와 후행행위가 모두 처분일 것
▷ 선행행위의 하자가 무효가 아닌 취소사유일 것
▷ 선행행위에 불가쟁력이 발생하였을 것
▷ 선행행위에는 하자가 존재하여 위법하나 후행행위에는 하자가 없이 적법할 것

❶
선행행위가 처분이 아닌 경우 선행행위의 위법은 당연히 후행처분의 위법이 되는데, 이는 하자의 승계와 구별하여야 한다.

❷
선행행위가 당연무효라면 후행행위도 당연히 무효이므로 언제든지 선행행위를 다툴 수도 있고 후행행위를 다투면서 선행위의 위법을 주장할 수도 있다. 즉, 하자의 승계문제가 제기되지 않는다.

❸
선행행위에 대한 취소기간이 도과하지 않은 경우에는 선행행위를 다투어 권리구제를 받을 수 있기 때문이다.

❹
후행행위가 위법하면 후행행위를 직접 다투면 되는 것이므로 하자승계는 후행행위가 적법할 것을 전제로 한다.

무효인 조세 부과처분
▷ 체납처분도 무효

(2) 하자승계 논의의 전제 조건

하자의 승계의 문제를 논의하기 위해서는 ① 선행행위와 후행행위 모두 항고소송의 대상이 되는 처분일 것,❶ ② 선행행위의 하자가 무효가 아닌 취소사유이고,❷ ③ 선행행위에 불가쟁력이 발생할 것,❸ ④ 선행행위에는 하자가 존재하여 위법하나 후행행위에는 하자가 없이 적법할 것이 기본적인 전제가 된다.❹

16. 교행, 10. 국회직 8급 하자의 승계가 인정되기 위해서는 선행행위와 후행행위가 모두 항고소송의 대상이 되는 처분이어야 한다. (○)

16. 사복직 하자의 승계는 통상 선행행위에 존재하는 취소사유에 해당하는 하자를 이유로 후행행위를 다투는 경우에 문제된다. (○)

16. 교행 하자의 승계가 인정되기 위해서는 선행행위와 후행위에 모두 불가쟁력이 발생한 경우이어야 한다. (×) → 선행위가

19. 소방직 선행행위가 무효인 경우에는 후행행위도 당연히 무효이다. (○)

🔍 관련판례

1 적법한 건축물에 대한 철거명령은 당연무효이고, 그 후행행위인 대집행 계고처분도 역시 당연무효이다. ★★
적법한 건축물에 대한 철거명령은 그 하자가 중대하고 명백하여 당연무효라고 할 것이고, 그 후행행위인 건축물철거 대집행계고처분 역시 당연무효라고 할 것이다 (대판 1999.4.27. 97누6780).

19. 서울시 7급 적법한 건축물에 대한 철거명령은 그 하자가 중대하고 명백하여 당연무효이고 그 후행행위인 건축물철거 대집행계고처분 역시 당연무효이다. (○)

23. 국가직 9급 적법한 건축물에 대한 철거명령은 그 하자가 중대하고 명백하여 당연무효라고 할 것이지만, 그 후행행위인 건축물철거 대집행계고처분은 당연무효라고 할 수 없다. (×) → 있다

16. 국가직 9급, 15. 지방직 9급, 15. 지방직 7급 등 적법한 건축물에 대한 철거명령의 하자가 중대하고 명백하여 당연무효라 하더라도, 그 후행행위인 건축물철거 대집행계고처분이 당연무효인 것은 아니다. (×) → 이다

2 조세의 부과처분이 무효인 경우, 그 부과처분의 집행을 위한 체납처분도 무효이다. ★★
조세의 부과처분과 압류 등의 체납처분은 별개의 행정처분으로서 독립성을 가지므로 부과처분에 하자가 있더라도 그 부과처분이 취소되지 아니하는 한 그 부과처분에 의한 체납처분은 위법이라고 할 수는 없지만, 체납처분은 부과처분의 집행을 위한 절차에 불과하므로 그 부과처분에 중대하고도 명백한 하자가 있어 무효인 경우에는 그 부과처분의 집행을 위한 체납처분도 무효라 할 것이다(대판 1987.9.22. 87누383).

17. 지방직 9급 조세 부과처분이 무효라 하더라도 그로써 압류 등 체납처분의 효력을 다툴 수는 없다. (×) → 있다

22. 국회직 8급 조세부과처분과 압류 등의 체납처분은 별개의 행정처분으로서 독립성을 가지므로 조세부과처분에 하자가 있더라도 그 부과처분이 취소되지 아니하는 한 그에 근거한 체납처분은 위법이라고 할 수 없으나, 그 부과처분에 중대하고도 명백한 하자가 있어 무효인 경우에는 그 부과처분의 집행을 위한 체납처분도 무효이다. (○)

3 선행처분인 도시계획시설사업시행자 지정처분이 당연무효이면, 후행처분인 실시계획 인가처분도 당연무효이다. ★★

선행처분과 후행처분이 서로 독립하여 별개의 법률효과를 목적으로 하는 때에도 선행처분이 당연무효이면 선행처분의 하자를 이유로 후행처분의 효력을 다툴 수 있다. 도시계획시설사업의 시행자가 작성한 실시계획을 인가하는 처분은 도시계획시설사업 시행자에게 도시계획 시설사업의 공사를 허가하고 수용권을 부여하는 처분으로서 선행처분인 도시계획시설사업 시행자 지정 처분이 처분 요건을 충족하지 못하여 당연무효인 경우에는 사업시행자 지정 처분이 유효함을 전제로 이루어진 후행처분인 실시계획 인가처분도 무효라고 보아야 한다(대판 2017.7.11. 2016두35120).

22. 국가직 9급 도시계획시설사업 시행자 지정 처분이 처분 요건을 충족하지 못하여 당연무효인 경우, 도시계획시설사업의 시행자가 작성한 실시계획을 인가하는 처분도 무효이다. (○)

22. 서울시 7급, 20. 지방직 7급, 20. 소방간부 선행처분과 후행처분이 서로 독립하여 별개의 법률효과를 목적으로 하는 때에도 선행처분이 당연무효이면 선행처분의 하자를 이유로 후행처분의 효력을 다툴 수 있다. (○)

2. 하자승계의 기준

(1) 학설

① 하자(흠)승계론(전통적 견해)

㉠ 행정행위의 하자(흠)의 문제는 행정행위마다 독립적으로 판단되어야 한다는 전제하에, ⓐ 선행행위와 후행행위가 결합하여 하나의 법적 효과를 완성하는 경우(예 강제징수에 있어서 독촉·압류·매각의 각 행위 사이, 대집행에 있어서의 계고·통지·실행·비용징수의 각 행위 사이 등)에는 선행행위의 하자(흠)가 후행행위에 승계되는 반면, ⓑ 양 행위가 서로 독립하여 별개의 법적 효과를 발생시키는 경우(예 선행 조세부과처분과 후행 체납처분 사이, 선행 건물철거명령과 후행 대집행행위 사이 등)에는 선행행위가 당연무효가 아닌 한 선행행위의 하자(흠)가 후행행위에 승계되지 않는다고 본다.

㉡ 따라서 ⓐ의 경우는 선행행위에 불가쟁력이 생겨 그 효력을 다툴 수 없게 되더라도 선행행위의 하자를 이유로 후행행위의 효력을 다툴 수 있으나, ⓑ의 경우는 선행행위에 불가쟁력이 생겨 그 효력을 다툴 수 없게 되면 선행행위의 하자를 이유로 후행행위의 효력을 다툴 수 없다.

16. 사복직 원칙적으로 선·후의 행정행위가 결합하여 하나의 법적 효과를 완성하는지 여부를 기준으로 하자의 승계여부를 결정한다. (○)

10. 지방직 7급 흠의 승계와 관련하여, 선행행위의 흠이 무효사유인 경우 그 흠은 항상 후행행위에 승계되지만, 취소사유인 때에는 전통적 견해에 의하면 선행행위와 후행행위가 하나의 행정목적을 실현하기 위한 경우에 한하여 그 흠이 승계된다고 본다. (○)

17. 지방직 9급 선행위에 대하여 불가쟁력이 발생하지 않았거나 선행위와 후행위가 서로 독립하여 각각 별개의 법률효과를 목적으로 하는 때에는 원칙적으로 선행위의 하자를 이유로 후행위의 효력을 다툴 수 없다. (○)

② 구속력(규준력, 기결력)이론

㉠ 의의

ⓐ 선행행위의 후행행위에 대한 구속력(규준력, 기결력)이란 후행 행정행위의 단계에서 후행 행정행위의 전제가 되는 선행 행정행위에 배치되는 주장을 하지 못하는 효력을 말한다.

함께 정리하기

선행 도시계획시설사업시행자 지정처분이 당연무효
▷ 후행처분인 실시계획인가처분도 당연무효○

하자승계론(전통적 견해)
▷ 선·후행위가 결합하여 하나의 법률효과를 발생시키는 경우: 승계긍정
▷ 양 행위가 서로 독립하여 별개의 법률효과를 발생시키는 경우: 승계부정

구속력이론(규준력설)
▷ 하자승계문제를 불가쟁력이 발생한 선행행위의 후행행위에 대한 구속력(규준력, 기결력)의 한계 문제로 파악

구속력 미치는 범위 내
▷ 하자승계 불가(후행행위를 다투면서 선행행위의 효과와 다른 주장 不可)

구속력의 한계 넘으면 구속력 차단
▷ 하자승계 可(후행행위를 다투면서 선행행위의 위법 주장 可)

❶
선행행위의 후행행위에 대한 구속력론은 하자승계론을 비판하면서 구속력론으로 하자승계론을 대체하자는 견해이다.

❷
후행행위에 대한 규준력의 직접적인 근거는 존재하지 않으며 행정행위의 공정력과 불가쟁력이 간접적인 근거가 된다.

구속력이 미치는 범위(한계)
▷ 목적·법적 효과 일치, 수범자 일치, 선행행위 사실적·법적상태 유지, 선행행위 법적결과 예측가능·수인가능

구속력 有
▷ 하자승계 불가

수인·예측불가능
▷ 구속력 無, 하자승계 인정

❸
판례의 입장을 정리하면, ① 선행처분과 후행처분이 서로 합하여 1개의 법률효과를 완성하는 경우, ② 선행처분의 하자가 중대하고 명백하여 선행처분이 당연무효인 경우, ③ 선행처분의 불가쟁력이나 구속력이 그로 인하여 불이익을 입게 되는 자에게 수인한도를 넘는 가혹함을 가져오고 그 결과가 당사자에게 예측가능한 것이 아닌 경우에 하자의 승계가 인정된다.

ⓑ 구속력이론(규준력론)은 하자승계문제를 불가쟁력이 발생한 선행행위의 후행행위에 대한 구속력(규준력, 기결력)의 한계 문제로 파악한다.❶ 이에 따르면 제소기간이 도과하여 불가쟁력이 발생한 선행행위는 후행행위에 대하여 일정한 범위에 있어서 구속력(규준력, 기결력)을 갖게 되고 이러한 구속력(규준력, 기결력)이 미치는 범위 내에서는 후행행위를 다툼에 있어서 선행행위의 효과와 다른 주장을 할 수 없다. 따라서 불가쟁력이 발생된 행정행위의 하자의 승계가능성은 원칙적으로 부인되어야 하며, 다만 이렇게 선행행위의 위법을 주장할 수 없는 것이 당사자에게 수인한도를 넘는 가혹함을 가져오며, 그 결과가 당사자에게 예측가능한 것이 아닌 경우에는 국민의 권리구제차원에서 구속력(규준력, 기결력)이 차단(부인)되어 예외적으로 후행행위를 다투면서 선행행위의 위법을 주장할 수 있다고 한다.

ⓒ 한계

ⓐ 이러한 행정행위의 구속력(규준력, 기결력)은 판결의 실질적 확정력(=기판력)과 마찬가지로 객관적 한계·주관적 한계·시간적 한계를 갖고 있으며, 추가적 요건으로 예측가능성과 수인가능성이 요구된다.❷

ⓑ 선행행위가 후행행위에 대하여 구속력이 미치는 범위(한계) 내에서는 후행행위의 단계에서 선행행위의 효과와 다른 주장을 할 수 없게 되는바(즉, 하자의 승계가 부정된다), 이와 같이 구속력이 미치기 위해서는 ㉮ 선행행위와 후행행위는 동일한 목적을 추구하며 법적 효과가 기본적으로 일치할 것(객관적 한계), ㉯ 선행행위와 후행행위의 수범자(상대방)가 일치할 것(주관적 한계), ㉰ 선행행위의 사실적·법적 상태가 동일하게 유지될 것(시간적 한계)이 요구된다.

ⓒ 그러나 위 세 가지 한계를 모두 준수하였다 하더라도, 선행행위의 후행행위에 대한 구속력을 인정하는 것이 처분의 상대방으로 하여금 수인 불가능하거나 예측 불가능한 경우(추가적 요건을 갖추지 못한 경우)에는 구속력의 효력이 차단(부인)된다. 이와 같이 선행행위의 후행행위에 대한 구속력이 인정되지 않는다면 행정청은 후행행위를 함에 있어 선취된 결정에 구속되지 않고 후행행위를 할 수 있고, 당사자도 선행행위의 위법을 이유로 후행행위를 취소할 수 있다(즉, 하자의 승계가 인정된다).

15. 국가직 7급 행정행위의 하자승계론에서 구속력설(규준력설)의 입장에 의할 때, 선행행위의 구속력의 법적 결과를 예측할 수 없거나 수인이 불가능한 경우에 선행행위의 구속력은 인정된다. (X) → 부정(차단)된다

(2) 판례❸

① 판례는 "2개 이상의 행정처분이 연속적 또는 단계적으로 이루어지는 경우 선행처분과 후행처분이 서로 합하여 1개의 법률효과를 완성하는 때에는 선행처분에 하자가 있으면 그 하자는 후행처분에 승계된다. 이러한 경우에는 선행처분에 불가쟁력이 생겨 그 효력을 다툴 수 없게 되더라도 선행처분의 하자를 이유로 후행처분의 효력을 다툴 수 있다. 그러나 선행처분과 후행처분이 서로 독립하여 별개의 법률효과를 발생시키는 경우에는 선행처분에 불가쟁력이 생겨 그 효력을 다툴 수 없게 되면 선행처분의 하자가 중대하고 명백하여 선행처분이 당연무효인 경우를 제외하고는 특별한 사정이 없는 한 선행처분의 하자를 이유로 후행처분의 효력을 다툴 수 없는 것이 원칙이다.

다만, 그 경우에도 선행처분의 불가쟁력이나 구속력이 그로 인하여 불이익을 입게 되는 자에게 수인한도를 넘는 가혹함을 가져오고, 그 결과가 당사자에게 예측가능한 것이 아니라면, 국민의 재판받을 권리를 보장하고 있는 헌법의 이념에 비추어 선행처분의 후행처분에 대한 구속력을 인정할 수 없다."고 판시하여 원칙적으로 하자승계론의 입장을 취하면서도 구속력이론의 추가적 요건으로 예견가능성과 수인가능성을 아울러 검토하고 있다.

22. 변호사 X행정처분에 후속하여 Y행정처분이 행해진 경우, 두 처분이 서로 결합하여 하나의 법률효과를 목적으로 하는 경우에도 甲은 X행정처분의 위법을 이유로 Y행정처분의 취소를 구할 수 없다. (×) → 에는 / 있다

관련판례

2개 이상의 행정처분이 연속적 또는 단계적으로 이루어지는 경우 **선행처분과 후행처분이 서로 합하여 1개의 법률효과를 완성하는 때에는 선행처분에 하자가 있으면 그 하자는 후행처분에 승계된다.** 이러한 경우에는 선행처분에 불가쟁력이 생겨 그 효력을 다툴 수 없게 되더라도 선행처분의 하자를 이유로 후행처분의 효력을 다툴 수 있다. 그러나 **선행처분과 후행처분이 서로 독립하여 별개의 법률효과를 발생시키는 경우에는** 선행처분에 불가쟁력이 생겨 그 효력을 다툴 수 없게 되면 선행처분의 하자가 중대하고 명백하여 선행처분이 당연무효인 경우를 제외하고는 특별한 사정이 없는 한 선행처분의 하자를 이유로 후행처분의 효력을 다툴 수 없는 것이 원칙이다. 다만, 그 경우에도 선행처분의 불가쟁력이나 구속력이 그로 인하여 불이익을 입게 되는 자에게 수인한도를 넘는 가혹함을 가져오고, 그 결과가 당사자에게 예측가능한 것이 아니라면, 국민의 재판받을 권리를 보장하고 있는 헌법의 이념에 비추어 선행처분의 후행처분에 대한 구속력을 인정할 수 없다(대판 2019.1.31. 2017두40372).

14. 행정사 선행처분과 후행처분이 서로 결합하여 하나의 법률효과를 발생시키는 경우, 선행처분에 불가쟁력이 생겼으며 후행처분 자체에는 아무런 하자가 없다고 하더라도, 선행처분의 위법을 이유로 후행처분의 취소를 구할 수 있다. (○)

17. 지방직 9급 선행행위와 후행행위가 서로 독립하여 별개의 법률효과를 목적으로 하는 경우라도 선행행위의 불가쟁력이나 구속력이 그로 인하여 불이익을 입는 자에게 수인한도를 넘는 가혹함을 가져오고 그 결과가 예측가능한 것이 아닌 때에는 하자의 승계를 인정할 수 있다. (○)

23. 지방직 9급 선행처분과 후행처분이 서로 독립하여 별개의 법률효과를 발생시키는 경우에는 선행처분에 불가쟁력이 생겨 그 효력을 다툴 수 없게 되면 수인한도를 넘는 가혹함을 가져오며 그 결과가 당사자에게 예측가능하지 않더라도 하자의 승계가 인정되지 않는다. (×) → 않다면 / 인정된다

16. 국회직 8급 선행 행정행위가 당연무효어더라도 양자가 서로 독립하여 별개의 효과를 목적으로 하는 경우에는 후행 행정행위가 당연무효가 되는 것은 아니다. (×) → 라도 / 라도 / 된다

② 한편, 판례는 아래와 같이 선행행위가 행정행위가 아닌 쟁송법상 처분이고, 선행처분에서 행정절차가 보장되지 않은 경우(의견제출 등 방어권의 행사 및 행정쟁송절차에 대한 고지 등 불복의 기회를 주지않은 것)를 독자적인 새로운 하자의 승계의 인정사유(유형)로 보고 있다. 즉, 선행처분이 '쟁송법적 처분'(내용·형식·절차의 측면에서 단순히 조기의 권리구제를 가능하게 하기 위하여 행정소송법상 처분으로 인정되는 처분)인 경우로서 행정절차법에서 정한 처분절차를 준수하지 않아 선행처분 상대방에게 방어권행사 및 불복의 기회가 보장되지 않은 경우 하자의 승계를 인정한 반면, 선행처분의 상대방에게 방어권행사 및 불복의 기회가 보장된 경우에는 '실체법적 처분'으로 보고 선행처분의 위법을 후행처분에서 주장할 수 없다고 본 판례가 있다(대판 2020.4.9. 2019두61137).

함께 정리하기

선행행위와 후행행위가 결합하여 하나의 법적 효과 발생을 목적으로 하는 경우
▷ 하자승계 인정

선행행위와 후행행위가 독립하여 별개의 법적 효과의 발생을 목적으로 하는 경우
▷ 원칙: 하자승계 부정
▷ 예외: 예측가능성과 수인가능성이 없으면 하자승계 긍정

행정절차가 보장된 실체법적 처분
▷ 하자승계 부정

행정절차가 보장되지 않은 쟁송법적 처분
▷ 하자승계 인정

> **⚡ 관련판례**
>
> 사업주에게 방어권행사 및 불복의 기회가 보장된 경우 그 사업종류 변경결정은 실체법적 처분에 해당하여 하자승계가 부정되지만, 사업종류 변경결정을 하면서 실질적으로 행정절차법에서 정한 처분절차를 준수하지 않아 사업주에게 방어권행사 및 불복의 기회가 보장되지 않은 쟁송법적 처분의 경우에는 하자승계가 인정된다. ★★
>
> [1] 근로복지공단이 사업주에 대하여 하는 '개별 사업장의 사업종류 변경결정'은 행정청이 행하는 구체적 사실에 관한 법집행으로서의 공권력의 행사인 '처분'에 해당한다. 근로복지공단의 사업종류 변경결정에 따라 국민건강보험공단이 사업주에 대하여 하는 각각의 산재보험료 부과처분도 항고소송의 대상인 처분에 해당한다.
>
> [2] 근로복지공단이 사업종류 변경결정을 하면서 개별 사업주에 대하여 <u>사전통지 및 의견청취, 이유제시 및 불복방법 고지가 포함된 처분서를 작성하여 교부하는 등 실질적으로 행정절차법에서 정한 처분절차를 준수함으로써 사업주에게 방어권행사 및 불복의 기회가 보장된 경우에는,</u> 그 사업종류 변경결정은 그 내용·형식·절차의 측면에서 단순히 조기의 권리구제를 가능하게 하기 위하여 행정소송법상 처분으로 인정되는 소위 '쟁송법적 처분'이 아니라, 개별·구체적 사안에 대한 규율로서 외부에 대하여 직접적 법적 효과를 갖는 행정청의 의사표시인 소위 '<u>실체법적 처분</u>'에 해당하는 것으로 보아야 한다. 이 경우 사업주가 행정심판법 및 행정소송법에서 정한 기간 내에 불복하지 않아 불가쟁력이 발생한 때에는 그 사업종류 변경결정이 중대·명백한 하자가 있어 당연무효가 아닌 한, 사업주는 그 사업종류 변경결정에 기초하여 이루어진 각각의 <u>산재보험료 부과처분에 대한 쟁송절차에서는 선행처분인 사업종류 변경결정의 위법성을 주장할 수 없다고 봄이 타당하다.</u> 다만, 근로복지공단이 사업종류 변경결정을 하면서 실질적으로 행정절차법에서 정한 처분절차를 준수하지 않아 사업주에게 방어권행사 및 불복의 기회가 보장되지 않은 경우에는 <u>이를 항고소송의 대상인 처분으로 인정하는 것</u>은 사업주에게 조기의 권리구제기회를 보장하기 위한 것일 뿐이므로, 이 경우에는 사업주가 사업종류 변경결정에 대해 제소기간 내에 취소소송을 제기하지 않았다고 하더라도 <u>후행처분인 각각의 산재보험료 부과처분에 대한 쟁송절차에서 비로소 선행처분인 사업종류 변경결정의 위법성을 다투는 것이 허용되어야 한다</u>(대판 2020.4.9. 2019두61137).

3. 구체적 사례

(1) 하자의 승계를 인정한 예❶

① 대집행절차상 계고·영장에 의한 통지·대집행의 실행·비용징수의 각 행위 사이

② 대집행계고처분과 대집행영장발부 통보처분 사이(대판 1996.2.9. 95누12507)

③ 대집행계고처분과 비용납부명령 사이(대판 1993.11.9. 93누14271)

④ 강제징수절차상 독촉·압류·매각·청산의 각 행위 사이(대판 1982.8.24. 81누162)

⑤ 독촉처분과 가산금·중가산금징수처분 사이(대판 1986.10.28. 86누147)

⑥ 국립보건원장의 안경사시험합격무효처분과 보사부장관의 안경사면허취소처분 사이(대판 1993.2.9. 92누4567)

  17. 서울시 9급, 16. 행정사, 15. 경찰 1차, 15. 경찰 3차, 12. 경찰 3차, 10. 경찰 1차 판례는 선행 안경사시험합격무효처분과 후행 면허취소처분 사이의 하자 승계를 인정하고 있다. (○)

⑦ 한지의사시험자격인정과 한지의사면허처분 사이(대판 1975.12.9. 75누123)

  18. 서울시 7급(추), 06. 국회직 8급 판례는 선행 한지의사시험자격인정과 후행 한지의사면허처분 사이의 하자 승계를 인정하고 있다. (○)

❶ ⑫, ⑬, ⑭는 독립하여 별개의 효과를 가져오는 것이지만 예외적으로 하자의 승계를 긍정한 경우에 해당한다.

⑧ 귀속재산의 임대처분과 매각처분 사이(대판 1963.2.7. 62누215)

18. 서울시 7급(추), 06. 서울시 9급 판례는 귀속재산의 임대처분과 후행 매각처분 사이의 하자 승계를 인정하고 있다. (O)

⑨ 암매장분묘개장명령과 계고처분 사이(대판 1961.12.21. 4293행상31).

12. 경찰 1차, 06. 국회직 8급 판례는 암매장분묘개장명령과 후행계고처분 사이의 하자 승계를 인정하고 있다. (O)

⑩ 기준지가고시처분과 토지수용처분 사이(대판 1991.2.12. 90누5603)

12. 경찰 1차, 06. 서울시 9급 판례는 기준지가고시처분과 토지수용처분 사이의 하자 승계를 인정하고 있다. (O)

⑪ 개별공시지가결정과 개발부담금부과처분 사이(대판 1994.4.11. 96누9096)

15. 서울시 9급 판례는 개별공시지가 결정과 이에 근거한 개발부담금 부과처분 사이의 하자 승계를 인정하고 있다. (O)

⑫ 개별공시지가결정과 과세처분 사이(대판 1994.1.25. 93누8542)

17. 서울시 9급 판례는 개별공시지가결정과 과세처분 사이의 하자 승계를 인정하고 있다. (O)

⑬ 표준공시지가결정과 수용재결 사이(대판 2008.8.21. 2007두13845)

⑭ 친일반민족행위자결정과 독립유공자예우배제자결정 사이(대판 2013.3.14. 2012두6964)

관련판례

1 행정대집행에 있어서 계고·대집행영장에 의한 통지·대집행실행·비용납부명령의 각 행위 사이 ★★★

대집행의 계고, 대집행영장에 의한 통지, 대집행의 실행, 대집행에 요한 비용의 납부명령 등은 타인이 대신하여 행할 수 있는 행정의무의 이행을 의무자의 비용부담 하에 확보하고자 하는, 동일한 행정목적을 달성하기 위하여 단계적인 일련의 절차로 연속하여 행하여지는 것으로서 서로 결합하여 하나의 법률효과를 발생시키는 것이므로, 선행처분인 계고처분이 하자가 있는 위법한 처분이라면, 비록 그 하자가 중대하고도 명백한 것이 아니어서 당연무효의 처분이라고 볼 수 없고 행정소송으로 효력이 다투어지지도 아니하여 이미 불가쟁력이 생겼으며, 후행처분인 대집행영장발부통보처분(대집행비용납부명령) 자체에는 아무런 하자가 없다고 하더라도, 후행처분인 대집행영장발부통보처분(대집행비용납부명령)의 취소를 청구하는 소송에서 청구원인으로 선행처분인 계고처분이 위법한 것이기 때문에 그 계고처분을 전제로 행하여진 대집행영장발부통보처분(대집행비용납부명령)도 위법한 것이라는 주장을 할 수 있다(대판 1996.2.9. 95누12507 ; 대판 1993.11.9. 93누14271).

18. 서울시 9급 대집행의 계고, 대집행영장에 의한 통지, 대집행의 실행, 대집행비용의 납부명령은 동일한 행정목적을 달성하기 위하여 일련의 절차로 연속하여 행하여지는 것으로서, 서로 결합하여 하나의 법률효과를 발생시키는 것이다. (O)

22. 국회직 9급, 18. 서울시 7급, 18. 국가직 9급, 17. 서울시 9급, 16. 행정사 등 선행처분인 계고처분의 취소사유인 하자는 후행처분인 대집행영장발부통보처분에 승계된다. (O)

14. 변호사 선행처분인 대집행계고처분에 불가쟁력이 발생하였다면, 후행처분인 대집행영장발부통보처분의 취소소송에서 위 대집행계고처분이 위법하다는 것을 이유로 대집행영장발부통보처분도 위법한 것이라는 주장을 할 수 없다. (×) → 있다

22. 소방간부 계고처분과 대집행비용납부명령은 그 목적을 달리하여 별개의 법률효과를 발생시키는 처분이므로 이미 불가쟁력이 발생한 계고처분에 존재하는 하자를 이유로 아무런 하자가 없는 대집행비용납부명령의 효력을 다툴 수 없다. (×) → 서로 결합하여 하나의 / 있다

함께 정리하기

행정대집행에 있어서 계고·통지·실행·비용납부명령의 각 행위 사이
▷ 하자승계O

조세체납처분에 있어서 독촉·압류·매각·충당의 각 행위 사이
▷ 하자승계○

독촉과 가산금·중가산금 징수처분 사이
▷ 하자승계○

개별공시지가결정과 과세처분 사이
▷ 하자 승계○(예외)

2 조세체납처분에 있어서 독촉·압류·매각·충당의 각 행위 사이 ★★★

이 사건 상속 재산에 대한 압류는 그 압류 이전에 피상속인이나 그 상속인인 원고에 대하여 부과될 이 사건 양도소득세에 관하여 적법한 <u>납세고지나 독촉이 없었으므로 무효이다</u>(대판 1982.8.24. 81누162).

3 독촉과 가산금·중가산금 징수처분 사이 ★★

국세징수법 제21조, 제22조 소정의 가산금, 중가산금은 국세체납이 있는 경우에 위법조에 따라 당연히 발생하고, 그 액수도 확정되는 것이기는 하나, 그에 관한 징수절차를 개시하려면 독촉장에 의하여 그 납부를 독촉함으로써 가능한 것이고 위 가산금 및 중가산금의 납부독촉이 부당하거나 그 절차에 하자가 있는 경우에는 그 징수처분에 대하여도 취소소송에 의한 불복이 가능하다(대판 1986.10.28. 86누147).

19. 서울시 7급(추) 「국세징수법」에 의한 가산금과 중가산금의 납부독촉에 절차상 하자가 있는 경우 그 징수처분에 대하여 취소소송에 의한 불복이 가능하다. (○)

06. 국회직 8급 독촉과 가산금·중가산금징수처분 사이에는 하자의 승계가 인정되지 않는다.
(×) → 인정된다

4 개별공시지가결정과 과세처분 사이 ★★★

[1] 선행처분과 후행처분이 서로 독립하여 별개의 효과를 목적으로 하는 경우에도 선행처분의 불가쟁력이나 구속력이 그로 인하여 불이익을 입게 되는 자에게 수인한도를 넘는 가혹함을 가져오며, 그 결과가 당사자에게 예측가능한 것이 아닌 경우에는 국민의 재판받을 권리를 보장하고 있는 헌법의 이념에 비추어 선행처분의 후행처분에 대한 구속력은 인정될 수 없다.

14. 변호사 선행처분과 후행처분이 서로 독립하여 별개의 효과를 목적으로 하는 경우에도 선행처분의 불가쟁력이나 구속력이 그로 인하여 불이익을 입게 되는 자에게 수인한도를 넘는 가혹함을 가져오며, 그 결과가 당사자에게 예측가능한 것이 아닌 경우에는 선행처분의 후행처분에 대한 구속력은 인정될 수 없다. (○)

[2] 개별공시지가결정은 이를 기초로 한 과세처분 등과는 별개의 독립된 처분으로서 서로 독립하여 별개의 법률효과를 목적으로 하는 것이나, 개별공시지가는 이를 토지소유자나 이해관계인에게 개별적으로 고지하도록 되어 있는 것이 아니어서 토지소유자 등이 개별공시지가결정 내용을 알고 있었다고 전제하기도 곤란할 뿐만 아니라 결정된 개별공시지가가 자신에게 유리하게 작용될 것인지 또는 불이익하게 작용될 것인지 여부를 쉽사리 예견할 수 있는 것도 아니며 … 위법한 개별공시지가결정에 대하여 그 정해진 시정절차를 통하여 시정하도록 요구하지 아니하였다는 이유로 위법한 개별공시지가를 기초로 한 과세처분 등 후행 행정처분에서 개별공시지가결정의 위법을 주장할 수 없도록 하는 것은 수인한도를 넘는 불이익을 강요하는 것으로서 국민의 재산권과 재판받을 권리를 보장한 헌법의 이념에도 부합하는 것이 아니라고 할 것이므로, 개별공시지가결정에 위법이 있는 경우에는 그 자체를 행정소송의 대상이 되는 행정처분으로 보아 그 위법 여부를 다툴 수 있음은 물론 이를 기초로 한 과세처분 등 행정처분의 취소를 구하는 행정소송에서도 선행처분인 개별공시지가결정의 위법을 독립된 위법사유로 주장할 수 있다(대판 1994.1.25. 93누8542).

22. 군무원 7급 개별공시지가 결정과 이를 기초로 한 과세처분인 양도소득세 부과처분에서는 흠의 승계는 긍정된다. (○)

23. 국가직 9급 과세처분의 취소를 구하는 행정소송에서 선행처분인 개별공시지가결정의 위법을 독립된 위법사유로 주장할 수 있다. (○)

20. 5급 승진 개별공시지가결정과 이를 기초로 한 과세처분은 별개의 법률효과를 목적으로 하는 서로 독립된 행정처분이다. (○)

17. 서울시 7급 선행처분인 개별공시지가결정의 하자가 과세처분 등 후행하는 처분에 승계될 수 있는지 여부에 관해 판례는 서로 결합하여 하나의 법률효과를 발생시킨다는 관점에서 하자승계를 인정하였다. (×) → 독립하여 별개의 법률효과를 목적으로 하는 것이나 예외적으로 개별공시지가의 위법을 주장할 수 없도록 하는 것이 수인한도를 넘는 불이익을 강요하는 것이라고 보아

> **비교** 개별공시지가결정(재조사청구에 따른 조정결정을 통지받은 경우)과 과세처분 사이 ★★
> (개별토지가격 결정에 대한 재조사 청구에 따른 감액조정에 대하여 더 이상 불복하지 아니한 경우, 이를 기초로 한 양도소득세 부과처분 취소소송에서 다시 개별토지가격 결정의 위법을 당해 과세처분의 위법사유로 주장할 수 없다고 한 사례) 원고가 이 사건 토지를 매도한 이후에 그 양도소득세 산정의 기초가 되는 1993년도 개별 공시지가 결정에 대하여 한 재조사청구에 따른 조정결정을 통지받고서도 더 이상 다투지 아니한 경우까지 선행처분인 개별공시지가 결정의 불가쟁력이나 구속력이 수인한도를 넘는 가혹한 것이거나 예측불가능하다고 볼 수 없어, 위 개별공시지가 결정의 위법을 이 사건 과세처분의 위법사유로 주장할 수 없다(대판 1998.3.13. 96누6059).
> 17. 국가직 9급 개별공시지가 결정에 대한 재조사 청구에 따른 감액조정에 대하여 더 이상 불복하지 아니한 경우에는 선행 처분의 불가쟁력이나 구속력이 수인한도를 넘는 가혹한 것이거나 예측불가능하다고 볼 수 없어 이를 기초로 한 양도소득세 부과처분 취소소송에서 다시 개별공시지가 결정의 위법을 당해 과세처분의 위법사유로 주장할 수 없다. (○)

5 표준공시지가결정과 수용재결 사이 ★★★

표준지공시지가결정은 이를 기초로 한 수용재결 등과는 별개의 독립된 처분으로서 서로 독립하여 별개의 법률효과를 목적으로 하지만, … 위법한 표준지공시지가결정에 대하여 그 정해진 시정절차를 통하여 시정하도록 요구하지 않았다는 이유로 위법한 표준지공시지가를 기초로 한 수용재결 등 후행 행정처분에서 표준지공시지가결정의 위법을 주장할 수 없도록 하는 것은 수인한도를 넘는 불이익을 강요하는 것으로서 국민의 재산권과 재판받을 권리를 보장한 헌법의 이념에도 부합하는 것이 아니다. 따라서 표준지공시지가결정이 위법한 경우에는 그 자체를 행정소송의 대상이 되는 행정처분으로 보아 그 위법 여부를 다툴 수 있음은 물론, 수용보상금의 증액을 구하는 소송에서도 선행처분으로서 그 수용대상 토지 가격산정의 기초가 된 비교표준지공시지가결정의 위법을 독립한 사유로 주장할 수 있다(대판 2008.8.21. 2007두13845).

23. 지방직 9급 수용보상금의 증액을 구하는 소송에서는 선행처분으로서 그 수용대상 토지 가격 산정의 기초가 된 비교표준지공시지가결정의 위법을 독립된 사유로 주장할 수 있다. (○)

22. 서울시 7급 표준지공시지가결정이 위법한 경우에 그 자체의 위법여부를 다툴 수 있음은 물론 수용보상금의 증액을 구하는 소송에서도 선행처분으로서 비교표준지공시지가 결정의 위법을 독립된 사유로 주장할 수 있다. (○)

18. 국가직 9급 구 「부동산 가격공시 및 감정평가에 관한 법률」상 선행처분인 표준지공시지가의 결정에 하자가 있는 경우에 그 하자는 보상금 산정을 위한 수용재결에 승계된다. (○)

6 친일반민족행위자결정과 독립유공자법 적용배제자결정 사이 ★★

[甲을 친일반민족행위자로 결정한 친일반민족행위진상규명위원회의 최종발표(선행처분)에 따라 지방보훈지청장이 독립유공자 예우에 관한 법률 적용 대상자로 보상금 등의 예우를 받던 甲의 유가족 乙 등에 대하여 독립유공자 예우에 관한 법률 적용배제자 결정(후행처분)을 한 경우, 선행처분의 위법을 이유로 후행처분의 효력을 다툴 수 있는지 여부] 진상규명위원회가 甲의 친일반민족행위자 결정 사실을 통지하지 않아 乙은 후행처분이 있기 전까지 선행처분의 사실을 알지 못하였고, 후행처분인 지방보훈지청장의 독립유공자법 적용배제결정이 자신의 법률상 지위에 직접적인 영향을 미치는 행정처분이라고 생각했을 뿐, 통지를 받지도 않은 진상규명위원회의 친일반민족행위자 결정처분이 자신의 법률상 지위에 영향을

개별공시지가결정에 대한 재조사 청구에 따른 감액조정에 대하여 더 이상 불복하지 아니한 경우
▷ 하자승계×

표준공시지가결정과 수용재결 사이
▷ 하자 승계○(예외)

친일반민족행위자결정과 독립유공자 배제결정
▷ 하자승계○(예외)

주는 독립된 행정처분이라고 생각하기는 쉽지 않았을 것으로 보여 乙이 선행처분에 대하여 일제강점하 반민족행위 진상규명에 관한 특별법에 의한 이의신청절차를 밟거나 후행처분에 대한 것과 별개로 행정심판이나 행정소송을 제기하지 않았다고 하여 선행처분의 하자를 이유로 후행처분의 효력을 다툴 수 없게 하는 것은 乙에게 수인한도를 넘는 불이익을 주고 그 결과가 乙에게 예측가능한 것이라고 할 수 없어 선행처분의 후행처분에 대한 구속력을 인정할 수 없으므로 선행처분의 위법을 이유로 후행처분의 효력을 다툴 수 있다(대판 2013.3.14. 2012두6964).

18. 지방직 9급 친일반민족행위자로 결정한 최종발표와 그에 따라 그 유가족에 대하여 한 「독립유공자 예우에 관한 법률」 적용배제자결정은 별개의 법률효과를 목적으로 하는 처분이다. (○)

17. 서울시 9급, 16. 행정사 「일제강점하 반민족행위 진상규명에 관한 특별법」에 따른 친일반민족행위자 결정과 「독립유공자 예우에 관한 법률」에 의한 법적용 배제결정은 하자의 승계가 인정된다. (○)

7 근로복지공단의 사업종류 변경결정과 국민건강보험공단의 산재보험료 부과처분 사이 ★★

근로복지공단이 사업종류 변경결정을 하면서 사업주에게 방어권행사 및 불복의 기회를 보장하지 않은 경우

▷ 후행처분인 산재보험료 부과처분에 대한 쟁송절차에서 선행처분인 사업종류 변경결정의 위법성 주장 可

(근로복지공단의 사업종류 변경결정과 국민건강보험공단의 산재보험료 부과처분 사이에는 하자가 승계되지 않는 것이 원칙이나) 근로복지공단이 사업종류 변경결정을 하면서 실질적으로 행정절차법에서 정한 처분절차를 준수하지 않아 사업주에게 방어권행사 및 불복의 기회가 보장되지 않은 경우에는 이를 항고소송의 대상인 처분으로 인정하는 것은 사업주에게 조기의 권리구제기회를 보장하기 위한 것일 뿐이므로, 이 경우에는 사업주가 사업종류 변경결정에 대해 제소기간 내에 취소소송을 제기하지 않았다고 하더라도 후행처분인 각각의 산재보험료 부과처분에 대한 쟁송절차에서 비로소 선행처분인 사업종류 변경결정의 위법성을 다투는 것이 허용되어야 한다(대판 2020.4.9. 2019두61137).

(2) 하자의 승계를 부정한 예

① 보충역편입처분과 공익근무요원소집처분 사이(대판 2002.12.10. 2001두5422)

② 공무원의 직위해제처분과 직권면직처분 사이(대판 1984.9.11. 84누191)

③ 도시관리계획의 결정 및 고시, 사업시행자지정고시, 사업실시계획인가고시, 수용재결 등 도시계획시설사업의 각 처분 사이(헌재 2010.12.28. 2009헌바429)

14. 지방직 7급 헌법재판소의 결정에 따르면, 불가쟁력이 발생한 사업실시계획인가고시의 하자는 당연무효가 아닌 한 수용재결에 승계되지 아니한다. (○)

④ 도시계획결정과 수용재결 사이(대판 1990.1.23. 87누947)

⑤ 과세관청의 소득금액변동통지와 징수처분 사이(대판 2012.1.26. 2009두14439)

⑥ 국제항공노선 운수권배분 실효처분 및 노선면허거부처분과 노선면허처분 사이(대판 2004.11.26. 2003두3123)

22. 군무원 7급 국제항공노선 운수권배분 실효처분 및 노선면허거부처분과 노선면허처분은 하자의 승계가 인정된다. (×) → 부정

19. 국회직 8급 선행처분인 국제항공노선 운수권배분 실효처분 및 노선면허거부처분에 대하여 이미 불가쟁력이 생겨 그 효력을 다툴 수 없게 되었더라도 후행처분인 노선면허처분을 다투는 단계에서 선행처분의 하자를 다툴 수 있다. (×) → 다면 / 없다

⑦ 당초과세처분과 증액경정처분사이(대판 2010.6.24. 2007두16493)

⑧ 조합설립추진위원회구성승인과 조합설립인가 사이(대판 2013.12.26. 2011두8291)

⑨ 「도시 및 주거환경정비법」상 주택재건축조합의 사업시행계획과 관리처분계획 사이(대판 2012.8.23. 2010두13463)

⑩ 토지구획정리사업 시행인가처분과 환지청산금 부과처분 사이(대판 2004.10.14. 2002두424)

22. 군무원 7급 토지구획정리사업시행인가처분과 환지청산금부과처분은 하자의 승계가 인정된다. (×) → 부정

19. 국회직 8급 토지구획정리사업 시행 후 시행인가처분의 하자가 취소사유에 불과하더라도 사업 시행 후 시행인가처분의 하자를 이유로 환지청산금 부과처분의 효력을 다툴 수 있다. (×) → 없다

⑪ 구 토지수용법상의 사업인정과 수용재결처분 사이(대판 1987.9.8. 87누395 ; 대판 1992.3.13. 91누4324)

⑫ 택지개발계획승인처분과 수용재결 사이(대판 1996.4.26. 95누13241)

⑬ 택지개발예정지구지정과 택지개발계획승인처분 사이(대판 1996.12.6. 95누8409)

⑭ 건물철거명령과 대집행계고처분 사이(대판 1998.9.8. 97누20502)

⑮ 재개발사업시행인가처분과 토지수용재결처분 사이(대판 1992.12.11. 92누5584)

11. 경찰 1차 판례는 재개발사업시행인가처분과 토지수용재결처분 사이의 하자 승계를 인정하고 있지 않다. (○)

⑯ 개별공시지가결정과 과세처분 사이(대판 1998.3.13. 96누6059)

⑰ 표준지공시지가결정과 개별공시지가결정 사이(대판 1996.9.20. 95누11931)

⑱ 표준지공시지가와 조세부과처분 사이(대판 1997.2.28. 96누10225)

15. 국회직 8급 판례는 표준지에 대한 조세부과처분의 취소를 구하는 소송에서 그 표준지공시지가의 위법성을 다툴 수 있다고 한다. (×) → 없다고

⑲ 농지전용부담금부과처분과 압류처분 사이(헌재 2004.1.29. 2002헌바73)

⑳ 납세의무자의 취득세신고와 징수처분 사이(대판 2006.9.8. 2005두14394)

㉑ 조세부과처분과 압류 등의 체납처분(대판 1987.9.22. 87누383)

㉒ 액화석유가스판매사업허가처분과 그 허가조건 불이행을 이유로 한 사업개시신고반려처분(대판 1991.4.23. 90누8756)

11. 경찰 1차 판례는 액화석유가스판매사업허가처분과 사업개시신고반려처분 사이의 하자 승계를 인정하고 있지 않다. (○)

㉓ 종전의 수강거부처분과 그에 관계없이 학점을 모두 이수하였음을 이유로 한 수료처분 사이(대판 1994.12.23. 94누477)

11. 경찰 1차 판례는 수강거부처분과 수료처분 사이 사이의 하자 승계를 인정하고 있지 않다. (○)

㉔ 도시·군계획시설결정과 실시계획 인가처분 사이(대판 2017.7.18. 2016두49938)

㉕ 도시·군계획시설사업의 사업시행자 지정처분과 실시계획 인가처분 사이(대판 2017.7.11. 2016두35120)

㉖ 중개사무소의 업무정지처분과 그 정지기간 중에 중개업무를 수행한 것을 이유로 한 개설등록취소처분 사이(대판 2019.1.31. 2017두40372)

🔨 관련판례

1 건물철거명령과 대집행계고처분 사이 ★★★

건물철거명령이 당연무효가 아닌 이상 행정심판이나 소송을 제기하여 그 위법함을 소구하는 절차를 거치지 아니하였다면 위 선행행위인 건물철거명령은 적법한 것으로 확정되었다고 할 것이므로 후행행위인 대집행계고처분에서는 그 건물이 무허가건물이 아닌 적법한 건축물이라는 주장이나 그러한 사실인정을 하지 못한다(대판 1998.9.8. 97누20502).

건물철거명령과 대집행계고처분 사이
▷ 하자승계×

22. 국가직 9급 건물철거명령이 당연무효가 아니고 불가쟁력이 발생하였다면 건물철거명령의 하자를 이유로 후행 대집행계고처분의 효력을 다툴 수 없다. (○)

17. 서울시 9급, 14. 경찰 1차, 11. 국가직 7급, 10. 서울시 9급 판례는 건물철거명령과 대집행 계고처분 사이에는 하자의 승계를 인정하지 않는 입장이다. (○)

과세처분과 체납처분 사이
▷ 하자승계×

2 과세처분과 체납처분 사이 ★★★

조세의 부과처분과 압류 등의 체납처분은 별개의 행정처분으로서 독립성을 가지므로 부과처분에 하자가 있더라도 그 부과처분이 취소되지 아니하는 한 그 부과처분에 의한 체납처분은 위법이라고 할 수는 없지만, 체납처분은 부과처분의 집행을 위한 절차에 불과하므로 그 부과처분에 중대하고도 명백한 하자가 있어 무효인 경우에는 그 부과처분의 집행을 위한 체납처분도 무효라 할 것이나, 그 부과처분의 무효확인청구를 기각하는 판결이 확정된 경우에는 사실심변론종결 이전의 사유를 들어 그 부과처분의 무효를 주장하고 이로써 압류처분의 무효를 다툴 수는 없다(대판 1988.6.28. 87누1009).

보충역편입처분과 공익근무요원소집처분 사이
▷ 하자승계×

3 보충역편입처분과 공익근무요원소집처분 사이 ★★

병역법상 공익근무요원소집처분은 보충역편입처분을 전제로 하는 것이기는 하나 각각 단계적으로 별개의 법률효과를 발생하는 독립된 행정처분이라고 할 것이므로, 따라서 보충역편입 처분의 기초가 되는 신체등위 판정에 잘못이 있다는 이유로 이를 다투기 위하여는 신체등위 판정을 기초로 한 보충역편입처분에 대하여 쟁송을 제기하여야 할 것이며, 그 처분을 다투지 아니하여 이미 불가쟁력이 생겨 그 효력을 다툴 수 없게 된 경우에는, 병역처분변경신청에 의하는 경우는 별론으로 하고 보충역편입처분에 하자가 있다고 할지라도 그것이 당연무효라고 볼만한 특단의 사정이 없는 한 그 위법을 이유로 공익근무요원소집처분의 효력을 다툴 수 없다(대판 2002.12.10. 2001두5422).

12. 국가직 9급, 11. 국가직 7급 보충역 편입처분과 공익근무요원 소집처분은 양자가 별개의 법률효과를 목표로 하는 것이므로 선행처분에 대한 하자는 후행처분에 승계되지 않는다. (○)

22. 국가직 9급 이미 불가쟁력이 발생한 보충역편입처분에 하자가 있다고 하더라도 그것이 당연무효의 사유가 아닌 한 공익근무요원소집처분에 승계되는 것은 아니다. (○)

21. 소방직 보충역편입처분에 하자가 있다고 할지라도 그것이 중대하고 명백하지 않는 한, 그 하자를 이유로 공익근무요원 소집처분의 효력을 다툴 수 없다. (○)

20. 군무원 9급 「병역법」상 보충역편입처분과 공익근무요원소집처분이 각각 단계적으로 별개의 법률효과를 발생하는 독립된 행정처분이 아니므로, 불가쟁력이 생긴 보충역편입처분의 위법을 이유로 공익근무요원소집처분의 효력을 다툴 수 있다. (×) → 이므로 / 없다

공무원의 직위해제처분과 면직처분 사이
▷ 하자승계×

4 공무원의 직위해제처분과 면직처분 사이 ★★

구 경찰공무원법 제50조 제1항에 의한 직위해제처분과 같은 제3항에 의한 면직처분은 후자가 전자의 처분을 전제로 한 것이기는 하나 각각 단계적으로 별개의 법률효과를 발생하는 행정처분이어서 선행직위 해제처분의 위법사유가 면직처분에는 승계되지 아니한다 할 것이므로 선행된 직위해제 처분의 위법사유를 들어 면직처분의 효력을 다툴 수는 없다(대판 1984.9.11. 84누191).

21. 소방간부, 14. 사복직, 10. 서울시 9급 공무원의 직위해제처분과 면직처분 사이에는 하자의 승계가 부인된다. (○)

17. 국가직 7급(추) 공무원에 대한 직위해제처분은 직권면직 또는 징계와 그 목적과 성질이 동일한 처분이므로 선행하는 직위해제처분의 위법사유를 들어 후행하는 면직처분의 효력을 다툴 수 있다. (×) → 별개의 / 없다

5 표준지공시지가결정과 개별공시지가결정 사이 ★★

표준지로 선정된 토지의 공시지가에 대하여 불복하기 위하여는 구 지가공시 및 토지 등의 평가에 관한 법률 제8조 제1항 소정의 이의절차를 거쳐 처분청을 상대로 그 공시지가결정의 취소를 구하는 행정소송을 제기하여야 하고, 그러한 절차를 밟지 아니한 채 개별토지가격결정의 효력을 다투는 소송에서 그 개별토지가격 산정의 기초가 된 표준지공시지가의 위법성을 다툴 수는 없다(대판 1996.9.20. 95누11931).

15. 변호사 표준지로 선정된 토지의 공시지가에 대하여 불복하기 위하여는 처분청을 상대로 그 공시지가결정의 취소를 구하는 행정소송을 제기하여야 하고, 그러한 소송절차를 밟지 아니한 채 개별토지가격결정을 다투는 소송에서 그 개별토지가격 산정의 기초가 된 표준지공시지가의 위법성을 다툴 수는 없다. (○)

6 조합설립추진위원회구성승인과 조합설립인가 사이 ★★

구 '도시 및 주거환경정비법'(2010.4.15. 법률 제10268호로 개정되기 전의 것, 이하 '구 도시정비법'이라고 한다) 제13조 제1항·제2항, 제14조 제1항, 제15조 제4항·제5항, 제16조 제1항, 제18조 제1항, 제2항, 제20조, 제21조 등의 체계, 내용 및 취지에 비추어 보면, 조합설립추진위원회(이하 '추진위원회'라고 한다)의 구성을 승인하는 처분은 조합의 설립을 위한 주체에 해당하는 비법인 사단인 추진위원회를 구성하는 행위를 보충하여 그 효력을 부여하는 처분인 데 반하여, 조합설립인가처분은 법령상 요건을 갖출 경우 도시정비법상 주택재개발사업을 시행할 수 있는 권한을 가지는 행정주체(공법인)로서의 지위를 부여하는 일종의 설권적 처분이므로, 양자는 그 목적과 성격을 달리한다. 추진위원회의 권한은 조합 설립을 추진하기 위한 업무를 수행하는 데 그치므로 일단 조합설립인가처분을 받아 추진위원회의 업무와 관련된 권리와 의무가 조합에 포괄적으로 승계되면, 추진위원회는 그 목적을 달성하여 소멸한다. 조합설립인가처분은 추진위원회 구성의 동의요건보다 더 엄격한 동의요건을 갖추어야 할 뿐만 아니라 창립총회의 결의를 통하여 정관을 확정하고 임원을 선출하는 등의 단체결성행위를 거쳐 성립하는 조합에 관하여 하는 것이므로, 추진위원회 구성의 동의요건 흠결 등 추진위원회구성승인처분상의 위법만을 들어 조합설립인가처분의 위법을 인정하는 것은 조합설립의 요건이나 절차, 그 인가처분의 성격, 추진위원회 구성의 요건이나 절차, 그 구성승인처분의 성격 등에 비추어 타당하다고 할 수 없다. 따라서 조합설립인가처분은 추진위원회구성승인처분이 적법·유효할 것을 전제로 한다고 볼 것은 아니므로, 구 도시정비법령이 정한 동의요건을 갖추고 창립총회를 거쳐 주택재개발조합이 성립한 이상, 이미 소멸한 추진위원회구성승인처분의 하자를 들어 조합설립인가처분이 위법하다고 볼 수 없다. 다만, 추진위원회구성승인처분의 위법으로 그 추진위원회의 조합설립인가 신청행위가 무효라고 평가될 수 있는 특별한 사정이 있는 경우라면, 그 신청행위에 기초한 조합설립인가처분이 위법하다고 볼 수 있다. 그런데 조합설립인가 신청행위는 앞서 보았듯이 법령이 정한 동의 요건을 갖추고 창립총회를 거쳐 조합의 실체가 형성된 이후에 이를 바탕으로 이루어지는 것이므로, 추진위원회 구성이나 그 인가처분의 위법사유를 이유로 그 추진위원회가 하는 조합설립인가 신청행위가 위법·무효로 된다고 볼 것은 아니고, 그 위법사유가 도시정비법상 하나의 정비구역 내에 하나의 추진위원회로 하여금 조합설립의 추진을 위한 업무를 수행하도록 한 추진위원회 제도의 입법취지를 형해화할 정도에 이르는 경우에 한하여 그 추진위원회의 조합설립인가 신청행위가 위법·무효이고, 나아가 이에 기초한 조합설립인가처분의 효력을 다툴 수 있게 된다(대판 2013. 12.26. 2011두8291).

함께 정리하기

표준지공시지가결정과 개별공시지가결정 사이
▷ 하자승계×

조합설립추진위원회구성승인과 조합설립인가 사이
▷ 하자승계×

주택재건축조합의 사업시행계획과 관리처분계획 사이
▷ 하자승계×

구 토지수용법상의 사업인정과 토지수용재결 사이
▷ 하자승계×

도시계획결정과 수용재결 사이
▷ 하자승계×

도시·군계획시설결정과 실시계획인가 사이
▷ 하자승계×

7 주택재건축조합의 사업시행계획과 관리처분계획 사이 ★★

주택 재건축조합이 구 도시 및 주거환경정비법(2003.12.31. 법률 제7056호로 개정되기 전의 것) 시행 전에 재건축결의가 이루어졌으나 위 법률 시행 후 재건축결의 시와 비교하여 용적률, 세대수, 신축아파트 규모 등이 대폭 변경된 내용의 사업시행계획을 정기총회에서 단순 다수결로 의결하고 관할 구청장으로부터 재건축정비사업 시행인가를 받은 후 다시 임시총회를 개최하여 조합원 3분의 2 이상의 찬성으로 사업시행계획을 의결한 사안에서, 위 법 시행 후 재건축결의 시와 비교하여 용적률 등이 대폭 변경된 경우 사업시행계획 수립에 적용될 조합 정관의 결의요건에 관한 규정이 유효한지에 관하여는 하급심의 해석이 엇갈리는 상황이었고 이에 관한 명시적인 대법원판결도 없었던 점 등에 비추어 정기총회에서 사업시행계획 수립에 조합원 3분의 2 이상의 동의를 얻지 못한 하자가 있다고 하더라도 그 하자가 객관적으로 명백하다고 보기 어려워 무효사유가 아니라 취소사유에 불과하고, 사업시행계획에 관한 취소사유인 하자는 관리처분계획에 승계되지 아니하여 그 하자를 들어 관리처분계획의 적법 여부를 다툴 수 없다는 이유로, 관리처분계획이 적법하다고 본 원심의 결론은 정당하다고 한 사례(대판 2012.8.23. 2010두13463).

18. 국가직 9급 「도시 및 주거환경정비법」상 사업시행계획에 관한 취소사유인 하자는 관리처분계획에 승계되지 않는다. (○)

18. 서울시 9급 사업시행계획과 관리처분계획은 서로 독립하여 별개의 법적 효과를 발생시키는 것으로서 사업시행계획의 수립에 관한 취소사유인 하자가 관리처분계획에 승계되지 아니한다. (○)

8 구 토지수용법상의 사업인정과 토지수용재결 사이 ★★

구 토지수용법상 사업인정단계에서의 하자를 다투지 아니하여 이미 쟁송기간이 도과한 후인 수용재결단계에 있어서는 위 사업인정처분에 중대하고 명백한 하자가 있어 당연무효라고 볼 만한 특단의 사정이 없다면 그 처분의 불가쟁력에 의하여 사업인정처분의 위법·부당함을 이유로 수용재결처분의 취소를 구할 수 없다(대판 1987.9.8. 87누395 ; 대판 1992.3.13. 91누4324).

16. 행정사 사업인정처분과 수용재결처분 사이에는 하자의 승계가 인정되지 않는다. (○)

15. 변호사 구 토지수용법상 사업인정과 수용재결은 서로 결합하여 하나의 효과를 발생시키는 것이므로 선행처분인 사업인정의 하자가 후행처분인 수용재결에 승계되어 사업인정의 위법을 이유로 수용재결의 위법을 주장할 수 있다. (×) → 독립하여 별개의 / 되지 않으므로 / 없다

9 도시계획결정과 수용재결 사이 ★★

공청회를 열지 아니하고 이주대책을 수립하지 아니하였더라도 이는 절차상의 위법으로서 취소사유에 불과하고 그 하자가 도시계획결정 또는 도시계획사업시행인가를 무효라고 할 수 있을 정도로 중대하고 명백하다고는 할 수 없으므로 이러한 위법을 선행처분인 도시계획결정이나 사업시행인가 단계에서 다투지 아니하였다면 그 쟁송기간이 이미 도과한 후인 수용재결단계에 있어서는 도시계획수립행위의 위와 같은 위법을 들어 재결처분의 취소를 구할 수는 없다고 할 것이다(대판 1990.1.23. 87누947).

16. 지방직 7급 법률에 규정된 공청회를 열지 아니한 하자가 있는 도시계획결정에 불가쟁력이 발생하였다면, 당해 도시계획결정이 당연무효가 아닌 이상 그 하자를 이유로 후행하는 수용재결처분의 취소를 구할 수는 없다. (○)

10 도시·군계획시설결정과 실시계획인가 사이 ★★★

도시·군계획시설결정과 실시계획인가는 도시·군계획시설사업을 위하여 이루어지는 단계적 행정절차에서 별도의 요건과 절차에 따라 별개의 법률효과를 발생시키는 독립적인 행정처분이다. 그러므로 선행처분인 도시·군계획시설결정에 하자가 있더라도 그것이 당연무효가 아닌 한 원칙적으로 후행처분인 실시계획인가에 승계되지 않는다(대판 2017.7.18. 2016두49938).

18. 국가직 9급 「국토의 계획 및 이용에 관한 법률」상 도시·군계획시설결정과 도시계획인가는 동일한 법률효과를 목적으로 하는 것이므로 선행처분인 도시·군계획시설결정의 하자는 실시계획인가에 승계된다. (×) → 별개의 / 되지 않는다

20. 변호사 도시계획시설결정과 실시계획인가는 도시계획시설사업을 위하여 이루어지는 단계적 행정절차로 도시계획시설결정에 취소사유에 해당하는 하자가 있는 경우 그 하자는 실시계획인가에 승계된다. (×) → 되지 않는다

11 업무정지처분과 중개사무소 개설등록 취소처분 사이 ★★

<u>선행처분인 업무정지처분은 일정 기간 중개업무를 하지 못하도록 하는 처분인 반면, 후행처분인 이 사건 처분(중개사무소 개설등록 취소처분)은 위와 같은 업무정지처분에 따른 업무정지기간 중에 중개업무를 하였다는 별개의 처분사유를 근거로 중개사무소의 개설등록을 취소하는 처분이다. 비록 이 사건 처분이 업무정지처분을 전제로 하지만, 양 처분은 그 내용과 효과를 달리하는 독립된 행정처분으로서, 서로 결합하여 1개의 법률효과를 완성하는 때에 해당한다고 볼 수 없다. 따라서 원고는 선행처분이 당연무효가 아닌 이상 그 하자를 이유로 후행처분인 이 사건 처분의 효력을 다툴 수 없다. 또한 원고는 업무정지기간 중에 중개업무를 하여서는 안 된다는 것을 인식하고 있었던 점, 원고가 불복기간 내에 업무정지처분의 취소를 구하는 행정심판이나 행정소송을 제기하는 데에 특별히 어려움이 있었다고 인정할 만한 사정 또한 엿보이지 않는 점 등의 사정에 비추어 보면, 업무정지처분의 불가쟁력이나 구속력이 원고에게 수인한도를 넘는 가혹함을 가져오고 그 결과가 예측가능하지 않았던 경우에 해당한다고 볼 수도 없다. 따라서 업무정지처분의 하자는 이 사건 처분에 승계되지 않는다</u>(대판 2019.1.31. 2017두40372).

12 과세관청의 소득금액변동통지와 징수처분 사이 ★★

<u>원천징수의무자인 법인이 원천징수하는 소득세의 납세의무를 이행하지 아니함에 따라 과세관청이 하는 납세고지는 확정된 세액의 납부를 명하는 징수처분에 해당하므로 선행처분인 소득금액변동통지에 하자가 존재하더라도 당연무효 사유에 해당하지 않는 한 후행처분인 징수처분에 그대로 승계되지 아니한다. 따라서 과세관청의 소득처분과 그에 따른 소득금액변동통지가 있는 경우 원천징수하는 소득세의 납세의무에 관하여는 이를 확정하는 소득금액변동통지에 대한 항고소송에서 다투어야 하고, 소득금액변동통지가 당연무효가 아닌 한 징수처분에 대한 항고소송에서 이를 다툴 수는 없다</u>(대판 2012.1.26. 2009두14439).

19. 국회직 8급 과세관청의 소득처분과 그에 따른 소득금액 변동통지가 있는 경우 원천징수하는 소득세의 납세의무에 관하여는 이를 확정하는 소득금액변동통지에 대한 항고소송에서 다투어야 하고 소득금액 변동통지가 취소사유에 불과한 경우 징수처분에 대한 항고소송에서 이를 다툴 수는 없다. (○)

23. 지방직 9급 과세관청의 선행처분인 소득금액변동통지에 하자가 존재하더라도 당연무효사유에 해당하지 않는 한 후행처분인 징수처분에 대한 항고소송에서 그 하자를 다툴 수 없다. (○)

13 당초과세처분과 증액경정처분 사이 ★★★

<u>증액경정처분이 있는 경우 당초처분은 증액경정처분에 흡수되어 소멸하고, 소멸한 당초처분의 절차적 하자는 존속하는 증액경정처분에 승계되지 아니한다</u>(대판 2010.6.24. 2007두16493).

21. 군무원 7급 국세에 대한 증액경정처분이 있는 경우 당초 처분은 증액경정처분에 흡수된다. (○)

20. 5급 승진 조세에 대한 증액경정처분이 있는 경우 당초의 조세부과처분은 증액경정처분에 흡수되어 소멸하고, 소멸한 당초처분의 절차적 하자는 존속하는 증액경정처분에 승계되지 아니한다. (○)

19. 지방직 7급 증액경정처분이 있는 경우, 당초처분은 증액경정처분에 흡수되어 소멸하고, 소멸한 당초처분의 절차적 하자는 존속하는 증액경정처분에 승계되지 아니한다. (○)

17. 변호사 취소사유인 절차적 하자가 있는 당초 과세처분에 대하여 증액경정처분이 있는 경우, 당초 처분의 절차적 하자는 증액경정처분에 승계되지 아니한다. (○)

업무정지처분과 중개사무소 개설등록 취소처분 사이
▷ 하자승계×

소득금액변동통지와 징수처분 사이
▷ 하자승계×

당초과세처분과 증액경정처분 사이
▷ 하자승계×

17. 국가직 7급 과세처분에 대하여 증액경정처분이 있는 경우 당초처분은 증액경정처분에 흡수되어 소멸하므로 소멸한 당초처분의 절차적 하자는 존속하는 증액경정처분에 승계된다. (×)
→ 되지 않는다

6 하자있는 행정행위의 치유와 전환

하자있는 행정행위는 그 하자의 정도에 따라 무효이거나 취소할 수 있는 것이 원칙이다. 그러나 경우에 따라서는 행정행위에 하자가 있더라도 그 효력을 유지시키거나 다른 행정행위로 전환시키는 것이 행정의 법적 안정성과 개인의 신뢰보호를 위해 요청되는 경우가 있다. 행정행위의 하자의 치유와 위법한 행정행위의 전환이 이에 해당한다.

1. 하자있는 행정행위의 치유

(1) 의의

① 하자의 치유란 성립당시에 하자가 있는 행정행위가 사후에 하자의 원인이 되는 법률요건을 충족하였다든지 또는 그 하자가 취소사유가 되지 않을 정도로 경미해진 경우에 그의 성립당시의 하자에도 불구하고 하자 없는 적법한 것으로 다루는 것을 말한다.
② 하자치유의 효과는 소급적이다. 따라서 치유된 행정행위는 하자의 보완 시(치유된 때)가 아니라 '처음부터' 적법하게 성립한 것으로 취급되므로 더 이상 그 하자는 처분의 취소사유가 되지 않는다.

19. 서울시 7급 행정행위의 하자가 치유되면 당해 행정행위 처분 당시부터 하자가 없는 적법한 행정행위로 효력을 발생한다. (○)
20. 5급 승진, 08. 지방직 7급 행정행위의 하자가 치유되면 그 행정행위는 ~~치유된 때부터~~ 하자가 없는 적법한 행정행위로 효력을 발생한다. (×) → 처분시부터
16. 국가직 9급 행정행위의 위법이 치유된 경우에는 그 위법을 이유로 당해 행정행위를 직권취소할 수 없다. (○)

(2) 인정 여부

하자 있는 행정행위의 치유는 행정행위의 성질이나 법치주의 관점에서 볼 때 원칙적으로 허용될 수 없는 것이고, 예외적으로 행정행위의 무용한 반복을 피함으로써 행정경제를 도모하고 당사자의 법적 안정성을 위해 이를 허용하는 때에도 국민의 권리나 이익을 침해하지 아니하는 범위에서 구체적 사정에 따라 합목적적으로 인정하여야 할 것이다(대판 2010.8.26. 2010두2579 ; 대판 2014.2.27. 2011두11570 등). ❶

12. 국가직 9급 하자 있는 행정행위의 치유는 행정행위의 성질이나 법치주의의 관점에서 볼 때 원칙적으로 허용될 수 없다. (○)
14. 사복직, 13. 경찰 2차 행정행위의 하자의 치유는 원칙적으로 허용될 수 없고, 예외적으로 행정행위의 무용한 반복을 피하고 당사자의 법적 안정성을 위해 허용하는 때에도 국민의 권리나 이익을 침해하지 않는 범위에서 인정될 수 있다. (○)
20. 소방직 행정행위의 하자의 치유는 원칙적으로 ~~허용되나,~~ 국민의 권리나 이익을 침해하지 않는 범위에서 인정된다. (×) → 허용될 수 없으나 예외적으로 이를 허용하는 때에도

하자치유
▷ 성립당시 하자있는 행정행위의 요건이 충족되었거나 하자가 경미해진 경우 처음부터 적법한 것으로 다루는 것(소급효)

하자치유의 효과
▷ 소급효○
▷ 처음부터 적법한 행정행위로 효력을 발생

하자치유의 허용여부
▷ 원칙: 허용×(법치주의)
▷ 예외: 허용○(행정경제)

❶
「민법」에서는 흠 있는 법률행위의 추인(「민법」 제143조, 제145조)에 관한 규정이 있으나, 행정법상으로는 이와 같은 통칙규정이 없다. 하자의 치유는 학설과 판례를 통해서 인정되고 있다.

(3) 인정 범위

하자의 치유는 취소할 수 있는 행정행위에서만 인정된다. 이에 대하여 무효와 취소의 구별이 상대적이라는 이유로 무효인 행위에 대해서도 하자의 치유를 인정하는 견해가 있으나, 무효란 처음부터 효력이 발생하지 않는다는 점에서 이에 대한 치유는 법 논리적으로 허용되지 않는다. 통설과 판례도 무효인 행정행위에 대한 하자의 치유를 부정하고 있다.

19. 행정사 하자의 치유는 무효인 행정행위에서만 인정된다. (×) → 는 인정할 수 없다

🔖 관련판례

1 <u>징계처분이 중대하고 명백한 흠 때문에 당연무효의 것이라면 징계처분을 받은 자가 이를 용인하였다 하여 그 흠이 치료되는 것은 아니다</u>(대판 1989.12.12. 88누8869). ★★★

19. 5급 승진, 16. 지방직 9급, 11. 경찰 1차 징계처분이 중대하고 명백한 하자로 인하여 당연무효인 경우라도 징계처분을 받은 자가 이를 용인하면 그 하자가 치유된다. (×) → 되지 않는다

2 <u>환지변경처분 후에 이의를 유보함이 없이 변경처분에 따른 청산금을 교부받았다 하더라도 그 사정만으로 무효인 행정처분의 흠이 치유된다고 볼 수 없고 소권을 포기 또는 부제소합의를 하였다고 인정할 수 없다</u>(대판 1992.11.10. 91누8227).❶ ★★

11. 경찰 1차 환지변경처분 후에 이의를 유보함이 없이 변경처분에 따른 청산금을 교부받았다면 그 사정만으로 무효인 행정처분의 하자는 치유되었다고 볼 수 있다. (×) → 없다

(4) 하자치유의 사유

① 하자치유가 인정되는 사유로는 흠결된 요건의 사후보완(예 필요한 신청이나 동의의 사후보완, 필요한 청문이나 이유부기의 사후보완, 허가나 등록요건의 사후충족, 요식행위의 형식보완, 무권대리행위의 추인 등)을 드는 것이 일반적이다.

② 판례는 형식·절차상의 하자의 경우에만 그 치유를 인정하고, 내용상 하자에 대해서는 치유를 인정하지 않는다.❷

16. 국가직 9급 행정행위의 내용상의 하자는 치유의 대상이 될 수 있으나, 형식이나 절차상의 하자에 대해서는 치유가 인정되지 않는다. (×) → 절차·형식상 / 내용상

🔖 관련판례

1 <u>행정청이 청문서 도달기간을 다소 어겼으나 영업자가 청문일에 출석하여 의견진술과 변명하는 등 방어의 기회를 충분히 가졌다면 청문서 도달기간을 준수하지 아니한 하자는 치유된다.</u> ★★★

행정청이 식품위생법상의 청문절차를 이행함에 있어 소정의 청문서 도달기간을 지키지 아니하였다면 이는 청문의 절차적 요건을 준수하지 아니한 것이므로 이를 바탕으로 한 행정처분은 일단 위법하다고 보아야 할 것이지만, 이러한 청문제도의 취지는 처분으로 말미암아 받게 될 영업자에게 미리 변명과 유리한 자료를 제출할 기회를 부여함으로써 부당한 권리침해를 예방하려는 데에 있는 것임을 고려하여 볼 때, 가령 <u>행정청이 청문서 도달기간을 다소 어겼다 하더라도 영업자가 이에 대하여 이의하지 아니한 채 스스로 청문일에 출석하여 그 의견을 진술하고 변명하는 등 방어의 기회를 충분히 가졌다면 청문서 도달기간을 준수하지 아니한 하자는 치유되었다고 봄이 상당하다</u>(대판 1992.10.23. 92누2844).

🙋 함께 정리하기

취소할 수 있는 행정행위
▷ 치유○

무효인 행정행위
▷ 치유×

중대·명백한 흠이 있는 무효인 징계처분에 대해 징계처분을 받은 자가 이를 용인한 경우
▷ 하자치유×

무효인 환지변경처분 후 이의를 유보함이 없이 변경처분에 따른 청산금 교부받은 경우
▷ 하자치유×

❶
환지절차를 새로이 밟지 아니하고 한 환지변경처분은 당연무효이다(대판 1992.11.10. 91누8227).

절차·형식상의 하자
▷ 치유○

내용상의 하자
▷ 치유×

❷
판례는 어떤 처분이 절차·형식상의 하자를 이유로 판결에 의해 취소가 된 경우에는 처분청이 이를 보완하여 다시 이전과 동일한 내용의 처분을 해도 취소판결의 기속력에 반하지 않는 적법한 처분으로 보고 있으므로 절차·형식상의 하자가 있는 처분에 대한 취소판결은 권리구제의 실효성이 반감된다. 따라서 절차·형식상의 하자에 대해서는 오히려 하자치유를 인정하여 소송경제를 추구하는 것이 더 효과적일 수도 있는데, 판례는 이러한 점을 고려하여 절차·형식상의 하자의 경우에만 치유를 인정하고, 내용상 하자에 대해서는 치유를 인정하지 않는다.

청문서 도달기간의 하자
▷ 청문일에 출석하여 방어의 기회 가진 경우 하자치유○

20. 국회직 8급, 20. 국가직 9급, 17. 국가직 9급(추), 16. 사복직, 12. 국회직 8급 등 행정청이 처분의 근거법률상 청문절차를 이행하는 과정에서 청문서 도달기간을 다소 어겼지만 당사자가 이의를 제기하지 않고 청문일에 출석하여 의견진술과 변명의 기회를 충분히 가졌다면 청문서 도달기간 미준수의 하자는 치유된 것으로 본다. (O)

21. 국회직 8급, 13. 경찰 2차 행정청이 청문절차를 이행하면서 청문서 도달기간을 다소 어겼다면 영업자가 이의하지 아니한 채 스스로 청문일에 출석하여 그 의견을 진술하고 변명하는 등 방어의 기회를 충분히 가졌다면 청문서 도달기간을 준수하지 아니한 하자는 치유된다고 볼 수 없다. (×) → 어겼다 하더라도 / 있다

납세고지서의 기재사항 일부 등이 누락된 경우라도 앞서 보낸 과세예고통지서 등에 필요적 기재사항이 제대로 기재된 경우
▷ 하자치유○

2 납세고지서의 기재사항 일부 등이 누락된 경우라도 앞서 보낸 과세예고통지서 등에 필요적 기재사항이 제대로 기재된 경우, 그 하자는 치유될 수 있다. ★★
과세관청이 과세처분에 앞서 납세의무자에게 보낸 과세예고통지서 등에 납세고지서의 필요적 기재사항이 제대로 기재되어 있어 납세의무자가 그 처분에 대한 불복 여부의 결정 및 불복신청에 전혀 지장을 받지 않았음이 명백하다면, 이로써 납세고지서의 하자가 보완되거나 치유될 수 있다(대판 2001.3.27. 99두8039).

14. 지방직 9급 부과처분에 앞서 보낸 과세예고통지서에 납세고지서의 필요적 기재사항이 제대로 기재되어 있었더라도 납세고지서에 그 기재사항의 일부가 누락되었다면 이유 제시의 하자는 치유의 대상이 될 수 없다. (×) → 있다면 / 되었더라도 / 있다

12. 지방직 7급 부과처분 전에 교부된 부담금예정통지서에 납부고지서의 필요적 기재사항이 제대로 기재되어 있다면, 이로써 납부고지서의 하자는 치유될 수 있다. (O)

납부고지서에 개발부담금산출근거를 누락시켰지만, 그 이전에 개발부담금예정변경통지를 하면서 산출근거가 기재된 개발부담금산정내역서를 첨부
▷ 하자치유○

내용상 하자
▷ 하자치유×

3 당초 개발부담금 부과처분시 발부한 납부고지서에 개발부담금의 산출근거를 누락시켰지만, 그 이전에 개발부담금 예정변경통지를 하면서 산출근거가 기재되어 있는 개발부담금산정내역서를 첨부하여 통지하였다면, 그와 같은 납부고지서의 하자는 위 예정변경통지에 의하여 보완 또는 치유된다(대판 1998.11.13. 97누2153).

4 노선여객자동차운송사업의 사업계획변경인가처분에 관한 하자가 행정처분의 내용에 관한 것이고 새로운 노선면허가 소 제기 이후에 이루어진 사정 등에 비추어 하자의 사후적 치유를 인정하지 아니한다(대판 1991.5.28. 90누1359). ★★

11. 경찰 1차 노선여객자동차운송사업의 사업계획변경인가처분에 관한 하자가 행정처분의 내용에 관한 것이고 새로운 노선면허가 소 제기 이후에 이루어진 사정 등에 비추어 하자의 사후적 치유는 인정된다. (×) → 인정되지 않는다

19. 서울시 7급 처분의 하자가 그 내용에 관한 것인 경우, 판례는 소 제기 이후에도 하자의 치유가 가능한 것으로 본다. (×) → 보지 않는다

(5) 하자치유의 한계

하자치유의 실체적 한계
▷ 국민의 권리와 이익을 침해하지 않는 범위 내에서만 허용됨

① **실체적 한계**: 행정행위의 하자의 치유는 국민의 권리와 이익을 침해하지 않는 범위 내에서만 허용된다. 특히 경원자관계의 경우 위법한 수익적 행정행위에 대해 치유를 인정한다면 타방 당사자의 이익을 침해할 수 있으므로 하자치유를 허용할 수 없다는 것이 판례의 입장이다.

관련판례

토지소유자 등의 동의율을 충족하지 못한 주택재건축정비사업 조합설립인가처분 후에 토지소유자 등의 추가동의서가 제출된 경우
▷ 하자치유×

1 재건축주택조합설립인가처분 당시 동의율을 충족하지 못한 하자는 후에 추가동의서가 제출되었다는 사정만으로 치유될 수 없다(대판 2013.7.11. 2011두27544). ★★

23. 국가직 9급 재건축조합설립인가처분 당시 동의율을 충족하지 못한 하자는 후에 추가동의서가 제출되었다는 사정만으로도 치유된다. (×) → 치유되지 않는다

20. 소방직 「도시 및 주거환경정비법」상 주택재건축사업의 추진위원회가 조합을 설립하고자 하는 때에는 토지소유자 등이 일정 수 이상 동의하여야 하는데, 조합설립인가처분이 이러한 요건을 충족하지 못한 상태에서 이루어졌다면 그러한 처분은 위법하고, 토지소유자 등의 추가동의서가 추후에 제출되어 법정요건을 갖추었다 할지라도 설립인가처분의 위법성이 치유되는 것은 아니다. (O)

2 주택재개발정비사업조합 설립추진위원회가 주택재개발조합설립인가처분의 취소소송에 대한 1심판결 이후 정비구역 내 토지 등 소유자의 4분의 3을 초과하는 조합설립동의서를 새로 받았다 하더라도, 위 설립인가처분의 하자가 치유된다고 볼 수 없다(대판 2010.8.26. 2010두2579).

3 납세고지서에 <u>세액산출근거 등의 기재사항이 누락되었거나 과세표준과 세액의 계산명세서가 첨부되지 않았다면 적법한 납세의 고지라고 볼 수 없으며, 위와 같은 납세고지의 하자는 납세의무자가 그 나름대로 산출근거를 알고 있다거나 사실상 이를 알고서 쟁송에 이르렀다 하더라도 치유되지 않는다</u>(대판 2002.11.13. 2001두1543). ★★

19. 국가직 9급 납세고지서에 세액산출근거 등의 기재사항이 누락되었거나 과세표준과 세액의 계산명세서가 첨부되지 않았다면 적법한 납세의 고지라고 볼 수 없으며, 위와 같은 납세고지의 하자는 납세의무자가 그 나름대로 산출근거를 알고 있다거나 사실상 이를 알고서 쟁송에 이르렀다 하더라도 치유되지 않는다. (○)

11. 경찰 1차 납세의무자가 사실상 과세표준과 세액 등을 알고 쟁송에 이르렀다 하여 통지사항의 일부를 결여한 부과처분의 하자가 치유되지는 않는다. (○)

4 <u>세액산출근거가 기재되지 아니한 납세고지서에 의한 부과처분은 강행법규에 위반하여 취소대상이 된다 할 것이므로, 이와 같은 하자는 납세의무자가 전심절차에서 이를 주장하지 아니하였거나, 그 후 부과된 세금을 자진납부하였다거나, 또는 조세채권의 소멸시효기간이 만료되었다 하여 치유되는 것이라고는 할 수 없다</u>(대판 1985.4.9. 84누431). ★★

21. 지방직 9급, 21. 소방직 세액산출근거가 기재되지 아니한 납세고지서에 의한 부과처분은 그 후 부과된 세금을 자진납부하였다거나 또는 조세채권의 소멸시효기간이 만료되었다 하여 하자가 치유되는 것이라고는 할 수 없다. (○)

23. 국가직 9급 세액산출근거가 기재되지 아니한 납세고지서에 의한 부과처분은 강행법규에 위반하여 취소대상이 된다고 할 것이지만 이와 같은 하자는 납세의무자가 전심절차에서 이를 주장하지 아니하였거나, 그 후 부과된 세금을 자진납부 하였다거나, 또는 조세채권의 소멸시효기간이 만료된 경우 치유된다. (×) → 치유되지 않는다

5 취소처분의 근거와 위반사실의 적시를 빠뜨린 하자는 피처분자가 처분 당시 그 취지를 알고 있었다거나 그 후 알게 되었다 하여도 치유될 수 없다. ★★

면허의 취소처분(허가의 취소처분)에는 그 근거가 되는 법령이나 취소권 유보의 부관 등을 명시하여야 함은 물론 처분을 받은 자가 어떠한 위반사실에 대하여 당해 처분이 있었는지를 알 수 있을 정도로 사실을 적시할 것을 요하며, 이와 같은 <u>취소처분의 근거와 위반사실의 적시를 빠뜨린 하자는 피처분자가 처분 당시 그 취지를 알고 있었다거나 그 후 알게 되었다 하여도 치유될 수 없다</u>(대판 1990.9.11. 90누1786 ; 대판 1987.5.26. 86누788).

20. 지방직 7급, 16. 국회직 8급 면허의 취소처분에는 그 근거가 되는 법령이나 취소권 유보의 부관 등을 명시하여야 함은 물론 처분을 받은 자가 어떠한 위반사실에 대하여 당해 처분이 있었는지를 알 수 있을 정도로 사실을 적시할 것을 요하지만, 이와 같은 취소처분의 근거와 위반사실의 적시를 빠뜨린 하자는 피처분자가 처분 당시 그 취지를 알고 있었거나 그 후 알게 되었다면 치유될 수 있다. (×) → 요하며 / 되었다 하여도 / 없다

08. 지방직 7급 판례에 의하면 이유제시를 결한 부담적 행정행위의 하자는 상대방이 처분 당시 그 취지를 알고 있었거나 그 후 알게 되었다면 이로써 치유된다. (×) → 되었다 하여도 / 치유될 수 없다

취소소송 중 새로운 조합설립동의서를 징구한 경우
▷ 조합설립인가처분 하자치유×(토지등 소유자들에게 손해가 발생하지 않는다고 단정할 수 없음)

납세고지서에 세액산출근거 등 기재사항이 누락되었거나 과세표준과 세액의 계산명세서가 첨부되지 않았는데, 납세의무자가 산출근거를 알고 있는 경우
▷ 하자치유×

세액산출근거가 기재되지 아니한 납세고지서에 의한 부과처분인데, 납세의무자가 전심절차에서 주장하지 아니하였거나, 부과된 세금을 자진납부하였다거나 또는 조세채권의 소멸시효기간이 만료된 경우
▷ 하자치유×

면허의 취소처분(허가의 취소처분)의 근거와 위반사실의 적시를 빠뜨린 하자에 대해 피처분자가 처분 당시 그 취지를 알고 있었다거나 그 후 알게 된 경우
▷ 하자치유×

경원자가 충전소 설치허가시 건물주 동의
서를 위조하여 허가를 받은 후에 건물주
의 동의를 받은 경우
▷ 하자치유×

6 위법한 행정행위의 하자치유를 인정한다면 경원관계에 있는 제3자의 이익을 침해하므로 허용할 수 없다. ★★

충전소설치예정지로부터 100m 내에 있는 건물주의 동의를 모두 얻지 아니하였음에도 불구하고 이를 갖춘 양 허가신청을 하여 액화석유가스 충전소 설치허가를 받자 경원자가 항고소송을 제기했다. 이 사건 처분 후 위 각 건물주로부터 동의를 받았으니 이 사건 처분의 하자는 치유되었다는 주장에 대하여는, 하자 있는 행정행위의 치유는 행정행위의 성질이나 법치주의의 관점에서 볼 때 원칙적으로 허용될 수 없는 것이고 예외적으로 행정행위의 무용한 반복을 피하고 당사자의 법적 안정성을 위해 이를 허용하는 때에도 국민의 권리나 이익을 침해하지 않는 범위에서 구체적 사정에 따라 합목적적으로 인정하여야 할 것인데 이 사건에 있어서는 원고의 적법한 허가신청이 참가인들의 신청과 경합되어 있어 이 사건 처분의 치유를 허용한다면 원고에게 불이익하게 되므로 이를 허용할 수 없다고 하였다 (대판 1992.5.8. 91누13274).

14. 지방직 7급 인근주민의 동의를 받아야 하는 요건을 결여하였다는 이유로 경원관계에 있는 자가 제기한 허가처분의 취소소송에서, 허가처분을 받은 자가 사후 동의를 받은 경우에 하자의 치유를 인정하는 것은 원고에게 불이익하게 되므로 이를 허용할 수 없다. (○)

적법한 절차를 거쳐 공시된 개별공시지가
결정이 종전의 위법한 공시지가결정과 그
내용이 동일
▷ 위법한 개별공시지가결정에 기초한 개
발부담금 부과처분 하자치유×

7 위법한 당초처분액과 새로운 부담금산정액이 같더라도 당초 처분의 하자는 치유되지 않는다. ★★

선행처분인 개별공시지가결정이 위법하여 그에 기초한 개발부담금 부과처분도 위법하게 된 경우 그 하자의 치유를 인정하면 개발부담금 납부의무자로서는 위법한 처분에 대한 가산금 납부의무를 부담하게 되는 등 불이익이 있을 수 있으므로, 그 후 적법한 절차를 거쳐 공시된 개별공시지가결정이 종전의 위법한 공시지가결정과 그 내용이 동일하다는 사정만으로는 위법한 개별공시지가결정에 기초한 개발부담금 부과처분이 적법하게 된다고 볼 수 없다(대판 2001.6.26. 99두11592).

19. 국회직 8급 선행처분인 개별공시지가결정이 위법하여 그에 기초한 개발부담금 부과처분도 위법하게 되었지만 그 후 적법한 절차를 거쳐 공시된 개별공시지가결정이 종전의 위법한 공시지가결정과 그 내용이 동일하다면 위법한 개별공시지가결정에 기초한 개발부담금 부과처분은 적법하게 된다. (×) → 된 경우 / 하더라도 / 되는 것은 아니다

처분청이 처분 이후 하자의 원인이 아닌
새로운 사유를 추가
▷ 하자치유×

8 행정처분의 적법 여부는 처분당시의 사유와 사정을 기준으로 판단하여야 하고 처분청이 처분 이후에 추가한 새로운 사유를 보태어 당초처분의 흠을 치유시킬 수는 없다(대판 1987.8.18. 87누49).

16. 지방직 9급 처분에 하자가 있더라도 처분청이 처분 이후에 새로운 사유를 추가하였다면, 처분 당시의 하자는 치유된다. (×) → 하였다 하여 / 되지 않는다

하자치유의 시간적 한계
▷ 행정쟁송제기 이전까지만 가능(불복 여
부의 결정 및 불복신청에 편의를 줄 수 있는
상당한 기간 내)

② **시간적 한계**: 하자의 치유의 시간적 한계와 관련하여 ㉠ 행정쟁송 제기 이전까지만 하자의 치유가 가능하다는 견해(행정쟁송제기이전설, 다수설)와, ㉡ 행정쟁송절차의 종결시까지 하자의 치유가 가능하다는 견해(쟁송종결시설)가 대립하고 있는데, ㉢ 판례는 이유제시가 결여된 행정처분의 하자의 치유는 '불복 여부의 결정 및 불복신청에 편의를 줄 수 있는 상당한 기간 내'에 해야 한다고 판시함으로써 행정쟁송제기이전설의 입장이다.

🔖 **관련판례**

1 과세처분 시 납세고지서에 과세표준, 세율, 세액의 산출근거 등이 누락된 경우에는 늦어도 과세처분에 대한 불복 여부의 결정 및 불복신청에 편의를 줄 수 있는 상당한 기간 내에 보정행위를 하여야 그 하자가 치유된다. ★★

과세처분 시 납세고지서에 과세표준, 세율, 세액의 산출근거 등이 누락된 경우에는 늦어도 과세처분에 대한 불복 여부의 결정 및 불복신청에 편의를 줄 수 있는

상당한 기간 내에 보정행위를 하여야 그 하자가 치유된다 할 것이므로, 과세처분이 있은 지 4년이 지나서 그 취소소송이 제기된 때에 보정된 납세고지서를 송달하였다는 사실이나 오랜 기간(4년)의 경과로써 과세처분의 하자가 치유되었다고 볼 수는 없다(대판 1983.7.26. 82누420).

18. 지방직 9급 행정처분의 이유제시가 아예 결여되어 있는 경우에 이를 사후적으로 추완하거나 보완하는 것은 늦어도 당해 행정처분에 대한 쟁송이 제기되기 전에는 행해져야 위법성이 치유될 수 있다. (○)

14. 사복직 하자치유는 늦어도 행정처분에 대한 불복 여부의 결정 및 불복신청을 할 수 있는 상당한 기간 내에 해야 하므로, 소가 제기된 이후에는 하자의 치유가 인정될 수 없다. (○)

22. 변호사 처분에 이유제시의 하자가 있는 경우 행정쟁송 계속 중에 이유제시를 보완하였다면 그 하자는 치유된다. (×) → 제기 이전

비교 점용료 감액처분은 당초 처분 자체를 일부취소하는 변경처분에 해당하고 그 실질은 흠의 치유와는 성격을 달리하므로 취소소송이 제기된 이후에도 허용될 수 있다. ★

행정청은 행정소송이 계속되고 있는 때에도 직권으로 그 처분을 변경할 수 있고, 행정소송법 제22조 제1항은 이를 전제로 처분변경으로 인한 소의 변경에 관하여 규정하고 있다. 점용료 부과처분에 취소사유에 해당하는 흠이 있는 경우 도로관리청으로서는 당초 처분 자체를 취소하고 흠을 보완하여 새로운 부과처분을 하거나, 흠 있는 부분에 해당하는 점용료를 감액하는 처분을 할 수 있다. 한편 흠 있는 행정행위의 치유는 원칙적으로 허용되지 않을 뿐 아니라, 흠의 치유는 성립 당시에 적법한 요건을 갖추지 못한 흠 있는 행정행위를 그대로 존속시키면서 사후에 그 흠의 원인이 된 적법 요건을 보완하는 경우를 말한다. 그런데 앞서 본 바와 같은 흠 있는 부분에 해당하는 점용료를 감액하는 처분은 당초 처분 자체를 일부 취소하는 변경처분에 해당하고, 그 실질은 종래의 위법한 부분을 제거하는 것으로서 흠의 치유와는 차이가 있다. 그러므로 이러한 변경처분은 흠의 치유와는 성격을 달리하는 것으로서, 변경처분 자체가 신뢰보호 원칙에 반한다는 등의 특별한 사정이 없는 한 점용료 부과처분에 대한 취소소송이 제기된 이후에도 허용될 수 있다. 이에 따라 특별사용의 필요가 없는 부분을 도로점용허가의 점용장소 및 점용면적으로 포함한 흠이 있고 그로 인하여 점용료 부과처분에도 흠이 있게 된 경우, 도로관리청으로서는 도로점용허가 중 특별사용의 필요가 없는 부분을 직권취소하면서 특별사용의 필요가 없는 점용장소 및 점용면적을 제외한 상태로 점용료를 재산정한 후 당초 처분을 취소하고 재산정한 점용료를 새롭게 부과하거나, 당초 처분을 취소하지 않고 당초 처분으로 부과된 점용료와 재산정된 점용료의 차액을 감액할 수도 있다(대판 2019. 1.17. 2016두56721·56738).

20. 경찰 2차 도로관리청이 도로점용허가를 함에 있어서 특별사용의 필요가 없는 부분을 도로점용허가의 점용장소 및 점용면적으로 포함한 흠이 있고 그로 인하여 점용료 부과처분에도 흠이 있게 된 경우, 흠 있는 부분에 해당하는 점용료를 감액하는 것은 당초 처분 자체를 일부 취소하는 변경처분이 아니라 흠의 치유에 해당한다. (×) → 에 해당하고 / 와는 차이가 있다

2 과세관청이 취소소송 계속 중에 납세고지서의 세액산출근거를 밝히는 보정통지를 하였다 하여 과세처분의 위법성이 치유된다고 할 수 없다. ★★

(소송계류중 과세관청의 보정통지와 위법한 부과처분의 하자치유여부) 과세관청이 취소소송 계속 중에 납세고지서의 세액산출근거를 밝히는 보정통지를 하였다 하여 이것을 종전에 위법한 부과처분을 스스로 취소하고 새로운 부과처분을 한 것으로 볼 수 없으므로 이미 항고소송이 계속 중인 단계에서 위와 같은 보정통지를 하였다 하여 그 위법성이 이로써 치유된다 할 수 없다(대판 1988.2.9. 83누404).

11. 국회직 8급 과세관청이 취소소송 계속 중에 납세고지서의 세액산출근거를 밝히는 등 보정통지를 하였다 하여 이것을 종전에 위법한 부과처분을 스스로 취소하고 새로운 부과처분을 한 것으로 볼 수 없으므로, 이미 항고소송이 계속 중인 단계에서 위와 같은 보정통지를 하였다 하여 그 위법성이 이로써 치유된다 할 수 없다. (○)

변경처분(점용료 감액처분)
▷ 하자치유와 달리 취소소송 제기된 이후에도 허용

취소소송 계속 중 보정통지
▷ 과세처분 하자치유×

세액산출근거 누락된 납세고지서에 의한 과세처분
▷ 상고심 계류중 세액산출근거통지 있어도 하자치유×

3 과세처분에 대한 전심절차가 모두 끝나고 상고심의 계류 중에 세액산출근거의 통지가 있었다고 하여 이로써 위 과세처분의 하자가 치유되었다고는 볼 수 없다. ★★

세액산출근거가 누락된 납세고지서에 의한 과세처분의 하자의 치유를 허용하려면 늦어도 과세처분에 대한 불복 여부의 결정 및 불복신청에 편의를 줄 수 있는 상당한 기간 내에 하여야 한다고 할 것이므로, 위 과세처분에 대한 전심절차가 모두 끝나고 상고심의 계류 중에 세액산출근거의 통지가 있었다고 하여 이로써 위 과세처분의 하자가 치유되었다고는 볼 수 없다(대판 1984.4.10. 83누393).

17. 국가직 7급(추) 세액산출근거가 누락된 납세고지서에 의한 과세처분에 대하여 상고심 계류 중 세액산출 근거의 통지가 행하여지면 당해 과세처분의 하자는 치유된다. (×) → 되었다고 볼 수 없다

◈ 핵심정리 하자의 치유 인정 여부

하자의 치유가 인정된 경우	하자의 치유가 인정되지 않은 경우
• 위법한 공매통지 이후 공매기일을 연기하고 다시 적법한 공고·통지를 거친 공매통지(70누161)	• 무효인 환지변경처분 후 이의를 유보함이 없이 변경처분에 따른 청산금 교부받은 경우 (91누8227)
• 청문서 도달기간을 어겼으나 영업자가 청문일에 출석하여 의견진술과 변명의 기회를 가진 경우(92누2844)	• 경원자가 충전소 설치허가 시 건물주 동의서를 위조하여 허가를 받은 후에 건물주의 동의를 받은 경우(91누13274)
• 단체협약에 규정된 여유기간을 두지 않고 징계회부사실을 통보하였으나 피징계자가 징계위원회에 출석하여 통지절차에 대한 이의 없이 충분한 소명을 한 경우(98두4672)	• 주택재개발정비사업조합설립추진위원회가 조합설립인가처분의 취소소송에 대한 1심 판결 이후 정비구역 내 토지 등 소유자의 4분의 3을 초과하는 조합설립동의서를 새로 받은 경우(2010두2579)
• 납세고지서의 기재사항 일부 등이 누락된 경우라도 앞서 보낸 과세예고통지서 등에 필요적 기재사항이 제대로 기재된 경우(99두8039)	• 토지등급결정 내용의 통지가 없었는데, 토지소유자가 그 결정 전후에 토지등급결정 내용을 알았던 경우(96누5308)
• 부과분 전에 교부된 부담금예정통지서에 납부고지서의 필요적 기재사항이 제대로 기재되어 있는 경우(97누9390)	• 토지소유자 등의 동의율을 충족하지 못한 주택재건축정비사업 조합설립인가처분 후에 토지소유자 등의 추가 동의서가 제출된 경우 (2011두27544)
• 당초 개발부담금 부과처분시 발부한 납부고지서에 개발부담금의 산출근거를 누락시켰지만, 그 이전에 개발부담금 예정변경통지를 하면서 산출근거가 기재되어 있는 개발부담금산정내역서를 첨부하여 통지한 경우(97누2153)	• 면허의 취소처분(허가의 취소처분)의 근거와 위반사실의 적시를 빠뜨린 하자에 대해 피처분자가 처분 당시 그 취지를 알고 있었다거나 그 후 알게 된 경우(86누788)
• 압류처분단계에서 독촉장의 송달이 없었더라도 그 이후의 공매절차에서 공매통지서가 적법하게 송달된 경우(2004두14717)	• 납세고지서에 세액산출근거 등 기재사항이 누락되었거나 과세표준과 세액의 계산명세서가 첨부되지 않았는데, 납세의무자가 산출근거를 알고 있는 경우(2001두1543)
	• 세액산출근거가 기재되지 아니한 납세고지서에 의한 부과처분인데, 납세의무자가 전심절차에서 주장하지 아니하였거나, 부과된 세금을 자진 납부하였다거나 또는 조세채권의 소멸시효기간이 만료된 경우(84누431)
	• 의견청취절차를 생략한 공정거래위원회의 시정조치와 과징금 납부명령에 대해 상대방이 이의신청 후 의견을 제출한 경우(2000두10212)
	• 중대·명백한 흠이 있는 징계처분에 대해 징계처분을 받은 자가 이를 용인한 경우(88누8869)

2. 하자있는 행정행위의 전환

(1) 의의

① 하자있는 행정행위의 전환이란 하자가 있는 행정행위가 본래의 행정행위로서는 무효이나 다른 행정행위로 보면 그 요건이 충족되는 경우에 하자 있는 행정행위를 하자 없는 다른(새로운) 행정행위로 인정하는 것을 말한다(예 위법의 징계면직처분을 적법의 직권면직처분으로 전환하는 경우, 사망자에 대한 과세처분을 상속인에 대한 처분으로 전환하는 경우 등).❶

② 전환이 이루어지면 전환 후의 행정행위가 '처음부터' 적법한 것으로 간주된다.

11. 서울시 9급 공무원이 아닌 자의 행위를 사실상 공무원의 행위로 인정하는 것이 무효의 전환의 예이다. (×) → × [∵견해대립 有(하자의 치유 or 전환 or 신뢰보호원칙 적용), 단정할 수 없음]

(2) 인정 여부

독일의 경우에는 행정절차법에서 명문으로 하자 있는 행정행위의 전환을 인정하고 있으나, 우리나라의 경우에는 이에 대한 명문의 규정이 없어 인정 여부에 관하여 논란이 있다. 판례는 행정행위의 무용한 반복을 피하고 당사자의 법적 안정성을 위해 예외적으로 하자 있는 행정행위의 전환을 인정하고 있다.

> **🔍 관련판례**
>
> 하자있는 행정행위의 치유나 전환은 행정행위의 성질이나 법치주의의 관점에서 볼 때 원칙적으로 허용될 수 없는 것이지만, 행정행위의 무용한 반복을 피하고 당사자의 법적 안정성을 위해 이를 허용하는 때에도 국민의 권리와 이익을 침해하지 않는 범위에서 구체적 사정에 따라 합목적적으로 인정해야 할 것이다(대판 1983.7.26. 82누420). ★

(3) 인정 범위

통설과 판례는 하자 있는 행정행위의 전환은 무효인 행정행위에 한하여 인정된다고 본다(협의설). 그러나 취소할 수 있는 행정행위에도 전환을 인정하여야 한다는 견해도 유력하게 주장되고 있다.❷

13. 국회직 9급 하자 있는 행정행위의 전환은 취소할 수 있는 행정행위에만 인정되고, 하자의 치유는 무효인 행정행위에도 인정된다. (×) → 무효인 / 취소할 수 있는 / 에만

(4) 전환의 요건

하자의 전환이 인정되기 위해서는, ① 하자 있는 행정행위와 전환되는 행정행위 사이에 요건·목적·효과에 있어 실질적 공통성이 있어야 하고, ② 하자 있는 행정행위가 전환되는 행정행위의 성립·적법·효력요건을 갖추고 있어야 하며, ③ 하자 있는 행정행위를 한 행정청의 의도에 반하는 것이 아니어야 하고(행정청이 본래의 행정행위의 위법성을 알았더라면 전환되는 행정행위와 같은 내용의 처분을 하였을 것), ④ 당사자가 그 전환을 의욕하는 것으로 인정되며(전환이 당사자에게 원래의 처분보다 불이익한 효과를 초래하지 않을 것), ⑤ 제3자의 이익을 침해하지 않아야 한다.

11. 서울시 9급 행정행위의 전환의 인정요건으로는 하자 있는 행정행위와 전환되는 행정행위가 요건·목적·효과에 있어 실질적 공통성이 있어야 한다. (○)

함께 정리하기

하자의 전환
▷ 하자 있는 행정행위를 하자 없는 다른(새로운) 행정행위로 인정하는 것

전환의 예
▷ 사망자에 대한 조세부과처분을 상속인에 대한 처분으로 전환(○)
▷ 영업허가신청 후 사망한 자에 대한 허가를 유족에 대한 허가로의 변경(○)
▷ 조세과오납금의 다른 조세채무에의 충당(○)
▷ 사망한 의사에 대한 의사면허를 상속인에 대한 의사면허로 변경(×)
▷ 사실상 공무원이론(×, 다수설)

❶
하자의 치유와 비교하면, 행정행위의 전환은 하자 있는 행정행위가 하자 없는 행정행위로 된다는 점에서는 하자의 치유와 같지만, 하자 없는 '다른 행정행위'로 유효하게 된다는 점에서 하자없는 '본래의 행정행위'로 적법하게 되는 하자의 치유와 다르다.

판례
▷ 행정행위의 치유와 전환 제한적으로 허용

무효인 행정행위
▷ 전환○

취소할 수 있는 행정행위
▷ 전환×

❷
이 견해는 취소사유 있는 행정행위에 대해 행정청이 다른 행정행위로 전환하고자 하는 의사가 있다면, 이는 직권취소를 통해 애초의 행정행위를 무효로 하겠다는 의사를 포함하는 것이므로 무효인 행정행위의 전환과 다를 바 없고, 행정의 무용한 반복을 피하기 위해서는 무효인 행정행위뿐만 아니라 취소할 수 있는 행정행위에 대해서도 전환을 인정할 필요가 있다고 한다(광의설).

전환의 요건
▷ 전환 전의 행위와 후의 행위가 요건,목적,효과에 있어 실질적 공통성을 가져야 함
▷ 전환될 행정행위의 성립·적법·효력요건을 갖추어야 함
▷ 행정청의 의사에 반하지 않아야 함
▷ 당사자에게 불이익하지 않아야 함
▷ 관계자 및 제3자의 이익을 침해하지 않아야 함

전환행위의 효과
▷ 행정청의 의사결정에 의해 이루어지므로 그 자체가 하나의 새로운 행정행위(다수설)
▷ 종전 행정행위시로 소급하여 효력 발생
▷ 하자는 승계✕
▷ 전환된 행정행위에 대한 제소기간: 전환행위가 있음을 안 날부터 90일 이내

절차·형식상 하자로 무효인 행정처분 후 절차·형식을 갖춰 다시 동일한 행정처분
▷ 종전 무효인 행정처분과 관계없는 새로운 행정처분

사망자에 대한 불하취소처분을 상속인에게 송달한 경우
▷ 상속인에 대한 새로운 불하취소처분

위 판례가 송달시에 새로운 처분(불하처분취소처분)을 한 것으로 본 것을 이유로 이는 행정행위의 전환을 인정한 사례가 아니고, 행정청의 실제 의사를 확인하는 '행정행위의 해석'을 한 것이라고 보는 견해가 있다.

(5) 효과

① 행정청에 의한 하자 있는 행정행위의 '전환행위'는 그 자체가 새로운 행정행위이다(다수설). 전환된 행정행위에 대하여는 행정쟁송을 제기할 수 있고, 제소기간은 전환행위가 있음을 안 날부터 90일 이내이다.

06. 지방직 9급 행정쟁송의 방법으로 전환의 위법성을 다툴 수 없다. (✕) → 있다

② 하자 있는 행정행위의 전환으로 인하여 생긴 새로운 행정행위는 종전의 행정행위의 발령시점으로 소급하여 효력을 발생한다. 따라서 행정행위에 하자가 있으나 다른 적법한 행위로 전환된 경우에는 취소의 대상이 되지 않는다.

③ 행정행위의 전환이 있는 경우, 전환 전·후의 행위는 일련의 절차(단계적인 절차)를 구성하는 것이 아니므로 하자의 승계는 인정되지 않는다.

⚖ 관련판례

1 무효인 행정처분이 있은 후 관계법령상 정한 절차·형식을 갖추어 다시 동일한 행정처분을 하였다면 이는 새로운 행정처분이다. ★★

절차상 또는 형식상 하자로 인하여 무효인 행정처분이 있은 후 행정청이 관계 법령에서 정한 절차 또는 형식을 갖추어 다시 동일한 행정처분을 하였다면 당해 행정처분은 종전의 무효인 행정처분과 관계없이 새로운 행정처분이라고 보아야 한다(대판 2014.3.13. 2012두1006).

2 사망자에 대한 불하취소처분은 무효이나 이를 상속인에게 송달한 경우에는 불하처분을 취소한다는 새로운 행정처분을 한 것으로 볼 수 있다. ★★

(귀속재산 매매계약을 체결하였던 일부 부동산에 대하여 귀속재산 매매계약을 취소하는 처분에 대한 통지가 송달되었으나 본인이 사망한 사실이 밝혀진 후 재산상속인에게 송달하여 취소처분의 통지가 도달된 사건에서) 귀속재산을 불하받은 자가 사망한 후에 수불하자에 대하여 한 그 불하취소처분은 사망자에 대한 행정처분이므로 무효이지만 그 취소처분을 수불하자의 상속인에게 송달한 때에는 그 송달시에 그 상속인에 대하여 다시 그 불하처분을 취소한다는 새로운 행정처분을 한 것이라고 할 것이다(대판 1969.1.21. 68누190).❶

18. 서울시 7급, 11. 국회직 8급 귀속재산을 불하받은 자가 사망한 후에 수불하자에 대하여 한 그 불하처분은 사망자에 대한 행정처분이므로 무효이지만 그 취소처분을 수불하자의 상속인에게 송달한 때에는 그 송달시에 그 상속인에 대하여 다시 그 불하처분을 취소한다는 새로운 행정처분을 한 것이라고 할 것이다 (○)

제10절 행정행위의 취소와 철회

1 개설

일단 유효하게 성립한 행정행위의 효력을 상실(폐지)시키는 것으로 행정행위의 취소와 철회가 있다. 행정행위의 취소는 성립당시의 하자를 이유로(위법한 행정행위) 효력을 소멸시키는 행위(예 영업허가요건을 허위로 조작한 자에 대한 영업허가 취소)라는 점에서, 하자 없이 성립하였으나(적법한 행정행위), 후발적 사유의 발생으로(사후에 발생한 새로운 사정, 사정변경) 장래를 향하여 효력을 소멸시키는 행위(예 점용료를 납부하지 않는 자에 대한 영업허가 취소)인 행정행위의 철회와 구별된다. 취소와 철회를 합친 개념을 강학상 행정행위의 폐지라고 한다.

19. 소방간부 부정한 수단으로 운전면허를 취득한 자에 대한 운전면허취소는 강학상 행정행위의 철회에 해당한다. (×) → 취소

2 행정행위의 취소

행정행위의 취소에는 직권취소와 쟁송취소가 있다. 쟁송취소는 행정쟁송을 통한 행정행위의 취소이다. 쟁송취소는 「행정심판법」과 「행정소송법」의 문제이므로 쟁송취소에 관한 것은 행정구제편에서 상세하게 설명하기로 하고, 여기에서는 직권취소를 주로 살펴보기로 한다. 직권취소와 쟁송취소를 간략히 비교해 보면 다음과 같다.

핵심정리 직권취소와 쟁송취소의 비교

구분	직권취소	쟁송취소
목적	행정목적실현(공익우선)	개인의 권리구제(사익우선)
취소권자	행정청(처분청 + 감독청)	행정청(행정심판위원회), 법원
대상	수익적 행위 + 침익적 행위 + 제3자효 행위	침익적 행위 + 제3자효 행위
사유	위법 + 부당	• 행정심판: 위법 + 부당 • 행정소송: 위법
실정법적 근거	• 「행정기본법」 제18조 • 개별법 규정	• 일반법: 「행정심판법」, 「행정소송법」 • 개별법 규정
절차개시	행정청의 독자적 판단	상대방의 쟁송제기
기간제한	없음	쟁송제기기간의 제한 있음
취소범위	적극적 변경도 가능	• 행정심판: 적극적 변경도 가능 • 행정소송: 소극적 변경(일부취소)만 가능
효과	• 소급 + 불소급 • 불가변력 인정 안 됨(원칙) • 예외적으로 불가변력 인정	• 소급원칙 • 불가변력 발생

행정행위의 폐지
▷ 일단 유효하게 성립한 행정행위의 효력을 상실(폐지)시키는 행위(취소·철회)

취소
▷ 성립당시의 하자를 이유로 효력을 소멸시키는 행위

철회
▷ 사후에 발생한 새로운 사정을 이유로 효력을 소멸시키는 행위

행정행위의 취소
▷ 직권취소·쟁송취소

직권취소
▷ 행정청이 스스로 행정행위의 효력을 소멸시키는 행위

쟁송취소
▷ 행정쟁송을 통하여 행정행위의 효력을 소멸시키는 행위

1. 취소의 개념

> 「행정기본법」 제18조 【위법 또는 부당한 처분의 취소】 ① 행정청은 위법 또는 부당한 처분의 전부나 일부를 소급하여 취소할 수 있다. 다만, 당사자의 신뢰를 보호할 가치가 있는 등 정당한 사유가 있는 경우에는 장래를 향하여 취소할 수 있다.
> 24. 국회직 8급 직권취소는 행정행위가 위법한 경우뿐만 아니라, 부당한 경우에도 소급하여 취소할 수 있다. (○)
> 24. 국가직 9급 행정청은 위법 또는 부당한 처분의 전부나 일부를 소급하여 취소할 수 있다. 다만, 당사자의 신뢰를 보호할 가치가 있는 등 정당한 사유가 있는 경우에는 장래를 향하여 취소할 수 있다. (○)
> 23. 지방직 7급 행정청은 당사자의 신뢰를 보호할 가치가 있는 등 정당한 사유가 있는 경우에는 위법 또는 부당한 처분의 전부나 일부를 장래를 향하여 취소할 수 있다. (○)
> ② 행정청은 제1항에 따라 당사자에게 권리나 이익을 부여하는 처분을 취소하려는 경우에는 취소로 인하여 당사자가 입게 될 불이익을 취소로 달성되는 공익과 비교·형량(衡量)하여야 한다. 다만, 다음 각 호의 어느 하나에 해당하는 경우에는 그러하지 아니하다.
> 1. 거짓이나 그 밖의 부정한 방법으로 처분을 받은 경우
> 2. 당사자가 처분의 위법성을 알고 있었거나 중대한 과실로 알지 못한 경우

(1) 의의

좁은 의미에서 행정행위의 취소란 일단 유효하게 성립된 행정행위를 그 성립에 있어서 위법 또는 부당의 하자가 있음을 이유로 그 효력의 전부 또는 일부를 소멸시키는 행정청의 의사표시를 말한다. 이를 직권취소라고 하며, 독립된 새로운 행정행위의 성격을 갖고 있다. 이에 대하여 행정행위의 취소는 광의로는 행정기관의 직권취소와 행정쟁송절차에 의한 취소, 즉, 쟁송취소를 포함하는데, 일반적으로 '취소'라고 하면 좁은 의미에 해당하는 직권취소만 가리킨다.

> 19. 서울시 9급, 18. 5급 승진 행정행위의 취소는 일단 유효하게 성립한 행정행위를 그 행위에 하자가 있음을 이유로 원칙적으로 소급하여 효력을 소멸시키는 별도의 행정처분이다. (○)
> 19. 군무원 9급 행정행위의 철회는 일단 유효하게 성립한 행정행위를 그 행위에 위법 또는 부당한 하자가 있음을 이유로 소급하여 그 효력을 소멸시키는 별도의 행정처분이다. (×) → 취소

(2) 무효선언과의 구별

취소는 '일단 유효'하게 성립한 행정행위의 효력을 소멸시킨다는 점에서 '처음부터 아무런 효력이 없음'을 공적으로 확인하는 무효선언과 구별된다.

2. 직권취소와 쟁송취소의 구별

직권취소와 쟁송취소는 모두 성립상의 하자를 이유로 행정행위의 효력을 상실시키는 형성적 행위라는 점에서 공통점이 있으나, 취소의 본질, 목적, 내용 및 효과 등에서 상이하므로 양자를 비교해 보면 다음과 같다.

(1) 취소의 목적과 성질

쟁송취소는 위법한 행정행위로 인하여 권익침해를 받은 국민의 권익구제와 함께 행정의 적법성 회복을 목적으로 행해진다. 쟁송취소는 권익을 침해당한 자의 쟁송의 제기에 의해 심판기관이 쟁송절차를 거쳐 행정행위의 효력을 상실시키는 사법(司法)사적 성질의 행위이다.

광의의 취소
▷ 직권취소 + 쟁송취소

협의의 취소(직권취소)
▷ 일반적으로 취소라 함은 직권취소를 의미
▷ 성립상의 하자를 이유로 직권으로 그 효력의 전부 또는 일부를 소멸시키는 행정행위

무효선언과 구별
▷ 취소는 유효하게 성립한 행위의 효과를 사후에 소멸시키는 점에서 구별됨

직권취소의 성질
▷ 그 자체가 독립적인 행정행위

쟁송취소의 성질
▷ 사법적 성질의 행위

이에 반하여 직권취소는 적법성의 회복과 함께 장래에 향하여 행정목적을 적극적으로 실현하기 위하여 행해진다. 직권취소는 행정청이 쟁송의 제기와 관계없이 직권으로 위법한 행정행위의 효력을 상실시키는 행위로서 그 자체가 독립적인 행정행위이다.

(2) 취소권자

직권취소는 처분행정청 또는 법률에 근거가 있는 경우에 상급행정청이 행하지만, 쟁송취소는 권익침해를 받은 처분의 상대방 또는 제3자의 청구에 의해 행정심판의 경우에는 행정심판기관인 행정심판위원회에 의해, 행정소송의 경우에는 법원에 의해 행해진다.

09. 지방직 9급 행정행위의 쟁송취소에 있어서 취소할 수 있는 권한을 가진 자는 원칙적으로 당해 행정행위를 한 행정청이다. (×) → 행정심판위원회 혹은 법원

(3) 취소의 대상

직권취소의 대상은 모든 행정행위이다. 즉, 부담적 행정행위, 수익적 행정행위 및 제3자효 행정행위 모두 직권취소의 대상이 된다. 이에 반하여 쟁송취소에 있어서는 부담적 행정행위와 제3자효 행정행위가 취소의 대상이 되며 수익적 행정행위는 소의 이익이 없으므로 취소의 대상이 되지 않는다. 또한 불가변력이 발생한 행정행위에 대하여는 쟁송취소만이 가능하다.

13. 서울시 7급 위법한 침익적 행정행위에 대해서는 행정청이 이를 직권취소할 수 없다. (×) → 있다

(4) 취소사유

① 직권취소

㉠ 행정행위의 취소사유에 있어서 관계법령에서 명문의 규정을 두고 있는 경우도 있으나 그러한 규정이 없는 경우에도 당해 행정행위에 위법이 있는 경우는 물론 부당한 경우(위법에 이르지 않지만 공익위반 또는 합목적성 결여)도 직권취소의 대상이 된다는 것이 통설과 판례의 입장이자 「행정기본법」의 규정이다(「행정기본법」 제18조 제1항).

㉡ 처분의 상대방이 아닌 제3자는 직권취소사유가 존재한다고 하여도 처분청에 대하여 직권취소할 것을 요구할 신청권은 원칙적으로 인정되지 않는다.❶

🔍 관련판례

처분청이 직권취소를 할 수 있다는 사정만으로 이해관계인에게 처분청에 대하여 그 취소를 요구할 신청권이 부여된 것으로 볼 수는 없다. ★★★

산림법령에는 채석허가처분을 한 처분청이 산림을 복구한 자에 대하여 복구설계서승인 및 복구준공통보를 한 경우 그 취소신청과 관련하여 아무런 규정을 두고 있지 않고, 원래 행정처분을 한 처분청은 그 처분에 하자가 있는 경우에는 원칙적으로 별도의 법적 근거가 없더라도 스스로 이를 직권으로 취소할 수 있지만, 그와 같이 직권취소를 할 수 있다는 사정만으로 이해관계인에게 처분청에 대하여 그 취소를 요구할 신청권이 부여된 것으로 볼 수는 없으므로, 처분청이 위와 같이 법규상 또는 조리상의 신청권이 없이 한 이해관계인의 복구준공통보 등의 취소신청을 거부하더라도, 그 거부행위는 항고소송의 대상이 되는 처분에 해당하지 않는다(대판 2006.6.30. 2004두701).

직권취소권자
▷ 처분행정청·상급행정청

쟁송취소권자
▷ 행정심판위원회·법원

직권취소대상
▷ 모든 행정행위(부담적 행정행위·수익적 행정행위·제3자효 행정행위○)

쟁송취소대상
▷ 부담적 행정행위·제3자효 행정행위○
▷ 수익적 행정행위×(소의 이익 無)
▷ 불가변력이 발생한 행정행위

직권취소
▷ 위법·부당

❶
처분에 대한 취소·철회·변경의 신청권은 원칙상 인정되지 않지만, 명문의 규정에 따라 또는 조리상 취소·철회·변경의 신청권이 인정될 수 있다. 그런데, 불가쟁력이 발생한 처분에 대한 취소·철회·변경의 신청권은 특히 제한적으로 인정된다(대판 2007.4.26. 2005두11104).

처분청의 직권취소 권한
▷ 이해관계인에게 취소신청권 부여취지×

15. 국회직 8급 행정청이 직권취소를 할 수 있다는 사정만으로 이해관계인인 제3자에게 행정청에 대한 직권취소청구권이 부여된 것으로 볼 수 없다. (○)

20. 변호사 처분청이 직권취소를 할 수 있는 경우에는 이해관계인에게 처분청에 대하여 그 취소를 요구할 신청권이 부여된 것으로 ~~보아야 한다~~. (×) → 볼 수 없다

16. 경찰 2차, 14. 경찰 1차, 11. 지방직 9급 원래 행정처분을 한 처분청은 그 처분에 하자가 있는 경우에는 원칙적으로 별도의 법적 근거가 없더라도 스스로 이를 직권으로 취소할 수 있는 것이므로, 그와 같이 직권취소를 할 수 있다는 사정만으로도 이해관계인에게 처분청에 대하여 그 취소를 요구할 신청권이 부여된 것으로 볼 수 있다. (×) → 만으로 / 없다

② 쟁송취소

⊙ 쟁송취소에 있어서 행정심판을 통한 취소는 위법한 처분뿐만 아니라 부당한 처분도 취소사유가 되나, 행정소송을 통한 취소는 위법한 처분만 취소사유가 된다.

ⓛ 취소사유인 행정행위의 하자(위법 또는 부당)는 행정처분시를 기준으로 한다. 행정행위의 '취소사유'는 원칙적으로 행정행위의 성립 당시에 존재하였던 하자를 말한다(대판 2018.6.28. 2015두58195).

쟁송취소
▷ 행정심판: 위법·부당
▷ 행정소송: 위법

행정행위의 위법·부당 판단시기
▷ 처분시

취소사유
▷ 성립 당시 존재하였던 하자를 의미

쟁송취소
▷ 위법하면 취소 可
▷ 원칙: 이익형량 不要
▷ 예외: 사정판결·사정재결 시 이익형량 要

❶
행정행위를 취소하여 달성하고자 하는 이익과 행정행위를 취소함으로써 야기되는 신뢰에 기초하여 형성된 이익의 박탈을 형량하여 전자가 큰 경우에 한하여 취소가 인정된다.

❷
행정행위가 위법한 경우라도 이를 취소하는 것이 현저히 공공복리에 적합하지 아니한 경우에는 사정재결·사정판결에 따라 행정행위가 취소되지 않을 수 있다.

쟁송취소
▷ 이익형량의 법리 적용×

직권취소
▷ 이익형량 要

직권취소
▷ 취소기간에 제한×
▷ 불가쟁력이 발생한 행정행위도 직권취소 可
▷ 취소소송 계속 중에도 직권취소 可
▷ 실효의 법리에 따른 제한○

(5) 취소의 제한(이익형량)

직권취소는 위법의 내용을 확정하여야 하는 동시에 취소로 인하여 상대방 또는 이해관계인이 받게 되는 불이익과 취소로 인하여 달성되는 공익 및 관계이익을 비교형량하여 취소여부를 결정하여야 한다.❶ 그러나, 쟁송취소의 경우에는 주로 부담적 행정행위가 취소의 대상이 되므로 일반적으로 취소권 제한의 문제는 발생하지 않는다. 따라서 위법한 경우 이익형량의 필요 없이 취소됨이 원칙이며, 실정법상의 규정이 있는 예외적인 경우에 이익형량이 이루어진다[「행정심판법」 제44조(사정재결), 「행정소송법」 제28조(사정판결)].❷

> ⚖️ **관련판례**
>
> **취소소송에 의한 행정처분 취소의 경우에는 수익적 행정처분의 취소·철회의 제한에 관한 법리가 적용되지 않는다. ★★**
> 수익적 행정처분에 대한 취소권 등의 행사는 기득권의 침해를 정당화할 만한 중대한 공익상의 필요 또는 제3자의 이익보호의 필요가 있는 때에 한하여 허용될 수 있다는 법리는, 처분청이 수익적 행정처분을 직권으로 취소·철회하는 경우에 적용되는 법리일 뿐 쟁송취소의 경우에는 적용되지 않는다(대판 2019.10.17. 2018두104).

(6) 취소기간

① 직권취소

⊙ 직권취소에는 취소기간에 제한이 없다. 따라서 처분청은 쟁송기간의 도과로 불가쟁력이 발생한 행정행위도 취소할 수 있다. 다만, 행정행위가 발해진 후 장기간 취소하지 않은 경우 실효의 법리가 적용될 수 있다.

08. 지방직 7급 「행정절차법」상 위법한 수익적 행정처분의 직권취소의 기간은 그 위법을 안 날로부터 1년이다. (×) → 명문규정이 없어 제한이 없으나, 실효의 법리가 적용될 수 있다.

ⓛ 「행정절차법」에도 직권취소기간을 제한하는 규정이 없다. 따라서 행정청은 당해 처분의 취소소송 계속 중에도 직권취소할 수 있다.

17. 국회직 8급 우리나라 「행정절차법」에서는 취소권을 1년 이상 행사하지 아니하면 실권되는 것으로 명문의 규정을 두고 있다. (×) → × (∵그와 같은 명문의 규정은 없다)

관련판례

1 변상금 부과처분에 대한 취소소송이 진행중이라도 그 부과권자로서는 위법한 처분을 스스로 취소하고 그 하자를 보완하여 다시 적법한 부과처분을 할 수도 있다 (대판 2006.2.10. 2003두5686). ★★★

24. 국가직 9급 처분에 대하여 행정심판이나 행정소송이 제기되어 쟁송이 진행되고 있는 도중에는 행정청은 스스로 대상 처분을 취소할 수 없다. (×) → 에도 / 있다

21. 서울시 7급 변상금 부과처분에 대한 취소소송이 진행 중인 경우에는 그 부과권자라고 하여도 위법한 처분을 스스로 취소하고 그 하자를 보완하여 다시 적법한 부과처분을 할 수 없다. (×) → 있다

19. 국가직 7급 행정행위의 위법여부에 대하여 취소소송이 이미 진행 중인 경우 처분청은 위법을 이유로 그 행정행위를 직권취소할 수 없다. (×) → 있다

2 선행과세처분에 대한 소송이 진행 중이라도 과세관청으로서는 위법한 행정처분을 스스로 취소하고 그 절차상의 하자를 보완하여 다시 적법한 과세처분을 할 수도 있다(대판 1988.3.22. 86누269). ★★

11. 지방직 9급 선행부과처분에 대한 취소소송이 진행 중이면 과세관청인 피고로서는 위법한 선행처분을 스스로 취소하거나 그 절차상의 하자를 보완하여 다시 적법한 부과처분을 할 수 없다. (×) → 중에도 / 있다

② **쟁송취소**: 쟁송취소는 단기의 쟁송기간이 정해져 있어서(「행정심판법」 제27조, 「행정소송법」 제20조) 쟁송제소기간이 지나면 더 이상 행정행위의 취소를 청구할 수 없다(불가쟁력).

(7) 취소절차 및 형식

① 쟁송취소는 「행정심판법」, 「행정소송법」 등이 정한 '쟁송절차'에 따라 행해진다. 이에 대하여 직권취소는 개별법 또는 「행정절차법」에 정해진 '처분절차'에 따라 행해진다.

② 쟁송취소는 재결 또는 판결의 형식에 의해 행해지지만, 직권취소는 그 자체가 하나의 행정행위로서 특별한 형식을 요하지 않는다.

(8) 취소의 효과

① 쟁송취소는 성격상 주로 부담적 행정행위가 대상이고, 행정의 적법성을 확보하는 것이 주된 목적이기 때문에 소급효가 인정됨이 원칙이다.

관련판례

1 운전면허취소처분을 받은 후 자동차를 운전하였으나 위 취소처분이 행정쟁송절차에 의하여 취소된 경우, 무면허운전죄에 해당하지 않는다. ★★★

[1] 피고인이 행정청으로부터 자동차운전면허취소처분을 받았으나 나중에 그 행정처분 자체가 행정쟁송절차에 의하여 취소되었다면, 위 운전면허취소처분은 그 처분 시에 소급하여 효력을 잃게 되고, 피고인은 위 운전면허취소처분에 복종할 의무가 원래부터 없었음이 후에 확정되었다고 봄이 타당할 것이고, 행정행위에 공정력의 효력이 인정된다고 하여 행정소송에 의하여 적법하게 취소된 운전면허취소처분이 단지 장래에 향하여서만 효력을 잃게 된다고 볼 수는 없는 것이다.

[2] 따라서 피고인이 자동차운전면허취소처분을 받은 후 처분청을 상대로 운전면허취소처분의 취소소송을 제기하여 승소판결을 받아 확정되었다면, 피고인이 그 취소판결 전에 자동차를 운전한 행위는 도로교통법에 규정된 무면허운전의 죄에 해당하지 아니한다(대판 1999.2.5. 98도4239).

취소소송 진행 중
▷ 행정청은 직권취소·하자보완 可

쟁송취소
▷ 법이 정한 일정기한 내, 쟁송제기기간이 지나면 행정행위의 취소청구 不可(불가쟁력)
▷ 행정심판취소: 90일, 180일
▷ 행정소송취소: 90일, 1년

쟁송취소 절차
▷ 「행정심판법」, 「행정소송법」 등이 정한 쟁송절차

직권취소 절차
▷ 개별법 또는 「행정절차법」에 정해진 처분절차

쟁송취소형식
▷ 행정심판: 재결
▷ 행정소송: 판결

직권취소형식
▷ 특별한 형식이 없음

쟁송취소효과
▷ 원칙적 소급효

운전면허취소처분에 대한 취소판결 확정
▷ 취소판결의 소급효○
▷ 운전면허취소처분 이후의 운전행위는 무면허운전×

18. 국회직 8급 운전면허취소처분을 받았으나 나중에 행정쟁송절차에 의해 취소되었다면, 운전면허취소처분은 그 처분시에 소급하여 효력을 잃게 되고, 운전면허취소처분에 복종할 의무가 원래부터 없었음이 후에 확정된 것이다. (○)

20. 국가직 7급 운전면허취소처분에 대한 취소소송에서 취소판결이 확정되었다면 운전면허취소처분 이후의 운전행위를 무면허운전이라 할 수는 없다. (○)

2 영업허가취소처분이 나중에 행정쟁송절차에 의하여 취소되었다면 그 영업허가취소처분 이후의 영업행위를 무허가영업이라고 볼 수 없다. ★★★

영업의 금지를 명한 영업허가취소처분 자체가 나중에 행정쟁송절차에 의하여 취소되었다면 그 영업허가취소처분은 그 처분시에 소급하여 효력을 잃게 되며, 그 영업허가취소처분에 복종할 의무가 원래부터 없었음이 확정되었다고 봄이 타당하고, 영업허가취소처분이 장래에 향하여서만 효력을 잃게 된다고 볼 것은 아니므로 그 영업허가취소처분 이후의 영업행위를 무허가영업이라고 볼 수는 없다 (대판 1993.6.25. 93도277).

22. 국가직 9급 영업허가취소처분이 나중에 행정쟁송절차에 의하여 취소되었더라도, 그 영업허가취소처분 이후의 영업행위는 무허가영업이다. (×) → 되었다면 / 이 아니다

22. 지방직 9급 영업허가취소처분 이후에 영업을 한 행위에 대하여 무허가영업으로 기소되었으나 형사법원이 판결을 내리기 전에 영업허가취소처분이 행정소송에서 취소되면 형사법원은 무허가영업행위에 대해서 무죄를 선고하여야 한다. (○)

17. 국가직 7급 영업허가취소처분의 취소를 구하는 소송에서 취소판결을 받은 경우 해당 영업허가취소처분은 처분 시에 소급하여 효력을 잃게 되므로 그 영업허가취소처분 이후의 영업행위는 무허가영업으로 볼 수 없다. (○)

19. 국가직 9급 영업허가취소처분이 청문절차를 거치지 않았다 하여 행정심판에서 취소되었더라도 그 허가취소처분 이후 취소 재결시까지 영업했던 행위는 무허가영업에 해당한다. (×) → 해당하지 않는다

② 직권취소의 경우 그 대상이 부담적 행정행위라면 소급효를 인정해도 일반적으로 상대방의 신뢰를 해하지 않기 때문에 원칙상 소급효가 있는 것으로 보아야 하나, 수익적 행정행위인 경우에는 상대방의 책임있는 경우 외에는 상대방의 신뢰를 보호하기 위하여 취소의 효과가 소급하지 않는 것이 원칙이다.

(9) 취소의 범위

직권취소에서는 처분청 또는 상급행정청이 행정행위의 하자를 제거하고 구체적인 행정목적의 실현을 위하여 필요한 경우에는 적극적 변경을 할 수 있는 데 대하여, 쟁송취소는 행정소송절차에 의한 취소의 경우에는 권력분립주의 때문에 원칙적으로 취소 또는 일부취소(소극적 변경)를 할 수 있을 뿐이다. 다만, 행정심판절차에 의한 취소에서는 적극적 변경도 가능하다(「행정심판법」 제43조 제3항).❶

3. 취소권자

(1) 처분청

취소할 수 있는 권한을 가진 자는 원칙적으로 당해 행정행위를 한 행정청, 즉 처분청이다. 처분청의 처분권한 속에는 위법한 처분을 바로잡는 권한(시정권한)까지 포함되기 때문에 이에 대한 법적 근거가 없는 경우에도 행정행위를 취소할 수 있다.

> ⚖ **관련판례**
>
> 권한 없는 행정기관이 한 당연무효인 행정처분을 취소할 수 있는 권한은 당해 행정처분을 한 처분청에게 속하고, 당해 행정처분을 할 수 있는 적법한 권한을 가지는 행정청에게 그 취소권이 귀속되는 것이 아니다(대판 1984.10.10. 84누463). ★★

[좌측 여백 정리]

영업허가취소처분에 대한 쟁송취소
▷ 취소의 소급효○
▷ 영업허가취소처분 이후의 영업행위는 무허가영업×

직권취소 효과
▷ 부담적 행정행위: 원칙적 소급효
▷ 수익적 행정행위: 원칙적 장래효

직권취소 범위
▷ 적극적인 변경○

쟁송취소 범위
▷ 행정심판: 소극적·적극적 변경○
▷ 행정소송: 소극적 변경○, 적극적 변경×

❶ 변경의 의미
① 소극적 변경: 일부취소
② 적극적 변경: 예컨대 운전면허취소 → 면허정지, 영업허가취소 → 허가정지

처분청
▷ 법적 근거가 없는 경우에도 직권취소 可

권한 없는 행정기관이 한 당연무효인 행정처분의 취소권자
▷ 당해 행정처분을 한 처분청(적법한 처분권한을 가진 행정청×)

22. 지방직 9급, 19. 지방직 9급 권한 없는 행정청이 한 위법한 행정처분을 취소할 수 있는 권한은 그 행정처분을 한 처분청에게 속하는 것이고, 그 행정처분을 할 수 있는 적법한 권한을 가지는 행정청에게 그 취소권이 귀속되는 것은 아니다. (O)

(2) 감독청

① 감독청의 취소권을 인정한 명문의 규정이 있으면 그에 따른다(예 「행정권한의 위임 및 위탁에 관한 규정」 제6조, 「정부조직법」 제11조 제2항, 제18조 제2항, 「지방자치법」 제188조 제1항). 특히, 「행정권한의 위임 및 위탁에 관한 규정」은 감독청인 위임청에게 처분청인 수임청의 처분을 취소할 수 있는 권한을 인정하고 있다.

> **「행정권한의 위임 및 위탁에 관한 규정」 제6조 【지휘·감독】** <u>위임 및 위탁기관은</u> 수임 및 수탁기관의 수임 및 수탁사무 처리에 대하여 지휘·감독하고, <u>그 처리가 위법하거나 부당하다고 인정될 때에는 이를 취소하거나 정지시킬 수 있다.</u>
>
> 14. 서울시 7급 「행정권한의 위임 및 위탁에 관한 규정」은 위임기관 및 위탁기관은 수임기관 및 수탁기관의 수임 및 수탁사무 처리에 대하여 지휘·감독하고, 그 처리가 위법하거나 부당하다고 인정될 때에는 이를 취소하거나 정지시킬 수 있다고 규정하고 있다. (O)
>
> **「정부조직법」 제11조 【대통령의 행정감독권】** ② <u>대통령은 국무총리와 중앙행정기관의 장의 명령이나 처분이 위법 또는 부당하다고 인정하면 이를 중지 또는 취소할 수 있다.</u>
>
> 13. 서울시 7급 대통령은 명령이 위법하다고 인정해도 이를 중지시킬 수 없다. (X) → 있다
>
> **제18조 【국무총리의 행정감독권】** ② <u>국무총리는 중앙행정기관의 장의 명령이나 처분이 위법 또는 부당하다고 인정될 경우에는 대통령의 승인을 받아 이를 중지 또는 취소할 수 있다.</u>
>
> **「지방자치법」 제188조 【위법·부당한 명령이나 처분의 시정】** ① <u>지방자치단체의 사무에 관한 지방자치단체의 장</u>(제103조 제2항에 따른 사무의 경우에는 지방의회의 의장을 말한다. 이하 이 조에서 같다)<u>의 명령이나 처분이 법령에 위반되거나 현저히 부당하여 공익을 해친다고 인정되면 시·도에 대해서는 주무부장관이, 시·군 및 자치구에 대해서는 시·도지사가 기간을 정하여 서면으로 시정할 것을 명하고, 그 기간에 이행하지 아니하면 이를 취소하거나 정지할 수 있다.</u>

② 그런데, 감독청이 법적 근거가 없는 경우에도 일반적인 감독권에 근거하여 피감독청의 처분을 취소할 수 있는지에 관하여 부정설과 긍정설로 나뉜다.

③ 감독청에 의한 취소는 감독청이 처분청의 권한을 침해하는 결과를 가져오기 때문에 감독청은 처분청에 대해 취소를 명령할 수 있을 뿐 스스로 직접 취소할 수 없다는 견해(부정설)와 감독청에 의한 취소는 처분청의 위법·부당한 처분을 적법·정당한 것으로 사후적으로 교정하는 것이므로 감독청이 처분청의 권한을 침해하는 것이라 볼 수 없고 감독권에는 취소·정지권이 포함되어 있으므로 감독청은 당연히 취소권을 갖는다는 견해(긍정설)가 있다.

4. 직권취소의 법적 근거

행정행위의 직권취소에 있어서 법적 근거가 필요한지 여부에 대하여 견해의 대립이 있었다.❶ 그런데 최근 제정된 「행정기본법」 제18조 제1항은 "행정청은 위법 또는 부당한 처분의 전부나 일부를 소급하여 취소할 수 있다."라고 규정하여 직권취소의 일반적인 법적 근거를 두게 되어 이에 대한 논란을 종결시켰다. 따라서 직권취소는 개별법률의 근거가 없어도 가능하다.

감독청의 취소권 인정 규정
▷ 「행정권한의 위임 및 위탁에 관한 규정」 제6조
▷ 「정부조직법」 제11조 제2항, 제18조 제2항
▷ 「지방자치법」 제188조 제1항

명문규정 없는 경우(견해대립 有)
▷ 부정설: 감독청이 처분청의 권한침해
▷ 긍정설: 감독목적 달성을 위한 교정적·사후적 통제수단

직권취소의 법적 근거
▷ 「행정기본법」 제18조

❶ 부담적 행정행위의 취소는 상대방에게 수익적인 효과를 주기 때문에 법적 근거가 필요 없다는 것이 일반적인 견해였으나, 수익적 행정행위의 직권취소는 상대방의 권익을 침해한다는 점에서 법적 근거가 필요한지 여부에 대하여 필요설과 불요설의 견해대립이 있었다. 이에 대해 판례는 불요설의 입장에서 처분청은 취소에 관한 별도의 법적 근거가 없더라도 처분을 취소할 수 있다고 보았다.

23. 국가직 9급 「행정기본법」은 직권취소나 철회의 일반적 근거규정을 두고 있고, 직권취소나 철회는 개별 법률의 근거가 없어도 가능하다. (○)

> **관련판례**
>
> 행정행위를 한 처분청은 그 행위에 하자가 있는 경우에 별도의 법적 근거가 없더라도 스스로 이를 취소할 수 있는 것이며, 다만 그 행위가 국민에게 권리나 이익을 부여하는 이른바 수익적 행정행위인 때에는 그 행위를 취소하여야 할 공익상 필요와 그 취소로 인하여 당사자가 입을 기득권과 신뢰보호 및 법률생활 안정의 침해 등 불이익을 비교 교량한 후 공익상 필요가 당사자의 기득권침해 등 불이익을 정당화할 수 있을 만큼 강한 경우에 한하여 취소할 수 있다(대판 1986.2.25. 85누664). ★★★
>
> 18. 서울시 9급 처분청은 하자있는 행정행위의 행위자로서 그 하자를 시정할 지위에 있어 그 취소에 관한 법률의 규정이 없어도 행정행위를 취소할 수 있다. (○)
> 16. 국가직 9급 처분청이라도 자신이 행한 수익적 행정행위를 위법 또는 부당을 이유로 취소하려면 취소에 대한 법적 근거가 있어야 한다. (×) → 없어도 된다
> 22. 소방직 행정처분을 한 행정청은 처분의 성립에 하자가 있는 경우라도 별도의 법적 근거가 없으면 직권으로 이를 취소할 수 없다. (×) → × / 없더라도 / 있다

5. 취소의 제한

(1) 부담적 행정행위의 경우

부담적 행정행위의 직권취소
▷ 자유롭게 취소○

위법한 부담적 행정행위의 직권취소는 법치국가의 요구에 합당할 뿐만 아니라 상대방에게도 수익적이기 때문에 원칙적으로 행정청은 자유로이 취소할 수 있다.

16. 서울시 9급 특별한 사정이 없는 한 부담적 행정행위의 취소는 원칙적으로 자유롭지 않다. (×) → 자유롭다

(2) 수익적 행정행위의 경우

수익적 행정행위의 직권취소
▷ 자유롭게 취소×
▷ 취소를 해야 할 공익상 필요가 상대방이 입을 불이익보다 커야 가능(이익형량 要)

① 직권취소의 제한(취소의 자유에서 취소의 제한으로, 이익형량의 원칙)
  ㉠ 수익적 행정행위(당사자에게 권리나 이익을 부여하는 처분)의 직권취소의 경우에는 취소로 인하여 당사자가 입게 될 불이익을 취소로 달성되는 공익과 비교·형량하여야 한다(「행정기본법」 제18조 제2항 본문).
  ㉡ 과거에는 행정의 법률적합성의 원칙에 따라 하자 있는 행정행위라면 그것이 수익적 행정행위라도 언제든지 직권취소할 수 있다는 설이 지배하였다(직권취소의 자유). 그러나 오늘날에는 행정작용의 적법성 실현만큼이나 관계인의 신뢰보호도 중요하다는 것이 일반화되면서, 하자 있는 수익적 행정행위의 직권취소에 있어서는 적법상태의 실현에 대한 공익과 개인의 기득권에 대한 신뢰보호를 비교·형량하여 취소 여부를 결정하여야 한다는 것이 학설과 판례의 확립된 견해이다. 즉, 행정청은 위법한 수익적 행정행위의 직권취소할 때 행정행위의 취소로 인하여 달성되는 공익과 행정행위를 취소함으로써 침해되는 사익을 비교·형량하여 행정행위의 적법성의 요구가 보다 큰 경우에는 취소가 가능하지만 상대방의 신뢰보호의 요구가 보다 큰 경우에는 취소가 제한된다(신뢰보호에 의한 수익적 행정행위의 직권취소의 제한).

23. 국가직 9급 수익적 행정처분을 직권취소할 때에는 이를 취소하여야 할 중대한 공익상 필요와 취소로 인하여 처분상대방이 입게 될 기득권과 법적 안정성에 대한 침해 정도 등 불이익을 비교·교량한 후 공익상 필요가 처분상대방이 입을 불이익을 정당화할 만큼 강한 경우에 한하여 취소할 수 있다. (○)
12. 국가직 7급 수익적 행정행위를 취소 또는 철회하는 경우 비례원칙이 적용된다. (○)

ⓒ 이때 수익적 행정처분의 하자나 취소해야 할 필요성에 관한 증명책임은 기존 이익과 권리를 침해하는 처분을 한 행정청에 있다.

🔨 관련판례

1 수익적 행정처분에 있어서는 취소사유가 있다고 하더라도 그 취소권의 행사는 기득권의 침해를 정당화할 만한 중대한 공익상의 필요 또는 제3자의 이익보호의 필요가 있는 때에 한하여 상대방이 받는 불이익과 비교·교량하여 결정해야 한다. ★★★

수익적 행정처분을 취소 또는 철회하는 경우에는 이미 부여된 그 국민의 기득권을 침해하는 것이 되므로, 비록 취소 등의 사유가 있다고 하더라도 그 취소권 등의 행사는 기득권의 침해를 정당화할 만한 중대한 공익상의 필요 또는 제3자의 이익보호의 필요가 있는 때에 한하여 상대방이 받는 불이익과 비교·교량하여 결정하여야 하고, 그 처분으로 인하여 공익상의 필요보다 상대방이 받게 되는 불이익 등이 막대한 경우에는 재량권의 한계를 일탈한 것으로서 그 자체가 위법하다(대판 2004.11.26. 2003두10251).

16. 경찰 2차, 15. 국가직 9급 수익적 행정처분을 취소 또는 철회하는 경우에는 이미 부여된 그 국민의 기득권을 침해하는 것이 되므로, 비록 취소 등의 사유가 있다고 하더라도 그 취소권 등의 행사는 기득권의 침해를 정당화할 만한 중대한 공익상의 필요 또는 제3자의 이익보호의 필요가 있는 때에 한하여 상대방이 받는 불이익과 비교·교량하여 결정하여야 하고, 그 처분으로 인하여 공익상의 필요보다 상대방이 받게 되는 불이익 등이 막대한 경우에는 재량권의 한계를 일탈한 것으로서 그 자체가 위법하다. (○)

16. 서울시 7급 수익적 행정행위의 직권취소와 철회는 행위의 상대방의 신뢰보호뿐만 아니라 필요시 제3자의 이익도 함께 고려되어야 한다. (○)

2 건축허가를 받은 자가 건축허가가 취소되기 전에 공사에 착수한 경우, 착수기간이 지났다는 이유로 허가권자가 구 건축법 제11조 제7항에 따라 건축허가를 취소할 수 없다. ★★

구 건축법 제11조 제7항은 건축허가를 받은 자가 허가를 받은 날부터 1년 이내에 공사에 착수하지 아니한 경우에 허가권자는 허가를 취소하여야 한다고 규정하면서도, 정당한 사유가 있다고 인정되면 1년의 범위에서 공사의 착수기간을 연장할 수 있다고 규정하고 있을 뿐이며, 건축허가를 받은 자가 착수기간이 지난 후 공사에 착수하는 것 자체를 금지하고 있지 아니하다. 이러한 법 규정에는 건축허가의 행정목적이 신속하게 달성될 것을 추구하면서도 건축허가를 받은 자의 이익을 함께 보호하려는 취지가 포함되어 있으므로, 건축허가를 받은 자가 건축허가가 취소되기 전에 공사에 착수하였다면 허가권자는 그 착수기간이 지났다고 하더라도 건축허가를 취소하여야 할 특별한 공익상 필요가 인정되지 않는 한 건축허가를 취소할 수 없다. 이는 건축허가를 받은 자가 건축허가가 취소되기 전에 공사에 착수하려 하였으나 허가권자의 위법한 공사중단명령으로 공사에 착수하지 못한 경우에도 마찬가지이다(대판 2017.7.11. 2012두22973).

18. 국회직 8급 건축허가를 받은 자가 법정 착수기간이 지나 공사에 착수한 경우, 허가권자는 착수기간이 지났음을 이유로 건축허가를 취소하여야 한다. (×) → 할 수 없다

3 행정처분에 하자가 있다고 하더라도 취소해야 할 공익상 필요와 취소로 당사자가 입게 될 기득권과 신뢰보호 및 법률생활 안정의 침해 등 불이익을 비교·교량한 후 공익상 필요가 당사자가 입을 불이익을 정당화할 만큼 강한 경우에 한하여 취소할 수 있는 것이며 하자나 취소해야 할 필요성에 관한 증명책임은 기존 이익과 권리를 침해하는 처분을 한 행정청에 있다(대판 2017.6.15. 2014두46843 ; 대판 2014.11.27. 2014두9226 ; 대판 2012.3.29. 2011두23375). ★★

공익과 사익을 비교형량 후 사인의 불이익 등이 막대한 경우
▷ 재량권 한계 일탈(위법)

건축허가 착수기간 경과
▷ 건축허가 취소 전 착수하면 건축허가취소 不可

수익적 행정처분의 하자나 취소해야 할 필요성에 관한 증명책임
▷ 기존 이익과 권리를 침해하는 처분을 한 행정청

23. 국가직 9급 수익적 행정처분을 직권취소할 때에는 이를 취소하여야 할 중대한 공익상 필요와 취소로 인하여 처분상대방이 입게 될 기득권과 법적 안정성에 대한 침해 정도 등 불이익을 비교·교량한 후 공익상 필요가 처분상대방이 입을 불이익을 정당화할 만큼 강한 경우에 한하여 취소할 수 있다. (O)

22. 군무원 7급, 22. 변호사, 21. 서울시 7급 수익적 행정행위를 직권으로 취소할 경우 하자의 존재 및 취소해야 할 필요성에 관한 증명책임은 기존 이익과 권리를 침해하는 처분을 한 행정청에 있다. (O)

취소가 제한되는 경우
▷ 보호가치 있는 신뢰, 실권의 법리, 포괄적 신분설정행위, 인가 등 사법(私法)형성적 행정행위, 준사법적 행정행위, 하자있는 행정행위의 치유와 전환

❶
독일행정절차법에서는 행정청이 취소사유를 안 날로부터 1년이 경과하면 취소권을 행사할 수 없게 하고 있다. 또한 1987년의 우리 「행정절차법(안)」은 안 날로부터 1년, 있는 날로부터 2년으로 규정하고 있었으나 현행 「행정절차법」에는 이러한 규정은 존재하지 않는다.

취소가 제한되지 않는 경우
▷ 처분의 하자가 수익자의 책임 있는 사유에 기인하는 경우: 당사자가 거짓이나 부정한 방법으로 처분을 받은 경우, 처분의 위법성을 알았거나 중대한 과실로 알지 못한 경우 등

상대방의 부정행위로 이루어진 수익적 처분의 취소
▷ 신뢰보호 고려✕

② **취소가 제한되는 경우**
　㉠ **보호가치 있는 신뢰**: 수익자가 하자있는 행정행위를 객관적으로 신뢰했을 뿐만 아니라 수령한 급부를 이미 사용하였을 때에는 두터운 신뢰는 보호를 받아 취소권이 제한된다(예 수령한 금전을 이미 소비하였거나 하자있는 건축허가를 믿고 건축에 착수한 경우).
　㉡ **실권의 법리**: 취소권의 실권과 관련하여 취소기간이 정해져 있는 경우 이 기간을 도과하면 취소할 수 없게 된다.**❶**

24. 국가직 9급 제소기간의 경과 등으로 처분에 불가쟁력이 발생하였다 하여도 행정청은 실권의 법리에 해당하지 않는다면 직권으로 처분을 취소할 수 있다. (O)

　㉢ **포괄적 신분설정행위**: 귀화허가, 공무원 임명 등과 같은 포괄적 신분설정행위를 취소하면 개인의 안정된 법 생활에 중대한 제한이 초래하므로 취소가 제한된다.
　㉣ **인가 등 사법(私法)형성적 행정행위**: 인가 등 사인의 법률행위의 효력을 완성시켜 주는 행위도 법적 안정성의 관점에서 취소권이 제한된다.
　㉤ **준사법적 행정행위**: 준사법적 절차에 따른 행정행위(예 행정심판의 재결, 토지수용위원회의 재결 등)는 행정행위의 적법성과 존속성이 어느 정도 담보되기 때문에 취소가 제한된다.
　㉥ **하자있는 행정행위의 치유와 전환**: 하자있는 행정행위가 치유와 전환에 의해 적법하게 된 경우에는 취소가 제한된다.

③ **취소가 제한되지 않는 경우**: 당사자가 거짓이나 그 밖의 부정한 방법으로 처분을 받은 경우, 당사자가 처분의 위법성을 알고 있었거나 중대한 과실로 알지 못한 경우와 같이 처분의 하자가 수익자의 책임 있는 사유에 기인하는 경우에는 신뢰의 보호가치가 부정되어 취소가 제한되지 않는다(「행정기본법」 제18조 제2항 단서).

22. 국가직 7급 당사자가 부정한 방법으로 수익적 처분을 받은 경우에도 행정청이 그 처분을 취소하려면 취소로 인하여 당사자가 입게 될 불이익을 취소로 달성되는 공익과 비교·형량하여야 한다. (✕) → 에는 / 하지 않아도 된다

⚖ **관련판례**

1 수익적 처분이 상대방의 허위 기타 부정한 방법으로 인하여 행하여졌다면 당사자의 신뢰보호는 고려되지 않는다. ★★
수익적 처분이 있으면 상대방은 그것을 기초로 하여 새로운 법률관계 등을 형성하게 되는 것이므로, 이러한 상대방의 신뢰를 보호하기 위하여 수익적 처분의 취소에는 일정한 제한이 따르는 것이나, 수익적 처분이 상대방의 허위 기타 부정한 방법으로 인하여 행하여졌다면 상대방은 그 처분이 그와 같은 사유로 인하여 취소될 것임을 예상할 수 없었다고 할 수 없으므로, 이러한 경우에까지 상대방의 신뢰를 보호하여야 하는 것은 아니라고 할 것이다(대판 1995.1.20. 94누6529).

23. 국가직 9급, 19. 지방직 9급 수익적 처분이 상대방의 허위 기타 부정한 방법으로 인하여 행하여졌다면 상대방은 그 처분이 그와 같은 사유로 인하여 취소될 것임을 예상할 수 있으므로, 이러한 경우까지 상대방의 신뢰를 보호하여야 하는 것은 아니다. (O)

2 허위의 고등학교 졸업증명서를 제출하는 사위의 방법에 의한 하사관 지원의 하자를 이유로 하사관 임용일로부터 33년이 경과한 후에 행정청이 행한 하사관 및 준사관 임용취소처분이 적법하다(대판 2002.2.5. 2001두5286). ★★

19. 변호사 학력요건을 갖추지 못한 甲이 허위의 고등학교 졸업증명서를 제출하여 하사관에 지원했다는 이유로 하사관 임용일로부터 30년이 지나서 한 임용취소처분은 적법하며, 甲이 위 처분에 불복하여 신뢰이익을 원용할 수 없음은 물론 행정청이 이를 고려하지 아니하였다고 하여도 재량권의 남용이 되지 않는다. (O)

(3) 복효적 행정행위(제3자효 행정행위)의 경우

위법한 복효적 행정행위의 직권취소의 경우 취소로 인한 상대방의 이익 또는 불이익과 함께 제3자의 이익 또는 불이익도 고려하여 취소여부를 결정해야 하므로 취소가 제한된다.

◎ 핵심정리 취소가 제한되는지 여부

취소가 제한○	취소가 제한×
• 비례의 원칙 • 신뢰보호의 원칙 • 실권의 법리 • 불가변력이 인정되는 행위 • 복효적 행정행위 • 확인적 행위(예 당선인 결정, 국가시험합격자의 결정 등) • 포괄적 신분설정행위(예 귀화허가, 공무원임명 등) • 인가 등의 사인의 법률행위의 효력을 완성시켜 주는 행정행위 • 행정행위의 치유와 전환 • 준사법적 절차에 따른 행정행위(예 행정심판의 재결, 토지수용위원회의 재결 등)	• 공공의 안녕과 질서에 대한 중대한 위해를 방지하기 위하여 필요한 경우 • 수익자의 책임 있는 사유에 기인한 경우 　– 거짓이나 기타 부정한 방법으로 수익적 처분을 받은 경우 　– 수익자가 행정행위의 위법성을 알았거나 중과실로 알지 못한 경우 • 행정행위가 무효인 경우 • 불가쟁력이 발생한 행정행위 • 기판력이 발생한 행정행위 • 소송의 진행 중 행정행위

6. 취소의 절차

행정행위의 직권취소는 독립적인 행정행위의 성격을 갖고 있기 때문에 특별한 규정이 없는 한 행정절차법상의 처분절차에 따라 행하여져야 한다. 특히, 수익적 행정행위의 직권취소는 상대방에게 부담적 효과(상대방의 권익을 제한하는 처분)를 주기 때문에 사전통지(「행정절차법」 제21조), 의견제출절차(「행정절차법」 제22조) 및 이유제시(「행정절차법」 제23조) 절차를 준수하여야 한다.

19. 국가직 9급 직권취소는 행위의 성립상의 하자를 이유로 하는 것이므로, 개별법에 특별한 규정이 없는 한 행정절차법에 따른 절차규정이 허용되지 않는다. (×) → 적용된다

18. 국회직 8급 직권취소는 처분의 성격을 가지므로, 이유제시절차 등의 「행정절차법」상 처분절차에 따라야 하며, 특히 수익적 행정행위의 직권취소는 상대방에게 침해적 효과를 발생시키므로 「행정절차법」에 따른 사전통지, 의견청취의 절차를 거쳐야 한다. (O)

허위의 고등학교 졸업증명서 제출로 인해 33년 경과 후 하사관 임용 취소
▷ 적법

복효적 행정행위의 직권취소
▷ 취소로 인한 상대방의 이익·불이익과 함께 제3자의 이익·불이익도 이익형량시 고려요소에 포함

수익적 행정행위의 직권취소
▷ 「행정절차법」상 침익적 처분절차(사전통지, 의견제출 등) 준수 要

7. 일부취소

외형상 하나의 처분이라 하더라도 가분성이 있거나 그 처분대상의 일부가 특정될 수 있다면 일부취소도 가능하다.

1 **외형상 하나의 행정처분이라 하더라도 가분성이 있거나 그 처분 대상의 일부가 특정될 수 있다면 일부만의 취소도 가능하고** 그 일부의 취소는 당해 취소부분에 관하여만 효력이 생기는 것이다(대판 1995.11.16. 95누8850 전합 ; 대판 2000.12.12. 99두12243 ; 대판 2015.3.26. 2012두20304). ★★

22. 군무원 9급, 18. 국회직 8급, 13. 경찰 2차 외형상 하나의 행정처분이라 하더라도 가분성이 있거나 그 처분 대상의 일부가 특정될 수 있다면 그 일부만의 취소도 가능하고 그 일부의 취소는 당해 취소부분에 관하여 효력이 생긴다. (○)

11. 경찰 1차 외형상 하나의 행정처분이라면 가분성이 있거나 그 처분대상의 일부가 특정될 수 있다하더라도 그 일부만의 취소(철회)는 불가능하다고 본다. (×) → 이라 하더라도 / 있다면 / 가능

2 행정처분에 있어 수개의 처분사유 중 일부가 적법하지 않다고 하더라도 다른 처분사유로써 그 처분의 정당성이 인정되는 경우에는 그 처분을 위법하다고 할 수 없다(대판 2013.10.24. 2013두963).

20. 국가직 9급 행정처분에 있어 여러 개의 처분사유 중 일부가 적법하지 않으면 다른 처분사유로써 그 처분의 정당성이 인정된다고 하더라도, 그 처분은 위법하게 된다. (×) → 되는 경우에는 / 하다고 할 수 없다

18. 국가직 7급 행정처분의 이유로 제시한 수개의 처분사유 중 일부가 위법하면, 다른 처분사유로써 그 처분의 정당성이 인정되더라도 그 처분은 위법하다. (×) → 하다고 할 수 없다

8. 취소의 효과(소급효 또는 장래효)

직권취소의 경우 행정청은 위법 또는 부당한 처분의 전부나 일부를 소급하여 취소할 수 있지만, 당사자의 신뢰를 보호할 가치가 있는 등 정당한 사유가 있는 경우에는 장래를 향하여 취소할 수 있다(「행정기본법」 제18조 제1항). 직권취소의 소급효 또는 불소급효는 구체적인 사건마다 이익형량의 결과에 따라 취소권자에 의해 결정되는데, 부담적 행정행위, 수익적 행정행위 및 제3자효 행정행위에서 이익상황이 다르므로 취소의 효과가 다르다고 보아야 한다.

(1) 부담적 행정행위의 취소

부담적 행정행위의 취소는 원칙상 소급효가 있는 것으로 보아야 한다. 소급효를 인정해도 일반적으로 상대방의 신뢰를 해하지 않기 때문이다. 다만, 당사자의 신뢰를 보호할 가치가 있는 등 정당한 사유가 있는 경우에는 장래를 향하여 취소할 수 있다(「행정기본법」 제18조 제1항).

22. 국가직 7급 행정청은 당사자의 신뢰를 보호할 가치가 있는 등 정당한 사유가 있는 경우에는 위법한 처분을 장래를 향하여 취소할 수 있다. (○)

외형상 하나의 행정처분이라 하더라도 가분성이 있거나 특정성이 있는 경우
▷ 일부 취소 可

수개의 처분사유 중 일부가 위법, 다른 처분사유로써 처분의 정당성 인정
▷ 처분 위법 ×

부담적 행정행위의 취소
▷ 원칙: 소급효
▷ 다만, 당사자의 신뢰를 보호할 가치가 있는 등 정당한 사유가 있는 경우: 장래효

1 (국세 감액결정 처분의 성질 및 그 효력) 국세감액결정처분은 이미 부과된 과세처분에 하자가 있음을 이유로 사후에 이를 일부 취소하는 처분이므로, 취소의 효력은 그 취소된 국세부과처분이 있었을 당시에 소급하여 발생하는 것이고, 이는 판결 등에 의한 취소이거나 과세관청의 직권에 의한 취소이거나에 따라 차이가 있는 것이 아니다(대판 1995.9.15. 94다16045). ★★

18. 지방직 9급 국세감액결정 처분은 이미 부과된 과세처분에 하자가 있음을 이유로 사후에 이를 일부 취소하는 처분이고, 취소의 효력은 판결 등에 의한 취소이거나 과세관청의 직권에 의한 취소이거나에 관계없이 그 부과처분이 있었을 당시로 소급하여 발생한다. (○)

2 특정범죄 가중처벌 등에 관한 법률 위반(도주차량)으로 운전면허취소처분을 받은 자가 자동차를 운전하였다고 하더라도 그 후 피의사실에 대하여 무혐의 처분을 받고 이를 근거로 행정청이 운전면허 취소처분을 철회하였다면, 위 운전행위는 무면허운전에 해당하지 않는다(대판 2008.1.31. 2007도9220). ★★

18. 5급 승진 「특정범죄 가중처벌 등에 관한 법률」 위반으로 운전면허취소처분을 받은 자가 자동차를 운전하였다고 하더라도 그 후 피의사실에 대하여 무혐의 처분을 받고 이를 근거로 행정청이 운전면허 취소처분을 철회하였다면, 위 운전행위는 무면허운전에 해당하지 않는다. (○)

(2) 수익적 행정행위의 취소

수익적 행정행위의 취소는 그 효과가 상대방에게 침익적이므로, 상대방의 사실은폐나 기타 사위의 방법 등 귀책사유가 없는 한 취소의 효과가 소급하지 않는 것이 원칙이다. 다만, 상대방에게 귀책사유가 있거나 취소의 소급효를 인정하지 않으면 심히 공익에 반하는 경우(과거에 완결된 법률관계를 반드시 제거하여야 하는 경우)에는 상대방에게 귀책사유가 없는 경우에도 소급효 있는 취소가 가능하다.❶

09. 지방직 9급 수익적 행정행위의 취소에 있어서는 행정행위의 상대방에게 귀책사유가 없는 한 취소의 효과가 소급되지 않는 것이 원칙이다. (○)

도로관리청이 도로점용허가 중 특별사용의 필요가 없는 부분을 소급적으로 직권취소한 경우, 도로관리청은 이미 징수한 점용료 중 취소된 부분의 점용면적에 해당하는 점용료를 반환하여야 한다. ★★★

[1] 도로점용허가는 도로의 일부에 대한 특정사용을 허가하는 것으로서 도로의 일반사용을 저해할 가능성이 있으므로 그 범위는 점용목적 달성에 필요한 한도로 제한되어야 한다. 도로관리청이 도로점용허가를 하면서 특별사용의 필요가 없는 부분을 점용장소 및 점용면적에 포함하는 것은 그 재량권 행사의 기초가 되는 사실인정에 잘못이 있는 경우에 해당하므로 그 도로점용허가 중 특별사용의 필요가 없는 부분은 위법하다.

[2] 이러한 경우 도로점용허가를 한 도로관리청은 위와 같은 흠이 있다는 이유로 유효하게 성립한 도로점용허가 중 특별사용의 필요가 없는 부분을 직권취소할 수 있음이 원칙이다. 다만, 이 경우 행정청이 소급적 직권취소를 하려면 이를 취소하여야 할 공익상 필요와 그 취소로 당사자가 입을 기득권 및 신뢰보호와 법률생활 안정의 침해 등 불이익을 비교 교량한 후 공익상 필요가 당사자의 기득권 침해 등 불이익을 정당화할 수 있을 만큼 강한 경우여야 한다. 이에 따라 도로관리청이 도로점용허가 중 특별사용의 필요가 없는 부분을 소급적으로 직권취소하였다면, 도로관리청은 이미 징수한 점용료 중 취소된 부분의 점용면적에 해당하는 점용료를 반환하여야 한다(대판 2019.1.17. 2016두56721 · 56738).

국세감액결정 처분 취소의 효력
▷ 부과처분 당시로 소급하여 발생(쟁송 · 직권취소 불문)

무혐의로 운전면허취소처분 철회
▷ 무면허운전×

수익적 행정행위의 취소
▷ 귀책사유가 없는 한 장래효(원칙)
▷ 귀책사유가 있거나 소급효를 인정하지 않으면 심히 공익에 반하는 경우 소급효(예외)

❶
수익적 행정행위가 상대방의 귀책사유에 기인하지 않는 하자로 인하여 취소된 경우 그로 인한 상대방의 손실은 보상되어야 한다.

도로점용허가 중 특별사용의 필요가 없는 부분의 소급적 직권취소
▷ 이미 징수한 점용료 중 취소된 부분의 점용면적에 해당하는 점용료반환의무 有

제3자효 행정행위의 취소
▷ 상대방 및 제3자의 이익상황 및 귀책사유에 따라 소급효 또는 장래효

취소의 취소
▷ 처분효력 회복 可否 문제

논의영역
▷ 직권취소 영역○
▷ 쟁송취소 영역✕

쟁송취소(취소재결, 취소판결)의 경우에는 불가변력으로 인하여 이러한 논의가 적용될 수 없고 직권취소의 경우에만 취소의 취소 논의가 적용된다. 이를테면 취소재결은 준사법적 행정행위로서 불가변력이 인정되므로 행정청의 직권취소는 인정될 수 없고, 상대방은 이에 대해 취소소송을 제기할 수 있다. 또한 취소판결이 확정된 경우에는 재심을 통하여서만 취소할 수 있다.

무효인 직권취소
▷ 본래 처분 존속, 취소처분에 대한 무효확인·무효선언 可

❷
이 경우 쟁송에 의하여 취소처분에 대한 무효확인 또는 행정청의 직권에 의한 무효선언이 가능하다.

직권취소에 취소원인이 있는 경우(판례)
▷ 부담적 행정행위의 취소의 취소: 부정
▷ 수익적 행정행위의 취소의 취소: 긍정
(단, 제3자의 권리를 침해시 허용✕)

(3) 복효적 행정행위(제3자효 행정행위)의 취소

복효적 행정행위(제3자효 행정행위)에서는 행정행위의 상대방 및 제3자의 이익상황 및 귀책사유에 따라 취소의 소급효 여부 및 정도가 결정된다.

9. 취소의 취소

행정행위를 일단 직권취소한 후에 '그 취소행위에 하자'가 있다는 이유로 다시 그 직권취소 행위를 취소함으로서 원래의 행정행위의 효력을 회복시킬 수 있는가 문제된다. 이는 직권취소에 무효원인인 하자가 있는 경우와 취소원인인 하자가 있는 경우로 구분할 수 있다.❶

(1) 직권취소에 무효원인이 있는 경우

취소행위에 중대·명백한 하자가 있는 경우 그 취소처분은 무효이므로, 이에 따라 본래 행정행위(원행정행위)는 그대로 존속한다(통설·판례). 따라서 이 경우에는 별 문제가 없다.❷

(2) 직권취소에 취소원인이 있는 경우

① 학설
  ㉠ **부정설**: 행정행위가 취소되면 당해 행정행위는 확정적으로 효력을 상실하므로 법률이 명문으로 인정하지 않는 한 취소에 의하여 소멸된 행위를 다시 소생시킬 수 없고 원행정행위와 같은 내용의 새로운 행정행위를 다시 할 수 밖에 없다.
  ㉡ **긍정설(다수설)**: 직권취소도 성질상 행정행위의 일종이므로 그에 흠이 있으면 행정행위에 대한 취소의 법리에 따라 취소할 수 있고 이에 따라 취소처분을 취소하면 원행정행위가 원상회복된다.
  ㉢ **절충설**: 행정행위가 취소되면 당해 행정행위는 확정적으로 효력을 상실하므로 취소의 취소는 원칙적으로 불가능하지만, 수익적 행정행위의 취소의 경우에는 위법한 취소처분을 취소하여 원상회복시킬 필요가 있으므로 취소의 취소를 인정하여야 한다.

② **판례**: 부담적 행정행위의 경우에는 상대방의 신뢰이익보호를 위해 취소의 취소를 부정하고, 수익적 행정행위의 경우에는 (수익적 행정행위의 취소처분 후) 제3자의 이해관계가 개입되지 않은 경우에 한하여 취소의 취소가 가능하다고 하여, 절충설의 입장을 취하고 있는 것으로 보인다.

20. 행정사 수익적 행정행위의 직권취소에 대한 직권취소는 인정되지 않는다. (✕) → 된다

(3) 구체적 사례

① 부담적 행정행위의 취소의 취소는 부정된다.

🔧 관련판례

1 과세관청이 과세처분에 대한 이의신청절차에서 납세자의 이의신청 사유가 옳다고 인정하여 과세처분을 직권으로 취소한 이상, 그 후, 특별한 사유 없이 이를 번복하고 종전 처분을 되풀이하여서 한 과세처분은 위법하다. ★★

과세처분에 관한 불복절차과정에서 불복사유가 옳다고 인정하고 이에 따라 필요한 처분을 하였을 경우에는 불복제도와 이에 따른 시정방법을 인정하고 있는 법 취지에 비추어 동일 사항에 관하여 특별한 사유 없이 이를 번복하고 다시 종전의 처분을 되풀이할 수는 없다. 따라서 과세관청이 과세처분에 대한 이의신청절차에서 납세자의 이의신청 사유가 옳다고 인정 하여 과세처분을 직권으로 취소하였음에도, 특별한 사유 없이 이를 번복하고 종전 처분을 되풀이하여서 한 과세처분은 위법하다(대판 2014.7.24. 2011두14227).

20. 5급 승진 과세처분에 관한 이의신청절차에서 과세관청이 이의신청사유를 인정하여 과세처분을 직권으로 취소한 경우, 당해 과세관청은 그 직권취소를 번복하여 종전 처분을 되풀이할 수 있다. (×) → 없다

2 과세처분을 직권취소한 경우 그 취소가 당연무효가 아닌 한 과세처분은 확정적으로 효력을 상실하므로, 취소처분을 직권취소하여 원과세처분의 효력을 회복시킬 수 없다. ★★★

국세기본법 제26조 제1호는 부과의 취소를 국세납부의무 소멸사유의 하나로 들고 있으나, 그 부과의 취소에 하자가 있는 경우의 부과의 취소의 취소에 대하여는 법률이 명문으로 그 취소요 건이나 그에 대한 불복절차에 대하여 따로 규정을 둔 바도 없으므로, 설사 부과의 취소에 위법사유가 있다고 하더라도 당연무효가 아닌 한 일단 유효하게 성립하여 부과처분을 확정적으로 상실시키는 것이므로, 과세관청은 부과의 취소를 다시 취소함으로써 원부과처분을 소생시킬 수는 없고 납세의무자에게 종전의 과세대상에 대한 납부의무를 지우려면 다시 법률에서 정한 부과절차에 좇아 동일한 내용의 새로운 처분을 하는 수밖에 없다(대판 1995.3.10. 94누7027).

23. 지방직 7급 조세부과처분이 취소되면 그 조세부과처분은 확정적으로 효력이 상실되므로 나중에 취소처분이 취소되어도 원 조세부과처분의 효력이 회복되지 않는다. (○)

22. 소방직 과세관청은 과세처분의 취소를 다시 취소함으로써 이미 효력을 상실한 원부과처분을 소생시킬 수 없다. (○)

16. 국가직 9급 과세처분을 직권취소한 경우 그 취소가 당연무효가 아닌 한 과세처분은 확정적으로 효력을 상실하므로, 취소처분을 직권취소하여 원과세처분의 효력을 회복시킬 수 없다. (○)

21. 경찰 2차 과세관청은 과세처분의 취소처분이 당연무효의 하자가 없는 한 이를 다시 취소함으로써 원 과세처분을 소생시킬 수 있으며 새로이 법률에서 정한 절차에 따라 동일한 내용의 처분을 다시 할 필요는 없다. (×) → 없으며 / 해야 한다

3 병역변경처분이 있는 경우 종전처분은 취소되어 소급하여 그 효력을 상실한 것이므로 변경처분을 다시 취소한다고 하더라도 종전처분의 효력이 되살아나는 것이 아니다. ★★★

지방병무청장이 재신체검사 등을 거쳐 현역병입영대상편입처분을 보충역편입처분이나 제2 국민역편입처분으로 변경하거나 보충역편입처분을 제2국민역편입처분으로 변경하는 경우 비록 새로운 병역처분의 성립에 하자가 있다고 하더라도 그것이 당연무효가 아닌 한 일단 유효하게 성립하고 제소기간의 경과 등 형식적 존속력이 생김과 동시에 종전의 병역처분의 효력은 취소 또는 철회되어 확정적으로 상실된다고 보아야 할 것이므로 그 후 새로운 병역처분의 성립에 하자가 있었음을 이유로 하여 이를 취소한다고 하더라도 종전의 병역처분의 효력이 되살아난다고 할 수 없다(대판 2002.5.28. 2001두9653).

과세처분에 대한 이의신청절차에서 직권취소 후 이를 번복하고 종전 처분 되풀이
▷ 위법

과세처분(부담적 행정행위) 취소의 취소
▷ 不可

현역병편입처분을 보충역편입처분으로 변경
▷ 보충역편입처분의 직권취소로 현역병편입처분의 효력 소생×

22. 국회직 8급 지방병무청장이 재신체검사 등을 거쳐 종전의 현역병입영대상편입처분을 보충역편입처분으로 변경한 후에 제소기간의 경과 등으로 보충역편입처분에 형식적 존속력이 생겼다면, 보충역편입처분에 하자가 있다는 이유로 이를 직권으로 취소하더라도 종전의 현역병입영대상편입처분의 효력은 회복되지 않는다. (○)

16. 서울시 7급, 14. 지방직 9급 현역병 입영대상편입처분을 보충역편입처분으로 변경한 경우, 보충역편입처분에 불가쟁력이 발생한 이후 보충역편입처분이 하자를 이유로 직권취소 되었다면 종전의 현역병 입영대상편입처분의 효력은 ~~되살아난다~~. (✕) → 되살아난다고 할 수 없다

② 수익적 행정행위의 취소의 취소는 인정되나 제3자의 이해관계가 개입된 경우에는 부정된다.

관련판례

이사취임승인취소의 취소
▷ 인정

1 **행정청이 의료법인의 이사에 대한 이사취임승인취소처분을 직권으로 취소한 경우에는 이사가 소급하여 이사의 지위를 회복하게 된다. ★★★**

행정처분이 취소되면 그 소급효에 의하여 처음부터 그 처분이 없었던 것과 같은 효과를 발생하게 되는바, 행정청이 의료법인의 이사에 대한 이사취임승인취소처분(제1처분)을 직권으로 취소(제2처분)한 경우에는 그로 인하여 이사가 소급하여 이사로서의 지위를 회복하게 되고, 그 결과 위 제1처분과 제2처분 사이에 법원에 의하여 선임결정된 임시이사들의 지위는 법원의 해임결정이 없더라도 당연히 소멸된다(대판 1997.1.21. 96누3401).

17. 국가직 9급, 14. 서울시 7급 행정청이 의료법인의 이사에 대한 이사취임승인취소처분을 직권으로 취소한 경우에는 이사가 소급하여 이사의 지위를 회복하게 된다. (○)

21. 소방간부 행정청이 의료법인의 이사에 대한 이사취임승인 취소처분(제1처분)을 직권으로 취소(제2처분)한 경우, 제1처분과 제2처분 사이에 법원에 의하여 선임된 임시이사의 지위가 소멸되기 위해서는 법원의 해임결정이 ~~있어야 한다~~. (✕) → 없어도 된다

23. 지방직 7급 행정청이 의료법인의 이사에 대한 이사취임승인취소처분(제1처분)을 직권으로 취소(제2처분)한 경우, 제1처분과 제2처분 사이에 법원에 의하여 선임결정된 임시이사들의 지위는 법원의 해임결정이 ~~있어야~~ 소멸된다. (✕) → 없더라도 당연히

광업권 취소처분 후 제3자의 광업권 선출원이 있는 경우
▷ 부정

2 **광업권 취소처분 후 이해관계인의 광업권 설정의 선출원이 있는 경우에는 취소처분을 취소하여 광업권을 복구시키는 조치는 위법하다. ★★**

일단 취소처분을 한 후에 새로운 이해관계인이 생기기 전에 취소처분을 취소하여 그 광업권의 회복을 시켰다면 모르되(대판 1967.10.23. 67누126). 피고가 본건 취소처분을 한 후에 원고가 본건 광구에 대하여 선출원을 적법히 함으로써 이해관계인이 생긴 이 사건에 있어서, 피고가 취소처분을 취소하여, 소외인 명의의 광업권을 복구시키는 조처는, 원고의 선출원 권리를 침해하는 위법한 처분이라고 하지 않을 수 없다(대판 1967.10.23. 67누126).

18. 국회직 8급 광업권 허가에 대한 취소처분을 한 후 적법한 광업권 설정의 선출원이 있는 경우에는 취소처분을 취소하여 광업권을 복구시키는 조치는 위법하다. (○)

14. 서울시 7급 광업권 취소처분 후 광업권 설정의 선출원이 있는 경우에도 취소처분을 취소하여 광업권을 복구시키는 조치는 ~~적법하다~~. (✕) → 위법하다

10. 급부부여결정의 직권취소 후 부당이득환수처분

(1) 수익적 행정행위가 소급적으로 직권취소되면 특별한 규정이 없는 한 이미 받은 이익은 부당이득이 되는 것이므로 부당이득반환청구가 가능한 것으로 볼 수 있다.❶

(2) 그런데, 잘못 지급된 보상금 등 급부의 환수를 위해서 별도로 환수처분을 하여야 하는 것으로 규정되어 있는 경우(⑨ 특수임무자보상금 환수처분 등)가 있다. 판례에 따르면 이 경우 잘못 지급된 보상금 등에 해당하는 금액을 징수하는 처분을 해야 할 공익상 필요와 그로 인하여 당사자가 입게 될 기득권과 신뢰의 보호 및 법률생활 안정의 침해 등의 불이익을 비교·교량한 후, 공익상 필요가 당사자가 입게 될 불이익을 정당화할 만큼 강한 경우에 한하여 보상금 등을 받은 당사자로부터 잘못 지급된 보상금 등에 해당하는 금액을 환수하는 처분을 하여야 한다(대판 2014.10.27. 2012두17186). 즉, 판례는 신뢰보호의 견지에서 부당이득의 환수를 제한하고 있다.❷

(3) 그리고 지급결정을 취소하는 처분과 환수처분시 고려해야 할 이익형량의 사정이 동일하다고는 할 수 없으므로 지급결정을 취소하는 처분이 적법한 경우 그에 기초한 환수처분도 반드시 적법하다고 판단해야 하는 것은 아니라고 판시하였다(지급결정 취소처분의 적법성과 징수처분의 위법성을 분리하여 판단, 대판 2017.3.30. 2015두43971).

⚖ 관련판례

1 잘못 지급된 보상금에 해당하는 금액의 징수처분을 해야 할 공익상 필요가 당사자가 입게 될 불이익을 정당화할 만큼 강한 경우, 보상금을 받은 당사자로부터 오지급 금액의 환수처분이 가능하다. ★★

특수임무수행자 보상에 관한 법률에 따라 <u>잘못 지급된 보상금 등에 해당하는 금액을 징수하는 처분을 해야 할 공익상 필요와 그로 인하여 당사자가 입게 될 기득권과 신뢰의 보호 및 법률생활 안정의 침해 등의 불이익을 비교·교량한 후, 공익상 필요가 당사자가 입게 될 불이익을 정당화할 만큼 강한 경우에 한하여 보상금 등을 받은 당사자로부터 잘못 지급된 보상금 등에 해당하는 금액을 환수하는 처분을 하여야 한다</u>(대판 2014.10.27. 2012두17186).

17. 지방직 9급 잘못 지급된 보상금에 해당하는 금액의 징수처분을 해야 할 공익상 필요가 당사자가 입게 될 불이익을 정당화할 만큼 강한 경우, 보상금을 받은 당사자로부터 오지급 금액의 환수처분이 가능하다. (○)

2 연금 지급결정을 취소하는 처분이 적법한 경우 그에 기초한 환수처분도 반드시 적법하다고 판단해야 하는 것은 아니다. ★★

[1] 국민연금법 제57조 제1항은 <u>"공단은 급여를 받은 사람이 다음 각 호의 어느 하나에 해당하는 경우에는 대통령령으로 정하는 바에 따라 그 금액을 환수해야 한다."</u>고 규정하고, 그 사유로서 '거짓이나 그 밖의 부정한 방법으로 급여를 받은 경우'(제1호), '제75조 및 제121조 제2항에 따른 수급권 소멸사유를 공단에 신고하지 아니하거나 늦게 신고하여 급여가 잘못 지급된 경우'(제2호), '그 밖의 사유로 급여가 잘못 지급된 경우'(제3호)를 정하고 있다.

🙋 함께 정리하기

수익적 행정행위의 소급적 직권취소
▷ 특별한 규정이 없는 한 이미 받은 이익은 부당이득

❶
예컨대, 계속적 급부부여결정의 취소가 소급효를 갖는 경우에는 이미 지급한 급부는 법적 근거를 상실하고 따라서 부당이득이 되므로 행정청에게 반환되어야 한다. 이에 반하여 계속적 급부부여결정의 취소가 소급효를 갖지 않는 경우에는 이미 수여된 급부는 법적 근거를 가지므로 반환되지 않으며 장래에 향하여 급부가 행해지지 않는 것으로 된다.

별도로 환수처분을 하여야 하는 것으로 규정되어 있는 경우
▷ 신뢰보호의 견지에서 부당이득환수 제한(判, 이익형량 要)

❷
부당이득의 환수는 이익형량을 전제로 하므로 특별한 규정이 없는 한 재량행위로 보는 것이 타당하다.

지급결정취소처분과 환수처분시 이익형량의 요소 상이
▷ 지급결정취소처분이 적법한 경우 그에 기초한 환수처분도 반드시 적법×

잘못 지급된 보상금의 징수처분을 해야 할 공익상 필요가 당사자가 입게 될 불이익보다 큰 경우
▷ 오지급금 환수처분 可

연금지급결정을 취소하는 처분 적법
▷ 환수처분도 반드시 적법×

---

[2] 이러한 국민연금법 규정의 내용과 취지, 사회보장 행정영역에서의 수익적 행정처분 취소의 특수성 등을 종합하여 보면, 위 조항에 따라 급여를 받은 당사자로부터 잘못 지급된 급여액에 해당하는 금액을 환수하는 처분을 함에 있어서는 그 급여의 수급에 관하여 당사자에게 고의 또는 중과실 등 귀책사유가 있는지, 지급된 급여의 액수·연금지급결정일과 지급결정 취소 및 환수처분일 사이의 시간적 간격·수급자의 급여액 소비 여부 등에 비추어 이를 다시 원상회복하는 것이 수급자에게 가혹한지 여부, 잘못 지급된 급여액에 해당하는 금액을 환수하는 처분을 통하여 달성하고자 하는 공익상 필요의 구체적 내용과 그 처분으로 말미암아 당사자가 입게 될 불이익의 내용 및 정도와 같은 여러 사정을 두루 살펴, 잘못 지급된 급여액에 해당하는 금액을 환수하는 처분을 하여야 할 공익상 필요와 그로 인하여 당사자가 입게 될 기득권과 신뢰의 보호 및 법률생활 안정의 침해 등의 불이익을 비교·교량한 후, 그 공익상 필요가 당사자가 입게 될 불이익을 정당화할 만큼 강한 경우에 한하여 잘못 지급된 급여액에 해당하는 금액을 환수하는 처분을 하여야 한다고 봄이 타당하다.

[3] 나아가 행정처분을 한 처분청은 그 처분의 성립에 하자가 있는 경우 별도의 법적 근거가 없다고 하더라도 직권으로 이를 취소할 수 있다고 봄이 원칙이므로, 국민연금법이 정한 수급요건을 갖추지 못하였음에도 연금 지급결정이 이루어진 경우에는 이미 지급된 급여 부분에 대한 환수처분과 별도로 그 지급결정을 취소할 수 있다. 이 경우에도 이미 부여된 국민의 기득권을 침해하는 것이므로 그 취소권의 행사는 지급결정을 취소할 공익상의 필요보다 상대방이 받게 될 불이익 등이 막대한 경우에는 재량권의 한계를 일탈한 것으로서 위법하다고 보아야 한다. 다만, 이처럼 연금지급결정을 취소하는 처분과 그 처분에 기초하여 잘못 지급된 급여액에 해당하는 금액을 환수하는 처분이 적법한지를 판단하는 경우 비교·교량할 각 사정이 동일하다고는 할 수 없으므로, 연금지급결정을 취소하는 처분이 적법하다고 하여 환수처분도 반드시 적법하다고 판단하여야 하는 것은 아니다.

[4] ① 원고의 출생연월일이 사후적으로 정정된 결과 원고에 대한 지급결정 당시 특례노령연금 수급요건을 갖추지 못하게 되었다고 하더라도, 연금지급신청 당시 객관적 소명자료인 가족관계등록부에 기재된 출생연월일을 기재하여 특례노령연금을 지급받은 원고에게 고의 또는 중과실의 귀책사유가 있다고 단정하기 어려운 점, ② 원고에 대한 퇴직노령연금 지급개시시점과 이 사건 각 처분시점의 시간적 간격이 6년여가 되어 이미 지급된 급여를 원상회복하는 것이 쉽지 않아 보이고, 또한 지급된 급여에 대하여 원고가 이를 퇴직노령연금의 취지에 어긋나게 이를 낭비하였다고 볼 만한 사정도 발견되지 아니하는 점, ③ 한편 이 사건 환수처분에 의하여 원고가 반환해야 하는 급여액수, 원고의 연령과 경제적 능력 등을 고려하면 원고에게 가혹하다고 보이는 점 등을 종합하면, 이 사건 환수처분을 함으로써 얻을 수 있는 공익상 필요가 그로 말미암아 원고가 입게 될 불이익을 정당화할 만큼 강하다고 보기 어렵다(대판 2017.3.30. 2015두43971). ❶

19. 국가직 7급 「국민연금법」상 연금지급결정을 취소하는 처분과 그 처분에 기초하여 잘못 지급된 급여액에 해당하는 금액을 환수하는 처분이 적법한지를 판단하는 경우 비교·교량할 각 사정이 상이하다고는 할 수 없으므로, 연금 지급결정을 취소하는 처분이 적법하다면 환수처분도 적법하다고 판단하여야 한다. (×) → 동일 / 하다고 하여 / 하는 것은 아니다

❶ 판례는 이 사건 환수처분은 위법하다고 판단한 반면, 이 사건 연금지급결정의 직권취소처분은, 원고 연금수급권의 법적 근거를 상실시키기 위하여 2008.2.10.자 이 사건 지급결정을 직권취소하는 취지로 볼 수 있고, 특례노령연금 수급을 받을 것이라는 점에 관한 원고의 신뢰가 있었다고 하더라도, 원고의 정정된 출생연월일을 기준으로 원고가 특례노령연금의 수급요건을 충족하지 않는다는 점이 확인된 이상 원고에 대한 연금 지급근거를 상실시킴으로써 장기적으로 국민연금기금의 재정적 건전성을 확보하여야 할 공익상 필요가 원고의 신뢰 보호 필요성에 비하여 강하다고 보아야 하므로 적법하다고 판단하였다.

3 산업재해보상보험법상 각종 보험급여 지급결정을 변경 또는 취소하는 처분이 적법한 경우, 그에 터 잡은 부당이득 징수처분(환수처분)도 반드시 적법하다고 판단해야 하는 것은 아니다. ★★

[1] 산재보상법상 각종 보험급여 등의 지급결정을 변경 또는 취소하는 처분과 처분에 터 잡아 잘못 지급된 보험급여액에 해당하는 금액을 징수하는 처분이 적법한지를 판단하는 경우 비교·교량할 각 사정이 동일하다고는 할 수 없으므로, 지급결정을 변경 또는 취소하는 처분이 적법하다고 하여 그에 터 잡은 징수처분도 반드시 적법하다고 판단해야 하는 것은 아니다.

[2] 근로복지공단이, 출장 중 교통사고로 사망한 갑의 아내 을에게 요양급여 등을 지급하였다가 갑의 음주운전 사실을 확인한 후 요양급여 등 지급결정을 취소하고 이미 지급된 보험급여를 부당이득금으로 징수하는 처분을 한 사안에서, 위 사고는 망인의 음주운전이 주된 원인으로서 망인의 업무와 사고 발생 사이에는 상당인과관계가 있다고 볼 수 없어 망인의 사망은 업무상 재해에 해당하지 않으므로 요양급여 등 지급결정은 하자 있는 위법한 처분인 점 등을 고려하면, 요양급여 등 지급결정은 취소해야 할 공익상의 필요가 중대하여 을 등 유족이 입을 불이익을 정당화할 만큼 강하지만, 위 사고는 망인이 사업주의 지시에 따라 출장을 다녀오다가 발생하였고, 사고 발생에 망인의 음주 외에 업무로 인한 과로, 과로로 인한 피로 등이 경합하여 발생한 점 등을 고려하면, 이미 지급한 보험급여를 부당이득금으로 징수하는 처분은 공익상의 필요가 을 등이 입게 된 기득권과 신뢰보호 및 법률생활 안정의 침해 등 불이익을 정당화할 만큼 강한 경우에 해당하지 않는다(대판 2014.7.24. 2013두27159).

21. 행정사 「산업재해보상보험법」상 연금지급결정을 취소하는 처분이 적법하다고 하여 그에 터 잡은 징수처분이 반드시 적법한 것은 아니다. (○)

19. 지방직 9급 산재보상법상 각종 보험급여 등의 지급결정을 변경 또는 취소하는 처분과 처분에 터 잡아 잘못 지급된 보험급여액에 해당하는 금액을 징수하는 처분이 적법한지를 판단하는 경우 비교·교량할 각 사정이 동일하다고는 할 수 없으므로, 지급결정을 변경 또는 취소하는 처분이 적법하다고 하여 그에 터 잡은 징수처분도 반드시 적법하다고 판단하여야 한다. (✕) → 하는 것은 아니다

4 구 국민건강보험법 제52조 제1항에 따른 부당이득징수는 재량행위인데도 징수시 고려할 사항을 제대로 고려하지 않고 의료기관의 개설명의인을 상대로 요양급여비용을 전액징수하는 것은 비례의 원칙에 위배된다. ★

구 국민건강보험법 제52조 제1항은 "공단은 사위 기타 부당한 방법으로 보험급여를 받은 자 또는 보험급여비용을 받은 요양기관에 대하여 그 급여 또는 급여비용에 상당하는 금액의 전부 또는 일부를 징수한다."라고 규정하여 문언상 일부 징수가 가능함을 명시하고 있다. 위 조항이 정한 부당이득징수는 재량행위라고 보는 것이 옳다. 그리고 요양기관이 실시한 요양급여 내용과 요양급여비용의 액수, 의료기관 개설·운영 과정에서의 개설명의인의 역할과 불법성의 정도, 의료기관 운영성과의 귀속 여부와 개설명의인이 얻은 이익의 정도, 그 밖에 조사에 대한 협조 여부 등의 사정을 고려하지 않고 의료기관의 개설명의인을 상대로 요양급여비용 전액을 징수하는 것은 다른 특별한 사정이 없는 한 비례의 원칙에 위배된 것으로 재량권을 일탈·남용한 때에 해당한다고 볼 수 있다(대판 2020.6.4. 2015두39996).

각종 보험급여 지급결정을 변경·취소하는 처분 적법
▷ 부당이득 징수처분(환수처분)도 반드시 적법✕

형량요소 고려 없이 사무장 병원의 개설명의인에 대한 요양급여비용 전액 징수
▷ 위법

3 행정행위의 철회

> **「행정기본법」제19조 【적법한 처분의 철회】** ① 행정청은 적법한 처분이 다음 각 호의 어느 하나에 해당하는 경우에는 그 처분의 전부 또는 일부를 장래를 향하여 철회할 수 있다.
> 1. 법률에서 정한 철회 사유에 해당하게 된 경우
> 2. 법령등의 변경이나 사정변경으로 처분을 더 이상 존속시킬 필요가 없게 된 경우
> 3. 중대한 공익을 위하여 필요한 경우
>
> 24. 국가직 9급 행정청은 사정변경으로 적법한 처분을 더 이상 존속시킬 필요가 없게 된 경우 그 처분의 전부 또는 일부를 장래를 향하여 철회할 수 있다. (O)
>
> ② 행정청은 제1항에 따라 처분을 철회하려는 경우에는 철회로 인하여 당사자가 입게 될 불이익을 철회로 달성되는 공익과 비교·형량하여야 한다.

1. 의의

철회
▷ 적법하게 성립된 행정행위에 대해 그 효력을 존속시킬 수 없는 새로운 사정이 발생하였음을 이유로 장래에 향하여 그 효력의 전부 또는 일부를 소멸시키는 독립된 행정행위(장래효)

(1) 행정행위의 철회란 아무런 하자 없이 적법하게 성립된 행정행위의 효력을, 성립 후 발생한 근거법령의 변경 또는 사실관계의 변경 등 새로운 사정으로 인하여 공익상 그 효력을 더 이상 존속시킬 수 없는 경우에, 장래에 향하여 본래의 행정행위의 효력의 전부 또는 일부를 소멸시키는 독립된 행정행위를 말한다.

(2) 취소는 그 대상이 하자있는 행정행위인 반면, 철회는 그 대상이 하자없는 행정행위라는 점, 취소는 하자의 시정을 주목적으로 하는 데 대하여, 철회는 변화된 사실 및 법률상태에 대한 적응을 목적으로 한다는 점에서 구별된다. 그러나, 실정법상으로 철회는 직권취소와 구별되지 않고 취소라는 용어를 사용하는 경우가 많다. 따라서 행정행위 취소가 있더라도 취소사유의 내용, 경위 기타 제반 사정을 종합하여 명칭에도 불구하고 행정행위의 효력을 장래를 향해 소멸시키는 행정행위의 철회에 해당하는지 살펴보아야 한다.

14. 서울시 7급 행정행위의 철회는 하자 없이 성립한 행정행위에 대해 그의 효력을 존속시킬 수 없는 새로운 사정이 발생하였음을 이유로 장래에 향하여 그의 효력을 소멸시키는 행정행위이다. (O)
06. 국가직 9급 철회도 실정법상 취소라고 불리는 경우가 많다. (O)

허가를 취소하며 내세운 취소사유가 허가 당시 존재하던 하자가 아닌 경우
▷ 명칭에도 불구하고 취소의 법적성격은 '철회'에 해당할 여지 有

> **⚡ 관련판례**
>
> **허가를 취소하면서 내세운 취소사유가 허가 당시에 존재하던 하자가 아니라면, 그 명칭에도 불구하고 법적 성격은 허가의 '철회'에 해당할 여지가 있다. ★**
>
> 주무관청의 기본재산처분 허가에 따라 을 회사에 처분되어 소유권이전등기까지 마쳐진 이후 주무관청이 허가를 취소하였더라도, 허가를 취소하면서 내세운 취소사유가 허가 당시에 존재하던 하자가 아니라면, 그 명칭에도 불구하고 법적 성격은 허가의 '철회'에 해당할 여지가 있어 그 전에 이루어진 갑 법인과 을 회사의 부동산 매매계약과 이를 원인으로 마쳐진 을 회사의 소유권이전등기는 허가 취소에도 불구하고 여전히 유효하다고 볼 여지가 있다(대결 2022.9.29. 2022마118).

2. 취소와 철회의 비교

(1) 공통점

직권취소와 철회는 ① 유효하게 성립한 행정행위를 소멸시킨다는 점, ② 그 자체가 독립한 행정행위라는 점, ③ 양자 모두 쟁송에 의하지 않고 행정청의 직권으로 행해진다는 점에서 공통점이 있다.

21. 지방직 7급 행정청은 적법한 처분의 경우 당사자의 신청이 있는 경우에만 철회가 가능하다. (×) → 없더라도

(2) 차이점

⚖ 관련판례

행정행위의 '취소'와 '철회'의 구별 및 행정행위의 '취소 사유'와 '철회 사유'의 구별 ★★★

<u>행정행위의 취소</u>는 일단 유효하게 성립한 행정행위를 그 행위에 <u>위법한 하자</u>가 있음을 이유로 소급하여 효력을 소멸시키는 별도의 행정처분을 의미함이 원칙이다. 반면, <u>행정행위의 철회</u>는 <u>적법요건을 구비</u>하여 완전히 효력을 발하고 있는 행정행위를 사후적으로 효력의 전부 또는 일부를 장래에 향해 소멸시키는 별개의 행정처분이다. 그리고 <u>행정행위의 취소 사유</u>는 원칙적으로 행정행위의 <u>성립 당시에 존재하였던 하자</u>를 말하고, <u>철회 사유</u>는 행정행위가 <u>성립된 이후에 새로이 발생한 것</u>으로서 행정행위의 효력을 존속시킬 수 없는 사유를 말한다(대판 2018.6.28. 2015두58195 ; 대판 2003.5.30. 2003다6422).

18. 5급 승진, 14. 서울시 7급 행정행위의 취소는 일단 유효하게 성립한 행정행위를 그 행위에 하자가 있음을 이유로 원칙적으로 소급하여 효력을 소멸시키는 별도의 행정처분이다. (○)

19. 군무원 9급, 18. 5급 승진, 17. 경행경채, 16. 행정사, 15. 국가직 7급 등 행정행위의 취소사유는 행정행위의 성립 당시에 존재하였던 하자를 말하고, 철회사유는 행정행위가 성립된 이후에 새로이 발생한 것으로서 행정행위의 효력을 존속시킬 수 없는 사유를 말한다. (○)

22. 군무원 9급, 18. 5급 승진, 13. 경찰 2차 행정행위의 철회는 적법요건을 구비하여 완전히 효력을 발하고 있는 행정행위를 사후적으로 효력의 전부 또는 일부를 장래에 향해 소멸시키는 별개의 행정처분이다. (○)

◎ 핵심정리 철회와 취소의 비교

구분	취소	철회
행사 사유	행정행위 당시에 존재했던 하자를 이유로 취소(원시적 하자)	행정행위가 성립된 이후에 발생한 사유(후발적 사유)
철회권자	• 직권취소: 처분청, 감독청(이설 있음) • 쟁송취소: 행정심판위원회, 법원	처분청만
절차	• 직권취소: 특별한 절차 불요, 직권으로 • 쟁송취소: 실정법상 엄격한 절차 要	특별한 절차 불요, 직권으로
당사자의 신청권	×	×
법적 근거	• 직권취소: 「행정기본법」 • 쟁송취소: 「행정심판법」, 「행정소송법」	「행정기본법」
효력	• 직권취소 　- 수익적 행정행위의 취소: 장래효 　- 부담적 행정행위의 취소: 소급효 • 쟁송취소: 소급효	• 원칙: 장래효 • 예외: 소급효

3. 철회권자

행정행위의 철회는 그 성질상 원래의 행정행위처럼 새로운 처분을 하는 것과 같기 때문에 처분을 한 행정청만이 할 수 있다. 감독청은 법률에 근거가 있는 경우에 한하여 철회권을 가진다.

13. 서울시 7급 행정행위의 철회권은 처분청만이 가진다. (O)

18. 서울시 7급, 13. 서울시 9급 명문의 규정을 불문하고 처분청과 감독청은 철회권을 가진다. (X) → X

15. 교행 감독청은 법령에 특별한 근거가 없더라도 철회권자가 될 수 있다. (X) → 없는 한 / 없다

4. 철회의 법적 근거

행정행위의 철회에 있어서 법적 근거가 필요한지 여부에 대하여 견해의 대립이 있었다.❶ 그런데 최근 제정된 「행정기본법」 제19조 제1항은 처분의 철회에 대한 일반적인 법적 근거를 두게 되어 이에 대한 논란을 입법적으로 해결하였다. 따라서 철회는 개별법률의 근거가 없어도 가능하다.

22. 국가직 7급 행정청은 중대한 공익을 위하여 필요한 경우에는 적법한 처분의 전부 또는 일부를 장래를 향하여 철회할 수 있다. (O)

> 🔨 **관련판례**
>
> **행정행위를 한 처분청은 별도의 법적 근거가 없더라도 사정변경 또는 중대한 공익상의 필요에 의해 행정행위를 철회할 수 있다. ★★★**
>
> 행정행위를 한 처분청은 비록 그 처분 당시에 별다른 하자가 없었고, 또 그 처분 후에 이를 철회할 별도의 법적 근거가 없다 하더라도 원래의 처분을 존속시킬 필요가 없게 된 사정변경이 생겼거나 또는 중대한 공익상의 필요가 발생한 경우에는 그 효력을 상실케 하는 별개의 행정행위로 이를 철회할 수 있다(대판 2004.11.26. 2003두10251 · 10268 · 2014두41190 ; 대판 1992.1.17. 91누3130).
>
> 23. 지방직 7급 행정행위를 한 처분청은 비록 그 처분 당시에 별다른 하자가 없었고, 또 그 처분 후에 이를 철회할 별도의 법적 근거가 없다 하더라도 원래의 처분을 존속시킬 필요가 없게 된 사정변경이 생겼거나 또는 중대한 공익상의 필요가 발생한 경우에는 그 효력을 상실케 하는 별개의 행정행위로 이를 철회할 수 있다. (O)
>
> 14. 행정사, 11. 경찰 1차 철회사유가 존재하는 경우, 별도의 법적 근거가 없더라도 철회할 수 있다. (O)
>
> 18. 서울시 7급(추), 18. 국가직 9급, 15. 서울시 9급, 09. 국회직 8급 처분청의 행정처분 후 사정변경이 있거나 중대한 공익상 필요가 있는 경우 법적 근거가 없어도 그 처분의 효력을 상실케 하는 별도의 행정행위로 이를 철회할 수 있다. (O)
>
> 21. 군무원 9급, 18. 지방직 9급 행정행위를 한 처분청은 비록 처분 당시에 별다른 하자가 없었고, 처분 후에 이를 철회할 별도의 법적 근거가 없더라도 원래의 처분을 존속시킬 필요가 없게 된 중대한 공익상 필요가 발생한 경우에도 그 효력을 상실케 하는 별개의 행정행위로 이를 철회할 수 없다. (X) → 있다

5. 철회의 사유(철회원인)

행정행위의 철회사유는 취소사유와는 달리 행정행위가 성립된 이후에 새로이 발생한 것으로서 행정행위의 효력을 존속시킬 수 없는 사유를 말한다.

23. 국가직 9급 행정행위의 철회 사유는 행정행위가 성립되기 이전에 발생한 것으로서 행정행위의 효력을 존속시킬 수 없는 사유를 말한다. (X) → 된 이후

(1) 「행정기본법」상 철회사유

「행정기본법」은 철회사유로 ① 법률에서 정한 철회사유에 해당하게 된 경우, ② 법령 등의 변경(예 수익처분을 함에 있어 신청권자에게 요구되는 허가요건이 사후적으로 충족되지 않는 경우, 법령의 개폐로 인하여 더 이상 원래의 행정행위를 존속시킬 수 없게 된 경우)이나 사정변경(예 유흥주점영업허가를 한 후에 그 인근에 학교가 세워진 경우, 도로확장으로 인한 주유소영업허가의 취소, 도로폐지에 따른 도로점용허가의 철회 등)으로 처분을 더 이상 존속시킬 필요가 없게 된 경우,❶ ③ 중대한 공익을 위하여 필요한 경우(예 중대한 공익상의 필요에 의한 도로점용허가의 취소, 댐건설로 인한 기존의 하천점용허가 철회 등)를 규정하고 있다(제19조 제1항).

10. 서울시 9급 도로확장으로 인한 주유소영업허가의 취소는 행정행위의 철회에 해당한다. (○)
13. 서울시 7급 사실관계의 변동은 철회의 사유로 볼 수 없다. (×) → 있다
15. 서울시 9급 사실관계나 법적상황의 변경으로 인한 행정행위의 존속이 공익상 중대한 장애가 된 경우는 행정행위의 철회가 제한되는 경우에 해당한다. (×) → 해당하지 않는다
10. 서울시 9급 중대한 공익상의 필요에 의한 도로점용허가의 취소는 행정행위의 철회에 해당한다. (○)

(2) 학설과 판례상 철회사유

「행정기본법」상 철회사유 외에 일반적으로 학설과 판례를 통하여 나타난 철회의 사유로는 ① 상대방의 법령위반이나 의무위반이 있는 경우(예 음주운전으로 인한 운전면허의 취소, 불법영업으로 인한 영업취소), ② 부담의 불이행의 경우(예 점용료를 납부하지 않은 자에 대한 도로점용허가의 취소), ③ 철회권이 부관으로 유보된 경우 등을 들 수 있다.

10. 서울시 9급 음주운전으로 인한 운전면허의 취소, 불법영업으로 인한 영업취소는 행정행위의 철회에 해당한다. (○)
15. 서울시 9급 행정행위에 수반되는 법정의무 또는 부관에 의한 의무 등을 위반하거나 불이행한 경우는 행정행위의 철회가 제한되는 경우에 해당한다. (×) → 해당하지 않는다

🔨 관련판례

1 수익적 행정행위의 철회는 그 처분 당시 별다른 하자가 없었음에도 불구하고 사후적으로 그 효력을 상실케 하는 행정행위이므로, 법령에 명시적인 규정이 있거나 행정행위의 부관으로 그 철회권이 유보되어 있는 등의 경우가 아니라면, 원래의 행정행위를 존속시킬 필요가 없게 된 사정변경이 생겼거나 또는 중대한 공익상의 필요가 발생한 경우 등의 예외적인 경우에만 허용된다(대판 2005.4.29. 2004두11954 ; 대판 2017.3.15. 2014두41190). ★★

18. 서울시 9급, 18. 국회직 8급 수익적 행정행위의 철회는 법령에 명시적인 규정이 있거나 행정행위의 부관으로 그 철회권이 유보되어 있는 경우, 또는 원래의 행정행위를 존속시킬 필요가 없게 된 사정변경이 생겼거나 또는 중대한 공익상의 필요가 발생한 경우 등의 예외적인 경우에만 허용된다. (○)

2 행정청이 일단 행정처분을 한 경우에는 행정처분을 한 행정청이라도 법령에 규정이 있는 때, 행정처분에 하자가 있는 때, 행정처분의 존속이 공익에 위반되는 때, 또는 상대방의 동의가 있는 때 등의 특별한 사유가 있는 경우를 제외하고는 행정처분을 자의로 취소(철회의 의미를 포함한다)할 수 없다(대판 2000.2.25. 99두10520). ★

3 (부담부 행정처분의 상대방이 그 부담을 이행하지 않음을 이유로 한 처분의 취소 가부) 부담부 행정처분에 있어서 처분의 상대방이 부담(의무)을 이행하지 아니한 경우에 처분행정청으로서는 이를 들어 당해 처분을 취소(철회)할 수 있는 것이다(대판 1989.10.24. 89누2431). ★★

「행정기본법」상 철회사유
▷ ① 법률에서 정한 철회사유에 해당, ② 법령 등의 변경이나 사정변경, ③ 중대한 공익을 위하여 필요

❶
원행정행위가 근거한 사실적 상황 또는 법적 상황의 변경으로 현재의 사정하에서 원행정행위를 하면 위법이 되는 경우이다. 즉, 여기에서의 사정변경은 처분을 할 당시에 고려하였거나 고려하였어야 할 사정들에 대하여 사정변경이 있고 그러한 사정변경으로 인하여 그 처분을 유지하는 것이 현저히 공익에 반하는 경우이다.

학설·판례상 철회사유
▷ 「행정기본법」상 철회사유 + ① 상대방의 의무위반, ② 부담의 불이행, ③ 철회권이 부관으로 유보된 경우

22. 군무원 9급, 20. 변호사, 19. 변호사, 16. 경찰 2차 부담부 행정처분에 있어서 처분의 상대방이 부담을 이행하지 아니한 경우에 처분행정청으로서는 이를 들어 당해 처분을 철회할 수 있다. (○)

21. 국회직 9급 처분의 상대방이 부담을 이행하지 아니하더라도 처분행정청은 이를 들어 당해 처분을 철회할 수 없다. (✕) → 있다

4 피고가 원고에 대해 주류판매업면허를 함에 있어서 조건부 면허를 한 것은 행정행위의 부관 중 취소권(철회권)의 유보로서, 그 취소사유는 법령에 규정이 있는 경우가 아니라고 하더라도, 의무위반 또는 중대한 공익상의 필요가 발생한 경우 등에는 당해 행정행위를 한 행정청은 그 행정처분을 취소할 수 있다(대판 1984.11.13. 84누269). ★

5 행정처분을 함에 있어서 행정청의 취소권(철회권)이 유보된 경우에 행정청은 그 유보된 취소권을 행사할 수 있으나 그 취소는 무제한으로 허용될 것이 아니라 공익상 기타 정당한 사유가 없을 때에는 그 취소가 적법한 것이라고 볼 수 없다(대판 1964.6.9. 63누407).❶

(3) 철회사유가 철회처분 이전에 해소된 경우 철회사유의 존부

> **❶** 철회권이 유보된 경우의 철회에도 이익형량의 원칙은 적용된다.

> 철회사유가 철회처분 이전에 해소된 경우
> ▷ 철회사유 당연소멸✕

🔍 관련판례

철회사유가 철회처분 이전에 해소된 경우에도 철회사유가 당연히 없어지는 것은 아니다. ★

1-1. 구 국민체육진흥법(2020.2.4. 법률 제16931호로 개정되기 전의 것) 제11조의5 제3호, 제12조 제1항 제4호의 내용, 체계와 입법 취지 등을 고려하면, 구 국민체육진흥법 제12조 제1항 제4호에서 정한 '제11조의5 각호의 어느 하나에 해당하는 경우'는 '제11조의5 각호 중 어느 하나의 사유가 발생한 사실이 있는 경우'를 의미한다고 보아야 하므로, 체육지도자가 금고 이상의 형의 집행유예를 선고받은 경우 행정청은 원칙적으로 체육지도자의 자격을 취소(철회)하여야 하고, 집행유예기간이 경과하는 등의 사유로 자격취소처분 이전에 결격사유가 해소되었다고 하여 이와 달리 볼 것은 아니다(대판 2022.7.14. 2021두62287).

1-2. 구 의료법 제8조 제4호의 '금고 이상의 형을 선고받고 그 집행을 받지 아니하기로 확정되지 아니한 자'에는 금고 이상의 형의 집행유예를 선고받고 그 선고의 실효 또는 취소 없이 유예기간이 지나 형 선고의 효력이 상실되기 전까지의 자가 포함되는 것으로, 그 유예기간이 지나 형 선고의 효력이 상실되었다면 더 이상 의료인 결격사유에 해당하지 아니한다. 다만, 면허취소사유를 정한 구 의료법 제65조 제1항 단서 제1호의 '제8조 각호의 어느 하나에 해당하게 된 경우'란 '제8조 각호의 사유가 발생한 사실이 있는 경우'를 의미하는 것이지, 행정청이 면허취소처분을 할 당시까지 제8조 각호의 결격사유가 유지되어야 한다는 의미로 볼 수 없다. 의료인이 의료법을 위반하여 금고 이상의 형의 집행유예를 선고받았다면 면허취소사유에 해당하고, 그 유예기간이 지나 형 선고의 효력이 상실되었다고 해서 이와 달리 볼 것은 아니다(대판 2022.6.30. 2021두62171).

6. 철회권의 제한

(1) 부담적 행정행위의 경우

> 부담적 행정행위
> ▷ 자유롭게 철회○

부담적 행정행위의 철회는 상대방의 불이익을 제거하는 것이기 때문에 자유롭게 철회할 수 있는 것이 원칙이다.

16. 서울시 9급 부담적 행정행위의 철회는 원칙적으로 자유롭지 않다고 본다. (✕) → 제한받지 않고 자유롭다

(2) 수익적 행정행위의 경우

① **철회권의 제한**: 행정행위의 취소의 경우와 마찬가지로 수익적 행정행위의 철회는 상대방의 신뢰와 법적 안정성을 해할 우려가 있으므로 철회사유가 발생한 경우에도 자유롭게 철회할 수 있는 것은 아니고, 철회로 인하여 당사자가 입게 될 불이익을 철회로 달성되는 공익과 비교·형량하여 결정하여야 한다는 것이 학설과 판례의 입장이자 「행정기본법」의 규정이다(「행정기본법」 제19조 제2항).

15. 서울시 9급 수익적 행정처분의 경우는 행정행위의 철회가 제한되는 경우에 해당한다. (○)

12. 지방직 9급 수익적 행정행위에 철회원인이 있는 경우에 행정청은 철회원인이 있다는 것만으로 자유로이 철회권을 행사할 수 있다. (✕) → 없다

② **철회권 제한의 사유**

㉠ **비례의 원칙**: 수익적 행정행위의 철회는 가장 무거운 제재로서의 성질을 가지므로 행정권의 철회권행사는 비례의 원칙에 적합하여야 한다. 즉, 개선명령 등과 같은 가벼운 방법에 의하여 목적을 달성할 수 있다면 먼저 이에 의하여야 하고, 일부철회로도 목적을 달성할 수 있으면 전부철회보다 일부만을 철회하여야 한다.

15. 교행 행정행위의 철회권 행사는 비례의 원칙에 적합하여야 한다. (○)

12. 국가직 7급 수익적 행정행위를 취소 또는 철회하는 경우 비례원칙이 적용된다. (○)

관련판례

국고보조조림결정에서 정한 조건에 일부만 위반하였음에도 국고보조조림결정 중 정당하게 조림한 부분까지 합쳐 전체를 철회한 것은 위법하다(대판 1986.12.9. 86누276). ★

10. 국회직 8급 국고보조조림결정에서 정한 조건에 일부만 위반한 경우 그 보조조림결정의 전부를 취소(철회)한 것은 위법하다고 본 판례가 있다. (○)

함께 정리하기

수익적 행정행위
▷ 자유롭게 철회✕
▷ 공익과 사인의 신뢰보호이익을 비교형량하여 함(철회로 달성되는 공익이 철회로 인해 당사자가 입게 될 불이익보다 커야 허용됨, 이익형량 要)

철회권 제한의 사유
▷ 비례원칙
▷ 신뢰보호의 원칙
▷ 실권의 법리
▷ 불가변력이 발생한 행위
▷ 포괄적 신분설정행위

❶
운전면허취소사유가 발생하였으나 아무런 행정조치를 취하지 않은 채 3년간 방치하고 있다가 운전면허취소(철회)처분을 한 것은 신뢰보호 및 법적 안정성의 관점에서 위법하다고 판시한 사례가 있다(대판 1987.9.8. 87누373).

복효적 행정행위의 철회
▷ 수익적 행정행위의 철회의 법리에 따름
▷ 이익형량에 있어서 철회를 요구하는 공익과 상대방의 사익 외에 제3자의 이익도 고려

수익적 처분 철회
▷ 「행정절차법」상 절차를 거쳐야 함(∵침익적 처분이므로)
판례
▷ 「행정절차법」 제정 전에도 이유제시를 요한다고 판시

철회의 범위와 한계
▷ 철회사유와 관련된 범위 내에서만 철회 可

ⓒ **신뢰보호의 원칙**: 철회권 행사에 있어서 상대방의 신뢰가 보호되어야 한다. 다만, 철회권이 유보된 경우, 부담의 불이행의 경우, 법에서 정한 의무의 위반이 있는 경우 등에서는 상대방은 사전에 철회의 가능성을 알고 있기 때문에 신뢰의 보호가치가 부정되어 신뢰보호의 원칙이 적용되지 않는다.

ⓒ **실권의 법리**: 행정청이 철회사유가 발생한 이후에도 일정기간 철회권을 행사하지 않은 경우에는 실권의 법리에 따라 철회권의 행사가 제한된다.**❶**

09. 국회직 8급 행정청이 철회사유가 있음을 알면서도 장기간 철회권을 행사하지 않은 경우 실권의 법리에 의해 철회권의 행사가 제한된다. (○)

ⓔ **불가변력이 발생한 행위**: 행정심판 재결 등과 같이 일정한 쟁송절차를 거쳐 행해지는 확인판단적·준사법적 행정행위는 불가변력이 인정되므로 성질상 철회가 제한된다.

ⓜ **포괄적 신분설정행위**: 귀하의 허가, 공무원의 임명 등 포괄적 신분설정행위는 철회가 제한된다.

(3) 복효적 행정행위(제3자효 행정행위)의 경우

복효적 행정행위(제3자효 행정행위)의 경우에는 수익적 행정행위의 철회의 법리에 따르면 된다. 따라서 제3자효 행정행위의 경우 이익형량에 있어서 철회를 요구하는 공익과 상대방의 사익 외에 제3자의 이익도 고려하여야 한다.

7. 철회의 절차

철회는 그 자체가 행정행위이므로 「행정절차법」상의 처분절차에 따라야 한다. 특히 수익적 행정행위의 철회는 상대방의 권리를 제한하는 처분이므로 사전통지(「행정절차법」 제21조), 의견청취(「행정절차법」 제22조), 이유제시(「행정절차법」 제23조) 등을 거쳐야 한다. 판례는 「행정절차법」의 제정 이전부터 철회에 이유제시를 요구하여 왔다(대판 1990.9.11. 90누1786).

21. 지방직 9급 수익적 행정행위의 철회는 특별한 다른 규정이 없는 한 「행정절차법」상의 절차에 따라 행해져야 한다. (○)

18. 서울시 9급 철회 자체가 행정행위의 성질을 가지는 것은 ~~아니어서~~ 「행정절차법」상 처분절차를 적용하여야 하는 것은 ~~아니나,~~ 신뢰보호원칙이나 비례원칙과 같은 행정법의 일반원칙은 준수해야 한다. (×) → 것이어서(독립된 행정행위) / 것이고

16. 서울시 7급, 11. 국가직 7급 수익적 행정행위의 철회에는 비례의 원칙이 적용되며 당사자에게 그 근거와 이유가 제시되어야 한다. (○)

8. 철회의 범위와 한계

(1) 철회사유와 관련된 범위 내에서만 철회할 수 있다(예 복수운전면허 철회). 철회사유가 처분의 일부에만 관련되거나 철회의 대상이 되는 부분이 가분적인 경우에는 일부철회를 하여야 하고, 일부 철회가 불가능한 경우에는 전부를 철회하여야 한다. 이 경우 비례원칙 등 법의 일반원칙을 준수하여야 한다.

(2) 외형상 하나의 행정처분이라 하더라도 가분성이 있거나 그 처분대상의 일부가 특정될 수 있다면 그 일부만의 철회도 가능하다.

관련판례

1 외형상 하나의 행정처분이라 하더라도 가분성이 있거나 그 처분대상의 일부가 특정될 수 있다면 그 일부만의 취소도 가능하고 그 일부의 취소는 당해 취소부분에 관하여 효력이 생긴다고 할 것인바, 이는 한 사람이 여러 종류의 자동차 운전면허를 취득한 경우 그 각 운전면허를 취소하거나 그 운전면허의 효력을 정지함에 있어서도 마찬가지이다(대판 1995.11.16. 95누8850 전합). ★★

2 한 사람이 여러 종류의 자동차운전면허를 취득하는 경우뿐 아니라 이를 취소 또는 정지하는 경우에도 서로 별개의 것으로 취급하는 것이 원칙이고, 다만 취소사유가 특정 면허에 관한 것이 아니고 다른 면허와 공통된 것이거나 운전면허를 받은 사람에 관한 것일 경우에는 여러 면허를 전부 취소할 수도 있다(대판 2012.5.24. 2012두1891).

9. 철회의 효과

(1) 장래효

행정행위의 철회의 효과는 장래에 향하여 발생하는 것이 원칙이다(「행정기본법」 제19조 제1항). 다만, 예외적으로 별도의 법적 근거가 있는 경우에는 철회의 효력을 과거로(예 철회사유 발생일) 소급할 수 있다.

15. 교행 철회의 효과는 장래에 미치는 것이 원칙이지만, 예외적으로 소급효를 인정할 수 있다. (○)

13. 서울시 7급, 11. 서울시 9급, 08. 국가직 9급 행정행위의 철회의 효과는 취소와 같이 소급하여 발생한다. (×) → 장래를 향하여

관련판례

영유아보육법 제30조 제5항에 따라 평가인증을 철회하는 처분을 하면서도, 평가인증의 효력을 과거로 소급하여 상실시키기 위해서는, 특별한 사정이 없는 한 영유아보육법 제30조 제5항과는 별도의 법적 근거가 필요하다. ★★★

[1] 영유아보육법 제30조 제5항 제3호는, 같은 법 제40조 제2호 또는 제3호에 따라 보조금 반환명령을 받았거나 제46조의 규정에 따라 어린이집 원장의 자격정지 처분을 받은 경우에 그 평가인증을 취소할 수 있도록 규정하고 있다. 영유아보육법 제30조 제5항 제3호에 따른 평가인증의 취소는 평가인증 당시에 존재하였던 하자가 아니라 그 이후에 새로이 발생한 사유로 평가인증의 효력을 소멸시키는 경우에 해당하므로, 법적 성격은 평가인증의 '철회'에 해당한다. 그런데 행정청이 평가인증을 철회하면서 그 효력을 철회의 효력발생일 이전으로 소급하게 하면, 철회 이전의 기간에 평가인증을 전제로 지급한 보조금 등의 지원이 그 근거를 상실하게 되어 이를 반환하여야 하는 법적 불이익이 발생한다. 이는 장래를 향하여 효력을 소멸시키는 철회가 예정한 법적 불이익의 범위를 벗어나는 것이다. 이처럼 행정청이 평가인증이 이루어진 이후에 새로이 발생한 사유를 들어 영유아보육법 제30조 제5항에 따라 평가인증을 철회하는 처분을 하면서도, 평가인증의 효력을 과거로 소급하여 상실시키기 위해서는, 특별한 사정이 없는 한 영유아보육법 제30조 제5항과는 별도의 법적 근거가 필요하다.

[2] 피고가 별도의 법적 근거나 특별한 사정 없이 원고의 보조금 부정수급을 이유로 원고가 운영하는 어린이집에 대한 평가인증의 유효기간을 취소사유 발생일(부정수급일)부터 소급하여 중단시켜 그 평가인증을 취소한 것은 위법하다고 판단한 사례(대판 2018.6.28. 2015두58195)

20. 지방직 7급, 19. 국가직 9급 보건복지부장관이 어린이집에 대한 평가인증이 이루어진 이후에 새로이 발생한 사유를 들어 「영유아보육법」 제30조 제5항에 따라 평가인증을 철회하는 처분을 하면서도, 그 평가인증의 효력을 과거로 소급하여 상실시키기 위해서는, 특별한 사정이 없는 한 「영유아보육법」 제30조 제5항과는 별도의 법적 근거가 필요하다. (○)

22. 소방직 구 「영유아보육법」상 어린이집 평가인증의 취소는 철회에 해당하므로, 평가인증의 효력을 과거로 소급하여 상실시키기 위해서는 특별한 사정이 없는 한 별도의 법적 근거가 필요하다. (○)

19. 국가직 9급 평가인증의 취소는 강학상 취소에 해당하며, 행정청이 평가인증취소처분을 하면서 별도의 법적 근거 없이는 평가인증의 효력을 취소사유 발생일로 소급하여 상실시킬 수 없다. (×) → 철회

수익적 행정행위의 철회에 상대방의 귀책사유×
▷ 손실보상 可

(2) 손실보상

수익적 행정행위의 철회는 상대방에게 귀책사유가 없는 한 그로 인한 손실을 보상해주는 것이 원칙이다.

11. 경찰 1차 행정청이 철회하는 경우 항상 손실보상을 하여야 한다. (×) → 하는 것은 아니다

철회의 취소
▷ 취소의 취소와 동일하게 적용(취소권 제한의 법리인 이익형량 要)

10. 철회의 취소

(1) 철회에 하자가 있는 경우 이를 취소하여 본래의 행정행위를 소생시킬 수 있는지의 문제인데, 이는 '하자 있는 취소의 취소'와 동일하게 적용된다. 판례는 부담적 행정행위의 철회의 취소는 인정하지 않지만, 수익적 행정행위의 철회에 대하여는 취소가 가능한 것으로 본다.

(2) 철회행위가 취소되면 철회가 없었던 것이 되고 원행정행위는 애초부터 철회되지 않은 것이 된다. 즉, 원행정행위가 원상회복된다.

09. 국회직 8급 영업허가의 철회를 취소한 경우에도 철회 이후의 영업행위는 무허가 영업에 해당한다. (×) → 해당하지 않는다

처분의 철회·변경신청권
▷ 원칙: 부정
▷ 예외: 인정(상대방의 기본권이 침해되는 등 철회에 대한 행정청의 재량이 영으로 수축될 때)

11. 행정행위의 철회 및 변경청구권

(1) 행정행위가 발급된 이후에 새로운 사정이 발생한 경우, 상대방에게 행정행위의 철회 또는 변경청구권이 주어지는지가 문제된다.

(2) 판례는 원칙적으로 사인인 상대방 등은 법령의 명시적인 근거가 없는 경우 그 철회·변경을 요구할 신청권을 갖지 않는다고 보고 있다. 그러나 새로운 사정이 발생하여 행정행위의 철회를 하지 않으면, 상대방의 기본권이 침해되는 등 철회에 대한 행정청의 재량이 영으로 수축되는 경우에는 법령의 명시적인 근거가 없는 경우에도 행정행위의 철회 내지 변경청구권을 인정된다고 볼 것이다.

11. 국가직 7급 판례는 사인(私人)이 적법한 침익적 행위에 대한 철회의 신청권을 갖지 않는다고 본다. (○)

토지형질변경행위허가의 철회·변경신청권
▷ 원칙적으로 부정

🔨 관련판례

처분청이 별도의 법적 근거가 없이 철회할 수 있다고 하여 상대방 등에게 그 철회·변경을 요구할 신청권까지를 부여된 것은 아니다. ★★

도시계획법령이 토지형질변경행위허가의 변경신청 및 변경허가에 관하여 아무런 규정을 두지 않고 있을 뿐 아니라, 처분청이 처분 후에 원래의 처분을 그대로 존속시킬 필요가 없게 된 사정변경이 생겼거나 중대한 공익상의 필요가 발생한 경우에는 별도의 법적 근거가 없어도 별개의 행정행위로 이를 철회·변경할 수 있지만 이는 <u>그러한 철회·변경의 권한을 처분청에게 부여하는 데 그치는 것일 뿐 상대방 등에게 그 철회·변경을 요구할 신청권까지를 부여하는 것은 아니라 할 것이므로, 이와 같이 법규상 또는 조리상의 신청권이 없이 한 국민들의 토지형질변경행위 변경허가신청을 반려한 당해 반려처분은 항고소송의 대상이 되는 처분에 해당되지 않는다</u>(대판 1997.9.12. 96누6219).

22. 소방간부 처분청이 처분 후에 원래의 처분을 그대로 존속시킬 필요가 없게 된 사정변경이 생겼거나 중대한 공익상의 필요가 발생한 경우에는 별도의 법적 근거가 없어도 별개의 행정행위로 이를 철회할 수 있다고 하여 상대방 등에게 그 철회·변경을 요구할 신청권까지를 부여하는 것은 아니다. (○)

22. 군무원 9급 처분 후에 원래의 처분을 그대로 존속시킬 수 없게 된 사정변경이 생긴 경우 처분청은 처분을 철회할 수 있다고 할 것이므로, 이 경우 처분의 상대방에게 그 철회·변경을 요구할 권리는 당연히 인정된다고 할 것이다. (×) → 것이나 / 할 수 없다

비교 **건축주가 토지소유자로부터 토지사용승낙서를 받아 건축허가를 받았다가 착공에 앞서 토지를 사용할 권리를 상실한 경우 토지소유자는 건축허가의 철회를 신청할 수 있다.** ★★
건축허가는 대물적 성질을 갖는 것이어서 행정청으로서는 허가를 할 때에 건축주 또는 토지 소유자가 누구인지 등 인적 요소에 관하여는 형식적 심사만 한다. 건축주가 토지 소유자로부터 토지사용승낙서를 받아 그 토지 위에 건축물을 건축하는 대물적 성질의 건축허가를 받았다가 착공에 앞서 건축주의 귀책사유로 해당 토지를 사용할 권리를 상실한 경우, 건축허가의 존재로 말미암아 토지에 대한 소유권 행사에 지장을 받을 수 있는 토지 소유자로서는 건축허가의 철회를 신청할 수 있다고 보아야 한다. 따라서 토지 소유자의 위와 같은 신청을 거부한 행위는 항고소송의 대상이 된다(대판 2017.3.15. 2014두41190).

비교 **공사중지명령의 원인사유가 해소된 경우 공사중지명령의 해제를 요구할 수 있는 조리상 권리가 인정된다.** ★★
지방자치단체장이 공장시설을 신축하는 회사에 대하여 사업승인 내지 건축허가 당시 부가하였던 조건에 따른 이행을 하고 이를 증명하는 서류를 제출할 때까지 신축공사를 중지하라는 공사중지명령에 있어서는 그 명령의 내용 자체로 또는 그 성질상으로 명령 이후에 그 원인사유가 해소되는 경우에는 잠정적으로 내린 당해 공사중지명령의 해제를 요구할 수 있는 권리를 위 명령의 상대방에게 인정하고 있다고 할 것이므로, 위 회사에게는 조리상으로 그 해제를 요구할 수 있는 권리가 인정된다고 할 것이다(대판 2007.5.11. 2007두1811).

건축주가 토지소유자로부터 토지사용승낙서를 받아 건축허가를 받았다가 토지사용권을 상실한 경우
▷ 토지소유자의 건축허가 철회신청권○

공사중지명령의 원인사유가 해소된 경우
▷ 공장시설을 신축하는 회사의 공사중지명령 해제요구권(철회청구권)○

제11절 행정행위의 실효

1 실효의 의의

1. 개념

행정행위의 실효란 유효한 행정행위의 효력이 행정청의 의사표시에 의하지 않고 일정한 사실의 발생으로 장래에 향하여 당연히 그 효력이 소멸되는 것을 말한다.

07. 국가직 7급 행정행위의 직권취소는 별개의 행정행위에 의하여 원행정행위의 효력을 소멸시키는 것인데 반하여, 행정행위의 실효는 일정한 사유의 발생에 따라 당연히 기존의 행정행위의 효력이 소멸하는 것이다. (○)

실효
▷ 유효한 행정행위의 효력이 일정한 사실의 발생에 의하여 당연히 그 효력이 소멸되는 것

무효
▷ 처음부터 효력 발생×

실효
▷ 일단 효력 발생 후 소멸

취소 · 철회
▷ 행정청의 의사표시 要

실효
▷ 행정청의 의사표시와 무관하게 일정한 사실 발생에 의해 당연소멸

실효의 사유
▷ 대상소멸 · 해제조건성취 · 종기도래 · 목적달성 · 목적달성불가

영업허가처분 받은 후 영업을 폐업시
▷ 허가처분 당연실효

14. 서울시 7급 행정행위의 취소란 하자 없이 적법하게 성립한 행정행위가 일정한 사실의 발생에 의하여 당연히 그 효력이 소멸되는 것을 말한다. (×) → 실효

2. 무효와의 구별

실효는 일단 유효한 행정행위의 효력이 실효사유에 의하여 소멸된다는 점에서 행정행위의 중대 · 명백한 하자로 인해 처음부터 효력이 발생하지 않는 무효와 구별된다.

07. 국가직 7급 행정행위가 그 성립상의 중대 명백한 하자가 존재한다면 이는 실효사유로서 그 효력이 소멸된다. (×) → 실효의 대상이 아니다

3. 직권취소 및 철회와의 구별

실효는 일정한 사실의 발생에 의하여 당연히 효력이 소멸된다는 점에서 행정행위의 효력을 소멸시키는 행정청의 의사행위를 필요로 하는 직권취소 및 철회와 구별된다.

07. 국가직 7급 행정행위의 직권취소는 별개의 행정행위에 의하여 원행정행위의 효력을 소멸시키는 것인데 반하여, 행정행위의 실효는 일정한 사유의 발생에 따라 당연히 기존의 행정행위의 효력이 소멸하는 것이다. (○)

2 실효의 사유

1. 행정행위 대상의 소멸

행정행위의 대상이 되는 사람의 사망(예 운전면허받은 자의 사망으로 인한 운전면허의 실효 등), 목적물의 소멸(예 화재로 인한 위법건축물의 소멸로 철거명령의 소멸, 허가영업을 자진 폐업한 경우 허가의 실효 등)로 인해 당연히 효력을 상실한다.

11. 국회직 9급 행정행위의 대상소멸은 행정행위의 실효사유에 해당한다. (○)

> **관련판례**
> 청량음료 제조업허가는 신청에 의한 처분이고, 이와 같이 신청에 의한 허가처분을 받은 원고가 그 영업을 폐업한 경우에는 그 영업허가는 당연 실효되고, 이런 경우 허가행정청의 허가취소처분은 허가의 실효됨을 확인하는 것에 불과하므로 원고는 그 허가취소처분의 취소를 구할 소의 이익이 없다고 할 것이다(대판 1981.7.14. 80누593). ★★

07. 국가직 7급 신청에 의한 허가처분을 받은 자가 그 영업을 폐업한 경우에는 그 허가도 당연히 실효된다고 할 것이고, 이 경우 허가행정청의 허가취소처분은 허가가 실효되었음을 확인하는 것에 불과하다. (○)

16. 국가직 9급 「식품위생법」상 유흥주점 영업허가를 받은 후 경기부진을 이유로 2015.8.3. 자진폐업하고 관련 법령에 따라 폐업신고를 하였다. 이에 관할 시장이 자진폐업을 이유로 2015.9.10. 甲에 대한 위 영업허가를 취소하는 처분을 하였다면 유흥주점 영업허가의 효력은 ~~2015.9.10.자 영업허가 취소처분에 의해서 소멸된다~~ (×) → 2015.8.3. 폐업신고시에 당연히 실효된다

2. 해제조건의 성취 또는 종기의 도래

해제조건이 붙은 행정행위는 그 조건이 성취됨으로써, 종기가 붙은 행정행위는 종기가 도래함으로써 그 효력이 당연히 소멸한다.

07. 국가직 7급 해제조건부 행정행위에 있어서 조건의 성취, 종기부 행정행위에 있어서 종기의 도래는 행정행위의 효력의 소멸을 가져온다. (○)

3. 목적의 달성 또는 목적달성이 불가능한 경우

행정행위는 그 목적이 달성되거나(例 위법건축물의 철거를 통한 철거명령의 실효 등) 목적달성이 (사실상) 불가능하게 된 경우 당연히 소멸한다.

11. 국회직 9급 행정행위의 목적달성은 행정행위의 실효사유에 해당한다. (○)

> **관련판례**
>
> **목적달성이 사실상 불가능하다고 인정되는 경우에도 실효를 인정할 수 있다. ★**
>
> 일정한 정비예정구역을 전제로 추진위원회 구성 승인처분이 이루어진 후 정비구역이 정비예정구역과 달리 지정되었다는 사정만으로 승인처분이 당연히 실효된다고 볼 수 없고, 정비예정구역과 정비구역의 각 위치, 면적, 토지등소유자 및 동의자 수의 비교, 정비사업계획이 변경되는 내용과 정도, 정비구역 지정 경위 등을 종합적으로 고려하여 당초 승인처분의 대상인 추진위원회가 새로운 정비구역에서 정비사업을 계속 추진하는 것이 도저히 어렵다고 보여 그 추진위원회의 목적달성이 사실상 불가능하다고 인정되는 경우에 한하여 그 실효를 인정함이 타당하다(대판 2013.9.12. 2011두31284).

3 실효의 효과

1. 장래효

행정행위는 실효사유가 발생하면 행정청의 특별한 의사표시 없이 그때부터 장래를 향하여 당연히 효력이 소멸된다. 일단 실효된 행정행위는 되살아 날 수 없다.

실효의 효과
▷ 실효사유 발생한 때부터 장래에 향하여 효력 소멸, 일단 실효된 행정행위는 되살아나지 않음

> **관련판례**
>
> **종전의 영업을 자진 폐업하고, 새로운 영업허가를 신청한 경우 소멸한 종전의 영업허가권이 당연히 되살아나는 것은 아니다. ★★**
>
> 종전의 결혼예식장영업을 자진폐업한 이상 위 예식장영업허가는 자동적으로 소멸하고 위 건물 중 일부에 대하여 다시 예식장영업허가신청을 하였다 하더라도 이는 전혀 새로운 영업허가의 신청임이 명백하므로 일단 소멸한 종전의 영업허가권이 당연히 되살아난다고 할 수는 없는 것이니 여기에 종전의 영업허가권이 새로운 영업허가신청에도 그대로 미친다고 보는 기득권의 문제는 개재될 여지가 없다(대판 1985.7.9. 83누412).
>
> 16. 국가직 9급 자진폐업으로 소멸한 종전의 유흥주점 영업허가는 재개업신고를 통하여 다시 효력을 회복한다. (×) → 회복하지 않는다

자진폐업 후 영업허가 재신청
▷ 종전 영업허가 효력회복×(∵자진폐업 시 자동적으로 허가 소멸)

2. 권리구제

실효여부에 관하여 분쟁이 생기면 무효등확인심판의 하나인 실효확인 심판(「행정심판법」 제5조 제2호), 또는 무효등확인소송의 하나인 실효확인의 소송(「행정소송법」 제4조 제2호), 효력존재확인소송의 제기를 통해 해결할 수 있다.

권리구제수단
▷ 실효확인심판, 실효확인소송, 효력존재확인소송 제기를 통하여 해결

제3장 그 밖의 행정의 주요 행위형식

함께 정리하기

제1절 확약

「행정절차법」 제40조의2【확약】① 법령등에서 당사자가 신청할 수 있는 처분을 규정하고 있는 경우 행정청은 당사자의 신청에 따라 장래에 어떤 처분을 하거나 하지 아니할 것을 내용으로 하는 의사표시(이하 "확약"이라 한다)를 할 수 있다.
② 확약은 문서로 하여야 한다.

23. 국가직 7급 「행정절차법」상 법령등에서 당사자가 신청할 수 있는 처분을 규정하고 있는 경우 행정청은 당사자의 신청에 따라 장래에 어떤 처분을 하거나 하지 아니할 것을 내용으로 하는 확약을 할 수 있으며, 문서 또는 말에 의한 확약도 가능하다. (×) → 로 하여야 한다

③ 행정청은 다른 행정청과의 협의 등의 절차를 거쳐야 하는 처분에 대하여 확약을 하려는 경우에는 확약을 하기 전에 그 절차를 거쳐야 한다.
④ 행정청은 다음 각 호의 어느 하나에 해당하는 경우에는 확약에 기속되지 아니한다.
1. 확약을 한 후에 확약의 내용을 이행할 수 없을 정도로 법령등이나 사정이 변경된 경우
2. 확약이 위법한 경우
⑤ 행정청은 확약이 제4항 각 호의 어느 하나에 해당하여 확약을 이행할 수 없는 경우에는 지체 없이 당사자에게 그 사실을 통지하여야 한다.

23. 국가직 7급 「행정절차법」상 행정청은 확약을 한 후에 확약의 내용을 이행할 수 없을 정도로 법령등이나 사정이 변경된 경우에는 확약에 기속되지 아니하며, 그 확약을 이행할 수 없는 경우에는 지체 없이 당사자에게 그 사실을 통지하여야 한다. (○)

1 의의

1. 개념

(1) 확약이란 행정청이 국민에 대한 관계에서 자기구속의 의도로써 장래에 향하여 일정한 행정행위를 하거나 하지 아니할 것을 약속하는 의사표시를 말한다(예 정식 인·허가에 앞서 행하는 내인가·내허가, 각종 인·허가의 발급약속, 공무원 임명의 내정, 자진신고자에 대한 세율인하의 약속, 재개발지역 내 전세입주자들에게 아파트입주권을 주겠다는 약속, 토지형질변경허가의 약속 등). 실무상 내인가가 확약의 의미로 사용되는 경우가 많다.

(2) 「행정절차법」상 확약은 '법령 등에서 당사자가 신청할 수 있는 처분을 규정하고 있는 경우 행정청은 당사자의 신청에 따라 장래에 어떤 처분을 하거나 하지 아니할 것을 내용으로 하는 의사표시'를 말한다(「행정절차법」 제40조의2 제1항). 「행정절차법」은 모든 처분이 아니라 당사자가 신청할 수 있는 처분만을 대상으로 하여 확약의 개념을 입법화하였다.❶

확약
▷ 행정청이 자기구속의 의도로써 장래에 향하여 일정한 행정행위를 하거나 하지 아니할 것을 약속하는 의사표시
▷ 예 내인가·내허가·자진신고자 세금감면약속·토지형질변경약속 등

「행정절차법」상 확약의 대상
▷ 법령 등에서 당사자가 신청할 수 있는 처분을 규정하고 있는 경우

❶
이에 대하여는 확약의 대상을 수익적 처분에 제한시킬 합리적 이유는 없으며, 부담적 행정행위에도 확약을 허용해야 한다는 견해도 있다. 「행정절차법」상 확약에 관한 규정은 성질에 반하지 않는 한 그 밖의 확약에 유추적용된다고 보아야 한다.

2. 구별 개념

(1) 정보제공

확약은 자기구속의 목적으로 행하는 것인 점에서 비구속적인 법률적 견해의 표명과 같은 정보제공과 구별된다.

05. 서울시 9급 확약은 행정청이 자기구속을 할 의도로 행하는 점에서 비구속적인 법률적 견해의 표명과 같은 정보제공과 구별된다. (○)

(2) 공법상 계약

확약은 그 자체가 일방적인 행위라는 점에서 복수당사자의 의사합치로 성립하는 공법상 계약과 구별된다.

22. 행정사 확약은 일방적 행위라는 점에서 복수당사자의 의사의 합치인 공법상 계약과는 구분된다. (○)

(3) 행정지도

확약은 기대권의 발생이라는 일정한 법적 효과를 발생시킨다는 점에서, 아무런 법적 효과를 발생시키지 않는 사실행위인 행정지도와 구별된다.

(4) 내부행위

확약은 국민에 대한 것이라는 점에서 행정조직 내의 내부적 작용과는 구별된다.

(5) 사전결정(예비결정) · 부분허가

확약은 종국적 규율(행정행위)에 대한 약속에 불과하다는 점에서 한정된 사항에 대하여 그 자체로 종국적인 규율성을 가지는 사전결정(예비결정), 부분허가와 구별된다.

22. 행정사 확약은 종국적 규율이 아니라는 점에서 종국적 규율을 하는 사전결정이나 부분허가와 구분된다. (○)

14. 경찰 1차 예비결정과 확약은 구분된다. (○)

(6) 가행정행위

확약은 확약만으로는 확약의 대상이 되는 행정행위의 효력이 발생하지 않는다는 점에서 잠정적이기는 하나, 본행정행위와 동일한 법적 효과를 발생시키는 행정행위인 가행정행위와 구별된다.

2 확약의 법적 성질(처분성 인정 여부)

1. 학설

확약은 사정변경에 의해 변경될 수 있으므로 종국적 규율성을 갖지 못한다는 점에서 행정행위성(처분성)을 부정하는 견해가 있으나, 다수설은 확약은 행정청에 대하여 확약의 내용대로 이행할 법적 의무를 발생시키는 점을 들어 확약의 행정행위성을 인정한다.

함께 정리하기

정보제공과의 비교
▷ 정보제공: 비구속적
▷ 확약: 자기구속적

공법상 계약과의 비교
▷ 공법상 계약당사자의 의사합치(쌍방적 행위)
▷ 확약: 일방적 행위

행정지도와의 비교
▷ 행정지도: 법적 효과 불발생
▷ 확약: 법적 효과 발생

내부행위와의 비교
▷ 내부행위: 행정조직 내의 행위
▷ 확약: 국민에 대한 행위

사전결정 · 부분허가와의 비교
▷ 사전결정 · 부분허가: 종국적인 규율성을 가지는 하나의 행정행위
▷ 확약: 종국적 규율에 대한 약속에 불과

가행정행위와의 비교
▷ 가행정행위: 잠정적이지만 본행정행위와 동일한 법적 효과 발생
▷ 확약: 확약만으로는 확약의 대상이 되는 행정행위의 효력 발생×

부정설
▷ 사정변경에 의해 변경될 수 있으므로 종국적 규율성×

긍정설
▷ 행정청에 대하여 확약의 내용대로 이행할 법적 의무를 발생시키는 점

2. 판례

판례는 어업권면허에 선행하는 우선순위결정을 강학상 확약으로 보고 그 처분성을 부정하면서 공정력이나 불가쟁력과 같은 효력을 인정하지 않았다. 다만, 행정청이 내인가를 한 후 본인가의 신청이 있음에도 내인가를 취소하고 본인가에 대하여 따로 인가여부의 처분을 한다는 사정이 보이지 않는 경우 위 내인가취소결정을 본인가신청을 거부하는 처분으로 보아 그 처분성을 인정한 사례도 있다.

14. 사복직 장래 일정한 처분을 할 것을 약속하는 행정청의 확약은 처분이 아니다. (○)

18. 국가직 9급 행정청의 확약은 위법하더라도 중대·명백한 하자가 있어 당연무효가 아닌 한 취소되기 전까지는 유효한 것으로 통용된다. (×) → 되는 것은 아니다

> ⚖ **관련판례**

1 어업권면허에 선행하는 우선순위 결정은 강학상 확약으로서 그 처분성이 부정된다. ❶ ★★★

(외연도 어촌계 우선순위결정사건에서) 어업권면허에 선행하는 우선순위결정은 행정청이 우선권자로 결정된 자의 신청이 있으면 어업권면허처분을 하겠다는 것을 약속하는 행위로서 <u>강학상 확약에 불과하고 행정처분은 아니므로, 우선순위결정에 공정력이나 불가쟁력과 같은 효력은 인정되지 아니하며, 따라서 우선순위결정이 잘못되었다는 이유로 종전의 어업권면허처분이 취소되면 행정청은 종전의 우선순위결정을 무시하고 다시 우선순위를 결정한 다음 새로운 우선순위결정에 기하여 새로운 어업권면허를 할 수 있다</u>(대판 1995.1.20. 94누6529).

23. 국가직 7급, 20. 군무원 7급, 10. 지방직 7급 어업권면허에 선행하는 우선순위결정은 행정청이 우선권자로 결정된 자의 신청이 있으면 어업권면허처분을 하겠다는 것을 약속하는 행위로서 강학상 확약에 불과하고 행정처분은 아니다. (○)

21. 소방간부, 15. 경찰 1차, 10. 경찰 1차 어업권면허에 선행하는 우선순위결정은 강학상 확약에 불과하고 행정처분은 아니므로, 우선순위결정에 공정력이나 불가쟁력과 같은 효력은 인정되지 않는다. (○)

2 행정청이 내인가를 한 후 본인가 신청이 있음에도 내인가를 취소한 경우 내인가취소는 인가신청을 거부하는 처분으로서 행정처분이다. ★★★

<u>자동차운송사업양도양수계약에 기한 양도양수인가신청에 대하여 피고 시장이 내인가를 한 후 위 내인가에 기한 본인가신청이 있었으나 자동차운송사업 양도양수인가신청서가 합의에 의한 정당한 신청서라고 할 수 없다는 이유로 내인가를 취소한 경우, 위 내인가의 법적 성질이 행정행위의 일종으로 볼 수 있든 아니든 그것이 행정청의 상대방에 대한 의사표시임이 분명하고, 피고가 위 내인가를 취소함으로써 다시 본인가에 대하여 따로이 인가 여부의 처분을 한다는 사정이 보이지 않는다면 위 내인가취소를 인가신청을 거부하는 처분으로 보아야 할 것이다</u>(대판 1991.6.28. 90누4402).

19. 서울시 7급(추), 17. 서울시 9급 행정청이 내인가를 한 후 이를 취소하는 행위는 별다른 사정이 없는 한 인가신청을 거부하는 처분으로 보아야 한다. (○)

22. 국가직 9급, 21. 소방간부 자동차운송사업 양도양수인가신청에 대하여 행정청이 내인가를 한 후 그 본인가신청이 있음에도 내인가를 취소함으로써 다시 본인가에 대하여 따로 인가여부의 처분을 한다는 사정이 보이지 않는 경우 위 내인가취소를 인가신청거부처분으로 볼 수 있다. (○)

어업권면허에 선행하는 우선순위결정
▷ 강학상 확약(∴처분성×, 공정력×, 불가쟁력×)

어업면허에 선행하는 우선순위결정은 최종적인 법적효과를 가져오는 것이 아니므로 처분이 아니지만, <u>어업권면허우선순위결정 대상탈락자 결정</u>은 상대방을 우선순위결정의 대상으로조차 삼지 않음으로써 상대방에게는 어업권면허를 부여하지 않겠다는 최종적인 법적효과를 발생시키는 것이므로, <u>우선순위결정과는 달리 독립한 행정처분이다.</u>

내인가를 한 다음 이를 취소하는 행위
▷ 인가신청 거부처분

3 확약의 법적 근거

확약의 법리는 독일의 학설·판례에 의하여 정립된 법리를 수용한 것인데, 독일의 판례는 신의칙 내지 신뢰보호원칙을 확약의 근거로 보고, 우리나라의 다수설은 행정청의 처분권한에는 그 예비적 권한행사로서 당해 조치에 관한 확약의 권한도 포함되어 있다고 본다(본처분권한포함설). 따라서 별도의 법적 근거 없이도 확약을 할 수 있다. 그런데, 「행정절차법」은 신청에 따른 확약의 근거를 규정하고 있다(「행정절차법」 제40조의2 제1항).

14. 경찰 1차 확약을 허용하는 명문의 규정이 없더라도 다수설은 본처분 권한에 확약에 대한 권한이 포함되어 있다고 보아 별도의 명문의 규정이 없더라도 확약을 할 수 있다는 입장이다. (○)

4 확약의 요건

1. 주체요건

확약은 본행정처분을 할 수 있는 권한을 가진 행정청이 그 권한의 범위 내에서 행해야 한다.

22. 행정사, 15. 경찰 1차, 10. 지방직 7급 확약은 본 행정행위에 대해 정당한 권한을 가진 행정청만이 할 수 있고, 당해 행정청의 행위권한의 범위 내에 있어야 한다. (○)

2. 내용 요건

(1) 확약의 내용은 적법하고, 명확하며, 이행 가능하여야 한다. 또한 확약은 본처분과 동일한 사안에 대한 것이어야 하고, 확약의 대상이 되는 본처분도 적법하여야 한다.

(2) 확약이 법적 구속력을 갖기 위해서는 상대방에게 표시되고, 그 상대방이 행정청의 확약을 신뢰하였고, 그 신뢰에 귀책사유가 없어야 한다.

3. 절차요건

(1) 행정청은 다른 행정청과의 협의 등의 절차를 거쳐야 하는 처분에 대하여 확약을 하려는 경우에는 확약을 하기 전에 그 절차를 거쳐야 한다(「행정절차법」 제40조의2 제3항).

(2) 또한 관련 법률에서 본처분을 행할 시에 제3자의 의견제출·청문 등 의견청취를 요구하는 경우나 타 행정기관의 협력을 필요로 하는 경우에는 확약 역시 그 절차를 거쳐서 행해져야 한다.

4. 형식요건

확약은 문서로 하여야 한다(「행정절차법」 제40조의2 제2항).

다수설
▷ 명문의 규정이 없어도 可

주체
▷ 본처분권한 있는 행정청이 그 권한 내에서

확약의 내용 요건
▷ 적법·명확·이행 가능할 것
▷ 본처분과 동일한 사안에 대한 것일 것
▷ 본처분도 적법할 것
▷ 상대방에게 표시되어 신뢰의 대상이 되고 그 신뢰에 귀책사유가 없을 것

행정기관이 확약된 행위를 하지 않을 경우
▷ 신뢰보호원칙의 위반을 주장 可
▷ 단, 신뢰에 귀책사유가 없어야 함

확약의 절차요건
▷ 본처분에 대하여 일정한 절차를 규정하고 있으면 확약 역시 그 절차를 거쳐서 행해져야 함

확약의 형식요건
▷ 문서

다수설
▷ 재량행위 · 기속행위○

> **❶ 요건사실 완성 후 확약 가능 여부**
> 한편, 본처분을 할 요건사실이 완성된 후 확약을 할 수 있는가에 대해 본처분을 해야 한다는 점에서 부정하는 견해도 있으나, 통설적 견해는 기속행위와 마찬가지로 상대방에게 예지이익 내지는 대처이익을 줄 수 있다는 점에서 허용된다고 본다.

행정청
▷ 확약의 내용인 본행정행위를 이행하여야 할 자기구속적인 의무○

상대방
▷ 행정기관에 대하여 그 이행을 청구할 권리○

확약의 구속력 배제
▷ 확약을 한 후 확약의 내용을 이행할 수 없을 정도로 법령 등이나 사정이 변경된 경우
▷ 확약이 위법한 경우

5 확약의 대상(한계)

재량행위에 확약이 가능하다는 데는 이견이 없으나 기속행위에도 확약이 가능한지는 다투어진다. 재량행위에만 확약이 허용된다는 견해에 따르면 기속행위의 경우에는 법률요건이 충족되면 반드시 본처분을 하도록 기속되기 때문에 기속행위에 대한 확약은 무의미하며, 따라서 행정청에게 법률효과의 선택 및 결정에 대하여 재량권이 부여된 재량행위에만 확약이 허용된다고 한다. 그러나 재량의 문제와 확약의 가능성 문제는 별개의 문제이며 기속행위와 재량행위의 구별이 다투어지는 경우가 많고, 기속행위에 있어서도 요건충족 여부가 불분명한 경우가 적지 않으므로 상대방의 예측가능성을 확보하기 위한 확약의 이익은 기속행위에서도 인정될 수 있다고 보는 것이 다수설의 입장이다. 따라서 재량행위는 물론 기속행위의 경우에도 확약이 허용된다.❶

6 확약의 효과

1. 확약의 구속력

(1) 확약이 있으면 확약을 발령한 행정청은 확약의 내용에 따른 행위를 하여야 할 법적 의무(자기구속적 의무)를 지고, 상대방은 당해 행정청에 대하여 확약한 내용의 이행을 청구할 권리를 가지게 된다. 즉, 행정청은 상대방이 본처분 신청 기간 내에 본처분을 신청한 경우, 특별한 사정이 없는 한 본처분을 해야 할 기속을 받는다.

16. 서울시 9급 확약을 행한 행정청은 확약의 내용인 행위를 하여야 할 자기구속적 의무를 지며, 상대방은 행정청에 그 이행을 청구할 권리를 갖게 된다. (○)

(2) 다만, 행정청은 다음 각 호의 어느 하나에 해당하는 경우에는 확약에 기속되지 아니한다. ① 확약을 한 후에 확약의 내용을 이행할 수 없을 정도로 법령 등이나 사정이 변경된 경우(제1호), ② 확약이 위법한 경우(제2호)(「행정절차법」 제40조의2 제4항). 행정청은 확약이 제4항 각 호의 어느 하나에 해당하여 확약을 이행할 수 없는 경우에는 지체 없이 당사자에게 그 사실을 통지하여야 한다(「행정절차법」 제40조의2 제5항).

2. 확약의 실효

확약을 받은 상대방이 본처분 신청 기간 내에 본처분을 신청하지 않거나, 확약을 한 후에 확약의 내용을 이행할 수 없을 정도로 법령 등이나 사정이 변경된 경우에는(「행정절차법」 제40조의2 제4항 제1호) 그와 같은 확약은 행정청의 별다른 의사표시가 없더라도 실효된다.

관련판례

행정청의 확약 또는 공적인 의사표명이 그 자체에서 정한 유효기간을 경과하거나 사실적·법률적 상태가 변경되었다면 확약 또는 공적인 의사표명은 실효된다. ★★★

행정청이 상대방에게 장차 어떤 처분을 하겠다고 확약 또는 공적인 의사표명을 하였다고 하더라도 그 자체에서 상대방으로 하여금 언제까지 처분의 발령을 신청을 하도록 유효기간을 두었는데도 그 기간 내에 상대방의 신청이 없었다거나 확약 또는 공적인 의사표명이 있은 후에 사실적·법률적 상태가 변경되었다면 그와 같은 확약 또는 공적인 의사표명은 행정청의 별다른 의사 표시를 기다리지 않고 실효된다고 할 것이다(대판 1996.8.20. 95누10877).

23. 국가직 7급, 20. 지방직 7급 행정청이 상대방에게 장차 어떤 처분을 하겠다고 확약을 하였더라도, 그 자체에서 상대방으로 하여금 언제까지 처분의 발령을 신청하도록 유효기간을 두었는데도 그 기간 내에 상대방의 신청이 없었다면, 그 확약은 행정청의 별다른 의사표시를 기다리지 않고 실효된다. (○)

20. 국가직 9급, 18. 국가직 9급, 18. 국가직 7급, 16. 서울시 9급, 15. 서울시 9급 등 행정청의 확약 또는 공적인 의사표명이 있은 후에 사실적·법률적 상태가 변경되었다면, 그와 같은 확약 또는 공적인 의사표명은 행정청의 별다른 의사표시를 기다리지 않고 실효된다. (○)

17. 국회직 8급 행정청의 공적 견해표명이 있은 후에 사실적·법률적 상태가 변경되었을 때, 그와 같은 공적 견해표명이 실효되기 위하여서는 행정청의 의사표시가 있어야 한다. (×) → 없어도 된다

3. 확약의 하자

확약을 행정행위의 일종으로 볼 때 확약에 중대하고 명백한 하자가 있으면 그 확약은 무효에 해당하고, 단순위법의 하자가 있다면 취소할 수 있는 행정행위가 된다. 이 경우 취소의 제한에 대한 일반원리가 적용된다(「행정절차법」 제18조). 그러나 「행정절차법」은 확약이 위법한 경우에 행정청은 확약에 기속되지 않는다고 하여 위법한 확약을 무효로 규정하고 있다(「행정절차법」 제40조의2 제4항 제2호). 이에 따라 적법요건의 어느 하나라도 충족하지 못하면 확약은 무효에 해당한다.❶

4. 권리구제

(1) 행정쟁송

① 확약을 행정행위로 보는 다수설에 따르면 확약은 항고소송의 대상이 되는 처분이다. 그러나 판례는 확약의 처분성을 부정하므로 확약 그 자체에 대해서 항고소송을 제기할 수 없다.

18. 국가직 9급 행정청의 확약에 대해 법률상 이익이 있는 제3자는 확약에 대해 취소소송으로 다툴 수 있다. (×) → 없다

② 그러나 확약한 사항을 이행할 것을 신청하였으나 행정청이 이에 대해 거부하거나 부작위하는 경우에는 거부처분취소심판, 의무이행심판, 부작위위법확인소송, 거부처분취소소송이 가능할 것이다.

(2) 국가배상 및 손실보상

행정청의 확약의 불이행으로 인하여 손해를 입은 자는 국가배상에 의한 손해배상을 청구할 수 있고, 공익상 이유로 확약이 철회되거나 실효된 경우에는 신뢰보호의 관점에서 손실보상을 청구할 수 있다.

14. 사복직 행정청의 확약의 불이행으로 인해 손해를 입은 자는 「국가배상법」상 요건을 충족하는 경우에 한하여 손해배상을 청구할 수 있다. (○)

함께 정리하기

확약의 실효
▷ 본처분 신청 기간 내에 본처분을 신청하지 않거나 확약 또는 공적견해표명 있은 후 사실적·법률적 상태 변경(사정변경)

❶
이러한 행정절차법의 입장은 확약의 공정력을 부인하는 판례에 근거한 것으로 보인다.

확약(판례)
▷ 처분성×
▷ 항고소송 不可

확약한 내용의 이행신청에 대한 거부·부작위
▷ 거부처분취소심판·의무이행심판·부작위위법확인소송·거부처분취소소송 可

확약의 불이행
▷ 국가배상·손실보상청구 可

제2편

행정작용법 해커스공무원 함수민 행정법총론 기본서

제2절 행정계획

1 의의 및 기능

1. 의의

행정계획은 행정주체가 일정한 행정활동을 위하여 장래를 예측하여 목표를 설정하고, 설정된 목표의 실현을 위하여 행정수단의 선택·조정·종합화의 과정을 통하여 장래의 일정한 질서의 실현을 목적으로 하는 구상 또는 활동기준의 설정을 말한다. 행정계획의 핵심요소는 목표의 설정과 수단의 조정과 종합화이며, 주로 장기성·종합성을 요하는 사회국가적 복리행정 영역에서 중요한 의미를 갖는다.

2. 판례

대법원은 행정계획을 '행정에 관한 전문적·기술적 판단을 기초로 하여 도시의 건설·정비·개량 등과 같은 특정한 행정목표를 달성하기 위하여 서로 관련되는 행정수단을 종합·조정함으로써 장래의 일정한 시점에 있어서 일정한 질서를 실현하기 위한 활동기준으로 설정된 것'이라고 정의하고 있다(대판 1996.11.29. 96누8567 등).

13. 서울시 9급 행정계획이란 장래의 질서 있는 행정활동을 위한 목표를 설정하고, 설정된 목표를 달성하기 위하여 다양한 행정수단을 종합하고 조정하는 행위이다. (O)

16. 국회직 8급 행정계획은 행정에 관한 전문적·기술적 판단을 기초로 하여 도시의 건설·정비·개량 등과 같은 특정한 행정목표를 달성하기 위하여 서로 관련되는 행정수단을 종합·조정함으로써 장래의 일정한 시점에 있어서 일정한 질서를 실현하기 위한 활동기준이다. (O)

3. 기능

행정계획은 ① 목표설정 기능, ② 행정수단의 종합화 기능, ③ 국민과 국가 간의 매개 기능, ④ 장래의 행정활동에 대한 기준 설정 기능, ⑤ 국민의 장래 활동에 대한 지침적·유도적 기능, ⑥ 국민에게 예측가능성을 부여하는 기능 등을 수행한다.

2 행정계획의 종류

1. 구속력에 따른 분류

행정계획은 기본적으로는 일정한 행정목적의 달성을 도모하기 위한 목표설정행위로서, 반드시 법적 구속력을 가지는 것이 아니며 대내적으로나 대외적으로 아무런 법적 효과를 발생하지 않고 오직 앞으로의 행정의 방향에 대한 단순한 구상에 그치는 것도 적지 않다. 그러나 행정계획의 효과적인 실현을 보장하기 위하여 일정한 법적 효과가 부여되어 수범자에 대하여 구속력을 갖는 경우가 있다.
이에 따라 행정계획은 국민 또는 행정기관에 대한 구속력의 유무에 따라 구속적 행정계획과 비구속적 행정계획으로 구분할 수 있다. 행정계획의 종류는 대상, 대상지역, 기간, 형식 등에 따라 다양하게 분류될 수 있으나, 가장 중요한 구분 기준은 구속력에 따른 분류라고 할 수 있다.

행정계획
▷ 장래의 질서 있는 행정활동을 위해 목표를 설정하고, 설정된 목표 달성을 위해 행정수단을 종합·조정하는 활동기준

기능
▷ 목표설정
▷ 행정수단을 종합화·체계화·행정작용의 기준 설정
▷ 국가와 국민 간의 매개 기능
▷ 장래 활동에 대한 지침적·유도적 기능
▷ 예측가능성 부여

국민 또는 행정기관에 대한 구속력 유무에 따른 분류
▷ 구속적 행정계획·비구속적 행정계획

(1) 구속적 행정계획(명령적 행정계획, 규범적 행정계획)

구속적 행정계획(명령적 행정계획)이란 국민 또는 행정기관에 대하여 법적 구속력을 갖는 행정계획을 말한다. 이는 다시 행정내부에서 관계행정기관에 대하여 구속력을 갖는 행정계획과 대외적으로 국민에 대하여 구속력을 갖는 행정계획으로 나누어 볼 수가 있다.

① **행정내부에 대한 구속력을 갖는 행정계획:** 행정계획 중에는 행정작용을 위한 단순한 지침적인 구실을 하는 데에 그치는 것이 아니라 관계행정기관에 대하여 일정한 작위·부작위 등의 의무를 과하는 경우가 있다. 예를 들어, 국무총리가 국무회의의 심의를 거쳐 대통령의 승인을 얻어 비상대비기본계획을 확정하면, 각 주무부장관은 이에 따라 집행계획을 작성할 의무를 지며(「비상대비자원관리법」 제7조, 제8조), 국토종합계획이 확정되면 중앙행정기관의 장 및 시·도지사는 그 내용을 관련된 정책 및 계획에 반영하여야 하며, 아울러 국토종합계획을 실행하기 위한 소관별 실천계획을 수립하여 국토교통부장관에게 제출할 의무가 있다(「국토기본법」 제18조 제1항). 이외에도 예산(재정)운용계획 등이 있다.

10. 교행 구속적 행정계획을 세분하는 경우, 국토종합계획은 국민에 대한 구속적 계획에 해당된다. (×) → 행정기관에

② **국민에 대한 구속력을 갖는 행정계획:** 행정계획이 수립되어 효력을 발생하면, 대외적으로 국민에 대하여 일정한 법적 효과를 발생하는 경우가 있다. 예를 들어, 도시·군관리계획이 결정·고시되어 효력을 발생하면 당해 계획으로 정하여진 용도지역·용도지구 및 용도구역 안에서의 건축이 제한되는 등 일정한 행위가 제한된다(「국토계획법」 제76조 내지 제84조). 이외에도 토지구획정리사업계획, 수도정비사업계획, 지역·지구·구역의 지정 또는 변경에 관한 계획 등이 있고, 이를 협의의 의미의 구속적 행정계획이라고 하며 개인의 권리구제와 관련하여 중요한 의미를 갖고 있다.

19. 경찰 2차 행정계획에는 행정기관 사이에서만 구속력을 가지는 계획뿐만 아니라 대외적으로 구속력을 갖는 계획도 있다. (○)

(2) 비구속적 행정계획

행정기관의 내부지침에 불과하여 국민이나 행정기관 어느 쪽에도 구속력을 갖지 않는 행정계획을 말한다. 그 예로는 도시기본계획, 교육진흥계획, 체육진흥계획, 인구계획, 경제개발 5년 계획 등이 있다. 비구속적 행정계획은 유도적(영향적) 행정계획과 정보제공(자료제공)적 행정계획으로 나눌 수 있다.

① **유도적(영향적) 행정계획:** 유도적 행정계획이라 함은 직접적으로 명령이나 강제 등에 의한 구속력을 발생시키지 않으나 일정한 수익적 조치나 불이익조치 등을 통해(예 보조금·장려금 지급, 아파트입주권 부여, 조세감면, 도로건설을 통한 하부구조의 개선 등의 조성적 수단 등) 계획의 수범지를 일정한 방향으로 유도시키는 계획을 말한다.

② **정보제공(자료제공)적 행정계획:** 정보제공적 행정계획이란 구체적인 목표나 구속력을 가짐이 없이 장래의 경제·사회발전의 추세, 전망, 인구 및 소득수준 등의 각종 자료와 정보를 담은 각종의 경제계획·개발계획(미래의 청사진 제시)등이 이에 해당된다. 이러한 계획의 이해관계자는 그 홍보적 계획을 하나의 자료로 삼아 스스로의 계획에 이용함이 보통이다.

기본계획
▷ 행정계획의 기본원칙이나 기본방향을 정하는 지침적 성격의 계획
▷ 행정기관이나 국민을 구체적으로 구속×

실시계획
▷ 기본계획을 시행 또는 집행하기 위한 구체적인 기준을 정하는 계획
▷ 행정기관이나 국민을 구체적으로 구속○

상세계획 승인권자의 변경승인 없이 계획에 반하는 영업신고의 불수리
▷ 적법

2. 구체화의 정도에 따른 분류

행정계획은 구체화의 정도에 따라 기본계획과 실시계획(시행계획)으로 나눌 수 있다.

(1) 기본계획

기본계획은 행정계획의 기본원칙이나 기본방향을 정하는 지침적 성격의 계획(예 도시기본계획)으로써 행정기관이나 국민을 구속하지 않는다.

14. 서울시 7급 행정계획이 행정활동의 지침으로서만의 성격에 그치거나 행정조직 내부에서의 효력만을 가질 때는 항고소송의 대상으로서의 처분성을 갖지는 않는다. (○)

(2) 실시계획(시행계획·집행계획)

실시계획은 기본계획을 시행 또는 집행하기 위한 구체적인 기준을 정하는 계획(예 도시·군관리계획)으로써 행정기관이나 국민을 구속한다.

> **관련판례**
>
> 관련 상세계획 승인권자의 변경승인 없는 상세계획에 반하는 영업신고의 불수리는 적법하다. ★★
>
> (실시계획에 포함된 상세계획은 대외적으로 구속력 있는 계획이므로 이에 반하는 행위는 인정될 수 없다) 이미 고시된 실시계획에 포함된 상세계획으로 관리되는 토지 위의 건물의 용도를 상세계획 승인권자의 변경승인 없이 임의로 판매시설에서 상세계획에 반하는 일반목욕장으로 변경한 사안에서, 그 영업신고를 수리하지 않고 영업소를 폐쇄한 처분은 적법하다(대판 2008.3.27. 2006두3742).
>
> 22. 소방간부, 22. 군무원 9급, 17. 지방직 9급(추), 16. 사복직 이미 고시된 실시계획에 포함된 상세계획으로 관리되는 토지 위의 건물의 용도를 상세계획 승인권자의 변경승인 없이 임의로 판매시설에서 상세계획에 반하는 일반 목욕장으로 변경신고한 경우에 그 영업신고를 수리하지 않고 영업소를 폐쇄한 처분은 적법하다. (○)

13. 서울시 9급 행정계획은 구체화의 정도에 따라 기본계획과 실시계획으로 나눌 수 있는바, 실시계획은 기본계획의 내용을 구체화하는 것이다. (○)

3 행정계획의 법적 성질

「국토의 계획 및 이용에 관한 법률」 제2조 【정의】 이 법에서 사용하는 용어의 뜻은 다음과 같다.
   2. "도시·군계획"이란 특별시·광역시·특별자치시·특별자치도·시 또는 군(광역시의 관할 구역에 있는 군은 제외한다. 이하 같다)의 관할 구역에 대하여 수립하는 공간구조와 발전방향에 대한 계획으로서 도시·군기본계획과 도시·군관리계획으로 구분한다.
   3. "도시·군기본계획"이란 특별시·광역시·특별자치시·특별자치도·시 또는 군의 관할 구역에 대하여 기본적인 공간구조와 장기발전방향을 제시하는 종합계획으로서 도시·군관리계획 수립의 지침이 되는 계획을 말한다.
   4. "도시·군관리계획"이란 특별시·광역시·특별자치시·특별자치도·시 또는 군의 개발·정비 및 보전을 위하여 수립하는 토지 이용, 교통, 환경, 경관, 안전, 산업, 정보통신, 보건, 복지, 안보, 문화 등에 관한 다음 각 목의 계획을 말한다.
     가. 용도지역·용도지구의 지정 또는 변경에 관한 계획
     나. 개발제한구역, 도시자연공원구역, 시가화조정구역(市街化調整區域), 수산자원보호구역의 지정 또는 변경에 관한 계획

다. 기반시설의 설치·정비 또는 개량에 관한 계획
라. 도시개발사업이나 정비사업에 관한 계획
마. 지구단위계획구역의 지정 또는 변경에 관한 계획과 지구단위계획
바. 입지규제최소구역의 지정 또는 변경에 관한 계획과 입지규제최소구역계획

1. 일반론

(1) 행정계획은 법률의 형식에 의한 행정계획, 행정입법(법규명령·행정규칙)의 형식에 의한 행정계획, 행정행위의 형식에 의한 행정계획이 있을 수 있으며, 사실행위의 형식에 의한 행정계획과 같이 법적 효과를 발생시키지 않는 행정계획도 있다.

15. 교행 행정계획은 법률의 형식으로 수립되어야 한다. (×) → 될 필요는 없다
13. 지방직 9급 행정계획은 법률의 형식일 수도 있다. (○)

(2) 행정계획의 법적 성격에 관하여 종래 행정입법설, 행정행위설, 독자성설 등으로 대립된 바 있으나, 행정계획은 위와 같이 매우 다양한 형식으로 존재하고 있으므로 행정계획의 법적 성격은 해당 사안에 따라 개별적으로 검토하여야 한다는 견해가 다수설이다(개별검토설, 복수성질설).

13. 서울시 9급 행정계획은 장래 행정작용의 방향을 정한 것일 뿐 직접 국민의 권리의무에 변동을 가져오지는 않으므로 행정입법의 성질을 갖는다고 본다. (×) → 이고, 그 법적 성질은 개별적으로 검토하여 판단하여야 한다

(3) 이와 같은 개별검토설에 따르면, 행정계획이 특정의 법적 형식에 의해 수립된 경우 그 법적 형식의 성질을 갖는다. 즉, 법률의 형식에 의해 수립되는 행정계획은 법률의 성질을 가지고, 법규명령의 형식에 의해 수립된 행정계획은 법규명령의 성질을 가지며 조례의 형식에 의해 수립되는 계획은 조례의 성질을 갖는다. 그러나 행정계획이 특정의 행위형식을 취하지 않는 경우 그 법적 성질이 어떠한지 처분성 인정 여부가 문제된다. 행정계획의 법적 성격에 대한 규명은 그에 대한 사법적 통제와 밀접한 관계가 있는바, 행정입법의 성질을 갖는다면 구체적 규범통제의 대상이 되는 반면, 처분성이 인정된다면 항고소송의 대상이 된다.

2. 판례

(1) 판례는 행정조직 내부의 추상적인 계획에 불과하거나 행정활동의 지침으로서의 성격만을 가지는 비구속적 행정계획, 또는 행정기관만에 대하여 구속력을 갖는 행정계획은 원칙상 처분성이 부정되지만, 국민에 대하여 구속력을 갖는 행정계획이 국민의 권리·의무에 구체적으로 직접 영향을 미친다면 처분성이 인정된다고 보고 있다.

19. 군무원 9급 비구속적 행정계획에 대하여는 행정소송을 제기할 수 없다. (○)
15. 교행 국민의 권리·의무에 구체적·개별적인 영향을 미치는 행정계획은 처분성이 인정된다. (○)
14. 서울시 7급 행정계획이 행정활동의 지침으로서만의 성격에 그치거나 행정조직 내부에서의 효력만을 가질 때는 항고소송의 대상으로서의 처분성을 갖지는 않는다. (○)

행정입법설
▷ 법규명령의 성질을 갖는다고 보는 견해
▷ 처분성이 없어서 항고소송의 대상×

행정행위설
▷ 행정행위의 일종이라고 보는 견해
▷ 처분성이 인정되어 항고소송의 대상○

혼합행위설
▷ 규범적 요소와 개별행위의 요소의 양면을 갖는다는 견해

독자성설
▷ 규범도 행정행위도 아니라는 견해
▷ 처분성이 인정되어 항고소송의 대상○

개별검토설(다수설)
▷ 각각의 계획마다 개별적으로 검토하여 항고소송의 대상이 되는지 여부를 판단

특정의 법적 형식에 의해 수립된 경우
▷ 그 법적 형식의 성질

특정의 행위형식을 취하지 않는 경우
▷ 처분성 여부가 문제

행정계획의 법적 성격
▷ 사법적 통제와 밀접한 관계(행정입법의 성질: 구체적 규범통제, 처분성이 인정: 항고소송의 대상)

판례
▷ 처분성×: 행정조직 내부의 추상적 계획, 행정활동의 지침만의 성격을 가지는 비구속적 행정계획, 행정기관만에 대한 구속력을 갖는 행정계획
▷ 처분성○: 국민에 대한 구속력을 갖는 행정계획이 국민의 권리·의무에 직접·구체적인 영향

❶
행정계획의 법적 성격과 관련하여 특히 논란이 되어 온 것은 구 도시계획법상의 도시계획(국토계획법상의 도시·군관리계획)의 법적 성격이다. 과거 서울고등법원은 "도시계획결정은 도시계획사업의 기본이 되는 일반적·추상적 결정으로서 특히 개인에게 어떤 직접적이고 구체적인 권리·의무가 발생된다고 볼 수가 없다."고 판시하여 도시계획결정의 처분성을 부인하고 법규명령의 성격을 인정하였다. 그러나 대법원은 당해 사건에서 원심을 파기하고 도시계획결정의 처분성을 인정하였다.

도시관리계획결정(현 도시·군관리계획결정)
▷ 처분성〇

구 「도시계획법」상 도시설계
▷ 처분성〇

실시계획에 포함된 상세계획
▷ 처분성〇

(2) 예컨대, 판례는 도시·군계획 중에서 도시·군기본계획에 대해서는 구속력을 부인하고 있지만, 도시·군관리계획(구 도시관리계획결정)과 같이 개인의 권리를 개별적이고 구체적으로 규제하는 효과를 가져오는 행정계획에 대해서는 처분성을 인정하고 있으며, 그 밖에 주택재건축정비사업조합의 사업시행계획이나 관리처분계획의 처분성도 인정하고 있다. 그러나 환지계획과 같이 국민의 권리·의무에 영향을 미치지 않는 행정계획이나 4대강 살리기 마스터플랜과 같이 단지 행정조직 내부의 추상적인 계획에 불과한 행정계획에 대해서는 처분성을 부정하고 있다.**❶**

3. 구체적인 사례

(1) 처분성을 인정한 판례

> **⚖ 관련판례**
>
> **1** 도시관리계획결정(현 도시·군관리계획결정) ★★★
>
> 구 도시계획법 제12조 소정의 도시계획결정이 고시되면 도시계획구역안의 토지나 건물 소유자의 토지형질변경, 건축물의 신축, 개축 또는 증축 등 권리행사가 일정한 제한을 받게 되는바 이런 점에서 볼 때 고시된 도시계획결정은 특정 개인의 권리 내지 법률상의 이익을 개별적이고 구체적으로 규제하는 효과를 가져오게 하는 행정청의 처분이라 할 것이고, 이는 행정소송의 대상이 된다(대판 1982.3.9. 80누105).
>
> 13. 국회직 9급 도시계획구역 안의 토지나 건물소유자의 행위를 제한하게 되는 도시계획결정은 행정소송의 대상이 된다. (〇)
>
> 09. 국가직 9급, 09. 국회직 8급 도시관리계획은 국민이나 재산에 대하여 직접 구속력이 없는 행정계획이다. (✕) → 있는
>
> 17. 국회직 8급 구 「도시계획법」 제12조의 도시관리계획(현 「국토의 계획 및 이용에 관한 법률」 제30조의 도시·군 관리계획) 결정의 경우 도시관리계획구역 안의 토지나 건물소유자의 토지형질변경, 건축물의 신축·개축 또는 증축 등 권리행사가 일정한 제한을 받게 되므로 항고소송의 대상이 되는 처분에 해당한다. (〇)
>
> 16. 국회직 8급 구 「도시계획법」 제12조 소정의 고시된 도시계획결정은 특정 개인의 권리 내지 법률상의 이익을 개별적이고 구체적으로 규제하는 효과를 가져오게 하는 행정청의 처분이라 할 것이고, 이는 행정소송의 대상이 된다. (〇)
>
> **2** 도시설계 ★
>
> 도시설계에 의한 건축물규제의 성격과 도시설계와 관련한 건축법규정에 비추어 보면, 도시설계는 도시계획구역의 일부분을 그 대상으로 하여 토지의 이용을 합리화하고, 도시의 기능 및 미관을 증진시키며 양호한 도시환경을 확보하기 위하여 수립하는 도시계획의 한 종류로서 도시설계지구 내의 모든 건축물에 대하여 구속력을 가지는 구속적 행정계획의 법적 성격을 갖는다고 할 것이다(헌재 2003.6.26. 2002헌마402).
>
> 08. 지방직 9급 도시설계는 건축물규제라는 성격과 「건축법」의 입법적인 경과에 비추어 볼 때 법적구속력을 갖는 구속적 행정계획이다. (〇)
>
> **3** 도시계획의 실시계획 ★★
>
> (실시계획에 포함된 상세계획은 대외적으로 구속력 있는 계획이므로 이에 반하는 행위는 인정될 수 없다) 이미 고시된 실시계획에 포함된 상세계획으로 관리되는 토지 위의 건물의 용도를 상세계획 승인권자의 변경승인 없이 임의로 판매시설에서 상세계획에 반하는 일반목욕장으로 변경한 사안에서, 그 영업신고를 수리하지 않고 영업소를 폐쇄한 처분은 적법하다(대판 2008.3.27. 2006두3742).

4 관리처분계획 ★★

4-1. 도시재개발법에 의한 재개발조합은 조합원에 대한 법률관계에서 적어도 특수한 존립목적을 부여받은 특수한 행정주체로서 국가의 감독하에 그 존립 목적인 특정한 공공사무를 행하고 있다고 볼 수 있는 범위 내에서는 공법상의 권리의무 관계에 서 있는 것이므로 분양신청 후에 정하여진 관리처분계획의 내용에 관하여 다툼이 있는 경우에는 그 관리처분계획은 토지 등의 소유자에게 구체적이고 결정적인 영향을 미치는 것으로서 조합이 행한 처분에 해당하므로 항고소송의 방법으로 그 무효확인이나 취소를 구할 수 있다(대판 2002.12.10. 2001두6333).

19. 서울시 7급 「도시재개발법」에 의한 재개발조합의 관리처분계획은 토지 등의 소유자에게 구체적이고 결정적인 영향을 미치는 것으로서 조합이 행한 처분에 해당한다. (○)

12. 지방직 9급 「도시재개발법」상의 관리처분계획은 처분성이 없다. (×) → 인정된다

4-2. 도시 및 주거환경정비법상 주택재건축정비사업조합이 같은 법 제48조에 따라 수립한 관리처분계획에 대하여 관할 행정청의 인가·고시까지 있게 되면 관리처분계획은 행정처분으로서 효력이 발생하게 되므로, 총회결의의 하자를 이유로 하여 행정처분의 효력을 다투는 항고소송의 방법으로 관리처분계획의 취소 또는 무효확인을 구하여야 한다(대판 2009.9.17. 2007다2428 ; 대판 2012.3.29. 2010두7765 등).

17. 변호사 「도시 및 주거환경정비법」에 따라 인가·고시된 관리처분계획은 구속적 행정계획으로서 처분성이 인정된다. (○)

16. 국회직 8급 재건축조합이 행하는 관리처분계획은 일종의 행정처분으로서 이를 다투고자 하면 재건축조합을 피고로 하여 항고소송으로 이를 다투어야 한다. (○)

22. 지방직 9급 (「도시 및 주거환경정비법」에 따라 설립된 A주택재건축정비사업조합은 관할 B구청장으로부터 ㉠ 조합설립인가를 받은 후, 조합총회에서 재건축 관련 ㉡ 관리처분계획에 대한 의결을 하였고, 관할 B구청장으로부터 위 ㉢ 관리처분계획에 대한 인가를 받았다. 이후 조합원 甲은 위 관리처분계획의 의결에는 조합원 전체의 4/5 이상의 결의가 있어야 함에도 불구하고, 이를 위반하여 위법한 것임을 이유로 ㉣ 관리처분계획의 무효를 주장하며 소송으로 다투려고 한다) 甲이 ㉣에 대해 소송으로 다투려면 항고소송을 제기하여야 한다. (○)

5 사업시행계획 ★★

구 도시 및 주거환경정비법에 따른 주택재건축정비사업조합은 관할 행정청의 감독 아래 위 법상 주택재건축사업을 시행하는 공법인으로서, 그 목적 범위 내에서 법령이 정하는 바에 따라 일정한 행정 작용을 행하는 행정주체의 지위를 가진다 할 것인데, 재건축정비사업조합이 이러한 행정주체의 지위에서 위 법에 기초하여 수립한 사업시행계획은 인가·고시를 통해 확정되면 이해관계인에 대한 구속적 행정계획으로서 독립된 행정처분에 해당한다(대결 2009.11.2. 2009마596).

12. 국가직 9급 재건축정비사업조합이 행정주체의 지위에서 수립한 사업시행계획은 인가·고시를 통해 확정되면 이해관계인에 대한 구속적 행정계획으로서 독립된 행정처분에 해당한다. (○)

20. 국가직 9급 「도시 및 주거환경정비법」에 기초하여 재건축정비사업조합이 수립한 사업시행계획은 인가·고시를 통해 확정되어도 이해관계인에 대한 구속력이 없는 행정계획으로서 독립된 행정처분에 해당하자않는다. (×) → 되면 / 있는 / 한다

6 택지개발예정지구 지정과 택지개발계획승인 ★

「택지개발촉진법」제3조에 의한 국토교통부장관의 택지개발예정지구의 지정과, 같은 법 제8조에 의한 국토교통부장관의 택지개발계획 시행자에 대한 택지개발계획의 승인은 각각 단계적으로 별개의 법률효과를 발생하는 독립한 행정처분이다(대판 1996.12.6. 95누8409 ; 대판 1992.8.14. 91누11582).

14. 국회직 8급 택지개발예정지구의 지정, 고시는 행정처분이다. (○)

구 「도시재개발법」(현 「도시 및 도시 및 주거환경정비법」)상의 관리처분계획
▷ 처분성○

구 「도시재개발법」(현 「도시 및 도시 및 주거환경정비법」)에 따라 인가·고시된 관리처분계획
▷ 처분성○

구 「도시 및 주거환경정비법」에 따라 재건축정비사업조합이 수립한 사업시행계획
▷ 처분성○

「택지개발촉진법」에 의한 택지개발예정지구 지정과 택지개발계획승인
▷ 처분성○

건설교통부장관의 개발제한구역의 지정·고시
▷ 처분성○

「국토의 계획 및 이용에 관한 법률」상 토지거래허가구역 지정
▷ 처분성○

구 「도시계획법」상 도시기본계획
▷ 구속력×(처분성×)
▷ 도시계획시설결정 대상면적이 도시기본계획의 범위를 벗어난 경우: 위법

7 개발제한구역의 지정·고시 ★★

신도시 주변지역에 대하여 개발행위허가를 제한하는 건설교통부고시는, 그 고시 자체로 인하여 직접 위 고시에서 지정된 특정 지역 내의 토지나 건물소유자가 토지의 형질변경 및 토석의 채취, 건축물의 신축·증축 등의 권리행사를 제한받게 되는 점에서 볼 때, 특정 개인의 구체적인 권리, 의무나 법률관계를 직접적으로 규율하는 성격을 갖는 행정처분에 해당하며, 위 고시에 대하여 행정심판법에 의한 행정심판 또는 행정소송법에 의한 항고소송을 제기하는 절차를 거치지 않았으므로 청구인들의 심판청구는 헌법재판소법 제68조 제1항 단서가 정한 보충성의 요건을 갖추지 못한 것이어서 부적법하다(헌재 2008.12.26. 2007헌마862).

14. 국회직 8급 개발제한구역의 지정·고시행위는 특정 개인의 법률상 이익을 구체적으로 규제하는 효과를 가져오는 행정청의 처분으로서 행정소송의 대상이 된다. (○)

17. 지방직 9급 개발제한구역의 지정·고시에 대한 헌법소원 심판청구는 행정쟁송절차를 모두 거친 후가 아니면 부적법하다. (○)

8 토지거래허가구역 지정 ★★

토지거래계약에 관한 허가구역의 지정은 개인의 권리 내지 법률상의 이익을 구체적으로 규제하는 효과를 가져 오게 하는 행정청의 처분에 해당하고, 따라서 이에 대하여는 원칙적으로 항고소송을 제기할 수 있다(대판 2006.12.22. 2006두12883).

20. 군무원 7급 토지거래계약에 관한 허가구역의 지정은 개인의 권리 내지 법률상의 이익을 구체적으로 규제하는 효과를 가져오게 하는 행정청의 처분에 해당하고, 따라서 이에 대하여는 원칙적으로 항고소송을 제기할 수 있다. (○)

(2) 처분성을 부정한 판례

⚡ 관련판례

1 도시기본계획 ★★★

도시기본계획은 도시의 기본적인 공간구조와 장기발전방향을 제시하는 종합계획으로서 그 계획에는 토지이용계획, 환경계획, 공원녹지계획 등 장래의 도시개발의 일반적인 방향이 제시되지만, 그 계획은 도시계획입안의 지침이 되는 것에 불과하여 '일반 국민'에 대한 직접적인 구속력은 없는 것이다(대판 2002.10.11. 2000두8226).

21. 국가직 9급, 20. 서울시 7급, 16. 지방직 9급, 14. 국가직 9급, 12. 국회직 9급 등 구 「도시계획법」상 도시기본계획은 도시계획입안의 지침이 되는 것에 불과하여 일반 국민에 대한 직접적인 구속력은 없다. (○)

17. 지방직 9급 위법한 도시기본계획에 대하여 제기되는 취소소송은 법원에 의하여 허용되지 아니 한다. (○)

동지

도시계획법 제11조 제1항에는, 시장 또는 군수는 그 관할 도시계획구역 안에서 시행할 도시계획을 도시기본계획의 내용에 적합하도록 입안하여야 한다고 규정하고 있으나, 도시기본계획이라는 것은 도시의 장기적 개발방향과 미래상을 제시하는 도시계획 입안의 지침이 되는 장기적·종합적인 개발계획으로서 직접적인 구속력은 없는 것이므로, 도시계획시설결정 대상면적이 도시기본계획에서 예정했던 것보다 증가하였다 하여 그것이 도시기본계획의 범위를 벗어나 위법한 것은 아니다(대판 1998.11.27. 96누13927).

19. 서울시 7급 도시계획법령상 도시기본계획은 도시의 장기적 개발 방향과 미래상을 제시하는 도시계획 입안의 지침이 되는 장기적·종합적인 개발계획으로서 행정청뿐만 아니라 대외적으로도 구속력을 갖는다. (×) → 가지지 않는다

24. 국가직 9급 도시기본계획은 도시의 장기적 개발 방향과 미래상을 제시하는 도시계획 입안의 지침이 되는 장기적·종합적인 개발계획으로서 직접적인 구속력이 있으므로, 도시계획시설 결정 대상면적이 도시기본계획에서 예정했던 것보다 증가할 경우 도시기본계획의 범위를 벗어나 위법하다. (×) → 은 없으므로 / 하였다 하여 그것이 / 위법한 것은 아니다

2 환지계획 ★★★

토지구획정리사업법 제57조, 제62조 등의 규정상 환지예정지 지정이나 환지처분은 그에 의하여 직접 토지소유자 등의 권리의무가 변동되므로 이를 항고소송의 대상이 되는 처분이라고 볼 수 있으나, 환지계획은 위와 같은 환지예정지 지정이나 환지처분의 근거가 될 뿐 그 자체가 직접 토지소유자 등의 법률상의 지위를 변동시키거나 또는 환지예정지 지정이나 환지처분과는 다른 고유한 법률효과를 수반하는 것이 아니 어서 이를 항고소송의 대상이 되는 처분에 해당한다고 할 수가 없다(대판 1999.8.20. 97누6889).

18. 5급 승진, 16. 국회직 8급, 12. 국가직 7급 환지계획은 환지예정지 지정이나 환지처분의 근거가 될 뿐, 고유한 법률효과를 수반하는 것이 아니어서 항고소송의 대상이 되는 처분에 해당한다고 할 수가 없다. (○)

18. 경찰 3차 구「토지구획정리사업법」상 환지계획은 환지예정지지정이나 환지처분의 근거가 되어 직접 토지소유자 등의 법률상의 지위를 변동시키므로 항고소송의 대상이 된다. (×) → 시키지 않으므로 / 되지 않는다

20. 소방간부 환지계획과 환지예정지 지정은 항고소송의 대상이 되는 행정처분이 아니다. (×) → ×

3 하수도정비기본계획 ★★

구 하수도법 제5조의2에 의하여 기존의 하수도정비기본계획을 변경하여 광역하수종말처리시설을 설치하는 등의 내용으로 수립한 하수도정비기본계획은 항고소송의 대상이 되는 행정처분에 해당하지 아니한다(대판 2002.5.17. 2001두10578).

19. 소방간부 구「하수도법」제5조의2에 의하여 기존의 하수도정비기본계획을 변경하여 광역하수종말처리시설을 설치하는 등의 내용으로 수립한 하수도정비기본계획은 항고소송의 대상이 되는 행정처분이 아니다. (○)

15. 지방직 9급 구「하수도법」제5조의2에 의한 하수도정비기본계획은 항고소송의 대상이 되는 행정처분에 해당하지 않는다. (○)

4 4대강 살리기 마스터플랜 ★★

국토해양부, 환경부, 문화체육관광부, 농림수산부, 식품부가 합동으로 2009.6.8. 발표한 '4대강 살리기·마스터플랜' 등은 행정기관 내부에서 사업의 기본방향을 제시하는 것일 뿐, 국민의 권리·의무에 직접 영향을 미치는 것이 아니어서 행정처분에 해당하지 않는다(대결 2011.4.21. 2010무111).

20. 서울시 7급, 13. 변호사 정부가 발표한 '4대강 살리기 마스터플랜'은 행정기관 내부에서 사업의 기본방향을 제시하는 것일 뿐, 국민의 권리·의무에 직접 영향을 미치는 것이 아니어서 행정처분에 해당하지 않는다. (○)

22. 국가직 7급 '4대강 살리기 마스터플랜'은 4대강 정비사업 지역 인근에 거주하는 주민의 권리·의무에 직접 영향을 미치는 것이어서 행정처분에 해당한다. (×) → 것이 아니어서 / 하지 않는다

19. 소방간부 대법원은 '4대강 살리기 마스터플랜'에 대한 취소소송과 집행정지사건에서 처분성을 긍정하면서도 집행정지에 관해서는 요건미비를 이유로 인정하지 않았다. (×) → 부정하고

5 혁신도시최종입지 선정행위 ★★

정부의 수도권 소재 공공기관의 지방이전시책을 추진하는 과정에서 도지사가 도내 특정시를 공공기관이 이전할 혁신도시 최종입지로 선정한 행위는 항고소송의 대상이 되는 행정처분이 아니다(대판 2007.11.15. 2007두10198).

19. 서울시 9급「국가균형발전 특별법」에 따른 시·도지사의 혁신도시최종입지 선정행위는 항고소송의 대상이 되는 행정처분이 아니다. (○)

구「토지구획정리사업법」상 환지계획
▷ 처분성×

구「토지구획정리사업법」상 환지예정지 지정과 환지처분
▷ 처분성○

구「하수도법」상 하수도정비기본계획
▷ 처분성×

4대강 살리기 마스터플랜
▷ 처분성×

「국가균형발전 특별법」에 따른 시·도지사의 혁신도시최종입지 선정행위
▷ 처분성×

10. 국가직 9급 혁신도시의 최종입지 선정행위는 상대방 또는 관계자들의 법률상 지위에 직접적인 영향을 미치는 행정처분이다. (×) → 이 아니다

19. 군무원 9급, 17. 행정사 정부의 수도권 소재 공공기관의 지방이전시책을 추진하는 과정에서 도지사가 도 내 특정시를 공공기관이 이전할 혁신도시 최종입지로 선정한 행위는 항고소송의 대상이 되는 행정처분이 아니다. (○)

6 개발제한구역제도개선방안

개발제한구역제도개선방안
▷ 행정처분×

개발제한구역제도개선방안 발표행위
▷ 사실행위

개발제한구역제도개선방안은 건설교통부장관이 개발제한구역의 해제 내지 조정을 위한 일반적인 기준을 제시하고, 개발제한구역의 운용에 대한 국가의 기본 방침을 천명하는 정책계획안으로서 비구속적 행정계획안에 불과하므로 공권력행위가 될 수 없으며, 이 사건 개선방안을 발표한 행위도 대내외적 효력이 없는 단순한 사실행위에 불과하므로 공권력의 행사라고 할 수 없다(헌재 2000.6.1. 99헌마538).

19. 군무원 9급 개발제한구역제도 개선방안을 발표한 행위도 대내외적 효력이 없는 단순한 사실행위에 불과하므로 공권력의 행사라고 할 수 없다. (○)

핵심정리 행정계획의 처분성 인정 여부

처분성 긍정	처분성 부정
• 구 「도시계획법」상 도시관리계획결정(80누105)	• 구 「토지구획정리사업법」상 환지계획(97누6889)
• 구 「도시계획법」상 도시설계결정(2002헌마402)	• 「택지개발촉진법」상 택지개발사업시행자의 택지공급방법결정·통보(93누36)
• 도시계획의 실시계획(2006두3742)	• 구 「도시계획법」상 도시기본계획(2000두8226)
• 구 「도시재개발법」상 관리처분계획(2001두6333)	• 구 「하수도법」상 하수도정비기본계획(2001두10578)
• 재건축정비사업조합이 수립한 사업시행계획(2009마596)	• 4대강 살리기 마스터플랜(2010무111)
• 「택지개발촉진법」에 의한 택지개발예정지구 지정과 택지개발계획승인(95누8409)	• 「국가균형발전 특별법」에 따른 시·도지사의 혁신도시최종입지 선정행위(2007두10198)
• 구 건설교통부장관의 개발제한구역 지정·고시(2007헌마862)	• 구 「농어촌도로 정비법」상 농어촌도로기본계획(99두974)
• 「국토의 계획 및 이용에 관한 법률」상 토지거래허가구역 지정(2006두12883)	• 개발제한구역제도개선방안(99헌마538)
• 구 「토지구획정리사업법」상 환지예정지 지정, 환지처분(97누6889)	• 학교교육정상화를 위한 2008학년도 이후 대학입학제도 개선안(2007헌마376)
• 구 건설교통부장관의 택지개발예정지구지정(95누8409)	• 행정지침 또는 행정조직 내부 효력만 있는 행정계획

4 행정계획과 법률유보

1. 구속적 행정계획

구속적 행정계획
▷ 작용법적 근거○

그러나 계획의 수립에 있어서 미래예측은 어려우며, 계획의 요소들이 부단히 변하므로 계획에 대한 수권법률 역시 개괄적일 수밖에 없다.

도시·군관리계획 및 도시재개발사업에 있어서 관리처분계획 등과 같은 구속적 행정계획의 경우 개인의 법적 지위 및 권리상태에 변동을 가하거나 일정한 의무 또는 제한을 가하는 등 침해적일 수 있기 때문에 그것은 법률의 근거를 필요로 한다(예 「국토의 계획 및 이용에 관한 법률」, 「도시 및 주거환경정비법」).

12. 사복직 국민의 권리의무에 법적 효과를 미치는 구속적 행정계획은 법적 근거가 있어야 한다. (○)

2. 비구속적 행정계획

비구속적 행정계획은 단순히 행정에 대한 지침과 국민에 대하여 정보를 제공하는 데 그치기 때문에 법적 근거는 필요하지 않다. 다만, 중요사항유보설에 따라 공동체 및 국민의 이익에 중요한 영향을 미치는 것이면 법률의 유보가 있어야 하는 것으로 보아야 한다.

5 행정계획의 절차

> 「행정절차법」 제3조 【적용 범위】 ① 처분, 신고, 확약, 위반사실 등의 공표, <u>행정계획</u>, 행정상 입법예고, 행정예고 및 행정지도의 절차(이하 "행정절차"라 한다)에 관하여 다른 법률에 특별한 규정이 있는 경우를 제외하고는 이 법에서 정하는 바에 따른다.
>
> 제40조의4 【행정계획】 행정청은 행정청이 수립하는 <u>계획 중 국민의 권리·의무에 직접 영향을 미치는 계획을 수립하거나 변경·폐지할 때에는 관련된 여러 이익을 정당하게 형량하여야 한다.</u>
>
> 제46조 【행정예고】 ① 행정청은 정책, 제도 및 <u>계획</u>(이하 "정책등"이라 한다)<u>을 수립·시행하거나 변경하려는 경우에는 이를 예고하여야 한다.</u> 다만, 다음 각 호의 어느 하나에 해당하는 경우에는 예고를 하지 아니할 수 있다.
> 1. 신속하게 국민의 권리를 보호하여야 하거나 예측이 어려운 특별한 사정이 발생하는 등 긴급한 사유로 예고가 현저히 곤란한 경우
> 2. 법령등의 단순한 집행을 위한 경우
> 3. 정책등의 내용이 국민의 권리·의무 또는 일상생활과 관련이 없는 경우
> 4. 정책등의 예고가 공공의 안전 또는 복리를 현저히 해칠 우려가 상당한 경우
>
> 제47조 【예고방법 등】 ① 행정청은 정책등안(案)의 취지, 주요 내용 등을 관보·공보나 인터넷·신문·방송 등을 통하여 공고하여야 한다.

1. 행정계획의 절차에 대한 일반법

행정계획은 그 대상·내용·효력이 매우 다양하기 때문에 행정계획의 절차에 관하여 일률적으로 규율하기는 어렵다. 따라서 행정계획의 절차에 관한 일반법은 없다. 과거 1987년도 입법예고 된 행정절차법안은 행정계획의 확정절차에 관하여 규정을 두고 있었지만, 현행 「행정절차법」은 행정계획의 확정절차에 관하여 아무런 규정을 두고 있지 않기 때문에, 행정계획의 절차는 각 개별법에 맡겨져 있다.

18. 서울시 7급 행정계획의 절차에 관한 일반법은 없고, 행정계획의 절차는 각 개별법에 맡겨져 있다. (○)

17. 국가직 9급(추) 「행정절차법」은 행정계획의 절차상 통제 방법으로 관계 행정기관과의 협의와 주민·이해관계인의 참여에 관한 일반적인 규정을 두고 있다. (×) → 있지 않다

13. 지방직 7급 「행정절차법」은 행정계획의 확정절차에 대한 일반법이라는 것이 통설이다. (×) → 이 아니라는

21. 변호사 「행정절차법」은 행정계획의 수립·확정절차에 관한 법적 근거를 두고 있다. (×) → 있지 않다

2. 행정계획의 절차에 대한 개별법

개별법에서는 행정계획의 수립과 관련하여 여러 절차들을 규정하고 있는데, ① 행정의 전문성·신중성을 담보하기 위하여 각종 합의제 행정기관(예 도시계획위원회)의 자문이나 심의를 거치도록 하는 경우(예 국토계획법 제30조 제3항), ② 계획의 전체적인 통일성 등을 담보하기 위하여 관계행정기관과의 협의를 거치도록 하는 경우(예 국토계획법 제16조 제2항), ③ 지방의회의 의견을 듣도록 하는 경우(예 국토계획법 제28조 제5항❶), ④ 이해관계인의 권익보호를 위하여 이해관계인의 의견제출권(예 「도시개발법」 제29조 제4항), 주민설명회(예 도시정비법 제15조 제1항), 공청회(예 국토계획법 제14조 제1항❷), 계획의 입안제안권(예 국토계획법 제26조)과 같이 이해관계인의 참여를 보장하고 있는 경우 등 다양한 절차규정들을 두고 있다. 행정계획은 일단 그것이 확정되면 많은 사람을 대상으로 하여 장기적으로 영향을 미침으로 여타 행정작용보다 많은 기관 및 이해관계자의 참여하에 결정됨이 보통이다.

3. 「행정절차법」상 행정계획

다만, 현행 「행정절차법」에 행정계획의 수립, 시행과 관련하여 아무런 규정이 없는 것은 아니다. 행정청은 행정청이 수립하는 계획 중 국민의 권리·의무에 직접 영향을 미치는 계획을 수립하거나 변경·폐지할 때에는 관련된 여러 이익을 정당하게 형량하여야 하고(「행정절차법」 제40조의4), 관련 이익을 형량하기 위해서 먼저 관련 이익을 조사하고 측정하여, 국민생활에 매우 큰 영향을 주거나 많은 국민의 이해가 상충되는 행정계획은 예고하고 국민의 의견을 수렴하여야 한다(「행정절차법」 제46조, 제47조).

15. 지방직 7급 현행 「행정절차법」은 행정계획 수립에 관하여 특별한 규정을 두고 있자 않다. (×) → 있다
12. 서울시 9급 행정계획의 수립, 시행과 관련하여 「행정절차법」상 아무런 규정이 없는 것은 아니다. (○)

6 행정계획의 효력요건과 효력

1. 효력발생요건과 효력발생일

(1) 효력발생요건(공포 또는 고시)

① 법률, 법규명령, 조례 등의 형식의 행정계획은 「법령 등 공포에 관한 법률」이 정한 바의 형식을 갖추어 대외적으로 공포되어야 하고, ② 법규의 형식이 아닌 경우에도 개인의 자유와 권리에 직접 관련되는 행정계획은 국민들에게 알려져야만 효력을 발생할 수 있으므로 개별법이 정한 형식에 의하여 고시하여야 한다.

(2) 효력발생일

① 행정계획이 법규의 형식을 취하여 발하여지는 경우에는 특별히 정함이 없으면 공포한 날로부터 20일을 경과함으로써 효력을 발생한다(「법령 등 공포에 관한 법률」 제13조). 그러나 국민의 권리 제한 또는 의무 부과와 직접 관련되는 법규형식의 계획은 긴급히 시행하여야 할 특별한 사유가 있는 경우를 제외하고는 공포일부터 적어도 30일이 경과한 날부터 시행되도록 하여야 한다(「법령 등 공포에 관한 법률」 제13조의2).

본문 좌측 여백 주석

❶ 국토계획법 제28조(주민과 지방의회의 의견 청취)
⑤ 국토교통부장관, 시·도지사, 시장 또는 군수는 도시·군관리계획을 입안하려면 대통령령으로 정하는 사항에 대하여 해당 지방의회의 의견을 들어야 한다.

❷ 국토계획법 제14조(공청회 개최)
① 국토교통부장관, 시·도지사, 시장 또는 군수는 광역도시계획을 수립하거나 변경하려면 미리 공청회를 열어 주민과 관계 전문가 등으로부터 의견을 들어야 하며, 공청회에서 제시된 의견이 타당하다고 인정하면 광역도시계획에 반영하여야 한다.

효력발생요건
▷ 법령의 형식으로 정한 경우: 공포
▷ 그 밖의 형식으로 정한 경우: 고시

효력발생일
▷ 법령의 형식으로 정한 경우: 공포한 날로부터 20일 경과
▷ 그 밖의 형식으로 정한 경우: 고시가 있는 날(예 도시관리계획: 지형도면 고시일)

② 기타의 형식을 취하여 고시되는 행정계획은 법에 특별한 규정이 없는 한, 고시가 있은 날로부터 효력을 발생한다. 「국토의 계획 및 이용에 관한 법률」에 따르면 도시·군관리계획결정의 효력은 지형도면을 고시한 날부터 발생한다고 규정하고 있다(「국토의 계획 및 이용에 관한 법률」 제31조 제1항). 이에 위반하는 도시계획은 효력을 발생하지 못한다.

09. 국가직 9급 도시관리계획은 고시가 있은 날부터 1년 후에 그 효력이 발생한다. (×) → 지형도면을 고시한 날부터

🖋 관련판례

구 도시계획법상 행정청이 기안, 결재 등의 과정을 거쳐 정당하게 도시계획결정 등의 처분을 하였다고 하더라도 이를 <u>관보에 게재하여 고시하지 아니한 이상 대외적으로는 아무런 효력도 발생하지 아니한다</u>(대판 1985.12.10. 85누186). ★★

21. 지방직 7급 구 「도시계획법」상 행정청이 정당하게 도시계획결정의 처분을 하였다고 하더라도 이를 관보에 게재하여 고시하지 아니한 이상 대외적으로는 아무런 효력이 발생하지 않는다. (○)
12. 지방직 9급 권한있는 행정청이 정당하게 도시계획결정 등의 처분을 하였다면 이를 관보에 게재하여 고시하지 ~~아니하였다 하더라도~~ 대외적으로 효력을 ~~발생한다~~. (×) → 다고 하더라도 / 아니한 이상 / 하지 아니한다

2. 행정계획의 효력

(1) 일반적 효력

비구속적 행정계획은 내부적 지침에 불과하여 아무런 법적 효력을 발생시키지 못하는 반면, 구속적 행정계획은 그 형식에 따라 국민 또는 행정기관에 구속력 등의 법적 효력이 발생한다.

(2) 집중효(특수한 효력)

① **개념**: 행정계획의 집중효란 행정계획이 확정되면 다른 법령에 의해 받게 되어 있는 인가·허가·승인 등을 받은 것으로 간주하는 효력을 의미한다. 집중효는 계획결정의 확정으로 계획시행을 위한 개별법상의 인·허가를 대체한다는 점에서 '대체효'라고도 한다.❶

09. 지방직 9급 행정계획이 확정되면 다른 법령상의 승인이나 허가 등을 받은 것으로 의제하는 것을 집중효라 하고, 이는 계획결정확정으로 인하여 인·허가를 대체한다는 점에서 대체효라고도 한다. (○)

② **취지**: 대규모 행정계획의 경우 개별법령의 수많은 인·허가를 모두 받도록 하는 것은 합리적이지 못하기 때문에 각 법률에 의한 인·허가를 하나의 사업계획 승인에 집중시킴으로써 절차의 간소화를 통하여 사업자의 부담해소 및 절차촉진에 기여한다.❷

09. 지방직 9급 행정계획의 집중효는 절차의 간소화를 통하여 사업자의 부담해소 및 절차촉진에 기여한다. (○)

③ **법적 근거**: 집중효제도는 행정기관의 권한에 변경을 가져온다. 따라서 행정조직법정주의 원리에 비추어 집중효는 개별법률에서 명시적으로 규정한 경우에만 인정될 수 있다. 또한 집중효가 발생하는 행위도 법률에서 명시적으로 규정된 것에 한정된다.

09. 지방직 9급 집중효는 행정기관의 권한에 변경을 가져온다. (○)

관보에 게재하여 고시를 결여한 행정계획
▷ 대외적 효력발생×

행정계획의 효력
▷ 비구속적 계획: 법적 효력×
▷ 구속적 계획: 법적 효력○

집중효(대체효)
▷ 행정계획이 확정되면 다른 법령에 의해 받아야 하는 인가·허가·승인 등을 받은 것으로 간주하는 효력

❶
집중효과 인·허가의제의 비교: 집중효는 계획확정에 부여되는 특유한 효과이지만 인·허가의제는 행정계획뿐만 아니라 인가·허가 등의 일반 행정행위에도 인정된다는 점에서, 집중효는 이해관계인의 집중적인 참여하에 내려지는 결정에 부여되는 효력이지만 인·허가의제는 이해관계인의 집중적 참여가 결여되어 있다는 점에서 양자는 구별될 수 있지만, 두 제도의 본질이 절차간소화와 사업의 신속한 진행을 위한 것이며, 법령에 근거하여 행정관청의 권한이 통합된다는 점에서 볼 때 양자 간에 본질적인 차이가 있다고 보기 어렵다.

집중효제도의 취지
▷ 절차의 간소화, 사업자의 부담해소 및 절차촉진에 기여

❷
또한 다수의 인·허가부서를 통합하는 효과를 가져오고, 인·허가에 필요한 구비서류의 감소효과를 가져온다.

집중효의 법적 근거
▷ 개별법률에서 명시적으로 규정한 경우에만 인정 可(∵권한변경초래, 행정조직법정주의 원리)

④ **집중효의 범위**

㉠ **문제점**: 행정계획결정의 집중효에 따라 당해 사업에 본래 필요하였던 다른 행정청에 의한 인·허가를 받은 것으로 의제된다. 즉, 계획확정절차에 집중효가 부여되면 여타의 행정청의 인·허가 및 결정들이 필요하지 않게 되는데, 계획을 확정하는 행정청(계획확정기관)이 집중효의 대상이 되는 인·허가요건(원래는 대체행정청이 심사해야 하는 실체·절차적 요건)에 구속(기속)되는지, 된다면 어디까지 구속되는지 그 정도 내지 범위가 문제된다.

㉡ **학설**: 이와 관련하여 의제되는 인·허가에서 요구되는 절차는 계획확정절차로 대체되기 때문에 실체적 요건에만 기속된다는 절차집중효설과 계획확정기관은 의제되는 인·허가의 실체적·절차적 요건에 기속되지 않고 계획확정절차에만 따라 결정할 수 있다는 실체집중효설 등이 대립되고 있다. 다수설은 절차집중효설을 취하고 있다. 이 설에 따르면, 대체행정청에 적용되는 절차법적 요건은 적용되지 않지만, 계획확정기관도 실체법적 요건에 대해서는 대체행정청과 같은 정도로 기속된다. 즉, 실체법적 요건은 갖추어야 하지만 절차법적 요건은 갖추지 않아도 된다.

㉢ **판례**: 절차집중설의 입장에서 집중효의 범위는 절차적 집중까지 미치므로 법령상 다른 규정이 없는 한 계획행정청이 의제되는 인·허가에 관한 모법상의 행정절차를 거칠 필요는 없다고 보고 있다(대판 2018.11.29. 2016두38792 ; 대판 1992.11.10. 92누1162).

판례
▷ 절차집중설(의제되는 인·허가에 대한 행정절차 거칠 필요×)

⚖ **관련판례**

건설부장관이 관계기관의 장과 협의를 거쳐 주택건설사업계획승인을 한 이상 별도로 구 도시계획법 소정의 중앙도시계획위원회의 의결이나 주민의 의견청취 등 절차를 거칠 필요는 없다. ★★

건설부장관(현 국토교통부장관)이 구 주택건설촉진법 제33조에 따라 관계기관의 장과의 협의를 거쳐 사업계획승인을 한 이상 같은 조 제4항의 허가·인가·결정·승인 등이 있는 것으로 볼 것이고, 그 절차와 별도로 도시계획법 제12조 등 소정의 중앙도시계획위원회의 의결이나 주민의 의견청취 등 절차를 거칠 필요는 없다(대판 1992.11.10. 92누1162).

관계기관의 장과 협의를 거쳐 행한 주택건설사업계획승인
▷ 「도시계획법」 소정의 주민의견청취 등 절차 不要

---

⑤ **관계기관과의 협의**: 행정계획이 결정되면 다른 인·허가 등 행위가 행하여진 것으로 의제되는 경우에 행정계획을 결정하는 행정청은 미리 의제되는 행위의 관계기관과 협의를 하도록 규정하고 있다(「택지개발촉진법」 제11조 제2항❶). 이는 행정계획을 결정하는 행정청이 의제되는 인·허가의 요건을 심사할 수 있도록 하는 목적을 가지고 있다.

❶ 「택지개발촉진법」 제11조(다른 법률과의 관계)
② 지정권자가 실시계획을 작성하거나 승인하려는 경우 그 계획에 제1항 각 호의 어느 하나에 해당하는 사항이 포함되어 있을 때에는 관계 기관의 장과 협의하여야 한다.

7 행정계획 변경과 하자

행정주체에 의한 행정계획의 변경과 관련하여 특히 후행 도시계획에 선행 도시계획과 서로 양립할 수 없는 내용이 포함되어 있는 경우 각 행정계획의 효력문제, 행정계획의 하자와 관련하여 ① 절차상 하자가 있는 행정계획의 효력, ② 행정계획에 존재하는 계획재량에 대한 내용적 통제로서 형량명령의 문제가 특히 대두된다.

1. 행정주체에 의한 계획의 변경

(1) 행정주체는 수립된 행정계획을 사정변경이 있으면, 법적 근거에 따라 계획을 변경하거나 새로운 계획을 수립할 수 있다. 그러나 경미한 사항의 변경과 달리 주요부분을 실질적으로 변경하는 새로운 계획이 수립·고시되면, 당초의 계획은 효력을 상실한다.

> **관련판례**
>
> 관련 법규정의 내용, 형식 및 취지 등에 비추어 볼 때, 당초 개발계획의 경미한 사항을 변경하는 경우와는 달리 지정권자가 개발계획의 주요 부분을 실질적으로 변경하는 내용으로 새로운 개발계획을 수립하여 고시한 경우에는 당초 개발계획은 달리 특별한 사정이 없는 한 그 효력을 상실한다고 할 것이다(대판 2012.9.27. 2010두16219). ★

(2) 한편, 선행 도시계획과 양립할 수 없는 내용이 포함된 후행 도시계획결정의 효력과 관련하여 판례는 ① 도시계획의 결정·변경 등에 관한 권한을 가진 행정청이 이미 도시계획이 결정·고시된 지역에 대하여(선행 도시계획) 다른 내용의 도시계획을 결정·고시하였고(후행 도시계획), 이때에 후행 도시계획에 선행 도시계획과 서로 양립할 수 없는 내용이 포함되어 있다면, 특별한 사정이 없는 한 선행 도시계획은 후행 도시계획과 같은 내용으로 변경(대체)되지만, ② 후행 도시계획의 결정을 하는 행정청이 선행 도시계획의 결정·변경 등에 관한 권한을 가지고 있지 아니한 경우에 선행 도시계획과 서로 양립할 수 없는 내용이 포함된 후행 도시계획결정은 주체의 하자가 있는 경우에 해당하여 무효사유라고 판시한 바 있다.

> **관련판례**
>
> **1** 선행계획과 양립할 수 없는 후행계획은 선행계획을 대체하나, 권한 없는 자에 의해 행해진 것이라면 무효이다. ★★★
>
> [1] 도시계획의 결정·변경 등에 관한 권한을 가진 행정청은 이미 도시계획이 결정·고시된 지역에 대하여도 다른 내용의 도시계획을 결정·고시할 수 있고, 이때에 후행 도시계획에 선행 도시계획과 서로 양립할 수 없는 내용이 포함되어 있다면, 특별한 사정이 없는 한 선행 도시계획은 후행 도시계획과 같은 내용으로 변경되는 것이다.
>
> 24. 국가직 9급, 21. 국가직 9급 도시계획의 결정·변경 등에 대한 권한행정청은 이미 도시계획이 결정·고시된 지역에 대하여도 다른 내용의 도시계획을 결정·고시할 수 있고, 이때에 후행 도시계획에 선행 도시계획과 양립할 수 없는 내용이 포함되어 있다면 특별한 사정이 없는 한 선행 도시계획은 후행 도시계획과 같은 내용으로 변경된다. (○)
>
> 16. 지방직 7급 도시계획의 결정·변경 등에 관한 권한을 가진 행정청이 이미 도시계획이 결정·고시된 지역에 대하여 행한 다른 내용의 도시계획의 결정·고시는 **무효다**. (✕) → 유효하다

지정권자가 개발계획의 주요 부분을 실질적으로 변경한 경우
▷ 당초 개발계획은 특별한 사정이 없는 한 효력 상실

선행계획의 변경권한을 가진 행정청이 선행계획과 양립할 수 없는 후행계획을 결정
▷ 후행계획이 선행계획을 대체함(후행계획 유효)

선행계획의 변경권한 없는 행정청이 선행계획과 양립할 수 없는 후행계획 결정
▷ 후행계획 무효(무권한의 하자)

선행계획과 양립할 수 없는 후행계획
▷ 권한 없는 자에 의해 이루어진 것이라면 무효(취소사유✕)

[2] 후행 도시계획의 결정을 하는 행정청이 선행 도시 계획의 결정·변경 등에 관한 권한을 가지고 있지 아니한 경우에 선행 도시계획과 서로 양립할 수 없는 내용이 포함된 후행 도시계획결정을 하는 것은 아무런 권한 없이 선행 도시계획결정을 폐지하고, 양립할 수 없는 새로운 내용이 포함된 후행 도시계획결정을 하는 것으로서, 선행 도시 계획결정의 폐지 부분은 권한 없는 자에 의하여 행해진 것으로서 무효이고, 같은 대상지역에 대하여 선행 도시계획결정이 적법하게 폐지되지 아니한 상태에서 그 위에 다시 한 후행 도시계획 결정 역시 위법하고, 그 하자는 중대하고도 명백하여 다른 특별한 사정이 없는 한 무효라고 보아야 한다(대판 2000.9.8. 99두11257).

20. 소방간부, 16. 지방직 9급, 13. 국회직 8급 후행 도시계획의 결정을 하는 행정청이 선행도시계획의 결정·변경 등에 관한 권한을 가지고 있지 아니한 경우, 선행 도시계획과 양립할 수 없는 내용이 포함된 후행 도시계획결정은 무효이다. (○)

17. 서울시 7급 후행도시계획을 결정하는 행정청이 선행도시계획의 결정·변경에 관한 권한을 가지고 있지 아니한 경우 선행도시계획과 양립할 수 없는 후행도시계획결정은 취소사유에 해당한다. (×) → 무효

도시관리계획에 포함되지 않았음이 명백한 토지를 후속계획이나 처분에 포함된 것처럼 표시
▷ 무효

2 도시관리계획에 포함되지 않았음이 명백한 토지가 도시관리계획을 집행하기 위한 후속계획이나 처분에 포함된 것처럼 표시되어 있다면 이는 원칙적으로 무효이다. ★★

[1] 도시공원 및 녹지 등에 관한 법률상 공원조성계획은 공원의 구체적 조성에 관한 행정계획으로서 도시공원의 설치에 관한 도시관리계획이 결정되어 있음을 전제로 한다. 특히 도시공원의 부지(공간적 범위)는 도시관리계획 단계에서 결정되는 것이고, 공원조성계획은 이를 전제로 도시공원의 내용과 시설 배치 등을 구체적으로 정하기 위한 것이다(도시공원 및 녹지 등에 관한 법률 시행규칙 제8조 참조).

[2] 도시관리계획결정·고시와 그 도면에 특정 토지가 도시관리계획에 포함되지 않았음이 명백한데도 도시관리계획을 집행하기 위한 후속 계획이나 처분에서 그 토지가 도시관리계획에 포함된 것처럼 표시되어 있는 경우가 있다. 이것은 실질적으로 도시관리계획결정을 변경하는 것에 해당하여 구 국토의 계획 및 이용에 관한 법률(2009.2.6. 법률 제9442호로 개정되기 전의 것) 제30조 제5항에서 정한 도시관리계획 변경절차를 거치지 않는 한 당연무효이다(대판 2019.7.11. 2018두47783).

21. 지방직 7급 도시관리계획결정·고시와 그 도면에 특정 토지가 도시관리계획에 포함되지 않았음이 명백한데도 도시관리계획을 집행하기 위한 후속 계획이나 처분에서 그 토지가 도시관리계획에 포함된 것처럼 표시되어 있는 경우, 이는 원칙적으로 취소사유에 해당한다. (×) → 무효이다

2. 행정계획절차의 하자

행정계획절차의 하자
▷ 하자의 일반이론에 따라 무효 또는 취소사유
▷ 단, 경미한 절차의 하자와 순수하게 행정 내부적인 절차위반은 취소사유×

(1) 행정계획절차의 하자는 하자의 일반이론에 따라 중대·명백하면 무효이고, 단순 위법이면 취소할 수 있는 계획이 된다. 그러나 경미한 절차의 하자인 경우와 순수하게 행정 내부적인 절차위반은 취소사유가 되지 않는다.

(2) 대법원은 공고 및 공람 절차에 하자가 있는 도시계획결정은 비록 형량의 하자와 같은 내용적인 흠이 없고 변경될 가능성이 없다고 하더라도 위법하다는 입장이다. 또한 도시계획결정에서 기초조사절차를 적법하게 거치지 않은 하자도 그 도시계획결정의 취소사유라고 하였다(대판 1990.6.12. 90누2178). 한편, 도시계획을 수립할 때 도시계획법 소정의 공청회를 열지 않고 이주대책을 수립하지 않은 것은 절차상의 위법으로서 취소사유라고 판시하였다.

관련판례

1 도시계획안의 공고 및 공람 절차에 하자가 있는 도시계획결정은 위법하며 취소사유에 해당한다. ★★

1-1. 도시계획(현 도시관리계획)의 입안에 있어 해당 도시계획안의 내용을 공고 및 공람하게 한 것은 다수 이해관계자의 이익을 합리적으로 조정하여 국민의 권리자유에 대한 부당한 침해를 방지하고 행정의 민주화와 신뢰를 확보하기 위하여 국민의 의사를 그 과정에 반영시키는데 있는 것이므로, 이러한 공고 및 공람 절차에 하자가 있는 도시계획결정은 위법하다(대판 2000.3.23. 98두2768).

1-2. 도시계획법 제16조의2 제2항 및 동시행령 제14조의2 제6항·제7항·제8항의 규정을 종합하여 보면 공람공고절차를 위배한 도시계획변경결정신청은 위법하다고 아니할 수 없고 행정처분에 위와 같은 법률이 보장한 절차의 흠결이 있는 위법사유가 존재하는 이상 그 내용에 있어 재량권의 범위내이고 변경될 가능성이 없다 하더라도 그 행정처분은 위법하다(대판 1988.5.24. 87누388).❶

22. 국가직 7급 구 도시계획법령상 도시계획안의 내용에 대한 공고 및 공람 절차에 하자가 있는 도시계획결정은 위법하다. (○)

11. 지방직 7급 판례에 의하면 도시계획안의 공고 및 공람절차에 하자가 있는 도시계획(현 도시관리계획)결정은 내용에 하자가 있는 것이 아니라 단지 절차의 하자에 불과하므로 위법하지 않다. (×) → 해당하므로 위법하다

> **비교** 공람절차를 밟지 않은 환지계획수정에 근거한 환지예정지지정처분은 당연무효이다. ★★
>
> 환지계획인가 후에 당초의 환지계획에 대한 공람과정에서 토지소유자 등 이해관계인이 제시한 의견에 따라 수정하고자 하는 내용에 대하여 다시 공람절차 등을 밟지 아니한 채 수정된 내용에 따라 한 환지예정지 지정처분은 환지계획에 따르지 아니한 것이거나 환지계획을 적법하게 변경 하지 아니한 채 이루어진 것이어서 당연무효라고 할 것이다(대판 1999.8.20. 97누6889).
>
> 15. 서울시 7급 환지계획인가 후에 수정하고자 하는 내용에 대하여 토지소유자 등 이해관계인의 공람절차를 거치지 아니한 채 수정된 내용에 따라 한 환지예정지 지정처분은 당연무효이다. (○)

2 공청회와 이주대책이 없는 도시계획수립행위는 절차상의 위법으로 취소사유에 해당한다. ★★

도시계획의 수립에 있어서 도시계획법 제16조의2 소정의 공청회를 열지 아니하고 공공용지의취득및손실보상에관한특례법 제8조 소정의 이주대책을 수립하지 아니하였더라도 이는 절차상의 위법으로서 취소사유에 불과하고 그 하자가 도시계획결정 또는 도시계획사업시행인가를 무효라고 할 수 있을 정도로 중대하고 명백하다고는 할 수 없다(대판 1990.1.23. 87누947).

12. 지방직 9급 공청회와 이주대책이 없는 도시계획수립행위는 당연무효인 행위이다. (×) → 취소사유 있는

3. 계획재량과 형량명령

(1) 계획재량의 의의

① 계획재량이란 행정주체(계획청)가 행정계획의 수립·변경과정에서 갖게 되는 광범위한 형성의 자유를 의미하고, 계획재량은 행정목표의 설정이나 행정목표를 효과적으로 달성할 수 있는 수단의 선택 및 조정에 있어서 인정된다.

공고·공람 절차에 하자 있는 도시계획결정
▷ 취소사유

❶
위 판례는 도시계획 입안과정에서 주민들의 의견청취절차를 거치지 않은 도시관리계획결정도 절차상의 하자가 있어 위법하다고 보았다. 도시계획의 입안이란 도시계획의 형태를 만드는 행위를 말하고, 도시계획의 결정이란 입안권자가 제시한 도시계획안을 확정하는 행위를 말한다. 일반적으로 기초자치단체장이 입안권자가 되고 광역자치단체장이 결정권자가 된다. 주민은 입안권자에게 입안을 제안할 수 있다(국토계획법 제26조 제1항).

공람절차 없이 수정된 내용에 따라 이루어진 환지예정지 지정처분
▷ 당연무효

공청회와 이주대책이 없는 도시계획수립행위
▷ 취소사유

계획재량
▷ 행정계획을 수립·변경함에 있어서 계획청에 인정되는 광범위한 재량

② 계획법규범은 목표는 제시하지만 그 목표실현을 위한 수단은 구체적으로 제시하지 않는다는 점에서 행정주체는 행정계획을 입안·결정함에 있어서 일반 재량행위에 비하여 더욱 광범위한 판단 여지 내지 형성의 자유를 가진다.

13. 서울시 9급 계획수립의 권한을 가지고 있는 행정기관은 계획수립과 관련하여 광범위한 재량권을 갖고 있는 바, 이를 계획재량이라 한다. (O)

06. 국가직 7급 행정계획의 주체는 계획법에 근거한 구체적 계획을 수립, 변경하는 과정에서 광범위한 형성의 자유를 가지는 바, 형성의 자유가 없는 계획은 그 자체가 모순이다. (O)

⚖ 관련판례

1 행정주체는 구체적인 행정계획을 입안·결정함에 있어서 비교적 광범위한 형성의 자유를 가진다. ★★★

행정계획이라 함은 행정에 관한 전문적·기술적 판단을 기초로 하여 도시의 건설·정비·개량 등과 같은 특정한 행정목표를 달성하기 위하여 서로 관련되는 행정수단을 종합·조정함으로써 장래의 일정한 시점에 있어서 일정한 질서를 실현하기 위한 활동기준으로 설정된 것으로서, 도시계획법 등 관계 법령에는 추상적인 행정목표와 절차만이 규정되어 있을 뿐 행정계획의 내용에 대하여는 별다른 규정을 두고 있지 아니하므로 행정주체는 구체적인 행정계획을 입안·결정함에 있어서 비교적 광범위한 형성의 자유를 가진다(대판 2000.3.23. 98두2768 ; 대판 1996.11.29. 96누8567).

22. 군무원 7급, 20. 서울시 7급, 18. 국가직 7급, 17. 변호사 관계 법령에는 추상적인 행정목표와 절차만이 규정되어 있을 뿐 행정계획의 내용에 관하여는 별다른 규정을 두고 있지 아니하므로 행정주체는 구체적인 행정계획을 입안·결정함에 있어서 비교적 광범위한 형성의 자유를 가진다. (O)

24. 국가직 9급 행정청은 구체적인 행정계획을 입안·결정할 때 비교적 광범위한 형성의 재량을 가진다. (O)

17. 교행 행정주체가 행정계획을 결정할 때 광범위한 형성의 자유가 인정되지 않는다. (X) → 된다

2 계획재량은 일반적인 행정재량에 비하여 상대적으로 행정청에 더 많은 재량권이 부여된다. ★★

행정계획에 있어서는 다수의 상충하는 사익과 공익들의 조정에 따르는 다양한 결정 가능성과 그 미래전망적인 성격으로 인하여 그에 대한 입법적 규율은 상대적으로 제한될 수밖에 없다. 따라서 행정청이 행정계획을 수립함에 있어서는 일반 재량행위의 경우에 비하여 더욱 광범위한 판단여지 내지는 형성의 자유, 즉 계획재량이 인정되는바, 이 경우 일반적인 행정행위의 요건을 규정하는 경우보다 추상적이고 불확정적인 개념을 사용하여야 할 필요성이 더욱 커진다(헌재 2007.10.4. 2006헌바91).

16. 서울시 9급 일반적인 행정행위에 비하여 행정청에 폭넓은 재량권이 부여된다. (O)

08. 국회직 8급 계획재량은 계획법의 구조적 특성에 기인하는 것으로 행정청이 행정계획을 수립함에 있어서 일반 재량행위에 비하여 더욱 광범위한 판단여지 내지 형성의 자유를 갖는 것을 말한다. (O)

3 개발제한구역지정처분은 그 입안·결정에 관하여 광범위한 형성의 자유를 가지는 계획재량처분이다. ★★

개발제한구역지정처분은 국토교통부장관이 법령의 범위 내에서 도시의 무질서한 확산 방지 등을 목적으로 도시정책상의 전문적·기술적 판단에 기초하여 행하는 일종의 행정계획으로서 그 입안·결정에 관하여 광범위한 형성의 자유를 가지는 계획재량처분이다(대판 1997.6.24. 96누1313).

20. 국회직 9급 국토교통부장관이 법령의 범위 내에서 행한 개발제한구역지정처분은 재량적 성질을 가진다. (O)

10. 국가직 7급 판례에 의하면 개발제한구역지정처분은 계획재량처분이다. (O)

행정주체
▷ 행정계획 수립에 있어 광범위한 형성의 자유○

계획재량
▷ 일반 재량행위보다 광범위한 형성의 자유 인정

개발제한구역지정처분
▷ 계획재량처분

(2) 계획재량과 일반 행정재량의 구별

① **문제점**: 계획재량에는 일반적인 행정재량과 비교하여 행정청에게 폭넓은 재량권이 부여되고 있다는 것에 대하여 학설상 이론이 없다. 그런데, 계획재량이 일반의 행정재량과 질적으로 구별되는 것인지에 대하여는 견해가 대립된다.

② **학설**: 이에 대하여 행정재량의 수권규범은 요건과 효과 부분으로 구성된 조건프로그램으로 되어 있는 반면에, 계획재량의 수권규범은 계획목표의 설정과 목표의 달성을 위한 수단과 절차를 규정하는 목적프로그램으로 되어 있다는 점에서 규범구조면에서 차이가 있고, 계획재량에는 형량명령이라는 특유의 하자이론이 존재함을 근거로 양자 사이의 질적인 차이를 인정하는 견해(구별긍정설, 다수설)와 수권규범의 규범구조상의 차이는 질적 차이를 가져올 만큼 본질적인 것이 아니며, 계획재량에서 형량명령은 그 실질적인 내용이 비례의 원칙에 해당하는 것이지 계획재량에만 특유한 것이 아니므로 양자 사이는 양적인 점에서 차이가 있을 뿐 질적인 점에서는 차이가 없다는 견해가 있다(구별부정설).

> 21. 군무원 9급 통상적인 재량행위와 계획재량은 양적인 점에서 차이가 있을 뿐 질적인 점에서는 차이가 없다는 견해는 형량명령이 계획재량에 특유한 하자이론이라기보다는 비례의 원칙을 계획재량에 적용한 것이라고 한다. (○)
>
> 12. 서울시 9급, 09. 국회직 8급 일반적인 재량행위와 계획재량의 구별을 부정하는 입장에도 양자 사이에 차이점을 전혀 인정하지 않는 것은 아니다. (○)

🎯 핵심정리 계획재량과 일반 행정재량의 비교

구분	계획재량	일반 행정재량
재량범위	비교적 넓다. 14. 서울시 9급 계획재량은 일반적인 재량행위에 비해 더 큰 재량의 범위가 부여된다. (○)	비교적 좁다.
규범 구조	• 목적과 수단(목적프로그램) • " ~ 을 위하여, ~ 한다."는 규정방식 (예 국토의 균형발전을 위하여,~계획을 수립한다)	• 요건과 효과(조건프로그램) • "만약 ~ 을 하면, ~ 한다."는 규정방식 (예 만약 미성년자에게 술을 판매하면, 영업허가를 취소한다)
사법적 통제	형량명령	재량의 일탈·남용
통제방법	절차적·사전적 통제	절차적·사전적·실체적·사후적 통제

> 15. 사복직 계획법규범은 목표는 제시하지만 그 목표실현을 위한 수단은 구체적으로 제시하지 않는 목적프로그램의 형식을 취하는 것을 특징으로 한다. (○)

(3) 계획재량의 통제원리로서의 형량명령

① **형량명령의 의의**: 형량명령이란 행정계획을 수립하는 행정청은 관련된 여러 이익을 정당하게 형량하여야 한다는 원칙으로서, 계획재량의 통제이론이다. 즉, 행정계획에 관련되는 자들의 이익을 공익과 사익 사이에서는 물론이고 공익 상호 간과 사익 상호간에도 정당하게 비교·교량하여야 한다(대판 2005.3.10. 2002두5474). 형량명령은 행정청이 수립하는 계획 중 국민의 권리·의무에 직접 영향을 미치는 계획을 수립하거나 변경·폐지할 때 요구된다(「행정절차법」 제40조의4).❶

함께 정리하기

학설
▷ 계획재량과 행정재량의 질적 차이에 관하여 견해대립

구별긍정설(질적 차이 긍정설, 다수설)
▷ 계획재량은 목적프로그램규정, 형량명령이라는 특유의 하자이론이 존재

구별부정설(질적 차이 부정설)
▷ 형량명령이 계획재량에 특유한 하자 이론이라기보다는 비례의 원칙을 계획재량에 적용한 것에 불과

형량명령
▷ 행정계획을 입안·결정함에 있어서 관련된 이익을 정당하게 형량하여야 한다는 원칙
▷ 계획재량의 통제원리

❶
형량명령의 원칙은 1960년 독일연방건설법에서 처음으로 입법화 되었고, 우리 「행정절차법」은 2022년 법 개정을 통하여, "행정청은 행정청이 수립하는 계획 중 국민의 권리·의무에 직접 영향을 미치는 계획을 수립하거나 변경·폐지할 때에는 관련된 여러 이익을 정당하게 형량하여야 한다(「행정절차법」 제40조의4)." 라는 규정을 신설하여 형량명령의 원칙을 규정하고 있다.

18. 국회직 8급 행정계획의 수립에 있어서 행정청에게 인정되는 광범위한 형성의 자유, 즉 '계획재량'은 '형량명령의 원칙'에 따라 통제한다. (○)

18. 소방직 형량명령은 계획을 수립함에 있어 관계되는 모든 이익을 정당하게 형량하여야 한다는 행정법의 일반원칙이다. (○)

21. 군무원 9급, 18. 국가직 7급 행정주체가 행정계획을 입안·결정함에 있어서 행정계획에 관련되는 자들의 이익을 공익과 사익 사이에서는 물론이고 공익 상호 간과 사익 상호 간에도 정당하게 비교·교량하여야 한다. (○)

② 형량명령의 구체적 내용

형량명령의 구체적 내용
▷ 관련 이익의 조사 및 이익형량요소로 고려, 공·사익 가치의 제대로 된 평가, 각각의 이익의 객관적 가치에 비례하여 이익형량

　㉠ 행정계획과 관련된 이익을 형량하기 위하여 계획청은 우선 행정계획과 관련이 있는 이익을 조사하여야 한다.

　　12. 국회직 9급 행정계획결정에 있어서 계획청은 행정계획과 관련된 이익을 형량하기 위하여 관련 이익을 조사하여야 한다. (○)

행정계획 시 고려할 사항
▷ 법정고려사항은 물론 법령에 규정되지 않은 이익도 행정계획과 관련이 있으면 모두 포함시켜 고려하여야 함

　㉡ 계획청은 관련된 이익을 이익형량에 모두 포함시켜야 한다. 공익과 사익이 모두 포함되어야 하며, 이익형량은 공익 상호 간, 공익과 사익 상호 간 및 사익 상호 간에 행하여진다. 또한, 법령에서 고려하도록 규정한 이익(법정고려사항)뿐만 아니라 법령에 규정되지 않은 이익도 행정계획과 관련이 있으면 모두 고려되어야 한다.

　　12. 사복직 법령에서 고려하도록 규정한 이익은 물론 법령에 규정되지 않은 이익도 행정계획과 관련이 있으면 모두 형량명령에 포함시켜야 한다. (○)

　㉢ 관련된 공익 및 사익의 가치를 제대로 평가하여야 한다. 달리 말하면 개개의 이익이 과소평가되거나 과대평가되어서는 안 된다.

　㉣ 관련되는 이익의 형량은 개개의 이익의 객관적 가치에 비례하여 행하여져야 한다. 또한 목표를 달성할 수 있는 여러 안 중에서 공익과 사익에 대한 침해를 최소화할 수 있는 방안을 선택하여야 한다.

③ 형량하자와 그 효과

형량명령의 내용에 반하는 경우
▷ 형량하자

형량하자의 유형
▷ 조사의 흠결·형량해태·형량흠결·평가의 과오·오형량 등

　㉠ 행정계획결정이 형량명령의 내용에 반하는 경우에 형량하자가 있게 된다.

　㉡ 형량하자의 유형으로는 ⓐ 조사의무를 이행하지 않은 경우(조사의 흠결), ⓑ 형량을 전혀 하지 않은 경우(형량의 해태), ⓒ 형량의 대상에 마땅히 포함되어야 할 사항을 빠뜨린 경우(형량의 흠결), ⓓ 관련된 공익과 사익의 가치를 잘못 평가한 경우(평가의 과오), ⓔ 이익형량을 행하기는 하였으나 그것이 객관성·비례성을 결하는 경우(오형량) 등이 있으며, 이러한 형량하자가 발생한 경우 당해 행정계획의 위법성이 인정된다.

종래 대법원
▷ 형량명령상 하자유형은 인정하지만 재량권의 일탈·남용법리를 적용

최근 대법원
▷ 형량하자를 인정하여 계획재량의 독자성 인정

　㉢ **판례:** 행정계획의 결정에 있어서 광범위한 형성의 자유를 인정하고 그에 대한 한계로서 형량명령이론을 수용하고 있다. 그런데 종래 판례는 형량명령의 법리를 반영하면서도 '형량하자'라는 용어는 사용하지 않고 재량권의 일탈·남용이라고 판시하였으나, 최근 판례는 '형량하자'라는 용어를 사용하여 계획재량의 독자성을 나타내는 경향을 보이고 있다. 또한, 판례는 형량하자의 법리를 행정주체가 구체적인 행정계획을 입안·결정할 때뿐만 아니라 주민의 입안제안 또는 변경신청을 받아들여 도시관리계획결정을 하거나 도시계획시설을 변경할 것인지를 결정할 때에도 동일하게 적용된다고 판시하고 있다.

　　18. 소방직 형량명령 및 형량이론의 하자에 관한 이론은 판례에는 반영되고 있지 아니하다. (×) → 에 반영되어 있다

⚖ 관련판례

1 행정주체가 행정계획을 수립하면서 <u>이익형량을 전혀 하지 아니하였거나 이익형량의 고려 대상에 포함시켜야 할 중요한 사항을 누락한 경우 또는 이익형량을 하기는 하였으나 그것이 비례의 원칙에 어긋나게 된 경우에는 그 행정계획은 재량권을 일탈·남용한 위법한 처분이다</u>(대판 1997.9.26. 96누10096 ; 대판 1996.11.29. 96누8567). ★★

13. 국회직 8급 대법원은 계획형량을 하는 과정에서 이익형량을 전혀 행하지 아니하거나 이익형량의 고려 대상에 마땅히 포함시켜야 할 사항을 누락한 경우에는 그 행정계획결정은 재량권을 일탈·남용한 것으로서 위법하다는 입장이다. (○)

21. 국회직 8급 행정주체가 행정계획을 입안·결정하는 데에는 비록 광범위한 형성의 자유를 갖고 있지만 비례원칙에 어긋나게 되는 경우에는 재량권을 이탈·남용한 위법한 처분이 된다. (○)

2 행정주체가 행정계획을 입안·결정함에 있어서 **형량의 부존재, 형량의 누락, 평가의 과오와 형량의 불비례가 있는 경우에는 그 행정계획결정은 위법하게 된다.** ★★★
행정주체는 구체적인 행정계획을 입안·결정함에 있어서 비교적 광범위한 형성의 자유를 가진다고 할 것이지만, 행정주체가 가지는 이와 같은 형성의 자유는 무제한적인 것이 아니라 그 행정계획에 관련되는 자들의 이익을 공익과 사익 사이에서는 물론이고 공익 상호간과 사익 상호간에도 정당하게 비교·교량하여야 한다는 제한이 있는 것이고, 따라서 행정주체가 행정계획을 입안·결정함에 있어서 <u>이익형량을 전혀 행하지 아니하거나 이익형량의 고려 대상에 마땅히 포함시켜야 할 사항을 누락한 경우 또는 이익형량을 하였으나 정당성과 객관성이 결여된 경우에는 그 행정계획결정은 형량에 하자가 있어 위법하다</u>(대판 2007.4.12. 2005두1893 ; 대판 2006.9.8. 2003두5426 ; 대판 2012.1.12. 2010두5806).

22. 소방간부, 21. 군무원 9급, 21. 지방직 7급, 20. 소방간부, 19. 경행경채 2차 등 행정주체가 행정계획을 입안·결정함에 있어서 이익형량을 전혀 행하지 아니하거나 이익형량의 고려 대상에 마땅히 포함시켜야 할 사항을 누락한 경우 또는 이익형량을 하였으나 정당성과 객관성이 결여된 경우에는 그 행정계획결정은 형량에 하자가 있어 위법하다. (○)

21. 군무원 9급 행정주체가 행정계획을 입안·결정함에 있어서 이익형량의 고려 대상에 마땅히 포함시켜야 할 사항을 누락한 경우 이익형량을 전혀 행하지 아니하는 등의 사정이 없는 한 그 행정계획 결정은 형량에 하자가 있다고 보기 ~~어렵다~~. (×) → 없더라도 / 본다

24. 국가직 9급 행정청이 행정계획을 입안·결정할 때 이익형량을 하였으나 정당성과 객관성이 결여된 경우에는 그 행정계획 결정은 위법하게 될 수 있다. (○)

20. 서울시 7급 행정주체가 행정계획을 입안·결정할 때 이익형량을 하였으나 정당성과 객관성이 결여된 경우 이익형량에 하자가 있는 것은 ~~아니므로 이를 이유로 행정계획이 위법하게 될 수는 없다~~. (×) → 것이므로 / 된다

16. 서울시 9급 이익형량을 전혀 하지 않았다면 위법하다고 볼 수 있으나, 이익형량의 고려사항을 일부 누락하였거나 이익형량에 있어 정당성이 결여된 것만으로는 위법하다고 볼 수 ~~없다~~. (×) → 있으며 / 경우도 / ×

3 행정주체가 구체적인 행정계획을 입안·결정할 때 가지는 **형성의 자유의 한계에 관한 법리**(위 **2** 판례)는 주민의 도시관리계획 입안 제안을 받아들여 도시관리계획결정을 할 것인지를 결정할 때에도 마찬가지이고, 나아가 도시계획시설구역 내 토지 등을 소유하고 있는 <u>주민이 장기간 집행되지 아니한 도시계획시설의 결정권자에게 도시계획시설의 변경을 신청하고, 결정권자가 이러한 신청을 받아들여 도시계획시설을 변경할 것인지를 결정하는 경우에도 동일하게 적용된다</u>고 보아야 한다(대판 2012.1.12. 2010두5806). ★★

20. 국가직 9급 행정주체가 구체적인 행정계획을 입안·결정할 때 가지는 형성의 자유의 한계에 관한 법리는 주민의 입안 제안 또는 변경신청을 받아들여 도시관리계획결정을 하거나 도시계획시설을 변경할 것인지를 결정할 때에도 동일하게 적용된다. (○)

18. 교행 도시관리계획변경신청에 따른 도시관리계획시설 변경결정에는 형량명령이 적용되지 ~~않는다~~. (×) → 적용된다

종래 대법원
▷ 형량의 해태, 형량의 누락, 오형량시 재량의 일탈·남용이 있어 행정계획결정은 위법

최근 대법원
▷ 형량의 해태, 형량의 누락, 오형량시 형량의 하자가 있어 행정계획결정은 위법

형량하자의 법리(형량명령)
▷ 주민의 도시관리계획 입안제안 또는 변경신청을 받아들여 도시관리계획결정을 하거나 도시계획시설을 변경할 것인지를 결정할 때에도 동일하게 적용

8 행정계획과 신뢰보호(계획보장청구권)

1. 계획보장청구권의 의의

신뢰보호 · 변경가능성
▷ 긴장관계

계획보장청구권 이론
▷ 행정계획의 변경 · 폐지 또는 불이행에 따르는 위험부담을 계획주체와 계획상대방 사이에서 적절히 분배해 보려는 이론, 국민이 행정계획을 신뢰함으로써 받게 되는 불이익을 구제해 주기 위하여 형성된 이론

(1) 행정계획은 그 본질상 안정성과 가변성의 긴장관계(상호 충돌관계)에 있다. 행정계획은 장래의 행정의 지침이 되며 행정의 방향을 제시하는 기능을 하기 때문에 국민은 행정계획을 신뢰하고 투자 등 여러 조치를 취하게 된다. 따라서 국민의 신뢰를 바탕으로 한 안정성과 계속성을 생명으로 한다. 그런데, 행정계획은 기존의 일정한 행정여건에 대한 분석과 장래의 행정여건의 변화에 대한 예측에 기초하여 수립되므로 행정계획에는 변경가능성(가변성)이 내재되어 있다. 따라서 기존의 행정여건에 대한 분석이나 장래의 예측이 잘못된 경우에는 행정계획이 변경 또는 폐지될 수 있는 것으로 보아야 한다.

이러한 긴장관계와 관련하여, 계획의 변경 · 폐지 또는 불이행에 따르는 위험부담을 계획주체와 계획상대방 사이에서 적절히 분배해 보려는 것이 계획보장청구권 이론이다.

10. 국가직 9급 행정계획은 그 본질상 변경가능성과 신뢰보호의 긴장관계에 있다. (○)
21. 소방직 행정계획은 현재의 사회 경제적 모든 상황의 조사를 바탕으로 장래를 예측하여 수립되고 장기간에 걸쳐 있으므로, 행정계획의 변경은 인정되지 않는다. (×) → 인정된다

계획보장청구권
▷ 기존 행정계획에 대한 국민의 신뢰를 보호하기 위해 국민에 대하여 인정된 행정계획 주체에 대한 권리의 총칭(행정계획 분야에 있어서 신뢰보호의 원칙의 적용례)
▷ 단일한 청구권 아님(계획존속청구권 · 계획이행청구권 · 경과조치청구권 · 손해전보청구권 등 포함)

(2) 계획보장청구권이란 기존 행정계획에 대한 관계 국민의 신뢰를 보호하기 위하여 관계 국민에 대하여 인정된 행정계획 주체에 대한 권리를 총칭하는 개념으로서, 행정계획 분야에 있어서의 신뢰보호의 원칙의 적용례라고 할 수 있다.

(3) 계획보장청구권은 단일한 청구권이 아니고 그 내용상 ① 계획존속청구권, ② 계획이행청구권(계획준수청구권, 계획집행청구권), ③ 경과조치청구권, ④ 손실보상청구권을 포함하고 있다.

2. 계획보장청구권의 인정 여부

계획보장청구권 인정 여부
▷ 일반적인 계획보장청구권 인정×(∵행정계획의 가변성)

행정계획에는 본질상 변화가능성(가변성)이 내재되어 있으므로 원칙적으로 일반적인 계획보장청구권은 인정되지 않는다.

16. 서울시 9급 행정계획에는 변화가능성이 내재되어 있으므로, 국민의 신뢰보호를 위하여 계획보장청구권이 널리 인정된다. (×) → 인정되지 않는 것이 원칙이다
15. 사복직 판례는 원칙적으로 계획보장청구권을 인정하고 있다. (×) → 인정하지 않고 있다

3. 계획보장청구권의 내용

계획보장청구권의 내용
▷ 계획존속청구권: 계획의 존속을 청구할 수 있는 권리, 원칙적으로 인정되지 않음
▷ 계획이행청구권(계획준수청구권 · 계획집행청구권): 계획을 준수하여 집행할 것을 청구할 수 있는 권리, 원칙적으로 인정되지 않음
▷ 경과조치청구권: 경과조치 또는 적응조치(예 기간의 연장, 보조금의 지급)를 청구할 수 있는 권리, 법률에서 명시하지 않는 한 일반적으로 인정되지 않음
▷ 손해전보청구권: 손해배상이나 손실보상을 청구할 수 있는 권리, 법상 요건을 갖추면 可

(1) 계획존속청구권

① 계획존속청구권이란 행정계획의 변경이나 폐지에 대하여 계획의 존속을 청구할 수 있는 권리를 말한다. 계획존속청구권이 인정되기 위해서는 청구인에게 공권이 인정되어야 하고, 행정청에게 계획존속의무가 인정되어야 한다. 즉, 계획존속을 청구하는 자의 개인적 이익이 계획법규에 의해 보호되고, 계획의 변경 또는 폐지로 인한 이익보다 상대방의 신뢰보호의 이익이 훨씬 커야 한다.

② 그런데 이러한 '계획의 존속을 구할 청구권'은 일반적으로는 인정되지 않는다. 그와 같은 청구권은 행정계획의 가변성과 합치되지 않을 뿐만 아니라, 대부분의 경우 계획의 존속을 구하는 개인의 신뢰이익이 계획의 변경을 필요로 하는 공익보다 우월하다고 할 수 없기 때문이다.❶

❶
예컨대, 정부가 발표한 행정계획을 믿고서 막대한 투자를 하였는데, 그 후 정부가 당해 계획을 변경함으로 인하여 손실을 입은 투자자에게 당해 계획의 존속을 요구할 권리는 원칙적으로 인정되지 않는다.

10. 지방직 7급 일반적으로 개인적 공권의 하나로서 계획보장청구권이 인정되므로, 인근 주민들은 최초에 계획된 직선도로 개설계획을 존치시킬 것을 주장할 수 있는 계획존속청구권을 가진다. (×) → 인정되지 않으므로 / 가지지 않는다

08. 지방직 9급 행정계획의 변경 등으로 인한 권리구제문제와 관련하여 계획존속청구권이 일반적으로 인정된다. (×) → 원칙적으로 부정

(2) 계획이행청구권(계획준수청구권 · 계획집행청구권)

① 계획이행청구권이란 개인이 일단 확정된 행정계획을 행정주체로 하여금 실현하도록 요구할 수 있는 권리이다. 이 역시 계획존속청구권과 같이 원칙적으로 인정되지 않는다.

② 구체적으로 살펴보면, 계획이행청구권은 계획준수청구권과 계획집행청구권을 포함한다. ㉠ 계획준수청구권이란 행정기관이 계획을 준수할 것을 청구할 수 있는 권리로서, 계획준수청구권이 인정되기 위하여는 계획준수를 청구하는 자의 개인적 이익이 계획법규에 의해 보호되고 있어야 하며, 행정청에게 계획을 준수할 의무가 있어야 한다. 구속적 행정계획의 경우 행정청은 계획을 준수할 의무를 지지만, 사인에게 일반적 법률준수청구권이 인정되지 않는 것과 마찬가지로 '일반적 계획준수청구권'은 인정되지 않는다.

한편, ㉡ 계획집행청구권이란 행정기관에게 계획을 집행할 것을 청구할 수 있는 권리이다. 계획집행청구권이 인정되기 위하여는 계획의 집행을 청구하는 자의 개인적 이익이 계획법규에 의해 보호되고 있어야 하고, 행정기관에게 계획집행의무가 인정되어야 한다. 행정기관에 의한 행정계획의 집행은 통상 행정기관의 재량권에 속하므로 행정기관에게 계획집행의무가 인정되기 위하여는 계획집행으로 인한 이익이 계획을 집행하지 않음으로 인하여 달성되는 공익보다 훨씬 커야 한다. 그러나 계획의 수립 · 집행에 대한 행정청의 폭넓은 재량에 비추어 그 인정가능성은 희박하다.

(3) 경과조치 및 적응조치청구권

계획의 변경 · 폐지로 인하여 재산상 손실을 입게 될 개인이 새로운 상황에 적응할 수 있도록 경과조치나 적응조치(예 기간의 연장, 보조금의 지급)를 요구할 수 있는 권리도 실정법적 근거가 없는 한 인정되지 않는다.

(4) 손실보상청구권

계획보장청구권이 성립되면, 피해를 입은 상대방은 계획의 변경이나 폐지로 인해 입은 피해의 보상을 청구할 수 있다. 계획의 변경 · 폐지를 통하여 개인의 보호할 가치가 있는 신뢰가 침해된 경우에는 손실보상을 하는 것이 일반적이며, 계획보장청구권의 주된 내용을 이루고 있다.

09. 지방직 9급 계획보장청구권이 성립되면, 피해자는 계획주체에 대하여 계획의 변경이나 폐지로 인해 입은 피해의 보상을 청구할 수 있다. (○)

계획변경청구권
▷ 확정된 행정계획의 변경을 요구할 수 있는 권리

원칙적 불인정
▷ 계획 관련 법규는 일반적으로 공익 보호를 목적으로 하고, 사익 보호를 목적으로 하지 않기 때문

❶
행정계획이 행정행위의 성격을 갖고 사정변경으로 인하여 계획변경을 하지 않을 경우 관련 개인의 기본권을 침해한다면, 계획변경청구권이 인정될 수 있다고 보아야 한다(계획재량의 영으로의 수축).

예외적 인정
▷ 국토이용계획변경신청을 거부하는 것이 실질적으로 처분 자체를 거부하는 결과가 되는 예외적인 경우, 도시계획구역 내 토지 등을 소유하고 있는 사람과 같이 당해 도시계획시설결정에 이해관계가 있는 주민의 경우 등

❷
통상 행정계획의 변경은 행정청의 폭넓은 재량에 속하므로 이 경우 계획변경청구권은 무하자재량행사청구권의 성질을 갖는다.

행정계획 확정 후 사정변경
▷ 지역주민 등에게 일일이 조리상 계획변경신청권×

9 계획변경청구권

1. 의의

계획보장청구권은 기존계획의 존속과 집행에 대한 관련 개인의 신뢰를 보호하는 것을 목적으로 하고 있으나, 계획변경청구권은 계획이 확정된 후 사정변경 및 관련개인의 권익침해 등을 이유로 하여 그 계획의 변경을 청구할 수 있는 권리를 의미한다.

2. 인정 여부

(1) 계획법규는 원칙상 공익의 보호를 목적으로 하는 것이며 사익의 보호를 목적으로 하지 않기 때문에 이러한 계획변경청구권은 일반적으로 인정되지 않는다. 그러나 예외적으로 법규상 또는 조리상 계획변경신청권이 인정되는 경우가 있고, 이 경우에는 계획변경청구권이 인정된다.❶

(2) 판례는 종래 계획변경청구권을 일반적으로 인정하지 않았으나, 근래 입장을 바꾸어 일정한 경우 예외적으로 계획변경청구권에 대하여 긍정적인 입장을 취하고 있다. 판례는 도시계획구역 내 토지 등을 소유하고 있는 주민이 도시계획입안권자에게 도시계획입안을 신청하는 경우, 폐기물처리사업계획의 적정통보를 받은 자의 국토이용계획변경신청을 거부하는 것이 실질적으로 폐기물처리업허가 자체를 거부하는 결과가 되는 경우, 문화재보호구역 내의 토지소유자가 문화재보호구역의 지정해제를 신청하는 경우, 산업단지개발계획에 적합한 시설을 설치하여 입주하려는 자가 산업단지개발계획의 변경을 신청하는 경우 등에는 예외적으로 그 신청인에게 조리상 행정계획변경을 신청할 권리를 인정하여 신청거부행위의 처분성을 긍정하였다.❷

3. 구체적인 사례

(1) 계획변경청구권이 부정된 사례

> ⚖ **관련판례**
>
> **1** 확정된 행정계획에 대하여 사정변경을 이유로 조리상 변경신청권이 인정되지 않는 것이 원칙이다. ★★★
>
> 국민의 신청에 대한 행정청의 거부처분이 항고소송의 대상이 되는 행정처분이 되기 위하여는, 국민이 행정청에 대하여 그 신청에 따른 행정행위를 해 줄 것을 요구할 수 있는 법규상 또는 조리상의 권리가 있어야 하는바, 구 도시계획법상 주민이 도시계획(현 도시관리계획) 및 그 변경에 대하여 어떤 신청을 할 수 있음에 관한 규정이 없을 뿐만 아니라, 도시계획과 같이 장기성·종합성이 요구되는 행정계획에 있어서는 그 계획이 일단 확정된 후에 어떤 사정의 변동이 있다고 하여 지역주민에게 일일이 그 계획의 변경을 청구할 권리를 인정해 줄 수도 없는 이치이므로 도시계획시설변경신청을 불허한 행위는 항고소송의 대상이 되는 행정처분이라고 볼 수 없다(대판 1984.10.23. 84누227 ; 대판 1989.10.24. 89누725 ; 대판 1994.1.28. 93누22029 등).

16. 변호사 장기성·종합성이 요구되는 행정계획에 있어서는 원칙적으로 그 계획이 확정된 후에 어떤 사정의 변동이 있다고 하여 지역주민에게 일일이 그 계획의 변경을 청구할 권리를 인정해 줄 수 없다. (○)

14. 국회직 8급 도시계획이 일단 확정된 후 어떤 사정의 변동이 있다고 하여 해당지역의 주민에게 그 계획의 변경을 청구할 권리를 인정할 수는 없다. (○)

18. 서울시 7급(추) 확정된 행정계획에 대하여 사정변경을 이유로 조리상 변경신청권이 인정된다. (×) → 인정되지 않는 것이 원칙이다

11. 서울시 9급, 10. 국가직 9급 판례는 지방자치단체의 주민에게 도시계획(현 도시관리계획)의 변경 또는 폐지를 신청할 조리상의 권리를 원칙적으로 인정하고 있다. (×) → 인정하지 않고 있다

2 도시계획사업의 시행으로 토지를 수용당한 사람은 도시계획결정과 토지수용이 당연무효가 아닌 한 도시계획결정 자체의 취소를 청구할 법률상의 이익이 없다. ★★★

도시계획사업의 시행으로 인한 토지수용에 의하여 이미 이 사건 토지에 대한 소유권을 상실한 청구인은 도시계획결정과 토지의 수용이 법률에 위반되어 당연무효라고 볼 만한 특별한 사정이 보이지 않는 이상 이 사건 토지에 대한 <u>도시계획결정의 취소를 청구할 법률상의 이익을 흠결하여 당해 소송은 적법한 것이 될 수 없다</u>(헌재 2002.5.30. 2000헌바58).

11. 지방직 7급 도시계획사업의 시행으로 인한 토지수용에 의하여 토지에 대한 소유권을 상실한 자는 도시계획결정이 당연무효가 아닌 한 그 토지에 대한 도시계획결정의 취소를 청구할 법률상 이익이 인정되지 않는다. (○)

12. 사복직 도시계획시설결정과 토지의 수용이 위법하더라도 당연무효가 아닌 경우에, 일단 도시계획시설사업의 시행에 착수한 뒤에도 이해관계인에게는 그 도시계획시설결정 자체의 취소를 청구할 법률상 이익이 있다. (×) → 뒤에는 / 없다

토지수용으로 토지에 대한 소유권을 상실한 자
▷ 도시계획결정의 취소를 구할 법률상 이익×

(2) 계획변경청구권이 인정된 사례

관련판례

1 장래 일정한 행정처분을 신청할 수 있는 법률상 지위에 있는 자의 국토이용계획변경신청을 거부하는 것이 실질적으로 당해 행정처분 자체를 거부하는 결과가 되는 경우 예외적으로 계획변경을 신청할 권리가 인정된다. ★★★

[1] 국토이용관리법상 주민이 국토이용계획의 변경에 대하여 신청을 할 수 있다는 규정이 없을 뿐만 아니라, 국토건설종합계획의 효율적인 추진과 국토이용질서를 확립하기 위한 국토이용계획은 장기성, 종합성이 요구되는 행정계획이어서 원칙적으로는 그 계획이 일단 확정된 후에 어떤 사정의 변동이 있다고 하여 그러한 사유만으로는 지역주민이나 일반 이해관계인에게 일일이 그 계획의 변경을 신청할 권리를 인정하여 줄 수는 없을 것이지만(원칙적 부정), <u>장래 일정한 기간 내에 관계 법령이 규정하는 시설 등을 갖추어 일정한 행정처분을 구하는 신청을 할 수 있는 법률상 지위에 있는 자의 국토이용계획변경신청을 거부하는 것이 실질적으로 당해 행정처분 자체를 거부하는 결과가 되는 경우에는 예외적으로 그 신청인에게 국토이용계획변경을 신청할 권리가 인정된다</u>고 봄이 상당하므로, 이러한 신청에 대한 <u>거부행위는 항고소송의 대상이 되는 행정처분에 해당한다</u>고 할 것이다(예외적 인정).

(원칙적 부정)
15. 행정사 국토이용계획은 계획의 확정 후에 어떤 사정의 변동이 있다고 하여 지역주민이나 일반 이해관계인에게 일일이 그 계획의 변경을 신청할 권리를 인정하여 줄 수 없음이 원칙이다. (○)

14. 국가직 9급 구 「국토이용관리법」상 국토이용계획이 확정된 후 일정한 사정의 변동이 있다면 지역주민에게 일반적으로 계획의 변경 또는 폐지를 청구할 권리가 있다. (×) → 없다

실질적으로 장래 신청할 수 있는 처분 자체를 거부하는 결과
▷ 국토이용계획변경신청권 인정

(예외적 인정)

21. 국가직 9급, 15. 사복직 장래 일정한 기간 내에 관계 법령이 규정하는 시설 등을 갖추어 일정한 행정처분을 구하는 신청을 할 수 있는 법률상 지위에 있는 자의 국토이용계획변경신청을 거부하는 것이 실질적으로 당해 행정처분 자체를 거부하는 결과가 되는 경우라도, 구 「국토이용관리법」상 주민이 국토이용계획의 변경에 대하여 신청을 할 수 있다는 규정이 없으므로 그 신청인에게 국토이용계획변경을 신청할 권리가 인정된다고 볼 수 없다. (×) → 경우에는 예외적으로 / 없더라도 / 있다

17. 국회직 8급 장래 일정한 기간 내에 관계법령이 규정하는 시설 등을 갖추어 일정한 행정처분을 구하는 신청을 할 수 있는 법률상 지위에 있는 자의 국토이용계획변경신청을 거부하는 것이 실질적으로 당해 행정처분 자체를 거부하는 결과가 되는 경우에는 그 신청인에게 국토이용계획을 신청할 권리가 인정된다고 보아야 하므로, 이러한 신청에 대한 거부행위는 행정처분에 해당한다. (○)

[2] 폐기물처리사업계획의 적정통보를 받은 자는 장래 일정한 기간 내에 관계 법령이 규정하는 시설 등을 갖추어 폐기물처리업허가신청을 할 수 있는 법률상 지위에 있다고 할 것인바, 피고로부터 폐기물처리사업계획의 적정통보를 받은 원고가 폐기물처리업허가를 받기 위하여는 이 사건 부동산에 대한 용도지역을 '농림지역 또는 준농림지역'에서 '준도시지역(시설용지지구)'으로 변경하는 국토이용계획변경이 선행되어야 하고, 원고의 위 계획변경신청을 피고가 거부한다면 이는 실질적으로 원고에 대한 폐기물처리업허가신청을 불허하는 결과가 되므로, 원고는 위 국토이용계획변경의 입안 및 결정권자인 피고에 대하여 그 계획변경을 신청할 법규상 또는 조리상 권리를 가진다고 할 것이다(대판 2003.9.23. 2001두10936).

18. 국가직 7급 (甲은 「폐기물관리법」에 따라 폐기물처리업의 허가를 받기 전에 행정청 乙에게 폐기물처리사업계획서를 작성하여 제출하였고, 乙은 그 사업계획서를 검토하여 적합통보를 하였다) 이 경우에 甲이 폐기물처리업허가를 받기 위해서는 용도지역을 변경하는 국토이용계획변경이 선행되어야 할 경우, 甲에게 국토이용계획변경을 신청할 권리가 인정된다. (○)

14. 국회직 8급 폐기물처리사업의 적정통보를 받은 자가 폐기물처리사업허가를 받기 위해서는 국토이용계획의 변경이 선행되어야 하는 경우 일반적·추상적 효력을 가지는 이용계획의 특성상 그 변경을 신청할 개인의 권리는 인정되지 아니한다. (×) → 에도 불구하고 / 인정된다

도시관리계획구역 내 토지 등 소유 주민
▷ 도시관리계획 입안신청권○

2 도시관리계획구역 내 토지를 소유하고 있는 주민의 도시관리계획 입안신청권은 인정된다. ★★★

도시계획구역 내 토지 등을 소유하고 있는 주민으로서는 입안권자에게 도시계획입안을 요구할 수 있는 법규상 또는 조리상의 신청권이 있다고 할 것이고, 이러한 신청에 대한 거부행위는 항고소송의 대상이 되는 행정처분에 해당한다(대판 2004.4.28. 2003두1806).

17. 서울시 7급, 16. 지방직 9급, 15. 서울시 7급, 14. 지방직 7급 판례에 의하면 도시관리계획구역 내 토지 등을 소유하고 있는 주민으로서는 입안권자에게 도시관리계획 입안을 요구할 수 있는 법규상 또는 조리상의 신청권이 있다고 할 것이고, 이러한 신청에 대한 거부행위는 항고소송의 대상이 되는 행정처분에 해당한다. (○)

21. 국회직 8급 지구단위계획구역의 지정 및 변경과 지구단위계획의 수립 및 변경에 관한 사항에 대해서는 주민이 입안을 제안할 수 있으므로, 이 경우에 도시계획구역 내 토지 등을 소유하고 있는 주민은 입안권자에게 입안을 요구할 수 있는 법규상 또는 조리상의 신청권이 있다. (○)

17. 5급 승진 개발제한구역 내 토지를 소유하고 있는 주민은 관련법령에 따라 도시·군관리계획의 입안자에게 도시·군관리계획의 입안제안을 할 수 있으며, 도시·군관리계획의 입안제안에 대한 입안자의 거부는 항고소송의 대상이 되는 행정처분에 해당한다. (○)

18. 경찰 2차, 16. 지방직 9급 도시계획구역 내 토지 등을 소유하고 있는 주민은 입안권자에게 도시계획입안을 요구할 수 있는 법규상 또는 조리상의 신청권이 없다. (×) → 있다

3 도시·군계획시설결정에 이해관계 있는 주민은 도시시설계획의 입안·변경신청권이 있다. ★★★

도시계획구역 내 토지 등을 소유하고 있는 사람과 같이 당해 도시계획시설결정에 이해관계가 있는 주민으로서는 도시시설계획의 입안권자 내지 결정권자에게 도시시설계획의 입안 내지 변경을 요구할 수 있는 법규상 또는 조리상의 신청권이 있고, 이러한 신청에 대한 거부행위는 항고소송의 대상이 되는 행정처분에 해당한다(대판 2015.3.26. 2014두42742).

20. 지방직 9급, 20. 변호사, 17. 지방직 9급(추), 16. 지방직 7급 도시계획구역 내 토지 등을 소유하고 있는 사람과 같이 당해 도시계획시설결정에 이해관계가 있는 주민은 도시시설계획의 입안권자 내지 결정권자에게 도시시설계획의 입안 내지 변경을 요구할 수 있는 법규상 또는 조리상의 신청권이 있다. (O)

19. 서울시 9급 도시계획시설결정에 이해관계가 있는 주민으로서는 도시시설계획의 입안권자 내지 결정권자에게 도시 시설계획의 입안 내지 변경을 요구할 수 있는 법규상 또는 조리상의 신청권이 있고, 이러한 신청에 대한 거부행위는 항고소송의 대상이 되는 행정처분에 해당한다. (O)

19. 경찰 2차 도시계획시설결정에 이해관계가 있는 주민어더라도 도시시설계획의 입안권자에게 도시시설계획의 입안을 요구할 수 있는 법규상 또는 조리상의 신청권을 갖자 않는다. (×) → 은 / 갖는다

4 산업단지 안의 토지소유자로서 시설을 설치하여 입주하려는 자는 산업단지개발계획의 변경신청권이 있다. ★★

산업단지개발계획상 산업단지 안의 토지소유자로서 산업단지개발계획에 적합한 시설을 설치하여 입주하려는 자는 산업단지지정권자 또는 그로부터 권한을 위임받은 기관에 대하여 산업단지개발계획의 변경을 요청할 수 있는 법규상 또는 조리상 신청권이 있고, 이러한 신청에 대한 거부행위는 항고소송의 대상이 되는 행정처분에 해당한다고 보아야 한다(대판 2017.8.29. 2016두44186).

21. 지방직 7급 산업단지개발계획상 산업단지 안의 토지소유자로서 산업단지개발계획에 적합한 시설을 설치하여 입주하려는 자는 산업단지지정권자 또는 그로부터 권한을 위임받은 기관에 대하여 산업단지개발계획의 변경을 요청할 수 있는 법규상 또는 조리상 신청권이 있다. (O)

20. 국회직 9급 산업단지개발계획상 산업단지 안의 토지소유자로서 산업단지개발계획에 적합한 시설을 설치하여 입주하려는 자가 산업단지개발계획의 변경을 요청하는 경우에 행정계획변경신청권이 인정되자 아니한다. (×) → 된다

5 문화재보호구역 내에 있는 토지소유자는 문화재보호구역의 지정해제를 요구할 계획 변경청구권이 있다. ★★★

(문화재보호법 제8조 제3항의 위임에 의한 같은 법 시행규칙 제3조의2 제1항은 그 문화재보호구역지정 적정성 여부의 검토에 있어서 당해 문화재의 보존 가치 외에도 보호구역의 지정이 재산권 행사에 미치는 영향 등을 고려하도록 규정하고 있는 점 등과 헌법상 개인의 재산권 보장의 취지에 비추어 보면) 문화재보호구역 내에 있는 토지소유자 등으로서는 위 보호구역의 지정해제를 요구할 수 있는 법규상 또는 조리상의 신청권이 있다고 할 것이고, 이러한 신청에 대한 거부행위는 항고소송의 대상이 되는 행정처분에 해당한다(대판 2004.4.27. 2003두8821).

20. 지방직 9급, 16. 경찰 2차, 15. 경찰 3차 문화재보호구역 내의 토지소유자가 문화재보호구역의 지정해제를 신청하는 경우에는 그 신청인에게 법규상 또는 조리상 행정계획 변경을 신청할 권리가 인정되자 않는다. (×) → 된다

16. 사복직 문화재보호구역 내에 있는 토지의 소유자는 그 보호구역의 지정해제를 요구할 수 있는 법규상 또는 조리상의 신청권이 있다고 보가 어려우므로 이에 대한 거부행위는 항고소송의 대상이 되는 행정처분으로 보가 어렵다. (×) → 할 것이므로 / 에 해당한다

도시계획시설결정에 이해관계가 있는 주민
▷ 도시계획 입안을 입안권자에게 요구할 수 있는 신청권○

산업단지 안 토지소유자로서 시설설치입주자
▷ 산업 단지개발계획 변경신청권○

문화재보호구역 내 토지소유자
▷ 문화재보호구역 지정해제 신청권○

소송요건
▷ 구속적 행정계획이 국민의 권리의무에 직접적인 영향을 미친 경우에 한하여 처분성 인정됨

본안
▷ 처분성 인정되어도 행정주체에게 계획재량이라는 폭넓은 재량이 인정되므로 위법성 인정되기 어려움

❶
행정계획의 변경 또는 폐지의 경우에 있어서도 위법성을 인정함에 있어서 많은 어려움이 있다. 그것은 전술한 바와 같이 행정계획에 내재하는 변경가능성으로 인하여 행정계획은 필요한 경우에 변경 또는 폐지될 수 있고, 국민의 신뢰보호를 위하여 행정계획의 변경 또는 철회가 제한된다고 하지만 일반적으로 행정계획의 변경 또는 폐지로 달성되는 이익이 상대방의 신뢰이익보다 클 것이기 때문이다.

판결
▷ 위법성 인정되어도 사정판결에 의해 취소되지 않을 가능성이 큼

원칙
▷ 비구속적 행정계획은 헌법소원의 대상×

예외
▷ 비구속적 행정계획이라도 기본권에 직접적으로 영향을 끼치고 그대로 실시될 것이 틀림없는 경우에는 헌법소원의 대상○

🔟 행정계획과 권리구제

1. 취소소송(행정계획이 처분인 경우)

(1) 소송요건

행정계획에 대하여 취소소송이 인정되기 위하여는 우선 행정계획의 처분성이 인정되어야 한다. 앞에서 본 바와 같이 구속적 행정계획의 경우에 행정계획으로 인하여 국민의 권리에 직접적인 영향을 미친 경우에 한하여 처분성이 인정된다. 이로써 자신의 법률상 이익을 침해받은 자는 취소소송을 제기할 수 있다.

(2) 본안

취소소송으로 권리구제가 되기 위하여는 행정계획이 위법하다고 판단되어야 한다. 그런데, 계획청에게 계획재량이라는 폭넓은 재량이 인정되므로 행정계획의 위법성이 인정되기 어려울 것이다.❶

(3) 판결

행정계획이 위법한 경우에도 행정계획이 성립되면 그에 따라 많은 법률관계가 형성(예 공사 등의 완료로 기성사실 발생)되고 이 경우에는 행정계획의 취소로 인하여 침해되는 공익이 크게 되기 때문에 사정판결에 의해 행정계획이 취소되지 않을 가능성이 크다.

20. 국회직 9급 행정계획이 위법하더라도 사정판결이 내려지면 행정계획이 취소되지 않을 수 있다. (○)

2. 헌법소원(행정계획이 공권력 행사이지만 처분이 아닌 경우)

(1) 헌법재판소는 일반적으로 국민적 구속력을 갖는 행정계획은 헌법소원대상이 되는 공권력의 행사로 볼 수 있지만, 비구속적 행정계획과 행정기관 내부의 지침에 지나지 않는 행정계획은 원칙적으로 헌법소원의 대상이 되는 공권력 행사로 보지 아니한다.

(2) 그러나 비구속적 행정계획안이나 행정지침이라도 국민의 기본권에 직접적으로 영향을 끼치고, 앞으로 법령의 뒷받침에 의하여 그대로 실시될 것이 틀림없을 것으로 예상될 수 있을 때에는 공권력행위로서 예외적으로 헌법소원의 대상이 될 수 있다고 본다.

관련판례

1 국공립대학의 총장직선제 개선 여부를 재정지원 평가요소로 반영하고 이를 개선하지 않을 경우 다음 연도에 지원금을 삭감 또는 환수하도록 규정한 교육부장관의 '대학교육역량강화사업 기본계획'은 헌법소원의 대상이 아니다. ★★

2012년도와 2013년도 대학교육역량강화사업 기본계획은 대학교육역량강화 지원사업을 추진하기 위한 국가의 기본방침을 밝히고 국가가 제시한 일정 요건을 충족하여 높은 점수를 획득한 대학에 대하여 지원금을 배분하는 것을 내용으로 하는 행정계획일 뿐, 위 계획에 따를 의무를 부과하는 것은 아니다. 총장직선제를 개선하지 않을 경우 지원금을 받지 못하게 될 가능성이 있어 대학들이 이 계획에 구속될 여지가 있다 하더라도, 이는 사실상의 구속에 불과하고 이에 따를지 여부는 전적으로 대학의 자율에 맡겨져 있다. 더구나 총장직선제를 개선하려면 학칙이 변경되어야 하므로, 계획 자체만으로는 대학의 구성원인 청구인들의 법적 지위나 권리의무에 어떠한 영향도 미친다고 보기 어렵다. 따라서 2012년도와 2013년도 계획 부분은 헌법소원의 대상이 되는 공권력 행사에 해당하지 아니한다(헌재 2016.10.27. 2013헌마576).

17. 지방직 9급 대학교육역량강화사업 기본계획은 총장직선제를 개선하지 않을 경우 지원금을 받지 못하게 될 가능성이 있어 대학들이 이 계획에 구속될 여지가 있다 하더라도, 계획 자체만으로는 대학의 구성원인 청구인들의 법적 지위나 권리의무에 어떠한 영향도 미친다고 보기 어렵다. 따라서 2012년도와 2013년도 계획 부분은 헌법소원의 대상이 되는 공권력 행사에 해당하지 아니한다. (○)

2 비구속적 행정계획이라도 국민의 기본권에 직접적인 영향을 미치고 법령의 뒷받침에 의해 그대로 실시될 것이 예상되는 때에는 공권력행위로서 예외적으로 헌법소원이 인정된다. ★★★

(건설교통부장관이 1999.7.22. 구역지정의 실효성이 적은 7개 중소도시권은 개발제한구역을 해제하고 구역지정이 필요한 7개 대도시권은 개발제한구역을 부분조정 하는 등의 내용을 담은 비구속적 행정계획안인 '개발제한구역제도개선방안'을 발표한 것이 공권력행사에 해당하지 않는다고 한 사례) 국민적 구속력을 갖는 행정계획은 공권력의 행사로 볼 수 있지만, 구속력을 갖지 않고 사실상의 준비행위나 사전안내 또는 행정기관 내부의 지침에 지나지 않는 행정계획은 원칙적으로 헌법소원의 대상이 되는 공권력의 행사라 할 수 없다. 하지만, 비구속적 행정계획안이나 행정지침이라도 국민의 기본권에 직접적으로 영향을 끼치고, 앞으로 법령의 뒷받침에 의하여 그대로 실시될 것이 틀림없을 것으로 예상될 수 있을 때에는, 공권력행위로서 예외적으로 헌법소원의 대상이 된다(헌재 2012.4.3. 2012헌마164 ; 헌재 2000.6.1. 99헌마538 등).

22. 소방간부, 21. 국가직 9급, 17. 국가직 9급(추), 16. 지방직 9급 구속력이 없는 행정계획안이나 행정지침이라도 국민의 기본권에 직접적으로 영향을 끼치고, 법령의 뒷받침에 의하여 그대로 실시될 것이 틀림없을 것으로 예상되는 때에는 예외적으로 헌법소원의 대상이 된다. (○)

18. 서울시 7급(추), 15. 사복직 국민의 기본권에 직접적으로 영향을 끼치고 법령의 뒷받침에 의해 실시될 것이라고 예상할 수 있다 하더라도 비구속적 행정계획안의 경우 헌법소원의 대상이 될 수 없다. (×) → 예상될 수 있을 때에는 / 있다

13. 지방직 9급 비구속적인 행정계획은 헌법소원의 대상이 될 수 없다. (×) → 있다

16. 사복직 건설부장관이 발표한 '개발제한구역제도 개선방안'은 개발제한구역의 해제 내지 조정을 위한 일반적인 기준과 그 운용에 대한 국가의 기본방침을 천명하는 정책계획안으로서 비구속적 행정계획안에 불과하지만 국민의 기본권에 직접적으로 영향을 끼치고, 앞으로 법령의 뒷받침에 의하여 그대로 실시될 것이 틀림없을 것으로 예상되는 때에는 헌법소원의 대상이 될 수 있다. (○)

교육부장관의 대학교육역량강화사업 기본계획
▷ 공권력 행사에 해당×(헌법소원대상×)

국민의 기본권에 직접 영향을 끼치고, 법령의 뒷받침에 의해 그대로 실시될 것이 예상되는 비구속적 행정계획
▷ 예외적으로 헌법소원대상○

위법한 행정계획과 손해배상
▷ 청구 可

적법한 행정계획과 손실보상
▷ 당해 손실이 특별한 희생으로 인정되고, 법령이 손실보상의 근거규정을 두고 있는 경우 청구 可

ℹ️
손실보상에서 특히 문제가 되는 것은 행정계획으로 인한 재산상의 손실이 보상을 요하지 않는 재산에 내재하는 '사회적 제약'에 불과한지 아니면 보상을 요하는 '특별한 희생'인지를 판단하는 것이다. 또한 행정계획으로 인한 손실이 특별한 희생에 해당하는 것이라 하더라도 관계 법에 보상규정 등 권리구제에 관한 규정이 없는 경우 문제되는데 이와 관련해서는 손실보상 파트에서 상술하기로 한다.

장기 미집행 도시계획시설결정의 실효제도
▷ 고시일부터 20년이 지날 때까지 시행되지 아니하는 경우, 그 고시일부터 20년이 되는 날의 다음 날에 그 효력을 잃음

장기미집행 도시계획시설결정의 실효
▷ 헌법상 재산권으로부터 당연히 도출✕
▷ 법률의 근거가 필요

3. 손해배상 및 손실보상청구ℹ️

(1) 위법한 행정계획과 손해배상

위법한 행정계획의 수립·변경 또는 폐지로 인하여 손해를 받은 자는 손해배상을 청구할 수 있다.

(2) 적법한 행정계획과 손실보상

적법한 행정계획의 수립·변경 또는 폐지로 인하여 재산권 행사가 제한되어 손실을 받은 경우, 당해 손실이 특별한 희생에 해당하고, 법령이 손실보상의 근거규정을 두고 있는 경우에는 손실보상을 청구할 수 있다.

14. 서울시 7급 적법한 행정계획의 시행으로 국민 또는 주민의 재산권 행사가 제한된다면, 법령이 손실보상의 근거규정을 두고 있는 경우에는 손실보상을 청구할 수 있다. (○)

4. 장기 미집행 도시계획시설결정의 실효제도

도시계획이 장기간 실행되지 않는다면 사인의 토지에 대한 소유권 행사 역시 장기간 제한되는데, 이 경우 개인의 재산권침해 문제가 발생한다. 이에 따라 「국토의 계획 및 이용에 관한 법률」 제48조는 도시계획시설결정이 고시된 도시계획시설(例 도시공원)에 대하여 그 고시일부터 20년이 지날 때까지 그 시설의 설치에 관한 도시계획시설사업이 시행되지 아니하는 경우 그 도시계획시설결정은 그 고시일부터 20년이 되는 날의 다음 날에 그 효력을 잃는다고 규정하고 있다.

11. 지방직 7급 도시·군계획시설결정이 고시된 도시·군계획시설에 대하여 그 고시일부터 20년이 지날 때까지 그 시설의 설치에 관한 도시·군계획시설사업이 시행되지 아니하는 경우 그 도시·군계획시설결정은 그 고시일부터 20년이 되는 날의 다음 날에 그 효력을 잃는다. (○)

⚖️ 관련판례

장기미집행 도시계획시설결정의 실효는 헌법상 재산권으로부터 당연히 도출되는 것은 아니며, 법률의 근거가 필요하다. ★★

장기미집행 도시계획시설결정의 실효제도는 도시계획시설부지로 하여금 도시계획시설결정으로 인한 사회적 제약으로부터 벗어나게 하는 것으로서 결과적으로 개인의 재산권이 보다 보호되는 측면이 있는 것은 사실이나, 이와 같은 보호는 입법자가 새로운 제도를 마련함에 따라 얻게 되는 법률에 기한 권리일 뿐 헌법상 재산권으로부터 당연히 도출되는 권리는 아니다(헌재 2005.9.29. 2002헌바84 등).

20. 국가직 9급 장기미집행 도시계획시설결정의 실효제도에 의해 개인의 재산권이 보호되는 것은 입법자가 새로운 제도를 마련함에 따라 얻게 되는 법률에 기한 권리일 뿐 헌법상 재산권으로부터 당연히 도출되는 권리는 아니다. (○)

12. 국회직 9급 장기미집행 도시계획시설결정의 실효제도는 헌법상 재산권으로부터 당연히 도출되는 권리이다. (✕) → 권리는 아니다

제3절 공법상 계약

> 「행정기본법」제27조【공법상 계약의 체결】① 행정청은 법령등을 위반하지 아니하는 범위에서 행정목적을 달성하기 위하여 필요한 경우에는 공법상 법률관계에 관한 계약(이하 "공법상 계약"이라 한다)을 체결할 수 있다. 이 경우 <u>계약의 목적 및 내용을 명확하게 적은 계약서를 작성하여야 한다.</u>
>
> 24. 국가직 9급, 23. 지방직 7급 행정청은 법령등을 위반하지 아니하는 범위에서 행정목적을 달성하기 위하여 필요한 경우에는 공법상 법률관계에 관한 계약을 체결할 수 있고, 이 경우 계약의 목적 및 내용을 명확하게 적은 계약서를 작성하여야 한다. (○)
>
> 23. 지방직 7급 「행정기본법」에 따르면 신속히 처리할 필요가 있거나 사안이 경미한 경우에는 말 또는 서면으로 공법상 계약을 체결할 수 있다. (×) → ×
>
> ② 행정청은 공법상 계약의 상대방을 선정하고 계약 내용을 정할 때 공법상 계약의 공공성과 제3자의 이해관계를 고려하여야 한다.

1 의의

1. 개념

공법상 계약이란 공법적 효과의 발생을 목적으로 하는 복수당사자 사이의 서로 반대 방향의 의사표시의 합치에 의하여 성립되는 공법행위를 말한다.

19. 서울시 9급 행정주체가 체결하는 계약은 모두 공법상 계약이다. (×) → 공법상 계약에 해당하는 것은 아니다

18. 교행 공법상 계약은 사법상 효과의 발생을 목적으로 한다. (×) → 공법적

17. 교행 공법상 계약은 공법상의 법률관계의 변경을 가져오는 행정주체를 한쪽 당사자로 하는 양 당사자 사이의 반대방향의 의사표시의 합치를 말한다. (○)

2. 구별개념

(1) 사법상 계약과의 구별

행정주체가 체결하는 계약은 사법의 적용을 받는 사법상 계약일 수도 있고 공법적 규율을 받는 공법상 계약일 수도 있다.

① 구별실익

㉠ 실체법상 공법상 계약은 공법적 효과를 발생시키고 공익과 밀접한 관계를 갖고 있으므로 사법과는 다른 특수한 공법적 규율의 대상이 된다. 행정주체가 당사자인 사법상 계약은 사법의 규율을 받는다.

> **🔎 관련판례**
>
> <u>지방자치단체가 일방 당사자가 되는 이른바 '공공계약'</u>이 사경제의 주체로서 상대방과 대등한 위치에서 체결하는 <u>사법상 계약에 해당하는 경우</u> 그에 관한 법령에 특별한 정함이 있는 경우를 제외하고는 <u>사적 자치와 계약자유의 원칙 등 사법의 원리가 그대로 적용된다</u>(대판 2018.2.13. 2014두11328). ★★

공법상 계약
▷ 공법적 효과의 발생을 목적으로 하는 복수당사자 사이의 서로 반대 방향의 의사표시의 합치에 의하여 성립되는 공법행위

공법상 계약
▷ 공법적 효과 발생(공법적 규율)

사법상 계약
▷ 사법적 효과 발생(사법적 규율)

지방자치단체가 일방 당사자가 되는 공공계약
▷ 사법상 계약
▷ 사법의 원리가 그대로 적용

함께 정리하기

공법상 계약
▷ 당사자소송

사법상 계약
▷ 민사소송

❶
다만, 후술하는 바와 같이 법원은 공법상 계약에 관한 소송을 민사소송으로 잘못 제기한 경우에 각하판결하지 않고, 행정법원에 이송하여 행정소송(당사자소송)으로 판결하도록 하고 있다.

공법상 계약
▷ 국가배상, 계약상 의무불이행시 행정상 강제집행·행정벌의 대상 可
▷ 계약의 일방 당사자는 반드시 행정주체이어야 함

사법상 계약
▷ 민사상 손해배상
▷ 행정주체가 사경제주체로서 체결

공무원 채용계약
▷ 공법상 계약
▷ cf. 행정보조자 채용계약: 사법상 계약

지방자치단체의 관할구역 내에 있는 각급 공립학교에서 학교회계직원으로 근무하는 것을 내용으로 하는 근로계약
▷ 사법상 계약

❷
학교회계직원은 공무원이 아닌 근로자이다.

임산물매각계약
▷ 사법상 계약

지방자치단체가 사인과 체결한 시설(자원회수시설) 위탁운영협약
▷ 사법상 계약

생활폐기물수집운반 등 대행위탁계약
▷ 사법상 계약

계약조항 중에 공법적 규율에 친한 예외적인 조항이 존재하는 경우
▷ 공법상 계약

ⓛ 소송법상 공법상 계약에 관한 소송은 민사소송이 아니라 공법상 당사자소송에 속한다.❶

ⓒ 공법상 계약에 의한 의무의 불이행이 행정상 강제집행이나 행정벌의 대상이 되는 것으로 규정되어 있는 경우가 있고 공법상 계약과 관련한 불법행위로 국민이 입은 손해는 「국가배상법」에 의한 손해배상의 대상이 된다.

② **구별기준**: 공법상 계약과 사법상 계약의 구별에 공법관계와 사법관계의 구별에 관한 일반적 기준이 원칙상 적용되지만 다음과 같은 구별기준도 특별히 고려된다.

ⓐ 공법상 계약이 되기 위하여는 계약의 일방 당사자는 행정주체이어야 한다. 그러나 행정주체가 체결하는 계약이 모두 공법상 계약은 아니다. 행정주체가 사경제주체로서 체결하는 계약은 사법상 계약이다.

ⓑ 공법적 효과를 발생시키는 계약(예 공행정의 집행을 위탁하는 계약이나 공행정의 수행에 참여하는 공무원을 채용하는 계약)은 공법상 계약이다. 공무원채용계약은 공법상 계약이지만, 채용된 자가 공행정의 운영에 직접 참여하지 않고 보조하는 것에 불과한 경우에는 그 채용계약(예 행정보조자 채용계약)은 사법상 계약이다.

🔍 관련판례

1 지방자치단체의 관할구역 내에 있는 각급 공립학교에서 학교회계직원으로 근무하는 것을 내용으로 하는 근로계약은 사법상 계약이다(대판 2018.5.11. 2015다237748). ★❷

2 국유림의 경영 및 관리에 관한 법률에 따른 임산물매각계약은 사법상 계약이다(대판 2020.5.14. 2018다298409). ★

3 지방자치단체가 사인과 체결한 시설(자원회수시설) 위탁운영협약은 사법상 계약에 해당한다(대판 2019.10.17. 2018두60588). ★

4 생활폐기물수집운반 등 대행위탁계약은 사법상 계약에 해당한다. ★
피고 진주시와 폐기물처리업의 허가를 받은 원고 사이에 체결된 진주시에서 발생하는 음식물류 폐기물의 수집·운반, 가로 청소, 재활용품의 수집·운반 업무를 대행할 것을 위탁하고 그에 대한 대행료를 지급하는 것을 내용으로 용역도급계약(이하 '이 사건 최초계약'이라 한다)과 이 사건 최초계약 중 계약기간과 계약금액을 변경하고, 계약 내용에 위 기간 동안 발생한 대행료 중 일부를 정산하기로 하는 조항(이하 '이 사건 정산조항'이라 한다)을 추가하는 변경 계약(이하 '이 사건 변경 계약'이라 한다)을 사법상 계약으로 보고, 이 사건 변경계약에 따른 생활폐기물수집운반등 대행료 정산의무의 존부는 민사 법률관계에 해당하므로 이를 소송물로 다투는 소송은 민사소송에 해당하는 것으로 보아야 한다고 한 사례(대판 2018.2.13. 2014두11328)

ⓒ 행정주체에게 공법상 행위형식과 사법상 행위형식의 선택권이 부여된 경우에는 계약의 특별조항을 통하여 표현되는 행정청의 의사가 주요한 구별기준이 된다. 즉, 계약의 조항 중에 사법상의 법규정과는 성질을 달리하는 공법적 규율에 친한 예외적인 조항(공익을 위해 행정주체에게 우월적 지위를 인정하는 조항)이 존재하는 경우에는 공법상 계약이 된다.

(2) 행정행위와의 구별

① 공법상 계약과 행정행위는 모두 외부적 효력을 갖는 구체적인 법적 행위인 점에서는 공통점이 있으나, 양자는 행위의 형성방식에 차이가 있다. 공법상 계약은 양 당사자의 합의에 의하여 성립되는 반면, 행정행위는 행정청에 의하여 일방적으로 결정된다. 따라서 공법상 계약에 있어서는 상대방의 의사표시가 없게 되면 계약이 성립하지 않게 되나(개인의 의사표시는 성립요건), 협력을 요하는 행정행위에 있어서는 상대방의 협력이 없더라도 행정행위는 성립하나 그 행정행위에는 취소사유가 또는 무효사유에 해당하는 하자가 존재할 뿐이다(개인의 의사표시는 적법요건).

② 공법상 계약은 권력적 행위인 행정행위와 달리 비권력적 성질을 가지므로 행정행위에 인정되는 공정력 · 자력집행력 · 존속력 등이 인정되지 않는다.

13. 국가직 7급 공법상 계약에는 공정력이 인정되지 않는다. (○)

⚖ 관련판례

공법상 계약관계에서 행정청의 근로관계 종료(해지)의 일방적인 의사표시가 행정처분인지 여부는 관계법령을 기준으로 개별적으로 판단하여야 한다. ★★★

행정청이 자신과 상대방 사이의 근로관계(법률관계)를 일방적인 의사표시로 종료시켰다고 하더라도 곧바로 의사표시가 행정청으로서 공권력을 행사하여 행하는 행정처분이라고 단정할 수는 없고, 관계 법령이 상대방의 법률관계에 관하여 구체적으로 어떻게 규정하고 있는지에 따라 의사표시가 항고소송의 대상이 되는 행정처분에 해당하는지 아니면 공법상 계약관계의 일방 당사자로서 대등한 지위에서 행하는 의사표시인지를 개별적으로 판단하여야 한다. 이러한 법리는 공법상 근무관계의 형성을 목적으로 하는 채용계약의 체결 과정에서 행정청의 일방적인 의사표시로 계약이 성립하지 아니하게 된 경우에도 마찬가지이다(대판 2014.4.24. 2013두6244 ; 대판 2015.8.27. 2015두41449).

21. 국가직 9급, 17. 변호사 행정청이 자신과 상대방 사이의 법률관계를 일방적인 의사표시로 종료시켰다고 하더라도 곧바로 의사표시가 행정청으로서 공권력을 행사하여 행하는 행정처분이라고 단정할 수는 없고, 관계 법령이 상대방의 법률관계에 관하여 구체적으로 어떻게 규정하고 있는지에 따라 의사표시가 항고소송의 대상이 되는 행정처분에 해당하는지 아니면 공법상 계약관계의 일방 당사자로서 대등한 지위에서 행하는 의사표시인지를 개별적으로 판단하여야 한다. (○)

19. 국가직 7급 공법상 근무관계의 형성을 목적으로 하는 채용계약의 체결과정에서 행정청의 일방적인 의사표시로 계약이 성립하지 아니한 경우, 관계 법령이 상대방의 법률관계에 관하여 구체적으로 어떻게 규정하고 있는지에 따라 의사표시가 항고소송의 대상이 되는 처분에 해당하는지 아니면 공법상 계약관계의 일방 당사자로서 대등한 지위에서 행하는 의사표시인지를 개별적으로 판단하여야 한다. (○)

15. 지방직 7급 행정청이 자신과 상대방 사이의 근로관계를 일방적인 의사표시로 종료시켰다면, 곧바로 그 의사표시는 행정청으로서 공권력을 행사하여 행하는 행정처분에 ~~해당한다.~~ (×) → 해당한다고 단정할 수는 없다

함께 정리하기

공법상 계약과 행정행위
▷ 공통점: 외부적 효력을 갖는 구체적인 법적 행위
▷ 차이점: 행위의 형성방식

행정행위
▷ 행정주체에 의해 일방적으로 행해지는 권력행위

공법상 계약
▷ 행정주체와 국민 사의의 합의에 의해 행해지는 비권력행위

공법상 계약
▷ 행정행위에 인정되는 공정력 · 집행력 · 존속력 등 無(∵비권력적 행위)

근로관계 종료의 처분성 유무
▷ 법령을 기준으로 개별적 판단

공법상 계약과 행정행위의 비교

구분	행정행위	공법상 계약
처분성	○	×
분쟁해결절차	항고소송	당사자소송·민사상 손해배상청구소송
위법한 경우	무효와 취소 모두 可	무효만 可 (취소는 법률에 규정이 있는경우에 한하여 가능)
법률유보	○	×
법률우위	○	○
공정력·불가쟁력·불가변력	○	×
행정청의 강제집행	○	×
행정주체의 우월성	○	×

공법상 합동행위
▷ 동일방향의 의사 합치

공법상 계약
▷ 서로 반대 방향의 의사 합치

공법상 합동행위의 예
▷ 지자체조합·공공조합의 설립행위

(3) 공법상 합동행위와의 구별

공법상 계약과 공법상 합동행위는 모두 양당사자의 의사합치로 성립하는 쌍방행위라는 점에서 공통되나, 공법상 합동행위는 공법적 효과 발생을 목적으로 하는 복수당사자 간의 동일 방향의 의사의 합치로 성립되는 공법행위(예 지방자치단체조합을 설립하는 행위, 농지개량조합 등 공공조합을 설립하는 행위 등)라는 점에서 서로 반대 방향의 의사의 합치에 의해 성립되는 공법상 계약과 구별된다.

12. 지방직 7급 공법상 합동행위는 공법적 효과 발생을 목적으로 하는 복수당사자 간의 동일 방향의 의사의 합치로 성립되는 공법행위이며, 지방자치단체조합을 설립하는 행위 등은 이에 해당한다. (○)

14. 경찰 2차 공법상 계약은 복수당사자 간 반대방향의 의사표시 합치로 성립되는 공법행위로 동일한 방향의 의사표시 합치로 성립되는 공법상 합동행위와 구별된다. (○)

2 공법상 계약의 법적 근거

1. 「행정기본법」

「행정기본법」 제27조 제1항은 "행정청은 법령 등을 위반하지 아니하는 범위에서 행정목적을 달성하기 위하여 필요한 경우에는 공법상 법률관계에 관한 계약(이하 '공법상 계약'이라 한다)을 체결할 수 있다."❶고 하여 공법상 계약에 관하여 일반적인 근거규정을 두고 있다. 따라서 법률유보의 원칙이 적용되고 있다.❷

2. 사법상 계약에 관한 법률

한편, 「국가를 당사자로 하는 계약에 관한 법률」, 「지방자치단체를 당사자로 하는 계약에 관한 법률」은 기본적으로 국가나 공공기관이 당사자가 되는 사법상 계약에 대한 규정이다.

❶
「행정기본법」상의 공법상 계약과 관련된 조항은 제27조의 '공법상 계약의 체결' 뿐이다. 정부안인 공법상 계약의 '변경·해지 및 무효' 관련 조항은 법안소위 심사과정에서 삭제되었다. 이에 「행정기본법」은 제27조에서 법률우위의 원칙, 계약의 목적 규정, 계약의 자유성, 문서주의, 상대방의 선정 및 계약내용의 특수성에 대해서는 규정하고 있으나, 그 외 공법상 계약의 효력, 계약의 체결절차, 계약의 변경·해지 및 무효, 강제집행 등과 관련된 규정은 없다.

❷
「행정기본법」이 제정되기 전에는 공법상 계약에 관한 일반법이 없었기 때문에 공법상 계약에 법률유보원칙이 적용되는지 여부에 관하여 견해대립이 있었다. 공법상의 계약은 당사자 사이의 의사의 합치에 의해 성립되므로 법령에 명시적인 근거가 없더라도 행정청은 공법상 계약을 체결할 수 있다는 견해(법적 근거 불요설, 자유성 긍정설)가 다수설이었다.

3 공법상 계약의 인정범위

1. 모든 공행정 분야

공법상 계약은 비권력적 행정 분야에서뿐만 아니라 권력행정 분야에서도 인정된다.

2. 행정행위의 대체가능성

공법상 계약을 통하여 권력행정도 수행할 수 있지만, 권력행정 분야 중 사회공공질서를 목적으로 하는 조세행정·경찰행정·병역행정 분야 등과 같이 공권력에 의해 일방적으로 강제되어야 하는 분야에서는 공법상 계약이 인정될 수 없고 행정행위를 대체할 수도 없다.❶

3. 제3자의 동의

제3자의 권익을 제한하는 내용의 행정행위를 할 것을 내용으로 하는 공법상 계약은 제3자의 동의가 없는 한 인정될 수 없다.

4 공법상 계약의 종류

1. 주체에 의한 분류

(1) 행정주체 상호간의 공법상 계약

국가와 공공단체 또는 공공단체 상호간 특정 행정사무의 처리를 합의하는 경우가 이에 속한다. 예컨대, 공공단체 상호 간 사무위탁(예 지방자치단체 간의 교육사무위탁 등), 공공시설 관리(「도로법」제24조 제1항❷)에 대한 합의, 지방자치단체 간의 도로·하천의 경비분담 협의(「도로법」제85조 제2항❸) 등이 있다.

11. 사복직 지방자치단체 간의 교육사무위탁은 공법상 계약이다. (○)

17. 국가직 9급 공법상 계약은 행정주체와 사인 간에만 체결 가능하며, 행정주체 상호 간에는 공법상 계약이 성립할 수 없다. (×) → 간에 / 도 / 있다

(2) 행정주체와 사인 간의 공법상 계약

① 국가 및 공공단체와 사인 간의 공법상 계약에는 ㉠ 임의적 공용부담계약(예 공공용도의 기부채납 등), ㉡ 보조금(자금)지급에 관한 계약(예 국비장학금지급계약, 수출보조금교부계약, 농어민자금지원계약 등), ㉢ 행정사무위탁계약(예 「별정우체국법」제3조에 기한 별정우체국의 지정 등), ㉣ 특별행정법관계의 설정계약(예 전문직공무원 채용계약, 자원입대, 공중보건의사 채용계약, 시립무용단원 위촉계약, 시립합창단원 위촉계약 등), ㉤ 지방자치단체와 사인 간의 환경관리협약 등이 있다.

② 한편, 물품납품계약, 건축도급계약 등 조달계약을 사법상 계약으로 보는 것이 일반적 견해이며 판례의 입장인데, 공법상 계약으로 보는 견해도 있다.

③ 또한 조달계약에서 낙찰자결정도 사법상 행위라고 보는 것이 판례의 입장인데, 처분에 해당한다고 보는 견해도 있다.

함께 정리하기

인정 범위
▷ 권력·비권력 행정분야○
▷ 공권력에 의해 일방적으로 강제되어야 하는 분야×
▷ 제3자의 권익을 제한하는 내용의 공법상 계약은 제3자의 동의× → 인정×

❶ 기속행위의 경우에도 행정행위를 대신하여 공법상 계약이 행해질 수도 있다. 그러나 기속행위의 경우 법에 정해진 내용과 다른 내용을 규정할 수 없으므로 기속행위를 대신하여 공법상 계약이 행해질 실익은 크지 않다.

행정주체 상호간
▷ 행정사무처리 합의

❷ 「도로법」제24조(도로 관리의 협의 및 재정)
① 제23조에도 불구하고 행정구역의 경계에 있는 도로는 관계 행정청이 협의하여 도로관리청과 관리방법을 따로 정할 수 있다.

❸ 「도로법」제85조(비용부담의 원칙)
① 도로에 관한 비용은 이 법 또는 다른 법률에 특별한 규정이 있는 경우 외에는 도로관리청이 국토교통부장관인 도로에 관한 것은 국가가 부담하고, 그 밖의 도로에 관한 것은 해당 도로의 도로관리청이 속해 있는 지방자치단체가 부담한다.
② 제1항에도 불구하고 제20조에 따라 노선이 지정된 도로나 행정구역의 경계에 있는 도로에 관한 비용은 관계 지방자치단체가 협의하여 부담 금액과 분담 방법을 정할 수 있다.

국책사업인 '한국형 헬기 핵심구성품 개발협약'을 체결한 주식회사가 국가를 상대로 초과비용 지급을 구하는 분쟁
▷ 행정소송의 대상○

❶
1·2심 법원은 사법상 계약으로 보았다. '한국형 헬기 개발사업에 대한 물품·용역협약'을 단순한 물품조달계약으로 보면 사법상 계약으로 볼 수 있지만, 연구개발계약으로 본다면 공법상 계약으로 보는 것이 타당하다.

관련판례

방위사업청과 국책사업인 '한국형 헬기 핵심구성품 개발협약'을 체결한 주식회사가 외부적 요인으로 협약금액을 초과하는 비용이 발생한 경우, 국가를 상대로 초과비용 지급을 구하는 분쟁은 행정소송의 대상이 되어야 한다.❶ ★

국책사업인 '한국형 헬기 개발사업'(Korean Helicopter Program, 이하 'KHP사업'이라 한다)에 개발주관사업자 중 하나로 참여하여 국가 산하 중앙행정기관인 방위사업청과 '한국형헬기 민군겸용 핵심구성품 개발협약'을 체결한 甲 주식회사가 협약을 이행하는 과정에서 환율변동 및 물가상승 등 외부적 요인 때문에 협약금액을 초과하는 비용이 발생하였다고 주장하면서 국가를 상대로 초과비용의 지급을 구하는 민사소송을 제기한 사안에서, 과학기술기본법 제11조, 구 국가연구개발사업의 관리 등에 관한 규정(2010.8.11. 대통령령 제22328호로 전부 개정되기 전의 것, 이하 '국가연구개발사업규정'이라 한다) 제2조 제1호·제7호, 제7조 제1항, 제10조, 제15조, 제20조, 항공우주산업개발 촉진법 제4조 제1항 제2호·제2항·제3항 등의 입법 취지와 규정 내용, 위 협약에서 국가는 甲 회사에 '대가'를 지급한다고 규정하고 있으나 이는 국가연구개발사업규정에 근거하여 국가가 甲 회사에 연구경비로 지급하는 출연금을 지칭하는 데 다름 아닌 점, 위 협약에 정한 협약금액은 정부의 연구개발비 출연금과 참여기업의 투자금 등으로 구성되는데 위 협약 특수조건에 의하여 참여기업이 물가상승 등을 이유로 국가에 협약금액의 증액을 내용으로 하는 협약변경을 구하는 것은 실질적으로는 KHP사업에 대한 정부출연금의 증액을 요구하는 것으로 이에 대하여는 국가의 승인을 얻도록 되어 있는 점, 위 협약은 정부와 민간이 공동으로 한국형헬기 민·군 겸용 핵심구성품을 개발하여 기술에 대한 권리는 방위사업이라는 점을 감안하여 국가에 귀속시키되 장차 기술사용권을 甲 회사에 이전하여 군용 헬기를 제작·납품하게 하거나 또는 민간 헬기의 독자적 생산기반을 확보하려는 데 있는 점, KHP사업의 참여기업인 甲 회사로서도 민·군 겸용 핵심구성품 개발사업에 참여하여 기술력을 확보함으로써 향후 군용 헬기 양산 또는 민간 헬기 생산에서 유리한 지위를 확보할 수 있게 된다는 점 등을 종합하면, 국가연구개발사업규정에 근거하여 국가 산하 중앙행정기관의 장과 참여기업인 甲 회사가 체결한 위 협약의 법률관계는 공법관계에 해당하므로 이에 관한 분쟁은 행정소송으로 제기하여야 한다고 한 사례(대판 2017.11.9. 2015다215526)

사인 상호간의 공법상 계약
▷ 공무수탁사인이 행정 상대방인 사인과 체결하는 계약(예) 사업시행자와 토지소유자 사이의 협의)

❷
계약당사자의 일방 또는 쌍방이 공무수탁사인인 경우에는 공법상 계약이 성립할 수 있다.
❸ 토지보상법 제26조(협의 등 절차의 준용)
① 제20조에 따른 사업인정을 받은 사업시행자는 토지조서 및 물건조서의 작성, 보상계획의 공고·통지 및 열람, 보상액의 산정과 토지소유자 및 관계인과의 협의 절차를 거쳐야 한다.

사인 상호간의 공법상 계약 예
▷ 토지보상법상 사업시행자와 토지소유자 사이의 협의
▷ 사법상 계약(판례)

(3) 사인 상호 간의 공법상 계약

① **의의:** 행정주체로부터 그 사무를 위임받은 공무수탁사인이 행정 상대방인 사인과 체결하는 계약을 말한다. 순수한 사인 사이의 계약은 그 내용이 아무리 공공성을 가진다고 하더라도 공법상 계약이라고 부를 수 없다.❷

11. 사복직 행정주체인 사인은 공법상 계약의 일방 당사자가 될 수 없다. (×) → 있다

② **예시:** 예컨대, 「공익사업을 위한 토지 등의 취득 및 보상에 관한 법률」(약칭: 토지보상법)상 사업시행자와 토지소유자 사이의 협의취득계약을 들 수 있다(토지보상법 제26조❸). 협의는 토지수용의 전 단계이고 이 경우 사업시행자는 순수한 사인이 아니라 공무수탁사인으로 보아야 하기 때문에 학설은 공법상 계약으로 보나 대법원은 이를 사법상 계약으로 보고 있다.

관련판례

구 공공용지의 취득 및 손실보상에 관한 특례법상 협의취득은 사법상 계약에 해당한다. ★★★

구 공공용지의 취득 및 손실보상에 관한 특례법에 따른 토지 등의 협의취득은 공공사업에 필요한 토지 등을 그 소유자와의 협의에 의하여 취득하는 것으로서, 공공기관이 사경제주체로서 행하는 사법상 매매 내지 사법상 계약의 실질을 가지는 것이지 행정청이 공권력의 주체로서 상대방의 의사 여하에 불구하고 일방적으로 행하는 행정처분이라 볼 수 없는 것이고, 위 협의취득에 기한 손실보상금의 환수통보 역시 사법상의 이행청구에 해당하는 것으로서 이를 항고소송의 대상이 되는 행정처분이라고 할 수 없다(대판 2010.11.11. 2010두14367).

19. 국가직 9급 공익사업을 위한 토지 등의 취득 및 보상에 관한 법령에 의한 협의취득은 사법상의 법률행위이므로, 이에 관한 분쟁은 민사소송의 대상이다. (○)

16. 지방직 9급 공익사업을 위한 토지 등의 취득 및 보상에 관한 법률 에 의한 협의취득은 공법상 계약이다. (×) → 사법상

12. 사복직 구 「공공용지의 취득 및 손실보상에 관한 특례법」에 따른 토지 등의 협의취득에 기한 손실보상금의 환수통보는 사법상의 이행청구에 해당하는 것으로서 항고소송의 대상이 되는 행정처분이라고 할 수 없다. (○)

구 「공공용지의 취득 및 손실보상에 관한 특례법」상 협의취득
▷ 사법상 계약

2. 성질에 의한 분류

(1) 대등계약

대등계약이란 계약의 당사자가 대등한 입장에서 체결하는 계약을 말한다. 행정주체 상호간, 사인 상호간의 공법상 계약이 이에 해당한다.

대등계약
▷ 대등한 입장에서 체결

(2) 종속계약

종속계약이란 행정주체와 사인 간의 공법상 계약을 의미한다. 종속계약은 경우에 따라서 행정행위 대신에 체결되기도 한다.

종속계약
▷ 행정주체와 사인 간의 계약

5 공법상 계약의 성립요건과 적법요건

1. 성립요건

공법상의 계약은 사법상의 계약과 마찬가지로 양 당사자의 청약과 승낙이라는 의사표시의 합치에 의하여 성립된다. 공법상의 계약에서 계약당사자의 일방은 행정주체이어야 하며, 행정주체에는 공무수탁사인도 포함된다.

18. 5급 승진 공법상 계약에서의 상대방 동의는 계약의 성립요건에 해당한다. (○)

12. 사복직 계약당사자의 일방은 행정주체이어야 하며, 행정주체에는 공무를 수탁 받은 사인도 포함된다. (○)

2. 적법 요건

(1) 주체에 관한 요건

공법상 계약을 체결하는 주체에게 정당한 권한이 있어야 한다. 이론상 행정기관이 아니라 행정주체가 공법상 계약의 주체가 된다. 그런데 「행정기본법」은 행정청을 공법상 계약의 당사자로 규정하고 있다(「행정기본법」 제27조 제1항).

주체 요건
▷ 정당한 권한을 가진 행정청에 의하여 체결되어야

이 경우 행정청은 행정주체를 대표하여 공법상 계약을 체결하는 것으로 보아야 한다. 공법상 계약을 체결하는 행정청은 당해 공법상 계약을 체결할 수 있는 권한을 갖고 있어야 한다.

(2) 내용에 관한 요건

① 공법상의 계약도 공행정작용이므로 법률우위의 원칙이 적용된다. 따라서 공법상 계약의 내용은 헌법을 포함한 행정법의 일반원칙(비례의 원칙, 부당결부금지의 원칙 등)에 위배되어서는 안 된다.

따라서 비례의 원칙상 행정청은 공법상 계약의 상대방을 선정하고 계약 내용을 정할 때 공법상 계약의 공공성과 제3자의 이해관계를 고려하여야 한다(「행정기본법」 제27조 제2항). 또한 부당결부금지의 원칙상 행정주체의 급부와 사인의 급부 사이에 실질적 관련성이 있어야 한다.

> 21. 지방직 9급, 14. 서울시 7급, 14. 경찰 2차, 12. 경찰 1차, 12. 사복직 공법상 계약의 경우에도 법률우위의 원칙이 적용되므로 법령상의 한계를 지켜야 한다. (○)
> 22. 국가직 7급, 21. 지방직 9급 행정청은 공법상 계약의 상대방을 선정하고 계약 내용을 정할 때 공법상 계약의 공공성과 제3자의 이해관계를 고려하여야 한다. (○)

② 「행정기본법」에서도 "법령 등을 위반하지 아니하는 범위'에서 공법상 계약을 체결할 수 있다."라고 규정(「행정기본법」 제27조 제1항 전문)함으로써 공법상 계약에 법률우위의 원칙이 적용됨을 분명히 하고 있다.

(3) 형식에 관한 요건

공법상 계약은 계약 내용을 명확히 할 필요가 있으므로 문서로 하여야 한다. 「행정기본법」도 공법상 계약을 체결할 경우 계약의 목적 및 내용을 명확하게 적은 계약서를 작성하여야 한다고 규정하고 있다(「행정기본법」 제27조 제1항 후문).

(4) 절차에 관한 요건

① 공법상 계약의 절차를 일반적으로 규율하는 법령은 존재하지 않는다. 현행 「행정절차법」은 그 적용범위를 처분·신고·확약·위반사실 등의 공표·행정계획·행정상 입법예고·행정예고·행정지도에 한정하고 있기 때문에 공법상 계약에는 「행정절차법」이 적용되지 않는다.

> 19. 서울시 7급, 13. 국회직 8급, 12. 지방직 7급 「행정절차법」은 공법상 계약의 체결 절차에 대해서는 규율하고 있지 않다. (○)
> 20. 소방직 공법상 계약에 관하여는 「행정절차법」에 명문의 규정을 두고 있다. (×) → 있지 않다

관련판례

계약직공무원 채용계약 해지의 의사표시는 행정절차법의 규율대상이 아니다. ★★★

계약직공무원 채용계약 해지의 의사표시는 일반공무원에 대한 징계처분과는 달라서 항고소송의 대상이 되는 처분 등의 성격을 가진 것으로 인정되지 아니하고, 일정한 사유가 있을 때에 국가 또는 지방자치단체가 채용계약관계의 한쪽 당사자로서 대등한 지위에서 행하는 의사표시로 취급되는 것으로 이해되므로, 이를 징계해고 등에서와 같이 그 징계사유에 한하여 효력 유무를 판단하여야 하거나, 행정처분과 같이 행정절차법에 의하여 근거와 이유를 제시하여야 하는 것은 아니다(대판 2002.11.26. 2002두5948).

> 22. 소방간부, 22. 행정사, 21. 국가직 9급, 19. 서울시 9급 계약직공무원 채용계약해지는 국가 또는 지방자치단체가 대등한 지위에서 행하는 의사표시로서 처분이 아니므로 「행정절차법」에 의하여 근거와 이유를 제시하여야 하는 것은 아니다. (○)

내용 요건
▷ 법률우위의 원칙 적용○
▷ 비례의 원칙, 부당결부금지의 원칙 등 법의 일반원칙 준수 要

형식 요건
▷ 계약의 목적 및 내용을 명확하게 적은 계약서 작성 要

공법상 계약
▷ 「행정절차법」의 규정 적용×

계약직공무원 채용계약 해지의 의사표시
▷ 처분×, 「행정절차법」 규율 대상×
▷ 이유제시 不要

24. 국가직 9급 계약직공무원 채용계약해지의 의사표시를 하는 경우 징계 해고 등에서와 같이 그 징계사유에 한하여 효력 유무를 판단하여야 하거나, 행정처분과 같이 「행정절차법」에 의하여 근거와 이유를 제시하여야 한다. (×) → 하는 것은 아니다

21. 지방직 9급 계약직공무원 채용계약해지의 의사표시는 항고소송의 대상이 되는 처분 등의 성격을 가진 것으로 행정처분과 같이 「행정절차법」에 의하여 근거와 이유를 제시하여야 한다. (×) → 가진 것으로 인정되지 않으므로 / 하는 것은 아니다

② 공법상 계약의 체결에 다른 행정청의 승인, 동의 또는 협의를 요하는 것으로 규정하는 경우도 있다. 다른 행정청의 승인, 동의 또는 협의를 요하는 행정행위에 갈음하여 공법상 계약을 체결하는 경우에는 그러한 절차를 거쳐야 한다.❶

6 공법상 계약의 특수성

1. 공법적 규율과 사법의 적용

(1) 공법적 규율의 대상

공법상 계약은 공법적 규율의 대상이 된다. 그런데, 「행정기본법」은 공법상 계약에 관하여 극히 일부의 일반적 규정을 두고 있을 뿐이다. 따라서 공법상 계약에 대한 특수한 규율은 개별법 또는 법이론상 인정된다.

(2) 법 적용

공법상 계약과 관련하여 개별법에 관련 규정이 있는 경우에는 개별법을 적용하고, 개별법에도 관련 규정이 없는 경우에는 국가가 체결하는 모든 계약에 적용되는 법률인 「국가를 당사자로 하는 계약에 관한 법률」을 적용하고, 동 법률에서 정하지 않은 사항에 대해서는 「민법」상의 계약에 관한 규정을 적용할 수 있다.

2. 부합계약성

공법상의 계약은 공익의 실현 작용이라는 점에서 행정주체가 일방적으로 그 내용을 정하고 상대방은 체결 여부만을 선택해야 하는 이른바 부합계약의 형식(예 지원입대)을 취하는 경우도 많다.

14. 서울시 7급 공법상 계약의 내용은 당사자 간에 합의에 의하여 정해지기도 하지만, 행정주체가 일방적으로 내용을 정하고 상대방은 체결 여부만을 선택해야 하는 경우도 인정될 수 있다. (○)

📌 관련판례

지방전문직공무원채용기간이 만료한 경우 그 갱신·연장여부는 단체장의 재량에 맡겨져 있는 것이다. ★★

지방전문직공무원 채용계약에서 정한 채용기간이 만료한 경우 채용계약을 갱신하거나 채용기간을 연장할 것인지 여부는 지방자치단체장의 재량에 맡겨져 있는 것으로 보아야 할 것이므로 지방전문직공무원 채용계약에서 정한 기간이 형식적인 것에 불과하고 그 채용계약은 기간의 약정이 없는 것이라고 볼 수 없다(대판 1993.9.14. 92누4611).

18. 국가직 9급, 15. 지방직 9급 「지방공무원법」상 지방전문직공무원 채용계약에서 정한 채용기간이 만료한 경우에는 채용계약의 갱신이나 기간연장 여부는 기본적으로 지방자치단체장의 재량이다. (○)

절차 요건
▷ 관계 행정청의 동의, 승인 또는 협의 등이 필요한 경우에는 이를 모두 거쳐야 함

❶ 「행정기본법 시행령」 제6조(공법상 계약)
행정청은 법 제27조에 따라 공법상 법률관계에 관한 계약을 체결할 때 법령등에 따른 관계 행정청의 동의, 승인 또는 협의 등이 필요한 경우에는 이를 모두 거쳐야 한다.

법 적용 순서
▷ 개별법 → 「국가를 당사자로 하는 계약에 관한 법률」 → 「민법」

공법상 계약
▷ 원칙적 당사자 간의 합의 통해, 예외적 부합계약의 형식 可

지방전문직공무원 채용기간 만료시 채용계약 갱신·연장
▷ 지방자치단체장의 재량

공법상 계약의 강제성
▷ 법령에 의하여 체결의 자유와 형성의 자유가 제한. 강제적 체결 인정
▷ 예 일반수도사업자의 급수의무

공법상 계약
▷ 자력집행력× (∵의무불이행에 대해 법원에 청구)

행정주체의 경우
▷ 공익상의 사유가 있는 경우에는 일방적으로 계약내용을 변경하거나 계약 해지 可
상대방의 경우
▷ 공익에 영향을 미치지 아니한 경우(예 국립대학의 자퇴 등)에만 해지 可

❶
공법상 계약에 의한 의무의 불이행이 있는 경우에 행정주체에게는 계약의 해지권이 인정되지만, 계약상대인 국민에게는 해지가 공익에 반하는 경우에는 인정되지 않고 이 경우에 국민은 채무불이행에 의한 손해배상청구만을 할 수 있다고 보아야 한다.

공법상 계약의 하자
▷ 무효

❷
이에 대하여 공법상 계약의 하자를 의사표시상의 하자와 내용상의 하자로 나누어 의사표시상의 하자는 「민법」상 계약의 경우와 마찬가지로 무효 또는 취소의 하자가 모두 인정되고(특별한 규정이 없는 한 사법상 계약에 관한 규정이 유추적용), 내용상 하자에 있어서는 행정행위와 달리 공정력이 인정되지 않으므로 무효만이 인정된다는 견해가 있다.

3. 계약의 강제성

공법상 계약은 사법상 계약(사적 자치의 원칙)과 달리 법령에 의하여 체결의 자유와 행정청의 형성의 자유가 제한될 수 있다. 따라서 국민의 생활에 필수 불가결하다고 인정되는 범위에 있어서는 강제적인 계약체결 또한 인정된다(예 일반수도사업자의 급수의무).

12. 경찰 공법상 계약은 법령에 의하여 체결의 자유와 형성의 자유가 제한될 수 있다. (O)

4. 강제집행(자력집행)

(1) 공법상 계약의 당사자로서 행정주체에게는 원칙적으로 자력집행력이 인정되지 않는다. 공법상 계약의 당사자로서 행정주체는 상대방과 대등한 지위에 있기 때문이다.

13. 서울시 9급 공법상 계약은 상대방의 의무불이행에 대한 강제적 실행이 용이하다. (×) → 곤란

(2) 따라서 행정청은 계약상대방의 의무불이행이 있더라도 원칙적으로 법원의 도움 없이는 이를 강제할 수 없다. 다만, 예외적으로 행정강제 등에 관한 명문의 규정이 있으면, 법원의 판결 없이도 행정청이 강제집행을 할 수 있을 것이다.

10. 서울시 9급 공법상 계약에 대해서는 법원의 판결을 통해 강제집행을 하여야 하고, 특별한 규정이 없는 한 강제집행을 할 수 없다. (O)

19. 서울시 7급 행정주체의 상대방이 계약의무를 이행하지 않는 경우라도 법률에 근거가 없으면 행정상 강제집행을 할 수 없다. (O)

5. 계약의 해제·변경

(1) 「행정기본법」은 공법상 계약의 변경, 해지 및 해제에 관한 규정을 두고 있지 않다. 따라서 공법상의 계약에 따른 의무불이행의 경우 「민법」상 계약의 해지규정이 유추적용된다. 다만, 공법상 계약의 집행에 있어서 공익의 실현을 보장하기 위하여 계약의 해지 등에 관한 「민법」 규정은 공법상 계약에 그대로 적용되지 않고 수정된다.

(2) 행정주체는 공익상의 사유가 있는 경우에는 일방적으로 계약내용을 변경하거나 계약을 해지할 수 있지만(이 경우 상대방이 손해를 입게 되면 국가는 그 손실을 보상하여야 한다), 상대방의 경우에는 공익에 영향을 미치지 아니한 경우(예 국립대학의 자퇴 등)에만 해지할 수 있다.❶

19. 서울시 7급, 06. 국회직 8급 공법상 계약에는 「민법」의 계약 해지 규정이 그대로 적용될 수 없다. (O)

7 공법상 계약의 하자

(1) 하자있는 공법상 계약의 효과

공법상 계약의 내용이 법령에 위반되어 하자가 있는 경우 ① 무효만 될 수 있다는 견해와, ② 취소도 가능하다는 견해가 대립하나, 공법상 계약에는 행정행위와 달리 공정력이 인정되지 않으므로 취소는 존재할 수 없고 무효만이 있을 수 있다는 견해가 다수설이다. 이에 따르면 하자있는 공법상 계약은 무효가 될 뿐이다.❷

10. 지방직 9급 위법한 공법상 계약은 무효이므로 공법상 계약에는 원칙적으로 공정력이 인정되지 않는다. (○)

13. 국회직 8급 중대한 하자 있는 공법상의 계약은 무효이다. (○)

(2) 무효의 범위

공법상 계약의 위법이 계약의 일부에만 존재하는 경우, 위법인 부분이 위법이 아닌 부분과 분리될 수 없는 경우라면 당해 계약은 전부 무효가 된다. 한편, 위법인 부분이 위법이 아닌 부분과 분리될 수 있는 경우에는 계약당사자가 위법인 부분이 없었더라면 당해 계약을 체결하지 않았을 것이라고 판단되는 경우에 한하여 계약 전체가 무효가 된다.

함께 정리하기

계약의 일부만 위법한 경우
▷ 위법인 부분이 위법이 아닌 부분과 분리될 수 없거나 분리될 수 있더라도 위법인 부분이 없었더라면 당해 계약을 체결하지 않았을 것이라고 판단되는 경우에 한하여 계약 전체가 무효

8 쟁송절차

1. 공법상 당사자소송

공법상 계약에 관한 소송은 민사소송이 아니라 공법상 당사자소송에 의한다. 공법상 계약의 무효확인소송, 공법상 계약에 의한 의무의 확인에 관한 소송 및 계약의무불이행시의 의무의 이행을 구하는 소송도 공법상 당사자소송에 의한다. 또한, 판례는 계약직공무원의 해촉 또는 계약직공무원채용계약 해지의 의사표시도 처분으로 보아야 하는 특별한 사정이 없는 한 공법상 당사자소송으로 해촉 또는 해지의 의사표시의 무효확인을 청구하여야 한다고 보고 있다.❶

17. 서울시 7급 공법상 계약의 일방 당사자인 행정이 계약위반행위를 한다면 타방 당사자인 주민 또는 국민은 행정소송 중 당사자소송으로써 권리구제를 받을 수 있다. (○)

14. 국가직 7급 공법상 계약에 관한 쟁송은 원칙적으로 「행정소송법」 제3조에 규정된 당사자소송에 의한다. (○)

공법상 계약의 무효확인소송, 공법상 계약의 의무 확인소송, 계약의무불이행시 의무의 이행을 구하는 소송
▷ 공법상 당사자소송

계약직공무원의 해촉 또는 계약직공무원채용계약 해지의 의사표시의 무효확인 청구
▷ 공법상 당사자소송

❶
한편, 공법상 계약의 무효확인을 구하는 당사자소송은 확인소송이므로 확인의 이익(즉시확정의 이익)이 요구된다.

⚖ 관련판례

1 **서울시립무용단원의 해촉에 대하여는 공법상의 당사자소송으로 그 무효확인을 청구해야 한다.** ★★★

서울특별시립무용단원이 가지는 지위가 공무원과 유사한 것이라면, <u>서울특별시립무용단 단원의 위촉은 공법상의 계약이라고 할 것이고, 따라서 그 단원의 해촉에 대하여는 공법상의 당사자 소송으로 그 무효확인을 청구할 수 있다</u>(대판 1995.12.22. 95누4636).

22. 소방간부, 21. 소방간부, 19. 서울시 9급, 17. 서울시 7급, 15. 지방직 7급 등 서울특별시립무용단 단원의 위촉은 공법상 계약에 해당하며, 따라서 그 단원의 해촉에 대하여는 공법상 당사자소송으로 그 무효확인을 청구할 수 있다. (○)

14. 경찰 2차 '서울특별시 시립무용단 단원의 위촉'은 행정주체와 사인 간의 공법상 계약에 해당한다. (○)

16. 교행 시립무용단원의 해촉에 대해서는 항고소송으로 다투어야 하고 당사자소송으로 다툴 수는 없다. (×) → 당사자소송 / 항고소송

서울시립무용단원의 위촉
▷ 공법상 계약
서울시립무용단원의 해촉
▷ 당사자소송

시립합창단원 위촉
▷ 공법상 계약

시립합창단원에 대한 재위촉거부
▷ 당사자소송

2 시립합창단원에 대한 재위촉 거부는 항고소송의 대상인 처분에 해당하지 않는다. ★★★

<u>광주광역시문화예술회관장의 단원 위촉은 광주광역시문화예술회관장이 행정청으로서 공권력을 행사하여 행하는 행정처분이 아니라 공법상의 근무관계의 설정을 목적으로 하여 광주광역시와 단원이 되고자 하는 자 사이에 대등한 지위에서 의사가 합치되어 성립하는 공법상 근로계약에 해당한다고 보아야 할 것이므로, 광주광역시립합창단원으로서 위촉기간이 만료되는 자들의 재위촉 신청에 대하여 광주광역시문화예술회관장이 실기와 근무성적에 대한 평정을 실시하여 재위촉을 하지 아니한 것을 항고소송의 대상이 되는 불합격처분이라고 할 수는 없다</u> (대판 2001.12.11. 2001두7794).

14. 변호사 광주광역시문화예술회관장의 단원 위촉은 광주광역시문화예술회관장이 행정청으로서 공권력을 행사하여 행하는 행정처분이 아니라 공법상의 근무관계의 설정을 목적으로 하여 광주광역시와 단원이 되고자 하는 자 사이에 대등한 지위에서 의사가 합치되어 성립하는 공법상 근로계약이다. (○)

19. 서울시 9급, 12. 사복직 광주광역시문화예술회관장의 단원 위촉은 공법상 근로계약이 아니라 행정청으로서 공권력을 행사하여 행하는 행정처분이다. (×) → 에 해당한다

20. 지방직 7급, 16. 경찰 2차 광주광역시립합창단원으로서 위촉기간이 만료되는 자들의 재위촉 신청에 대하여 광주광역시문화예술회관장이 실기와 근무성적에 대한 평정을 실시하여 재위촉을 하지 아니한 것은 항고소송의 대상이 되는 불합격처분에 해당한다. (×) → 해당한다고 할 수는 없다

공중보건의사 채용계약
▷ 공법상 계약

공중보건의사 채용계약해지
▷ 당사자소송

3 공중보건의사 채용계약해지의 의사표시에 대하여는 당사자소송으로 무효확인을 청구할 수 있다. ★★★

<u>현행 실정법이 전문직공무원인 공중보건의사의 채용계약 해지의 의사표시는 일반공무원에 대한 징계처분과는 달라서 항고소송의 대상이 되는 처분 등의 성격을 가진 것으로 인정되지 아니하고, 일정한 사유가 있을 때에 관할 도지사가 채용계약 관계의 한쪽 당사자로서 대등한 지위에서 행하는 의사표시로 취급하고 있는 것으로 이해되므로, 공중보건의사 채용계약 해지의 의사표시에 대하여는 대등한 당사자 간의 소송형식인 공법상의 당사자소송으로 그 의사표시의 무효확인을 청구할 수 있는 것이지, 이를 항고소송의 대상이 되는 행정처분이라는 전제하에서 그 취소를 구하는 항고소송을 제기할 수는 없다</u>(대판 1996.5.31. 95누10617).

14. 변호사 전문직공무원인 공중보건의사 채용계약 해지의 의사표시에 대하여는 대등한 당사자 간의 소송형식인 공법상 당사자소송으로 그 의사표시의 무효확인을 청구할 수 있는 것이지, 이를 항고소송의 대상이 되는 행정처분이라는 전제하에서 그 취소를 구하는 항고소송을 제기할 수는 없다. (○)

21. 국회직 8급, 19. 서울시 7급 전문직공무원인 공중보건의사의 채용계약 해지의 경우 관할 도지사의 일방적인 의사표시에 의하여 그 신분을 박탈하는 불이익처분이므로 당해 채용계약은 공법상 계약이 아니라 항고소송의 대상이 되는 처분의 성질을 가진다. (×) → 관할 도지사가 채용계약 관계의 한쪽 당사자로서 대등한 지위에서 행하는 의사표시로 취급하고 있는 것으로 이해되므로 / 에 해당한다

17. 국가직 9급 대법원은 구 「농어촌 등 보건의료를 위한 특별조치법」 및 관계법령에 따른 전문직공무원인 공중보건의사의 채용계약해지의 의사표시는 일반공무원에 대한 징계처분과 같은 성격을 가지며, 따라서 항고소송의 대상이 된다고 본다. (×) → 달라서 당사자소송

지방전문직공무원 채용계약
▷ 공법상 계약

지방전문직공무원 채용계약해지
▷ 당사자소송

4 지방전문직공무원 채용계약 해지의 의사표시에 대하여는 공법상 당사자소송으로 그 의사표시의 무효확인을 청구할 수 있다. ★★★

현행 실정법이 지방전문직공무원 채용계약 해지의 의사표시를 일반공무원에 대한 징계처분과는 달리 항고소송의 대상이 되는 처분 등의 성격을 가진 것으로 인정하지 아니하고, 지방전문직공무원규정 제7조 각호의 1에 해당하는 사유가 있을 때 지방자치단체가 채용계약관계의 한쪽 당사자로서 대등한 지위에서 행하는 의사표시로 취급하고 있는 것으로 이해되므로, <u>지방전문직공무원 채용계약 해지의 의사표시에 대하여는 대등한 당사자 간의 소송형식인 공법상 당사자소송으로 그 의사표시의 무효확인을 청구할 수 있다</u>(대판 1993.9.14. 92누4611).

19. 국가직 7급, 17. 지방직 9급(추) 지방전문직공무원 채용계약 해지의 의사표시에 대하여는 공법상 당사자소송으로 그 의사표시의 무효확인을 청구할 수 있다. (○)

16. 변호사 지방전문직공무원 채용계약 해지의 의사표시는 지방자치단체장의 처분에 해당하므로 지방자치단체를 상대로 당사자소송으로 해지 의사표시의 무효확인을 청구할 수 없다. (×)
→ 지방자치단체가 계약관계의 한쪽 당사자로서 대등한 지위에서 행하는 의사표시 / 있다

14. 행정사 지방전문직공무원 채용계약의 해지에 대한 불복은 당사자소송이 아니라 항고소송으로 하여야 한다. (×) → ×

5 옴부즈만 채용행위는 공법상 계약으로서 채용계약 청약에 대한 거절은 처분에 해당하지 않는다. ★★

<u>지방계약직공무원인</u> 이 사건 <u>옴부즈만 채용행위는 공법상 대등한 당사자 사이의 의사표시의 합치로 성립하는 공법상 계약에 해당한다.</u> 이와 같이 위 옴부즈만 채용행위가 공법상 계약에 해당하는 이상 원고의 채용계약 청약에 대응한 피고(서울특별시장)의 '승낙의 의사표시'가 대등한 당사자로서의 의사표시인 것과 마찬가지로 그 청약에 대하여 '승낙을 거절하는 의사표시' 역시 <u>행정청이 대등한 당사자의 지위에서 하는 의사표시라고 보는 것이</u> 타당하고, 그 채용계약에 따라 담당할 직무의 내용에 고도의 공공성이 있다거나 원고가 그 채용 과정에서 최종합격자로 공고되어 채용계약 성립에 관한 강한 기대나 신뢰를 가지게 되었다는 사정만으로 이를 행정청이 우월한 지위에서 행하는 공권력의 행사로서 <u>행정처분에 해당한다고 볼 수는 없다</u>(대판 2014.4.24. 2013두6244).

17. 변호사 서울특별시 시민감사옴부즈만 운영 및 주민감사청구에 관한 조례에 따라 계약직으로 구성하는 옴부즈만 공개채용과정에서 최종합격자로 공고된 자에 대해 서울특별시장이 인사위원회의 심의결과에 따라 채용하지 아니하겠다고 통보한 경우, 그 불채용통보는 항고소송을 통해 다툴 수 없다. (○)

6 중소기업의 지원금 출연을 위하여 중소기업청장이 체결하는 협약은 공법상 계약이며 그 해지에 따른 환수통보는 행정처분에 해당한다고 볼 수 없다. ★★★

중소기업기술정보진흥원장이 甲 주식회사와 중소기업 정보화지원사업 지원대상인 사업의 지원에 관한 협약을 체결하였는데, 협약이 甲 회사에 책임이 있는 사업 실패로 해지되었다는 이유로 협약에서 정한 대로 지급받은 정부지원금을 반환할 것을 통보한 사안에서, <u>중소기업 정보화지원사업에 따른 지원금 출연을 위하여 중소기업청장이 체결하는 협약은 공법상 대등한 당사자 사이의 의사표시의 합치로 성립하는 공법상 계약에 해당하는 점,</u> 중소기업정보화지원사업에 관하여 출연한 지원금 환수에 관한 구체적인 법령상 근거가 없는 점 등을 종합하면 <u>협약의 해지 및 그에 따른 환수통보는 공법상 계약에 따라 행정청이 대등한 당사자의 지위에서 하는 의사표시로 보아야 하고, 이를 행정청이 우월한 지위에서 행하는 공권력의 행사로서 행정처분에 해당한다고 볼 수는 없다</u>(대판 2015.8.27. 2015두41449).

22. 국회직 8급, 22. 국가직 7급 중소기업 정보화지원사업에 따른 지원금 출연을 위하여 중소기업청장이 체결하는 협약은 공법상 대등한 당사자 사이의 의사표시의 합치로 성립하는 공법상 계약에 해당하고 그 협약의 해지 및 그에 따른 환수통보는 공법상 계약에 따라 행정청이 대등한 당사자의 지위에서 하는 의사표시이다. (○)

20. 소방직 중소기업기술정보진흥원장과 甲 주식회사가 체결한 중소기업 정보화지원사업을 위한 협약의 해지 및 그에 따른 환수통보는 공법상 당사자소송에 의한다. (○)

23. 지방직 7급 중소기업기술정보진흥원장이 甲 주식회사와 체결한 중소기업 정보화지원사업 지원대상인 사업의 지원에 관한 협약의 해지는 상대방의 권리·의무를 변경시키는 처분에 해당하므로 항고소송의 대상이 된다. (×) → 해당하지 않아 당사자소송

21. 국가직 9급, 20. 국회직 9급 중소기업 정보화지원사업에 대한 지원금출연협약의 해지 및 환수통보는 공법상 계약에 따른 의사표시가 아니라 행정청이 우월한 지위에서 행하는 공권력의 행사로서 행정처분이다. (×) → 로 보아야 하고 / 에 해당한다고 볼 수는 없다

지방계약직공무원인 서울특별시 시민감사옴부즈만 채용행위
▷ 공법상 계약

서울특별시 시민감사옴부즈만 채용계약 청약에 대응한 서울특별시장의 '승낙의 의사표시'와 '승낙을 거절하는 의사표시'
▷ 행정처분×(당사자소송)

중소기업 정보화지원사업에 따른 지원금 출연을 위하여 중소기업청장이 사인과 체결하는 협약
▷ 공법상 계약

중소기업기술정보진흥원장이 甲 주식회사와 체결한 중소기업 정보화지원사업 지원대상인 사업의 지원협약을 甲의 책임 있는 사유로 해지하고 협약에서 정한 대로 지급받은 정부지원금을 반환할 것을 통보한 경우, 협약의 해지 및 그에 따른 환수통보
▷ 행정처분×(당사자소송)

민간투자사업 실시협약을 체결한 당사자
가 재정지원금 지급을 구하는 경우
▷ 수소법원은 적정한 재정지원금액이 얼
마인지를 심리·판단하여야 함

7 민간투자사업 실시협약을 체결한 당사자가 공법상 당사자소송에 의하여 그 실시협약에 따른 재정지원금의 지급을 구하는 경우, 수소법원은 실시협약에 따른 적정한 재정지원금액이 얼마인지를 구체적으로 심리·판단하여야 한다. ★

민간투자사업 실시협약을 체결한 당사자가 공법상 당사자소송에 의하여 그 실시협약에 따른 재정지원금의 지급을 구하는 경우에, 수소법원은 단순히 주무관청이 재정지원금액을 산정한 절차 등에 위법이 있는지 여부를 심사하는 데 그쳐서는 아니 되고, 실시협약에 따른 적정한 재정지원금액이 얼마인지를 구체적으로 심리·판단하여야 한다(대판 2019.1.31. 2017두46455).

22. 국회직 8급 「사회기반시설에 대한 민간투자법」에 따라 지방자치단체와 유한회사 간 체결한 민간투자사업 실시협약은 공법상 계약에 해당하므로, 공법상 당사자소송의 대상이다. (O)

22. 국가직 7급 민간투자사업 실시협약을 체결한 당사자가 그 협약에 따른 재정지원금의 지급을 구하는 당사자소송을 제기한 경우에, 수소법원은 주무관청이 재정지원금액을 산정한 절차 등에 위법이 있는지 여부를 심사할 수 있을 뿐, 적정한 재정지원금액이 얼마인지까지 심리·판단할 수는 없다. (×) → 하는 데 그쳐서는 아니 되고, / 하여야 한다

공법상 계약 체결 전 공법상 계약 체결 여
부·상대방 결정행위, 법에 근거한 제재로
서 행하는 공법상 계약의 해지(권력적 성
격이 강한 경우)
▷ 항고소송(처분)
입찰참가자격제한조치의 법적성격
▷ 법적 근거에 따른 경우: 처분O
▷ 계약상의 의사표시인 경우: 처분×

2. 항고소송의 대상이 되는 경우

(1) 행정청이 공법상 계약을 체결하기 전 계약의 체결 여부 또는 계약상대방을 결정하는 행위는 공법상 계약과 분리되어 처분성이 인정될 수 있다.

(2) 또한 법에 근거하여 제재로서 행해지는 공법상 계약의 해지 등 계약상대방에 대한 권력적 성격이 강한 행위는 「행정소송법」상 처분으로 볼 수 있다. 예컨대, 조달계약 및 공법상 계약에 관한 입찰참가자격제한이 법적 근거에 따른 경우 처분에 해당한다고 보는 것이 판례의 입장이다. 이에 반하여, 입찰참가자격 제한 조치가 계약상의 의사표시인 경우에는 항고소송의 대상이 되는 처분이 아니다.

> **「국가를 당사자로 하는 계약에 관한 법률」 제27조【부정당업자의 입찰 참가자격 제한 등】** ① 각 중앙관서의 장은 다음 각 호의 어느 하나에 해당하는 자(이하 "부정당업자"라 한다)에게는 2년 이내의 범위에서 대통령령으로 정하는 바에 따라 입찰 참가자격을 제한하여야 하며, 그 제한사실을 즉시 다른 중앙관서의 장에게 통보하여야 한다. 이 경우 통보를 받은 다른 중앙관서의 장은 대통령령으로 정하는 바에 따라 해당 부정당업자의 입찰 참가자격을 제한하여야 한다.
> 1. 계약을 이행할 때에 부실·조잡 또는 부당하게 하거나 부정한 행위를 한 자
> 2. 경쟁입찰, 계약 체결 또는 이행 과정에서 입찰자 또는 계약상대자 간에 서로 상의하여 미리 입찰가격, 수주 물량 또는 계약의 내용 등을 협정하였거나 특정인의 낙찰 또는 납품대상자 선정을 위하여 담합한 자 (이하 생략)
>
> **국가계약법 시행령 제76조【부정당업자의 입찰참가자격 제한】** ③ 각 중앙관서의 장은 다음 각 호의 어느 하나에 해당하는 자(이하 "부정당업자"라 한다)에 대해서는 즉시 1개월 이상 2년 이하의 범위에서 입찰참가자격을 제한해야 한다. 다만, 부정당업자의 대리인, 지배인 또는 그 밖의 사용인이 법 제27조 제1항 각 호의 어느 하나에 해당하는 행위를 하여 입찰참가자격 제한 사유가 발생한 경우로서 부정당업자가 대리인, 지배인 또는 그 밖의 사용인의 그 행위를 방지하기 위해 상당한 주의와 감독을 게을리하지 않은 경우에는 부정당업자에 대한 입찰참가자격을 제한하지 않는다.
> 1. 계약상대자, 입찰자 또는 제30조 제2항에 따라 전자조달시스템을 이용해 견적서를 제출하는 자로서 법 제27조 제1항 제1호부터 제4호까지 및 제7호부터 제9호까지의 규정 중의 어느 하나에 해당하는 자
> 2. 법 제27조 제1항 제5호 또는 제6호에 해당하는 자

관련판례

1 민간투자법상 심사협약은 공법상 계약이고, 그 이전에 행해지는 우선협상대상자 지정행위는 행정행위이다. ★★

사회기반시설에 대한 민간투자법 제13조 제3항 상의 심사협약(동법에 의하여 주무관청과 민간투자 사업을 시행하고자 하는 자간에 사업시행의 조건 등에 관하여 체결하는 계약)은 공법상 계약이고, 그 이전에 행해지는 동법 제13조 제2항상의 행정청의 우선협상대상자 지정행위는 행정행위의 성질을 갖는 것으로 보아야 한다(서울고법 2004.6.24. 2003누6483).

16. 국가직 9급 「사회기반시설에 대한 민간투자법」상 민간투자사업의 사업시행자 지정은 공법상 계약이 아니라 행정처분에 해당한다. (○)

10. 국회직 8급 구 「사회간접자본시설에 대한 민간투자법」상 민간투자에 관한 협약은 공법상 계약이라고 할 수 있을지라도 사업시행자 지정행위는 행정처분이다. (○)

2 구 사회간접자본시설에 대한 민간투자법에 근거한 서울-춘천 간 고속도로 민간투자시설사업의 사업시행자 지정은 행정처분에 해당한다(대판 2009.4.23. 2007두13159). ★★

20. 지방직 7급 구 「사회간접자본시설에 대한 민간투자법」에 근거한 서울-춘천 간 고속도로 민간투자시설사업의 사업시행자 지정은 공법상 계약에 해당한다. (×) → 행정처분

3 지방계약직공무원에 대한 보수삭감은 징계절차를 거쳐야 하며 이에 대한 다툼은 항고소송에 의한다. ★★★

근로기준법 등의 입법 취지, 지방공무원법과 지방공무원징계및소청규정의 여러 규정에 비추어 볼 때, (계약직 공무원에 대한 보수의 삭감은 이를 당하는 당해 공무원의 입장에서는 징계처분의 일종인 감봉과 다를 바 없으므로) 채용계약상 특별한 약정이 없는 한, 지방계약직공무원에 대하여 지방공무원법, 지방공무원징계 및 소청규정에 정한 징계절차에 의하지 않고서는 보수를 삭감할 수 없다고 봄이 상당하다(대판 2008.6.12. 2006두16328).❶

22. 소방간부, 21. 국가직 9급, 20. 국회직 8급, 15. 지방직 7·9급, 12. 지방직 7급 등 지방계약직공무원에 대하여는 채용계약상 특별한 약정이 없는 한 「지방공무원법」, 「지방공무원 징계 및 소청규정」에 정한 징계절차에 의하지 않고서는 보수를 삭감할 수 없다. (○)

16. 서울시 9급, 10. 국회직 8급 지방계약직공무원에 대한 보수삭감조치는 항고소송의 대상이 되는 행정처분에 해당한다. (○)

4 택시회사들의 자발적 감차조치 불이행에 따른 행정청의 직권감차명령을 내용으로 하는 택시회사들과 행정청 간의 합의에 기한 감차명령은 항고소송의 대상이 되는 행정처분에 해당한다. ★★

관할 행정청은 면허 발급 이후에도 운송사업자의 동의하에 여객자동차운송사업의 질서 확립을 위하여 운송사업자가 준수할 의무를 정하고 이를 위반할 경우 감차명령을 할 수 있다는 내용의 면허 조건을 붙일 수 있고, 운송사업자가 그러한 조건을 위반하였다면 여객자동차법 제85조 제1항 제38호에 따라 감차 명령을 할 수 있으며, 이러한 감차명령은 행정소송법 제2조 제1항 제1호가 정한 처분으로서 항고소송의 대상이 된다. … 이 사건 합의는 여객자동차법 제4조 제3항이 정한 '면허조건'을 원고들의 동의하에 사후적으로 붙인 것으로서, 이러한 면허조건을 위반하였음을 이유로 한 이 사건 직권감차 통보는 피고가 우월적 지위에서 여객자동차법 제85조 제1항 제38호에 따라 원고들에게 일정한 법적 효과를 발생하게 하는 것이므로 항고소송의 대상이 되는 처분에 해당한다고 보아야 하고, 단순히 대등한 당사자의 지위에서 형성된 공법상 계약에 근거한 의사표시에 불과한 것으로는 볼 수 없다(대판 2016.11.24. 2016두45028).

「사회기반시설에 대한 민간투자법」상 심사협약
▷ 공법상 계약

이전에 행해지는 우선협상대상자 지정
▷ 행정행위(처분)

민간투자시설사업의 사업시행자 지정
▷ 처분○

지방계약직공무원에 대한 보수삭감
▷ 처분○

❶
즉, 판례는 지방계약직공무원에 대한 보수의 삭감조치를 처분으로 보고 있다.

직권감차명령을 내용으로 하는 합의에 기한 직권감차통보
▷ 처분○

17. 국가직 7급 택시회사들의 자발적 감차와 그에 따른 감차보상금의 지급 및 자발적 감차조치의 불이행에 따른 행정청의 직권 감차명령을 내용으로 하는 택시회사들과 행정청 간의 합의는 대등한 당사자 사이에서 체결한 공법상 계약에 해당하므로 그에 따른 감차 명령은 행정청이 우월한 지위에서 행하는 공권력의 행사로 볼 수 없다. (×) → 해당한다고 볼 수 없으므로 / 있다

산업단지입주계약 해지통보
▷ 처분○

5 한국산업단지공단이 행한 산업단지 입주계약 해지통보는 항고소송의 대상이 되는 행정처분에 해당한다. ★★★

구 산업집적법활성화 및 공장설립에 관한 법률의 규정들에서 알 수 있는 피고의 지위, 입주계약해지의 절차, 그 해지통보에 수반되는 법적 의무 및 그 의무를 불이행한 경우의 형사적 내지 행정적 제재 등을 종합적으로 고려하면, 이 사건 <u>국가산업단지 입주계약해지통보는 단순히 대등한 당사자의 지위에서 형성된 공법상 계약을 계약당사자의 지위에서 종료시키는 의사표시에 불과하다고 볼 것이 아니라 행정청인 관리권자로부터 관리업무를 위탁받은 피고가 우월적 지위에서 원고에게 일정한 법률상 효과를 발생하게 하는 것으로서 항고소송의 대상이 되는 행정처분에 해당한다</u>(대판 2011.6.30. 2010두23859).

20. 국회직 8급 단순히 계약상의 규정에 근거한 것이 아니라 계약상의 규정과 중첩되더라도 법령상의 근거를 가진 행위에 대해서는 공권력성을 인정하여 이를 처분으로 인정하는 경우가 있다. (○)

17. 지방직 7급 구 「산업집적활성화 및 공장설립에 관한 법률」에 따른 산업단지 입주계약의 해지통보는 행정청인 관리권자로부터 관리업무를 위탁받은 한국산업단지공단이 우월적 지위에서 그 상대방에게 일정한 법률상 효과를 발생하게 하는 것으로서 항고소송의 대상이 되는 행정처분에 해당한다. (○)

20. 국회직 9급 「산업집적활성화 및 공장설립에 관한 법률」상의 입주계약의 해지는 행정처분에 해당하지 않는다. (×) → 한다

6 연구개발비 부당집행을 이유로 한 사업 협약의 해지 통보는 행정처분에 해당하나, 징계요구 통보는 행정처분에 해당하지 않는다. ★★★

연구개발비 부당집행을 이유로 한 BK21 사업 협약의 해지 통보
▷ 처분○

[1] 재단법인 한국연구재단이 甲 대학교 총장에게 연구개발비의 부당집행을 이유로 '해양생물유래 고부가식품·향장·한약 기초소재 개발 인력양성사업에 대한 2단계 두뇌한국(BK)21 사업' 협약을 해지를 통보한 것은 단순히 대등 당사자의 지위에서 형성된 공법상계약을 계약당사자의 지위에서 종료시키는 의사표시에 불과한 것이 아니라 행정청이 우월적 지위에서 연구개발비의 회수 및 관련자에 대한 국가연구개발사업 참여제한 등의 법률상 효과를 발생시키는 행정처분에 해당한다.

17. 변호사 재단법인 한국연구재단이 과학기술기본법령에 따라 연구개발비의 회수 및 관련자에 대한 국가연구개발사업 참여제한을 내용으로 하여 '2단계 두뇌한국(BK)21 사업협약'을 해지하는 통보를 하였다면, 그 통보는 행정처분에 해당한다. (○)

21. 국회직 8급 「과학기술기본법」 및 하위 법령상 사업 협약의 해지 통보는 단순히 대등 당사자의 지위에서 형성된 공법상 계약을 계약당사자의 지위에서 종료시키는 의사표시에 불과하다. (×) → 한 것이 아니다

연구개발비 부당집행을 이유로 대학자체 징계요구의 통보
▷ 처분×

[2] 재단법인 한국연구재단이 甲 대학교 총장에게 연구팀장 乙에 대한 대학자체 징계 요구 등을 통보한 것은 재단법인 한국연구재단이 甲 대학교 총장에게 乙에 대한 대학 자체징계를 요구한 것은 법률상 구속력이 없는 권유 또는 사실상의 통지로서 乙의 권리, 의무 등 법률상 지위에 직접적인 법률적 변동을 일으키지 않는 행위에 해당하므로, 항고소송의 대상인 행정처분에 해당하지 않는다(대판 2014.12.11. 2012두28704).

17. 지방직 9급 재단법인 한국연구재단이 甲 대학교 총장에게 연구개발비의 부당집행을 이유로 두뇌한국(BK)21 사업 협약을 해지하고 연구팀장 乙에 대한 대학 자체징계를 요구한 것은 항고소송의 대상인 행정처분에 해당하지 않는다. (○)

7 공기업·준정부기관의 계약상대방에 대한 입찰참가자격 제한 조치가 법령에 근거한 행정처분인지 계약에 근거한 권리행사인지는 원칙적으로 의사표시 해석의 문제이다. ★

공기업·준정부기관이 법령 또는 계약에 근거하여 선택적으로 입찰참가자격 제한 조치를 할 수 있는 경우, 계약상대방에 대한 입찰참가자격 제한 조치가 법령에 근거한 행정처분인지 아니면 계약에 근거한 권리행사인지는 원칙적으로 의사표시의 해석 문제이다. … 공기업·준정부기관이 법령에 근거를 둔 행정처분으로서의 입찰참가자격 제한 조치를 한 것인지 아니면 계약에 근거한 권리행사로서의 입찰참가자격 제한 조치를 한 것인지가 여전히 불분명한 경우에는, 그에 대한 불복방법 선택에 중대한 이해관계를 가지는 그 조치 상대방의 인식가능성 내지 예측가능성을 중요하게 고려하여 규범적으로 이를 확정함이 타당하다(대판 2018.10.25. 2016두33537).

8 계약조건 위반을 이유로 입찰참가자격제한처분을 하기 위해서는 입찰공고와 계약서에 미리 계약조건과 그 계약조건을 위반할 경우 입찰참가자격 제한을 받을 수 있다는 사실을 모두 명시해야 한다. ★

공기업·준정부기관이 입찰을 거쳐 계약을 체결한 상대방에 대해 위 규정들에 따라 계약조건 위반을 이유로 입찰참가자격제한처분을 하기 위해서는 입찰공고와 계약서에 미리 계약조건과 그 계약조건을 위반할 경우 입찰참가자격 제한을 받을 수 있다는 사실을 모두 명시해야 한다. 계약상대방이 입찰공고와 계약서에 기재되어 있는 계약조건을 위반한 경우에도 공기업·준정부기관이 입찰공고와 계약서에 미리 계약조건을 위반할 경우 입찰참가자격이 제한될 수 있음을 명시해 두지 않았다면, 위 규정들을 근거로 입찰참가자격제한처분을 할 수 없다(대판 2021.11.11. 2021두43491).

3. 국가배상소송

공법상 계약에 따른 의무의 불이행으로 생긴 손해에 대한 국가배상청구 및 공법상 계약의 체결 및 집행상의 불법행위로 인한 손해에 대한 국가배상청구는 공법상 당사자소송에 의하도록 하는 것이 이론상 타당하다. 다만, 실무상으로는 이를 민사소송으로 해결하고 있다.

07. 국가직 9급 공법상 계약의 체결·집행상의 불법행위로 인한 손해배상책임은 실무상 민사소송으로 본다. (○)

9 국가를 당사자로 하는 계약에 관한 법률

1. 적용 범위

「국가를 당사자로 하는 계약에 관한 법률」(약칭: 국가계약법)은 국가가 체결하는 모든 계약, 즉 공법상 계약, 사법상 계약을 가리지 않고 모든 계약에 적용되는 법률이다(국가계약법 제2조❶). 따라서 이 법률에 따른 계약은 국가가 당사자인 한, 공법상 계약일 수도 있고 사법상 계약일 수도 있다.

함께 정리하기

공기업·준정부기관의 계약상대방에 대한 입찰참가자격 제한 조치가 법령에 근거한 행정처분인지 계약에 근거한 권리행사인지
▷ 의사표시해석의 문제

계약조건 위반을 이유로 한 입찰참가자격 제한처분
▷ 입찰공고와 계약서에 미리 계약조건과 그 계약조건을 위반할 경우 입찰참가자격 제한을 받을 수 있다는 사실을 모두 명시해야

학설
▷ 당사자소송
판례
▷ 민사소송

「국가를 당사자로 하는 계약에 관한 법률」
▷ 국가가 체결하는 모든 계약에 적용

❶「국가를 당사자로 하는 계약에 관한 법률」 제2조(적용 범위)
이 법은 국제입찰에 따른 정부조달계약과 국가가 대한민국 국민을 계약상대자로 하여 체결하는 계약[세입(歲入)의 원인이 되는 계약을 포함한다] 등 국가를 당사자로 하는 계약에 대하여 적용한다.

지방자치단체를 당사자로 하는 계약
▷ 계약의 성질과 상관없이 「지방자치단체를 당사자로 하는 계약에 관한 법률」 적용

관련판례

지방자치단체를 당사자로 하는 계약은 사법상 계약인지 공법상 계약인지와 상관없이 원칙적으로 지방자치단체를 당사자로 하는 계약에 관한 법률이 적용된다. ★★

지방자치단체를 당사자로 하는 계약에 관한 법률(이하 '지방계약법')은 지방자치단체를 당사자로 하는 계약에 관한 기본적인 사항을 정함으로써 계약업무를 원활하게 수행할 수 있도록 함을 목적으로 하고(제1조), 지방자치단체가 계약상대자와 체결하는 수입 및 지출의 원인이 되는 계약 등에 대하여 적용하며(제2조), 지방자치단체를 당사자로 하는 계약에 관하여는 다른 법률에 특별한 규정이 있는 경우 외에는 이 법에서 정하는 바에 따른다고 규정하고 있다(제4조). 따라서 다른 법률에 특별한 규정이 있는 경우이거나 또는 지방계약법의 개별 규정의 규율내용이 매매, 도급 등과 같은 특정한 유형·내용의 계약을 규율대상으로 하고 있는 경우가 아닌 한, <u>지방자치단체를 당사자로 하는 계약에 관하여는 그 계약의 성질이 공법상 계약인지 사법상 계약인지와 상관없이 원칙적으로 지방계약법의 규율이 적용된다</u>(대판 2020.12.10. 2019다234617).

23. 국회직 8급 지방자치단체를 당사자로 하는 계약에 관하여는 그 계약의 성질이 사법상 계약인지 공법상 계약인지와 상관없이 원칙적으로 「지방자치단체를 당사자로 하는 계약에 관한 법률」의 규율이 적용된다고 보아야 한다. (○)

2. 계약의 원칙

계약의 원칙
▷ 대등한 입장에서 체결
▷ 신의칙 따라 이행

판례에 따르면, 「국가를 당사자로 하는 계약에 관한 법률」에 따라 국가가 당사자가 되는 이른바 "공공계약"은 사법상 계약에 해당하므로(대판 2020.5.14. 2018다298409 ; 대결 2012.9.20. 2012마1097), 서로 대등한 입장에서 당사자의 합의에 따라 체결되어야 하며, 당사자는 계약의 내용을 신의성실의 원칙에 따라 이행하여야 한다(국가계약법 제5조 제1항).

23. 지방직 7급 「국가를 당사자로 하는 계약에 관한 법률」에 따라 국가가 당사자가 되는 이른바 공공계약은 그에 관한 법령에 특별한 정함이 없는 한 사법상 계약에 해당한다. (○)

12. 지방직 9급 「국가를 당사자로 하는 계약에 관한 법률」에 따르면 계약은 상호 대등한 입장에서 당사자의 합의에 따라 체결되어야 하며, 당사자는 계약의 내용을 신의성실의 원칙에 따라 이를 이행하여야 한다. (○)

관련판례

국가를 당사자로 하는 계약이나 공공기관의 운영에 관한 법률의 적용 대상인 공기업이 일방 당사자가 되는 계약(공공계약)은 사법상의 계약에 해당한다. ★★

국가계약·공공기관운영법상 공기업이 일방당사자인 계약
▷ 본질적으로 사법상 계약, 사법원리 적용 (원칙)

<u>국가를 당사자로 하는 계약이나 공공기관의 운영에 관한 법률의 적용 대상인 공기업이 일방 당사자가 되는 계약(공공계약)은 국가 또는 공기업이 사경제의 주체로서 상대방과 대등한 지위에서 체결하는 사법상의 계약으로서 본질적인 내용은 사인 간의 계약과 다를 바가 없으므로</u>, 법령에 특별한 정함이 있는 경우를 제외하고는 서로 대등한 입장에서 <u>당사자의 합의에 따라 계약을 체결하여야 하고 당사자는 계약의 내용을 신의성실의 원칙에 따라 이행하여야 하는 등 사적 자치와 계약자유의 원칙을 비롯한 사법의 원리가 원칙적으로 적용된다</u>(대판 2017.12.21. 2012다74076 전합).

21. 경찰 2차 「국가를 당사자로 하는 계약에 관한 법률」에 따라 국가가 당사자가 되는 이른바 공공계약은 사경제 주체로서 상대방과 대등한 위치에서 체결하는 사법상 계약으로서 본질적인 내용은 사인 간의 계약과 다를 바가 없으므로, 그에 관한 법령에 특별한 정함이 있는 경우를 제외하고는 사적 자치와 계약자유의 원칙 등 사법의 원리가 그대로 적용된다. (○)

21. 소방간부 「공공기관의 운영에 관한 법률」의 적용 대상인 공기업이 일방 당사자가 되는 계약은 공법상 계약에 해당한다. (✕) → 사법상 계약

3. 계약의 방법

각 중앙관서의 장 또는 계약담당공무원은 계약을 체결하고자 하는 경우에는 일반경쟁에 부쳐야 한다(경쟁입찰의 원칙). 다만, 계약의 목적·성질·규모 등을 고려하여 필요하다고 인정될 때에는 대통령령이 정하는 바에 의하여 참가자의 자격을 제한하거나 참가자를 지명하여 경쟁에 부치거나(제한경쟁입찰) 수의계약에 의할 수 있다(국가계약법 제7조 제1항).

11. 국가직 7급 각 중앙관서의 장은 계약을 체결하고자 하는 경우, 계약의 목적·성질·규모 등을 고려하여 필요하다고 인정될 때에는 참가자의 자격을 제한하거나 참가자를 지명하여 경쟁에 부치거나 수의계약에 의할 수 있다. (○)

4. 계약 절차

● 「국가를 당사자로 하는 계약에 관한 법률」에 따른 공공계약의 절차

5. 계약서의 작성 및 계약의 성립

「국가를 당사자로 하는 계약에 관한 법률」 제11조는 국가가 당사자로서 계약을 체결하고자 할 때에는 계약서를 작성하여야 하고 그 경우 담당공무원과 계약당사자가 계약서에 기명날인 또는 서명함으로써 계약이 확정된다고 규정하고 있다.

> **🔍 관련판례**
>
> (구 국가를 당사자로 하는 계약에 관한 법률 제11조 규정 내용과 국가가 일방당사자가 되어 체결하는 계약의 내용을 명확히 하고 국가가 사인과 계약을 체결할 때 적법한 절차에 따를 것을 담보하려는 규정의 취지 등에 비추어 보면) **국가가 사인과 계약을 체결할 때에는 국가계약법령에 따른 계약서를 따로 작성하는 등 요건과 절차를 이행하여야 할 것이고, 설령 국가와 사인 사이에 계약이 체결되었더라도 이러한 법령상 요건과 절차를 거치지 아니한 계약은 효력이 없다**(대판 2015.1.15. 2013다215133). ★★
>
> 19. 서울시 9급 국가가 사인과 계약을 체결할 때에는 「국가를 당사자로 하는 계약에 관한 법률」에 따른 계약서를 따로 작성 하는 등 그 요건과 절차를 이행하여야 한다. (○)
>
> 19. 변호사 국가를 당사자로 하는 계약에 관한 법령에 따라 공단과 甲회사가 계약을 체결할 때 계약서를 작성해야 하는 경우, 해당 법령상의 요건과 절차를 충족하지 아니하면 그 계약은 효력이 없다. (○)

6. 낙찰자 결정기준과 낙찰자결정의 법적 성질

(1) 국가를 당사자로 하는 계약에 관한 법률 및 그 시행령상의 입찰절차나 낙찰자 결정기준에 관한 규정은 국가가 사인과 사이의 계약관계를 공정하고 합리적·효율적으로 처리할 수 있도록 관계 공무원이 지켜야 할 계약사무처리에 관한 필요한 사항을 규정하는 것으로서 국가의 내부규정에 불과하여 대외적 구속력이 없다(대판 2001.12.11. 2001다33604).

(2) 「국가를 당사자로 하는 계약에 관한 법률」 제11조에 따른 낙찰자결정의 법적 성질은 본 계약을 따로 체결해야 하는 편무예약에 해당한다.

함께 정리하기

계약의 방법
▷ 경쟁입찰의 원칙
▷ 단, 계약의 목적·성질·규모 등을 고려하여 필요하다고 인정시 제한경쟁입찰이나 수의계약도 可

계약서의 작성 및 계약의 성립
▷ 계약서 작성 후 계약서에 기명날인 또는 서명함으로써 계약이 확정

국가를 당사자로 하는 계약에 관한 법령상 요건과 절차를 거치지 아니한 계약의 효력
▷ 무효

「국가계약법」상 낙찰자 결정기준의 법적
성질
▷ 행정규칙

한국철도시설공단의 공사낙찰적격심사세
부기준
▷ 행정규칙

❶
대법원은 한국철도시설공단이 甲 주식
회사에 대하여 시설공사 입찰참가 당시
허위 실적증명서를 제출하였다는 이유
로 향후 2년간 공사낙찰적격심사시 종
합취득점수의 10/100을 감점한다는 내
용의 통보를 한 사안에서, 위 통보는 행
정소송의 대상이 되는 행정처분이라고
할 수 없다고 하였다.

국가계약법상 낙찰자 결정의 법적 성질
▷ 계약의 편무예약

🔖 관련판례

1 **국가계약법 및 그 시행령상의 입찰절차나 낙찰자 결정기준에 관한 규정은 국가의 내부규정에 불과하다. ★★**

국가를 당사자로 하는 계약에 관한 법률은 국가가 계약을 체결하는 경우 원칙적으로 경쟁입찰에 의하여야 하고(제7조), 국고의 부담이 되는 경쟁입찰에 있어서 입찰공고 또는 입찰설명서에 명기된 평가기준에 따라 국가에 가장 유리하게 입찰한 자를 낙찰자로 정하도록(제10조 제2항 제2호) 규정하고 있고, 같은 법 시행령에서 당해 입찰자의 이행실적, 기술능력, 재무상태, 과거 계약이행 성실도, 자재 및 인력조달가격의 적정성, 계약질서의 준수정도, 과거공사의 품질정도 및 입찰가격 등을 종합적으로 고려하여 재정경제부장관이 정하는 심사기준에 따라 세부심사기준을 정하여 결정하도록 규정하고 있으나, 이러한 규정은 <u>국가가 사인과의 사이의 계약관계를 공정하고 합리적·효율적으로 처리할 수 있도록 관계 공무원이 지켜야 할 계약사무처리에 관한 필요한 사항을 규정한 것으로, 국가의 내부규정에 불과하다</u> 할 것이다(대판 2001.12.11. 2001다33604).

> **동지** **한국철도시설공단의 공사낙찰적격심사 감점처분의 근거로 내세운 공사낙찰적격심사세부기준은 공공기관의 내부규정에 불과하여 대외적 구속력이 없다. ★★**
>
> 피고(한국철도시설공단)가 2008.12.31. 원고에 대하여 한 공사낙찰적격심사 감점처분(이하 '이 사건 감점조치'라 한다)의 근거로 내세운 규정은 <u>피고의 공사낙찰적격심사세부기준</u>(이하 '이 사건 세부기준'이라 한다) 제4조 제2항인 사실, 이 사건 세부기준은 공공기관의 운영에 관한 법률 제39조 제1항, 제3항, 구 공기업·준정부기관 계약사무규칙 제12조에 근거하고 있으나, 이러한 규정은 공공기관이 사인과 사이의 계약관계를 공정하고 합리적·효율적으로 처리할 수 있도록 관계 공무원이 지켜야 할 계약사무처리에 관한 필요한 사항을 규정한 것으로서 <u>공공기관의 내부규정에 불과하여 대외적 구속력이 없는 것임을 알 수 있다</u>(대판 2014.12.24. 2010두6700).❶

24. 국가직 9급 한국철도시설공단(현 국가철도공단)이 공사낙찰적격심사 감점처분의 근거로 내세운 규정은 공사낙찰적격심사세부기준이고, 이러한 규정은 공공기관이 사인과의 계약관계를 공정하고 합리적·효율적으로 처리할 수 있도록 관계 공무원이 지켜야 할 계약사무처리에 관한 필요한 사항을 규정한 것으로서 공공기관의 내부규정에 불과하여 대외적 구속력이 없다. (○)

2 **낙찰자결정의 법적 성질은 입찰과 낙찰행위가 있은 후 본 계약을 따로 체결한다는 취지로서 계약의 편무예약에 해당한다. ★★**

(구 지방재정법 제63조에 의하여 준용되는 '국가를 당사자로 하는 계약에 관한 법률'에 따라 지방자치단체가 시행한 입찰절차에서 낙찰자로 결정된 자의 지위 및 낙찰자 결정의 법적 성질) 구 지방재정법 제63조가 준용하는 국가를 당사자로 하는 계약에 관한 법률 제11조는 지방자치단체가 당사자로서 계약을 체결하고자 할 때에는 계약서를 작성하여야 하고 그 경우 담당공무원과 계약당사자가 계약서에 기명날인 또는 서명함으로써 계약이 확정된다고 규정함으로써, <u>지방자치단체가 당사자가 되는 계약의 체결은 계약서의 작성을 성립요건으로 하는 요식행위로 정하고 있으므로,</u> 이 경우 낙찰자의 결정으로 바로 계약이 성립된다고 볼 수는 없어 낙찰자는 지방자치단체에 대하여 계약을 체결하여 줄 것을 청구할 수 있는 권리를 갖는 데 그치고, 이러한 점에서 위 법률에 따른 <u>낙찰자 결정의 법적 성질은 입찰과 낙찰행위가 있은 후에 더 나아가 본 계약을 따로 체결한다는 취지로서 계약의 편무예약에 해당한다</u>(대판 2006.6.29. 2005다41603).

11. 국가직 7급 판례에 의하면 낙찰자결정의 법적 성질은 본계약을 따로 체결한다는 취지로서 계약의 편무예약에 해당한다. (○)

제4절 행정상 사실행위

1 의의

사실행위란 일정한 법적 효과의 발생을 직접적 목적으로 하는 행위가 아니라, 일정한 사실상의 결과발생만을 목적으로 하는 행정주체의 일체의 행위를 말한다.

2 행정상 사실행위의 종류

1. 내부적 사실행위와 외부적 사실행위(사실행위가 이루어지는 영역에 따른 구분)

(1) 내부적 사실행위

행정조직 내부에서 행정사무의 처리에 관하여 행하여지는 사실행위를 말한다(예 문서작성, 장부정리, 정책결정을 위한 준비행위 등).

(2) 외부적 사실행위

대외적으로 국민과의 관계에서 행정목적의 실현을 위한 구체적 행정활동과 관련하여 행하여지는 사실행위를 말한다(예 폐기물수거, 행정지도, 공공시설의 설치·관리, 대집행의 실행, 행정상 즉시강제 등). 행정상 사실행위에 있어서 권리구제의 측면에서 중요한 의미를 갖는 것은 외부적 사실행위이며, 통상 행정상 사실행위라고 하면 외부적 사실행위를 의미한다.

23. 지방직 9급 행정상 사실행위의 예로는 폐기물 수거, 행정지도, 대집행의 실행, 행정상 즉시강제 등이 있다. (○)

2. 집행적 사실행위와 독립적 사실행위(사실행위의 독자성에 따른 구분)

(1) 독립적 사실행위

독립적 사실행위란 법령이나 행정행위와는 별개로 독립적으로 행하여지는 사실행위를 말한다(예 행정지도, 행정조사, 관용차 운전, 도로보수공사 등).

07. 국회직 8급 관용차 운전은 집행적 사실행위에 해당한다. (×) → 독립적

(2) 집행적 사실행위

집행적 사실행위란 법령이나 행정행위를 집행하기 위하여 행하여지는 사실행위를 말한다(예 대집행의 실행행위, 국세체납절차에서의 재산압류행위, 전염병환자 강제격리, 무허가 건물의 강제철거 등). 권리보호와 관련해서는 집행적 사실행위가 보다 중요한 의미를 갖는다. 집행적 사실행위는 국민의 권익보호와 관련하여 그 절차가 엄격하여야 한다.

07. 국회직 8급 집행의 실행행위, 국세체납절차에서의 재산압류행위, 전염병환자 강제격리, 무허가 건물의 강제철거는 집행적 사실행위에 해당한다. (○)

함께 정리하기

사실행위
▷ 사실상의 결과실현을 목적으로 하는 행정주체의 일체의 행위

내부적 사실행위
▷ 행정조직 내부에서 이루어지는 사실행위
▷ 예 문서작성, 장부정리, 정책결정을 위한 준비행위 등

외부적 사실행위
▷ 국민이나 주민과의 관계에서 이루어지는 사실행위
▷ 예 폐기물수거, 행정지도, 공공시설의 설치·관리 등

독립적 사실행위
▷ 법령이나 행정행위와는 별개로 독립적으로 행하여지는 사실행위
▷ 예 행정지도, 행정조사, 관용차 운전, 도로보수공사 등

집행적 사실행위
▷ 법령이나 행정행위를 집행하기 위하여 행하여지는 사실행위
▷ 예 대집행의 실행행위, 국세체납절차에서의 재산압류행위 등

권력적 사실행위
▷ 공권력 행사(명령·강제)의 실체를 가지는 사실행위
▷ 대집행의 실행(예 불법건축물의 철거)
▷ 행정상 즉시강제(예 전염병환자의 강제 격리)
▷ 권력적 행정조사(강제조사) 등

3. 권력적 사실행위와 비권력적 사실행위(사실행위의 성질에 따른 구분)

(1) 권력적 사실행위

권력적 사실행위란 행정주체가 우월적 지위를 가지고 하는 사실행위로, 공권력 행사(명령·강제 등)의 실체를 가지는 사실행위를 말한다[예 대집행의 실행(불법건축물의 철거 등), 행정상 즉시강제(전염병환자의 강제격리 등), 권력적 행정조사, 교도소장의 서신검열행위, 접견내용 녹음·녹화 및 접견시 교도관 참여대상자 지정행위 등]. 권력적 사실행위는 공권력의 행사로서 일반적으로 특정한 법령 또는 행정행위를 집행하기 위한 사실행위를 말한다. 위에서 본 집행적 사실행위는 권력적 사실행위에 속한다.

비권력적 사실행위
▷ 공권력 행사의 실체를 갖지 않는 사실행위
▷ 예 행정지도, 폐기물 수거, 여론조사, 관용차 운전 등

(2) 비권력적 사실행위

비권력적 사실행위란 공권력 행사의 실체를 갖지 않는 사실행위를 말한다(예 상담, 안내, 행정지도, 폐기물 수거, 여론조사, 관용차 운전 등).

③ 행정의 법률적합성과의 관계(사실행위의 법적 근거 및 한계)

1. 법률유보의 원칙(법적 근거)

조직법적 근거
▷ 권력적·비권력적 사실행위 모두 要

(1) 조직법적 근거

행정상의 사실행위도 공행정작용인 이상 권한 있는 행정기관에 의해 그 권한 내에서 행해져야 하므로 조직법적 근거는 필요하다.

작용법적 근거
▷ 비권력적 사실행위 不要
▷ 권력적 사실행위 要

(2) 작용법적 근거(행정작용에 대한 법적 근거)

대부분의 비권력적 사실행위는 침익적 성격이 없기 때문에 작용법적 근거가 필요 없다고 보는 것이 일반적이다. 다만, 침익적 성격이 강한 권력적 사실행위는 작용법적 근거가 필요하다는 것이 지배적인 견해이다.

2. 법률우위의 원칙(법적 한계)

법률우위원칙
▷ 권력적·비권력적 사실행위 모두 적용
▷ 헌법·법령·일반원칙 준수 要

(1) 행정상의 사실행위는 행정주체의 행정작용의 하나이므로 그것이 권력적 사실행위이든 비권력적 사실행위이든 관계없이 법률우위의 원칙이 적용된다.

(2) 따라서 헌법이나 법령에 위반하지 않아야 하며, 비례의 원칙·평등의 원칙 등의 행정법의 일반원칙을 준수하여야 한다.

06. 국회직 8급 사실행위는 행정조직법적 근거가 필요하며 비례성의 원칙이 적용된다. (O)

◎ 핵심정리 사실행위의 법적 근거와 한계

구분	법적 근거		법적 한계
	조직법적 근거	작용법적 근거	법률우위원칙
권력적 사실행위	필요	필요	적용
비권력적 사실행위	필요	불필요	적용

4 행정상 사실행위에 대한 권리구제

1. 항고쟁송

(1) 비권력적 사실행위

「행정심판법」 제2조 제1항 제1호 및 「행정소송법」 제2조 제1항 제1호는 처분에 대하여 '행정청이 행하는 구체적 사실에 대한 법집행으로서 공권력의 행사 또는 그 거부와 그 밖에 이에 준하는 행정작용'이라고 정의하고 있는바, 행정청의 단순한 (비권력적)사실행위는 어떠한 법적 효과의 발생을 의도하지 않기 때문에 처분성이 결여되어 항고쟁송의 대상이 되지 않는다(통설, 판례).❶

함께 정리하기

❶
이에 대하여 비권력적 사실행위도 조정적·규제적 행정지도처럼 사실상 강제력을 미치는 경우에는 '그 밖에 이에 준하는 행정작용'으로서 취소소송의 대상이 된다는 견해도 있다.

국민의 법률상 지위에 직접적인 법률적 변동을 일으키지 아니하는 행위
▷ 항고소송의 대상✕

관련판례

1 행정권 내부에서의 행위나 알선, 권유, 사실상의 통지 등과 같이 국민의 법률상 지위에 직접적인 법률적 변동을 일으키지 아니하는 행위는 항고소송의 대상이 될 수 없다. ★★

항고소송의 대상이 되는 행정처분이라 함은 행정청의 공법상 행위로서 특정사항에 대하여 법규에 의한 권리의 설정 또는 의무의 부담을 명하며 기타 법률상 효과를 발생케 하는 등 국민의 구체적 권리의무에 직접적 변동을 초래하는 행위를 말하고 행정권 내부에서의 행위나 알선, 권유, 사실상의 통지 등과 같이 상대방 또는 기타 관계자들의 법률상 지위에 직접적인 법률적 변동을 일으키지 아니하는 행위는 항고소송의 대상이 될 수 없다(대판 1993.10.26. 93누6331).

2 신고납세방식의 조세에 있어서 과세관청의 납세의무자의 신고에 따른 세액수령 ★★

관세법 제38조 제2항은 관세의 원칙적인 부과·징수를 순수한 신고납세방식으로 전환한 것이고, 이와 같은 <u>신고납세방식의 조세에 있어서 과세관청이 납세의무자의 신고에 따라 세액을 수령하는 것은 사실행위에 불과할 뿐 이를 부과처분으로 볼 수는 없다</u>(대판 1997.7.22. 96누8321).

20. 5급 승진 신고납세방식의 조세에 있어서 과세관청이 납세의무자의 신고에 따라 세액을 수령하는 것은 부과처분으로 볼 수 없다. (○)

17. 국가직 7급, 14. 지방직 7급 「관세법」상 신고납세방식의 조세에 있어서 과세관청이 납세의무자의 신고에 따라 세액을 수령하는 것은 사실행위에 불과할 뿐 이를 부과처분으로 볼 수는 없다. (○)

납세의무자의 신고에 따른 세액수령
▷ 처분성✕

3 건설부장관(현 국토교통부장관)이 행한 국립공원지정처분에 따른 경계측량 및 표지의 설치 ★★

건설부장관(현 국토교통부장관)이 행한 국립공원지정처분에 따라 공원관리청이 행한 경계측량 및 표지의 설치 등은 행정처분이 아니다(대판 1992.10.13. 92누2325).

21. 소방직 건설부장관(현 국토교통부장관)이 행한 국립공원지정처분에 따른 경계측량 및 표지의 설치 등은 처분이 아니다. (○)

17. 지방직 9급(추) 구「공원법」에 의해 건설부장관이 행한 국립공원지정처분에 따라 공원관리청이 행한 경계측량 및 표지의 설치는 항고소송의 대상이 되는 처분에 해당하는 사실행위이다. (✕) → 해당하지 않는

건설부장관(현 국토교통부장관)이 행한 국립공원지정처분에 따른 경계측량 및 표지의 설치
▷ 처분성✕

권력적 사실행위
▷ 처분성O, 항고소송 제기 可
▷ 단기간에 종료되는 경우: 행정쟁송✕
(소의 이익✕)
▷ 장기간 계속되는 경우: 행정쟁송O(소의 이익O)

❶
이에 대하여 계속적 성격을 갖는 권력적 사실행위는 수인하명과 사실행위가 결합된 합성행위이므로 이 수인하명이 취소소송의 대상이 된다는 견해도 있다(수인하명설).

❷
각하를 면하고자 하면 권력적 사실행위의 종료 전에 집행정지를 신청하여 집행정지의 결정을 받아 두어야 할 것이다. 하지만 취소소송을 통한 구제는 어려움이 있는 경우가 적지 않으므로, 결국 예방적 금지소송과 가처분을 통하여 행정청이 국민의 신체나 재산에 대하여 침해적인 권력적 사실행위를 하지 못하도록 사전에 예방하는 것이 필요하다.

처분성을 인정한 대법원 판례
▷ 계속적 성질을 갖는 권력적 사실행위로서 단수조치, 교도관 참여대상자 지정·참여 행위, 교도소 재소자의 이송조치 등

단수처분
▷ 처분성O

접견 시 교도관 참여대상자 지정행위
▷ 처분성O

영치품 사용신청 불허행위
▷ 처분성O

(2) 권력적 사실행위

① **처분성**: 권력적 사실행위는 그 자체가 공권력의 행사 또는 그 밖에 이에 준하는 행정작용으로서 행정쟁송법상의 처분에 해당한다.❶

② **권리보호의 필요(소의 이익)**: 그러나 권력적 사실행위의 대부분은 단시간에 집행이 종료되는 경우가 보통이므로 항고쟁송이 제기되더라도 권리보호의 필요(협의의 소의 이익)가 결여되어 각하재결이나 각하판결을 받게 될 가능성이 높아 권리구제에 한계가 있다.❷ 반면에, 계속적 성질을 갖는 권력적 사실행위(예 전염병환자의 강제격리, 물건의 영치, 외국인의 강제송환을 위한 수용 등)는 권리보호의 필요(협의의 소의 이익)가 인정되면 본안판단의 대상이 되어 위법성 여부의 판단이 가능할 것이다.

③ **판례**: 대법원은 계속적 성질을 갖는 권력적 사실행위로 볼 수 있는 단수조치, 수형자에 대한 접견내용 녹음·녹화 및 접견 시 교도관 참여대상자 지정 및 참여 행위, 교도소 재소자의 이송조치 등에 대하여 처분성을 인정하였다.

> ⚖ **관련판례**
>
> **1 단수처분 ★★**
> (종로구청장이 한) 단수처분(수도의 공급거부)은 항고소송의 대상이 되는 행정처분에 해당한다(대판 1979.12.28. 79누218).
> 17. 서울시 9급, 12. 지방직 9급 수도요금체납자에 대한 단수조치는 항고소송의 대상이 되는 행정처분에 해당한다. (○)
> 19. 소방간부 지방자치단체의 장에 의한 수도의 공급거부는 항고소송의 대상이 된다. (○)
>
> **2 수형자에 대한 '접견내용 녹음·녹화 및 접견 시 교도관 참여대상자' 지정행위 ★★★**
> 교도소장이 수형자 甲(특정 수형자)을 '접견내용 녹음·녹화 및 접견 시 교도관 참여대상자'로 지정한 사안에서, 위 지정행위는 수형자의 구체적 권리의무에 직접적 변동을 가져오는 행정청의 공법상 행위로서 항고소송의 대상이 되는 '처분'에 해당한다(대판 2014.2.13. 2013두20899).
> 20. 지방직 9급, 19. 소방직, 18. 국회직 8급 교도소장이 특정 수형자를 '접견내용 녹음·녹화 및 접견 시 교도관 참여대상자'로 지정한 행위는 항고소송의 대상이 된다. (○)
> 20. 군무원 9급, 17. 5급 승진, 16. 국가직 9급 교도소장이 수형자를 '접견내용 녹음·녹화 및 접견 시 교도관 참여대상자'로 지정한 행위는 수형자의 구체적 권리의무에 직접적 변동을 가져오는 행정청의 공법상 행위로서 항고소송의 대상이 되는 '처분'에 해당한다. (○)
>
> **3 교도소장이 영치품인 티셔츠 사용을 재소자에게 불허한 행위 ★★**
> 원고의 긴 팔 티셔츠 2개(앞 단추가 3개 있고 칼라가 달린 것, 이하 '이 사건 영치품'이라 한다)에 대한 사용신청 불허처분(이하 '이 사건 처분'이라 한다) 이후 이루어진 원고의 다른 교도소로의 이송이라는 사정에 의하여 원고의 권리와 이익의 침해 등이 해소되지 아니한 점, 원고의 형기가 만료되기까지는 아직 상당한 기간이 남아 있을 뿐만 아니라, 진주교도소가 전국 교정시설의 결핵 및 정신질환 수형자들을 수용·관리하는 의료교도소인 사정을 감안할 때 원고의 진주교도소로의 재이송 가능성이 소멸하였다고 단정하기 어려운 점 등을 종합하면, 원고로서는 이 사건 처분의 취소를 구할 이익이 있다(대판 2008.2.14. 2007두13203).
> 23. 지방직 9급 교도소장이 영치품인 티셔츠 사용을 재소자에게 불허한 행위는 항고소송의 대상이 되는 행정처분에 해당한다. (○)
> 17. 지방직 9급 수형자의 영치품에 대한 사용신청 불허처분 후 수형자가 다른 교도소로 이송된 경우 원래 교도소로 재이송 가능성이 소멸되었으므로 그 불허처분의 취소를 구할 소의 이익이 없다. (✕) → 소멸되었다고 단정하기 어려우므로 / 있다

4 교도소 재소자의 이송조치 ★

미결수용 중 다른 교도소로 이송된 피고인이 그 이송처분의 취소를 구하는 행정소송을 제기할 수 있다(대결 1992.8.7. 92두30).

2. 헌법소원

(1) 권력적 사실행위

헌법재판소는 "수형자의 서신을 교도소장이 검열하는 행위는 이른바 권력적 사실행위로서 행정심판이나 행정소송의 대상이 되는 행정처분으로 볼 수 있다."고 하여 권력적 사실행위의 처분성을 인정하면서도, 권력적 사실행위가 소의 이익이 없어 법원에 의한 구제를 기대할 수 없을 경우 보충성 원칙에 대한 예외에 해당하여 헌법소원의 대상이 된다고 보고 있다.

🔥 관련판례

1 수형자의 서신을 교도소장이 검열하는 행위 ★★★

수형자의 서신을 교도소장이 검열하는 행위는 이른바 권력적 사실행위로서 행정심판이나 행정소송의 대상이 되는 행정처분으로 볼 수 있으나, 위 검열행위가 이미 완료되어 행정심판이나 행정소송을 제기하더라도 소의 이익이 부정될 수밖에 없으므로 헌법소원심판을 청구하는 외에 다른 효과적인 구제방법이 있다고 보기 어렵기 때문에 보충성의 원칙에 대한 예외에 해당한다(헌재 1998.8.27. 96헌마398).

18. 서울시 7급 헌법재판소는 수형자의 서신을 교도소장이 검열하는 행위는 이른바 권력적 사실행위로서 행정심판이나 행정소송의 대상이 되는 행정처분으로 볼 수 있다고 하여 명시적으로 권력적 사실행위의 처분성을 긍정하였다. (○)

11. 지방직 9급 (교도소장 X는 복역 중인 甲이 변호사에게 보내기 위하여 발송을 의뢰한 서신을 법령상 검열사유에 해당하지 않음에도 불구하고 발송 전에 이를 검열하였다. 이에 甲은 X의 위와 같은 서신검열행위로 말미암아 통신의 비밀이 침해되었다고 주장하며 다투고자 한다) 교도소장 X의 서신검열행위는 강학상 행정행위에 해당한다. (✕) → 권력적 사실행위

2 마약류 수형자에 대한 정기적인 소변채취 ★

[1] 교도소 수형자에게 소변을 받아 제출하게 한 것은, 형을 집행하는 우월적인 지위에서 외부와 격리된 채 형의 집행에 관한 지시, 명령을 복종하여야 할 관계에 있는 자에게 행해진 것으로서 일방적으로 강제하는 측면이 존재하며, 응하지 않을 경우 직접적인 징벌 등의 제재는 없다고 하여도 불리한 처우를 받을 수 있다는 심리적 압박이 존재하리라는 것을 충분이 예상할 수 있는 점에 비추어, 권력적 사실행위로서 헌법재판소법 제68조 제1항의 공권력의 행사에 해당한다.

20. 군무원 9급 교도소 수형자에게 소변을 받아 제출하게 한 것은, 형을 집행하는 우월적인 지위에서 외부와 격리된 채 형의 집행에 관한 지시, 명령을 복종하여야 할 관계에 있는 자에게 행해진 것으로서 권력적 사실행위에 해당한다. (○)

[2] 청구인이 출소하여 소변채취의 침해행위가 종료되었다고 하더라도, 마약류 수형자에 대한 정기적인 소변채취는 현재 및 앞으로 계속하여 반복적으로 행하여질 것이므로, 헌법적으로 그 해명이 중대한 의미를 가지고 있어 심판청구의 이익을 인정할 수 있다(헌재 2006.7.27. 2005헌마277).

23. 지방직 9급 교도소 내 마약류 관련 수형자에 대한 교도소장의 소변강제채취는 권력적 사실행위이나 헌법소원의 대상은 아니다. (✕) → 대상이다

구속된 피의자가 수갑 및 포승을 사용한 상태로 피의자신문을 받도록 한 수갑 및 포승 사용행위
▷ 행정처분○
▷ 보충성원칙의 예외로서 헌법소원대상○

구치소장이 미결수용자로 하여금 수사 및 재판을 받을 때에도 재소자용 의류를 입게 한 행위
▷ 행정처분○
▷ 보충성원칙의 예외로서 헌법소원대상○

비권력적 사실행위
▷ 국민의 기본권에 직접 영향을 미치고 그대로 실시될 것이 명백한 경우에는 헌법소원의 대상

서울대학교의 대학입학고사 주요요강
▷ 행정처분✕
▷ 헌법소원의 대상이 되는 공권력행사○

 ❶
헌법재판소는 인문계열 대학별고사의 제2외국어에 일본어를 제외한 서울대학교 1994년도 대학입시요강이 헌법소원의 대상이 된다고 보았다. 이에 대하여 입시요강을 확약으로 보는 견해, 행정계획으로 보는 견해, 행정규칙, 법령보충적 행정규칙으로 보는 견해 등이 있다.

---

3 **구속된 피의자가 수갑 및 포승을 사용한 상태로 피의자신문을 받도록 한 수갑 및 포승 사용행위 ★**

구속된 피의자가 검사조사실에서 수갑 및 포승을 사용한 상태로 피의자신문을 받도록 한 이사건 수갑 및 포승 사용행위는 이미 종료된 권력적 사실행위로서 행정심판이나 행정소송의 대상으로 인정되기 어려워 헌법소원심판을 청구하는 외에 달리 효과적인 구제방법이 없으므로 보충성의 원칙에 대한 예외에 해당한다(헌재 2005.5.26. 2001헌마728).

15. 사복직 구속된 피의자가 수갑 및 포승을 사용한 상태로 피의자신문을 받도록 한 수갑 및 포승 사용행위는 권력적 사실행위에 해당한다. (○)

4 **구치소장이 미결수용자로 하여금 수사 및 재판을 받을 때에도 재소자용 의류를 입게 한 행위 ★**

미결수용자에 대하여 재소자용 의류를 입게 한 행위는 이미 종료된 권력적 사실행위로서 행정심판이나 행정소송의 대상으로 인정되기 어려울 뿐만 아니라 소의 이익이 부정될 가능성이 많아 헌법소원심판을 청구하는 외에 달리 효과적인 구제방법이 없으므로 보충성의 원칙에 대한 예외에 해당한다(헌재 1999.5.27. 97헌마137 등).

14. 변호사 구치소장이 미결수용자로 하여금 수사 및 재판을 받을 때에도 재소자용 의류를 입게 한 행위는 헌법소원의 대상이 된다. (○)

(2) 비권력적 사실행위

한편, 헌법재판소는 비권력적 사실행위는 행정쟁송의 대상인 처분에 해당하지 않지만, 국민의 기본권에 직접 영향을 미치고 그대로 실시될 것이 명백한 경우에는 헌법소원의 대상이 된다고 한다.

> 🔍 **관련판례**
>
> **서울대학교의 대학입학고사 주요요강은 행정쟁송의 대상인 처분은 아니지만, 헌법소원의 대상인 공권력의 행사에 해당한다.❶ ★★★**
>
> 국립대학인 서울대학교의 "94학년도 대학입학고사주요요강"은 사실상의 준비행위 내지 사전안내로서 행정쟁송의 대상이 될 수 있는 행정처분이나 공권력의 행사는 될 수 없지만 그 내용이 국민의 기본권에 직접 영향을 끼치는 내용이고 앞으로 법령의 뒷받침에 의하여 그대로 실시될 것이 틀림없을 것으로 예상되어 그로 인하여 직접적으로 기본권 침해를 받게 되는 사람에게는 사실상의 규범작용으로 인한 위험성이 이미 현실적으로 발생하였다고 보아야 할 것이므로 이는 헌법소원의 대상이 되는 헌법재판소법 제68조 제1항 소정의 공권력의 행사에 해당된다(헌재 1992.10.1. 92헌마68).
>
> 15. 국회직 8급, 14. 지방직 7급 국립대학의 '대학입학고사 주요요강'을 행정쟁송 대상인 처분으로 보지 않으면서도 헌법소원의 대상이 되는 공권력 행사로 보고 있다. (○)
>
> 15. 국가직 9급 국립대학의 대학입학고사 주요요강은 행정쟁송의 대상인 행정처분에 해당되지만 헌법소원의 대상인 공권력의 행사에는 해당되지 않는다. (✕) → 될 수 없지만 / 된다
>
> 21. 군무원 9급 사실상의 준비행위 또는 사전안내로 볼 수 있는 국립대학의 대학입학고사 주요요강은 공권력 행사이므로 항고소송의 대상이 되는 처분이다. (✕) → 이 아니다

3. 행정상 손해전보와 결과제거청구

(1) 손해배상청구

위법한 사실행위로 손해가 발생한 경우에는 피해자는 국가 또는 지방자치단체에 대하여 「국가배상법」상의 손해배상을 청구할 수 있다(「국가배상법」 제2조 또는 제5조).

(2) 결과제거청구

행정상 사실행위로 위법한 상태가 초래되어 권리가 침해되는 경우에는 행정청의 처분 등을 원인으로 하는 법률관계에 관한 소송으로서 당사자소송에 의해 결과제거청구를 할 수 있다.

(3) 손실보상청구

적법한 권력적 사실행위로 인해 개인의 재산권이 침해되어 특별한 희생이 발생한 경우에는 국가 또는 지방자치단체를 상대로 손실보상을 청구할 수 있다.

함께 정리하기

위법한 사실행위
▷ 국가배상청구 可

위법한 상태가 초래되어 권리침해
▷ 결과제거청구 可(당사자소송)

적법한 사실행위, 특별한 희생
▷ 손실보상청구 可

핵심정리 권력적 사실행위와 비권력적 사실행위의 비교

구분	권력적 사실행위	비권력 사실행위
법률유보	○	작용법상 근거 ×, 조직법상 근거 ○
법률우위	○	○
행정소송의 대상 여부 (처분성)	○	×
헌법소원의 대상 여부	○	×, 예외적 可
손해배상· 손실보상	○	×, 예외적 可
예	• 종로구청장이 한 단수처분(79누218) • 수행자에 대한 '접견내용 녹음·녹화 및 접견 시 교도관 참여대상자' 지정행위(2013두20899) • 교도소 재소자 이송조치(92두30) • 금융기관 임원에 대한 금융감독원장의 문책경고(2003두10312) • 주민등록말소(94누3223) • 경찰관의 신체수색행위 • 수형자의 서신을 교도소장이 검열하는 행위(96헌마398) • 구속된 피의자가 수갑 및 포승을 시용한 상태로 피의자신문을 받도록 한 수갑 및 포승 사용행위(2001헌마728) • 구치소장이 미결수용자로 하여금 수사 및 재판을 받을 때에도 재소자용 의류를 입게 한 행위(97헌마137 등) • 마약류 수형자에 대한 정기적인 소변채취(2005헌마277) • 의류(단추 달린 남방형 티셔츠) 휴대불허행위(2002헌마462).	• 행정청의 알선, 권유, 사실상 통지(93누6331) • 수도사업자의 급수공사 신청자에 대한 급수공사비 납부통지(93누6331) 14. 사복직 급수공사 신청자에 대한 수도사업자의 급수공사비 납부통지는 처분성이 인정되지 않는다. (○) • 신고납세방식의 조세에 있어서 과세관청의 납세의무자의 신고에 따른 세액수령(96누8321) • 추첨방식에 의해 운수사업면허 대상자를 선정하는 경우에 있어서의 추첨행위(92누15987) 15. 사복직 추첨방식에 의해 운수사업면허 대상자를 선정하는 경우에 있어서의 추첨행위는 사실행위에 해당한다. (○) • 건설부장관(현 국토교통부장관)이 행한 국립공원지정처분에 따른 경계측량 및 표지의 설치

- 금융감독원장의 종합금융주식회사의 전 대표이사에 대한 문책 경고(2003두10312)
- 진료비청구명세서에 대한 의료보험연합회의 의료보호진료비심사결과통지(98두15863)
- 지방자치단체의 장이 그 지방자치단체 소유의 밭에 측백나무 300그루를 식재하는 행위(79누173)

  18. 국회직 8급 지방자치단체의 장이 그 지방자치단체 소유의 밭에 측백나무 300그루를 식재하는 행위는 항고소송의 대상이 될 수 없다. (O)

- 상훈대상자를 결정할 권한이 없는 국가보훈처장이 기포상자에게 훈격재심사계획이 없다고 한 회신(88누3116)

  18. 국회직 8급 상훈대상자를 결정할 권한이 없는 국가보훈처장이 기포상자에게 훈격재심사계획이 없다고 한 회신은 항고소송의 대상이 될 수 없다. (O)

- 「농지법」에 의하여 군수가 특정지역의 주민들을 대리경작자로 지정한 행위에 라 그 지역의 읍장과 면장이 영농할 세대를 선정하는 행위(80누308)

  18. 국회직 8급 「농지법」에 의하여 군수가 특정지역의 주민들을 대리경작자로 지정한 행위에 따라 그 지역의 읍장과 면장이 영농할 세대를 선정하는 행위는 사실행위에 불과하다. (O)

- 제1차 철거대집행 계고처분에 응하지 아니한 경우에 발한 제2차 계고처분(94누5144)

  18. 소방직 위법건축물에 대한 철거 대집행계고처분에 불응하여 제2차 계고를 한 경우 제2차 계고는 행정처분이 아니므로 행정쟁송의 대상이 될 수 없다. (O)

- 서울대학교의 대학입학고사 주요요강(92헌마68)
- 공립학교 당국이 미납 공납금을 완납하지 아니할 경우 졸업증의 교부와 증명서를 발급하지 않겠다고 통고한 행위(2001헌마113)

  15. 사복직 공립학교 당국이 미납 공납금을 완납하지 아니할 경우 졸업증의 교부와 증명서를 발급하지 않겠다고 통고한 행위는 사실행위에 해당한다. (O)

제5절 행정지도

「행정절차법」 제2조 【정의】 이 법에서 사용하는 용어의 뜻은 다음과 같다.
  3. "행정지도"란 행정기관이 그 소관 사무의 범위에서 일정한 행정목적을 실현하기 위하여 특정인에게 <u>일정한 행위를 하거나 하지 아니하도록 지도, 권고, 조언 등을 하는 행정작용</u>을 말한다.

제48조 【행정지도의 원칙】 ① 행정지도는 그 목적 달성에 필요한 최소한도에 그쳐야 하며, 행정지도의 상대방의 의사에 반하여 부당하게 강요하여서는 아니 된다.
  ② 행정기관은 행정지도의 상대방이 행정지도에 따르지 아니하였다는 것을 이유로 불이익한 조치를 하여서는 아니 된다.

제49조 【행정지도의 방식】 ① 행정지도를 하는 자는 그 상대방에게 그 행정지도의 취지 및 내용과 신분을 밝혀야 한다.
  ② 행정지도가 말로 이루어지는 경우에 상대방이 제1항의 사항을 적은 서면의 교부를 요구하면 그 행정지도를 하는 자는 직무 수행에 특별한 지장이 없으면 이를 교부하여야 한다.

1 의의

1. 개념

(1) 행정지도란 행정기관이 그 소관 사무의 범위에서 일정한 행정목적을 실현하기 위하여 특정인에게 일정한 행위를 하거나 하지 아니하도록 지도, 권고, 조언 등을 하는 행정작용을 말한다(「행정절차법」 제2조 제3호).

> 21. 소방직 행정지도란 행정기관이 그 소관 사무의 범위에서 일정한 행정목적을 실현하기 위하여 특정인에게 일정한 행위를 하거나 하지 아니하도록 지도, 권고, 조언 등을 하는 행정작용을 말한다. (○)

(2) 행정지도는 일본에서 생성되어 우리나라를 비롯한 독일 등 각국에서 시행되고 있다. 우리 「행정절차법」은 제6장에서 행정지도의 원칙과 방식 및 의견제출에 대하여 별도로 규정하고 있다.

> 04. 국가직 9급 행정지도는 독일의 제도를 일본에서 ~~번역한~~ 개념이다. (×) → × / 만들어진

2. 법적 성질

행정지도는 일정한 법적 효과의 발생을 목적으로 하는 의사표시가 아니라 상대방인 국민의 임의적 협력을 전제로 하는 비권력적 사실행위이다. 따라서 행정지도에 의하여 상대방에게 일정한 행위를 하거나 하지 말아야 할 의무가 부과되는 것은 아니다.

> 12. 서울시 9급, 11. 지방직 9급 행정지도는 국민의 임의적인 협력을 전제로 하는 비권력적 사실행위이다. (○)
>
> 20. 행정사 행정지도는 상대방의 협력을 전제로 ~~법적 효과의 발생을 목적으로 하는 행정청의 의사표시이다.~~ (×) → ×
>
> 11. 지방직 9급 행정지도는 ~~사실상 강제력으로 인하여 권력적 행정활동임이 원칙이다.~~ (×) → 상대방의 임의적 협력을 전제로 하므로 비권력적

행정지도
▷ 행정기관이 그 소관 사무의 범위에서 일정한 행정목적을 실현하기 위하여 특정인에게 일정한 행위를 하거나 하지 아니하도록 지도, 권고, 조언 등을 하는 행정작용

행정지도의 원칙과 방식 등
▷ 「행정절차법」 제6장에서 규정

행정지도
▷ 상대방인 국민의 임의적 협력을 전제로 하는 비권력적 사실행위

도로 폭에 관한 행정지도
▷ 도로지정 ✕

관련판례

행정관청이 건축허가시에 도로의 폭에 대하여 행정지도를 하였다는 점만으로는 건축법 시행령 제64조 제1항 소정의 도로지정이 있었던 것으로 볼 수 없다(대판 1991.12.13. 91누1776). ★

04. 전북 9급 행정관청이 건축허가시에 도로의 폭에 대하여 행정지도를 하였다는 점만으로는 「건축법 시행령」 제64조 제1항 소정의 도로지정이 있었던 것으로 볼 수 없다. (○)

3. 행정지도의 유용성과 문제점

유용성
▷ 탄력적 행정·마찰분쟁 회피·지식 제공 가

(1) 유용성(순기능)

① 행정지도는 기존 제도로 해결할 수 없는 영역에서 탄력적인 행정을 수행 가능하게 하며, 법률공백의 영역에서 법령의 불비를 보완하는 기능을 한다.
② 행정지도는 자발적 협력을 유도함으로써 불필요한 마찰·분쟁을 회피하는 기능을 한다.
③ 행정지도를 통해 상대방에게 최신의 지식, 정보, 기술을 제공해 준다.

문제점
▷ 법치주의를 실질적으로 공동화시킬 우려, 행정의 예측가능성을 훼손, 행정청의 책임회피, 인권침해 권리구제가 불완전 등

(2) 문제점(역기능)

① 행정지도가 법령의 근거 없이 행해지면 법치주의를 실질적으로 공동화시킬 우려가 있고 행정의 예측가능성을 훼손할 수 있다.
② 행정지도는 법적 강제력은 없지만 사실상 강제력을 통해 행정청의 책임회피, 인권침해를 야기할 수도 있다.
③ 행정지도는 항고소송의 대상이 아니되므로 권리구제가 불완전하다.

2 행정지도의 종류

행정지도는 그 기능에 따라 조성적 행정지도, 조정적 행정지도, 규제적 행정지도로 나눌 수 있다.❶

❶
행정지도는 법적 근거에 따라 법령의 직접적 근거에 의한 행정지도(예 「중소기업기본법」 제6조에 의한 중소기업에 대한 경영 및 기술의 지도), 법령의 근거가 없는 행정지도로 나눌 수도 있다. 대부분의 행정지도는 후자에 해당한다.

조성적 행정지도
▷ 일정한 질서의 형성, 국민·기업활동 발전적으로 유도

(1) 조성적 행정지도

행정주체가 행정이 의도하는 목표를 달성하기 위하여 이와 관련된 정보·지식·기술 등을 제공하는 행정지도로서 중소기업에 대한 경영지도, 영농지도, 생활개선지도, 아동의 건강상담 등이 있다.

12. 국가직 9급 영농지도, 중소기업자에 대한 경영지도, 아동의 건강상담, 생활개선지도는 조성적 행정지도에 해당한다. (○)

조정적 행정지도
▷ 이해대립을 조정하기 위한 행정지도

(2) 조정적 행정지도

각종의 이해관계의 대립이나 과당경쟁 등을 조정하기 위하여 행하는 행정지도로서 노사 간 분쟁에 대한 조정, 수출량의 조절 등을 위한 지도, 구조조정을 위한 지도, 중복투자조정을 위한 지도 등이 있다.

(3) 규제적 행정지도

일정한 행위를 예방·억제하기 위한 행정지도로서 자연환경보호를 위한 오물투기 방지의 지도, 환경위생불량업소에 대한 시정권고, 물가억제를 위한 행정지도 등이 있다.

규제적 행정지도
▷ 일정행위 억제

3 행정의 법률적합성과의 관계(행정지도의 법적 근거 및 한계)

1. 법률유보의 원칙(법적 근거)

행정지도는 행정작용의 일종이므로 조직법적 근거는 있어야 한다(즉, 행정지도는 해당 행정기관의 소관사무의 범위 내에서 행해져야 한다). 그러나 행정지도는 그에 따를 것인지 여부가 상대방의 임의적 결정에 달려 있는 것이므로 작용법적 근거가 없어도 된다는 것이 통설적 견해이다(법적 근거 불요설). 그러나 조정적·규제적 행정지도처럼 사실상 강제력이 인정될 수 있는 것은 법적 근거가 필요하다고 보아야 할 것이다.

12. 서울시 9급 행정기관이 행정지도를 함에 있어서 조직법상의 근거는 요구된다. (○)
20. 소방간부 행정지도는 비권력적 사실행위이므로 당해 행정기관이 소관사무의 범위를 벗어난 경우에도 허용된다. (×) → 에는 허용되지 않는다
15. 서울시 9급 행정지도는 성질상 비권력적·임의적 작용이기 때문에 조직법적·작용법적 근거는 필요 없다. (×) → ×
18. 5급 승진 행정지도는 그에 따를 것인지 여부가 상대방의 임의적 결정에 달려 있는 것이므로 반드시 명시적인 법적 근거를 요하는 것은 아니다. (○)
11. 지방직 9급 직접적 규제목적이 없는 행정지도는 법령에 직접 근거규정이 없어도 권한업무의 범위 내에서 행해질 수 있다. (○)
17. 국가직 9급 다수설에 따르면 행정지도에 관해서 개별법에 근거규정이 없는 경우 행정지도의 상대방인 국민에게 미치는 효력을 고려하여 행정지도를 할 수 없다고 본다. (×) → 있다

법적 근거
▷ 조직법적 근거 필요, 작용법적 근거 불요 (통설)

2. 법률우위의 원칙(행정지도의 한계)

행정지도도 행정작용인 이상 법률우위의 원칙이 적용된다. 따라서 헌법이나 법령에 위반하지 않아야 하며 행정법의 일반원칙을 준수하여야 한다.

19. 국가직 9급 행정지도는 작용법적 근거가 필요하지 않으므로, 비례원칙과 평등원칙에 구속되지 않는다. (×) → 않지만 / 구속된다
18. 교행 법규에 근거가 없는 행정지도에 대해서는 행정법의 일반원칙이 적용되지 아니한다. (×) → 적용된다
13. 행정사 행정지도는 법적 행위가 아니라 비권력적 사실행위에 불과하므로 비례원칙이 적용되지 아니한다. (×) → 해당하지만 / 된다

법률우위원칙에 의한 한계
▷ 헌법, 법률을 비롯한 성문법과 행정법의 일반원리를 포함하는 불문법을 위배하여서는 ×

4 행정지도의 원칙과 그 방식

1. 행정지도의 원칙

(1) 비례의 원칙(과잉금지의 원칙)

행정지도는 그 목적 달성에 필요한 최소한도에 그쳐야 한다(「행정절차법」 제48조 제1항 전단).

13. 국가직 9급 「행정절차법」은 행정지도의 원칙으로 비례원칙을 규정하고 있다. (○)
18. 경찰 2차 행정지도는 그 목적 달성에 필요한 최대한도의 조치를 할 수 있으나, 다만 행정지도의 상대방의 의사에 반하여 부당하게 강요하여서는 아니 된다. (×) → 최소한도

행정지도의 원칙
▷ 비례원칙, 임의성원칙, 불이익금지원칙

비례의 원칙 및 임의성의 원칙
▷ 목적 달성에 필요한 최소한도에 그쳐야 하며, 상대방의 의사에 반하여 부당하게 강요하여서는 ×

불이익조치금지 원칙
▷ 행정지도에 따르지 않음을 이유로 불이익조치×

명확성의 원칙과 실명제
▷ 행정지도를 하는 자는 그 상대방에게 그 행정지도의 취지 및 내용과 신분을 밝혀야 함

행정지도의 방식
▷ 문서, 구두 등 다양한 방식으로 가능

서면교부청구권
▷ 말로 이루어지는 경우에 상대방이 취지 및 내용과 신분에 관한 사항을 적은 서면의 교부를 요구하면 그 행정지도를 하는 자는 직무 수행에 특별한 지장이 없으면 이를 교부하여야 함

(2) 임의성(부당강요금지)의 원칙

행정지도의 상대방의 의사에 반하여 부당하게 강요하여서는 아니 된다(「행정절차법」 제48조 제1항 후단).

19. 서울시 9급, 15. 경찰 1차, 14. 경찰 2차, 13. 경찰 2차, 12. 경찰 3차 등 행정지도는 그 목적 달성에 필요한 최소한도에 그쳐야 하며, 행정지도의 상대방의 의사에 반하여 부당하게 강요하여서는 아니 된다. (○)

(3) 불이익조치금지의 원칙

행정기관은 행정지도의 상대방이 행정지도에 따르지 아니하였다는 것을 이유로 불이익한 조치를 하여서는 아니 된다(「행정절차법」 제48조 제2항).

23. 지방직 9급, 21. 군무원 9급, 20. 행정사, 20. 소방직, 14. 경찰 1차 등 행정기관은 상대방이 행정지도에 따르지 아니하였다는 이유로 불이익 조치를 하여서는 아니 된다. (○)

13. 지방직 9급 「행정절차법」에 따르면, 행정기관은 행정지도의 상대방이 행정지도에 따르지 않았다는 것을 이유로 불이익한 조치를 하여서는 아니된다고 규정하고 있다. (○)

15. 서울시 9급 위생지도의 상대방인 일반·휴게·계절음식점 업주가 보건행정담당 공무원의 위생지도에 불응한 경우, 그 사유만으로 당해 업주에게 불이익한 조치를 해서는 아니 된다. (○)

19. 군무원 9급 행정지도를 하는 자는 그 상대방이 행정지도에 따르도록 강제할 수 있으며, 이에 따르지 않을 경우 불이익한 조치를 할 수 있다. (×) → 없으며 / 없다

2. 행정지도의 방식

(1) 명확성의 원칙과 실명제

행정지도를 하는 자는 그 상대방에게 그 행정지도의 취지 및 내용과 신분을 밝혀야 한다(「행정절차법」 제49조 제1항).

20. 행정사, 18. 5급 승진, 16. 지방직 9급, 14. 서울시 9급, 12. 지방직 7급 등 행정지도를 하는 자는 그 상대방에게 그 행정지도의 취지 및 내용과 신분을 밝혀야 한다. (○)

20. 소방직 행정지도를 하는 자는 그 상대방에게 그 행정지도의 취지 및 내용을 밝혀야 하지만 신분은 생략할 수 있다. (×) → 하고 / 을 밝혀야 한다

(2) 서면교부청구권(문서교부요구권)

① 「행정절차법」은 행정지도에 대해 따로 특별한 형식을 규정하고 있지 않으므로 문서, 구두 등 다양한 방식으로 가능하다.

15. 경찰 1차 행정지도는 구술로도 할 수 있다. (○)

17. 교행, 14. 서울시 9급 행정지도는 반드시 문서로 하여야 한다. (×) → 하는 것은 아니다

14. 서울시 9급 우리 「행정절차법」은 행정지도가 서면(문서)의 형식에 의하여 이루어져야 한다고 명문으로 규정하고 있다. (×) → 있지 않다

② 행정지도가 말로 이루어지는 경우에 상대방이 취지 및 내용과 신분에 관한 사항을 적은 서면의 교부를 요구하면 그 행정지도를 하는 자는 직무 수행에 특별한 지장이 없으면 이를 교부하여야 한다(「행정절차법」 제49조 제2항).

16. 서울시 9급 말로 이루어지는 행정지도의 상대방은 서면의 교부를 요구할 수 있다. (○)

21. 소방직, 17. 국가직 9급, 14. 경찰 2차 행정지도가 말로 이루어지는 경우에 상대방이 행정지도의 취지 및 내용, 행정지도를 하는 자의 신분에 관한 사항을 적은 서면의 교부를 요구하면 그 행정지도를 하는 자는 직무 수행에 특별한 사정이 없으면 이를 교부하여야 한다. (○)

20. 경찰 2차 「행정절차법」상 행정지도를 하는 자는 상대방이 서면의 교부를 요구하는 경우 그 행정지도의 내용과 신분을 적으면 되고 취지를 적을 필요는 없다. (×) → 도 적어야 한다

3. 의견제출

행정지도의 상대방은 해당 행정지도의 방식·내용 등에 관하여 행정기관에 의견제출을 할 수 있다(「행정절차법」 제50조).

17. 국회직 8급 「행정절차법」에 따르면 행정지도의 상대방은 해당 행정지도의 내용에 관하여서뿐만 아니라 그 방식에 관하여도 행정기관에 의견을 제출할 수 있다. (○)

20. 소방간부 행정지도는 처분이 아니므로 행정지도의 상대방은 해당 행정지도에 관하여 행정기관에 의견제출을 할 수 없다. (×) → 아니지만 / 있다

17. 국가직 9급 행정지도의 상대방은 행정지도의 내용에 동의하지 않는 경우 이를 따르지 않을 수 있으므로, 행정지도의 내용이나 방식에 대해 의견제출권을 갖자 않는다. (×) → 갖는다

20. 경찰 2차 「행정절차법」상 행정지도는 의견제출과 사전통지절차에 대해 규정하고 있다. (×) → ×

4. 다수인에 대한 행정지도 – 공통사항 공표의무

행정기관이 같은 행정목적을 실현하기 위하여 많은 상대방에게 행정지도를 하려는 경우에는 특별한 사정이 없으면 행정지도에 공통적인 내용이 되는 사항을 공표하여야 한다(「행정절차법」 제51조).

23. 지방직 9급, 19. 군무원 9급, 14. 경찰 2차, 12. 사복직, 10. 서울시 9급 등 행정기관이 같은 행정목적을 실현하기 위하여 많은 상대방에게 행정지도를 하려는 경우에는 특별한 사정이 없으면 행정지도에 공통적인 내용이 되는 사항을 공표하여야 한다. (○)

15. 서울시 9급 (여름철 식중독예방을 위해 A구의 보건행정담당 공무원 甲이 관내 일반·휴게·계절음식점 업주에 대해 위생지도를 실시하고 있다) 이 경우에 甲의 위생지도가 다수인을 대상으로 하는 것이라면 특별한 사정이 없는 한 위생지도에 관한 공통적인 내용과 사항을 공표해야 한다. (○)

5 권리구제

1. 행정쟁송

(1) 행정지도는 상대방의 협력이나 동의를 요구하는 임의적인 행정작용(비권력적 사실행위)에 지나지 않기 때문에 일방적인 공권력 행사로서의 처분성이 인정되지 않는다는 것이 통설의 입장이다.[1]

(2) 그러나 행정지도를 따르지 않았다는 이유로 발령된 행정행위는 새로운 처분이므로 항고소송의 대상이 된다.

12. 변호사 행정지도는 법적 효과를 발생시키는 것이 아니므로 항고소송 등 행정쟁송의 대상이 되지 아니하며, 행정지도를 따르지 않았다는 이유로 발령된 행정행위에 대해서도 항고소송을 제기할 수 없다. (×) → 는 / 있다

(3) 판례는 단전기 및 단전화 요청행위는 권고적 성격의 행위에 불과한 것으로서 전기·전화공급자의 법률상 지위에 직접적인 변동을 가져오는 것이 아니므로 취소소송의 대상이 되는 처분이 아니라고 판시하여 기본적으로 처분성 부정설의 입장이다. 그런데 최근 공공기관의 장 또는 사용자에 대한 국가인권위원회의 성희롱 결정 및 시정조치 권고의 처분성을 인정한 바 있다.

함께 정리하기

의견제출
▷ 행정지도의 상대방은 행정지도의 방식·내용 등 행정기관에 의견제출 可

다수인에 대한 행정지도
▷ 공통적인 내용이 되는 사항 공표의무

행정지도
▷ 처분성×
▷ 항고소송의 대상×(통설, 판례)

❶
이에 대하여 조정적·규제적 행정지도처럼 사실상의 강제력이 인정되는 것은 '그 밖에 이에 준하는 행정작용'으로서 취소소송의 대상이 될 수 있다고 보는 견해도 있다.

행정지도를 따르지 않았다는 이유로 발령된 행정행위
▷ 항고소송의 대상○

위법건축물에 대한 단전 또는 전화통화
단절조치의 요청행위
▷ 처분성×

세무당국의 주류거래 일정기간 중지요청
행위
▷ 처분성×

건물의 자진철거를 요청하는 내용의 공문
▷ 처분성×

국가인권위원회의 성희롱 결정 및 시정조
치권고
▷ 행정처분○

❶
이는 공공기관의 장 또는 사용자에게 일
정한 법률상의 의무를 부담시킨다는 점에
서 그 실질은 사실행위로서 행정지도
가 아니라 작위하명의 성질을 갖는다고
보는 견해도 있다.

⚖ 관련판례

1 전기 · 전화의 공급자에게 위법건축물에 대한 단전 또는 전화통화 단절조치의 요
청행위는 항고소송의 대상이 되는 행정처분이 아니다. ★★

건축법 제79조 제2항 · 제3항의 규정에 비추어 보면, 행정청이 위법 건축물에 대
한 시정명령을 하고 나서 위반자가 이를 이행하지 아니하여 전기 · 전화의 공급자
(한국전력공사 등)에게 그 위법 건축물에 대한 전기 · 전화공급을 하지 말아 줄 것
을 요청한 행위는 권고적 성격의 행위에 불과한 것으로서 전기 · 전화공급자나 특
정인의 법률상 지위에 직접적인 변동을 가져오는 것은 아니므로 이를 항고소송의
대상이 되는 행정처분이라고 볼 수 없다(대판 1996.3.22. 96누433).

23. 지방직 9급, 17. 서울시 9급 행정청이 위법 건축물에 대한 단전 및 전화통화 단절조치를 요
청한 것은 항고소송의 대상이 되는 행정처분이라고 볼 수 없다. (○)

21. 군무원 9급 위법한 건축물에 대한 단전 및 전화통화 단절조치 요청행위는 처분성이 인정되
는 행정지도이다. (×) → 부정

2 세무당국이 주류거래를 일정기간 중지하여 줄 것을 요청한 행위는 항고소송의 대
상이 되는 행정처분이 아니다. ★★

세무당국이 소외 회사(조선맥주회사)에 대하여 원고(주식회사 호정상사)와의 주
류거래를 일정기간 중지하여 줄 것을 요청한 행위는 권고 내지 협조를 요청하는
권고적 성격의 행위로서 소외 회사나 원고의 법률상의 지위에 직접적인 법률상의
변동을 가져오는 행정처분이라고 볼 수 없는 것이므로 항고소송의 대상이 될 수
없다(대판 1980.10.27. 80누395).

19. 국가직 9급 세무당국이 주류제조회사에 대하여 특정 업체와의 주류거래를 일정기간 중지
하여 줄 것을 요청한 행위는 권고적 성격의 행위로서 행정처분이라고 볼 수 없다. (○)

16. 교행 판례에 따르면 세무당국이 주류거래를 일정기간 중지하여 줄 것을 요청한 행위는 항고
소송의 대상이다. (×) → 이 될 수 없다

3 구청장이 도시재개발구역내의 건물소유자에게 건물의 자진철거를 촉구하는 공문
을 발송하는 것은 처분이 아니다. 자진철거를 요구하는 것은 협조를 요청하는 것
에 불과하기 때문이다(대판 1989.9.12. 88누8883). ★

4 국가인권위원회의 성희롱 결정 및 시정조치권고는 항고소송의 대상이 되는 행정
처분에 해당한다. ★★★

구 남녀차별금지및구제에관한법률 제28조에 의하면, 국가인권위원회의 성희롱
결정과 이에 따른 시정조치의 권고는 불가분의 일체로 행하여지는 것인데 국가인
권위원회의 이러한 결정과 시정조치의 권고는 성희롱 행위자로 결정된 자의 인격
권에 영향을 미침과 동시에 공공기관의 장 또는 사용자에게 일정한 법률상의 의
무를 부담시키는 것이므로 국가인권위원회의 성희롱결정 및 시정조치권고는 행
정소송의 대상이 되는 행정처분에 해당한다고 보지 않을 수 없다(대판 2005.7.8.
2005두487).❶

20. 군무원 9급 구 「남녀차별금지 및 구제에 관한 법률」상 국가인권위원회의 성희롱결정과 이
에 따른 시정조치의 권고는 성희롱 행위자로 결정된 자의 인격권에 영향을 미침과 동시에 공공
기관의 장 또는 사용자에게 일정한 법률상의 의무를 부담시키는 것이므로 국가인권위원회의 성
희롱결정 및 시정조치권고는 행정소송의 대상이 되는 행정처분에 해당한다. (○)

19. 서울시 7급 국가인권위원회의 성희롱결정 및 시정조치권고는 「행정소송법」상 처분에 해당
하지 않는다. (×) → 해당한다

2. 헌법소원

(1) 원칙

행정지도는 원칙적으로 헌법소원의 대상인 공권력의 행사에 해당하지 않아 헌법소원의 제기가 불가하다.

(2) 예외

그러나 행정지도가 단순한 행정지도로서의 한계(임의성의 한계)를 넘어 상대방에게 사실상 강제적 효과를 발생하는 경우에는 예외적으로 헌법소원의 대상이 되는 공권력의 행사로 볼 수 있다.

헌법소원
▷ 원칙: 각하
▷ 예외: 임의성의 한계를 넘어 사실상 강제적 효과(일정한 불이익조치 예정)가 있는 경우 헌법소원의 대상이 되는 공권력 행사에 해당

관련판례

1 노동부장관이 공공기관 단체협약내용을 분석하여 불합리한 요소를 개선하라고 요구한 행위는 헌법소원의 대상이 되는 공권력의 행사에 해당한다고 볼 수 없다. ★★

노동부장관이 2009.4. 노동부 산하 7개 공공기관의 단체협약내용을 분석하여 2009.5.1.경 불합리한 요소를 개선하라고 요구한 행위는 이를 따르지 않을 경우의 불이익을 명시적으로 예정하고 있다고 보기 어렵고, 행정지도로서의 한계를 넘어 규제적·구속적 성격을 강하게 갖는다고 할 수 없어 헌법소원의 대상이 되는 공권력의 행사에 해당한다고 볼 수 없다(헌재 2011.12.29. 2009헌마330·344).

17. 지방직 9급 노동부장관이 공공기관 단체협약내용을 분석하여 불합리한 요소를 개선하라고 요구한 행위는 행정지도로서의 한계를 넘어 규제적·구속적 성격을 강하게 갖는다고 할 수 없어 헌법소원의 대상이 되는 공권력의 행사에 해당한다고 볼 수 없다. (○)

2 교육인적자원부장관(현 교육부장관)의 학칙시정요구는 단순한 행정지도의 한계를 넘어 규제적·구속적 성격을 강하게 갖는 것으로서 헌법소원의 대상이 되는 공권력의 행사로 볼 수 있다. ★★★

교육인적자원부장관의 대학총장들에 대한 이 사건 학칙시정요구는 … 그 법적 성격은 대학총장의 임의적인 협력을 통하여 사실상의 효과를 발생시키는 행정지도의 일종이지만, 그에 따르지 않을 경우 일정한 불이익조치를 예정하고 있어 사실상 상대방에게 그에 따를 의무를 부과하는 것과 다를 바 없으므로 단순한 행정지도로서의 한계를 넘어 규제적·구속적 성격을 상당히 강하게 갖는 것으로서 헌법소원의 대상이 되는 공권력의 행사라고 볼 수 있다(헌재 2003.6.26. 2002헌마337 등).

20. 군무원 9급, 12. 국가직 9급 행정지도가 단순한 행정지도로서의 한계를 넘어 규제적·구속적 성격을 상당히 강하게 갖는 것이라면 헌법소원의 대상이 되는 공권력의 행사로 볼 수 있다. (○)

19. 국가직 9급, 18. 소방간부 교육인적자원부장관의 대학총장들에 대한 학칙시정요구는 법령에 따른 것으로 행정지도의 일종이지만, 단순한 행정지도로서의 한계를 넘어 헌법소원의 대상이 되는 공권력의 행사라고 볼 수 있다. (○)

19. 5급 승진, 15. 변호사 교육인적자원부장관(현 교육부장관)의 대학총장들에 대한 학칙시정요구는 그 법적 성격이 대학총장의 임의적인 협력을 통하여 사실상의 효과를 발생시키는 행정지도의 일종이지만, 이에 따르지 아니하는 경우 일정한 불이익조치를 예정하고 있어 사실상 상대방에게 그에 따를 의무를 부과하는 것과 다를 바 없다면, 이는 규제적·구속적 성격을 갖는 것으로서 헌법소원의 대상이 되는 공권력의 행사라 할 것이다. (○)

18. 경찰 2차, 13. 지방직 9급 교육인적자원부장관(현 교육부장관)의 학칙시정요구는 대학총장의 임의적인 협력을 통하여 사실상의 효과를 발생시키는 행정지도의 일종이며, ~~설령 단순한 행정지도로서의 한계를 넘어 규제적·구속적 성격을 갖는다 하더라도 공권력의 행사로 볼 수 없다.~~ (×) → 이지만 / 갖는 경우에는 / 있다

3 재무부장관이 제일은행장에 대하여 한 국제그룹의 해체준비착수지시와 언론발표지시는 단순한 행정지도로서의 한계를 넘어선 권력적 사실행위로서 헌법소원의 대상이 되는 공권력의 행사에 해당한다(헌재 1993.7.29. 89헌마31). ★

노동부장관이 공공기관 단체협약내용을 분석하여 불합리한 요소를 개선하라고 요구한 행위
▷ 헌법소원대상×

교육인적자원부장관의 학칙시정요구
▷ 헌법소원대상○

재무부장관의 국제그룹의 해체준비 착수지시·언론발표지시
▷ 헌법소원대상○

위법한 행정지도로 손해를 입은 경우
▷ 국가배상청구 可

3. 국가배상청구

위법한 행정지도로 손해를 입은 국민은 「국가배상법」 제2조의 요건이 충족되면 국가 등을 상대로 손해배상을 청구할 수 있다는 것이 판례 및 학설의 일반적 견해이다.

> 「국가배상법」 제2조 【배상책임】 ① 국가나 지방자치단체는 공무원 또는 공무를 위탁받은 사인이 직무를 집행하면서 고의 또는 과실로 법령을 위반하여 타인에게 손해를 입히 거나, 「자동차손해배상 보장법」에 따라 손해배상의 책임이 있을 때에는 이 법에 따라 그 손해를 배상하여야 한다.

18. 서울시 7급(추) 위법한 행정지도로 손해가 발생한 경우 국가 등을 상대로 손해배상을 청구할 수 있으나, 이 경우 「국가배상법」 제2조가 정한 배상책임의 요건을 갖추어야 한다. (○)

(1) 행정지도의 「국가배상법」상의 직무행위에의 해당 여부

「국가배상법」이 정한 배상청구의 요건인 '공무원의 직무'에는 권력적 작용만이 아 니라 행정지도와 같은 비권력적 작용도 포함된다.

「국가배상법」상 '공무원의 직무'
▷ 행정지도와 같은 비권력적 작용도 포함

🏃 관련판례

1 국가배상청구의 요건인 '공무원의 직무'에는 권력적 작용만이 아니라 행정지도와 같은 비권력적 작용도 포함된다. ★★★

국가배상법이 정한 배상청구의 요건인 '공무원의 직무'에는 권력적 작용만이 아니라 행정지도와 같은 비권력적 작용도 포함되며, 단지 행정주체가 사경제 주체로서 하는 활동만이 제외된다(대판 2004.4.9. 2002다10691 ; 대판 1998.7.10. 96다38971).

21. 국가직 9급, 17. 사복직 국가배상의 요건인 '공무원의 직무'에는 국가나 지방자치단체의 비 권력적 작용과 사경제 주체로서 하는 작용이 포함된다. (×) → 도 포함되지만 / 은 포함되지 않 는다

17. 국가직 9급 「국가배상법」이 정한 배상청구의 요건인 '공무원의 직무'에는 권력적 작용만이 아니라 행정지도와 같은 비권력적 작용도 포함된다. (○)

20. 행정사 행정지도는 「국가배상법」 제2조의 직무행위에 해당된다. (○)

20. 경찰 2차 「국가배상법」상 직무행위에는 비권력적 사실행위가 포함되지 않으므로 행정지도 는 직무행위에 포함되지 않는다. (×) → 되므로 / 된다

비권력적 작용인 행정지도(공탁)
▷ 공무원의 직무행위

2 국가배상의 '직무행위'에는 행정지도 일환인 부적법한 공탁도 포함된다. ★★

국가배상법이 정한 배상청구의 요건인 '공무원의 직무'에는 권력적 작용만이 아 니라 행정지도와 같은 비권력적 작용도 포함되며 단지 행정주체가 사경제주체로 서 하는 활동만 제외되는 것이고, 기록에 의하여 살펴보면, 피고 및 그 산하의 강 남구청은 이 사건 도시계획사업의 주무관청으로서 그 사업을 적극적으로 대행·지원하여 왔고 이 사건 공탁도 행정지도의 일환으로 직무수행으로서 행하였다고 할 것이므로, 비권력적 작용인 공탁으로 인한 피고의 손해배상책임은 성립할 수 없다는 상고이유의 주장은 이유가 없다(대판 1998.7.10. 96다38971).

16. 지방직 7급 강남구청이 도시계획사업의 주무관청으로서 그 사업을 적극적으로 대행·지원 하는 과정에서 토지소유권 이전에 필요한 일체의 서류를 반대급부로 제공할 것을 조건으로 토지 수용보상금을 공탁한 경우, 이는 행정지도의 일환으로 직무수행으로서 행하였다고 할 것이므로, 비권력적 작용인 공탁으로 인한 손해배상책임이 성립할 수 있다. (○)

(2) 행정지도와 손해의 인과관계

손해배상청구권이 발생하기 위해서는 행정지도(가해행위)와 손해발생 사이에 인과관계가 있어야 한다.

① **원칙**: 행정지도는 상대방의 임의적인 동의나 협력을 전제로 하는 것이므로 행정지도를 따를 것인지 여부는 상대방의 자율적인 판단(임의적인 의사)에 맡겨진다. 그 결과 통상 행정지도는 손해의 직접적인 원인이 된다고 보기 어렵다. 따라서 행정지도로 인하여 손해가 발생하였다고 하더라도 행정지도와 손해발생 사이에 인과관계가 부정되어 원칙적으로 국가배상책임이 성립될 수 없다.

원칙
▷ 인과관계 부정, 배상책임×

⚖ 관련판례

1 **행정지도가 비권력적 작용으로서 그 한계를 일탈하지 않았다면 상대방에게 어떤 손해가 발생하였다 하더라도 행정기관에게 손해배상책임을 인정할 수 없다. ★★★**

행정지도가 강제성을 띠지 않은 비권력적 작용으로서 행정지도의 한계를 일탈하지 아니하였다면, 그로 인하여 상대방에게 어떤 손해가 발생하였다 하더라도 행정기관은 그에 대한 손해배상 책임이 없다(대판 2008.9.25. 2006다18228).

23. 지방직 9급, 21. 소방직, 14. 국가직 7급, 13. 지방직 9급, 10. 국회직 8급 등 행정지도가 강제성을 띠지 않은 비권력적 작용으로서 행정지도의 한계를 일탈하지 아니하였다면, 그로 인하여 상대방에게 어떤 손해가 발생하였다 하더라도 행정기관은 그에 대한 손해배상 책임이 없다. (○)

19. 5급 승진, 14. 경찰 1차 행정지도가 강제성을 띠지 않은 비권력적 작용으로서 행정지도의 한계를 일탈하지 아니하였더라도 그로 인하여 상대방에게 어떤 손해가 발생하였다면 이에 대하여 행정상 손해배상책임이 성립한다. (×) → 아니하였다면 / 발생하였다 하더라도 / 성립하지 않는다

한계를 일탈하지 않은 행정지도로 인한 손해
▷ 행정기관의 손해배상책임×

2 **행정기관의 위법한 행정지도와 그로 인해 일정기간 어업권을 행사하지 못하는 손해를 입은 자가 그 어업권을 타인에게 매도하여 얻은 이득 사이에는 상당인과관계가 없다. ★★**

행정기관의 위법한 행정지도로 일정기간 어업권을 행사하지 못하는 손해를 입은 자가 그 어업권을 타인에게 매도하여 매매대금 상당의 이득을 얻었더라도 그 이득은 손해배상책임의 원인이 되는 행위인 위법한 행정지도와 상당인과관계에 있다고 볼 수 없고, 행정기관이 배상하여야 할 손해는 위법한 행정지도로 피해자가 일정기간 어업권을 행사하지 못한 데 대한 것임에 반해 피해자가 얻은 이득은 어업권 자체의 매각대금이므로 위 이득이 위 손해의 범위에 대응하는 것이라고 볼 수도 없어, 피해자가 얻은 매매대금 상당의 이득을 행정기관이 배상하여야 할 손해액에서 공제할 수 없다(대판 2008.9.25. 2006다18228).

17. 지방직 9급(추) 행정기관의 위법한 행정지도로 일정기간 어업권을 행사하지 못하는 손해를 입은 자가 그 어업권을 타인에게 매도하여 매매대금 상당의 이득을 얻은 경우, 손해배상액의 산정에서 그 이득을 손익상계할 수 있다. (×) → 없다

② **예외**: 그러나 행정지도가 임의성을 벗어나 상대방에게 사실상의 강제력을 갖는 경우, 즉, 국민이 행정지도를 따를 수밖에 없는 불가피한 경우에는 인과관계가 존재한다고 보아 국가배상청구권이 인정될 수 있다.

예외
▷ 상대방에게 사실상의 강제력을 갖는 경우: 인과관계인정, 배상책임○

관련판례

1 정부의 주식매각의 종용이 정당한 법률적 근거 없이 자의적으로 주주들에게 제재를 가하는 것이라면 행정지도의 영역을 벗어난 것이다. ★★

적법한 행정지도로 인정되기 위하여는 우선 그 목적이 적법한 것으로 인정될 수 있어야 할 것이므로, 주식매각의 종용이 정당한 법률적 근거 없이 자의적으로 주주에게 제재를 가하는 것이라면 이 점에서 벌써 행정지도의 영역을 벗어난 것이라고 보아야 할 것이고 만일 이러한 행위도 행정지도에 해당된다고 한다면 이는 행정지도라는 미명하에 법치주의의 원칙을 파괴하는 것이라고 하지 않을 수 없으며, 더구나 그 주주가 주식매각의 종용을 거부한다는 의사를 명백하게 표시하였음에도 불구하고, 집요하게 위협적인 언동을 함으로써 그 매각을 강요하였다면 이는 위법한 강박행위에 해당한다고 하지 않을 수 없다(대판 1994.12.13. 93다49482).

20. 군무원 9급 적법한 행정지도로 인정되기 위해서는 우선 그 목적이 적법한 것으로 인정될 수 있어야 할 것이므로, 행정청이 행한 주식매각의 종용이 정당한 법률적 근거 없이 자의적으로 주주에게 제재를 가하는 것이라면 행정지도의 영역을 벗어난 것이라고 보아야 할 것이다. (○)

2 재무부장관이 금융기관의 부실채권 정리에 관한 행정지도를 함에 있어 중요한 사항에 대하여 사전에 대통령에게 보고·지시를 받는다고 하여 위법하다고 할 수는 없으나, 그 행정지도가 통상의 방법에 의하지 아니하고 사실상 지시하는 방법으로 행하여 진 경우, 그 행정지도는 위헌이다. ★★

재무부장관은 금융기관의 불건전채권 정리에 관한 행정지도를 할 권한과 책임이 있고, 이를 위하여 중요한 사항은 대통령에게 보고하고 지시를 받을 수도 있으므로, 기업의 도산과 같이 국민경제에 심대한 영향을 미치는 중요한 사안에 대하여 재무부장관이 부실채권의 정리에 관하여 금융기관에 대하여 행정지도를 함에 있어 사전에 대통령에게 보고하여 지시를 받는다고 하여 위법하다고 할 수는 없으며, 다만 재무부장관이 대통령의 지시에 따라 정해진 정부의 방침을 행정지도라는 방법으로 금융기관에 전달함에 있어 실제에 있어서는 통상의 행정지도의 방법과는 달리 사실상 지시하는 방법으로 행한 경우에 그것이 헌법상의 법치주의 원리, 시장경제의 원리에 반하게 되는 것일 뿐이다(대판 1999.7.23. 96다21706).

19. 5급 승진 기업의 도산과 같이 국민경제에 심대한 영향을 미치는 중요한 사안에 대하여 재무부장관(현 기획재정부장관)이 부실채권의 정리에 관하여 금융기관을 행정지도함에 있어 사전에 대통령에게 보고하여 지시를 받는다면 이는 위법하다. (×) → 하다고 할 수 없다

10. 국회직 8급 재무부장관이 대통령의 지시에 따라 정해진 정부의 방침을 행정지도라는 방법으로 금융기관에 전달함에 있어 실제에 있어서는 통상의 행정지도의 방법과는 달리 사실상 지시하는 방법으로 행한 경우에는 헌법상의 법치주의원리, 시장경제의 원리에 반한다. (○)

> **비교**
> 재무부의 주거래은행에 대한 행정지도가 위헌이더라도, 주거래은행의 권유로 매각조건에 관한 오랜 협상을 통해 주식 매매계약이 성립된 이상, 재무부의 행정지도가 강박이 될 수 없다(대판 1996.4.26. 94다34432). ★★ ❶
>
> 20. 소방간부 구 재무부(현 기획재정부)의 주거래은행에 대한 행정지도(매각권유의 지시)가 위헌이라면, 주거래 은행의 권유로 매각조건에 관한 오랜 협상을 통해 주식 매매계약이 성립되었다고 하더라도 구 재무부(현 기획재정부)의 행정지도는 강박이 되고 당해 주식 매매계약은 무효이다. (×) → 이더라도 / 되었다면 / 될 수 없고 / 가 아니다

❶
따라서 주식 매매계약은 무효가 아니다

4. 손실보상

손실보상청구권은 일방적인 공행정작용에 의한 재산권침해를 요건으로 하기 때문에, 임의적 협력을 전제로 하는 행정지도가 이러한 요건을 충족시킨다고 보기는 어렵다. 다만, 행정지도가 사실상의 강제로 인하여 특별한 희생이 있고 그 희생이 행정지도와 인과관계가 있는 경우에는 예외적으로 보상이 가능할 것이다.

함께 정리하기

손실보상
▷ 원칙 주可(∵행정지도의 임의성)
▷ 사실상 강제 시 예외적 可

---

6 위법한 행정지도에 따른 행위의 효력 문제

국민이 위법한 행정지도를 믿고 그에 따라 행위를 한 경우, 그 행위의 효력과 위법성 조각 여부가 문제된다.

1. 행정지도의 효력

위법한 행정지도에 따른 행위라 하더라도 그 행위는 당연무효에 해당하지 않는다.

위법한 행정지도에 따른 행위
▷ 당연무효✕

> **관련판례**
>
> **1** 무효인 조례에 근거한 행정지도에 따른 취득세 신고납부행위는 무효가 아니다. ★★
>
> (무효인 조례 규정에 터잡은 행정지도에 따라 취득세를 신고·납부한 경우, 그 신고행위의 하자가 중대하고 명백한 것인지 여부) 무효인 조례 규정에 터잡은 행정지도에 따라 스스로 납세의무자로 믿고 자진신고 납부하였다 하더라도, 신고행위가 없어 부과처분에 의해 조세채무가 확정된 경우에 조세를 납부한 자와의 균형을 고려하건대, 그 신고행위의 하자가 중대하고 명백한 것이라고 단정할 수 없다(대판 1995.11.28. 95다18185).
>
> 10. 국회직 8급 무효인 조례 규정에 터잡은 행정지도에 따라 스스로 납세의무자로 믿고 자진신고 납부하였다 하더라도, 신고행위가 없어 부과처분에 의해 조세채무가 확정된 경우에 조세를 납부한 자와의 균형을 고려하건대, 그 신고행위의 하자가 중대하고 명백한 것이라고 단정할 수 없다. (○)

무효인 조례에 근거한 행정지도에 따라 취득세를 신고·납부한 경우
▷ 당연무효✕

2. 위법성 조각 여부

위법한 행정지도에 따라 행한 사인의 행위는 법령에 명시적으로 정함이 없는 한 위법성이 조각된다고 할 수 없다.❶

18. 서울시 7급(추), 17. 국가직 9급, 11. 지방직 7급 위법한 행정지도에 따라 행한 사인의 행위는 법령에 명시적으로 정함이 없는 한 위법성이 조각된다고 할 수 없다. (○)

23. 지방직 9급 위법한 행정지도에 따라 행한 사인의 행위는 위법성이 조각되어 범법행위가 되지 않는다. (✕) → 조각되지 않아 범법행위가 된다

08. 지방직 9급 판례에 의하면 위법한 행정지도에 따라 행한 사인의 행위는 위법하고 정당화될 수 없다. (○)

위법한 행정지도에 따라 행한 사인의 행위
▷ 위법성 조각✕

❶
상대방은 보통 자신의 임의적인 의사로 행정지도를 따르기 때문이다.

> **관련판례**
>
> **1** 행정관청의 행정지도에 따라 매매가격을 허위신고한 것일지라도 범법행위는 정당화될 수 없다. ★★★
>
> 행정관청이 국토이용관리법 소정의 토지거래계약신고에 관하여 공시된 기준시가를 기준으로 매매가격을 신고하도록 행정지도를 하여 그에 따라 허위신고를 한 것이라 하더라도 이와 같은 행정지도는 법에 어긋나는 것으로서 그와 같은 행정지도나 관행에 따라 허위신고행위에 이르렀다고 하여도 이것만 가지고서는 그 범법행위가 정당화될 수 없다(대판 1994.6.14. 93도3247).

위법한 행정지도나 관행에 따른 허위신고
▷ 범법행위 정당화✕

17. 지방직 9급 행정관청이 구 「국토이용관리법」 소정의 토지거래계약신고에 관하여 공시된 기준시가를 기준으로 매매 가격을 신고하도록 행정지도를 하여 그에 따라 허위신고를 한 것이라 하더라도 이와 같은 행정지도는 법에 어긋나는 것으로서 그 범법행위가 정당화될 수 없다. (O)

20. 군무원 9급 행정관청이 「국토이용관리법」 소정의 토지거래계약신고에 관하여 공시된 기준시가를 기준으로 매매가격을 신고하도록 행정지도를 하여 그에 따라 피고인이 허위신고를 한 것이라면 그 범법행위는 정당화 된다. (×) → 한 것이라 하더라도 / 될 수 없다

2 토지거래계약신고에 관한 행정관청의 위법한 관행에 따라 토지의 매매가격을 허위로 신고한 행위가 사회상규에 위배되지 않는 정당한 행위라고 볼 수 없다. ★★★

행정관청이 토지거래계약신고에 관하여 공시된 기준지가를 기준으로 매매가격을 신고하도록 행정지도하여 왔고 그 기준가격 이상으로 매매가격을 신고한 경우에는 거래신고서를 접수하지 않고 반려하는 것이 관행화되어 있다 하더라도 이는 법에 어긋나는 관행이라 할 것이므로 <u>그와 같은 위법한 관행에 따라 허위신고행위에 이르렀다고 하여 그 범법행위가 사회상규에 위배되지 않는 정당한 행위라고는 볼 수 없다</u>(대판 1992.4.24. 91도1609).

18. 교행 토지매매대금의 허위신고가 위법한 행정지도에 따른 것이라 하더라도 그 범법행위가 정당화되지는 않는다. (O)

14. 경찰 1차 토지거래계약신고에 관한 행정관청의 위법한 관행에 따라 토지의 매매가격을 허위로 신고한 행위라 하더라도 사회상규에 위배되지 않는 정당행위라고 볼 수 없다. (O)

제6절 그 밖의 행정작용

1 비공식적(비정형적) 행정작용

1. 의의

(1) 비공식적 행정작용이란 행정작용의 근거, 요건, 효과, 절차 등이 법에 정해져 있지 않은 행정작용을 총칭하는 개념으로, 공식적 행정작용에 대응하는 개념이다.

(2) 이러한 비공식적 행정작용은 독일법상의 행정작용의 한 유형으로 우리나라 실정법에는 아직 수용되지 않고 학설에 의하여 검토되고 있다.

2. 종류

비공식 행정작용은 행정기관이 일방적으로 행하는 비공식적 행정작용(예 경고, 권고, 정보제공 등)과 행정기관이 국민과 협력해서 행하는 비공식적 행정작용(예 교섭, 합의 (규범대체형 합의·규범집행형 합의), 사전절충, 처분안의 사전제시 등)으로 구분된다.

공식적 행정작용
▷ 행정작용의 근거, 요건, 효과, 절차 등이 법에 정해져 있는 행정작용
비공식적 행정작용
▷ 행정작용의 근거, 요건, 효과, 절차 등이 법에 정해져 있지 않은 행정작용
▷ 비공식적 행정작용에 대한 실정법×
▷ 학설에 의하여 검토
종류
▷ 일방적 비공식적 행정작용
▷ 협력하여 하는 비공식적 행정작용

참고 비공식적 행정작용 구분	
규범대체형 합의	행정청이 법률·법규명령·조례 등의 규범정립을 통해 문제를 해결하는 것이 아니라 합의를 통해 해결하는 경우이다(예 사업자단체가 자유의사에 따라 환경보호조치를 약속하고, 행정청은 잠정적으로 규범정립을 보류하는 경우).
규범집행형 합의	법정조치의 수정 또는 그 대체적 조치 등을 교섭내용으로 하여 행정청과 사인 간에 합의가 이루어지는 경우이다(예 노후시설에 대한 개선조치로 개선명령을 발하는 대신에 행정청과 사인 간에 합의를 통해 문제를 해결하는 경우).
사전절충	인·허가권을 가지는 행정기관과 신청자간에 사전에 행해지는 인·허가의 전망, 그 요건 등에 관한 논의를 말한다.
처분안의 사전제시	행정청이 처분에 앞서 신청인에게 처분안을 송부하는 것이다.
공적 경고	공적 경고의 확립된 개념은 없다. 일반적으로 특정한 공산품이나 농산품의 유해성·유용성과 관련하여 사인에 발해지는 행정청의 설명, 공고, 고시 등을 공적 경고라 부르고 있다(예 생수용기에 유해성물질이 포함되어 있다 등).

3. 법적 근거 및 한계

(1) 법적 근거

비공식적 행정작용은 법률의 근거 없이 행해질 수 있다는 것이 통설이다. 그러나 경고와 같이 행정기관의 일방적 형식에 의하고 그 효과에 있어서 상대방에게 실질적으로 불이익하게 작용되는 경우에는 법적 근거가 필요하다는 견해가 유력하다.

법적 근거
▷ 不要(통설)
▷ 단, 상대방에게 실질적으로 불이익하게 작용되는 경우: 법적 근거 필요

(2) 법적 한계

비공식적 행정작용도 행정작용인 이상 법률우위원칙의 적용을 받으므로 평등의 원칙, 비례의 원칙, 부당결부금지의 원칙 등 행정법의 일반원칙에 의해 구속을 받는다.

98. 국가직 7급 비공식적 행정작용도 행정법의 일반원칙에 의한 구속을 받는다. (○)

법적 한계
▷ 법률우위의 원칙 적용○

4. 허용성

비공식적 행정작용은 법외적 작용이므로 법치국가 원리상 허용되지 않는다는 견해도 있으나, 행정의 행위형식에는 제한이 없으므로 비공식적 행정작용도 원칙적으로 허용된다는 것이 다수설이다.

허용성
▷ 허용○(다수설)

5. 순기능과 역기능

(1) 순기능

① 행정청과 상대방 간의 협상과 절충을 통해 법적 불확실성의 제거와 법적 분쟁의 회피 내지 조기해결을 도모할 수 있다.
② 상대방의 자발적 참여를 유도하여 시간과 비용 등을 절감할 수 있다.
③ 다양한 비공식 수단을 사용함으로써 공식적 행정작용으로 대처하기 곤란한 행정영역에서 탄력적으로 대응할 수 있다.

순기능
▷ 법적 불확실성의 제거와 법적 분쟁의 회피 내지 조기해결을 도모
▷ 시간·비용 절감
▷ 탄력적 대응

역기능
▷ 법치행정의 후퇴를 초래
▷ 이해관계 있는 제3자의 권익 침해가능성

(2) 역기능

① 비공식적 행정작용은 법외적 작용이므로 법치행정의 후퇴를 초래할 수 있다.

② 비공식적 행정작용은 행정기관과 당사자 사이에 물밑협상에 의해 행해지는 것이 많으므로 이해관계가 있는 제3자의 권익을 침해할 수 있다.

> 98. 국가직 7급 비공식적 행정작용은 행정기관과 사인 사이에 행하여지기 때문에 그 사인과 제3자의 지위보장에 적합한 행위형식이다. (×) → 은 아니다

비공식적 행정작용
▷ 원칙: 처분×(비권력적 사실행위)
▷ 예외: 처분○(사실상 강제력)

6. 권리구제

(1) 항고쟁송

① 비공식적 행정작용은 비권력적 사실행위이다. 따라서 처분성이 부정되므로 취소소송을 제기할 수 없다는 것이 일반적이다.

구 서울특별시교육·학예에관한감사규칙 제11조, '서울특별시교육청 감사결과지적사항 및 법률위반공무원처분기준'에 정해진 경고
▷ 행정처분×

> **관련판례**
>
> **1** 법률상 효과를 발생시키지 않는 교육공무원에 대한 불문경고는 처분이 아니다. ★
> 구 서울특별시교육·학예에관한감사규칙 제11조, '서울특별시교육청 감사결과지적사항 및 법률위반공무원처분기준'에 정해진 경고는, 교육공무원의 신분에 영향을 미치는 교육공무원법령상의 징계의 종류에 해당하지 아니하고, 인사기록카드에 등재되지도 않으며, 경고를 받은 원인이 된 비위사실이 인사평정 당시의 참작사유로 고려되는 사실상 또는 간접적인 효과에 불과한 것이어서 교육공무원으로서의 신분에 불이익을 초래하는 법률상의 효과를 발생시키는 것은 아니라 할 것이다. 따라서 위와 같은 경고는, 항고소송의 대상이 되는 행정처분에 해당하지 않는다(대판 2004.4.23. 2003두13687).

금융감독원장이 종합금융주식회사의 전 대표이사에게 문책경고장(상당)을 보낸 행위
▷ 행정처분×

> **2** 금융감독원장이 종합금융주식회사의 전 대표이사에게 문책경고장(상당)을 보낸 행위는 처분이 아니다. ★★
> 금융감독원장이 종합금융주식회사의 전 대표이사에게 재직 중 위법·부당행위 사례를 첨부하여 금융 관련 법규를 위반하고 신용질서를 심히 문란하게 한 사실이 있다는 내용으로 '문책경고장(상당)'을 보낸 행위가 항고소송의 대상이 되는 행정처분에 해당하지 아니한다(대판 2005.2.17. 2003두10312).
>
> 24. 국회직 8급 금융감독원장이 종합금융주식회사의 전 대표이사에게 재직 중 위법·부당행위 사례를 첨부하여 금융 관련 법규를 위반하고 신용질서를 심히 문란하게 한 사실이 있다는 내용으로 '문책경고장(상당)'을 보낸 행위는 항고소송의 대상인 행정처분에 해당하지 않는다. (○)
>
> 19. 5급 승진 금융감독원장이 종합금융주식회사의 전 대표이사에게 재직 중 위법·부당행위 사례를 첨부하여 금융관련 법규를 위반하고 신용질서를 심히 문란하게 한 사실이 있다는 내용으로 '문책경고장(상당)'을 보낸 행위는 행정처분에 해당한다. (×) → 해당하지 않는다

② 그러나 비공식적 행정작용이 사실상 강제력을 갖는 경우(예 경고)에는 항고소송의 대상이 되는 처분으로 볼 수 있다.

구 「표시·광고의 공정화에 관한 법률」위반을 이유로 한 공정거래위원회의 경고의결
▷ 행정처분○

> **관련판례**
>
> **1** 구 표시·광고의 공정화에 관한 법률 위반을 이유로 한 공정거래위원회의 경고의결은 처분이다. ★★
> 구 표시·광고의 공정화에 관한 법률 위반을 이유로 한 공정거래위원회의 경고의결은 당해 표시·광고의 위법을 확인하되 구체적인 조치까지는 명하지 아니하는 것으로 사업자가 장래 다시 표시·광고의 공정화에 관한 법률 위반행위를 할 경우 과징금 부과 여부나 그 정도에 영향을 주는 고려사항이 되어 사업자의 자유와 권리를 제한하는 행정처분에 해당한다(대판 2013.12.26. 2011두4930).

16. 국회직 8급 구「표시·광고의 공정화에 관한 법률」위반을 이유로 한 공정거래위원회의 경고의결은 당해 표시·광고의 위법을 확인하되 구체적인 조치까지는 명하지 않은 것으로 행정처분에 해당하지 않는다. (×) → 해당한다

> **비교** 표시·광고의 공정화에 관한 법률에 위반하여 허위·과장의 광고를 하였다는 이유로 청구인들에 대하여 한 공정거래위원회의 경고는 행정소송의 대상이 된다. ★★
> '표시·광고의 공정화에 관한 법률' 위반을 이유로 한 공정거래위원회의 경고는 준사법기관이라 할 수 있는 공정거래위원회가 '독점규제 및 공정거래에 관한 법률' 제55조의2에 따라 제정된 '공정거래위원회 회의운영 및 사건절차 등에 관한 규칙' 제50조에 의거하여 행한 의결인바, 향후 표시·광고법 위반행위를 하였을 경우에 공정거래위원회로부터 받게 될 과징금 부과에 있어 표시·광고법 제9조 제3항 제2호에 정한 위반행위의 횟수에 참작되는 점, 경고를 받은 경우에는 벌점을 부과받게 되고 이후 과징금의 부과 및 가중사유에 반영됨으로써 경고의 침익적 성격이 분명한 점, 이 사건 경고에 대한 취소청구 소송에서 당해 법원 역시 위 경고를 행정소송의 대상이 되는 처분으로 보고 청구기각판결을 선고한 점 등을 종합하여 볼 때, 이 사건 경고는 청구인들의 권리의무에 직접 영향을 미치는 처분으로서 행정소송의 대상이 된다고 봄이 상당하다(헌재 2012.6.27. 2010헌마508).

2 금융기관 임원에 대한 금융감독원장의 문책경고는 처분이다. ★★★
(구 은행업감독규정은 금융기관 검사 및 제재에 관한 규정에 따라 문책경고를 받은 자로서 문책경고일로부터 3년이 경과하지 아니한 자는 은행장, 상근감사위원, 상임이사, 외국은행지점 대표자가 될 수 없다고 규정하고 있음) 금융기관 임원에 대한 금융감독원장의 문책경고는 그 상대방에 대한 직업선택의 자유를 직접 제한하는 효과를 발생하게 하는 등 상대방의 권리·의무에 직접 영향을 미치는 행위로서 항고소송의 대상이 되는 행정처분에 해당한다(대판 2005.2.17. 2003두14765).

16. 국가직 9급 금융감독원장으로부터 문책경고를 받은 금융기관의 임원이 일정기간 금융업종 임원선임의 자격제한을 받도록 관계법령에 규정되어 있는 경우, 금융기관 임원에 대한 문책경고는 상대방의 권리의무에 직접 영향을 미치는 행위이므로 행정처분에 해당한다. (○)

20. 변호사 금융감독원장으로부터 문책경고를 받은 금융기관의 임원이 일정기간 금융업종 임원선임의 자격제한을 받도록 관계법령에 규정되어 있어도, 그 문책경고는 그 상대방의 권리의무에 직접 영향을 미치는 행위라고 보기 어려우므로 행정처분에 해당하지 않는다. (×) → 있는 경우 / 이므로 / 해당한다

18. 지방직 9급 금융기관 임원에 대한 금융감독원장의 문책경고는 상대방의 권리의무에 직접 영향을 미치지 않으므로 행정소송의 대상이 되는 처분에 해당하지 않는다. (×) → 미치므로 / 해당한다

3 상대방의 권리·의무에 직접 영향을 미치는 불문경고조치는 그 근거가 행정규칙에 있더라도 처분에 해당한다. ★★★
행정규칙에 의한 '불문경고조치'가 비록 법률상의 징계처분은 아니지만 위 처분을 받지 아니하였다면 차후 다른 징계처분이나 경고를 받게 될 경우 징계감경사유로 사용될 수 있었던 표창공적의 사용가능성을 소멸시키는 효과와 1년 동안 인사기록카드에 등재됨으로써 그 동안은 장관표창이나 도지사표창 대상자에서 제외시키는 효과 등이 있다는 이유로 항고소송의 대상이 되는 행정처분에 해당한다고 한 사례(대판 2002.7.26. 2001두3532)

19. 소방직, 13. 지방직 9급, 12. 국가직 9급 판례에 의하면 공무원에 대한 행정규칙에 의거한 불문경고조치는 항고소송의 대상이 되는 행정처분에 해당한다. (○)

11. 국회직 8급 불문경고조치는 법률상 징계처분은 아니지만 항고소송의 대상이 되는 행정처분에 해당된다. (○)

18. 서울시 7급(추) 판례에 의하면, 행정규칙에 의한 불문경고 조치는 차후 징계감경사유로 작용할 수 있는 표창대상자에서 제외되는 등의 인사상 불이익을 줄 수 있다 하여도 이는 간접적 효과에 불과하므로 항고소송의 대상인 행정처분에 해당하지 않는다. (×) → 있으므로, 권리의무에 직접 영향을 미치는 행위로서 / 해당한다

구「표시·광고의 공정화에 관한 법률」위반을 이유로 한 공정거래위원회의 경고
▷ 행정처분○

금융기관 임원에 대한 금융감독원장의 문책경고
▷ 행정처분○

행정규칙(공무원 징계양정 규정)에 근거한 불문경고
▷ 행정처분○

국가배상
▷ 위법·과실·인과관계 등 인정되면 청구 可

행정의 자동화
▷ 행정과정에 컴퓨터 등 전자데이터 처리장치를 투입하여 행정업무를 자동화하여 수행하는 것
▷ 예 교통신호·학교배정·객관식시험 채점·기계적으로 부과되는 납세고지

「행정기본법」
▷ 자동적 처분의 핵심적인 사항 규정○

「행정기본법」상 자동적 처분을 할 수 있는 '완전히 자동화된 시스템'
▷ 인공지능 기술을 적용한 시스템 포함

「행정절차법」에 행정자동결정의 특례
▷ 규정×

(2) 국가배상

위법·과실의 경고·권고·정보제공 등에 의한 손해를 입은 경우에는 국가배상을 청구할 수 있다.

2 행정의 자동화 작용

1. 의의

행정의 자동화(행정의 자동결정)란 행정과정에 컴퓨터 등 전자데이터 처리장치를 투입하여 행정업무를 자동화하여 수행하는 것을 말한다(예 기계적으로 부과되는 납세고지서, 신호등에 의한 교통신호, 컴퓨터를 통한 중·고등학생의 학교배정, 객관식 시험의 채점과 합격자 결정 등).

23. 지방직 9급 자동화된 행정결정의 예로는 컴퓨터를 통한 중·고등학생의 학교배정, 신호등에 의한 교통신호 등이 있다. (○)

16. 사복직 행정의 자동결정의 예로는 신호등에 의한 교통신호, 컴퓨터를 통한 중·고등학생의 학교배정 등을 들 수 있다. (○)

19. 군무원 9급 전산처리를 통한 객관식 시험의 채점과 합격자 결정은 행정의 자동결정의 예이다. (○)

2. 법적 근거

(1) 「행정기본법」

종래에는 행정자동결정에 관하여 일반적으로 규율하는 법률이 존재하지 않았으나, 최근 제정된 「행정기본법」은 자동적 처분의 핵심적인 사항을 규정하고 있다(「행정기본법」 제20조).

> **「행정기본법」 제20조 【자동적 처분】** 행정청은 법률로 정하는 바에 따라 완전히 자동화된 시스템(인공지능 기술을 적용한 시스템을 포함한다)으로 처분을 할 수 있다. 다만, 처분에 재량이 있는 경우는 그러하지 아니하다.
>
> 23. 지방직 9급 「행정기본법」상 자동적 처분을 할 수 있는 '완전히 자동화된 시스템'에는 '인공지능 기술을 적용한 시스템'이 포함되지 않는다. (×) → 포함된다

(2) 「행정절차법」

독일연방행정절차법은 행정자동결정에 대해 일반 행정행위와 달리 행정청의 서명·날인, 이유제시, 청문 등을 생략할 수 있다는 특례를 규정하고 있으나, 우리 「행정절차법」은 이와 같은 행정자동결정에 대한 특례에 관한 명문규정이 없다.

> **참고 독일연방행정절차법의 행정자동결정에 대한 특례**
> ① 행정청의 서명·날인을 생략할 수 있다.
> ② 자동결정의 내용은 문자가 아닌 특별한 부호를 사용하는 것도 허용된다.
> ③ 이유제시의 경우에도 예외가 인정된다. 즉, 자동장치를 사용하여 행정행위를 하는 경우에는 이유제시를 생략할 수 있다.
> ④ 관계인의 의견청취를 생략할 수 있다.

3. 법적 성질

(1) 행정자동화결정은 행정행위로서의 성격을 갖는다고 보는 것이 일반적이다. 따라서 행정자동결정은 외부에 표시되어야 행정행위로서 성립하며 당사자에게 통지되어야 효력이 발생한다.

23. 지방직 9급 「행정기본법」상 자동적 처분은 항고소송의 대상이 된다. (○)

07. 국회직 8급 행정청에 의하여 의도된 이상 자동기계에 의하여 사람이 개입하지 않고도 자동으로 발급되거나 결정되는 행위도 행정행위가 될 수 있다. (○)

16. 사복직 행정의 자동결정은 컴퓨터를 통하여 이루어지는 자동적 결정이기 때문에 행정행위의 개념적 요소를 구비하는 경우에도 행정행위로서의 성격을 인정하는 데 어려움이 있다. (✕) → 갖는다

(2) 다만, 행정의 자동결정의 기준이 되는 프로그램의 법적 성질은 명령(행정규칙을 포함)이라는 견해가 유력하다.

4. 행정자동결정의 대상

(1) 기속행위의 경우에는 행정청의 재량이 인정되지 않으므로 행정의 자동결정이 가능하다는 점에서 견해가 일치한다. 그러나 재량행위에는 행정청의 재량결정을 통해 행정행위가 이루어지므로 재량행위의 경우에는 행정의 자동결정이 원칙적으로 불가능하다.

(2) 「행정기본법」도 기속행위의 경우에는 자동적 처분이 허용되나, 재량행위의 경우에는 자동적 처분을 할 수 없다고 규정하고 있다(「행정기본법」 제20조 단서).

23. 지방직 9급 「행정기본법」은 재량행위에 대해서 자동적 처분을 허용하지 않고 있다. (○)

21. 지방직 7급 행정청은 처분에 재량이 있는 경우 법령이나 행정규칙이 정하는 바에 따라 완전히 자동화된 시스템으로 처분할 수 있다. (✕) → 없다

5. 행정자동결정의 하자와 권리구제

(1) 행정자동결정은 행정행위이므로 행정행위의 하자에 관한 이론이 적용된다. 또한 행정의 법률적합성과 행정법의 일반원칙에 의한 법적 한계를 준수하여야 한다.

16. 사복직 행정의 자동결정도 행정작용의 하나이므로 행정의 법률적합성과 행정법의 일반원칙에 의한 법적 한계를 준수하여야 한다. (○)

(2) 위법한 행정자동결정에 대해서는 행정쟁송을 제기할 수 있고, 그로 인해 손해를 입은 자는 「국가배상법」 제2조, 제5조를 근거로 국가배상청구소송을 제기할 수 있다.

19. 군무원 9급 교통신호의 고장으로 사고가 발생하여 손해가 발생한 경우 「국가배상법」에 따른 국가배상청구가 가능하다. (○)

법적 성질
▷ 행정자동화결정: 행정행위(처분)
▷ 프로그램: 명령 또는 행정규칙

행정자동결정의 대상
▷ 기속행위: ○
▷ 재량행위: ✕(「행정기본법」에 규정○)

행정자동결정
▷ 행정행위의 하자이론 적용
▷ 법적 한계 준수 要

위법한 자동결정
▷ 행정쟁송·국가배상청구 可

제3편

행정절차와 행정정보

함께 정리하기

1 행정절차의 의의

1. 광의의 행정절차

광의의 행정절차
▷ 행정청이 행정작용을 함에 있어서 거치는 모든 절차, 사전절차뿐만 아니라 사후절차까지 포함

넓은 의미의 행정절차는 행정청이 행정작용을 함에 있어서 거치는 모든 절차를 의미하며, 입법작용에 있어서의 입법절차, 사법작용에 있어서의 사법절차에 대응되는 개념이다. 여기에는 행정입법절차, 행정처분절차, 행정계획확정절차, 행정계약절차, 행정지도절차 등의 사전절차뿐만 아니라, 행정심판절차 및 행정상 의무이행확보절차 등 사후절차까지 포함된다.

2. 협의의 행정절차

협의의 행정절차
▷ 행정청이 행정작용을 할 때 대외적으로 거쳐야 하는 사전절차

좁은 의미의 행정절차는 행정청이 행정작용을 할 때 대외적으로 거쳐야 하는 사전절차를 의미한다. 일반적으로 행정절차라 말할 때에는 협의의 행정절차만을 의미한다. 여기에는 광의의 행정절차 중에서 사전절차인 행정입법절차, 행정처분절차, 행정계획확정절차, 행정계약절차 등이 포함된다. 우리 「행정절차법」은 행정처분절차, 신고절차, 확약, 위반사실의 공표, 행정계획, 행정상 입법예고절차, 행정예고절차, 행정지도절차를 규정하고 있다.

우리 「행정절차법」
▷ 행정처분절차, 신고, 확약, 위반사실 등 공표, 행정계획, 행정입법예고절차, 행정예고절차, 행정지도절차 규정

3. 기능

행정절차의 기능
▷ 행정의 민주화 · 능률화 · 적정화 · 실질적 법치주의 보장 · 사법기능 보완에 기여, 사전적 권리구제 수단

행정절차는 행정의 민주화 · 능률화, 행정작용의 적정화, 실질적 법치주의 보장, 사법기능 보완에 기여하며, 이를 통하여 개인의 권리침해를 사전에 방지하는 사전적 권리구제의 기능도 수행한다.

13. 서울시 7급 행정절차는 행정의 민주화, 행정의 능률화, 사후적 행정구제 등의 기능을 수행한다. (×) → 사전적

2 행정절차의 법적 근거

1. 헌법적 근거 – 적법절차의 원칙

(1) 적법절차의 원칙이란 국가권력이 개인의 권익을 제한하는 경우에는 개인의 권익을 보호하기 위한 적정한 절차를 거쳐야 한다는 원칙을 말한다.

(2) 우리 헌법 제12조는 형사절차에서의 적법절차를 규정하고 있어 행정절차의 헌법적 근거에 대해서는 논란의 여지가 있으나, 헌법상의 적법절차의 원칙은 모든 국가작용을 지배하는 독자적인 헌법의 기본원리로서 해석되어야 할 원칙이므로 형사절차상의 영역에 한정되지 않고, 입법, 행정 등 국가의 모든 공권력 작용에 적용된다는 것이 대다수의 학자 및 헌법재판소의 입장이다.

> **헌법 제12조** ① 모든 국민은 신체의 자유를 가진다. 누구든지 법률에 의하지 아니하고는 체포·구속·압수·수색 또는 심문을 받지 아니하며, 법률과 적법한 절차에 의하지 아니하고는 처벌·보안처분 또는 강제노역을 받지 아니한다.
> ③ 체포·구속·압수 또는 수색을 할 때에는 적법한 절차에 따라 검사의 신청에 의하여 법관이 발부한 영장을 제시하여야 한다. 다만, 현행범인 경우와 장기 3년 이상의 형에 해당하는 죄를 범하고 도피 또는 증거인멸의 염려가 있을 때에는 사후에 영장을 청구할 수 있다.

(3) 따라서 이와 같이 헌법적 효력을 가지는 적법절차는 행정절차에도 적용되므로 만약 적법한 행정절차 규정이 없거나 절차규정이 적법절차의 원칙에 반하는 경우에는 적법절차의 원칙이 직접 적용되어 적법절차에 따르지 않은 행정처분은 절차상 위법하게 된다.

20. 국회직 8급 행정에서 적법절차원리의 헌법적 근거는 형사절차에서의 적법절차를 규정한 헌법 제12조 제3항에 있다. (○)

14. 사복직 헌법 제12조 제1항과 제3항은 형사사건의 적법절차에 관한 규정이므로 행정절차에는 적용되지 않는다. (×) → 이지만 / 에도 / 된다

헌법적 근거
▷ 헌법 제12조(적법절차원칙)

🔍 관련판례

1 **적법절차원칙은 국가의 모든 공권력 작용에 적용된다.** ★★

현행 헌법이 명문화하고 있는 적법절차의 원칙은 단순히 입법권의 유보제한이라는 한정적인 의미에 그치는 것이 아니라 모든 국가작용을 지배하는 독자적인 헌법의 기본원리로서 해석되어야 할 원칙이라는 점에서 … 적법절차의 원칙은 헌법 조항에 규정된 형사절차상의 제한된 범위 내에서만 적용되는 것이 아니라 국가작용으로서 기본권 제한과 관련되든 관련되지 않든 모든 입법작용 및 행정작용에도 광범위하게 적용된다고 해석하여야 할 것이다(헌재 1992.12.24. 92헌가8).

적법절차원칙
▷ 국가의 모든 공권력 작용에 적용

2 **헌법상 적법절차원칙은 행정작용에서도 준수되어야 한다. 이는 과세처분에 대해서도 마찬가지이기에 개별 세법에 납세고지에 관한 별도의 규정이 없어도 납세고지의 요건을 갖추어야 한다. 따라서 하나의 납세고지서에 의해 복수의 과세처분을 하는 경우, 각 과세처분의 내용을 알 수 있도록 구분하여 기재하는 것이 적법절차원칙상 당연하다.** ★★

[1] 헌법상 적법절차의 원칙은 형사소송절차뿐만 아니라 국민에게 부담을 주는 행정작용에서도 준수되어야 하므로, 그 기본 정신은 과세처분에 대해서도 그대로 관철되어야 한다.

[2] 판례는 부가가치세법과 같이 개별 세법에서 납세고지에 관한 별도의 규정을 두지 않은 경우라 하더라도 해당 본세의 납세고지서에 국세징수법 제9조 제1항이 규정한 것과 같은 세액의 산출근거 등이 기재되어 있지 않다면 그 과세처분은 적법하지 않다고 한다. 말하자면 개별 세법에 납세고지에 관한 별도의 규정이 없더라도 국세징수법이 정한 것과 같은 납세고지의 요건을 갖추지 않으면 안 된다는 것이고, 이는 적법절차의 원칙이 과세처분에도 적용됨에 따른 당연한 귀결이다.

헌법상 적법절차원칙
▷ 행정작용에서도 준수 要

개별 세법에 납세고지에 관한 별도 규정 없는 경우
▷ 「국세징수법」상 납세고지 요건 구비해야 함

13. 국회직 8급 개별 세법에 납세고지에 관한 별도의 규정이 없더라도 「국세징수법」이 정한 것과 같은 납세고지의 요건을 갖추어야 한다는 것은 적법절차의 원칙이 과세처분에도 적용됨에 따른 당연한 귀결이다. (○)

[3] 같은 맥락에서, <u>하나의 납세고지서에 의하여 복수의 과세처분을 함께 하는 경우에는 과세처분별로 그 세액과 산출근거 등을 구분하여 기재함으로써 납세의무자가 각 과세처분의 내용을 알 수 있도록 해야 하는 것</u> 역시 당연하다고 할 것이다(대판 2012.10.18. 2010두12347).

18. 지방직 7급, 18. 소방간부, 16. 지방직 9급 하나의 납세고지서에 의하여 복수의 과세처분을 함께 하는 경우에는 과세처분별로 그 세액과 산출근거 등을 구분하여 기재함으로써 납세의무자가 각 과세처분의 내용을 알 수 있도록 해야 한다. (○)

2. 법률적 근거

(1) 「행정절차법」과 개별법

행정절차에 관한 일반법으로는 「행정절차법(1996.12.31. 제정, 이하 '동법'이라 함)」이 존재한다. 「행정절차법」 이외에도 여러 개별법률(예 「국가공무원법」, 「식품위생법」 등)에서도 다양한 행정절차에 관한 규정을 두고 있다. 이들은 「행정절차법」과의 관계에서 특별법적 지위를 갖는다. 따라서 개별법률에 행정절차에 관한 규정을 둔 경우에는 개별법률의 절차규정이 우선 적용된다.

> **⚖ 관련판례**
>
> **행정절차에 관하여 다른 법률에 특별한 규정이 있는 경우 다른 법률이 우선 적용된다.** ★★
> 행정절차법 제3조 제1항은 "행정절차에 관하여 다른 법률에 특별한 규정이 있는 경우를 제외하고는 이 법에서 정하는 바에 따른다."고 규정하고 있는바, 이는 행정절차법이 행정절차에 관한 일반법임을 밝힘과 아울러, 매우 다양한 형식으로 행하여지는 행정작용에 대하여 일률적으로 행정절차법을 적용하는 것이 적절하지 아니함을 고려하여, 다른 법률이 행정절차에 관한 특별한 규정을 적극적으로 두고 있는 경우이거나 다른 법률이 명시적으로 행정절차법의 규정을 적용하지 아니한다고 소극적으로 규정하고 있는 경우에는 행정절차법의 적용을 배제하고 다른 법률의 규정을 적용한다는 뜻을 밝히고 있는 것이다(대판 2002.2.5. 2001두7138).
>
> 22. 행정사 행정절차에 관하여 다른 법률에 특별한 규정이 있는 경우에도 「행정절차법」이 우선한다. (×) → 다른 법률
>
> 21. 서울시 7급 행정절차에 관하여는 「행정절차법」와 다른 법률 규정에 우선하여 적용된다. (×) → 보다 / 이

(2) 기타 관계법령

그 밖에도 행정절차와 직간접적으로 관련된 법령으로는 민원처리에 관한 일반법인 「민원처리에 관한 법률」 및 「행정규제기본법」, 「행정효율과 협업 촉진에 관한 규정」 등이 있다.

제2절 행정절차법 내용

1 「행정절차법」의 구성

(1) 현행 「행정절차법」은 제1장 총칙, 제2장 처분, 제3장 신고, 확약 및 위반사실 등의 공표 등, 제4장 행정상 입법예고, 제5장 행정예고, 제6장 행정지도, 제7장 국민참여의 확대, 제8장 보칙으로 총 8장 56조로 구성되어 있다. 특히, '제2장 처분에 관한 규정'이 거의 절반을 차지하고 있어서 처분절차가 중심적인 내용이 되고 있다.

침익적 처분절차로는 사전통지, 의견청취절차(의견진술절차)를 규정하고 있고, 수익적 처분절차로 처분의 신청, 처분의 처리기간 등에 관하여 일반적인 규정을 두고 있다. 처분일반(수익적 처분과 침익적 처분의 공통절차)에 관하여는 처분기준의 설정·공표, 처분이유의 제시, 처분의 방식(문서주의), 처분의 정정 및 불복의 고지 등에 관한 규정이 있다.

(2) 현행 「행정절차법」은 행정조사, 공법상 계약, 재심제도, 행정강제, 행정행위의 하자치유와 절차 하자의 효과 등에 대해서는 규정하지 않고 있다.

22. 행정사 「행정절차법」에는 행정지도에 관한 규정을 두고 있지 않다. (×) → 있다
14. 행정사, 13. 지방직 9급 「행정절차법」은 행정계약에 관한 규정을 두고 있지 않다. (○)
13. 국회직 8급 「행정절차법」에는 행정계획의 확정절차, 행정조사절차에 관한 규정이 없다. (○)

2 「행정절차법」의 특징

(1) 「행정절차법」은 대부분 절차에 관한 규정을 두고 있고, 그 규율대상을 사전절차에 한정하고 있다. 그런데 아주 예외적으로나마 실체적 규정(신의성실 및 신뢰보호의 원칙 등)을 함께 규정하고 있다.

18. 경찰 2차 「행정절차법」은 절차적 규정뿐만 아니라 신뢰보호원칙과 같이 실체적 규정을 포함하고 있다. (○)

(2) 행정계획의 경우는 행정예고의 대상이 되는바, 행정계획이 입법의 형식을 띠는 경우에는 행정상 입법예고로 갈음할 수 있고 행정처분의 성질을 띠는 경우에는 처분절차가 적용된다.

(3) 「행정절차법」은 공법상 행정작용에 관한 일반법으로, 사법작용과는 무관하다.

20. 지방직 9급 「행정절차법」은 공법관계는 물론 사법관계에 대해서도 적용된다. (×) → 에 대해서만

3 「행정절차법」 총칙

1. 입법 목적

「행정절차법」은 행정절차에 관한 공통적인 사항을 규정하여 국민의 행정참여를 도모함으로써 행정의 공정성·투명성 및 신뢰성을 확보하고 국민의 권익을 보호함을 목적으로 한다(동법 제1조).

「행정절차법」의 구성
▷ 총칙, 처분, 신고, 확약 및 위반사실 등의 공표 등, 행정상 입법예고, 행정예고, 행정지도, 국민참여의 확대, 보칙
▷ 「행정절차법」 적용○: 처분, 신고, 확약, 위반사실 등의 공표, 행정계획, 행정상 입법예고, 행정예고, 행정지도
▷ 「행정절차법」 적용×: 행정조사, 공법상 계약, 재심, 행정강제, 행정행위의 하자치유, 행정절차 하자의 효과

처분절차 중심
▷ 침익적 처분: 사전통지, 의견청취절차(의견진술절차)
▷ 수익적 처분: 처분의 신청, 처분의 처리기간 등
▷ 처분일반(수익적 처분·침익적 처분 공통절차): 처분기준의 설정·공표, 처분이유의 제시, 처분의 방식(문서주의), 처분의 정정 및 불복의 고지 등

「행정절차법」의 특징
▷ 대부분 절차규정(사전절차에 한정)
▷ 아주 예외적으로 실체규정 有(신의성실·신뢰보호의 원칙 등)
▷ 행정계획: 행정예고 대상(행정계획 입법의 형식: 행정상 입법예고절차, 처분의 성질: 처분절차 적용)
▷ 공법상 행정작용에 관한 일반법(사법작용과는 무관)

목적
▷ 행정의 공정성·투명성 및 신뢰성을 확보, 국민의 권익을 보호

2. 용어의 정의

「행정절차법」 제2조는 행정청, 처분, 행정지도, 당사자 등, 청문, 공청회, 의견제출, 전자문서 및 정보통신망 등에 관한 정의를 내리고 있다. 여기에서 정의하는 행정청과 처분의 개념은 다음과 같다.

(1) 행정청

「행정절차법」상 행정청
▷ 국가기관
▷ 지방자치단체기관
▷ 공공단체(또는 그 기관), 공무수탁사인

행정청이란 행정에 관한 의사를 결정하여 표시하는 국가 또는 지방자치단체의 기관 및 그 밖에 법령 또는 자치법규에 따라 행정권한을 가지고 있거나 위임 또는 위탁받은 공공단체 또는 그 기관이나 사인을 말한다(동법 제2조 제1호).

(2) 처분

「행정절차법」상 처분의 개념
▷ 「행정기본법」, 「행정심판법」 및 「행정소송법」상 처분의 개념

① 처분이란 행정청이 행하는 구체적 사실에 관한 법 집행으로서의 공권력의 행사 또는 그 거부와 그 밖에 이에 준하는 행정작용을 말한다(동법 제2조 제2호).

② 이는 「행정기본법」, 「행정심판법」 및 「행정소송법」의 처분 개념과 동일하다. 따라서 행정계획, 행정조사도 처분에 해당한다면 「행정절차법」상의 처분절차에 관한 규정이 적용된다.

17. 서울시 7급 「행정절차법」은 「행정심판법」, 「행정소송법」과 마찬가지로 처분의 개념을 정의하고 있고, 그 내용도 동일하다. (○)

16. 사복직 「행정절차법」은 행정조사에 관한 명문의 규정을 두고 있지 않으므로 행정조사가 처분에 해당하는 경우에도 「행정절차법」상의 처분절차에 관한 규정이 적용되지 않는다. (×) → 않지만 / 에는 된다

3. 적용범위

(1) 행정절차에 관한 일반법

적용범위
▷ 처분, 신고, 확약, 위반사실 등의 공표, 행정계획, 행정상 입법예고, 행정예고, 행정지도

「행정절차법」은 처분, 신고, 확약, 위반사실 등의 공표, 행정계획, 행정상 입법예고, 행정예고 및 행정지도의 절차에 관하여 다른 법률에 특별한 규정이 있는 경우를 제외하고는 이 법에 정하는 바에 따르도록 함으로써(동법 제3조 제1항), 이 법이 행정절차에 관한 일반법임을 명확히 하고 있다.

13. 국회직 8급 적법절차의 원칙은 헌법의 기본원리이고 「행정절차법」은 행정절차에 관한 일반법적 성격을 가지기는 하지만 「행정절차법」이 모든 행정작용에 적용되는 것은 아니다. (○)

20. 소방간부 변형 「행정절차법」의 적용범위는 처분, 신고, 확약, 위반사실 등의 공표, 행정계획, 행정상 입법예고, 행정예고 및 행정지도의 절차에 대한 것이다. (○)

14. 국가직 7급 변형 처분, 신고, 확약, 위반사실 등의 공표, 행정계획, 행정상 입법예고, 행정예고 및 행정지도의 절차에 관하여 다른 법률에 특별한 규정이 있는 경우를 제외하고는 원칙적으로 「행정절차법」이 정하는 바에 의한다. (○)

(2) 적용제외사항

① 행정작용이라 하더라도 다음 각 호의 어느 하나에 해당하는 사항에 대해서는 「행정절차법」이 적용되지 않는다(동법 제3조 제2항).

> **「행정절차법」 제3조 【적용 범위】** ② 이 법은 다음 각 호의 어느 하나에 해당하는 사항에 대하여는 적용하지 아니한다.
> 1. 국회 또는 지방의회의 의결을 거치거나 동의 또는 승인을 받아 행하는 사항
> 21. 행정사, 17. 서울시 9급, 13. 경찰 2차, 12. 국회직 9급 「행정절차법」은 행정절차에 관한 일반법이지만, 국회 또는 지방의회의 의결을 거치거나 동의 또는 승인을 얻어 행하는 사항에 대하여는 「행정절차법」의 적용이 배제된다. (○)

2. 법원 또는 군사법원의 재판에 의하거나 <u>그 집행</u>으로 행하는 사항

3. <u>헌법재판소</u>의 심판을 거쳐 행하는 사항

20. 지방직 7급, 19. 소방직, 12. 국회직 9급 헌법재판소의 심판을 거쳐 행하는 사항은 「행정절차법」의 적용 대상이 되지 않는다. (O)

4. <u>각급 선거관리위원회의 의결</u>을 거쳐 행하는 사항

12. 국회직 9급, 11. 국가직 9급 각급 선거관리위원회의 의결을 거쳐 행하는 사항은 「행정절차법」을 적용하지 아니 한다. (O)

5. <u>감사원</u>이 감사위원회의의 결정을 거쳐 행하는 사항

21. 행정사, 19. 소방직, 19. 군무원 9급, 12. 국회직 9급, 11. 국가직 9급 등 감사원이 감사위원회의의 결정을 거쳐 행하는 사항은 「행정절차법」이 정하고 있는 적용 제외 대상에 해당한다. (O)

6. <u>형사, 행형 및 보안처분</u> 관계 법령에 따라 행하는 사항

7. <u>국가안전보장 · 국방 · 외교 또는 통일에 관한 사항 중 행정절차를 거칠 경우 국가의 중대한 이익을 현저히 해칠 우려가 있는 사항</u>

21. 행정사 국가안전보장 · 국방 · 외교 또는 통일에 관한 사항 중 행정절차를 거칠 경우 국가의 중대한 이익을 현저히 해칠 우려가 있는 사항은 「행정절차법」이 정하고 있는 적용 제외 대상에 해당한다. (O)

8. <u>심사청구, 해양안전심판, 조세심판, 특허심판, 행정심판, 그 밖의 불복절차에 따른 사항</u>

21. 행정사, 11. 국가직 9급 심사청구, 해양안전심판, 조세심판, 특허심판, 행정심판, 그 밖의 불복절차에 따른 사항은 「행정절차법」이 정하고 있는 적용 제외 대상에 해당한다. (O)

9. <u>「병역법」에 따른 징집 · 소집, 외국인의 출입국 · 난민인정 · 귀화, 공무원 인사 관계 법령에 따른 징계와 그 밖의 처분, 이해 조정을 목적으로 하는 법령에 따른 알선 · 조정 · 중재 · 재정 또는 그 밖의 처분 등 해당 행정작용의 성질상 행정절차를 거치기 곤란하거나 거칠 필요가 없다고 인정되는 사항과 행정절차에 준하는 절차를 거친 사항으로서 대통령령으로 정하는 사항</u>

「행정절차법 시행령」 제2조 【적용제외】 법 제3조 제2항 제9호에서 "대통령령으로 정하는 사항"이라 함은 다음 각 호의 어느 하나에 해당하는 사항을 말한다.

1. <u>「병역법」</u>, 「예비군법」, 「민방위기본법」, 「비상대비자원 관리법」, 「대체역의 편입 및 복무 등에 관한 법률」에 따른 <u>징집 · 소집 · 동원 · 훈련에 관한 사항</u>

20. 지방직 7급 「병역법」에 따른 징집 · 소집은 「행정절차법」의 적용 대상이 되지 않는다. (O)

2. <u>외국인의 출입국 · 난민인정 · 귀화 · 국적회복에 관한 사항</u>

16. 국회직 8급 외국인의 난민인정에 대하여는 「행정절차법」 제23조(처분의 이유제시)의 적용은 배제된다. (O)

3. <u>공무원 인사관계법령에 의한 징계 기타 처분에 관한 사항</u>

4. 이해조정을 목적으로 법령에 의한 알선 · 조정 · 중재 · 재정 기타 처분에 관한 사항

5. 조세관계법령에 의한 조세의 부과 · 징수에 관한 사항

6. 「독점규제 및 공정거래에 관한 법률」, 「하도급거래 공정화에 관한 법률」, 「약관의 규제에 관한 법률」에 따라 <u>공정거래위원회의 의결 · 결정을 거쳐 행하는 사항</u>

7. 「국가배상법」, 「공익사업을 위한 토지 등의 취득 및 보상에 관한 법률」에 따른 재결 · 결정에 관한 사항

8. 학교 · 연수원등에서 <u>교육 · 훈련의 목적</u>을 달성하기 위하여 <u>학생 · 연수생등을 대상으로 행하는 사항</u>

9. 사람의 학식 · 기능에 관한 시험 · 검정의 결과에 따라 행하는 사항

10. 「배타적 경제수역에서의 외국인어업 등에 대한 주권적 권리의 행사에 관한 법률」에 따라 행하는 사항

11. 「특허법」, 「실용신안법」, 「디자인보호법」, 「상표법」에 따른 사정 · 결정 · 심결, 그 밖의 처분에 관한 사항

『행정절차법』 제3조 제2항 제9호의 대통령령이 정하는 사항
▷ 성질상 행정절차를 거치기 곤란하거나 불필요하다고 인정되는 처분이나 행정절차에 준하는 절차를 거치도록 하고 있는 처분의 경우에만 『행정절차법』 적용배제

공무원 인사관계 법령에 의한 처분에 관한 사항
▷ 성질상 행정절차를 거치기 곤란하거나 불필요하다고 인정되는 처분이나 행정절차에 준하는 절차를 거치도록 하고 있는 처분의 경우에만 『행정절차법』 적용배제

사전통지를 하지 않고 의견제출의 기회를 주지 아니한 별정직 공무원에 대한 직권면직처분
▷ 『행정절차법』 위반

21. 행정사 처분의 전제가 되는 사실이 경찰의 수사에 의하여 객관적으로 증명된 사항은 『행정절차법』이 정하고 있는 적용제외 대상에 해당한다. (×) → 해당하지 않는다

12. 국회직 9급 대통령의 승인을 얻어 행하는 사항은 『행정절차법』을 적용하지 않는다. (×) → 이 적용된다

② 특히, 제9호와 관련하여 대통령령으로 정하는 사항 모두에 대해서 『행정절차법』의 적용이 배제되는 것이 아니라, 성질상 행정절차를 거치기 곤란하거나 불필요한 경우 또는 행정절차에 준하는 절차를 거치는 사항의 경우에만 그 적용이 배제된다는 것이 대법원의 입장이다.

(3) 구체적인 사례

① 『행정절차법』의 적용을 인정한 예

> 🔥 **관련판례**
>
> **1** 공무원 인사관계 법령에 의한 처분에 관한 사항 전부에 대해 행정절차법의 적용이 배제되는 것은 아니다. ★★★
>
> 행정과정에 대한 국민의 참여와 행정의 공정성, 투명성 및 신뢰성을 확보하고 국민의 권익을 보호함을 목적으로 하는 행정절차법의 입법 목적과 행정절차법 제3조 제2항 제9호의 규정 내용 등에 비추어 보면, 공무원 인사관계 법령에 의한 처분에 관한 사항 전부에 대하여 행정절차법의 적용이 배제되는 것이 아니라 성질상 행정절차를 거치기 곤란하거나 불필요하다고 인정되는 처분이나 행정절차에 준하는 절차를 거치도록 하고 있는 처분의 경우에만 행정절차법의 적용이 배제된다(대판 2007.9.21. 2006두20631).
>
> 18. 국회직 8급, 18. 변호사 『행정절차법』상 공무원 인사관계 법령에 의한 처분에 관한 사항 전부에 대하여 『행정절차법』의 적용이 배제되는 것이 아니라 성질상 행정절차를 거치기 곤란하거나 불필요하다고 인정되는 처분이나 행정절차에 준하는 절차를 거치도록 하고 있는 처분의 경우에만 『행정절차법』의 적용이 배제된다. (○)
>
> 16. 국가직 9급 행정절차법령이 '공무원 인사관계 법령에 의한 처분에 관한 사항'에 대하여 『행정절차법』의 적용이 배제되는 것으로 규정하고 있는 <del>이상</del>, '공무원 인사관계 법령에 의한 처분에 관한 사항' 전부에 대해 『행정절차법』의 적용이 배제되는 것으로 <del>보아야 한다</del>. (×) → 있더라도 / 되는 것은 아니다
>
> 13. 경찰 2차 공무원 인사관계 법령에 의한 처분에 관한 사항의 경우 성질상 행정절차를 거치기 곤란하거나 불필요하다고 인정되는 처분에 대해서만 『행정절차법』의 적용이 배제된다. (×) → 이나 행정절차에 준하는 절차를 거치도록 하고 있는 처분의 경우에만
>
> **2** 별정직 공무원에 대한 직권면직처분은 일반 공무원의 직권면직처분과 달리 행정절차법상 처분의 사전통지 및 의견청취 등에 관한 규정이 적용된다. ★★
>
> [1] 공무원 인사관계 법령에 의한 처분에 관한 사항이라 하더라도 그 전부에 대하여 행정절차법의 적용이 배제되는 것이 아니라, 성질상 행정절차를 거치기 곤란하거나 불필요하다고 인정되는 처분이나 행정절차에 준하는 절차를 거치도록 하고 있는 처분의 경우에만 행정절차법의 적용이 배제되는 것으로 보아야 하고, 이러한 법리는 '공무원 인사관계 법령에 의한 처분'에 해당하는 별정직 공무원에 대한 직권면직처분의 경우에도 마찬가지로 적용된다고 할 것이다.
>
> [2] 이 사건 처분은 대통령기록물 관리에 관한 법률에서 5년 임기의 별정직 공무원으로 규정한 대통령기록관장으로 임용된 원고를 직권면직한 처분으로서, 원고에 대하여 의무를 과하거나 원고의 권익을 제한하는 처분이고, 구 공무원징계령 제22조 제1항은 "별정직 공무원에게 국가공무원법 제78조 제1항 각 호의 징계사유가 있으면 직권으로 면직하거나 이 영에 따라 징계처분할 수 있다." 고 규정하고 있어서, 별정직 공무원에 대한 직권면직의 경우에는 징계처분과 달리 징계절차에 관한 구 공무원징계령의 규정도 적용되지 않는 등 행정절차에

준하는 절차를 거치도록 하는 규정이 없으며, 이 사건 처분이 성질상 행정절차를 거치기 곤란하거나 불필요하다고 인정되는 처분에도 해당하지 아니하고, 나아가 원고가 대통령 기록유출 혐의에 관하여 수사를 받으면서 비위행위에 관하여 해명할 기회를 가졌다거나 위 수사에 관하여 국민적 관심이 높았고 유출행위가 적법한지 여부 등에 관한 법리적 공방이 언론 등을 통하여 치열하게 이루어졌던 사정만으로 이 사건 처분이 구 행정절차법 제21조 제4항 제3호, 제22조 제4항에 따라 원고에게 사전통지를 하지 않거나 의견제출의 기회를 주지 아니하여도 되는 예외적인 경우에 해당한다고 할 수 없다는 이유로, 원고에게 사전통지를 하지 않고 의견제출의 기회를 주지 아니한 이 사건 처분은 구 행정절차법 제21조 제1항, 제22조 제3항을 위반한 절차상 하자가 있어 위법하다(대판 2013.1.16. 2011두30687).

16. 국회직 8급 난민인정·귀화 등과 같이 성질상 행정절차를 거치기 곤란하거나 불필요하다고 인정되는 처분이나 행정절차에 준하는 절차를 거치도록 하고 있는 처분의 경우에는 「행정절차법」의 적용이 배제되는 것으로 보아야 하고, 이러한 법리는 '공무원 인사관계 법령에 의한 처분'에 해당하는 별정직 공무원에 대한 직권면직처분의 경우에도 마찬가지로 적용된다. (○)

22. 국가직 9급 별정직 공무원인 대통령기록관장에 대한 직권면직처분에는 처분의 사전통지 및 의견청취 등에 관한 「행정절차법」 규정이 적용되지 않는다. (✕) → 적용된다

21. 경찰 2차 임기가 정해진 별정직 공무원인 대통령기록관장을 직권면직하면서 당사자에게 사전통지를 하지 않고 의견제출의 기회를 주지 않았다고 하여 「행정절차법」을 위반하였다고 볼 것은 아니다. (✕) → 않았다면 / 봐야 한다

3 **대통령의 한국방송공사 사장 해임 절차에는 행정절차법의 규정이 적용된다.** ★★

대통령의 한국방송공사 사장의 해임 절차에 관하여 방송법이나 관련 법령에도 별도의 규정을 두지 않고 있고, 행정절차법의 입법 목적과 행정절차법 제3조 제2항 제9호와 관련 시행령의 규정 내용 등에 비추어 보면, 이 사건 해임처분이 행정절차법과 그 시행령에서 열거적으로 규정한 예외 사유에 해당한다고 볼 수 없으므로 이 사건 해임처분에도 행정절차법이 적용된다고 할 것이다(대판 2012.2.23. 2011두5001).

한국방송공사 사장 해임처분
▷ 「행정절차법」 적용

20. 지방직 7급 대통령의 한국방송공사 사장의 해임처분은 「행정절차법」의 적용 대상이 되지 않는다. (✕) → 된다

17. 사복직 대통령에 의한 한국방송공사 사장의 해임에는 「행정절차법」이 적용된다. (○)

4 **산업기능요원 편입취소처분은 행정절차법이 적용된다.** ★★

지방병무청장이 병역법 제41조 제1항 제1호, 제40조 제2호의 규정에 따라 산업기능요원에 대하여 한 산업기능요원 편입취소처분은, 행정처분을 할 경우 '처분의 사전통지'와 '의견제출 기회의 부여'를 규정한 행정절차법 제21조 제1항, 제22조 제3항에서 말하는 '당사자의 권익을 제한하는 처분'에 해당하는 한편, 행정절차법의 적용이 배제되는 사항인 행정절차법 제3조 제2항 제9호, 같은 법 시행령 제2조 제1호에서 규정하는 '병역법에 의한 소집에 관한 사항'에는 해당하지 아니하므로, 행정절차법상의 '처분의 사전통지'와 '의견제출 기회의 부여' 등의 절차를 거쳐야 한다(대판 2002.9.6. 2002두554).

산업기능요원 편입취소처분
▷ 「행정절차법」 적용

22. 국회직 9급 지방병무청장이 「병역법」의 규정에 따라 산업기능요원에 대하여 한 산업기능요원 편입취소처분은 「행정절차법」의 적용이 배제되는 사항인 '「병역법」에 의한 소집에 관한 사항'에 해당하지 않는다. (○)

20. 국가직 7급 「병역법」에 따라 지방병무청장이 산업기능요원에 대하여 산업기능요원 편입취소처분을 할 때에는 「행정절차법」에 따라 처분의 사전통지를 하고 의견제출의 기회를 부여하여야 한다. (○)

20. 국회직 8급 「병역법」에 의한 소집에 관한 사항에는 「행정절차법」이 적용되지 않으나 「병역법」상의 산업기능요원의 편입취소처분에 대해서는 「행정절차법」이 적용된다. (○)

육군3사관학교 사관생도 퇴학처분
▷「행정절차법」적용

5 육군3사관학교의 사관생도에 대한 퇴학처분에는 행정절차법 규정의 적용이 배제되지 않는다. ★★

행정절차법 시행령 제2조 제8호는 '학교·연수원 등에서 교육·훈련의 목적을 달성하기 위하여 학생·연수생들을 대상으로 하는 사항'을 행정절차법의 적용이 제외되는 경우로 규정하고 있으나, 이는 교육과정과 내용의 구체적 결정, 과제의 부과, 성적의 평가, 공식적 징계에 이르지 아니한 질책·훈계 등과 같이 교육·훈련의 목적을 직접 달성하기 위하여 행하는 사항을 말하는 것으로 보아야 하고, 생도에 대한 퇴학처분과 같이 신분을 박탈하는 징계처분은 여기에 해당한다고 볼 수 없다(대판 2018.3.13. 2016두33339).

22. 국회직 9급, 20. 국회직 8급 「행정절차법 시행령」제2조 제8호는 '학교·연수원 등에서 교육·훈련의 목적을 달성하기 위하여 학생·연수생들을 대상으로 하는 사항'을 「행정절차법」이 적용되지 않는 경우로 규정하고 있으나 생도의 퇴학처분과 같이 신분을 박탈하는 징계처분은 여기에 해당한다고 할 수 없다. (○)

19. 소방직 육군3사관학교의 사관생도에 대한 퇴학처분은 「행정절차법」의 적용이 배제된다. (×) → 배제되지 않는다

외국인의 출입국에 관한 사항
▷ 성질상 행정절차를 거치기 곤란하거나 불필요하다고 인정되는 사항이나 행정절차에 준하는 절차를 거친 사항으로서 「행정절차법 시행령」으로 정하는 사항만 「행정절차법」적용배제

6 외국인의 출입국에 관한 사항이라고 하여 행정절차법 적용이 당연히 부정되는 것은 아니다. ★★★

행정절차법 제3조 제2항 제9호, 행정절차법 시행령 제2조 제2호 등 관련 규정들의 내용을 행정의 공정성, 투명성, 신뢰성을 확보하고 처분상대방의 권익보호를 목적으로 하는 행정절차법의 입법 목적에 비추어 보면, 행정절차법의 적용이 제외되는 '외국인의 출입국에 관한 사항'이란 해당 행정작용의 성질상 행정절차를 거치기 곤란하거나 거칠 필요가 없다고 인정되는 사항이나 행정절차에 준하는 절차를 거친 사항으로서 행정절차법 시행령으로 정하는 사항만을 가리킨다. '외국인의 출입국에 관한 사항'이라고 하여 행정절차를 거칠 필요가 당연히 부정되는 것은 아니다. 외국인의 사증발급 신청에 대한 거부처분은 당사자에게 의무를 부과하거나 적극적으로 권익을 제한하는 처분이 아니므로, 행정절차법 제21조 제1항에서 정한 '처분의 사전통지'와 제22조 제3항에서 정한 '의견제출 기회 부여'의 대상은 아니다. 그러나 사증발급 신청에 대한 거부처분이 성질상 행정절차법 제24조에서 정한 '처분서 작성·교부'를 할 필요가 없거나 곤란하다고 일률적으로 단정하기 어렵다. 또한 출입국관리법령에 사증발급 거부처분서 작성에 관한 규정을 따로 두고 있지 않으므로, 외국인의 사증발급 신청에 대한 거부처분을 하면서 행정절차법 제24조에 정한 절차를 따르지 않고 '행정절차에 준하는 절차'로 대체할 수도 없다(대판 2019.7.11. 2017두38874).

20. 국회직 8급 외국인의 출입국에 관한 사항은 「행정절차법」이 적용되지 않으므로, 미국 국적을 가진 교민에 대한 사증거부처분에 대해서도 처분의 방식에 관한 「행정절차법」제24조는 적용되자 않는다. (×) → 이라고 하여 행정절차를 거칠 필요가 당연히 부정되는 것은 아니므로 / 된다

② 「행정절차법」의 적용을 부정한 예

🏛 관련판례

공무원의 직위해제처분
▷「행정절차법」적용배제

1 국가공무원법상 직위해제처분에는 행정절차법상 처분의 사전통지 및 의견청취 등에 관한 규정이 적용되지 않는다. ★★★

국가공무원법 등은 직위해제와 관련하여 … 해당 공무원에게 방어의 준비 및 불복의 기회를 보장하고 … 사후적으로 소청이나 행정소송을 통하여 충분한 의견진술 및 자료제출의 기회를 보장하고 있다. 그렇다면 국가공무원법상 직위해제처분은 구 행정절차법 제3조 제2항 제9호, 구 행정절차법 시행령 제2조 제3호에 의하여 당해 행정작용의 성질상 행정절차를 거치기 곤란하거나 불필요하다고 인정되는 사항 또는 행정절차에 준하는 절차를 거친 사항에 해당하므로, 처분의 사전통지 및 의견청취 등에 관한 행정절차법의 규정이 별도로 적용되지 않는다(대판 2014.5.16. 2012두26180).

20. 국회직 8급 「국가공무원법」상 직위해제처분은 행정작용의 성질상 행정절차를 거치기 곤란하거나 불필요하다고 인정되는 사항 또는 행정절차에 준하는 절차를 거친 사항에 해당되므로 「행정절차법」이 적용되지 않는다. (○)

19. 서울시 7급 「국가공무원법」상 직위해제처분의 경우 사후적으로 소청이나 행정소송을 통하여 충분한 의견진술 및 자료제출의 기회를 보장하고 있다고 ~~보가 어려우므로~~ 처분의 사전통지 및 의견청취에 관한 「행정절차법」의 규정이 ~~적용된다고~~ 보아야 한다. (×) → 볼 수 있으므로 / 적용되지 않는다고

19. 서울시 9급 「국가공무원법」상 직위해제처분은 성질상 행정절차를 거치기 곤란하거나 불필요하다고 인정되는 사항 또는 행정절차에 준하는 절차를 거친 사항에 ~~해당하지 않으므로,~~ 처분의 사전통지 및 의견청취 등에 관한 「행정절차법」의 규정이 ~~적용된다.~~ (×) → 해당하므로 / 적용되지 않는다

2 구 군인사법상 보직해임처분은 구 행정절차법 제3조 제2항 제9호, 같은 법 시행령 제2조 제3호에 따라 처분의 근거와 이유제시 등에 관한 구 행정절차법의 규정이 적용되지 않는다. ★★

구 군인사법상 보직해임처분은 구 행정절차법 제3조 제2항 제9호, 같은 법 시행령 제2조 제3호에 의하여 당해 행정작용의 성질상 행정절차를 거치기 곤란하거나 불필요하다고 인정되는 사항 또는 행정절차에 준하는 절차를 거친 사항에 해당하므로, 처분의 근거와 이유제시 등에 관한 구 행정절차법의 규정이 별도로 적용되지 아니한다(대판 2014.10.15. 2012두5756).

19. 국회직 8급 구 「군인사법」상 보직해임처분에는 처분의 근거와 이유제시 등에 관한 구 「행정절차법」의 규정이 별도로 적용되지 아니한다. (○)

21. 국가직 7급 「군인사법」에 따라 당해 직무를 수행할 능력이 없다고 인정하여 장교를 보직해임하는 경우, 처분의 근거와 이유제시 등에 관하여 「행정절차법」의 규정이 ~~적용된다.~~ (×) → 적용되지 않는다

3 공정거래위원회의 의결을 거쳐 행하는 사항은 행정절차법의 적용이 배제된다. ★★

행정절차법 제3조 제2항, 같은 법 시행령 제2조 제6호에 의하면 공정거래위원회의 의결·결정을 거쳐 행하는 사항에는 행정절차법의 적용이 제외되게 되어 있으므로, 설사 공정거래위원회의 시정조치 및 과징금납부명령에 행정절차법 소정의 의견청취절차 생략사유가 존재한다고 하더라도, 공정거래위원회는 행정절차법을 적용하여 의견청취절차를 생략할 수는 없다(대판 2001.5.8. 2000두10212).

17. 서울시 9급 대법원에 따르면 「행정절차법」 적용이 제외되는 의결·결정에 대해서는 「행정절차법」을 적용하여 의견청취절차를 생략할 수는 없다. (○)

19. 지방직 9급, 16. 국가직 7급 공정거래위원회의 시정조치 및 과징금납부명령에 「행정절차법」 소정의 의견청취절차 생략사유가 존재하면 공정거래위원회는 「행정절차법」을 적용하여 의견청취절차를 생략할 수 ~~있다.~~ (×) → 존재한다고 하더라도 / 없다

4 귀화에 관해서는 행정절차법이 적용되지 않는다. ★

구 국적법 제5조 각 호와 같이 귀화는 요건이 항목별로 구분되어 구체적으로 규정되어 있다. 그리고 성질상 행정절차를 거치기 곤란하거나 거칠 필요가 없다고 인정되어 처분의 이유제시 등을 규정한 행정절차법이 적용되지 않는다(대판 2018.12.13. 2016두31616).

구 「군인사법」상 보직해임처분
▷ 「행정절차법」 적용배제

공정거래위원회의 의결·결정을 거쳐 행하는 사항
▷ 「행정절차법」 적용배제

귀화에 관한 처분
▷ 「행정절차법」 적용배제

실체법적 원칙
▷ 신의성실의 원칙, 신뢰보호의 원칙, 투명성 원칙

「행정절차법」
▷ 신의성실 및 신뢰보호의 원칙 규정○

❶「국세기본법」제15조(신의 · 성실)
납세자가 그 의무를 이행할 때에는 신의에 따라 성실하게 하여야 한다. 세무공무원이 직무를 수행할 때에도 또한 같다.

4. 실체법적 원칙(행정절차의 일반원칙)

(1) 신의성실의 원칙

행정청은 직무를 수행할 때 신의에 따라 성실히 하여야 한다(동법 제4조 제1항).

17. 서울시 9급 「행정절차법」은 「국세기본법」과는 달리 행정청에 대해서만 신의성실의 원칙에 따를 것을 규정하고 있다. (○)**❶**

(2) 신뢰보호의 원칙

행정청은 법령 등의 해석 또는 행정청의 관행이 일반적으로 국민들에게 받아들여졌을 때에는 공익 또는 제3자의 정당한 이익을 현저히 해칠 우려가 있는 경우를 제외하고는 새로운 해석 또는 관행에 따라 소급하여 불리하게 처리하여서는 아니 된다(동법 제4조 제2항).

17. 경찰 2차 「행정절차법」제4조에 의하면 행정청은 법령 등의 해석 또는 행정청의 관행이 일반적으로 국민들에게 받아들여졌을 때에는 공익 또는 제3자의 정당한 이익을 현저히 해칠 우려가 있는 경우를 제외하고는 새로운 해석 또는 관행에 따라 소급하여 불리하게 처리하여서는 아니 된다. (○)

15. 경찰 1차, 14. 경찰 1차, 12. 서울시 9급, 10. 지방직 9급 「행정절차법」은 신뢰보호의 원칙은 물론 신의성실의 원칙에 관해 명시적으로 규정하고 있다. (○)

(3) 투명성의 원칙

행정청이 행하는 행정작용은 그 내용이 구체적이고 명확하여야 하며(동법 제5조 제1항), 행정작용의 근거가 되는 법령 등의 내용이 명확하지 아니한 경우 그 상대방은 해당 행정청에 그 해석을 요청할 수 있다. 이 경우 해당 행정청은 특별한 사유가 없으면 그 요청에 따라야 한다(동법 제5조 제2항). 한편 행정청은 상대방에게 행정작용과 관련된 정보를 충분히 제공하여야 한다(동법 제5조 제3항).

20. 경찰 2차 행정청이 행하는 행정작용은 그 내용이 구체적이고 명확하여야 한다. (○)

10. 국가직 7급 행정작용의 근거가 되는 법령 등의 내용이 명확하지 아니한 경우 상대방은 행정청에 그 해석을 요청할 수 있다. (○)

20. 경찰 2차 「행정절차법」은 법령해석요청권과 부당결부금지의 원칙을 규정하고 있다. (×) → ×

5. 행정청의 관할 및 협조 등

(1) 행정청의 관할

① **관할의 이송**: 행정청이 그 관할에 속하지 아니한 사안을 접수하였거나 이송받은 경우에는 지체 없이 이를 관할 행정청에 이송하여야 하고 그 사실을 신청인에게 통지하여야 한다. 행정청이 접수하거나 이송받은 후 관할이 변경된 경우에도 또한 같다(동법 제6조 제1항).

09. 관세사 행정청이 그 관할에 속하지 아니하는 사안을 접수한 경우에는 지체 없이 이를 관할 행정청에 이송하여야 한다. (○)

② **관할의 결정**: 행정청의 관할이 분명하지 아니한 경우에는 해당 행정청을 공통으로 감독하는 상급 행정청이 그 관할을 결정하며, 공통으로 감독하는 상급 행정청이 없는 경우에는 각 상급 행정청이 협의하여 그 관할을 결정한다(동법 제6조 제2항).

22. 서울시 7급, 20. 소방간부 행정청의 관할이 분명하지 아니한 경우에는 해당 행정청을 공통으로 감독하는 상급 행정청이 그 관할을 결정하며, 공통으로 감독하는 상급 행정청이 없는 경우에는 각 상급 행정청이 협의하여 그 관할을 결정한다. (○)

17. 경찰 2차 행정청의 관할이 분명하지 아니한 경우에는 해당 행정청을 공통으로 감독하는 상급 행정청이 그 관할을 결정하며, 공통으로 감독하는 상급 행정청이 없는 경우에는 당해 행정청의 협의로 그 관할을 결정한다. (×) → 각 상급 행정청이 협의하여

(2) 행정청 간의 협조 등

① **행정청 간의 협조**: 행정청은 행정의 원활한 수행을 위하여 서로 협조하여야 한다 (동법 제7조 제1항).

② **행정협업**: 행정청은 업무의 효율성을 높이고 행정서비스에 대한 국민의 만족도를 높이기 위하여 필요한 경우 행정협업(다른 행정청과 공동의 목표를 설정하고 행정청 상호 간의 기능을 연계하거나 시설·장비 및 정보 등을 공동으로 활용하는 것을 말한다)의 방식으로 적극적으로 협조하여야 한다(동법 제7조 제2항).

(3) 행정응원

① **행정응원 요청**: 행정청은 법령 등의 이유로 독자적인 직무 수행이 어려운 경우, 다른 행정청의 응원을 받아 처리하는 것이 보다 능률적이고 경제적인 경우 등에는 다른 행정청에 행정응원을 요청할 수 있다(동법 제8조 제1항). 응원요청은 해당 직무를 직접 응원할 수 있는 행정청에 요청하여야 한다(동법 제8조 제3항).

22. 서울시 7급 행정청은 다른 행정청의 응원을 받아 처리하는 것이 보다 능률적이고 경제적인 경우 다른 행정청에 행정응원을 요청할 수 있다. (○)

10. 국회직 9급 「행정절차법」은 행정청 간의 협조의무와 행정청 상호 간의 행정응원에 대하여 규정하고 있다. (○)

② **행정응원 요청 거부**: 행정응원을 요청받은 행정청은 ㉠ 다른 행정청이 보다 능률적이거나 경제적으로 응원할 수 있거나, ㉡ 행정응원으로 인하여 고유의 직무 수행이 현저히 지장 받을 것으로 인정되는 명백한 이유가 있는 경우에는 응원을 거부할 수 있다(동법 제8조 제2항). 행정응원을 요청받은 행정청은 응원을 거부하는 경우 그 사유를 응원을 요청한 행정청에 통지하여야 한다(동법 제8조 제4항).

22. 서울시 7급 행정응원을 요청받은 행정청은 다른 행정청이 보다 능률적이거나 경제적으로 응원할 수 있는 명백한 이유가 있는 경우 응원을 거부할 수 있다. (○)

③ **파견된 직원의 지휘·감독권**: 행정응원을 위하여 파견된 직원은 응원을 요청한 행정청의 지휘·감독을 받는다. 다만, 해당 직원의 복무에 관하여 다른 법령 등에 특별한 규정이 있는 경우에는 그에 따른다(동법 제8조 제5항).

21. 소방직 행정응원을 위하여 파견된 직원은 당해 직원의 복무에 관하여 다른 법령 등에 특별한 규정이 없는 한, 응원을 요청한 행정청의 지휘·감독을 받는다. (○)

④ **비용부담**: 행정응원에 드는 비용은 응원을 요청한 행정청이 부담하며, 그 부담금액 및 부담방법은 응원을 요청한 행정청과 응원을 하는 행정청이 협의하여 결정한다(동법 제8조 제6항).

11. 국회직 9급 행정청이 다른 행정청에 행정응원을 요청하는 경우 행정응원에 소요되는 비용은 응원을 요청한 행정청이 부담한다. (○)

22. 서울시 7급, 21. 소방직 행정응원에 드는 비용은 응원을 요청한 행정청이 부담하며, 그 부담금액 및 부담방법은 ~~응원을 하는 행정청이 결정한다~~. (×) → 응원을 요청한 행정청과 응원을 하는 행정청이 협의하여 결정한다

행정청
▷ 협조의무○

업무의 효율성을 높이고 행정서비스에 대한 국민의 만족도를 높이기 위하여 필요한 경우
▷ 행정협업의 방식으로 적극적으로 협조하여야

응원요청	• 독자적인 직무수행이 어렵거나, 다른 행정청 소속 전문기관의 협조가 필요하거나 다른 행정청의 자료가 필요한 경우 등(제1항) • 해당 직무를 직접 응원할 수 있는 행정청에 요청(제3항)
요청거부	• 다른 행정청이 보다 능률적이거나 경제적으로 응원할 수 있는 경우, 직무 수행에 현저히 지장 받을 명백한 이유 있는 경우(제2항) • 그 사유를 응원 요청한 행정청에 통지(제4항)
파견된 직원의 지휘·감독권	행정응원을 요청한 행정청(제5항)
행정응원비용	요청한 행정청이 부담(제6항)

6. 당사자 등

(1) 당사자 등의 자격

「행정절차법」상 당사자 등
▷ 처분의 상대방인 당사자와 행정청이 직권으로 또는 신청에 따라 행정절차에 참여하게 한 이해관계인

① 행정절차에서 '당사자 등'이라 함은 '처분에 대하여 직접 그 상대가 되는 당사자와 행정청이 직권 또는 신청에 따라 행정절차에 참여하게 한 이해관계인'을 말한다(동법 제2조 제4호). 「행정절차법」상 이해관계인은 행정청이 직권 또는 신청에 따라 행정절차에 참여하게 한 자만을 의미하므로 단순히 법률상 이익을 갖는 것만으로는 이에 해당한다고 볼 수 없다.

11. 지방직 7급 당사자 등에는 행정청이 직권 또는 신청에 의하여 행정절차에 참여하게 한 이해관계인도 포함된다. (○)

18. 서울시 7급 행정청이 직권으로 행정절차에 참여하게 한 이해관계인은 당사자 등에 ~~해당하지 않는다~~. (×) → 해당한다

17. 국회직 8급 행정처분의 직접 상대방이 아닌 제3자~~라도 법적 보호이익이 있는 자는 당연히~~ 「행정절차법」상 당사자에 해당한다. (×) → 는 행정절차에 참여한 경우에만

행정절차의 당사자
▷ 자연인, 법인, 비법인사단·재단, 다른 법령 등에 따라 권리·의무의 주체가 될 수 있는 자

② 행정절차에 있어서 당사자 등이 될 수 있는 자는 ㉠ 자연인, ㉡ 법인 및 법인이 아닌 사단 또는 재단, ㉢ 그 밖에 다른 법령 등에 따라 권리·의무의 주체가 될 수 있는 자 등이다(동법 제9조).

18. 서울시 7급, 11. 국회직 8급 법인 아닌 사단이나 재단은 행정절차에 있어서 당사자가 될 수 없다. (×) → 있다

14. 행정사 법인은 「행정절차법」상 절차의 당사자가 될 수 있지만, 법인이 아닌 사단은 당사자가 될 수 없다. (×) → 있고 / 도 / 있다

(2) 당사자 등의 지위 승계와 통지(동법 제10조)

당사자 지위의 승계
▷ 당연승계: 당사자 등의 사망, 법인의 합병
▷ 허가승계: 권익을 사실상 양수한 자

① 지위 승계

㉠ **당사자의 사망으로 인한 승계**: 당사자 등이 사망하였을 때의 상속인과 다른 법령 등에 따라 당사자 등의 권리 또는 이익을 승계한 자는 당사자 등의 지위를 승계한다(동법 제10조 제1항).

㉡ **법인 합병으로 인한 승계**: 당사자 등인 법인 등이 합병하였을 때에는 합병 후 존속하는 법인 등이나 합병 후 새로 설립된 법인 등이 당사자 등의 지위를 승계한다(동법 제10조 제2항).

ⓒ **권리·이익을 양수한 자의 지위 승계**: 처분에 관한 권리 또는 이익을 사실상 양수한 자는 행정청의 승인을 받아 당사자 등의 지위를 승계할 수 있다(동법 제10조 제4항).

22. 국회직 8급, 14. 국가직 7급 처분에 관한 권리 또는 이익을 사실상 양수한 자는 행정청의 승인을 받아 당사자 등의 지위를 승계할 수 있다. (○)

② **승계 사실 통지**: 당연승계의 경우 '당사자 등'의 지위를 승계한 자는 행정청에 그 사실을 통지하여야 하며(동법 제10조 제3항), 통지가 있기 전까지 사망자 또는 합병 전의 법인 등에 대하여 행정청이 한 통지는 '당사자 등'의 지위를 승계한 자에게도 효력이 있다(동법 제10조 제5항).

당사자 등의 지위를 승계한 자
▷ 행정청에 그 사실을 통지해야 효력이 미침

(3) 당사자 등의 대표자

① **대표자의 선정**

ⓐ 다수의 당사자 등이 공동으로 행정절차에 관한 행위를 할 때에는 대표자를 선정할 수 있다(동법 제11조 제1항).

ⓑ 행정청은 당사자 등이 대표자를 선정하지 아니하거나 대표자가 지나치게 많아 행정절차가 지연될 우려가 있는 경우에는 그 이유를 들어 상당한 기간 내에 3인 이내의 대표자를 선정할 것을 요청할 수 있다. 이 경우 당사자 등이 그 요청에 따르지 아니하였을 때에는 행정청이 직접 대표자를 선정할 수 있다(동법 제11조 제2항).

다수의 당사자 등이 공동으로 행정절차에 관한 행위
▷ 대표자 선정 可

대표자를 선정하지 않거나 대표자 수가 지나치게 많아 행정절차의 지연 우려가 있는 경우
▷ 상당한 기간 내에 3인 이내의 대표자를 선정할 것을 요청 → 불응 시 행정청이 직접 선정 可

② **대표자 변경·해임**: 당사자 등은 대표자를 변경하거나 해임할 수 있다(동법 제11조 제3항).

20. 군무원 9급 당사자 등은 대표자를 변경하거나 해임할 수 있다. (○)

당사자 등
▷ 대표자 변경·해임 可

③ **대표자의 권한 등**

ⓐ 대표자는 각자 그를 대표자로 선정한 당사자 등을 위하여 행정절차에 관한 모든 행위를 할 수 있다. 다만, 행정절차를 끝맺는 행위에 대하여는 당사자 등의 동의를 받아야 한다(동법 제11조 제4항).

20. 군무원 9급 대표자는 각자 그를 대표자로 선정한 당사자 등을 위하여 행정절차에 관한 모든 행위를 할 수 있다. 다만, 행정절차를 끝맺는 행위에 대하여는 당사자 등의 동의를 받아야 한다. (○)

대표자 권한
▷ 대표자로 선정한 당사자 등을 위해 행정절차에 관한 모든 행위 가능

행정절차를 끝맺는 행위
▷ 당사자 등의 동의 要

ⓑ 대표자가 있는 경우에는 당사자 등은 그 대표자를 통하여서만 행정절차에 관한 행위를 할 수 있다(동법 제11조 제5항).

20. 군무원 9급 대표자가 있는 경우에는 당사자 등은 그 대표자를 통하여서만 행정절차에 관한 행위를 할 수 있다. (○)

대표자 선정 시
▷ 대표자를 통해서만 행정절차 행위 可

ⓒ 다수의 대표자가 있는 경우 그 중 1인에 대한 행정청의 '행위'는 모든 당사자에게 효력이 있다. 다만, 행정청의 '통지'는 대표자 모두에게 하여야 그 효력이 있다(동법 제11조 제6항).

23. 국가직 7급 다수의 당사자등이 공동으로 행정절차에 관한 행위를 할 때에는 대표자를 선정할 수 있고, 다수의 대표자가 있는 경우 그중 1인에 대한 행정청의 행위는 모든 당사자등에게 효력이 있지만, 행정청의 통지는 대표자 모두에게 하여야 그 효력이 있다. (○)

20. 군무원 9급 다수의 대표자가 있는 경우 그 중 1인에 대한 행정청의 행위는 모든 당사자 등에게 효력이 있다. 다만, 행정청의 통지는 대표자 ~~1인에게 하여도~~ 그 효력이 있다. (×) → 모두에게 하여야

18. 서울시 7급 다수의 대표자가 있는 경우 그 중 1인에 대한 행정청의 통지는 모든 당사자 등에게 효력이 있다. (×) → 행위는

다수 대표자 중 1인에 대한 행정청의 행위
▷ 모든 당사자에 효력 미침

행정청의 통지
▷ 대표자 모두에게 하여야 효력○

대리인의 자격
▷ 배우자, 직계존속·비속 또는 형제자매
▷ 법인 등인 경우 그 임원 또는 직원
▷ 변호사
▷ 행정청 또는 청문 주재자의 허가를 받은 자
▷ 법령 등에 따라 해당 사안에 대하여 대리인이 될 수 있는 자

(4) 당사자 등의 대리인

① 당사자 등은 ㉠ 당사자 등의 배우자, 직계존속·비속 또는 형제자매, ㉡ 당사자 등이 법인 등인 경우 그 임원 또는 직원, ㉢ 변호사, ㉣ 행정청 또는 청문 주재자(청문의 경우만 해당한다)의 허가를 받은 자, ㉤ 법령 등에 따라 해당 사안에 대하여 대리인이 될 수 있는 자 중에서 대리인으로 선임할 수 있다(동법 제12조 제1항).

18. 서울시 7급 당사자 등은 당사자 등의 형제자매를 대리인으로 선임할 수 있다. (○)

20. 소방간부 당사자 등은 배우자, 직계존속·비속, 형제자매, 당사자 등이 법인 등인 경우 그 임원 또는 그 직원, 변호사, 행정청 또는 청문 주재자의 허가를 받은 자 등을 대리인으로 선임할 수 있다. (○)

② 당사자가 대리인을 선임할 수 있도록 한 「행정절차법」 제12조 제1항의 취지에 따라 대리인으로 선임된 변호사는 징계위원회에 출석하여 의견진술 등을 할 수 있으며, 행정청은 특별한 사정이 없는 한 이를 거부할 수 없다.

육군3사관학교 생도의 징계심의절차에 변호사의 출석·진술
▷ 행정청 거부 不可

⚡ 관련판례

징계심의대상자의 변호사가 징계위원회에 출석하여 필요한 의견을 진술하는 것은 방어권 행사의 본질적인 내용에 해당하여 행정청이 이를 거부할 수 없다. ★★★

[1] 행정절차법 제12조 제1항 제3호, 제2항, 제11조 제4항 본문에 따르면, 당사자 등은 변호사를 대리인으로 선임할 수 있고, 대리인으로 선임된 변호사는 당사자 등을 위하여 행정절차에 관한 모든 행위를 할 수 있다고 규정되어 있다. 위와 같은 행정절차법령의 규정과 취지, 헌법상 법치국가원리와 적법절차원칙에 비추어 징계와 같은 불이익처분절차에서 징계심의대상자에게 변호사를 통한 방어권의 행사를 보장하는 것이 필요하고, 징계심의대상자가 선임한 변호사가 징계위원회에 출석하여 징계심의대상자를 위하여 필요한 의견을 진술하는 것은 방어권 행사의 본질적 내용에 해당하므로, 행정청은 특별한 사정이 없는 한 이를 거부할 수 없다.

21. 경찰 2차, 19. 서울시 9급 징계와 같은 불이익처분절차에서 징계심의대상자에게 변호사를 통한 방어권의 행사를 보장하는 것이 필요하고, 징계심의대상자가 선임한 변호사가 징계위원회에 출석하여 징계심의대상자를 위하여 필요한 의견을 진술하는 것은 방어권 행사의 본질적 내용에 해당하므로, 행정청은 특별한 사정이 없는 한 이를 거부할 수 없다. (○)

대리인으로 선임된 변호사가 징계위원회 심의에 출석하는 것을 막은 경우
▷ 징계처분이 위법하여 취소되어야 함

[2] 육군3사관학교의 사관생도에 대한 징계절차에서 징계심의대상자가 대리인으로 선임한 변호사가 징계위원회 심의에 출석하여 진술하려고 하였음에도, 징계권자나 그 소속 직원이 변호사가 징계위원회의 심의에 출석하는 것을 막았다면 징계위원회 심의·의결의 절차적 정당성이 상실되어 그 징계의결에 따른 징계처분은 위법하여 원칙적으로 취소되어야 한다(대판 2018.3.13. 2016두33339).

22. 지방직 7급 공무원에 대한 징계절차에서 징계심의대상자가 대리인으로 선임한 변호사가 징계위원회 심의에 출석하여 진술하려고 하였음에도 불구하고 징계권자나 그 소속 직원이 변호사가 심의에 출석하는 것을 막았다면 징계위원회의 심의·의결의 절차적 정당성이 상실되어 그 징계의결에 따른 징계처분은 위법하며 원칙적으로 취소되어야 한다. (○)

당사자 등이 대표자·대리인의 선정·선임·변경·해임한 경우
▷ 당사자 등이 지체 없이 행정청에 통지

청문 주재자가 대리인의 선임을 허가한 경우
▷ 청문 주재자가 행정청에 통지

(5) 대표자·대리인의 선정·선임 등에 대한 당사자 등의 통지

당사자 등이 대표자 또는 대리인을 선정하거나 선임하였을 때에는 지체 없이 그 사실을 행정청에 통지하여야 한다. 대표자 또는 대리인을 변경하거나 해임하였을 때에도 또한 같다(동법 제13조 제1항). 청문 주재자가 대리인의 선임을 허가한 경우에는 청문 주재자가 그 사실을 행정청에 통지하여야 한다(동법 제13조 제2항).

7. 송달

「행정절차법」은 송달의 방법(동법 제14조), 효력 발생(동법 제15조)에 관하여 규정하고 있다. 이에 관하여는 제2편 행정작용법 중 행정행위의 성립요건·적법요건·효력발생 요건에서 이미 설명하였다.

8. 기간 및 기한의 특례(동법 제16조)

천재지변이나 그 밖에 당사자 등에게 책임이 없는 사유로 기간 및 기한을 지킬 수 없는 경우에는 그 사유가 끝나는 날까지 기간의 진행이 정지된다(동법 제16조 제1항). 외국에 거주하거나 체류하는 자에 대한 기간 및 기한은 행정청이 그 우편이나 통신에 걸리는 일수를 고려하여 정하여야 한다(동법 제16조 제2항).

09. 지방직 9급 외국에 거주 또는 체류하는 자에 대한 송달의 효력발생일은 공고일로부터 30일이 경과한 때이다. (×) → 우편이나 통신에 걸리는 일수를 고려하여 정하여야 한다

천재지변이나 당사자 등에게 책임이 없는 사유로 기간 및 기한을 지킬 수 없는 경우
▷ 그 사유가 끝나는 날까지 기간 진행 정지

외국거주·체류자에 대한 기간 및 기한
▷ 그 우편·통신에 걸리는 일수를 고려하여 정함

9. 비용 부담과 비용 지급

행정절차에 드는 비용은 행정청이 부담한다. 다만, 당사자 등이 자기를 위하여 스스로 지출한 비용은 그러하지 아니하다(동법 제54조). 행정청은 행정절차의 진행에 필요한 참고인이나 감정인 등에게 예산의 범위에서 여비와 일당을 지급할 수 있다(동법 제55조).

20. 소방직 행정절차에 소요되는 비용은 원칙적으로 행정청이 부담하도록 규정되어 있다. (○)

행정절차에 드는 비용
▷ 행정청이 부담(당사자 등이 자기를 위하여 스스로 지출한 비용은 제외)

10. 협조 요청 등

행정안전부장관(행정상 입법예고의 경우에는 법제처장을 말한다)은 이 법의 효율적인 운영을 위하여 노력하여야 하며, 필요한 경우에는 그 운영 상황과 실태를 확인할 수 있고, 관계 행정청에 관련 자료의 제출 등 협조를 요청할 수 있다(동법 제56조).

협조 요청
▷ 행정안전부장관은 관계 행정청에 관련 자료의 제출 등 협조 요청 可

제3절 처분절차

1 공통절차(수익적 처분·침익적 처분 일반)

1. 처분기준의 설정·공표

(1) 처분기준 공표의 의의

① 처분기준의 설정·공표는 행정청의 자의적인 권한행사를 방지하고 행정의 통일성을 기하며 처분의 상대방에게 예측가능성을 부여하기 위하여 요청된다(대판 2019.12.13. 2018두41907).

처분기준의 공표
▷ 행정청의 자의적인 권한행사 방지, 행정의 통일성, 상대방에게 예측가능성을 부여하기 위해 인정

모든 행정작용에 인정
▷ 침익적 처분과 수익적 처분
▷ 재량행위와 기속행위

처분기준의 설정 · 공표 의무
▷ 필요한 처분기준을 당해 처분의 성질에 비추어 되도록 구체적으로 공표해야 함
▷ 처분기준 변경의 경우도 동일

인 · 허가의제의 경우
▷ 주된 인 · 허가 행정청은 제출받은 관련 인 · 허가의 처분기준을 통합하여 공표해야 함

처분기준공표의 생략
▷ 성질상 현저히 곤란하거나 공공의 안전 또는 복리를 현저히 해치는 경우 생략 가능

② 처분기준의 설정 · 공표는 모든 행정작용에 인정된다. 따라서 수익적 처분과 침익적 처분 모두에 적용되며, 재량행위뿐만 아니라 기속행위에도 적용된다.

23. 국가직 9급 처분기준의 설정 · 공표의 규정은 침익적 처분뿐만 아니라 수익적 처분의 경우에도 적용된다. (○)

(2) 처분기준의 설정 · 공표 의무

① 행정청은 필요한 처분기준을 해당 처분의 성질에 비추어 되도록 구체적으로 정하여 공표하여야 한다. 처분기준을 변경하는 경우에도 또한 같다(동법 제20조 제1항).

18. 국가직 9급 행정규칙의 공표는 행정규칙의 성립요건이나 효력요건은 아니나, 「행정절차법」에서는 행정청은 필요한 처분기준을 당해 처분의 성질에 비추어 될 수 있는 한 구체적으로 공표하도록 하고 있다. (○)

② 「행정기본법」 제24조에 따른 인 · 허가의제의 경우 관련 인 · 허가 행정청은 관련 인 · 허가의 처분기준을 주된 인 · 허가 행정청에 제출하여야 하고, 주된 인 · 허가 행정청은 제출받은 관련 인 · 허가의 처분기준을 통합하여 공표하여야 한다. 처분기준을 변경하는 경우에도 또한 같다(동법 제20조 제2항).

(3) 처분기준공표의 생략

처분기준은 공표하는 것이 원칙이지만 예외적으로 처분기준을 공표하는 것이 ① 해당 처분의 성질상 현저히 곤란하거나 ② 공공의 안전 또는 복리를 현저히 해치는 것으로 인정될 만한 상당한 이유가 있는 경우에는 공표하지 않을 수 있다(동법 제20조 제3항).

23. 지방직 9급, 14. 경찰 2차 처분기준을 공표하는 것이 해당 처분의 성질상 현저히 곤란하거나 공공의 안전 또는 복리를 현저히 해치는 것으로 인정될 만한 상당한 이유가 있는 경우에는 처분기준을 공표하지 아니할 수 있다. (○)

> **관련판례**
>
> **처분기준 사전공표 의무의 예외를 정한 같은 조 제2항에 따라 처분기준을 따로 공표하지 않거나 개략적으로만 공표할 수 있는 경우 ★★**
>
> 처분의 성질상 처분기준을 미리 공표하는 경우 행정목적을 달성할 수 없게 되거나 행정청에 일정한 범위 내에서 재량권을 부여함으로써 구체적인 사안에서 개별적인 사정을 고려하여 탄력적으로 처분이 이루어지도록 하는 것이 오히려 공공의 안전 또는 복리에 더 적합한 경우도 있다. 그러한 경우에는 행정절차법 제20조 제2항 에 따라 처분기준을 따로 공표하지 않거나 개략적으로만 공표할 수도 있다(대판 2019.12.13. 2018두41907).

(4) 처분기준의 설정 · 공표의무 위반의 효과

행정청이 「행정절차법」 제20조 제1항의 처분기준 사전공표 의무를 위반하여 미리 공표하지 아니한 기준을 적용하여 처분을 하였다고 하더라도, 그러한 사정만으로 곧바로 해당 처분에 취소사유에 이를 정도의 흠이 존재한다고 볼 수는 없다.

관련판례

행정청이 처분기준 사전공표 의무를 위반하여 미리 공표하지 아니한 기준을 적용하여 처분을 한 경우 그러한 사정만으로 곧바로 처분이 위법하다고 볼 수 없다. ★★

행정청이 행정절차법 제20조 제1항의 처분기준 사전공표 의무를 위반하여 미리 공표하지 아니한 기준을 적용하여 처분을 하였다고 하더라도, 그러한 사정만으로 곧바로 해당 처분에 취소사유에 이를 정도의 흠이 존재한다고 볼 수는 없다. 다만, 해당 처분에 적용한 기준이 상위법령의 규정이나 신뢰보호의 원칙 등과 같은 법의 일반원칙을 위반하였거나 객관적으로 합리성이 없다고 볼 수 있는 구체적인 사정이 있다면 해당 처분은 위법하다고 평가할 수 있다(대판 2020.12.24. 2018두45633).

23. 국가직 7급 행정청이 처분기준 사전공표 의무를 위반하여 미리 공표하지 아니한 기준을 적용하여 처분을 하였다고 하더라도, 그러한 사정만으로 곧바로 해당 처분에 취소사유에 이를 정도의 흠이 존재한다고 볼 수는 없다. (○)

(5) 처분기준에 대한 당사자 등의 해석·설명요청권

당사자 등은 공표된 처분기준이 명확하지 아니한 경우 해당 행정청에 그 해석 또는 설명을 요청할 수 있다. 이 경우 해당 행정청은 특별한 사정이 없으면 그 요청에 따라야 한다(동법 제20조 제4항).

15. 국회직 8급, 15. 서울시 9급 「행정절차법」에 따라 공표된 처분기준이 명확하지 않은 경우 당사자 등은 해당 행정청에 그 해석 또는 설명을 요청할 수 있고, 해당 행정청은 특별한 사정이 없으면 그 요청에 따라야 한다. (○)

2. 처분의 이유제시

(1) 의의

이유제시란 행정청이 처분을 할 때 당사자에게 해당 처분의 근거와 이유를 알려주는 것을 말한다(동법 제23조). 이유부기라고도 한다.

(2) 기능(필요성)

처분의 이유제시는 처분의 당사자 등에게 처분의 적법성과 사후불복절차를 알려주어 ① 법원의 부담을 경감시켜 주는 기능을 하고 ② 행정청에게는 자의를 배제하고 신중한 처분을 하도록 하여 ③ 처분의 결정 과정을 보다 투명하게 한다.

15. 국가직 7급 「행정절차법」상 이유제시는 처분의 상대방에게 처분의 적법성을 보다 확신시켜 이를 수용하게 한다는 점에서 법원의 부담을 경감시켜주는 기능을 한다. (○)
15. 국가직 7급 「행정절차법」상 이유제시는 처분의 결정 과정을 보다 투명하게 하는데 기여한다. (○)

(3) 이유제시의무 대상처분

① **원칙**: 「행정절차법」 제23조 제1항은 행정청은 처분을 할 때에 모든 처분에 관하여 당사자에게 그 근거와 이유를 제시하도록 규정하고 있다. 따라서 이유제시의 대상이 되는 처분은 침익적 처분뿐만 아니라 수익적 처분을 포함한 모든 처분이다.

15. 사복직, 09. 국회직 9급 처분의 이유제시에 관한 「행정절차법」의 규정은 침익처분 및 수익처분 모두에 적용된다. (○)
12. 지방직 9급 「행정절차법」은 행정청이 처분을 하는 때에는 당사자에게 그 근거와 이유를 제시하도록 이유제시원칙을 규정하고 있는바, 이러한 이유제시의 원칙은 상대방에게 부담을 주는 행정처분의 경우뿐만 아니라 수익적 행정행위의 거부에도 적용된다. (○)
21. 서울시 7급, 18. 지방직 7급 처분의 이유제시는 당사자에게 의무를 부과하거나 권익을 제한하는 처분을 하는 경우에 한하여 의무화된다. (×) → 원칙적으로 모든 행정처분에 대해

이유제시 생략사유(면제사유)
▷ ① 신청내용을 모두 그대로 인정하는 경우, ② 단순·반복적인 처분 또는 경미한 처분으로서 당사자가 그 이유를 명백히 알 수 있는 경우, ③ 긴급히 처분을 할 필요가 있는 경우
▷ 단, ②, ③의 경우에는 처분 후 당사자가 요청하면 이유제시의무 有

「행정절차법」은 원칙적으로 모든 행정처분에 있어서 처분이유를 제시하도록 하고 있지만, 생략사유(면제사유, 예외규정)를 고려하면 주로 불이익처분(침익적 처분)에 이유제시의무가 적용된다.

② **생략사유(면제사유)❶**: 행정청은 ㉠ 신청 내용을 모두 그대로 인정하는 경우, ㉡ 단순·반복적인 처분 또는 경미한 처분으로서 당사자가 그 이유를 명백히 알 수 있는 경우, ㉢ 긴급히 처분을 할 필요가 있는 경우에는 당사자에게 그 근거와 이유를 제시하지 않아도 된다(동법 제23조 제1항). 그러나, 행정청은 ㉡, ㉢의 경우에 처분 후 당사자가 요청하는 경우에는 그 근거와 이유를 제시하여야 한다(동법 제23조 제2항).

22. 행정사, 15. 국회직 8급, 13. 변호사, 11. 국가직 9급, 10. 지방직 9급 등 행정청은 신청 내용을 모두 그대로 인정하는 처분을 하는 경우 처분의 근거와 이유를 제시하지 않아도 된다. (○)

12. 국가직 9급 신청 내용을 모두 그대로 인정하는 처분인 경우 이유제시의무가 면제되지만 처분 후 당사자가 요청하는 경우에는 그 근거와 이유를 ~~제시하여야 한다~~. (×) → 제시할 필요가 없다

18. 서울시 7급, 12. 국가직 9급, 09. 국가직 7급 단순·반복적인 처분 또는 경미한 처분으로서 당사자가 그 이유를 명백히 알 수 있는 경우에는 이유제시의무가 면제된다. (○)

14. 서울시 7급 단순·반복적인 처분 또는 ~~중대한 처분이지만~~ 당사자가 그 이유를 명백히 알 수 있는 경우 처분의 이유제시를 생략할 수 있다. (×) → 경미한 처분으로서

15. 서울시 9급 단순·반복적인 처분 또는 경미한 처분으로서 당사자가 그 이유를 명백히 알 수 있는 경우는 「행정절차법」이 규정하고 있는 ~~사전통지~~ 생략사유에 해당한다. (×) → 이유제시

18. 국가직 9급 단순·반복적인 처분 또는 경미한 처분으로서 당사자가 그 이유를 명백히 알 수 있는 경우라 하더라도 처분 후 당사자가 요청하는 경우에는 행정청은 그 근거와 이유를 제시하여야 한다. (○)

22. 국회직 8급 행정청은 긴급히 처분을 할 필요가 있는 경우 당사자에게 처분의 근거와 이유를 제시하지 않아도 되지만, 처분 후 당사자가 요청하는 경우에는 그 근거와 이유를 제시하여야 한다. (○)

17. 서울시 7급 행정청은 긴급히 처분을 할 필요가 있는 경우 당사자에게 처분의 근거와 이유를 제시하지 않아도 되지만, 처분 후에는 당사자의 요청이 ~~없어도~~ 그 근거와 이유를 제시하여야 한다. (×) → 있는 경우에는

이유제시의 정도
▷ 당사자가 처분사유를 이해할 수 있을 정도로 구체적이어야 함

적극적 처분
▷ 처분의 법률적 근거와 사실상의 이유를 구체적이고 명확하게 제시

소극적 처분
▷ 당사자가 근거를 알 수 있을 정도로 상당한 이유를 제시한 경우 구체적 조항·내용 생략 可

(4) 이유제시의무의 내용(이유제시의 정도)

① 이유제시는 당사자가 당해 처분의 근거법령과 처분사유를 이해할 수 있을 정도로 구체적이고 상세하게 적시되어야 한다.

14. 국가직 7급 행정청은 처분을 할 때에는 원칙적으로 당사자에게 그 근거와 이유를 제시하여야 하며, 이유제시의 정도는 처분사유를 이해할 수 있을 정도로 구체적이어야 한다. (○)

② 이유제시의 정도는 처분의 종류에 따라 다른데, 면허취소와 같은 적극적 처분의 경우에는 처분의 법률적 근거와 사실상의 이유를 처분의 상대방이 이해할 수 있을 정도로 구체적이고 명확하게 제시할 것이 요구되지만, 인·허가 등을 거부하는 소극적 처분의 경우에는 당사자가 그 근거를 알 수 있을 정도로 상당한 이유를 제시한 경우라면 당해 처분의 근거 및 이유를 구체적 조항 및 내용까지 명시하지 않더라도 위법하지 않다는 것이 판례의 입장이다.

주류도매업자에 대한 일반주류도매업 면허취소 통지
▷ 그 위반사실을 구체적으로 특정하지 아니한 것은 위법○

🔍 **관련판례**

1 취소처분 시 위반사실을 구체적으로 특정하지 않으면 위법하다. ★★

세무서장이 주류도매업자에 대하여 <u>일반주류도매업 면허취소 통지를 하면서 그 위반사실을 구체적으로 특정하지 아니한 것은 위법하다</u>(대판 1990.9.11. 90누1786).

12. 국가직 9급 세무서장이 주류도매업자에 대하여 일반주류도매업 면허취소 통지를 하면서 그 위반사실을 구체적으로 특정하지 아니한 것은 위법하다는 것이 판례의 입장이다. (○)

2 하나의 납세고지서에 의하여 복수의 과세처분을 함께 하는 경우에는 과세처분별로 그 세액과 산출근거 등을 구분하여 기재함으로써 납세의무자가 각 과세처분의 내용을 알 수 있도록 해야 한다. ★★★

하나의 납세고지서에 의하여 본세와 가산세를 함께 부과할 때에는 납세고지서에 본세와 가산세 각각의 세액과 산출근거 등을 구분하여 기재하여야 하고, 여러 종류의 가산세를 함께 부과하는 경우에는 그 가산세 상호간에도 종류별로 세액과 산출근거 등을 구분하여 기재하여야 한다. 따라서 가산세 부과처분이라고 하여 그 종류와 세액의 산출근거 등을 전혀 밝히지 아니한 채 가산세의 합계액만을 기재하였다면 그 부과처분은 위법하다(대판 2015.3.20. 2014두44434).

20. 국가직 7급, 14. 국회직 8급 하나의 납세고지서에 의하여 본세와 가산세를 함께 부과할 때 납세고지서에 본세와 가산세 각각의 세액과 산출근거 등을 구분하여 기재하여야 한다. (○)

18. 국가직 7급 하나의 납세고지서로 본세와 여러 종류의 가산세를 함께 부과하는 경우에 납세고지서에 가산세의 종류와 세액의 산출근거 등을 따로 구별하지 않고 가산세의 합계액만을 기재하였다면 그 부과처분은 위법하다. (○)

17. 지방직 7급 가산세 부과처분에 관해서는 「국세기본법」이나 개별 세법 어디에도 그 납세고지의 방식 등에 관하여 따로 정한 규정이 없으므로, 가산세의 종류와 세액의 산출근거 등을 전혀 밝히지 않고 가산세의 합계액만을 기재한 경우 그 부과처분은 위법하지 않다. (×) → 없더라도 / 위법하다

3 거부처분 시 당사자가 그 근거를 알 수 있을 정도로 상당한 이유를 제시하는 것만으로 충분하다. ★★★

[1] 행정절차법 제23조 제1항은 행정청은 처분을 하는 때에는 당사자에게 그 근거와 이유를 제시하여야 한다고 규정하고 있는바, 일반적으로 당사자가 근거규정 등을 명시하여 신청하는 인·허가 등을 거부하는 처분을 함에 있어 당사자가 그 근거를 알 수 있을 정도로 상당한 이유를 제시한 경우에는 당해 처분의 근거 및 이유를 구체적 조항 및 내용까지 명시하지 않았더라도 그로 말미암아 그 처분이 위법한 것이 된다고 할 수 없다.

24. 국가직 9급, 22. 국가직 7급, 18. 변호사, 16. 국가직 7급, 15. 지방직 9급, 13. 국가직 7급 등 당사자가 근거규정 등을 명시하여 신청하는 인·허가 등을 거부하는 처분을 함에 있어 당사자가 그 근거를 알 수 있을 정도로 상당한 이유를 제시한 경우에는 당해 처분의 근거 및 이유를 구체적 조항 및 내용까지 명시하지 않았더라도 그로 말미암아 그 처분이 위법한 것이 된다고 할 수 없다. (○)

20. 5급 승진, 18. 서울시 7급 인·허가 등의 거부처분을 함에 있어서 당사자가 그 처분의 근거를 알 수 있을 정도로 상당한 이유를 제시한 경우라도 그 구체적 조항이나 내용을 명시하지 않았다면 해당 거부처분은 위법하다. (×) → 경우에는 / 않았더라도 / 위법하지 않다

[2] 행정청이 토지형질변경허가신청을 불허하는 근거규정으로 '도시계획법시행령 제20조'를 명시하지 아니하고 '도시계획법'이라고만 기재하였으나, 신청인이 자신의 신청이 개발제한구역의 지정목적에 현저히 지장을 초래하는 것이라는 이유로 구 도시계획법시행령 제20조 제1항 제2호에 따라 불허된 것임을 알 수 있었던 경우, 그 불허처분이 위법하지 아니하다(대판 2002.5.17. 2000두8912).

17. 지방직 7급 행정청이 토지형질변경허가신청을 불허하는 근거규정으로 '「도시계획법시행령」 제20조'를 명시하지 아니하고 「도시계획법」'이라고만 기재하였으나, 신청인이 자신의 신청이 개발제한구역의 지정목적에 현저히 지장을 초래하는 것이라는 이유로 구 「도시계획법 시행령」 제20조 제1항 제2호에 따라 불허된 것임을 알 수 있었던 경우에는 그 불허처분이 위법하지 않다. (○)

함께 정리하기

가산세의 종류와 세액의 산출근거 등을 전혀 밝히지 않고 가산세의 합계액만을 기재한 경우
▷ 부과처분은 위법○

허가 등을 거부하는 소극적 처분함에 있어서 당사자가 그 근거를 알 수 있을 정도로 상당한 이유를 제시한 경우
▷ 당해 처분의 근거 및 이유를 구체적 조항 및 내용까지 명시하지 않더라도 위법×

교육부장관이 부적격사유가 없는 후보자들 사이에서 어떤 후보자를 총장으로 임용제청한 행위
▶ 「행정절차법」상 이유제시의무 다한 것
▶ 개별심사항목이나 평가결과를 구체적으로 밝힐 의무 無

4 교육부장관이 부적격사유가 없는 후보자들 사이에서 어떤 후보자를 총장으로 임용제청하는 경우, 임용제청행위 자체로서 행정절차법상 이유제시의무를 다한 것이다. ★★

교육부장관이 어떤 후보자를 총장 임용에 부적격하다고 판단하여 배제하고 다른 후보자를 임용제청하는 경우라면 배제한 후보자에게 연구윤리 위반, 선거부정, 그 밖의 비위행위 등과 같은 부적격사유가 있다는 점을 구체적으로 제시할 의무가 있다. 그러나 <u>부적격사유가 없는 후보자들 사이에서 어떤 후보자를 상대적으로 더욱 적합하다고 판단하여 임용제청하는 경우라면, 이는 후보자의 경력, 인격, 능력, 대학운영계획 등 여러 요소를 종합적으로 고려하여 총장 임용의 적격성을 정성적으로 평가하는 것으로 그 판단 결과를 수치화하거나 이유제시를 하기 어려울 수 있다. 이 경우에는 교육부장관이 어떤 후보자를 총장으로 임용제청하는 행위 자체에 그가 총장으로 더욱 적합하다는 정성적 평가 결과가 당연히 포함되어 있는 것으로, 이로써 행정절차법상 이유제시의무를 다한 것이라고 보아야 한다.</u> 여기에서 나아가 <u>교육부장관에게 개별 심사항목이나 고려요소에 대한 평가 결과를 더 자세히 밝힐 의무까지는 없다</u>(대판 2018.6.15. 2016두57564).

22. 지방직 9급 교육부장관이 부적격사유가 없는 후보자들 사이에서 어떤 후보자를 상대적으로 더욱 적합하다고 판단하여 국립대학교의 총장으로 임용제청을 하였다면, 그러한 임용제청행위 자체로서 이유제시의무를 다한 것이다. (○)

21. 변호사 교육부장관이 관련 법령에 따른 부적격사유가 없는 A와 B 총장후보 가운데 A후보자가 상대적으로 더욱 적합하다고 판단하여 대통령에게 총장으로 A후보자를 임용제청한 경우, 교육부장관은 B후보자에게 개별 심사항목이나 총장 임용 적격성에 대한 정성적 평가결과를 구체적으로 밝힐 의무가 있다. (×) → 없다

③ 다만, 인·허가 등을 거부하는 처분 이외에도 처분 당시 당사자가 처분이 이루어진 근거와 이유를 충분히 알 수 있어서 권리구제절차로 나아가는데 별다른 지장이 없었던 경우에는 그 이유제시의 정도가 완화된다.

처분 당시 당사자가 처분의 근거·이유 충분히 알 수 있어서 그에 불복하여 행정구제절차로 나아가는 데에 별다른 지장이 없었던 것으로 인정되는 경우
▷ 이유제시 정도 완화

⚖️ 관련판례

1 처분 당시 당사자가 처분의 근거와 이유를 충분히 알 수 있어서 행정구제절차로 나아가는 데에 별다른 지장이 없었던 경우에는 이유제시의 정도가 완화된다. ★★

행정절차법 제23조 제1항은 행정청이 처분을 하는 때에는 당사자에게 그 근거와 이유를 제시하도록 규정하고 있고, 이는 행정청의 자의적 결정을 배제하고 당사자로 하여금 행정구제절차에서 적절히 대처할 수 있도록 하는 데 그 취지가 있다. 따라서 <u>처분서에 기재된 내용과 관계 법령 및 당해 처분에 이르기까지 전체적인 과정 등을 종합적으로 고려하여, 처분 당시 당사자가 어떠한 근거와 이유로 처분이 이루어진 것인지를 충분히 알 수 있어서 그에 불복하여 행정구제절차로 나아가는 데에 별다른 지장이 없었던 것으로 인정되는 경우에는 처분서에 처분의 근거와 이유가 구체적으로 명시되어 있지 않았다고 하더라도 그로 말미암아 그 처분이 위법한 것으로 된다고 할 수는 없다</u>(대판 2013.11.14. 2011두18571).

19. 5급 승진 행정청이 거부처분을 하면서 처분 당시 당사자가 어떠한 근거와 이유로 처분이 이루어진 것인지를 충분히 알 수 있어서 그에 불복하여 행정구제절차로 나아가는데 별다른 지장이 없을 정도로 이유를 제시한 경우에는, 처분의 근거와 이유를 구체적으로 명시하지 않았더라도 그로 말미암아 그 처분이 위법하다고 볼 수는 없다. (○)

21. 지방직 9급, 16. 국회직 8급 처분 당시 당사자가 어떠한 근거와 이유로 처분이 이루어진 것인지를 충분히 알 수 있어서 그에 불복하여 행정구제절차로 나아가는 데에 별다른 지장이 없었던 것으로 인정되는 경우에도 처분서에 처분의 근거와 이유가 구체적으로 명시되어 있지 않았다면 그 처분은 위법하다. (×) → 경우에는 / 않았더라도 / 위법하지 않다

2 납세고지서에 과세표준과 세액의 산출근거 등이 제대로 기재되어 있지 않으면 위법하나, 납세고지서의 세율이 잘못 기재되었다고 하더라도 납세자가 세율이 명백히 잘못된 오기임을 알 수 있고, 불복 여부의 결정이나 불복신청에 지장을 초래하지 않을 정도라면 납세고지서의 세율이 잘못 기재되었다는 사정만으로 징수처분이 위법하다고 볼 수는 없다. ★★★

국세징수법 제9조 제1항은 "세무서장은 국세를 징수하려면 납세자에게 그 국세의 과세기간, 세목, 세액 및 그 산출근거, 납부기한과 납부장소를 적은 납세고지서를 발급하여야 한다."라고 규정하고 있다. 따라서 납세고지서에 해당 본세의 과세표준과 세액의 산출근거 등이 제대로 기재되지 않았다면 특별한 사정이 없는 한 그 징수처분은 위법하다. 그러나 납세고지서의 세율이 잘못 기재되었다고 하더라도 납세고지서에 기재된 문언 내용 등에 비추어 원천징수의무자 등 납세자가 세율이 명백히 잘못된 오기임을 알 수 있고 납세고지서에 기재된 다른 문언과 종합하여 정당한 세율에 따른 세액의 산출근거를 쉽게 알 수 있어 납세자의 불복 여부의 결정이나 불복신청에 지장을 초래하지 않을 정도라면, 납세고지서의 세율이 잘못 기재되었다는 사정만으로 그에 관한 징수처분을 위법하다고 볼 것은 아니다(대판 2019.7.4. 2017두38645).

납세자가 세율이 명백히 오기임을 알 수 있고 납세자의 불복 여부의 결정이나 불복신청에 지장 초래×
▷ 징수처분 위법×

(5) 이유제시의 방식 및 시기

① 처분의 방식은 원칙적으로 문서로 하여야 하므로(동법 제24조 제1항) 이유제시의 방식도 원칙적으로 문서로 하여야 한다. 처분을 하면서 같이 당해 문서로 하여야 한다.

② 이유제시는 원칙적으로 처분시에 이루어져야 한다. 따라서 처분시에 이유제시가 없거나 미비하다면 그 처분은 하자가 있는 것으로 위법하게 된다.

15. 국가직 7급 이유제시는 처분의 상대방에게 제시된 이유에 대해 방어할 기회를 보장하기 위해 처분에 앞서 사전에 함이 원칙이다. (×) → 처분시에

13. 서울시 7급 처분의 이유의 제시는 처분과 동시에 하며, 당사자가 그 근거를 알 수 있을 정도로 상당한 이유이어야 하고, 충분히 납득할 수 있도록 구체적이고 명확하여야 한다. (○)

이유제시의 방식 및 시기
▷ 문서로 처분 시(원칙)

(6) 이유제시의 하자와 하자치유

① **이유제시의 하자**: 이유제시의 하자란 행정처분의 이유제시가 없거나 「행정절차법」상 기준을 충족시키지 못하는 불충분한 이유제시가 있는 경우를 뜻한다. 이유제시의 하자는 취소사유에 해당한다.

12. 서울시 9급 판례에 의하면 이유제시의 하자와 관련하여, 이유제시가 전혀 없거나 중요사항의 기재가 결여되는 경우에는 무효사유로, 그 외의 경우에는 취소사유로 보고 있다. (×) → 또는 / 모두 일반적으로

이유제시의 하자
▷ 처분의 이유제시 없거나 불충분한 경우를 의미, 위법·취소사유○

⚖ 관련판례

1 처분청이 변상금 부과처분을 함에 있어서 그 납부고지서 또는 적어도 사전통지서에 그 산출근거를 밝히지 아니하였다면 위법하다. ★★★

국유재산 무단 점유자에 대하여 변상금을 부과함에 있어서 그 납부고지서에 일정한 사항을 명시하도록 요구한 위 시행령의 취지와 그 규정의 강행성 등에 비추어 볼 때, 처분청이 변상금 부과처분을 함에 있어서 그 납부고지서 또는 적어도 사전통지서에 그 산출근거를 밝히지 아니하였다면 위법한 것이고, 위 시행령 제26조, 제26조의2에 변상금 산정의 기초가 되는 사용료의 산정방법에 관한 규정이 마련되어 있다고 하여 산출근거를 명시할 필요가 없다거나 이로써 간접적으로 산출근거를 명시하였다고는 볼 수 없다(대판 2000.10.13. 99두2239).

변상금 부과처분을 하면서 그 납부고지서 또는 적어도 사전통지서에 그 산출근거를 밝히지 아니한 경우
▷ 위법○

18. 5급 승진 국유재산 무단점유자에 대하여 변상금 부과처분을 하면서 처분청이 부과통지서에 근거 법령을 명기하였다고 하더라도 산출근거를 제시하지 않으면 위법이다. (○)

16. 국회직 8급 변상금 부과처분을 하면서 그 납부고지서 또는 적어도 사전통지서에 그 산출근 거를 제시하지 아니하였다면 위법이지만 그 산출근거가 법령상 규정되어 있거나 부과통지서 등 에 산출근거가 되는 법령을 명기하였다면 이유제시의 요건을 충족한 것이다. (✕) → 이고 / 하 였더라도 / 충족하지 못한다

2 산출근거 없는 물품세 납세고지서에 의한 부과처분은 위법하다. ★★

국세징수법 제9조 제1항은 강행규정이므로 세액의 산출근거가 기재되지 아니한 물품세 납세고지서에 의한 부과처분은 위법한 것으로서 취소의 대상이 된다(대 판 1984.5.9. 84누116).

13. 국가직 7급 세액산출의 근거가 기재되지 않은 납세고지서에 의한 부과처분은 강행법규에 위반하여 당연무효라고 보는 것이 판례의 태도이다. (✕) → 취소사유

3 지방세법상 납세고지서 기재사항 중 일부를 누락시킨 하자는 당연무효로 볼 수 없다. ★★

지방세법 제1조 제1항 제5호, 제25조 제1항, 지방세법 시행령 제8조 등 납세고지서 에 관한 법령 규정들은 강행규정으로서 이들 법령이 요구하는 기재사항 중 일부 를 누락시킨 하자가 있는 경우 이로써 그 부과처분은 위법하게 되지만, 이러한 납 세고지서 작성과 관련한 하자는 그 고지서가 납세의무자에게 송달된 이상 과세처 분의 본질적 요소를 이루는 것은 아니어서 과세처분의 취소사유가 됨은 별론으로 하고 당연무효의 사유로는 되지 아니한다(대판 1998.6.26. 96누12634).

18. 5급 승진 취득세등 부과처분 시 납세고지서 기재사항을 누락한 경우, 그 부과처분은 위법하 게 되지만 그 고지서가 납세의무자에게 송달된 이상 고지서 작성과 관련한 하자는 과세처분의 당연무효의 사유로는 되지 아니한다. (○)

12. 경찰 3차 고지서가 납세의무자에게 송달되었다 하더라도 납세고지서 작성과 관련한 하자는 과세처분의 본질적 요소를 이루는 것이므로 무효의 사유가 된다. (✕) → 송달된 이상 / 것은 아 니어서 / 되지 아니한다

② **이유제시 하자의 치유**

○ **의의**: 이유제시 하자의 치유는 이유제시가 아예 결여되어 있거나 일부가 결 여된 경우, 이를 사후적으로 보완함으로써 절차상 하자를 제거하는 것을 말 한다.

○ **하자치유의 가능성**: 대법원은 이유제시 하자의 치유에 대해 행정행위의 성질 이나 법치주의의 관점에서 볼 때 원칙적으로 허용될 수 없는 것이지만, 예외 적으로 행정행위의 무용한 반복을 피하고 당사자의 법적 안정성을 위해 허 용되는 때에도 국민의 권리나 이익을 침해하지 않는 범위 내에서는 구체적 사정에 따라 합목적적으로 인정할 수 있다고 한다. 그러나 처분의 상대방이 처분 당시 그 취지를 알고 있었다거나 그 후 알게 되었다 하여도 그것만으 로 이유제시의 하자는 치유될 수 없다.

20. 행정사 이유제시의 하자는 치유의 대상이 될 수 없다. (✕) → 있다

18. 소방간부 취소처분의 근거와 위반사실의 적시를 빠뜨린 하자는 피처분자가 처분 당시 그 취지를 알고 있었다거나 그 후 알게 되었다 하여도 치유될 수 없다. (○)

○ **하자치유의 시기**: 판례는 행정쟁송제기 전(행정쟁송제기전설)까지 이유제시 하자가 치유되어야 한다는 입장이다(대판 2001.3.27. 99두8039).

22. 변호사 처분에 이유제시의 하자가 있는 경우 행정쟁송 계속 중에 이유제시를 보완하였다면 그 하자는 치유된다. (✕) → 치유되지 않는다

세액의 산출근거가 기재되지 아니한 물품 세 납세고지서에 의한 부과처분
▷ 위법○
▷ 취소사유

지방세 납세고지서 기재사항 일부 누락
▷ 위법○
▷ 취소사유

이유제시 하자의 치유
▷ 이유제시가 전부 혹은 일부가 결여된 경 우 사후적으로 보완함으로써 절차상 하자 를 제거하는 것

이유제시 하자의 치유가능성
▷ 제한적 긍정설

상대방이 처분 당시 취지를 알았거나 그 후 알게 된 경우에도
▷ 하자 치유✕

이유제시 하자의 치유 시기
▷ 쟁송제기 전까지 가능

18. 지방직 9급 행정처분의 이유제시가 아예 결여되어 있는 경우에 이를 사후적으로 추완하거나 보완하는 것은 늦어도 당해 행정처분에 대한 쟁송이 제시되기 전에는 행해져야 위법성이 치유될 수 있다. (○)

3. 처분의 방식

(1) 원칙적 문서주의

① 행정청이 처분을 할 때에는 다른 법령 등에 특별한 규정이 있는 경우를 제외하고는 문서로 하여야 하며, ㉠ 당사자 등의 동의가 있는 경우, ㉡ 당사자가 전자문서로 처분을 신청한 경우에는 전자문서로 할 수 있다(동법 제24조 제1항)

20. 경찰 2차 행정청이 처분을 할 때에는 다른 법령 등에 특별한 규정이 있는 경우를 제외하고는 당사자 등의 동의를 얻어 문서 또는 전자문서로 한다. (×) → 문서로 하여야 하며, 일정한 경우에는 전자문서로 할 수 있다

17. 서울시 7급 행정청이 전자문서로 처분을 함에 있어서 반드시 당사자 등의 동의가 필요한 것은 아니다. (○)

08. 지방직 9급 행정청이 전자문서로 처분을 하는 경우에는 당사자 등의 동의가 있어야 한다. (×) → 동의가 있거나 전자문서로 처분을 신청한 경우이어야 한다

② 다만, 공공의 안전 또는 복리를 위하여 긴급히 처분을 할 필요가 있거나 사안이 경미한 경우에는 말, 전화, 휴대전화를 이용한 문자 전송, 팩스 또는 전자우편 등 문서가 아닌 방법으로 처분을 할 수 있다. 이 경우 당사자가 요청하면 지체 없이 처분에 관한 문서를 주어야 한다(동법 제24조 제2항).

21. 행정사 변형 행정청은 공공의 안전 또는 복리를 위하여 긴급히 처분을 할 필요가 있거나 사안이 경미한 경우에는 말, 전화, 휴대전화를 이용한 문자 전송, 팩스 또는 전자우편 등 문서가 아닌 방법으로 처분을 할 수 있다. (○)

15. 교행 변형 행정청은 공공의 안전 또는 복리를 위하여 긴급히 처분을 할 필요가 있어서 처분을 말로써 하는 경우 당사자가 요청하면 해당 처분에 관한 문서를 주어야 한다. (○)

관련판례

1 처분의 방식으로 문서주의를 규정한 행정절차법 제24조를 위반하여 행하여진 행정청의 처분은 원칙적으로 무효이다. ★★★

[1] 행정절차법 제24조는, 행정청이 처분을 하는 때에는 다른 법령 등에 특별한 규정이 있는 경우를 제외하고는 문서로 하여야 하고 전자문서로 하는 경우에는 당사자 등의 동의가 있어야 하며, 다만 신속을 요하거나 사안이 경미한 경우에는 구술 기타 방법으로 할 수 있다고 규정하고 있는데, 이는 행정의 공정성·투명성 및 신뢰성을 확보하고 국민의 권익을 보호하기 위한 것이므로 위 규정을 위반하여 행하여진 행정청의 처분은 하자가 중대하고 명백하여 원칙적으로 무효이다.

16. 서울시 7급 법령상 문서에 의하도록 한 행정행위를 문서에 의해 하지 아니한 때, 그 처분은 하자가 중대하고 명백하여 원칙적으로 무효이다. (○)

14. 국회직 8급 「행정절차법」상의 처분의 방식을 위반하여 행해진 행정청의 처분은 하자가 중대하지만 명백하지는 않아 원칙적으로 취소의 대상이 된다. (×) → 하고 / 하므로 / 무효이다

[2] 집합건물 중 일부 구분건물의 소유자인 피고인이 관할 소방서장으로부터 소방시설 불량사항에 관한 시정보완명령을 받고도 따르지 아니하였다는 내용으로 기소된 사안에서, 담당 소방공무원이 행정처분인 위 명령을 구술로 고지한 것은 행정절차법 제24조를 위반한 것으로 하자가 중대하고 명백하여 당연무효이다(대판 2011.11.10. 2011도11109).

처분의 방식
▷ 원칙: 문서
▷ 당사자의 동의가 있거나 당사자가 전자문서로 처분을 신청한 경우: 전자문서 가능

공공의 안전·복리를 위하여 긴급히 처분할 필요가 있거나 사안이 경미한 경우
▷ 말, 전화, 휴대전화를 이용한 문자 전송, 팩스 또는 전자우편 등 문서가 아닌 방법으로 처분 가능
▷ 당사자 요청 시 지체 없이 처분에 관한 문서 주어야 함

문서주의 위반한 처분
▷ 당연무효

19. 국가직 9급 건물 소유자에게 소방시설 불량사항을 시정·보완하라는 명령을 구두로 고지한 것은 「행정절차법」에 위반한 것으로 하자가 중대·명백하여 당연무효이다. (○)

17. 변호사 「화재예방, 소방시설 설치·유지 및 안전관리에 관한 법률」상의 소방시설 불량사항에 관한 시정보완명령을 문서로 하지 않고 구두로 한 것은 신속을 요하거나 사안이 경미한 경우가 아닌 한 무효이다. (○)

면허관청이 임의로 출석한 상대방의 편의를 위하여 구두로 면허정지사실을 알린 경우
▷ 면허정지처분의 효력 ✕

2 면허관청이 임의로 출석한 상대방의 편의를 위하여 구두로 면허정지사실을 알린 경우 면허정지처분은 무효이다. ★★

운전면허정지처분의 경우 면허관청으로 하여금 일정한 서식의 통지서에 의하여 처분집행일 7일 전까지 발송하도록 한 같은법 시행규칙 제53조 제2항의 규정은 효력규정이라고 할 것이다. 따라서 면허관청이 운전면허정지처분을 하면서 별지 서식의 통지서에 의하여 면허정지사실을 통지하지 아니하거나 처분집행예정일 7일 전까지 이를 발송하지 아니한 경우에는 특별한 사정이 없는 한 위 관계 법령이 요구하는 절차·형식을 갖추지 아니한 조치로서 그 효력이 없다고 할 것이고, 이와 같은 법리는 면허관청이 임의로 출석한 상대방의 편의를 위하여 구두로 면허정지사실을 알렸다고 하더라도 마찬가지라고 할 것이다(대판 1996.6.14. 95누17823).

13. 지방직 9급 면허관청이 운전면허정지처분을 하면서 통지서에 의하여 면허정지사실을 통지하지 아니하거나 처분집행예정일 7일 전까지 이를 발송하지 아니한 경우에는 절차와 형식을 갖추지 아니한 조치로서 효력이 없으나, 면허관청이 임의로 출석한 상대방의 편의를 위하여 구두로 면허정지사실을 알렸다면 운전면허정지처분의 효력이 인정된다. (✕) → 없고 / 알렸다고 하더라도 / 인정되지 아니한다

처분서 문언만으로 처분의 내용이 분명한 경우
▷ 문언과 달리 다른 행정처분까지 포함되어 있다고 확대해석✕

3 행정처분을 하는 문서의 문언만으로 행정처분의 내용이 분명한 경우, 그 문언과 달리 다른 행정처분까지 포함되어 있다고 해석할 수 없다. ★★

행정절차법 제24조 제1항이 행정청이 처분을 하는 때에는 다른 법령 등에 특별한 규정이 있는 경우를 제외하고는 문서로 하도록 규정한 것은 처분내용의 명확성을 확보하고 처분의 존부에 관한 다툼을 방지하기 위한 것이라 할 것인바, 그와 같은 행정절차법의 규정 취지를 감안하여 보면, 행정청이 문서에 의하여 처분을 한 경우 그 처분서의 문언이 불분명하다는 등의 특별한 사정이 없는 한, 그 문언에 따라 어떤 처분을 하였는지 여부를 확정하여야 할 것이고, 처분서의 문언만으로도 행정청이 어떤 처분을 하였는지가 분명함에도 불구하고 처분경위나 처분 이후의 상대방의 태도 등 다른 사정을 고려하여 처분서의 문언과는 달리 다른 처분까지 포함되어 있는 것으로 확대해석하여서는 아니 된다(대판 2005.7.28. 2003두469).

12. 경찰 1차 행정청이 어떤 처분을 하였는지가 분명하더라도 처분경위나 처분 이후의 상대방의 태도 등 다른 사정을 고려하여 처분서의 문언과는 달리 다른 처분까지 포함되어 있는 것으로 확대해석할 수 있다. (✕) → 분명함에도 불구하고 / 하여서는 아니 된다

처분서 문언만으로 어떤 처분인지 불분명한 경우
▷ 다른 사정을 고려해 처분서 문언과 다른 해석 可

4 처분서의 문언만으로는 행정청이 어떤 처분을 하였는지 불분명한 경우, 다른 사정을 고려하여 처분서의 문언과 달리 해석할 수도 있다. ★★

행정청이 문서에 의하여 처분을 한 경우 원칙적으로 그 처분서의 문언에 따라 어떤 처분을 하였는지 확정하여야 하나, 그 처분서의 문언만으로는 행정청이 어떤 처분을 하였는지 불분명하다는 등 특별한 사정이 있는 때에는 처분 경위나 처분 이후의 상대방의 태도 등 다른 사정을 고려하여 처분서의 문언과 달리 그 처분의 내용을 해석할 수도 있다(대판 2010.2.11. 2009두18035).

22. 지방직 7급 「행정절차법」 상 문서주의 원칙에도 불구하고, 행정청의 처분서의 문언만으로는 행정청이 어떤 처분을 하였는지 불분명하다는 등 특별한 사정이 있는 때에는 처분 경위나 처분 이후의 상대방의 태도 등 다른 사정을 고려하여 처분서의 문언과 달리 그 처분의 내용을 해석할 수도 있다. (○)

(2) 처분실명제

처분을 하는 문서에는 그 처분 행정청과 담당자의 소속·성명 및 연락처(전화번호, 팩스번호, 전자우편주소 등을 말한다)를 적어야 한다(동법 제24조 제3항).

09. 지방직 9급 처분을 하는 문서에는 그 처분 행정청 및 담당자의 소속·성명과 연락처를 기재하여야 한다. (○)

4. 처분의 정정 및 불복의 고지

(1) 처분의 정정

행정청은 처분에 오기, 오산 또는 그 밖에 이에 준하는 명백한 잘못이 있을 때에는 직권으로 또는 신청에 따라 지체 없이 정정하고 그 사실을 당사자에게 통지하여야 한다(동법 제25조).

17. 경찰 2차, 16. 경찰 2차, 14. 사복직, 14. 국회직 8급, 12. 지방직 9급 등 행정청은 처분에 오기, 오산 또는 그 밖에 이에 준하는 명백한 잘못이 있을 때에는 직권으로 또는 신청에 따라 지체 없이 정정하고 그 사실을 당사자에게 통지하여야 한다. (○)

(2) 불복의 고지

① 행정청이 처분을 할 때에는 당사자에게 그 처분에 관하여 행정심판 및 행정소송을 제기할 수 있는지의 여부, 그 밖에 불복을 할 수 있는지의 여부, 청구절차 및 청구기간, 그 밖에 필요한 사항을 알려야 한다(동법 제26조).

14. 경찰 2차 행정청이 처분을 할 때에는 당사자에게 그 처분에 관하여 행정심판 및 행정소송을 제기할 수 있는지 여부, 그 밖에 불복을 할 수 있는지 여부, 청구절차 및 청구기간, 그 밖에 필요한 사항을 알려야 한다. (○)

② 고지의무 위반이 당해 처분의 효력에 영향을 미치는 것은 아니지만, 「행정심판법」은 경유절차 및 청구기간과 관련하여 행정청에게 일정한 제약을 가하고 있다.

> **⚖ 관련판례**
>
> **불고지 또는 오고지로 처분 자체가 위법하게 되는 것은 아니다. ★★**
>
> 행정절차법 제26조는 "행정청이 처분을 할 때에는 당사자에게 그 처분에 관하여 행정심판 및 행정소송을 제기할 수 있는지 여부, 그 밖에 불복을 할 수 있는지 여부, 청구절차 및 청구기간 그 밖에 필요한 사항을 알려야 한다."라고 규정하고 있다. 이러한 고지절차에 관한 규정은 행정처분의 상대방이 그 처분에 대한 행정심판의 절차를 밟는 데 편의를 제공하려는 것이어서 처분청이 위 규정에 따른 고지의무를 이행하지 아니하였다고 하더라도 경우에 따라 행정심판의 제기기간이 연장될 수 있음에 그칠 뿐, 그 때문에 심판의 대상이 되는 행정처분이 위법하다고 할 수는 없다(대판 2018.2.8. 2017두66633).
>
> 23. 지방직 7급 행정청이 처분을 하면서 당사자에게 그 처분에 관하여 행정심판 및 행정소송을 제기할 수 있는지 여부, 그 밖에 불복을 할 수 있는지 여부, 청구절차 및 청구기간 그 밖에 필요한 사항을 고지하지 않았다면 그 처분은 ~~위법하다~~. (×) → 다고 하더라도 / 위법하다고 할 수 없다

함께 정리하기

처분실명제
▷ 처분 문서에 처분 행정청과 담당자의 소속·성명 및 연락처 기재

처분의 정정
▷ 오기, 오산 또는 그 밖에 이에 준하는 명백한 잘못이 있을 때 직권 또는 신청에 따라 정정 후 그 사실을 당사자에게 통지해야 함

불복고지
▷ 행정심판 및 행정소송을 제기할 수 있는지
▷ 그 밖에 불복을 할 수 있는지
▷ 청구절차 및 청구기간
▷ 그 밖에 필요한 사항

불고지·오고지
▷ 처분 위법×

신청의 형식
▷ 원칙: 문서
▷ 예외: 다른 법령 등에 특별한 규정이 있는 경우, 행정청이 미리 다른 방법을 정하여 공시한 경우

전자문서로 신청하는 경우
▷ 행정청 컴퓨터 등에 입력된 때 신청한 것으로 봄

신청에 필요한 사항 등의 게시
▷ 신청에 필요한 구비서류, 접수기관, 처리기간, 그 밖에 필요한 사항을 게시하거나 편람을 갖추어 두고 누구나 열람할 수 있도록 하여야 함

신청의 의사표시
▷ 명시적·확정적이어야 함
▷ 신청서의 검토 요청만으로 ×

신청에 앞서 행정청의 허가업무 담당자에게 신청서의 내용에 대한 검토 요청
▷ 명시적이고 확정적인 신청의 의사표시×

2 신청에 의한 처분(수익적 처분) 절차

1. 처분의 신청

(1) 신청의 방식

행정청에 처분을 구하는 신청은 문서로 하여야 한다. 다만, 다른 법령 등에 특별한 규정이 있는 경우와 행정청이 미리 다른 방법을 정하여 공시한 경우에는 그러하지 아니하다(동법 제17조 제1항). 신청인이 전자문서로 하는 경우에는 행정청의 컴퓨터 등에 신청이 입력된 때 신청한 것으로 본다(동법 제17조 제2항).

20. 군무원 9급 행정청에 처분을 구하는 신청은 문서로 하여야 한다. 다만, 다른 법령 등에 특별한 규정이 있는 경우와 행정청이 미리 다른 방법을 정하여 공시한 경우에는 그러하지 아니하다. (○)

18. 서울시 9급 행정청에 처분을 신청할 때 전자문서로 하는 경우에는 행정청의 컴퓨터 등에 입력된 때에 신청한 것으로 본다. (○)

16. 서울시 9급 처분을 신청할 때 전자문서로 하는 경우에는 신청인의 컴퓨터 등에 입력된 때에 신청한 것으로 본다. (×) → 행정청의

(2) 신청에 필요한 사항 등의 게시 등

행정청은 신청에 필요한 구비서류, 접수기관, 처리기간, 그 밖에 필요한 사항을 게시(인터넷 등을 통한 게시를 포함한다)하거나 이에 대한 편람을 갖추어 두고 누구나 열람할 수 있도록 하여야 한다(동법 제17조 제3항).

20. 군무원 9급 행정청은 신청에 필요한 구비서류, 접수기관, 처리기간, 그 밖에 필요한 사항을 게시(인터넷 등을 통한 게시를 포함)하거나 이에 대한 편람을 갖추어 두고 누구나 열람할 수 있도록 하여야 한다. (○)

(3) 신청의 의사표시

신청인의 행정청에 대한 신청의 의사표시는 명시적이고 확정적이어야 하므로 신청에 앞서 허가 담당자에게 신청서의 검토를 요청한 것만으로는 신청이 있었다고 볼 수 없다.

> **관련판례**
>
> **신청의 의사표시는 명시적이고 확정적인 것이어야 한다. ★★**
>
> 신청인의 행정청에 대한 신청의 의사표시는 명시적이고 확정적인 것이어야 한다고 할 것이므로 신청인이 신청에 앞서 행정청의 허가업무 담당자에게 신청서의 내용에 대한 검토를 요청한 것만으로는 다른 특별한 사정이 없는 한 명시적이고 확정적인 신청의 의사표시가 있었다고 하기 어렵다(대판 2004.9.24. 2003두13236).
>
> 21. 지방직 7급, 20. 국가직 7급, 16. 국가직 7급 신청인이 신청에 앞서 행정청의 허가업무 담당자에게 신청서의 내용에 대한 검토를 요청한 것만으로는 다른 특별한 사정이 없는 한 명시적이고 확정적인 신청의 의사표시가 있었다고 하기 어렵다. (○)
>
> 21. 소방간부 신청인이 신청에 앞서 행정청의 허가업무 담당자에게 신청서의 내용에 대한 검토의 요청에 대해서도 「행정절차법」 소정의 절차가 적용된다. (×) → 적용되지 않는다

2. 신청의 접수 및 신청서의 보완

(1) 행정청의 접수의무

행정청은 신청을 받았을 때에는 다른 법령 등에 특별한 규정이 있는 경우를 제외하고는 그 접수를 보류 또는 거부하거나 부당하게 되돌려 보내서는 아니 되며, 신청을 접수한 경우에는 신청인에게 접수증을 주어야 한다. 다만, 대통령령으로 정하는 경우에는 접수증을 주지 아니할 수 있다(동법 제17조 제4항).

> **「행정절차법 시행령」 제9조 【접수증】** 법 제17조 제4항 단서에서 "대통령령이 정하는 경우"라 함은 다음 각호의 1에 해당하는 신청의 경우를 말한다.
> 1. 구술·우편 또는 정보통신망에 의한 신청
> 2. 처리기간이 "즉시"로 되어 있는 신청
> 3. 접수증에 갈음하는 문서를 주는 신청
> 23. 국가직 9급 행정청은 처리기간이 "즉시"로 되어 있는 신청의 경우에는 접수증을 주지 아니할 수 있다. (○)

(2) 신청의 보완 요구와 반려

① 행정청은 신청에 구비서류의 미비 등 흠이 있는 경우에는 보완에 필요한 상당한 기간을 정하여 지체 없이 신청인에게 보완을 요구하여야 한다(동법 제17조 제5항).

15. 서울시 9급, 15. 경찰 3차, 11. 경찰 1차 행정청은 신청에 구비서류의 미비 등 흠이 있는 경우에는 보완에 필요한 상당한 기간을 정하여 지체 없이 신청인에게 보완을 요구하여야 한다. (○)
20. 군무원 9급 행정청은 신청에 구비서류의 미비 등 흠이 있는 경우에는 보완에 필요한 상당한 기간을 정하여 지체 없이 신청인에게 보완을 요구할 수 있다. (×) → 하여야 한다
18. 소방직 신청에 대해 서류 등이 미비할 경우, 바로 접수를 거부할 수 있다. (×) → 없다
16. 서울시 9급 행정청은 신청에 구비서류의 미비 등 흠이 있는 경우에는 그 이유를 구체적으로 밝혀 접수된 신청을 되돌려 보내야 한다. (×) → 보완에 필요한 상당한 기간을 정하여 지체 없이 신청인에게 보완을 요구하여야 한다

> 🔍 **관련판례**
>
> **보완이 가능함에도 보완요구 하지 않은 채 곧바로 건축허가신청을 거부한 것은 위법하다. ★**
> 이 사건에서 소방서장이 건축부동의로 삼은 사유들은 그 내용에 비추어 볼 때 보완이 가능한 것으로서 피고로서는 원고에게 위와 같은 사유들에 대하여 보완요청을 한 다음 그 허가 여부를 판단함이 상당하고 그 보완을 요구하지도 않은 채 곧바로 이 사건 신청을 거부한 것은 재량권의 범위를 벗어난 것이어서 위법하다고 할 것이다(대판 2004.10.15. 2003두6573).

② 행정청은 신청인이 보완기간 내에 보완을 하지 아니하였을 때에는 그 이유를 구체적으로 밝혀 접수된 신청을 되돌려 보낼 수 있다(동법 제17조 제6항).

(3) 신청의 보완·변경 및 취하

신청인은 처분이 있기 전에는 그 신청의 내용을 보완·변경하거나 취하할 수 있다. 다만, 다른 법령 등에 특별한 규정이 있거나 그 신청의 성질상 보완·변경하거나 취하할 수 없는 경우에는 그러하지 아니하다(동법 제17조 제8항).

18. 소방직 신청인은 신청서가 일단 접수되면, 신청한 내용을 보완하거나 변경 또는 취하할 수 없다. (×) → 처분이 있기 전에는 / 있다

함께 정리하기

행정청의 접수의무
▷ 보류 또는 거부, 부당하게 되돌려 보내서는 아니 됨
▷ 접수 시: 접수증 발급

신청에 흠이 있는 경우
▷ 보완에 필요한 상당한 기간을 정하여 지체 없이 보완요구

보완가능함에도 보완요구 없이 신청 거부
▷ 위법○

상당한 기간 내에 보완하지 않은 경우
▷ 반려 가능

신청 후 처분 전
▷ 원칙적으로 신청 내용을 보완·변경·취하 可

처분 후
▷ 신청 내용을 보완·변경·취하 不可

다른 행정청에 신청의 접수
▷ 접수할 수 있는 신청의 종류를 미리 정하여 공시하여야 함

다수의 행정청이 관여되는 처분
▷ 처분의 지연을 막기 위해 행정청에 협조의무 有

처리기간의 설정·공표
▷ 행정청은 처분의 처리기간을 종류별로 미리 정하여 공표하여야 함

처리기간의 연장
▷ 처분의 처리기간의 범위에서 1회에 한하여 가능하며 연장 사유와 처리 예정 기한을 지체 없이 신청인에게 통지

행정청이 정당한 처리기간 내에 처리하지 아니하였을 때
▷ 해당 행정청 또는 그 감독 행정청에 신속한 처리 요청可

처분의 처리기간에 관한 규정
▷ 훈시규정

처리기간 지나 처분
▷ 절차상 하자×

(4) 다른 행정청에 신청의 접수

행정청은 신청인의 편의를 위하여 다른 행정청에 신청을 접수하게 할 수 있다. 이 경우 행정청은 다른 행정청에 접수할 수 있는 신청의 종류를 미리 정하여 공시하여야 한다(동법 제17조 제7항).

23. 국가직 9급, 20. 군무원 9급, 16. 서울시 9급 행정청은 신청인의 편의를 위하여 다른 행정청에 신청을 접수하게 할 수 있다. 이 경우 행정청은 다른 행정청에 접수할 수 있는 신청의 종류를 미리 정하여 공시하여야 한다. (○)

3. 신청의 처리

(1) 다수의 행정청이 관여하는 처분의 신속처리의무

행정청은 다수의 행정청이 관여하는 처분을 구하는 신청을 접수한 경우에는 관계 행정청과의 신속한 협조를 통하여 그 처분이 지연되지 아니하도록 하여야 한다(동법 제18조).

23. 국가직 9급 행정청은 다수의 행정청이 관여하는 처분을 구하는 신청을 접수한 경우에는 관계 행정청과의 신속한 협조를 통하여 그 처분이 지연되지 아니하도록 하여야 한다. (○)

(2) 처리기간의 설정·공표

① 행정청은 신청인의 편의를 위하여 처분의 처리기간을 종류별로 미리 정하여 공표하여야 하며(동법 제19조 제1항), 부득이한 사유로 처리기간 내에 처분을 처리하기 곤란한 경우에는 해당 처분의 처리기간의 범위에서 한 번만 그 기간을 연장할 수 있다(동법 제19조 제2항). 행정청이 처리기간을 연장한 때에는 처리기간의 연장 사유와 처리 예정 기한을 지체 없이 신청인에게 통지하여야 한다(동법 제19조 제3항).

14. 경찰 2차 행정청은 신청인의 편의를 위하여 처분의 처리기간을 종류별로 미리 정하여 공표하여야 한다. (○)

16. 지방직 9급 행정청은 부득이한 사유로 공표한 처리기간 내에 처분을 처리하기 곤란한 경우에는 해당 처분의 처리기간의 범위에서 한 번만 그 기간을 연장할 수 있다. (○)

② 행정청이 정당한 처리기간 내에 처리하지 아니하였을 때에는 신청인은 해당 행정청 또는 그 감독 행정청에 신속한 처리를 요청할 수 있다(동법 제19조 제4항).

17. 국가직 9급 행정청이 정당한 처리기간 내에 처분을 처리하지 아니하였을 때에는 신청인은 해당 행정청 또는 그 감독 행정청에 신속한 처리를 요청할 수 있다. (○)

③ 한편, 「행정절차법」은 처리기간 설정의 법형식에 관하여 아무런 언급이 없지만 통상 업무처리의 특성을 고려하여 행정규칙의 형식으로 행하여진다. 따라서 처리기간을 준수하지 않은 것은 독자적인 위법사유가 될 수 없다는 것이 판례의 입장이다.

> **⚡ 관련판례**
>
> **처분의 처리기간에 관한 규정은 훈시규정에 불과하므로 행정청이 처리기간이 지나 처분을 하였더라도 절차상 하자로 볼 수 없다. ★★★**
>
> 처분이나 민원의 처리기간을 정하는 것은 신청에 따른 사무를 가능한 한 조속히 처리하도록 하기 위한 것이다. 처리기간에 관한 규정은 훈시규정에 불과할 뿐 강행규정이라고 볼 수 없다. 행정청이 처리기간이 지나 처분을 하였더라도 이를 처분을 취소할 절차상 하자로 볼 수 없다. 민원처리법 시행령 제23조에 따른 민원처리진행상황 통지도 민원인의 편의를 위한 부가적인 제도일 뿐, 그 통지를 하지 않았더라도 이를 처분을 취소할 절차상 하자로 볼 수 없다(대판 2019.12.13. 2018두41907).

22. 변호사 「행정절차법」이 처분의 처리기간을 정하는 것은 신청에 따른 사무를 가능한 한 조속히 처리하도록 하기 위한 것으로, 처리기간에 관한 규정은 훈시규정에 불과할 뿐 강행규정이라고 볼 수 없으므로, 행정청이 처리기간이 지나 처분을 하였더라도 이를 처분을 취소할 절차상 하자로 볼 수 없다. (○)

23. 지방직 7급 행정청이 미리 공표한 처분의 처리기간을 지나 처분을 하였더라도 이를 처분을 취소할 절차상 하자로 볼 수 없다. (○)

23. 국가직 7급 처분의 처리기간에 관한 규정은 강행규정이므로 행정청이 처리기간이 지나 처분을 하였다면 이는 처분을 취소할 절차상 하자로 볼 수 있다. (×) → 훈시 / 없다

(3) 처리결과의 통지

① 행정기관의 장은 접수된 민원에 대한 처리를 완료한 때에는 그 결과를 민원인에게 문서로 통지하여야 한다. 다만, 기타민원의 경우와 통지에 신속을 요하거나 민원인이 요청하는 등 대통령령으로 정하는 경우에는 구술, 전화, 문자메시지, 팩시밀리 또는 전자우편 등으로 통지할 수 있다(「민원처리에 관한 법률」 제27조 제1항).

> 「민원처리에 관한 법률 시행령」 제29조 【처리결과의 통지방법 등】② 법 제27조 제1항 단서에서 "기타민원의 경우와 통지에 신속을 요하거나 민원인이 요청하는 등 대통령령으로 정하는 경우"란 다음 각 호의 어느 하나에 해당하는 경우를 말한다.
> 1. 기타민원의 경우
> 2. 민원인에게 처리결과를 신속하게 통지하여야 하는 경우
> 3. 민원인이 구술 또는 전화로 통지하도록 요청하거나 구술 또는 전화로 통지하는 것에 동의하는 경우

② 행정기관의 장은 ㉠ 민원인의 동의가 있는 경우(제1호), ㉡ 민원인이 전자민원창구나 통합전자민원창구를 통하여 전자문서로 민원을 신청하는 경우(제2호)에는 제1항 본문의 규정에 따른 통지를 전자문서로 통지하는 것으로 갈음할 수 있다. 다만, ㉡에 해당하는 경우에는 민원인이 요청하면 지체 없이 민원 처리 결과에 관한 문서를 교부하여야 한다(동법 제27조 제2항).

③ 한편, 행정기관의 장은 제1항 또는 제2항에 따라 민원의 처리결과를 통지할 때에 민원의 내용을 거부하는 경우에는 거부이유와 구제절차를 함께 통지하여야 한다(동법 제27조 제3항).

3 침익적 처분 절차

1. 처분의 사전통지(의견진술의 전치절차)

(1) 의의

행정청은 당사자에게 의무를 부과하거나 권익을 제한하는 처분을 하는 경우 미리 처분의 제목, 처분하려는 원인이 되는 사실과 처분의 내용 및 법적 근거 등을 당사자 등에게 통지해야 하는데 이를 처분의 사전통지라 한다(동법 제21조 제1항). 사전통지는 의견진술의 전치절차로서, 당사자에게 불이익처분을 하기 전에 의견제출의 기회를 주려는데 의의가 있다.

19. 군무원 9급 행정청은 당사자에게 의무를 부과하거나 권익을 제한하는 처분을 하는 경우에는 미리 일정한 사항을 당사자 등에게 통지하고 의견청취를 하여야 한다. (○)

함께 정리하기

민원처리완료 시
▷ 처리결과 문서로 통지

기타민원, 통지에 신속을 요하는 경우, 민원인이 요청하는 경우
▷ 구술, 전화, 문자메시지, 팩시밀리, 전자우편 등으로 통지 可

민원인의 동의가 있거나 전자문서로 민원신청 시 처리결과통지
▷ 전자문서로 갈음 可

전자문서로 민원신청 시
▷ 민원인이 요청하면 지체 없이 처리결과에 관한 문서 교부 要

민원내용 거부통지
▷ 거부이유, 구제절차 함께 통지

사전통지
▷ 불이익한 처분 전 미리 처분의 제목, 처분하려는 원인이 되는 사실과 처분의 내용 및 법적 근거 등을 당사자 등에게 알리는 것

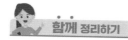

10. 지방직 7급 행정정은 당사자 등에게 의무를 면제하거나 권익을 부여하는 처분을 하는 경우에도 사전통지의무를 진다. (×) → 에는 / 지지 않는다

(2) 사전통지의 상대방(의견제출자) – '당사자 등'

「행정절차법」 제21조 제1항은 사전통지를 '당사자 등'에게 하여야 한다고 규정하고 있다. 여기서 '당사자 등'이라 함은 행정청의 처분에 대하여 직접 그 상대가 되는 당사자와 행정청이 직권 또는 신청에 따라 행정절차에 참여하게 한 이해관계인을 말한다. 따라서 불이익처분의 직접 상대방인 당사자도 아니고 행정청이 참여하게 한 이해관계인도 아닌 제3자에 대해서는 사전통지 및 의견제출에 관한 「행정절차법」의 규정이 적용되지 아니한다.

17. 국가직 7급 처분의 사전통지가 적용되는 제3자는 '행정청이 직권 또는 신청에 따라 행정절차에 참여하게 한 이해관계인'으로 한정된다. (○)

17. 사복직 불이익처분의 직접 상대방인 당사자도 아니고 행정청이 참여하게 한 이해관계인도 아닌 제3자에 대해서는 사전통지에 관한 규정이 적용되지 않는다. (○)

23. 지방직 9급 「행정절차법」상 사전통지 및 의견제출에 대한 권리를 부여하고 있는 '당사자 등'에는 불이익처분의 직접 상대방인 당사자와 행정청이 직권으로 또는 신청에 따라 행정절차에 참여하게 한 이해관계인, 그 밖에 제3자가 포함된다. (×) → 은 포함되나, 그 밖에 제3자는 포함되지 않는다

17. 지방직 7급 불이익처분의 직접 상대방인 당사자 또는 행정청이 참여하게 한 이해관계인이 아닌 제3자에 대하여는 의견제출에 관한 「행정절차법」의 규정이 적용되지 아니한다. (○)

📌 관련판례

대형마트 영업시간 제한 처분의 상대방은 점포개설자이므로 임차인들에게 별도로 사전통지를 할 필요는 없다. ★★★

구 유통산업발전법상 대규모점포 개설자에게 점포 일체를 유지·관리할 일반적인 권한을 부여한 취지 등에 비추어 보면, 영업시간 제한 등 처분의 대상인 대규모점포 중 개설자의 직영매장 이외에 개설자로부터 임차하여 운영하는 임대매장이 병존하는 경우에도, 전체 매장에 대하여 법령상 대규모점포 등의 유지·관리 책임을 지는 개설자만이 그 처분상대방이 되고, 임대매장의 임차인이 이와 별도로 처분상대방이 되는 것은 아니라고 할 것이다. … 따라서 위와 같은 절차(사전통지·의견청취절차)도 원고(대규모점포 개설자)들을 상대로 거치면 충분하고, 그 밖에 임차인들을 상대로 별도의 사전통지 등 절차를 거칠 필요가 없다(대판 2015.11.19. 2015두295 전합).

21. 서울시 7급, 17. 5급 승진 대형마트 영업시간 제한 등 처분의 대상인 대규모점포 중 개설자의 직영매장 외에 개설자로부터 임차하여 운영하는 임대매장이 병존하는 경우, 전체 매장에 대하여 법령상 대규모점포 등의 유지·관리 책임을 지는 개설자만이 그 처분상대방이 되므로, 임대매장의 임차인들을 상대로 별도의 사전통지 등 절차를 거칠 필요가 없다. (○)

(3) 사전통지의 대상처분

① **침익적 처분의 경우:** 사전통지의 대상이 되는 처분은 당사자에게 의무를 부과하거나 권익을 제한하는 불이익처분이다. 따라서 수익적 처분은 사전통지의 대상이 아니다.

21. 국회직 9급 「행정절차법」상 처분의 사전통지의무는 당사자에게 의무를 부과하거나 권익을 제한하는 처분이 그 대상이다. (○)

16. 국가직 9급 상대의 귀책사유로 야기된 처분의 하자를 이유로 수익적 행정행위를 취소하는 경우에는 특별한 규정이 없는 한 「행정절차법」상 사전통지의 대상이 되자않는다. (×) → 된다

② **거부처분의 경우:** 수익적 행정행위의 신청에 대한 거부처분이 사전통지의 대상이 되는지에 관하여 판례는 사전통지가 필요 없는 것으로 보고 있다.

당사자 등
▷ 처분상대방과 행정청이 행정절차에 참여하게 한 이해관계인
▷ 행정청이 참여하게 한 이해관계인이 아닌 제3자는 ×

대형마트 영업시간 제한 처분 시 사전통지의 대상
▷ 대형마트 개설자 ○
▷ 임대매장의 임차인 ×

사전통지의 대상이 되는 처분
▷ 침익적 처분 ○
▷ 수익적 처분 ×

거부처분
▷ 사전통지 대상 ×

🔍 관련판례

거부처분은 원칙적으로 처분의 사전통지 대상이 되지 않는다. ★★★

행정절차법 제21조 제1항은 행정청은 당사자에게 의무를 과하거나 권익을 제한하는 처분을 하는 경우에는 미리 처분의 제목, 당사자의 성명 또는 명칭과 주소, 처분하고자 하는 원인이 되는 사실과 처분의 내용 및 법적 근거, 그에 대하여 의견을 제출할 수 있다는 뜻과 의견을 제출하지 아니하는 경우의 처리방법, 의견제출기관의 명칭과 주소, 의견제출기한 등을 당사자 등에게 통지하도록 하고 있는바, 신청에 따른 처분이 이루어지지 아니한 경우에는 아직 당사자에게 권익이 부과되지 아니하였으므로 특별한 사정이 없는 한 신청에 대한 거부처분이라고 하더라도 직접 당사자의 권익을 제한하는 것은 아니어서 신청에 대한 거부처분을 여기에서 말하는 '당사자의 권익을 제한하는 처분'에 해당한다고 할 수 없는 것이어서 처분의 사전통지대상이 된다고 할 수 없다(대판 2003.11.28. 2003두674).

21. 지방직 7급, 18. 경찰 2차, 18. 소방간부, 17. 국가직 7급, 16. 지방직 7급, 14. 변호사 등 신청에 따른 처분이 이루어지지 않은 경우에는 아직 당사자에게 권익이 부과되지 않았으므로 특별한 사정이 없는 한 신청에 대한 거부처분이라고 하더라도 직접 당사자의 권익을 제한하는 것은 아니라 할 것이므로 처분의 사전통지 대상이 되지 않는다. (○)

22. 군무원 7급, 21. 서울시 7급, 20. 국가직 9급, 18. 서울시 9급, 16. 서울시 7급 등 신청에 대한 거부처분은 당사자의 권익을 제한하는 처분에 ~~해당하므로~~ 처분의 사전통지의 대상이 된다. (✕) → 해당하지 않으므로 / 되지 않는다

12. 경찰 1차 사전통지·의견제출 절차의 대상이 되는 처분은 '의무를 부과하거나 권익을 제한하는 처분'인데, 여기에 신청에 대한 거부처분이 당연히 포함되는 것은 아니다. (○)

17. 국가직 9급 수익적 행정행위의 거부처분을 함에 있어서 당사자에게 사전통지를 하지 ~~아니하였더라면~~, 그 거부처분은 ~~위법하여 취소를 면할 수 없다.~~ (✕) → 아니하였더라도 / 위법하지 않다

③ **지위승계신고의 경우**: 판례는 행정청이 지위승계신고를 수리하는 처분은 종전 영업자의 권익을 제한하는 처분이므로 종전 영업자에게 사전통지를 하여야 한다고 본다.

🔍 관련판례

1 유원시설업자 또는 체육시설업자 지위승계신고수리처분은 사전통지의 대상이 된다. ★★★

행정청이 구 관광진흥법 또는 구 체육시설법의 규정에 의하여 유원시설업자 또는 체육시설업자 지위승계신고를 수리하는 처분은 종전 유원시설업자 또는 체육시설업자의 권익을 제한하는 처분이고, 종전 유원시설업자 또는 체육시설업자는 그 처분에 대하여 직접 그 상대가 되는 자에 해당한다고 보는 것이 타당하므로, 행정청이 그 신고를 수리하는 처분을 할 때에는 행정절차법 규정에서 정한 당사자에 해당하는 종전 유원시설업자 또는 체육시설업자에 대하여 위 규정에서 정한 행정절차를 실시하고 처분을 하여야 한다(대판 2012.12.13. 2011두29144).

19. 국가직 9급 공매를 통하여 체육시설을 인수한 자의 체육시설업자 지위승계신고를 수리하는 경우, 종전 체육시설업자에게 사전에 통지하여 의견제출 기회를 주어야 한다. (○)

17. 지방직 9급 행정청이 구 「체육시설의 설치·이용에 관한 법률」의 규정에 의하여 체육시설업자 지위승계신고를 수리하는 처분을 하는 경우, 종전 체육시설업자에 대하여 「행정절차법」상 사전통지 등 절차를 거칠 ~~필요는 없다.~~ (✕) → 거쳐야 한다

14. 지방직 9급 행정청이 구 「관광진흥법」의 규정에 의하여 유원시설업자 지위승계신고를 수리하는 처분을 하는 경우, 종전 유원시설업자에 대하여는 「행정절차법」상 처분의 사전통지절차를 거칠 ~~필요가 없다.~~ (✕) → 거쳐야 한다

🧑 함께 정리하기

거부처분
▷ 당사자의 권익을 제한하는 처분이 아니므로 사전통지 대상✕

지위승계신고수리
▷ 사전통지 대상○

유원시설업자 등의 지위승계신고 수리처분
▷ 종전 유원시설업자 또는 체육시설업자에 대하여 사전통지·의견청취 등 행정절차실시 要

「식품위생법」상 영업자지위승계신고 수
리처분
▷ 종전의 영업자에 대하여 사전통지·의
견청취 등 행정절차실시 要

2 식품위생법상 영업자지위승계신고 수리처분은 사전통지의 대상이 된다. ★★★

행정청이 구 식품위생법 규정에 의하여 영업자지위승계신고를 수리하는 처분은 종전의 영업자의 권익을 제한하는 처분이라 할 것이고 따라서 종전의 영업자는 그 처분에 대하여 직접 그 상대가 되는 자에 해당한다고 봄이 상당하므로, 행정청으로서는 위 신고를 수리하는 처분을 함에 있어서 행정절차법 규정 소정의 당사자에 해당하는 종전의 영업자에 대하여 위 규정 소정의 행정절차를 실시하고 처분을 하여야 한다(대판 2003.2.14. 2001두7015).

22. 지방직 9급, 21. 서울시 7급, 20. 국가직 9급 행정청이 영업자지위승계신고를 수리하는 처분은 종전 영업자의 권익을 제한하는 처분이므로, 행정청이 그 신고를 수리하는 처분을 할 때에는 「행정절차법」 규정에서 정한 당사자에 해당하는 종전 영업자에 대하여 행정절차를 실시하고 처분을 하여야 한다. (○)

21. 소방직 행정청이 구 「식품위생법」 규정에 의하여 영업자지위승계신고를 수리하는 처분은 종전의 영업자의 권익을 제한하는 처분에 해당하므로, 행정청은 이를 처리함에 있어 종전의 영업자에 대하여 처분의 사전통지, 의견청취 등 「행정절차법」상의 처분절차를 거쳐야 한다. (○)

18. 국가직 9급 「행정절차법」상 사전통지의 상대방인 당사자는 행정청의 처분에 대하여 직접 그 상대가 되는 자를 의미하므로, 「식품위생법」상의 영업자지위승계신고를 수리하는 행정청은 영업자지위를 이전한 종전의 영업자에 대하여 사전통지를 할 ~~필요가 없다~~. (×) → 하여야 한다

21. 국가직 7급 「식품위생법」상의 영업자지위승계신고를 수리하는 경우, 영업시설을 인수하여 영업자의 지위를 승계한 자에 대하여 사전통지를 하고, 그에게 의견제출의 기회를 주어야 한다. (×) → 종전의 영업자

제3자효 행정행위의 경우
▷ 사전통지×

④ **복효적 행정행위(제3자효 행정행위)의 경우:** 사전통지는 '당사자 등'에 하여야 하는 바, '당사자 등'이라 함은 처분의 직접 상대방과 행정청이 직권 또는 신청에 의하여 참여하게 한 이해관계인을 말하므로(동법 제2조 제4호), 처분의 상대방에게 이익이 되며 제3자의 권익을 침해하는 복효적 행정행위(제3자효 행정행위) 등은 「행정절차법」상 사전통지·의견제출의 대상이 되지 않는다.

19. 지방직 7급 처분의 상대방에게 이익이 되며 제3자의 권익을 침해하는 이중효과적 행정행위는 「행정절차법」상 사전통지·의견제출의 대상이 된다. (×) → 아니다

고시에 의한 일반처분의 경우
▷ 사전통지×

⑤ **고시에 의한 처분(일반처분)의 경우:** 판례는 고시에 의한 처분은 처분의 직접 상대방이 존재하지 않기 때문에 사전통지의 대상이 되지 않는다고 본다.

🔎 관련판례

일반처분
▷ 의견제출 기회×

1 고시에 의한 처분은 사전통지의 대상이 아니다. ★★★

[1] 고시의 방법으로 불특정 다수인을 상대로 의무를 부과하거나 권익을 제한하는 처분은 성질상 의견제출의 기회를 주어야 하는 상대방을 특정할 수 없으므로, 이와 같은 처분에 있어서까지 구 행정절차법 제22조 제3항에 의하여 그 상대방에게 의견제출의 기회를 주어야 한다고 해석할 것은 아니다.

22. 지방직 7급, 20. 5급 승진 고시의 방법으로 불특정 다수인을 상대로 의무를 부과하거나 권익을 제한하는 처분은 성질상 의견제출의 기회를 주어야 하는 상대방을 특정할 수 없으므로, 이 처분에 있어 그 상대방에게 「행정절차법」상 의견제출의 기회를 주어야 하는 것은 아니다. (○)

18. 경찰 2차 '고시' 등 불특정 다수인을 상대로 의무를 부과하거나 권익을 제한하는 처분은 성질상 상대방을 특정할 수 없으므로, 이와 같은 처분에 있어서는 그 상대방에게 의견제출의 기회를 주지 않았다고 하여 위법하다고 볼 수는 없다. (○)

20. 지방직 9급 고시의 방법으로 불특정 다수인을 상대로 권익을 제한하는 처분을 할 경우 당사자는 물론 제3자에게도 의견제출의 기회를 주어야 한다. (×) → 하는 것은 아니다

[2] 원심은, 피고(보건복지부장관)가 이 사건 고시에 의하여 수정체수술과 관련한 질병군의 상대가치점수를 종전보다 약 10~25% 정도 인하하는 내용의 처분을 한 것은 수정체수술을 하는 의료기관을 개설·운영하는 개별 안과 의사들을 상대로 한 것이 아니라 불특정 다수의 의사 전부를 상대로 하는 것인 점 등 그 판시와 같은 이유를 들어, 이 사건 고시에 의한 처분의 경우 구 행정절차법 제22조 제3항에 따라 그 상대방에게 의견제출의 기회를 주지 않았다고 하여 위법하다고 볼 수 없다는 취지로 판단하였다(대판 2014.10.27. 2012두7745).

22. 소방간부 보건복지부장관은 국민건강보험법령상 요양급여의 상대가치점수 변경 또는 조정 고시에 의한 처분을 하는 경우 상대방에게 의견제출의 기회를 주어야 한다. (×) → 하는 것은 아니다

17. 5급 승진 보건복지부장관이 수정체수술 관련 질병군의 상대가치점수를 종전보다 인하하는 내용으로 '건강보험 행위 급여·비급여 목록표 및 급여 상대가치점수'를 개정·고시하는 경우, 수정체수술을 하는 의료기관을 개설·운영하는 안과의사들에게 의견제출의 기회를 주지 않았다고 하여 절차상 하자가 있는 것은 아니다. (○)

2 도로구역변경결정은 행정절차법 제21조 제1항의 사전통지나 제22조 제3항의 의견청취의 대상이 되는 처분이 아니다. ★★★

행정절차법 제2조 제4호가 행정절차법의 당사자를 행정청의 처분에 대하여 직접 그 상대가 되는 당사자로 규정하고, 도로법 제25조 제3항이 도로구역을 결정하거나 변경할 경우 이를 고시에 의하도록 하면서, 그 도면을 일반인이 열람할 수 있도록 한 점 등을 종합하여 보면, 도로구역을 변경한 이 사건 처분은 행정절차법 제21조 제1항의 사전통지나 제22조 제3항의 의견청취의 대상이 되는 처분은 아니라고 할 것이다(대판 2008.6.12. 2007두1767).

20. 국회직 9급 「도로법」에 따른 도로구역의 변경은 고시와 열람의 절차를 거치므로 「행정절차법」상 사전통지나 의견청취의 대상이 되지 않는다. (○)

17. 5급 승진 「도로법」에 따라 도로구역을 결정하거나 변경할 경우 이를 고시에 의하도록 하고 그 도면을 일반인이 열람할 수 있도록 하고 있으므로, 도로구역을 변경하는 처분을 하는 경우에는 사전통지나 의견청취절차를 거치지 않아도 절차상 하자가 있는 것은 아니다. (○)

17. 사복직, 14. 지방직 9급 「도로법」상 도로구역의 결정·변경고시는 행정처분으로서 「행정절차법」 제21조 제1항의 사전통지나 제22조 제3항의 의견청취의 절차를 거쳐야 한다. (×) → 하는 것은 아니다

도로구역변경결정
▷ 사전통지·의견청취 대상×

(4) 사전통지사항

미리 통지할 사항은 ① 처분의 제목, ② 당사자의 성명 또는 명칭과 주소, ③ 처분하려는 원인이 되는 사실과 처분의 내용 및 법적 근거, ④ ③에 대하여 의견을 제출할 수 있다는 뜻과 의견을 제출하지 아니하는 경우의 처리방법, ⑤ 의견제출기관의 명칭과 주소, ⑥ 의견제출기한, ⑦ 그 밖에 필요한 사항 등이다(동법 제21조 제1항).

21. 국회직 9급 처분하려는 원인이 되는 사실과 처분의 내용 및 법적 근거에 대해 당사자가 의견을 제출할 수 있다는 뜻과 의견을 제출하지 아니하는 경우의 처리방법도 사전통지의 대상이다. (○)

사전통지사항
▷ 처분의 제목, 당사자의 성명 또는 명칭과 주소, 처분하고자 하는 원인이 되는 사실과 처분의 내용 및 법적 근거, 의견제출기관의 명칭과 주소, 의견제출 기한 등

(5) 사전통지기간

행정청은 의견제출의 준비에 필요한 기간을 10일 이상으로 주어 통지하여야 한다(동법 제21조 제3항).

22. 군무원 7급 행정청은 당사자에게 사전통지를 하면서 의견제출에 필요한 기간을 10일 이상으로 고려하여 정하여 통지하여야 한다. (○)

사전통지 예외사유
▷ 공공의 안전 또는 복리를 위해 긴급한 처분이 필요한 때
▷ 처분의 전제가 되는 사실이 법원의 재판 등에 의해 객관적으로 증명된 때
▷ 처분의 성질상 의견청취가 곤란하거나 불필요하다고 인정된 때

사전통지 없이 처분을 할 때
▷ 당사자 등에게 통지를 하지 아니한 사유를 알려야 함

(6) 사전통지의 예외(사전통지 생략사유, 면제사유)

① 행정청은 부담적 처분을 함에 있어서 원칙적으로 사전통지를 하여야 하지만 ㉠ **공공의 안전 또는 복리를 위하여 긴급히 처분을 할 필요가 있는 경우**(긴급성), ㉡ **법령 등에서 요구된 자격이 없거나 없어지게 되면 반드시 일정한 처분을 하여야 하는 경우에 그 자격이 없거나 없어지게 된 사실이 법원의 재판 등에 의하여 객관적으로 증명된 경우**(객관적 명확성), ㉢ **해당 처분의 성질상 의견청취가 현저히 곤란하거나 명백히 불필요하다고 인정될 만한 상당한 이유가 있는 경우**(의견청취곤란·불필요) 등에는, 사전통지를 하지 않을 수 있다(동법 제21조 제4항). 처분의 전제가 되는 사실이 법원의 재판 등에 의하여 객관적으로 증명된 경우 등 제4항에 따른 사전통지를 하지 아니할 수 있는 구체적인 사항은 대통령령으로 정한다(동법 제21조 제5항). 이 경우 행정청은 처분을 할 때 당사자 등에게 통지를 하지 아니한 사유를 알려야 한다. 다만, 신속한 처분이 필요한 경우에는 처분 후 그 사유를 알릴 수 있다(동법 제21조 제6항).

16. 경찰 2차, 15. 경찰 1차, 12. 서울시 9급 「행정절차법」에 의하면 침해적 처분이라 해도 공공의 안전 또는 복리를 위하여 긴급히 처분을 할 필요가 있는 경우에는 처분의 사전통지를 아니할 수 있다. (○)

22. 국가직 9급, 15. 서울시 9급 법령 등에서 요구된 자격이 없거나 없어지게 되면 반드시 일정한 처분을 하여야 하는 경우에 그 자격이 없거나 없어지게 된 사실이 법원의 재판에 의하여 객관적으로 증명된 경우에는 사전통지를 생략할 수 있다. (○)

18. 서울시 9급 처분의 전제가 되는 사실이 법원의 재판 등에 의하여 객관적으로 증명된 경우에는 행정청이 당사자에게 의무를 부과하거나 권익을 제한하는 처분을 하는 경우에도 사전통지를 하지 아니할 수 있다. (○)

19. 군무원 9급 해당 처분의 성질상 의견청취가 현저히 곤란하거나 명백히 불필요하다고 인정될 만한 상당한 이유가 있는 경우에는 사전통지 및 의견청취 절차를 거치지 아니할 수 있다. (○)

② 특히, ㉢과 관련하여 판례는 ㉢의 해당 여부는 당해 행정처분의 성질에 비추어 판단하여야 하는 것으로 보고 있다.

⚖ 관련판례

1 당해 처분의 성질상 의견청취가 현저히 곤란하거나 명백히 불필요하다고 인정될 만한 상당한 이유가 있는지의 여부는 당해 행정처분의 성질에 따라 판단한다. ★★★

행정절차법 제21조 제4항 제3호는 침해적 행정처분을 할 경우 청문을 실시하지 않을 수 있는 사유로서 "당해 처분의 성질상 의견청취가 현저히 곤란하거나 명백히 불필요하다고 인정될 만한 상당한 이유가 있는 경우"를 규정하고 있으나, 여기에서 말하는 '<u>의견청취가 현저히 곤란하거나 명백히 불필요하다고 인정될 만한 상당한 이유가 있는지 여부</u>'는 당해 행정처분의 성질에 비추어 판단하여야 하는 것이지, 청문통지서의 반송 여부, 청문통지의 방법 등에 의하여 판단할 것은 아니다(대판 2001.4.13. 2000두3337).

10. 서울시 9급 당해 처분의 성질상 의견청취가 현저히 곤란하거나 명백히 불필요하다고 인정될 만한 상당한 이유가 있는지의 여부는 당해 행정처분의 성질에 따라 판단한다. (○)

19. 서울시 7급 「행정절차법」의 청문배제사유인 '당해 처분의 성질상 의견청취가 현저히 곤란하거나 명백히 불필요하다고 인정될 만한 상당한 이유가 있는 경우'는 당해 행정처분의 성질에 의하여 판단하여야 하는 것이지, 청문통지서의 반송 여부, 청문통지의 방법 등에 의하여 판단할 것은 아니다. (○)

15. 서울시 9급 행정처분의 상대방이 통지된 청문일시에 불출석하였다는 이유만으로는 관계 법령상 요구되는 청문절차 없이 침해적 행정처분을 할 수는 없다. (○)

함께 정리하기

② 현장조사에 앞서 전화로 알리고 현장조사에서 의견진술기회를 부여하였더라도 침해적 행정처분인 시정명령을 하면서 처분상대방에게 행정절차법에 따른 적법한 사전통지를 하거나 의견제출의 기회를 부여하여야 한다. ★★

(무단으로 용도변경된 건물에 대해 현장조사를 실시하여 건물주에게 시정명령이 있을 것과 불이행 시 이행강제금이 부과될 것이라는 점을 설명하고, 위반경위를 질문하여 답변을 들은 다음 건물주로부터 확인서명을 받은 후 별도의 사전통지나 의견진술기회 부여 절차를 거치지 아니한 채 현장조사 다음 날 시정명령을 한 경우) 행정청이 현장조사에 앞서 처분상대방에게 전화로 통지한 것은 행정조사의 통지이지 시정명령에 대한 사전통지로 볼 수 없다. 그리고 행정청이 현장조사 당시 위반 경위에 관하여 처분상대방에게 의견진술기회를 부여하였다 하더라도, 시정명령이 현장조사 바로 다음 날 이루어진 사정에 비추어 보면, 의견제출에 필요한 상당한 기간을 고려하여 의견제출기한이 부여되었다고 보기도 어렵다. 그리고 현장조사에서 처분상대방이 위반 사실을 시인하였다거나 위반 경위를 진술하였다는 사정만으로는 행정절차법 제21조 제4항 제3호가 정한 '의견청취가 현저히 곤란하거나 명백히 불필요하다고 인정될 만한 상당한 이유가 있는 경우'로서 처분의 사전통지를 하지 아니하여도 되는 경우에 해당한다고 볼 수도 없다. 따라서 행정청이 침해적 행정처분인 시정명령을 하면서 처분상대방에게 행정절차법에 따른 적법한 사전통지를 하거나 의견제출의 기회를 부여하였다고 볼 수 없다(대판 2016.10.27. 2016두41811).

18. 서울시 9급 무단으로 용도변경된 건물에 대해 건물주에게 시정명령이 있을 것과 불이행 시 이행강제금이 부과될 것이라는 점을 설명한 후, 다음 날 시정명령을 한 경우 「행정절차법」상 처분의 사전통지 혹은 의견제출의 기회를 부여할 사항에 해당한다. (O)

19. 국가직 9급 용도를 무단변경한 건물의 원상복구를 명하는 시정명령 및 계고처분을 하는 경우, 사전에 통지할 필요가 없다. (×) → 있다

22. 군무원 7급 현장조사에서 처분상대방이 위반사실을 시인하였다면 행정청은 처분의 사전통지절차를 하지 않아도 된다. (×) → 하였더라도 / 하여야 한다

용도를 무단변경한 건물의 원상복구를 명하는 시정명령 및 계고처분을 하는 경우
▷ 사전통지, 의견청취절차 생략×

위반사실 시인
▷ 사전통지 등 예외사유 ×

현장조사 시 시정명령에 대한 구두통지 후 다음 날 시정명령
▷ 위법

---

(7) 사전통지를 하지 않은 경우 처분의 효력

판례는 행정청이 침익적 처분을 하면서 당사자 등에게 사전통지를 하지 않은 경우, 사전통지를 하지 않아도 되는 예외적인 경우에 해당하지 않는 한 그 처분은 위법하여 취소할 수 있다고 본다.

침익적 처분을 하면서 사전통지를 하지 않은 경우
▷ 사전통지를 하지 않아도 되는 예외적인 경우에 해당하지 않는 한 그 처분은 위법하여 취소 可

⚡ 관련판례

① 행정청이 침해적 행정처분을 하면서 사전통지를 하지 않거나 의견제출 기회를 주지 아니한 것은 위법하며 취소사유에 해당한다. 많은 액수의 손실보상금을 기대하여 공사를 강행할 우려가 있어도 사전통지 및 의견제출절차를 준수해야 한다. ★★★

[1] 행정청이 침해적 행정처분을 함에 있어서 당사자에게 위와 같은 사전통지를 하거나 의견제출의 기회를 주지 아니하였다면 사전통지를 하지 않거나 의견제출의 기회를 주지 아니하여도 되는 예외적인 경우에 해당하지 아니하는 한 그 처분은 위법하여 취소를 면할 수 없다.

20. 5급 승진, 16. 경찰 2차, 12. 국회직 8급 행정청이 침해적 행정처분을 하면서 당사자에게 사전통지를 하거나 의견제출의 기회를 주지 아니하였다면, 사전통지나 의견제출의 예외적인 경우에 해당하지 아니하는 한, 그 처분은 위법하여 취소를 면할 수 없다. (O)

16. 사복직 행정청이 침해적 행정처분을 하면서 당사자에게 「행정절차법」상의 사전통지를 하지 않거나 의견제출의 기회를 주지 아니한 경우, 그 처분은 당연무효이다. (×) → 취소사유에 해당한다

공사중지명령을 하기 전에 사전통지를 하고 의견제출의 기회를 준다면 많은 액수의 손실보상금을 기대하여 공사를 강행할 우려가 있는 경우
▷ 사전통지 및 의견제출절차 예외 사유×

[2] 건축법상의 공사중지명령에 대한 <u>사전통지</u>를 하고 <u>의견제출의 기회를 준다면 많은 액수의 손실보상금을 기대하여 공사를 강행할 우려가 있다는 사정</u>이 <u>사전통지 및 의견제출절차의 예외사유에 해당하지 아니한다</u>(대판 2004.5.28. 2004두1254).

19. 군무원 9급 처분에 대한 사전통지를 하고 의견제출의 기회를 준다면 많은 액수의 손실 보상금을 기대하여 공사를 강행할 우려가 있다는 사정만으로 이 사건 처분이 "당해 처분의 성질상 의견청취가 현저히 곤란하거나 명백히 불필요하다고 인정될만한 상당한 이유가 있는 경우"에 해당한다고 볼 수 없다. (○)

18. 서울시 9급 공사중지명령을 하기 전에 사전통지를 하게 되면 많은 액수의 보상금을 기 대하여 공사를 강행할 우려가 있는 경우라도 처분의 사전통지 및 의견제출의 기회를 부여 하여야 한다. (○)

지하수개발·이용신고수리취소 및 원상 복구명령 시 행정지도의 방식에 의한 사전고지나 그에 따른 당사자의 자진 폐공의 약속이 있었던 경우
▷ 사전통지 예외사유×

2 **행정지도의 방식에 의한 사전고지가 이루어진 지하수개발·이용신고수리 취소 및 원상복구명령의 처분을 한 경우 사전통지 대상에 해당한다.** ★★

행정청이 온천지구임을 간과하여 지하수개발·이용신고를 수리하였다가 <u>행정절차법상의 사전통지를 하거나 의견제출의 기회를 주지 아니한 채 그 신고수리처분을 취소하고 원상복구명령의 처분을 한 경우</u>, <u>행정지도방식에 의한 사전고지나 그에 따른 당사자의 자진 폐공의 약속 등의 사유만으로는 사전통지 등을 하지 않아도 되는 행정절차법 소정의 예외의 경우에 해당한다고 볼 수 없으므로 그 처분은 위법하다</u>(대판 2000.11.14. 99두5870).

12. 국가직 7급 판례에 의하면 행정지도의 방식에 의한 사전고지가 이루어진 지하수개발·이용 신고수리 취소는 「행정절차법」상 사전통지 및 의견제출 기회 제공의 대상이 된다. (○)

22. 소방간부 행정청이 온천지구임을 간과하여 지하수 개발·이용신고를 수리하였다가 의견제 출 기회를 주지 아니한 채 그 신고수리처분을 취소하고 원상복구명령의 처분을 한 경우, 행정지 도방식에 의한 사전고지나 그에 따른 당사자의 자진 폐공의 약속 등 사유가 있으면 의견청취절 차에 해당하여 위법하지 않다. (×) → 만으로는 / 하지 않으므로 / 하다

보조금 반환명령 시 사전통지 등 절차를 거친 경우
▷ 그와 별개의 처분인 평가인증취소처분 시 사전통지 등을 생략×

3 **평가인증취소처분은 보조금 반환명령과는 별개의 처분이므로 보조금 반환명령시에 사전통지 및 의견제출 기회가 부여되었더라도 뒤이은 평가인증취소처분에 대해서 사전통지를 생략할 수 없다.** ★

<u>평가인증취소처분은 이로 인하여 원고에 대한 인건비 등 보조금 지급이 중단되는 등 원고의 권익을 제한하는 처분에 해당하며</u>, 보조금 반환명령과는 전혀 별개의 절차로서 보조금 반환명령이 있으면 피고 보건복지부장관이 평가인증을 취소할 수 있지만 반드시 취소하여야 하는 것은 아닌 점 등에 비추어 보면, <u>보조금 반환 명령 당시 사전통지 및 의견제출의 기회가 부여되었다 하더라도 그 사정만으로 이 사건 평가인증취소처분이 구 행정절차법 제21조 제4항 제3호에서 정하고 있는 사전통지 등을 하지 아니하여도 되는 예외사유에 해당한다고도 볼 수 없으므로, 구 행정절차법 제21조 제1항에 따른 사전통지를 거치지 않은 이 사건 평가인증취소처분은 위법하다</u>(대판 2016.11.9. 2014두1260).

공무원시보임용처분 취소 후 정규임용처분 취소 시
▷ 사전통지, 의견제출절차 생략×

4 **공무원시보임용이 무효임을 이유로 정규임용을 취소하는 경우 처분의 사전통지 및 의견제출의 기회를 부여하여야 한다.** ★★★

정규공무원으로 임용된 사람에게 시보임용처분 당시 지방공무원법 제31조 제4호에 정한 공무원 임용 결격사유가 있어 시보임용처분을 취소하고 그에 따라 정규임용처분을 취소한 사안에서, <u>정규임용처분을 취소하는 처분은 성질상 행정절차를 거치는 것이 불필요하여 행정절차법의 적용이 배제되는 경우에 해당하지 않으므로, 그 처분을 하면서 사전통지를 하거나 의견제출의 기회를 부여하지 않은 것은 위법하다</u>(대판 2009.1.30. 2008두16155).

22. 군무원 9급 공무원의 정규임용처분을 취소하는 처분은 사전통지를 하지 않아도 되는 예외 적인 경우에 해당하지 않는다. (○)

19. 국회직 8급 정규공무원으로 임용된 사람에게 시보임용처분 당시 「지방공무원법」에 정한 공무원임용 결격사유가 있어 시보임용처분을 취소하고 그에 따라 정규임용처분을 취소한 경우 정규임용처분을 취소하는 처분에 대하여서는 「행정절차법」의 규정이 적용된다. (○)

18. 서울시 9급 공무원시보임용이 무효임을 이유로 정규임용을 취소하는 경우 처분의 사전통지 및 의견제출의 기회를 부여하여야 한다. (○)

5 사전통지와 의견제출 기회를 주지 않은 한국방송공사 사장의 해임처분은 위법하지만 무효는 아니다. **★★**

해임처분 과정에서 한국방송공사 사장이 처분 내용을 사전에 통지받거나 그에 대한 의견제출 기회 등을 받지 못했고 해임처분 시 법적 근거 및 구체적 해임사유를 제시받지 못하였으므로 해임처분이 행정절차법에 위배되어 위법하지만, 절차나 처분형식의 하자가 중대하고 명백하다고 볼 수 없어 역시 당연무효가 아닌 취소사유에 해당한다(대판 2012.2.23. 2011두5001).

22. 국가직 9급 대통령이 한국방송공사 사장을 해임하면서 사전통지절차를 거치지 않은 경우에는 그 해임처분은 위법하다. (○)

17. 국가직 7급 공기업 사장에 대한 해임처분 과정에서 처분 내용을 사전에 통지받지 못했고 해임처분 시 법적 근거 및 구체적 해임사유를 제시받지 못하였다면, 그 해임처분은 위법하지만 무효는 아니다. (○)

2. 의견청취절차(의견진술절차)❶

(1) 의의

① **의견청취절차:** 사전통지된 내용에 따라 행정처분의 상대방 또는 이해관계인에게 자신의 의견을 진술하며 스스로 방어할 수 있는 기회를 부여하는 절차를 말하며, 넓은 의미의 청문절차라고도 한다. 의견청취절차에는 약식절차인 의견제출과 정식절차인 청문과 공청회가 있다. 「행정절차법」제22조는 의견청취절차를 청문(동법 제22조 제1항), 공청회(제2항), 의견제출(제3항)의 세 가지 유형으로 구분하여 규정하고 있고, 행정청이 불이익처분을 하기에 앞서 당사자 등의 의견을 듣는 이러한 의견청취절차는 원칙적으로 약식절차인 의결제출의 방식으로 하고, 일정한 요건하에서만 청문 또는 공청회를 실시할 수 있도록 규정하고 있다.

② **유형**

㉠ **청문:** 청문주재자의 지휘 아래 심문방식에 따라 이해관계인이 주장과 반박을 개진하고 그것을 뒷받침할 증거를 제출함으로써 이루어지는 절차를 말한다(동법 제2조 제5호). 청문절차에서는 청문주재자가 청문과정에서 제출된 주장과 증거 등을 종합하여 그 스스로의 판단을 내려 당해 행정청에게 의견서를 제출하고 당해 행정청은 그것을 참작하여 행정작용에 대한 결정을 하게 된다.

㉡ **공청회:** 공청회주재자의 주관하에 공개적인 토론을 통하여 어떠한 행정작용에 대하여 당사자 등, 전문지식과 경험을 가진 자 그 밖의 일반인으로부터 의견을 널리 수렴하는 절차를 말한다(동법 제2조 제6호).

㉢ **의견제출:** 당사자가 일정한 규격적인 방식에 의하지 않고 당해 행정작용에 대하여 의견 및 참고자료를 제출하는 절차를 의미한다(동법 제2조 제7호). 「행정절차법」은 청문과 공청회를 거치는 경우를 제외한 모든 불이익처분에 대하여 반드시 의견제출절차를 거치도록 하고 있다(동법 제22조 제3항).

08. 지방직 7급 「행정절차법」상의 의견청취는 이유제시, 청문, 의견제출로 구분된다. (×) → 공청회

감사원의 해임요구에 따른 한국방송공사 사장 해임
▷ 사전통지나 의견제출 기회 부여×, 법적 근거 및 구체적 해임사유 제시×
▷ 위법○ / 무효×

❶
행정처분을 함에 있어서 상대방 등 이해관계인에게 의견진술의 기회를 주는 것은 행정절차의 핵심적 요소이다. 행정처분의 상대방 등 이해관계인에게 행정처분 전에 의견진술의 기회를 주는 행정절차를 이해관계인의 입장에서 보면 의견진술절차라고 할 수 있고, 행정청의 입장에서 보면 의견청취절차라고 할 수 있다.

의견청취절차(의견진술절차)
▷ 청문, 공청회, 의견제출

약식절차
▷ 의견제출(원칙)

정식절차
▷ 청문, 공청회(일정한 경우에만)

청문
▷ 청문주재자의 지휘아래 행정청의 의견 수렴 및 증거조사절차

공청회
▷ 공청회주재자의 주관 하에 공개적인 토론을 통하여 전문가 등의 의견을 수렴하는 절차

의견제출
▷ 당사자 등이 의견 및 참고자료를 제출하는 절차로서 청문이나 공청회에 해당하지 아니하는 절차

청문, 공청회 거치는 경우를 제외한 불이익처분
▷ 의견제출절차 要

(2) 의견청취절차의 생략

사전통지의 예외 사유(동법 제21조 제4항)에 해당하는 경우와 당사자가 의견진술의 기회를 포기한다는 뜻을 명백히 표시한 경우에는 의견청취를 하지 아니할 수 있다(동법 제22조 제4항). 즉, 사전통지의무가 면제되면 의견청취절차도 배제된다. 사전통지는 의견청취절차의 전치절차이기 때문이다.

10. 지방직 7급 사전통지의무가 면제되는 경우에도 의견청취의무가 면제되는 것은 아니다. (×) → 에는 / 도 / 된다

18. 서울시 9급 행정청이 공공의 안전 또는 복리를 위하여 긴급히 처분을 할 필요가 있는 경우에는 의견청취를 하지 아니할 수 있다. (○)

22. 국가직 9급, 18. 국가직 9급 행정청의 처분으로 의무가 부과되거나 권익이 제한되는 경우라도 당사자가 의견진술의 기회를 포기한다는 뜻을 명백히 표시한 경우에는 의견청취를 생략할 수 있다. (○)

16. 교행, 14. 행정사 행정청은 법령상 청문실시의 사유가 있는 경우에도 당사자가 의견진술의 기회를 포기한다는 뜻을 명백히 표시한 경우에는 의견청취를 하지 않을 수 있다. (○)

① 의견청취절차를 생략할 수 있는 경우

> **관련판례**

> **1 법령상 확정된 의무를 부과하는 경우 의견청취절차를 생략할 수 있다.** ★★
>
> 퇴직연금의 환수결정은 당사자에게 의무를 과하는 처분이기는 하나, 관련 법령에 따라 당연히 환수금액이 정하여지는 것이므로, 퇴직연금의 환수결정에 앞서 당사자에게 의견진술의 기회를 주지 아니하여도 행정절차법 제22조 제3항이나 신의칙에 어긋나지 아니한다(대판 2000.11.28. 99두5443).

19. 서울시 7급, 15. 지방직 9급 공무원연금관리공단의 퇴직연금의 환수결정은 관련 법령에 따라 당연히 환수금액이 정하여지는 것이므로, 퇴직연금의 환수결정에 앞서 당사자에게 「행정절차법」상의 의견진술 기회를 주지 아니하여도 된다. (○)

15. 서울시 9급 퇴직연금의 환수결정과 같이 법령상 확정된 불이익처분의 경우에도 당사자에게 의견진술의 기회를 주지 않았다면 「행정절차법」 위반이 된다. (×) → 에는 / 않았더라도 / 아니다

23. 지방직 7급, 20. 국가직 9급, 19. 5급 승진, 13. 국회직 9급 구 「공무원연금법」에 따른 퇴직연금의 환수결정은 당사자에게 의무를 과하는 처분이기는 하나 관련 법령에 따라 당연히 환수금액이 정하여지는 것이므로, 퇴직연금의 환수결정에 앞서 당사자에게 의견진술의 기회를 주지 아니하여도 「행정절차법」이나 신의칙에 어긋나지 아니한다. (○)

18. 지방직 7급 법령에 의해 당연히 퇴직연금 환수금액이 결정되는 경우에도 퇴직연금의 환수결정은 당사자에게 의무를 과하는 처분이기 때문에 퇴직연금의 환수결정에 앞서 당사자에게 의견진술의 기회를 주어야 한다. (×) → 되는 것이므로 / 이라 하더라도 / 주지 아니하여도 된다

> **2 특별감사를 실시한 후 시정지시를 하는 경우 의견청취절차를 생략할 수 있다.** ★★
>
> 이 사건 시정지시는 보건복지부, 서울특별시, 피고가 합동으로 원고 등에 대하여 특별감사를 실시한 후 이루어진 것으로 감사결과의 통보 및 감사기관의 의견표명의 성질도 지니고 있는데, 특별감사를 받은 원고 등은 감사과정을 거치면서 감사결과 및 그에 따른 감사기관의 의견표명이 있으리라는 점을 충분히 예상할 수 있어 별도로 사전에 통지를 한다거나 의견진술의 기회를 부여할 필요가 있다고 보기 어려운 점, 이 사건 시정지시를 이행하지 않을 경우에 이루어지게 될 구 사회복지사업법상의 시정명령 및 설립허가 취소 등의 후행 처분을 위해서는 사전통지 및 의견진술의 기회 부여 등 행정절차법이 정한 절차를 거쳐야 하고, 실제로 피고가 원고에게 이 사건 시정지시를 하면서 그와 동시에 원고가 시정지시를 받은 사항에 대하여 의견진술과 이의를 제기할 기회를 준 점 등에 비추어 보면, 이 사건 시정지시에 대하여는 그 성질상 당사자의 사전 의견청취가 불필요하다고 볼 상당한 이유가 있는 것으로 명백히 인정되는 경우에 해당한다고 할 것이다(대판 2009.2.12. 2008두14999).

22. 소방간부 사회복지시설에 대하여 특별감사를 실시한 후 행한 감사결과 지적사항에 대한 시정지시는 그 성질상 당사자의 사전 의견청취가 불필요하다고 볼 상당한 이유가 인정되는 경우에 해당한다. (○)

② 의견청취절차를 생략할 수 없는 경우

관련판례

1 처분상대방이 위반사실을 시인하였다거나 사전통지 이전에 의견을 진술할 기회가 있었던 것만으로는 의견청취절차를 생략할 수 없고 공무원이 처분상대방에게 관련 법규와 처분절차에 대해 설명을 했다거나 청문절차를 진행하려 했으나 처분상대방이 응하지 않았다는 것으로도 의견청취절차를 생략할 수 없다. ★★

행정절차법 제22조 제4항, 제21조 제4항 제3호에 의하면, "해당 처분의 성질상 의견청취가 현저히 곤란하거나 명백히 불필요하다고 인정될 만한 상당한 이유가 있는 경우"나 "당사자가 의견진술의 기회를 포기한다는 뜻을 명백히 표시한 경우"에는 청문 등 의견청취를 하지 아니할 수 있는데, 여기에서 '의견청취가 현저히 곤란하거나 명백히 불필요하다고 인정될 만한 상당한 이유가 있는 경우'에 해당하는지는 해당 행정처분의 성질에 비추어 판단하여야 하며, 처분상대방이 이미 행정청에게 위반사실을 시인하였다거나 처분의 사전통지 이전에 의견을 진술할 기회가 있었다는 사정을 고려하여 판단할 것은 아니다. 그리고 원고의 방문 당시 담당공무원이 원고에게 관련 법규와 행정처분절차에 대하여 설명을 하였다거나 그 자리에서 청문절차를 진행하고자 하였음에도 원고가 이에 응하지 않았다는 사정만으로 '처분의 성질상 의견청취가 현저히 곤란하거나 명백히 불필요하다고 인정될 만한 상당한 이유가 있는 경우'나 또는 '당사자가 의견진술의 기회를 포기한다는 뜻을 명백히 표시한 경우'에 해당한다고 볼 수도 없다(대판 2017.4.7. 2016두63224).

17. 국가직 7급 처분상대방이 이미 행정청에 위반사실을 시인하였다는 사정은 사전통지의 예외가 적용되는 '의견청취가 현저히 곤란하거나 명백히 불필요하다고 인정될 만한 상당한 이유가 있는 경우'에 해당한다. (×) → 해당하지 아니한다

2 청문통지서 반송 또는 불출석의 이유로 청문을 실시하지 아니한 침해적 행정처분은 위법하다. ★★★

행정처분의 상대방이 통지된 청문일시에 불출석하였다는 이유만으로 행정청이 관계 법령상 그 실시가 요구되는 청문을 실시하지 아니한 채 침해적 행정처분을 할 수는 없을 것이므로, 행정처분의 상대방에 대한 청문통지서가 반송되었다거나, 행정처분의 상대방이 청문일시에 불출석하였다는 이유로 청문을 실시하지 아니하고 한 침해적 행정처분은 위법하다(대판 2001.4.13. 2000두3337).

20. 국가직 7급, 12. 지방직 7급 행정청은 행정처분의 상대방에 대한 청문통지서가 반송되었거나, 행정처분의 상대방이 청문일시에 불출석하였다는 이유로 청문절차를 생략하고 침해적 행정처분을 할 수 있다. (×) → 없다

23. 지방직 9급, 21. 서울시 7급, 21. 소방간부, 16. 변호사, 16. 행정사 등 행정처분의 상대방에 대한 청문통지서가 반송되었다거나, 행정처분의 상대방이 청문일시에 불출석하였다는 이유로 청문을 실시하지 아니하고 한 침해적 행정처분은 위법하다. (○)

19. 지방직 9급 구 「공중위생법」상 유기장업허가취소처분을 함에 있어서 두 차례에 걸쳐 발송한 청문통지서가 모두 반송되어 온 경우, 처분의 상대방이 청문일시에 불출석하였다는 이유로 청문을 거치지 않고 한 침해적 행정처분은 적법하다. (×) → 위법하다

 함께 정리하기

처분상대방이 이미 위반사실을 시인하였다거나 처분의 사전통지 이전에 의견을 진술할 기회가 있었다는 사정
▷ 의견청취절차 생략×

공무원이 관련 법규와 행정처분절차에 대하여 설명을 하였다거나 그 자리에서 청문절차를 진행하고자 하였음에도 처분상대방이 이에 응하지 않았다는 사정
▷ 의견청취절차 생략×

청문통지서 반송 또는 불출석의 이유로 청문을 실시하지 아니한 침해적 행정처분
▷ 의견청취절차 생략×

행정청이 당사자와 협약을 체결하면서
「행정절차법」상 청문의 실시 등 의견청취
절차를 배제하는 조항을 둔 경우
▷ 의견청취절차 생략×

3 행정청이 당사자와 협약을 체결하면서 행정절차법상 의견청취절차를 배제하는 조항을 두었다고 하더라도 청문실시에 관한 규정의 적용을 배제할 수 없다. ★★★

행정청이 당사자와 사이에 도시계획사업의 시행과 관련한 협약을 체결하면서 관계 법령 및 행정절차법에 규정된 청문의 실시 등 의견청취절차를 배제하는 조항을 두었다고 하더라도, 위와 같은 협약의 체결로 청문의 실시에 관한 규정의 적용을 배제할 수 있다고 볼 만한 법령상의 규정이 없는 한, 이러한 협약이 체결되었다고 하여 청문의 실시에 관한 규정의 적용이 배제된다거나 청문을 실시하지 않아도 되는 예외적인 경우에 해당한다고 할 수 없다(대판 2004.7.8. 2002두8350).

23. 지방직 7급 행정청이 당사자와 협약을 체결하면서 관계 법령 및 「행정절차법」에 규정된 청문 등 의견청취절차를 배제하는 조항을 둔 경우, 이를 청문 실시의 배제사유로 인정하는 법령상의 규정이 없다면 청문을 실시하지 않은 것은 절차적 하자를 구성한다. (○)

22. 국회직 8급, 22. 국가직 7급, 20. 지방직 9급, 19. 지방직 7급, 14. 변호사 등 행정청이 당사자와 도시계획사업의 시행과 관련한 협약을 체결하면서 관계 법령 및 「행정절차법」에 규정된 청문의 실시 등 의견청취절차를 배제하는 조항을 두었다고 하더라도, 이러한 협약의 체결로 청문의 실시에 관한 규정의 적용을 배제할 수 있다고 볼 만한 법령상의 규정이 없는 한, 청문의 실시에 관한 규정의 적용이 배제된다거나 청문을 실시하지 않아도 되는 예외적인 경우에 해당한다고 할 수 없다. (○)

14. 지방직 9급 불이익처분을 하면서 행정청과 당사자 사이의 합의에 의해 청문절차를 배제하기로 하였더라도 청문을 실시하지 않아도 되는 예외사유에 해당하지 아니한다. (○)

20. 5급 승진, 20. 행정사, 11. 사복직 행정청이 당사자 등과 협약을 체결하여 관계 법령 및 「행정절차법」에 규정된 청문의 실시 등 의견청취절차를 배제하는 조항을 두었다면 청문을 실시하지 않아도 되는 예외적인 경우에 해당한다. (×) → 두었다고 하더라도 / 해당한다고 할 수 없다

군인사법령에 의하여 진급예정자명단에
포함된 자에 대한 진급선발취소처분
▷ 의견청취절차 생략×

수사·징계과정에서 자신의 비위행위에
대한 해명기회를 가졌다는 사정
▷ 사전통지·의견제출 예외사유×

4 군인사법령에 의하여 진급예정자명단에 포함된 자에 대하여 의견제출의 기회를 부여하지 아니한 채 진급선발을 취소하는 처분을 한 것은 절차상 하자가 있어 위법하다. ★★★

군인사법 및 그 시행령의 관계 규정에 따르면, 원고와 같이 진급예정자 명단에 포함된 자는 진급예정자명단에서 삭제되거나 진급선발이 취소되지 않는 한 진급예정자명단 순위에 따라 진급하게 되므로, 이 사건 처분과 같이 진급선발을 취소하는 처분은 진급예정자로서 가지는 원고의 이익을 침해하는 처분이라 할 것이고, 한편 군인사법 및 그 시행령에 이 사건 처분과 같이 진급예정자명단에 포함된 자의 진급선발을 취소하는 처분을 함에 있어 행정절차에 준하는 절차를 거치도록 하는 규정이 없을 뿐만 아니라 위 처분이 성질상 행정절차를 거치기 곤란하거나 불필요하다고 인정되는 처분이라고 보기도 어렵다고 할 것이어서 이 사건 처분이 행정절차법의 적용이 제외되는 경우에 해당한다고 할 수 없으며, 나아가 원고가 수사과정 및 징계과정에서 자신의 비위행위에 대한 해명기회를 가졌다는 사정만으로 이 사건 처분이 행정절차법 제21조 제4항 제3호, 제22조 제4항에 따라 원고에게 사전통지를 하지 않거나 의견제출의 기회를 주지 아니하여도 되는 예외적인 경우에 해당한다고 할 수 없으므로, 피고가 이 사건 처분을 함에 있어 원고에게 의견제출의 기회를 부여하지 아니한 이상, 이 사건 처분은 절차상 하자가 있어 위법하다고 할 것이다(대판 2007.9.21. 2006두20631).

19. 변호사 진급예정자명단에 포함된 자에 대하여 진급선발을 취소하는 처분은 진급예정자로서 가지는 이익을 침해하는 처분이어서 「행정절차법」상의 의견제출 기회 등을 주어야 하며, 수사과정 및 징계과정에서 자신의 비위행위에 대한 해명기회를 가졌다는 사정만으로 사전통지를 하지 않거나 의견제출의 기회를 주지 아니하여도 되는 예외적인 경우에 해당한다고 할 수 없다. (○)

24. 국가직 9급 공무원 인사관계 법령에 따른 처분에 관하여는 「행정절차법」 적용을 배제하고 있으므로, 군인사법령에 의하여 진급예정자명단에 포함된 자에 대하여 의견제출의 기회를 부여하지 아니하고 진급선발취소처분을 한 것이 절차상 하자가 있어 위법하다고 할 수 없다. (×) → × / 위법하다

19. 소방간부 군인사법령에 의하여 진급예정자명단에 포함된 자에 대하여 수사과정 및 징계과정에서 비위행위에 대한 충분한 해명기회를 가졌더라도 진급선발을 취소하는 처분을 함에 있어서 「행정절차법」상 사전통지·의견진술의 기회를 부여하여야 한다. (○)

10. 지방직 7급 판례에 의하면 군인사법령에 의하여 진급예정자명단에 포함된 자에 대하여 사전통지를 하지 아니하거나 의견제출의 기회를 부여하지 아니한 채 진급선발을 취소하였다고 하여 그것만으로 위법하다고 할 수는 없다. (×) → 취소한 것은 절차상 하자가 있어 위법하다

5 처분의 전제가 되는 '일부' 사실만 증명된 경우이거나 의견청취에 따라 행정청의 처분 여부나 처분 수위가 달라질 수 있는 경우에는 의견청취절차를 생략할 수 없다. ★★

행정절차법 시행령 제13조 제2호에서 정한 "법원의 재판 또는 준사법적 절차를 거치는 행정기관의 결정 등에 따라 처분의 전제가 되는 사실이 객관적으로 증명되어 처분에 따른 의견청취가 불필요하다고 인정되는 경우"는 법원의 재판 등에 따라 처분의 전제가 되는 사실이 객관적으로 증명되면 행정청이 반드시 일정한 처분을 해야 하는 경우 등 의견청취가 행정청의 처분 여부나 그 수위 결정에 영향을 미치지 못하는 경우를 의미한다고 보아야 한다. 처분의 전제가 되는 '일부' 사실만 증명된 경우이거나 의견청취에 따라 행정청의 처분 여부나 처분 수위가 달라질 수 있는 경우라면 위 예외사유에 해당하지 않는다(대판 2020.7.23. 2017두66602).

(3) 의견청취절차의 공통규정

행정청은 청문·공청회 또는 의견제출을 거쳤을 때에는 신속히 처분하여 해당 처분이 지연되지 아니하도록 하여야 한다(동법 제22조 제5항). 또한 행정청은 처분 후 1년 이내에 당사자 등이 요청하는 경우에는 청문·공청회 또는 의견제출을 위하여 제출받은 서류나 그 밖의 물건을 반환하여야 한다(동법 제22조 제6항).

21. 행정사, 18. 소방간부 청문·공청회 또는 의견제출을 거쳤을 때에는 신속히 처분하여 해당 처분이 지연되지 아니하도록 하여야 한다. (○)
22. 국회직 8급 행정청은 처분 후 2년 이내에 당사자 등이 요청하는 경우에는 청문·공청회 또는 의견제출을 위하여 제출받은 서류나 그 밖의 물건을 반환하여야 한다. (×) → 1년

(4) 청문절차

① **청문의 의의**: 청문이란 행정청이 어떠한 처분을 하기 전에 당사자 등의 의견을 직접 듣고 증거를 조사하는 절차를 말한다(동법 제2조 제5호).

18. 지방직 7급 청문은 행정청이 어떠한 처분을 하기 전에 당사자 등의 의견을 직접 듣는 절차일 뿐, 증거를 조사하는 절차는 아니다. (×) → 듣고 / 이다

② **청문의 실시요건**: 행정청이 처분을 할 때 ㉠ 다른 법령 등에서 청문을 하도록 규정하고 있는 경우, ㉡ 행정청이 필요하다고 인정하는 경우, ㉢ 인·허가 등의 취소, 신분·자격의 박탈, 법인이나 조합 등의 설립허가의 취소를 하는 경우에는 청문을 한다(동법 제22조 제1항).

11. 사복직 침익적 처분의 경우 처분청은 사전에 반드시 청문을 실시하여야 한다. (×) → 하는 것은 아니다
22. 행정사 행정청은 청문이 필요하다고 인정하는 경우에도 법령 등에서 청문을 하도록 규정한 경우가 아니면 청문을 할 수 없다. (×) → 에는 / 아니더라도 / 한다
19. 서울시 9급 인·허가 등을 취소하는 경우에는 개별 법령상 청문을 하도록 하는 근거 규정이 없고 의견제출기한 내에 당사자 등의 신청이 없는 경우에도 청문을 하여야 한다. (○)
18. 국가직 7급, 17. 국가직 9급 변형 신분·자격의 박탈을 내용으로 하는 처분을 하는 행정청은 처분의 근거법률에 청문을 하도록 규정되어 있지 않더라도 「행정절차법」에 따라 청문을 실시한다. (○)
18. 서울시 9급, 18. 행정사 변형 행정청이 법인이나 조합 등의 설립허가 취소처분을 할 때에는 청문을 해야 한다. (○)
18. 국가직 9급 변형 인·허가 등의 취소 또는 신분·자격의 박탈, 법인이나 조합 등의 설립허가의 취소 시 공청회를 개최한다. (×) → 청문을 실시한다

처분의 전제가 되는 '일부' 사실만 증명된 경우이거나 의견청취에 따라 행정청의 처분 여부나 처분 수위가 달라질 수 있는 경우
▷ 의견청취절차 생략×

의견청취절차의 공통규정
▷ 의견청취 후 처분 신속 처리, 처분 후 1년 내 요청 시 제출된 서류·물건 반환의무 有

청문
▷ 처분 전 의견 수렴 및 증거조사 절차

청문의 실시요건(사유)
▷ 다른 법령 등에서 청문을 하도록 규정하고 있는 경우
▷ 행정청이 필요하다고 인정하는 경우
▷ ㉠ 인·허가 등의 취소, ㉡ 신분·자격의 박탈, ㉢ 법인이나 조합 등의 설립허가 취소 처분 시

청문의 사전통지
▷ 청문이 시작되는 날부터 10일 전까지 통지

청문 주재자
▷ 행정청이 소속 직원 또는 대통령령으로 정하는 자격을 가진 사람 중에서 선정

청문 주재자 2명 이상으로 선정
▷ 다수 국민의 이해가 상충되는 처분
▷ 다수 국민에게 불편이나 부담을 주는 처분
▷ 행정청이 청문 주재자를 2명 이상으로 선정할 필요가 있다고 인정하는 처분을 하려는 경우

청문 주재자에 대한 통지
▷ 청문 시작 7일 전까지 청문 주재자에게 청문 관련 자료 미리 통지해야 함

청문 주재자
▷ 직무수행을 이유로 본인의 의사에 반하여 신분상 불이익×

제척사유
▷ 청문주재자가 제29조 제1항 각호 사유에 해당하는 경우 청문주재 불가

기피신청
▷ 청문 주재자에게 공정한 청문 진행을 할 수 없는 사정이 있는 경우
▷ 기피신청이 있으면 행정청은 청문 정지
▷ 신청이 이유가 있다고 인정되면 지체 없이 청문 주재자를 교체

③ **청문의 사전통지**: 행정청은 청문을 하려면 청문이 시작되는 날부터 10일 전까지 ㉠ 처분의 제목, ㉡ 당사자의 성명 또는 명칭과 주소, ㉢ 처분하려는 원인이 되는 사실과 처분의 내용 및 법적 근거, ㉣ 청문 주재자의 소속·직위 및 성명, ㉤ 청문의 일시 및 장소, ㉥ 청문에 응하지 아니하는 경우의 처리방법, ㉦ 그 밖에 필요한 사항을 당사자 등에게 통지하여야 한다(동법 제21조 제2항).

20. 경찰 2차 행정청은 청문을 하려면 청문이 시작되는 날부터 7일 전까지 「행정절차법」 제21조 제1항 각 호의 사항을 당사자 등에게 통지하여야 한다. (×) → 10일

④ **청문 주재자**

㉠ **청문 주재자의 선정**

ⓐ 행정청은 소속 직원 또는 대통령령으로 정하는 자격을 가진 사람 중에서 청문 주재자를 공정하게 선정하여야 한다(동법 제28조 제1항).

16. 교행 청문 주재자는 당사자의 신청을 받아 행정청이 선정한다. (×) → 소속 직원 또는 대통령령으로 정하는 자격을 가진 사람 중에서

14. 경찰 1차 청문의 주재자는 대통령령으로 정하는 자격을 가지는 사람 중에서 선정하되, 행정청의 소속직원은 주재자가 될 수 없다. (×) → 있다

ⓑ 행정청은 다수 국민의 이해가 상충되는 처분, 다수 국민에게 불편이나 부담을 주는 처분, 그 밖에 전문적이고 공정한 청문을 위하여 행정청이 청문 주재자를 2명 이상으로 선정할 필요가 있다고 인정하는 처분을 하려는 경우에는 청문 주재자를 2명 이상으로 선정할 수 있다(합의제청문). 선정된 청문 주재자 중 1명이 청문 주재자를 대표한다(동법 제28조 제2항).

ⓒ 행정청은 청문이 시작되는 날부터 7일 전까지 청문 주재자에게 청문과 관련한 필요한 자료를 미리 통지하여야 한다(동법 제28조 제3항).

ⓓ 청문 주재자는 독립하여 공정하게 직무를 수행하며, 그 직무수행을 이유로 본인의 의사에 반하여 신분상 어떠한 불이익도 받지 아니한다(동법 제28조 제4항).

㉡ **청문 주재자의 제척·기피·회피**

ⓐ **제척**: 청문 주재자는 자신이 당사자 등이거나 당사자 등과 「민법」 제777조 각 호의 어느 하나에 해당하는 친족관계에 있거나 있었던 경우, 자신이 해당 처분과 관련하여 증언이나 감정을 한 경우, 자신이 해당 처분의 당사자 등의 대리인으로 관여하거나 관여하였던 경우, 자신이 해당 처분업무를 직접 처리하거나 처리하였던 경우, 자신이 해당 처분업무를 처리하는 부서에 근무하는 경우에는 청문을 주재할 수 없다(동법 제29조 제1항).

ⓑ **기피**: 청문 주재자에게 공정한 청문 진행을 할 수 없는 사정이 있는 경우 당사자 등은 행정청에 기피신청을 할 수 있으며, 이 경우 행정청은 청문을 정지하고 그 신청이 이유가 있다고 인정할 때에는 해당 청문 주재자를 지체 없이 교체하여야 한다(동법 제29조 제2항).

16. 교행 「행정절차법」은 청문 주재자의 제척·기피·회피에 관하여 규정하고 있다. (○)

21. 군무원 9급 청문 주재자에게 공정한 청문 진행을 할 수 없는 사정이 있는 경우 당사자 등은 행정청에 기피신청을 할 수 있다. (○)

09. 지방직 7급 청문 주재자에게 공정한 청문 진행을 할 수 없는 사정이 있는 경우 당사자 등은 행정청에 청문 주재자에 대한 기피신청을 할 수 있으며, 이 경우 행정청은 청문을 정지하고 그 신청이 이유가 있다고 인정할 때에는 해당 청문 주재자를 지체 없이 교체하여야 한다. (○)

ⓒ 회피: 청문 주재자는 제척·기피의 사유가 있는 경우 행정청의 승인을 받아 스스로 청문의 주재를 회피할 수 있다(동법 제29조 제3항).

⑤ **청문 참가자**: 청문에 주체적으로 참가하는 자는 '당사자 등'으로서 행정청의 처분에 대하여 직접 그 상대가 되는 당사자와 행정청의 직권으로 또는 신청에 따라 행정절차에 참여하게 된 이해관계인이다.

⑥ **청문의 공개**: 청문은 당사자가 공개를 신청하거나 청문 주재자가 필요하다고 인정하는 경우 공개할 수 있다. 다만, 공익 또는 제3자의 정당한 이익을 현저히 해칠 우려가 있는 경우에는 공개하여서는 아니 된다(동법 제30조).

24. 국가직 9급, 08. 국가직 9급 청문은 당사자의 공개신청이 있거나 청문 주재자가 필요하다고 인정하는 경우 이를 공개할 수 있지만, 공익 또는 제3자의 정당한 이익을 현저히 해할 우려가 있는 경우에는 공개하여서는 아니 된다. (○)

18. 변호사 「행정절차법」상 청문은 청문 주재자가 필요하다고 인정하는 경우 공개할 수 있으며, ~~당사자 또는 이해관계인은 청문의 공개를 신청할 수 없다.~~ (✕) → 당사자는 / 있다

13. 지방직 7급 청문은 당사자가 공개를 신청하거나 청문 주재자가 필요하다고 인정하는 경우 공개 ~~하여야 한다.~~ (✕) → 할 수 있다

⑦ **청문의 진행**

ⓐ 청문 주재자가 청문을 시작할 때에는 먼저 예정된 처분의 내용, 그 원인이 되는 사실 및 법적 근거 등을 설명하여야 한다(동법 제31조 제1항).

21. 군무원 9급 청문 주재자가 청문을 시작할 때에는 먼저 예정된 처분의 내용, 그 원인이 되는 사실 및 법적 근거 등을 설명하여야 한다. (○)

ⓑ 당사자 등은 의견을 진술하고 증거를 제출할 수 있으며, 참고인이나 감정인 등에게 질문할 수 있다(동법 제31조 제2항). 당사자 등이 의견서를 제출한 경우에는 그 내용을 출석하여 진술한 것으로 본다(동법 제31조 제3항).

16. 국가직 9급, 15. 국회직 8급 청문절차의 당사자 등은 참고인이나 감정인 등에게 질문할 수 있다. (○)

22. 국회직 8급 청문에서 당사자 등이 의견서를 제출한 경우에는 그 내용을 출석하여 진술한 것으로 본다. (○)

ⓒ 청문 주재자는 청문의 신속한 진행과 질서유지를 위하여 필요한 조치를 할 수 있다(동법 제31조 제4항).

ⓓ 행정청은 직권으로 또는 당사자의 신청에 따라 여러 개의 사안을 병합하거나 분리하여 청문을 할 수 있다(동법 제32조).

13. 행정사 행정청은 직권으로 또는 당사자의 신청에 따라 여러 개의 사안을 병합하거나 분리하여 청문을 할 수 있다. (○)

17. 국가직 9급 행정청은 직권으로 또는 ~~당사자 및 이해관계인의~~ 신청에 따라 여러 개의 사안을 병합하거나 분리하여 청문을 할 수 있다. (✕) → 당사자의

⑧ **증거조사·청문조서·의견서 작성**

ⓐ **증거조사**

ⓐ 청문 주재자는 직권으로 또는 당사자의 신청에 따라 필요한 조사를 할 수 있으며, 당사자 등이 주장하지 아니한 사실에 대하여도 조사할 수 있다(동법 제33조 제1항). 증거조사는 문서·장부·물건 등 증거자료의 수집, 참고인·감정인 등에 대한 질문, 검증 또는 감정·평가, 그 밖에 필요한 조사의 방법으로 한다(동법 제33조 제1항).

21. 군무원 9급, 20. 경찰 2차 청문 주재자는 직권으로 또는 당사자의 신청에 따라 필요한 조사를 할 수 있으며, 당사자 등이 주장하지 아니한 사실에 대하여는 조사할 수 ~~없다.~~ (✕) → 도 / 있다

 함께 정리하기

청문 주재자의 회피
▷ 제척·기피의 사유가 있는 경우 행정청의 승인을 받아 可

청문의 참가자
▷ 당사자, 직권 또는 신청으로 행정절차에 참여한 이해관계인

청문의 공개
▷ 당사자(이해관계인✕)의 신청 또는 청문 주재자가 필요하다고 인정하는 경우 공개할 수 있음

청문의 비공개
▷ 공익 또는 제3자의 정당한 이익을 현저히 해칠 우려가 있는 경우

청문 시작 시
▷ 청문 주재자가 예정된 처분의 내용, 그 원인이 되는 사실 및 법적 근거 등을 설명

청문의 진행
▷ 당사자 등: 의견진술, 증거제출, 참고인이나 감정인 등에게 질문 可
▷ 청문 주재자: 청문의 신속한 진행과 질서유지를 위해 필요한 조치 可

당사자 등이 의견서를 제출한 경우
▷ 진술간주

청문의 병합·분리
▷ 직권 또는 당사자의 신청(이해관계인✕)

증거조사
▷ 직권 또는 당사자 신청(당사자 등이 주장하지 아니한 사실에 대하여도 조사 可)

청문 주재자
▷ 필요하다고 인정할 때 관계 행정청에 필요한 문서의 제출 또는 의견의 진술 요구 可

청문조서
▷ 청문 주재자는 제목, 인적사항 등이 적힌 청문조서 작성해야 함

당사자 등
▷ 청문조서의 내용 열람·확인 可
▷ 이의가 있을 때 정정 요구 可

의견서 작성
▷ 청문 주재자는 청문의 제목, 처분의 내용, 주요 사실 또는 증거, 종합의견 등이 적힌 의견서 작성해야 함

정당한 사유 없이 청문기일에 불출석·의견서 제출 안 한 경우
▷ 의견진술 및 증거제출의 기회를 다시 주지 않고 종결 可

서류 제출 의무
▷ 청문 주재자는 청문 종료 시 청문조서, 청문 주재자의 의견서, 그 밖의 관계 서류 등을 행정청에 지체 없이 제출하여야 함

청문의 재개
▷ 청문을 마친 후 처분을 할 때까지 새로운 사정이 발견되어 청문을 재개할 필요가 있다고 인정할 때

청문 결과의 반영
▷ 상당한 이유가 있다고 인정하는 경우(상대방 의견에 기속×)

ⓑ 청문 주재자는 필요하다고 인정할 때에는 관계 행정청에 필요한 문서의 제출 또는 의견의 진술을 요구할 수 있다. 이 경우 관계 행정청은 직무 수행에 특별한 지장이 없으면 그 요구에 따라야 한다(동법 제33조 제3항).

ⓛ **청문조서**

ⓐ 청문 주재자는 제목, 청문 주재자와 당사자 등의 인적사항, 청문의 일시 및 장소, 당사자 등의 진술의 요지 및 제출된 증거 등이 적힌 청문조서를 작성하여야 한다(동법 제34조 제1항).

ⓑ 당사자 등은 청문조서의 내용을 열람·확인할 수 있으며, 이의가 있을 때에는 그 정정을 요구할 수 있다(제2항).

21. 지방직 9급 당사자 등은 청문조서의 내용을 열람·확인할 수 있을 뿐, 그 청문조서에 이의가 있더라도 정정을 요구할 수는 없다. (×) → 있으며 / 있을 때에는 / 있다

ⓒ **의견서 작성**: 청문 주재자는 청문의 제목, 처분의 내용·주요 사실 또는 증거, 종합의견, 그 밖에 필요한 사항이 적힌 청문 주재자의 의견서를 작성하여야 한다(동법 제34조의2).

⑨ **청문의 종결**

ⓗ **종결 사유**: 청문 주재자는 해당 사안에 대하여 당사자 등의 의견진술, 증거조사가 충분히 이루어졌다고 인정하는 경우에는 청문을 마칠 수 있다(동법 제35조 제1항).

ⓛ **정당한 사유 없이 불출석한 경우**: 청문 주재자는 당사자 등의 전부 또는 일부가 정당한 사유 없이 청문기일에 출석하지 아니하거나 의견서를 제출하지 아니한 경우에는 이들에게 다시 의견진술 및 증거제출의 기회를 주지 아니하고 청문을 마칠 수 있다(동법 제35조 제2항).

22. 국회직 8급 청문 주재자는 당사자 등의 전부 또는 일부가 정당한 사유 없이 청문기일에 출석하지 아니하거나 의견서를 제출하지 아니한 경우에는 이들에게 다시 의견진술 및 증거제출의 기회를 주지 아니하고 청문을 마칠 수 있다. (○)

ⓒ **정당한 사유로 불출석한 경우**: 청문 주재자는 당사자 등의 전부 또는 일부가 정당한 사유로 청문기일에 출석하지 못하거나 의견서를 제출하지 못한 경우에는 10일 이상의 기간을 정하여 이들에게 의견진술 및 증거제출을 요구하여야 하며, 해당 기간이 지났을 때에 청문을 마칠 수 있다(동법 제35조 제3항).

ⓔ **서류의 제출**: 청문 주재자는 청문을 마쳤을 때에는 청문조서, 청문 주재자의 의견서, 그 밖의 관계 서류 등을 행정청에 지체 없이 제출하여야 한다(동법 제35조 제4항).

⑩ **청문의 재개**: 행정청은 청문을 마친 후 처분을 할 때까지 새로운 사정이 발견되어 청문을 재개할 필요가 있다고 인정할 때에는 청문조서 등을 되돌려 보내고 청문의 재개를 명할 수 있다(동법 제36조).

21. 군무원 9급 행정청은 청문을 마친 후 처분을 할 때까지 새로운 사정이 발견되어 청문을 재개(再開)할 필요가 있다고 인정할 때에는 청문조서 등을 되돌려 보내고 청문의 재개를 명할 수 있다. (○)

⑪ **청문 결과의 반영**: 행정청은 처분을 할 때에 동법 제35조 제4항에 따라 청문 주재자로부터 제출받은 청문조서, 청문 주재자의 의견서, 그 밖의 관계 서류 등을 충분히 검토하고 상당한 이유가 있다고 인정하는 경우에는 청문결과를 반영하여야 한다(동법 제35조의2). 따라서 행정청이 반드시 청문절차에서 개진된 의견에 기속되는 것은 아니다.

11. 사복직 행정청은 처분을 함에 있어서 청문조서, 청문 주재자의 의견서, 그 밖의 관계 서류 등을 충분히 검토하고 상당한 이유가 있다고 인정하는 경우에는 청문결과를 반영하여야 한다. (○)

07. 국가직 7급 행정청은 청문절차에서 개진된 의견에 기속되지 않는다. (○)

⚖ 관련판례

> **광업용 토지수용의 사업인정에 있어서 의견청취의 취지는 이를 참작하도록 하고자 하는 데 있을 뿐 처분청이 그 의견에 기속되는 것은 아니다. ★★**
>
> 광업법 제88조 제2항에서 처분청이 같은 법조 제1항의 규정에 의하여 광업용 토지수용을 위한 사업인정을 하고자 할 때에 토지소유자와 토지에 관한 권리를 가진 자의 의견을 들어야 한다고 한 것은 그 사업인정 여부를 결정함에 있어서 소유자나 기타 권리자가 의견을 반영할 기회를 주어 이를 참작하도록 하고자 하는 데 있을 뿐, 처분청이 그 의견에 기속되는 것은 아니다(대판 1995.12.22. 95누30).

19. 지방직 9급 구 「광업법」에 근거하여 처분청이 광업용 토지수용을 위한 사업인정을 하면서 토지소유자와 토지에 관한 권리를 가진 자의 의견을 들은 경우 처분청은 그 의견에 귀속된다. (×) → 기속되는 것은 아니다

⑫ **문서의 열람 및 비밀유지**

　㉠ **문서의 열람·복사 요청❶**

　　ⓐ 당사자 등은 의견제출의 경우에는 처분의 사전 통지가 있는 날부터 의견제출기한까지, 청문의 경우에는 청문의 통지가 있는 날부터 청문이 끝날 때까지 행정청에 해당 사안의 조사결과에 관한 문서와 그 밖에 해당 처분과 관련되는 문서의 열람 또는 복사를 요청할 수 있다. 이 경우 행정청은 다른 법령에 따라 공개가 제한되는 경우를 제외하고는 그 요청을 거부할 수 없으며(동법 제37조 제1항) 거부시에는 그 이유를 소명하여야 한다(동법 제37조 제3항).

　　18. 행정사 당사자 등은 청문의 통지가 있는 날부터 청문이 끝날 때까지 행정청에 해당 사안의 조사결과에 관한 문서의 복사를 요청할 수 있다. (○)

　　12. 경찰 1차 의견제출을 위하여 당사자 등은 「행정절차법」에 의하여 당해 사안의 조사결과에 관한 문서 기타 당해 처분과 관련되는 문서의 열람 또는 복사를 요청할 수 있다. (○)

　　11. 국회직 9급 「행정절차법」은 문서열람청구권을 청문절차에서만 인정하고 있다. (×) → 청문과 의견제출절차에서

　　ⓑ 행정청이 문서의 열람 또는 복사의 요청에 따르는 경우 행정청은 그 일시 및 장소를 지정할 수 있으며(동법 제37조 제2항), 복사에 드는 비용을 복사를 요청한 자에게 부담시킬 수 있다(동법 제37조 제5항).

　㉡ **비밀유지:** 누구든지 의견제출 또는 청문을 통하여 알게 된 사생활이나 경영상 또는 거래상의 비밀을 정당한 이유 없이 누설하거나 다른 목적으로 사용하여서는 아니 된다(동법 제37조 제6항).

　　19. 군무원 9급 「행정절차법」도 사생활이나 경영상 또는 거래상의 비밀누설금지 등 개인정보보호에 관한 규정을 두고 있다. (○)

　　14. 국가직 9급 「행정절차법」도 비밀누설금지·목적 외 사용금지 등 개인의 정보보호에 관한 규정을 두고 있다. (○)

⑬ **청문절차를 결여한 처분의 효력:** 청문절차를 결여한 처분은 절차상 하자 있는 위법한 처분으로서 취소사유에 해당한다.

사업인정처분 시 사전의견청취
▷ 의견참작○
▷ 의견기속×

❶
문서열람이란 청문절차와 관련하여 처분의 상대방 등이 당해 사안에 관하여 행정청이 보유하고 있는 기록을 열람하는 것을 말한다. 처분의 상대방은 사전통지에 의하여 처분의 이유를 알 수 있으나 그것이 어떠한 증거에 의하여 뒷받침되고 있는 것을 알아야 보다 정확한 의견을 진술할 수 있기 때문에 그러한 점에서 문서열람은 청문절차의 실효성을 확보하여 주는 기능을 한다.

문서열람·복사요청
▷ 의견제출: 처분의 사전 통지가 있는 날부터 의견제출기한까지
▷ 청문: 청문의 통지일부터 청문 종결시까지 可

누구든지
▷ 의견제출, 청문의 비밀유지와 목적 외 사용금지 의무

침해적 행정처분에서 처분의 근거 법령에
규정된 청문절차 결여한 처분
▷ 취소사유(관련 법령상 예외사항이 아닌
이상)

청문절차 결여한 건축사사무소 등록취소
처분
▷ 위법

공청회
▷ 행정청이 공개적인 토론을 통하여 의견
을 널리 수렴하는 절차

개최사유
▷ 다른 법령에 규정
▷ 처분의 영향이 광범위하여 널리 의견 수
렴할 필요가 있다고 행정청이 인정하는 경우
▷ 국민 생활에 큰 영향을 미치는 처분으로
서 대통령령이 정하는 처분에 대하여 일정
수(30명) 이상의 당사자 등이 공청회 개최
를 요구하는 경우

⚖ 관련판례

1 다른 법령 등에서 청문을 실시하도록 규정하고 있다면 행정절차법 등 관련 법령상 예외사항이 아닌 이상 반드시 청문을 실시해야 한다. ★★

행정청이 특히 침해적 행정처분을 할 때 그 처분의 근거 법령 등에서 청문을 실시하도록 규정하고 있다면, 행정절차법 등 관련 법령상 청문을 실시하지 않아도 되는 예외적인 경우에 해당하지 않는 한, 반드시 청문을 실시하여야 하는 것이며, 그러한 절차를 결여한 처분은 위법한 처분으로서 취소사유에 해당한다(대판 2007.11.16. 2005두15700).

16. 변호사, 12. 지방직 9급 판례에 의하면 침해적 행정처분을 할 때 처분의 근거 법령 등에서 청문을 실시하도록 규정하고 있다면 「행정절차법」 등의 예외에 해당하지 않는 한 반드시 청문을 실시하여야 하며, 그러한 절차를 결여한 처분은 위법한 처분으로서 당연무효이다. (×) → 취소사유에 해당한다

2 건축사법 소정의 등록취소 사유가 분명히 존재하더라도 청문절차를 거쳐야 한다. ★

'건축사사무소의 등록취소 및 폐쇄처분에 관한 규정'(건설부훈령)에서 관계 행정청이 건축사사무소의 등록취소처분을 함에 있어 당해 건축사들을 사전에 청문토록 한 취지는 위 행정처분으로 인하여 건축사사무소의 기존 권리가 부당하게 침해받지 아니하도록 등록취소 사유에 대하여 당해 건축사에게 변명과 유리한 자료를 제출할 기회를 부여하여 위법 사유의 사정가능성을 감안하고 처분의 신중성과 적정성을 기하려 함에 있다 할 것이므로 설사 건축사법 제28조 소정의 등록취소 등 사유가 분명히 존재하는 경우라 하더라도 당해 건축사가 정당한 이유 없이 청문에 응하지 아니한 경우가 아닌 한 청문절차를 거치지 아니하고 한 건축사사무소 등록취소 처분은 위법하다(대판 1984.9.11. 82누166).

11. 지방직 9급 판례는 훈령이 정한 청문절차를 거치지 아니한 건축사사무소 등록취소처분을 위법으로 판시하였다. (○)

(5) 공청회절차

① 공청회의 의의: 공청회란 행정청이 공개적인 토론을 통하여 어떠한 행정작용에 대하여 당사자 등, 전문지식과 경험을 가진 사람, 그 밖의 일반인으로부터 의견을 널리 수렴하는 절차를 말한다(동법 제2조 제6호).

② 공청회의 개최요건

㉠ 행정청은 ⓐ 다른 법령 등에서 공청회를 개최하도록 규정하고 있는 경우(동법 제22조 제2항 제1호), ⓑ 해당 처분의 영향이 광범위하여 널리 의견을 수렴할 필요가 있다고 행정청이 인정하는 경우(제2호), ⓒ 국민생활에 큰 영향을 미치는 처분으로서 대통령령으로 정하는 처분에 대하여 대통령령으로 정하는 수(30명) 이상의 당사자 등이 공청회 개최를 요구하는 경우(제3호)에 「행정절차법」에 따라 공청회를 개최한다.

「행정절차법 시행령」 제13조의3 【공청회의 개최 요건 등】 ① 법 제22조 제2항 제3호에서 "대통령령으로 정하는 처분"이란 다음 각 호의 어느 하나에 해당하는 처분을 말한다. 다만, 행정청이 해당 처분과 관련하여 이미 공청회를 개최한 경우는 제외한다.
1. 국민 다수의 생명, 안전 및 건강에 큰 영향을 미치는 처분
2. 소음 및 악취 등 국민의 일상생활과 관계되는 환경에 큰 영향을 미치는 처분

② 제1항에 따른 처분에 대하여 당사자 등은 그 처분 전(해당 처분에 대하여 행정청이 의견제출 기한을 정한 경우에는 그 기한까지를 말한다)에 행정청에 공청회의 개최를 요구할 수 있다.

③ 법 제22조 제2항 제3호에서 "대통령령으로 정하는 수"란 30명을 말한다.

21. 소방직 공청회는 다른 법령 등에서 공청회를 개최하도록 규정하고 있는 경우 또는 당해 처분의 영향이 광범위하여 널리 의견을 수렴할 필요가 있다고 행정청이 인정하는 경우에 개최된다. (○)

20. 소방직 행정청은 해당 처분의 영향이 광범위하여 널리 의견을 수렴할 필요가 있다고 인정하는 경우에 청문을 실시할 수 있다. (✕) → 공청회를 개최한다

20. 군무원 7급 행정청은 처분을 함에 있어 국민생활에 큰 영향을 미치는 처분으로서 대통령령으로 정하는 처분에 대하여 대통령령으로 정하는 수 이상의 당사자 등이 공청회 개최를 요구하는 경우 공청회를 개최한다. (○)

ⓛ 한편, 행정청이 개최한 공청회가 아닌 경우에는 「행정절차법」상 공청회 관련 규정이 적용되지 않는다.

> **⚖ 관련판례**
>
> **묘지공원과 화장장의 후보지를 선정하는 과정에서 추모공원건립추진협의회가 후보지 주민들의 의견을 청취하기 위하여 그 명의로 개최한 공청회는 행정절차법에서 정한 절차를 준수하여야 하는 것은 아니다. ★★**
>
> 묘지공원과 화장장의 후보지를 선정하는 과정에서 서울특별시, 비영리법인, 일반 기업 등이 공동발족한 협의체인 추모공원건립추진협의회가 후보지 주민들의 의견을 청취하기 위하여 그 명의로 개최한 공청회는 행정청이 도시계획시설결정을 하면서 개최한 공청회가 아니므로, 위 공청회의 개최에 관하여 행정절차법에서 정한 절차를 준수하여야 하는 것은 아니다(대판 2007.4.12. 2005두1893).
>
> 21. 경찰 2차 지방자치단체와 민간단체 등이 공동발족한 추모공원건립추진협의회가 시립화장장 후보지 선정을 위해 개최하는 공청회는 행정청이 도시계획시설결정을 하면서 개최한 공청회가 아니므로 「행정절차법」에서 정한 절차를 준수하여야 하는 것은 아니다. (○)
>
> 13. 국회직 8급 대법원은 묘지공원과 화장장의 후보지를 선정하는 과정에서 서울특별시, 비영리법인, 일반 기업 등이 공동발족한 협의체인 추모공원건립추진협의회가 후보지 주민들의 의견을 청취하기 위하여 그 명의로 개최한 공청회에 대해 「행정절차법」에서 정한 절차를 준수하여야 한다고 보았다. (✕) → 하는 것은 아니라고 보았다

③ **공청회의 개최공고(동법 제38조):** 행정청은 공청회를 개최하려는 경우에는 공청회 개최 14일 전까지 제목, 일시 및 장소, 주요내용, 발표자에 관한 사항, 발표신청 방법 및 신청기한, 정보통신망을 통한 의견제출, 그 밖에 공청회 개최에 필요한 사항 등을 당사자 등에게 통지하고 관보, 공보, 인터넷 홈페이지 또는 일간신문 등에 공고하는 등의 방법으로 널리 알려야 한다. 다만, 공청회 개최를 알린 후 예정대로 개최하지 못하여 새로 일시 및 장소 등을 정한 경우에는 공청회 개최 7일 전까지 알려야 한다(동법 제38조).

17. 지방직 9급, 11. 국회직 9급, 09. 지방직 9급, 09. 지방직 7급 행정청은 공청회를 개최하려는 경우에는 공청회 개최 14일 전까지 제목, 일시 및 장소 등을 당사자 등에게 통지하고 관보, 공보, 인터넷 홈페이지 또는 일간신문 등에 공고하는 등의 방법으로 널리 알려야 한다. (○)

16. 경찰 2차 행정청은 공청회를 개최하려는 경우에는 공청회 개최 ~~10일~~ 전까지 일시 및 장소 등의 사항을 당사자 등에게 통지하여야 한다. (✕) → 14일

온라인공청회
▷ 일반 공청회와 병행하여서만 실시함이 원칙이지만 예외적으로 단독적으로 개최할 수 있음

❶
원래 온라인공청회는 공청회와 병행하여서만 실시할 수 있었으나, 법 개정으로 일정 경우 온라인공청회를 단독으로 개최할 수 있게 되었다.

온라인공청회를 실시하는 경우
▷ 누구든지 정보통신망을 이용하여 의견을 제출하거나 제출된 의견 등에 대한 토론에 참여 可

주재자 선정
▷ 공청회의 사안 관련 분야에 전문적 지식이 있거나 그 분야에 종사한 경험이 있는 사람으로서 대통령령으로 정하는 자격을 가진 사람 중에서 행정청이 선정

발표자 선정
▷ 원칙: 발표를 신청한 사람 중에서 선정
▷ 예외: 발표를 신청한 사람이 없거나 공청회의 공정성을 확보하기 위하여 필요하다고 인정하는 경우 일정한 자격이 있는 사람 중에서 지명하거나 위촉 可

④ 온라인공청회(동법 제38조의2)

㉠ 행정청은 (일반)공청회와 병행하여서만 정보통신망을 이용한 공청회(온라인공청회)를 실시할 수 있다(동법 제38조의2 제1항).

17. 국가직 9급, 15. 국가직 9급, 15. 지방직 7급 변형 행정청은 「행정절차법」 제38조에 따른 공청회와 병행하여서만 정보통신망을 이용한 공청회를 실시할 수 있음이 원칙이나, 일정한 경우에는 단독으로 실시할 수 있다. (○)

20. 국회직 9급 변형 행정청은 「행정절차법」에 따라 일반적인 공청회와 병행하여서만 온라인공청회(정보통신망을 이용한 공청회)를 실시할 수 있고, 어떠한 경우에도 단독으로 실시할 수는 없다. (✕) → 일정한 경우에는 / 있다

㉡ 제1항에도 불구하고 다음 각 호의 어느 하나에 해당하는 경우에는 온라인공청회를 단독으로 개최할 수 있다(동법 제38조의2 제2항).❶

「**행정절차법**」 제38조의2 【온라인공청회】 ② 제1항에도 불구하고 다음 각 호의 어느 하나에 해당하는 경우에는 온라인공청회를 단독으로 개최할 수 있다.
  1. 국민의 생명·신체·재산의 보호 등 국민의 안전 또는 권익보호 등의 이유로 제38조에 따른 공청회를 개최하기 어려운 경우
  2. 제38조에 따른 공청회가 행정청이 책임질 수 없는 사유로 개최되지 못하거나 개최는 되었으나 정상적으로 진행되지 못하고 무산된 횟수가 3회 이상인 경우
  23. 국가직 9급 공청회가 개최는 되었으나 정상적으로 진행되지 못하고 무산된 횟수가 2회인 경우 온라인공청회를 단독으로 개최할 수 있다. (✕) → 3회 이상
  3. 행정청이 널리 의견을 수렴하기 위하여 온라인공청회를 단독으로 개최할 필요가 있다고 인정하는 경우. 다만, 제22조 제2항 제1호 또는 제3호에 따라 공청회를 실시하는 경우는 제외한다.
  16. 지방직 9급 변형 정보통신망을 이용한 공청회(온라인공청회)는 공청회를 실시할 수 없는 불가피한 상황에서만 실시할 수 있다. (✕) → 있는 것은 아니다

㉢ 온라인공청회를 실시하는 경우에는 누구든지 정보통신망을 이용하여 의견을 제출하거나 제출된 의견 등에 대한 토론에 참여할 수 있다(동법 제38조의2 제4항).

15. 교행 변형 행정청이 온라인공청회를 실시하는 경우에는 누구든지 정보통신망을 이용하여 의견을 제출할 수 있다. (○)

⑤ 공청회의 주재자 및 발표자

㉠ 주재자: 행정청은 해당 공청회의 사안과 관련된 분야에 전문적 지식이 있거나 그 분야에 종사한 경험이 있는 사람으로서 대통령령으로 정하는 자격을 가진 사람 중에서 공청회의 주재자를 선정한다(동법 제38조의3 제1항).

㉡ 발표자: 공청회의 발표자는 발표를 신청한 사람 중에서 행정청이 선정한다. 다만, 발표를 신청한 사람이 없거나 공청회의 공정성을 확보하기 위하여 필요하다고 인정하는 경우에는 해당 공청회의 사안과 관련된 당사자 등, 관련된 분야에 전문적 지식이 있는 사람, 관련된 분야에 종사한 경험이 있는 사람 중에서 지명하거나 위촉할 수 있다(동법 제38조의3 제2항).

10. 지방직 9급 행정청은 공청회의 발표자를 관련 전문가 중에서 우선적으로 지명 또는 위촉하여야 하며, 적절한 발표자를 선정하지 못하거나 필요한 경우에만 발표를 신청한 자 중에서 지명할 수 있다. (✕) → 발표를 신청한 사람 중에서 선정하는 것이 원칙이다

ⓒ **공정성 확보**: 행정청은 공청회의 주재자 및 발표자를 지명 또는 위촉하거나 선정할 때 공정성이 확보될 수 있도록 하여야 한다(동법 제38조의3 제3항).

07. 국가직 7급 행정청은 공청회의 발표자 선정에 있어 공정성이 확보될 수 있도록 하여야 한다. (○)

⑥ **공청회의 진행 및 재개최**

㉠ **공청회의 진행**

ⓐ 공청회의 주재자는 공청회를 공정하게 진행하여야 하며, 공청회의 원활한 진행을 위하여 발표 내용을 제한할 수 있고, 질서유지를 위하여 발언 중지 및 퇴장 명령 등 행정안전부장관이 정하는 필요한 조치를 할 수 있다(동법 제39조 제1항).

07. 국가직 7급 공청회의 주재자는 공청회를 공정하게 진행하여야 하며 공청회의 원활한 진행을 위하여 발표내용을 제한할 수 있다. (○)

ⓑ 공청회의 주재자는 발표자의 발표가 끝난 후에는 발표자 상호 간에 질의 및 답변을 할 수 있도록 하여야 하며, 방청인에게도 의견을 제시할 기회를 주어야 한다(동법 제39조 제3항).

㉡ **공청회의 재개최**: 행정청은 공청회를 마친 후 처분을 할 때까지 새로운 사정이 발견되어 공청회를 다시 개최할 필요가 있다고 인정할 때에는 공청회를 다시 개최할 수 있다.

21. 국회직 8급 행정청은 공청회를 마친 후 처분을 할 때까지 새로운 사정이 발견되어 공청회를 다시 개최할 필요가 있다고 인정할 때에는 공청회를 다시 개최할 수 있다. (○)

⑦ **공청회 결과의 반영**: 행정청은 처분을 할 때에 공청회, 온라인공청회 및 정보통신망 등을 통하여 제시된 사실 및 의견이 상당한 이유가 있다고 인정하는 경우에는 이를 반영하여야 한다.

08. 국가직 9급 변형, 07. 국가직 7급 행정청은 처분을 함에 있어서 공청회·온라인공청회 및 정보통신망 등을 통하여 제시된 사실 및 의견이 상당한 이유가 있다고 인정하는 경우에는 이를 반영하여야 한다. (○)

(6) 의견제출절차

① **의견제출의 의의**

㉠ 의견제출절차란 행정청이 어떠한 행정작용을 하기 전에 당사자 등이 의견을 제시하는 절차로서 청문이나 공청회에 해당하지 아니하는 절차를 의미한다(동법 제2조 제7호). 의견제출절차는 행정청이 어떠한 행정작용을 하기에 앞서 당사자 등이 단순하게 의견을 제시하는 절차를 말하며, 청문에 비하여 절차가 간단한 절차이다. 이러한 점에서 의견제출절차를 '약식 의견진술절차'라고도 한다.

㉡ 「행정절차법」이 당사자에게 의무를 부과하거나 권익을 제한하는 처분을 하는 경우에 사전통지 및 의견청취를 하도록 규정한 것은 불이익처분 상대방의 방어권 행사를 실질적으로 보장하기 위함이다(대판 2020.4.29. 2017두31064). 따라서 불익처분 시 관련 법령상 청문이나 공청회에 관한 규정이 없더라도 의견제출절차는 거쳐야 한다(동법 제22조 제3항).

공청회의 주재자, 발표자 지명, 위촉 또는 선정 시
▷ 공정성이 확보될 수 있도록 하여야

공청회 주재자
▷ 공청회를 공정하게 진행할 책임
▷ 발표자의 발표 내용 제한, 발언의 중지·퇴장 명령
▷ 그 밖의 필요한 조치

공청회의 재개최
▷ 공청회 후 처분을 할 때까지 새로운 사정이 발견되어 재개최 필요가 인정될 때

공청회, 온라인공청회 및 정보통신망 등을 통하여 제시된 사실 및 의견이 상당한 이유가 있다고 인정하는 경우
▷ 처분할 때 반영하여야 함

의견제출
▷ 행정청이 행정작용을 하기 전에 당사자 등이 의견을 제시하는 절차로서 청문이나 공청회에 해당하지 아니하는 절차(약식 의견진술절차)

❶
「행정절차법」은 '당사자에게 의무를 부과하거나 권익을 제한하는 처분'에 한하여 그리고 '당사자 등'에 대해서만 그리고, 법상 의견제출이 면제되는 경우(청문이나 공청회를 실시하는 경우, 제21조 제4항에 의해 사전통지가 면제되는 경우, 당사자가 의견진술의 기회를 포기한다는 뜻을 명백히 표시한 경우)가 아닌 경우 의견제출의 기회를 주어야 하는 것으로 규정하고 있다(제22조 제3항).

의견제출의 기회 부여
▷ 당사자에게 의무를 부과하거나 권익을 제한하는 처분을 할 때

의견제출방식
▷ 서면, 말, 정보통신망 이용

말로 의견제출을 하였을 때
▷ 서면으로 그 진술의 요지와 진술자를 기록하여야 함

정당한 이유 없이 의견제출기한까지 의견제출을 하지 아니한 경우
▷ 의견이 없는 것으로 간주

---

② 의견제출의 대상(인정범위)**❶**

　㉠ 행정청이 당사자에게 의무를 부과하거나 권익을 제한하는 처분을 할 때, 청문 또는 공청회를 하는 경우 외에는 '당사자 등'에게 의견제출의 기회를 주어야 한다(동법 제22조 제3항).

　　20. 소방직 행정청이 당사자에게 의무를 부과하거나 권익을 제한하는 처분을 함에 있어 청문이나 공청회를 거치지 않은 경우에는 당사자에게 의견제출의 기회를 주어야 한다. (○)

　　19. 군무원 9급 침익적 행정처분을 하는 경우 청문이나 공청회를 필요적으로 거쳐야 하는 경우에 해당하지 않는다면 의견제출절차도 거치지 않아도 된다. (×) → 를 거쳐야 한다

　　09. 국회직 9급 행정청이 당사자에게 의무를 과하거나 권익을 제한하는 처분을 하는 경우, 이에 대해 청문을 실시하거나 공청회를 개최하는 경우에는 당사자에게 별도의 의견제출의 기회를 주지 않을 수도 있다. (○)

　㉡ 의견제출의 대상이 되는 처분은 사전통지의 대상이 되는 처분과 동일하다. 따라서 처분의 사전통지와 마찬가지로, 의견제출제도는 당사자에게 의무를 부과하거나 권익을 제한하는 처분의 경우에 적용되나, 당사자에게 의무를 부과하거나 권익을 제한하는 처분이 아닌 수익적 행위나 수익적 행위의 신청에 대한 거부처분, 처분의 상대방에게 이익이 되지만 제3자의 권익을 침해하는 복효적 행정행위(제3자효 행정행위)에는 적용되지 않으며, 고시에 의한 처분의 경우에도 적용되지 않는다.

　　19. 지방직 7급 의견제출제도는 당사자에게 의무를 부과하거나 권익을 제한하는 경우에 적용되고 수익적 행위나 수익적 행위의 신청에 대한 거부에는 적용이 없으며, 일반처분의 경우에도 적용이 없다. (○)

③ 의견제출의 방법

　㉠ 당사자 등은 처분 전에 그 처분의 관할 행정청에 서면이나 말로 또는 정보통신망을 이용하여 의견제출을 할 수 있고(동법 제27조 제1항). 이 경우 그 주장을 입증하기 위한 증거자료 등을 첨부할 수 있다(동법 제27조 제2항).

　　18. 지방직 9급 이해관계가 있는 제3자는 자신의 신청 또는 행정청의 직권에 의하여 행정절차에 참여하여 처분 전에 그 처분의 관할 행정청에 서면이나 말로 또는 정보통신망을 이용하여 의견제출을 할 수 있다. (○)

　　13. 지방직 7급, 08. 국가직 9급 당사자 등은 처분 전에 그 처분의 관할 행정청에 서면이나 말로 또는 정보통신망을 이용하여 의견제출을 할 수 있다. (○)

　　18. 경찰 2차 「행정절차법」상 당사자 등은 처분 전에 그 처분의 관할 행정청에 서면이나 정보통신망을 이용하여 의견을 제출할 수 있으나, 말로는 할 수 없다. (×) → 있고 말로도 할 수 있다

　　18. 소방간부 당사자 등은 행정청의 처분이 있은 후에 그 처분의 관할 행정청에 서면으로 의견제출을 할 수 있다. (×) → 있기 전에 / 서면이나 말로 또는 정보통신망을 이용하여

　㉡ 행정청은 당사자 등이 말로 의견제출을 하였을 때에는 서면으로 그 진술의 요지와 진술자를 기록하여야 한다(동법 제27조 제3항).

　　13. 지방직 7급 행정청은 당사자 등이 말로 의견제출을 하였을 때에는 서면으로 그 진술의 요지와 진술자를 기록하여야 한다. (○)

　㉢ 당사자 등이 정당한 이유 없이 의견제출기한까지 의견제출을 하지 아니한 경우에는 의견이 없는 것으로 본다(동법 제27조 제4항).

　　18. 소방간부, 15. 지방직 7급, 13. 국회직 9급 당사자 등이 정당한 이유 없이 의견제출기한까지 의견제출을 하지 아니한 경우에는 의견이 없는 것으로 본다. (○)

④ 의견제출의 반영

㉠ 행정청은 처분을 할 때에 당사자 등이 제출한 의견이 상당한 이유가 있다고 인정하는 경우에는 이를 반영하여야 한다(동법 제27조의2 제1항).

18. 소방간부, 15. 경찰 3차, 14. 경찰 1차, 09. 국회직 9급, 08. 국가직 7급 등 행정청은 처분을 할 때에 당사자 등이 제출한 의견이 상당한 이유가 있다고 인정하는 경우에는 이를 반영하여야 한다. (○)

17. 경찰 2차 행정청은 처분을 할 때에 당사자 등이 제출한 의견이 상당한 이유가 있다고 인정하는 경우에는 이를 반영할 수 있다. (×) → 반영하여야 한다

㉡ 행정청은 당사자 등이 제출한 의견을 반영하지 아니하고 처분을 한 경우 당사자 등이 처분이 있음을 안 날부터 90일 이내에 그 이유의 설명을 요청하면 서면으로 그 이유를 알려야 한다. 다만, 당사자 등이 동의하면 말, 정보통신망 또는 그 밖의 방법으로 알릴 수 있다(동법 제27조2 제2항).

함께 정리하기

당사자 등이 제출한 의견이 상당한 이유가 있다고 인정하는 경우
▷ 처분을 할 때 반영하여야 함

의견을 반영하지 아니하고 처분을 한 경우
▷ 처분이 있음을 안 날부터 90일 이내에 이유의 설명을 요청할 경우: 서면으로 고지
▷ 당사자 등이 동의한 경우: 말, 정보통신망 또는 그 밖의 방법으로 고지 可

핵심정리 청문, 공청회, 의견제출의 비교

구분	청문	공청회	의견제출
의의	행정청이 처분 전에 당사자 등의 의견을 듣고 증거를 조사하는 절차	행정청이 공개적인 토론을 통하여 의견을 수렴하는 절차	청문, 공청회를 거치지 못한 경우 당사자 등에게 의견을 제출하도록 하는 절차
통지	청문 시작하는 날부터 10일 전까지	공청회 개최 14일 전까지	–
공개여부	비공개원칙	공개원칙	–
증거조사	○	×	
문서열람	○	×	○
의견제출 방식	서면이나 말	구술	서면이나 말 또는 정보통신망
정보통신망	×	온라인공청회○ (단독으로도 가능)	○

「행정절차법」상 신고
▷ 자체완성적 신고

1 신고절차

「행정절차법」은 이른바 사인의 공법행위로서 자기완결적 신고를 위한 절차를 규정하고 있다(동법 제40조). 자기완결적 신고란 행정청에 대하여 일정한 사항을 통지함으로써 의무가 끝나는 신고로서, 행정청의 수리를 요하지 않으며 신고 그 자체로서 법적 효과를 발생시킨다. 따라서 실정법상 신고라는 용어를 사용한 경우라도 수리를 요하는 신고(행위요건적 신고, 예 체육시설업신고, 건축주명의변경신고 등)는 「행정절차법」에서 말하는 신고가 아니다. 「행정절차법」상 신고사항의 게시(동법 제40조 제1항), 신고의 요건(동법 제40조 제2항), 신고의 보완요구(동법 제40조 제3항·제4항) 등에 관하여는 제1편 '사인의 공법행위로서의 신고'에서 설명하였으므로 여기에서는 생략한다.

2 확약

「행정절차법」은 "법령 등에서 당사자가 신청할 수 있는 처분을 규정하고 있는 경우 행정청은 당사자의 신청에 따라 장래에 어떤 처분을 하거나 하지 아니할 것을 내용으로 하는 의사표시(이하 "확약"이라 한다)를 할 수 있다(동법 제40조의2 제1항)."고 하여 확약을 행정청이 어떠한 처분을 장래에 하거나 하지 않을 것을 사전에 약속하는 것이라고 정의하고 있다. 확약의 형식(동법 제40조의2 제2항), 확약의 절차(동법 제40조의2 제3항), 확약의 실효(동법 제40조의2 제4항·제5항)에 대해서는 제2편 '확약' 부분을 참조하길 바란다.

3 위반사실 등의 공표

「행정절차법」 제40조의3 제1항에서는 "행정청은 법령에 따른 의무를 위반한 자의 성명·법인명, 위반사실, 의무 위반을 이유로 한 처분사실 등을 법률로 정하는 바에 따라 일반에게 공표할 수 있다."고 규정하고 있는데, 이는 공표에 관한 일반법적 근거라 할 수 있다. 「행정절차법」은 위반사실 등의 공표를 할 때에는 미리 당사자에게 그 사실을 통지하고 의견진술의 기회를 주어야 하며, 위반사실 등의 공표는 관보, 공보 또는 인터넷 홈페이지를 통하여 하도록 하는 등 공표에 관한 절차를 규정하고 있다(동법 제40조의3 제3항 내지 제8항). 위반사실 등의 공표에 대해서는 후술하는 제4편 '새로운 실효성 확보수단'에서 자세히 논하기로 한다.

4 행정계획

「행정절차법」은 2022년 법 개정을 통하여, "행정청은 행정청이 수립하는 계획 중 국민의 권리·의무에 직접 영향을 미치는 계획을 수립하거나 변경·폐지할 때에는 관련된 여러 이익을 정당하게 형량하여야 한다(「행정절차법」 제40조의4)." 는 규정을 신설하여 행정계획에서의 형량명령이라는 일반원칙을 명문화 하였다.

5 행정상 입법예고절차

1. 입법예고의 의의

행정상 입법예고는 행정청으로 하여금 법령 등을 제정 또는 개정하고자 할 때 이를 국민에게 미리 알리도록 하여 국민의 참여기회를 보장하고 법령의 실효성을 높이기 위한 제도이다.

2. 입법예고의 대상

(1) 법령 등을 제정·개정·폐지하려는 경우에는 원칙적으로 행정청이 이를 예고하여야 한다(동법 제41조 제1항). 다만, ① 신속한 국민의 권리 보호 또는 예측 곤란한 특별한 사정의 발생 등으로 입법이 긴급을 요하는 경우, ② 상위 법령 등의 단순한 집행을 위한 경우, ③ 입법내용이 국민의 권리·의무 또는 일상생활과 관련이 없는 경우, ④ 단순한 표현·자구를 변경하는 경우 등 입법내용의 성질상 예고의 필요가 없거나 곤란하다고 판단되는 경우, ⑤ 예고함이 공공의 안전 또는 복리를 현저히 해칠 우려가 있는 경우 등에는 예고를 하지 아니할 수 있다(동법 제41조 제1항 단서).

> 18. 소방직 법령 등을 제정·개정 또는 폐지하려는 경우는 「행정절차법」상 행정상 입법예고를 하지 않아도 되는 사유에 해당한다. (×) → 하지 않는다
> 18. 소방직, 17. 행정사 상위 법령 등의 단순한 집행을 위한 경우는 「행정절차법」상 행정상 입법예고를 하지 않아도 되는 사유에 해당한다. (○)
> 18. 소방직 신속한 국민의 권리 보호 또는 예측 곤란한 특별한 사정의 발생 등으로 입법이 긴급을 요하는 경우는 「행정절차법」상 행정상 입법예고를 하지 않아도 되는 사유에 해당한다. (○)
> 15. 행정사 입법내용이 국민의 권리·의무 또는 일상생활과 관련이 없는 경우에도 예고를 하여야 한다. (×) → 에는 / 하지 아니할 수 있다

(2) 법제처장은 입법예고를 하지 아니한 법령안의 심사 요청을 받은 경우에 입법예고를 하는 것이 적당하다고 판단할 때에는 해당 행정청에 입법예고를 권고하거나 직접 예고할 수 있다(동법 제41조 제3항).

> 15. 국회직 8급 법제처장은 입법예고를 하지 아니한 법령안의 심사 요청을 받은 경우에 입법예고를 하는 것이 적당하다고 판단하는 때에는 해당 행정청에 입법예고를 권고하거나 직접 예고할 수 있다. (○)

3. 입법예고의 방법

(1) 행정청은 입법안의 취지, 주요 내용 또는 전문을 ① 법령의 입법안은 관보 및 법제처장이 구축·제공하는 정보시스템을 통한 공고, ② 자치법규의 입법안은 공보를 통한 공고로 공고하여야 하며, 추가로 인터넷, 신문 또는 방송 등을 통하여 공고할 수 있다(동법 제42조 제1항)

(2) 행정청은 대통령령을 입법예고하는 경우 국회 소관 상임위원회에 이를 제출하여야 한다(동법 제42조 제2항). 그리고 행정청은 입법예고를 할 때에 입법안과 관련이 있다고 인정되는 중앙행정기관, 지방자치단체, 그 밖의 단체 등이 예고사항을 알 수 있도록 예고사항을 통지하거나 그 밖의 방법으로 알려야 한다(동법 제42조 제3항).

> 19. 군무원 9급 행정청은 입법예고를 하는 경우에는 대통령령·부령을 국회 소관 상임위원회에 제출하여야 한다. (×) → ×
> 19. 군무원 9급 행정청은 입법예고를 할 때에 입법안과 관련이 있다고 인정되는 중앙행정기관, 지방자치단체, 그 밖의 단체 등이 예고사항을 알 수 있도록 예고 사항을 통지하거나 그 밖의 방법으로 알려야 한다. (○)

행정상 입법예고
▷ 입법안의 내용을 미리 국민에게 알리는 것, 입법안에 대한 국민의 참여기회 보장, 법령의 실효성 향상

입법예고 대상
▷ 법령 등을 제정·개정·폐지하려는 경우 이를 예고하여야 함

입법예고 예외 사유
▷ 입법이 긴급을 요하는 경우
▷ 상위 법령 등의 단순한 집행을 위한 경우
▷ 국민의 권리·의무 또는 일상생활과 관련이 없는 경우
▷ 성질상 예고의 필요가 없거나 곤란하다고 판단되는 경우
▷ 예고함이 공공의 안전 또는 복리를 현저히 해칠 우려가 있는 경우

법제처장이 입법예고를 하지 아니한 법령안의 심사 요청을 받은 경우
▷ 입법예고를 하는 것이 적당하다고 판단할 때에는 해당 행정청에 입법예고를 권고하거나 직접 예고 可

법령의 입법안
▷ 관보 및 법제처장이 구축·제공하는 정보시스템을 통한 공고

자치법규의 입법안
▷ 공보를 통한 공고

대통령령을 입법예고하는 경우
▷ 국회 소관 상임위원회에 제출

온라인공청회
▷ 예고된 입법안에 대하여 온라인공청회 등을 통하여 의견 수렴 가능

예고된 입법안 전문의 열람·복사를 요청받았을 때
▷ 행정청은 특별한 사유가 없으면 그 요청에 따라야 함

입법예고기간
▷ 특별한 사정이 없으면 법령 40일, 자치법규 20일 이상

의견제출
▷ 누구든지 입법안에 대하여 의견제출 可

처리
▷ 의견을 제출한 자에게 의견의 처리결과를 통지해야 함

행정청
▷ 입법안 관련 공청회 개최 可

재입법예고
▷ 입법예고 후 중요한 변경이 발생하면 해당 부분에 대한 입법예고를 다시 하여야 함

(3) 행정청은 예고된 입법안에 대하여 온라인공청회 등을 통하여 널리 의견을 수렴할 수 있다. 이 경우 제38조의2 제3항부터 제5항까지의 온라인공청회에 관한 규정을 준용한다(동법 제42조 제4항).

(4) 행정청은 예고된 입법안의 전문에 대한 열람 또는 복사를 요청받았을 때에는 특별한 사유가 없으면 그 요청에 따라야 한다(동법 제42조 제5항). 복사에 드는 비용을 복사를 요청한 자에게 부담시킬 수 있다(동법 제42조 제6항).

19. 군무원 9급, 15. 행정사 행정청은 예고된 입법안의 전문에 대한 열람 또는 복사를 요청받았을 때에는 특별한 사유가 없으면 그 요청에 따라야 하며, 복사에 드는 비용을 복사를 요청한 자에게 부담시킬 수 있다. (○)

4. 입법예고의 기간

입법예고기간은 예고할 때 정하되, 특별한 사정이 없으면 법령은 40일, 자치법규는 20일 이상으로 한다(동법 제43조).

17. 지방직 9급 「행정절차법」상 입법예고기간은 예고할 때 정하되, 특별한 사정이 없으면 법령의 경우는 40일, 자치법규는 20일 이상으로 한다. (○)

19. 군무원 9급 입법예고기간은 예고할 때 정하되, 특별한 사정이 없으면 20일, 자치법규는 ~~15일~~ 이상으로 한다. (×) → 40일 / 20일

5. 의견제출 및 처리

(1) 의견제출

누구든지 예고된 입법안에 대하여 의견을 제출할 수 있다(동법 제44조 제1항). 행정청은 의견접수기관, 의견제출기간, 그 밖에 필요한 사항을 해당 입법안을 예고할 때 함께 공고하여야 한다(동법 제44조 제2항).

18. 지방직 7급 「행정절차법」에 따르면, 예고된 법령 등의 제정·개정 또는 폐지의 안에 대하여 누구든지 의견을 제출할 수 있다. (○)

(2) 처리

행정청은 해당 입법안에 대한 의견이 제출된 경우 특별한 사유가 없으면 이 의견을 존중하여 처리하여야 하며(동법 제44조 제3항), 의견을 제출한 자에게 의견의 처리결과를 통지하여야 한다(동법 제44조 제4항).

6. 공청회 개최

행정청은 입법안에 관하여 공청회를 개최할 수 있으며(동법 제45조 제1항), 공청회에 관하여는 공청회에 관한 규정들인 제38조(공청회 개최의 알림), 제38조의2(온라인공청회), 제38조의3(공청회의 주재자 및 발표자의 선정), 제39조(공청회의 진행) 및 제39조의2(공청회 및 온라인공청회 결과의 반영)를 준용한다(동법 제45조 제2항).

7. 재입법예고

입법안을 마련한 행정청은 입법예고 후 예고내용에 국민생활과 직접 관련된 내용이 추가되는 등 대통령령으로 정하는 중요한 변경이 발생하는 경우에는 해당 부분에 대한 입법예고를 다시 하여야 한다(동법 제41조 제4항).

6 행정예고절차

1. 행정예고의 의의

행정예고란 다수 국민의 권익에 관계있는 사항을 국민에게 알리는 제도를 말한다. 이는 행정에 대한 예측가능성을 보장하고, 국민의 행정에 대한 이해와 참여를 증진시키는 기능을 한다.

2. 행정예고의 대상

(1) 행정청은 정책, 제도 및 계획을 수립·시행하거나 변경하려는 경우에는 이를 예고하여야 한다. 다만, ① 신속하게 국민의 권리를 보호하여야 하거나 예측이 어려운 특별한 사정이 발생하는 등 긴급한 사유로 예고가 현저히 곤란한 경우, ② 법령 등의 단순한 집행을 위한 경우, ③ 정책 등의 내용이 국민의 권리·의무 또는 일상생활과 관련이 없는 경우, ④ 정책 등의 예고가 공공의 안전 또는 복리를 현저히 해칠 우려가 상당한 경우에는 예고를 하지 아니할 수 있다(동법 제46조 제1항).

13. 지방직 9급 변형 「행정절차법」은 행정계획을 수립·시행하거나 변경하고자 하는 때에는 이를 예고하도록 규정하고 있다. (○)

22. 소방간부 행정청은 정책, 제도 및 계획을 수립·시행하거나 변경하려는 경우 국민생활에 매우 큰 영향을 주거나 많은 국민의 이해가 상충되는 사항 그리고 널리 국민의 의견을 수렴할 필요가 있는 사항에 ~~한하여 행정예고를 하여야 한다.~~ (×) → ×

22. 소방간부 긴급한 사유로 예고가 현저히 곤란한 경우에도 행정청은 정책 등을 ~~예고하여야 한다.~~ (×) → × / 하지 아니할 수 있다

22. 소방간부 행정청이 정책 등을 수립·시행하거나 변경하려는 경우라도 법령의 단순한 집행을 위한 때에는 예고를 하지 아니할 수 있다. (○)

22. 소방간부 정책 등의 내용이 국민의 권리·의무 또는 일상생활과 관련이 없더라도 행정청은 예고를 ~~하여야 한다.~~ (×) → 없는 경우 / 하지 아니할 수 있다

17. 지방직 9급 변형 정책, 제도 및 계획을 수립·시행하거나 변경하려는 경우라도 예고로 인하여 공공의 안전 또는 복리를 현저히 해칠 우려가 상당한 때에는 행정청은 이를 예고하지 아니할 수 있다. (○)

(2) 제1항에도 불구하고 법령 등의 입법을 포함하는 행정예고는 입법예고로 갈음할 수 있다(동법 제46조 제2항).

3. 행정예고기간

행정예고기간은 예고 내용의 성격 등을 고려하여 정하되, 특별한 사정이 없으면 20일 이상으로 한다(동법 제46조 제3항). 그러나 행정목적을 달성하기 위하여 긴급한 필요가 있는 경우에는 행정예고기간을 단축할 수 있다. 이 경우 단축된 행정예고기간은 10일 이상으로 한다(동법 제46조 제4항).

21. 지방직 7급 변형 행정예고기간은 예고 내용의 성격 등을 고려하여 정하되, ~~40일 이상으로 한다.~~ (×) → 20일

4. 행정예고방법 및 예고통계의 작성·공고

행정청은 정책등안의 취지, 주요 내용 등을 관보·공보나 인터넷·신문·방송 등을 통하여 공고하여야 한다(동법 제47조 제1항). 행정청은 매년 자신이 행한 행정예고의 실시 현황과 그 결과에 관한 통계를 작성하고, 이를 관보·공보 또는 인터넷 등의 방법으로 널리 공고하여야 한다(동법 제46조의2).

행정예고
▷ 다수 국민의 권익에 관계있는 사항을 국민에게 알리는 제도

행정예고 대상
▷ 행정청은 정책, 제도, 계획의 수립·시행·변경하려는 경우 예고하여야 함

행정예고 예외 사유
▷ 긴급한 사유로 예고가 현저히 곤란한 경우
▷ 법령 등의 단순 집행을 위한 경우
▷ 국민의 권리·의무 또는 일상생활과 관련이 없는 경우
▷ 예고가 공공의 안전 또는 복리를 현저히 해칠 우려가 상당한 경우

법령 등의 입법을 포함하는 행정예고
▷ 입법예고로 갈음 可

행정예고 기간
▷ 20일 이상, 단, 긴급한 필요 시 단축 가능(10일 이상)

행정예고방법
▷ 정책등안의 취지, 주요 내용 등을 관보·공보나 인터넷·신문·방송 등을 통하여 공고

행정예고의 실시현황과 그 결과에 관한 통계작성 및 공고
▷ 매년(관보·공보 또는 인터넷 등)

7 행정지도절차

행정지도란 행정기관이 그 소관 사무의 범위에서 일정한 행정목적을 실현하기 위하여 특정인에게 일정한 행위를 하거나 하지 아니하도록 지도, 권고, 조언 등을 하는 행정작용을 말한다(동법 제2조 제3호). 「행정절차법」은 행정지도에 관한 기본원칙(동법 제48조)을 규정하고 행정지도의 방식(동법 제49조) 및 의견제출 등(동법 제50조 및 제51조)에 대해 규율하고 있다. 이에 관한 내용은 제2편 '행정지도'에서 이미 다루었다.

8 국민참여의 확대

행정청은 행정과정에서 국민의 의견을 적극적으로 청취하고 이를 반영하도록 노력하여야 한다(동법 제52조 제1항). 행정청은 국민에게 영향을 미치는 주요 정책 등에 대하여 국민의 다양하고 창의적인 의견을 널리 수렴하기 위하여 정보통신망을 이용한 정책토론(온라인 정책토론)을 실시할 수 있다(동법 제53조 제1항).

제5절　행정절차의 하자

1 절차상 하자의 독자적 위법성

1. 절차상 하자의 의의

행정절차의 하자란 행정청이 각종 공법적 작용을 함에 있어 절차요건을 구비하지 못한 경우를 뜻한다.

2. 절차상 하자의 독자적 위법성 인정 여부

(1) 문제의 소재

절차상 하자가 있는 처분의 효력에 관해 「국가공무원법」 제13조❶처럼 개별적으로 규정을 두는 경우도 있지만, 일반법인 「행정절차법」에는 절차상 하자 있는 처분의 법적 효력에 관한 규정이 없다. 이러한 상황에서 행정절차상 하자를 당해 행정처분의 독자적 위법사유로 삼을 수 있는지 문제 된다.

13. 행정사 「행정절차법」은 절차상 하자 있는 행정처분의 법적 효력에 관한 명문의 규정을 두고 있다. (×) → 있지 않다

행정절차의 하자
▷ 공법적 작용 시 절차요건을 구비하지 못한 경우

절차상 하자 있는 처분의 효력 근거 규정
▷ 「행정절차법」 명문규정 無
▷ 개별법상 규정 有(예 「국가공무원법」 제13조 제2항)

절차상 하자 있는 처분의 효력
▷ 「행정절차법」 규정 없어서 견해대립

❶ 「국가공무원법」 제13조(소청인의 진술권)
① 소청심사위원회가 소청 사건을 심사할 때에는 대통령령등으로 정하는 바에 따라 소청인 또는 제76조 제1항 후단에 따른 대리인에게 진술 기회를 주어야 한다.
② 제1항에 따른 진술 기회를 주지 아니한 결정은 무효로 한다.

(2) 학설

① **재량행위의 경우**: 재량행위는 행정청에게 독자적인 판단권이 인정되어 절차 하자를 시정한 다음 기존 처분과는 다른 처분을 할 수도 있으므로 절차 하자의 독자적 위법성이 인정된다는 견해가 일반적이다.

② **기속행위의 경우**

ㄱ **소극설**: 처분에 실체적 하자가 존재하지 않는다면 절차상 하자의 존재만으로 해당 처분이 위법하게 되는 것은 아니라는 견해이다. 그 논거로는 ⓐ 절차규정은 적정한 행정행위를 확보하기 위한 수단에 불과하다는 점, ⓑ 절차상의 하자가 있더라도 실체법상으로 적법하다면 당해 행정처분이 취소되더라도 행정청은 다시 적법한 절차를 거쳐서 동일한 내용의 처분을 발할 것이기 때문에 소송경제에 반한다는 점 등을 들고 있다.

09. 국가직 9급 절차상의 하자를 독자적 취소의 사유로 인정하지 않는 견해(소극설)에 따르면, 당해 행정행위가 취소되더라도 행정청은 다시 적법한 절차를 거쳐 동일한 행정행위를 반복할 것이므로 소송경제상 바람직하지 않다는 점을 논거로 한다. (○)

ㄴ **적극설(다수설)**: 처분에 절차적 하자가 존재하는 경우에는 실체적 하자가 존재하지 않는 경우에도 해당 처분이 위법하게 된다는 견해이다. 그 논거로는 ⓐ 행정의 법률적합성원칙에 따라 행정행위는 내용뿐만 아니라 절차상으로도 적법해야 한다는 점, ⓑ 당해 처분을 취소한 후 행정청이 적법한 절차를 거쳐 재처분을 하는 경우에 반드시 전과 동일한 처분을 할 것이라고 단정할 수 없다는 점, ⓒ 행정절차의 하자가 있음에도 행정행위의 취소 내지 무효확인을 부인한다면 행정절차 의무화의 취지를 몰각시키는 점 등을 들고 있다. 본 학설이 우리나라의 지배적 견해이다.

09. 국가직 9급 행정절차상의 하자를 독자적 취소의 사유로 인정하는 견해(적극설)에 따르면, 적법한 절차를 거쳐 다시 처분을 하는 경우 반드시 동일한 결정에 도달하는 것은 아니라는 점을 논거로 한다. (○)

(3) 판례

판례는 재량행위나 기속행위를 구별하지 않고 절차상 하자를 독자적 취소사유로 보는 적극설의 입장을 취하고 있다.

08. 지방직 7급 처분에 행정절차상 하자가 있을 경우 기속행위인지 재량행위인지를 불문하고 독자적 위법사유성이 인정되어 법원에 의한 취소의 대상이 된다. (○)

11. 국가직 7급 판례는 행정절차가 ~~결여되었더라도~~ 그 행정행위가 실체적으로는 적법하고 기속행위에 ~~해당하면~~ 그 절차상의 하자를 독립적 취소사유로 ~~보지 않는다.~~ (×) → 결여되었다면 / 해당하더라도 / 본다

⚖ 관련판례

1 재량행위인 식품위생법상 영업정지처분은 절차상 하자로 취소가 가능하다. ★

식품위생법 제64조, 같은법 시행령 제37조 제1항 소정의 청문절차를 전혀 거치지 아니하거나 거쳤다고 하여도 그 절차적 요건을 제대로 준수하지 아니한 경우에는 가사 영업정지사유 등 위 법 제58조 등 소정 사유가 인정된다고 하더라도 그 처분은 위법하여 취소를 면할 수 없다(대판 1991.7.9. 91누971).

18. 교행 행정처분이 절차상 중대한 하자가 ~~있다고 하더라도~~ 실체적 하자가 ~~없다면~~ 취소판결을 할 수 ~~없다.~~ (×) → 있다면 / 없더라도 / 있다

함께 정리하기

재량행위
▷ 절차 하자의 독자적 위법성 인정

소극설 근거
▷ 절차규정은 수단에 불과
▷ 소송경제에 반함

적극설 근거
▷ 법률적합성원칙
▷ 재처분의무 시 반드시 동일 처분 단정 불가
▷ 행정절차 의무화 취지 몰각

판례
▷ 재량행위 기속행위 불문하고 절차상 하자가 존재하면 독자적 위법사유로 봄(적극설)

재량행위(「식품위생법」상 영업정지처분)
▷ 절차상 하자로 취소 可

기속행위(과세처분)
▷ 절차상 하자로 취소 可

---

2 기속행위인 과세처분 또한 절차상 하자로 취소가 가능하다. ★★

<u>과세처분 시 납세고지서에 과세표준, 세율, 세액의 계산명세서 등을 첨부하여 고지하도록 한 것은 조세법률주의의 원칙에 따라 처분청으로 하여금 자의를 배제하고 신중하고도 합리적인 처분을 행하게 함으로써 조세행정의 공정성을 기함과 동시에 납세의무자에게 부과처분의 내용을 상세히 알려서 불복 여부의 결정 및 그 불복신청에 편의를 주려는 취지에서 나온 것이므로 이러한 규정은 강행규정으로서 납세고지서에 위와 같은 기재가 누락되면 과세처분 자체가 위법하여 취소대상이 된다</u>(대판 1983.7.26. 82누420).

22. 지방직 9급 과세처분 시 납세고지서에 법으로 규정한 과세표준 등의 기재가 누락되면 그 과세처분 자체가 위법한 처분이 되어 취소의 대상이 된다. (○)

17. 국회직 8급 기속행위의 경우에도 행정처분의 절차상 하자만으로 독자적인 취소사유가 된다. (○)

3. 절차상 하자가 있는 행정행위의 효력

(1) 절차상 하자를 독자적 위법사유로 보는 경우에도 이를 무효사유로 볼 것인지 아니면 취소사유로 볼 것인지에 관하여 견해의 대립이 있으나, 명문규정이 없는 경우에 절차상 하자가 취소사유인지 무효사유인지는 결국 위법한 행정행위의 효력에 관한 규정인 중대·명백설에 의하여 개별적으로 판단하여야 할 것이다.

절차상 하자가 있는 행정행위의 효력
▷ 그 하자가 중대하고 명백하면 당연무효, 그렇지 않으면 취소사유

(2) 판례는 대부분의 절차상 하자를 취소사유로 보나, 그 하자가 중대하고 명백하면 무효로 보고 있다.

절차 하자가 경미한 경우
▷ 재량권 일탈·남용 판단 후 위법성 인정 여부 판단

(3) 다만, 경미한 절차 하자에 대해서는 바로 위법성을 인정하여 취소사유라고 하지 않고, 재량권의 일탈 또는 남용이 있는지 여부를 판단하는 하나의 요소로 보는 판례가 늘어나고 있다. 그 예로 ① 환경영향평가서가 부실하게 작성된 경우(대판 2006.3.16. 2006두330), ② 도시계획위원회의 심의를 거치지 않고 개발행위허가신청을 불허가한 경우(대판 2015.10.29. 2012두28728), ③ 예비타당성조사를 실시하지 않고 한 하천공사시행계획 및 각 실시계획승인처분을 한 경우(대판 2015.12.10. 2011두32515), ④ 민원인에게 회의일정 등을 사전에 통지하지 않은 경우(대판 2015.8.27. 2013두1560) 등이 있다.

20. 서울시 7급 개발행위허가 신청에 대한 불허가 처분에서 도시계획위원회 심의를 거치지 않았다는 사정이 있는 경우 이러한 사정만으로 취소사유가 된다. (×) → 되는 것은 아니다

절차상 하자 보완한 동일한 처분
▷ 종전의 처분과는 별개의 처분, 기속력 위반×

4. 절차상 하자와 취소판결의 기속력

「행정소송법」 제30조 제3항에 의하면 절차상 하자를 이유로 처분이 취소된 경우, 행정청은 판결의 취지에 따라 다시 처분을 하여야 한다. 그러나 행정청이 그 위법사유를 보완하여 다시 동일한 내용의 처분을 내리더라도 그 새로운 처분은 취소된 종전의 처분과는 별개의 처분이므로 취소판결의 기속력에 반하지 않는다(대판 1986.11.11. 85누231).

2 절차상 하자의 치유

1. 하자치유의 인정여부

「행정절차법」에 절차상 하자의 치유에 대한 명문규정이 없기 때문에 절차상 하자의 치유가 가능한지 문제 되는데 통설과 판례는 원칙적으로 법적 안정성과 신뢰보호 관점에서 절차상 하자의 치유를 부정하지만, 예외적으로 국민의 권리와 이익을 침해하지 않는 범위 내에서는 인정될 수 있다는 제한적 긍정설의 입장을 취하고 있다(대판 1992.10.23. 92누2844 등).

2. 하자치유의 시간적 한계

하자의 치유시기와 관련하여 ① 행정쟁송 제기 이전까지만 하자의 치유가 가능하다는 견해(행정쟁송제기전설)와 ② 행쟁쟁송절차의 종결시까지 하자의 치유가 가능하다는 견해(쟁송종결시설)가 대립하고 있는데, 통설과 판례는 행정쟁송제기전설의 입장이다(대판 1983.7.26. 82누420).

3 절차상 하자와 국가배상

행정청의 행위에 절차상의 하자가 있어 손해가 발생한 경우 국가배상책임이 인정될 수 있다. 다만, 판례는 절차적 하자가 있더라도 실체법상으로 적법한 경우에는 국가배상책임을 인정하지 않고 있다.

> 🔖 **관련판례**
>
> **절차상 하자가 있어 당해 징벌처분이 위법하다는 이유로 국가배상책임이 인정되기 위해서는 징벌처분의 객관적 정당성이 상실될 정도의 실질적인 이유도 필요하다. ★**
> 대구교도소장이 아닌 관구교감에 의하여 고지된 이 사건 금치처분이 행형법 시행령 제144조의 규정에 반하는 것으로서 절차적인 면에서 위법하다고 하더라도, 교도소장이 아닌 일반교도관 또는 중간관리자에 의하여 징벌내용이 고지되었다는 사유에 의하여 당해 징벌처분이 위법하다는 이유로 공무원의 고의·과실로 인한 국가배상책임을 인정하기 위하여는 징벌처분이 있게 된 규율위반행위의 내용, 징벌혐의내용의 조사·징벌혐의자의 의견 진술 및 징벌위원회의 의결 등 징벌절차의 진행경과, 징벌의 내용 및 그 집행경과 등 제반 사정을 종합적으로 고려하여 징벌처분이 객관적 정당성을 상실하고 이로 인하여 손해의 전보책임을 국가에게 부담시켜야 할 실질적인 이유가 있다고 인정되어야 할 것인데, 특별한 사정이 없는 한 대구교도소장이 아닌 관구교감에 의하여 이 사건 금치처분이 고지되었다는 사유만으로는 이 사건 금치처분이 손해의 전보책임을 국가에게 부담시켜야 할 만큼 객관적 정당성을 상실한 정도에 이른 것으로 볼 수는 없다고 할 것이다(대판 2004.12.9. 2003다50184).

함께 정리하기

절차상 하자의 치유
▷ 통설·판례는 제한적 긍정설의 입장(원칙적으로 부정, 예외적으로 국민의 권리와 이익을 침해하지 않는 범위 내에서 인정)

절차상 하자의 치유
▷ 행정쟁송 제기 전까지 可

절차 하자로 손해 발생
▷ 국가배상책임 인정 가능

절차의 하자가 있더라도 실체법상으로 적법한 경우
▷ 국가배상책임×

국가배상책임
▷ 징벌처분이 객관적 정당성이 상실될 정도의 실질적 이유 要

제3편
행정절차와 행정정보 해커스공무원 함수민 행정법총론 기본서

입법목적
▷ 민원의 공정하고 적법한 처리
▷ 제도의 합리적 개선

민원
▷ 민원인이 행정기관에 대하여 처분 등 특정한 행위를 요구하는 것
종류
▷ 일반민원(법정민원, 질의민원, 건의민원, 기타민원)
▷ 고충민원(부패방지권익위법)

❶ **부패방지권익위법 제2조(정의)**
5. "고충민원"이란 행정기관등의 위법·부당하거나 소극적인 처분(사실행위 및 부작위를 포함한다) 및 불합리한 행정제도로 인하여 국민의 권리를 침해하거나 국민에게 불편 또는 부담을 주는 사항에 관한 민원(현역장병 및 군 관련 의무복무자의 고충민원을 포함한다)을 말한다.

민원인
▷ 행정기관에 민원을 제기하는 개인·법인 또는 단체

제6절 민원 처리에 관한 법률

1 입법목적

「민원 처리에 관한 법률」은 민원 처리에 관한 기본적인 사항을 규정하여 민원의 공정하고 적법한 처리와 민원행정제도의 합리적 개선을 도모함으로써 국민의 권익을 보호함을 목적으로 한다[「민원 처리에 관한 법률」(이하 '동법'이라 함) 제1조].

2 용어의 정의(동법 제2조)

민원 (제1호)	"민원"이란 <u>민원인이 행정기관에 대하여 처분 등 특정한 행위를 요구하는 것</u>을 말하며, 법정민원, 질의민원, 건의민원, 기타민원과 같은 일반민원과 「부패방지 및 국민권익위원회의 설치와 운영에 관한 법률」(약칭: 부패방지권익위법)에 따른 고충민원이 있다. ① 일반민원 　㉠ 법정민원: 법령·훈령·예규·고시·자치법규 등(이하 "관계법령등"이라 함)에서 정한 일정 요건에 따라 인가·허가·승인·특허·면허 등을 신청하거나 장부·대장 등에 등록·등재를 신청 또는 신고하거나 특정한 사실 또는 법률관계에 관한 확인 또는 증명을 신청하는 민원 　㉡ 질의민원: 법령·제도·절차 등 행정업무에 관하여 행정기관의 설명이나 해석을 요구하는 민원 　㉢ 건의민원: 행정제도 및 운영의 개선을 요구하는 민원 　㉣ 기타민원: 법정민원, 질의민원, 건의민원 및 고충민원 외에 행정기관에 단순한 행정절차 또는 형식요건 등에 대한 상담·설명을 요구하거나 일상생활에서 발생하는 불편사항에 대하여 알리는 등 행정기관에 특정한 행위를 요구하는 민원 ② 고충민원: 「부패방지 및 국민권익위원회의 설치와 운영에 관한 법률」 제2조 제5호에 따른 고충민원❶
민원인 (제2호)	"민원인"이란 <u>행정기관에 민원을 제기하는 개인·법인 또는 단체</u>를 말한다. 다만, 행정기관(사경제의 주체로서 제기하는 경우는 제외한다), 행정기관과 사법(私法)상 계약관계(민원과 직접 관련된 계약관계만 해당한다)에 있는 자, 성명·주소 등이 불명확한 자 등 대통령령으로 정하는 자는 제외한다.
행정기관 (제3호)	"행정기관"이란 다음과 같은 자를 말한다. (1) 국회·법원·헌법재판소·중앙선거관리위원회의 행정사무를 처리하는 기관, 중앙행정기관(대통령 소속 기관과 국무총리 소속 기관을 포함한다. 이하 같다)과 그 소속 기관, 지방자치단체와 그 소속 기관 (2) 공공기관 　① 「공공기관의 운영에 관한 법률」 제4조에 따른 법인·단체 또는 기관 　② 「지방공기업법」에 따른 지방공사 및 지방공단 　③ 특별법에 따라 설립된 특수법인 　④ 「초·중등교육법」·「고등교육법」 및 그 밖의 다른 법률에 따라 설치된 각급 학교 　⑤ 그 밖에 대통령령으로 정하는 법인·단체 또는 기관 (3) 법령 또는 자치법규에 따라 <u>행정권한이 있거나 행정권한을 위임 또는 위탁받은 법인·단체 또는 그 기관이나 개인</u>

처분 (제4호)	"처분"이란 「행정절차법」 제2조 제2호의 처분을 말한다.
복합민원 (제5호)	"복합민원"이란 하나의 민원 목적을 실현하기 위하여 관계법령등에 따라 여러 관계기관(민원과 관련된 단체·협회 등을 포함한다. 이하 같다) 또는 관계 부서의 인가·허가·승인·추천·협의 또는 확인 등을 거쳐 처리되는 법정민원을 말한다.
다수인 관련민원 (제6호)	"다수인관련민원"이란 5세대(世帶) 이상의 공동이해와 관련되어 5명 이상이 연명으로 제출하는 민원을 말한다.
무인민원발급창 구(제8호)	"무인민원발급창구"란 행정기관의 장이 행정기관 또는 공공장소 등에 설치하여 민원인이 직접 민원문서를 발급받을 수 있도록 하는 전자장비를 말한다.

3 민원의 처리

민원처리의 원칙 (제6조)	① 행정기관의 장은 관계법령 등에서 정한 처리기간이 남아 있다거나 그 민원과 관련 없는 공과금 등을 미납하였다는 이유로 민원 처리를 지연시켜서는 아니 된다. 다만, 다른 법령에 특별한 규정이 있는 경우에는 그에 따른다. ② 행정기관의 장은 법령의 규정 또는 위임이 있는 경우를 제외하고는 민원 처리의 절차 등을 강화하여서는 아니 된다.
민원의 신청 (제8조)	민원의 신청은 문서(「전자정부법」 제2조 제7호에 따른 전자문서를 포함한다. 이하 같다)로 하여야 한다. 다만, 기타민원은 구술(口述) 또는 전화로 할 수 있다.
민원의 접수 (제9조)	① 행정기관의 장은 민원의 신청을 받았을 때에는 다른 법령에 특별한 규정이 있는 경우를 제외하고는 그 접수를 보류하거나 거부할 수 없으며, 접수된 민원문서를 부당하게 되돌려 보내서는 아니 된다. ② 행정기관의 장은 민원을 접수하였을 때에는 해당 민원인에게 접수증을 내주어야 한다. 다만, 기타민원과 민원인이 직접 방문하지 아니하고 신청한 민원 및 처리기간이 '즉시'인 민원 등 대통령령으로 정하는 경우에는 접수증 교부를 생략할 수 있다.
민원의 처리기간 (제17조)	① 행정기관의 장은 법정민원을 신속히 처리하기 위하여 행정기관에 법정민원의 신청이 접수된 때부터 처리가 완료될 때까지 소요되는 처리기간을 법정민원의 종류별로 미리 정하여 공표하여야 한다.
처리기간의 계산 (제19조)	① 민원의 처리기간을 5일 이하로 정한 경우에는 민원의 접수시각부터 "시간" 단위로 계산하되, 공휴일과 토요일은 산입(算入)하지 아니한다. 이 경우 1일은 8시간의 근무시간을 기준으로 한다. 　11. 국회직 8급 민원의 처리기간을 5일 이하로 정한 경우 '일'단위로 계산하고 초일을 산입하지 않는다. (×) → 시간 ② 민원의 처리기간을 6일 이상으로 정한 경우에는 "일" 단위로 계산하고 첫날을 산입하되, 공휴일과 토요일은 산입하지 아니한다. ③ 민원의 처리기간을 주·월·연으로 정한 경우에는 첫날을 산입하되, 「민법」 제159조부터 제161조까지의 규정을 준용한다.
민원처리의 예외 (제21조)	행정기관의 장은 접수된 민원(법정민원을 제외한다. 이하 이 조에서 같다)이 다음 각 호의 어느 하나에 해당하는 경우에는 그 민원을 처리하지 아니할 수 있다. 이 경우 그 사유를 해당 민원인에게 통지하여야 한다.

함께 정리하기

처분
▷ 행정청이 행하는 구체적 사실에 관한 법집행으로서 공권력의 행사 또는 그 거부와 그 밖에 이에 준하는 행정작용

복합민원
▷ 여러 관계기관 또는 부서의 인가 등을 거쳐 처리되는 법정민원

민원접수
▷ 원칙: 접수증 교부
▷ 예외: 기타민원, 민원인이 직접 방문하지 아니하고 신청한 민원, 처리기간이 '즉시'인 민원 등 대통령령으로 정하는 경우 접수증 교부 생략 可

5일 이하
▷ 민원 접수시각부터 "시간" 단위로 계산
▷ 공휴일·토요일 불산입

6일 이상
▷ "일" 단위로 계산
▷ 첫날 산입, 공휴일·토요일 불산입

주·월·연으로 정한 경우
▷ 첫날 산입
▷ 「민법」 제159조부터 제161조까지 준용

민원문서의 보완 및 취하 (제22조)	① 행정기관의 장은 접수한 민원문서에 보완이 필요한 경우에는 상당한 기간을 정하여 지체 없이 민원인에게 보완을 요구하여야 한다. ② 민원인은 해당 민원의 처리가 종결되기 전에는 그 신청의 내용을 보완하거나 변경 또는 취하할 수 있다. 다만, 다른 법률에 특별한 규정이 있거나 그 민원의 성질상 보완·변경 또는 취하할 수 없는 경우에는 그러하지 아니하다.

처리결과의 통지
▷ 원칙: 문서
▷ 예외: 기타민원, 신속을 요하거나 민원인이 요청하는 등 대통령령으로 정하는 경우 구술, 전화, 문자메시지, 팩시밀리, 전자우편 可

처리결과의 통지 (제27조)	① 행정기관의 장은 접수된 민원에 대한 처리를 완료한 때에는 그 결과를 민원인에게 문서로 통지하여야 한다. 다만, 기타민원의 경우와 통지에 신속을 요하거나 민원인이 요청하는 등 대통령령으로 정하는 경우에는 구술, 전화, 문자메시지, 팩시밀리 또는 전자우편 등으로 통지할 수 있다. 11. 국회직 8급 행정기관의 장은 민원처리 결괴를 문서로 통지하여야 하나 신속을 요하는 경우 등에는 구술 또는 전화로 통지할 수 있다. (○) ② 행정기관의 장은 다음 각 호의 어느 하나에 해당하는 경우에는 제1항 본문의 규정에 따른 통지를 전자문서로 통지하는 것으로 갈음할 수 있다. 다만, 제2호에 해당하는 경우에는 민원인이 요청하면 지체 없이 민원 처리 결과에 관한 문서를 교부하여야 한다. 1. 민원인의 동의가 있는 경우 2. 민원인이 전자민원창구나 통합전자민원창구를 통하여 전자문서로 민원을 신청하는 경우 ③ 행정기관의 장은 제1항 또는 제2항에 따라 민원의 처리결과를 통지할 때에 민원의 내용을 거부하는 경우에는 거부 이유와 구제절차를 함께 통지하여야 한다. ④ 행정기관의 장은 제1항에 따른 민원의 처리결과를 허가서·신고필증·증명서 등의 문서(전자문서 및 전자화문서는 제외한다)로 민원인에게 직접 교부할 필요가 있는 때에는 그 민원인 또는 그 위임을 받은 자임을 확인한 후에 이를 교부하여야 한다.

4 법정민원의 처리

사전심사의 청구(제30조)	① 민원인은 법정민원 중 신청에 경제적으로 많은 비용이 수반되는 민원 등 대통령령으로 정하는 민원에 대하여는 행정기관의 장에게 정식으로 민원을 신청하기 전에 미리 약식의 사전심사를 청구할 수 있다.
복합민원의 주무부서 (제31조)	① 행정기관의 장은 복합민원을 처리할 주무부서를 지정하고 그 부서로 하여금 관계 기관·부서 간의 협조를 통하여 민원을 한꺼번에 처리하게 할 수 있다.
'민원 1회 방문처리제'의 시행(제32조)	① 행정기관의 장은 복합민원을 처리할 때에 그 행정기관의 내부에서 할 수 있는 자료의 확인, 관계 기관·부서와의 협조 등에 따른 모든 절차를 담당 직원이 직접 진행하도록 하는 민원 1회방문 처리제를 확립함으로써 불필요한 사유로 민원인이 행정기관을 다시 방문하지 아니하도록 하여야 한다.

거부처분에 대한 불복
▷ 거부처분을 받은 날부터 60일 이내에 문서로 이의신청 可
▷ 행정심판·행정소송 可

거부처분에 대한 이의신청 (제35조)	① 법정민원에 대한 행정기관의 장의 거부처분에 불복하는 민원인은 그 거부처분을 받은 날부터 60일 이내에 그 행정기관의 장에게 문서로 이의신청을 할 수 있다. ② 행정기관의 장은 이의신청을 받은 날부터 10일 이내에 그 이의신청에 대하여 인용 여부를 결정하고 그 결과를 민원인에게 지체 없이 문서로 통지하여야 한다. 다만, 부득이한 사유로 정하여진 기간 이내에 인용 여부를 결정할 수 없을 때에는 그 기간의 만료일 다음 날부터 기산(起算)하여 10일 이내의 범위에서 연장할 수 있으며, 연장 사유를 민원인에게 통지하여야 한다. ③ 민원인은 제1항에 따른 이의신청 여부와 관계없이 「행정심판법」에 따른 행정심판 또는 「행정소송법」에 따른 행정소송을 제기할 수 있다.

행정정보공개와 개인정보 보호

제1절 행정정보공개제도

1 개설

1. 정보공개제도의 의의

행정정보공개제도라 함은 개인이 행정주체가 보유하고 있는 정보에 접근하여 그것을 이용할 수 있게 하기 위하여 개인에게 정보공개를 청구할 수 있는 권리를 보장하고, 행정주체에 대하여 정보공개의 의무를 지게 하는 제도를 말한다. 이러한 정보공개제도는 ① 국민의 알 권리 충족, ② 국정참여(민주주의 실현), ③ 법적분쟁에 있어서 국민의 권익보호, ④ 국정운영의 투명성 확보를 목적으로 한다.

2. 알 권리의 내용과 법적 근거

(1) 알 권리의 내용

① 다수설은 알 권리를 국가나 다른 사인에 의하여 방해받지 않고 일반적으로 접근(입수)할 수 있는 정보원으로부터 자유롭게 정보를 얻을 수 있는 정보의 자유(소극적 측면)와 국가나 사회에 대하여 정보를 공개해 달라고 요청할 수 있는 정보공개청구권(적극적 측면)을 포함하는 포괄적 권리로 이해하고 있는데, 이를 세분하면 다음과 같다.

정보수령권 (정보의 자유)	국가권력의 방해 없이 일반적으로 접근할 수 있는 정보원으로부터 정보를 얻을 권리
정보수집권 (취재의 자유)	자발적 또는 중립적 정보원으로부터의 정보 취득에서 방해받지 않을 권리
정보공개청구권	비자발적인 정보원으로부터 정보의 공개를 청구할 수 있는 권리(자기에 관한 정보 또는 자기의 권익보호와 직접 관련이 있는 정보의 공개를 청구하는 '개별적 정보공개청구권'과 국민의 한 사람으로서 일반적인 정보의 공개를 청구하는 '일반적 정보공개청구권')
자기정보통제권	자기정보를 어디까지 누구에게 어떤 방법으로 알릴 것인지를 결정할 수 있는 자기정보에 대한 자기결정권

② 학설은 대체로 정보의 자유를 중심으로 알 권리를 파악하나, 헌법재판소는 정보공개청구권을 알 권리의 핵심이라고 하면서, 정보의 자유(정보수령방해배제청구권)도 알 권리의 한 내용으로 인정하는 입장을 취하고 있다. 또한, 대법원도 알 권리라는 표현을 사용하였을 뿐 아니라, 알 권리를 '국가정보로 접근할 수 있는 권리'(정보공개청구권)를 중심으로 파악하고, 아울러 그것에는 일반적 정보공개청구권이 포함됨을 명시적으로 밝히고 있다.

함께 정리하기

정보공개제도의 의의
▷ 공공기관 보유 정보를 국민의 청구에 응하여 공개하는 제도

알 권리의 내용
▷ 일반적으로 접근할 수 있는 정보원으로부터 방해받지 않고 보고, 듣고, 읽을 수 있는 소극적 측면으로서의 권리(자유권적 성질)와 정보의 공개를 청구할 수 있는 적극적 측면에서의 권리(청구권적 성질)의 두 가지 요소를 포함

알 권리의 헌법적 근거
▷ 헌법 제21조의 표현의 자유 등에서 직접
정보공개청구권 도출

(2) 알 권리의 법적 근거

① **헌법적 근거(헌법 직접적 권리성):** 알 권리에 관한 명문의 규정이 없어 헌법적 근거에 대하여는 학설상 논란이 있다.

　㉠ **학설:** 알 권리의 헌법상 근거조항에 관하여 ⓐ 표현의 자유를 규정한 헌법 제21조를 그 근거로 보는 견해, ⓑ 헌법 제21조를 비롯하여, 국민주권의 원리(헌법 제1조), 인간존엄과 가치 및 행복추구권(헌법 제10조), 인간다운 생활을 할 권리(헌법 제34조) 등이 종합적으로 그 근거가 된다고 보는 견해가 있다.

　㉡ **판례:** 헌법재판소는 알 권리를 자유민주주의적 기본질서를 천명하고 있는 헌법전문, 제1조(국민주권의 원리), 제21조 제1항(표현의 자유)에서 도출하고 있으며, 그것도 개별법률의 근거 없이 직접 헌법조문을 근거로 한 정보공개청구권을 인정하고 있다. 대법원도 알 권리, 즉 정보에의 접근·수집·처리의 자유는 자유권적 성질과 청구권적 성질을 공유하는 것으로서 헌법 제21조에 의하여 직접 보장되는 권리이며, 알 권리의 내용에는 일반적인 정보공개청구권이 포함된다고 판시한 바 있다.

　10. 지방직 9급 판례는 「공공기관의 정보공개에 관한 법률」과 같은 실정법의 근거가 없는 경우에는 정보공개청구권이 인정되가 어렵다고 보고 있다. (×) → 경우에도 / 인정된다고

⚖ 관련판례

알 권리
▷ 표현의 자유에 포함
▷ 개별적 법률 없이도 헌법에 의해 직접 보장됨

1　정보공개청구권의 헌법적 근거 ★★

1-1. '알 권리'는 표현의 자유에 당연히 포함되는 것으로 보아야 하며 이러한 '알 권리'의 실현은 법률의 제정이 뒤따라 이를 구체화 시키는 것이 충실하고도 바람직하지만, 그러한 법률이 제정되어 있지 않다고 하더라도 불가능한 것은 아니고 헌법 제21조에 의해 직접 보장될 수 있다(헌재 1991.5.13. 90헌마133).

　17. 서울시 9급 행정정보공개의 출발점은 국민의 알 권리인데, 알 권리 자체는 헌법상으로 명문화 되어 있지 않음에도 불구하고, 우리 헌법재판소는 초기부터 국민의 알 권리를 헌법상의 기본권으로 인정하여 왔다. (○)

1-2. 청구인의 정당한 이해관계가 있는 정부보유의 정보의 개시에 대하여 행정청이 아무런 검토없이 불응한 부작위는 헌법 제21조에 규정된 표현의 자유와 자유민주주의적 기본질서를 천명하고 있는 헌법전문, 제1조, 제4조의 해석상 국민의 정부에 대한 일반적 정보공개를 구할 권리(청구권적 기본권)로서 인정되는 '알 권리'를 침해한 것이고 위 열람·복사민원의 처리는 법률의 제정이 없더라도 불가능한 것이 아니다(헌재 1989.9.4. 88헌마22).

2　정보공개청구권의 인정근거 ★★

알 권리
▷ 자유권적 성질과 청구권적 성질을 공유하는 것으로서 헌법 제21조에 의하여 직접 보장되는 권리

2-1. 국민의 '알 권리', 즉 정보에의 접근·수집·처리의 자유는 자유권적 성질과 청구권적 성질을 공유하는 것으로서 헌법 제21조에 의하여 직접 보장되는 권리이고, 그 구체적 실현을 위하여 제정된 공공기관의 정보공개에 관한 법률도 제3조에서 공공기관이 보유·관리하는 정보를 원칙적으로 공개하도록 하여 정보공개의 원칙을 천명하고 있다(대판 2009.12.10. 2009두12785).

　20. 지방직 7급 국민의 알 권리, 즉 정보에의 접근·수집·처리의 자유는 자유권적 성질과 청구권적 성질을 공유하는 것으로서, 헌법 제21조에 의하여 직접 보장되는 권리이다. (○)

알 권리
▷ 일반적 정보공개청구권이 포함됨

2-2. 국민의 알 권리, 특히 국가정보에의 접근의 권리는 우리 헌법상 기본적으로 표현의 자유와 관련하여 인정되는 것으로 그 권리의 내용에는 일반 국민 누구나 국가에 대하여 보유·관리하고 있는 정보의 공개를 청구할 수 있는 이른바 일반적인 정보공개청구권이 포함된다(대판 1999.9.21. 97누5114).

　21. 국가직 9급 국민의 알 권리의 내용에는 일반 국민 누구나 국가에 대하여 보유·관리하고 있는 정보의 공개를 청구할 수 있는 이른바 일반적인 정보공개청구권이 포함된다. (○)

② 개별법적 근거

　ⓐ 「공공기관의 정보공개에 관한 법률」(약칭: 정보공개법, 이하 '동법'이라 함): 정보공개법 제4조 제1항에 의하면 "정보의 공개에 관하여는 다른 법률에 특별한 규정이 있는 경우를 제외하고 이 법이 정하는 바에 따른다."고 규정하고 있다. 따라서 동법은 행정정보에 관한 일반법으로서 헌법상의 알 권리를 구체화한 법률이라 할 수 있다.

　ⓑ 지방자치단체의 조례

　　ⓐ 법규정: 「공공기관의 정보공개에 관한 법률」 제4조 제1항은 "지방자치단체는 그 소관 사무에 관하여 법령의 범위에서 정보공개에 관한 조례를 정할 수 있다."고 규정하고 있다. 따라서 지방자치단체의 주민은 조례에 근거하여 정보공개청구권을 가질 수 있다.

　　23. 국가직 7급, 18. 소방직 지방자치단체는 그 소관 사무에 관하여 법령의 범위에서 정보공개에 관한 조례를 정할 수 있다. (○)

　　ⓑ 판례: 대법원은 지방자치단체는 그 내용이 주민의 권리의 제한 또는 의무의 부과에 관한 사항이거나 벌칙에 관한 사항이 아닌 한 법률의 위임이 없더라도 조례를 제정할 수 있다고 하면서 행정정보공개조례안도 이에 해당하여 반드시 법률의 개별적 위임이 필요하지 않다고 판시하였다.

> **🔍 관련판례**
>
> **청주시의회에서 의결한 청주시 행정정보공개조례안이 주민의 권리를 제한하거나 의무를 부과하는 조례라고는 단정할 수 없어 그 제정에 있어서 반드시 법률의 개별적 위임이 따로 필요한 것은 아니다. ★★**
>
> 지방자치단체는 그 내용이 주민의 권리의 제한 또는 의무의 부과에 관한 사항이거나 벌칙에 관한 사항이 아닌 한 법률의 위임이 없더라도 조례를 제정할 수 있다 할 것인데 청주시의회에서 의결한 청주시 행정정보공개조례안은 행정에 대한 주민의 알 권리의 실현을 그 근본 내용으로 하면서도 이로 인한 개인의 권익침해 가능성을 배제하고 있으므로 이를 들어 주민의 권리를 제한하거나 의무를 부과하는 조례라고는 단정할 수 없고 따라서 그 제정에 있어서 반드시 법률의 개별적 위임이 따로 필요한 것은 아니다(대판 1992.6.23. 92추17).
>
> 13. 국가직 9급 판례에 의하면 청주시의회에서 의결한 '청주시 행정정보공개조례안'은 행정에 대한 주민의 '알 권리'의 실현을 그 근본 내용으로 하면서도 이로 인한 개인의 권익침해 가능성을 배제하고 있으므로, 이를 들어 주민의 권리를 제한하거나 의무를 부과하는 조례라고는 단정할 수 없고, 따라서 그 제정에 있어서 반드시 법률의 개별적 위임이 따로 필요한 것은 아니다. (○)

2 「공공기관의 정보공개에 관한 법률」(약칭: 정보공개법, 이하 '동법'이라 함)

1. 목적

이 법은 공공기관이 보유·관리하는 정보에 대한 국민의 공개청구 및 공공기관의 공개 의무에 관하여 필요한 사항을 정함으로써 국민의 알 권리를 보장하고 국정에 대한 국민의 참여와 국정 운영의 투명성을 확보함을 목적으로 한다(동법 제1조).

함께 정리하기

개별법적 근거
▷ 정보공개법, 지방자치단체의 조례

주민의 권리 제한, 의무 부과, 벌칙에 관한 사항이 아닌 경우
▷ 지방자치단체는 법률의 위임이 없더라도 조례 제정 可

청주시 행정정보공개조례안
▷ 주민의 권리를 제한하거나 의무를 부과하는 조례×
▷ 법률의 개별적 위임 필요×

❶
청주시의회가 처음으로 정보공개에 관한 조례를 제정하였다. 이는 정보공개법이 존재하지 않던 시절 모법의 위임 없이 제정된 것인데, 대법원은 이에 대해 지역 주민들의 알 권리 실현을 위해 지방자치단체가 자기 고유사무와 관련된 행정정보의 공개사무에 관하여 독자적으로 규율하는 것은 적법하다고 하였다(대판 1992.6.23. 92추17). 위 판결 이후 정보공개법이 지방자치단체는 그 소관 사무에 관하여 법령의 범위에서 정보공개에 관한 조례를 정할 수 있다는 내용을 담아 신설되었다(동법 제4조 제2항). 지금은 지방자치단체 대부분이 정보공개 조례를 제정하여 시행하고 있다.

2. 용어의 정의

(1) 정보

'정보'란 공공기관이 직무상 작성 또는 취득하여 관리하고 있는 문서(전자문서를 포함한다. 이하 같다) 및 전자매체를 비롯한 모든 형태의 매체 등에 기록된 사항을 말한다(동법 제2조 제1호).

22. 군무원 7급, 19. 군무원 9급 변형, 11. 지방직 9급 변형 "정보"란 공공기관이 직무상 작성 또는 취득하여 관리하고 있는 문서(전자문서를 포함한다) 및 전자매체를 비롯한 모든 형태의 매체 등에 기록된 사항을 말한다. (○)

(2) 공개

'공개'란 공공기관이 이 법에 따라 정보를 열람하게 하거나 그 사본·복제물을 제공하는 것 또는 「전자정부법」 제2조 제10호에 따른 정보통신망을 통하여 정보를 제공하는 것 등을 말한다(동법 제2조 제2호).

(3) 공공기관의 범위

① **법률 규정**: 정보공개법에서의 공공기관이란 ㉠ 국가기관❶, ㉡ 지방자치단체, ㉢ 「공공기관의 운영에 관한 법률」 제2조에 따른 공공기관, ㉣ 「지방공기업법」에 따른 지방공사 및 지방공단, ㉤ 그 밖에 대통령령으로 정하는 기관을 말한다(동법 제2조 제3호).

17. 행정사 국회는 「공공기관의 정보공개에 관한 법률」상 공공기관에 해당한다. (○)

14. 서울시 9급 정보공개의무를 지는 공공기관에는 국가기관과 지방자치단체만이 해당한다. (✕)
→ 해당되는 것은 아니다

17. 행정사 「지방공기업법」에 따른 지방공사는 「공공기관의 정보공개에 관한 법률」상 공공기관에 해당한다. (○)

② **대통령령으로 정하는 기관**: 공공기관으로 인정되는 그 밖에 "대통령령으로 정하는 기관"이란 ㉠ 「유아교육법」, 「초·중등교육법」, 「고등교육법」에 따른 각급 학교 또는 그 밖의 다른 법률에 따라 설치된 학교, ㉡ 「지방자치단체 출자·출연기관의 운영에 관한 법률」 제2조 제1항에 따른 출자기관 및 출연기관, ㉢ 특별법에 따라 설립된 특수법인, ㉣ 「사회복지사업법」 제42조 제1항에 따라 국가 또는 지방자치단체로부터 보조금을 받는 사회복지법인과 사회복지사업을 하는 비영리법인, ㉤ 국가 또는 지방자치단체로부터 연간 5천만원 이상의 보조금을 받는 기관 또는 단체를 말한다[「공공기관의 정보공개에 관한 법률 시행령」(이하 '동법 시행령'이라 함) 제2조].

19. 행정사 「고등교육법」에 따른 대학은 정보공개의무를 지는 공공기관이다. (○)

16. 국가직 9급 국·공립 초등학교는 「공공기관의 정보공개에 관한 법률」상 공공기관에 해당하지만, 사립초등학교는 이에 해당하지 않는다. (✕) → 하고 / 도 / 한다

14. 사복직 「공공기관의 정보공개에 관한 법률」상 정보공개 대상기관에는 국가나 지방자치단체로부터 보조금을 받는 사회복지법인과 사회복지사업을 하는 비영리법인도 포함된다. (○)

관련판례

1 사립대학교는 공동체 전체의 이익에 중요한 역할이나 기능을 수행하는 기관으로서 정보공개의무를 지는 공공기관에 속한다. ★★★

정보공개 의무기관을 정하는 것은 입법자의 입법형성권에 속하고, 이에 따라 입법자는 구 공공기관의 정보공개에 관한 법률 제2조 제3호에서 정보공개 의무기관을 공공기관으로 정하였는바, 공공기관은 국가기관에 한정되는 것이 아니라 지방자치단체, 정부투자기관, 그 밖에 공동체 전체의 이익에 중요한 역할이나 기능을 수행하는 기관도 포함되는 것으로 해석되고, 여기에 정보공개의 목적, 교육의 공공성 및 공·사립학교의 동질성, 사립대학교에 대한 국가의 재정지원 및 보조 등 여러 사정을 고려해 보면, 사립대학교에 대한 국비 지원이 한정적·일시적·국부적이라는 점을 고려하더라도, 같은 법 시행령 제2조 제1호가 정보공개의무를 지는 공공기관의 하나로 사립대학교를 들고 있는 것이 모법인 구 공공기관의 정보공개에 관한 법률의 위임범위를 벗어났다거나 사립대학교가 국비의 지원을 받는 범위 내에서만 공공기관의 성격을 가진다고 볼 수 없다(대판 2006.8.24. 2004두2783).

21. 국회직 8급, 21. 행정사 사립대학교는 정보공개 의무기관인 공공기관에 해당하지 않는다. (×) → 해당한다

15. 서울시 7급 사립대학교에 대한 국비지원이 한정적·일시적·국부적이라는 점을 고려하더라도 사립대학교가 국비의 지원을 받는 범위 내에서만 공공기관의 성격을 가진다고 볼 수 없다. (○)

12. 국가직 7급 사립대학교에 정보공개를 청구하였다가 거부되면 사립대학교 총장을 피고로 하여 취소소송을 제기할 수 있다. (○)

15. 국가직 9급, 08. 지방직 7급 구 「공공기관의 정보공개에 관한 법률 시행령」 제2조 제1호가 정보공개의무기관으로 사립대학교를 들고 있는 것은 모법의 위임범위를 벗어난 것으로 위법하다. (×) → 볼 수 없다

2 한국방송공사는 정보공개의무가 있는 공공기관에 해당한다. ★★★

한국방송공사(KBS)는 정보공개청구 대상기관인 공공기관의 정보공개에 관한 법률 시행령 제2조 제3호의 '특별법에 의하여 설립된 특수법인'으로서 정보공개의무가 있는 공공기관에 해당한다(대판 2010.12.23. 2008두13101).

19. 군무원 9급, 17. 지방직 9급, 16. 사복직 한국방송공사(KBS)는 「공공기관의 정보공개에 관한 법률 시행령」 제2조 제4호의 특별법에 의하여 설립된 특수법인으로서 정보공개의무가 있는 「공공기관의 정보공개에 관한 법률」 제2조 제3호의 공공기관에 해당한다. (○)

3 한국증권업협회는 정보공개청구 대상기관인 '특별법에 의하여 설립된 특수법인'에 해당한다고 보기 어렵다. ★★★

[1] 어느 법인이 공공기관의 정보공개에 관한 법률 제2조 제3호 등에 따라 정보를 공개할 의무가 있는 '특별법에 의하여 설립된 특수법인'에 해당하는가는, 국민의 알 권리를 보장하고 국정에 대한 국민의 참여와 국정운영의 투명성을 확보하고자 하는 위 법의 입법 목적을 염두에 두고, 당해 법인에게 부여된 업무가 국가행정업무이거나, 이에 해당하지 않더라도 그 업무 수행으로써 추구하는 이익이 당해 법인 내부의 이익에 그치지 않고 공동체 전체의 이익에 해당하는 공익적 성격을 갖는지 여부를 중심으로 개별적으로 판단하되, 당해 법인의 설립근거가 되는 법률이 법인의 조직구성과 활동에 대한 행정적 관리·감독 등에서 민법이나 상법 등에 의하여 설립된 일반 법인과 달리 규율한 취지, 국가나 지방자치단체의 당해 법인에 대한 재정적 지원·보조의 유무와 그 정도, 당해 법인의 공공적 업무와 관련하여 국가기관·지방자치단체 등 다른 공공기관에 대한 정보공개청구와는 별도로 당해 법인에 대하여 직접 정보공개청구를 구할 필요성이 있는지 여부 등을 종합적으로 고려하여야 한다.

17. 서울시 9급 판례는 특별법에 의하여 설립된 특수법인이라는 점만으로 정보공개의무를 인정하고 있으며, 다시금 해당 법인의 역할과 기능에서 정보공개의무를 지는 공공기관에 해당하는지 여부를 판단하지 않는다. (×) → 있는 것은 아니고 / 판단하고 있다

제3편

행정과정과 행정정보 해커스공무원 함수민 행정법총론 기본서

사립대학교
▷ 정보공개의무를 지는 공공기관○
▷ 국비의 지원을 받는 범위 내에서만 공공기관의 성격×

한국방송공사
▷ 특별법에 의해 설립된 특수법인으로서 정보공개의무가 있는 공공기관○

정보공개의무가 있는 특별법에 의하여 설립된 특수법인 여부
▷ 법인에게 부여된 업무의 역할과 기능을 고려하여 개별적으로 판단

[2] '한국증권업협회'는 증권회사 상호간의 업무질서를 유지하고 유가증권의 공정한 매매거래 및 투자자 보호를 위하여 일정 규모 이상인 증권회사 등으로 구성된 회원조직으로서, 증권거래법 또는 그 법에 의한 명령에 대하여 특별한 규정이 있는 것을 제외하고는 민법 중 사단법인에 관한 규정을 준용 받는 점, 그 업무가 국가기관 등에 준할 정도로 공동체 전체의 이익에 중요한 역할이나 기능에 해당하는 공공성을 갖는다고 볼 수 없는 점 등에 비추어, 공공기관의 정보공개에 관한 법률 시행령 제2조 제4호의 '특별법에 의하여 설립된 특수법인'에 해당한다고 보기 어렵다(대판 2010.4.29. 2008두5643).

11. 국가직 7급 판례에 의하면 '한국증권업협회'는 정보공개의무를 지는 '특별법에 의하여 설립된 특수법인'에 해당한다. (×) → 해당하지 않는다

17. 국가직 9급 한국증권협회는 증권회사 상호 간의 업무질서를 유지하고 유가증권의 공정한 매매거래 및 투자자 보호를 위하여 구성된 회원조직으로, 증권거래법 또는 그 법에 의한 명령에 대하여 특별한 규정이 있는 것을 제외하고는 「민법」 중 사단법인에 관한 규정을 적용받으므로 구 「공공기관의 정보공개에 관한 법률 시행령」상의 '특별법에 의하여 설립된 특수법인'에 해당하지 않는다. (○)

18. 소방간부 '한국증권업협회'는 증권회사 상호 간의 업무질서를 유지하고 유가증권의 공정한 매매거래 및 투자자 보호를 위하여 일정 규모 이상인 증권회사 등으로 구성된 회원조직으로서, 그 업무가 국가기관 등에 준할 정도로 공동체 전체의 이익에 중요한 역할이나 기능에 해당하는 공공성을 갖는다고 볼 수 있어, 「공공기관의 정보공개에 관한 법률 시행령」 제2조 제4호의 '특별법에 따라 설립된 특수법인'에 해당한다고 볼 수 있다. (×) → 없으므로 / 없다

3. 정보공개의 원칙 및 적용범위

(1) 정보공개의 원칙

① 공공기관이 보유·관리하는 정보는 국민의 알 권리 보장 등을 위하여 이 법에서 정하는 바에 따라 적극적으로 공개하여야 한다(동법 제3조). 이러한 정보공개의무는 특별한 사정이 없는 한 특정 정보에 대한 공개청구가 있는 경우에야 비로소 인정된다는 것이 헌법재판소의 입장이다.

21. 군무원 9급, 10. 국가직 7급 정보공개의 원칙에 따라 공공기관이 보유·관리하는 정보는 국민의 알 권리 보장 등을 위하여 「공공기관의 정보공개에 관한 법률」에서 정하는 바에 따라 적극적으로 공개하여야 한다. (○)

⚡ **관련판례**

알 권리에서 파생되는 정부의 공개의무는 특정 정보에 대한 공개청구가 있는 경우에야 비로소 인정된다. ★★

알 권리에서 파생되는 정부의 공개의무는 특별한 사정이 없는 한 국민의 적극적인 정보수집행위, 특히 특정의 정보에 대한 공개청구가 있는 경우에야 비로소 존재하므로, 정보공개청구가 없었던 경우 대한민국과 중화인민공화국이 2000.7.31. 체결한 양국 간 마늘교역에 관한 합의서 및 그 부속서 중 '2003.1.1.부터 한국의 민간기업이 자유롭게 마늘을 수입할 수 있다'는 부분을 사전에 마늘재배농가들에게 공개할 정부의 의무는 인정되지 아니한다(헌재 2004.12.16. 2002헌마579).

12. 지방직 7급 알 권리에서 파생되는 정부의 공개의무는 특별한 사정이 없는 한 특정의 정보에 대한 공개청구가 있는 경우에야 비로소 존재한다. (○)

② 다만, 공공기관 중 중앙행정기관 및 대통령령으로 정하는 기관은 전자적 형태로 보유·관리하는 정보 중 공개대상으로 분류된 정보를 국민의 정보공개 청구가 없더라도 정보통신망을 활용한 정보공개시스템 등을 통하여 공개하여야 한다(동법 제8조의2).

22. 국회직 9급, 21. 경찰 2차 공공기관 중 중앙행정기관 및 대통령령으로 정하는 기관은 전자적 형태로 보유·관리하는 정보 중 공개대상으로 분류된 정보를 국민의 정보공개 청구가 없더라도 정보통신망을 활용한 정보공개시스템 등을 통하여 공개하여야 한다. (O)

(2) 적용 범위

정보의 공개에 관하여는 다른 법률에 특별한 규정이 있는 경우를 제외하고 이 법이 정하는 바에 따른다(동법 제4조 제1항). 이는 정보공개법이 행정정보공개에 관한 일반법임을 명시한 것이다. 다만, 국가안전보장에 관련되는 정보 및 보안 업무를 관장하는 기관에서 국가안전보장과 관련된 정보의 분석을 목적으로 수집하거나 작성한 정보에 대해서는 이 법을 적용하지 아니한다. 다만, 제8조 제1항에 따른 정보목록의 작성·비치 및 공개에 대해서는 그러하지 아니하다(동법 제4조 제3항).

관련판례

1 구 공공기관의 정보공개에 관한 법률 제4조 제1항 에서 정한 '정보공개에 관하여 다른 법률에 특별한 규정이 있는 경우'에 해당하여 위 법률의 적용을 배제하기 위한 요건 ★★

구 공공기관의 정보공개에 관한 법률 제4조 제1항은 "정보의 공개에 관하여는 다른 법률에 특별한 규정이 있는 경우를 제외하고는 이 법이 정하는 바에 의한다."라고 규정하고 있다. 여기서 '정보공개에 관하여 다른 법률에 특별한 규정이 있는 경우'에 해당한다고 하여 정보공개법의 적용을 배제하기 위해서는, 특별한 규정이 '법률'이어야 하고, 내용이 정보공개의 대상 및 범위, 정보공개의 절차, 비공개대상정보 등에 관하여 정보공개법과 달리 규정하고 있는 것이어야 한다(대판 2014.4.10. 2012두17384).

22. 소방간부, 15. 국회직 8급 「공공기관의 정보공개에 관한 법률」 제4조 제1항에서 '정보공개에 관하여 다른 법률에 특별한 규정이 있는 경우'에 해당한다고 하여 정보공개법의 적용을 배제하기 위해서는, 특별한 규정이 '법률'이어야 하고, 정보공개의 대상 및 범위, 정보공개의 절차 등의 내용에서 정보공개법과 달리 규정하고 있는 것이어야 한다. (O)

2 형사소송법 제59조의2는 정보공개법 제4조 제1항에서 정한 '정보의 공개에 관하여 다른 법률에 특별한 규정이 있는 경우'에 해당하므로 그에 따른다. ★★

형사소송법 제59조의2는 형사재판확정기록의 공개 여부나 공개 범위, 불복절차 등에 대하여 구 공공기관의 정보공개에 관한 법률과 달리 규정하고 있는 것으로 정보공개법 제4조 제1항에서 정한 '정보의 공개에 관하여 다른 법률에 특별한 규정이 있는 경우'에 해당한다. 따라서 형사재판확정기록의 공개에 관하여는 정보공개법에 의한 공개청구가 허용되지 아니한다(대판 2016.12.15. 2013두20882).

22. 국가직 7급 「형사소송법」은 형사재판확정기록의 공개 여부 등에 대하여 「공공기관의 정보공개에 관한 법률」과 달리 규정하고 있으므로, 형사재판확정기록의 공개에 관하여는 「공공기관의 정보공개에 관한 법률」에 의한 공개청구가 허용되지 아니한다. (O)

21. 국회직 8급 「형사소송법」이 형사재판확정기록의 공개 여부나 공개 범위, 불복절차 등에 대하여 규정하고 있는 것은 정보공개법 제4조 제1항에서 정한 '정보의 공개에 관하여 다른 법률에 특별한 규정이 있는 경우'에 해당한다고 볼 수 없으므로 형사재판확정기록의 공개에 관하여는 정보공개법에 의한 공개청구가 허용된다. (X) → 하므로 / 되지 아니한다

함께 정리하기

공개대상 정보의 원문공개
▷ 기관: 공공기관 중 중앙행정기관 및 대통령령으로 정하는 기관
▷ 대상: 전자적 형태로 보유·관리하는 정보 중 공개대상으로 분류된 정보
▷ 방법: 정보공개시스템 등을 통해 공개 (공개청구가 없어도)

국가안전보장 관련 정보 및 보안 업무를 관장하는 기관에서 국가안전보장 관련 정보의 분석을 목적으로 수집·작성한 정보
▷ 정보공개법 적용×

정보공개법 적용 배제 요건
▷ 형식: 법률
▷ 내용: 정보공개의 대상이나, 범위, 절차, 비공개대상정보 등이 정보공개법과 달리 규정되어 있는 경우

형사재판확정기록의 공개
▷ 「형사소송법」 규정 적용
▷ 정보공개법 적용 배제

불기소처분기록의 공개
▷ 정보공개법 적용

「민사소송법」 제344조 제2항의 공문서
▷ 「공공기관의 정보공개에 관한 법률」에서 정한 절차·방법 준수 要

교육기관정보공개법이 적용되는 사립학교
▷ 정보공개법 적용(배제×)

형사재판확정기록에 관해서는 형사소송법 제59조의2에 따른 열람·등사신청이 허용되고 그 거부나 제한 등에 대한 불복은 준항고에 의하며, 형사재판확정기록이 아닌 불기소처분으로 종결된 기록에 관해서는 정보공개법에 따른 정보공개청구가 허용되고 그 거부나 제한 등에 대한 불복은 항고소송절차에 의한다(대결 2022.2.11. 2021모3175).

3 국가기관이 보유·관리하는 공문서의 공개에 관하여는 민사소송법이 아닌 정보공개법의 규정에 따라야 한다. ★★

민사소송법 제344조 제2항은 같은 조 제1항에서 정한 문서에 해당하지 아니한 문서라도 문서의 소지자는 원칙적으로 그 제출을 거부하지 못하나, 다만 '공무원 또는 공무원이었던 사람이 그 직무와 관련하여 보관하거나 가지고 있는 문서'는 예외적으로 제출을 거부할 수 있다고 규정하고 있는바, 여기서 말하는 '공무원 또는 공무원이었던 사람이 그 직무와 관련하여 보관하거나 가지고 있는 문서'는 국가기관이 보유·관리하는 공문서를 의미한다고 할 것이고, 이러한 공문서의 공개에 관하여는 공공기관의 정보공개에 관한 법률에서 정한 절차와 방법에 의하여야 할 것이다(대결 2010.1.19. 2008마546).

12. 국가직 9급 판례에 의하면 「민사소송법」상 문서제출의무 예외에 해당하는 '공무원 또는 공무원이었던 사람'이 그 직무와 관련하여 보관하거나 가지고 있는 문서에 대한 공개는 「공공기관의 정보공개에 관한 법률」의 규정에도 ~~불구하고 「민사소송법」의 절차에 따라야 한다~~. (×) → 에서 정한 절차와 방법에 의하여야 한다

4 교육기관정보공개법이 적용된다고 하여 정보공개법의 적용이 배제되는 것은 아니다. ★★

교육기관정보공개법은 공공기관이 직무상 작성 또는 취득하여 관리하고 있는 정보 가운데 교육 관련기관이 학교교육과 관련하여 직무상 작성 또는 취득하여 관리하고 있는 정보의 공개에 관하여 특별히 규율하는 법률이므로, 학교에 대하여 교육기관정보공개법이 적용된다고 하여 더이상 정보공개법을 적용할 수 없게 되는 것은 아니라고 할 것이다(대판 2013.11.28. 2011두5049).

17. 지방직 9급 사립학교에 대하여 「교육관련기관의 정보공개에 관한 특례법」이 적용되는 경우에도 「공공기관의 정보공개에 관한 법률」을 적용할 수 없는 것은 아니다. (○)

4. 정보공개청구권자와 공공기관의 의무

(1) 정보공개청구권자

① 정보공개청구권자의 범위

㉠ 모든 국민

ⓐ '모든 국민'은 정보의 공개를 청구할 권리를 가진다(동법 제5조 제1항). 여기서 국민에는 자연인은 물론 법인, 권리능력이 없는 사단·재단도 포함되고, 권리능력이 없는 사단·재단의 경우에는 설립목적을 불문한다.

ⓑ 지방자치단체가 여기서의 정보공개청구권자로서 '국민'에 해당되는지가 문제되는바, 판례는 이를 부정한다.

관련판례

1 구 공공기관의 정보공개에 관한 법률 제6조 제1항은 "<u>모든 국민은 정보의 공개를 청구할 권리를 가진다.</u>"고 규정하고 있는데, 여기에서 말하는 <u>국민에는 자연인은 물론 법인, 권리능력 없는 사단·재단도 포함되고, 법인, 권리능력 없는 사단·재단 등의 경우에는 설립목적을 불문한다</u>(대판 2003.12.12. 2003두8050). ★★★

20. 국가직 9급, 20. 국가직 7급, 19. 행정사, 17. 지방직 7급, 15. 경찰 1차 등 정보공개청구 권자로서의 국민에는 자연인은 물론 법인, 권리능력 없는 사단·재단도 포함되고, 법인, 권리능력 없는 사단·재단 등의 경우에는 설립목적을 불문한다. (○)

22. 서울시 7급 정보공개를 청구할 수 있는 권리를 가진 자에는 자연인 이외에 법인, 권리능력 없는 사단 및 재단이 포함되며, 법인, 권리능력 없는 사단 및 재단의 경우 정보공개청구 남용 방지를 위해 법률상 이익의 존부 판단에 설립목적을 고려하여야 한다. (✕) → 설립목적을 불문한다

16. 사복직 「공공기관의 정보공개에 관한 법률」 제5조 제1항은 "모든 국민은 정보의 공개를 청구할 권리를 가진다."라고 규정하고 있는데, 여기에서 말하는 국민에는 권리능력 없는 사단인 시민단체도 포함된다. (○)

2 지방자치단체는 정보공개의무자에 해당할 뿐 정보공개청구권자인 국민에 해당하지 않는다. ★★

지방자치단체에게는 알 권리로서의 정보공개청구권이 인정된다고 보기는 어렵고, 공공기관의 정보공개에 관한 법률은 국민을 정보공개청구권자로, 지방자치단체를 국민에 대응하는 정보공개의무자로 상정하고 있다고 할 것이므로, <u>지방자치단체는 공공기관의 정보공개에 관한 법률 제5조에서 정한 정보공개청구권자인 '국민'에 해당되지 아니한다</u>(서울행법 2005.10.12. 2005구합10484).

22. 국회직 9급, 19. 서울시 9급 정보공개청구권자인 '모든 국민'에는 자연인 외에 법인, 권리능력 없는 사단·재단도 포함되므로 지방자치단체도 포함된다. (✕) → 포함되지만 / 는 포함되지 않는다

18. 서울시 9급 지방자치단체 또한 법인격을 가지므로 「공공기관의 정보공개에 관한 법률」 제5조에서 정한 정보공개청구권자인 '국민'에 해당한다. (✕) → 가지나 / 해당하지 않는다

16. 국가직 7급 「공공기관의 정보공개에 관한 법률」은 모든 국민을 정보공개청구권자로 규정하고 있는데, 이에는 자연인은 물론 법인, 권리능력 없는 사단·재단, 지방자치단체 등이 포함된다. (✕) → ✕

ⓒ 정보공개청구권은 모든 국민들이 가진다는 점에서 '일반적 청구권'이다. 이에 따라 **해당 정보와 아무런 이해관계가 없는 개인도 정보공개를 청구할 수 있다.**

23. 지방직 9급 모든 국민은 정보의 공개를 청구할 권리를 가진다. (○)

20. 국회직 9급 정보공개청구는 청구인과 직접적인 이해관계가 없는 공익을 위한 경우에도 할 수 있다. (○)

17. 서울시 9급 이해관계자인 당사자에게 문서열람권을 인정하는 「행정절차법」상의 정보공개와는 달리 「공공기관의 정보공개에 관한 법률」은 모든 국민에게 정보공개청구를 허용한다. (○)

14. 서울시 9급 정보공개청구권은 해당 정보와 이해관계가 있는 자에 한해서만 인정된다. (✕) → 모든 국민에게

ⓛ **외국인**: 외국인의 정보공개청구권에 대해서는 대통령령으로 정하도록 하고 있는바, ⓐ **국내에 일정한 주소를 두고 거주하거나 학술·연구를 위하여 일시적으로 체류하는 외국인**, ⓑ **국내에 사무소를 두고 있는 외국법인 또는 외국인단체**인 경우에는 정보공개를 청구할 수 있다(동법 제5조 제2항, 동법 시행령 제3조).

정보공개법 제5조 제1항의 '국민'
▷ 자연인은 물론 법인, 권리능력 없는 사단·재단도 포함
▷ 법인, 권리능력 없는 사단·재단은 설립목적 불문

법인·권리능력 없는 사단·재단
▷ 정보공개청구권○

지방자치단체
▷ 정보공개청구권자✕

정보공개청구권
▷ 모든 국민들이 가지는 '일반적 청구권'
▷ 해당정보와 아무런 이해관계 없는 개인도 정보공개청구 可

정보공개청구권자
▷ 모든 국민
▷ 법인(설립목적 불문)
▷ 권리능력 없는 사단·재단(설립목적 불문)
▷ 국내에 일정한 주소를 두고 거주하거나 학술·연구를 위하여 일시적으로 체류하는 외국인
▷ 국가, 지방자치단체✕

23. 국가직 9급 학술·연구를 위하여 일시적으로 체류하는 외국인은 「국민기초생활 보장법」상의 복지급여 지급기준에 대해 정보공개를 청구할 권리가 인정된다. (○)

21. 행정사 국내에 학술·연구를 위하여 일시적으로 체류하는 외국인은 정보공개를 청구할 권리가 없다. (✕) → 있다

22. 군무원 7급 국내에 일정한 주소를 두고 거주하는 외국인은 정보공개청구권을 가진다. (○)

정보공개 청구가 권리남용이 명백한 경우
▷ 정보공개청구 불허

정보공개청구 시 권리남용
▷ 오로지 피고를 괴롭힐 목적으로 정보공개를 구하고 있다는 등의 특별한 사정이 인정되어야 함

② **정보공개청구와 권리남용 여부:** 정보공개청구가 권리의 남용에 해당하는 것이 명백한 경우에는 정보공개청구권의 행사를 허용할 수 없지만, 정보공개청구의 목적에 특별한 제한이 없으므로, 오로지 피고를 괴롭힐 목적으로 정보공개를 구하고 있다는 등의 특별한 사정이 없는 한 정보공개의 청구가 권리남용에 해당한다고 할 수 없다.

12. 지방직 7급 오로지 상대방을 괴롭힐 목적으로 정보공개를 구하고 있다는 등의 특별한 사정이 없는 한 정보공개청구는 권리남용에 해당하지 아니한다. (○)

정보공개청구가 권리남용이 명백한 경우
▷ 정보공개청구권 행사 허용✕

⚖ 관련판례

정보공개신청이 권리남용에 해당함이 명백하다면 행정청은 공개를 거부할 수 있다. ★★★

국민의 정보공개청구는 정보공개법 제9조에 정한 비공개대상정보에 해당하지 아니하는 한 원칙적으로 폭넓게 허용되어야 하지만, 실제로는 해당 정보를 취득 또는 활용할 의사가 전혀 없이 정보공개제도를 이용하여 사회통념상 용인될 수 없는 부당한 이득을 얻으려 하거나, 오로지 공공기관의 담당공무원을 괴롭힐 목적으로 정보공개청구를 하는 경우처럼 권리의 남용에 해당하는 것이 명백한 경우에는 정보공개청구권의 행사를 허용하지 아니하는 것이 옳다(대판 2014.12.24. 2014두9349).

23. 지방직 9급 해당 정보를 취득 또는 활용할 의사가 전혀 없이 정보공개 제도를 이용하여 사회통념상 용인될 수 없는 부당한 이득을 얻으려 하거나, 오로지 공공기관의 담당 공무원을 괴롭힐 목적으로 정보공개청구를 하는 경우 권리 남용에 해당함이 명백하므로 정보공개청구권의 행사가 허용되지 아니한다. (○)

15. 국회직 8급 실제로는 해당 정보를 취득 또는 활용할 의사가 전혀 없이 정보공개제도를 이용하여 사회통념상 용인될 수 없는 부당한 이득을 얻으려 하거나, 오로지 공공기관의 담당공무원을 괴롭힐 목적으로 정보공개청구를 하는 경우처럼 권리의 남용에 해당하는 것이 명백한 경우에는 정보공개청구에 대해 거부하여도 위법하지 않다. (○)

17. 지방직 9급 정보공개제도를 이용하여 사회통념상 용인될 수 없는 부당한 이득을 얻으려 하거나, 오로지 공공기관의 담당공무원을 괴롭힐 목적으로 정보공개청구를 하는 경우라 하더라도 적법한 공개청구 요건을 갖추고 있는 경우라면 정보공개청구권 행사 자체를 권리남용으로 볼 수는 없다. (✕)
→ 경우라면 / 경우라도 / 볼 수 있다

비교 **소송상 증거자료를 획득하기 위한 것만으로는 권리남용이 아니다.** ★★

소송상 증거자료 획득을 목적으로 하는 정보공개청구권 행사
▷ 특별한 사정이 없는 한 권리남용에 해당✕

구 공공기관의 정보공개에 관한 법률의 목적, 규정 내용 및 취지 등에 비추어 보면, 정보공개청구의 목적에 특별한 제한이 있다고 할 수 없으므로, 피고의 주장과 같이 원고가 이 사건 정보공개를 청구한 목적이 이 사건 손해배상소송에 제출할 증거자료를 획득하기 위한 것이었고 위 소송이 이미 종결되었다고 하더라도, 원고가 오로지 피고를 괴롭힐 목적으로 정보공개를 구하고 있다는 등의 특별한 사정이 없는 한, 위와 같은 사정만으로는 원고가 이 사건 소송을 계속하고 있는 것이 권리남용에 해당한다고 볼 수 없다(대판 2004.9.23. 2003두1370).

19. 국가직 7급 정보공개를 청구한 목적이 손해배상소송에 제출할 증거자료를 획득하기 위한 것이었고 그 소송이 이미 종결되었다면, 그러한 정보공개청구는 권리남용에 해당한다. (✕) → 것이라면 / 종결되었다고 하더라도 / 특별한 사정이 없는 한 권리남용이 아니다

(2) 공공기관의 의무

① 공공기관은 정보의 공개를 청구하는 국민의 권리가 존중될 수 있도록 이 법을 운영하고 소관 관계 법령을 정비하며, 정보를 투명하고 적극적으로 공개하는 조직문화 형성에 노력하여야 한다(동법 제6조 제1항).

② 공공기관은 정보의 적절한 보존 및 신속한 검색과 국민에게 유용한 정보의 분석 및 공개 등이 이루어지도록 정보관리체계를 정비하고, 정보공개 업무를 주관하는 부서 및 담당하는 인력을 적정하게 두어야 하며, 정보통신망을 활용한 정보공개시스템 등을 구축하도록 노력하여야 하고(동법 제6조 제2항), 소속 공무원 또는 임직원 전체를 대상으로 정보공개법 및 정보공개제도 운영에 관한 교육을 실시하여야 한다(동법 제6조 제5항).

③ 행정안전부장관은 공공기관의 정보공개에 관한 업무를 종합적·체계적·효율적으로 지원하기 위하여 통합정보공개시스템을 구축·운영하여야 한다(동법 제6조 제3항). 공공기관(국회·법원·헌법재판소·중앙선거관리위원회는 제외)이 제2항에 따른 정보공개시스템을 구축하지 아니한 경우에는 제3항에 따라 행정안전부장관이 구축·운영하는 통합정보공개시스템을 통하여 정보공개 청구 등을 처리하여야 한다(동법 제6조 제4항).

5. 정보공개 담당자의 의무

공공기관의 정보공개 담당자(정보공개 청구 대상 정보와 관련된 업무 담당자를 포함한다)는 정보공개 업무를 성실하게 수행하여야 하며, 공개 여부의 자의적인 결정, 고의적인 처리 지연 또는 위법한 공개 거부 및 회피 등 부당한 행위를 하여서는 아니 된다(동법 제6조의2).

22. 국회직 9급, 21. 군무원 9급 공공기관의 정보공개 담당자(정보공개 청구 대상 정보와 관련된 업무 담당자를 포함한다)는 정보공개 업무를 성실하게 수행하여야 하며, 공개 여부의 자의적인 결정, 고의적인 처리 지연 또는 위법한 공개 거부 및 회피 등 부당한 행위를 하여서는 아니 된다. (○)

6. 행정정보의 공개 등

(1) 정보의 사전적 공개 등

공공기관은 ① 국민생활에 매우 큰 영향을 미치는 정책에 관한 정보, ② 국가의 시책으로 시행하는 공사(工事) 등 대규모 예산이 투입되는 사업에 관한 정보, ③ 예산집행의 내용과 사업평가 결과 등 행정감시를 위하여 필요한 정보, ④ 그 밖에 공공기관의 장이 정하는 정보에 대해서는 공개의 구체적 범위, 주기, 시기 및 방법 등을 미리 정하여 정보통신망 등을 통하여 알리고, 이에 따라 정기적으로 공개하여야 한다(동법 제7조 제1항). 그 외에도 공공기관은 국민이 알아야 할 필요가 있는 정보를 국민에게 공개하도록 적극적으로 노력하여야 한다(동법 제7조 제2항).

07. 국가직 9급 국가의 시책으로 시행하는 공사 등 대규모의 예산이 투입되는 사업에 관한 정보는 정기적으로 공개하여야 한다. (○)

21. 군무원 9급 공공기관은 예산집행의 내용과 사업평가 결과 등 행정감시를 위하여 필요한 정보에 대해서는 공개의 구체적 범위, 주기, 시기 및 방법 등을 미리 정하여 정보통신망 등을 통하여 알릴 필요까지는 없으나, 정기적으로 공개하여야 한다. (×) → 알리고

함께 정리하기

공공기관의 의무
▷ 정보를 투명하고 적극적으로 공개하는 조직문화 형성을 위한 노력의무
▷ 정보관리체계 정비·적정한 인력 배치·정보통신망을 활용한 정보공개시스템 구축을 위한 노력의무
▷ 소속 공무원 또는 임직원 전체를 대상으로 정보공개제도 운영에 관한 교육을 실시하여야 함

행정안전부장관의 의무
▷ 통합정보공개시스템을 구축·운영하여야 함

정보공개 담당자의 의무
▷ 성실 수행의무, 위법한 거부 및 회피 등 부당한 행위 금지의무

정보의 사전적 공개
▷ 해당 정보에 대해서 공개방법 등을 미리 정하여 공표하고, 이에 따라 정기적으로 공개해야 함(비공개대상인 정보 제외)

원칙
▷ 정보목록의 작성·비치·공개

예외
▷ 비공개정보가 포함되어 있는 경우: 해당 부분을 갖추어 두지 아니하거나 공개하지 아니할 수 있음

신속하고 원활한 정보공개 사무 수행을 위해
▷ 장소 및 시설구비해야 함

공개대상정보
▷ 공공기관이 직무상 작성 또는 취득하여 현재 보유·관리하고 있는 문서, 문서가 원본일 필요×

전자적 형태로 보유·관리되는 정보
▷ 청구인이 구하는 대로 되어 있지 않아 정보를 검색·편집하여야 하는 경우에도, 공공기관이 청구대상정보를 보유·관리하고 있는 것

---

(2) 정보목록의 작성·비치·공개 등

① **목록의 작성·비치·공개**: 공공기관은 그 기관이 보유·관리하는 정보에 대하여 국민이 쉽게 알 수 있도록 정보목록을 작성하여 갖추어 두고, 그 목록을 정보통신망을 활용한 정보공개시스템 등을 통하여 공개하여야 한다. 다만, 정보목록 중 공개하지 아니할 수 있는 정보가 포함되어 있는 경우에는 해당 부분을 갖추어 두지 아니하거나 공개하지 아니할 수 있다(동법 제8조 제1항).

② **정보공개 장소 및 시설구비**: 공공기관은 정보의 공개에 관한 사무를 신속하고 원활하게 수행하기 위하여 정보공개 장소를 확보하고 공개에 필요한 시설을 갖추어야 한다(동법 제8조 제2항).

10. 지방직 7급 공공기관은 국민이 알아야 할 필요가 있는 정보를 국민에게 공개하도록 적극적으로 노력하여야 하며, 정보의 공개에 관한 사무를 신속하고 원활하게 수행하기 위하여 정보공개장소를 확보하고 공개에 필요한 시설을 갖추어야 한다. (○)

7. 공개대상정보와 비공개대상정보

(1) 공개대상정보

① 공공기관이 보유·관리하는 정보는 공개대상이 된다(동법 제9조 제1항). 정보공개법상 공개청구의 대상이 되는 정보란 공공기관이 직무상 작성 또는 취득하여 현재 보유·관리하고 있는 문서에 한정되는 것이기는 하나, 그 문서가 반드시 원본일 필요는 없다(대판 2006.5.25. 2006두3049).

21. 소방간부, 20. 경찰 2차, 18. 서울시 9급, 15. 경찰 3차, 14. 국가직 7급 등 「공공기관의 정보공개에 관한 법률」상 공개청구의 대상이 되는 정보란 공공기관이 직무상 작성 또는 취득하여 현재 보유·관리하고 있는 문서에 한정되는 것이기는 하나, 그 문서가 반드시 원본일 필요는 없다. (○)

21. 국가직 9급, 14. 경찰 1차, 10. 지방직 7급 「공공기관의 정보공개에 관한 법률」상 공개청구의 대상이 되는 정보란 공공기관이 직무상 작성 또는 취득하여 현재 보유·관리하고 있는 원본인 문서만을 의미한다. (×) → 문서에 한정되는 것이기는 하나, 그 문서가 반드시 원본일 필요는 없다

17. 국가직 7급 「공공기관의 정보공개에 관한 법률」상 공개청구의 대상이 되는 정보는 반드시 원본일 필요는 없고 사본도 가능하다. (○)

> 🔖 **관련판례**
>
> **공공기관에 의하여 전자적 형태로 보유·관리되는 정보가 정보공개청구인이 구하는 대로 되어 있지 않더라도, 공공기관이 공개청구대상정보를 보유·관리하고 있는 것으로 볼 수 있는지 여부 ★★**
>
> 공공기관의 정보공개에 관한 법률에 의한 정보공개제도는 공공기관이 보유·관리하는 정보를 그 상태대로 공개하는 제도이지만, 전자적 형태로 보유·관리되는 정보의 경우에는, 그 정보가 청구인이 구하는 대로는 되어있지 않다고 하더라도, ① 공개청구를 받은 공공기관이 공개청구대상 정보의 기초자료를 전자적 형태로 보유·관리하고 있고, ② 당해 기관에서 통상 사용되는 컴퓨터 하드웨어 및 소프트웨어와 기술적 전문지식을 사용하여 그 기초자료를 검색하여 청구인이 구하는 대로 편집할 수 있으며, ③ 그러한 작업이 당해 기관의 컴퓨터 시스템 운용에 별다른 지장을 초래하지 아니한다면, 그 공공기관이 공개청구대상 정보를 보유·관리하고 있는 것으로 볼 수 있고, 이러한 경우에 기초자료를 검색·편집하는 것은 새로운 정보의 생산 또는 가공에 해당한다고 할 수 없다(대판 2010.2.11. 2009두6001).
>
> 23. 지방직 7급 전자적 형태로 보유·관리되는 정보의 경우에 그 정보가 청구인이 구하는 대로 되어 있지 않더라도 공개청구를 받은 공공기관이 공개청구대상정보의 기초자료를 검색하여 청구인이 구하는 대로 편집할 수 있으며, 그 작업이 당해 기관의 업무수행에 별다른 지장을 초래하지 않는다면 그 공공기관이 공개청구대상정보를 보유·관리하고 있는 것으로 볼 수 있다. (○)

21. 경찰 2차 공개청구를 받은 공공기관이 공개청구대상정보의 기초자료를 전자적 형태로 보유·관리하고 있고, 당해 기관에서 통상 사용되는 컴퓨터 하드웨어 및 소프트웨어와 기술적 전문지식을 사용하여 그 기초자료를 검색하여 청구인이 구하는 대로 편집할 수 있으며, 그러한 작업이 당해 기관의 컴퓨터 시스템 운용에 별다른 지장을 초래하지 아니한다면, 그 공공기관이 공개청구대상 정보를 보유·관리하고 있는 것으로 볼 수 있다. (○)

17. 지방직 9급 정보공개청구의 대상이 되는 공공기관이 보유하는 정보는 공공기관이 직무상 작성 또는 취득한 ~~원본문서이어야 하며~~ 전자적 형태로 보유·관리되는 경우에는 행정기관의 업무수행에 큰 지장을 주지 않는 한도 내에서 검색·편집하여 제공하여야 한다. (×) → 하여 현재 보유·관리하고 있는 문서로서 반드시 원본일 필요는 없고

② 인터넷 등에 이미 공개된 정보라도 공개청구의 대상이 되며(대판 2010.2.11. 2009 두6001), 공공기관이 사경제주체의 지위에서 행한 사업과 관련된 정보라도 공개청구의 대상이 된다(대판 2007.6.1. 2006두20587).

19. 소방간부 어떠한 정보가 국가·지방자치단체 등의 사경제작용의 주체라는 지위에서 행한 사업과 관련된 정보는 공개대상정보가 될 수 없다. (×) → 된다

(2) 비공개대상정보

① 정보공개의 제한

㉠ 공공기관이 보유·관리하는 정보는 공개하는 것이 원칙이지만(동법 제3조), 정보공개법 제9조 제1항은 광범위한 비공개대상정보를 열거하여 이들 정보는 공개하지 않을 수 있다고 규정하고 있다.

㉡ 정보는 공개하는 것이 원칙이란 점을 고려하면 어떤 정보가 비공개대상정보에 해당한다는 것은 공공기관이 입증하여야 하며, 공개청구의 대상이 되는 정보가 이미 다른 사람에게 공개되어 널리 알려져 있다는 등의 사실만으로는 비공개 결정이 정당화될 수는 없다.

관련판례

1 **비공개사유에 대한 증명책임은 공공기관이 부담하고, 정보공개법 제9조 제1항 몇 호에서 정하고 있는 비공개사유에 해당하는지 주장·입증하지 않고 개괄적 사유만을 들어 공개를 거부하는 것은 허용되지 않는다. ★★★**

국민으로부터 보유·관리하는 정보에 대한 공개를 요구받은 공공기관으로서는 법 제7조 제1항 각 호에서 정하고 있는 비공개사유에 해당하지 않는 한 이를 공개하여야 하고, 이를 거부하는 경우라 할지라도 대상이 된 정보의 내용을 구체적으로 확인·검토하여 어느 부분이 어떠한 법익 또는 기본권과 충돌되어 법 제7조(현 제9조) 제1항 몇 호에서 정하고 있는 비공개사유에 해당하는지를 주장·입증하여야만 하며, 그에 이르지 아니한 채 개괄적인 사유만을 들어 공개를 거부하는 것은 허용되지 아니한다(대판 2018.4.12. 2014두5477 ; 대판 2007.2.8. 2006두4899 ; 대판 2003.12.11. 2001두8827).

17. 국회직 8급 공공기관은 정보공개청구를 거부할 경우에도 대상이 된 정보의 내용을 구체적으로 확인·검토하여 어느 부분이 어떠한 법익 또는 기본권과 충돌되어 정보공개법 제9조 제1항 몇 호에서 정하고 있는 비공개사유에 해당하는지를 주장·입증하여야 하며 그에 이르지 아니한 채 개괄적인 사유만 들어 공개를 거부하는 것은 허용되지 아니한다. (○)

22. 국회직 8급 공공기관이 정보공개를 거부할 때에는 개괄적인 사유만을 들 수 없고 어느 부분이 어떠한 법익 또는 기본권과 충돌하여 비공개사유에 해당하는지를 밝혀야 ~~하나,~~ 정보공개법 제9조 제1항 몇 호에서 정하고 있는 비공개사유에 해당하는지 주장·입증할 필요까지는 없다. (×) → 하므로 / 해야 한다

이미 널리 알려져 있거나 인터넷 검색 등
으로 쉽게 알 수 있다는 사유만으로
▷ 비공개 정당화×
▷ 정보공개거부처분을 다툴 소의 이익○

2 정보가 이미 널리 알려져 있거나 인터넷 검색 등으로 쉽게 알 수 있더라도, 이 사정만으로는 비공개 결정이 정당화될 수 없다. ★★★

구 정보공개법 제8조 제2항은 정보공개청구의 대상이 이미 널리 알려진 사항이라 하더라도 그 공개의 방법만을 제한할 수 있도록 규정하고 있을 뿐 공개 자체를 제한하고 있지는 아니하므로, 공개청구의 대상이 되는 정보가 이미 다른 사람에게 공개하여 널리 알려져 있다거나 인터넷이나 관보 등을 통하여 공개하여 인터넷 검색이나 도서관에서의 열람 등을 통하여 쉽게 알 수 있다는 사정만으로는 소의 이익이 없다거나 비공개 결정이 정당화될 수는 없다(대판 2008.11.27. 2005두15694).

20. 국가직 9급, 20. 경찰 2차, 17. 지방직 7급 공개청구의 대상이 되는 정보가 이미 다른 사람에게 공개되어 널리 알려져 있다거나 인터넷 등을 통하여 공개되어 인터넷 검색 등을 통하여 쉽게 알 수 있다는 사정만으로는 비공개 결정이 정당화될 수 없다. (○)

13. 지방직 9급 공개청구의 대상이 되는 정보가 이미 다른 사람에게 공개되어 널리 알려져 있다거나 인터넷 등을 통하여 공개되어 인터넷 검색 등을 통하여 쉽게 알 수 있는 경우에는 정보공개 거부처분을 다툴 소의 이익이 인정되지 않는다. (×) → 경우에도 / 인정된다

14. 국가직 7급 이미 공개되어 널리 알려져 있는 정보는 정보공개청구의 대상이 되지 않는다. (×) → 된다

다른 법률 또는 법률에서 위임한 명령(국회·대법원·헌법재판소·중선관위규칙·대통령령·조례로 한정)이 비밀이나 비공개 사항으로 규정한 정보
▷ 비공개대상정보○
법률에서 위임한 명령의 의미
▷ 정보의 공개에 관하여 법률의 구체적 위임 아래 제정된 법규명령을 의미

② 비공개대상정보에 대한 구체적 검토

  ㉠ 다른 법령에 의한 비공개대상정보: 다른 법률 또는 법률에서 위임한 명령(국회규칙·대법원규칙·헌법재판소규칙·중앙선거관리위원회규칙·대통령령 및 조례로 한정한다)에 따라 비밀이나 비공개 사항으로 규정된 정보는 공개하지 아니할 수 있다(동법 제9조 제1항 제1호). 여기서 '법률에서 위임한 명령'은 정보의 공개에 관하여 법률의 구체적인 위임 아래 제정된 법규명령(위임명령)만을 의미한다.

22. 서울시 7급 「공공기관의 정보공개에 관한 법률」상 정보공개를 제한하는 타법령상의 근거에는 대통령령과 부령을 포함한다. (×) → ×

14. 지방직 7급 다른 법률 또는 법률에서 위임한 대통령령 및 부령에 따라 비밀이나 비공개사항으로 규정된 정보는 비공개의 대상이 된다. (×) → ×

「공공기관의 정보공개에 관한 법률」 제9조 제1항 제1호의 '법률에서 위임한 명령'
▷ 대통령령, 총리령, 부령 전부 의미×
▷ 정보의 공개에 관하여 법률의 구체적인 위임 아래 제정된 법규명령○

🔨 **관련판례**

법률에 의한 명령은 정보의 공개에 관하여 법률의 구체적인 위임 아래 제정된 법규명령(위임명령)을 의미한다. ★★

1-1. 공공기관의 정보공개에 관한 법률 제9조 제1항 본문은 "공공기관이 보유·관리하는 정보는 공개대상이 된다."고 규정하면서 그 단서 제1호 에서는 "다른 법률 또는 법률이 위임한 명령(국회규칙·대법원규칙·중앙선거관리위원회규칙·대통령령 및 조례에 한한다)에 의하여 비밀 또는 비공개 사항으로 규정된 정보"는 이를 공개하지 아니할 수 있다고 규정하고 있는바, 그 입법 취지는 비밀 또는 비공개 사항으로 다른 법률 등에 규정되어 있는 경우는 이를 존중함으로써 법률 간의 마찰을 피하기 위한 것이고, 여기에서 '법률에 의한 명령'은 정보의 공개에 관하여 법률의 구체적인 위임 아래 제정된 법규명령(위임명령)을 의미한다(대판 2010.6.10. 2010두2913).

23. 지방직 7급 정보공개법에서 공개대상의 예외로 규정하고 있는 '다른 법률 또는 법률에서 위임한 명령(국회규칙·대법원규칙·헌법재판소규칙·중앙선거관리위원회규칙·대통령령 및 조례로 한정함)에 따라 비밀이나 비공개 사항으로 규정된 정보'의 해석에 있어서 '법률에서 위임한 명령'은 정보의 공개에 관하여 법률의 구체적인 위임 아래 제정된 법규명령(위임명령)을 의미한다. (○)

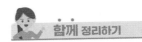

20. 지방직 9급 「공공기관의 정보공개에 관한 법률」에 의하면 "다른 법률 또는 법률에서 위임한 명령에 의하여 비밀 또는 비공개 사항으로 규정된 정보"는 이를 공개하지 아니할 수 있다고 규정하고 있는바, 여기에서 '법률에 의한 명령'은 정보의 공개에 관하여 법률의 구체적인 위임 아래 제정된 법규명령(위임명령)을 의미한다. (○)

19. 소방간부 정보공개법 제9조 제1항 제1호에서 '다른 법률 또는 법률에서 위임한 명령에 따라 비밀이나 비공개 사항으로 규정된 정보'를 비공개대상정보로 규정하고 있는데, 여기서 '법률에서 위임한 명령'이란 법규명령은 ~~물론 행정규칙을 포함한다~~. (×) → 을 의미한다

1-2. 공공기관의 정보공개에 관한 법률 제1조, 제3조, 헌법 제37조의 각 취지와 행정입법으로는 법률이 구체적으로 범위를 정하여 위임한 범위 안에서만 국민의 자유와 권리에 관련된 규율을 정할 수 있는 점 등을 고려할 때, 구 공공기관의 정보공개에 관한 법률 제7조 제1항 제1호 소정의 '법률에 의한 명령'은 법률의 위임규정에 의하여 제정된 대통령령, 총리령, 부령 전부를 의미한다기보다는 정보의 공개에 관하여 법률의 구체적인 위임 아래 제정된 법규명령(위임명령)을 의미한다(대판 2003.12.11. 2003두8395).

10. 지방직 9급 공공기관이 보유·관리하는 정보는 공개하는 것이 원칙이나, 다른 법률 또는 법률에서 위임한 명령에 따라 비밀이나 비공개 사항으로 규정된 정보는 공개하지 아니할 수 있다. 여기서의 "법률에서 위임한 명령"이란 법률의 위임에 의하여 제정된 대통령령, 총리령, 부령 전부를 의미하는 것이 아니라 정보의 공개에 관하여 법률의 구체적 위임에 의하여 제정된 법규명령을 의미한다. (○)

18. 국회직 8급 「공공기관의 정보공개에 관한 법률」 제9조 제1항 제1호의 '법률에서 위임한 명령'은 법률의 위임규정에 의하여 제정된 대통령령, 총리령, 부령 전부를 ~~의미한다~~. (×) → 의미한다기보다는 정보의 공개에 관하여 법률의 구체적인 위임 아래 제정된 법규명령(위임명령)을 의미한다

ⓐ 비공개대상정보

🔎 관련판례

1 국방부의 한국형 다목적 헬기(KMH) 도입사업에 대한 감사원장의 감사결과보고서 ★★

국방부의 한국형 다목적 헬기(KMH) 도입사업에 대한 감사원장의 감사결과보고서가 군사 2급 비밀에 해당하는 이상 공공기관의 정보공개에 관한 법률 제9조 제1항 제1호에 의하여 공개하지 아니할 수 있다(대판 2006.11.10. 2006두9351).

10. 지방직 9급 판례에 의하면 감사원장의 감사 결과가 군사 2급 비밀에 해당한다고 하여 「공공기관의 정보공개에 관한 법률」 제9조 제1항 제1호에 의하여 공개하지 아니할 수는 ~~없다~~. (×) → 해당한다면 / 있다

2 국가정보원이 직원에게 지급하는 현금급여 및 월초수당에 관한 정보 ★★

국가정보원 직원에게 지급하는 현금급여 및 월초수당에 관한 정보는 국가정보원법 제12조에 의하여 비공개 사항으로 규정된 정보로서 공공기관의 정보공개에 관한 법률 제9조 제1항 제1호의 비공개대상정보인 '다른 법률에 의하여 비공개 사항으로 규정된 정보'에 해당한다고 보아야 한다(대판 2010.12.23. 2010두14800).

14. 지방직 9급 국가정보원이 그 직원에게 지급하는 현금급여 및 월초수당에 관한 정보는 비공개대상정보에 해당한다. (○)

18. 서울시 7급, 14. 경찰 1차, 11. 국가직 7급 국가정보원이 그 직원에게 지급하는 현금급여 및 월초수당에 관한 정보는 비공개대상정보에 ~~해당하지 아니한다~~. (×) → 해당한다

3 국가정보원의 조직·소재지 및 정원에 관한 정보 ★

국가정보원의 조직·소재지 및 정원에 관한 정보는 특별한 사정이 없는 한 국가안전보장을 위하여 비공개가 필요한 경우로서 구 국가정보원법 제6조에서 정한 비공개 사항에 해당하고, 결국 공공기관의 정보공개에 관한 법률 제9조 제1항 제1호에서 말하는 '다른 법률에 의하여 비공개사항으로 규정된 정보'에도 해당한다고 보는 것이 타당하다(대판 2013.1.24. 2010두18918).

국방부의 한국형 다목적 헬기(KMH) 도입사업에 대한 감사원장의 감사결과보고서
▷ 비공개대상정보○

국가정보원직원의 현금급여 및 월초수당 정보
▷ 비공개대상정보○

국가정보원 조직·소재지 및 정원 정보
▷ 비공개대상정보○

학교폭력대책자치위원회가 피해학생의 보호를 위한 조치, 가해학생에 대한 조치, 학교폭력과 관련된 분쟁의 조정 등에 관하여 심의한 결과를 기재한 회의록
▷ 비공개대상정보○

법무부령으로 제정된 「검찰보존사무규칙」상의 재판확정기록 등의 열람·등사 제한규정
▷ 이를 근거로 비공개 불가

「교육공무원 승진규정」 중 근무성적평정 결과를 공개하지 아니한다는 규정
▷ 이를 근거로 비공개 불가

---

4 학교폭력대책자치위원회의 회의록 ★★

학교폭력법의 목적, 입법 취지, 특히 학교폭력법 제21조 제3항이 자치위원회의 회의를 공개하지 못하도록 규정하고 있는 점 등에 비추어, 자치위원회가 피해학생의 보호를 위한 조치, 가해학생에 대한 조치, 학교폭력과 관련된 분쟁의 조정 등에 관하여 심의한 결과를 기재한 회의록은 정보공개법 제9조 제1항 제1호의 '다른 법률 또는 법률이 위임한 명령에 의하여 비밀 또는 비공개 사항으로 규정된 정보'에 해당한다고 보아야 할 것이다(대판 2010.6.10. 2010두2913).

19. 지방직 9급 학교폭력대책자치위원회가 피해학생의 보호를 위한 조치, 가해학생에 대한 조치, 학교폭력과 관련된 분쟁의 조정 등에 관하여 심의한 결과를 기재한 회의록은 「공공기관의 정보공개에 관한 법률」 소정의 비공개대상정보에 해당한다. (○)

19. 소방직 학교폭력대책자치위원회의 회의록은 「공공기관의 정보공개에 관한 법률」 제9조 제1항 제1호의 '다른 법률 또는 법률이 위임한 명령에 의하여 비밀 또는 비공개사항으로 규정된 정보'에 해당하지 않는다. (×) → 한다

ⓑ 공개대상정보

🔎 관련판례

1 검찰보존사무규칙 중 '불기소사건기록 등 열람·등사 제한 부분' ★★★

검찰보존사무규칙은 법무부령으로 되어 있으나, 그 중 재판확정기록 등의 열람·등사에 대하여 제한하고 있는 부분은 위임근거가 없어 행정기관 내부의 사무처리준칙으로서 행정규칙에 불과하므로, 위 규칙에 의한 열람·등사의 제한을 공공기관의 정보공개에 관한 법률 제4조 제1항의 '정보의 공개에 관하여 다른 법률에 특별한 규정이 있는 경우' 또는 제7조 제1항 제1호의 '다른 법률 또는 법률에 의한 명령에 의하여 비공개사항으로 규정된 경우'에 해당한다고 볼 수는 없다(대판 2003.12.26. 2002두1342).

17. 지방직 9급, 14. 지방직 9급 법무부령인 「검찰보존사무규칙」에서 불기소사건 기록 등의 열람·등사 등을 제한하는 것은 「공공기관의 정보공개에 관한 법률」에 따른 '다른 법률 또는 명령에 의하여 비공개사항으로 규정된 경우'에 해당되어 적법하다. (×) → 해당하지 않아 위법하다

23. 지방직 9급 법무부령인 「검찰보존사무규칙」은 행정기관 내부의 사무처리준칙인 행정규칙이어지만, 「검찰보존사무규칙」상의 열람·등사의 제한은 「공공기관의 정보공개에 관한 법률」 제9조 제1항 제1호의 '다른 법률 또는 법률에 의한 명령에 의하여 비공개사항으로 규정된 경우'에 해당한다. (×) → 에 불과하므로 / 해당하지 않는다

12. 국회직 9급 「검찰보존사무규칙」은 법무부령이어서 「공공기관의 정보공개에 관한 법률」상의 다른 법률 또는 법률에 의한 명령에 의하여 비공개사항으로 규정된 경우에 해당하므로 「검찰보존사무규칙」상 열람·등사를 제한할 수 있다. (×) → 으로 되어 있으나, / 하지 않아 / 없다

2 교육공무원 승진규정 중 근무성적평정 결과를 공개하지 아니한다는 규정 ★★★

교육공무원법 제13조, 제14조의 위임에 따라 제정된 교육공무원 승진규정은 정보공개에 관한 사항에 관하여 구체적인 법률의 위임에 따라 제정된 명령이라고 할 수 없고, 따라서 교육공무원 승진규정 제26조에서 근무성적평정의 결과를 공개하지 아니한다고 규정하고 있다고 하더라도 위 교육공무원 승진규정은 공공기관의 정보공개에 관한 법률 제9조 제1항 제1호에서 말하는 법률에서 위임한 명령에 해당하지 아니하므로 위 규정을 근거로 정보공개 청구를 거부하는 것은 잘못이다(대판 2006.10.26. 2006두11910).

21. 국가직 7급 정보의 공개에 관하여 법률의 구체적인 위임이 없는 「교육공무원 승진규정」상 근무성적평정 결과를 공개하지 않는다는 규정을 근거로 정보공개청구를 거부할 수 없다. (○)

10. 국가직 9급 대법원 판례에 의할 때 교육공무원에 대한 근무성적평정의 결과는 비공개대상정보에 해당한다. (×) → 해당하지 않는다

ⓛ **중대한 국가의 이익에 관한 정보**: 국가안전보장·국방·통일·외교관계 등에 관한 사항으로서 공개될 경우 국가의 중대한 이익을 현저히 해칠 우려가 있다고 인정되는 정보는 공개하지 아니할 수 있다(동법 제9조 제1항 제2호).

18. 국가직 7급 통일에 관한 사항으로서 공개될 경우 국가의 중대한 이익을 현저히 해칠 우려가 있다고 인정되는 정보는 비공개대상정보에 해당한다. (○)

1 보안관찰법상 보안관찰 관련 통계 자료 ★★★
보안관찰법 소정의 보안관찰 관련 통계자료는 우리나라 53개 지방검찰청 및 지청 관할지역에서 매월 보고된 보안관찰처분에 관한 각종 자료로서, … 위 정보가 북한정보기관에 의한 간첩의 파견, 포섭, 선전선동을 위한 교두보의 확보 등 북한의 대남전략에 있어 매우 유용한 자료로 악용될 우려가 없다고 할 수 없으므로, 위 정보는 공공기관의 정보공개에 관한 법률 제7조 제1항 제2호 소정의 공개될 경우 국가안전보장·국방·통일·외교관계 등 국가의 중대한 이익을 해할 우려가 있는 정보, 또는 제3호 소정의 공개될 경우 국민의 생명·신체 및 재산의 보호 기타 공공의 안전과 이익을 현저히 해할 우려가 있다고 인정되는 정보에 해당한다(대판 2004.3.18. 2001두8254 전합).

19. 지방직 9급 「보안관찰법」 소정의 보안관찰 관련 통계자료는 「공공기관의 정보공개에 관한 법률」 소정의 비공개대상정보에 해당하지 않는다. (×) → 해당한다

2 일본군위안부 피해자 문제에 관한 한·일 간의 협상 관련 외교부장관의 생산 문서 ★
甲이 외교부장관에게 '2015.12.28. 일본군위안부 피해자 합의와 관련하여 한일 외교장관 공동 발표문의 문안을 도출하기 위하여 진행한 협의 협상에서 일본군과 관헌에 의한 위안부 강제연행의 존부 및 사실인정 문제에 대해 협의한 협상 관련 외교부장관 생산 문서'에 대한 공개를 청구하였으나, 외교부장관이 甲에게 '공개청구 정보가 공공기관의 정보공개에 관한 법률 제9조 제1항 제2호에 해당한다.'는 이유로 비공개 결정을 한 사안에서, 위 합의를 위한 협상 과정에서 일본군과 관헌에 의한 위안부 '강제연행'의 존부 및 사실인정 문제에 대해 협의한 정보를 공개하지 않은 처분이 적법하다고 본 원심판단이 정당하다고 한 사례(대판 2023.6.1. 2019두41324).

ⓒ **공공의 안전과 이익에 관한 정보**: 공개될 경우 국민의 생명·신체 및 재산 등과 같이 공동사회의 기본적 법익에 대한 사실상의 중대한 위험이 발생할 우려가 있다고 인정되는 정보는 공개하지 아니할 수 있다(동법 제9조 제1항 제3호).

ⓔ **진행 중인 형사절차 또는 재판에 관한 정보**: 진행 중인 재판에 관련된 정보와 범죄의 예방, 수사, 공소의 제기 및 유지, 형의 집행, 교정(矯正), 보안처분에 관한 사항으로서 공개될 경우 그 직무수행을 현저히 곤란하게 하거나 형사피고인의 공정한 재판을 받을 권리를 침해한다고 인정할 만한 상당한 이유가 있는 정보는 공개하지 아니할 수 있다(동법 제9조 제1항 제4호).

16. 교행 진행 중인 재판에 관한 정보로서 공개될 경우 형사피고인의 공정한 재판을 받을 권리를 침해한다고 인정할 만한 상당한 이유가 있는 정보는 비공개대상정보에 해당한다. (○)

11. 지방직 9급 교정에 관한 사항으로서 공개될 경우 그 직무수행을 현저히 곤란하게 하는 정보는 비공개대상정보에 해당한다. (○)

중대한 국가의 이익에 관한 정보
▷ 비공개대상정보○

「보안관찰법」상 보안관찰 관련 통계 자료
▷ 비공개대상정보○

일본군위안부 피해자 문제에 관한 한·일 간의 협상 관련 외교부장관 생산 문서
▷ 비공개대상정보○

공공의 안전과 이익에 관한 정보
▷ 비공개대상정보○

진행 중인 형사절차 또는 재판에 관한 정보
▷ 비공개대상정보○

ⓐ **진행 중인 재판에 관련된 정보:** 진행 중인 재판에 관련된 정보가 진행 중인 재판의 소송기록 자체에 포함된 내용일 필요는 없다. 그러나 적어도 진행 중인 재판의 심리 또는 재판 결과에 구체적으로 영향을 미칠 위험이 있는 정보이어야 한다.

진행 중인 재판에 관련된 정보
▷ 재판의 소송기록 자체에 포함된 내용일 필요✕, 재판에 관련된 일체의 정보✕
▷ 진행 중인 재판의 심리·결과에 구체적 영향을 미칠 위험성 있는 정보○

> ⚖ **관련판례**
>
> **공공기관의 정보공개에 관한 법률 제9조 제1항 제4호에서 비공개대상정보로 정하고 있는 '진행 중인 재판에 관련된 정보'의 범위 ★★★**
>
> 공공기관의 정보공개에 관한 법률(이하 '정보공개법'이라 한다)의 입법 목적, 정보공개의 원칙, 비공개대상정보의 규정 형식과 취지 등을 고려하면, 법원 이외의 공공기관이 정보공개법 제9조 제1항 제4호에서 정한 '진행 중인 재판에 관련된 정보'에 해당한다는 사유로 정보공개를 거부하기 위하여는 반드시 그 정보가 진행 중인 재판의 소송기록 자체에 포함된 내용일 필요는 없다. 그러나 재판에 관련된 일체의 정보가 그에 해당하는 것은 아니고 진행 중인 재판의 심리 또는 재판결과에 구체적으로 영향을 미칠 위험이 있는 정보에 한정된다고 보는 것이 타당하다(대판 2011.11.24. 2009두19021).
>
> 20. 군무원 9급, 19. 군무원 9급 정보공개를 거부하기 위해서는 반드시 그 정보가 진행 중인 재판의 소송기록 그 자체에 포함된 내용의 정보일 필요는 없으나, 재판에 관련된 일체의 정보가 그에 해당하는 것은 아니고 진행 중인 재판의 심리 또는 재판 결과에 구체적으로 영향을 미칠 위험이 있는 정보에 한정된다고 보는 것이 타당하다. (○)
>
> 22. 국가직 9급, 21. 국회직 8급, 20. 5급 승진, 17. 국가직 7급, 13. 국회직 8급 등 법원 이외의 공공기관이 정보공개법 제9조 제1항 제4호에서 정한 '진행 중인 재판에 관련된 정보'에 해당한다는 사유로 정보공개를 거부하기 위하여는 원칙적으로 그 정보가 진행 중인 재판의 소송기록 자체에 포함된 내용이어야 한다. (✕) → 포함된 내용일 필요는 없다
>
> 19. 지방직 7급, 14. 지방직 7급 「공공기관의 정보공개에 관한 법률」상 비공개대상정보인 '진행 중인 재판에 관련된 정보'라 함은 재판에 관련된 일체의 정보를 의미한다. (✕) → 진행 중인 재판의 심리 또는 재판 결과에 구체적으로 영향을 미칠 위험이 있는

ⓑ **형의 집행, 교정 등에 관한 정보:** '형의 집행, 교정에 관한 사항으로서 공개될 경우 그 직무수행을 현저히 곤란하게 하는 정보'란 그것이 공개될 경우 재소자들의 관리 및 질서유지, 수행에 직접적이고 구체적으로 장애를 줄 고도의 개연성이 있고, 그 정도가 현저한 경우를 의미한다.

㉮ 비공개대상정보

수사에 관한 사항으로서 공개될 경우 그 직무수행을 현저히 곤란하게 한다고 인정할 만한 상당한 이유가 있는 정보
▷ 비공개대상정보○

> ⚖ **관련판례**
>
> **수사에 관한 사항으로서 공개될 경우 직무수행을 현저히 곤란하게 한다고 인정할 만한 상당한 이유가 있는 정보 ★★**
>
> 공공기관의 정보공개에 관한 법률(이하 '정보공개법'이라고 한다) 제9조 제1항 제4호는 '수사에 관한 사항으로서 공개될 경우 그 직무수행을 현저히 곤란하게 한다고 인정할 만한 상당한 이유가 있는 정보'를 비공개대상정보의 하나로 규정하고 있다. 그 취지는 수사의 방법 및 절차 등이 공개되어 수사기관의 직무수행에 현저한 곤란을 초래할 위험을 막고자 하는 것으로서, 수사기록 중의 의견서, 보고문서, 메모, 법률검토, 내사자료 등(이하 '의견서 등'이라고 한다)이 이에 해당하나, 공개청구대상인 정보가 의견서 등에 해당한다고 하여 곧바로 정보공개법 제9조 제1항 제4호에 규정된 비공개대상정보라고 볼 것은 아니고, 의견서 등의 실질적인 내용을 구체적으로 살펴 수사의 방법 및 절차 등이 공개됨으로써 수사기관의 직무수행을 현저히 곤란하게 한다고 인정할 만한 상당한 이유가 있어야만 위 비공개대상정보에 해당한다(대판 2017.9.7. 2017두44558).
>
> 20. 국가직 7급 공개청구된 정보가 수사의견서인 경우 수사의 방법 및 절차 등이 공개되더라도 수사기관의 직무수행을 현저히 곤란하게 하지 않는 때에는 비공개대상정보에 해당하지 않는다. (○)

ⓛ **공개대상정보**

🏃 **관련판례**

1 **교도관의 근무보고서** ★★
(교도소에 수용 중이던 재소자가 담당 교도관들을 상대로 가혹행위를 이유로 형사고소 및 민사소송을 제기하면서 그 증명자료 확보를 위해 '근무보고서'와 '징벌위원회 회의록' 등의 정보공개를 요청하였으나 교도소장이 이를 거부한 사안에서) 근무보고서는 공공기관의 정보공개에 관한 법률 제9조 제1항 제4호에 정한 비공개대상정보에 해당한다고 볼 수 없고, 징벌위원회 회의록 중 비공개 심사·의결 부분은 위 법 제9조 제1항 제5호의 비공개사유에 해당하지만 재소자의 진술, 위원장 및 위원들과 재소자 사이의 문답 등 징벌절차 진행 부분은 비공개사유에 해당하지 않는다고 보아 분리 공개가 허용된다(대판 2009.12.10. 2009두12785).

15. 경찰 1차 교도소에 수용 중이던 재소자가 담당 교도관들을 상대로 가혹행위를 이유로 형사고소 및 민사소송을 제기하면서 그 증명자료 확보를 위해 정보공개를 요청한 '근무보고서'는 공개대상정보에 해당한다. (○)

19. 소방간부 교도소에 수용 중이던 재소자가 담당 교도관들을 상대로 가혹행위를 이유로 형사고소 및 민사소송을 제기하면서 그 증명자료의 확보를 위해 정보공개를 요청한 '근무보고서'는 비공개대상정보이다. (×) → 에 해당하지 않는다

2 **'수용자 자비 부담 물품'의 판매수익금과 관련한 수익금 총액과 교도소장에게 배당된 수익금액 등** ★
'수용자 자비 부담 물품'의 판매수익금과 관련하여 교도소장이 재단법인 교정협회로 송금한 수익금 총액과 교도소장에게 배당된 수익금액 및 사용내역, 교도소 직원회 수지에 관한 결산결과와 사업계획 및 예산서, 수용자 외부병원 이송진료와 관련한 이송진료자 수, 이송진료자의 진료내역별 현황, 이송진료자의 진료비 지급 현황, 이송진료자의 진료비총액 대비 예산지급액, 이송진료자의 병명별 현황, 수용자 신문 구독 현황과 관련한 각 신문별 구독신청자 수 등에 관한 정보는 구 공공기관의 정보공개에 관한 법률 제7조 제1항 제4호에서 비공개대상으로 규정한 '형의 집행, 교정에 관한 사항으로서 공개될 경우 그 직무수행을 현저히 곤란하게 하는 정보'에 해당하기 어렵다(대판 2004.12.9. 2003두12707).

ⓜ **행정결정과정에 있는 정보**
ⓐ 감사·감독·검사·시험·규제·입찰계약·기술개발·인사관리에 관한 사항이나 의사결정 과정 또는 내부검토 과정에 있는 사항 등으로서 공개될 경우 업무의 공정한 수행이나 연구·개발에 현저한 지장을 초래한다고 인정할 만한 상당한 이유가 있는 정보는 공개하지 아니할 수 있다. 다만, 의사결정 과정 또는 내부검토 과정을 이유로 비공개할 경우에는 제13조 제5항(비공개 결정 통지)에 따라 통지를 할 때 의사결정 과정 또는 내부검토 과정의 단계 및 종료 예정일을 함께 안내하여야 하며, 의사결정 과정 및 내부검토 과정이 종료되면 제10조(정보공개의 청구)에 따른 청구인에게 이를 통지하여야 한다(동법 제9조 제1항 제5호).

ⓑ 여기서 '공개될 경우 업무의 공정한 수행에 현저한 지장을 초래한다고 인정할 만한 상당한 이유가 있는 경우'라 함은 정보공개제도의 목적 및 비공개대상정보의 입법취지에 비추어 볼 때, 공개될 경우 업무의 수행이 객관적으로 현저하게 지장을 받을 것이라는 고도의 개연성이 존재하는 경우를 의미한다(대판 2012.10.11. 2010두18758).

교도소의 근무보고서
▷ 비공개대상정보×

징벌위원회 회의록 중 비공개심사·의결 부분
▷ 비공개대상정보○

징벌위원회 회의록 중 재소자의 진술, 위원장 및 위원들과 재소자 사이의 문답 등 징벌절차 진행부분
▷ 비공개대상정보×

'수용자 자비 부담 물품' 판매수익금의 총액과 사용내역 등
▷ 비공개대상정보×

감사·감독·검사·시험·규제·입찰계약·기술개발·인사관리에 관한 사항 or 의사결정 과정 또는 내부검토 과정에 있는 사항 등으로서 공개될 경우 업무의 공정한 수행이나 연구·개발에 현저한 지장을 초래한다고 인정할 만한 상당한 이유가 있는 정보
▷ 비공개대상정보○

공개될 경우 업무에 현저한 지장을 초래한다고 인정되는 상당한 이유의 의미
▷ 공개될 경우 업무의 수행이 객관적으로 현저하게 지장을 받을 것이라는 고도의 개연성이 존재하는 경우

18. 소방간부 「공공기관의 정보공개에 관한 법률」 제9조 제1항 제5호에서 규정하고 있는 '공개될 경우 업무의 공정한 수행에 현저한 지장을 초래한다고 인정할 만한 상당한 이유가 있는 경우'의 의미는 공개될 경우 업무의 공정한 수행이 객관적으로 현저하게 지장을 받을 것이라는 고도의 개연성이 존재하는 경우를 말한다. (○)

14. 지방직 9급 '감사·감독·검사·시험·규제·입찰계약·기술개발·인사관리에 관한 사항이나 의사결정 과정 또는 내부검토 과정에 있는 사항 등으로서 공개될 경우 업무의 공정한 수행에 현저한 지장을 초래한다고 인정할만한 상당한 이유가 있는 정보'란 공개될 경우 업무의 공정한 수행이 객관적으로 현저하게 지장을 받을 것이라는 고도의 개연성이 존재하는 경우를 말한다. (○)

㉮ 비공개대상정보

⚡ 관련판례

1 학교환경위생구역 내 금지행위(숙박시설) 해제결정에 관한 학교환경위생정화위원회의 회의록에 기재된 발언내용에 대한 해당 발언자의 인적사항 부분에 관한 정보 ★★★

[1] 공공기관의 정보공개에 관한 법률상 비공개대상정보의 입법 취지에 비추어 살펴보면, 같은 법 제7조 제1항 제5호에서의 '감사·감독·검사·시험·규제·입찰계약·기술개발·인사관리·의사결정과정 또는 내부검토과정에 있는 사항'은 비공개대상정보를 예시적으로 열거한 것이라고 할 것이므로 <u>의사결정 과정에 제공된 회의관련자료나 의사결정 과정이 기록된 회의록 등은 의사가 결정되거나 의사가 집행된 경우에는 더 이상 의사결정 과정에 있는 사항 그 자체라고는 할 수 없으나, 의사결정 과정에 있는 사항에 준하는 사항으로서 비공개대상정보에 포함될 수 있다.</u>

> 의사결정과정에 제공된 회의관련자료나 의사결정과정이 기록된 회의록 등
> ▷ 의사가 결정되거나 집행된 경우에도 의사결정과정에 있는 사항에 준하는 사항으로서 비공개대상정보에 포함 가능

21. 행정사, 20. 군무원 9급, 20. 군무원 7급 의사결정 과정에 제공된 회의 관련 자료나 의사결정 과정이 기록된 회의록은 의사가 결정되거나 의사가 집행된 경우에는 더 이상 의사결정과정에 있는 사항 그 자체라고는 할 수 없으나, 의사결정 과정에 있는 사항에 준하는 사항으로서 비공개대상정보에 포함될 수 있다. (○)

22. 지방직 7급 의사결정 과정에 제공된 회의관련자료나 의사결정 과정이 기록된 회의록은 의사가 결정되거나 의사가 집행된 경우에는 더 이상 의사결정 과정에 있는 사항 그 자체라고는 할 수 없으므로 비공개대상정보에 포함될 수 없다. (×) → 없으나 / 있다

[2] <u>학교환경위생구역 내 금지행위(숙박시설) 해제결정에 관한 학교환경위생정화위원회의 회의록에 기재된 발언내용에 대한 해당 발언자의 인적사항 부분에 관한 정보는 공공기관의 정보공개에 관한 법률 제7조(현 제9조) 제1항 제5호 소정의 비공개대상에 해당한다</u>(대판 2003.8.22. 2002두12946).

> 학교환경위생구역 내 금지행위(숙박시설) 해제결정에 관한 학교환경위생정화위원회의 회의록에 기재된 발언내용에 대한 해당 발언자의 인적사항 부분
> ▷ 비공개대상정보○

17. 5급 승진, 16. 사복직 구 「학교보건법」상 학교환경위생구역 내 금지행위(숙박시설) 해제결정에 관한 학교환경위생정화위원회의 회의록에 기재된 발언내용에 대한 해당 발언자의 인적사항 부분에 관한 정보는 비공개대상에 해당한다. (○)

20. 군무원 9급 학교환경위생구역 내 금지행위(숙박시설) 해제결정에 관한 학교환경위생정화위원회의 회의록에 기재된 발언내용에 대한 해당 발언자의 인적사항 부분에 관한 정보는 「공공기관의 정보공개에 관한 법률」 제7조 제1항 제5호 소정의 비공개대상에 해당한다고 볼 수 없다. (×) → ×

2 독립유공자서훈 공적심사위원회의 심의·의결 과정 및 그 내용을 기재한 회의록 ★★

(甲이 친족인 망 乙 등에 대한 독립유공자 포상신청을 하였다가 독립유공자서훈 공적심사위원회의 심사를 거쳐 포상에 포함되지 못하였다는 내용의 공적심사 결과를 통지받자 국가보훈처장에게 '망인들에 대한 공적심사위원회의 심의·의결 과정 및 그 내용을 기재한 회의록' 등의 공개를 청구하였는데, 국가보훈처장이 위 회의록은 공공기관의 정보공개에 관한 법률 제9조 제1항 제5호에 따라 공개할 수 없다는 통보를 한 사안에서) <u>위 회의록 공개에 의하여 보호되는 알 권리의 보장과 비공개에 의하여 보호되는 업무수행의 공정성 등의 이익 등을 비교·교량해 볼</u>

> 독립유공자서훈 공적심사위원회 심의·의결 과정 및 내용 기재한 회의록
> ▷ 비공개대상정보○

때, 위 회의록은 정보공개법 제9조 제1항 제5호에서 정한 '공개될 경우 업무의 공정한 수행에 현저한 지장을 초래한다고 인정할 만한 상당한 이유가 있는 정보'에 해당한다(대판 2014.7.24. 2013두20301).

17. 지방직 9급 '독립유공자서훈 공적심사위원회의 심의·의결 과정 및 그 내용을 기재한 회의록'은 공개될 경우에 업무의 공정한 수행에 현저한 지장을 초래한다고 인정할 만한 상당한 이유가 있는 정보에 해당한다. (○)

19. 국회직 8급 독립유공자서훈 공적심사위원회의 심의·의결 과정 및 그 내용을 기재한 회의록은 독립유공자 등록에 관한 신청당사자의 알 권리 보장과 공정한 업무수행을 위해서 공개되어야 한다. (×) → × / 비공개

3 **문제은행 출제방식을 채택하고 있는 치과의사 국가시험의 문제지와 그 정답지 ★★**

치과의사 국가시험에서 채택하고 있는 문제은행 출제방식이 출제의 시간·비용을 줄이면서도 양질의 문항을 확보할 수 있는 등 많은 장점을 가지고 있는 점, 그 시험문제를 공개할 경우 발생하게 될 결과와 시험업무에 초래될 부작용 등을 감안하면, 위 시험의 문제지와 그 정답지를 공개하는 것은 시험업무의 공정한 수행이나 연구·개발에 현저한 지장을 초래한다고 인정할 만한 상당한 이유가 있는 경우에 해당하므로, 공공기관의 정보공개에 관한 법률 제9조 제1항 제5호에 따라 이를 공개하지 않을 수 있다(대판 2007.6.15. 2006두15936).

10. 국가직 9급 판례에 의하면 문제은행 출제방식을 채택하고 있는 치과의사 국가시험의 문제지와 정답지는 비공개대상정보에 해당한다. (○)

> **문제은행 출제방식을 채택하고 있는 치과의사 국가시험의 문제지와 그 정답지**
> ▷ 비공개대상정보○

4 **한·일 군사정보보호협정 및 한·일 상호군수지원협정과 관하여 각종 회의자료 및 회의록 등의 정보 ★★**

외교부장관에게 한·일 군사정보보호협정 및 한·일 상호군수지원협정과 관련하여 각종 회의자료 및 회의록 등의 정보에 대한 공개를 청구하였으나, 외교부장관이 공개 청구 정보 중 일부를 제외한 나머지 정보들에 대하여 비공개 결정을 한 사안에서, 위 정보는 구 공공기관의 정보공개에 관한 법률 제9조 제1항 제2호, 제5호에 정한 비공개대상정보에 해당하고, 공개가 가능한 부분과 공개가 불가능한 부분을 쉽게 분리하는 것이 불가능하여 같은 법 제14조에 따른 부분공개도 가능하지 않다(대판 2019.1.17. 2015두46512).

19. 서울시 7급 한·일 군사정보보호협정 및 한·일 상호군수지원협정과 관련하여 각종 회의자료 및 회의록 등의 정보는 정보공개법상 공개가 가능한 부분과 공개가 불가능한 부분을 쉽게 분리하는 것이 불가능한 비공개정보에 해당하지 아니한다. (×) → 해당한다

> **한·일 군사정보보호협정 및 한·일 상호군수지원협정**
> ▷ 비공개대상정보○
> ▷ 부분공개×

5 **중·고등 한국사 교과용도서 집필진 명단 ★**

甲이 교육부장관에게 2015년 개정 교육과정에 따른 중학교 역사, 고등학교 한국사 교과용 도서 집필진 명단 등의 공개를 청구하였으나, … 이 정보는 정보공개법 제9조 제1항 제5호, 제6호에 따른 비공개대상정보라는 이유로 비공개 결정이 적법하다(서울행법 2016.9.8. 2015구합83061).

> **중·고등학교 한국사 교과용도서 집필진 명단**
> ▷ 비공개대상정보○

㉯ **공개대상정보**

🔍 관련판례

1 **외국 또는 외국 기관으로부터 비공개를 전제로 정보를 입수하였다는 이유 ★★**

외국 또는 외국 기관으로부터 비공개를 전제로 정보를 입수하였다는 이유만으로 이를 공개할 경우 업무의 공정한 수행에 현저한 지장을 받을 것이라고 단정할 수는 없다(대판 2018.9.28. 2017두69892).

19. 서울시 7급 외국 기관으로부터 비공개를 전제로 정보를 입수하였다는 이유만으로, 이를 공개할 경우 업무의 공정한 수행에 현저한 지장을 받을 것이라 단정할 수 없다. (○)

20. 국가직 7급 외국 또는 외국 기관으로부터 비공개를 전제로 입수한 정보는 비공개를 전제로 하였다는 이유만으로 비공개 대상 정보에 해당한다. (×) → 해당한다고 할 수 없다

> **외국 또는 외국 기관으로부터 비공개를 전제로 정보를 입수하였다는 이유**
> ▷ 비공개 사유×

사법시험 제2차 시험 답안지
▷ 비공개대상정보×

사법시험 제2차 시험의 시험문항에 대한 채점위원별 채점 결과의 열람
▷ 비공개대상정보○

2 사법시험 제2차 시험의 답안지 ★★

답안지는 응시자의 시험문제에 대한 답안이 기재되어 있을 뿐 평가자의 평가기준이나 평가 결과가 반영되어 있는 것은 아니므로 응시자가 자신의 답안지를 열람한다고 하더라도 시험문항에 대한 채점위원별 채점 결과가 열람되는 경우와 달리 평가자가 시험에 대한 평가업무를 수행함에 있어서 지장을 초래할 가능성이 적은 점, 답안지에 대한 열람이 허용된다고 하더라도 답안지를 상호비교함으로써 생기는 부작용이 생길 가능성이 희박하고, 열람업무의 폭증이 예상된다고 볼만한 자료도 없는 점 등을 종합적으로 고려하면, 답안지의 열람으로 인하여 시험업무의 수행에 현저한 지장을 초래한다고 볼 수 없다(대판 2003.3.14. 2000두6114).

15. 사복직 사법시험 응시자가 자신의 제2차 시험 답안지에 대한 열람청구를 한 경우 그 답안지는 정보공개의 대상이 된다. (○)

13. 국가직 9급 판례에 의하면 사법시험 제2차 시험 답안지와 시험 문항에 대한 채점위원별 채점 결과는 비공개정보에 해당한다. (×) → ×

공표 전 도시공원위원회의 심의사항에 관한 회의관련자료 및 회의록
▷ 비공개대상정보○

공표 후 도시공원위원회의 심의사항에 관한 회의관련자료 및 회의록
▷ 비공개대상정보×

3 공표 후의 도시공원위원회의 심의사항에 관한 회의관련자료 및 회의록은 공개대상 ★

지방자치단체의 도시공원에 관한 조례에서 규정된 도시공원위원회의 심의사항에 관하여 위 위원회의 심의를 거친 후 시장이나 구청장이 위 사항들에 대한 결정을 ① 대외적으로 공표하기 전에 위 위원회의 회의관련자료 및 회의록이 공개된다면 업무의 공정한 수행에 현저한 지장을 초래한다고 할 것이므로, 위 위원회의 심의 후 그 심의사항들에 대한 시장 등의 결정의 대외적 공표행위가 있기 전까지는 위 위원회의 회의관련자료 및 회의록은 공공기관의 정보공개에 관한 법률 제7조 제1항 제5호에서 규정하는 비공개대상정보에 해당한다고 할 것이고, ② 다만 시장 등의 결정의 대외적 공표행위가 있은 후에는 이를 의사결정과정이나 내부검토과정에 있는 사항이라고 할 수 없고 위 위원회의 회의관련자료 및 회의록을 공개하더라도 업무의 공정한 수행에 지장을 초래할 염려가 없으므로, 시장 등의 결정의 대외적 공표행위가 있은 후에는 위 위원회의 회의관련자료 및 회의록은 같은 법 제7조 제2항에 의하여 공개대상이 된다고 할 것인바, 지방자치단체의 도시공원에 관한 조례안에서 공개시기 등에 관한 아무런 제한 규정 없이 위 위원회의 회의관련자료 및 회의록은 공개하여야 한다고 규정하였다면 이는 같은 법 제7조 제1항 제5호에 위반된다고 할 것이다(대판 2000.5.30. 99추85).

23. 지방직 7급 도시공원위원회의 회의관련자료 및 회의록은 시장 등의 결정의 대외적 공표행위가 있은 후에는 이를 의사결정과정이나 내부검토과정에 있는 사항이라고 할 수 없고 위 위원회의 회의관련자료 및 회의록을 공개하더라도 업무의 공정한 수행에 지장을 초래할 염려가 없으므로 공개대상이 된다. (○)

2002학년도부터 2003학년도 국가 수준 학업성취도평가자료
▷ 비공개대상정보○

2002학년도부터 2005학년도까지의 대학수학능력시험 원데이터
▷ 비공개대상정보×

4 2002학년도부터 2005학년도까지의 대학수학능력시험 원데이터 ★★

'2002학년도부터 2003학년도 국가 수준 학업성취도평가자료'는 공공기관의 정보공개에 관한 법률 제9조 제1항 제5호에 정한 비공개대상에 해당하는 부분이 있으나 '2002학년도부터 2005학년도까지의 대학수학능력시험 원데이터'는 연구목적으로 그 정보의 공개를 청구하는 경우, 공개로 인하여 초래될 부작용이 공개로 얻을 수 있는 이익보다 더 클 것이라고 단정하기 어려우므로 그 공개로 대학수학능력시험 업무의 공정한 수행이 객관적으로 현저하게 지장을 받을 것이라는 고도의 개연성이 존재한다고 볼 수 없어 위 조항의 비공개대상정보에 해당하지 않는다(대판 2010.2.25. 2007두9877).

16. 사복직 '2002학년도부터 2005학년도까지의 대학수학능력시험 원데이터'는 연구목적으로 그 정보의 공개를 청구하는 경우라도 공개로 인하여 초래될 부작용이 공개로 얻을 수 있는 이익보다 더 클 것이므로, 그 공개로 대학수학능력시험 업무의 공정한 수행이 객관적으로 현저하게 지장을 받을 것이라는 개연성이 있어 비공개대상정보에 해당한다. (×) → × / 클 것이라고 단정하기 어려우므로 / 존재한다고 볼 수 없어 / 해당하지 않는다

ⓑ 개인에 관한 정보

ⓐ 해당 정보에 포함되어 있는 성명·주민등록번호 등 「개인정보 보호법」 제2조 제1호에 따른 개인정보로서 공개될 경우 사생활의 비밀 또는 자유를 침해할 우려가 있다고 인정되는 정보는 공개하지 아니할 수 있다. 다만, 다음에 열거한 사항은 제외한다(동법 제9조 제1항 제6호).

19. 경찰 2차 변형 「공공기관의 정보공개에 관한 법률」상 비공개대상정보에는 성명·주민등록번호 등 「개인정보 보호법」 제2조 제1호에 따른 개인정보로서 공개될 경우 사생활의 비밀 또는 자유를 침해할 우려가 있다고 인정되는 정보도 포함된다. (O)

12. 사복직 개인정보는 절대적 비공개대상정보이다. (×) → 가 아니다

「공공기관의 정보공개에 관한 법률」 제9조 【비공개 대상 정보】 ① 공공기관이 보유·관리하는 정보는 공개 대상이 된다. 다만, 다음 각 호의 어느 하나에 해당하는 정보는 공개하지 아니할 수 있다.

6. 해당 정보에 포함되어 있는 <u>성명·주민등록번호 등 「개인정보 보호법」 제2조 제1호에 따른 개인정보로서 공개될 경우 사생활의 비밀 또는 자유를 침해할 우려가 있다고 인정되는 정보.</u> 다만, 다음 각 목에 열거한 사항은 제외한다.
가. 법령에서 정하는 바에 따라 열람할 수 있는 정보
나. 공공기관이 공표를 목적으로 작성하거나 취득한 정보로서 사생활의 비밀 또는 자유를 부당하게 침해하지 아니하는 정보
다. 공공기관이 작성하거나 취득한 정보로서 <u>공개하는 것이 공익이나 개인의 권리구제를 위하여 필요하다고 인정되는 정보</u>
라. <u>직무를 수행한 공무원의 성명·직위</u>

16. 국가직 7급 직무를 수행한 공무원의 성명과 직위는 「공공기관의 정보공개에 관한 법률」에 의하여 공개대상정보에 해당한다. (O)

19. 서울시 9급 직무를 수행한 공무원의 성명 및 직위는 ~~비공개대상정보이다.~~ (×) → 공개

15. 지방직 9급 직무를 수행한 공무원의 성명과 직위는 공개될 경우 개인의 사생활의 비밀 또는 자유를 침해할 우려가 있다면 ~~비공개대상정보에 해당한다.~~ (×) → 있더라도 / 해당하지 않는다

마. <u>공개하는 것이 공익을 위하여 필요한 경우로서 법령에 따라 국가 또는 지방자치단체가 업무의 일부를 위탁 또는 위촉한 개인의 성명·직업</u>

18. 국가직 7급 공개하는 것이 공익을 위하여 필요한 경우로서 법령에 따라 국가가 업무의 일부를 위탁 또는 위촉한 개인의 성명·직업은, 공개되면 사생활의 비밀 또는 자유가 침해될 우려가 있다고 인정되더라도 공개대상정보에 해당한다. (O)

ⓑ 여기서 말하는 비공개대상이 되는 정보에는 이름·주민등록번호 등 '개인식별정보' 뿐만 아니라 그 외에 정보의 내용을 구체적으로 살펴 개인에 관한 사항의 공개로 개인의 내밀한 내용의 비밀 등이 알려지게 되고, 그 결과 인격적·정신적 내면생활에 지장을 초래하거나 자유로운 사생활을 영위할 수 없게 될 위험성이 있는 정보도 포함된다(대판 2012.6.18. 2011두2361).

19. 경찰 2차 「공공기관의 정보공개에 관한 법률」상 비공개대상정보에는 성명, 주민등록번호 등 개인에 관한 사항으로서 공개될 경우 사생활의 비밀 또는 자유를 침해할 우려가 있다고 인정되는 정보도 포함된다. (O)

20. 지방직 9급 국민의 알 권리를 두텁게 보호하기 위해 「공공기관의 정보공개에 관한 법률」 제9조 제1항 제6호 본문의 규정에 따라 비공개대상이 되는 정보는 이름·주민등록번호 등 '개인식별정보'로 한정된다. (×) → 한정되지 않는다

공개하는 것이 개인의 권리구제를 위하여 필요하다고 인정되는 정보인지 판단 방법
▷ 이익형량(사생활의 비밀·자유 vs 알 권리)

ⓒ '공개하는 것이 공익이나 개인의 권리구제를 위하여 필요하다고 인정되는 정보'에 해당하는지 여부는 비공개에 의하여 보호되는 개인의 사생활의 비밀 등의 이익과 공개에 의하여 보호되는 개인의 권리구제 등의 이익을 비교·교량하여 구체적 사안에 따라 신중히 판단하여야 한다(대판 2012.6.28. 2011두16735).

20. 국회직 9급 개인정보는 절대적으로 공개가 거부될 수 있는 것은 아니며 공개의 이익과 형량하여 공개 여부를 결정하여야 한다. (○)

공공기관이 보유·관리하고 있는 개인정보의 공개
▷ 정보공개법 제9조 제1항 제6호가 「개인정보 보호법」에 우선하여 적용

🔖 관련판례

공공기관이 보유·관리하고 있는 개인정보의 공개에 관하여는 구 정보공개법 제9조 제1항 제6호가 개인정보 보호법에 우선하여 적용된다. ★★

구 정보공개법 제9조 제1항 제6호는 공공기관이 보유·관리하고 있는 개인정보의 공개 과정에서의 개인정보를 보호하기 위한 규정으로서 개인정보 보호법 제6조에서 말하는 '개인정보 보호에 관하여 다른 법률에 특별한 규정이 있는 경우'에 해당한다. 따라서 공공기관이 보유·관리하고 있는 개인정보의 공개에 관하여는 구 정보공개법 제9조 제1항 제6호가 개인정보 보호법에 우선하여 적용된다. 한편 구 정보공개법 제9조 제1항 제6호 단서 (다)목에서 말하는 '공개하는 것이 공익을 위하여 필요하다고 인정되는 정보'에 해당하는지 여부는 비공개로 보호되는 개인의 사생활 보호 등의 이익과 공개될 경우의 국정운영 투명성 확보 등 공익을 비교·교량하여 구체적 사안에 따라 신중히 판단하여야 한다(대판 2021.11.11. 2015두53770).

23. 국가직 9급 공익신고자 丙은 甲이 「국민기초생활보장법」상의 복지급여를 부정수급하고 있다고 관할 乙 행정청에 신고하였다. 이에 대하여 甲은 乙에게 부정수급신고를 한 자와 그 내용에 대해 정보공개청구를 하였다. 「개인정보 보호법」상 정보주체에게 열람청구권이 보장되어 있더라도 甲은 이에 근거하여 乙에게 신고자에 대한 정보공개를 요구하여 그 정보를 받을 수 없다. (○)

㉔ 비공개대상정보

🔖 관련판례

불기소처분의 기록 중 피의자신문조서 등에 기재된 피의자 등의 인적사항 이외의 진술내용
▷ 비공개대상정보○

1 피의자신문조서 등에 기재된 피의자 등의 인적사항 이외의 진술내용 ★★

불기소처분 기록 중 피의자신문조서 등에 기재된 피의자 등의 인적사항 이외의 진술내용 역시 개인의 사생활의 비밀 또는 자유를 침해할 우려가 인정되는 경우 정보공개법 제9조 제1항 제6호 본문 소정의 비공개대상에 해당한다(대판 2012.6.18. 2011두2361).

19. 경찰 2차, 18. 지방직 9급 불기소처분의 기록 중 피의자신문조서 등에 기재된 피의자 등의 인적사항 이외의 진술내용 역시 개인의 사생활의 비밀 또는 자유를 침해할 우려가 인정되는 경우 「공공기관의 정보공개에 관한 법률」상 비공개대상정보에 해당된다. (○)

재개발사업에 관한 이해관계인이 공개를 청구한 자료 중 공개될 경우에 타인의 사생활의 비밀과 자유를 침해할 우려가 있는 정보
▷ 비공개대상정보○

2 재개발사업에 관한 이해관계인이 공개를 청구한 자료 중 개인에 관한 정보 ★★

재개발사업에 관한 이해관계인이 공개를 청구한 자료 중 일부는 개인의 인적사항, 재산에 관한 내용이 포함되어 있어서 공개될 경우에는 타인의 사생활의 비밀과 자유를 침해할 우려가 있으며, 그 자료의 분량이 합계 9,029매에 달하기 때문에 이를 공개하기 위하여는 행정업무에 상당한 지장을 초래할 가능성이 있는 경우 정보공개법상 비공개대상정보에 해당한다(대판 1997.5.23. 96누2439).

10. 국가직 9급 판례에 의하면 재개발사업에 관한 이해관계인이 공개를 청구한 자료 중 개인에 관한 정보는 비공개대상정보에 해당한다. (○)

3 공무원이 직무와 관련 없이 개인적인 자격으로 간담회·연찬회 등 행사에 참석하고 금품을 수령한 정보 ★★

공무원이 직무와 관련 없이 개인적인 자격으로 간담회·연찬회 등 행사에 참석하고 금품을 수령한 정보는 공공기관의 정보공개에 관한 법률 제7조 제1항 제6호 단서 다목 소정의 '공개하는 것이 공익을 위하여 필요하다고 인정되는 정보'에 해당하지 않는다(대판 2003.12.12. 2003두8050).

19. 소방간부 공무원이 직무와 관계없이 개인적인 자격으로 간담회, 연찬회 등 행사에 참석하고 금품을 수령한 정보는 정보공개법 제9조 제1항 제6호 단서에 해당하지 않아 비공개대상정보이다. (○)

15. 사복직 공무원이 직무와 관련 없이 개인적 자격으로 금품을 수령한 정보는 공개대상이 되는 정보이다. (×) → 가 아니다

13. 국회직 8급 공무원이 직무와 관련 없이 개인적인 자격으로 행사에 참석하고 금품을 수령한 정보는 '공개하는 것이 공익을 위하여 필요하다고 인정되는 정보'에 해당한다. (×) → 해당하지 않는다

4 지방자치단체의 업무추진비 세부항목별 집행내역 및 그에 관한 증빙서류에 포함된 개인에 관한 정보 ★★★

지방자치단체의 업무추진비 세부항목별 집행내역 및 그에 관한 증빙서류에 포함된 개인에 관한 정보는 '공개하는 것이 공익을 위하여 필요하다고 인정되는 정보'에 해당하지 않는다(대판 2003.3.11. 2001두6425).

18. 서울시 9급 지방자치단체의 업무추진비 세부항목별 집행내역 및 그에 관한 증빙서류에 포함된 개인에 관한 정보는 비공개대상정보에 해당한다. (○)

19. 지방직 9급, 17. 5급 승진, 11. 국가직 9급 지방자치단체의 업무추진비 세부항목별 집행내역 및 그에 관한 증빙서류에 포함된 개인에 관한 정보는 「공공기관의 정보공개에 관한 법률」 소정의 '공개하는 것이 공익을 위하여 필요하다고 인정되는 정보'에 해당하여 공개대상이 된다. (×) → 해당하지 않는다

5 공직자윤리법상의 등록의무자가 정부공직자윤리위원회에 제출한 문서에 포함되어 있는 고지거부자의 인적사항 ★★

공직자윤리법상의 등록의무자가 구 공직자윤리법 시행규칙 제12조 관련 [별지 14호 서식]에 따라 정부공직자윤리위원회에 제출한 문서에 포함되어 있는 고지거부자의 인적사항이, 구 공공기관의 정보공개에 관한 법률 제7조 제1항 제6호 단서 다목에 정한 '공개하는 것이 공익을 위하여 필요하다고 인정되는 정보'에 해당하지 않는다(대판 2007.12.13. 2005두13117).

㈏ 공개대상정보

관련판례

1 공직자윤리법상의 등록의무자가 제출한 '자신의 재산등록사항의 고지를 거부한 직계존비속의 본인과의 관계, 성명, 고지거부사유, 서명(날인)'이 기재되어 있는 문서 ★★

공직자윤리법상의 등록의무자가 제출한 '자신의 재산등록사항의 고지를 거부한 직계존비속의 본인과의 관계, 성명, 고지거부사유, 서명(날인)'이 기재되어 있는 구 공직자윤리법 시행규칙 제12조 관련의 문서는 구 공직자윤리법에 의한 등록사항이 아니므로, 같은 법 제10조 제3항 및 제14조의 각 규정에 의하여 열람복사가 금지되거나 누설이 금지된 정보가 아니고, 나아가 구 공공기관의 정보공개에 관한 법률 제7조 제1항 제1호에 정한 법령 비정보(비공개대상정보)에도 해당하지 않는다(대판 2007.12.13. 2005두13117).

함께 정리하기

공무원이 개인 자격으로 참석한 행사에서 금품을 수령한 정보
▷ 비공개대상정보○

「공직자윤리법」상의 등록의무자가 정부공직자윤리위원회에 제출한 문서에 포함되어 있는 고지거부자의 인적사항
▷ 비공개대상정보○

「공직자윤리법」상의 등록의무자가 제출한 '자신의 재산등록사항의 고지를 거부한 직계존비속의 본인과의 관계, 성명, 고지거부사유, 서명'이 기재되어 있는 문서
▷ 비공개대상정보×

17. 국회직 8급 「공직자윤리법」상의 등록의무자가 구 「공직자윤리법 시행규칙」 제2조에 따라 제출한 '자신의 재산등록사항의 고지를 거부한 직계존비속의 본인과의 관계, 성명, 고지거부사유, 서명'이 기재되어 있는 문서는 정보공개법상의 비공개대상정보에 ~~해당한다~~. (×) → 해당하지 않는다

사면대상자들의 사면실시건의서와 그와 관련된 국무회의 안건자료
▷ 비공개대상정보×

2 사면대상자들의 사면실시건의서와 그와 관련된 국무회의 안건자료 ★★

<u>사면대상자들의 사면실시건의서와 그와 관련된 국무회의 안건자료에 관한 정보는 공개할 경우 비록 당사자들의 사생활의 비밀 등이 침해될 염려가 있다고 하더라도, 사면 실시 당시 법무부가 발표한 사면발표문 및 보도자료에 이미 위 정보의 당사자들 상당수의 명단이 포함되어 있는 점, 대통령이 행하는 사면권 행사가 고도의 정치적 행위라고 하더라도, 위 정보의 공개가 정치적 행위로서의 사면권 자체를 부정하려는 것이 아니라 오히려 사면권 행사의 실체적 요건이 설정되어 있지 아니하여 생길 수 있는 사면권의 남용을 견제할 국민의 자유로운 정치적 의사 등이 형성되도록 위 정보에의 접근을 허용할 필요성이 있는 점, … 등에 견주어 보면, 그 공개로 얻는 이익이 그로 인하여 침해되는 당사자들의 사생활의 비밀에 관한 이익보다 더욱 크므로 공공기관의 정보공개에 관한 법률 제9조 제1항 제6호에서 정한 비공개 사유에 해당하지 않는다</u>(대판 2006.12.7. 2005두241).

15. 사복직 사면대상자들의 사면실시건의서와 그와 관련된 국무회의 안건자료는 공개대상이 되는 정보이다. (○)

12. 서울시 9급 대법원 판례상 사면대상자들의 사면실시건의서와 그와 관련된 국무회의 안건자료는 비공개대상정보로 ~~인정된다~~. (×) → 인정되지 않는다

제3회 변호사시험 합격자 성명
▷ 비공개대상정보×

3 제3회 변호사시험 합격자 성명 ★

<u>제3회 변호사시험 합격자 성명(이하 '이 사건 정보'라 한다)이 공개될 경우 그 합격자들의 사생활의 비밀 또는 자유를 침해할 우려가 있다고 하더라도 그 비공개로 인하여 보호되는 사생활의 비밀 등 이익보다 공개로 인하여 달성되는 공익 등 공개의 필요성이 더 크므로 이 사건 정보는 개인정보 보호법 제18조 제1항에 의하여 공개가 금지된 정보에 해당하지 아니하고 구 정보공개법 제9조 제1항 제6호 단서 (다)목에 따라서 공개함이 타당하다고 판단한 사례</u>(대판 2021.11.11. 2015두53770).

ⓐ **영업상 비밀에 관한 정보**

ⓐ 법인·단체 또는 개인(이하 "법인 등"이라 함)의 경영상·영업상 비밀에 관한 사항으로서 공개될 경우 법인 등의 정당한 이익을 현저히 해칠 우려가 있다고 인정되는 정보는 공개하지 아니할 수 있다. 다만, ㉮ 사업활동에 의하여 발생하는 위해(危害)로부터 사람의 생명·신체 또는 건강을 보호하기 위하여 공개할 필요가 있는 정보, ㉯ 위법·부당한 사업활동으로부터 국민의 재산 또는 생활을 보호하기 위하여 공개할 필요가 있는 정보는 제외한다(동법 제9조 제1항 제7호).

법인 등의 경영상·영업상 비밀에 관한 사항으로서 공개될 경우 법인 등의 정당한 이익을 현저히 해칠 우려가 있다고 인정되는 정보
▷ 비공개대상정보○

14. 경찰 2차 단체 또는 개인의 경영상·영업상 비밀에 관한 사항은 「공공기관의 정보공개에 관한 법률」상 비공개대상정보에 해당한다. (○)

ⓑ 여기서 말하는 '법인 등의 경영상·영업상 비밀'이란 「부정경쟁방지 및 영업비밀보호에 관한 법률」(약칭: 부정경쟁방지법) 제2조 제2호에 규정된 '영업비밀'에 한하지 않고, 타인에게 알려지지 아니함이 유리한 사업활동에 관한 일체의 정보 또는 사업활동에 관한 일체의 비밀사항을 의미한다.

관련판례

'법인 등의 경영상·영업상 비밀'이란 '타인에게 알려지지 아니함이 유리한 사업활동에 관한 일체의 정보' 또는 '사업활동에 관한 일체의 비밀사항'을 의미한다. ★★

비공개 대상인 공공기관의 정보공개에 관한 법률 제9조 제1항 제7호 소정의 '법인 등의 경영상·영업상 비밀'은 「부정경쟁방지 및 영업비밀보호에 관한 법률」 제2조 제2호에 규정된 '영업비밀'에 한하지 않고, '타인에게 알려지지 아니함이 유리한 사업활동에 관한 일체의 정보' 또는 '사업활동에 관한 일체의 비밀사항'을 말한다. 그러나 한편, 정보공개법 제9조 제1항 제7호는 '법인 등의 경영·영업상의 비밀에 관한 사항'이라도 공개를 거부할 만한 정당한 이익이 있는지의 여부에 따라 그 공개 여부가 결정되어야 한다고 해석되는바, 그 정당한 이익이 있는지의 여부는 앞서 본 정보공개법의 입법 취지에 비추어 이를 엄격하게 해석하여야 할 뿐만 아니라 국민에 의한 감시의 필요성이 크고 이를 감수하여야 하는 면이 강한 공익법인에 대하여는 다른 법인 등에 대하여 보다 소극적으로 해석할 수밖에 없다고 할 것이다(대판 2008.10.23. 2007두1798).

18. 서울시 7급 법인 등의 경영·영업상 비밀은 사업활동에 관한 일체의 비밀사항을 의미한다. (○)

14. 지방직 9급 비공개 대상인 「공공기관의 정보공개에 관한 법률」 제9조 제1항 제7호 소정의 '법인 등의 경영상·영업상 비밀'은 「부정경쟁방지 및 영업비밀보호에 관한 법률」 제2조 제2호에 규정된 '영업비밀'에 한하지 않고, '타인에게 알려지지 아니함이 유리한 사업활동에 관한 일체의 정보' 또는 '사업활동에 관한 일체의 비밀사항'을 말한다. (○)

ⓐ 비공개대상정보

관련판례

1 **방송사의 취재활동을 통하여 확보한 결과물이나 그 과정에 관한 정보 또는 방송프로그램의 기획·편성·제작 등에 관한 정보** ★★

방송사의 취재활동을 통하여 확보한 결과물이나 그 과정에 관한 정보 또는 방송프로그램의 기획·편성·제작 등에 관한 정보는 '타인에게 알려지지 아니함이 유리한 사업활동에 관한 일체의 정보'에 해당한다고 볼 수 있는바, … 방송프로그램의 기획·편성·제작 등에 관한 정보로서 방송사가 공개하지 아니한 것은, 사업활동에 의하여 발생하는 위해로부터 사람의 생명·신체 또는 건강을 보호하기 위하여 공개할 필요가 있는 정보나 위법·부당한 사업활동으로부터 국민의 재산 또는 생활을 보호하기 위하여 공개할 필요가 있는 정보를 제외하고는, 공공기관의 정보공개에 관한 법률 제9조 제1항 제7호 제9조 제1항 제7호에 정한 '법인 등의 경영·영업상 비밀에 관한 사항'에 해당할 뿐만 아니라 그 공개를 거부할 만한 정당한 이익도 있다고 보아야 한다(대판 2010.12.23. 2008두13101).

19. 5급 승진 방송프로그램의 기획·편성·제작 등에 관한 정보로서 방송사가 공개하지 아니한 것은, 사업활동에 의하여 발생하는 위해로부터 사람의 생명·신체 또는 건강을 보호하기 위하여 공개할 필요가 있는 정보나 위법·부당한 사업활동으로부터 국민의 재산 또는 생활을 보호하기 위하여 공개할 필요가 있는 정보를 제외하고는, 「공공기관의 정보공개에 관한 법률」 제9조 제1항 제7호에 정한 '법인 등의 경영·영업상 비밀에 관한 사항'에 해당한다. (○)

2 **법인 등이 거래하는 금융기관의 계좌번호에 관한 정보** ★★

법인 등이 거래하는 금융기관의 계좌번호에 관한 정보는 법인 등의 영업상 비밀에 관한 사항으로서 법인 등의 이름과 결합하여 공개될 경우 당해 법인 등의 영업상 지위가 위협받을 우려가 있다고 할 것이므로 위 정보는 법인 등의 영업상 비밀에 관한 사항으로서 공개될 경우 법인 등의 정당한 이익을 현저히 해할 우려가 있다고 인정되는 (비공개)정보에 해당한다(대판 2004.8.20. 2003두8302).

법인의 경영상·영업상 비밀
▷ 부정경쟁방지법상 영업비밀에 한하지 않고 '타인에게 알려지지 아니함이 유리한 사업활동에 관한 일체의 정보' 또는 '사업활동에 관한 일체의 비밀사항'을 의미

방송사의 취재활동을 통하여 확보한 결과물이나 그 과정에 관한 정보 또는 방송프로그램의 기획·편성·제작 등에 관한 정보
▷ 비공개대상정보○

법인 등이 거래하는 금융기관의 계좌번호에 관한 정보
▷ 비공개대상정보○

22. 행정사, 16. 국가직 7급 법인 등이 거래하는 금융기관의 계좌번호에 관한 정보는 영업상 비밀에 관한 사항으로서 「공공기관의 정보공개에 관한 법률」상 비공개대상정보에 해당한다. (○)

17. 국가직 7급 법인 등이 거래하는 금융기관의 계좌번호에 관한 정보는 법인 등의 영업상 비밀에 관한 사항으로서 공개될 경우 법인 등의 정당한 이익을 현저히 해할 우려가 있다고 인정되는 정보에 해당한다. (○)

④ 공개대상정보

관련판례

대한주택공사의 아파트 분양원가 산출내역에 관한 정보
▷ 비공개대상정보×

1 대한주택공사의 아파트 분양원가 산출내역에 관한 정보 ★★

대한주택공사의 아파트 분양원가 산출내역에 관한 정보는, 그 공개로 위 공사의 정당한 이익을 현저히 해할 우려가 있다고 볼 수 없어 공공기관의 정보공개에 관한 법률 제9조 제1항 제7호에서 정한 비공개대상정보에 해당하지 않는다(대판 2007.6.1. 2006두20587).

12. 서울시 9급 판례상 대한주택공사의 아파트 분양원가 산출내역은 비공개대상정보이다. (×) → 공개

아파트재건축주택조합의 조합원들에게 제공될 무상보상평수 산출내역(사업수익성 등을 검토한 자료)
▷ 비공개대상정보×

2 아파트재건축주택조합의 조합원들에게 제공될 무상보상평수 산출내역 ★★

아파트재건축주택조합의 조합원들에게 제공될 무상보상평수의 사업수익성 등을 검토한 자료는 구 공공기관의 정보공개에 관한 법률 제7조 제1항에서 정한 비공개대상정보에 해당하지 않는다(대판 2006.1.13. 2003두9459).

17. 서울시 9급 재건축사업계약에 의하여 조합원들에게 제공될 무상보상평수 산출내역은 법인 등의 영업상 비밀에 관한 사항이 아니며 비공개대상정보에 해당되지 않는다. (○)

3 한국방송공사의 수시집행 접대성 경비의 건별 집행서류 일체

한국방송공사의 '수시집행 접대성 경비의 건별 집행서류 일체'는 공공기관의 정보공개에 관한 법률 제9조 제1항 제7호의 비공개대상정보에 해당하지 않는다(대판 2008.10.23. 2007두1798).

공개될 경우 부동산 투기, 매점매석 등으로 특정인에게 이익·불이익을 줄 우려가 인정되는 정보
▷ 비공개대상정보○

◎ 특정인에게 이익 또는 불이익을 줄 우려가 있는 정보: 공개될 경우 부동산 투기, 매점매석 등으로 특정인에게 이익 또는 불이익을 줄 우려가 있다고 인정되는 정보는 공개하지 아니할 수 있다(동법 제9조 제1항 제8호).

19. 소방직, 18. 지방직 9급 공개될 경우 부동산 투기로 특정인에게 이익 또는 불이익을 줄 우려가 있다고 인정되는 정보는 비공개대상에 해당한다. (○)

10. 국가직 7급 공개될 경우 부동산 투기 등으로 특정인에게 이익을 줄 우려가 있다고 인정되는 정보는 공개하지 아니할 수 있다. (○)

기간의 경과 등으로 인하여 비공개의 필요성이 없어진 경우
▷ 정보를 공개 대상으로 하여야

③ 비공개대상정보의 예외: 공공기관은 비공개대상의 어느 하나에 해당하는 정보가 기간의 경과 등으로 인하여 비공개의 필요성이 없어진 경우에는 그 정보를 공개대상으로 하여야 한다(동법 제9조 제2항).

공공기관은 업무 성격을 고려하여 비공개 대상 정보의 범위에 관한 세부 기준 수립, 정보공개시스템 등을 통하여 공개하여야 함

④ 비공개대상정보의 범위에 관한 세부 기준 수립 및 공개: 공공기관은 동법 제1항 각호의 범위에서 해당 공공기관의 업무 성격을 고려하여 비공개대상정보의 범위에 관한 세부 기준을 수립하고 이를 정보통신망을 활용한 정보공개시스템 등을 통하여 공개하여야 한다(동법 제9조 제3항).

핵심정리 · 비공개대상정보와 공개대상정보

비공개대상정보	공개대상정보
• 「공직자윤리법」상의 등록의무자가 정부공직자윤리위원회에 제출한 문서에 포함되어 있는 고지거부자의 인적사항(2005두13117)	• 교육공무원에 대한 근무성적평정 결과(2006두11910)
• 국가정보원의 조직·소재지 및 정원에 관한 정보(2010두18918)	• 아파트재건축주택조합의 조합원들에게 제공될 무상보상평수 산출내역(2003두9459)
• 대학수학능력시험 수험생의 원점수정보 중 수험생의 수험번호, 성명, 주민등록번호 등 인적사항(2009두6001)	• 교도관의 근무보고서(2009두12785)
• 2002년도 및 2003년도 국가 수준 학업성취도평가자료(2007두9877)	• 징벌위원회 회의록 중 재소자의 진술, 위원장 및 위원들과 재소자 사이의 문답 등 징벌절차 진행부분(2009두12785)
• 독립유공자서훈 공적심사위원회의 심의·의결 과정 및 그 내용을 기재한 회의록(2013두20301)	• 수용자 자비 부담 물품의 판매수익금과 관련한 수익금 총액과 교도소장에게 배당된 수익금액 등(2003두12707)
• 「보안관찰법」상 보안관찰 관련 통계 자료(2001두8254)	• 대한주택공사의 아파트 분양원가 산출내역에 관한 정보(2006두20587)
• 국가정보원이 직원에게 지급하는 현금급여 및 월초수당에 관한 정보(2010두14800)	• 「공직자윤리법」상의 등록의무자가 제출한 '자신의 재산등록사항의 고지를 거부한 직계존비속의 본인과의 관계, 성명, 고지거부사유, 서명(날인)'이 기재되어 있는 문서(2005두13117)
• 징벌위원회 회의록 중 재소자의 진술, 위원장 및 위원들과 재소자 사이의 문답 등 징벌절차 진행부분(2009두12785)	• 사법시험 제2차 시험의 답안지(2000두6114)
• 문제은행 출제방식을 채택하고 있는 치과의사 국가시험의 문제지와 그 정답지(2006두15936)	• 사면실시건의서와 그와 관련된 국무회의 안건자료(2005두241)
• 학교폭력대책자치위원회의 회의록(2010두2913)	• 자신이 무고죄의 피고인으로 재판을 받은 형사확정소송기록(90헌마133)
• 국방부의 한국형 다목적 헬기(KMH) 도입사업에 대한 감사원장의 감사결과보고서(2006두9351)	• 한국방송공사의 수시집행 접대성 경비의 건별 집행서류 일체(2007두1798)
• 사법시험 제2차 시험의 시험문항에 대한 채점위원별 채점 결과의 열람(2000두6114)	• 2002학년도부터 2005학년도까지의 대학수학능력시험 원데이터(2007두9877)
• 학교환경위생구역 내 금지행위(숙박시설) 해제결정에 관한 학교환경위생정화위원회의 회의록에 기재된 발언내용에 대한 해당 발언자의 인적사항 부분에 관한 정보(2002두12946)	
• 개인의 사생활의 비밀 또는 자유를 침해할 우려가 인정되는 불기소처분 기록 중 피의자신문조서에 기재된 피의자 등의 인적사항 이외의 진술내용(2011두2361)	
• 지방자치단체의 업무추진비 세부항목별 집행내역 및 그에 관한 증빙서류에 포함된 개인에 관한 정보(2001두6425)	
• 방송사가 취재활동을 통하여 확보한 결과물이나 그 과정에 관한 정보 또는 방송프로그램의 기획·편성·제작 등에 관한 정보(2008두13101)	
• KBS가 황우석 교수의 논문조작사건에 관한 사실관계의 진실 여부를 밝히기 위하여 제작한 '추적 60분' 편집원본 테이프(2008두13101)	
• 재개발사업에 관한 이해관계인이 공개를 청구한 자료 중 개인에 관한 정보(96누2439)	

3 정보공개의 절차 및 방법

1. 정보공개의 절차

(1) 정보공개청구의 방법(동법 제10조)

정보공개청구 방법
▷ 청구서 제출 또는 말로써
▷ 무기명 청구✕(인적사항기재 要)

① 정보의 공개를 청구하는 자(이하 "청구인"이라 함)는 당해 정보를 보유하거나 관리하고 있는 공공기관에 대하여 ㉠ 청구인의 성명·생년월일·주소 및 연락처(전화번호·전자우편주소 등, 다만, 청구인이 법인 또는 단체인 경우에는 그 명칭, 대표자의 성명, 사업자등록번호 또는 이에 준하는 번호, 주된 사무소의 소재지 및 연락처), ㉡ 청구인의 주민등록번호(본인임을 확인하고 공개 여부를 결정할 필요가 있는 정보를 청구하는 경우로 한정), ㉢ 공개를 청구하는 정보의 내용 및 공개방법을 적은 정보공개 청구서를 제출하거나 말로써 정보의 공개를 청구할 수 있다(동법 제10조 제1항).

20. 군무원 9급, 18. 경찰 2차, 09. 국가직 7급 정보의 공개를 청구하는 자는 해당 정보를 보유하거나 관리하고 있는 공공기관에 법령상의 요건을 갖춘 정보공개 청구서를 제출하거나 말로써 정보의 공개를 청구할 수 있다. (○)

09. 국가직 9급 정보의 공개를 청구하는 자는 해당 정보를 보유하거나 관리하고 있는 공공기관에 대하여 공개를 청구하는 정보의 내용 및 공개방법을 적은 정보공개 청구서를 제출하거나 말로써 정보의 공개를 청구할 수 있으며, 정보공개 청구권자의 인적사항은 ~~익명을 원칙으로 한다~~. (✕) → 정보공개 청구서에 적어야 한다

말로써 정보공개를 청구한 경우
▷ 담당공무원 등은 정보공개 청구조서를 작성하여 이에 청구인과 함께 기명날인하거나 서명하여야 함

② 제1항에 따라 청구인이 말로써 정보의 공개를 청구할 때에는 담당 공무원 또는 담당 임직원(이하 "담당공무원 등"이라 함)의 앞에서 진술하여야 하고, 담당공무원 등은 정보공개 청구조서를 작성하여 이에 청구인과 함께 기명날인하거나 서명하여야 한다(동법 제10조 제2항).

(2) 청구대상정보의 특정

청구대상정보를 기재함에는 사회일반인의 관점에서 청구대상정보의 내용과 범위를 확정할 수 있을 정도로 특정하여야 한다.

청구대상정보 기재
▷ 사회일반인의 관점에서 청구대상정보의 내용·범위 확정할 수 있을 정도로 특정함을 요함

> **관련판례**
>
> 공공기관의 정보공개에 관한 법률 제10조 제1항 제2호는 정보의 공개를 청구하는 자는 정보공개 청구서에 '공개를 청구하는 정보의 내용' 등을 기재할 것을 규정하고 있는 바, 청구대상정보를 기재함에 있어서는 사회일반인의 관점에서 청구대상정보의 내용과 범위를 확정할 수 있을 정도로 특정함을 요한다(대판 2007.6.1. 2007두2555). ★★
>
> 20. 행정사, 19. 지방직 7급, 15. 국가직 9급, 14. 경찰 1차 정보의 공개를 청구하는 자가 청구대상정보를 기재함에 있어서는 사회일반인의 관점에서 청구대상정보의 내용과 범위를 확정할 수 있을 정도로 특정하여야 한다. (○)

(3) 정보공개여부의 결정

결정기간
▷ 정보공개를 받은 날부터 10일 이내

① 결정기간 및 기간연장

㉠ 공공기관은 제10조에 따라 정보공개의 청구를 받으면 그 청구를 받은 날부터 10일 이내에 공개 여부를 결정하여야 한다(동법 제11조 제1항). 공공기관의 정보공개 여부의 결정은 비공개사유와 같은 특별한 사정이 없는 한, 반드시 정보공개에 응해야 하는 기속행위이다(대판 1992.6.23. 92추17).

따라서 정보공개 청구권자의 권리구제 가능성은 정보의 공개 여부 결정에 영향을 미치지 못한다.

16. 교행, 10. 국가직 7급 공공기관은 원칙적으로 정보공개의 청구를 받은 날부터 10일 이내에 공개 여부를 결정하여야 한다. (○)

18. 소방직, 11. 경찰 1차 공공기관은 제10조에 따라 정보공개의 청구를 받으면 그 청구를 받은 날부터 30일 이내에 공개 여부를 결정하여야 한다. (✕) → 10일

⚡ 관련판례

정보공개법은 … 정보공개 청구권자가 공개를 청구하는 정보와 어떤 관련성을 가질 것을 요구하거나 정보공개청구의 목적에 특별한 제한을 두고 있지 아니하므로 <u>정보공개 청구권자의 권리구제 가능성 등은 정보의 공개 여부 결정에 아무런 영향을 미치지 못한다</u>(대판 2017.9.7. 2017두44558). ★★★

22. 행정사 정보공개 청구권자의 권리구제 가능성이 없는 경우에는 비공개대상정보에 해당하지 않는 정보라도 공개하지 않을 수 있다. (✕) → 라도 / 라면 / 해야 한다

20. 국가직 9급 「공공기관의 정보공개에 관한 법률」은 정보공개 청구권자가 공개를 청구하는 정보와 어떤 관련성을 가질 것을 요구하거나 정보공개청구의 목적에 특별한 제한을 두고 있지 아니하므로 정보공개 청구권자의 권리구제 가능성 등은 정보의 공개 여부 결정에 아무런 영향을 미치지 못한다. (○)

ⓛ 그러나 부득이한 사유로 정보공개를 받은 날부터 10일 이내에 공개 여부를 결정할 수 없을 때에는 그 기간이 끝나는 날의 다음 날부터 기산하여 10일의 범위에서 공개 여부 결정기간을 연장할 수 있다. 이 경우 공공기관은 연장된 사실과 연장 사유를 청구인에게 지체 없이 문서로 통지하여야 한다(동법 제11조 제2항).

17. 국가직 9급 공공기관은 정보공개의 청구를 받으면 그 청구를 받은 날부터 10일이 이내에 공개 여부를 결정하여야 하나 부득이한 사유로 이 기간 이내에 공개 여부를 결정할 수 없는 때에는 그 기간이 끝나는 날의 다음 날부터 기산하여 10일의 범위에서 공개 여부 결정기간을 연장할 수 있다. (○)

② **제3자에 대한 통지:** 공공기관은 공개 청구된 공개대상 정보의 전부 또는 일부가 제3자와 관련이 있다고 인정할 때에는 그 사실을 제3자에게 지체 없이 통지하여야 하며, 필요한 경우에는 그의 의견을 들을 수 있다(동법 제11조 제3항).

20. 군무원 9급, 09. 국가직 9급, 08. 국가직 9급 공공기관은 공개 청구된 공개대상 정보의 전부 또는 일부가 제3자와 관련이 있다고 인정할 때에는 그 사실을 제3자에게 지체 없이 통지하여야 하며, 필요한 경우에는 그의 의견을 들을 수 있다. (○)

13. 서울시 9급 공공기관은 공개대상 정보가 제3자와 관련이 있다고 인정되는 경우에는 반드시 공개 청구된 사실을 제3자에게 통지하고 그에 대한 의견을 청취한 다음에 공개 여부를 결정하여야 한다. (✕) → 필요한 경우에는 그의 의견을 들을 수 있다

18. 교행 공공기관은 정보공개청구의 대상이 된 정보가 제3자와 관련된 경우 해당 제3자의 의견을 청취할 수 있으나, 그에게 통지할 의무는 없다. (✕) → 가 있다

③ **소관기관에 이송:** 공공기관은 다른 공공기관이 보유·관리하는 정보의 공개청구를 받았을 때에는 지체 없이 이를 소관 기관으로 이송하여야 하며, 이송한 후에는 지체 없이 소관 기관 및 이송 사유 등을 분명히 밝혀 청구인에게 문서로 통지하여야 한다(동법 제11조 제4항).

④ **민원으로 처리:** 공공기관은 ㉠ 공개청구된 정보가 공공기관이 보유·관리하지 아니하는 정보인 경우, ㉡ 공개청구의 내용이 진정·질의 등으로 이 법에 따른 정보공개청구로 보기 어려운 경우로서 「민원 처리에 관한 법률」에 따른 민원으로 처리할 수 있는 경우에는 민원으로 처리할 수 있다(동법 제11조 제5항).

함께 정리하기

정보공개 청구권자의 권리구제 가능성
▷ 정보의 공개 여부 결정에 영향✕

결정기간 연장
▷ 기간이 끝나는 날의 다음날부터 10일의 범위에서

제3자에 대한 통지 및 의견청취
▷ 공개대상 정보의 전부 또는 일부가 제3자와 관련이 있다고 인정할 때(→ 제3자에게 지체 없이 통지, 필요한 경우 의견청취 可)

소관기관으로 이송
▷ 다른 공공기관이 보유·관리하는 정보의 공개 청구를 받았을 때(→ 청구인에게 문서로 통지)

민원으로 처리
▷ 공공기관이 보유·관리하지 아니하는 정보인 경우
▷ 진정·질의 등으로 이 법에 따른 정보공개 청구로 보기 어려운 경우로서 「민원 처리에 관한 법률」에 따른 민원으로 처리할 수 있는 경우

반복청구의 처리
▷ 청구를 종결 처리 可
▷ 종결 처리 사실을 청구인에게 알려야 함

21. 지방직 9급 공공기관은 공개청구된 정보가 공공기관이 보유·관리하지 아니하는 정보인 경우로서 「민원 처리에 관한 법률」에 따른 민원으로 처리할 수 있는 경우에는 민원으로 처리할 수 있다. (○)

(4) 반복청구 등의 처리

① 공공기관은 제11조(정보공개 여부의 결정)에도 불구하고 제10조 제1항 및 제2항 (정보공개의 청구방법)에 따른 정보공개청구가 ㉠ 정보공개를 청구하여 정보공개 여부에 대한 결정의 통지를 받은 자가 정당한 사유 없이 해당 정보의 공개를 다시 청구하는 경우, ㉡ 제11조 제5항에 따라 민원으로 처리되었으나 다시 같은 청구를 하는 경우에는 정보공개청구 대상 정보의 성격, 종전 청구와의 내용적 유사성·관련성, 종전 청구와 동일한 답변을 할 수밖에 없는 사정 등을 종합적으로 고려하여 해당 청구를 종결 처리할 수 있다. 이 경우 종결 처리 사실을 청구인에게 알려야 한다(동법 제11조의2 제1항).

21. 경찰 2차 정당한 사유 없이 반복적으로 동일 대상에 대한 정보를 청구하거나 「민원 처리에 관한 법률」에 따른 민원으로 처리된 정보를 다시 청구하는 공개청구의 남용이 있는 경우 「질서위반행위규제법」에 따른 과태료 부과처분의 대상이 된다. (×) → 해당 청구를 종결 처리할 수 있다

공개를 목적으로 작성되어 이미 정보통신망 등을 통하여 공개된 정보를 청구하는 경우
▷ 해당 정보의 소재를 안내하고 종결 처리 可
수령할 수 없는 방법으로 정보공개청구하는 경우
▷ 수령이 가능한 방법으로 청구하도록 안내하고 종결 처리 可

② 공공기관은 제11조에도 불구하고 제10조 제1항 및 제2항에 따른 정보공개 청구가 ㉠ 제7조 제1항에 따른 정보 등 공개를 목적으로 작성되어 이미 정보통신망 등을 통하여 공개된 정보를 청구하는 경우에는 해당 정보의 소재(所在)를 안내하고, ㉡ 다른 법령이나 사회통념상 청구인의 여건 등에 비추어 수령할 수 없는 방법으로 정보공개청구를 하는 경우에는 수령이 가능한 방법으로 청구하도록 안내하고, 해당 청구를 종결 처리할 수 있다(동법 제11조의2 제2항).

20. 소방간부 국민생활에 매우 큰 영향을 미치는 정책에 관한 정보 등 공개를 목적으로 작성되고 이미 정보통신망 등을 통하여 공개된 정보는 해당 정보의 소재(所在) 안내의 방법으로 공개한다. (○)

(5) 정보공개 여부 결정의 통지

공개 결정을 한 경우
▷ 공개일시 및 장소 등을 분명히 밝혀 청구인에게 통지

① 정보공개결정의 통지

㉠ 공공기관은 제11조의 규정에 따라 정보의 공개를 결정한 경우에는 공개일시 및 장소 등을 분명히 밝혀 청구인에게 통지하여야 한다(동법 제13조 제1항).

16. 경찰 2차 공공기관은 정보의 공개를 결정한 경우에는 공개의 일시 및 장소 등을 분명히 밝혀 청구인에게 통지하여야 한다. (○)

청구인이 사본 또는 복제물의 교부를 원하는 경우
▷ 원칙: 교부하여야 함
▷ 예외: 공개대상 정보의 양이 과다하여 정상적인 업무수행에 현저한 지장을 초래할 우려가 있는 경우: 정보의 사본·복제물을 일정 기간별 나누어 교부 또는 열람과 병행 교부

㉡ 공공기관은 청구인이 사본 또는 복제물의 교부를 원하는 경우에는 이를 교부하여야 한다(동법 제13조 제2항). 다만, 공개대상 정보의 양이 너무 많아 정상적인 업무수행에 현저한 지장을 초래할 우려가 있는 경우에는 해당 정보를 일정 기간별로 나누어 제공하거나 사본·복제물의 교부 또는 열람과 병행하여 제공할 수 있다(동법 제13조 제3항).

15. 서울시 7급 변형 공공기관은 청구인이 사본 또는 복제물의 교부를 원하는 경우에는 이를 교부하여야 하나, 공개대상 정보의 양이 너무 많아 정상적인 업무수행에 현저한 지장을 초래할 우려가 있는 경우에는 해당 정보를 일정 기간별로 나누어 제공하거나 사본·복제물의 교부 또는 열람과 병행하여 제공할 수 있다. (○)

정보의 원본의 오손·파손 우려가 있는 경우
▷ 사본·복제물 공개 가능

㉢ 공공기관은 제1항에 따라 정보를 공개하는 경우에 그 정보의 원본이 더럽혀지거나 파손될 우려가 있거나 그 밖에 상당한 이유가 있다고 인정할 때에는 그 정보의 사본·복제물을 공개할 수 있다(동법 제13조 제4항).

② **정보비공개결정의 통지:** 공공기관은 제11조의 규정에 따라 정보의 비공개결정을 한 경우에는 그 사실을 청구인에게 지체 없이 문서(전자문서 포함)로 통지하여야 한다. 이 경우 비공개 이유와 불복의 방법 및 절차를 구체적으로 밝혀야 한다(동법 제13조 제5항).

15. 교행 공공기관은 정보의 비공개결정을 한 경우 청구인에게 어느 규정에 해당하는 비공개대상정보인지를 포함한 비공개 이유와 불복의 방법 및 절차를 구체적으로 밝혀 문서로 통지하여야 한다. (○)

⚖ 관련판례

비공개 결정은 '전자문서'로 통지할 수 있다. ★★

'문서'에 '전자문서'를 포함한다고 규정한 구 공공기관의 정보공개에 관한 법률 제2조와 정보의 비공개결정을 '문서'로 통지하도록 정한 정보공개법 제13조 제4항의 규정에 의하면 정보의 비공개결정은 전자문서로 통지할 수 있다(대판 2014.4.10. 2012두17384).

19. 국가직 9급 행정소송의 재판기록 일부의 정보공개청구에 대한 비공개결정은 전자문서로 통지할 수 없다. (×) → 있다

2. 정보공개의 방법

(1) 정보공개의 구체적인 방법

① 정보공개법은 정보공개의 방법으로 ㉠ 정보의 '열람', ㉡ 그 사본 또는 복제본의 '교부' 그리고 ㉢ '정보통신망을 통한 정보제공'을 규정하고 있다(동법 제2조 2호 및 제13조 제2항 참조). 따라서 정보공개법이 예정하고 있지 아니한 방법으로 공개된 것은 정보공개법에 의한 공개로 볼 수 없다.

⚖ 관련판례

정보공개거부처분의 취소를 구하는 소송에서 공공기관이 청구정보를 증거 등으로 법원에 제출한 것이 정보공개법 제2조 제2호에서 규정하는 '공개'로 볼 수 있는지 여부 ★★

공공기관의 정보공개에 관한 법률 제2조 제2호는 '공개'라 함은 공공기관이 이 법의 규정에 의하여 정보를 열람하게 하거나 그 사본 또는 복제물을 교부하는 것 등을 말한다고 정의하고 있는데, 정보공개방법에 대하여 동법 시행령 제14조 제1항은 문서·도면·사진 등은 열람 또는 사본의 교부의 방법 등에 의하도록 하고 있고, 제2항은 공공기관은 정보를 공개함에 있어서 본인 또는 그 정당한 대리인임을 직접 확인할 필요가 없는 경우에는 청구인의 요청에 의하여 사본 등을 우편으로 송부할 수 있도록 하고 있으며, 한편 동법 제15조 제1항은 정보의 공개 및 우송 등에 소요되는 비용은 실비의 범위 안에서 청구인의 부담으로 하도록 하고 있는바, 청구인이 정보공개거부처분의 취소를 구하는 소송에서 공공기관이 청구정보를 증거 등으로 법원에 제출하여 법원을 통하여 그 사본을 청구인에게 교부 또는 송달하게 하여 결과적으로 청구인에게 정보를 공개하는 셈이 되었다고 하더라도, 이러한 우회적인 방법은 법이 예정하고 있지 아니한 방법으로서 법에 의한 공개라고 볼 수는 없으므로, 당해 문서의 비공개결정의 취소를 구할 소의 이익은 소멸되지 않는다고 할 것이다(대판 2004.3.26. 2002두6583 ; 대판 2016.12.15. 2012두11409 · 11416).

20. 국가직 9급 정보공개거부처분의 취소를 구하는 소송에서 공공기관이 청구정보를 증거 등으로 법원에 제출하여 법원을 통하여 그 사본을 청구인에게 교부 또는 송달되게 하여 청구인에게 정보를 공개하는 셈이 되었다면, 이러한 우회적인 방법에 의한 공개는 「공공기관의 정보공개에 관한 법률」에 의한 공개라고 볼 수 있다. (×) → 없다

20. 소방간부 정보공개거부처분의 취소소송에서 공공기관이 청구정보를 증거 등으로 법원에 제출한 것은 「공공기관의 정보공개에 관한 법률」상 공개에 해당된다. (×) → 해당되지 않는다

함께 정리하기

비공개 결정을 한 경우
▷ 청구인에게 지체 없이 문서(전자문서 ○)로 통지
▷ 비공개 이유와 불복의 방법 및 절차를 구체적으로 밝혀야 함

비공개결정 통지 방법
▷ 문서로 통지
▷ 문서에 전자문서도 포함되므로 전자문서로도 가능

정보공개방법
▷ 열람
▷ 교부
▷ 정보통신망을 통한 정보제공

정보공개거부처분 취소소송 중 청구정보를 법원에 증거로 제출하여 법원을 통하여 청구인에게 공개
▷ 정보공개법에 의한 공개×
▷ 소의 이익 소멸×

22. 국가직 7급 정보공개거부처분 취소소송에서 행정기관이 청구정보를 증거 등으로 법원에 제출하여 결과적으로 청구인에게 정보를 공개하는 결과가 되었다고 하더라도, 당해 정보의 비공개결정의 취소를 구할 소의 이익은 소멸되지 않는다. (O)

21. 소방간부 「공공기관의 정보공개에 관한 법률」이 예정하고 있지 아니하지만 우회적인 방법으로 정보를 공개하였다면, 해당 정보의 비공개결정의 취소를 구할 소의 이익은 소멸된다. (×) → 소멸되지 않는다

② 정보공개법 시행령 제14조 제1항에 의하면, ㉠ 문서·도면·사진 등은 열람하게 하거나 사본을 제공하고, ㉡ 필름·테이프 등은 시청하게 하거나 인화물·복제물의 제공하고, ㉢ 마이크로필름·슬라이드 등은 시청·열람 또는 사본 복제물의 제공 등의 방법으로 공개하고, ㉣ 전자적 형태로 보유·관리하는 정보 등은 파일을 복제하여 정보통신망을 활용한 정보공개시스템으로 송부, 매체에 저장하여 제공, 열람·시청 또는 사본·출력물의 제공 등의 방법으로 공개한다.

(2) 정보공개방법의 선택

정보공개방법의 선택권자
▷ 정보공개 청구권자

공공기관의 공개방법 변경
▷ 원칙적 불허(공개방법 선택의 재량 無)

다른 방법으로 공개한 경우
▷ 일부 거부처분이기에 항고소송 可

① 정보공개청구인은 정보공개방법을 지정하여 청구할 수 있는 법령상 신청권이 있다(동법 제13조 제3항, 제15조 제1항·제5항). 따라서 정보공개청구를 받은 공공기관은 정보공개청구인이 선택한 공개방법에 따라 정보를 공개하여야 하므로 공개방법을 선택할 재량권은 인정되지 않는다.

② 공공기관이 청구인이 신청한 공개방법 이외의 방법으로 공개하기로 결정하였다면, 이는 정보공개청구 중 정보공개방법에 관한 부분에 대하여 일부 거부처분을 한 것이므로 이에 대해 항고소송으로 다툴 수 있다.

정보공개청구인
▷ 특정한 공개방법 지정하여 청구할 법령상 신청권O

신청한 방법 이외의 방법으로 공개하는 결정
▷ 일부 거부처분에 해당

> ### 🔖 관련판례
>
> **1** **정보공개청구인에게는 특정한 공개방법을 지정하여 정보공개를 청구할 수 있는 법령상 신청권이 있다. 청구인이 신청한 방법 이외의 방법으로 공개하는 결정은 일부 거부처분에 해당한다. ★★★**
>
> [1] 구 공공기관의 정보공개에 관한 법률은, 정보의 공개를 청구하는 이가 정보공개방법도 아울러 지정하여 정보공개를 청구할 수 있도록 하고 있고, 전자적 형태의 정보를 전자적으로 공개하여 줄 것을 요청한 경우에는 공공기관은 원칙적으로 요청에 응할 의무가 있고, 나아가 비전자적 형태의 정보에 관해서도 전자적 형태로 공개하여 줄 것을 요청하면 재량판단에 따라 전자적 형태로 변환하여 공개할 수 있도록 하고 있다. 이는 정보의 효율적 활용을 도모하고 청구인의 편의를 제고함으로써 구 정보공개법의 목적인 국민의 알 권리를 충실하게 보장하려는 것이므로, 청구인에게는 특정한 공개방법을 지정하여 정보공개를 청구할 수 있는 법령상 신청권이 있다.
>
> [2] 따라서 공공기관이 공개청구의 대상이 된 정보를 공개는 하되, 청구인이 신청한 공개방법 이외의 방법으로 공개하기로 하는 결정을 하였다면, 이는 정보공개청구 중 정보공개방법에 관한 부분에 대하여 일부 거부처분을 한 것이고, 청구인은 그에 대하여 항고소송으로 다툴 수 있다(대판 2016.11.10. 2016두44674).
>
> 23. 국가직 7급, 20. 소방간부, 20. 행정사, 19. 행정사, 19. 서울시 7급, 19. 국가직 7급 등 공공기관이 청구인이 신청한 공개방법 이외의 방법으로 공개하기로 결정하였다면, 이는 정보공개청구 중 정보공개방법에 관한 부분에 대하여 일부 거부처분을 한 것이므로 이에 대해 항고소송으로 다툴 수 있다. (O)
>
> 19. 5급 승진 공공기관이 공개청구의 대상이 된 정보를 공개하였다면, 설령 청구인이 신청한 공개방법 이외의 방법으로 공개하기로 하는 결정을 하였더라도, 청구인은 그에 대하여 항고소송으로 다툴 수 없다. (×) → 공개하였더라도 / 하였다면 / 있다

20. 지방직 9급 공공기관이 공개청구의 대상이 된 정보를 공개는 하되, 청구인이 신청한 공개방법 이외의 방법으로 공개하기로 하는 결정을 한 경우 이는 정보공개방법만을 달리한 것이므로 일부거부처분이라 할 수 없다. (×) → 정보공개방법에 관한 부분에 대하여 일부 거부처분을 한 것이다

19. 변호사 정보공개청구인이 전자적 형태의 정보를 정보통신망을 통하여 송신하는 방법으로 정보공개할 것을 청구하였으나, 공공기관이 대상정보를 공개하되 방문하여 수령하라고 결정하여 통지한 경우, 청구인에게 특정한 공개방법을 지정하여 정보공개를 청구할 수 있는 법령상 신청권이 있다고 볼 수는 없으므로, 이를 항고소송의 대상이 되는 거부처분이라 할 수 없다. (×) → 있으므로 / 있다

2 정보공개를 청구하는 자가 공공기관에 대해 정보의 사본 또는 출력물의 교부의 방법으로 공개방법을 선택하여 정보공개청구를 한 경우, 공개청구를 받은 공공기관은 그 공개방법을 선택할 재량권이 없다. ★★★

정보공개를 청구하는 자가 공공기관에 대해 정보의 사본 또는 출력물의 교부의 방법으로 공개방법을 선택하여 정보공개청구를 한 경우에 공개청구를 받은 공공기관으로서는 같은 법 제8조 제2항에서 규정한 정보의 사본 또는 복제물의 교부를 제한할 수 있는 사유에 해당하지 않는 한 정보공개청구자가 선택한 공개방법에 따라 정보를 공개하여야 하므로 그 공개방법을 선택할 재량권이 없다고 해석함이 상당하다(대판 2003.12.12. 2003두8050 ; 대판 2004.8.20. 2003두8302).

17. 국회직 8급 정보공개법 제13조 제2항에서 규정한 정보의 사본 또는 복제물의 교부를 제한할 수 있는 사유에 해당하지 아니하는 한 정보공개청구자가 선택한 공개방법에 따라 공개하여야 하므로 공공기관은 정보공개방법을 선택할 재량권이 없다. (○)

16. 국가직 9급 공개방법을 선택하여 정보공개를 청구하였더라도 공공기관은 정보공개청구자가 선택한 방법에 따라 정보를 공개하여야 하는 것은 아니며, 원칙적으로 그 공개방법을 선택할 재량권이 있다. (×) → 하며 / 없다

18. 변호사 (甲이 행정청 乙이 지출한 업무추진비의 예산집행내역과 지출증빙서 등에 관하여 乙에게 정보공개청구를 한 사안에서) 甲이 사본 또는 복제물의 교부를 원하는 경우에 공개대상 정보의 양이 너무 많아 정상적인 업무수행에 현저한 지장을 초래할 우려가 있는 경우가 아니라면, 乙은 열람의 방식으로 공개할 수 없다. (○)

공공기관의 정보공개방법 선택 재량권
▷ 원칙적으로 공공기관은 청구권자가 요구한 방법으로 정보를 공개해야 하므로 재량권×

(3) 부분공개

공개청구한 정보가 비공개대상정보에 해당하는 부분과 공개 가능한 부분이 혼합되어 있는 경우, 공개청구의 취지에 어긋나지 아니하는 범위에서 두 부분을 분리할 수 있는 경우에는 비공개대상정보에 해당하는 부분을 제외하고 공개하여야 한다(동법 제14조).

14. 사복직 공개청구한 정보에 비공개대상정보와 공개 가능한 정보가 혼합되어 있는 경우, 공개 청구의 취지에 어긋나지 아니하는 범위 안에서 두 부분을 분리할 수 있는 때에는 비공개대상에 해당하는 부분을 제외하고 공개하여야 한다. (○)

21. 행정사 공개청구한 정보가 비공개대상인 부분과 공개 가능한 부분이 혼합되어 있는 경우 부분공개는 할 수 없다. (×) → 공개청구의 취지에 어긋나지 아니하는 범위에서 두 부분을 분리할 수 있는 경우에는 비공개대상정보에 해당하는 부분을 제외하고 공개하여야 한다

16. 경찰 2차 공개청구한 정보가 비공개대상에 해당하는 부분과 공개 가능한 부분이 혼합되어 있는 경우로서 공개청구의 취지에 어긋나지 아니하는 범위에서 두 부분을 분리할 수 있는 경우라도 비공개대상에 해당하는 부분을 제외하고 공개할 수 없다. (×) → 경우에는 / 공개하여야 한다

비공개대상정보와 공개가능 정보 혼합 시
▷ 공개청구의 취지에 어긋나지 아니하는 범위에서 두 부분을 분리할 수 있는 경우 비공개대상정보에 해당하는 부분을 제외하고 부분 공개 가능

함께 정리하기

분리 가능의 의미
▷ 물리적 분리 가능 의미×
▷ 비공개대상정보에 관련된 기술 등을 제외·삭제하고 그 나머지 정보만을 공개하는 것이 가능하고 나머지 부분의 정보만으로도 공개의 가치가 있는 경우를 의미

공개 거부된 정보에 비공개·공개대상정보가 혼재하고 두 부분 분리 가능
▷ 판결의 주문에 정보공개거부처분 중 공개가 가능한 정보에 관한 부분만을 취소한다고 표시(일부취소○)

공개 거부된 정보에 비공개·공개대상정보가 혼재하고 두 부분 분리 가능
▷ 공개가 가능한 정보에 국한하여 일부취소를 명할 수 있음

청구인이 전자적 형태로 보유·관리하는 정보를 전자적 형태로 공개요청
▷ 공공기관은 그에 따라야 함

관련판례

1 정보공개법 제14조의 '분리 가능'의 의미 ★★

공개청구의 취지에 어긋나지 아니하는 범위 안에서 비공개대상정보에 해당하는 부분과 공개가 가능한 부분을 분리할 수 있다고 함은, 이 두 부분이 물리적으로 분리가능한 경우를 의미하는 것이 아니고 당해 정보의 공개방법 및 절차에 비추어 당해 정보에서 비공개대상정보에 관련된 기술 등을 제외 내지 삭제하고 그 나머지 정보만을 공개하는 것이 가능하고 나머지 부분의 정보만으로도 공개의 가치가 있는 경우를 의미한다(대판 2004.12.9. 2003두12707).

24. 국가직 9급, 13. 행정사 정보의 부분 공개가 허용되는 경우란 그 정보의 공개방법 및 절차에 비추어 당해 정보에서 비공개대상정보에 관련된 기술 등을 제외 혹은 삭제하고 나머지 정보만을 공개하는 것이 가능하고 나머지 부분의 정보만으로 공개의 가치가 있는 경우를 의미한다. (○)

2 정보공개거부처분에 일부취소가 가능한 경우 ★★★

2-1. 법원이 정보공개거부처분의 위법 여부를 심리한 결과, 공개가 거부된 정보에 비공개대상정보에 해당하는 부분과 공개가 가능한 부분이 혼합되어 있으며, 공개청구의 취지에 어긋나지 아니하는 범위 안에서 두 부분을 분리할 수 있다고 인정할 수 있을 때에는, 공개가 거부된 정보 중 공개가 가능한 부분을 특정하고, 판결의 주문에 정보공개거부처분 중 공개가 가능한 정보에 관한 부분만을 취소한다고 표시하여야 한다(대판 2010.2.11. 2009두6001).

23. 국가직 7급 정보공개거부처분 취소소송에서 공개청구의 취지에 어긋나지 아니하는 범위 안에서 공개를 거부한 정보가 비공개대상정보에 해당하는 부분과 공개가 가능한 부분으로 분리될 수 있다고 인정되면 법원은 공개가 가능한 부분을 특정하고 판결의 주문에 공개가 가능한 정보에 관한 부분만을 취소한다고 표시해야 한다. (○)

20. 소방간부 공개가 거부된 정보에 공개 가능한 부분과 비공개에 해당하는 부분이 혼합되어 있고 두 부분을 분리할 수 있는 경우, 판결의 주문에서는 정보공개거부처분 중 공개가 가능한 정보에 관한 부분만을 취소한다고 표시하여야 한다. (○)

2-2. 법원이 행정기관의 정보공개거부처분의 위법 여부를 심리한 결과 공개를 거부한 정보에 비공개사유에 해당하는 부분과 그렇지 않은 부분이 혼합되어 있고, 공개청구의 취지에 어긋나지 않는 범위 안에서 두 부분을 분리할 수 있음을 인정할 수 있을 때에는 공개가 가능한 정보에 국한하여 일부취소를 명할 수 있다(대판 2009.12.10. 2009두12785).

22. 서울시 7급, 19. 서울시 7급, 18. 지방직 9급, 15. 국가직 9급, 11. 지방직 9급 등 공개를 거부한 정보에 비공개사유에 해당하는 부분과 그렇지 않은 부분이 혼합되어 있고, 공개청구의 취지에 어긋나지 않는 범위 안에서 두 부분을 분리할 수 있는 경우에는 법원은 공개가 가능한 정보에 한하여 일부취소를 명할 수 있다. (○)

22. 국회직 8급 정보공개거부처분 취소소송에 있어서 정보의 분리공개가 ~~가능하다~~ 하더라도 원고가 공개가 가능한 정보에 관한 부분만의 일부취소로 청구취지를 변경하지 ~~않았다면~~ 법원은 일부취소를 명할 수 ~~없다~~. (×) → 가능하다면 / 않았더라도 / 있다

(4) 정보의 전자적 공개(동법 제15조)

① 공공기관은 전자적 형태로 보유·관리하는 정보에 대하여 청구인이 전자적 형태로 공개하여 줄 것을 요청하는 경우에는 그 정보의 성질상 현저히 곤란한 경우를 제외하고는 청구인의 요청에 따라야 한다(동법 제15조 제1항).

13. 지방직 9급 공공기관은 전자적 형태로 보유·관리하는 정보에 대하여 청구인이 전자적 형태로 공개를 요청하는 경우에는 원칙적으로 이에 응하여야 한다. (○)

16. 경찰 2차, 09. 국가직 9급 공공기관은 전자적 형태로 보유·관리하는 정보에 대하여 청구인이 전자적 형태로 공개하여 줄 것을 요청하더라도 이를 ~~출력한~~ 형태로 공개하는 것이 원칙이다. (×) → 요청하는 경우에는 전자적 형태로

② 공공기관은 전자적 형태로 보유·관리하지 아니하는 정보에 대하여 청구인이 전자적 형태로 공개하여 줄 것을 요청한 경우에는 정상적인 업무수행에 현저한 지장을 초래하거나 그 정보의 성질이 훼손될 우려가 없으면 그 정보를 전자적 형태로 변환하여 공개할 수 있다(동법 제15조 제2항).

20. 서울시 7급 전자적 형태로 보유·관리하지 않는 정보에 대해 청구인이 전자적 형태로 공개해 줄 것을 요청한 경우에는 공공기관은 정상적 업무수행에 현저한 지장을 초래하거나 해당 정보의 성질이 훼손될 우려가 없으면 그 정보를 전자적 형태로 변환하여 공개할 수 있다. (O)

(5) 즉시 처리가 가능한 정보의 공개

① 법령 등에 따라 공개를 목적으로 작성된 정보, ② 일반 국민에게 알리기 위하여 작성된 각종 홍보자료, ③ 공개하기로 결정된 정보로서 공개에 오랜 시간이 걸리지 아니하는 정보, ④ 그 밖에 공공기관의 장이 정하는 정보에 해당하는 정보로서 즉시 또는 말로 처리가 가능한 정보에 대해서는 제11조(정보공개 여부의 결정)에 따른 절차를 거치지 아니하고 공개하여야 한다(동법 제16조).

11. 국가직 9급 정보공개가 결정되고 공개에 오랜 시간이 걸리지 않는 정보는 구술로도 공개할 수 있다. (O)

(6) 비용 부담

정보의 공개 및 우송 등에 소요되는 비용은 실비의 범위에서 청구인이 부담한다(동법 제17조 제1항). 공개를 청구하는 정보의 사용 목적이 공공복리의 유지·증진을 위하여 필요하다고 인정되는 경우에는 그 비용을 감면할 수 있다(동법 제17조 제2항).

19. 국가직 9급, 10. 서울시 9급 정보의 공개 및 우송 등에 드는 비용은 정보공개청구를 받은 행정청이 부담한다. (X) → 실비의 범위에서 청구인이

18. 서울시 7급 정보의 공개 및 우송 등에 소요되는 비용은 실비의 범위에서 청구인의 부담으로 한다. 다만, 그 액수가 너무 많아서 청구인에게 과중한 부담을 주는 경우에는 비용을 감면할 수 있다. (X) → 공개를 청구하는 정보의 사용 목적이 공공복리의 유지·증진을 위하여 필요하다고 인정되는 경우에는

4 불복구제절차

1. 정보공개청구인의 불복방법

정보공개법은 정보공개청구에 대한 공공기관의 비공개결정, 부분공개결정, 부작위에 대하여 청구인의 불복절차로서 이의신청, 행정심판, 행정소송을 규정하고 있다.

22. 행정사 정보공개청구에 대한 공공기관의 비공개결정에 대한 불복절차로 이의신청, 행정심판, 행정소송이 있다. (O)

17. 행정사 (「공공기관의 정보공개에 관한 법률」에 의거하여, 甲이 A대학교에 대하여 재학 중인 체육특기생들의 일정기간 동안의 출석 및 성적 관리에 관한 정보공개를 청구한 사안에서) 甲의 청구에 대하여 A대학교가 제3자의 권리침해를 이유로 하여 비공개결정을 하였다면 이에 대한 甲의 불복절차는 없다. (X) → 이의신청이나 행정심판 또는 행정소송이 있다

(1) 이의신청

① 이의신청의 제기: 청구인이 정보공개와 관련한 공공기관의 비공개결정 또는 부분 공개결정에 대하여 불복이 있거나 정보공개 청구 후 20일이 경과하도록 정보공개결정이 없는 때에는 공공기관으로부터 정보공개 여부의 결정 통지를 받은 날 또는 정보공개 청구 후 20일이 경과한 날부터 30일 이내에 해당 공공기관에 문서로 이의신청을 할 수 있다(동법 제18조 제1항).

함께 정리하기

청구인이 전자적 형태로 보유·관리하지 아니하는 정보를 전자적 형태로 공개요청
▷ 특별한 사정이 없다면 전자적 형태로 변환하여 공개 可

즉시 또는 말로 처리가 가능한 정보
▷ 정보공개 여부의 결정에 따른 절차 없이 공개

정보의 공개 및 우송 등에 소요되는 비용
▷ 실비의 범위에서 청구인이 부담○

공개청구한 정보의 사용 목적이 공공복리의 유지·증진을 위하여 필요하다고 인정되는 경우
▷ 비용 감면 可

정보공개법상 불복 구제 절차
▷ 이의신청, 행정심판, 행정소송

청구인
▷ 이의신청 可(임의적 절차)

이의신청
▷ 신청사유: 비공개 또는 부분 공개결정에 대한 불복, 정보공개 청구 후 20일이 경과하도록 정보공개결정이 없는 때
▷ 신청기관: 해당 공공기관(상급기관 ×)
▷ 신청기간: 정보공개 여부의 결정 통지를 받은 날 또는 정보공개 청구 후 20일이 경과한 날부터 30일 이내에
▷ 신청방법: 문서로 이의신청

13. 서울시 9급, 09. 국가직 7급 비공개결정을 통지받은 청구인은 통지를 받은 날로부터 30일 이내에 해당 공공기관에 서면으로 이의신청을 할 수 있다. (O)

16. 국가직 9급 정보공개청구자는 정보공개와 관련한 공공기관의 비공개결정에 대해서는 이의신청을 할 수 있지만, 부분공개의 결정에 대해서는 따로 이의신청을 할 수 없다. (X) → 있고 / 대해서도 / 있다

19. 군무원 9급, 15. 서울시 7급 정보공개청구 후 20일이 경과하도록 정보공개결정이 없는 때에는 정보공개청구 후 20일이 경과한 날부터 30일 이내에 해당 공공기관에 문서로 이의신청을 할 수 있다. (O)

15. 교행 공공기관의 비공개결정에 대하여 불복이 있는 청구인은 ~~해당 공공기관의 상급기관에~~ 이의신청을 ~~하여야 한다.~~ (X) → 해당 공공기관에 / 할 수 있다

원칙
▷ 이의신청이 있는 경우: 심의회 개최O

예외
▷ 심의회의 심의를 이미 거친 사항, 단순·반복적인 청구, 법령에 따라 비밀로 규정된 정보에 대한 청구인 경우: 심의회 개최X

② **심의회 개최**: 국가기관 등은 제1항에 따른 이의신청이 있는 경우에는 심의회를 개최하여야 한다. 다만, ㉠ 심의회의 심의를 이미 거친 사항, ㉡ 단순·반복적인 청구, ㉢ 법령에 따라 비밀로 규정된 정보에 대한 청구의 경우에는 심의회를 개최하지 아니할 수 있으며 개최하지 아니하는 사유를 청구인에게 문서로 통지하여야 한다(동법 제18조 제2항).

③ **이의신청에 대한 결정의 통지**

이의신청에 대한 결정 기간
▷ 7일+7일 연장 可

㉠ 공공기관은 이의신청을 받은 날부터 7일 이내에 그 이의신청에 대하여 결정하고 그 결과를 청구인에게 지체 없이 문서로 통지하여야 한다. 다만, 부득이한 사유로 정하여진 기간 이내에 결정할 수 없을 때에는 그 기간이 끝나는 날의 다음 날부터 기산하여 7일의 범위에서 연장할 수 있으며, 연장사유를 청구인에게 통지하여야 한다(동법 제18조 제3항).

11. 지방직 9급 공공기관은 이의신청을 받은 날부터 7일 이내에 그 이의신청에 대하여 결정하고 그 결과를 청구인에게 지체 없이 문서로 통지하여야 한다. (O)

10. 서울시 9급 공공기관은 정보공개와 관련한 결정에 대해 이의신청을 받은 날부터 ~~14일~~ 이내에 그 이의신청에 대하여 결정하고 그 결과를 청구인에게 지체 없이 문서로 통지하여야 한다. (X) → 7일

이의신청을 각하 또는 기각하는 결정을 한 경우
▷ 행정심판 또는 행정소송 제기할 수 있다는 사실을 이의신청 결과 통지와 함께 알려야 함

㉡ 공공기관은 이의신청을 각하 또는 기각하는 결정을 한 경우에는 청구인에게 행정심판 또는 행정소송을 제기할 수 있다는 사실을 위 결과 통지와 함께 알려야 한다(동법 제18조 제4항).

(2) 행정심판

청구인
▷ 취소심판이나 의무이행심판 제기 可

① **행정심판의 청구**: 청구인이 정보공개와 관련한 공공기관의 결정에 대하여 불복이 있거나 정보공개청구 후 20일이 경과하도록 정보공개결정이 없는 때에는 「행정심판법」에서 정하는 바에 따라 행정심판을 청구할 수 있다. 이 경우 국가기관 및 지방자치단체 외의 공공기관의 결정에 대한 감독행정기관은 관계 중앙행정기관의 장 또는 지방자치단체의 장으로 한다(동법 제19조 제1항).

23. 지방직 9급 청구인이 정보공개와 관련한 공공기관의 결정에 대하여 불복이 있거나 정보공개청구 후 ~~10일~~이 경과하도록 정보공개 결정이 없는 때에는 「행정심판법」에서 정하는 바에 따라 행정심판을 청구할 수 있다. (X) → 20일

21. 소방간부 청구인이 정보공개와 관련한 공공기관의 결정에 대하여 불복이 있거나 정보공개청구 후 20일이 경과하도록 정보공개결정이 없는 때에는 「행정심판법」에서 정하는 바에 따라 행정심판을 청구할 수 있다. (O)

19. 국가직 9급 「공공기관의 정보공개에 관한 법률」상 정보공개청구 후 20일이 경과하도록 정보공개결정이 없는 경우, 이의신청은 허용되나 ~~행정심판청구는 허용되지 않는다.~~ (X) → 허용되고 / 도 허용된다

18. 서울시 7급 정보공개청구의 거부에 대해서는 의무이행심판을 ~~제기할 수 없다.~~ (X) → 있다

② 이의신청 선택주의(임의적 전치): 청구인은 제18조에 따른 이의신청 절차를 거치지 아니하고 행정심판을 청구할 수 있다(동법 제19조 제2항).

21. 행정사, 19. 지방직 9급, 17. 국가직 9급, 16. 국가직 9급, 15. 국회직 8급 등 정보공개청구에 대하여 공공기관이 비공개결정을 한 경우, 청구인이 이에 불복한다면 이의신청절차를 거치지 않고 행정심판을 청구할 수 있다. (○)

23. 국가직 7급 정보공개청구인은 공공기관의 비공개결정에 불복하는 행정심판을 청구하려면 「공공기관의 정보공개에 관한 법률」에서 정하는 이의신청 절차를 ~~거쳐야 한다.~~ (×) → 반드시 거쳐야 하는 것은 아니다

23. 지방직 7급 정보공개청구인이 정보공개와 관련한 공공기관의 비공개 결정 또는 부분 공개 결정에 대하여 불복하는 경우에는 정보공개법상 이의신청절차를 거친 후에야 비로소 행정심판을 청구할 수 ~~있다.~~ (×) → 있는 것은 아니다

③ 행정심판위원회의 비밀유지의무: 행정심판위원회의 위원 중 정보공개 여부의 결정에 관한 행정심판에 관여하는 위원은 재직 중은 물론 퇴직 후에도 그 직무상 알게 된 비밀을 누설하여서는 아니 된다(동법 제19조 제3항).

(3) 행정소송

① 행정소송의 제기

㉠ 청구인이 정보공개와 관련한 공공기관의 결정에 대하여 불복이 있거나 정보공개청구 후 20일이 경과하도록 정보공개결정이 없는 때에는 「행정소송법」에서 정하는 바에 따라 행정소송을 제기할 수 있다(동법 제20조 제1항).

㉡ 이의신청과 행정심판은 임의적 절차이므로 이들을 거치지 않고 바로 행정소송을 제기할 수 있다.

10. 국가직 9급 공개거부결정에 대하여 「공공기관의 정보공개에 관한 법률」상의 이의신청을 거치지 아니하고 직접 행정소송을 제기할 수 있다. (○)

14. 행정사 정보공개거부결정에 대해서는 행정심판을 거치지 아니하고 행정소송을 제기할 수 있다. (○)

18. 경찰 2차 청구인이 정보공개와 관련하여 공공기관의 처분에 대하여 행정소송을 제기하고자 하는 때에는 먼저 이의신청 및 행정심판을 ~~거치도록 하고 있다.~~ (×) → 거치지 않아도 된다

② 대상적격 및 소송형식: 공공기관의 정보공개 거부는 항고소송으로 다툴 수 있는 거부처분이다. 따라서 청구인의 정보공개청구에 대하여 공공기관이 비공개결정(거부처분)이 있는 경우에는 거부처분에 대한 취소소송을 제기하여야 한다. 이와 달리 정보공개청구 후 20일이 경과하도록 아무런 결정이 없는 경우에는 부작위위법확인소송을 제기하여야 한다.

18. 교행 공공기관이 정보공개청구에 대해 이를 거부하는 행위는 취소소송의 대상이 되는 처분이다. (○)

③ 원고적격: 정보공개청구권은 법률상 보호되는 구체적인 권리이므로, 정보공개를 청구하였다가 공개거부처분을 받은 자는 자신의 이해관계와 관계없이 공개거부로 그 권리를 침해받은 것이므로 공개거부를 다툴 원고적격을 가진다.

18. 교행 정보공개청구인은 자신에게 해당 정보의 공개를 구할 법률상 이익이 있음을 ~~입증하여야 한다.~~ (×) → 입증할 필요가 없다

관련판례

정보공개청구에 대한 거부 자체가 법률상 이익의 침해에 해당한다. ★★★
정보공개청구권은 법률상 보호되는 구체적인 권리이므로 청구인이 공공기관에 대하여 정보공개를 청구하였다가 거부처분을 받은 것 자체가 법률상 이익의 침해에 해당한다(대판 2003.12.12. 2003두8050).

함께 정리하기

이의신청절차를 거치지 아니하고
▷ 행정심판청구 可

행정심판위원회의 비밀유지의무
▷ 정보공개 여부의 결정에 관한 행정심판에 관여한 위원은 재직 중은 물론 퇴직 후에도 비밀 누설하여서는 아니 됨

이의신청, 행정심판 거치지 않고
▷ 바로 행정소송 可

공공기관의 정보공개 거부
▷ 처분성○

거부처분
▷ 취소소송제기
▷ 20일 경과하도록 부작위: 부작위위법확인소송 제기

원고적격
▷ 정보공개거부처분 받은 자에게 인정

피고적격
▷ 거부한 공공기관의 장
▷ 정보공개심의회×

정보공개를 청구하였다가 거부처분을 받은 것
▷ 법률상 이익의 침해에 해당
▷ 원고적격○

21. 국가직 9급, 21. 소방간부, 20. 군무원 7급, 20. 5급 승진, 19. 5급 승진 등 정보공개청구권은 법률상 보호되는 구체적인 권리이므로 청구인이 공공기관에 대하여 정보공개를 청구하였다가 거부처분을 받은 것 자체가 법률상 이익의 침해에 해당한다. (○)

22. 소방직 (신문사 기자 甲이 A광역시가 보유·관리하고 있던 시의원 乙과 관련이 있는 정보를 사본 교부의 방법으로 공개하여 줄 것을 청구한 사안에서) 乙의 의견을 듣고 A광역시가 공개를 거부하였다면, 甲과 乙 사이에 아무런 법률상 이해관계가 없다고 할지라도 甲은 A광역시의 거부에 대하여 항고소송으로 다툴 수 있다. (○)

17. 국가직 9급 (甲이 행정청 A가 보유·관리하는 정보 중 乙과 관련이 있는 정보를 사본 교부의 방법으로 공개하여 줄 것을 청구한 사안에서) 甲이 공개청구한 정보가 甲과 아무런 이해관계가 없는 경우라면, 정보공개가 거부되더라도 甲은 이를 항고소송으로 다툴 수 있는 법률상 이익이 없다. (×) → 없더라도 / 거부되면 / 있다

④ **피고적격**: 취소소송은 처분청을 피고로 하는 것이 원칙이므로(행정소송법 제13조 제1항), 정보공개거부결정을 외부로 표시한 공공기관의 장이 행정청으로서 피고가 되며, 자문기관에 불과한 정보공개심의회가 피고가 되는 것은 아니다.

13. 지방직 9급 정보공개거부결정의 취소를 구하는 소송에서는 각 행정청의 정보공개심의회가 피고가 된다. (×) → 공공기관의 장

⚖ 관련판례

정보공개청구의 피고는 정보공개심의회가 아니라 공공기관의 장이다. ★★

공개 청구된 정보의 공개 여부를 결정하는 법적인 의무와 권한을 가진 주체는 공공기관의 장이고, 심의회는 공공기관의 장이 정보의 공개 여부를 결정하기 곤란하다고 보아 의견을 요청한 사항의 자문에 응하여 심의하는 것이며, 그의 구성을 위하여 공공기관의 장이 소속 공무원 또는 임·직원 중에서 심의회의 위원을 지명하는 것이 원칙이나, 다만 필요한 경우에는 공무원이나 임·직원이었던 자 또는 외부전문가를 위원으로 위촉할 수 있되, 그 필요성 여부나 외부 전문가의 수 등에 관한 판단과 결정은 공공기관의 장이 그의 권한으로 할 수 있다는 것이 그 시행령 규정의 취지라고 할 것이다(대판 2002.3.15. 2001추95).

20. 군무원 7급 정보공개심의회는 공공기관의 장의 자문에 응하여 공개청구된 정보의 공개 여부를 결정하는 법적인 의무와 권한을 가진 주체이다. (×) → 공공기관의 장은

---

⑤ **소의 이익**: 행정소송을 제기하기 위하여는 소의 이익이 있어야 하는바, ㉠ 정보공개청구를 하였다가 거부처분을 받은 경우 및 이미 알려져 있거나 인터넷 등을 통해 공개된 경우에는 소의 이익이 긍정되나, ㉡ 정보공개청구를 거부하는 처분이 있은 후 대상정보의 폐기 등으로 공공기관이 그 정보를 보유·관리하고 있지 아니한 경우에는 소의 이익이 부정된다 할 것이다.

⚖ 관련판례

1 **국민의 정보공개청구권은 법률상 보호되는 구체적인 권리이므로, 공공기관에 대하여 정보공개를 청구하였다가 공개거부처분을 받은 청구인은 행정소송을 통해 공개거부처분의 취소를 구할 법률상 이익이 인정되고, 그 밖에 추가로 어떤 이익이 있어야 하는 것은 아니다.** ★★

견책의 징계처분을 받은 甲이 사단장에게 징계위원회에 참여한 징계위원의 성명과 직위에 대한 정보공개청구를 하였으나 위 정보가 공공기관의 정보공개에 관한 법률 제9조 제1항 제1호·제2호·제5호·제6호에 해당한다는 이유로 공개를 거부한 사안에서, 비록 징계처분 취소사건에서 甲의 청구를 기각하는 판결이 확정되었더라도 이러한 사정만으로 위 처분의 취소를 구할 이익이 없어지지 않고, 사단

공개청구된 정보의 공개 여부를 결정하는 법적인 의무와 권한을 가진 주체
▷ 공공기관의 장

공개청구 대상정보를 공공기관이 폐기하거나 보유·관리하고 있지 아니한 경우
▷ 소의 이익×

정보공개청구를 하였다가 거부처분을 받은 경우
▷ 정보공개거부처분의 취소를 구할 법률상 이익 ○
▷ 그 밖에 추가로 어떤 이익 불요

장이 甲의 정보공개청구를 거부한 이상 甲으로서는 여전히 정보공개거부처분의 취소를 구할 법률상 이익이 있다(대판 2022.5.26. 2022두33439).

21. 지방직 7급 청구인이 공공기관에 대하여 정보공개를 청구하였다가 거부처분을 받은 것 자체가 법률상 이익의 침해에 해당한다고 할 것이고, 거부처분을 받은 것 이외에 추가로 어떤 법률상의 이익을 가질 것을 요구하는 것은 아니다. (○)

22. 서울시 7급 견책처분을 받은 공무원이 징계위원회 참여 위원의 성명과 직위에 대한 정보공개청구를 하였으나 거부처분을 받았는데, 대상 징계처분에 대한 취소소송에서 해당 공무원의 취소청구가 기각된 경우에는 정보공개거부처분의 취소를 구할 법률상 이익이 없다. (×) → 있다

2 공개청구 대상정보가 인터넷 등을 통하여 공개되어 쉽게 알 수 있어도 소의 이익이 인정된다. ★★

국민의 정보공개청구권은 법률상 보호되는 구체적인 권리이므로, 공공기관에 대하여 정보의 공개를 청구하였다가 공개거부처분을 받은 청구인은 행정소송을 통하여 그 공개거부처분의 취소를 구할 법률상의 이익이 있고, 공개청구의 대상이 되는 정보가 이미 다른 사람에게 공개되어 널리 알려져 있다거나 인터넷 등을 통하여 공개되어 인터넷 검색 등을 통하여 쉽게 알 수 있다는 사정만으로는 소의 이익이 없다거나 비공개결정이 정당화될 수 없다(대판 2010.12.23. 2008두13101).

18. 서울시 9급 이미 다른 사람에게 공개하여 널리 알려져 있다거나 인터넷이나 관보 등을 통하여 공개하여 인터넷 검색이나 도서관에서의 열람 등을 통하여 쉽게 알 수 있다는 사정만으로는 소의 이익이 없다고 할 수 없다. (○)

3 공개를 구하는 정보를 공공기관이 보유·관리하고 있지 아니한 경우, 정보공개거부처분의 취소를 구할 법률상의 이익이 없다. ★★★

3-1. 정보공개제도는 공공기관이 보유·관리하는 정보를 그 상태대로 공개하는 제도라는 점 등에 비추어 보면, 정보공개를 구하는 자가 공개를 구하는 정보를 행정기관이 보유·관리하고 있을 상당한 개연성이 있다는 점을 입증함으로써 족하다 할 것이지만, 공공기관이 그 정보를 보유·관리하고 있지 아니한 경우에는 특별한 사정이 없는 한 정보공개거부처분의 취소를 구할 법률상의 이익이 없다. … 원심으로서는 원고들이 공개를 구하는 정보를 피고가 보유·관리하고 있는지 심리한 다음, 피고가 실제로 보유·관리하고 있지 않는 정보에 대한 공개거부처분의 취소를 구하는 부분은 이를 각하하였어야 한다(대판 2006.1.13. 2003두9459 등).

21. 국가직 7·9급, 20. 행정사, 16. 국가직 7급, 10. 지방직 7급 정보공개가 신청된 정보를 공공기관이 보유·관리하고 있지 아니한 경우에는 특별한 사정이 없는 한 정보공개거부처분의 취소를 구할 법률상 이익이 없다. (○)

17. 국회직 8급 정보공개청구를 거부하는 처분이 있은 후 대상정보가 폐기되었다든가 하여 공공기관이 그 정보를 보유·관리하지 아니하게 된 경우에는 특별한 사정이 없는 한 정보공개거부처분의 취소를 구할 법률상 이익이 없다. (○)

20. 5급 승진 정보공개거부처분 취소소송에서 공공기관이 해당 정보를 더 이상 보유·관리하지 않게 되었다면 법원은 특별한 사정이 없는 한 각하판결을 하여야 한다. (○)

10. 국회직 8급 정보공개거부처분 후 대상정보의 폐기 등으로 공공기관이 그 정보를 보유·관리하지 않게 된 경우에는 특별한 사정이 없는 한 소의 이익이 없으므로 각하사유에 해당된다. (○)

3-2. 공공기관의 정보공개에 관한 법률에서 말하는 공개대상정보는 정보 그 자체가 아닌 정보공개법 제2조 제1호에서 예시하고 있는 매체 등에 기록된 사항을 의미하고, 공개대상정보는 원칙적으로 공개를 청구하는 자가 정보공개법 제10조 제1항 제2호에 따라 작성한 정보공개청구서의 기재내용에 의하여 특정되며, 만일 공개청구자가 특정한 바와 같은 정보를 공공기관이 보유·관리하고 있지 않은 경우라면 특별한 사정이 없는 한 해당 정보에 대한 공개거부처분에 대하여는 취소를 구할 법률상 이익이 없다(대판 2013.1.24. 2010두18918).

15. 국회직 8급 공개대상정보는 원칙적으로 공개를 청구하는 자가 작성한 정보공개청구서의 기재내용에 의하여 특정되며, 공개청구자가 특정한 바와 같은 정보를 공공기관이 보유·관리하고 있지 않은 경우라도 해당 정보에 대한 공개거부처분에 대해 취소를 구할 법률상 이익은 인정된다. (×) → 경우라면 / 인정되지 않는다

함께 정리하기

이미 알려져 있거나 인터넷 등을 통해 공개된 경우
▷ 정보공개거부처분을 다툴 소의 이익○

정보공개청구를 거부하는 처분이 있은 후 대상정보의 폐기 등으로 공공기관이 그 정보를 보유·관리하고 있지 아니한 경우
▷ 소의 이익×

공개를 구하는 정보를 공공기관이 보유·관리하고 있지 아니한 경우,
▷ 정보공개거부처분의 취소를 구할 법률상의 이익×

비공개 열람·심사
▷ 불출석 비공개로 열람·심사 可

⑥ 비공개 열람·심사: 재판장은 필요하다고 인정하면 당사자를 참여시키지 아니하고 제출된 공개청구정보를 비공개로 열람·심사할 수 있다(동법 제20조 제2항).

22. 국회직 9급 재판장은 필요하다고 인정하면 당사자를 참여시키지 아니하고 제출된 공개청구정보를 비공개로 열람·심사할 수 있다. (○)

11. 국가직 9급 정보공개 관련 결정에 대하여 행정소송이 제기된 경우에 재판장은 필요 시 당사자 없이 비공개로 해당 정보를 열람할 수 있다. (○)

관련판례

청구대상 정보에 내용과 범위를 확정할 수 있을 정도로 특정되었다고 볼 수 없는 부분이 포함
▷ 법원이 비공개로 열람·심사하여 청구대상정보의 내용과 범위를 특정시켜야 함

공개를 청구한 정보에 내용과 범위를 확정할 수 있을 정도로 특정되었다고 볼 수 없는 부분이 포함되어 있는 경우 법원은 비공개로 열람·심사하는 등의 방법으로 청구대상 정보의 내용과 범위를 특정시켜야 한다. ★★

정보비공개결정의 취소를 구하는 사건에서, 청구인이 공개를 청구한 정보의 내용 중 너무 포괄적이거나 막연하여 사회일반인의 관점에서 그 내용과 범위를 확정할 수 있을 정도로 특정되었다고 볼 수 없는 부분이 포함되어 있다면, 이를 심리하는 법원으로서는 마땅히 정보공개법 제20조 제2항의 규정에 따라 공공기관에 그가 보유·관리하고 있는 청구대상정보를 제출하도록 하여, 이를 비공개로 열람·심사하는 등의 방법으로 청구대상정보의 내용과 범위를 특정시켜야 한다(대판 2018.4.12. 2014두5477).

20. 소방간부 정보비공개결정의 취소소송에서 공개청구한 정보의 내용과 범위가 특정되었다고 볼 수 없는 경우, 법원은 공공기관에게 청구대상정보를 제출하도록 하여 이를 비공개로 열람·심사하는 등의 방법으로 그 대상정보의 내용과 범위를 특정시켜야 한다. (○)

국가의 중대한 이익을 현저히 해칠 우려가 있다고 인정되는 정보
▷ 정보제출의 제한 可

⑦ 비공개사유 등의 입증에 따른 해당 정보 불제출 허용: 재판장은 행정소송의 대상이 제9조 제1항 제2호(비공개대상정보)에 따른 정보 중 국가안전보장·국방 또는 외교관계에 관한 정보의 비공개 또는 부분 공개 결정처분인 경우에 공공기관이 그 정보에 대한 비밀 지정의 절차, 비밀의 등급·종류 및 성질과 이를 비밀로 취급하게 된 실질적인 이유 및 공개를 하지 아니하는 사유 등을 입증하면 해당 정보를 제출하지 아니하게 할 수 있다(동법 제20조 제3항).

⑧ 입증책임

공공기관이 보유·관리하고 있는 정보라는 증명책임
▷ 공개청구자

㉠ 정보공개제도는 공공기관이 보유·관리하는 정보를 그 상태대로 공개하는 제도로서 공개를 구하는 정보를 공공기관이 보유·관리하고 있다는 점에 대하여 원칙적으로 정보공개청구자에게 입증책임이 있다.

공공기관이 더 이상 보유·관리하고 있지 아니한 정보라는 증명책임
▷ 공공기관

㉡ 이에 반하여 공개를 구하는 정보를 공공기관이 한때 보유·관리하였으나 후에 그 정보가 담긴 문서 등이 폐기되어 존재하지 않게 된 것이라면, 그 정보를 더 이상 보유·관리하고 있지 아니하다는 점에 대한 증명책임은 공공기관에게 있다.

관련판례

정보공개청구인의 증명 정도
▷ 공공기관이 보유·관리하고 있는 개연성에 대한 증명

1 정보공개제도는 공공기관이 보유·관리하는 정보를 그 상태대로 공개하는 제도라는 점 등에 비추어 보면, 정보공개를 구하는 자가 공개를 구하는 정보를 행정기관이 보유·관리하고 있을 상당한 개연성이 있다는 점을 입증함으로써 족하다 할 것이다(대판 2006.1.13. 2003두9459). ★★

20. 지방직 7급 정보공개를 청구하는 자가 공개를 구하는 정보를 행정기관이 보유·관리하고 있을 상당한 개연성이 있다는 점을 입증하여야 한다. (○)

2 정보공개제도는 공공기관이 보유·관리하는 정보를 그 상태대로 공개하는 제도로서 공개를 구하는 정보를 공공기관이 보유·관리하고 있을 상당한 개연성이 있다는 점에 대하여 원칙적으로 공개청구자에게 증명책임이 있다고 할 것이지만, **공개를 구하는 정보를 공공기관이 한때 보유·관리하였으나 후에 그 정보가 담긴 문서 등이 폐기되어 존재하지 않게 된 것이라면 그 정보를 더 이상 보유·관리하고 있지 아니하다는 점에 대한 증명책임은 공공기관에게 있다**(대판 2004.12.9. 2003두12707). ★★★

22. 지방직 7급, 22. 지방직 9급, 20. 지방직 7급, 20. 서울시 7급, 20. 경찰 2차 등 공개를 구하는 정보를 공공기관이 한때 보유·관리하였으나 후에 그 정보가 담긴 문서 등이 폐기되어 존재하지 않게 된 것이라면 그 정보를 더 이상 보유·관리하고 있지 아니하다는 점에 대한 증명책임은 공공기관에게 있다. (○)

19. 국가직 7급 공개청구된 정보를 공공기관이 한때 보유·관리하였으나 후에 그 정보가 담긴 문서가 정당하게 폐기되어 존재하지 않게 된 경우, 정보 보유·관리 여부의 입증책임은 정보공개청구자에게 있다. (×) → 공공기관

⑨ 간접강제: 정보공개거부처분 취소재결이나 취소판결이 확정되었음에도 공공기관이 해당 정보를 공개하지 않으면 행정심판위원회나 제1심수소법원은 당사자의 신청에 의하여 공개 지연기간에 따라 일정한 배상을 할 것을 명하거나 즉시 손해배상을 할 것을 명할 수 있다(「행정심판법」 제50조의2, 「행정소송법」 제34조).

18. 변호사 (甲이 행정청 乙이 지출한 업무추진비의 예산집행내역과 지출증빙서 등에 관하여 乙에게 정보공개청구를 한 사안에서) 甲이 정보공개거부처분취소심판을 청구하여 인용재결을 받았음에도 乙이 정보공개를 하지 않는 경우, 甲은 「행정심판법」상 간접강제신청을 할 수 있다. (○)

2. 제3자의 불복방법

(1) 제3자의 비공개 요청과 공공기관의 공개 결정

① 공공기관은 공개청구된 공개대상정보의 전부 또는 일부가 제3자와 관련이 있다고 인정할 때에는 그 사실을 제3자에게 지체 없이 통지하여야 하며(필요한 경우에는 그의 의견을 들을 수 있다), 공개청구된 사실을 통지받은 제3자는 그 통지를 받은 날부터 3일 이내에 해당 공공기관에 대하여 자신과 관련된 정보를 공개하지 아니할 것을 요청할 수 있다(동법 제21조 제1항). 그러나 제3자의 비공개 요청이 있다고 하여 공공기관이 반드시 비공개 결정을 하여야 하는 것은 아니다.

22. 국회직 8급 공공기관은 공개청구된 공개대상정보의 전부 또는 일부가 제3자와 관련이 있다고 인정할 때에는 그 사실을 제3자에게 지체 없이 통지하여야 하며, 공개청구된 사실을 통지받은 제3자는 그 통지를 받은 날부터 3일 이내에 해당 공공기관에 대하여 자신과 관련된 정보를 공개하지 아니할 것을 요청할 수 있다. (○)

19. 서울시 9급 공개청구된 정보가 제3자와 관련이 있는 경우 행정청은 제3자에게 통지하여야 하고 의견을 들을 수 있으나, 제3자가 비공개를 요청할 권리를 갖지는 않는다. (×) → 있으며 / 갖는다

20. 군무원 9급 「공공기관의 정보공개에 관한 법률」 제11조 제3항에 따라 공개청구된 사실을 통지받은 제3자는 그 통지를 받은 날부터 7일 이내에 해당 공공기관에 대하여 자신과 관련된 정보를 공개하지 아니할 것을 요청할 수 있다. (×) → 3일

09. 국가직 7급 공공기관은 공개청구된 공개대상정보의 전부 또는 일부가 제3자와 관련이 있다고 인정되는 때에는 그 사실을 지체 없이 통지하여야 하며, 이 경우 제3자로부터 비공개 요청이 있는 때에는 당해 정보를 공개하여서는 아니 된다. (×) → 때에도 / 공개할 수 있다

제3자의 비공개 요청만으로
▷ 비공개사유 인정×

제3자의 비공개 요청만으로는 정보비공개사유에 해당하지 않는다. ★★★

정보공개법 제11조 제3항이 "공공기관은 공개청구된 공개대상 정보의 전부 또는 일부가 제3자와 관련이 있다고 인정되는 때에는 그 사실을 제3자에게 지체 없이 통지하여야 하며, 필요한 경우에는 그의 의견을 청취할 수 있다.", 제21조 제1항이 "제11조 제3항의 규정에 의하여 공개청구된 사실을 통지받은 제3자는 통지받은 날부터 3일 이내에 당해 공공기관에 대하여 자신과 관련된 정보를 공개하지 아니할 것을 요청할 수 있다."고 규정하고 있다고 하더라도, 이는 공공기관이 보유·관리하고 있는 정보가 제3자와 관련이 있는 경우 그 정보공개 여부를 결정함에 있어 공공기관이 제3자와의 관계에서 거쳐야 할 절차를 규정한 것에 불과할 뿐, 제3자의 비공개 요청이 있다는 사유만으로 정보공개법상 정보의 비공개사유에 해당한다고 볼 수 없다(대판 2008.9.25. 2008두8680).

20. 서울시 7급 공개청구된 공개대상정보의 전부 또는 일부와 관련있는 제3자가 자신과 관련된 정보를 공개하지 않을 것을 요청한 경우 공공기관은 해당 정보를 ~~비공개하여야 한다~~. (×) → 경우라도 / 하는 것은 아니다

19. 군무원 9급 (대한민국 국민 甲이 A대학교 총장에게 해당 학교 체육특기생들의 3년간 출석 및 성적 관리에 대한 정보공개청구를 하였으나, A대학교 총장이 제3자에 관한 정보라는 이유로 이를 거부한 사안에서) 체육특기생들의 비공개요청이 있는 경우 A 대학교 총장은 해당 정보를 ~~공개하여서는 아니된다~~. (×) → 경우라도 / 공개할 수 있다

제3자의 비공개 요청에도 불구하고 공개결정을 할 때
▷ 공개 결정 이유와 공개 실시일을 분명히 밝혀 지체 없이 문서로 통지

공개 결정일과 공개 실시일 사이 간격
▷ 최소한 30일

② 제3자의 비공개 요청에도 불구하고 공공기관이 공개 결정을 할 때에는 공개 결정 이유와 공개 실시일을 분명히 밝혀 지체 없이 문서로 통지하여야 한다(동법 제21조 제2항). 공공기관은 공개 결정일과 공개 실시일 사이에 최소한 30일의 간격을 두어야 한다(동법 제21조 제3항).

11. 사복직 제3자의 비공개 요청에도 불구하고 공공기관이 공개 결정을 하는 때에는 공개 결정 이유와 공개 실시일을 분명히 명시하여 지체 없이 문서로 통지하여야 한다. (○)

11. 사복직 공공기관은 제3자의 비공개 요청에도 불구하고 공개 결정을 하는 때에는 공개 결정일과 공개 실시일의 사이에 최소한 ~~20일~~의 간격을 두어야 한다. (×) → 30일

제3자
▷ 이의신청, 행정심판, 행정소송으로 불복 可

(2) 이의신청 및 행정쟁송

공공기관의 공개 결정에 대하여 제3자는 해당 공공기관에 문서로 이의신청을 하거나 행정심판 또는 행정소송을 제기할 수 있다. 이 경우 이의신청은 통지를 받은 날부터 7일 이내에 하여야 한다(동법 제21조 제2항).

20. 군무원 9급 「공공기관의 정보공개에 관한 법률」 제21조 제2항에 따른 비공개 요청에도 불구하고 공공기관이 공개 결정을 할 때에는 공개 결정 이유와 공개 실시일을 분명히 밝혀 지체 없이 문서로 통지하여야 하며, 제3자는 해당 공공기관에 문서로 이의신청을 하거나 행정심판 또는 행정소송을 제기할 수 있다. (○)

18. 행정사 공개대상정보로서 자신과 관련된 정보의 비공개 요청에도 불구하고 공공기관이 공개 결정을 한 때에는 제3자는 공개 결정 이유와 공개 실시일의 통지를 받은 날부터 7일 이내에 해당 공공기관에 이의신청을 할 수 있다. (○)

11. 사복직 자신과 관련된 정보에 대한 제3자의 비공개 요청에도 불구하고 공공기관이 공개 결정을 하는 때에는 제3자는 해당 공공기관에 문서 또는 구두로 이의신청을 하거나 행정심판 또는 행정소송을 제기할 수 있다. (×) → ~~구두로~~

이해관계 있는 제3자
▷ 집행정지 신청 可

(3) 집행정지신청

쟁송의 진행 중 정보가 공개되면 취소할 이익이 없게 되므로 행정심판이나 행정소송의 제기와 동시에 집행정지신청을 하여 관련정보의 공개를 정지시킬 수 있다(「행정심판법」 제30조, 「행정소송법」 제23조 제2항).

(4) 심판·소송참가

제3자에 관한 정보공개가 거부된 경우, 이에 대하여 정보공개청구권자가 취소심판이나 취소소송을 제기하면 이해관계 있는 제3자는 심판참가나 소송참가를 할 수 있다(「행정심판법」 제20조, 「행정소송법」 제16조 제1항).

5 정보공개심의회와 정보공개위원회

1. 정보공개심의회

(1) 설치

국가기관, 지방자치단체, 「공공기관의 운영에 관한 법률」 제5조에 따른 공기업 및 준정부기관, 「지방공기업법」에 따른 지방공사 및 지방공단(이하 "국가기관 등"이라 함)은 제11조에 따른 정보공개 여부 등을 심의하기 위하여 정보공개심의회(이하 "심의회"라 함)를 설치·운영한다. 이 경우 국가기관 등의 규모와 업무성격, 지리적 여건, 청구인의 편의 등을 고려하여 소속 상급기관(지방공사·지방공단의 경우에는 해당 지방공사·지방공단을 설립한 지방자치단체를 말함)에서 협의를 거쳐 심의회를 통합하여 설치·운영할 수 있다(동법 제12조 제1항).

(2) 구성 등

① 심의회는 위원장 1명을 포함하여 5명 이상 7명 이하의 위원으로 구성한다(동법 제12조 제2항).

> 15. 국회직 8급 정보공개심의회는 위원장 1명을 포함하여 5명 이상 7명 이하의 위원으로 구성한다. (○)

② 심의회의 위원은 소속 공무원, 임직원 또는 외부 전문가로 지명하거나 위촉하되, 그 중 3분의 2는 해당 국가기관 등의 업무 또는 정보공개의 업무에 관한 지식을 가진 외부 전문가로 위촉하여야 한다. 다만, 제9조 제1항 제2호(국가안전보장·국방·통일·외교관계 등에 관한 사항으로서 공개될 경우 국가의 중대한 이익을 현저히 해칠 우려가 있다고 인정되는 정보) 및 제4호(진행 중인 재판에 관련된 정보와 범죄의 예방, 수사, 공소의 제기 및 유지, 형의 집행, 교정, 보안처분에 관한 사항으로서 공개될 경우 그 직무수행을 현저히 곤란하게 하거나 형사피고인의 공정한 재판을 받을 권리를 침해한다고 인정할 만한 상당한 이유가 있는 정보)에 해당하는 업무를 주로 하는 국가기관은 그 국가기관의 장이 외부 전문가의 위촉 비율을 따로 정하되, 최소한 3분의 1 이상은 외부 전문가로 위촉하여야 한다(동법 제12조 제3항).

> 19. 소방직, 18. 서울시 7급 국가안전보장·국방·통일·외교관계 분야 업무를 주로 하는 국가기관의 정보공개심의회 구성 시 최소한 3분의 1 이상은 외부 전문가로 위촉하여야 한다. (○)

③ 심의회의 위원장은 위원 중에서 국가기관 등의 장이 지명하거나 위촉한다(동법 제12조 제4항).

함께 정리하기

이해관계 있는 제3자
▷ 심판·소송참가 可

정보공개심의회
▷ 국가기관, 지방자치단체, 공기업 및 준정부기관, 지방공사 및 지방공단이 설치·운영

정보공개심의회 위원
▷ 소속 공무원, 임직원 또는 외부 전문가로 지명하거나 위촉, 그 중 3분의 2는 외부 전문가로 위촉

제9조 제1항 제2호 및 제4호 업무를 주로 하는 국가기관
▷ 국가기관의 장이 외부 전문가의 위촉 비율 정하되, 최소한 3분의 1 이상은 외부 전문가로 위촉

정보공개심의회 위원장
▷ 위원 중에서 국가기관 등의 장이 지명하거나 위촉

(3) 위원의 제척 · 기피 · 회피

① 심의회의 위원이 다음 각 호의 어느 하나에 해당하는 경우에는 심의회의 심의에서 제척된다(동법 제12조의2 제1항).

> **「공공기관의 정보공개에 관한 법률」제12조의2 【위원의 제척 · 기피 · 회피】** ① 심의회의 위원이 다음 각 호의 어느 하나에 해당하는 경우에는 심의회의 심의에서 제척(除斥)된다.
> 1. 위원 또는 그 배우자나 배우자이었던 사람이 해당 심의사항의 당사자(당사자가 법인 · 단체 등인 경우에는 그 임원 또는 직원을 포함한다. 이하 이 호 및 제2호에서 같다)이거나 그 심의사항의 당사자와 공동권리자 또는 공동의무자인 경우
> 2. 위원이 해당 심의사항의 당사자와 친족이거나 친족이었던 경우
> 3. 위원이 해당 심의사항에 대하여 증언, 진술, 자문, 연구, 용역 또는 감정을 한 경우
> 4. 위원이나 위원이 속한 법인 등이 해당 심의사항의 당사자의 대리인이거나 대리인이었던 경우

② 심의회의 심의사항의 당사자는 위원에게 공정한 심의를 기대하기 어려운 사정이 있는 경우에는 심의회에 기피 신청을 할 수 있고, 심의회는 의결로 기피 여부를 결정하여야 한다. 이 경우 기피 신청의 대상인 위원은 그 의결에 참여할 수 없다(동법 제12조의2 제2항).

③ 위원은 제1항 각 호에 따른 제척 사유에 해당하는 경우에는 심의회에 그 사실을 알리고 스스로 해당 안건의 심의에서 회피하여야 한다(동법 제12조의2 제3항).

④ 위원이 제1항 각 호의 어느 하나에 해당함에도 불구하고 회피신청을 하지 아니하여 심의회 심의의 공정성을 해친 경우 국가기관 등의 장은 해당 위원을 해촉하거나 해임할 수 있다(동법 제12조의2 제4항).

2. 정보공개위원회

(1) 설치

정보공개위원회는 ① 정보공개에 관한 정책 수립 및 제도 개선에 관한 사항, ② 정보공개에 관한 기준 수립에 관한 사항, ③ 심의회 심의결과의 조사 · 분석 및 심의기준 개선 관련 의견제시에 관한 사항, ④ 공공기관의 정보공개 운영실태 평가 및 그 결과 처리에 관한 사항, ⑤ 정보공개와 관련된 불합리한 제도 · 법령 및 그 운영에 대한 조사 및 개선권고에 관한 사항, ⑥ 그 밖에 정보공개에 관하여 대통령령으로 정하는 사항 사항을 심의 · 조정하기 위하여 행정안전부장관 소속[시행일: 2023.11.17.]으로 정보공개위원회(이하 "위원회"라 함)를 둔다(동법 제22조 제1항).

18. 경찰 2차 변형 정보공개에 관한 정책 수립 및 제도 개선에 관한 사항을 심의 · 조정하기 위하여 행정안전부장관 소속으로 정보공개위원회를 둔다. (O)

19. 국회직 8급 변형 정보공개에 관한 정책 수립 및 제도 개선에 관한 사항을 심의 · 조정하기 위하여 국무총리 소속으로 정보공개위원회를 둔다. (×) → 행정안전부장관

(2) 구성 등

① 위원회는 성별을 고려하여 위원장과 부위원장 각 1명을 포함한 11명의 위원으로 구성하되(동법 제22조 제1항), 위원장을 포함한 7명은 공무원이 아닌 사람으로 위촉하여야 한다(동법 제22조 제2항).

② 위원장·부위원장 및 위원(대통령령으로 정하는 관계 중앙행정기관의 차관급 공무원이나 고위공무원단에 속하는 일반직 공무원인 위원은 제외)의 임기는 2년으로 하며, 연임할 수 있다(동법 제22조 제3항).

정보공개위원회 위원의 임기
▷ 2년, 연임 可

(3) 정보의 누설금지

위원장·부위원장 및 위원은 정보공개 업무와 관련하여 알게 된 정보를 누설하거나 그 정보를 이용하여 본인 또는 타인에게 이익 또는 불이익을 주는 행위를 하여서는 아니 된다(동법 제22조 제4항).

핵심정리 정보공개심의회, 정보공개위원회의, 개인정보 보호위원회 비교

구분	정보공개심의회	정보공개위원회	개인정보 보호위원회
규정	「공공기관의 정보공개에 관한 법률」 제12조	「공공기관의 정보공개에 관한 법률」 제22조, 제23조	「개인정보 보호법」 제7조
설치	국가기관, 지방자치단체, 공기업 및 준정부기관, 지방공사 및 지방공단(국가기관 등)이 설치·운영	행정안전부장관 소속 [시행일: 2023.11.17.]	국무총리 소속
목적	정보공개 여부 등의 심의	다음 사항을 심의·조정 • 정보공개에 관한 정책 수립 및 제도 개선 • 정보공개에 관한 기준 수립 • 심의회 심의결과의 조사·분석 및 심의기준 개선 관련 의견제시 • 공공기관의 정보공개 운영 실태 평가 및 그 결과 처리 • 정보공개와 관련된 불합리한 제도·법령 및 그 운영에 대한 조사 및 개선권고	개인정보 보호에 관한 사항의 심의·의결
구성	• 위원장 1명을 포함하여 5명 이상 7명 이하의 위원으로 구성 • 위원은 소속 공무원, 임직원 또는 외부 전문가로 지명하거나 위촉하되, 그 중 3분의 2는 외부 전문가로 위촉(제9조 제1항 제2호 및 제4호에 해당하는 업무를 주로 하는 국가기관은 최소한 3분의 1 이상은 외부 전문가로 위촉) • 위원장은 위원 중에서 국가기관 등의 장이 지명·위촉	• 위원장과 부위원장 각 1명을 포함한 11명의 위원으로 구성 • 위원장을 포함한 7명은 공무원이 아닌 자로 위촉	• 상임위원 2명(위원장 1명, 부위원장 1명)을 포함한 9명의 위원으로 구성 • 위원장과 부위원장은 국무총리의 제청으로 • 그 외 위원 중 2명은 위원장의 제청으로 • 2명은 대통령이 소속되거나 소속되었던 정당의 교섭단체 추천으로 • 3명은 그 외의 교섭단체 추천으로 대통령이 임명 또는 위촉
임기	–	• 임기 2년 • 연임 가능	• 임기 3년 • 한 차례만 연임 가능

제2장 행정정보공개와 개인정보 보호 **755**

6 기타 정보공개를 위한 제도

1. 제도 총괄 등

(1) 행정안전부장관은 이 법에 따른 정보공개제도의 정책 수립 및 제도 개선 사항 등에 관한 기획·총괄 업무를 관장한다(동법 제24조 제1항). 행정안전부장관은 위원회가 정보공개제도의 효율적 운영을 위하여 필요하다고 요청하면 공공기관(국회·법원·헌법재판소 및 중앙선거관리위원회는 제외)의 정보공개제도 운영실태를 평가할 수 있다(동법 제24조 제2항). 행정안전부장관은 제2항에 따른 평가를 실시한 경우에는 그 결과를 위원회를 거쳐 국무회의에 보고한 후 공개하여야 하며, 위원회가 개선이 필요하다고 권고한 사항에 대해서는 해당 공공기관에 시정 요구 등의 조치를 하여야 한다(동법 제24조 제3항).

(2) 행정안전부장관은 정보공개에 관하여 필요할 경우에 공공기관(국회·법원·헌법재판소 및 중앙선거관리위원회는 제외)의 장에게 정보공개 처리 실태의 개선을 권고할 수 있다. 이 경우 권고를 받은 공공기관은 이를 이행하기 위하여 성실하게 노력하여야 하며, 그 조치 결과를 행정안전부장관에게 알려야 한다(동법 제24조 제4항).

2. 자료의 제출 요구

국회사무총장·법원행정처장·헌법재판소사무처장·중앙선거관리위원회사무총장 및 행정안전부장관은 필요하다고 인정하면 관계 공공기관에 정보공개에 관한 자료 제출 등의 협조를 요청할 수 있다(동법 제25조).

3. 국회에의 보고

행정안전부장관은 전년도의 정보공개 운영에 관한 보고서를 매년 정기국회 개회 전까지 국회에 제출하여야 한다(동법 제26조 제1항).

18. 소방직 행정안전부장관은 전년도의 정보공개 운영에 관한 보고서를 매년 정기국회 개회 전까지 국회에 제출하여야 한다. (○)

19. 국회직 8급 행정안전부장관은 정보공개에 관하여 필요할 경우에 ~~국회사무총장~~에게 정보공개 처리 실태의 개선을 권고할 수 있고 전년도의 정보공개 운영에 관한 보고서를 매년 ~~국정감사 시작 30일~~ 전까지 국회에 제출하여야 한다. (×) → 공공기관의 장 / 정기국회 개회

4. 신분보장

누구든지 이 법에 따른 정당한 정보공개를 이유로 징계조치 등 어떠한 신분상 불이익이나 근무조건상의 차별을 받지 아니한다(동법 제28조).

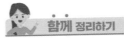
제2절 개인정보 보호제도

1 개설

1. 개인정보 보호제도의 의의

개인정보 보호제도란 개인에 관한 정보가 부당하게 수집, 유통, 이용되는 것을 막아 개인의 프라이버시를 보호하는 제도를 말한다.

2. 개인정보 보호제도의 법적 근거

(1) 헌법적 근거

① 개인정보 보호제도는 이른바 헌법상의 개인정보자기결정권에 근거한다. 개인정보자기결정권이란 정보주체가 개인정보의 공개와 이용에 관하여 스스로 결정할 권리를 말한다.

> **관련판례**
>
> 개인정보자기결정권은 자신에 관한 정보가 언제, 누구에게, 어느 범위까지 알려지고 또 이용되도록 할 것인지를 그 정보주체가 스스로 결정할 수 있는 권리, 즉 정보주체가 개인정보의 공개와 이용에 관하여 스스로 결정할 권리를 말한다(헌재 2005.5.26. 99헌마513 등). ★
>
> 12. 국회직 9급 개인정보 보호제도의 헌법적 근거는 헌법상 기본권인 개인정보자기결정권 등에서 도출할 수 있으나, 개인정보자기결정권은 자신에 관한 정보를 정부주체에게 맡기고 정부주체가 개인정보의 공개와 이용에 관하여 결정할 권리를 말한다. (×) → 있고 / 정보의 공개와 이용에 관하여 스스로

② 개인정보자기결정권은 헌법에 명시적인 규정은 없으나, 대법원은 개인정보자기결정권의 헌법적 근거를 헌법 제10조와 제17조에서 찾고 있고, 헌법재판소는 독자적 기본권으로서 헌법에 명시되지 않은 기본권으로 보고 있다.

> **관련판례**
>
> **1** 헌법 제10조 및 제17조에 의한 사생활의 비밀과 자유의 보호 범위 ★
>
> 헌법 제10조는 "모든 국민은 인간으로서의 존엄과 가치를 가지며, 행복을 추구할 권리를 가진다. 국가는 개인이 가지는 불가침의 기본적 인권을 확인하고 이를 보장할 의무를 진다."고 규정하고, 헌법 제17조는 "모든 국민은 사생활의 비밀과 자유를 침해받지 아니한다."라고 규정하고 있는바, 이들 헌법 규정은 개인의 사생활 활동이 타인으로부터 침해되거나 사생활이 함부로 공개되지 아니할 소극적인 권리는 물론, 오늘날 고도로 정보화 된 현대사회에서 자신에 대한 정보를 자율적으로 통제할 수 있는 적극적인 권리까지도 보장하려는 데에 그 취지가 있는 것으로 해석된다(대판 1998.7.24. 96다42789).

개인정보 보호제도
▷ 개인에 관한 정보가 부당하게 수집, 유통, 이용되는 것을 막아 개인의 프라이버시를 보호하는 제도

개인정보자기결정권의 법적 근거
▷ 대법원: 헌법 제10조와 제17조에서 도출
▷ 헌법재판소: 헌법 제10조와 제17조 등을 이념적 기초로 한 독자적 기본권으로 인정

헌법 제10조 및 제17조에 의한 사생활의 비밀과 자유의 보호 범위
▷ 사생활의 침해를 배제하는 소극적인 권리뿐 아니라 자기정보를 자율적으로 통제할 수 있는 적극적인 권리도 보장하는 것으로 해석

2 개인정보자기결정권의 헌법상 근거 ★★

개인정보자기결정권의 헌법상 근거로는 헌법 제17조의 사생활의 비밀과 자유, 헌법 제10조 제1문의 인간의 존엄과 가치 및 행복추구권에 근거를 둔 일반적 인격권 또는 위 조문들과 동시에 우리 헌법의 자유민주적 기본질서 규정 또는 국민주권원리와 민주주의원리 등을 고려할 수 있으나, 개인정보자기결정권으로 보호하려는 내용을 위 각 기본권들 및 헌법원리들 중 일부에 완전히 포섭시키는 것은 불가능하다고 할 것이므로, 그 헌법적 근거를 굳이 어느 한 두 개에 국한시키는 것은 바람직하지 않은 것으로 보이고, 오히려 개인정보자기결정권은 이들을 이념적 기초로 하는 독자적 기본권으로서 헌법에 명시되지 아니한 기본권이라고 보아야 할 것이다(헌재 2005.5.26. 2004헌마190).

18. 국가직 9급 헌법재판소는 개인정보자기결정권을 사생활의 비밀과 자유, 일반적 인격권 등을 이념적 기초로 하는 독자적 기본권으로서 헌법에 명시되지 않은 기본권으로 보고 있다. (○)

21. 군무원 7급 개인정보자기결정권은 자신에 관한 정보가 언제, 누구에게, 어느 범위까지 알려지고 또 이용되도록 할 것인지를 정보주체가 스스로 결정할 수 있는 권리로서 헌법에 명시된 권리이다. (×) → 명시되지 않은

(2) 법률적 근거

① 공공부분에서의 개인정보의 보호와 민간부분에서의 개인정보 보호를 구분하여 규율하던 것을 통일적으로 규율하기 위하여 2011년 3월 29일 「개인정보 보호법」이 제정되어 2011년 9월 30일부터 시행되었고, 이에 따라 1993년 제정되어 1995년 1월 8일부터 시행되던 「공공기관의 개인정보 보호에 관한 법률」은 폐지되었다.

21. 군무원 7급 「개인정보 보호법」은 민간부분의 개인정보를 규율하고 있고, 공공부분에 관하여는 「공공기관의 개인정보 보호에 관한 법률」에서 규율하고 있다. (×) → 관하여도 「개인정보 보호법」이 (∵「공공기관의 개인정보 보호에 관한 법률」은 폐지됨)

> 🔍 **관련판례**
>
> **구 공공기관의 개인정보 보호에 관한 법률이 2011.3.29. 폐지되고 개인정보 보호법이 제정된 취지 ★**
>
> 구 공공기관의 개인정보 보호에 관한 법률이 2011.3.29. 폐지되고 개인정보 보호법이 제정된 취지는 공공부문과 민간부문을 망라하여 국제 수준에 부합하는 개인정보 처리 원칙 등을 규정하고, 개인정보 침해로 인한 국민의 피해 구제를 강화하여 국민의 사생활의 비밀을 보호하며, 개인정보에 대한 권리와 이익을 보장하려는 것이다(대판 2022.11.10. 2018도1966).

② 「개인정보 보호법」은 개인정보의 보호에 관한 기본법 및 일반법의 성질을 가진다. 개인정보 보호에 관하여는 「정보통신망 이용촉진 및 정보보호 등에 관한 법률」, 「신용정보의 이용 및 보호에 관한 법률」 등 특별법이 있다.

2 「개인정보 보호법」의 주요 내용

1. 총칙

(1) 목적

이 법은 개인정보의 처리 및 보호에 관한 사항을 정함으로써 개인의 자유와 권리를 보호하고, 나아가 개인의 존엄과 가치를 구현함을 목적으로 한다(동법 제1조).

「개인정보 보호법」 제정 취지
▷ 공공부문과 민간부문을 망라하여 개인정보 보호

법률적 근거
▷ 일반법: 「개인정보 보호법」
▷ 개별법: 신용정보법, 정보통신망법 등

목적
▷ 개인정보의 처리 및 보호에 관한 사항을 정함으로써 개인의 자유와 권리 보호, 개인의 존엄과 가치의 구현

관련판례

타인에 관한 정보공개를 청구하는 사건에는 개인정보 보호법이 아니라 정보공개법이 적용된다. ★★

기관이 아닌 개인이 타인에 관한 정보의 공개를 청구하는 경우에는 구 공공기관의 개인정보 보호에 관한 법률에 의할 것이 아니라, 공공기관의 정보공개에 관한 법률 제9조 제1항 제6호에 따라 개인에 관한 정보의 공개 여부를 판단하여야 한다(대판 2010.2.25. 2007두9877).

12. 국회직 9급 개인이 타인에 관한 정보의 공개를 청구하는 경우에는 「개인정보 보호법」에 따라 개인에 관한 정보의 공개 여부를 판단하여야 한다. (×) → 정보공개법

23. 국가직 9급 (공익신고자 丙이, 甲이 「국민기초생활 보장법」상의 복지급여를 부정수급하고 있다고 관할 乙행정청에 신고하였는데 이에 대하여 甲이 乙에게 부정수급 신고를 한 자와 그 내용에 대해 정보공개청구를 한 사안에서) 「개인정보 보호법」상 정보주체에게 열람청구권이 보장되어 있더라도, 甲은 이에 근거하여 乙에게 신고자에 대한 정보공개를 요구하여 그 정보를 받을 수 없다. (○)

개인이 타인에 관한 정보의 공개를 청구하는 경우 적용법률
▷ 정보공개법

(2) 용어 정의

① 개인정보

㉠ 개인정보란 살아 있는 '개인'에 관한 정보로서 ⓐ 성명, 주민등록번호 및 영상 등을 통하여 개인을 알아볼 수 있는 정보, ⓑ 해당 정보만으로는 특정 개인을 알아볼 수 없더라도 다른 정보와 쉽게 결합하여 알아볼 수 있는 정보, ⓒ 위의 ⓐ, ⓑ를 가명처리함으로써 원래의 상태로 복원하기 위한 추가정보의 사용·결합 없이는 특정 개인을 알아볼 수 없는 정보(이하 '가명정보'라 함) 중 어느 하나에 해당하는 정보를 말한다(동법 제2조 제1호). 따라서 법인이나 사자(死者)에 대한 정보는 여기에서의 개인정보에 포함되지 않는다.

「개인정보 보호법」의 대상
▷ 살아 있는 개인에 관한 정보(가명정보 포함)
▷ 법인, 사자(死者)에 대한 정보×

19. 군무원 9급, 14. 국가직 9급, 09. 지방직 9급 「개인정보 보호법」상 '개인정보'란 살아 있는 개인에 관한 정보로서 사자(死者)나 법인의 정보는 포함되지 않는다. (○)

21. 국회직 8급, 18. 경찰 2차 개인정보는 살아 있는 개인에 관한 정보로서 성명, 주민등록번호 및 영상 등을 통하여 개인을 알아볼 수 있는 정보를 말하며 해당 정보만으로 특정 개인을 알아볼 수 없더라도 다른 정보와 쉽게 결합하여 알아볼 수 있는 것을 포함한다. (○)

22. 소방직 살아 있는 개인에 관하여 알아볼 수 있는 정보라도 가명처리함으로써 원래의 상태로 복원하기 위한 추가정보의 사용·결합 없이 특정 개인을 알아볼 수 없게 된 정보는 「개인정보 보호법」에 따른 개인정보에 해당하지 아니한다. (×) → 해당한다

㉡ 헌법재판소는 지문(指紋)도 개인정보에 해당한다고 보았다.

관련판례

1 **개인정보자기결정권의 보호대상인 개인정보는 개인의 내밀한 영역에 속하는 정보에 국한되지 않는다.** ★★★

개인정보자기결정권의 보호대상이 되는 개인정보는 개인의 신체, 신념, 사회적 지위, 신분 등과 같이 개인의 인격주체성을 특징짓는 사항으로서 그 개인의 동일성을 식별할 수 있게 하는 일체의 정보라고 할 수 있고, 반드시 개인의 내밀한 영역이나 사사의 영역에 속하는 정보에 국한되지 않고 공적 생활에서 형성되었거나 이미 공개된 개인정보까지 포함한다. 또한 그러한 개인정보를 대상으로 한 조사·수집·보관·처리·이용 등의 행위는 모두 원칙적으로 개인정보자기결정권에 대한 제한에 해당한다(헌재 2005.5.26. 99헌마513 ; 헌재 2005.7.21. 2003헌마282 등).

개인정보자기결정권의 보호대상이 되는 개인정보
▷ 개인의 동일성을 식별할 수 있게 하는 일체의 정보를 의미
▷ 이미 공개된 개인정보까지도 포함
▷ 내밀한 영역 정보에 국한×

20. 군무원 7급 개인정보자기결정권의 보호대상이 되는 개인정보는 인격주체성을 특징짓는 사항으로서 개인의 동일성을 식별할 수 있게 하는 일체의 정보를 의미하며, 반드시 개인의 내밀한 영역에 속하는 정보에 국한되지 않고 공적 생활에서 형성되었거나 이미 공개된 개인정보까지도 포함한다. (O)

19. 군무원 9급, 18. 지방직 7급, 18. 국회직 8급 개인정보자기결정권의 보호대상이 되는 개인정보는 개인의 신체, 신념, 사회적 지위, 신분 등과 같이 개인의 인격주체성을 특징짓는 사항으로서 개인의 동일성을 식별할 수 있게 하는 일체의 정보로서 개인의 내밀한 영역에 속하는 정보에 국한되고, 공적 생활에서 형성되었거나 이미 공개된 개인정보는 포함되지 않는다. (X) → 되지 않고 / 까지 포함한다

지문(指紋)
▷ 「개인정보 보호법」상 개인정보에 해당

2 개인의 고유성, 동일성을 나타내는 지문은 그 정보주체를 타인으로부터 식별가능하게 하는 개인정보이다. ★★

개인정보자기결정권은 자신에 관한 정보가 언제, 누구에게, 어느 범위까지 알려지고 또 이용되도록 할 것인지를 그 정보주체가 스스로 결정할 수 있는 권리, 즉 정보주체가 개인정보의 공개와 이용에 관하여 스스로 결정할 권리를 말하는바, <u>개인의 고유성, 동일성을 나타내는 지문은 그 정보주체를 타인으로부터 식별가능하게 하는 개인정보이므로, 시장·군수 또는 구청장이 개인의 지문정보를 수집하고, 경찰청장이 이를 보관·전산화하여 범죄수사목적에 이용하는 것은 모두 개인정보자기결정권을 제한하는 것이다</u>(헌재 2005.5.26. 99헌마513 등).

21. 지방직 9급 개인의 고유성, 동일성을 나타내는 지문은 그 정보주체를 타인으로부터 식별가능하게 하는 개인정보이다. (O)

18. 지방직 7급 시장·군수 또는 구청장이 개인의 지문정보를 수집하고, 경찰청장이 이를 보관·전산화하여 범죄수사목적에 이용하는 것은 모두 개인정보자기결정권을 제한하는 것이다. (O)

가명처리
▷ 개인정보의 일부를 삭제하거나 일부 또는 전부를 대체하는 등의 방법으로 추가 정보 없이는 특정 개인을 알아볼 수 없도록 처리하는 것

② **가명처리:** '가명처리'란 개인정보의 일부를 삭제하거나 일부 또는 전부를 대체하는 등의 방법으로 추가 정보가 없이는 특정 개인을 알아볼 수 없도록 처리하는 것을 말한다(동법 제2조 제1의2호).

21. 국회직 8급 가명처리란 개인정보의 일부를 삭제하거나 일부 또는 전부를 대체하는 등의 방법으로 추가 정보가 없이는 특정 개인을 알아볼 수 없도록 처리하는 것을 말한다. (O)

③ **처리:** 개인정보의 수집, 생성, 연계, 연동, 기록, 저장, 보유, 가공, 편집, 검색, 출력, 정정, 복구, 이용, 제공, 공개, 파기, 그 밖에 이와 유사한 행위를 말한다(동법 제2조 제2호).

④ **정보주체:** 처리되는 정보에 의하여 알아볼 수 있는 사람으로서 그 정보의 주체가 되는 사람을 말한다(동법 제2조 제3호).

⑤ **개인정보파일:** 개인정보를 쉽게 검색할 수 있도록 일정한 규칙에 따라 체계적으로 배열하거나 구성한 개인정보의 집합물을 말한다(동법 제2조 제4호).

개인정보처리자
▷ 스스로 또는 다른 사람을 통하여 개인정보를 처리하는 공공기관, 법인, 단체 및 개인

⑥ **개인정보처리자:** 업무를 목적으로 개인정보파일을 운용하기 위하여 스스로 또는 다른 사람을 통하여 개인정보를 처리하는 공공기관, 법인, 단체 및 개인 등을 말한다(동법 제2조 제5호).

13. 경찰 2차, 12. 지방직 9급 개인정보처리자란 업무를 목적으로 개인정보파일을 운용하기 위하여 스스로 또는 다른 사람을 통하여 개인정보를 처리하는 공공기관, 법인, 단체 및 개인 등을 말한다. (O)

16. 지방직 7급 개인정보처리자란 개인정보파일을 운용하기 위하여 스스로 개인정보를 처리하는 공공기관, 법인, 단체 및 개인 등을 말한다. (X) → 스스로 또는 다른 사람을 통하여

14. 국가직 9급 「개인정보 보호법」은 공공기관에 의해 처리되는 정보뿐만 아니라 민간에 의해 처리되는 정보까지 보호대상으로 하고 있다. (O)

17. 사복직 「개인정보 보호법」의 대상정보의 범위에는 공공기관·법인 단체에 의하여 처리되는 정보가 포함되고, 개인에 의해서 처리되는 정보는 포함되지 않는다. (X) → 도 포함된다

⑦ **공공기관**: 공공기관이란 ⊙ 국회, 법원, 헌법재판소, 중앙선거관리위원회의 행정사무를 처리하는 기관, 중앙행정기관(대통령 소속 기관과 국무총리 소속 기관을 포함) 및 그 소속 기관, 지방자치단체, ⓒ 그 밖의 국가기관 및 공공단체 중 대통령령으로 정하는 기관을 말한다(동법 제2조 제6호).

⑧ **영상정보처리기기**
⊙ **고정형 영상정보처리기기**: 일정한 공간에 설치되어 지속적 또는 주기적으로 사람 또는 사물의 영상 등을 촬영하거나 이를 유·무선망을 통하여 전송하는 장치로서 대통령령으로 정하는 장치를 말한다(동법 제2조 제7호).
ⓒ **이동형 영상정보처리기기**: 사람이 신체에 착용 또는 휴대하거나 이동 가능한 물체에 부착 또는 거치(据置)하여 사람 또는 사물의 영상 등을 촬영하거나 이를 유·무선망을 통하여 전송하는 장치로서 대통령령으로 정하는 장치를 말한다(동법 제2조 제7호의2, 신설).❶

⑨ **과학적 연구**: 기술의 개발과 실증, 기초연구, 응용연구 및 민간 투자 연구 등 과학적 방법을 적용하는 연구를 말한다(동법 제2조 제8호).

(3) 개인정보 보호의 원칙

① **목적 구체성, 최소수집의 원칙**: 개인정보처리자는 개인정보의 처리목적을 명확하게 하여야 하고 그 목적에 필요한 범위에서 최소한의 개인정보만을 적법하고 정당하게 수집하여야 한다(동법 제3조 제1항).

13. 국회직 9급 개인정보처리자는 개인정보의 처리목적을 명확하게 하고 그 목적에 필요한 범위에서 최소한의 개인정보만을 수집하여야 한다. (○)

② **목적 외 이용제한의 원칙**: 개인정보처리자는 개인정보의 처리목적에 필요한 범위에서 적합하게 개인정보를 처리하여야 하며, 그 목적 외의 용도로 활용하여서는 아니 된다(동법 제3조 제2항).

09. 지방직 7급 개인정보를 수집하는 경우 그 목적을 명확히 하여야 하고, 목적에 필요한 범위에서 최소한의 개인정보만을 적법하고 정당하게 수집하여야 하며, 필요한 경우에는 목적 외의 용도로 활용할 수 있다. (×) → 활용하여서는 아니 된다

③ **정보 정확성의 원칙**: 개인정보처리자는 개인정보의 처리 목적에 필요한 범위에서 개인정보의 정확성, 완전성 및 최신성이 보장되도록 하여야 한다(동법 제3조 제3항).

④ **안전성 확보의 원칙**: 개인정보처리자는 개인정보의 처리 방법 및 종류 등에 따라 정보주체의 권리가 침해받을 가능성과 그 위험 정도를 고려하여 개인정보를 안전하게 관리하여야 한다(동법 제3조 제4항).

⑤ **공개의 원칙**: 개인정보처리자는 제30조에 따른 개인정보 처리방침 등 개인정보의 처리에 관한 사항을 공개하여야 하며, 열람청구권 등 정보주체의 권리를 보장하여야 한다(동법 제3조 제5항).

⑥ **사생활 침해의 최소화 원칙**: 개인정보처리자는 정보주체의 사생활 침해를 최소화하는 방법으로 개인정보를 처리하여야 한다(동법 제3조 제6항).

⑦ **익명처리의 원칙**: 개인정보처리자는 개인정보를 익명 또는 가명으로 처리하여도 개인정보 수집목적을 달성할 수 있는 경우 익명처리가 가능한 경우에는 익명에 의하여, 익명처리로 목적을 달성할 수 없는 경우에는 가명에 의하여 처리될 수 있도록 하여야 한다(동법 제3조 제7항).

⑧ **책임의 원칙**: 개인정보처리자는 이 법 및 관계 법령에서 규정하고 있는 책임과 의무를 준수하고 실천함으로써 정보주체의 신뢰를 얻기 위하여 노력하여야 한다(동법 제3조 제8항).

❶
CCTV와 같은 고정형 영상정보처리기기 외에 드론, 자율주행 자동차 등을 이용한 이동형 영상정보처리기기의 사용이 증가함에 따라, 이동형 영상정보처리기기의 정의를 마련하였다.

개인정보 보호 원칙의 내용
▷ 목적 구체성·최소수집의 원칙, 목적 외 이용제한의 원칙, 정보 정확성의 원칙, 안전성 확보의 원칙, 공개의 원칙, 사생활 침해의 최소화 원칙, 익명처리의 원칙, 책임의 원칙 등

정보주체의 권리
▷ 본인정보 제공요구권, 동의권, 개인정보 열람·정정·삭제·처리정지요구권, 피해구제요구권 등

국가 등의 책무
▷ 개인정보의 목적 외 수집, 오용·남용 등에 따른 폐해를 방지하여 인간의 존엄과 개인의 사생활 보호를 도모하기 위한 시책을 강구하여야 함

다른 법률과의 관계
▷ 다른 법률에 특별한 규정이 있는 경우를 제외하고는 「개인정보 보호법」이 적용됨 (일반법)

개인정보 보호위원회
▷ 국무총리 소속, 중앙행정기관

(4) 정보주체의 권리

정보주체는 자신의 개인정보 처리와 관련하여 ① 개인정보의 처리에 관한 정보를 제공받을 권리, ② 개인정보의 처리에 관한 동의 여부, 동의 범위 등을 선택하고 결정할 권리, ③ 개인정보의 처리 여부를 확인하고 개인정보에 대하여 열람(사본의 발급을 포함한다) 및 전송을 요구할 권리, ④ 개인정보의 처리 정지, 정정·삭제 및 파기를 요구할 권리, ⑤ 개인정보의 처리로 인하여 발생한 피해를 신속하고 공정한 절차에 따라 구제받을 권리, ⑥ 완전히 자동화된 개인정보 처리에 따른 결정을 거부하거나 그에 대한 설명 등을 요구할 권리를 갖는다(동법 제4조).

(5) 국가 등의 책무

① 국가와 지방자치단체는 개인정보의 목적 외 수집, 오용·남용 및 무분별한 감시·추적 등에 따른 폐해를 방지하여 인간의 존엄과 개인의 사생활 보호를 도모하기 위한 시책을 강구하여야 한다(동법 제5조 제1항).

② 국가와 지방자치단체는 만 14세 미만 아동이 개인정보 처리가 미치는 영향과 정보주체의 권리 등을 명확하게 알 수 있도록 만 14세 미만 아동의 개인정보 보호에 필요한 시책을 마련하여야 한다(동법 제5조 제3항).

(6) 다른 법률과의 관계

① 「개인정보 보호법」은 개인정보 보호에 관한 일반법이다. 따라서 개인정보의 처리 및 보호에 관하여 다른 법률에 특별한 규정이 있는 경우를 제외하고는 이 법에서 정하는 바에 따른다(동법 제6조 제1항). 개인정보의 처리 및 보호에 관한 다른 법률을 제정하거나 개정하는 경우에는 이 법의 목적과 원칙에 맞도록 하여야 한다(동법 제6조 제2항).

② 다만, ㉠ 국가안전보장과 관련된 정보 분석을 목적으로 수집 또는 제공 요청되는 개인정보, ㉡ 언론, 종교단체, 정당이 각각 취재·보도, 선교, 선거 입후보자 추천 등 고유 목적을 달성하기 위하여 수집·이용하는 개인정보에 관하여는 제3장(개인정보의 처리)부터 제8장(개인정보 단체소송)까지를 적용하지 아니한다(동법 제58조 제1항).

2. 개인정보 보호정책의 수립 등

(1) 개인정보 보호위원회

① 설치: 개인정보 보호에 관한 사무를 독립적으로 수행하기 위해 국무총리 소속으로 개인정보 보호위원회(이하 '보호위원회'라 함)를 두며(동법 제7조 제1항), 보호위원회는 「정부조직법」 제2조에 따른 중앙행정기관으로 본다(동법 제7조 제2항).

22. 소방직 개인정보 보호위원회는 대통령 직속 기관으로 대통령이 직접 지휘·감독한다. (×) → 국무총리 소속 기관이다.

21. 국회직 9급 개인정보 보호에 관한 사무를 독립적으로 수행하기 위하여 행정안전부 소속으로 개인정보 보호위원회를 둔다. (×) → 국무총리

(2) 구성 등

① 보호위원회는 상임위원 2명(위원장 1명, 부위원장 1명)을 포함한 9명의 위원으로 구성하며(동법 제7조의2 제1항), 보호위원회의 위원은 개인정보 보호에 관한 경력과 전문지식이 풍부한 다음의 사람 중에서 위원장과 부위원장은 국무총리의 제청으로, 그 외 위원 중 2명은 위원장의 제청으로, 2명은 대통령이 소속되거나 소속되었던 정당의 교섭단체 추천으로, 3명은 그 외의 교섭단체 추천으로 대통령이 임명 또는 위촉한다(동법 제7조의2 제2항).

> 「개인정보 보호법」 제7조의2【보호위원회의 구성 등】① 보호위원회는 상임위원 2명(위원장 1명, 부위원장 1명)을 포함한 9명의 위원으로 구성한다.
> ② 보호위원회의 위원은 개인정보 보호에 관한 경력과 전문지식이 풍부한 다음 각 호의 사람 중에서 위원장과 부위원장은 국무총리의 제청으로, 그 외 위원 중 2명은 위원장의 제청으로, 2명은 대통령이 소속되거나 소속되었던 정당의 교섭단체 추천으로, 3명은 그 외의 교섭단체 추천으로 대통령이 임명 또는 위촉한다.
> 1. 개인정보 보호 업무를 담당하는 3급 이상 공무원(고위공무원단에 속하는 공무원을 포함한다)의 직에 있거나 있었던 사람
> 2. 판사·검사·변호사의 직에 10년 이상 있거나 있었던 사람
> 3. 공공기관 또는 단체(개인정보처리자로 구성된 단체를 포함한다)에 3년 이상 임원으로 재직하였거나 이들 기관 또는 단체로부터 추천받은 사람으로서 개인정보 보호 업무를 3년 이상 담당하였던 사람
> 4. 개인정보 관련 분야에 전문지식이 있고 「고등교육법」 제2조 제1호에 따른 학교에서 부교수 이상으로 5년 이상 재직하고 있거나 재직하였던 사람

◎ 핵심정리 개인정보 보호위원회 구성

위원장과 부위원장 (각 1명)		국무총리의 제청	대통령이 임명 또는 위촉
위원	2명	위원장의 제청	
	2명	대통령이 소속되거나 소속되었던 정당의 교섭단체 추천	
	3명	그 외의 교섭단체 추천	

② 위원장과 부위원장은 정무직 공무원으로 임명한다(동법 제7조의2 제3항). 위원장, 부위원장, 제7조의13(사무처)에 따른 사무처의 장은 「정부조직법」 제10조에도 불구하고 정부위원이 된다(동법 제7조의2 제4항).

17. 경찰 2차 보호위원회는 위원장 1명, ~~비상임위원~~ 1명을 포함한 ~~15명 이내의~~ 위원으로 구성하되, ~~비상임위원~~은 정무직 공무원으로 임명한다. (×) → 부위원장 / 9명의 / 상임위원(위원장·부위원장)

위원장
▷ 보호위원회 대표
▷ 회의 주재
▷ 소관 사무 총괄
▷ 위원장이 부득이한 사유로 직무 수행 불가능할 때 부위원장이 대행
▷ 위원장·부위원장이 모두 부득이한 사유로 직무 수행 불가능할 때 위원회가 미리 정하는 위원이 직무를 대행
▷ 국회에 출석하여 소관 사무에 관하여 의견 진술 可
▷ 국회에서 요구 시 출석하여 보고 및 답변하여야 함
▷ 국무회의에 출석하여 발언 可
▷ 소관 사무에 관하여 국무총리에게 의안 제출 건의 可

위원의 임기
▷ 3년, 한 차례 연임 可

위원의 신분보장
▷ 일정한 경우를 제외하고는 그 의사에 반하여 면직 또는 해촉×

겸직금지
▷ 국회의원 또는 지방의회의원·국가공무원 또는 지방공무원·그 밖에 대통령령으로 정하는 직무와 관련된 영리업무에 종사×, 정치활동 관여 不可

결격사유
▷ 대한민국 국민이 아닌 사람
▷ 「국가공무원법」상 결격사유 어느 하나에 해당하는 사람
▷ 「정당법」상 당원
▷ 결격사유가 있는 위원은 당연퇴직

위원의 제척·기피·회피
▷ 일정한 경우 위원은 심의·의결에서 제척됨, 위원에게 심의·의결의 공정을 기대하기 어려운 경우 당사자가 기피 신청 可
▷ 위원에게 제척·기피 사유가 있는 경우 위원이 회피 可

(3) 위원장

① 위원장은 보호위원회를 대표하고, 보호위원회의 회의를 주재하며, 소관 사무를 총괄한다(동법 제7조의3 제1항).

② 위원장이 부득이한 사유로 직무를 수행할 수 없을 때에는 부위원장이 그 직무를 대행하고, 위원장·부위원장이 모두 부득이한 사유로 직무를 수행할 수 없을 때에는 위원회가 미리 정하는 위원이 위원장의 직무를 대행한다(동법 제7조의3 제2항).

③ 위원장은 국회에 출석하여 보호위원회의 소관 사무에 관하여 의견을 진술할 수 있으며, 국회에서 요구하면 출석하여 보고하거나 답변하여야 한다(동법 제7조의3 제3항).

④ 위원장은 국무회의에 출석하여 발언할 수 있으며, 그 소관 사무에 관하여 국무총리에게 의안 제출을 건의할 수 있다(동법 제7조의3 제4항).

(4) 위원의 임기

위원의 임기는 3년으로 하되, 한 차례만 연임할 수 있다(동법 제7조의4 제1항). 위원이 궐위된 때에는 지체 없이 새로운 위원을 임명 또는 위촉하여야 한다. 이 경우 후임으로 임명 또는 위촉된 위원의 임기는 새로이 개시된다(동법 제7조의4 제2항).

17. 경찰 2차 변형 위원의 임기는 3년으로 하되, 한 차례만 연임할 수 있다. (○)

(5) 위원의 신분보장

① 위원은 ㉠ 장기간 심신장애로 인하여 직무를 수행할 수 없게 된 경우, ㉡ 결격사유에 해당하는 경우, ㉢ 「개인정보 보호법」 또는 그 밖의 다른 법률에 따른 직무상의 의무를 위반한 경우를 제외하고는 그 의사에 반하여 면직 또는 해촉되지 아니한다(동법 제7조의5 제1항).

② 위원은 법률과 양심에 따라 독립적으로 직무를 수행한다(동법 제7조의5 제2항).

(6) 위원의 겸직금지 등

위원은 재직 중 ㉠ 국회의원 또는 지방의회의원, ㉡ 국가공무원 또는 지방공무원, ㉢ 그 밖에 대통령령으로 정하는 직을 겸하거나 직무와 관련된 영리업무에 종사하여서는 아니 되며(동법 제7조의6 제1항), ㉣ 정치활동에 관여할 수 없다(동법 제7조의6 제2항).

(7) 위원의 결격사유

① ㉠ 대한민국 국민이 아닌 사람, ㉡ 「국가공무원법」상 결격사유 중 어느 하나에 해당하는 사람, ㉢ 「정당법」상 당원 어느 하나에 해당하는 사람은 위원이 될 수 없다(동법 제7조의7 제1항).

② 위원이 위 ①의 결격사유 중 어느 하나에 해당하게 된 때에는 그 직에서 당연퇴직한다(동법 제7조의7 제2항).

(8) 위원의 제척·기피·회피

① 위원은 다음의 어느 하나에 해당하는 경우에는 심의·의결에서 제척된다(동법 제7조의11 제1항).

「**개인정보 보호법**」**제7조의11 【위원의 제척·기피·회피】** ① 위원은 다음 각 호의 어느 하나에 해당하는 경우에는 심의·의결에서 제척된다.

1. 위원 또는 그 배우자나 배우자였던 자가 해당 사안의 당사자가 되거나 그 사건에 관하여 공동의 권리자 또는 의무자의 관계에 있는 경우
2. 위원이 해당 사안의 당사자와 친족이거나 친족이었던 경우
3. 위원이 해당 사안에 관하여 증언, 감정, 법률자문을 한 경우
4. 위원이 해당 사안에 관하여 당사자의 대리인으로서 관여하거나 관여하였던 경우
5. 위원이나 위원이 속한 공공기관·법인 또는 단체 등이 조언 등 지원을 하고 있는 자와 이해관계가 있는 경우

② 위원에게 심의·의결의 공정을 기대하기 어려운 사정이 있는 경우 당사자는 기피 신청을 할 수 있고, 보호위원회는 의결로 이를 결정한다(동법 제7조의11 제2항).

③ 위원에게 제척·기피 사유가 있는 경우에는 위원이 해당 사안에 대하여 회피할 수 있다(동법 제7조의11 제3항).

(9) 소관사무

보호위원회는 다음의 소관 사무를 수행한다(동법 제7조의8).

「**개인정보 보호법**」**제7조의8 【보호위원회의 소관 사무】** 보호위원회는 다음 각 호의 소관 사무를 수행한다.

1. 개인정보의 보호와 관련된 법령의 개선에 관한 사항
2. 개인정보 보호와 관련된 정책·제도·계획 수립·집행에 관한 사항
3. 정보주체의 권리침해에 대한 조사 및 이에 따른 처분에 관한 사항
4. 개인정보의 처리와 관련한 고충처리·권리구제 및 개인정보에 관한 분쟁의 조정
5. 개인정보 보호를 위한 국제기구 및 외국의 개인정보 보호기구와의 교류·협력
6. 개인정보 보호에 관한 법령·정책·제도·실태 등의 조사·연구, 교육 및 홍보에 관한 사항
7. 개인정보 보호에 관한 기술개발의 지원·보급, 기술의 표준화 및 전문인력의 양성에 관한 사항
8. 이 법 및 다른 법령에 따라 보호위원회의 사무로 규정된 사항

(10) 심의·의결 사항 등

① 보호위원회는 다음의 사항을 심의·의결한다(동법 제7조의9 제1항).

「**개인정보 보호법**」**제7조의9 【보호위원회의 심의·의결 사항 등】** ① 보호위원회는 다음 각 호의 사항을 심의·의결한다.

1. 제8조의2에 따른 개인정보 침해요인 평가에 관한 사항
2. 제9조에 따른 기본계획 및 제10조에 따른 시행계획에 관한 사항
3. 개인정보 보호와 관련된 정책, 제도 및 법령의 개선에 관한 사항
4. 개인정보의 처리에 관한 공공기관 간의 의견조정에 관한 사항
5. 개인정보 보호에 관한 법령의 해석·운용에 관한 사항
6. 제18조 제2항 제5호에 따른 개인정보의 이용·제공에 관한 사항
6의2. 제28조의9에 따른 개인정보의 국외 이전 중지 명령에 관한 사항
7. 제33조 제4항에 따른 영향평가 결과에 관한 사항
8. 제64조의2에 따른 과징금 부과에 관한 사항

9. 제61조에 따른 의견제시 및 개선권고에 관한 사항

9의2. 제63조의2 제2항에 따른 시정권고에 관한 사항

9. 제61조에 따른 의견제시 및 개선권고에 관한 사항

10. 제64조에 따른 시정조치 등에 관한 사항

11. 제65조에 따른 고발 및 징계권고에 관한 사항

12. 제66조에 따른 처리 결과의 공표 및 공표명령에 관한 사항

13. 제75조에 따른 과태료 부과에 관한 사항

14. 소관 법령 및 보호위원회 규칙의 제정·개정 및 폐지에 관한 사항

15. 개인정보 보호와 관련하여 보호위원회의 위원장 또는 위원 2명 이상이 회의에 부치는 사항

16. 그 밖에 이 법 또는 다른 법령에 따라 보호위원회가 심의·의결하는 사항

보호위원회
▷ 심의·의결 위해 필요한 경우 관계 공무원, 개인정보 보호에 관한 전문 지식이 있는 사람이나 시민사회단체 및 관련 사업자로부터 의견 청취 可
▷ 관계기관 등에 대한 자료제출이나 사실조회 요구 可

② 보호위원회는 위 사항을 심의·의결하기 위하여 필요한 경우 ㉠ 관계 공무원, 개인정보 보호에 관한 전문지식이 있는 사람이나 시민사회단체 및 관련 사업자로부터의 의견 청취, ㉡ 관계 기관 등에 대한 자료제출이나 사실조회 요구를 할 수 있다(동법 제7조의9 제2항).

18. 경찰 3차 개인정보 보호위원회는 개인정보 보호와 관련된 정책을 심의·의결하기 위해 관계 공무원, 개인정보 보호에 관한 전문 지식이 있는 사람이나 시민사회단체 및 관련 사업자로부터 의견을 청취할 수 있다. (○)

③ 위 ②의 ㉠에 따른 요구를 받은 관계 기관 등은 특별한 사정이 없으면 이에 따라야 한다(동법 제7조의9 제3항).

보호위원회
▷ 개인정보 보호와 관련된 정책, 제도 및 법령의 개선에 관한 사항을 심의·의결한 경우 관계 기관에 개선 권고 및 권고내용의 이행 여부 점검 可

④ 보호위원회는 개인정보 보호와 관련된 정책, 제도 및 법령의 개선에 관한 사항을 심의·의결한 경우 관계 기관에 그 개선을 권고할 수 있고(동법 제7조의9 제4항), 권고내용의 이행 여부를 점검할 수 있다(동법 제7조의9 제5항).

(11) 회의

회의
▷ 위원장이 필요하다고 인정하거나 재적위원 4분의 1 이상이 요구하면 위원장이 소집

① 보호위원회의 회의는 위원장이 필요하다고 인정하거나 재적위원 4분의 1 이상의 요구가 있는 경우에 위원장이 소집한다(동법 제7조의10 제1항).

17. 경찰 2차 보호위원회의 회의는 위원장이 필요하다고 인정하거나 재적위원 5분의 1 이상의 요구가 있는 경우에 위원장이 소집한다. (×) → 4분의 1

의안 제의
▷ 위원장 또는 2명 이상의 위원

② 위원장 또는 2명 이상의 위원은 보호위원회에 의안을 제의할 수 있다(동법 제7조의10 제2항).

보호위원회 회의
▷ 의사정족수: 과반 출석
▷ 의결정족수: 과반 의결

③ 보호위원회의 회의는 재적위원 과반수의 출석으로 개의하고, 출석위원 과반수의 찬성으로 의결한다(동법 제7조의10 제3항).

17. 경찰 2차 보호위원회는 재적위원 과반수의 출석과 출석위원 3분의 2 이상의 찬성으로 의결한다. (×) → 과반수

(12) 소위원회

소위원회
▷ 3명으로 구성, 구성위원 전원의 출석과 출석위원 전원의 찬성으로 의결

① 보호위원회는 효율적인 업무 수행을 위하여 개인정보 침해 정도가 경미하거나 유사·반복되는 사항 등을 심의·의결할 소위원회를 둘 수 있다(동법 제7조의12 제1항).

② 소위원회는 3명의 위원으로 구성한다(동법 제7조의12 제2항).

③ 소위원회가 심의·의결한 것은 보호위원회가 심의·의결한 것으로 본다(동법 제7조의12 제3항).

④ 소위원회의 회의는 구성위원 전원의 출석과 출석위원 전원의 찬성으로 의결한다(동법 제7조의12 제4항).

(13) 사무처

보호위원회의 사무를 처리하기 위하여 보호위원회에 사무처를 두며, 이 법에 규정된 것 외에 보호위원회의 조직에 관한 사항은 대통령령으로 정한다(동법 제7조의13).

3. 개인정보 침해요인 평가

중앙행정기관의 장은 소관 법령의 제정 또는 개정을 통하여 개인정보 처리를 수반하는 정책이나 제도를 도입·변경하는 경우에는 보호위원회에 개인정보 침해요인 평가를 요청하여야 한다(동법 제8조의2 제1항). 보호위원회가 위의 요청을 받은 때에는 해당 법령의 개인정보 침해요인을 분석·검토하여 그 법령의 소관기관의 장에게 그 개선을 위하여 필요한 사항을 권고할 수 있다(동법 제8조의2 제2항).

18. 경찰 3차 중앙행정기관의 장은 소관 법령의 제정 또는 개정을 통하여 개인정보 처리를 수반하는 정책이나 제도를 도입·변경하는 경우에는 개인정보 보호위원회에 개인정보 침해요인 평가를 ~~요청할 수 있다~~. (×)
→ 하여야 한다

4. 개인정보 보호 기본계획과 시행계획

(1) 기본계획

① 보호위원회는 개인정보의 보호와 정보주체의 권익 보장을 위하여 3년마다 개인정보 보호 기본계획(이하 "기본계획"이라 함)을 관계 중앙행정기관의 장과 협의하여 수립한다(동법 제9조 제1항).

② 기본계획에 포함되어야 할 사항은 ㉠ 개인정보 보호의 기본목표와 추진방향, ㉡ 개인정보 보호와 관련된 제도 및 법령의 개선, ㉢ 개인정보 침해 방지를 위한 대책, ㉣ 개인정보 보호 자율규제의 활성화, ㉤ 개인정보 보호 교육·홍보의 활성화, ㉥ 개인정보 보호를 위한 전문인력의 양성, ㉦ 그 밖에 개인정보 보호를 위하여 필요한 사항 등이다(동법 제9조 제2항).

(2) 시행계획

중앙행정기관의 장은 기본계획에 따라 매년 개인정보 보호를 위한 시행계획을 작성하여 보호위원회에 제출하고, 보호위원회의 심의·의결을 거쳐 시행하여야 한다(동법 제10조 제1항).

5. 자료제출 요구 등

(1) 보호위원회는 기본계획을 효율적으로 수립하기 위하여 개인정보처리자, 관계 중앙행정기관의 장, 지방자치단체의 장 및 관계 기관·단체 등에 개인정보처리자의 법규 준수 현황과 개인정보 관리 실태 등에 관한 자료의 제출이나 의견의 진술 등을 요구할 수 있다(동법 제11조 제1항).

(2) 보호위원회는 개인정보 보호 정책 추진, 성과평가 등을 위하여 필요한 경우 개인정보처리자, 관계 중앙행정기관의 장, 지방자치단체의 장 및 관계 기관·단체 등을 대상으로 개인정보관리 수준 및 실태파악 등을 위한 조사를 실시할 수 있다(동법 제11조 제2항).

함께 정리하기

개인정보 침해요인 평가
▷ 중앙행정기관의 장이 소관 법령의 제정 또는 개정을 통하여 개인정보 처리를 수반하는 정책이나 제도를 도입·변경하는 경우에 보호위원회에 요청

개인정보 보호 기본계획
▷ 개인정보 보호위원회가 관계 중앙행정기관의 장과 협의하여 3년마다 수립

개인정보 보호 시행계획
▷ 중앙행정기관의 장이 매년 작성하여 보호위원회에 제출하고 보호위원회의 심의·의결 거쳐 시행

보호위원회
▷ 기본계획을 효율적으로 수립하기 위하여 자료의 제출이나 의견의 진술 등을 요구 可

보호위원회
▷ 개인정보처리자, 관계 중앙행정기관의 장, 지방자치단체의 장 및 관계 기관·단체 등을 대상으로 실태파악 등 조사 실시 可

중앙행정기관의 장
▷ 시행계획을 효율적으로 수립·추진하기 위해 개인정보처리자에게 자료제출 요구 可

개인정보 보호수준 평가
▷ 보호위원회는 공공기관 중 중앙행정기관, 그 소속기관, 지방자치단체, 그 밖에 대통령령으로 정하는 기관을 대상으로 매년 개인정보 보호 정책·업무수행·이 법에 따른 의무의 준수 여부 등을 평가하여야 함

보호위원회
▷ 표준 개인정보 보호지침 정하여 준수 권장 可

보호위원회
▷ 개인정보 보호에 관한 교육·홍보 등 개인정보처리자의 자율적인 개인정보 보호 활동 촉진·지원 위한 시책 마련하여야 함

개인정보 수집·이용이 가능한 경우
▷ 정보주체의 동의
▷ 법률에 규정이 있거나 법령상 의무 준수를 위해
▷ 공공기관 업무수행을 위해 불가피
▷ 정보주체와의 계약과 관련해 불가피한 경우
▷ 긴급한 경우
▷ 개인정보처리자의 정당한 이익 달성을 위하여

(3) 중앙행정기관의 장은 시행계획을 효율적으로 수립·추진하기 위하여 소관 분야의 개인정보처리자에게 자료제출 등을 요구할 수 있다(동법 제11조 제3항). 자료제출 등을 요구받은 자는 특별한 사정이 없으면 이에 따라야 한다(동법 제11조 제4항).

6. 개인정보 보호수준 평가(신설)

(1) 보호위원회는 공공기관 중 중앙행정기관 및 그 소속기관, 지방자치단체, 그 밖에 대통령령으로 정하는 기관을 대상으로 매년 개인정보 보호 정책·업무의 수행 및 이 법에 따른 의무의 준수 여부 등을 평가(이하 "개인정보 보호수준 평가"라 함)하여야 한다(동법 제11조의2 제1항).

(2) 보호위원회는 개인정보 보호수준 평가에 필요한 경우 해당 공공기관의 장에게 관련 자료를 제출하게 할 수 있다(동법 제11조의2 제2항). 보호위원회는 개인정보 보호수준 평가의 결과를 인터넷 홈페이지 등을 통하여 공개할 수 있다(동법 제11조의2 제3항).

(3) 보호위원회는 개인정보 보호수준 평가의 결과에 따라 우수기관 및 그 소속 직원에 대하여 포상할 수 있고, 개인정보 보호를 위하여 필요하다고 인정하면 해당 공공기관의 장에게 개선을 권고할 수 있다. 이 경우 권고를 받은 공공기관의 장은 이를 이행하기 위하여 성실하게 노력하여야 하며, 그 조치 결과를 보호위원회에 알려야 한다(동법 제11조의2 제4항).

7. 개인정보 보호지침

보호위원회는 개인정보의 처리에 관한 기준, 개인정보 침해의 유형 및 예방조치 등에 관한 표준 개인정보 보호지침(이하 "표준지침"이라 함)을 정하여 개인정보처리자에게 그 준수를 권장할 수 있다(동법 제12조 제1항).

18. 경찰 3차 과학기술정보통신부장관은 개인정보의 처리에 관한 기준, 개인정보 침해의 유형 및 예방조치 등에 관한 표준 개인정보 보호지침을 정하여 개인정보처리자에게 그 준수를 권장할 수 있다. (×) → 보호위원회는

8. 자율규제의 촉진 및 지원

보호위원회는 개인정보처리자의 자율적인 개인정보 보호활동을 촉진하고 지원하기 위하여 개인정보 보호에 관한 교육·홍보 등의 필요한 시책을 마련하여야 한다(동법 제13조).

3 개인정보의 처리

1. 개인정보의 수집·이용·제공 등

(1) 개인정보의 수집·이용

① 개인정보처리자는 다음의 어느 하나에 해당하는 경우에는 개인정보를 수집할 수 있으며 그 수집 목적의 범위에서 이용할 수 있다(동법 제15조 제1항).

「개인정보 보호법」제15조【개인정보의 수집·이용】① 개인정보처리자는 다음 각 호의 어느 하나에 해당하는 경우에는 개인정보를 수집할 수 있으며 그 수집 목적의 범위에서 이용할 수 있다.

1. 정보주체의 동의를 받은 경우
2. 법률에 특별한 규정이 있거나 법령상 의무를 준수하기 위하여 불가피한 경우

> 18. 서울시 7급 개인정보처리자는 법령상 의무를 준수하기 위하여 불가피한 경우에는 개인정보를 수집할 수 있으며 그 수집 목적의 범위 내에서 이용할 수 있다. (○)

3. 공공기관이 법령 등에서 정하는 소관 업무의 수행을 위하여 불가피한 경우
4. 정보주체와 체결한 계약을 이행하거나 계약을 체결하는 과정에서 정보주체의 요청에 따른 조치를 이행하기 위하여 필요한 경우

> 21. 소방간부 정보주체와의 계약의 체결 및 이행을 위하여 불가피하게 필요한 경우에도 정보주체의 별도 동의 없이 개인정보처리자가 개인정보를 수집할 수 있으며 그 수집 목적의 범위에서 이용할 수 있다. (○)

5. 명백히 정보주체 또는 제3자의 급박한 생명, 신체, 재산의 이익을 위하여 필요하다고 인정되는 경우

> 14. 경찰 2차 「개인정보 보호법」상 개인정보처리자는 정보주체 또는 그 법정대리인이 의사표시를 할 수 없는 상태에 있거나 주소불명 등으로 사전 동의를 받을 수 없는 경우로 명백히 정보주체 또는 제3자의 급박한 생명, 신체, 재산의 이익을 위해 필요하다고 인정되는 경우 개인정보를 수집할 수 있으며, 그 수집 목적의 범위에서 이용할 수 있다. (○)

6. 개인정보처리자의 정당한 이익을 달성하기 위하여 필요한 경우로서 명백하게 정보주체의 권리보다 우선하는 경우. 이 경우 개인정보처리자의 정당한 이익과 상당한 관련이 있고 합리적인 범위를 초과하지 아니하는 경우에 한한다.

> 21. 국회직 8급 개인정보처리자는 개인정보처리자의 정당한 이익을 달성하기 위하여 필요한 경우로서 명백하게 정보주체의 권리보다 우선하는 경우에는 개인정보처리자의 정당한 이익과 상당한 관련이 있고 합리적인 범위를 초과하지 않는다면 정보주체의 동의가 없더라도 개인정보를 수집할 수 있다. (○)

> 19. 경찰 2차 「개인정보 보호법」에 따르면, '개인정보처리자의 정당한 이익을 달성하기 위하여 필요한 경우로서 명백하게 정보주체의 권리보다 우선하는 경우'라도, 그 개인정보의 수집·이용은 위법한 것으로 평가된다. (✕) → 라면, 개인정보를 수집할 수 있으며 그 수집 목적의 범위에서 이용할 수 있다

7. 공중위생 등 공공의 안전과 안녕을 위하여 긴급히 필요한 경우

② 개인정보처리자는 정보주체의 동의를 받을 때에는 ㉠ 개인정보의 수집·이용 목적, ㉡ 수집하려는 개인정보의 항목, ㉢ 개인정보의 보유 및 이용 기간, ㉣ 동의를 거부할 권리가 있다는 사실 및 동의 거부에 따른 불이익이 있는 경우에는 그 불이익의 내용 등을 정보주체에게 알려야 한다. 이러한 사항을 변경하는 경우에도 이를 알리고 동의를 받아야 한다(동법 제15조 제2항).

③ 개인정보처리자는 당초 수집 목적과 합리적으로 관련된 범위에서 정보주체에게 불이익이 발생하는지 여부, 암호화 등 안전성 확보에 필요한 조치를 하였는지 여부 등을 고려하여 대통령령으로 정하는 바에 따라 정보주체의 동의 없이 개인정보를 이용할 수 있다(동법 제15조 제3항).

정보주체의 동의를 받을 때
▷ 개인정보의 수집·이용 목적, 수집 항목, 보유 및 이용 기간, 동의 거부 권리 및 거부에 따른 불이익 내용을 알려야 함

개인정보처리자
▷ 당초 수집목적과 합리적 관련 범위 내 정보주체 동의 없이 개인정보 이용 可

개인정보 수집 원칙
▷ 목적에 필요한 최소한의 개인정보를 수집

최소한의 개인정보 수집이라는 입증책임
▷ 개인정보처리자가 부담

정보주체의 동의를 받아 개인정보 수집하는 경우
▷ 필요한 최소한의 정보 외의 개인정보 수집에는 동의하지 아니할 수 있다는 사실을 구체적으로 알려야 함

개인정보처리자
▷ 필요한 최소한의 정보 외 개인정보 수집에 부동의 이유로 재화·서비스의 제공거부 금지

개인정보의 제3자 제공이 가능한 경우
▷ 정보주체의 동의를 받은 경우
▷ 제15조 제1항 제2호, 제3호, 제5호부터 제7호에 따라 개인정보를 수집한 목적 범위에서 개인정보를 제공하는 경우

개인정보의 제3자 제공을 위해 정보주체의 동의를 받을 때 통지할 사항
▷ 개인정보를 제공받는 자
▷ 제공받는 자의 개인정보 이용 목적
▷ 제공하는 개인정보 항목
▷ 개인정보 보유 및 이용 기간
▷ 동의 거부 권리 및 거부에 따른 불이익 내용

정보주체의 동의 없는 개인정보 제공
▷ 당초 수집 목적과 합리적으로 관련된 범위에서 정보주체에게 불이익이 발생하는지 여부, 암호화 등 안전성 확보에 필요한 조치를 하였는지 여부 등을 고려하여 대통령령으로 정하는 바에 따라 가능

(2) 개인정보의 수집 제한

① 개인정보처리자는 제15조(개인정보의 수집·이용) 제1항 각 호의 어느 하나에 해당하여 개인정보를 수집하는 경우에는 그 목적에 필요한 최소한의 개인정보를 수집하여야 한다. 이 경우 최소한의 개인정보 수집이라는 입증책임은 개인정보처리자가 부담한다(동법 제16조 제1항).

16. 지방직 7급 개인정보처리자가 「개인정보 보호법」상의 허용요건을 충족하여 개인정보를 수집하는 경우에는 그 목적에 필요한 최소한의 개인정보를 수집하여야 한다. 이 경우 개인정보처리자가 최소한의 개인정보 수집이라는 의무를 위반한 경우 그 입증책임은 이의를 제기하는 정보주체가 부담한다. (×) → 개인정보처리자

16. 서울시 7급 개인정보처리자가 「개인정보 보호법」에 따라 최소한의 개인정보를 수집한 경우, 최소 필요성 요건의 충족 여부에 대한 입증책임은 정보주체에게 있다. (×) → 개인정보처리자

② 개인정보처리자는 정보주체의 동의를 받아 개인정보를 수집하는 경우 필요한 최소한의 정보 외의 개인정보 수집에는 동의하지 아니할 수 있다는 사실을 구체적으로 알리고 개인정보를 수집하여야 한다(동법 제16조 제2항).

③ 개인정보처리자는 정보주체가 필요한 최소한의 정보 외의 개인정보 수집에 동의하지 아니한다는 이유로 정보주체에게 재화 또는 서비스의 제공을 거부하여서는 아니 된다(동법 제16조 제3항).

(3) 개인정보의 제3자 제공

① 개인정보처리자는 ㉠ 정보주체의 동의를 받은 경우(제1호), ㉡ 동법 제15조(개인정보의 수집·이용) 제1항 제2호·제3호 및 제5호부터 제7호까지에 따라 개인정보를 수집한 목적 범위에서 개인정보를 제공하는 경우(제2호)에는 정보주체의 개인정보를 제3자에게 제공(공유를 포함)할 수 있다(동법 제17조 제1항).

19. 행정사 정보처리자는 정보주체와의 계약의 체결을 위하여 불가피한 경우에는 정보주체의 동의 없이 개인정보를 제3자에게 제공할 수 없다. (×) → 없다

13. 국회직 9급 개인정보처리자는 그의 정당한 이익을 달성하기 위하여 필요한 경우에 명백히 정보주체의 권리보다 우선하는 경우에는 정보주체의 동의 없이 정보주체의 개인정보를 제3자에게 제공할 수 있다. (○)

② 개인정보처리자는 제1항 제1호에 따라 정보주체의 동의를 받을 때에는 ㉠ 개인정보를 제공받는 자, ㉡ 개인정보를 제공받는 자의 개인정보 이용 목적, ㉢ 제공하는 개인정보의 항목, ㉣ 개인정보를 제공받는 자의 개인정보 보유 및 이용 기간, ㉤ 동의를 거부할 권리가 있다는 사실 및 동의 거부에 따른 불이익이 있는 경우에는 그 불이익의 내용 등의 사항을 정보주체에게 알려야 한다. 이러한 사항을 변경하는 경우에도 이를 알리고 동의를 받아야 한다(동법 제17조 제2항).

③ 개인정보처리자는 당초 수집 목적과 합리적으로 관련된 범위에서 정보주체에게 불이익이 발생하는지 여부, 암호화 등 안전성 확보에 필요한 조치를 하였는지 여부 등을 고려하여 대통령령으로 정하는 바에 따라 정보주체의 동의 없이 개인정보를 제공할 수 있다(동법 제17조 제4항).

21. 국회직 8급 개인정보처리자는 당초 수집 목적과 합리적으로 관련된 범위에서 정보주체에게 불이익이 발생하는지 여부, 암호화 등 안전성 확보에 필요한 조치를 하였는지 여부 등을 고려하여 대통령령으로 정하는 바에 따라 정보주체의 동의 없이 개인정보를 제공할 수 있다. (○)

22. 소방직 개인정보처리자는 당초 수집 목적과 합리적으로 관련된 범위에서 정보주체에게 불이익이 발생하는지 여부, 암호화 등 안전성 확보에 필요한 조치를 하였는지 여부 등을 고려하더라도 정보주체의 동의 없어는 개인정보를 제3자에게 제공할 수 없다. (×) → 고려하여 / 없이 / 있다

관련판례

개인정보처리자에게 영리 목적이 있었다는 사정만으로 곧바로 정보처리 행위를 위법하다고 할 수 없다. 이미 공개된 개인정보를 정보주체의 동의가 있었다고 객관적으로 인정되는 범위 내에서 수집·이용·제공 등 처리를 할 때는 별도의 동의는 불필요하다. ★★

[1] 개인정보자기결정권이라는 인격적 법익을 침해·제한한다고 주장되는 행위의 내용이 이미 정보주체의 의사에 따라 공개된 개인정보를 그의 별도의 동의 없이 영리 목적으로 수집·제공하였다는 것인 경우에는, 정보처리 행위로 침해될 수 있는 정보주체의 인격적 법익과 그 행위로 보호받을 수 있는 정보처리자 등의 법적 이익이 하나의 법률관계를 둘러싸고 충돌하게 된다. 이때는 정보주체가 공적인 존재인지, 개인정보의 공공성과 공익성, 원래 공개한 대상 범위, 개인정보 처리의 목적·절차·이용형태의 상당성과 필요성, 개인정보 처리로 침해될 수 있는 이익의 성질과 내용 등 여러 사정을 종합적으로 고려하여, 개인정보에 관한 인격권 보호에 의하여 얻을 수 있는 이익과 정보처리 행위로 얻을 수 있는 이익 즉 정보처리자의 '알 권리'와 이를 기반으로 한 정보수용자의 '알 권리' 및 표현의 자유, 정보처리자의 영업의 자유, 사회 전체의 경제적 효율성 등의 가치를 구체적으로 비교 형량하여 어느 쪽 이익이 더 우월한 것으로 평가할 수 있는지에 따라 정보처리 행위의 최종적인 위법성 여부를 판단하여야 하고, 단지 정보처리자에게 영리 목적이 있었다는 사정만으로 곧바로 정보처리 행위를 위법하다고 할 수는 없다.

[2] 이미 공개된 개인정보를 정보주체의 동의가 있었다고 객관적으로 인정되는 범위 내에서 수집·이용·제공 등 처리를 할 때는 정보주체의 별도의 동의는 불필요하다고 보아야 하고, 별도의 동의를 받지 아니하였다고 하여 개인정보 보호법 제15조나 제17조를 위반한 것으로 볼 수 없다.

21. 국가직 9급, 19. 군무원 9급 이미 공개된 개인정보를 정보주체의 동의가 있었다고 객관적으로 인정되는 범위 내에서 처리를 할 때는 정보주체의 별도의 동의는 불필요하다고 보아야 하고, 별도의 동의를 받지 아니하였다고 하여 「개인정보 보호법」을 위반한 것으로 볼 수 없다. (○)

[3] 법률정보 제공 사이트를 운영하는 甲 주식회사가 공립대학교인 乙 대학교 법과대학 법학과 교수로 재직 중인 丙의 사진, 성명, 성별, 출생연도, 직업, 직장, 학력, 경력 등의 개인정보를 위 법학과 홈페이지 등을 통해 수집하여 위 사이트 내 '법조인' 항목에서 유료로 제공한 사안에서, 甲 회사가 영리 목적으로 丙의 개인정보를 수집하여 제3자에게 제공하였더라도 그에 의하여 얻을 수 있는 법적 이익이 정보처리를 막음으로써 얻을 수 있는 정보주체의 인격적 법익에 비하여 우월하므로, 甲 회사의 행위를 丙의 개인정보자기결정권을 침해하는 위법한 행위로 평가할 수 없고, 甲 회사가 丙의 개인정보를 수집하여 제3자에게 제공한 행위는 丙의 동의가 있었다고 객관적으로 인정되는 범위 내이고, 甲 회사에 영리 목적이 있었다고 하여 달리 볼 수 없으므로, 甲 회사가 丙의 별도의 동의를 받지 아니하였다고 하여 개인정보 보호법 제15조나 제17조를 위반하였다고 볼 수 없다(대판 2016.8.17. 2014다235080).

21. 소방간부 법률정보 제공 사이트를 운영하는 甲 주식회사가 乙 대학교 법학과 교수로 재직 중인 丙의 개인정보를 별도 동의없이 위 법학과 홈페이지 등을 통해 수집하여 위 사이트 내 법조인 항목에서 유료로 제공하더라도 위법하다고 할 수 없다. (○)

이미 정보주체의 의사에 따라 공개된 개인정보를 별도의 동의 없이 영리 목적으로 수집·제공한 경우
▷ 단지 정보처리자에게 영리 목적이 있었다는 사정만으로 곧바로 위법×
▷ 개인정보에 관한 인격권 보호에 의하여 얻을 수 있는 이익과 정보처리 행위로 얻을 수 있는 이익을 비교 형량하여 판단

이미 공개된 개인정보를 정보주체의 동의가 있었다고 객관적으로 인정되는 범위 내에서 수집·이용·제공 등 처리를 할 때
▷ 정보주체의 별도의 동의는 불필요

甲 회사가 丙의 개인정보를 수집하여 제3자에게 제공한 행위
▷ 丙의 동의가 있었다고 객관적으로 인정되는 범위 내이므로 甲 회사가 丙의 별도의 동의를 받지 아니하였다고 하여 「개인정보 보호법」 제15조나 제17조 위반×

**개인정보의 목적 외 용도로의 이용·제3
자 제공**
▷ 원칙: 금지
▷ 예외: 허용

(4) 개인정보의 목적 외의 이용·제공 제한

① 개인정보처리자는 개인정보를 제15조 제1항에 따른 범위를 초과하여 이용하거
나 제17조 제1항 및 제28조의8 제1항에 따른 범위를 초과하여 제3자에게 제공하
여서는 아니 된다(동법 제18조 제1항).

② ①의 규정에도 불구하고 개인정보처리자는 다음 각 호의 어느 하나에 해당하
는 경우에는 정보주체 또는 제3자의 이익을 부당하게 침해할 우려가 있을 때를
제외하고는 개인정보를 목적 외의 용도로 이용하거나 이를 제3자에게 제공할
수 있다. 다만, 제5호부터 제9호까지에 따른 경우는 공공기관의 경우로 한정한
다(동법 제18조 제2항).

> 「개인정보 보호법」제18조【개인정보의 목적 외 이용·제공 제한】② 제1항에도 불
> 구하고 개인정보처리자는 다음 각 호의 어느 하나에 해당하는 경우에는 정보
> 주체 또는 제3자의 이익을 부당하게 침해할 우려가 있을 때를 제외하고는 개
> 인정보를 목적 외의 용도로 이용하거나 이를 제3자에게 제공할 수 있다. 다만,
> 제5호부터 제9호까지에 따른 경우는 공공기관의 경우로 한정한다.
> 1. 정보주체로부터 별도의 동의를 받은 경우
> 2. 다른 법률에 특별한 규정이 있는 경우
> 3. 명백히 정보주체 또는 제3자의 급박한 생명, 신체, 재산의 이익을 위하여 필
>   요하다고 인정되는 경우
> 4. 삭제
> 5. 개인정보를 목적 외의 용도로 이용하거나 이를 제3자에게 제공하지 아니하
>   면 다른 법률에서 정하는 소관 업무를 수행할 수 없는 경우로서 보호위원회
>   의 심의·의결을 거친 경우
> 6. 조약, 그 밖의 국제협정의 이행을 위하여 외국정부 또는 국제기구에 제공하
>   기 위하여 필요한 경우
> 7. 범죄의 수사와 공소의 제기 및 유지를 위하여 필요한 경우
> 8. 법원의 재판업무 수행을 위하여 필요한 경우
> 9. 형(刑) 및 감호, 보호처분의 집행을 위하여 필요한 경우
> 10. 공중위생 등 공공의 안전과 안녕을 위하여 긴급히 필요한 경우(신설)

**구「개인정보 보호법」제18조 제2항 제7
호의 '개인정보처리자'**
▷ 공공기관에 한정됨

> ⚖️ **관련판례**
>
> **구 개인정보 보호법 제18조 제2항 제7호는 '개인정보처리자'가 '공공기관'인 경우에
> 한정된다. ★**
>
> 구 개인정보 보호법 제18조 제2항 제7호는 개인정보처리자가 '범죄의 수사와 공소의
> 제기 및 유지를 위하여 필요한 경우'에는 정보주체 또는 제3자의 이익을 부당하게 침
> 해할 우려가 있는 때를 제외하고는 개인정보를 목적 외의 용도로 이용하거나 이를 제
> 3자에 제공할 수 있음을 규정하였으나, 이는 '개인정보처리자'가 '공공기관'인 경우에
> 한정될 뿐 법인·단체·개인 등의 경우에는 적용되지 아니한다(구 개인정보 보호법 제
> 18조 제2항 단서, 제2조 제5호 및 제6호)(대판 2022.10.27. 2022도9510).

개인정보를 제공받은 자의 이용·제공 제한
▷ 원칙: 목적 외 이용·제공 금지
▷ 예외: 정보주체의 별도의 동의, 법률에
규정이 있는 경우

(5) 개인정보를 제공받은 자의 이용·제공 제한

개인정보처리자로부터 개인정보를 제공받은 자는 ① 정보주체로부터 별도의 동
의를 받은 경우, ② 다른 법률에 특별한 규정이 있는 경우를 제외하고는 개인정보
를 제공받은 목적 외의 용도로 이용하거나 이를 제3자에게 제공하여서는 아니 된
다(동법 제19조).

18. 서울시 7급 개인정보처리자로부터 개인정보를 제공받은 자는 정보주체로부터 별도의 동의를 받은 경우나 다른 법률에 특별한 규정이 있는 경우를 제외하고는 개인정보를 제공받은 목적 외의 용도로 이용하거나 이를 제3자에게 제공하여서는 아니 된다. (○)

(6) 정보주체 이외로부터 수집한 개인정보의 수집 출처 등 통지

개인정보처리자가 정보주체 이외로부터 수집한 개인정보를 처리하는 때에는 정보주체의 요구가 있으면 즉시 ① 개인정보의 수집 출처, ② 개인정보의 처리 목적, ③ 제37조(개인정보 처리의 정지)에 따른 개인정보 처리의 정지를 요구하거나 동의를 철회할 권리가 있다는 사실을 정보주체에게 알려야 한다(동법 제20조 제1항).

(7) 개인정보 이용·제공 내역의 통지

① 대통령령으로 정하는 기준에 해당하는 개인정보처리자는 이 법에 따라 수집한 개인정보의 이용·제공 내역이나 이용·제공 내역을 확인할 수 있는 정보시스템에 접속하는 방법을 주기적으로 정보주체에게 통지하여야 한다. 다만, 연락처 등 정보주체에게 통지할 수 있는 개인정보를 수집·보유하지 아니한 경우에는 통지하지 아니할 수 있다(동법 제20조의2 제1항).

② 통지의 대상이 되는 정보주체의 범위, 통지 대상 정보, 통지 주기 및 방법 등에 필요한 사항은 대통령령으로 정한다(동법 제20조의2 제2항).

대통령령으로 정하는 개인정보처리자
▷ 수집한 개인정보의 이용·제공 내역, 이용·제공 내역을 확인할 수 있는 정보시스템에 접속하는 방법을 주기적으로 정보주체에게 통지하여야 함

(8) 개인정보의 파기

① 개인정보처리자는 보유기간의 경과, 개인정보의 처리 목적 달성, 가명정보의 처리 기간 경과 등 그 개인정보가 불필요하게 되었을 때에는 지체 없이 그 개인정보를 파기하여야 한다. 다만, 다른 법령에 따라 보존하여야 하는 경우에는 그러하지 아니하다(동법 제21조 제1항).

② 개인정보처리자가 개인정보를 파기할 때에는 복구 또는 재생되지 아니하도록 조치하여야 하고(동법 제21조 제2항), 개인정보를 파기하지 아니하고 보존하여야 하는 경우에는 해당 개인정보 또는 개인정보파일을 다른 개인정보와 분리하여서 저장·관리하여야 한다(동법 제21조 제3항).

개인정보의 파기
▷ 불필요하게 되었을 때에는 지체 없이 그 개인정보를 파기하여야 함(법령에 따라 보존하여야 하는 경우에는 파기×)

파기할 때
▷ 복구 또는 재생되지 아니하도록 조치하여야 함

개인정보를 파기하지 않고 보존하여야 하는 경우
▷ 다른 개인정보와 분리하여서 저장·관리하여야

(9) 동의를 받는 방법

① 개인정보처리자는 이 법에 따른 개인정보의 처리에 대하여 정보주체(제22조의2 제1항에 따른 법정대리인을 포함)의 동의를 받을 때에는 각각의 동의 사항을 구분하여 정보주체가 이를 명확하게 인지할 수 있도록 알리고 동의를 받아야 한다. 이 경우 ㉠ 제15조(개인정보의 수집·이용) 제1항 제1호, ㉡ 제17조(개인정보의 제공) 제1항 제1호, ㉢ 제18조(개인정보의 목적 외 이용·제공 제한) 제2항 제1호, ㉣ 제19조(개인정보를 제공받은 자의 이용·제공 제한) 제1호, ㉤ 제23조(민감정보의 처리제한) 제1항 제1호 및 ㉥ 제24조(고유식별정보의 처리제한) 제1항 제1호에 따라 동의를 받는 경우(제1호 내지 제6호), ㉦ 재화나 서비스를 홍보하거나 판매를 권유하기 위하여 개인정보의 처리에 대한 동의를 받으려는 경우(제7호), ㉧ 그 밖에 정보주체를 보호하기 위하여 동의 사항을 구분하여 동의를 받아야 할 필요가 있는 경우로서 대통령령으로 정하는 경우(제8호)에는 동의 사항을 구분하여 각각 동의를 받아야 한다(동법 제22조 제1항, 후단 신설).

동의를 받는 방법
▷ 각각의 동의 사항을 구분하여 명확하게 알리고 각각 동의를 받아야

② 개인정보처리자는 제1항의 동의를 서면(「전자문서 및 전자거래 기본법」 제2조 제1호에 따른 전자문서를 포함)으로 받을 때에는 개인정보의 수집·이용 목적, 수집·이용하려는 개인정보의 항목 등 대통령령으로 정하는 중요한 내용을 보호위원회가 고시로 정하는 방법에 따라 명확히 표시하여 알아보기 쉽게 하여야 한다(동법 제22조 제2항).

③ 개인정보처리자는 정보주체의 동의 없이 처리할 수 있는 개인정보에 대해서는 그 항목과 처리의 법적 근거를 정보주체의 동의를 받아 처리하는 개인정보와 구분하여 제30조(개인정보 처리방침의 수립 및 공개) 제2항에 따라 공개하거나 전자우편 등 대통령령으로 정하는 방법에 따라 정보주체에게 알려야 한다. 이 경우 동의 없이 처리할 수 있는 개인정보라는 입증책임은 개인정보처리자가 부담한다(동법 제22조 제3항).

16. 지방직 7급 개인정보처리자는 「개인정보 보호법」에 따라 개인정보의 처리에 대하여 정보주체의 동의를 받을 때에는 정보주체와의 계약 체결 등을 위하여 정보주체의 동의 없이 처리할 수 있는 개인정보와 정보주체의 동의가 필요한 개인정보를 구분하여야 한다. 이 경우 동의 없이 처리할 수 있는 개인정보라는 입증책임은 개인정보처리자가 부담한다. (○)

(10) 아동의 개인정보 보호(신설)

개인정보처리자는 만 14세 미만 아동의 개인정보를 처리하기 위하여 이 법에 따른 동의를 받아야 할 때에는 그 법정대리인의 동의를 받아야 하며, 법정대리인이 동의하였는지를 확인하여야 한다(동법 제22조의2 제1항). 다만, 법정대리인의 동의를 받기 위하여 필요한 최소한의 정보로서 대통령령으로 정하는 정보는 법정대리인의 동의 없이 해당 아동으로부터 직접 수집할 수 있다(동법 제22조의2 제1항).

18. 경찰 2차 개인정보처리자는 만 14세 미만 아동의 개인정보를 처리하기 위하여 이 법에 따른 동의를 받아야 할 때에는 그 법정대리인의 동의를 받아야 한다. 이 경우 법정대리인의 동의를 받기 위하여 필요한 최소한의 정보는 법정대리인의 동의 없이 해당 아동으로부터 직접 수집할 수 있다. (○)

17. 5급 승진 개인정보처리자는 만 14세 미만 아동의 개인정보처리를 위한 법정대리인의 동의를 받기 위하여 필요한 최소한의 정보는 법정대리인의 동의를 얻지 않으면 해당 아동으로부터 직접 수집할 수 없다. (×) → 않아도 / 있다

2. 개인정보 처리제한

(1) 민감정보의 처리 제한

① 개인정보처리자는 사상·신념, 노동조합·정당의 가입·탈퇴, 정치적 견해, 건강, 성생활 등에 관한 정보, 그 밖에 정보주체의 사생활을 현저히 침해할 우려가 있는 개인정보로서 대통령령으로 정하는 정보(이하 "민감정보"라 함)를 처리하여서는 아니 된다. 다만, ㉠ 정보주체에게 제15조(개인정보의 수집·이용) 제2항 각 호 또는 제17조(개인정보의 제공) 제2항 각 호의 사항을 알리고 다른 개인정보의 처리에 대한 동의와 별도로 동의를 받은 경우, ㉡ 법령에서 민감정보의 처리를 요구하거나 허용하는 경우에는 그러하지 아니하다(동법 제23조 제1항).

16. 교행 정치적 견해, 건강, 사상·신념에 관한 정보는 민감정보에 해당한다. (○)

20. 국회직 9급 개인정보처리자는 법령에서 민감정보의 처리를 요구하거나 허용하는 경우 민감정보를 처리할 수 있다. (○)

16. 서울시 7급 개인정보처리자는 법령에서 민감정보의 처리를 요구 또는 허용하는 경우에도 정보주체의 동의를 받지 못하면 민감정보를 처리할 수 없다. (×) → 에는 / 못하더라도 / 있다

「개인정보 보호법 시행령」 제18조【민감정보의 범위】 법 제23조 제1항 각 호 외의 부분 본문에서 "대통령령으로 정하는 정보"란 다음 각 호의 어느 하나에 해당하는 정보를 말한다. 다만, 공공기관이 법 제18조 제2항 제5호부터 제9호까지의 규정에 따라 다음 각 호의 어느 하나에 해당하는 정보를 처리하는 경우의 해당 정보는 제외한다.

1. 유전자검사 등의 결과로 얻어진 유전정보
2. 「형의 실효 등에 관한 법률」 제2조 제5호에 따른 범죄경력자료에 해당하는 정보
3. 개인의 신체적, 생리적, 행동적 특징에 관한 정보로서 특정 개인을 알아볼 목적으로 일정한 기술적 수단을 통해 생성한 정보
4. 인종이나 민족에 관한 정보

② 개인정보처리자가 민감정보를 처리하는 경우에는 그 민감정보가 분실·도난·유출·위조·변조 또는 훼손되지 아니하도록 안전성 확보에 필요한 조치를 하여야 한다(동법 제23조 제2항).

③ 개인정보처리자는 재화 또는 서비스를 제공하는 과정에서 공개되는 정보에 정보주체의 민감정보가 포함됨으로써 사생활 침해의 위험성이 있다고 판단하는 때에는 재화 또는 서비스의 제공 전에 민감정보의 공개 가능성 및 비공개를 선택하는 방법을 정보주체가 알아보기 쉽게 알려야 한다(동법 제23조 제3항).

(2) 고유식별정보의 처리 제한

① 개인정보처리자는 ⊙ 정보주체에게 제15조(개인정보의 수집·이용) 제2항 각 호 또는 제17조(개인정보의 제공) 제2항 각 호의 사항을 알리고 다른 개인정보의 처리에 대한 동의와 별도로 동의를 받은 경우, ⓛ 법령에서 구체적으로 고유식별정보의 처리를 요구하거나 허용하는 경우를 제외하고는 법령에 따라 개인을 고유하게 구별하기 위하여 부여된 식별정보로서 대통령령으로 정하는 정보인 주민등록번호, 여권번호, 운전면허의 면허번호, 외국인등록번호(이하 "고유식별정보"라 함)를 처리할 수 없다(동법 제24조 제1항).

20. 군무원 9급 고유식별정보를 처리하려면 정보주체에게 정보의 수집·이용·제공 등에 필요한 사항을 알리고 다른 개인정보의 처리에 대한 동의와 함께 일괄적으로 동의를 받아야 한다. (×) → 별도로

20. 군무원 9급 「여권법」에 따른 여권번호나 「출입국관리법」에 따른 외국인등록번호는 고유식별정보이다. (○)

「개인정보 보호법 시행령」 제19조【고유식별정보의 범위】 법 제24조 제1항 각 호 외의 부분에서 "대통령령으로 정하는 정보"란 다음 각 호의 어느 하나에 해당하는 정보를 말한다. 다만, 공공기관이 법 제18조 제2항 제5호부터 제9호까지의 규정에 따라 다음 각 호의 어느 하나에 해당하는 정보를 처리하는 경우의 해당 정보는 제외한다.

1. 「주민등록법」 제7조의2 제1항에 따른 주민등록번호
2. 「여권법」 제7조 제1항 제1호에 따른 여권번호
3. 「도로교통법」 제80조에 따른 운전면허의 면허번호
4. 「출입국관리법」 제31조 제5항에 따른 외국인등록번호

민감정보 처리 시
▷ 안전성 확보에 필요한 조치하여야 함

재화·서비스 제공과정에서 공개되는 정보에 민감정보가 포함되는 경우
▷ 재화·서비스 제공 전에 민감정보의 공개가능성, 비공개 선택방법을 정보주체가 알아보기 쉽게 알려야 함

고유식별정보
▷ 개인을 고유하게 구별하기 위하여 부여된 식별정보
▷ 원칙: 처리 불가
▷ 예외: 별도의 동의나 법령의 규정 있으면 가능

② 개인정보처리자가 고유식별정보를 처리하는 경우에는 그 고유식별정보가 분실·도난·유출·위조·변조 또는 훼손되지 아니하도록 대통령령으로 정하는 바에 따라 암호화 등 안전성 확보에 필요한 조치를 하여야 한다(동법 제24조 제3항).

20. 군무원 9급 개인정보처리자가 「개인정보 보호법」에 따라 고유식별정보를 처리하는 경우에는 그 고유식별정보가 분실·도난·유출·위조·변조 또는 훼손되지 아니하도록 대통령령으로 정하는 바에 따라 암호화 등 안전성 확보에 필요한 조치를 하여야 한다. (○)

③ 보호위원회는 처리하는 개인정보의 종류·규모, 종업원 수 및 매출액 규모 등을 고려하여 대통령령으로 정하는 기준에 해당하는 개인정보처리자가 안전성 확보에 필요한 조치를 하였는지에 관하여 대통령령으로 정하는 바에 따라 정기적으로 조사하여야 하고(동법 제24조 제4항), 대통령령으로 정하는 전문기관으로 하여금 이에 관한 조사를 수행하게 할 수 있다(동법 제24조 제5항).

(3) 주민등록번호의 처리 제한

① 제24조(고유식별정보의 처리 제한) 제1항에도 불구하고 개인정보처리자는 다음의 어느 하나에 해당하는 경우를 제외하고는 주민등록번호를 처리할 수 없다(동법 제24조의2 제1항).

> 「개인정보 보호법」 제24조의2 【주민등록번호 처리의 제한】 ① 제24조 제1항에도 불구하고 개인정보처리자는 다음 각 호의 어느 하나에 해당하는 경우를 제외하고는 주민등록번호를 처리할 수 없다.
> 1. 법률·대통령령·국회규칙·대법원규칙·헌법재판소규칙·중앙선거관리위원회규칙 및 감사원규칙에서 구체적으로 주민등록번호의 처리를 요구하거나 허용한 경우
> 2. 정보주체 또는 제3자의 급박한 생명, 신체, 재산의 이익을 위하여 명백히 필요하다고 인정되는 경우
> 3. 제1호 및 제2호에 준하여 주민등록번호 처리가 불가피한 경우로서 보호위원회가 고시로 정하는 경우

20. 군무원 9급 개인정보처리자는 다른 개인정보의 처리에 대한 동의와 별도로 동의를 받은 경우라 하더라도 주민등록번호는 법에서 정한 예외적 인정사유에 해당하지 않는 한 처리할 수 없다. (○)

21. 국회직 8급 개인정보처리자가 주민등록번호를 처리하기 위해서는 정보주체에게 다른 개인정보의 처리에 대한 동의와 별도로 동의를 ~~받아야 한다~~. (×) → 받는 것만으로는 안 된다

21. 국회직 9급 개인정보처리자는 정보주체 또는 제3자의 급박한 생명, 신체, 재산의 이익을 위하여 명백히 필요하다고 인정되는 경우에 주민등록번호를 처리할 수 있다. (○)

② 개인정보처리자는 제24조(고유식별정보의 처리 제한) 제3항에도 불구하고 주민등록번호가 분실·도난·유출·위조·변조 또는 훼손되지 아니하도록 암호화 조치를 통하여 안전하게 보관하여야 한다. 이 경우 암호화 적용 대상 및 대상별 적용 시기 등에 관하여 필요한 사항은 개인정보의 처리 규모와 유출 시 영향 등을 고려하여 대통령령으로 정한다(동법 제24조의2 제2항).

③ 개인정보처리자는 주민등록번호를 처리하는 경우에도 정보주체가 인터넷 홈페이지를 통하여 회원으로 가입하는 단계에서는 주민등록번호를 사용하지 아니하고도 회원으로 가입할 수 있는 방법을 제공하여야 한다(동법 제24조의2 제3항).

(4) 영상정보처리기기의 설치·운영 제한

① 고정형 영상정보처리기기의 설치·운영 제한

㉠ 누구든지 ⓐ 법령에서 구체적으로 허용하고 있는 경우(제1호), ⓑ 범죄의 예방 및 수사를 위하여 필요한 경우(제2호), ⓒ 시설의 안전 및 관리, 화재 예방을 위하여 정당한 권한을 가진 자가 설치·운영하는 경우(제3호), ⓓ 교통단속을 위하여 정당한 권한을 가진 자가 설치·운영하는 경우(제4호), ⓔ 교통정보의 수집·분석 및 제공을 위하여 정당한 권한을 가진 자가 설치·운영하는 경우(제5호), ⓕ 촬영된 영상정보를 저장하지 아니하는 경우로서 대통령령으로 정하는 경우(제6호, 신설)를 제외하고는 공개된 장소에 영상정보처리기기를 설치·운영하여서는 아니 된다(동법 제25조 제1항).

> 21. 소방간부 시설안전 및 화재 예방을 위하여 필요한 경우 공개된 장소에 영상정보기기를 설치·운영할 수 있다. (○)

㉡ 누구든지 불특정 다수가 이용하는 목욕실, 화장실, 발한실, 탈의실 등 개인의 사생활을 현저히 침해할 우려가 있는 장소의 내부를 볼 수 있도록 고정형 영상정보처리기기를 설치·운영하여서는 아니 된다. 다만, 교도소, 정신보건 시설 등 법령에 근거하여 사람을 구금하거나 보호하는 시설로서 대통령령으로 정하는 시설에 대하여는 그러하지 아니하다(동법 제25조 제2항).

> 14. 경찰 2차 불특정 다수가 이용하는 목욕실, 화장실, 발한실, 탈의실 등 개인의 사생활을 현저히 침해할 우려가 있는 장소의 내부를 볼 수 있도록 영상정보처리기기를 설치하고 운영하여서는 아니 되며, 다만 교도소, 정신보건 시설 등 법령에서 정하는 시설은 설치가 가능하다. (○)
> 16. 지방직 7급 불특정 다수가 이용하는 목욕실, 화장실, 발한실, 탈의실 등에의 영상정보처리기기 설치는 대통령령으로 정하는 바에 따라 안내판 설치 등 필요한 조치를 취하는 경우에만 허용된다. (×) → 경우에도 허용되지 않는다

㉢ 고정형 영상정보처리기기를 설치·운영하려는 공공기관의 장과 제2항 단서에 따라 고정형 영상정보처리기기를 설치·운영하려는 자는 공청회·설명회의 개최 등 대통령령으로 정하는 절차를 거쳐 관계 전문가 및 이해관계인의 의견을 수렴하여야 한다(동법 제25조 제3항).

㉣ 고정형 영상정보처리기기를 설치·운영하는 자(이하 "고정형영상정보처리기기운영자"라 한다)는 정보주체가 쉽게 인식할 수 있도록 ⓐ 설치 목적 및 장소, ⓑ 촬영 범위 및 시간, ⓒ 관리책임자의 연락처, ⓓ 그 밖에 대통령령으로 정하는 사항이 포함된 안내판을 설치하는 등 필요한 조치를 하여야 한다. 다만, 「군사기지 및 군사시설 보호법」 제2조 제2호에 따른 군사시설, 「통합방위법」 제2조 제13호에 따른 국가중요시설, 그 밖에 대통령령으로 정하는 시설의 경우에는 그러하지 아니하다(동법 제25조 제4항).

㉤ 고정형 영상정보처리기기 운영자는 고정형 영상정보처리기기의 설치 목적과 다른 목적으로 영상정보처리기기를 임의로 조작하거나 다른 곳을 비춰서는 아니 되며, 녹음기능은 사용할 수 없다(동법 제25조 제5항).

> 13. 경찰 2차, 12. 지방직 9급 영상정보처리기기 운영자는 영상정보처리기기의 설치 목적과 다른 목적으로 영상정보처리기기를 임의로 조작하거나 다른 곳을 비춰서는 아니 되며, 녹음기능은 사용할 수 없다. (○)

② 이동형 영상정보처리기기의 운영 제한(신설)

　㉠ 업무를 목적으로 이동형 영상정보처리기기를 운영하려는 자는 ⓐ 제15조(개인정보의 수집·이용) 제1항 각 호의 어느 하나에 해당하는 경우(제1호), ⓑ 촬영 사실을 명확히 표시하여 정보주체가 촬영 사실을 알 수 있도록 하였음에도 불구하고 촬영 거부 의사를 밝히지 아니한 경우(이 경우 정보주체의 권리를 부당하게 침해할 우려가 없고 합리적인 범위를 초과하지 아니하는 경우로 한정한다)(제2호), ⓒ 그 밖에 제1호 및 제2호에 준하는 경우로서 대통령령으로 정하는 경우(제3호)를 제외하고는 공개된 장소에서 이동형 영상정보처리기기로 사람 또는 그 사람과 관련된 사물의 영상(개인정보에 해당하는 경우로 한정한다. 이하 같다)을 촬영하여서는 아니 된다(동법 제25조의2 제1항).

　㉡ 누구든지 불특정 다수가 이용하는 목욕실, 화장실, 발한실, 탈의실 등 개인의 사생활을 현저히 침해할 우려가 있는 장소의 내부를 볼 수 있는 곳에서 이동형 영상정보처리기기로 사람 또는 그 사람과 관련된 사물의 영상을 촬영하여서는 아니 된다. 다만, 인명의 구조·구급 등을 위하여 필요한 경우로서 대통령령으로 정하는 경우에는 그러하지 아니하다(동법 제25조의2 제2항).

　㉢ 제1항 각 호에 해당하여 이동형 영상정보처리기기로 사람 또는 그 사람과 관련된 사물의 영상을 촬영하는 경우에는 불빛, 소리, 안내판 등 대통령령으로 정하는 바에 따라 촬영 사실을 표시하고 알려야 한다(동법 제25조의2 제3항).

　㉣ ㉠부터 ㉢까지에서 규정한 사항 외에 이동형 영상정보처리기기의 운영에 관하여는 제25조(고정형 영상정보처리기기의 설치·운영 제한) 제6항부터 제8항까지의 규정을 준용한다.

(5) 업무위탁에 따른 개인정보의 처리 제한

① 개인정보처리자가 제3자에게 개인정보의 처리 업무를 위탁하는 경우에는 ㉠ 위탁업무 수행 목적 외 개인정보의 처리 금지에 관한 사항, ㉡ 개인정보의 기술적·관리적 보호조치에 관한 사항 등이 포함된 문서로 하여야 한다(동법 제26조 제1항).

② 개인정보의 처리 업무를 위탁하는 개인정보처리자(이하 "위탁자"라 함)는 위탁하는 업무의 내용과 개인정보 처리 업무를 위탁받아 처리하는 자(개인정보 처리 업무를 위탁받아 처리하는 자로부터 위탁받은 업무를 다시 위탁받은 제3자를 포함하며, 이하 "수탁자"라 함)를 정보주체가 언제든지 쉽게 확인할 수 있도록 대통령령으로 정하는 방법에 따라 공개하여야 한다(동법 제26조 제2항).

③ 위탁자가 재화 또는 서비스를 홍보하거나 판매를 권유하는 업무를 위탁하는 경우에는 대통령령으로 정하는 방법에 따라 위탁하는 업무의 내용과 수탁자를 정보주체에게 알려야 한다. 위탁하는 업무의 내용이나 수탁자가 변경된 경우에도 또한 같다(동법 제26조 제3항).

④ 위탁자는 업무 위탁으로 인하여 정보주체의 개인정보가 분실·도난·유출·위조·변조 또는 훼손되지 아니하도록 수탁자를 교육하고, 처리 현황 점검 등 대통령령으로 정하는 바에 따라 수탁자가 개인정보를 안전하게 처리하는지를 감독하여야 한다(동법 제26조 제4항).

⑤ 수탁자는 개인정보처리자로부터 위탁받은 해당 업무 범위를 초과하여 개인정보를 이용하거나 제3자에게 제공하여서는 아니 된다(동법 제26조 제5항).

⑥ 수탁자는 위탁받은 개인정보의 처리 업무를 제3자에게 다시 위탁하려는 경우에는 위탁자의 동의를 받아야 한다(동법 제26조 제6항, 신설). 수탁자가 위탁받은 업무와 관련하여 개인정보를 처리하는 과정에서 이 법을 위반하여 발생한 손해배상책임에 대하여는 수탁자를 개인정보처리자의 소속 직원으로 본다(동법 제26조 제7항).

관련판례

개인정보 처리위탁에 있어 수탁자는 개인정보 보호법상 제3자에 해당하지 않는다.❶ ★★

개인정보 보호법 제17조와 정보통신망법 제24조의2에서 말하는 개인정보의 '제3자 제공'은 본래의 개인정보 수집·이용 목적의 범위를 넘어 정보를 제공받는 자의 업무처리와 이익을 위하여 개인정보가 이전되는 경우인 반면, 개인정보 보호법 제26조와 정보통신망법 제25조에서 말하는 개인정보의 '처리위탁'은 본래의 개인정보 수집·이용 목적과 관련된 위탁자 본인의 업무 처리와 이익을 위하여 개인정보가 이전되는 경우를 의미한다. 개인정보 처리위탁에 있어 수탁자는 위탁자로부터 위탁사무 처리에 따른 대가를 지급받는 것 외에는 개인정보 처리에 관하여 독자적인 이익을 가지지 않고, 정보제공자의 관리·감독 아래 위탁받은 범위 내에서만 개인정보를 처리하게 되므로, 개인정보 보호법 제17조와 정보통신망법 제24조의2에 정한 '제3자'에 해당하지 않는다. 한편 어떠한 행위가 개인정보의 제공인지 아니면 처리위탁인지는 개인정보의 취득 목적과 방법, 대가 수수 여부, 수탁자에 대한 실질적인 관리·감독 여부, 정보주체 또는 이용자의 개인정보 보호 필요성에 미치는 영향 및 이러한 개인정보를 이용할 필요가 있는 자가 실질적으로 누구인지 등을 종합하여 판단하여야 한다(대판 2017.4.7. 2016도13263).

21. 국가직 9급 개인정보 처리위탁에 있어 수탁자는 정보제공자의 관리·감독 아래 위탁받은 범위 내에서만 개인정보를 처리하게 되지만, 위탁자로부터 위탁사무 처리에 따른 대가를 지급받는 ~~이상 개인정보 처리에 관하여 독자적인 이익을 가지므로, 그러한 수탁자는 「개인정보 보호법」 제17조에 의해 개인정보처리자가 정보주체의 개인정보를 제공할 수 있는 '제3자'에 해당한다.~~ (×) → 되고 / 것 외에는 / 가지지 않으므로 / 해당하지 않는다

---

(6) 영업양도 등에 따른 개인정보 이전의 제한

① 개인정보처리자는 영업의 전부 또는 일부의 양도·합병 등으로 개인정보를 다른 사람에게 이전하는 경우에는 미리 ⑦ 개인정보를 이전하려는 사실, ⑥ 개인정보를 이전받는 자(이하 "영업양수자 등"이라 함)의 성명(법인의 경우에는 법인의 명칭), 주소, 전화번호 및 그 밖의 연락처, ⓒ 정보주체가 개인정보의 이전을 원하지 아니하는 경우 조치할 수 있는 방법 및 절차를 대통령령으로 정하는 방법에 따라 해당 정보주체에게 알려야 한다(동법 제27조 제1항).

② 영업양수자 등은 영업의 양도·합병 등으로 개인정보를 이전받은 경우에는 이전 당시의 본래 목적으로만 개인정보를 이용하거나 제3자에게 제공할 수 있다. 이 경우 영업양수자 등은 개인정보처리자로 본다(동법 제27조 제3항).

함께 정리하기

수탁자
▷ 위탁받은 업무 범위를 초과하여 개인정보 이용 및 제3자 제공 불가
▷ 위탁받은 개인정보 처리업무를 제3자에게 다시 위탁하는 경우: 위탁자의 동의를 받아야 함
▷ 수탁자의 손해배상책임: 수탁자를 개인정보처리자의 소속 직원으로 봄

수탁자
▷ 「개인정보 보호법」상 제3자×

❶
「개인정보 보호법」 제71조 제1호는 제17조 제1항 제1호를 위반하여 정보주체의 동의를 받지 아니하고 개인정보를 제3자에게 제공한 자 및 그 사정을 알고 개인정보를 제공받은 자를 5년 이하의 징역 또는 5천만원 이하의 벌금에 처한다고 규정하고 있다. 그리고 「정보통신망법」 제71조 제3호는 제24조의2 제1항을 위반하여 이용자의 동의를 받지 아니하고 개인정보를 제3자에게 제공한 자 및 그 사정을 알면서도 영리 또는 부정한 목적으로 개인정보를 제공받은 자를 5년 이하의 징역 또는 5천만원 이하의 벌금에 처한다고 규정하고 있다. 한편 「개인정보 보호법」 제26조와 「정보통신망법」 제25조는 개인정보처리자와 정보통신서비스 제공자의 개인정보 처리업무 위탁에 관한 내용을 정하고 있다.

영업양도·합병 등으로 개인정보를 다른 사람에게 이전하는 경우
▷ 개인정보를 이전하려는 사실 등을 정보주체에게 알려야 함

영업양수자
▷ 이전 당시의 본래 목적으로만 개인정보를 이용하거나 제3자 제공 可

3. 가명정보의 처리에 관한 특례

(1) 가명정보의 처리 등

개인정보처리자는 통계작성, 과학적 연구, 공익적 기록보존 등을 위하여 정보주체의 동의 없이 가명정보를 처리할 수 있다(동법 제28조의2 제1항). 개인정보처리자는 가명정보를 제3자에게 제공하는 경우에는 특정 개인을 알아보기 위하여 사용될 수 있는 정보를 포함해서는 아니 된다(동법 제28조의2 제2항).

21. 국회직 9급 개인정보처리자는 통계작성, 과학적 연구, 공익적 기록보존 등을 위하여 정보주체의 동의 없이도 가명(假名)정보를 처리할 수 있다. (○)

(2) 가명정보의 결합 제한

① 제28조의2에도 불구하고 통계작성, 과학적 연구, 공익적 기록보존 등을 위한 서로 다른 개인정보처리자 간의 가명정보의 결합은 보호위원회 또는 관계 중앙행정기관의 장이 지정하는 전문기관이 수행한다(동법 제28조의3 제1항).

② 결합을 수행한 기관 외부로 결합된 정보를 반출하려는 개인정보처리자는 가명정보 또는 시간·비용·기술 등을 합리적으로 고려할 때 다른 정보를 사용하여도 더 이상 개인을 알아볼 수 없는 정보에 해당하는 정보로 처리한 뒤 전문기관의 장의 승인을 받아야 한다(동법 제28조의3 제2항).

(3) 가명정보에 대한 안전조치의무 등

① 개인정보처리자는 제28조의2 또는 제28조의3에 따라 가명정보를 처리하는 경우에는 원래의 상태로 복원하기 위한 추가 정보를 별도로 분리하여 보관·관리하는 등 해당 정보가 분실·도난·유출·위조·변조 또는 훼손되지 않도록 대통령령으로 정하는 바에 따라 안전성 확보에 필요한 기술적·관리적 및 물리적 조치를 하여야 한다(제28조의4 제1항).

② 개인정보처리자는 제28조의2 또는 제28조의3에 따라 가명정보를 처리하는 경우 처리목적 등을 고려하여 가명정보의 처리 기간을 별도로 정할 수 있다(동법 제28조의4 제2항, 신설).

③ 개인정보처리자는 제28조의2 또는 제28조의3에 따라 가명정보를 처리하고자 하는 경우에는 가명정보의 처리 목적, 제3자 제공 시 제공받는 자, 가명정보의 처리 기간(제2항에 따라 처리 기간을 별도로 정한 경우에 한한다) 등 가명정보의 처리 내용을 관리하기 위하여 대통령령으로 정하는 사항에 대한 관련 기록을 작성하여 보관하여야 하며, 가명정보를 파기한 경우에는 파기한 날부터 3년 이상 보관하여야 한다(동법 제28조의4 제3항).

(4) 가명정보 처리 시 금지의무 등

제28조의2 또는 제28조의3에 따라 가명정보를 처리하는 자는 특정 개인을 알아보기 위한 목적으로 가명정보를 처리해서는 아니 된다(제28조의5 제1항). 개인정보처리자는 제28조의2 또는 제28조의3에 따라 가명정보를 처리하는 과정에서 특정 개인을 알아볼 수 있는 정보가 생성된 경우에는 즉시 해당 정보의 처리를 중지하고, 지체 없이 회수·파기하여야 한다(제28조의5 제2항).

(5) 적용범위

제28조의2 또는 제28조의3에 따라 처리된 가명정보는 제20조(정보주체 이외로부터 수집한 개인정보의 수집 출처 등 통지), 제20조의2(개인정보 이용·제공 내역의 통지), 제27조(영업양도 등에 따른 개인정보의 이전 제한), 제34조(개인정보 유출 등의 통지·신고) 제1항, 제35조(개인정보의 열람), 제35조의2(개인정보의 전송 요구), 제36조(개인정보의 정정·삭제) 및 제37조(개인정보의 처리정지 등)를 적용하지 아니한다(제28조의7).

4. 개인정보의 국외 이전(신설)

(1) 개인정보의 국외로의 제공·처리위탁·보관

① 개인정보처리자는 개인정보를 국외로 제공(조회되는 경우를 포함)·처리위탁·보관(이하 이 절에서 "이전"이라 함)하여서는 아니 된다. 다만, 다음 각 호(㉠ 내지 ㉢)의 어느 하나에 해당하는 경우에는 개인정보를 국외로 이전할 수 있다(동법 제28조의8 제1항).

㉠ 정보주체로부터 국외 이전에 관한 별도의 동의를 받은 경우(제1호)

㉡ 법률, 대한민국을 당사자로 하는 조약 또는 그 밖의 국제협정에 개인정보의 국외 이전에 관한 특별한 규정이 있는 경우(제2호)

㉢ 정보주체와의 계약의 체결 및 이행을 위하여 개인정보의 처리위탁·보관이 필요한 경우로서 ⓐ 제2항 각 호의 사항을 제30조(개인정보 처리방침의 수립 및 공개)에 따른 개인정보 처리방침에 공개한 경우이거나 ⓑ 전자우편 등 대통령령으로 정하는 방법에 따라 제2항 각 호의 사항을 정보주체에게 알린 경우(제3호)

㉣ 개인정보를 이전받는 자가 제32조의2(개인정보 보호 인증)에 따른 개인정보 보호 인증 등 보호위원회가 정하여 고시하는 인증을 받은 경우로서, ⓐ 개인정보 보호에 필요한 안전조치 및 정보주체 권리보장에 필요한 조치를 하고, ⓑ 인증받은 사항을 개인정보가 이전되는 국가에서 이행하기 위하여 필요한 조치를 모두 한 경우(제4호)

㉤ 개인정보가 이전되는 국가 또는 국제기구의 개인정보 보호체계, 정보주체 권리보장 범위, 피해구제 절차 등이 이 법에 따른 개인정보 보호 수준과 실질적으로 동등한 수준을 갖추었다고 보호위원회가 인정하는 경우(제5호)

② 개인정보처리자는 제1항 제1호에 따른 동의를 받을 때에는 미리 ㉠ 이전되는 개인정보 항목(제1호), ㉡ 개인정보가 이전되는 국가, 시기 및 방법(제2호), ㉢ 개인정보를 이전받는 자의 성명(법인인 경우에는 그 명칭과 연락처를 말함, 제3호), ㉣ 개인정보를 이전받는 자의 개인정보 이용목적 및 보유·이용 기간(제4호), ㉤ 개인정보의 이전을 거부하는 방법, 절차 및 거부의 효과(제5호)에 관한 사항을 정보주체에게 알려야 한다(동법 제28조의8 제2항). 이러한 사항을 변경하는 경우에도 정보주체에게 알리고 동의를 받아야 한다(동법 제28조의8 제3항).

③ 개인정보처리자는 제1항 각 호 외의 부분 단서에 따라 개인정보를 국외로 이전하는 경우 국외 이전과 관련한 이 법의 다른 규정, 제17조부터 제19조까지의 규정 및 제5장의 규정을 준수하여야 하고, 대통령령으로 정하는 보호조치를 하여야 한다(동법 제28조의8 제4항). 개인정보처리자는 이 법을 위반하는 사항을 내용으로 하는 개인정보의 국외 이전에 관한 계약을 체결하여서는 아니 된다(동법 제28조의8 제5항).

(2) 개인정보의 국외 이전 중지 명령

① 보호위원회는 개인정보의 국외 이전이 계속되고 있거나 추가적인 국외 이전이 예상되는 경우로서 ㉠ 제28조의8(개인정보의 국외 이전) 제1항, 제4항 또는 제5항을 위반한 경우, 또는 ㉡ 개인정보를 이전받는 자나 개인정보가 이전되는 국가 또는 국제기구가 이 법에 따른 개인정보 보호 수준에 비하여 개인정보를 적정하게 보호하지 아니하여 정보주체에게 피해가 발생하거나 발생할 우려가 현저한 경우에는 개인정보처리자에게 개인정보의 국외 이전을 중지할 것을 명할 수 있다(동법 제28조의9 제1항).

② 개인정보처리자는 제1항에 따른 국외 이전 중지 명령을 받은 경우에는 명령을 받은 날부터 7일 이내에 보호위원회에 이의를 제기할 수 있다(동법 제28조의9 제2항).

(3) 상호주의

제28조의8(개인정보의 국외 이전)에도 불구하고 개인정보의 국외 이전을 제한하는 국가의 개인정보처리자에 대해서는 해당 국가의 수준에 상응하는 제한을 할 수 있다. 다만, 조약 또는 그 밖의 국제협정의 이행에 필요한 경우에는 그러하지 아니하다(동법 제28조의10).

21. 군무원 9급 「개인정보 보호법」은 외국의 정보통신서비스 제공자 등에 대하여 개인정보 보호규제에 대한 상호주의를 채택하고 있다. (○)

4 개인정보의 안전한 관리

1. 안전조치의무

개인정보처리자는 개인정보가 분실·도난·유출·위조·변조 또는 훼손되지 아니하도록 내부 관리계획 수립, 접속기록 보관 등 대통령령으로 정하는 바에 따라 안전성 확보에 필요한 기술적·관리적 및 물리적 조치를 하여야 한다(동법 제29조).

2. 개인정보 처리방침의 수립 및 공개

(1) 개인정보처리자는 개인정보의 처리 목적, 보유 기간, 제3자 제공에 관한 사항 등이 포함된 개인정보의 처리 방침을 정하여야 한다. 이 경우 공공기관은 제32조(개인정보파일의 등록 및 공개)에 따라 등록대상이 되는 개인정보파일에 대하여 개인정보 처리방침을 정한다(동법 제30조 제1항).

(2) 개인정보처리자가 개인정보 처리방침을 수립하거나 변경하는 경우에는 정보주체가 쉽게 확인할 수 있도록 대통령령으로 정하는 방법에 따라 공개하여야 한다(동법 제30조 제2항).

(3) 개인정보 처리방침의 내용과 개인정보처리자와 정보주체 간에 체결한 계약의 내용이 다른 경우에는 정보주체에게 유리한 것을 적용한다(동법 제30조 제3항).

(4) 보호위원회는 개인정보 처리방침의 작성지침을 정하여 개인정보처리자에게 그 준수를 권장할 수 있다(동법 제30조 제4항).

3. 개인정보 처리방침의 평가 및 개선권고(신설)

(1) 보호위원회는 개인정보 처리방침에 관하여 ① 이 법에 따라 개인정보 처리방침에 포함하여야 할 사항을 적정하게 정하고 있는지 여부, ② 개인정보 처리방침을 알기 쉽게 작성하였는지 여부, ③ 개인정보 처리방침을 정보주체가 쉽게 확인할 수 있는 방법으로 공개하고 있는지 여부를 평가하고, 평가 결과 개선이 필요하다고 인정하는 경우에는 개인정보처리자에게 제61조(의견제시 및 개선권고) 제2항에 따라 개선을 권고할 수 있다(동법 제30조의2 제1항).

(2) 개인정보 처리방침의 평가 대상, 기준 및 절차 등에 필요한 사항은 대통령령으로 정한다(동법 제30조의2 제2항).

4. 개인정보 보호책임자의 지정 등

개인정보처리자는 개인정보의 처리에 관한 업무를 총괄해서 책임질 개인정보 보호책임자를 지정하여야 한다. 다만, 종업원 수, 매출액 등이 대통령령으로 정하는 기준에 해당하는 개인정보처리자의 경우에는 지정하지 아니할 수 있다(동법 제31조 제1항, 단서 신설). 제1항 단서에 따라 개인정보 보호책임자를 지정하지 아니하는 경우에는 개인정보처리자의 사업주 또는 대표자가 개인정보 보호책임자가 된다(동법 신설, 제31조 제2항).

5. 국내대리인의 지정(신설)

(1) 국내에 주소 또는 영업소가 없는 개인정보처리자로서 매출액, 개인정보의 보유 규모 등을 고려하여 대통령령으로 정하는 자는 ① 제31조(개인정보 보호책임자의 지정 등) 제3항에 따른 개인정보 보호책임자의 업무(제1호), ② 제34조(개인정보 유출 등의 통지·신고) 제1항 및 제3항에 따른 개인정보 유출 등의 통지 및 신고(제2호), ③ 제63조(자료제출 요구 및 검사) 제1항에 따른 물품·서류 등 자료의 제출(제3호)을 대리하는 자(이하 "국내대리인"이라 한다)를 지정하여야 한다. 이 경우 국내대리인의 지정은 문서로 하여야 한다(동법 제31조의2 제1항). 국내대리인은 국내에 주소 또는 영업소가 있어야 한다(동법 제31조의2 제2항).

(2) 개인정보처리자는 제1항에 따라 국내대리인을 지정하는 경우에는 ① 국내대리인의 성명(법인의 경우에는 그 명칭 및 대표자의 성명을 말한다), ② 국내대리인의 주소(법인의 경우에는 영업소의 소재지를 말한다), 전화번호 및 전자우편 주소를 개인정보 처리방침에 포함하여야 한다(동법 제31조의2 제3항).

함께 정리하기

개인정보처리자가 개인정보 처리방침을 수립하거나 변경하는 경우
▷ 이를 공개하여야 함

개인정보 처리방침의 내용과 개인정보처리자와 정보주체 간에 체결한 계약의 내용이 다른 경우
▷ 정보주체에게 유리한 것을 적용

개인정보 처리방침의 평가 및 개선권고
▷ 보호위원회는 개인정보처리방침에 관하여 평가하고, 평가결과 개선이 필요하다고 인정하는 경우 개인정보처리자에게 개선 권고 可

개인정보처리자
▷ 개인정보 보호책임자를 지정하여야 함
▷ 단, 종업원 수, 매출액 등이 대통령령으로 정하는 기준에 해당하는 개인정보처리자는 지정하지 않을 수 있음
▷ 개인정보 보호책임자를 지정하지 않은 경우 개인정보처리자의 사업주 또는 대표자가 개인정보 보호책임자가 됨

국내에 주소 또는 영업소가 없는 개인정보처리자로서 대통령령으로 정하는 기준에 해당하는 자
▷ 국내대리인을 문서로 지정하여야 함

국내대리인을 지정한 때
▷ 국내대리인의 성명, 주소, 전화번호 및 전자우편 주소를 개인정보 처리방침에 포함하여야 함

(3) 국내대리인이 위 (1)의 ①, ②, ③과 관련하여 이 법을 위반한 경우에는 개인정보처리자가 그 행위를 한 것으로 본다(동법 제31조의2 제4항).

6. 개인정보파일의 등록 및 공개

(1) 개인정보파일의 등록

① 공공기관의 장이 개인정보파일을 운용하는 경우에는 개인정보파일의 명칭, 운영 근거 및 목적, 개인정보의 항목, 처리방법, 보유기간 등 보호위원회에 등록하여야 한다. 등록한 사항이 변경된 경우에도 또한 같다(동법 제32조 제1항).

16. 서울시 7급 공공기관의 장이 개인정보파일을 운용하는 경우에는 개인정보파일의 명칭, 운용목적, 처리 방법, 보유기간 등을 미래창조과학부장관에게 등록하여야 한다. (×) → 보호위원회에

② 다만, 다음에 열거하는 개인정보파일에 대하여는 제1항을 적용하지 아니한다(동법 제32조 제2항).

> 「개인정보 보호법」 제32조 【개인정보파일의 등록 및 공개】 ② 다음 각 호의 어느 하나에 해당하는 개인정보파일에 대하여는 제1항을 적용하지 아니한다.
> 1. 국가 안전, 외교상 비밀, 그 밖에 국가의 중대한 이익에 관한 사항을 기록한 개인정보파일
> 2. 범죄의 수사, 공소의 제기 및 유지, 형 및 감호의 집행, 교정처분, 보호처분, 보안관찰처분과 출입국관리에 관한 사항을 기록한 개인정보파일
> 3. 「조세범처벌법」에 따른 범칙행위 조사 및 「관세법」에 따른 범칙행위 조사에 관한 사항을 기록한 개인정보파일
> 4. 일회적으로 운영되는 파일 등 지속적으로 관리할 필요성이 낮다고 인정되어 대통령령으로 정하는 개인정보파일
> 5. 다른 법령에 따라 비밀로 분류된 개인정보파일

(2) 개인정보파일의 등록 현황 공개

보호위원회는 정보주체의 권리 보장 등을 위하여 필요한 경우 제1항에 따른 개인정보파일의 등록 현황을 누구든지 쉽게 열람할 수 있도록 공개할 수 있다(동법 제32조 제4항).

7. 개인정보 보호 인증

(1) 보호위원회는 개인정보처리자의 개인정보 처리 및 보호와 관련한 일련의 조치가 이 법에 부합하는지 등에 관하여 인증할 수 있다(동법 제32조의2 제1항). 인증의 유효기간은 3년으로 한다(동법 제32조의2 제2항).

(2) 보호위원회는 ① 거짓이나 그 밖의 부정한 방법으로 개인정보 보호 인증을 받은 경우, ② 사후관리를 거부 또는 방해한 경우, ③ 인증기준에 미달하게 된 경우, ④ 개인정보 보호 관련 법령을 위반하고 그 위반사유가 중대한 경우에는 대통령령으로 정하는 바에 따라 인증을 취소할 수 있다. 다만, ①에 해당하는 경우에는 취소하여야 한다(동법 제32조의2 제3항).

8. 개인정보 영향평가

(1) 공공기관의 장은 대통령령으로 정하는 기준에 해당하는 개인정보파일의 운용으로 인하여 정보주체의 개인정보 침해가 우려되는 경우에는 그 위험요인의 분석과 개선 사항 도출을 위한 평가(이하 "영향평가"라 함)를 하고 그 결과를 보호위원회에 제출하여야 한다(동법 제33조 제1항). 보호위원회는 대통령령으로 정하는 인력·설비 및 그 밖에 필요한 요건을 갖춘 자를 영향평가를 수행하는 기관(이하 "평가기관"이라 함)으로 지정할 수 있으며, 공공기관의 장은 영향평가를 평가기관에 의뢰하여야 한다(동법 제32조 제2항).

12. 국회직 9급 공공기관의 장은 대통령령으로 정하는 기준에 해당하는 개인정보파일의 운용으로 인하여 정보주체의 개인정보 침해가 우려되는 경우에는 그 위험요인을 분석하고 개선사항을 도출하기 위하여 '개인정보 영향평가'를 하고 그 결과를 ~~지식경제부장관을 거쳐 국무총리에게 보고하여야~~ 한다. (×)
→ 보호위원회에 제출하여야

(2) 보호위원회는 제1항에 따라 제출받은 영향평가 결과에 대하여 의견을 제시할 수 있다(동법 제33조 제4항).

(3) 보호위원회는 제2항에 따라 지정된 평가기관이 다음 각 호(① 내지 ⑤)의 어느 하나에 해당하는 경우에는 평가기관의 지정을 취소할 수 있다. 다만, 제1호 또는 제2호에 해당하는 경우에는 평가기관의 지정을 취소하여야 한다(동법 제33조 제7항, 신설).
① 거짓이나 그 밖의 부정한 방법으로 지정을 받은 경우(제1호)
② 지정된 평가기관 스스로 지정취소를 원하거나 폐업한 경우(제2호)
③ 제2항에 따른 지정요건을 충족하지 못하게 된 경우(제3호)
④ 고의 또는 중대한 과실로 영향평가업무를 부실하게 수행하여 그 업무를 적정하게 수행할 수 없다고 인정되는 경우(제4호)
⑤ 그 밖에 대통령령으로 정하는 사유에 해당하는 경우(제5호)

(4) 보호위원회는 제7항에 따라 지정을 취소하는 경우에는 「행정절차법」에 따른 청문을 실시하여야 한다(동법 제33조 제8항, 신설).

(5) 국회, 법원, 헌법재판소, 중앙선거관리위원회(그 소속 기관을 포함한다)의 영향평가에 관한 사항은 국회규칙, 대법원규칙, 헌법재판소규칙 및 중앙선거관리위원회규칙으로 정하는 바에 따른다(동법 제33조 제10항).

(6) 공공기관 외의 개인정보처리자는 개인정보파일 운용으로 인하여 정보주체의 개인정보 침해가 우려되는 경우에는 영향평가를 하기 위하여 적극 노력하여야 한다(동법 제33조 제11항).

9. 개인정보 유출 통지 등

(1) 개인정보처리자는 개인정보가 유출되었음을 알게 되었을 때에는 지체 없이 해당 정보주체에게 ① 유출된 개인정보의 항목, ② 유출된 시점과 그 경위, ③ 유출로 인하여 발생할 수 있는 피해를 최소화하기 위하여 정보주체가 할 수 있는 방법 등에 관한 정보, ④ 개인정보처리자의 대응조치 및 피해 구제절차, ⑤ 정보주체에게 피해가 발생한 경우 신고 등을 접수할 수 있는 담당부서 및 연락처를 알려야 한다(동법 제34조 제1항).

함께 정리하기

보호위원회
▷ 영향평가를 실시하는 평가기관 지정 可

공공기관의 장
▷ 영향평가를 평가기관에 의뢰하여야 함

보호위원회의 평가기관 지정취소사유
▷ 거짓이나 그 밖의 부정한 방법으로 지정을 받은 경우
▷ 지정된 평가기관 스스로 지정취소를 원하거나 폐업한 경우
▷ 지정요건을 충족하지 못하게 된 경우
▷ 고의 또는 중대한 과실로 영향평가업무를 부실하게 수행하여 그 업무를 적정하게 수행할 수 없다고 인정되는 경우
▷ 그 밖에 대통령령으로 정하는 사유에 해당하는 경우

평가기관 지정취소 시
▷ 「행정절차법」에 따른 청문실시 要

국회, 법원, 헌법재판소, 중앙선거관리위원회(그 소속기관 포함)의 영향평가
▷ 국회규칙, 대법원규칙, 헌법재판소규칙, 중앙선거관리위원회규칙으로 정하는 바에 따름

공공기관 외의 개인정보처리자
▷ 개인정보 침해가 우려되는 경우에는 영향평가를 하기 위하여 적극 노력하여야 함

개인정보가 유출 등이 되었음을 알게 된 경우
▷ 개인정보처리자는 지체 없이 일정 사항을 정보주체에게 알려야 함

18. 경찰 3차 개인정보처리자는 개인정보가 유출되었음을 알게 되었을 때에는 지체 없이 해당 정보주체에게 유출로 인하여 발생할 수 있는 피해를 최소화하기 위하여 정보주체가 할 수 있는 방법 등에 관한 정보 등을 알려야 한다. (○)

17. 사복직 개인정보처리자는 개인정보가 유출되었음을 알게 되었을 때에는 지체 없이 ~~방송통신위원회 위원장에게 신고하여야~~ 한다. (×) → 해당 정보주체에게 알려야

(2) 개인정보처리자는 개인정보가 유출 등이 된 경우 그 피해를 최소화하기 위한 대책을 마련하고 필요한 조치를 하여야 한다(동법 제34조 제2항).

(3) 개인정보처리자는 개인정보의 유출 등이 있음을 알게 되었을 때에는 개인정보의 유형, 유출 등의 경로 및 규모 등을 고려하여 대통령령으로 정하는 바에 따라 제1항 각 호의 사항을 지체 없이 보호위원회 또는 대통령령으로 정하는 전문기관에 신고하여야 한다. 이 경우 보호위원회 또는 대통령령으로 정하는 전문기관은 피해 확산방지, 피해 복구 등을 위한 기술을 지원할 수 있다(동법 제34조 제3항).

10. 노출된 개인정보의 삭제 · 차단

개인정보처리자는 고유식별정보, 계좌정보, 신용카드정보 등 개인정보가 정보통신망을 통하여 공중(公衆)에 노출되지 아니하도록 하여야 한다. 개인정보처리자는 공중에 노출된 개인정보에 대하여 보호위원회 또는 대통령령으로 지정한 전문기관의 요청이 있는 경우에는 해당 정보를 삭제하거나 차단하는 등 필요한 조치를 하여야 한다(동법 제34조의2 제1항).

5 정보주체의 권리 보장

1. 정보주체의 권리

정보주체는 자신의 개인정보 처리와 관련하여 ① 개인정보의 처리에 관한 정보를 제공받을 권리, ② 개인정보의 처리에 관한 동의 여부, 동의 범위 등을 선택하고 결정할 권리, ③ 개인정보의 처리 여부를 확인하고 개인정보에 대하여 열람(사본 발급 포함)을 요구할 권리, ④ 개인정보의 처리 정지, 정정 · 삭제 및 파기를 요구할 권리, ⑤ 개인정보의 처리로 인하여 발생한 피해를 신속하고 공정한 절차에 따라 구제받을 권리를 가진다(동법 제4조).

22. 행정사 「개인정보 보호법」상 정보주체는 자신의 개인정보 처리와 관련하여 개인정보의 처리에 관한 정보를 제공받을 권리를 가진다. (○)

22. 행정사 「개인정보 보호법」상 정보주체는 자신의 개인정보 처리와 관련하여 개인정보의 처리에 관한 동의 여부, 동의 범위 등을 결정할 권리를 가진다. (○)

22. 행정사 「개인정보 보호법」상 정보주체는 자신의 개인정보 처리와 관련하여 개인정보의 처리 여부를 확인하고 개인정보에 대하여 사본의 발급을 요구할 권리를 가진다. (○)

22. 행정사 「개인정보 보호법」상 정보주체는 자신의 개인정보 처리와 관련하여 개인정보의 처리 정지를 요구할 권리를 가진다. (○)

12. 지방직 9급 정보주체는 자신의 개인정보 처리와 관련하여 개인정보의 처리 정지, 정정 · 삭제 및 파기를 요구할 권리를 가진다. (○)

개인정보가 유출 등이 되었음을 알게 된 경우
▷ 개인정보 유형, 유출 등 경로, 규모 등을 고려하여 대통령령으로 정하는 바에 따라 보호위원회 또는 전문기관에 신고하여야 함

공중에 노출된 개인정보에 대하여 보호위원회 또는 대통령령으로 지정한 전문기관의 요청이 있는 경우
▷ 개인정보처리자는 삭제 · 차단 등 필요한 조치를 취하여야 함

정보주체의 권리
▷ 개인정보 처리 관련 정보를 제공받을 권리
▷ 동의권
▷ 개인정보 열람권
▷ 처리 정지, 정정 · 삭제 및 파기 요구권
▷ 피해를 구제받을 권리

2. 개인정보 열람

(1) 열람의 요구 등

① 정보주체는 개인정보처리자가 처리하는 자신의 개인정보에 대한 열람을 해당 개인정보처리자에게 요구할 수 있다(동법 제35조 제1항).

② 정보주체가 자신의 개인정보에 대한 열람을 공공기관에 요구하고자 할 때에는 공공기관에 직접 열람을 요구하거나 대통령령으로 정하는 바에 따라 보호위원회를 통하여 열람을 요구할 수 있다(동법 제35조 제2항).

> 22. 소방직 정보주체가 자신의 개인정보에 대한 열람을 공공기관에 요구하고자 할 때에는 공공기관에 직접 열람을 요구하거나 대통령령으로 정하는 바에 따라 개인정보 보호위원회를 통하여 열람을 요구할 수 있다. (O)

③ 개인정보처리자는 열람을 요구받았을 때에는 대통령령으로 정하는 기간 내에 정보주체가 해당 개인정보를 열람할 수 있도록 하여야 한다. 이 경우 해당 기간 내에 열람할 수 없는 정당한 사유가 있을 때에는 정보주체에게 그 사유를 알리고 열람을 연기할 수 있으며, 그 사유가 소멸하면 지체 없이 열람하게 하여야 한다(동법 제35조 제3항).

(2) 열람의 제한 등

개인정보처리자는 다음 중 어느 하나에 해당하는 경우에는 정보주체에게 그 사유를 알리고 열람을 제한하거나 거절할 수 있다(동법 제35조 제4항).

> 「개인정보 보호법」 제35조 【개인정보의 열람】 ④ 개인정보처리자는 다음 각 호의 어느 하나에 해당하는 경우에는 정보주체에게 그 사유를 알리고 열람을 제한하거나 거절할 수 있다.
> 1. 법률에 따라 열람이 금지되거나 제한되는 경우
> 2. 다른 사람의 생명·신체를 해할 우려가 있거나 다른 사람의 재산과 그 밖의 이익을 부당하게 침해할 우려가 있는 경우
> 3. 공공기관이 다음 각 목의 어느 하나에 해당하는 업무를 수행할 때 중대한 지장을 초래하는 경우
>   가. 조세의 부과·징수 또는 환급에 관한 업무
>   나. 「초·중등교육법」 및 「고등교육법」에 따른 각급 학교, 「평생교육법」에 따른 평생교육시설, 그 밖의 다른 법률에 따라 설치된 고등교육기관에서의 성적 평가 또는 입학자 선발에 관한 업무
>   다. 학력·기능 및 채용에 관한 시험, 자격 심사에 관한 업무
>   라. 보상금·급부금 산정 등에 대하여 진행 중인 평가 또는 판단에 관한 업무
>   마. 다른 법률에 따라 진행 중인 감사 및 조사에 관한 업무

3. 개인정보의 전송 요구(신설, 시행일 미지정)

(1) 정보주체는 개인정보 처리 능력 등을 고려하여 대통령령으로 정하는 기준에 해당하는 개인정보처리자에 대하여 다음 각 호(①, ②, ③)의 요건을 모두 충족하는 개인정보를 자신에게로 전송할 것을 요구할 수 있다(동법 제35조의2 제1항).

① 정보주체가 전송을 요구하는 개인정보가 정보주체 본인에 관한 개인정보로서 다음 각 목(㉠, ㉡, ㉢)의 어느 하나에 해당하는 정보일 것(제1호)

⊙ 제15조(개인정보의 수집·이용) 제1항 제1호, 제23조(민감정보의 처리 제한) 제1항 제1호 또는 제24조(고유식별정보의 처리 제한) 제1항 제1호에 따른 동의를 받아 처리되는 개인정보(가목)

⊙ 제15조(개인정보의 수집·이용) 제1항 제4호에 따라 체결한 계약을 이행하거나 계약을 체결하는 과정에서 정보주체의 요청에 따른 조치를 이행하기 위하여 처리되는 개인정보(나목)

⊙ 제15조(개인정보의 수집·이용) 제1항 제2호·제3호, 제23조(민감정보의 처리 제한) 제1항 제2호 또는 제24조(고유식별정보의 처리 제한) 제1항 제2호에 따라 처리되는 개인정보 중 정보주체의 이익이나 공익적 목적을 위하여 관계 중앙행정기관의 장의 요청에 따라 보호위원회가 심의·의결하여 전송 요구의 대상으로 지정한 개인정보(다목)

② 전송을 요구하는 개인정보가 개인정보처리자가 수집한 개인정보를 기초로 분석·가공하여 별도로 생성한 정보가 아닐 것(제2호)

③ 전송을 요구하는 개인정보가 컴퓨터 등 정보처리장치로 처리되는 개인정보일 것(제3호)

정보주체
▷ 대통령령으로 정하는 기준에 해당하는 개인정보처리자에 대하여 전송 요구 대상인 개인정보를 개인정보관리 전문기관, 대통령령으로 정하는 시설 및 기술 기준을 충족하는 자에게 전송할 것을 요구할 수 있음

(2) 정보주체는 매출액, 개인정보의 보유 규모, 개인정보 처리 능력, 산업별 특성 등을 고려하여 대통령령으로 정하는 기준에 해당하는 개인정보처리자에 대하여 제1항에 따른 전송 요구 대상인 개인정보를 기술적으로 허용되는 합리적인 범위에서 ① 제35조의3(개인정보관리 전문기관) 제1항에 따른 개인정보관리 전문기관, ② 제29조(안전조치의무)에 따른 안전조치의무를 이행하고 대통령령으로 정하는 시설 및 기술 기준을 충족하는 자에게 전송할 것을 요구할 수 있다(동법 제35조의2 제2항).

전송 요구를 받은 개인정보처리자
▷ 시간, 비용, 기술적으로 허용되는 합리적인 범위에서 해당 정보를 컴퓨터 등 정보처리장치로 처리 가능한 형태로 전송하여야 함

(3) 개인정보처리자는 제1항 및 제2항에 따른 전송 요구를 받은 경우에는 시간, 비용, 기술적으로 허용되는 합리적인 범위에서 해당 정보를 컴퓨터 등 정보처리장치로 처리 가능한 형태로 전송하여야 한다(동법 제35조의2 제3항).

전송 요구를 받은 개인정보처리자
▷ 「국세기본법」, 「지방세기본법」, 그 밖에 이와 유사한 규정으로서 대통령령으로 정하는 법률규정에도 불구하고 정보주체에 관한 개인정보를 전송하여야 함

(4) 제1항 및 제2항에 따른 전송 요구를 받은 개인정보처리자는 ① 「국세기본법」 제81조의13(제1호), ② 「지방세기본법」 제86조(제2호), ③ 그 밖에 제1호 및 제2호와 유사한 규정으로서 대통령령으로 정하는 법률의 규정(제3호)의 어느 하나에 해당하는 법률의 관련 규정에도 불구하고 정보주체에 관한 개인정보를 전송하여야 한다(동법 제35조의2 제4항).

정보주체
▷ 전송요구 철회 可

(5) 정보주체는 제1항 및 제2항에 따른 전송 요구를 철회할 수 있다(동법 제35조의2 제5항). 정보주체는 제1항 및 제2항에 따른 전송 요구로 인하여 타인의 권리나 정당한 이익을 침해하여서는 아니 된다(동법 제35조의2 제7항).

개인정보처리자
▷ 정보주체의 본인여부가 미확인되는 등 대통령령으로 정하는 경우 전송요구를 거절하거나 전송중단 可

(6) 개인정보처리자는 정보주체의 본인 여부가 확인되지 아니하는 경우 등 대통령령으로 정하는 경우에는 제1항 및 제2항에 따른 전송 요구를 거절하거나 전송을 중단할 수 있다(동법 제35조의2 제6항).

4. 개인정보관리 전문기관(신설)

(1) ① 제35조의2(개인정보의 전송 요구)에 따른 개인정보의 전송 요구권 행사 지원(제1호), ② 정보주체의 권리행사를 지원하기 위한 개인정보 전송시스템의 구축 및 표준화(제2호), ③ 정보주체의 권리행사를 지원하기 위한 개인정보의 관리 · 분석(제3호), ④ 그 밖에 정보주체의 권리행사를 효과적으로 지원하기 위하여 대통령령으로 정하는 업무(제4호)를 수행하려는 자는 보호위원회 또는 관계 중앙행정기관의 장으로부터 개인정보관리 전문기관의 지정을 받아야 한다(동법 제35조의4 제1항).

(2) 제1항에 따른 개인정보관리 전문기관의 지정요건은 다음 각 호와 같다(동법 제35조의4 제2항).
   ① 개인정보를 전송 · 관리 · 분석할 수 있는 기술수준 및 전문성을 갖추었을 것(제1호)
   ② 개인정보를 안전하게 관리할 수 있는 안전성 확보조치 수준을 갖추었을 것(제2호)
   ③ 개인정보관리 전문기관의 안정적인 운영에 필요한 재정능력을 갖추었을 것(제3호)

(3) 개인정보관리 전문기관은 다음 각 호의 어느 하나에 해당하는 행위를 하여서는 아니 된다(동법 제35조의4 제3항).
   ① 정보주체에게 개인정보의 전송 요구를 강요하거나 부당하게 유도하는 행위(제1호)
   ② 그 밖에 개인정보를 침해하거나 정보주체의 권리를 제한할 우려가 있는 행위로서 대통령령으로 정하는 행위(제2호)

(4) 보호위원회 및 관계 중앙행정기관의 장은 개인정보관리 전문기관이 다음 각 호의 어느 하나에 해당하는 경우에는 개인정보관리 전문기관의 지정을 취소할 수 있다. 다만, 제1호에 해당하는 경우에는 지정을 취소하여야 한다(동법 제35조의4 제4항).
   ① 거짓이나 부정한 방법으로 지정을 받은 경우(제1호)
   ② 제2항에 따른 지정요건을 갖추지 못하게 된 경우(제2호)

(5) 보호위원회 및 관계 중앙행정기관의 장은 제4항에 따라 지정을 취소하는 경우에는 「행정절차법」에 따른 청문을 실시하여야 한다(동법 제35조의4 제5항).

(6) 보호위원회 및 관계 중앙행정기관의 장은 개인정보관리 전문기관에 대하여 업무수행에 필요한 지원을 할 수 있다(동법 제35조의4 제6항). 개인정보관리 전문기관은 정보주체의 요구에 따라 제1항 각 호의 업무를 수행하는 경우 정보주체로부터 그 업무 수행에 필요한 비용을 받을 수 있다(동법 제35조의4 제7항).

5. 개인정보 전송 관리 및 지원(신설)

(1) 보호위원회는 제35조의2(개인정보의 전송 요구) 제1항 및 제2항에 따른 개인정보처리자 및 제35조의3(개인정보관리 전문기관) 제1항에 따른 개인정보관리 전문기관 현황, 활용내역 및 관리실태 등을 체계적으로 관리 · 감독하여야 한다(동법 제35조의4 제1항).

(2) 보호위원회는 개인정보가 안전하고 효율적으로 전송될 수 있도록 ① 개인정보관리 전문기관 현황 및 전송 가능한 개인정보 항목 목록, ② 정보주체의 개인정보 전송 요구·철회 내역, ③ 개인정보의 전송 이력 관리 등 지원 기능, ④ 그 밖에 개인정보 전송을 위하여 필요한 사항을 포함한 개인정보 전송 지원 플랫폼을 구축·운영할 수 있다(동법 제35조의4 제2항).

(3) 보호위원회는 제2항에 따른 개인정보 전송지원 플랫폼의 효율적 운영을 위하여 개인정보관리 전문기관에서 구축·운영하고 있는 전송 시스템을 상호 연계하거나 통합할 수 있다. 이 경우 관계 중앙행정기관의 장 및 해당 개인정보관리 전문기관과 사전에 협의하여야 한다(동법 제35조의4 제3항).

6. 개인정보의 정정·삭제

(1) 개인정보의 정정·삭제요구

제35조에 따라 자신의 개인정보를 열람한 정보주체는 개인정보처리자에게 그 개인정보의 정정 또는 삭제를 요구할 수 있다. 다만, 다른 법령에서 그 개인정보가 수집 대상으로 명시되어 있는 경우에는 그 삭제를 요구할 수 없다(동법 제36조 제1항).

18. 경찰 2차 자신의 개인정보를 열람한 정보주체는 개인정보처리자에게 직접 자신의 개인정보의 정정 또는 삭제를 요구할 수 없으며 개인정보 분쟁조정위원회를 통해서만 이를 요청할 수 있다. (×) → 있다

(2) 정정·삭제요구에 대한 처리

개인정보처리자는 정보주체의 요구를 받았을 때에는 개인정보의 정정 또는 삭제에 관하여 다른 법령에 특별한 절차가 규정되어 있는 경우를 제외하고는 지체 없이 그 개인정보를 조사하여 정보주체의 요구에 따라 정정·삭제 등 필요한 조치를 한 후 그 결과를 정보주체에게 알려야 하며(동법 제36조 제2항), 개인정보를 삭제할 때에는 복구 또는 재생되지 아니하도록 조치하여야 한다(동법 제36조 제3항).

7. 개인정보의 처리정지 등

(1) 정보주체는 개인정보처리자에 대하여 자신의 개인정보 처리의 정지를 요구하거나 개인정보 처리에 대한 동의를 철회할 수 있다(동법 제37조 제1항). 개인정보처리자는 처리정지 요구를 받았을 때에는 지체 없이 정보주체의 요구에 따라 개인정보 처리의 전부를 정지하거나 일부를 정지하여야 하고(동법 제37조 제2항 본문), 정보주체가 동의를 철회한 때에는 지체 없이 수집된 개인정보를 복구·재생할 수 없도록 파기하는 등 필요한 조치를 하여야 한다(제3항 본문, 신설).

(2) 다만, ① 법률에 특별한 규정이 있거나 법령상 의무를 준수하기 위하여 불가피한 경우, ② 다른 사람의 생명·신체를 해할 우려가 있거나 다른 사람의 재산과 그 밖의 이익을 부당하게 침해할 우려가 있는 경우, ③ 공공기관이 개인정보를 처리하지 아니하면 다른 법률에서 정하는 소관 업무를 수행할 수 없는 경우, ④ 개인정보를 처리하지 아니하면 정보주체와 약정한 서비스를 제공하지 못하는 등 계약의 이행이 곤란한 경우로서 정보주체가 그 계약의 해지 의사를 명확하게 밝히지 아니한 경우에는 정보주체의 처리정지 요구를 거절할 수 있고, 동의 철회에 따른 조치를 하지 아니할 수 있다(동법 제37조 제2항 단서, 제3항 단서 신설).

자신의 개인정보를 열람한 정보주체
▷ 개인정보처리자에게 개인정보 정정, 삭제를 요구 可

정보주체의 정정·삭제 요구 시
▷ 지체 없이 그 개인정보를 조사하여 정보주체의 요구에 따라 필요한 조치를 한 후 그 결과를 정보주체에게 알려야 함

개인정보처리자가 개인정보 삭제 시
▷ 복구 또는 재생되지 아니하도록 조치

정보주체
▷ 개인정보처리자에 대하여 자신의 개인정보 처리 정지 요구 可

개인정보처리자의 처리정지 의무
▷ 처리정지 요구를 받았을 때 일정한 경우를 제외하고 지체 없이 개인정보 처리의 전부를 정지하거나 일부를 정지하여야 함

8. 자동화된 결정에 대한 정보주체의 권리 등(신설)

(1) 정보주체는 완전히 자동화된 시스템(인공지능 기술을 적용한 시스템을 포함한다)으로 개인정보를 처리하여 이루어지는 결정(「행정기본법」 제20조에 따른 행정청의 자동적 처분은 제외하며, 이하 이 조에서 "자동화된 결정"이라 함)이 자신의 권리 또는 의무에 중대한 영향을 미치는 경우에는 해당 개인정보처리자에 대하여 해당 결정을 거부할 수 있는 권리를 가진다. 다만, 자동화된 결정이 제15조(개인정보의 수집·이용) 제1항 제1호·제2호 및 제4호에 따라 이루어지는 경우에는 그러하지 아니하다(동법 제37조의2 제1항).

(2) 정보주체는 개인정보처리자가 자동화된 결정을 한 경우에는 그 결정에 대하여 설명 등을 요구할 수 있다(동법 제37조의2 제2항).

(3) 개인정보처리자는 제1항 또는 제2항에 따라 정보주체가 자동화된 결정을 거부하거나 이에 대한 설명 등을 요구한 경우에는 정당한 사유가 없는 한 자동화된 결정을 적용하지 아니하거나 인적 개입에 의한 재처리·설명 등 필요한 조치를 하여야 한다(동법 제37조의2 제3항).

(4) 개인정보처리자는 자동화된 결정의 기준과 절차, 개인정보가 처리되는 방식 등을 정보주체가 쉽게 확인할 수 있도록 공개하여야 한다(동법 제37조의2 제4항).

9. 권리행사의 방법 및 절차

(1) 정보주체는 제35조(개인정보의 열람)에 따른 열람, 제35조의2(개인정보의 전송 요구)에 따른 전송, 제36조(개인정보의 정정·삭제)에 따른 정정·삭제, 제37조(개인정보의 처리정지 등)에 따른 처리정지 및 동의 철회, 제37조의2(자동화된 결정에 대한 정보주체의 권리 등)에 따른 거부·설명 등의 요구(이하 "열람등요구"라 함)를 문서 등 대통령령으로 정하는 방법·절차에 따라 대리인에게 하게 할 수 있다(동법 제38조 제1항).

~~17. 국가직 7급 개인정보의 열람청구와 삭제 또는 정정청구는 정보주체가 직접 하여야 하고 대리인에 의한 청구는 허용되지 않는다.~~ (×) → 대리인에게 하게 할 수 있다

(2) 만 14세 미만 아동의 법정대리인은 개인정보처리자에게 그 아동의 개인정보 열람 등 요구를 할 수 있다(동법 제38조 제2항).

(3) 개인정보처리자는 열람 등 요구를 하는 자에게 대통령령으로 정하는 바에 따라 수수료와 우송료(사본의 우송을 청구하는 경우에 한함)를 청구할 수 있다. 다만, 제35조의2 제2항에 따른 전송 요구의 경우에는 전송을 위해 추가로 필요한 설비 등을 함께 고려하여 수수료를 산정할 수 있다(동법 제38조 제3항, 단서 신설).

(4) 개인정보처리자는 정보주체가 열람 등 요구를 할 수 있는 구체적인 방법과 절차를 마련하고, 이를 정보주체가 알 수 있도록 공개하여야 한다. 이 경우 열람등요구의 방법과 절차는 해당 개인정보의 수집 방법과 절차보다 어렵지 아니하도록 하여야 한다(동법 제38조 제4항, 후단 신설).

함께 정리하기

자동화된 결정에 대한 정보주체의 권리 등
▷ 자동화된 결정이 권리·의무에 중대한 영향을 미치는 경우 해당 결정을 거부하거나 해당 결정에 대한 설명 등 요구 可

개인정보처리자
▷ 정보주체가 자동화된 결정을 거부하거나 이에 대한 설명 등을 요구한 경우 자동화된 결정을 적용하지 아니하거나 인적 개입에 의한 재처리·설명 등 필요한 조치를 하여야 함
▷ 자동화된 결정의 기준, 절차, 개인정보 처리방식 등을 정보주체가 쉽게 확인할 수 있도록 공개하여야 함

정보주체
▷ 대리인을 통한 열람 등 청구 可

만 14세 미만 아동의 법정대리인
▷ 아동의 개인정보 열람 등 요구 可

개인정보처리자
▷ 열람 등 요구하는 자에게 수수료·사본 우송료 청구 可

개인정보처리자
▷ 정보주체가 열람 등 요구를 할 수 있는 구체적인 방법과 절차를 마련하고 공개하여야 함
▷ 열람 등 요구에 대한 거절 등 조치에 대하여 이의를 제기할 수 있도록 필요한 절차를 마련하고 안내하여야 함

개인정보처리자가 「개인정보 보호법」 위반으로 손해 발생 시
▷ 손해배상 청구 可
▷ 개인정보처리자가 고의 또는 과실이 없음을 입증하여야 함(입증책임의 전환)

(5) 개인정보처리자는 정보주체가 열람 등 요구에 대한 거절 등 조치에 대하여 불복이 있는 경우 이의를 제기할 수 있도록 필요한 절차를 마련하고 안내하여야 한다(동법 제38조 제5항).

10. 손해배상책임

(1) 정보주체는 개인정보처리자가 이 법을 위반한 행위로 손해를 입으면 개인정보처리자에게 손해배상을 청구할 수 있다. 이 경우 그 개인정보처리자는 고의 또는 과실이 없음을 입증하지 아니하면 책임을 면할 수 없다(동법 제39조 제1항).

20. 국회직 9급, 19. 군무원 9급, 18. 국가직 9급, 18. 지방직 7급 개인정보처리자의 「개인정보 보호법」 위반행위로 손해를 입은 정보주체가 개인정보처리자에게 손해배상을 청구한 경우 개인정보처리자는 고의 또는 과실이 없음을 입증하지 아니하면 책임을 면할 수 없다. (○)

17. 사복직 개인정보처리자가 「개인정보 보호법」을 위반한 행위로 손해를 입힌 경우 정보주체는 손해배상을 청구할 수 있는데, 이때 개인정보처리자가 고의·과실이 없음에 대한 입증책임을 진다. (○)

14. 국가직 9급 정보주체는 개인정보처리자가 「개인정보 보호법」을 위반한 행위로 손해를 입으면 개인정보처리자에게 손해배상을 청구할 수 있으며, 이 경우 그 ~~정보주체~~는 고의 또는 과실을 입증해야 한다. (✕) → 개인정보처리자 / 고의·과실이 없음을

19. 행정사 개인정보처리자가 「개인정보 보호법」에 위반한 행위로 정보주체에게 손해를 입힌 경우, 개인정보처리자의 손해배상책임은 ~~무과실책임이다~~. (✕) → 과실책임이다

(2) 개인정보처리자의 고의 또는 중대한 과실로 인하여 개인정보가 분실·도난·유출·위조·변조 또는 훼손된 경우로서 정보주체에게 손해가 발생한 때에는 법원은 그 손해액의 5배를 넘지 아니하는 범위에서 손해배상액을 정할 수 있다. 다만, 개인정보처리자가 고의 또는 중대한 과실이 없음을 증명한 경우에는 그러하지 아니하다(동법 제39조 제3항).

19. 경찰 2차 「개인정보 보호법」에 따르면, 개인정보처리자의 고의 또는 중대한 과실로 인하여 개인정보가 분실·도난·유출·위조·변조 또는 훼손된 경우로서 정보주체에게 손해가 발생한 때에는 법원은 그 손해액의 3배를 넘지 아니하는 범위에서 손해배상액을 정할 수 있다. (○)

18. 서울시 7급 개인정보처리자의 고의 또는 중대한 과실로 인하여 개인정보가 유출된 경우로서 정보주체에게 손해가 발생한 때에는 법원은 그 손해액의 3배를 넘지 아니하는 범위에서 손해배상액을 정할 수 있다. (○)

11. 법정손해배상의 청구

(1) 제39조(손해배상책임) 제1항에도 불구하고 정보주체는 개인정보처리자의 고의 또는 과실로 인하여 개인정보가 분실·도난·유출·위조·변조 또는 훼손된 경우에는 300만원 이하의 범위에서 상당한 금액을 손해액으로 하여 배상을 청구할 수 있다. 이 경우 해당 개인정보처리자는 고의 또는 과실이 없음을 입증하지 아니하면 책임을 면할 수 없다(동법 제39조의2 제1항).

(2) 법원은 제1항에 따른 청구가 있는 경우에 변론 전체의 취지와 증거조사의 결과를 고려하여 제1항의 범위에서 상당한 손해액을 인정할 수 있다(동법 제39조의2 제2항).

(3) 제39조(손해배상책임)에 따라 손해배상을 청구한 정보주체는 사실심의 변론이 종결되기 전(사실심 변론종결시)까지 그 청구를 법정손해배상의 청구로 변경할 수 있다(동법 제39조의2 제3항).

19. 군무원 9급 개인정보처리자의 고의 또는 중대한 과실로 인하여 개인정보가 분실·도난·유출·위조·변조 또는 훼손된 경우로서 정보주체에게 손해가 발생한 때에는 법원은 그 손해액의 3배를 넘지 아니하는 범위에서 손해배상액을 정할 수 있다. 이 경우 일반손해배상을 청구한 정보주체는 사실심 변론종결시까지 법정손해배상의 청구로 변경할 수 없다. (×) → 있다

6 삭제(정보통신서비스 제공자 등의 개인정보 처리 등 특례)

정보통신서비스 제공자 등의 개인정보 처리에 관하여는 「정보통신망 이용촉진 및 정보보호 등에 관한 법률」에서 이관된 특례 규정을 적용하도록 하던 것을 모든 개인정보처리자에 대하여 동일 행위에 동일 규제를 적용할 수 있도록 종전의 특례 규정을 삭제하고 이를 모든 개인정보처리자에 대한 일반 규정으로 정비하였다.

1. 자료의 제출(신설)

(1) 법원은 이 법을 위반한 행위로 인한 손해배상청구소송에서 당사자의 신청에 따라 상대방 당사자에게 해당 손해의 증명 또는 손해액의 산정에 필요한 자료의 제출을 명할 수 있다. 다만, 제출명령을 받은 자가 그 자료의 제출을 거부할 정당한 이유가 있으면 그러하지 아니하다(동법 제39조의3 제1항).

(2) 법원은 제1항에 따른 제출명령을 받은 자가 그 자료의 제출을 거부할 정당한 이유가 있다고 주장하는 경우에는 그 주장의 당부(當否)를 판단하기 위하여 자료의 제시를 명할 수 있다. 이 경우 법원은 그 자료를 다른 사람이 보게 하여서는 아니 된다(동법 제39조의3 제2항)

(3) 제1항에 따라 제출되어야 할 자료가 「부정경쟁방지 및 영업비밀보호에 관한 법률」 제2조 제2호에 따른 영업비밀(이하 "영업비밀"이라 함)에 해당하나 손해의 증명 또는 손해액의 산정에 반드시 필요한 경우에는 제1항 단서에 따른 정당한 이유로 보지 아니한다. 이 경우 법원은 제출명령의 목적 내에서 열람할 수 있는 범위 또는 열람할 수 있는 사람을 지정하여야 한다(동법 제39조의3 제3항).

(4) 법원은 제1항에 따른 제출명령을 받은 자가 정당한 이유 없이 그 명령에 따르지 아니한 경우에는 자료의 기재에 대한 신청인의 주장을 진실한 것으로 인정할 수 있다(동법 제39조의3 제4항).

(5) 법원은 제4항에 해당하는 경우 신청인이 자료의 기재에 관하여 구체적으로 주장하기에 현저히 곤란한 사정이 있고 자료로 증명할 사실을 다른 증거로 증명하는 것을 기대하기도 어려운 경우에는 신청인이 자료의 기재로 증명하려는 사실에 관한 주장을 진실한 것으로 인정할 수 있다(동법 제39조의3 제5항).

자료의 제출
▷ 법원은 이 법 위반에 따른 손해배상청구소송에서 당사자의 신청에 따라 손해의 증명, 손해액 산정에 필요한 자료제출명령 可

제출명령 받은 자가 자료제출을 거부할 정당한 이유 有
▷자료제시명령 可
▷ 단, 자료를 다른 사람이 보게 하여서는 아니 됨

제출되어야 할 자료가 영업비밀에 해당하나 손해의 증명, 손해액 산정에 반드시 필요한 경우
▷ 자료제출을 거부할 정당한 이유✕: 법원은 제출명령의 목적 내에서 열람할 수 있는 범위, 열람할 수 있는 사람을 지정하여야 함

제출명령 받은 자가 정당한 이유 없이 명령에 따르지 아니한 경우
▷ 자료기재에 대한 신청인의 주장을 진실한 것으로 인정할 수 있음

신청인이 자료의 기재에 관하여 구체적으로 주장하기에 현저히 곤란한 사정이 있고 자료로 증명할 사실을 다른 증거로 증명하는 것을 기대하기도 어려운 경우
▷ 신청인이 자료의 기재로 증명하려는 사실에 관한 주장을 진실한 것으로 인정할 수 있음

2. 비밀유지명령(신설)

(1) 법원은 이 법을 위반한 행위로 인한 손해배상청구소송에서 당사자의 신청에 따른 결정으로 다음 각 호의 자에게 그 당사자가 보유한 영업비밀을 해당 소송의 계속적인 수행 외의 목적으로 사용하거나 그 영업비밀에 관계된 이 항에 따른 명령을 받은 자 외의 자에게 공개하지 아니할 것을 명할 수 있다. 다만, 그 신청 시점까지 다음 각 호의 자가 준비서면의 열람이나 증거조사 외의 방법으로 그 영업비밀을 이미 취득하고 있는 경우에는 그러하지 아니하다(동법 제39조의4 제1항).
   ① 다른 당사자(법인인 경우에는 그 대표자를 말한다)
   ② 당사자를 위하여 해당 소송을 대리하는 자
   ③ 그 밖에 해당 소송으로 영업비밀을 알게 된 자

(2) 제1항에 따른 명령(이하 "비밀유지명령"이라 함)을 신청하는 자는 다음 각 호의 사유를 모두 소명하여야 한다(동법 제39조의4 제2항).
   ① 이미 제출하였거나 제출하여야 할 준비서면, 이미 조사하였거나 조사하여야 할 증거 또는 제39조의3(자료의 제출) 제1항에 따라 제출하였거나 제출하여야 할 자료에 영업비밀이 포함되어 있다는 것
   ② 제1호의 영업비밀이 해당 소송 수행 외의 목적으로 사용되거나 공개되면 당사자의 영업에 지장을 줄 우려가 있어 이를 방지하기 위하여 영업비밀의 사용 또는 공개를 제한할 필요가 있다는 것

(3) 비밀유지명령의 신청은 다음 각 호의 사항을 적은 서면으로 하여야 한다(동법 제39조의4 제3항).
   ① 비밀유지명령을 받을 자
   ② 비밀유지명령의 대상이 될 영업비밀을 특정하기에 충분한 사실
   ③ 제2항 각 호의 사유에 해당하는 사실

(4) 법원은 비밀유지명령이 결정된 경우에는 그 결정서를 비밀유지명령을 받을 자에게 송달하여야 한다(동법 제39조의4 제4항). 비밀유지명령은 제4항의 결정서가 비밀유지명령을 받을 자에게 송달된 때부터 효력이 발생한다(동법 제39조의4 제5항). 비밀유지명령의 신청을 기각하거나 각하한 재판에 대해서는 즉시항고를 할 수 있다(동법 제39조의4 제6항).

3. 비밀유지명령의 취소(신설)

(1) 비밀유지명령을 신청한 자 또는 비밀유지명령을 받은 자는 제39조의4(비밀유지명령) 제2항 각 호의 사유에 부합하지 아니하는 사실이나 사정이 있는 경우 소송기록을 보관하고 있는 법원(소송기록을 보관하고 있는 법원이 없는 경우에는 비밀유지명령을 내린 법원을 말한다)에 비밀유지명령의 취소를 신청할 수 있다(동법 제39조의5 제1항).

(2) 법원은 비밀유지명령의 취소신청에 대한 재판이 있는 경우에는 그 결정서를 그 신청을 한 자 및 상대방에게 송달하여야 한다(동법 제39조의5 제2항). 비밀유지명령의 취소신청에 대한 재판에 대해서는 즉시항고를 할 수 있다(동법 제39조의5 제3항).

(3) 비밀유지명령을 취소하는 재판은 확정되어야 효력이 발생한다(동법 제39조의5 제4항). 비밀유지명령을 취소하는 재판을 한 법원은 비밀유지명령의 취소신청을 한 자 또는 상대방 외에 해당 영업비밀에 관한 비밀유지명령을 받은 자가 있는 경우에는 그 자에게 즉시 비밀유지명령의 취소 재판을 한 사실을 알려야 한다(동법 제39조의5 제5항).

4. 소송기록 열람 등의 청구 통지 등(신설)

(1) 비밀유지명령이 내려진 소송(모든 비밀유지명령이 취소된 소송은 제외한다)에 관한 소송기록에 대하여「민사소송법」제163조(비밀보호를 위한 열람 등의 제한) 제1항에 따라 열람 등의 신청인을 당사자로 제한하는 결정이 있었던 경우로서 당사자가 같은 항에서 규정하는 비밀 기재부분의 열람 등의 청구를 하였으나 그 청구 절차를 해당 소송에서 비밀유지명령을 받지 아니한 자가 밟은 경우에는 법원서기관, 법원사무관, 법원주사 또는 법원주사보(이하 이 조에서 "법원사무관등"이라 함)는 같은 항의 신청을 한 당사자(그 열람 등의 청구를 한 자는 제외한다. 이하 제3항에서 같다)에게 그 청구 직후에 그 열람 등의 청구가 있었다는 사실을 알려야 한다(동법 제39조의6 제1항).

(2) 법원사무관 등은 제1항의 청구가 있었던 날부터 2주일이 지날 때까지(그 청구 절차를 밟은 자에 대한 비밀유지명령 신청이 그 기간 내에 이루어진 경우에는 그 신청에 대한 재판이 확정되는 시점까지를 말한다) 그 청구 절차를 밟은 자에게 제1항의 비밀 기재부분의 열람 등을 하게 하여서는 아니 된다(동법 제39조의6 제2항).

(3) 제2항은 제1항의 열람 등의 청구를 한 자에게 제1항의 비밀 기재부분의 열람 등을 하게 하는 것에 대하여「민사소송법」제163조(비밀보호를 위한 열람 등의 제한) 제1항의 신청을 한 당사자 모두가 동의하는 경우에는 적용되지 아니한다(동법 제39조의6 제3항).

7 개인정보 분쟁조정위원회

1. 설치 구성 등

(1) 설치

개인정보에 관한 분쟁의 조정을 위하여 개인정보 분쟁조정위원회(이하 '분쟁조정위원회'라 함)를 둔다(동법 제40조 제1항).

20. 국회직 9급 개인정보에 관한 분쟁의 조정을 위하여 개인정보 보호위원회를 둔다. (×) → 분쟁조정위원회

(2) 구성 등

① 분쟁조정위원회는 위원장 1명을 포함한 30명 이내의 위원으로 구성하며, 위원은 당연직위원과 위촉위원으로 구성한다(동법 제40조 제2항).

12. 지방직 9급 개인정보에 관한 분쟁의 조정을 위하여 위원장 1명을 포함한 20명 이내의 위원으로 구성된 개인정보 보호 심의위원회를 두고 있다. (×) → 개인정보 분쟁조정위원회

위원장
▷ 위원 중에서 공무원이 아닌 사람으로 보호위원회 위원장이 위촉

위원장과 위촉위원의 임기
▷ 임기 2년
▷ 1차에 한하여 연임 可

의결
▷ 재적위원 과반수 출석으로 개의, 출석위원 과반수 찬성으로 의결

분쟁의 조정을 원하면
▷ 분쟁조정위원회에 분쟁조정을 신청 可

당사자 일방으로부터 분쟁조정 신청을 받았을 때
▷ 신청내용을 상대방에게 알려야 함

처리기간
▷ 분쟁조정 신청을 받은 날부터 60일 이내, 부득이한 사정이 있는 경우에는 분쟁조정위원회의 의결로 연장 可

처리기간 연장 시
▷ 연장 사유와 그 밖의 기간연장에 관한 사항을 신청인에게 알려야 함

자료의 요청 및 사실조사 등
▷ 분쟁조정위원회는 분쟁조정을 위하여 필요한 자료를 분쟁당사자에게 요청할 수 있음

사실확인이 필요한 경우
▷ 위원회는 위원 또는 대통령령으로 정하는 사무기구의 소속 공무원으로 하여금 사건과 관련된 장소에 출입하여 관련 자료를 조사하거나 열람하게 할 수 있음
▷ 조사·열람을 하는 위원 또는 공무원은 그 권한을 표시하는 증표를 지니고 이를 관계인에게 내보여야 함

② 위원장은 위원 중에서 공무원이 아닌 사람으로 보호위원회 위원장이 위촉한다 (동법 제40조 제4항).

19. 소방직 개인정보 분쟁조정위원회 위원장은 위원 중에서 공무원이 아닌 사람으로 개인정보 보호위원회 위원장이 위촉한다. (○)

③ 위원장과 위촉위원의 임기는 2년으로 하되, 1차에 한하여 연임할 수 있다(동법 제40조 제5항).

④ 분쟁조정위원회 또는 조정부는 재적위원 과반수의 출석으로 개의하며, 출석위원 과반수의 찬성으로 의결한다(동법 제40조 제7항).

2. 위원의 신분보장 및 제척·기피·회피

위원은 자격정지 이상의 형을 선고받거나 심신상의 장애로 직무를 수행할 수 없는 경우를 제외하고는 그의 의사에 반하여 면직되거나 해촉되지 아니한다(동법 제41조). 위원은 분쟁조정위원회에 신청된 분쟁조정사건에서 제척·기피·회피가 인정된다(동법 제42조 참조).

3. 분쟁조정의 절차 등

(1) 조정의 신청

개인정보와 관련한 분쟁의 조정을 원하는 자는 분쟁조정위원회에 분쟁조정을 신청할 수 있으며(동법 제43조 제1항), 분쟁조정위원회가 당사자 일방으로부터 분쟁조정 신청을 받았을 때에는 그 신청내용을 상대방에게 알려야 한다(동법 제43조 제2항). 개인정보처리자가 제2항에 따른 분쟁조정의 통지를 받은 경우에는 특별한 사유가 없으면 분쟁조정에 응하여야 한다(동법 제43조 제3항).

16. 교행 개인정보와 관련한 분쟁의 조정을 원하는 자는 개인정보 분쟁조정위원회에 분쟁조정을 신청할 수 있다. (○)

(2) 처리기간

분쟁조정위원회는 분쟁조정 신청을 받은 날부터 60일 이내에 이를 심사하여 조정안을 작성하여야 한다. 다만, 부득이한 사정이 있는 경우에는 분쟁조정위원회의 의결로 처리기간을 연장할 수 있는바(동법 제44조 제1항), 이 경우에는 기간연장의 사유와 그 밖의 기간연장에 관한 사항을 신청인에게 알려야 한다(동법 제44조 제2항).

(3) 자료의 요청 및 사실조사 등(신설)

① 분쟁조정위원회는 제43조(조정의 신청 등) 제1항에 따라 분쟁조정 신청을 받았을 때에는 해당 분쟁의 조정을 위하여 필요한 자료를 분쟁당사자에게 요청할 수 있다. 이 경우 분쟁당사자는 정당한 사유가 없으면 요청에 따라야 한다(동법 제45조 제1항).

② 분쟁조정위원회는 분쟁의 조정을 위하여 사실 확인이 필요한 경우에는 분쟁조정위원회의 위원 또는 대통령령으로 정하는 사무기구의 소속 공무원으로 하여금 사건과 관련된 장소에 출입하여 관련 자료를 조사하거나 열람하게 할 수 있다. 이 경우 분쟁당사자는 해당 조사·열람을 거부할 정당한 사유가 있을 때에는 그 사유를 소명하고 조사·열람에 따르지 아니할 수 있다(동법 제45조 제2항). 제2항에 따른 조사·열람을 하는 위원 또는 공무원은 그 권한을 표시하는 증표를 지니고 이를 관계인에게 내보여야 한다(동법 제45조 제3항).

③ 분쟁조정위원회는 분쟁의 조정을 위하여 필요하다고 인정하면 관계 기관 등에 자료 또는 의견의 제출 등 필요한 협조를 요청할 수 있다(동법 제45조 제4항). 분쟁조정위원회는 필요하다고 인정하면 분쟁당사자나 참고인을 위원회에 출석하도록 하여 그 의견을 들을 수 있다(동법 제45조 제5항).

(4) 진술의 원용 제한(신설)

조정절차에서의 의견과 진술은 소송(해당 조정에 대한 준재심은 제외한다)에서 원용(援用)하지 못한다(동법 제45조의2).

(5) 조정 전 합의 권고

분쟁조정위원회는 제43조(조정의 신청 등) 제1항에 따라 분쟁조정 신청을 받았을 때에는 당사자에게 그 내용을 제시하고 조정 전 합의를 권고할 수 있다(동법 제46조).

(6) 분쟁의 조정

① **조정안의 작성**: 분쟁조정위원회는 ㉠ 조사 대상 침해행위의 중지, ㉡ 원상회복, 손해배상, 그 밖에 필요한 구제조치, ㉢ 같거나 비슷한 침해의 재발을 방지하기 위하여 필요한 조치 중 어느 하나의 사항을 포함하여 조정안을 작성할 수 있다(동법 제47조 제1항).

② **조정안의 제시**: 분쟁조정위원회는 제1항에 따라 조정안을 작성하면 지체 없이 각 당사자에게 제시하여야 한다(동법 제47조 제2항). 조정안을 제시받은 당사자가 제시받은 날부터 15일 이내에 수락 여부를 알리지 아니하면 조정을 수락한 것으로 본다(동법 제47조 제3항).

③ **조정의 효력**: 당사자가 조정내용을 수락한 경우(제3항에 따라 수락한 것으로 보는 경우 포함) 분쟁조정위원회는 조정서를 작성하고, 분쟁조정위원회의 위원장과 각 당사자가 기명날인 또는 서명을 한 후 조정서 정본을 지체 없이 각 당사자 또는 그 대리인에게 송달하여야 한다. 다만, 제3항에 따라 수락한 것으로 보는 경우에는 각 당사자의 기명날인 및 서명을 생략할 수 있다(동법 제47조 제4항, 단서 신설). 조정의 내용은 재판상 화해와 동일한 효력을 갖는다(동법 제47조 제5항).

16. 서울시 7급 개인정보 분쟁조정위원회의 조정을 분쟁당사자가 수락하는 경우, 조정의 내용은 재판상 화해와 동일한 효력을 갖는다. (○)

(7) 조정의 거부 및 중지

① 분쟁조정위원회는 분쟁의 성질상 분쟁조정위원회에서 조정하는 것이 적합하지 아니하다고 인정하거나 부정한 목적으로 조정이 신청되었다고 인정하는 경우에는 그 조정을 거부할 수 있다. 이 경우 조정거부의 사유 등을 신청인에게 알려야 한다(동법 제48조 제1항).

② 분쟁조정위원회는 신청된 조정사건에 대한 처리절차를 진행하던 중에 한 쪽 당사자가 소를 제기하면 그 조정의 처리를 중지하고 이를 당사자에게 알려야 한다(동법 제48조 제2항).

함께 정리하기

협조요청, 의견청취
▷ 위원회는 관계 기관 등에 자료 또는 의견의 제출 등 필요한 협조를 요청할 수 있음
▷ 위원회는 분쟁당사자나 참고인을 위원회에 출석하도록 하여 그 의견을 들을 수 있음

진술의 원용 제한
▷ 조정절차에서의 의견과 진술은 소송에서 원용하지 못함

조정 전 합의 권고
▷ 위원회는 분쟁조정 신청을 받았을 때 당사자에게 그 내용을 제시하고 조정 전 합의 권고 可

조정안의 작성
▷ 조사 대상 침해행위의 중지, 구제조치, 침해의 재발을 방지하기 위하여 필요한 조치 중 하나의 사항 포함하여 작성

분쟁조정위원회의 조정안 제시
▷ 지체 없이 각 당사자에게 제시하여야 함
▷ 당사자가 조정 제시받은 날부터 15일 이내에 수락 여부를 알리지 아니하면 → 조정을 수락한 것으로 간주

당사자가 조정내용 수락한 경우
▷ 분쟁조정위원회가 조정서 작성, 위원장과 각 당사자가 기명날인하여야 함
▷ 조정의 효력: 재판상 화해와 동일한 효력

조정의 거부
▷ 분쟁조정위원회에서 조정하는 것이 적합하지 아니하거나 부정한 목적으로 신청되었다고 인정하는 경우 거부 可

조정사건에 대한 처리절차 진행 중 한 쪽 당사자가 소 제기
▷ 조정의 처리를 중지하고 이를 당사자에게 알려야 함

정보주체의 피해 또는 권리침해가 다수에게 비슷한 유형으로 발생
▷ 집단분쟁조정 可

4. 집단분쟁조정

(1) 집단분쟁조정의 신청

국가 및 지방자치단체, 개인정보 보호단체 및 기관, 정보주체, 개인정보처리자는 정보주체의 피해 또는 권리침해가 다수의 정보주체에게 같거나 비슷한 유형으로 발생하는 경우로서 대통령령으로 정하는 사건에 대하여는 분쟁조정위원회에 일괄적인 분쟁조정(이하 '집단분쟁조정'이라 함)을 의뢰 또는 신청할 수 있다(동법 제49조 제1항).

18. 국가직 9급 「개인정보 보호법」은 집단분쟁조정제도에 대하여 규정하고 있다. (○)

13. 국회직 9급 국가 및 지방자치단체, 개인정보 보호단체 및 기관, 정보주체, 개인정보처리자는 정보주체의 피해 또는 권리침해가 다수의 정보주체에게 같거나 비슷한 유형으로 발생하는 경우로서 일정한 사건에 대하여는 분쟁조정위원회에 집단분쟁조정을 의뢰 또는 신청할 수 있다. (○)

분쟁조정위원회
▷ 의결로써 집단분쟁조정의 절차를 개시 可
▷ 대통령령으로 정하는 기간 동안 그 절차의 개시를 공고하여야 함

(2) 집단분쟁조정절차의 개시

집단분쟁조정을 의뢰받거나 신청받은 분쟁조정위원회는 그 의결로써 집단분쟁조정의 절차를 개시할 수 있다. 이 경우 분쟁조정위원회는 대통령령으로 정하는 기간 동안 그 절차의 개시를 공고하여야 한다(동법 제49조 제1항).

집단분쟁조정 대표선임
▷ 집단분쟁조정의 당사자 중에서 1인 또는 수인을 대표당사자로 선임 可

(3) 대표당사자의 선임

분쟁조정위원회는 그 의결로써 집단분쟁조정의 당사자 중에서 공동의 이익을 대표하기에 가장 적합한 1인 또는 수인을 대표당사자로 선임할 수 있다(동법 제49조 제4항).

집단분쟁조정의 당사자인 다수의 정보주체 중 일부의 정보주체가 법원에 소를 제기한 경우
▷ 조정절차를 중지하지 아니하고, 소 제기한 일부를 그 절차에서 제외

(4) 집단분쟁조정의 당사자인 다수의 정보주체 중 일부의 정보주체가 법원에 소를 제기한 경우

제48조(조정의 거부 및 중지) 제2항에도 불구하고 분쟁조정위원회는 집단분쟁조정의 당사자인 다수의 정보주체 중 일부의 정보주체가 법원에 소를 제기한 경우에는 그 절차를 중지하지 아니하고, 소를 제기한 일부의 정보주체를 그 절차에서 제외한다(동법 제49조 제6항).

19. 소방직 개인정보 분쟁조정위원회는 집단분쟁조정의 당사자인 다수의 정보주체 중 일부의 정보주체가 법원에 소를 제기한 경우에는 그 조정절차를 중지하고 이를 당사자에게 알려야 한다. (×) → 중지하지 아니하고 소를 제기한 일부의 정보주체를 그 절차에서 제외한다

집단분쟁조정 기간
▷ 공고가 종료된 날의 다음 날부터 60일 이내, 부득이한 사정이 있는 경우 분쟁조정위원회의 의결로 연장 可

(5) 처리기간

집단분쟁조정의 기간은 공고가 종료된 날의 다음 날부터 60일 이내로 한다. 다만, 부득이한 사정이 있는 경우에는 분쟁조정위원회의 의결로 처리기간을 연장할 수 있다(동법 제49조 제7항).

개선의견의 통보
▷ 위원회는 개인정보 보호 및 정보주체의 권리 보호를 위한 개선의견을 보호위원회 및 관계 중앙행정기관의 장에게 통보할 수 있음

(6) 개선의견의 통보(신설)

분쟁조정위원회는 소관 업무 수행과 관련하여 개인정보 보호 및 정보주체의 권리 보호를 위한 개선의견을 보호위원회 및 관계 중앙행정기관의 장에게 통보할 수 있다(동법 제50조의2).

8 개인정보 단체소송

1. 단체소송의 대상 등

「개인정보 보호법」상 요건을 갖춘 일정한 소비자단체나 비영리민간단체의 경우에는 개인정보처리자가 제49조(집단분쟁조정)에 따른 집단분쟁조정을 거부하거나 집단분쟁조정의 결과를 수락하지 아니한 경우에는 법원에 권리침해 행위의 금지·중지를 구하는 소송(이하 "단체소송"이라 함)을 제기할 수 있다(동법 제51조).

(1) 소비자단체

「소비자기본법」 제29조에 따라 공정거래위원회에 등록한 소비자단체로서 ① 정관에 따라 상시적으로 정보주체의 권익증진을 주된 목적으로 하는 단체이고, ② 단체의 정회원수가 1천명 이상이며, ③ 「소비자기본법」 제29조에 따른 등록 후 3년이 경과한 경우를 말한다.

(2) 비영리민간단체

「비영리민간단체 지원법」 제2조에 따른 비영리민간단체로서 ① 법률상 또는 사실상 동일한 침해를 입은 100명 이상의 정보주체로부터 단체소송의 제기를 요청받았고, ② 정관에 개인정보 보호를 단체의 목적으로 명시한 후 최근 3년 이상 이를 위한 활동실적이 있으며, ③ 단체의 상시 구성원수가 5천명 이상이고, ④ 중앙행정기관에 등록되어 있는 단체를 말한다.

13. 국회직 9급 「개인정보 보호법」 소정의 일정한 요건을 갖춘 소비자단체나 비영리단체는 개인정보처리자가 집단분쟁조정을 거부하거나 집단분쟁조정의 결과를 수락하지 아니한 경우에는 법원에 권리침해 행위의 금지·중지를 구하는 단체소송을 제기할 수 있다. (○)

16. 지방직 9급 「소비자기본법」에 따라 공정거래위원회에 등록한 소비자단체가 개인정보 단체소송을 제기하려면 그 단체의 정회원수가 ~~1백명~~ 이상이어야 한다. (×) → 1천명

18. 국가직 9급 「개인정보 보호법」에는 개인정보 단체소송을 제기할 수 있는 단체에 대한 제한을 두고 있지 ~~않으므로 법인격이 있는 단체라면 어느 단체든지 권리침해 행위의 금지·중지를 구하는 소송을 제기할 수 있다.~~ (×) → 있다

2. 전속관할

(1) 단체소송의 소는 피고의 주된 사무소 또는 영업소가 있는 곳, 주된 사무소나 영업소가 없는 경우에는 주된 업무담당자의 주소가 있는 곳의 지방법원 본원 합의부의 관할에 전속한다(동법 제52조 제1항).

18. 경찰 3차 개인정보 침해 관련 단체소송의 소는 외국사업자를 제외하고 피고의 주된 사무소 또는 영업소가 있는 곳, 주된 사무소나 영업소가 없는 경우에는 주된 업무담당자의 주소가 있는 곳의 지방법원 본원 합의부의 관할에 전속한다. (○)

(2) 외국사업자에 적용하는 경우 대한민국에 있는 이들의 주된 사무소·영업소 또는 업무담당자의 주소에 따라 정한다(동법 제52조 제2항).

3. 소송대리인의 선임

단체소송의 원고는 변호사를 소송대리인으로 선임하여야 한다(동법 제53조).

21. 소방직, 18. 경찰 2차 개인정보 단체소송의 원고는 변호사를 소송대리인으로 선임하여야 한다. (○)

함께 정리하기

단체소송
▷ 「개인정보 보호법」상 일정요건을 갖춘 소비자단체·비영리단체가 개인정보처리자가 집단분쟁조정을 거부하거나 집단분쟁조정의 결과를 수락하지 아니한 경우 법원에 권리침해 행위의 금지·중지를 구하는 소송

소비자단체와 비영리단체
▷ 「개인정보 보호법」 제51조 요건 갖춘 경우 단체소송 가능

단체소송의 전속관할
▷ 피고의 주된 사무소 또는 영업소가 있는 곳, 주된 사무소나 영업소가 없는 경우에는 주된 업무담당자의 주소가 있는 곳의 지방법원 본원 합의부

외국사업자의 경우
▷ 대한민국에 있는 이들의 주된 사무소·영업소 또는 업무담당자의 주소에 따라 정함

개인정보 단체소송
▷ 변호사를 소송대리인으로 선임하여야 (변호사강제주의)

4. 소송허가신청

(1) 단체소송을 제기하는 단체는 소장과 함께 ① 원고 및 그 소송대리인, ② 피고, ③ 정보주체의 침해된 권리의 내용을 기재한 소송허가신청서를 법원에 제출하여야 한다 (동법 제54조 제1항).

(2) 제1항에 따른 소송허가신청서에는 ① 소제기단체가 제51조(단체소송의 대상 등) 각호의 어느 하나에 해당하는 요건을 갖추고 있음을 소명하는 자료와, ② 개인정보처리자가 조정을 거부하였거나 조정결과를 수락하지 아니하였음을 증명하는 서류를 첨부하여야 한다(동법 제54조 제2항).

5. 법원의 허가

(1) 법원은 ① 개인정보처리자가 분쟁조정위원회의 조정을 거부하거나 조정결과를 수락하지 아니하였고, ② 제54조(소송허가신청)에 따른 소송허가신청서의 기재사항에 흠결이 없을 경우에 한하여 결정으로 단체소송을 허가한다(동법 제55조 제1항).

16. 지방직 9급 개인정보 단체소송은 개인정보처리자가 「개인정보 보호법」상의 집단분쟁조정을 거부하거나 집단분쟁조정의 결과를 수락하지 아니한 경우에 법원의 허가를 받아 제기할 수 있다. (○)

21. 소방직 법원은 개인정보처리자가 분쟁조정위원회의 조정을 거부하지 않을 경우에만, 결정으로 단체소송을 허가한다. (×) → 거부하거나 조정결과를 수락하지 아니한 경우 소송허가신청서의 기재사항에 흠결이 없으면

(2) 단체소송을 허가하거나 불허가하는 결정에 대하여는 즉시항고할 수 있다(동법 제55조 제1항).

15. 국가직 9급 「개인정보 보호법」상 단체소송을 허가하거나 불허가하는 법원의 결정에 대하여는 더 이상 소송으로 다툴 수 없다. (×) → 즉시항고할 수 있다

6. 확정판결의 효력

(1) 원고의 청구를 기각하는 판결이 확정된 경우 이와 동일한 사안에 관하여 다른 소비자단체 등은 단체소송을 제기할 수 없다(동법 제56조 본문).

(2) 다만, ① 판결이 확정된 후 그 사안과 관련하여 국가·지방자치단체 또는 국가·지방자치단체가 설립한 기관에 의하여 새로운 증거가 나타난 경우이거나, ② 기각판결이 원고의 고의로 인한 것임이 밝혀진 경우에는 그러하지 아니하다(동법 제56조 단서).

7. 적용법

단체소송에 관하여 「개인정보 보호법」에 특별한 규정이 없는 경우에는 「민사소송법」을 적용한다(동법 제57조 제1항). 단체소송의 허가결정이 있는 경우에는 「민사집행법」 제4편에 따른 보전처분을 할 수 있다(동법 제57조 제2항). 단체소송의 절차에 관하여 필요한 사항은 대법원규칙으로 정한다(동법 제57조 제3항).

21. 소방직 단체소송에 관하여 「개인정보 보호법」에 특별한 규정이 없는 경우에는 「민사소송법」을 적용한다. (○)

16. 지방직 9급 개인정보 단체소송에 관하여 「개인정보 보호법」에 특별한 규정이 없는 경우에는 「행정소송법」을 적용한다. (✕) → 「민사소송법」

21. 소방직 단체소송의 절차에 관하여 필요한 사항은 대법원규칙으로 정한다. (◯)

⑨ 보칙

1. 금지행위

개인정보를 처리하거나 처리하였던 자는 ① 거짓이나 그 밖의 부정한 수단이나 방법으로 개인정보를 취득하거나 처리에 관한 동의를 받는 행위, ② 업무상 알게 된 개인정보를 누설하거나 권한 없이 다른 사람이 이용하도록 제공하는 행위, ③ 정당한 권한 없이 또는 허용된 권한을 초과하여 다른 사람의 개인정보를 이용, 훼손, 멸실, 변경, 위조 또는 유출하는 행위를 하여서는 아니 된다(동법 제59조).

> ⚖️ **관련판례**
>
> **'누설'이라 함은 아직 이를 알지 못하는 타인에게 알려주는 일체의 행위를 말한다. ★★**
> 개인정보 보호법 제71조 제5호, 제59조 제2호에서는 개인정보의 누설이나 권한 없는 처리 또는 타인의 이용에 제공하는 등 부당한 목적으로 사용한 행위를 처벌하도록 규정하고 있다. 여기에서 '누설'이라 함은 아직 이를 알지 못하는 타인에게 알려주는 일체의 행위를 말하고, 개인정보의 정보주체로부터 자신에 관한 개인정보의 취급을 위임받아 관련 사무를 수행하는 대리인은 위 조항에 의하여 처벌되는 누설이나 개인정보 이용 제공의 상대방인 '타인'에 해당하지 아니한다(대판 2015.7.9. 2013도13070).
>
> 18. 국회직 8급 「개인정보 보호법」은 개인정보의 누설이나 권한 없는 처리 또는 다른 사람의 이용에 제공하는 등 부당한 목적으로 사용한 행위를 처벌하도록 규정하고 있다. 여기에서 '누설'이라 함은 아직 이를 알지 못하는 타인에게 알려주는 일체의 행위를 말한다. (◯)

2. 비밀유지 등

보호위원회의 업무·영향평가 업무·분쟁조정위원회의 분쟁조정 업무 등에 종사하거나 종사하였던 자는 직무상 알게 된 비밀을 다른 사람에게 누설하거나 직무상 목적 외의 용도로 이용하여서는 아니 된다(동법 제60조).

3. 침해사실의 신고 등

(1) 개인정보처리자가 개인정보를 처리할 때 개인정보에 관한 권리 또는 이익을 침해받은 사람은 보호위원회에 그 침해 사실을 신고할 수 있다(동법 제62조 제1항).

(2) 보호위원회는 신고의 접수·처리 등에 관한 업무를 효율적으로 수행하기 위하여 대통령령으로 정하는 바에 따라 전문기관을 지정할 수 있으며, 이 경우 전문기관은 개인정보침해 신고센터(이하 "신고센터"라 함)를 설치·운영하여야 한다(동법 제62조 제1항).

개인정보처리자의 금지행위
▷ 거짓이나 부정한 수단 방법으로 개인정보 취득하거나 처리에 관한 동의 받는 행위
▷ 업무상 알게 된 개인정보 누설하거나 권한 없이 다른 사람이 이용하도록 제공하는 행위
▷ 정당한 권한 없이 또는 허용된 권한을 초과하여 타인의 개인정보를 훼손, 멸실, 변경, 위조 또는 유출하는 행위

누설
▷ 아직 이를 알지 못하는 타인에게 알려주는 일체의 행위

비밀유지 의무
▷ 보호위원회의 업무 등에 종사하거나 종사하였던 자는 직무상 알게 된 비밀을 다른 사람에게 누설하거나 직무상 목적 외의 용도로 이용 금지

개인정보에 관한 권리 또는 이익을 침해 받은 사람
▷ 보호위원회에 침해사실 신고 可

보호위원회
▷ 신고의 접수·처리 등에 관한 업무를 효율적으로 수행하기 위하여 전문기관 지정 可, 전문기관은 개인정보침해 신고센터를 설치·운영하여야 함

4. 시정조치 등

(1) 보호위원회는 이 법을 위반한 자(중앙행정기관, 지방자치단체, 국회, 법원, 헌법재판소, 중앙선거관리위원회는 제외한다)에 대하여 ① 개인정보 침해행위의 중지, ② 개인정보 처리의 일시적인 정지, ③ 그 밖에 개인정보의 보호 및 침해 방지를 위하여 필요한 조치를 명할 수 있다(동법 제64조 제1항).

(2) 지방자치단체, 국회, 법원, 헌법재판소, 중앙선거관리위원회는 그 소속 기관 및 소관 공공기관이 이 법을 위반하였을 때에는 제1항 각 호에 해당하는 조치를 명할 수 있다(동법 제64조 제2항).

5. 벌칙(양벌규정)

법인의 대표자나 법인 또는 개인의 대리인, 사용인, 그 밖의 종업원이, 그 법인 또는 개인의 업무에 관하여 제70조에 해당하는 위반행위를 하면 그 행위자를 벌하는 외에 그 법인 또는 개인에게도 7천만원 이하의 벌금형을 과하고(동법 제74조 제1항), 제71조부터 제73조까지의 어느 하나에 해당하는 위반행위를 하면 해당 조문의 벌금형을 과한다(동조 제2항). 다만, 법인 또는 개인이 그 위반행위를 방지하기 위하여 해당 업무에 관하여 상당한 주의와 감독을 게을리하지 아니한 경우에는 그러하지 아니하다(동조 제1·2항 단서). 이렇듯 개인정보 보호법은 제74조 양벌규정을 통해 개인정보 보호법을 위반한 법인과 개인(담당자)을 함께 처벌하고 있는바, 여기서의 '법인'에는 공공기관이 포함되지 않는다는 것이 판례의 입장이다.

「개인정보 보호법」상 양벌규정상의 '법인'
▷ 공공기관 불포함

⚖ 관련판례

구 개인정보 보호법 양벌규정상의 '법인'에 공공기관이 포함되지 않는다. ★

구 개인정보 보호법(2020.2.4. 법률 제16930호로 개정되기 전의 것, 이하 같다) 제71조 제2호는 같은 법 제18조 제1항을 위반하여 이용 범위를 초과하여 개인정보를 이용한 개인정보처리자를 처벌하도록 규정하고 있고, 같은 법 제74조 제2항에서는 법인의 대표자나 법인 또는 개인의 대리인, 사용인, 그 밖의 종업원이 그 법인 또는 개인의 업무에 관하여 같은 법 제71조에 해당하는 위반행위를 하면 그 행위자를 벌하는 외에 그 법인 또는 개인에게도 해당 조문의 벌금형을 과하도록 하는 양벌규정을 두고 있다. 위 법 제71조 제2호, 제18조 제1항에서 벌칙규정의 적용대상자를 개인정보처리자로 한정하고 있기는 하나, 위 양벌규정은 벌칙규정의 적용대상인 개인정보처리자가 아니면서 그러한 업무를 실제로 처리하는 자가 있을 때 벌칙규정의 실효성을 확보하기 위하여 적용대상자를 해당 업무를 실제로 처리하는 행위자까지 확장하여 그 행위자나 개인정보처리자인 법인 또는 개인을 모두 처벌하려는 데 그 취지가 있으므로, 위 양벌규정에 의하여 개인정보처리자 아닌 행위자도 위 벌칙규정의 적용대상이 된다.

그러나 <u>구 개인정보 보호법은 제2조 제5호, 제6호에서 공공기관 중 법인격이 없는 '중앙행정기관 및 그 소속 기관' 등을 개인정보처리자 중 하나로 규정하고 있으면서도, 양벌규정에 의하여 처벌되는 개인정보처리자로는 같은 법 제74조 제2항에서 '법인 또는 개인'만을 규정하고 있을 뿐이고, 법인격 없는 공공기관에 대하여도 위 양벌규정을 적용할 것인지 여부에 대하여는 명문의 규정을 두고 있지 않으므로, 죄형법정주의의 원칙상 '법인격 없는 공공기관'을 위 양벌규정에 의하여 처벌할 수 없고, 그 경우 행위자 역시 위 양벌규정으로 처벌할 수 없다고 봄이 타당하다</u>(대판 2021.10.28. 2020도1942).❶

24. 국가직 9급 「개인정보 보호법」에 따르면, 죄형법정주의의 원칙상 '법인격 없는 공공기관'을 「개인정보 보호법」 소정의 양벌규정에 의하여 처벌할 수 없고, 그 경우 행위자 역시 위 양벌규정으로 처벌할 수 없다. (○)

❶ 경찰공무원인 피고인이 사무실에서 형사사법정보시스템(KICS)에 접속하여 자신의 채무자 지명수배 여부 등을 조회하는 등 이용 범위를 초과하여 개인정보를 이용하였다는 공소사실로 기소된 사안에서, 피고인이 이용한 개인정보의 개인정보처리자는 경찰청으로서 법인격 없는 '중앙행정기관 또는 그 소속기관'에 해당한다고 할 것이므로, 피고인이 소속된 위 공공기관은 양벌규정에 의하여 처벌되는 개인정보처리자에 포함된다고 볼 수 없고, 따라서 피고인 역시 위 양벌규정에 의하여 처벌할 수 있는 행위자에 해당하지 않는다고 판단한 사례

6. 고발 및 징계권고

보호위원회는 개인정보처리자에게 이 법 등 개인정보 보호와 관련된 법규의 위반에 따른 범죄혐의가 있다고 인정될 만한 상당한 이유가 있을 때에는 관할 수사기관에 그 내용을 고발할 수 있으며(동법 제65조 제1항), 이 법 등 개인정보 보호와 관련된 법규의 위반행위가 있다고 인정될 만한 상당한 이유가 있을 때에는 책임이 있는 자(대표자 및 책임 있는 임원을 포함)를 징계할 것을 해당 개인정보처리자에게 권고할 수 있다(동법 제65조 제2항).

핵심정리 정보공개청구와 개인정보 보호 비교

구분	정보공개청구	개인정보 보호
헌법적 근거	표현의 자유, 인간의 존엄과 가치, 인간다운 생활을 할 권리, 국민주권	국민주권, 사생활의 비밀과 자유
법률적 근거	「공공기관의 정보공개에 관한 법률」	「개인정보 보호법」
청구주체	• 모든 국민 • 법인 • 법인 아닌 사단 · 재단 • 외국인	정보주체(살아 있는 개인)
적용객체	공공기관	공공기관, 법인, 단체, 개인
위원회 소속	행정안전부장관 소속	국무총리
제3자 청구권	○	×

판례색인

■ 대법원 판결

■ 대법원 결정

■ 헌법재판소 결정

■ 기타 법원

판례색인

대판 1991.6.11. 90누8862	185	
대판 1991.6.25. 90누5184	374	
대판 1991.6.25. 90누8091	1196	
대판 1991.6.25. 91다10435	31	
대판 1991.6.28. 90누4402	566	
대판 1991.6.28. 90누6521	1185, 1189	
대판 1991.7.12. 90누8350	194, 201, 209	
대판 1991.7.23. 90누6651	1151	
대판 1991.7.9. 91누971	703	
대판 1991.7.9. 91다5570	1360, 1367	
대판 1991.8.13. 90누9414	406	
대판 1991.8.27. 90누6613	229	
대판 1991.8.9. 90누7326	1280	
대판 1991.9.24. 91누1400	409	
대판 1992.1.17. 91누3130	554	
대판 1992.1.21. 91누1264	444, 1084	
대판 1992.1.21. 91누1684	1233	
대판 1992.10.13. 92누2325	95, 291, 621	
대판 1992.10.23. 92누2844	525, 705	
대판 1992.10.27. 91누3871	1503	
대판 1992.10.27. 92누1643	1082	
대판 1992.10.9. 92누213	1260	
대판 1992.11 24. 92누3052	1262	
대판 1992.11.10. 91누8227	495, 525	
대판 1992.11.10. 92누1162	393, 582	
대판 1992.11.13. 92누596	364	
대판 1992.11.24. 95누10952	1262	
대판 1992.11.27. 92누10364	104	
대판 1992.11.27. 92누3618	1060	
대판 1992.12.11. 92누5584	519	
대판 1992.12.24. 92누3335	1318	
대판 1992.12.8. 91누13700	1118	
대판 1992.12.8. 92누13813	354	
대판 1992.12.8. 92누6891	1267	
대판 1992.12.8. 92누7542	411	
대판 1992.2.11. 91누7774	1470	
대판 1992.2.11. 91도2797	889	
대판 1992.2.14. 90누9032	1245	
대판 1992.2.25. 91누13106	72	
대판 1992.2.25. 91누6108	1267	
대판 1992.3.10. 91누12639	1050	
대판 1992.3.10. 91누4140	843	
대판 1992.3.10. 91누6030	1296	
대판 1992.3.13. 91누4324	519, 522	
대판 1992.3.27. 91누3819	453	
대판 1992.3.31. 91누4911	137, 1077	
대판 1992.3.31. 91누6016	990	
대판 1992.3.31. 91누9824	78	
대판 1992.3.31. 91다32053 전합	161, 174	
대판 1992.4.10. 91누5358	404	
대판 1992.4.14. 91다39986	360	
대판 1992.4.24. 91누11131	1056, 1156	

대판 1992.4.24. 91누6634	339, 404	
대판 1992.4.24. 91도1609	638	
대판 1992.4.24. 92다4673	37	
대판 1992.4.28. 91누10220	332	
대판 1992.4.28. 91누6863	487	
대판 1992.4.28. 91누9848	944	
대판 1992.5.12. 91누8128	261	
대판 1992.5.22. 91도2525	356	
대판 1992.5.8. 91누11261	252, 1304, 1347	
대판 1992.5.8. 91누13274	528, 1132	
대판 1992.5.8. 91누7552	1119	
대판 1992.5.8. 91부8	136	
대판 1992.6.12. 91누13564	848	
대판 1992.6.23. 92추17	711, 738	
대판 1992.6.9. 92누565	971, 982, 986, 1509	
대판 1992.7.10. 91누9107	1126	
대판 1992.7.14. 91누4737	1163	
대판 1992.7.14. 92누2912	1275	
대판 1992.7.28. 91누12844	1010, 1189	
대판 1992.7.28. 91누7361	1302, 1311, 1312	
대판 1992.7.28. 92누4352	1291	
대판 1992.8.14. 91누11582	575	
대판 1992.8.18. 90도1709	469	
대판 1992.8.18. 91누3659	1256, 1261	
대판 1992.9.14. 92다3243	1419, 1432	
대판 1992.9.22. 91누13212	1134	
대판 1992.9.22. 91누8289	107	
대판 1992.9.22. 92누5461	315, 373	
대판 1992.9.8. 91누13090	839	
대판 1993.1.15. 92다8514	1370	
대판 1993.1.19. 91누8050	1106	
대판 1993.1.26. 92다2684	1428, 1433, 1436	
대판 1993.10.12. 93누883	203, 419	
대판 1993.10.26. 93누6331	621	
대판 1993.10.26. 93다6409	1517	
대판 1993.10.8. 93누2032	430, 444	
대판 1993.11.23. 93누15212	126	
대판 1993.11.23. 93도662	287	
대판 1993.11.26. 93누7341	17, 1061, 1176	
대판 1993.11.26. 93다18389	955	
대판 1993.11.9. 93누13988	1157	
대판 1993.11.9. 93누14271	514, 515, 853	
대판 1993.11.9. 93누6867	1162	
대판 1993.12.24. 92누17204	1187	
대판 1993.12.7. 91누11612	31	
대판 1993.2.12. 92누13707	1108	
대판 1993.2.19. 91다43466	1399	
대판 1993.2.26. 92누12247	505	
대판 1993.2.9. 92누4567	514	
대판 1993.3.12. 92누11039	1193, 1293, 1298	
대판 1993.3.23. 91누8968	411	
대판 1993.4.13. 92누17181	1034	

대판 1993.4.27. 92누1211	501	
대판 1993.4.27. 92누12117	872	
대판 1993.4.27. 93누1374	201	
대판 1993.5.11. 91누10787	1070	
대판 1993.5.11. 93누2247	1079	
대판 1993.5.25. 92누15772	1513	
대판 1993.5.27. 92누19033	1254	
대판 1993.5.27. 93누2216	349	
대판 1993.5.27. 93누6621	490	
대판 1993.6.25. 93누2346	844	
대판 1993.6.25. 93도27	1269	
대판 1993.6.25. 93도277	538	
대판 1993.6.29. 91누2342	496	
대판 1993.6.29. 93누5635	274	
대판 1993.6.29. 93다10224	451	
대판 1993.6.8. 91누11544	192	
대판 1993.6.8. 93누6164	852, 1157	
대판 1993.6.8. 93다11678	1424	
대판 1993.7.13. 92다41733	1406	
대판 1993.7.13. 92다47564	33, 1360	
대판 1993.7.13. 93누2131	1454, 1469	
대판 1993.7.27. 90누10384	79	
대판 1993.7.27. 92누11084	1470	
대판 1993.7.27. 93누1077	937, 1251	
대판 1993.7.27. 93누3899	1151	
대판 1993.7.27. 93누8139	1118	
대판 1993.7.27. 93다20702	1411	
대판 1993.8.13. 93누2148	496	
대판 1993.8.24. 93누5673	1104	
대판 1993.8.27. 93누3356	1068	
대판 1993.9.10. 92도1136	910	
대판 1993.9.10. 93누5543	1502	
대판 1993.9.14. 92누16690	852	
대판 1993.9.14. 92누4611	607, 610	
대판 1993.9.14. 93누9163	1067	
대판 1993.9.28. 92누15093	1037, 1103	
대판 1993.9.28. 93누9132	1199	
대판 1993.9.28. 93다17546	1368, 1369	
대판 1994.1.11. 93누10057	179	
대판 1994.1.25. 93누16901	1106	
대판 1994.1.25. 93누18655	1202	
대판 1994.1.25. 93누7365	30	
대판 1994.1.25. 93누8542	515, 516	
대판 1994.10.11. 94누4820	1237	
대판 1994.10.11. 94두23	1176	
대판 1994.10.25. 93누21231	406	
대판 1994.10.28. 92누9463	503, 505	
대판 1994.10.28. 94누5144	845, 846, 847	
대판 1994.11.11. 94다28000	467	
대판 1994.11.22. 94다32924	1410, 1423	
대판 1994.11.25. 94누9672	108	
대판 1994.11.8. 94다26141	1376	

대판 1997.3.11. 96다49650   105, 434, 437
대판 1997.3.14. 96누16698   105, 434, 437
대판 1997.3.28. 95누7055   1175
대판 1997.3.28. 96다10638   355
대판 1997.3.28. 97다4036   1439
대판 1997.4.17. 96도3376 전합   17
대판 1997.4.22. 97다3194   1418
대판 1997.4.8. 96다52915   877
대판 1997.5.16. 96다54102   1419
대판 1997.5.16. 97누2313   108, 490
대판 1997.5.23. 96누2439   732
대판 1997.5.30. 95다28960   1328
대판 1997.5.30. 96누14678   1103
대판 1997.5.30. 96누18632   1148
대판 1997.5.30. 96누5773   273
대판 1997.5.30. 97누2627   438
대판 1997.6.13. 96누12269   308
대판 1997.6.13. 96다56115   886
대판 1997.6.19. 95누8669 전합   491
대판 1997.6.19. 95누8669   1233
대판 1997.6.24. 96누1313   586
대판 1997.6.27. 96누9362   373
대판 1997.7.11. 97다7608   1375
대판 1997.7.22. 96누8321   621
대판 1997.7.25. 94다2480   1378
대판 1997.7.8. 96다53826   1503, 1504
대판 1997.8.22. 96누15404   945
대판 1997.8.29. 96누15213   350
대판 1997.9.12. 96누14661   1099
대판 1997.9.12. 96누18380   81, 92
대판 1997.9.12. 96누6219   561
대판 1997.9.26. 96누10096   589
대판 1997.9.26. 97누8540   292
대판 1997.9.26. 97누8878   262
대판 1997.9.30. 97누3200   1053, 1249
대판 1998.1.23. 96누12641   1305
대판 1998.10.13. 98두12253   332
대판 1998.10.2. 96누5445   840
대판 1998.10.23. 97누157   841
대판 1998.10.23. 98다17381   1411, 1412
대판 1998.10.23. 98두12932   1322
대판 1998.11.13. 97누2153   526
대판 1998.11.13. 98두7343   94
대판 1998.11.19. 97다36873   1392
대판 1998.11.27. 96누13927   576
대판 1998.2.10. 97다32536   1423
대판 1998.2.10. 97다49534   1394
대판 1998.2.13. 97누8977   453, 454, 1243
대판 1998.2.13. 97다49459   495
대판 1998.2.27. 97누1105   29, 262, 1078
대판 1998.2.8. 95다30390   492
대판 1998.3.10. 97누4289   348, 355, 1126

대판 1998.3.13. 96누6059   517, 519
대판 1998.3.24. 98두1031   107
대판 1998.3.27. 96누19772   115
대판 1998.3.27. 97누20236   273
대판 1998.4.10. 96다52359   239
대판 1998.4.10. 98두1161   454
대판 1998.4.10. 98두2270   937, 1251
대판 1998.4.24. 97누1501   303
대판 1998.4.24. 97누17131   1035, 1102
대판 1998.4.24. 97누3286   1112, 1138
대판 1998.4.24. 97도3121   193, 204
대판 1998.4.27. 87누915   96
대판 1998.4.28. 97누21086   302, 303
대판 1998.5.8. 97누15432   1046
대판 1998.5.8. 97다54482   1384
대판 1998.5.8. 98두4061   83, 1248
대판 1998.6.26. 96누12030   416
대판 1998.6.26. 96누12634   668
대판 1998.7.10. 96다38971
     634, 1363, 1367, 1393
대판 1998.7.10. 96다42819   1436
대판 1998.7.14. 96다17257   953
대판 1998.7.24. 96다42789   757
대판 1998.7.24. 98다10854   1265, 1268
대판 1998.8.21. 98두8919   435
대판 1998.8.25. 98다16890   141, 1383, 1384
대판 1998.9.22. 97다42502   1427
대판 1998.9.22. 98두7602   1071, 1081
대판 1998.9.25. 98두6494   83
대판 1998.9.25. 98두7503   280, 308, 351
대판 1998.9.4. 97누19588
     302, 304, 1134, 1149
대판 1998.9.8. 97누20502   519, 852
대판 1998.9.8. 98두9165   1163
대판 1999.1.15. 98다49548   165
대판 1999.1.15. 98두8896   1497
대판 1999.1.26. 98두12598   1328
대판 1999.10.22. 98두18435   206
대판 1999.10.8. 99다27231   1478
대판 1999.10.8. 99두6873   1150
대판 1999.11.26. 97누13474   258, 286
대판 1999.11.26. 97다42250   1215
대판 1999.11.26. 98다47245   1363, 1364
대판 1999.11.26. 99두9407   1197, 1215
대판 1999.12.21. 98다29797   1395
대판 1999.12.24. 98다57419   200
대판 1999.12.24. 98다57419·57426   190
대판 1999.12.24. 99두5658   224
대판 1999.12.28. 98두1895   1278
대판 1999.12.28. 99두9742   1186
대판 1999.12.7. 97누12556   1136
대판 1999.12.7. 97누17568   141

대판 1999.2.23. 98두14471   1228
대판 1999.2.23. 98두17845   352
대판 1999.2.5. 98도4239   537, 1269, 1271
대판 1999.2.9. 98두16675   1259
대판 1999.3.23. 98두13850   1475
대판 1999.3.9. 98두18565   1262
대판 1999.4.23. 97누14378   1261
대판 1999.4.27. 97누6780   200, 510, 853
대판 1999.4.9. 98두12437   1312
대판 1999.5.14. 99두35   942
대판 1999.5.25. 98다53134   440
대판 1999.6.22. 99다7008   1363
대판 1999.6.25. 99다11120   1411, 1420, 1430
대판 1999.7.13. 97누119   871
대판 1999.7.23. 96다21706   636
대판 1999.7.23. 97누10857   1327
대판 1999.7.23. 98두14525   42
대판 1999.7.23. 99두3690   329, 349
대판 1999.8.20. 97누6889   495, 577, 585, 1300
대판 1999.8.20. 98두17043
     1259, 1076, 1162, 1263
대판 1999.8.20. 99다20179   467
대판 1999.8.20. 99두2611   63
대판 1999.9.17. 96다53413   1375
대판 1999.9.21. 97누5114   710
대판 1999.9.3. 97누13641   1081
대판 2000.1.14. 99다24201   1416
대판 2000.1.14. 99두9735   315
대판 2000.1.28. 97누11720   1496
대판 2000.1.28. 98두16996   372
대판 2000.10.13. 99두2239   667
대판 2000.10.13. 99두653   494
대판 2000.10.19. 98두6265 전합   222
대판 2000.10.27. 98두8964   298
대판 2000.10.27. 99두264   330
대판 2000.10.27. 99두561   1206
대판 2000.11.10. 2000다26807   1378, 1382
대판 2000.11.10. 2000두727   85
대판 2000.11.14. 99두5481   1170
대판 2000.11.14. 99두5870   682
대판 2000.11.16. 98다22253   1209
대판 2000.11.24. 2000다28568   29
대판 2000.11.24. 2000추29   229
대판 2000.11.28. 99두3416   1339
대판 2000.11.28. 99두5443   684
대판 2000.12.12. 99두12243   1250
대판 2000.12.22. 99두455   189
대판 2000.2.11. 99다61675   32
대판 2000.2.11. 99두7210   1245
대판 2000.2.25. 99다54004   1418, 1419
대판 2000.2.25. 99다55472   1266
대판 2000.2.25. 99두10520   555

대판 2009.1.30. 2007두13487 1159
대판 2009.1.30. 2007두7277 411
대판 2009.1.30. 2008두16155 682
대판 2009.1.30. 2008두17936 44
대판 2009.10.15. 2008다93001 125
대판 2009.10.15. 2009두6513 1088
대판 2009.10.29. 2007두26285 238
대판 2009.10.29. 2009두11218 1251
대판 2009.11.12. 2008다98006 438
대판 2009.11.26. 2007두4018 1068
대판 2009.11.26. 2009두12907 156
대판 2009.11.26. 2009두15586 1256
대판 2009.12.10. 2006다19177 166
대판 2009.12.10. 2007다63966 438
대판 2009.12.10. 2007두20140 454
대판 2009.12.10. 2009두12785 710, 727, 744
대판 2009.12.10. 2009두14231 1067
대판 2009.12.10. 2009두8359 1131, 1247
대판 2009.12.24. 2009다51288 52
대판 2009.12.24. 2009두14507 866
대판 2009.12.24. 2009두7967 65, 67, 68, 260
대판 2009.2.12. 2004두10289 49
대판 2009.2.12. 2005다65500 105, 427, 441
대판 2009.2.12. 2007두17359 411
대판 2009.2.12. 2008다76112 1471
대판 2009.2.12. 2008두11716 488
대판 2009.2.12. 2008두14999 684
대판 2009.2.26. 2006두16243 209, 1119
대판 2009.2.26. 2007두13340 1489
대판 2009.3.12. 2006다28454 355
대판 2009.3.12. 2008두11525 408
대판 2009.3.12. 2008두12610 1490
대판 2009.3.26. 2008두21300 77, 102
대판 2009.4.23. 2007두13159 613
대판 2009.4.23. 2008도6829 201
대판 2009.4.9. 2008두23153 1209
대판 2009.5.14. 2006두17390 1094
대판 2009.5.14. 2007두16202 417
대판 2009.5.28. 2006다16215 1380
대판 2009.5.28. 2006두16403 1094
대판 2009.6.11. 2008도6530 912
대판 2009.6.11. 2008두13637 235
대판 2009.6.11. 2009다1122 833
대판 2009.6.18. 2008두10997 1081
대판 2009.6.18. 2008두10997 전합 197
대판 2009.6.23. 2006두16786 331
대판 2009.6.23. 2007두18062 309, 1251
대판 2009.6.23. 2009두2672 1467
대판 2009.6.25. 2006다18174 440
대판 2009.6.25. 2006도824 469
대판 2009.6.25. 2008두13132 68
대판 2009.7.23. 2006다81325 1395

대판 2009.7.23. 2006다87798 1395
대판 2009.7.23. 2008두10560 1308, 1310
대판 2009.7.9. 2008두11099 331
대판 2009.9.10. 2007두20638 1071, 1072
대판 2009.9.10. 2008두9324 95
대판 2009.9.17. 2007다2428 575, 1204, 1323
대판 2009.9.24. 2006다82649 1387
대판 2009.9.24. 2008다60568 379, 1165, 1205
대판 2009.9.24. 2009두2825
498, 1137, 1138, 1140
대판 2009.9.24. 2009두8946 350
대판 2010.1.14. 2009두11843 1254
대판 2010.1.28. 2007다82950 837, 1362
대판 2010.1.28. 2008두1504 1107, 1511
대판 2010.1.28. 2008두19987 972
대판 2010.1.28. 2009두4845 379
대판 2010.10.14. 2008두23184 415
대판 2010.10.14. 2010다13340 867
대판 2010.10.28. 2010두6496 318, 363
대판 2010.11.11. 2008다57975 1425
대판 2010.11.11. 2008두20093 955
대판 2010.11.11. 2009두14934 388
대판 2010.11.11. 2010두14367 605
대판 2010.11.11. 2010두4179 1125
대판 2010.11.18. 2008두167 1058
대판 2010.11.18. 2008두167 전합 208
대판 2010.11.25. 2007다74560 1426
대판 2010.11.25. 2008다67828 1385
대판 2010.11.25. 2010다58957 166
대판 2010.12.16. 2010도5986 1052
대판 2010.12.16. 2010도5986 전합 18, 246
대판 2010.12.23. 2008두13101 713, 735, 749
대판 2010.12.23. 2009다37725 1283
대판 2010.12.23. 2010다58889 1266
대판 2010.12.23. 2010두14800 723
대판 2010.12.9. 2007두6571 1465
대판 2010.12.9. 2009두4555 1097
대판 2010.12.9. 2010두1248 ·
2009두4913 371
대판 2010.12.9. 2010두16349 263
대판 2010.2.11. 2009두18035 670, 1237
대판 2010.2.11. 2009두6001 720, 721, 744
대판 2010.2.25. 2007다73598 379
대판 2010.2.25. 2007두18284 1068
대판 2010.2.25. 2007두9877 730, 759
대판 2010.2.25. 2008두20765 1163
대판 2010.2.25. 2009다85717 1233
대판 2010.2.25. 2009두102 498
대판 2010.4.15. 2007두16127
1135, 1137, 1138
대판 2010.4.29. 2008두5643 714
대판 2010.4.29. 2009다97925 205

대판 2010.4.29. 2009두16879 1290
대판 2010.4.29. 2009두18547 399
대판 2010.4.8. 2009다90092 466
대판 2010.4.8. 2009두17018 388
대판 2010.4.8. 2009두22997 275
대판 2010.5.13. 2009두3460 1296
대판 2010.5.13. 2010두2296 360
대판 2010.5.27. 2008두22655 411
대판 2010.5.27. 2008두5636 1316
대판 2010.6.10. 2010두2913 722, 724
대판 2010.6.24. 2007두16493 518, 523, 1095
대판 2010.6.24. 2010두3978 861
대판 2010.6.25. 2007두12514 1193
대판 2010.7.15. 2009두19069 363
대판 2010.7.15. 2010두7031
316, 327, 1251, 1252
대판 2010.7.22. 2010다13527 1395, 1396
대판 2010.7.22. 2010다33354 1415
대판 2010.7.22. 2010두5745 1076
대판 2010.7.29. 2007두18406 1166
대판 2010.7.29. 2008다6328 125
대판 2010.8.19. 2008두822 1482, 1483, 1484
대판 2010.8.26. 2010다37479 1383
대판 2010.8.26. 2010두2579 524, 527, 1253
대판 2010.9.30. 2009두1020 477
대판 2010.9.30. 2010두12262 132
대판 2010.9.9. 2008다77795 1373, 1394, 1397
대판 2010.9.9. 2008두22631 204, 307
대판 2011.1.13. 2009다103950 1446
대판 2011.1.20. 2010두14954 390
대판 2011.1.20. 2010두14954 전합
195, 210, 394
대판 2011.1.27. 2008두2200 409
대판 2011.1.27. 2009두1051 329, 364
대판 2011.1.27. 2010두23033 314
대판 2011.10.13. 2008두17905 1493
대판 2011.10.13. 2009다43461 38, 1453, 1506
대판 2011.10.13. 2011다36091 1446
대판 2011.10.27. 2011두14401 1277, 1278
대판 2011.11.10. 2011도11109 469, 500, 669
대판 2011.11.10. 2011재두148 455
대판 2011.11.24. 2009다28394 1458
대판 2011.11.24. 2009두19021
726, 1256, 1262
대판 2011.11.24. 2011두18786 1191
대판 2011.2.10. 2010두20980 1237
대판 2011.3.10. 2009두23617 904
대판 2011.3.10. 2010다85942 1411
대판 2011.3.11. 2010다85942 1440
대판 2011.3.24. 2010두25527 875
대판 2011.5.13. 2009다26831 119
대판 2011.5.26. 2008두18335 389

대판 2014.6.26. 2011다85413   1434
대판 2014.6.26. 2012두1525   320
대판 2014.6.26. 2012두911   900, 903
대판 2014.7.10. 2013도11532   371
대판 2014.7.10. 2013두7025   180
대판 2014.7.16. 2011다76402 전합   172
대판 2014.7.24. 2011두14227   547
대판 2014.7.24. 2011두30465   1156
대판 2014.7.24. 2013두20301   729
대판 2014.7.24. 2013두27159   551
대판 2014.8.20. 2012다54478   1404
대판 2014.8.20. 2012두19526   235
대판 2014.9.25. 2012두24092   1481
대판 2014.9.25. 2014두8254   1186
대판 2014.9.26. 2012두5602 · 5619   366
대판 2014.9.26. 2013두2518
     296, 452, 1170, 1178
대판 2014.9.4. 2014다203588   32
대판 2014.9.4. 2014두2164   1135
대판 2015.1.15. 2013다215133   52, 617
대판 2015.1.15. 2013두14238   233
대판 2015.1.29. 2012두7387   34
대판 2015.1.29. 2013두24976   1156
대판 2015.1.29. 2013두4118   414
대판 2015.10.15. 2013다23914   1426
대판 2015.10.29. 2012두28728   704
대판 2015.10.29. 2013두27517   1132, 1147
대판 2015.10.29. 2014두2362   410
대판 2015.11.12. 2013다215263   171
대판 2015.11.12. 2015두2963   1481
대판 2015.11.12. 2015두47195   1157
대판 2015.11.19. 2015두295 전합   191, 676
대판 2015.11.19. 2015두295   1096
대판 2015.11.27. 2013다6759   1033
대판 2015.12.10. 2011두32515   499, 704
대판 2015.12.10. 2013두20585   1079
대판 2015.12.10. 2013두35013   955
대판 2015.12.23. 2015다210194   1396
대판 2015.12.24. 2015두264   1085
대판 2015.2.12. 2013두987   301, 1149
대판 2015.2.26. 2014두12062   900
대판 2015.3.20. 2014두44434   665
대판 2015.3.26. 2012다48824   1368
대판 2015.3.26. 2013두9267   414, 1144
대판 2015.3.26. 2014두42742   595, 1076
대판 2015.4.23. 2012두26920   18, 1090
대판 2015.4.9. 2014두46669   1474, 1483, 1484
대판 2015.5.28. 2013다41431   1399
대판 2015.5.28. 2015두36256   1254
대판 2015.5.29. 2013두635   370, 372
대판 2015.6.11. 2012다58920   1488
대판 2015.6.11. 2013다208388   1357

대판 2015.6.23. 2012두2986   261
대판 2015.6.24. 2011두2170   855, 862
대판 2015.7.23. 2012두19496
     1111, 1114, 1117
대판 2015.7.23. 2012두22911   1489
대판 2015.7.9. 2013도13070   801
대판 2015.7.9. 2015두39590   394
대판 2015.8.20. 2012두23808 전합   57, 59, 234
대판 2015.8.27. 2012다204587   1379
대판 2015.8.27. 2013다212639   172, 1329
대판 2015.8.27. 2013두1560   328, 498, 704
대판 2015.8.27. 2015두41449   601, 611
대판 2016.1.28. 2013두21120   339
대판 2016.1.28. 2013두2938   1077
대판 2016.1.28. 2015두52432   309, 339
대판 2016.1.28. 2015두53121   281
대판 2016.10.13. 2014다215499   1366
대판 2016.10.13. 2016두43077   79
대판 2016.10.27. 2015두41579   1243
대판 2016.10.27. 2015두42817   1240
대판 2016.10.27. 2016두41811   681, 891
대판 2016.11.10. 2016두44674   742
대판 2016.11.24. 2014두47686   398
대판 2016.11.24. 2016두45028   439, 613
대판 2016.11.9. 2014두1260   682
대판 2016.12.1. 2014두43288   1167
대판 2016.12.15. 2012두11409 · 11416   741
대판 2016.12.15. 2013두20882   715
대판 2016.12.15. 2014두40531   398
대판 2016.12.15. 2014두44502   40
대판 2016.12.15. 2016두47659   103, 902
대판 2016.12.27. 2014두46850   903
대판 2016.12.27. 2014두5637   1066
대판 2016.12.27. 2016두43282   1150
대판 2016.12.27. 2016두49228   497
대판 2016.12.27. 2016두50440   1109
대판 2016.3.24. 2015두48235   1273, 1275
대판 2016.4.15. 2013다20427   1383
대판 2016.4.15. 2015두52326   497
대판 2016.5.24. 2013두14863   1319, 1337
대판 2016.6.10. 2013두1638   1155
대판 2016.6.23. 2015두36454   864
대판 2016.6.28. 2014두2638   326
대판 2016.6.9. 2015다200258   1447
대판 2016.7.14. 2014두47426   1079
대판 2016.7.14. 2015두4167   1246, 1249
대판 2016.7.14. 2015두46598   855, 863
대판 2016.7.14. 2015두48846   363
대판 2016.7.14. 2015두58645   970, 1086
대판 2016.7.27. 2015두45953   969, 1091
대판 2016.8.17. 2014다235080   771
대판 2016.8.17. 2015두51132   233

대판 2016.8.24. 2014두46966   1453
대판 2016.8.24. 2016두35762   350, 394
대판 2016.8.25. 2014다225083   1384, 1394
대판 2016.8.29. 2014두45956   328
대판 2016.8.30. 2014두46034   1250
대판 2016.8.30. 2015두60617   1155, 1393
대판 2016.9.28. 2014도10748   919
대판 2016.9.28. 2016두39382   1027
대판 2017.1.12. 2015두2352   1093, 1150
대판 2017.1.12. 2016두35199   329, 1150
대판 2017.10.12. 2015두36836   1182, 1184
대판 2017.10.12. 2015두59907   1151
대판 2017.10.12. 2017두48956   353
대판 2017.10.31. 2015두45045
     1040, 1102, 1164
대판 2017.11.14. 2016다201395   25
대판 2017.11.9. 2015다215526   24, 604, 1204
대판 2017.12.13. 2016두55421   903
대판 2017.12.21. 2012다74076 전합   616
대판 2017.12.28. 2015두56540   319, 326
대판 2017.12.28. 2017두30122   486
대판 2017.12.5. 2016두42913   316
대판 2017.2.13. 2014두40012   1442
대판 2017.2.15. 2016두52545   331
대판 2017.2.16. 2015도16014 전합   232
대판 2017.2.3. 2015두60075   1442
대판 2017.2.9. 2014두43264   1316
대판 2017.3.15. 2013두16333   316, 330
대판 2017.3.15. 2014두41190
     360, 555, 557, 561, 1074
대판 2017.3.15. 2016두55490   339
대판 2017.3.16. 2013두11536   1158
대판 2017.3.16. 2014두8360   900
대판 2017.3.30. 2015두43971   550
대판 2017.3.30. 2016추5087   59
대판 2017.3.9. 2013두16852   1110, 1143, 1233
대판 2017.3.9. 2015다233982   505
대판 2017.3.9. 2016두56790   477
대판 2017.3.9. 2016두60577   451, 453
대판 2017.4.13. 2013다207941   834
대판 2017.4.13. 2016두64241   1507
대판 2017.4.20. 2015두45700 전합   154, 224
대판 2017.4.27. 2016두33360   328
대판 2017.4.28. 2016다213916   850
대판 2017.4.28. 2016두39498   1334
대판 2017.4.28. 2017두30139   364
대판 2017.4.7. 2014두37122   1254
대판 2017.4.7. 2016도13263   779
대판 2017.4.7. 2016두63224   685
대판 2017.5.11. 2014두8773   939, 959
대판 2017.5.11. 2015두37549   1039
대판 2017.5.17. 2016두53050   1238, 1263

기타 법원

함수민

약력
제56회 사법시험 합격
제32회 법원행정고등고시 합격

현 | 해커스공무원 행정법 강의
전 | 노량진 윌비스고시학원 전임교수

저서
해커스공무원 함수민 행정법총론 기본서
해커스공무원 함수민 행정법총론 단원별 기출문제집
해커스공무원 함수민 행정법총론 실전동형모의고사

2025 대비 최신개정판

해커스공무원
함수민
행정법총론

기본서 | 1권

개정 2판 1쇄 발행 2024년 7월 1일

지은이	함수민 편저
펴낸곳	해커스패스
펴낸이	해커스공무원 출판팀

주소	서울특별시 강남구 강남대로 428 해커스공무원
고객센터	1588-4055
교재 관련 문의	gosi@hackerspass.com
	해커스공무원 사이트(gosi.Hackers.com) 교재 Q&A 게시판
	카카오톡 플러스 친구 [해커스공무원 노량진캠퍼스]
학원 강의 및 동영상강의	gosi.Hackers.com

ISBN	1권: 979-11-7244-200-2 (14360)
	세트: 979-11-7244-199-9 (14360)
Serial Number	02-01-01